collection Apollo

ISBN 2-03-401741-2

DICTIONNAIRE

FRANÇAIS ANGLAIS

APOLLO

par Jean Mergault
Agrégé de l'Université
maître-assistant à la Sorbonne (Paris VII)

NOUVELLE ÉDITION
ENRICHIE

17, rue du Montparnasse
75298 Paris Cedex 06

Table des matières

Tableau des signes employés

| divise un mot vedette en deux segments : base | terminaison (v. 1.2.)
:   simple séparateur graphique
,   sépare des sens proches (v. 5.1.)
;   sépare des sens nettement différents (v. 5.1.)
‖   limite de champ sémantique ou de nouvelle entrée (v. 5.1.)
/   alternance de lecture (v. 5.1.)
-    remplace une syllabe dans la prononciation figurée (v. 3.3.)
~   (tilde) remplace un mot d'entrée ou sa base (v. 1.1., 1.2., 5.4.)
( )   mot précisant un sens ou emploi facultatif (v. 5.3., 5.1.)
[ ]   prononciation figurée, champ sémantique ou sujet de verbe (v. 3., 5.3.1., 5.3.2.)
!   impératif = ordre, etc.
•   indicateur de conversion (v. 4.4.)
—   changement de construction verbale (v. 4.5.)
=   équivalent ou développement d'une abréviation (v. 5.3.1.)
→   se reporter à

Le monde évolue. Le monde change et les langues reflètent cette évolution. Les dictionnaires, plus particulièrement les bilingues, se doivent d'en être les témoins. Une deuxième refonte de l'APOLLO français-anglais, anglais-français s'imposait.

Il a donc été procédé à la révision méthodique de l'ensemble ainsi qu'à l'adjonction de mots et sens nouveaux tandis que le vocabulaire plus traditionnel mais exprimant les thèmes dont est faite l'actualité était éventuellement enrichi. Afin de faciliter tant la compréhension (version) que la production (thème), nous avons veillé à un équilibre qualitatif des deux parties. Nous avons également pris soin de GUIDER l'utilisateur dans le choix des traductions par des gloses sémantiques ou des indications syntaxiques. Dans la foulée, une place plus importante a été faite à l'anglais d'Amérique mais il faut observer, à cet égard, que nombre d'américanismes se sont, entre-temps, acclimatés en Grande-Bretagne et ne sont donc plus notés U.S. Pour des raisons analogues, des mots qui appartenaient à un registre soit argotique, soit populaire ou familier ont peu à peu gravi les échelons des niveaux de langue ou sont entrés dans l'usage courant. D'une manière générale, nous avons voulu faire « utile », privilégiant le concret et le quotidien, éliminant certains termes vieillis ou d'un emploi rare. Augmenté de plus de 3 000 unités lexicales ou locutions nouvelles, ce dictionnaire a pris une densité peu commune.

Je tiens ici à exprimer toute ma gratitude à Jacqueline BLÉRIOT, qui a relu le manuscrit et fait, à cette occasion, d'utiles et pertinentes suggestions. Mes remerciements s'adressent aussi au service de correction qui a révisé l'ensemble de l'ouvrage.

Nous espérons que nos contemporains trouveront dans cette nouvelle édition l'outil dont ils ont besoin pour une meilleure communication.

Jean MERGAULT

Notice d'emploi

1. Présentation et ordre des mots. Les mots d'entrée sont imprimés en gras et classés dans l'ordre alphabétique.

1.1. Par souci d'économie de place et dans la mesure du possible, on a groupé dans un même paragraphe les entrées ayant une parenté lexicale avec le mot d'entrée principal, ou mot vedette, placé en tête de paragraphe. Ces entrées secondaires sont alors constituées d'un tilde (~) représentant le **mot vedette** complété par une **terminaison** [suffixe ou mot] (ex. **général**... ‖ ~**ement** [= généralement]... ‖ ~**isation** [= généralisation]... ‖ ~**iser** [= généraliser]. **cold** ... ‖ ~**-blooded** [= cold-blooded] ... ‖ ~**ly** [= coldly] ... ‖ ~**ness** [= coldness]).

1.2. Dans certains cas, des contraintes phonétiques ou d'orthographe ont obligé à diviser le mot vedette en deux segments au moyen d'un trait vertical (|) séparant sa *base* (à gauche) de sa *terminaison* (à droite). Le tilde des dérivés et composés qui suivent représente alors la *base* du mot vedette[1] (ex. **env|ie**... ~**ier** [= envier]... ~**ieux** [= envieux]. **cut|ter**... ~**-throat** [= cut-throat]... ~**ting** [= cutting]).
Une place considérable a ainsi été rendue disponible au profit de la richesse du corpus.

1.3. Homographes. Les homographes font l'objet d'articles différents, distingués par des chiffres en exposants (ex. : **brake**[1] [breik] *n* fougère *f.* **brake**[2] *n* frein *m.*). La prononciation n'est donnée qu'une fois pour le premier mot (cas des homophones) et pour chaque mot suivant si la prononciation diffère (ex. : **lead**[1] [led] *n* plomb *m.* **lead**[2] [li:d] *vt* conduire). Chacun de ces mots, différents par le sens, est suivi de ses dérivés et composés propres. L'ordre alphabétique peut donc, dans certains cas, se trouver segmenté en autant de séries d'unités lexicales qu'il y a d'homonymes.

2. Structure d'un article. Un article est normalement constitué des éléments suivants, à savoir, dans l'ordre :

2.1. Le **mot d'entrée** (v. 4.1.) suivi de sa prononciation figurée entre crochets (v. 3.), puis de l'indication de sa catégorie grammaticale (v. 4.1.).

2.2. Les **traductions**, celles ayant une valeur générale venant en premier (v. 4.2.), suivies par celles concernant des sens restreints à certains contextes signalés par des indications entre crochets (v. 5.3.2.)[2].

2.3. Les **champs sémantiques** spécialisés ainsi que les sens figurés apparaissent à la suite de RUBRIQUES (v. 5.2.).

2.4. Dans la partie anglais-français, les verbes dits composés ou *phrasal verbs* (verbe + particule) tels que **run in, run out** sont groupés à la fin de l'article, selon l'ordre alphabétique de la particule, après les rubriques et imprimés en italique gras.

---

1. V. aussi 5.4.
2. Les emplois américains sont mentionnés par le sigle U.S. précédant la traduction.

3. Prononciation figurée. La prononciation est indiquée entre crochets à la suite du mot d'entrée au moyen de l'alphabet phonétique international[1]. Elle correspond, pour l'anglais, à la prononciation britannique (Received Pronunciation).

3.1. On trouve donc, successivement, les prononciations du masculin et du féminin (ex. **informaticien, ienne** [ɛ̃fɔrmaticjɛ̃, jɛn] ainsi que celles du singulier et du pluriel (ex. **wreath, s** [ri:θ, ri:ðz]).

3.2. Le même souci d'économie de place nous a fait omettre volontairement la prononciation des composés et dérivés lorsqu'elle se déduit normalement de celle des composants, le **mot vedette** servant de modèle. Il suffit, en effet, d'ajouter à la prononciation de ce dernier (ou de sa base) soit celle du suffixe dont la prononciation (stable) est donnée dans un tableau annexe[2], soit celle du mot ajouté qui apparaît à sa place alphabétique dans le dictionnaire. Dans les cas contraires, elle est donnée ou bien partiellement, à la suite d'un tiret (ex. **four...** ‖ ~**teen** [-'ti:n]), ou bien entièrement si la prononciation de l'ensemble est modifiée (ex. **boat** [bəut] *n* ... ‖ ~**swain** ['bəusn] *n*).

3.3. Pour ce qui est de la **distribution des accents**, dans la nomenclature anglaise, il est admis que le mot vedette garde son accentuation propre dans ses composés ou dérivés. Il n'est donc pas nécessaire de noter la prononciation de ces derniers. Si le mot vedette est monosyllabique, il prend alors un accent principal tandis que le segment adjoint ou bien n'est pas accentué (si c'est un suffixe) ou bien reçoit un accent secondaire (si c'est un mot) (ex. **act** [ækt] *n* ... ‖ ~**ive** *adj,* dont on déduit qu'il se prononce ['æktiv] ; **holiday** ['hɔlidi] *n* ... ‖ ~**maker** *n,* où le deuxième élément reçoit un accent secondaire [ˌmeikə]).

Lorsque la dérivation ou la composition modifie l'accentuation et altère le son des voyelles, la prononciation est alors de nouveau indiquée intégralement (ex. **act...** ‖ ~**ive...** ‖ ~**ivity** [æk'tiviti] ; **integr‖al** ['intigrəl]... ‖ ~**ity** [in'tegriti]).

3.4. Dans certains cas, les syllabes dont la prononciation est maintenue sont représentées par de courts tirets (ex. **mis‖fire** ['mis'faiə]... ‖ ~**fortune** [-'-] ; **super‖cargo** ['supə,kɑ:gəu] ... ‖ ~**ficial** [-'fiʃl]).

4. Indications grammaticales

4.1. Mot d'entrée. La catégorie grammaticale du mot d'entrée est donnée au moyen d'une abréviation en italique[3], à la suite de la prononciation figurée. Dans la partie anglais-français, le nom anglais est marqué *n* tandis que dans la partie français-anglais le nom français est indiqué par son genre seul : *m* = nom masculin, *f* = nom féminin. Lorsqu'il s'agit d'un nom de personne ayant une forme masculine et une forme féminine donnée d'une façon succincte (**informaticien, ienne**), il est alors signalé par *n*. Les noms de choses appartenant aux deux genres (comme **après-midi**) sont marqués

---

1. V. tableau p. X partie français-anglais, p. III partie anglais-français.
2. V. p. XI partie français-anglais, p. IV partie anglais-français.
3. V. p. XIV partie français-anglais, p. II partie anglais-français.

m/f. Les formes irrégulières du pluriel apparaissent également sous une forme abrégée (**cheval, aux**).

Une indication du genre *adj/n*, *v/n*, etc., signifie que la même forme appartient à plusieurs classes de mots (ex. **mercenaire** *adj/m* mercenary).

4.2. Traductions. Le genre des noms français donnés en traduction dans la partie anglais-français est indiqué de la même manière (*m, f, n* ou *m/f*).

Lorsqu'un mot est à la fois un adjectif et un nom d'un genre donné, on a indiqué le genre du nom entre parenthèses [ex. **acid** *adj/n* acide *(m)*].

Le genre (et le nombre) du nom français n'est pas mentionné lorsqu'il est accompagné d'un adjectif porteur d'une marque de genre (et de nombre) évidente (ex. *flat beer,* bière éventée).

4.3. Syntaxe. Les relations syntaxiques des mots entre eux, la rection des verbes, etc., sont données entre parenthèses, après la traduction [ex. **penchant** *m...* leaning (*pour,* towards) ; liking (*pour,* for) ; (+ verbe), (+ -ing), etc.].

4.4. Conversion. Lorsque le mot d'entrée appartient à plusieurs classes de mots, le passage de l'une à l'autre est signalé par le signe •, indicateur de conversion (ex. **run** *vi* courir... • *n* course *f.* **motor** *n...* • *vi* aller en voiture. **clear** *adj* clair ... • *adv* clairement ... • *vt* débarrasser). Le même signe a été utilisé dans les cas de noms masculins et féminins pour passer d'un genre à l'autre (ex. **radio** *f* radio... • *m* [technicien] radio operator).

4.5. Verbes. Les emplois transitif et intransitif sont indiqués par les abréviations *vt, vi,* le passage de l'un à l'autre emploi étant annoncé par le tiret long —. Lorsque les deux emplois coïncident pour une même forme, l'indication devient *vi/vt.* Pour le français, les emplois pronominaux (*vpr* **se** ~.) viennent en fin d'article.

4.5.1. Verbes anglais. Par souci d'économie de place, tout signe redondant a été volontairement éliminé. C'est ainsi que les verbes anglais traduisant des verbes français ou des locutions verbales françaises sont donnés à l'infinitif sans la particule « to » (ex. **levé** *m* survey ; *faire le ~ de,* survey [mis pour "to survey"][1]).

Les temps primitifs des **verbes irréguliers** sont donnés dans la partie anglais-français entre parenthèses (avec leur prononciation) à la suite de la forme infinitive de l'entrée, dans l'ordre habituel : prétérit, participe passé. Lorsque les deux temps partagent la même forme, celle-ci n'est donnée qu'une fois (ex. **keep ...** [kept]). Si plusieurs formes sont attestées, celles-ci figurent à la suite, accompagnées des indications nécessaires à leur identification. Les formes de ces temps apparaissent à leur adresse dans le dictionnaire avec un renvoi à la forme infinitive. Une liste récapitulative des verbes irréguliers figure en annexe p. XVIII.

4.5.2. Verbes français. La conjugaison très complexe des verbes français est indiquée au moyen de chiffres entre parenthèses, renvoyant à une liste générale placée à la fin du mémento grammatical (ex. **dire ...** *vt* (40) renvoie au groupe 40).

---

1. Cette démarche est notamment celle du Concise Oxford Dictionary et de l'Oxford Advanced Learner's Dictionary of Current English (Oxford University Press), dont nous nous sommes largement inspirés.

5. Distinction des sens.
Pour guider le lecteur dans le choix d'une traduction, les articles sont jalonnés par des signes graphiques et les traductions sont accompagnées d'informations sémantiques ou syntaxiques.

5.1. Signes graphiques et ponctuation. Les traductions sont groupées par acceptions, les champs sémantiques étant bornés par le signe ‖. Entre ces limites, une virgule sépare des traductions sensiblement équivalentes, le point virgule indique un changement de sens plus marqué. Le signe • signale soit le passage d'une classe de mot à une autre, soit le changement de genre grammatical (v. 4.4.). La barre oblique (/) indique une alternance de lecture, soit deux traductions correspondant à leurs deux homologues également placés de part et d'autre d'une / dans la langue de départ (ex. *de bonne/mauvaise humeur,* in a good/bad mood), soit deux variantes possibles pour une seule unité lexicale dans l'une ou l'autre langue (ex. **rappeler** ... call/bring to mind).

On trouvera également, dans une locution ou un composé, un mot mis entre parenthèses indiquant un usage facultatif, ex. **mille** ... ~ *(marin),* (nautical) mile ; **partir** *à* ~ *de,* (as) from ; **scout** ... (boy-)scout.

5.2. Rubriques. Elles précèdent toujours la traduction. Elles concernent soit des champs sémantiques spécialisés, tels que TECHN. (= technique) ou TÉL. (= télécommunications), soit des niveaux de langue comme FAM. (= familier) ou POP. (= populaire). Dans ce dernier cas, elles s'appliquent au mot d'entrée et l'on s'est efforcé d'en donner une traduction sensiblement équivalente en en précisant la valeur stylistique par des indications entre parenthèses (fam., pop.), (coll., sl.).

5.3. Indications particulières. On trouvera en outre un certain nombre d'informations diverses réparties d'une façon systématique.

5.3.1. Après le mot d'entrée. En remplacement d'une traduction impossible du mot pris isolément, on trouvera, entre crochets, une équivalence conceptuelle à la suite du signe = (ex. **ago** ... *adv* [= écoulé]).

5.3.2. Avant la traduction. Des mots entre crochets indiquent des champs sémantiques moins généraux qu'une rubrique (ex. [cartes], [space], [time]), ou bien une construction dont dépend le sens ([avant le verbe], [après le nom], etc.). Dans le cas des verbes, on peut trouver un sujet compatible (ex. [animal], [personne], [news], etc.).

5.3.3. Après la traduction. Un mot entre parenthèses peut être un synonyme ou l'expression d'un concept, tel que (action), (résultat). Dans le cas des adjectifs, on trouvera un nom qui éclaire le sens : ex. **valid** *adj* valide (passport) et dans le cas des verbes un nom susceptible d'en être le complément : ex. **cut** *vt* tailler (diamond).

5.4. Exemples et locutions figées. De courtes phrases ou des locutions sont données autant pour leur valeur illustrative que pour leur valeur idiomatique ; elles sont imprimées en italique maigre ou gras selon leur fréquence d'emploi ou leur actualité, le tilde (~) remplaçant le mot d'entrée dans sa totalité et non pas seulement sa base (ex. **evasion** ... *tax* ~, = tax evasion. **probability** ... *in all* ~, = in all probability).

Si le mot d'entrée est utilisé au pluriel ou au féminin, le tilde est complété comme il convient (ex. **laborieux, ieuse** ... *les classes* ~*ieuses*).

Phonetic transcription

SYMBOLS	KEY WORDS		SYMBOLS	KEY WORDS	
a	lac	[lak]	ɛ̃	main	[mɛ̃]
ɑ	âme	[ɑm]	ɑ̃	lent	[lɑ̃]
e	dé	[de]	ɔ̃	mon	[mɔ̃]
ɛ	lait	[lɛ]	œ̃	brun	[brœ̃]
i	ni	[ni]	g	gare	[gar]
ɔ	note	[nɔt]	j	yeux	[jø]
o	rôle	[rol]	ɥi	nuit	[nɥi]
u	mou	[mu]	w	oui	[wi]
y	mur	[myr]	ʒ	je	[ʒə]
œ	bœuf	[bœf]	ʃ	chat	[ʃa]
ø	bleu	[blø]	ɲ	peigne	[pɛɲ]
ə	me	[mə]	*	héros	[*ero]

* The « aspirate » **h** is not sounded in French. It merely renders any elision or « liaison » impossible : le héros [lə *ero] ; les héros [le *ero]. The other symbols [p], [b], [t], [d], [k], [f], [v], [s], [z], [l], [r], [m], [n] coincide with their graphic counterparts, the r-sound being sounded as a « uvular fricative ».

Symbols. The symbols used are those of the International Phonetic Alphabet.

Stress. The stress is not indicated in the French-English part. It generally falls on the last *sounded* syllable of the word.

« Liaison ». In most cases, when a word begins with a vowel or a mute *h,* it is joined to the last consonant of the preceding word, even when the consonant is followed by a mute *e*. Ex. : *Sept heures* [sɛtœːr], *cette âme* [sɛtɑːm]. In such cases, final *c* and *g* are pronounced as *k (avec elle* [avɛkɛl] ; *sang impur* [sɑ̃kɛ̃pyr]) ; final *s* and *x* as *z (sise à* [siza] ; *six années* [sizane]) ; final *d* as *t (grand homme* [grɑ̃tɔm]). The liaison only occurs when the two words are intimately connected and pronounced with one breath.

Pronunciation of common French endings

- a	[-a]	- ienne	[-jɛn]
- able	[-abl]	- ier	[-je]
- ade	[-ad]	- ière	[-jɛr]
- age	[-aʒ]	- ieuse	[-jøz]
- ain	[-ɛ̃]	- ieux	[-jø]
- aire	[-ɛr]	- if	[-if]
- ais	[-ɛ]	- in	[-ɛ̃]
- aise	[-ɛz]	- ion	[-jɔ̃]
- al(le)	[-al]	- ique	[-ik]
- ance	[-ãs]	- ir(e)	[-ir]
- ant(e)	[-ã(t)]	- isation	[-izasjɔ̃]
- ateur	[-atœr]	- ise	[-iz]
- atif	[-atif]	- iser	[-ize]
- ation	[-asjɔ̃]	- isme	[-ism]
- ative	[-ativ]	- issage	[-isaʒ]
- atrice	[-atris]	- issant	[-isã]
- aux	[-o]	- issement	[-ismã]
		- isseur	[-isœr]
- e	mute when	- isseuse	[-isøz]
	final ;	- iste	[-ist]
	-ə or mute	- ite	[-it]
	between	- ité	[-ite]
	two consonants	- ition	[-isjɔ̃]
- é(e)	[-e]	- itude	[-ityd]
- el(le)	[-ɛl]	- ive	[-iv]
- ement	[-(ə)mã]	- ivement	[-ivmã]
- ence	[-ãs]		
- ent(e)	[-ã(t)]	- ment	[-mã]
- er	[-e]		
- erie	[-(ə)ri]	- o	[-o]
- esse	[-es]	- oir(e)	[-war]
- ette	[-ɛt]	- on	[-ɔ̃]
- eur	[-œr]		
- euse	[-øz]		
- eux	[-ø]	- té	[-te]
		- teur	[-tœr]
- i(e)	[-i]	- tion	[-sjɔ̃]
- ial(le)	[-jal]	- trice	[-tris]
- iant(e)	[-jã(t)]	- tude	[-tyd]
- ible	[-ibl]	- ture	[-tyr]
- ié(e)	[-je]		
- ien	[-jɛ̃]	- u(e)	[-y]
		- ure	[-yr]

Rubriques/Labels

agriculture	AGR.	agriculture
anatomie	ANAT.	anatomy
architecture	ARCH.	architecture
argot français	ARG.	French slang
arts	ARTS	arts
astrologie, astronautique	ASTR.	astrology, astronautics.
astronomie		astronomy
automobile	AUT.	car, U.S. automobile
aviation	AV.	aviation
botanique	BOT.	botany
chimie	CH.	chemistry
cinéma	CIN.	cinema
familier	COLL.	colloquial
commerce	COMM.	commerce, trade
art culinaire	CULIN.	cooking (culinary)
électricité	ÉLECTR. ELECTR.	electricity
familier	FAM.	colloquial (familiar)
figuré	FIG.	figuratively
finances	FIN.	finance
France	FR.	France
Grande-Bretagne	G.B.	Great Britain
géographie	GÉOGR. GEOGR.	geography
géologie	GÉOL. GEOL.	geology
grammaire	GRAMM.	grammar
histoire	HIST.	history
informatique	INF.	information/computer science

jurisprudence, etc.	Jur.	jurisprudence, etc.
littéraire	Lit(t).	literary
mathématiques	Math.	mathematics
médecine, etc.	Méd. Med.	medicine, etc.
militaire	Mil.	military
musique	Mus.	music
art nautique	Naut.	nautical, navy
nom déposé	N.D.	(trade name)
optique	Opt.	optics
péjoratif	Péj. Pej.	pejorative
philosophie	Phil.	philosophy
photographie	Phot.	photography
physique	Phys.	physics
politique	Pol.	politics
populaire	Pop.	popular
radiophonie	Rad.	radio
chemin de fer	Rail.	railway
religion, Église	Rel.	religion, church
argot anglais	Sl.	slang
sports	Sp.	sports (games)
technique, etc.	Techn.	technology, industry, etc.
télécommunications	Tél. Tel.	telecommunications
théâtre	Th.	theatre
(nom déposé)	T.N.	trade name
télévision	T.V.	television
usage américain	U.S.	American usage
vulgaire	Vulg.	vulgar
zoologie	Zool.	zoology

Abbreviations

abrév.	abréviation	*nég., nég.*	négatif
abrév.		obj.	complément d'objet
adj	adjectif, adjectival		(object)
adv	adverbe, adverbial	*onom*	onomatopée
arch.	archaïque	part.	participe
arg.	argot (slang)	péj.	péjoratif
art	article	pers.	personnel
art contr	article contracté	*Pl,* pl	pluriel
aux	auxiliaire	pop.	populaire
comp.	comparatif	*poss*	possessif
cond.	conditionnel	p. p.	participe passé
conj	conjonction	*préf*	préfixe
contr.	contraire	*prép.*	préposition
déf	défini	prép.	prépositionnel
dém	démonstratif	pr.	propre
dim.	diminutif		(literal)
dir.	direct	*pron*	pronom
exclam	exclamation	prés.	présent
	exclamatif	qqch.	quelque chose
f	(nom) féminin		(something)
fam.	familier	qqn	quelqu'un
	(colloquial)		(somebody)
fig.	figuré	*rel*	relatif
imp.	impératif	*Sg., sing.*	singulier
impers.	impersonnel	sing.	
impers.		sup.	superlatif
impr.	impropre	*v, v.*	verbe
indéf	indéfini	*v aux*	verbe auxiliaire
indir.	indirect	*vi*	verbe intransitif
infin.	infinitif	*v pr*	verbe pronominal
interj	interjection	*v récipr*	verbe pronominal
			réciproque
interr.	interrogatif		
inv	invariable	*v réfl*	verbe pronominal
loc	locution (phrase)		réfléchi
m	(nom) masculin	*vt*	verbe transitif
n	nom masculin	*vt ind*	verbe transitif indirect
	ou féminin	vx.	vieux (obsolete)

ELEMENTS OF FRENCH GRAMMAR

SENTENCE-BUILDING

Interrogation

When the subject is a pronoun, place it after the verb, and, in compound tenses, between the auxiliary and the verb. Ex. : *Do you speak ?* PARLEZ-VOUS ? *Did you speak ?* AVEZ-VOUS PARLÉ ?

With verbs ending in a vowel, put a euphonic **t** before a third person pronoun. Ex. : *Did he speak ?* A-T-IL PARLÉ ? *Does he speak ?* PARLE-T-IL ? When the subject is a noun, add a pronoun. Ex. : *Does Paul speak ?* PAUL PARLE-T-IL ?

A handy way of putting questions is merely to place EST-CE QUE before the positive sentence. Ex. *Does he write ?* EST-CE QU'IL ÉCRIT ?

Objective pronouns

They are placed after the verb only in the imperative of reflexive verbs : *Sit down*, ASSEYEZ-VOUS. They come before the verb even in compound tenses : *He had said it to me*, IL ME L'AVAIT DIT. The verb should be separated from its auxiliary only by an adverb, or by a pronoun subject in an interrogative sentence. Ex. : IL A BIEN FAIT ; AVEZ-VOUS MANGÉ ?

THE ARTICLE

Definite article

The definite article is LE (m.), LA (f.), LES (m. and f. pl.). Ex. : *the dog*, LE CHIEN ; *the girl*, LA FILLE ; *the cats*, LES CHATS. LE, LA are shortened to L' before a vowel or a mute *h*. Ex. : *the man*, L'HOMME ; *the soul*, L'ÂME (but LE HÉROS).

Indefinite article

The indefinite article is UN, UNE. Ex. : *a boy*, UN GARÇON ; *a woman*, UNE FEMME.

• The plural DES is generally translated by *some* : *some books*, DES LIVRES.

Partitive article

The partitive article DU (m.), DE LA (f.) is used in sentences like : *take some bread*, PRENEZ DU PAIN ; *to have a temperature*, AVOIR DE LA FIÈVRE.

THE NOUN

Plural

- The plural is generally formed in *s,* as in English.

- Nouns in **s, x** and **z** do not change in the plural.

- Nouns in **au, eau** and **eu** (except BLEU, PNEU) and some in **ou** (BIJOU, CAILLOU, CHOU, GENOU, HIBOU, JOUJOU, POU) form their plural in *x.* Ex. : CHOU *(cabbage),* CHOUX ; JEU *(game),* JEUX.

- Nouns in **al** form generally their plural in **aux.** Ex. : CHEVAL, CHEVAUX. A few nouns form their plural in **als,** for example : BAL, CAL, CARNAVAL, CHACAL, FESTIVAL, PAL, RÉCITAL, RÉGAL.

- A few nouns in **ail** form their plural in **aux,** for example : BAIL, CORAIL, ÉMAIL, SOUPIRAIL, TRAVAIL, VITRAIL.

- AÏEUL, CIEL and ŒIL become AÏEUX, CIEUX, YEUX in the ordinary meaning.

Gender of nouns

- There are no neuter nouns in French. Nearly all nouns ending in a mute *e* are feminine, except those in **isme, age** (but IMAGE, NAGE, RAGE are f.) and **iste** (the latter being often either m. or f.).

- Nearly all nouns ending in a consonant or a vowel other than a mute *e* are masculine, except nouns in **ion** (but LION, CAMION, etc. are m.) and **té** (but ÉTÉ, PÂTÉ, etc. are m.).

Feminine

- The feminine is generally formed by adding **e** to the masculine. Ex. : PARENT *(relative),* PARENTE ; AMI *(friend),* AMIE.

- Nouns in **er** form their feminine in **ère.** Ex. : LAITIER, LAITIÈRE.

- Nouns in **en, on** form their feminine in **enne, onne.** Ex. : CHIEN, CHIENNE ; LION, LIONNE.

- Nouns in **eur** form their feminine in **euse,** except those in **teur,** which give **trice.** Ex. : DANSEUR, DANSEUSE ; ADMIRATEUR, ADMIRATRICE. (Exceptions : ACHETEUR, ACHETEUSE ; CHANTEUR, CHANTEUSE ; MENTEUR, MENTEUSE.)

- Nouns in **x** change **x** into **se.** Ex. : ÉPOUX, ÉPOUSE.

- A few words in **e** form their feminine in **esse.** Ex. : MAÎTRE, MAÎTRESSE ; ÂNE, ÂNESSE.

THE ADJECTIVE

Plural

- The plural is generally formed by adding **s** to the masculine (m. pl.) or feminine form (f. pl.).

- The masculine of adjectives in **s** or **x** do not change in the plural.

- Adjectives in **al** form their plural in **aux** (m.), **ales** (f.). Ex. : PRINCIPAL,

PRINCIPAUX (m. pl.), PRINCIPALES (f. pl.). But some of them such as BANCAL, GLACIAL, NATAL, NAVAL form their plural in **als, ales.**

Feminine

• The feminine is generally formed by adding **e** to the masculine form. Ex. : ÉLÉGANT, ÉLÉGANTE ; POLI, POLIE.

• Adjectives in **f** change *f* into **ve.** Ex. : VIF, VIVE. Those in **x** change *x* into **se.** Ex. : HEUREUX, HEUREUSE. (Exceptions : DOUX, DOUCE ; FAUX, FAUSSE ; ROUX, ROUSSE and VIEUX, VIEILLE.)

• Adjectives in **er** form their feminine in **ère.** Ex. : AMER, AMÈRE.

• Adjectives in **gu** form their feminine in **guë,** which is pronounced [gy]. Ex. : AIGU, AIGUË.

• Adjectives in **el, eil, en, et, on** double the final consonant before adding *e.* Ex. : BEL, BELLE ; BON, BONNE ; ANCIEN, ANCIENNE. (Exceptions : COMPLET, INCOMPLET, CONCRET, DÉSUET, DISCRET, INDISCRET, INQUIET, REPLET, SECRET, which change **et** in **ète.**)

• Some adjectives in **c** change *c* into **qu** (ex. CADUC, CADUQUE ; LAÏC, LAÏQUE ; PUBLIC, PUBLIQUE ; TURC, TURQUE) or **ch** (ex. : BLANC, BLANCHE ; FRANC, FRANCHE). The feminine of GREC is GRECQUE.

• A few adjectives in **s** double *s* before adding *e.* Ex. : BAS, GRAS, LAS, ÉPAIS, MÉTIS, GROS.

• BOULOT, PÂLOT, SOT, VIEILLOT double *t* (BOULOTTE, PÂLOTTE, etc.).

• Adjectives in **eur** form generally their feminine in **euse,** except those in **teur,** which give **trice.** Ex. : MOQUEUR, MOQUEUSE ; PROTECTEUR, PROTECTRICE (but MENTEUR, MENTEUSE). A few adjectives in **eur** form their feminine in **eure** : ANTÉRIEUR, POSTÉRIEUR, ULTÉRIEUR, EXTÉRIEUR, INTÉRIEUR, MAJEUR, MINEUR, SUPÉRIEUR, INFÉRIEUR, MEILLEUR.

Comparative

• *More* of the ending *er* of adjectives should be translated by PLUS ; *less* by MOINS, hand *than* by QUE. Ex. : *more sincere,* PLUS SINCÈRE ; *stronger,* PLUS FORT ; *less good than,* MOINS BON QUE, MOINS BONNE QUE.

• *As ... as* should be translated by AUSSI ... QUE ; *as much ... as* and *as many ... as* by AUTANT ... QUE ; *not so ... as* by PAS SI ... QUE, *not so much (many) ... as* by PAS TANT ... QUE.

Superlative

• *The most* or the ending *est* should be translated by LE PLUS. Ex. : *the poorest,* LE PLUS PAUVRE ; *the most charming,* LE PLUS CHARMANT.

• *Most* is in French TRÈS. Ex. : *most happy,* TRÈS HEUREUX.

Comparative and superlative : irregular forms

• *Better,* MEILLEUR ; *the best,* LE MEILLEUR ; *smaller,* MOINDRE ; *the least,* LE MOINDRE ; *worse,* PIRE ; *the worst,* LE PIRE.

Cardinal numbers

• UN, DEUX, TROIS, QUATRE, CINQ, SIX, SEPT, HUIT, NEUF, DIX, ONZE, DOUZE, TREIZE, QUATORZE, QUINZE, SEIZE, DIX-SEPT, DIX-HUIT, DIX-NEUF, VINGT, VINGT ET UN, VINGT-DEUX... ; TRENTE ; QUARANTE ; CINQUANTE ; SOIXANTE ; SOIXANTE-DIX ; QUATRE-VINGT(S) ; QUATRE-VINGT-DIX ; CENT, CENT UN, CENT DEUX... ; DEUX CENTS ; TROIS CENTS... ; MILLE ; UN MILLION ; UN MILLIARD.

• **Vingt** and **cent** are invariable when immediately followed by another number. Ex. : QUATRE-VINGT-TROIS ANS ; DEUX CENT DOUZE FRANCS (but MILLE QUATRE-VINGTS FRANCS, MILLE DEUX CENTS FRANCS).

• **Mille** is invariable (in dates, it is sometimes written MIL).

Ordinal numbers

• PREMIER, DEUXIÈME, TROISIÈME, QUATRIÈME, CINQUIÈME, SIXIÈME, SEPTIÈME, HUITIÈME, NEUVIÈME, DIXIÈME, ONZIÈME, DOUZIÈME, TREIZIÈME, QUATORZIÈME, QUINZIÈME, SEIZIÈME, DIX-SEPTIÈME... ; VINGTIÈME, VINGT ET UNIÈME, VINGT-DEUXIÈME... ; TRENTIÈME ; QUARANTIÈME... ; CENTIÈME, CENT UNIÈME, CENT DEUXIÈME..., DEUX CENTIÈME... ; MILLIÈME... ; MILLIONIÈME...

Demonstrative adjectives

• *This* and *that* are generally translated by CE, CET (m.), CETTE (f.), CES (pl.) [CE before a masc. noun beginning with a consonant or an aspirate *h* ; CET before a masc. word beginning with a vowel or a mute *h*]. The opposition between *this* and *that* may be emphasized by adding -CI or -LÀ.

Ex. : *This book,* CE LIVRE-CI ; *those men,* CES HOMMES-LÀ.

• *That of* should be translated by CELUI (f. CELLE, pl. CEUX, CELLES) DE, *he who, the one which, those* (or *they*) *who* by CELUI (CELLE, CEUX, CELLES) qui.

Possessive adjectives

My is in French MON (m.), MA (f.), MES (pl.) ; *your* (for *thy*) is TON, TA, TES ; *his, her, its* are SON, SA, SES (agreeing with the following noun) ; *our* is NOTRE (m., f.), NOS (pl.) ; *your* is VOTRE, VOS ; *their* is LEUR (m., f.), LEURS (pl.).

Ex. : *his king,* SON ROI ; *his sister,* SA SŒUR ; *his books,* SES LIVRES ; *her father,* SON PÈRE ; *her mother,* SA MÈRE.

THE PRONOUN

Personal pronouns (subject)

• JE, TU, IL, ELLE (f.) ; pl. NOUS, VOUS, ILS, ELLES (f.).
Ex. : *you speak,* TU PARLES [VOUS PARLEZ] ; *she says,* ELLE DIT.

• The second person singular (TU, TE, TOI, TON, TA, TES, LE TIEN, etc.), indicating intimacy, is used between members of the same family, at school, between soldiers and close friends.

Personal pronouns (direct object)

ME, TE, LE, LA (f.); pl. NOUS, VOUS, LES.

Ex. : *I see her,* JE LA VOIS ; *I see him* (or *it*), JE LE VOIS (the same pr. is used for masculine and neuter in most cases).

Personal pronouns (indirect object ; dative)

ME, TE, LUI (m., f.); pl. NOUS, VOUS, LEUR.

Ex. : *he speaks to her,* IL LUI PARLE.

Personal pronouns (after a preposition)

MOI, TOI, LUI, ELLE (f.); pl. NOUS, VOUS, EUX.

They are also used emphatically : *I think,* MOI, JE PENSE.

Reflexive pronouns

- ME, TE, SE ; pl. NOUS, VOUS, SE.
  Ex. : *they flatter themselves,* ILS SE FLATTENT ; *he spoke to himself,* IL SE PARLAIT.

- The same pronoun is used to translate *each other* and *one another*.
  Ex. : *they flatter each other,* ILS SE FLATTENT.

Possessive pronouns

LE MIEN (f. LA MIENNE, pl. LES MIENS, LES MIENNES) ; LE TIEN (f. LA TIENNE, pl. LES TIENS, LES TIENNES) ; LE SIEN (f. LA SIENNE, pl. LES SIENS, LES SIENNES) ; LE NÔTRE (f. LA NÔTRE, pl. LES NÔTRES) ; LE VÔTRE (f. LA VÔTRE, pl. LES VÔTRES) ; LE LEUR (f. LA LEUR, pl. LES LEURS).

Ex. : *I have lost my watch, lend me yours,* J'AI PERDU MA MONTRE, PRÊTEZ-MOI LA VÔTRE.

Note. – *This book is mine, yours, his, hers...* CE LIVRE EST À MOI, À TOI (À VOUS), À LUI, À ELLE... See *Personal pronouns (after a preposition)*.

Relative pronouns

Who is translated by QUI, *whom* by QUE (QUI after a preposition), *whose* by DONT, *which* by QUI (subject) or QUE (object).

Ex. : *the man who comes,* L'HOMME QUI VIENT ; *the girl whom I see,* LA FILLE QUE JE VOIS ; *the author whose book I read,* L'AUTEUR DONT JE LIS LE LIVRE ; *the books which (that) I read,* LES LIVRES QUE JE LIS.

Note. – After a preposition, *which* should be translated by LEQUEL (m.), LAQUELLE (f.), LESQUELS (m. pl.), LESQUELLES (f. pl.) ; *of which* by DUQUEL, DE LAQUELLE, DESQUELS, DESQUELLES ; *to which* by AUQUEL, À LAQUELLE, AUXQUELS, AUXQUELLES.

Interrogative pronouns

Who, whom are translated by QUI ; *what* by QUE (objet). *What* when an adjective should be translated by QUEL, QUELLE, QUELS, QUELLES, when a subject by QU'EST-CE QUI.

Ex. *Who came ?* QUI EST VENU ? *What do you say ?* QUE DIS-TU ? *What time is it ?* QUELLE HEURE EST-IL ? *What happened ?* QU'EST-CE QUI EST ARRIVÉ ?

THE ADVERB

Adverbs of manner

● Most French adverbs of manner are formed by adding **ment** to the **feminine** form of the corresponding adjective.

Ex. : *happily,* HEUREUSEMENT.

● Adjectives in **ant** form their adverbs in **amment,** and those in **ent** in **emment.**

Ex. : *abundantly,* ABONDAMMENT ; *patiently,* PATIEMMENT.

Negative adverbs and pronouns

● *Not* should be translated by NE ... PAS, *never* by NE ... JAMAIS, *nobody* by NE ... PERSONNE, *nothing* by NE ... RIEN, *nowhere* by NE ... NULLE PART.

Ex : *I do not speak,* JE NE PARLE PAS ; *he never comes,* IL NE VIENT JAMAIS.

● *Nobody,* when subject, should be translated by PERSONNE NE, and *nothing,* by RIEN NE.

Ex. : *nobody laughs,* PERSONNE NE RIT ; *nothing stirred,* RIEN N'A BOUGÉ.

THE VERB

● French regular verbs are generally grouped in four classes or conjugations ending in **er, ir, oir** and **re.**

Compound tenses

Compound tenses are conjugated with the auxiliary AVOIR and the **past participle,** except reflexive verbs and the most usual intransitive verbs (like ALLER, ARRIVER, DEVENIR, PARTIR, RESTER, RETOURNER, SORTIR, TOMBER, VENIR, etc.), which are conjugated with ÊTRE.

Ex. : *he spoke,* IL A PARLÉ ; *he came,* IL EST VENU.

The French past participle

● It always agrees with the noun to which it is either an attribute or an adjective.

Ex. : *the woman was punished,* LA FEMME FUT PUNIE ; *the broken tables,* LES TABLES BRISÉES.

● It agrees with the object of a verb conjugated with AVOIR **only** when the object comes before it.

Ex. : *he broke the plates,* IL A CASSÉ LES ASSIETTES ; *the plates he broke,* LES ASSIETTES QU'IL A CASSÉES.

1. **Aimer** (to love)

First conjugation

INDICATIVE

Present

J'aime
Tu aimes
Il aime
Nous aimons
Vous aimez
Ils aiment

Imperfect

J'aimais
Tu aimais
Il aimait
Nous aimions
Vous aimiez
Ils aimaient

Past tense

J'aimai
Tu aimas
Il aima
Nous aimâmes
Vous aimâtes
Ils aimèrent

Future

J'aimerai
Tu aimeras
Il aimera
Nous aimerons
Vous aimerez
Ils aimeront

SUBJUNCTIVE

Present

Que j'aime
Que tu aimes
Qu'il aime
Que nous aimions
Que vous aimiez
Qu'ils aiment

Imperfect

Que j'aimasse
Que tu aimasses
Qu'il aimât
Que nous aimassions
Que vous aimassiez
Qu'ils aimassent

CONDITIONAL

J'aimerais
Tu aimerais
Il aimerait
Nous aimerions
Vous aimeriez
Ils aimeraient

IMPERATIVE

Aime
Aimons
Aimez

PARTICIPLE

Present

Aimant

Past

Aimé, ée, és, ées

2. **Finir** (to end)

Second conjugation

INDICATIVE

SUBJUNCTIVE

Present

Je finis
Tu finis
Il finit
Nous finissons
Vous finissez
Ils finissent

Present

Que je finisse
Que tu finisses
Qu'il finisse
Que nous finissions
Que vous finissiez
Qu'ils finissent

Imperfect

Que je finisse
Que tu finisses
Qu'il finît
Que nous finissions
Que vous finissiez
Qu'ils finissent

Imperfect

Je finissais
Tu finissais
Il finissait
Nous finissions
Vous finissiez
Ils finissaient

CONDITIONAL

Je finirais
Tu finirais
Il finirait
Nous finirions
Vous finiriez
Ils finiraient

Past tense

Je finis
Tu finis
Il finit
Nous finîmes
Vous finîtes
Ils finirent

IMPERATIVE

Finis
Finissons
Finissez

Future

Je finirai
Tu finiras
Il finira
Nous finirons
Vous finirez
Ils finiront

PARTICIPLE

Present
Finissant
Past
Fini, ie, is, ies

3. **Recevoir** (to receive)

Third conjugation

INDICATIVE

Present

Je reçois
Tu reçois
Il reçoit
Nous recevons
Vous recevez
Ils reçoivent

Imperfect

Je recevais
Tu recevais
Il recevait
Nous recevions
Vous receviez
Ils recevaient

Past tense

Je reçus
Tu reçus
Il reçut
Nous reçûmes
Vous reçûtes
Ils reçurent

Future

Je recevrai
Tu recevras
Il recevra
Nous recevrons
Vous recevrez
Ils recevront

SUBJUNCTIVE

Present

Que je reçoive
Que tu reçoives
Qu'il reçoive
Que nous recevions
Que vous receviez
Qu'ils reçoivent

Imperfect

Que je reçusse
Que tu reçusses
Qu'il reçût
Que nous reçussions
Que vous reçussiez
Qu'ils reçussent

CONDITIONAL

Je recevrais
Tu recevrais
Il recevrait
Nous recevrions
Vous recevriez
Ils recevraient

IMPERATIVE

Reçois
Recevons
Recevez

PARTICIPLE

Present
Recevant
Past
Reçu, ue, us, ues

4. **Rompre** (to break)

Fourth conjugation

INDICATIVE

Present

Je romps
Tu romps
Il rompt
Nous rompons
Vous rompez
Ils rompent

Imperfect

Je rompais
Tu rompais
Il rompait
Nous rompions
Vous rompiez
Ils rompaient

Past tense

Je rompis
Tu rompis
Il rompit
Nous rompîmes
Vous rompîtes
Ils rompirent

Future

Je romprai
Tu rompras
Il rompra
Nous romprons
Vous romprez
Ils rompront

SUBJUNCTIVE

Present

Que je rompe
Que tu rompes
Qu'il rompe
Que nous rompions
Que vous rompiez
Qu'ils rompent

Imperfect

Que je rompisse
Que tu rompisses
Qu'il rompît
Que nous rompissions
Que vous rompissiez
Qu'ils rompissent

CONDITIONAL

Je romprais
Tu romprais
Il romprait
Nous romprions
Vous rompriez
Ils rompraient

IMPERATIVE

Romps
Rompons
Rompez

PARTICIPLE

Present
Rompant
Past
Rompu, ue, us, ues

5. Verbs, having a mute **e** or closed **é** in the last syllable but one of the present infinitive, change the mute **e** or closed **é** to open **è** before a mute syllable (except in the future and conditional). Ex. : *espérer, j'espère, il espérera, il espérerait*. Note that, in the interrogative form *soulevé-je*, the final *é* is not mute ; hence the stem vowel *e* is unchanged.

6. Verbs in **cer** take **ç** before endings in *a, o.* Ex. : *perçais, perçons.*

7. Verbs in **ger** add **e** before endings in *a, o.* Ex. : *manger ; je mangeais, nous mangeons.*

8. *a)* Verbs in **eler, eter** double the **l** or **t** before a mute *e.* Ex. : *appeler, j'appelle, jeter, je jette.*
b) The following verbs do not follow this rule and only take **è** : *acheter, agneler, bégueter, celer, ciseler, congeler, corseter, crocheter, déceler, dégeler, démanteler, écarteler, fureter, geler, haleter, harceler, marteler, modeler, peler, racheter, receler, regeler.*

9. *a)* Verbs in **yer** change **y** into **i** before a mute *e.* They require a **y** and an **i** in the first two persons plural of the imperf. ind. and of the pres. subj. Ex. : *ployer, je ploie, vous ployiez.*
b) Verbs in **ayer** may keep the **y** or change it to an **i** before a mute *e.* Ex. : *payer, je paie, je paye.*
c) Verbs in **eyer** keep the **y** throughout the conjugation. Ex. : *grasseyer, je grasseye, nous grasseyions.*

10. **Absoudre.** Pr. ind. : *absous, absous, absout, absolvons, absolvez, absolvent.* Imp. : *absolvais, absolvions.* Fut. : *absoudrai, absoudrons.* Condit. : *absoudrais, absoudrions.* Imper. : *absous, absolvons, absolvez.* Pr. subj. : *absolve, absolvions.* Pr. part. : *absolvant.* Past part. : *absous, absoute.* No past tense ; no imp. subj.

11. **Abstraire.** Pr. ind. : *abstrais, abstrayons.* Imp. : *abstrayais, abstrayions.* Fut. : *abstrairai, abstrairons.* Condit. : *abstrairais, abstrairions.* Imper. : *abstrais, abstrayons, abstrayez.* Pr. subj. : *abstraie, abstrayions.* Pr. part. : *abstrayant.* Past part. : *abstrait.* No past tense ; no imp. subj.

12. **Accroire** is used only in the infinitive and always with *faire.*

13. **Acquérir.** Pr. ind. : *acquiers, acquérons.* Imp. : *acquérais, acquérions.* Past tense : *acquis, acquîmes.* Fut. : *acquerrai, acquerrons.* Pr. subj. : *acquière, acquérions.* Pr. part. : *acquérant.* Past part. : *acquis.*

14. **Advenir.** Only used in the third person. Past tense : *advint.* Imp. : *advenait.* Fut. : *adviendra.* Condit. : *adviendrait.* Pr. subj. : *advienne.* Imp. subj. : *advînt.*

15. **Aller.** Pr. ind. : *vais, vas, va, allons, allez, vont.* Imp. : *allais, allait, allions, alliez, allaient.* Fut. : *irai, iras, ira, irons, irez, iront.* Condit. : *irais, irions.* Imper. : *va (vas-y), allons, allez.* Pr. subj. : *aille, ailles, allions, alliez, aillent.* Imp. subj. : *allasse, allasses, allât, allassions, allassiez, allassent.* Pr. part. : *allant.* Past part. : *allé.*

16. **Apparoir** is used as a law term only in the third person : *appert.*

17. **Assaillir.** Pr. ind. : *assaille, assaillons.* Imp. : *assaillais, assaillions.* Past tense : *assaillis, assaillîmes.* Fut. : *assaillirai, assaillirons.* Condit. : *assaillirais, assaillirions.* Imper. : *assaille, assaillons, assaillez.* Pr. subj. : *assaille, assaillions.* Imp. subj. : *assaillisse, assaillissions.* Pr. part. : *assaillant.* Past part. : *assailli.*

18. **Asseoir.** Pr. ind. : *assieds, asseyons, asseyent.* Imp. : *asseyais, asseyions.* Past tense : *assis, assîmes.* Fut. : *assiérai, assiérons.* Condit. : *assiérais, assiérions.* Imper. : *assieds, asseyons.* Pres. subj. : *asseye, asseyions.* Pr. part. : *asseyant.* Past part. : *assis.* In the figurative meaning, pr. ind. : *assois, assoyons.* Fut. : *assoirai, assoirons.* Imper. : *assois.* Pr. subj. : *assoie, assoyions.*

19. **Avoir.** Pr. ind. : *ai, as, a, avons, avez, ont.* Imp. : *avais, avions, avaient.* Past tense : *eus, eûmes.* Fut. : *aurai, aurons.* Condit. : *aurais, aurions.* Imper. : *aie, ayons, ayez.* Pres. subj. : *aie, ayons.* Imp. subj. : *eusse, eussions.* Pr. part. : *ayant.* Past part. : *eu.*

20. **Battre.** Pr. ind. : *bats, battons.* Imp. : *battais, battions.* Past tense : *battis, battîmes.* Fut. : *battrai, battrons.* Condit. : *battrais, battrions.* Imper. : *bats, battons, battez.* Pr. subj. : *batte, battions.* Imp. subj. : *battisse, battît.* Pr. part. : *battant.* Past part. : *battu.*

21. **Boire.** Pr. ind. : *bois, buvons, boivent.* Imp. : *buvais, buvions.* Past tense : *bus, but, bûmes.* Fut. : *boirai, boirons.* Condit. : *boirais, boirions.* Imper. : *bois, buvons, buvez.* Pr. subj. : *boive, buvions.* Imp. subj. : *busse, bût.* Pr. part. : *buvant.* Past part. : *bu.*

22. **Bouillir.** Pr. ind. : *bous, bous, bout, bouillons, bouillez, bouillent.* Imp. : *bouillais, bouillions.* Past tense : *bouillis, bouillîmes.* Fut. : *bouillirai, bouillirons.* Condit. : *bouillirais, bouillirions.* Imper. : *bous, bouillons, bouillez.* Pr. subj. : *bouille, bouillions.* Imp. subj. : *bouillisse.* Pr. part. : *bouillant.* Past part. : *bouilli.*

23. **Braire.** Only used in the third pers. Pr. ind. : *brait, braient.* Fut. : *braira, brairont.*

24. **Bruire.** Only used in the third pers. Pr. ind. : *bruit, bruissent.* Imp. : *bruissait, bruissaient.* Pr. part. : *bruissant.*

25. **Choir.** Pr. ind. : (only used in) *chois, chois, choit.* Past tense : *chus, chûmes.* Fut. : *choirai* (or *cherrai*), *choirons* (or *cherrons*). Condit. : *choirais, choirions.* Past part. : *chu.* Generally used only in the infinitive and past part.

26. **Circoncire.** Pr. ind. : *circoncis, circoncisons.* Imp. : *circoncisais, circoncisions.* Past tense : *circoncis, circoncîmes.* Fut. : *circoncirai, circoncirons.* Condit. : *circoncirais, circoncirions.* Imper. : *circoncis, circoncisons, circoncisez.* Pr. subj. : *circoncise.* Imp. subj. : *circoncisse.* Pr. part. : *circoncisant.* Past part. : *circoncis.*

27. **Clore.** Only used in the following tenses. Pr. ind. : *clos, clos, clôt* (no plural). Fut. : *clorai, clorons.* Condit. : *clorais, clorions.* Pres. subj. : *close, closions.* Past part. : *clos.*

28. **Comparoir.** Only used in the infinitive and pr. part. : *comparant.*

29. **Conclure.** Pr. ind. : *conclus, conclus, conclut, concluons, concluez, concluent.* Imp. : *concluais, concluions.* Past tense : *conclus, conclûmes.* Fut. : *conclurai.* Condit. : *conclurais.* Imper. : *conclus, concluons, concluez.* Pr. subj. : *conclue, concluions.* Imp. subj. : *conclusse, conclût.* Pr. part. : *concluant.* Past part. : *conclu.*

30. **Confire.** Pr. ind. : *confis, confisons.* Imp. : *confisais.* Past tense : *confis.* Fut. : *confirai, confirons.* Condit. : *confirais, confirions.* Imper. : *confis, confisons, confisez.* Pr. subj. : *confise, confisions.* Imp. subj. : *confisse.* Pr. part. : *confisant.* Past part. : *confit.*

31. **Coudre.** Pr. ind. : *couds, cousons.* Imp. : *cousais, cousions.* Fut. : *coudrai, coudrons.* Imper. : *couds, cousons, cousez.* Pr. subj. : *couse, cousions.* Pr. part. : *cousant.* Past part. : *cousu.*

32. **Courir.** Pr. ind. : *cours, courons.* Imp. : *courais, courions.* Past tense : *courus, courûmes.* Fut. : *courrai, courrons.* Condit. : *courrais, courrions.* Imper. : *cours, courons, courez.* Pr. subj. : *coure, courions.* Imp. subj. : *courusse, courût.* Pr. part. : *courant.* Past part. : *couru.*

33. **Croire.** Pr. ind. : *crois, croyons.* Imp. : *croyais, croyions.* Past tense : *crus, crûmes.* Fut. : *croirai, croirons.* Condit. : *croirais, croirions.* Pr. subj. : *croie, croyions.* Imp. subj. : *crusse, crût, crussions.* Pr. part. : *croyant.* Past part. : *cru.*

34. Croître. Pr. ind. : *croîs, croîs, croît, croissons, croissez, croissent*. Imp. : *croissais, croissions*. Past tense : *crûs, crûmes*. Fut. : *croîtrai, croîtrons*. Condit. : *croîtrais, croîtrions*. Imper. : *croîs, croissons, croissez*. Pr. subj. : *croisse, croissions*. Imp. subj. : *crûsse, crût, crûssions*. Pr. part. : *croissant*. Past part. : *crû*.

35. Cueillir. Pr. ind. : *cueille, cueillons*. Imp. : *cueillais, cueillions*. Past tense : *cueillis, cueillîmes*. Fut. : *cueillerai, cueillerons*. Condit. : *cueillerais, cueillerions*. Imper. : *cueille, cueillons, cueillez*. Pr. subj. : *cueille, cueillions*. Imp. subj. : *cueillisse, cueillît*. Pr. part. : *cueillant*. Past part. : *cueilli*.

36. Déchoir. Pr. ind. : *déchois, déchoyons, déchoient*. Past tense : *déchus, déchûmes*. Fut. : *déchoirai, déchoirons*. Condit. : *déchoirais, déchoirions*. Pr. subj. : *déchoie, déchoyions*. Imp. subj. : *déchusse, déchût*. Past part. : *déchu*. No imper., no pr. part.

37. Déconfire. Only used in the infinitive and past part. : *déconfit*.

38. Défaillir. Pr. ind. : *défaille, défaillons, défaillez, défaillent*. Imp. : *défaillais*. Past tense : *défaillis*. Fut. : *défaillirai, défaillirons*. Pr. part. : *défaillant*. Past part. : *défailli*.

39. Devoir. Pr. ind. : *dois, devons, doivent*. Imp. : *devais, devions*. Past tense : *dus, dûmes*. Fut. : *devrai*. Condit. : *devrais, devrions*. Imper. : *dois, devons, devez*. Pr. subj. : *doive, devions*. Imp. subj. : *dusse, dût, dussions*. Pr. part. : *devant*. Past part. : *dû, due, dus*.

40. Dire. Pr. ind. : *dis, dis, dit, disons, dites, disent*. Imp. : *disais, disions*. Past tense : *dis, dîmes*. Fut. : *dirai, dirons*. Condit. : *dirais, dirions*. Imper. : *dis, disons, dites*. Pres. subj. : *dise, disions*. Imp. subj. : *disse, dît*. Pr. part. : *disant*. Past part. : *dit*.

41. Dormir. Pr. ind. : *dors, dormons*. Imp. : *dormais, dormions*. Past tense : *dormis, dormîmes*. Fut. : *dormirai, dormirons*. Condit. : *dormirais, dormirions*. Imper. : *dors, dormons, dormez*. Pres. subj. : *dorme, dormions*. Imp. subj. : *dormisse, dormît*. Pr. part. : *dormant*. Past part. : *dormi*.

42. Échoir. Only used in the third person. Pr. ind. : *échoit, échoient*. Imp. : *échoyait*. Past tense : *échut, échurent*. Fut. : *écherra, écherront*. Condit. : *écherrait, écherraient*. Pr. subj. : *échoie, échoient*. Imp. subj. : *échût, échussent*. Pr. part. : *échéant*. Past part. : *échu*.

43. Éclore. Only used in the third person. Pr. ind. : *éclôt, éclosent*. Fut. : *éclora, écloront*. Condit. : *éclorait, écloraient*. Pr. subj. : *éclose, éclosent*. Past part. : *éclos*.

44. Écrire. Pr. ind. : *écris, écrivons*. Imp. : *écrivais, écrivions*. Past tense : *écrivis, écrivîmes*. Fut. : *écrirai, écrirons*. Condit. : *écrirais, écririons*. Imper. : *écris, écrivons, écrivez*. Imp. subj. : *écrivisse, écrivît*. Pr. part. : *écrivant*. Past part. : *écrit*.

45. Ensuivre (s'). Only used in the third person. Pr. ind. : *s'ensuit, s'ensuivent*. Imp. : *s'ensuivait, s'ensuivaient*. Past tense : *s'ensuivit, s'ensuivirent*. Fut. : *s'ensuivra, s'ensuivront*. Pr. subj. : *s'ensuive, s'ensuivent*. Pr. part. : *ensuivant*. Past part. : *ensuivi*.

46. Envoyer. Pr. ind. : *envoie, envoyons*. Imp. : *envoyais, envoyions*. Fut. : *enverrai, enverrons*. Condit. : *enverrais, enverrions*. Pr. subj. : *envoie, envoyions*. Pr. part. : *envoyant*. Past part. : *envoyé*.

47. Éprendre (s'). Conjugated like *prendre*, but especially used in the past part. *épris*.

48. Être. Pr. ind. : *suis, es, est, sommes, êtes, sont*. Imp. : *étais, étions*. Past tense : *fus, fûmes*. Fut. : *serai, serons*. Condit. : *serais, serions*. Imper. : *sois, soyons, soyez*. Pr. subj. : *sois, soyons*. Imp. subj. : *fusse, fût, fussions*. Pr. part. : *étant*. Past part. : *été*. Été is invariable.

49. **Faillir.** Only used in the following tenses. Past tense : *faillis, faillîmes.* Fut. : *faudrai* (or) *faillirai.* Condit. : *faudrais* (or) *faillirais.* Pr. part. : *faillant.* Past. part. : *failli.*

50. **Faire.** Pr. ind. : *fais, faisons, faites, font.* Imp. : *faisais, faisions.* Past tense : *fis, fîmes.* Fut. : *ferai.* Condit. : *ferais, ferions.* Imper. : *fais, faisons, faites.* Pr. subj. : *fasse, fassions.* Imp. subj. : *fisse, fît, fissions.* Pr. part. : *faisant.* Past part. : *fait.*

51. **Falloir.** Only used in the third person. Pr. ind. : *faut.* Imp. : *fallait.* Past tense : *fallut.* Fut. : *faudra.* Condit. : *faudrait.* Pr. subj. : *faille.* Imp. subj. : *fallût.* Past part. : *fallu.*

52. **Férir.** The infinitive is only used in the phrase *sans coup férir.* The past part. *féru* is only adjective.

53. **Fleurir.** Pr. ind. : *fleuris, fleurissons.* Imp. : *fleurissais, fleurissions.* Past tense : *fleuris, fleurîmes.* Fut. : *fleurirai.* Condit. : *fleurirais, fleuririons.* Pr. subj. : *fleurisse, fleurissions.* Imp. subj. : *fleurisse, fleurît.* Pr. part. : *fleurissant.* Past part. : *fleuri.* In the figurative meaning, note the imp. ind. : *florissais,* and pr. part. : *florissant.*

54. **Forfaire.** Only used in the infinitive and compound tenses.

55. **Frire.** Only used in the following tenses. Pr. ind. : *fris, fris, frit.* Fut. : *frirai, frirons.* The verb *faire* is used with *frire* to supply the persons and tenses that are wanting ; as *nous faisons frire.*

56. **Fuir.** Pr. ind. : *fuis, fuyons.* Imp. : *fuyais, fuyions.* Past tense : *fuis, fuîmes.* Fut. : *fuirai, fuirons.* Condit. : *fuirais, fuirions.* Imper. : *fuis, fuyons, fuyez.* Pr. subj. : *fuie, fuyions.* Imp. subj. : *fuisse, fuissions.* Pr. part. : *fuyant.* Past part. : *fui.*

57. **Gésir.** Only used in the following tenses. Pr. ind. : *gît, gisons, gisez, gisent.* Imp. : *gisais, gisions.* Pr. part. : *gisant.*

58. **Haïr.** Pr. ind. : *hais, haïssons.* Imp. : *haïssais, haïssions.* Past tense : *haïs, haïmes.* Fut. : *haïrai, haïrons.* Condit. : *haïrais, haïrions.* Pr. subj. : *haïsse, haïssions.* Pr. part. : *haïssant.* Past part. : *haï.*

59. **Joindre.** Pr. ind. : *joins, joignons.* Imp. : *joignais, joignions.* Past tense : *joignis.* Fut. : *joindrai.* Condit. : *joindrais, joindrions.* Pr. subj. : *joigne, joignions.* Pr. part. : *joignant.* Past part. : *joint.*

60. **Lire.** Pr. ind. : *lis, lisons.* Imp. : *lisais, lisions.* Past tense : *lus, lûmes.* Fut. : *lirai, lirons.* Condit. : *lirais, lirions.* Imper. : *lis, lisons, lisez.* Pr. subj. : *lise, lisions.* Imp. subj. : *lusse, lût, lussions.* Pr. part. : *lisant.* Past part. : *lu.*

61. **Luire.** Pr. ind. : *luis, luisons.* Imp. : *luisais, luisions.* Fut. : *luirai, luirons.* Condit. : *luirais, luirions.* Pres. subj. : *luise, luisions.* Pr. part. : *luisant.* Past part. : *lui.* No past tense ; no imp. subj. The past part. *lui* has no feminine.

62. **Maudire.** Pr. ind. : *maudis, maudit, maudissons, maudissez, maudissent.* Imp. : *maudissais, maudissions.* Past tense : *maudis, maudîmes.* Fut. : *maudirai, maudirons.* Condit. : *maudirais, maudirions.* Pr. subj. : *maudisse, maudissions.* Imper. : *maudis, maudissons, maudissez.* Pr. part. : *maudissant.* Past part. : *maudit.*

63. **Médire** is conjugated like *dire,* except pr. ind. and imper. *médisez.*

64. **Mettre.** Pr. ind. : *mets, mettons.* Imp. : *mettais, mettions.* Past tense : *mis, mîmes.* Fut. : *mettrai.* Condit. : *mettrais, mettrions.* Imper. : *mets, mettons, mettez.* Pr. subj. : *mette, mettions.* Imp. subj. : *misse, mît, missions.* Pr. part. : *mettant.* Past part. : *mis.*

65. Moudre. Pr. ind. : *mouds, moulons, moulez, moulent*. Imp. : *moulais, moulions*. Past tense : *moulus, moulûmes*. Fut. : *moudrai, moudrons*. Condit. : *moudrais, moudrions*. Imper. : *mouds, moulons, moulez*. Pr. subj. : *moule, moulions*. Imp. subj. : *moulusse, moulût*. Pr. part. : *moulant*. Past part. : *moulu*.

66. Mourir. Pr. ind. : *meurs, meurs, meurt, mourons, mourez, meurent*. Imp. : *mourais, mourions*. Past tense : *mourus, mourûmes*. Fut. : *mourrai, mourrons*. Condit. : *mourrais, mourrions*. Imper. : *meurs, mourons, mourez*. Pr. subj. : *meure, mourions*. Imp. subj. : *mourusse, mourût*. Pr. part. : *mourant*. Past part. : *mort*.

67. Mouvoir. Pr. ind. : *meus, meus, meut, mouvons, mouvez, meuvent*. Imp. : *mouvais, mouvions*. Past tense : *mus, mûmes*. Fut. : *mouvrai, mouvrons*. Condit. : *mouvrais, mouvrions*. Imper. : *meus, mouvons, mouvez*. Pr. subj. : *meuve, mouvions*. Imp. subj. : *musse, mût*. Pr. part. : *mouvant*. Past part. : *mû, mue*.

68. Naître. Pr. ind. : *nais, nais, naît, naissons, naissez, naissent*. Imp. : *naissais, naissions*. Past tense : *naquis, naquîmes*. Fut. : *naîtrai, naîtrons*. Condit. : *naîtrais, naîtrions*. Imper. : *nais, naissons, naissez*. Pr. subj. : *naisse, naissions*. Imp. subj. : *naquisse, naquît*. Pr. part. : *naissant*. Past part. : *né*. The auxiliary is *être*.

69. Nuire is conjugated like *luire*. Note the past tense : *nuisis, nuisîmes*. Imp. subj. : *nuisisse, nuisît, nuisissions*.

70. Oindre is conjugated like *craindre* but seldom used other than in the past part. *oint*, in the imp. *oignais, oignait*, and in the well-known slogan : *oignez vilain, il vous poindra*.

71. Ouïr is now seldom used other than in infinitive *ouïr*, in the imper. *oyez*, in the past part. *ouï* and in the compound tenses. The auxiliary is *avoir*.

72. Ouvrir. Pr. ind. : *ouvre, ouvrons*. Imp. : *ouvrais, ouvrions*. Past tense : *ouvris, ouvrîmes*. Fut. : *ouvrirai, ouvrirons*. Condit. : *ouvrirais, ouvririons*. Imper. : *ouvre, ouvrons, ouvrez*. Pr. subj. : *ouvre, ouvrions*. Imp. subj. : *ouvrisse, ouvrît*. Pr. part. : *ouvrant*. Past part. : *ouvert*.

73. Paître. Pr. ind. : *pais, paît, paissons*. Imp. : *paissais, paissions*. Fut. : *paîtrai, paîtrons*. Condit. : *paîtrais, paîtrions*. Imper. : *pais, paissons, paissez*. Pr. subj. : *paisse, paissions*. Pr. part. : *paissant*. No past tense ; no imp. subj. ; no past part.

74. Paraître. Pr. ind. : *parais, paraît, paraissons*. Imp. : *paraissais, paraissions*. Past tense : *parus, parûmes*. Fut. : *paraîtrai, paraîtrons*. Condit. : *paraîtrais, paraîtrions*. Imper. : *parais, paraissons, paraissez*. Pr. subj. : *paraisse, paraissions*. Imp. subj. : *parusse, parût, parussions*. Pr. part. : *paraissant*. Past part. : *paru*.

75. Plaire. Pr. ind. : *plais, plaisons*. Imp. : *plaisais, plaisions*. Past tense : *plus, plûmes*. Fut. : *plairai, plairons*. Condit. : *plairais, plairions*. Imper. : *plais, plaisons, plaisez*. Pr. subj. : *plaise, plaisions*. Imp. subj. : *plusse, plût, plussions*. Pr. part. : *plaisant*. Past part. : *plu*.

76. Pleuvoir. Only used in the third person sg. Pr. ind. : *pleut*. Imp. : *pleuvait*. Past tense : *plut*. Fut. : *pleuvra*. Condit. : *pleuvrait*. Pr. subj. : *pleuve*. Pr. part. : *pleuvant*. Past part. : *plu*.

77. Poindre. Only used now in the third person. Pr. ind. : *point*. Fut. : *poindra, poindront*. Condit. : *poindrait, poindraient*. Pr. part. : *poignant*. Past part. : *point*. Note the old form *poignez*.

78. Pourvoir. Pr. ind. : *pourvois, pourvoyons*. Imp. : *pourvoyais, pourvoyions*. Past tense : *pourvus, pourvûmes*. Fut. : *pourvoirai*. Condit. : *pourvoirais, pourvoirions*. Imper. : *pourvois, pourvoyons, pourvoyez*. Pr. subj. : *pourvoie, pourvoyions*. Imp. subj. : *pourvusse, pourvût, pourvussions*. Pr. part. : *pourvoyant*. Past part. : *pourvu*.

79. **Pouvoir.** Pr. ind. : *peux* (or) *puis, peux, peut, pouvons, pouvez, peuvent.* Imp. : *pouvais, pouvions.* Past tense : *pus, pûmes.* Fut. : *pourrai, pourrons.* Condit. : *pourrais, pourrions.* Pr. subj. : *puisse, puissions.* Imp. subj. : *pusse, pût, pussions.* Pr. part. : *pouvant.* Past part. : *pu.* No imper.

80. **Prendre.** Pr. ind. : *prends, prenons.* Imp. : *prenais, prenions.* Past tense : *pris, prîmes.* Fut. : *prendrai, prendrons.* Condit. : *prendrais, prendrions.* Imper. : *prends, prenons, prenez.* Pr. subj. : *prenne, prenions.* Imp. subj. : *prisse, prît, prissions.* Pr. part. : *prenant.* Past part. : *pris.*

81. **Prévaloir** is conjugated like *valoir,* except in the pr. subj. : *prévale, prévalions.*

82. **Prévoir** is conjugated like *voir,* except in fut. : *prévoirai, prévoirons,* and condit. : *prévoirais, prévoirions.*

83. **Promouvoir** is conjugated like *mouvoir,* but used especially in infinitive, compound tenses, past part. *promu* and occasionally in past tense : *promut, promurent.*

84. **Quérir** is used only in the infinitive, after the verbs *aller, venir, envoyer.*

85. **Réduire.** Pr. ind. : *réduis, réduisons.* Imp. : *réduisais, réduisions.* Past tense : *réduisis, réduisîmes.* Fut. : *réduirai, réduirons.* Condit. : *réduirais, réduirions.* Imper. : *réduis, réduisons, réduisez.* Pr. subj. : *réduise, réduisions.* Imp. subj. : *réduisisse, réduisît.* Pr. part. : *réduisant.* Past part. : *réduit.*

86. **Repaître** is conjugated like *paître,* but has the past tense : *repus, repûmes,* the imp. subj. : *repusse, repût,* the past part. : *repu.*

87. **Résoudre.** Pr. ind. : *résous, résout, résolvons.* Imp. : *résolvais, résolvions.* Past tense : *résolus, résolûmes.* Fut. : *résoudrai, résoudrons.* Condit. : *résoudrais, résoudrions.* Imper. : *résous, résolvons, résolvez.* Pr. subj. : *résolve, résolvions.* Imp. subj. : *résolusse, résolût, résolussions.* Pr. part. : *résolvant.* Past part. : *résolu.* In chemistry, note the past part. *résous* (only m.).

88. **Ressortir** is conjugated like *sortir,* but like *finir,* when used as a law term : pr. ind. : *ressortit;* imp. : *ressortissait;* past part. : *ressortissant.*

89. **Rire.** Pr. ind. : *ris, rions, rient.* Imp. : *riais, riions.* Past tense : *ris, rîmes.* Fut. : *rirai, rirons.* Condit. : *rirais, ririons.* Imper. : *ris, rions, riez.* Pr. subj. : *rie, riions.* Imp. subj. : *risse, rît, rissions.* Pr. part. : *riant.* Past part. : *ri.*

90. **Rompre** (fourth conjugation) takes a *t* in the third pers. of the sg.

91. **Saillir** is used only in the third person. Pr. ind. : *saille, saillent.* Fut. : *saillera, sailleront.* Condit. : *saillerait, sailleraient.* Pr. subj. : *saille, saillent.* Imp. subj. : *saillît, saillissent.* Pr. part. : *saillant.* Past part. : *sailli.*

92. **Savoir.** Pr. ind. : *sais, savons.* Imp. : *savais, savions.* Past tense : *sus, sûmes.* Fut. : *saurai, saurons.* Condit. : *saurais, saurions.* Imper. : *sache, sachons, sachez.* Pr. subj. : *sache, sachions.* Imp. subj. : *susse, sût, sussions.* Pr. part. : *sachant.* Past part. : *su.*

93. **Sentir.** Pr. ind. : *sens, sentons.* Imp. : *sentais, sentions.* Past tense : *sentis, sentîmes.* Fut. : *sentirai, sentirons.* Condit. : *sentirais, sentirions.* Imper. : *sens, sentons, sentez.* Pr. subj. : *sente, sentions.* Imp. subj. : *sentisse, sentît.* Pr. part. : *sentant.* Past part. : *senti.*

94. **Seoir** (to sit) is used in the participles only. Pr. part. : *séant.* Past part. : *sis.*

Seoir (to suit) is used only in the following forms. Pr. part. : *seyant.* Pr. ind. : *sied, siéent.* Imp. : *seyait, seyaient.* Fut. : *siéra, siéront.*

95. **Servir.** Pr. ind. : *sers, servons.* Imp. : *servais, servions.* Past tense : *servis, servîmes.* Fut. : *servirai, servirons.* Condit. : *servirais, servirions.* Imper. : *sers, servons, servez.* Pr. subj. : *serve, servions.* Imp. subj. : *servisse, servît.* Pr. part. : *servant.* Past part. : *servi.*

96. **Sourdre.** Only used in the infinitive and in the third person of the pr. ind. : *sourd, sourdent,* and imp. : *sourdait, sourdaient.*

97. **Suffire.** Pr. ind. : *suffis, suffisons.* Imp. : *suffisais, suffisions.* Past tense : *suffis, suffîmes.* Fut. : *suffirai, suffirons.* Condit. : *suffirais, suffiririons.* Imper. : *suffis, suffisons, suffisez.* Pr. subj. : *suffise, suffisions.* Imp. subj. : *suffisse, suffît.* Pr. part. : *suffisant.* Past part. : *suffi.*

98. **Suivre.** Pr. ind. : *suis, suivons.* Imp. : *suivais, suivions.* Past tense : *suivis, suivîmes.* Fut. : *suivrai, suivrons.* Condit. : *suivrais, suivrions.* Imper. : *suis, suivons, suivez.* Pr. subj. : *suive, suivions.* Imp. subj. : *suivisse, suivît.* Pr. part. : *suivant.* Past part. : *suivi.*

99. **Surgir.** Pr. ind. : *surgis, surgissons.* Imp. : *surgissais, surgissions.* Past tense : *surgis, surgîmes.* Fut. : *surgirai.* Condit. : *surgirais, surgirions.* Imper. : *surgis, surgissons, surgissez.* Imp. subj. : *surgisse, surgît, surgissions.* Pr. part. : *surgissant.* Past part. : *surgi.*

100. **Surseoir.** Pr. ind. : *sursois, sursoyons.* Imp. : *sursoyais, sursoyions.* Past tense : *sursis, sursîmes.* Fut. : *surseoirai, surseoirons.* Condit. : *surseoirais, surseoirions.* Imper. : *sursois, sursoyons, sursoyez.* Pr. subj. : *sursoie, sursoyions.* Imp. subj. : *sursisse, sursît.* Pr. part. : *sursoyant.* Past part. : *sursis.*

101. **Tenir.** Pr. ind. : *tiens, tenons.* Imp. : *tenais, tenions.* Past tense : *tins, tînmes.* Fut. : *tiendrai, tiendrons.* Condit. : *tiendrais, tiendrions.* Imper. : *tiens, tenons, tenez.* Pr. subj. : *tienne, tenions.* Imp. subj. : *tinsse, tînt, tinssions.* Pr. part. : *tenant.* Past part. : *tenu.*

102. **Vaincre.** Pr. ind. : *vaincs, vaincs, vainc, vainquons, vainquez, vainquent.* Imp. : *vainquais, vainquions.* Past tense : *vainquis, vainquîmes.* Fut. : *vaincrai, vaincrons.* Condit. : *vaincrais, vaincrions.* Imper. : *vaincs, vainquons, vainquez.* Pr. subj. : *vainque, vainquions.* Imp. subj. : *vainquisse, vainquît.* Pr. part. : *vainquant.* Past part. : *vaincu.*

103. **Valoir.** Pr. ind. : *vaux, vaux, vaut, valons, valez, valent.* Imp. : *valais, valions.* Past tense : *valus, valûmes.* Fut. : *vaudrai, vaudrons.* Condit. : *vaudrais, vaudrions.* Imper. : *vaux, valons, valez.* Pr. subj. : *vaille, valions.* Imp. subj. : *valusse, valût, valussions.* Pr. part. : *valant.* Past part. : *valu.*

104. **Vêtir.** Pr. ind. : *vêts, vêts, vêt, vêtons, vêtez, vêtent.* Imp. : *vêtais, vêtions.* Past tense : *vêtis, vêtîmes.* Fut. : *vêtirai, vêtirons.* Condit. : *vêtirais, vêtirions.* Imper. : *vêts, vêtons, vêtez.* Pr. subj. : *vête, vêtions.* Imp. subj. : *vêtisse, vêtît.* Pr. part. : *vêtant.* Past part. : *vêtu.*

105. **Vivre.** Pr. ind. : *vis, vis, vit, vivons, vivez, vivent.* Imp. : *vivais, vivions.* Past tense : *vécus, vécûmes.* Fut. : *vivrai, vivrons.* Condit. : *vivrais, vivrions.* Imper. : *vis, vivons, vivez.* Pr. subj. : *vive, vivions.* Imp. subj. : *vécusse, vécût.* Pr. part. : *vivant.* Past part. : *vécu.*

106. **Voir.** Pr. ind. : *vois, vois, voit, voyons, voyez, voient.* Imp. : *voyais, voyions.* Past tense : *vis, vîmes.* Fut. : *verrai, verrons.* Condit. : *verrais, verrions.* Imper. : *vois, voyons, voyez.* Pr. subj. : *voie, voyions.* Imp. subj. : *visse, vît.* Pr. part. : *voyant.* Past part. : *vu.*

107. **Vouloir.** Pr. ind. : *veux, voulons, veulent.* Imp. : *voulais, voulions.* Past tense : *voulus, voulûmes.* Fut. : *voudrai, voudrons.* Condit. : *voudrais, voudrions.* Imper. : *veux, voulons, voulez* (or) *veuille, veuillons, veuillez.* Pr. subj. : *veuille, voulions.* Imp. subj. : *voulusse, voulût.* Pr. part. : *voulant.* Past part. : *voulu.*

French currency, weights and measures

Currency

1 franc = 100 centimes.
Coins : 5 centimes, 10 centimes, 20 centimes, 1/2 F, 1 F, 2 F, 5 F, 10 F,
50 F, 100 F.

Banknotes : 20 F, 50 F, 100 F, 200 F, 500 F.

Metric weights

Milligramme	1 thousandth of a gram.	0.015 grain.
Centigramme	1 hundredth of a gram.	0.154 grain.
Décigramme	1 tenth of a gram.	1.543 grain.
Gramme	1 cub. centim. of pure water.	15.432 grains.
Décagramme	10 grams.	6.43 pennyweights.
Hectogramme ...	100 grams.	3.527 oz. avoir.
Kilogramme	1 000 grams.	2.204 pounds.
Quintal métrique .	100 kilograms.	220.46 pounds.
Tonne	1 000 kilograms.	19 cwts 2 grs 23 lbs.

Metric linear measures

Millimètre	1 thousandth of a meter.	0.039 incl.
Centimètre	1 hundredth of a meter.	0.393 inc.
Décimètre	1 tenth of a meter.	3.937 ins.
Mètre		1.0936 yard.
Décamètre	10 meters.	32.7 ft., 10.9 yards.
Hectomètre	100 meters.	109.3 yards.
Kilomètre	1 000 meters.	1.093 yards.

Metric square and cubic measures

Centiare	1 square meter.	1.196 square yard.
Are	100 square meters.	about 4 poles.
Hectare	100 ares.	about 2 1/2 acres.
Stère	1 cubic meter.	35 cubic feet.
Décastère	10 cubic meters.	13.1 cubic yards.

Metric fluid and corn measures

Centilitre	1 hundredth of a liter.	0.017 pint.
Décilitre	1 tenth of a liter.	0.176 pint.
Litre		1.76 pint.
Décalitre	10 liters.	2.2 gallons.
Hectolitre	100 liters.	22.01 gallons.

Thermometer

0° Celsius = 32° Fahrenheit ; 100° centigrade = 212° Fahrenheit.
To convert Fahrenheit degrees into centigrade, deduct 32, multiply by 5 and
divide by 9. *Pour convertir les degrés centésimaux en degrés Fahrenheit, multiplier par
9, diviser par 5 et ajouter 32.*

FRANÇAIS · ANGLAIS

A

a [a] *m* [lettre] a ‖ → AVOIR.

à [a] *prép* (**au** [o] = *à le*; **aux** [o] = *à les*) [lieu, sans mouvement] at, in ; ~ *la maison*, at home ; ~ *Paris*, in Paris ‖ [lieu, avec mouvement] to ; *aller* ~ *la gare*, go to the station ‖ [pénétration] into ‖ [distance] ~ *2 milles d'ici*, 2 miles away ; ~ *10 milles à la ronde*, for ten miles around ; ~ *10 milles l'un de l'autre*, 10 miles apart ‖ [direction] on, to ; ~ *gauche*, on/to the left ‖ [temps] at, on ; ~ *midi*, at noon ; ~ *cette occasion*, on this occasion ‖ [distribution, évaluation] ~ *la livre*, by the pound ; *au mois*, by the month ; *faire du cent* ~ *l'heure*, do sixty miles an hour ‖ [prix] ~ *10 francs la livre*, at 10 francs a pound ‖ [appartenance] of ; *un ami* ~ *moi*, a friend of mine ; ~ *qui est ce livre ?*, whose book is this ? ; *il est* ~ *moi/mon frère*, it is mine/my brother's ‖ [attribution] for ; *c'est* ~ *vous de décider*, it is up to you to decide ; *prêter de l'argent* ~ *qqn*, lend money to sb ‖ [origine] from ; *puiser de l'eau* ~ *un puits*, draw water from a well ; ~ *partir de maintenant*, from now on ‖ [moyen] by, with ; *à la machine/main*, by machine/hand ; *au couteau*, with a knife ; *au crayon*, in pencil ; *pêcher* ~ *la ligne*, angle ; *aller* ~ *bicyclette*, cycle ‖ ~ *votre montre*, by your watch ‖ [manière] ~ *voix basse*, in a low voice ; ~ *nous deux*, between ourselves ‖ [caractéristique] with ; *une jeune fille aux yeux bleus*, a girl with blue eyes, a blue-eyed girl ; *café au lait*, coffee and milk, white coffee ‖ [usage, destination] *une tasse* ~ *thé*, a tea-cup ‖ [introduit obj. indir.] to ; *parler* ~ *qqn*, speak to sb ‖ *obéir* ~ *ses parents*, obey one's parents ‖ [+ infin.] *facile* ~ *faire*, easy to do ‖ RAD. ~ *vous !*, over (to you) !

abaiss|ement [abɛsmɑ̃] *m* lowering (action) ‖ FIG. humiliation ‖ ~**er** *vt* (1) lower, bring down ‖ depress (levier) ‖ FIG. debase, humiliate, humble — *vpr s'*~, [terrain] slope down, fall away ‖ FIG. humble oneself ; stoop.

abandon [abɑ̃dɔ̃] *m* surrender, renunciation (de qqch) ‖ desertion, abandonment (de poste/personne) ‖ giving-up (études) ‖ *à l'*~, in a state of neglect ; derelict (maison, navire) ; left to run wild (champ) ‖ JUR. renunciation (de ses droits) ‖ FIG. lack of restraint ; abandon (laisser-aller) ‖ ~**né, e** [-dɔne] *adj* deserted (femme) ; *enfants* ~*s*, waifs and strays ‖ derelict (en ruine) ‖ ~**er** *vt* (1) forsake, desert (ses amis) ; quit (un emploi) ‖ leave (le pays) ‖ NAUT. abandon ‖ SP. give up, drop out ‖ JUR. relinquish, surrender (un droit) ‖ FIG. give up, yield ; drop out (une activité) ; scrap (un projet) ; break with (vieilles habitudes) — *vpr s'*~, let oneself go (se laisser aller) ‖ *s'*~ *à*, surrender to, give way to (une émotion) ; indulge (un plaisir, etc.).

abasourd|i, e [abazurdi] *adj* stunned, bewildered, dumbfounded ‖ **~ir** *vt* (2) stun, bewilder.

abat-jour [abaʒur] *m inv* lampshade.

abats [aba] *mpl* offal.

abatt|age [abataʒ] *m* slaughter (d'animaux) ‖ felling, cutting (d'arbres) ‖ **~ement** *m* FIG. depression, dejection.

aba|ttoir [abatwar] *m* slaughterhouse ‖ **~ttre** [-tr] *vt* (20) cut down (un arbre) ; pull down (une maison) ‖ overthrow, strike down (un adversaire) ; kill (un animal dangereux) ; slaughter (animaux de boucherie) ‖ Sr. [chasse] shoot down ‖ Av. bring down ‖ FIG. ~ son jeu, lay one's cards on the table ‖ FIG. depress, demoralize — *vpr* s'~, fall down (tomber) ‖ [oiseau de proie, ennemi] swoop (sur, down on) ‖ Av. crash.

abattu, e [abaty] *adj* FIG. exhausted worn - out (épuisé) ; weak (faible) ; dejected, depressed, downcast (déprimé).

ab|baye [abei] *f* abbey ‖ ~ **bé** [-be] *m* priest ; *monsieur l'~ X*, Father X ‖ abbot (d'un couvent).

abc [abese] *n* rudiments.

abcès [abse] *m* abscess.

abdi|cation [abdikasjɔ̃] *f* abdication ‖ **~quer** [-ke] *vi/vt* (1) abdicate.

abdom|en [abdɔmɛn] *n* abdomen ‖ ~**inal, e, aux** [-inal, o] *adj* abdominal.

abécédaire [abesedɛr] *m* primer.

abeille [abej] *f* bee ‖ *nid d'~s*, diaper, honeycomb (tissu).

aberr|ant, e [abɛrɑ̃, ɑ̃t] *adj* aberrant, absurd, nonsensical ‖ **~ation** *f* aberration.

abêtir [abetir] *vt* (2) make dull.

abîm|e [abim] *m* abyss, chasm ‖ **~er** *vt* (1) ruin, spoil, damage — *vpr* s'~, get spoiled ; [fruits] go bad ‖ s'~ *les yeux*, strain one's eyes.

abject, e [abʒɛkt] *adj* abject.

abjurer [abʒyre] *vt* (1) abjure.

abnégation [abnegasjɔ̃] *f* self-denial, self-sacrifice.

aboi [abwa] *m* FIG. *aux ~s*, at bay ‖ **~ement** [-mɑ̃] *m* bark(ing).

abol|ir [abɔlir] *vt* (2) abolish, do away with ‖ **~ition** [-isjɔ̃] *f* abolition.

abominable [abɔminabl] *adj* abominable, cursed.

abond|ance [abɔ̃dɑ̃s] *f* richness, wealth, abundance, plenty, profusion ‖ *vivre dans l'~*, live in affluence ; *société d'~*, affluent society ‖ **~ant, e** *adj* plentiful, abundant, profuse ; *peu ~*, scarce, scanty ‖ heavy (pluies) ‖ **~er** *vi* (1) abound, be plentiful ‖ FIG. ~ *dans le sens de qqn*, chime in with sb.

abonn|é, e [abɔne] *n* subscriber (à un journal) ‖ RAIL. season-ticket holder ● *adj* être ~ à, take in, subscribe to (un journal) ‖ **~ement** *m* subscription ; *prendre un ~ à*, take out a subscription to ; *carte d'~*, season-ticket, pass ‖ **~er (s')** *vpr* (1) ~à, subscribe to (un journal) ‖ RAIL. take a season-ticket.

abord [abɔr] *m* approach, access ‖ *Pl* surroundings ; outskirts (d'une ville) ● *loc adv* **d'~**, at first ; *tout d'~*, first of all, for one thing ; *de prime ~*, at the outset ; *dès l'~*, from the start ‖ **~able** [-dabl] *adj* reasonable (prix) ‖ **~age** *m* NAUT. boarding ; *prendre à l'~*, board ‖ **~er** *vi* (1) NAUT. land ; reach (un port) — *vt* approach, accost (qqn) ‖ NAUT. come alongside (accoster) ‖ FIG. take up (une question) ; approach, enter upon (un sujet).

aborigène [abɔriʒɛn] *adj* aboriginal ● *n* aborigene.

about|ir [abutir] *vi* (2) ~à, end, result in ‖ [chemin] lead to, come to ‖ FIG. [projet] materialize, come off (coll.) ; *ne pas ~à grand-chose*, come to nothing ; *faire ~*, bring off (une entreprise) ‖ **~issement** *m* outcome, result ‖ Fig. outgrowth.

aboyer [abwaje] *vi* (9 *à*) bark ; bay.

abrasif, ive [abrazif, iv] *adj/m* abrasive.

abrég|é [abreʒe] *m* short summary, abstract, digest ‖ **~er** *vt* (5, 7) abbreviate (un mot) ; condense, abridge, cut down (un article) ; shorten (la durée) ; *pour* ~, to make a long story short.

abreuv|er [abrœve] *vt* (1) water (un animal) ‖ **~oir** *m* watering-place, trough.

abréviation [abrevjasjɔ̃] *f* abbreviation ; *par* ~, for short.

abri [abri] *m* shelter, cover ; *à l'* ~, under shelter ; indoors (à l'intérieur) ; *mettre à* ~, shelter ; *se mettre à l'* ~, take shelter ; *sans* ~, homeless ‖ Mil. dug out ‖ Fig. haven ‖ Fig. *à l'* ~, secure, immune (de, from) ; *mettre à l'* ~, secure.

Abribus [-bys] *m* (N. D.) bus shelter.

abricot [abriko] *m* apricot.

abriter [abrite] *vt* (1) shelter ‖ screen (contre le vent) ; ~ *du soleil*, shade — *vpr* **s'** ~, shelter.

abro|gation [abrɔgasjɔ̃] *f* repeal ‖ **~ger** [-ʒe] *vt* (7) abrogate, annul, repeal (une loi) ; rescind, revoke (un ordre).

abrupt, e [abrypt] *adj* precipitous, abrupt, steep ‖ Fig. sudden.

abrutir [abrytir] *vt* (2) stupefy, brutalize.

abscisse [absis] *f* abscissa.

absence [absɑ̃s] *f* absence ; *en l'* ~ *de*, in the absence of.

absen|t, e [absɑ̃, ɑ̃t] *adj* absent, away from home (parti) ; missing, wanting (manquant) ‖ Av. *passager* ~, no-show ● *n* absent person, absentee ‖ **~téisme** [-teism] *m* absenteeism ‖ **~ter (s')** [-te] *vpr* (1) absent oneself ; go/be away/out (de, from).

absolu, e [absɔly] *adj* absolute ‖

complete, unlimited, utter ‖ **~ment** *adv* absolutely ‖ completely, quite, utterly ‖ positively, really ‖ **~tion** *f* absolution.

absorb|ant, e [absɔrbɑ̃, ɑ̃t] *adj* absorbing ‖ **~é, e** *adj* rapt (*dans*, in) ; intent (*par*, on) ‖ *être* ~, be lost in ‖ **~er** *vt* (1) [éponge] absorb ‖ [buvard] suck in ‖ drink, imbibe (boisson) ‖ Fig. [travail] take up, engross ; [entreprise] take over.

abstenir (s') [sabstənir] *vpr* (101) refrain, abstain (de, from).

abstin|ence [abstinɑ̃s] *f* abstinence ‖ **~ent, e** *adj* abstemious, abstinent ● *n* total abstainer.

abstr|action [abstraksjɔ̃] *f* abstraction ; *faire* ~, omit, leave out ‖ **~ait, e** [-ɛˌɛt] *adj* abstract.

absurd|e [absyrd] *adj* absurd, preposterous, nonsensical ‖ **~ité** *f* absurdity, nonsense.

abus [aby] *m* abuse, misuse ‖ ~ *de confiance*, breach of trust, confidence trick ‖ **~er** [-ze] *vt* (1) mislead, deceive — *vi* ~ *de*, mistreat, misuse, presume (de, on) ; strain (de ses forces) ‖ ~ *du tabac*, smoke too much ; ~ *du temps de qqn*, trespass upon sb's time — *vpr* **s'** ~, deceive oneself ‖ **~if, ive** *adj* excessive, undue, unauthorized.

académ|ie [akademi] *f* academy ‖ **~ique** *adj* academic.

acajou [akaʒu] *m* mahogany.

acariâtre [akarjɑtr] *adj* sour, cantankerous ; shrewish (femme).

accabl|ant, e [akablɑ̃, ɑ̃t] *adj* overwhelming, oppressive ‖ **~é, e** *adj* overcome, worn out (de fatigue) ; overwhelmed (de travail) ‖ ~ *de doutes*, beset by doubts ‖ **~ement** *m* prostration, dejection ‖ **~er** *vt* (1) overpower, weigh down ‖ ~ *de*, harass with (questions) ‖ Fig. overwhelm (de, with) ; overcome (de, by).

accalmie [akalmi] *f* lull.

accaparer [akapare] *vt* (1) Comm. corner ‖ Fig. monopolize.

accéder [aksede] *vi* (5) ~ **à,** have access to, come at ‖ ~ *au trône,* succeed to the throne ‖ FIG. accede to ; comply with (une demande).

accélér|ateur [akseleratœr] *m* accelerator ‖ ~**ation** *f* acceleration ‖ ~**é** *m* CIN. quick motion ‖ ~**er** *vt* (5) accelerate, quicken (le mouvement) ; speed up (la circulation).

accent [aksã] *m* accent ‖ GRAMM. stress (tonique) ‖ FIG. emphasis, stress ; *mettre l' ~ sur,* lay stress on ‖ ~**uer** [-tɥe] *vt* (1) stress, emphasize ‖ FIG. accentuate.

accept|able [aksɛptabl] *adj* acceptable ; *être ~,* pass muster ‖ ~**ation** *f* acceptance ‖ ~**er** *vt* (1) accept (un cadeau) ; agree to (une proposition) ‖ allow (permettre) ‖ take up (un défi).

acception [aksɛpsjɔ̃] *f* acceptation, meaning.

acc|ès [aksɛ] *m* access, entry, admittance (*à,* to) ‖ *d' ~ facile,* within easy reach ‖ INF. ~ *aléatoire,* random access ; *point d' ~,* port ‖ MÉD. fit (crise) ; ~ *de fièvre,* bout of fever ‖ FIG. outburst, outbreak ‖ ~**essible** [-sibl] *adj* accessible, open (*à,* to) ‖ ~**ession** [-ɛsjɔ̃] *f* accession.

accessoir|e [aksɛswar] *adj* accessory, incidental ● *m* requisite (*de,* for) ‖ *Pl* attachments ‖ TH. prop ‖ ~**ement** *adv* incidentally ‖ ~**iste** *m* property man.

accident [aksidã] *m* accident ; *par ~,* accidentally ; ~ *d'auto/de la circulation,* motoring/road accident ; ~ *d'avion,* air crash ; *avoir un ~,* meet with an accident, come to grief ‖ [contretemps] mishap ‖ ~**é, e** [-te] *adj* damaged, smashed up (voiture) ‖ uneven, broken (terrain) ● *n* casualty ; victim ‖ ~**el, elle** *adj* accidental ‖ incidental, casual (fortuit) ‖ ~**ellement** *adv* accidentally, incidentally (par hasard).

acclam|ation [aklamasjɔ̃] *f* acclamation ‖ *Pl* cheers ‖ ~**er** *vt* (1) cheer ‖ FIG. acclaim.

acclimat|ation [aklimatasjɔ̃] *f* acclimatization ‖ ~**er** *vt* (1) acclimatize, season — *vpr s' ~,* become/get acclimatized.

accointances [akwɛ̃tãs] *fpl* connections.

accolade [akɔlad] *f* hug, embrace ‖ [typographie] brace.

accommod|ant, e [akɔmɔdã, ãt] *adj* accommodating, easy-going ‖ ~**er** *vt* (1) accommodate ‖ CULIN. dress — *vpr s' ~,* put up (*de,* with).

accompagn|ateur, trice [akɔ̃paɲatœr, tris] *n* [guide] guide ‖ MUS. accompanist ‖ ~**ement** *m* MUS. accompaniment ‖ ~**er** *vt* (1) accompany ; go (along) with, escort ; ~ *qqn jusque chez lui,* see sb home ; ~ *à la gare,* send off ‖ MUS. accompany.

accompl|i, e [akɔ̃pli] *adj* FIG. accomplished ‖ ~**ir** *vt* (2) carry out (une tâche) ; accomplish (une mission) ; fulfil (une promesse) ; discharge (un devoir) ; perform (une tâche) ‖ serve (une période probatoire) ‖ MIL. do (son service militaire) ‖ ~**issement** *m* accomplishment, performance (d'une tâche) ; discharge (d'un devoir) ; satisfaction (d'un vœu) ; fulfilment (d'une promesse).

accord [akɔr] *m* agreement ; *être d' ~ avec qqn,* agree/go along with sb ; *ne pas être d' ~,* disagree, differ (*sur,* about) ; *arriver à un ~,* come to terms/an agreement ; *donner son ~,* give one's OK (coll.) ; *d' ~ !,* all right !, agreed !, OK ! ‖ harmony, accord, concord ; *d'un commun ~,* with one accord, by common consent ; *en ~,* consistent, in keeping (*avec,* with) ‖ correspondence (*avec,* with) ; accordance (*avec,* with) [conformité] ; *agir en ~ avec,* act up to ; *vivre en ~ avec ses principes,* live up to one's principles ‖ MUS. chord ‖ RAD. tuning ‖ GRAMM. agreement ‖ ~**éon** [-deɔ̃] *m* accordion ‖ ~**er** *vt* (1) grant (une audience) ; concede, admit/grant (*que,* that) ‖ allot (octroyer) ‖ match (couleur) ‖ Mus. tune, key up (un instrument) — *vpr* **s'~**, agree (*sur*, upon) ‖ [s'entendre] get along/on together ‖ [couleurs] match ‖ [chiffres] tally (*avec*, with) ‖ [arguments] square (*avec*, with) ‖ [idées] chime in (*avec*, with) ‖ Mus. [orchestre] tune up ‖ Gramm. agree (*avec*, with) ‖ **~eur** *m* Mus. tuner.

accoster [akɔste] *vt* (1) Naut. come alongside ‖ Fig. accost, approach, stop (and speak to) [qqn].

accotement [akɔtmã] *m* roadside, verge ; **~** *non stabilisé,* soft shoulder.

accouch|ement [akuʃmã] *m* Méd. delivery, childbirth ; **~** *sans douleur,* painless childbirth ‖ **~er** *vi* (1) be in labour ; have a baby ; **~** *de,* give birth to — *vt* deliver.

accouder (s') [akude] *vpr* (1) rest one's elbows (*à, sur,* on) ; lean on one's elbow(s).

accoudoir [akudwar] *m* armrest.

accoupl|ement [akupləmã] *m* coupling ‖ mating (d'animaux) ‖ **~er** *vt* (1) mate (animaux) ‖ Techn. couple (wagons) ‖ Électr. connect — *vpr* **s'~**, mate, couple, pair off ‖ [animaux] mate.

accourir [akurir] *vt* (32) run up.

accoutrement [akutrəmã] *m* Fam. rig(-out), get-up.

accoutum|ance [akutymãs] *f* habit, practice ‖ **~é, e** *adj* used, accustomed (*à,* to) ‖ **~er** *vt* (1) accustom, familiarize (*à,* with) ; inure (aguerrir) — *vpr* **s'~**, get used/accustomed (*à,* to).

accréditer [akredite] *vt* (1) give credit to (une nouvelle) ‖ accredit (un diplomate).

accroc [akro] *m* tear, rent (*à,* in) ; *sans* **~**, without a hitch.

accroch|age [akrɔʃaʒ] *m* hanging up (d'un tableau) ‖ [dispute] quarrel ; set-to (coll.) ‖ Aut. collision ‖ Mil. skirmish, encounter, clash ‖ **~e-cœur,** **~e-cœurs** *m* lovelock, kisscurl ‖ **~er** *vt* (1) hang, hang up, put

up (suspendre) [*à, on, from*] ‖ *être accroché,* hang (*à, from*) ‖ hook (avec un crochet) ‖ catch and tear (un vêtement à une ronce) ‖ Aut. bump against ‖ Rail. hitch (attacher) — *vpr* **s'~**, hang on, catch on (*à,* to) ‖ Fig. cling (*à,* to) ; clutch (*à,* at) ‖ Fam. stick to (se cramponner) ; have a set-to (se quereller) [*avec qqn,* with sb].

accroire [akrwar] *vt* (1) *en faire* **~** *à,* impose upon.

accr|oissement [akrwasmã] *m* Agr. growth ‖ Fin. increase (somme) ‖ **~oître** [-watr] *vt* (34) increase, enlarge ‖ Fig. heighten, increase — *vpr* **s'~**, grow, increase.

accroup|ir (s') [sakrupir] *vpr* (2) crouch, squat ‖ **~i, e** *adj* squatting ; *se tenir* **~**, squat.

accru [akry] *p. p.* increased ; → ACCROÎTRE.

accueil [akœj] *m* reception ‖ welcome (bienvenue) ; *faire bon* **~** *à qqn,* welcome sb ‖ **~lant, e** *adj* welcoming, friendly ; homelike ‖ **~lir** *vt* (35) receive (en général) ‖ welcome, greet (avec plaisir) ‖ collect (aller chercher).

acculer [akyle] *vt* (1) corner, drive to the wall (qqn) ; **~** *qqn au désespoir,* drive sb to despair.

accumul|ateur [akymylatœr] *m* Aut. (storage) battery ‖ **~ation** *f* accumulation ‖ piling up (amoncellement) ; heap (tas) ‖ Électr. *radiateur m à* **~**, storage heater ‖ **~er** *vt* (1) accumulate, amass — *vpr* **s'~**, accumulate ‖ Fin. accrue.

accus [aky] *mpl* = ACCUMULATEUR.

accus|ation [akyzasjɔ̃] *f* accusation, charge ‖ Jur. indictment ; prosecution ; *chef d'* **~**, charge, count ; *mise en* **~**, impeachment ‖ **~é, e** *adj* Fig. bold (traits) ● *n* accused ● *m* **~** *de réception,* acknowledgement of receipt ‖ **~er** *vt* (1) accuse (*de,* of) ; charge (*de,* with) ‖ Jur. indict, impeach (*de,* for) ; **~** *qqn de qqch,* lay sth to sb's charge ‖ Comm. **~** *réception,* acknowledge receipt of.

acerbe [asɛrb] *adj* biting, sharp.

acéré, e [asere] *adj* keen, sharp.

acétone [asetɔn] *f* acetone.

acétylène [asetilɛn] *m* acetylene.

achalandé, e [aʃalɑ̃de] *adj* COMM., FAM. *bien* ~, well-stocked (approvisonné) ; [vx.] well patronized (ayant une nombreuse clientèle).

acharn|é, e [aʃarne] *adj* inveterate (joueur) ; desperate (combat) ; cutthroat (lutte) ; hot (poursuite) ; fierce (haine) ‖ strenuous, unrelenting (activité) ‖ COMM. keen (concurrence) ‖ ~**ement** *m* [combats] fierceness ‖ [activité] relentlessness ‖ [travail] determination ; *avec* ~, fiercely, desperately (violemment) ‖ ~**er (s')** *vpr* (1) *s'~ à faire,* keep doing ‖ *s'~ sur,* keep going at/for.

achat [aʃa] *m* buying (action) ; purchase, buy (objet) ; *aller faire des* ~*s,* go shopping ‖ *pouvoir d'*~, purchasing power.

achemin|ement [aʃminmɑ̃] *m* progression ‖ dispatching, routing (d'une marchandise) ; forwarding (lettres, matériel) ‖ ~**er** *vt* (1) direct, dispatch (qqn) [*vers,* towards) ‖ route, forward (qqch).

achet|er [aʃte] *vt* (86) buy, purchase ; ~ *d'occasion,* buy secondhand ‖ COMM. ~ *en gros,* buy in large quantities ; ~ *comptant,* buy cash ; ~ *à condition,* buy on approval ‖ FIG. bribe (corrompre) ‖ ~ **eur, euse** *n* buyer, purchaser.

ach|evé, e [aʃve] *adj* ended, finished, over ‖ FIG. accomplished, perfect ; complete, consummate ‖ ~**èvement** [aʃɛvmɑ̃] *m* completion, conclusion ‖ ~**ever** *vt* (5) conclude, end, finish ‖ complete, polish off (un travail) ‖ round off (une phrase) ‖ finish off (un animal) — *vpr s'*~, end.

achoppement [aʃɔpmɑ̃] *m* → PIERRE.

acid|e [asid] *adj/m* acid, sour ‖ ~**ité**

f acidity, sourness ‖ ~**ulé, e** [-yle] *adj bonbons* ~*s,* acid drops.

aci|er [asje] *m* steel ‖ FIG. *d'*~, steely ‖ ~**érie** [-ri] *f* steelworks.

acné [akne] *f* acne.

acompte [akɔ̃t] *m* COMM. deposit, down payment ; *verser un* ~ *de 10 £ sur,* pay £ 10 on account for.

à-côtés [akote] *mpl* side-issues (de la question) ‖ extras (dépenses) ‖ fringe benefits ; perks (fam.).

à-coup [aku] *m* jerk, jolt ; *par* ~*s,* by fits and starts, jerkily ; *sans* ~*s,* smoothly.

acoustique [akustik] *adj* acoustic ● *f* acoustics.

acquér|eur [akerœr] *m* buyer, purchaser ‖ ~**ir** *vt* (13) acquire (recevoir) ‖ purchase, buy (acheter).

acquiesc|ement [akjɛsmɑ̃] *m* approval, agreement ‖ ~**er** *vi* (1) acquiesce, assent (*à,* to).

acquis, e [aki, iz] *adj* FIG. vested (droit) ; established (fait) ‖ *tenir pour* ~, take for granted ‖ *mal* ~, ill-gotten ● *m* background, experience (savoir) ‖ ~**ition** [-zisjɔ̃] *f* acquisition (act) ; purchase (objet) ; *faire l'*~ *de,* acquire ; purchase (achat).

acquit [aki] *m* receipt, discharge, acquittal ; *pour* ~, paid with thanks ‖ FIG. *par* ~ *de conscience,* for conscience' sake ‖ ~**tement** [-tmɑ̃] *m* JUR. acquittal ‖ COMM. discharge, payment ‖ ~**ter** [-te] *vt* (1) COMM. pay off (une dette) ; receipt (une facture) ‖ JUR. acquit (un accusé) — *vpr s'*~ *de,* discharge, clear (une dette) ‖ carry out (un travail) ‖ discharge (un devoir) ‖ fulfil, carry out (promesse).

âcre [akr] *adj* acrid (goût) ; pungent, sharp (odeur) ‖ ~**té** *f* acridity (goût) ; pungency, sharpness (odeur).

acrimon|ie, [akrimɔni] *f* acrimony ‖ ~**ieux, euse** [-jø, øz] *adj* acrimonious.

acroba|te [akrɔbat] *n* acrobat ‖

~tie [-si] *f* acrobatics, stunt ‖ *Pl ~s aériennes,* aerobatics, stuntflying.

acte [akt] *m* act, action ; ~ *de courage,* courageous deed ‖ *Pl* records (documents) ; proceedings (d'un congrès) ‖ TH. act ‖ JUR. deed, ; legal document ; ~ *de naissance,* birth certificate ‖ FIG. *prendre* ~ *de,* record ; *faire* ~ *de présence,* put in an appearance.

acteur [aktœr] *m* actor, player.

actif [aktif] *adj* active, busy (personne, vie) ‖ MIL. regular (armée) ‖ FIN. lively (marché) ● *m* COMM. assets ; *à l'*~, on the credit side.

action [aksjɔ̃] *f* action, act, deed ; feat (haut fait) ; *une bonne* ~, a good deed ‖ agency (intermédiaire) ‖ MÉD. effect (*sur,* on) ‖ JUR. ~ *en justice,* law-suit ‖ TH. action ‖ FIN. share, stock ; *société par* ~s, joint-stock company ‖ REL. ~ *de grâces,* thanksgiving ‖ **~naire** [-ɔnɛr] *n* shareholder ‖ **~nariat** [-ɔnarja] *m* shareholding ‖ **~ner** [-ɔne] *vt* (1) TECHN. set in motion ‖ operate (machine).

activ|ement [aktivmã] *adv* actively ‖ **~er** *vt* (1) speed up, hurry, hasten (accélérer) ‖ stir up (le feu) — *vpr s'*~, be busy, bustle about ‖ **~ité** *f* activity, diligence ; *débordant d'*~, full of go ; *en pleine* ~, in full swing ; ~ *secondaire,* side line ‖ MIL. active service ; *en* ~, on the active list.

actrice [aktris] *f* actress.

actuaire [aktɥɛr] *n* actuary.

actu|alité [aktɥalite] *f* current events ; *d'*~, topical ; *questions d'*~, current affairs ‖ **~el, elle** *adj* present, current ‖ **~ellement** *adv* now, at present, at the moment ; currently.

acuité [akɥite] *f* acuteness (d'une douleur) ; keenness (of vision).

acupuncture [akypɔ̃ktyr] *f* acupuncture.

adage [adaʒ] *m* saying.

adapt|able [adaptabl] *adj* adaptable, adjustable ‖ **~ateur** *m* ÉLECTR. adapter ‖ **~ation** *f* adaptation ‖

faculté d'~, versality ‖ **~er** *vt* (1) adapt ‖ TECHN. fit, adjust (*à,* to) ‖ MUS. arrange ‖ TH. adapt — *vpr s'*~, fit (*à,* on) ‖ FIG. adapt/conform/ adjust oneself (*à,* to).

addition [adisjɔ̃] *f* addition, sum ‖ COMM. bill ; U.S. check ‖ **~ner** [-sjɔne] *vt* (1) add up, sum up, tot up ‖ FIG. dilute (*d'eau,* with water).

adepte [adɛpt] *n* devotee, follower.

adéquat, e [adekwa, at] *adj* appropriate, suitable.

adhér|ence [aderãs] *f* adhesion ‖ AUT. road grip ‖ **~ent, e** *n* member, adherent ; *nombre d'*~s, membership ‖ **~er** *vi* (5) adhere, stick (*à,* to) ‖ FIG. ~ *à,* join (une association).

adhés|if, ive [adezif, iv] *adj* adhesive, sticky ‖ **~ion** [-jɔ̃] *f* adherence, approval ; joining (à un parti).

adieu [adjø] *m* farewell ; *faire ses* ~*x à,* take leave of, say goodbye to ‖ *d'*~, parting (baiser) ; *fête d'*~, send-off.

adjacent, e [adʒasã, ãt] *adj* adjacent ; adjoining (pièces).

adjectif [adʒɛktif] *m* adjective.

adj|oindre [adʒwɛ̃dr] *vt* (59) associate (*à,* with) ‖ **~oint, e** [-wɛ̃, ɛ̃t] *n* associate, assistant ; *directeur* ~, assistant manager ; ~ *au maire,* deputy-mayor ‖ **~onction** [-ɔ̃ksjɔ̃] *f* adjunction.

adjudant [adʒydã] *m* MIL. warrant officer.

adjudica|taire [adʒydikatɛr] *m* contractor ‖ **~tion** *f* adjudication, tender.

adjuger [adʒyʒe] *vt* (7) award ‖ knock down (aux enchères).

adjurer [adʒyre] *vt* (1) adjure, entreat.

admettre [admɛtr] *vt* (64) allow (accorder) ; tolerate, admit of (tolérer) ; concede, grant, admit, acknowledge (reconnaître) ‖ let in, receive (recueillir) ‖ [examen] pass.

administr|ateur [administratœr] *m*

administrator ‖ manager, director, trustee ‖ **~atif, ive** *adj* administrative ; *style* ~, officialese ‖ **~ation** *f* administration, management (gestion) ‖ authorities (personnes) ; civil service (fonction) ‖ **~er** [administre] *vt* (1) direct, manage, govern, run ‖ Méd. administer (remède).

admir|able [admirabl] *adj* admirable ‖ **~ablement** *adv* beautifully ‖ **~ateur, trice** *n* admirer ‖ **~atif, ive** *adj* admiring ‖ **~ation** *f* admiration ‖ **~er** *vt* (1) admire, look up to.

admis, e [admi, iz] *adj* received, current ‖ successful (candidat) ‖ **~sible** [-sibl] *adj* allowable, permissible, admissible ‖ qualified for a « viva » (à un examen) ‖ **~sion** [-sjɔ̃] *f* admission, admittance, entry (dans un club, etc.), access (à, to) ‖ Techn. inlet, intake ‖ Aut. admission.

adolesc|ence [adɔlesɑ̃s] *f* adolescence, youth ; boyhood, girlhood ‖ **~ent, e** *adj/n* adolescent, youth, youngster, teenager.

adonner (s') [sadɔne] *vpr* (1) give oneself up, devote oneself (à, to) ‖ *s'~ au sport*, go in for sport ‖ Péj. indulge (à, in) ; be addicted (à, to).

adop|ter [adɔpte] *vt* (1) adopt (un enfant) ‖ approve (un procès-verbal) ‖ pass (loi, motion) ‖ Fig. take up (une opinion) ‖ **~tif, ive** *adj* adopted (enfant) ; *père* ~, foster father ; *parents* ~s, adoptive parents ‖ **~tion** *f* adoption.

adosser (s') [sadose] *vpr* (1) lean with one's back (à, against).

adouber [adube] *vt* (1) [échecs] adjust.

adouc|ir [adusir] *vt* (2) soften (eau, voix) ; sweeten (boisson) ; tone

down (couleur) ‖ Fig. temper ; mitigate (peine) ; alleviate (douleur) — *vpr* s'~, [température] get milder ‖ **~issant, e** *adj* softening ‖ **~issement** *m* softening ‖ Fig. alleviation.

adresse¹ [adres] *f* skill, dexterity ‖ Fig. cleverness.

adress|e² *f* [domicile] address ; ~ *de réexpédition,* forwarding address ‖ **~er** *vt* (1) send, direct (une lettre) ‖ ~ *la parole à qqn,* address sb, speak to sb — *vpr* s'~, apply (à, at) [un endroit] ; apply, speak (à, to) [qqn] ; ~ *à qqn,* go and see sb ‖ [remarque] be directed to, be meant for.

adroit, e [adrwa, at] *adj* skilful, dext(e)rous ; ~ *de ses mains,* clever with one's hands ‖ Fig. clever.

adul|ation [adylasjɔ̃] *f* adulation ‖ **~er** *vt* (1) flatter, fawn upon.

adulte [adylt] *adj* grown-up, adult ‖ fully-grown (animal, plante) ● *n* adult, grown-up.

adultère [adylter] *adj* adulterous ; *homme/femme* ~ adulterer, adulteress ● *m* [acte] adultery.

advenir [advǝnir] *vi* (14) happen, occur ; *quoi qu'il advienne, advienne que pourra,* happen what may.

adverbe [adverb] *m* adverb.

advers|aire [adverser] *m* opponent, adversary ‖ **~e** *adj* adverse, opposite ‖ **~ité** *f* adversity.

aér|ation [aerasjɔ̃] *f* ventilation, airing ‖ **~é, e** *adj* airy ; *mal* ~, stuffy ‖ **~er** *vt* (5) ventilate, air (une pièce) ‖ **~ien, ienne** *adj* aerial (phénomène) ‖ overhead (câble) ‖ Av. air (compagnie).

aéro-|club [aeroklœb] *m* flying club ‖ **~drome** [-drom] *m* aerodrome ‖ **~dynamique** *adj* Aut., Av. streamlined, sleek ● *f* aerodynamics ‖ **~gare** *f* air-terminal ‖ **~glisseur** *m* hovercraft, air cushion vehicle ‖ **~naute** [-not] *n* aeronaut ‖ **~nautique** [-notik] aeronautics ; *salon de l'*~, air show ‖ **~port** *m* airport ‖ **~porté, e** *adj* Mil. airborne

|| ~**sol** m aerosol, spray || ~**stat** [-sta] m balloon.

affable [afabl] adj affable, bland.

affadir [afadir] vt (2) make insipid — vpr s'~, lose flavour.

affaiblir [afeblir] vt (2) weaken || devitalize || FIG. attenuate — vpr s'~, grow weak(er) || [lumière] grow dim || [personne] lose one's strength || [santé] flag.

affaire [afer] f business, affair, matter, concern ; **avoir ~ à,** have to do/deal with ; **faire l'~,** meet the case ; serve the purpose, suit, do ; **tirer d'~,** pull through (qqn) || COMM. deal, transaction, bargain ; **une bonne ~,** a good bargain/buy ; **une mauvaise ~,** a bad deal ; faire ~, strike a bargain || Pl COMM. business ; **les ~s sont les ~s,** business is business ; **pour ~s,** on business ; **être dans les/retiré des ~s,** be in/out of business ; **faire des ~s,** do business (avec, with) ; faire des ~s d'or, coin money ; **homme d'~s,** businessman ; lanceur d'~s, promoter || [firm], business (entreprise) || Pl [affaires privées] business ; mêlez-vous de vos ~s, mind your own business ; [objets] things, belongings, possessions ; stuff (coll.) ; SP. kit || POL. Affaires étrangères, Foreign Affairs || JUR. case || FAM. proposition ; faire son ~ à, do for (tuer) || FIG. matter || FIG. se tirer d'~, get out of a scrape ; manage (réussir) ; tiré d'~, out of the wood ; avoir ~ à, have to deal with.

affair|é, e [afere] adj busy ; ~**ement** m bustle || ~**er (s')** vpr (1) bustle about, fuss.

affaiss|ement [afɛsmã] m subsidence (du terrain) ; collapse (du toit) ; sag(ging) [du plancher] ; COMM., FIN. slump || ~**er (s')** vpr (1) [terre] sink || [bâtiment, terrain] subside || [poutre] sag || give way (ployer).

affaler (s') [safale] vpr (1) slouch.

affam|é, e [afame] adj famished,

hungry, starving, ravenous || ~**er** vt (1) starve.

affect|ation¹ [afɛktasjɔ̃] f affectation, pretence (pose) || ~**é, e** adj assumed, simulated (feint) ; sophisticated (maniéré) || ~**er¹** vt (1) pretend, feign, simulate, put on (feindre).

affect|ation² f assignment (à un poste) || ~**er²** vt (1) assign ; allot, hand over (à, to), earmark (crédits) [à, for] ; appoint (nommer) [pour faire, to do] || MIL. assign, post (à, to).

affect|er³ vt (1) affect, move (émouvoir) || ~**if, ive** adj emotive, emotional || ~**ion** [-sjɔ̃] f affection, attachment, love || MÉD. complaint, disease || ~**ionner** [-sjɔne] vt (1) affect.

affectu|eusement [afɛktɥøzmã] adv affectionately, fondly || [lettre] (with) love || ~**eux, euse** [-tɥø, øz] adj loving, affectionate.

afférent, e [aferã, ãt] adj concerning, accruing (à, to).

affermer [aferme] vt (1) lease (terre).

affermir [afermir] vt (2) strengthen, confirm, consolidate — vpr s'~, harden, become stronger || FIG. [caractère] set, steady.

affich|age [afiʃaʒ] m billsticking, bill-posting || INF. readout, display || ~**e** f bill, poster || TH. tenir l'~, have a long run ; être en tête d'~, top the bill || ~**er** vt (1) post (up) ; défense d'~, stick no bill || FIG. air (ses opinions) ; make a show of (ses richesses, son savoir) ; parade (son savoir).

affilé, é [afile] adj sharp (couteau).

affilée (d') [dafile] loc adv at a stretch, on end ; quatre heures d'~, four solid hours.

affiler [afile] vt (1) sharpen.

affil|iation [afiljasjɔ̃] f affiliation || ~**ier (s')** vpr (1) affiliate.

affinité [afinite] f affinity.

affirm|atif, ive [afirmatif, iv] adj

affirmative, assertive ● f affirmative ‖ **~ation** f assertion ‖ **~er** vt (1) affirm, assert, assure — vpr s'~, assert oneself.

affleurer [aflœre] vi (1) be level/flush ‖ Géol. crop out/up.

affli|ction [afliksjɔ̃] f affliction, sorrow ‖ **~gé, e** [-ʒe] adj afflicted, grieved (par, at); sorrowful, desolate(d) ‖ **~geant, e** [-ʒã, ãt] adj distressing ‖ **~ger** vt (7) afflict, distress, grieve.

afflu|ence [aflyãs] f crowds; heures d'~, rush hours ‖ **~ent** m tributary (rivière) ‖ **~er** vi (1) [eau] flow ‖ [foule] flock ‖ [richesse] abound.

affol|ant, e [afɔlã, ãt] adj frightening ‖ alarming ‖ **~é, e** [afɔle] adj panicky, distracted ‖ **~ement** m distraction, panic ‖ **~er** vt (1) panic, drive crazy — vpr s'~, panic, lose one's head.

affranch|i, e [afrɑ̃ʃi] adj emancipated (personne) ‖ **~ir** vt (2) stamp (une lettre) ‖ machine f à ~, franking machine — vpr s'~, free oneself; get rid (de, of) ‖ **~issement** m stamping, postage (d'une lettre) ‖ liberation, emancipation (d'une personne).

affr|ètement [afrɛtmã] m chartering ‖ **~éter** [-ete] vt (5) charter (un avion, un navire).

affr|eusement [afrøzmã] adv horribly, frightfully ‖ **~eux, euse** adj hideous (laid) ‖ shocking (révoltant) ‖ frightful, awful, ghastly (terrifiant) ‖ dire (nouvelle) ‖ lurid (détails).

affront [afrɔ̃] m affront; faire un ~ à qqn, affront sb.

affronter [afrɔ̃te] vt (1) face, confront, meet (face à face) ‖ Fig. brave (danger, etc.).

affubler [afyble] vt (1) rig out.

affût [afy] m : être à l'~ de, lie in wait for; chasser à l'~, lie in wait for game, stalk ‖ Mil. gun-carriage.

affûter [afyte] vt (1) whet, sharpen ; strop (rasoir).

afin [afɛ̃] prép ~ de, in order to, so as to ‖ ~ que, in order that, so that.

africain, e [afrikɛ̃, ɛn] adj/n African.

Afrique [afrik] f Africa.

aga|çant, e [agasã, ãt] adj irritating, annoying ‖ **~cement** [-smã] m irritation ‖ **~cer** [-se] vt (5) irritate, annoy; ~ qqn, get on sb's nerves ‖ ~ les dents, set one's teeth on edge.

âge [ɑʒ] m age; quel ~ avez-vous ?, how old are you ? ; d'un certain ~, elderly ; prendre de l'~, get on in years ; entre deux ~s, middle-aged ; dans la fleur de l'~, in one's prime ; avoir dépassé la limite d'~, be over age ; il ne fait pas son ~, he doesn't look his age ‖ **troisième ~**, third age ; personne du troisième ~, senior citizen ‖ age (époque); ~ d'or, golden age.

âgé, e [ɑʒe] adj aged ; ~ de dix ans, aged ten years, ten years old ‖ **plus** ~, older ; elder (de deux personnes) ‖ elderly, old, advanced in years (vieux) ‖ personnes ~es, elderly people.

agence [aʒɑ̃s] f agency, bureau ; Agence pour l'emploi, Labour Exchange ; ~ de presse, press-agency, news-agency ; ~ de publicité, advertising agency ; ~ de tourisme, tourist agency ‖ syndicate (journalisme).

agenc|ement m arrangement, ordering ‖ [local] lay out ‖ **~er** vt (6) arrange, adjust, set up ‖ lay out (local).

agenda [aʒɛ̃da] m engagement-book, diary.

agenouiller (s') [saʒənuje] vpr (1) kneel down.

agent [aʒã] m agent; ~ de change, stockbroker ; ~ commercial, agent ; ~ immobilier, estate agent, U.S. realtor ; ~ maritime, shipping-agent ; ~ de police, policeman ; Monsieur l'~ !, Officer ! ; ~ de presse, press agent ‖ Fig. instrument.

agglomér|ation [aglɔmerasjɔ̃] f agglomeration ‖ **~ urbaine**, built-up

area ‖ **~é** *m* TECHN. chipboard ‖ **~er** *vt* (5) agglomerate.

agglutiner [aglytine] *vt* (1) cake — *vpr* s'~, agglutinate.

aggrav|ation [agravasjɔ̃] *f* aggravation ‖ **~er** *vt* (1) make worse — *vpr* s'~, get worse ‖ FIG. worsen.

agil|e [aʒil] *adj* agile, nimble ‖ **~ité** *f* agility, nimbleness.

agio [aʒjo] *m* premium ‖ *Pl* bank-charges.

agir [aʒir] *vi* (2) act (*sur*, on) ; **~ en accord avec**, act up to ‖ behave, do ; *bien* ~, do right ; *mal* ~, do wrong ‖ *manière d'*~, dealing ‖ bear (*sur*, on) ‖ MÉD. [remède] operate, work — *vpr* s'~, *de quoi s'agit-il ?*, what is it about ?, what is the matter ? ; *il s'agit de...*, the question is to..., it's a question of.

agissements [aʒismɑ̃] *mpl* doings, dealings ; goings-on (péj.).

agita|teur [aʒitatœr] *m* POL. agitator ‖ **~tion** *f* agitation, restlessness (mouvements désordonnés) ‖ stir, excitement, restlessness (émoi) ‖ agitation, unrest (troubles sociaux) ‖ POL. *faire de l'*~, agitate.

agit|é, e [aʒite] *adj* excited, fidgety (personne) ‖ rough, choppy (mer) ‖ restless (nuit) ; broken, fitful (sommeil) ‖ **~er** *vt* (1) shake, agitate ; wave (un mouchoir) ; stir (un liquide) ‖ FIG. perturb — *vpr* s'~, move about, bustle ‖ be excited/restless ‖ fidget (nerveusement) ‖ toss (dans son lit).

agneau [aɲo] *m* lamb.

agnostique [agnɔstik] *adj/n* agnostic.

agonie [agɔni] *f* death agony ; *être à l'*~, be at the point of death.

agraf|e [agraf] *f* hook ; clasp (de broche) ; paper-clip, staple (à papiers) ‖ **~er** *vt* (1) hook, staple, clasp — *vpr* s'~, hook up ‖ **~euse** [-øz] *f* stapler.

agrandir [agrɑ̃dir] *vt* (2) enlarge ‖

PHOT. enlarge, blow up — *vpr* s'~, grow larger.

agrandissement *m* PHOT. enlargement, blow-up.

agréable [agreabl] *adj* agreeable, pleasant ; nice (personne) ~ *au goût*, palatable ‖ **~ment** *adv* nicely, pleasantly.

agré|é, e [agree] *adj* recognized ‖ chartered (comptable) ‖ **~er** *vt* (1) approve.

agréger [agreʒe] *vt* (7) aggregate.

agrément [agremɑ̃] *m* assent, approval ; *arts d'*~, accomplishments.

agrès [agrɛ] *mpl* (gymnastique) apparatus ‖ NAUT. rigging.

agress|er [agrese] *vt* (1) attack ‖ mug (sur la voie publique) ‖ **~eur** *m* aggressor, attacker ; mugger (dans la rue) ‖ **~if, ive** *adj* aggressive ‖ **~ion** *f* attack ‖ mugging ‖ MIL. aggression ‖ **~ivité** *f* aggressiveness.

agricole [agrikɔl] agricultural.

agricult|eur, trice (agrikyltœr, tris] *n* farmer ‖ **~ure** [-yr] *f* agriculture, farming.

agripper [agripe] *vt* (1) grip, snatch, clutch.

agro|alimentaire [agrɔalimɑ̃tɛr] *m* food (processing) industry ‖ **~nome** [-nɔm] *m* agronomist ‖ **~nomie** *f* agronomy.

aguerri|i, e [ageri] *adj* hardened, inured ‖ **~ir** *vt* (2) inure, harden, season (*à*, to) — *vpr* s'~, become hardened/inured/seasoned.

aguets [agɛ] *mpl aux* ~, on the watch, on the look-out.

aguichant, e [agiʃɑ̃, ɑ̃t] *adj* coquettish.

ah ! [ɑ] *interj* ah ! ‖ ~ *bon !*, I see ! ; ~ *oui ?*, really ?

ahuri, e [ayri] *adj* FAM. bewildered ‖ **~ssant, e** [-sɑ̃, ɑ̃t] *adj* FAM. bewildering ‖ **~ssement** *m* bewilderment, stupefaction.

ai [ɛ] → AVOIR.

aide [ɛd] f aid, assistance, help (assistance) ; *à l'~ de*, with the help of ; *sans ~*, unaided, single-handed || relief, succour (secours) ; rescue (sauvetage) || *venir en ~ à qqn*, go/come to sb's assistance ; assist sb ● *n* assistant, helper || ~ *ménagère*, home help || **~-mémoire** *m inv* memo.

aider *vi/vt* (1) help, aid, assist ; ~ *qqn à monter/descendre/traverser*, help sb up/down/across || keep going (avec de l'argent) || relieve (soulager).

aïe ! [aj] *exclam* ouch !

aïeux [ajø] *mpl* ancestors, forefathers.

aigl|e [ɛgl] *m* eagle || ~**on** *m* eaglet.

aiglefin [ɛgləfɛ̃] *m* haddock.

aigre [ɛgr] *adj* sour || FIG. bitter, peevish || **~-doux, douce** *adj* bittersweet || **~let, ette** [-lɛ, ɛt] *adj* sourish, tart.

aigr|eur [ɛgrœr] *f* sourness || MÉD. *Pl* heartburn || FIG. bitterness || **~i, e** *adj* FIG. embittered || **~ir (s')** *vpr* (2) turn sour || FIG. grow bitter.

aigu, ë [egy] *adj* sharp (douleur) ; shrill (son) ; acute (accent, angle, crise).

aigue-marine [ɛgmarin] *f* aquamarine.

aiguill|age [egɥijaʒ] *m* RAIL. points → POSTE² || ~**e** *f* needle (à coudre) || hand (d'horloge) ; *dans le sens des ~s d'une montre*, clockwise ; *dans le sens inverse des ~s d'une montre*, counter-clockwise || RAIL. switch || ~**er** *vt* (1) RAIL. shunt, switch || ~**eur** *m* RAIL. pointsman, signalman || Av. ~ *du ciel*, air traffic controller.

aiguillon [egɥijɔ̃] *m* sting (d'insecte) || FIG. spur (stimulant) || **~ner** [-jɔne] *vt* (1) spur on.

aiguiser [eg(ɥ)ize] *vt* (1) sharpen, whet || FIG. whet, stimulate (l'appétit).

ail, aulx [aj, o] *m* garlic ; *gousse d'~*, clove of garlic.

ail|e [ɛl] *f* ZOOL., ARCH., TECHN., AUT., MIL. wing || sail (de moulin à vent) || Av. ~ *volante*, hang-glider || ~**eron** [-rɔ̃] *m* flipper (de pingouin) ; fin (de requin) || Av. aileron, wing-flap || ~**ette** *f* TECHN. fin ; blade.

ailier [ɛlje] *m* SP. winger.

aille [aj] → ALLER.

ailleurs [ajœr] *adv* elsewhere, somewhere else ● *loc adv d'~*, besides, moreover || *par ~*, otherwise.

aimable [ɛmabl] *adj* friendly, kind (amical) ; pleasant, amiable, nice (agréable) ; *peu ~*, ungracious || ~**ment** *adv* kindly, amiably.

aimant [ɛmɑ̃] *m* magnet ; *électro-~*, electro-magnet || ~**é, e** *adj* magnetic || ~**er** *vt* (1) magnetize.

aimer [eme] *vt* (1) love (d'amour) ; be fond of, like (d'amitié) || enjoy (repas, vacances) ; *aimeriez-vous faire une promenade ?*, would you care (to go) for a walk ? || be fond of, like (chocolat, etc.) || ~ *mieux* : *j'aimerais mieux (rester*, etc.), I would/I'd rather (stay, etc.).

aine [ɛn] *f* groin.

aîné, e [ene] *adj* elder (de deux) ; eldest (de plusieurs) ● *n* senior ; *l'~*, the elder (one) [de deux] ; the eldest (one) [de plusieurs] ; *il est mon ~ de 3 ans*, he is my elder by 3 years || *Pl ses ~s*, one's elders and betters.

ainsi [ɛ̃si] *adv* thus, so ; *et ~ de suite*, and so on ; *pour ~ dire*, so to speak, as it were ; *~ soit-il*, so be it ; REL. amen ● *conj ~ que*, (just) as ; as well as.

air¹ [ɛr] *m* air ; *en plein ~*, outdoor, in the open (air) ; *de plein ~*, outdoor (sports) ; *en l'~*, overhead || *manque d'~*, stuffiness ; *sortir prendre l'~*, go out for a breath of air || ~ *marin*, sea air || FIG. *changement d'~*, change of scene || FIG. *dans l'~*, in the air (idées).

air² *m* look, appearance (aspect) ; countenance, bearing (comportement) || *avoir l'~*, look || *avoir un*

~ **de famille,** bear a family likeness ‖ **d'un ~ entendu,** knowingly ‖ Mus. tune, air.

airain [erɛ̃] *m* bronze ; **d'~,** brazen.

aire [ɛr] *f* area (zone) ‖ [autoroute] ~ **de repos/services,** rest/service area ‖ Géom. area ‖ Astr. ~ **de lancement,** launching site.

airelle [ɛrɛl] *f* cranberry, blueberry.

aisance [ɛzɑ̃s] *f* ease (facilité) ‖ easy circumstances, affluence (richesse).

aise [ez] *f* ease, comfort ; **à l'~,** at ease ; comfortable ; **mal à l'~,** uncomfortable, ill at ease ; *se mettre à son* ~, make oneself comfortable ; *se sentir à l'~,* feel at home ; *à votre ~,* as you like ; *en prendre à son ~,* take it easy ‖ Fig. *à l'~,* well-off (riche) ‖ *Pl* comfort, creature comforts ; *prendre ses ~s,* make oneself comfortable ● *adj* **bien/fort ~,** very glad/pleased.

aisé, e [eze] *adj* easy (facile) ‖ well-to-do, well-off (riche) ‖ ~**ment** *adv* easily.

aisselle [esɛl] *f* armpit.

ajiste [aʒist] *m* youth-hosteller.

ajonc [aʒɔ̃] *m* furze, gorse.

ajouré, e [aʒure] *adj* travail ~, fretwork ; *bas* ~s, open-work stockings.

ajourn|ement [aʒurnəmɑ̃] *m* postponement, adjournment ‖ Mil. deferment ‖ ~**é, e** *adj* unsuccessful (candidat) ‖ ~**er** *vt* (1) postpone, adjourn (réunion) ‖ put off, delay (date) ‖ U.S. table (une décision, etc.) ‖ [examen] fail (un candidat) ‖ Mil. defer.

ajouter [aʒute] *vt* (1) add, join (à, to).

ajust|age [aʒystaʒ] *m* Techn. ajustment ‖ ~**er** *vt* (1) adjust ‖ fit (vêtement) ‖ ~**eur** *m* fitter.

alacrité [alakrite] *f* alacrity.

alambic [alɑ̃bik] *m* still.

alangu|i, e [alɑ̃gi] *adj* languid ‖ ~**ir**

(s') *vpr* (2) languish ‖ ~**issement** *m* languidness.

alarm|ant, e [alarmɑ̃, ɑ̃t] *adj* alarming ‖ ~**e** *f* alarm ; *sonner l'~,* give the alarm ‖ ~**er** *vt* (1) alarm, frighten ‖ ~**iste** *m* alarmist ‖ Fam. scaremonger.

albatros [albatrɔs] *m* albatross.

albinos [albinɔs] *adj/n* albino.

album [albɔm] *m* album (à photos, de timbres) ; sketch-book (à croquis).

alcali [alkali] *m* alkali.

alchimie [alʃimi] *f* alchemy.

alcool [alkɔl] *m* Сн. alcohol ; spirit ; ~ **à brûler,** methylated spirit ‖ [boisson] spirits ; *boisson sans ~,* soft drink ‖ Méd. ~ **à 90°,** surgical spirit ‖ ~**ique** *adj* alcoholic ● *n* alcoholic ‖ ~**isé, e** [-ize] *adj* alcoholic, hard (boisson) ‖ ~**isme** *m* alcoholism.

alcootest [alkɔtest] *m* breath/breathalyzer test ; *soumettre à l'~,* breathtest.

alcôve [alkov] *f* alcove.

aléa [alea] *m* hazard, risk ‖ ~**toire** [-twar] *adj* risky, hazardous ‖ Inf. random.

alène [alɛn] *n* awl.

alentour [alɑ̃tur] *adv* around, round about ● *mpl* surrounding, neighbourhood ‖ **aux ~s,** [lieu] in the neighbourhood of ; [temps] round about.

alerte¹ [alert] *adj* brisk, alert (preste) ; spry (vieillard) ; crisp (style) ; smart (pas).

alert|e² ** [alert] *f* alarm ; *en état d'~,* on the alert ; *donner l'~,* give the alarm ‖ ~ **à la bombe, bomb scare ‖ Mil. ~ **aérienne,** air-raid warning ; *fin d'~,* all clear (signal) ‖ ~**er** *vt* (1) alert (donner l'alarme) ‖ warn (prévenir).

aléser [aleze] *vt* (5) bore, drill.

alevin [alvɛ̃] *m* fry.

alezan [alzɑ̃, an] *adj* chestnut.

algarade [algarad] *f* quarrel.

algèbre [alʒɛbr] f algebra.

Alger [alʒe] f Algiers.

Algérie [alʒeri] f Algeria.

algérien, enne [alʒerjɛ̃, jɛn] adj/n Algerian.

algue [alg] f seaweed.

alias [aljas] adv alias.

alibi [alibi] m alibi.

alién|ation [aljenasjɔ̃] f JUR. alienation ‖ MÉD. insanity ; ~ *mentale,* derangement, lunacy ‖ ~é, e n insane person, lunatic ‖ ~er vt (5) alienate.

align|ement [aliɲmɑ̃] m alignment, line up ‖ ~er vt (1) align, line up — vpr s'~, MIL. fall into line, line up ‖ FIG. align oneself.

aliment [alimɑ̃] m food ; ~s *pour animaux,* pet-food ‖ ~aire [-tɛr] adj food ‖ ~ation [-tasjɔ̃] f feeding (action) ; diet (régime) ‖ [magasin] grocery store ‖ ~er vt (1) feed ‖ TECHN. serve, supply — vpr s'~, take food.

alinéa [alinea] m paragraph.

alit|é, e [alite] adj confined to bed, laid up ; bedridden ‖ ~er (s') [salite] vpr (1) take to one's bed.

allait|ement [alɛtmɑ̃] m nursing, lactation (au sein) ; bottle-feeding (au biberon) ‖ ~er vt (1) breastfeed, nurse.

allant [alɑ̃] m drive, go, energy; *plein d'~,* full of go/pep (coll.).

alléch|ant, e [alleʃɑ̃, ɑ̃t] adj tempting, appetizing ‖ seductive (offre) ‖ ~er vt (5) entice.

allée [ale] f walk, path (de jardin) ; drive (carrossable) ; ~ *cavalière,* bridle-path ; ~ avenue (bordée d'arbres) ‖ ~s *et venues,* comings and goings.

allégation [alegasjɔ̃] f allegation.

allège [alɛʒ] f NAUT. lighter.

allég|ement [aleʒmɑ̃] m lightening ‖ FIG. relief ‖ ~er vt (5-7) lighten (un fardeau) ‖ alleviate (une douleur) ‖ relieve (soucis).

allégor|ique [allegɔrik] adj allegorical ‖ ~ie [-i] f allegory.

all|ègre [allɛgr] adj cheerful, lively, light-hearted ‖ ~**ègrement** adv light-heartedly, cheerfully ‖ ~**égresse** [-ɛs] f rejoicing, elation.

alléguer [alege] vt (5) put forward (une excuse) ; *alléguant que...,* arguing that..., on the plea of...

Allemagne [almaɲ] f Germany.

allemand, e [almɑ̃, ɑ̃d] adj/n German ● [langue] German.

aller [ale] vi (15) go ‖ ~ *à bicyclette,* cycle ; ~ *à cheval,* ride ; ~ *à pied,* walk, go on foot ‖ ~ *en Angleterre,* go over to England ; *êtes-vous allé à Londres ?,* have you been to London ? ‖ [aller +inf.] ~ *chercher,* fetch, collect (qqch, qqn) ; ~ *et venir,* come and go, get about ‖ [santé] *comment allez-vous ?,* how are you ? ; ~ *bien,* be well ; ~ *mal,* be unwell, be in a bad way ; ~ *mieux,* be/feel better ‖ [taille] fit ; [style] suit ; ~ *à qqn,* fit sb ; be/look becoming (bien) ‖ [couleur] match ‖ [convenir] *ça ira,* that'll do ‖ FAM. *qu'est-ce qui ne va pas ?,* what's the trouble ?, what's wrong/the matter with you ? ‖ *allez !* come on ! ; *allons ! allons !,* come on !, there ! there ! ; *allons ! voyons !,* now then ! ; *allez-y !,* go ahead ; *ça va !,* all right !, O.K. ! ; *ça ira,* that will do ‖ *cela va de soi,* it is a matter of course ‖ FAM. *ça va tout seul,* it's plain sailing ‖ GRAMM. [futur proche] be going to, be about to — vpr : *s'en ~,* go away ; be off ‖ [tache] come off ● m outward journey ‖ *à l'~,* on the way out ; ~ *et retour,* there and back ‖ NAUT. voyage out ‖ RAIL. ~ *(simple),* single ticket ; ~ *et retour,* return ticket, U.S. round trip ticket.

allerg|ie [alerʒi] f allergy ‖ ~**ique** [-ik] adj MÉD. allergic.

all|iage [aljaʒ] m alloy ‖ ~**iance** [-jɑ̃s] f alliance, union ‖ wedding-ring (anneau) ‖ ~**ié, e** adj allied, related ● m ally ; *les Alliés,* the Allies ‖ ~**ier**

vt (1) ally, unite ; combine — *vpr* s'~, ally, become ‖ unite, combine (*à*, with).

allô ! [alo] *interj* hullo !, hello !

allocation [alɔkasjɔ̃] *f* allocation, allowance ; ~ *de chômage*, unemployment benefit, dole ; ~*s familiales*, family allowance.

allocution [alɔkysjɔ̃] *f* speech ; ~ *(télévisée)*, short (televised) speech.

allong|é, e [alɔ̃ʒe] *adj* lying (down), reclining ‖ ~**ement** [-mã] *m* lengthening ‖ ~**er** *vt* (7) lengthen, make longer ‖ stretch (out), reach out (un bras) ; ~ *les jambes*, stretch one's legs ‖ ~ *le pas*, step out ‖ CULIN. thin (une sauce) — *vi* [jours] draw out — *vpr* s'~, lengthen ‖ lie down, stretch (oneself) out (s'étendre).

allons → ALLER.

allouer [alwe] *vt* (1) allot (du temps) ; allocate, grant (une somme).

allum|age [alymaʒ] *m* AUT. ignition ; [phares] lighting-up ‖ ~**e-feu** *m inv* kindling ‖ ~**e-gaz** *m inv* gas-lighter.

allum|er [alyme] *vt* (1) light (une cigarette) ; kindle (du feu) ; turn on (lumière, radio) ; switch on (électricité) ; *laisser qqch* ~*é*, leave sth on ‖ FIG. inflame, arouse — *vi* light up, switch on the light — *vpr* s'~, catch fire ‖ [feu] kindle ‖ ~**ette** *f* match ; ~ *suédoise*, safety-match ; *frotter une* ~, strike a match ‖ ~**eur** *m* AUT. distributor ‖ ~**oir** *m* lighter.

allure [alyr] *f* pace, speed ; *à toute* ~, at full speed ‖ FIG. walk, gait (démarche) ‖ behaviour, ways (façons) ‖ appearance, look (apparence) ; *avoir de l'*~, have style.

allus|if [allyzif, iv] *adj* allusive ‖ ~**ion** [-sjɔ̃] *f* allusion, hint ; *faire* ~, allude, refer (*à*, to), hint (*à*, at).

almanach [almana] *m* almanac.

aloi [alwa] *m de bon* ~, sterling, genuine.

alors [alɔr] *adv* then, at that time ‖

FAM. *et* ~ *?*, so what ? ● *loc adv jusqu'*~, till then ● *loc conj* ~ *que*, while, when (quand) ; whereas, while (tandis que).

alouette [alwɛt] *f* (sky)lark.

alourdir [alurdir] *vt* (2) make heavy/heavier ; weight.

aloyau [alwajo] *m* sirloin.

Alpes [alp] *fpl les* ~, the Alps.

alphab|et [alfabɛ] *m* alphabet ; ~ *Morse*, Morse code ‖ ~**étique** [-etik] *adj* alphabetic.

alpin|isme [alpinism] *m* mountaineering, climbing ‖ ~**iste** *n* mountaineer ; climber.

altération [alterasjɔ̃] *f* adulteration ‖ MÉD. impairment (de la santé) ‖ MUS. break.

altercation [alterkasjɔ̃] *f* row, altercation.

alter|é, e [altere] *adj* thirsty ‖ ~**er** *vt* (5) make thirsty (assoiffer) ‖ adulterate (un produit) ; spoil, debase (nourriture) ‖ MÉD. impair (santé) — *vpr* s'~, deteriorate ‖ [denrée] decay, go bad ‖ [santé] break down, deteriorate.

altern|ance [alternãs] *f* alternation ‖ ~**ateur** *m* ÉLECTR. alternator ‖ ~**atif, ive** *adj* alternative ‖ ÉLECTR. alternating ● *f* alternation (succession) ‖ choice, alternative (choix) ‖ ~**ativement** *adv* alternately ‖ ~**er** *vi* (1) alternate.

Altesse [altɛs] *f* Highness.

altier, ière [altje, jɛr] *adj* haughty.

alti|mètre [altimɛtr] *m* altimeter ‖ ~**tude** *f* altitude, height.

alt|iste [altist] *n* viola player ‖ ~**to** [alto] *m* MUS. viola.

altruis|me [altryism] *m* altruism ‖ ~**te** *adj/n* altruistic, unselfish.

aluminium [alyminjɔm] *m* aluminium, U.S. aluminium.

alun|ir [alynir] *vi* (2) land on the moon, touch down ‖ ~**issage** *m* (moon) landing, touch-down.

alvéole [alveɔl] *m/f* small cavity ‖ cell (d'abeille).

amabilité [amabilite] *f* kindliness ; *avoir l'~ de,* be so kind as to ‖ *Pl* attentions.

amadou [amadu] *m* tinder ‖ **~er** [-dwe] *vt* (1) coax.

amaigr|ir [amegrir] *vt* (2) make thin (ner) ‖ **~issant, e** *adj* slimming ; *suivre une régime ~,* be slimming ‖ **~issement** *m* loss of weight ‖ slimming (volontaire).

amalgam|e [amalgam] *m* amalgam ‖ **~er** *vt* (1) amalgamate.

amande [amãd] *f* almond (fruit) ; kernel (d'un noyau).

amant [amã] *m* lover.

amarrage [amaraʒ] *m* mooring ; *poste d'~,* moorings.

amarr|e [amar] *f* cable ; [canot] painter ‖ *Pl* morrings ‖ **~er** *vt* (1) moor (navire) ; make fast (cordage) ; lash (cargaison) — *vpr s'~,* moor ; berth (à quai) ‖ ASTR. dock.

amas [ama] *m* heap, pile ‖ **~ser** [-se] *vt* (1) heap up, pile up ‖ hoard (up), amass (argent) ; scrape up (de l'argent à grand-peine) — *vpr s'~,* heap/pile up, gather.

amateur [amatœr] *m* lover ; enthusiast (passionné) ‖ *~ de cinéma/ théâtre,* picturegoer/playgoer, theatregoer ; *~ d'oiseaux,* bird-fancier, bird-watcher ; *~ de sports,* sportsman ‖ [non-professionnel] amateur ; *d'~,* amateur(ish).

amazone [amazon] *f* horsewoman (cavalière) ; *monter en ~,* ride side-saddle.

ambassad|e [ãbasad] *f* embassy ‖ **~eur** *m* ambassador ‖ **~rice** [-dris] *f* embassadress.

amb|iance [ãbjãs] *f* environnement ; atmosphere ‖ **~iant, e** *adj* surrounding, ambient.

ambig|u, uë [ãbigy] *adj* ambiguous, dubious (réponse) ; doubtful (caractère) ; ‖ **~uïté** [-ɥite] *f* ambiguity.

ambit|ieux, euse [ãbisjø, øz] *adj* ambitious ‖ **~ion** *f* ambition ‖ **~ionner** [-jɔne] *vt* (1) seek after, aspire to, aim at.

amble [ãbl] *m aller l'~,* amble.

ambre [ãbr] *m* amber.

ambul|ance [ãbylãs] *f* ambulance ‖ **~ant, e** *adj* travelling, itinerant (personne).

âme [ɑ m] *f* soul, spirit ; *corps et ~,* body and soul ‖ *état d'~,* mood ; *en mon ~ et conscience,* to the best of my knowledge and belief ‖ *rendre l'~,* give up the ghost ‖ (living) person ; *pas ~ qui vive,* not a living soul.

amélior|ation [ameljɔrasjɔ̃] *f* improvement ‖ **~er** *vt* (1) improve, better ‖ FIG. mend (matters) — *vpr s'~,* improve, change for the better ‖ [choses] get better ; [condition] mend.

aménag|ement [amenaʒmã] *m* arrangement ‖ development (d'une région) ‖ *Pl* amenities (socio-culturels) ‖ **~er** *vt* (7) fit up/out (local) ‖ convert (transformer) ‖ develop (une région) ‖ TECHN. harness (chute d'eau).

amendable [amãdabl] *adj* reclaimable, improvable.

amende [amãd] *f* fine ; forfeit (au jeu) ; *mettre à l'~,* fine ; *~ à payer sur-le-champ,* spot fine ‖ *faire ~ honorable,* make an apology.

amend|ement [amãdmã] *m* improvement ‖ JUR. amendment ‖ **~er** *vt* (1) amend ‖ AGR. reclaim, improve — *vpr s'~,* mend one's ways, improve.

amener [amne] *vt* (5) bring (qqch, personne) ; lead (animal) ‖ TECHN. carry (eau, etc.) ‖ NAUT. lower (embarcation) ; strike (drapeau) ‖ JUR. *mandat d'~,* warrant (of arrest) ‖ FIG. *~ qqn à faire,* bring sb to do ; bring round (la conversation).

amenuiser (s') [samənɥize] *vpr* [espoir] dwindle ; [chance] grow slimmer.

amer, ère *adj* [goût] bitter.

amèrement [amermɑ̃] *adv* bitterly.

améric|ain, e [amerikɛ̃, ɛn] *adj/n* American || **~anisme** [-kanism] *m* americanism.

Amérique [amerik] *f* America ; ~ *du Nord/Sud,* North/South America.

amerr|ir [amerir] *vi* (2) Av. land (on the sea) || Astr. splash-down || **~issage** *m* landing ; *faire un ~ forcé,* ditch || Astr. splash-down.

amertume [amertym] *f* bitterness.

ameublement [amœbləmɑ̃] *m* furniture ; furnishings.

ameuter [amøte] *vt* (1) Fig. rouse, excite (la foule) [*contre,* against].

ami, e [ami] *n* friend || Fam. boy/girl friend ; *(petite) ~e,* sweetheart ; ~ *d'enfance,* childhood friend.

amiable [amjabl] *adj* accord à l'~, amicable agreement.

amiante [amjɑ̃t] *f* asbestos.

amical, e, aux [amikal,o] *adj* friendly, amicable ● *f* friendly society || **~ement** *adv* in a friendly way, amicably.

amidon [amidɔ̃] *m* starch || **~ner** [-dɔne] *vt* starch.

amincir [amɛ̃sir] *vt* make thinner ; make (sb) look slim — *vpr s'~,* get slim(mer).

amir|al, aux [amiral, o] *m* admiral ; *navire ~,* flagship || **~auté** [-ote] *f* admiralty.

amitié [amitje] *f* friendship ; *se lier d'amitié avec,* strike up a friendship with || *Pl* [lettre] best wishes, kind regards (*à,* to).

ammoniaque [amɔnjak] *f* Ch. ammonia.

amnésie [amnezi] *f* amnesia.

amnist|ie [amnisti] *f* amnesty || **~ier** *vt* (1) grant amnesty.

amocher [amɔʃe] *vt* (1) Fam. mess up (coll.).

amoindr|ir [amwɛ̃drir] *vt* (2) reduce, lessen || Fig. belittle, detract, cheapen || **~issement** *m* lessening, decrease.

amollir [amɔlir] *vt* (2) soften, make soft (chose) || weaken, enervate (personne) — *vpr s'~,* [chose] go soft || [personne] soften (s'attendrir) ; weaken (s'affaiblir).

amoncel|er [amɔ̃sle] *vt* (8 a) heap up, pile up — *vpr s'~er,* pile up, accumulate || [nuages] bank up || [sable, neige] drift (into banks) || **~lement** [-selmɑ̃] *m* pile, heap, mass.

amont [amɔ̃] *m en ~,* upstream ; *en ~ de,* above.

amoral, e, aux [amɔral, o] *adj* amoral.

amorc|e [amɔrs] *f* [pêche] bait || [cartouche] cap, primer || [film] leader || **~er** *vt* (6) bait (un hameçon) || prime (une pompe).

amorphe [amɔrf] *adj* passive, lifeless.

amort|ir [amɔrtir] *vt* (2) muffle (bruit) ; absorb, cushion, deaden (choc) || break (chute) || FIN. pay off (dette) || **~issement** *m* FIN. paying-off || **~isseur** [-tisœr] *m* AUT. shock-absorbe.

amour [amur] *m* (*f* au pl.) love ; *pour l'~ de,* for the sake of/for...'s sake ; *pour l'~ de Dieu,* for God's/goodness sake || FAM. *faire l'~,* make love, have sex (*avec,* with) || *Pl* love affairs.

amour|eux, euse [amurø, øz] *adj* in love (*de,* with) ; *tomber ~,* fall in love ● *n* lover ||-propre *m* self-esteem.

amovible [amɔvibl] *adj* detachable, removable.

ampère [ɑ̃pɛr] *m* ampere || **~mètre** [ɑ̃pɛrmɛtr] *m* ammeter.

amphi|bie [ɑ̃fibi] *adj* amphibious ● *m* amphibian || **~théâtre** *m* (lecture) theatre/hall.

ampl|e [ɑ̃pl] *adj* ample, plentiful, copious (abondant) || loose (vêtements) || full, wide (robe) || FIG. *jusqu'à plus ~ informé*, until fuller information is available || **~ement** *adv* amply, fully ; *c'est ~ suffisant*, it's more than enough || **~eur** *f* extensiveness (étendue) || fullness (plénitude) || **~ificateur** [-ifikatœr] *m* PHYS., RAD. amplifier, booster || **~ifier** [-ifje] *vt* (1) TECHN. amplify || FIG. accentuate, increase develop — *vpr s'~*, increase || **~itude** [-ityd] *f* amplitude.

ampoul|e [āpul] *f* ÉLECTR. bulb || PHOT. ~ *(de) flash*, flashbulb || MÉD. blister (sur la peau) ; ampoule (de médicament) || **~é, e** *adj* pompous (style).

amput|ation [āpytasjɔ̃] *f* amputation || **~er** *vt* (1) amputate ; ~ *la jambe à qqn*, amputate sb's leg || FIG. garble (un texte).

amure [amyr] *f* NAUT. tack ; *bâbord ~s*, on the port tack.

amus|ant, e [amyzā, āt] *adj* amusing, funny || **~ement** *m* amusement, entertainment || **~er** *vt* (1) amuse, entertain — *vpr s'~*, enjoy oneself, have fun (se distraire) || [enfants] play || *bien s'~*, have a good time || *s'~ à faire*, amuse oneself doing || *pour s'~*, in sport, for a rag || **~eur, euse** *n* TH. entertainer.

amygdale [amidal] *f* tonsil.

an [ā] *m* year ; *par ~*, yearly ; *jour de l'~*, New Year's Day ; *il a six ~s*, he is six years old.

anachronisme [anakrɔnism] *m* anachronism.

analgésique [analʒezik] *adj* analgesic ● painkiller, analgesic ; anodyne.

analo|gie [analɔʒi] *f* analogy || **~gique** *adj* analogical ; *dictionnaire ~* Thesaurus || **~gue** [-ɔg] *adj* similar, like.

analphab|ète [analfabɛt] *adj/n* illiterate || **~étisme** [-etism] *m* illiteracy.

analys|e [analiz] *f* analysis ; breakdown || GRAMM. ~ *logique*, sentence analysis ; ~ *grammaticale*, parsing ||

CH., MÉD. test ; ~ *de sang*, blood test ; (psycho)analysis || **~er** *vt* (1) analyse || break down (décomposer) || GRAMM. parse ; construe (faire le mot à mot) || **~te** *n* (psycho)analyst || INF. analyst.

ananas [anana] *m* pineapple.

anarch|ie [anarʃi] *f* anarchy ; lawlessness || **~ique** *adj* lawless || **~isme** *m* anarchism || **~iste** *adj/n* anarchist.

anatom|ie [anatɔmi] *f* anatomy || **~ique** *adj* anatomic.

ancestral, e, aux [āsestral, o] *adj* ancestral.

ancêtre [āsɛtr] *n* ancestor || *Pl* forefathers, ancestry.

anche [āʃ] *f* MUS. reed.

anchois [āʃwa] *m* anchovy.

ancien, enne [āsjē, jɛn] *adj* ancient (monde) ; antique (meuble) ; bygone (temps) ; old, former (précédent) ; retired (commerçant) || **~ combattant**, veteran, ex-serviceman ; ~ *élève*, old boy, U.S. alumnus || *Pl* ancients || **~nement** [-sjɛnmā] *adv* formerly || **~neté** [-sjɛnte] *f* seniority (rang).

ancr|e [ākr] *f* anchor ; *jeter l'~*, cast anchor ; *être à l'~*, ride at anchor ; *lever l'~*, weigh anchor, (fig.) set sail ; ~ *flottante*, drift anchor || **~er** *vt* (1) anchor.

andorran, e [ādɔrā, ran] *adj/n* Andorran.

Andorre [ādɔr] *f* Andorra.

andouille [āduj] *f* CULIN. chitterlings || FIG., POP. duffer.

âne [ɑn] *m* ass, donkey ; *aller à dos d'~*, ride a donkey || FIG. fool, dunce.

anéant|ir [aneātir] *vt* (2) annihilate, destroy, wipe out || FIG. dash (espoirs) || **~issement** *m* annihilation, destruction.

anecdote [anɛkdɔt] *f* anecdote.

aném|ie [anemi] *f* anaemia || **~ier** *vt* (1) make anaemic || **~ique** *adj* anaemic.

anémomètre [anemɔmɛtr] *m* wind-gauge.

anémone [anemon] *f* anemone.

ânerie [anri] *f* stupidity.

ânesse [ɑnɛs] *f* she-ass.

anesthés|ie [anɛstezi] *f* anaesthesia ‖ **~ier** *vt* (1) anaesthetize ‖ **~ique** *adj/m* anaesthetic ‖ **~iste** *n* anaesthetist.

anfractuosité [ɑ̃fraktɥozite] *f* hole, cleft (dans le rocher) ; indentation (de la côte).

ang|e [ɑ̃ʒ] *m* angel ‖ **~élique** [-elik] *adj* angelic ‖ **~élus** [-elys] *m* angelus (prière) ; ave-bell (sonnerie).

angine [ɑ̃ʒin] *f* tonsilitis.

anglais, e [ɑ̃glɛ, ɛz] *adj* English, British ; *filer à l'~e,* take French leave ● *m* [langue] English ; *~ d'Australie,* Strine.

Anglais, e *n* Englishman/woman ; *les ~,* the English.

angle [ɑ̃gl] *m* angle ‖ [rue] corner ‖ MATH. *~ droit,* right angle ; *~ aigu,* sharp angle ‖ corner (de la rue) ‖ PHOT. *grand ~,* wide angle lens ‖ FIG. angle, point of view.

Angleterre [ɑ̃glətɛr] *f* England.

angli|can, ane [ɑ̃glikɑ̃, an] *adj/n* Anglican ‖ **~ciser** [-size] *vt* (1) anglicize ‖ **~cisme** [-sism] *m* anglicism.

anglo-normand, e [ɑ̃glonɔrmɑ̃, ɑ̃d] *adj* îles Anglo-Normandes, Channel Islands.

anglophone [-fɔn] *n* English speaker ● *adj* English-speaking.

angoiss|ant, e [ɑ̃gwasɑ̃, ɑ̃t] *adj* agonizing ‖ **~e** *f* anguish ‖ [mentale et physique] agony ‖ **~é, e** *adj* anguished, of anguish ‖ **~er** *vt* (1) distress, worry.

anguille [ɑ̃gij] *f* eel.

angul|aire [ɑ̃gylɛr] *adj* angular ‖ **~eux, euse** *adj* angular ‖ bony (visage).

anicroche [anikrɔʃ] *f* snag ; *sans ~,* without a hitch, smoothly.

animal, aux [animal, o] *m* animal ; *~ familier,* pet ; *~ sauvage,* wild beast ● *adj* animal, brutish (bestial).

anim|ateur, trice [animatœr, tris] *n* promotor ‖ [groupe] leader ‖ T.V., RAD. compere, (*m*) anchorman ; disc-jockey (de variétés) ; quizz master (de jeux) ‖ **~ation** [-asjɔ̃] *f* animation, liveliness (vie) ‖ bustle, stir, excitement (mouvement) ; *plein d'~,* busy (rue) ‖ **~é, e** *adj* lively (plein de vie) ; warm (discussion) ‖ busy (rue) ‖ → DESSIN ‖ **~er** *vt* (1) liven up, enliven (une discussion) ; stir up (exciter) ‖ lead (groupe) ‖ jazz up (soirée) [sl.] ‖ FIG. *animé par,* prompted by — *vpr s'~,* come to life, liven up ‖ [personne] brighten ‖ [discussion] warm up ‖ **~osité** [-ozite] *f* animosity.

anis [ani] *m* anise (plante) ; aniseed (graine).

ankylos|é, e [ɑ̃kiloze] *adj* stiff ‖ **~er** *vt* (1) stiffen — *vpr s'~,* get stiff.

annales [annal] *fpl* annals.

anneau [ano] *m* ring (bague, cercle) ‖ link (de chaîne).

année [ane] *f* year ; *l'~ en cours,* the present year ; *l'~ prochaine,* next year ; *toute l'~,* all the year round ; *~ scolaire,* school year ‖ ASTR. **~-lumière,** light-year.

annex|e [anɛks] *f* [bâtiment] annex(e) ‖ [hotel] extension ‖ rider (à un document) ‖ **~er** *vt* (1) annex (pays, document) ; affix (à, to) [document] ‖ **~ion** *f* annexation.

annihiler [aniile] *vt* (1) annihilate.

anniversaire [anivrsɛr] *m* birthday (naissance) ; anniversary (événement) ; *gâteau d'~,* birthday cake.

annonc|e [anɔ̃s] *f* announcement, notification (information) ; *à l'~ de* hearing that ‖ [journal] advertisement ; advert, ad (coll.) ; *petites ~s,* small ads ; *faire passer une ~,* place an ad ‖ [cartes] call, bid ‖ Fig. intimation ‖ ~ **er** vt (6) announce ‖ herald, betoken (présager) ‖ declare (publier) ‖ ~ *la (mauvaise) nouvelle,* break the news ‖ [cartes] bid, declare ‖ ~ **eur** m advertiser ‖ Rad., T.V. sponsor.

Annonciation [anɔ̃sjasjɔ̃] f Annunciation.

annot|ateur [anɔtatœr] m editor (d'un texte) ‖ ~ **er** vt (1) annotate.

annu|aire [anɥɛr] m year-book, annual ‖ Tél. telephone directory; phone-book ‖ ~ **el, elle** adj yearly; annual ‖ ~ **ellement** adv annually, yearly ‖ ~ **ité** f annuity (payement).

annulaire [anylɛr] m ring-finger.

annul|ation [anylasjɔ̃] f cancellation (d'un acte) ‖ ~ **er** vt (1) cancel, call off (décommander) ‖ annul (un mariage) ‖ write off (une dette) ‖ Comm. cancel (une commande).

anoblir [anɔblir] vt (2) ennoble; raise to the peerage.

anode [anɔd] f anode.

anodin, e [anɔdɛ̃, in] adj harmless.

anomalie [anɔmali] f anomaly ‖ kink (de l'esprit).

ânon [ɑnɔ̃] m ass's foal ‖ ~ **ner** [-nɔne] vt (1) drone out.

anonym|at [anɔnima] n anonymity ‖ ~ **e** adj nameless, anonymous.

anorak [anɔrak] m anorak.

anormal, e, aux [anɔrmal, o] adj abnormal ‖ unusual (inhabituel) ‖ freak, freakish (insolite) ‖ ~ **ement** adv unusually.

anse¹ [ɑ̃s] f handle (d'un panier); ear (d'un pot).

anse² f Géogr. cove; creek.

antagon|isme [ɑ̃tagɔnism] m antagonism ‖ ~ **iste** n opponent, antagonist.

antarctique [ɑ̃tarktik] adj Antarctic.

antécédent [ɑ̃tesedɑ̃] m antecedent ‖ Pl background ‖ Méd. (past) history.

antenne [ɑ̃tɛn] f Zool. antenna, feeler ‖ Rad. aerial ; *être/passer à l'~,* be/go on the air ; ~ **parabolique,** dish aerial.

antéri|eur, e [ɑ̃terjœr] adj [temps] previous ; prior (à, to) ‖ [espace] forward, anterior ‖ Anat. membre ~, forelimb ‖ ~ **eurement** adv before, previously ; ~ **à,** prior to ‖ ~ **orité** [-ɔrite] anteriority, priority.

anthologie [ɑ̃tɔlɔʒi] f anthology.

anthracite [ɑ̃trasit] m anthracite.

anthropo|logie [ɑ̃trɔpɔlɔʒi] f anthropology ‖ ~ **phage** [-faʒ] n man-eater ● adj cannibalistic.

anti|aérien, enne [ɑ̃tiaerjɛ̃, jɛn] adj anti-aircraft ‖ ~ **atomique** adj anti-atomic ‖ ~ **biotique** [-bjɔtik] m antibiotic ‖ ~ **brouillard** adj/m Aut. fog lamp ‖ ~ **buée** m Aut. demister ‖ ~ **chambre** f anteroom ‖ ~ **char** adj anti-tank ‖ ~ **choc** adj shock-proof.

anticip|ation [ɑ̃tisipasjɔ̃] f anticipation ; par ~, in advance, beforehand ‖ ~ **er** vt (1) anticipate, think ahead ; forestall (prévenir).

anti|conceptionnel, elle [ɑ̃ti-kɔ̃sɛpsjɔnɛl] adj contraceptive ‖ ~ **corps** m antibody ‖ ~ **dater** vt (1) antedate, backdate ‖ ~ **dérapant, e** adj non-skid(ding) ‖ ~ **dote** [-dɔt] m antidote, counter-poison ‖ ~ **gel** m anti-freeze ‖ ~ **givre** m Av. deicer ● adj anti-icing ‖ ~ **grippal, e, aux** [-gripal, o] adj antiflu.

Antillais, e [ɑ̃tijɛ, ɛz] n West Indian.

antillais, e West Indian.

Antilles [ɑ̃tij] fpl West Indies.

antilope [ɑ̃tilɔp] f antelope.

anti|moustique adj lotion ~, mosquito repellent ‖ ~ **parasite** [ɑ̃tiparazit] m Rad. suppressor ‖ ~ **pathie** [-pati] f dislike (envers, for) ; antipathy (contre, against) ‖ ~ **pathique** adj unpleasant, nasty ; antipathetic (à, to) ‖ ~ **podes** [-pɔd] mpl antipodes.

antiqu|aire [ãtikɛr] *m* antique dealer ‖ ~**e** *adj* ancient ; *monde* ~, antiquity ‖ ~**ité** *f* antiquity ‖ *Pl* antiques.

antisémitisme [-semitism] *m* anti-Semitism.

antiseptique [ãtisɛptik] *adj/m* antiseptic.

anti|thèse [ãtitɛz] *f* antithesis ‖ ~**vol** *adj* anti-theft ● *m* AUT. steering (column) lock.

antre [ãtr] *m* den, lair (d'un lion).

anx|iété [ãksjete] *f* anxiety, concern, uneasiness ‖ ~**ieux, ieuse** *adj* uneasy, restless, insecure ; apprehensive.

août [u] *m* August ; *à la mi-*~, in mid-August ‖ ~**ien, ienne** [ausjẽ, -sjɛn] *n* August holiday-maker.

apais|ant, e [apezã, ãt] *adj* FIG. soothing ‖ ~**ement** *m* calming down, relief (d'un désir, d'une passion) ‖ *Pl* assurances ‖ POL. *période d'* ~, cooling-off period ‖ ~**er** *vt* (1) calm down, soothe, appease ‖ appease, satisfy, stay (la faim) ; quench (la soif) ‖ soothe, alleviate (la douleur) — *vpr s'* ~, (tempête) subside, die down ‖ (personne) calm down.

aparté [aparte] *m* TH. aside, stage whisper.

apath|ie [apati] *f* listlessness, apathy ‖ ~**ique** *adj* listless, apathetic ‖ FAM. torpid.

apatride [apatrid] *adj* stateless ● *n* stateless person.

aper|cevoir [apɛrsəvwar] *vt* (3) see, catch sight of ‖ notice (remarquer) ‖ behold (contempler) — *vpr s'* ~, notice, realize (de qqch, sth) ‖ ~**çu** [-sy] *m* general idea ‖ sketch, summary (résumé).

apéritif [aperitif] *m* FR. aperitif.

apesanteur [apəzãtœr] *f* weightlessness.

à-peu-près [apøprɛ] *m inv* approximation ‖ (→ PRÈS.)

apeuré [apœre] *adj* frightened, scared.

aphone [afɔn] *adj* voiceless.

apicult|eur [apikyltœr] *m* apiarist ‖ ~**ure** *f* bee-keeping, apiculture.

apit|oiement [apitwamã] *m* pity, compassion ‖ ~**oyant, e** [-wajã, ãt] *adj* piteous, pitiful ‖ ~**oyer** [-waje] *vt* (9 a) move to pity — *vpr s'* ~, feel pity (*sur*, for).

aplanir [aplanir] *vt* (2) level (terrain) ‖ FIG. smooth out/over, iron out.

aplatir [aplatir] *vt* (2) flatten, beat flat — *vpr s'* ~, flatten out ‖ FIG. cringe, crawl (*devant*, to).

aplomb [aplɔ̃] *m* balance ; *d'*~, steady (fixe) ; straight (droit) ; *hors d'* ~, out of plumb ; *reprendre son* ~, steady (oneself) ‖ FIG. *ne pas se sentir d'* ~, feel out of sort ‖ FIG. self-assurance, nerve, cheek (coll.).

apogée [apɔʒe] *m* ASTR. apogee ‖ FIG. climax ; (personne) hey day, peak.

apoplexie [apɔplɛksi] *f* apoplexy.

apostrophe [apɔstrɔf] *f* apostrophe.

apôtre [apotr] *m* apostle.

apparaître [aparɛtr] *vi* (74) appear, come into sight/view, come out ‖ loom (à travers le brouillard) ‖ *faire* ~, conjure up (des esprits) ‖ FIG. seem, appear (sembler) ; loom (menaçant).

apparat [apara] *m* pomp, state.

appareil [aparɛj] *m* device ; ~ *électroménager,* domestic electrical appliance ‖ PHOT. ~ *photo,* camera ; ~ *à développement instantané,* instant camera ‖ TÉL. telephone ; *qui est à l'* ~ ?, who's speaking ? ‖ MÉD. ~ *de prothèse auditive,* deaf-aid ‖ AV. (air)-craft ‖ ~**lage** *m* TECHN. equipment, outfit ‖ NAUT. getting underway ‖ ~**ler** *vi* (1) NAUT. get under way.

appar|emment [aparamã] *adv* apparently, seemingly ‖ ~**ence** *f* appearance, aspect ‖ semblance (semblant) ; *en* ~, seemingly ; *selon toute*

~, by/to all appearances ; in all probability ; *sauver les* ~*s*, keep up appearances, save face ‖ ~**ent, e** *adj* apparent, visible (visible) ‖ noticeable, conspicuous (manifeste) ‖ seeming (trompeur).

apparent|é, e [aparãte] *adj* [personne] related, connected (*à*, to) ‖ FIG. akin (*à*, to).

apparition [aparisjõ] *f* appearance ; *faire une* ~, put in an appearance ‖ apparition (fantôme).

appartement [apartəmã] *m* flat ; U.S. apartment ; ~ **meublé,** lodgings, furnished flat.

apparten|ance [apartənãs] *f* belonging (*à*, to) ‖ FIG. membership (*à*, of) ‖ ~**ir** (101) [propriété] belong (*à*, to) ‖ [privilège] *(impers)* *il vous appartient de,* it is up to you (to) ‖ FIG. ~ *à*, be a member of.

appât [apa] *m* bait ‖ FIG. lure.

appauvrir [apovrir] *vt* (2) impoverish.

appel [apɛl] *m* call ‖ TÉL. call ; ~ *téléphonique,* phone call ; → COMMUNICATION ‖ [liste] roll call ; *faire l'* ~, call the roll/MIL. the muster ‖ JUR. appeal ; *faire* ~, appeal, lodge an appeal ‖ MIL. call-up (de la classe) ‖ AUT. *faire un* ~ *de phares,* flash one's headlights ‖ FIG. *faire* ~ *à,* appeal to, call on/forth (son courage) ; *sans* ~, final ‖ FIG. plea (demande instante) ‖ ~**é** [aple] *m* MIL. conscript, U.S. draftee.

appel|er [aple] *vt* (8) call (nommer) ‖ call (interpeller) ‖ call, send for (faire venir) ‖ [hotel] *faire* ~ *qqn (par un groom),* page sb ‖ TÉL. call(up), phone, ring up *(qqn)* ; dial, call (numéro) ‖ MIL. call up (sous les drapeaux) ‖ FIG. [désigner] appoint to — *vi* ~ *à l'aide,* call for help ‖ *en* ~ *à,* appeal to — *vpr s'* ~, be called/named ; *comment vous appelez-vous ?,* what is your name ? ; *je m'appelle Jean,* my name is John ‖ ~**lation** *f* COMM. trade-name ; ~ *contrôlée,* registered trade-name.

appendic|e [apɛ̃dis] *m* MÉD. appendix ‖ ~**ite** [-it] *f* appendicitis.

appentis [apãti] *m* penthouse, outhouse, lean-to.

appesantir [apəzãtir] *vt* (2) make heavier — *vpr s'* ~, become heavy ‖ FIG. dwell at length (sur, on).

appét|issant, e [apetisã, ãt] *adj* appetizing ; *peu* ~, uninviting ; luscious (fille) ‖ ~**it** [-ti] *m* appetite ; *avoir bon* ~, have a good appetite ; *manger de bon* ~, eat heartily/with relish.

applaud|ir [aplodir] *vt* (2) applaud — *vi* clap, cheer ; ~ *à tout rompre,* bring the house down ‖ ~**issements** *mpl* applause, clapping.

applic|able [aplikabl] *adj* applicable ‖ ~**ation** *f* application (sur, to) ‖ FIG., INF. application ; *mettre en* ~, apply, implement, put into practice ‖ FIG. application, diligence, industry.

applique [aplik] *f* ÉLECTR. bracket, sconce.

appliqu|é, e [aplike] *adj* diligent, painstaking (travailleur) ‖ applied (science) ‖ ~**er** *vt* (1) apply, lay (sur, on) [peinture] ‖ JUR. enforce (une loi) ‖ FIG. apply (théorie, règle) ; put into practice (invention) — *vpr s'* ~, apply oneself (*à*, to) ; take pains ‖ [règle] apply.

appoint [apwɛ̃] *m* [monnaie] *faire l'* ~, give the exact change.

appointements [apwɛ̃təmã] *mpl* salary (d'employé).

appontement [apɔ̃təmã] *m* NAUT. pier, landing-stage.

apport [apɔr] *m* contribution ‖ ~**er** [-te] *vt* (1) bring (qqch).

apposer [apoze] *vt* (1) append (signature) ; affix (sceau) ‖ JUR. ~ *les scellés,* affix the seals.

appréc|iable [apresjabl] *adj* appreciable, noticeable ‖ ~**iation** [-jasjõ] appreciation ‖ [évaluation] estimation, assessment ‖ ~**ier** *vt* (1) appreciate (goûter) ‖ estimate, appraise (estimer) || FIG. appreciate ; *ne pas ~, n'~ guère,* take a dim view of.

appréhen|der [apreãde] *vt* (1) apprehend, dread (craindre) || [police] seize, arrest (qqn) || **~sion** [-sjɔ̃] *f* apprehension, nervousness.

apprend|re [aprɑ̃dr] *vt* (80) learn (leçon, métier) ; *~ à lire/nager,* learn to read/swim ; *~ par cœur,* memorize, learn by heart || hear, learn (nouvelle) || teach (enseigner) ; *~ qqch à qqn,* teach sth to sb || pick up (une langue) || [annoncer] tell (*qqch à qqn,* sb sth) ; break (une mauvaise nouvelle) [*à,* to].

apprent|i, e [aprɑ̃ti] *n* apprentice || FAM. tyro, novice || **~issage** [-isaʒ] *m* training, apprenticeship ; *mettre en ~,* apprentice (*chez,* to).

apprêt [apre] *m* TECHN. dressing (d'une étoffe) || **~er** [-te] *vt* (1) make ready, prepare || CULIN. dish up — *vpr s'~,* get ready (*à faire,* to do) || be about to (être sur le point de).

apprivois|é, e [aprivwaze] *adj* tame || **~er** *vt* (1) tame.

approba|teur, trice [aprɔbatœr, tris] *adj* approving ; *sourire ~,* smile of approval || **~tion** *f* approval.

approche [aprɔʃ] *f* approach (action) || **~é, e** [-ʃe] *adj* approximate || **~er** *vt* (1) bring/draw near (*de,* to) — *vi* approach, come/draw near, be nearing — *vpr s'~,* approach, come near (*de qqn,* to sb) ; go/come up to ; *ne pas ~,* keep off.

approfond|i, e [aprɔfɔ̃di] *adj* thorough (étude, etc.) || searching (enquête) || **~ir** *vt* (2) deepen, make deeper || FIG. go deeply into.

appropri|ation [aprɔpriasjɔ̃] *f* appropriation || **~é, e** *adj* appropriate, fit(ting), suitable (*à,* to/for) ; apt (remarque) || **~er** *vt* (1) fit, suit, adapt — *vpr s'~,* appropriate, make one's own, possess oneself of || usurp, embezzle (malhonnêtement).

approuver [apruve] *vt* (1) approve (consentir) ; countenance (soutenir) ; sanction (sanctionner) ; *~ qqn,* agree with sb ; *lu et approuvé,* read and approved || okay (coll.) [suggestion].

approvisionn|ement [aprɔvizjɔnmɑ̃] *m* stock, store, supply (provisions) ; supplying (action) || **~er** *vt* (1) provision, supply (*en,* with) ; stock (une boutique) || [banque] pay funds into (compte courant) — *vpr s'~,* stock up, lay in supplies (*en,* of) ; get one's supplies (*chez,* from).

approximat|if, ive [aprɔksimatif, iv] *adj* approximate || **~ivement** *adv* approximately, roughly ; loosely (traduire).

appui [apɥi] *m* support, prop ; *à hauteur d'~,* breast-high ; *barre d'~,* handrail ; *~ de la fenêtre,* window sill || TECHN. *point d'~,* prize || FIG. support, backing ; *à l'~ de,* in support of.

appuie-tête [apɥitet] *m inv* AUT. headrest, head restraint.

appuyer [apɥije] *vt* (9a) press (presser) || recline (son bras, etc.) [*contre/sur,* against/on] || *~ qqch contre qqch,* prop, lean, rest sth against sth || FIG. support (candidature) — *vt ind ~ sur,* press (bouton) — *vi* [se diriger] *~ à gauche,* bear left — *vpr s'~,* lean (*sur,* on) || FIG. rely (*sur,* on).

âpre [ɑpr] *adj* acrid, pungent (goût) || biting (froid) || sharp, bitter (vent) || bitter (discussion) || *~ au gain,* greedy for gain.

après [apre] *prép* after (plus tard que) || next (ensuite) || behind (derrière) ● *adv* after, afterwards, later ; *peu ~,* soon after, presently ; *l'instant d'~,* the next moment ; *et puis ~ ?,* so what ? || *~ tout,* after all ● *loc conj ~ que,* after ● *loc prép d'~,* according to (*qqn,* sb) ; ARTS after (un artiste) ; *d'~ nature,* from life || **~-demain** *adv* the day after tomorrow || **~-guerre** *m/f* afterwar period ; *d'~ guerre,* postwar || **~-midi** *m/f* afternoon ; *deux heures de l'~,* two p.m. ‖ ~-**rasage** m inv after-shave ‖ ~-**ski** m snowboot ‖ ~**vente** adj service ~, after-sales service.

âpreté [ɑprəte] f pungency ‖ harshness ‖ grimness ‖ fierceness, bitterness ‖ roughness (rudesse).

à-propos [apropo] m aptness, relevance (pertinence) ‖ ~**esprit** m d'~, presence of mind.

apt|e [apt] adj ~ **à**, capable of, able to, fit for ‖ ~**itude** [-ityd] f aptitude, ability, capacity (talent) ; fitness (convenance) ‖ Pl qualifications, gifts.

apurer [apyre] vt (1) audit.

aqua|culture [akwakyltyr] f seafarming ‖ ~**relle** [akwarɛl] f watercolour(s) ‖ ~**rium** [-rjɔm] m aquarium, (fish) tank ‖ ~**tique** [-tik] adj aquatic.

aqueduc [akdyk] m aqueduct.

aqueux, euse [akø,øz] adj watery.

aquilin [akilɛ̃] adj m aquiline.

arabe [arab] adj Arabic (langue) ; Arabian (cheval) ; Arab (peuple) ● m Arabic (langue) ; ~ littéral, written Arabic.

Arabe [arab] n Arab (personne).

arabesque [arabɛsk] f ARTS arabesque, scroll.

Arabie [arabi] f Arabia.

arable [arabl] adj arable.

arachide [araʃid] f peanut.

araignée [arɛɲe] f spider.

araucaria [arokaria] m monkey-puzzle.

arbalète [arbalɛt] f crossbow.

arbitr|age [arbitraʒ] m arbitration ‖ ~**aire** adj arbitrary ‖ ~**e** m arbiter ‖ Sp. [boxe, football, rugby] referee ; ref (coll.) ; [cricket, tennis] umpire ‖ PHIL. libre ~, free will ‖ ~**er** vt (1) arbitrate ; ~ un différend, settle a difference ‖ Sp. referee, umpire.

arborer [arbɔre] vt (1) hoist (un drapeau) ; sport (habit, etc.).

arboriculteur, trice [arbɔrikyltœr, tris] n fruit-farmer.

arb|re [arbr] m tree ; jeune ~, sapling ; ~ fruitier, fruit-tree ; ~ de Noël, Christmas-tree ‖ TECHN. shaft, axle ; ~ à cames, camshaft ‖ FIG. ~ généalogique, family tree ‖ ~**uste** [-byst] m bush, shrub.

arc [ark] m bow ; tir à l'~, archery ‖ ARCH. arch ; ~ de triomphe, triumphal arch ‖ ÉLECTR. arc ; lampe à ~, arc-lamp/light ; soudure à l'~, arc-welding.

arcade [arkad] f arcade.

arc-boutant [arkbutɑ̃] m buttress ‖ ~-**bouter** vt (1) buttress — vpr s'~, prop oneself up, lean (up) (contre, against).

arceau [arso] m ARCH. arch ‖ AUT. ~ de protection, rollbar.

arc-en-ciel [arkɑ̃sjɛl] m rainbow.

archaïque [arkaik] adj archaic.

archange [arkɑ̃ʒ] m archangel.

arche [arʃ] m ARCH. arch (pont) ‖ REL. ~ de Noé, Noah's ark.

archéologie [arkeɔlɔʒi] f archaeology.

archet [arʃɛ] m MUS. bow.

archevêque [arʃəvɛk] m archbishop.

archi- [arʃi] arch... ‖ FAM. enormously, tremendously, excessively ; ~plein, cram-full, chock-full.

archipel [arʃipɛl] m archipelago.

architect|e [arʃitɛkt] m architect, designer ‖ ~**ure** f architecture.

archiv|es [arʃiv] fpl archives, records ‖ ~**iste** n archivist.

arctique [arktik] adj Arctic.

ard|emment [ardamɑ̃] adv ardently, warmly, keenly ‖ ~**ent, e** adj hot (chaud) ; burning (brûlant) ‖ FIG. earnest (désir) ; eager (espoir) ; warm (chaleureux) ; fiery (impétueux) ; ardent (enthousiaste) ‖ ~**eur** f heat, warmth (chaleur) ‖ FIG. ardour, eagerness (enthousiasme) ; earnestness, keenness (zèle) ; mettle (fougue) ; spirits (énergie) ; *avec ~,* eagerly, passionately.

ardoise [ardwaz] *f* slate.

ardu, e [ardy] *adj* arduous, strenuous (travail) ; hard (problème).

arène [arɛn] *f* arena ‖ Sp. bullring.

arête [arɛt] *f* fishbone ; *enlever les ~s,* bone ; *plein d'~s,* bony ‖ Géogr. ridge.

argent [arʒɑ̃] *m* [métal] silver ‖ [monnaie] money ; *~ liquide,* cash ; *~ comptant,* ready money ; *~ de poche,* pocket-money ; pin-money (pour une femme) ; *gagner de l'~,* make money ; *manquer d'~,* be badly off ; *en avoir pour son ~,* get one's money's worth ‖ *~é, e* [-te] *adj* silvery ‖ *~erie* [-tri] *f* silver-plate, silverware, plate.

argile [arʒil] *f* clay.

argot [argo] *m* slang ; cant (de métier) ‖ *~ique adj* slangy.

argument [argymɑ̃] *m* argument ‖ Jur. plea ‖ *~ation* [-tasjɔ̃] *f* argumentation, reasoning ‖ *~er* [-te] *vt* (1) argue.

argus [argys] *m ~ de la presse,* clipping-bureau.

arid|e [arid] *adj* arid, dry, barren ‖ Fig. dry ‖ *~ité f* dryness, aridity ‖ Fig. dullness.

aristocrat|e [aristɔkrat] *n* aristocrat ‖ *~tie* [-si] *f* aristocracy ‖ *~tique* [-tik] *adj* aristocratic.

arithmétique [aritmetik] *f* arithmetic.

armateur [armatœr] *m* shipowner.

armature [armatyr] *f* frame(work) ‖ Électr. armature.

arm|e [arm] *f* arm, weapon ; *~ à feu,* fire-arm ; *~ blanche,* side-arm ; *à l'~ blanche,* with cold steel ; *en ~s,* in arms ; *sans ~s,* unarmed ; *prendre les ~s,* take up arms ‖ Mil. *les trois ~s,* the services ‖ Fig. *avec ~s et bagages,* lock, stock and barrel ‖ *~é, e adj* Techn. reinforced (béton) ‖

~ée f army ; *~ active,* regular army ; *~ de terre,* land forces ; *~ de l'air,* air force ‖ *~ du Salut,* Salvation Army ‖ *~ement m* armament ‖ Naut. outfitting ‖ *~er vt* (1) arm, equip ‖ cock (un fusil) ‖ Naut. equip, commission ; man (garnir d'un équipage) — *vpr s'~,* arm oneself (de, with) ‖ Fig. *s'~ de courage,* summon one's courage ‖ *~istice* [-istis] *m* armistice.

armoire [armwar] *f* wardrobe, cupboard ; *~ à pharmacie,* medicine cabinet ; *~ à provisions,* larder.

armur|e [armyr] *f* armour ‖ *~erie* [-ri] *f* armoury ‖ *~ier m* gunsmith.

arnaqu|e [arnak] *f* Arg. con, sting (sl.) ‖ *~er vt* (1) Arg. swindle (coll.) ; sting (sl.).

aromat|e(s) [arɔmat] *m(pl)* flavouring, spice(s) ‖ *~ique adj* aromatic ‖ *~iser vt* (1) flavour.

arôme [arom] *m* aroma, fragrance ‖ Culin. flavour.

arpent|age [arpɑ̃taʒ] *m* landsurvey(ing) ; measuring ‖ *~er vt* (1) survey (un champ) ‖ Fig. pace up and down ‖ *~eur m* surveyor (géomètre).

arqué, e [arke] *adj* bandy (jambes) ; *aux jambes ~es,* bow-legged.

arraché [araʃe] *m* vol à l'~, bag snatch(ing).

arrache-pied (d') [daraʃpje] *loc adv* unremittingly ; *travailler d'~,* hammer away.

arracher [araʃe] *vt* (1) tear away/off, rip away/off (en déchirant) ; pull out/up (en tirant) ; pluck out/up (des herbes) ; snatch away/off (brusquement) ; wrest (brutalement) ‖ Agr. lift, dig up (pommes de terre) ‖ Méd. extract, pull (dent) ; *se faire ~ une dent,* have a tooth out.

arraisonner [arɛzɔne] *vt* (1) Naut. hail ; stop and examine.

arrang|ement [arɑ̃ʒmɑ̃] *m* [action] arrangement ‖ [disposition] lay out, scheme ‖ agreement (accord) ; settlement (conciliation) ‖ Mus. arrangement ‖ ~**er** vt (1) arrange (coiffure, fleurs) ‖ put in order (mettre en ordre) ‖ adjust, settle (régler) ‖ out right, fix (réparer) ‖ suit, be convenient (convenir) *est-ce que ça vous arrange ?,* does it suit you ? — *vpr* s'~, tidy oneself up (se rajuster) ‖ s'~ *avec,* compose with, settle with, come to an agreement with ‖ s'~ *de qqch,* put up with sth, make sth do.

arrestation [arɛstasjɔ̃] f arrest ; *en état d'*~, under arrest.

arrêt [arɛ] m stop(ping), halt (acte) ‖ standstill (immobilisation) ‖ let-up (ralentissement) ‖ pause (temps d'arrêt) ; break, U.S. stop-over (au cours d'un voyage) ; *sans* ~, unceasingly, continuously ; without stopping ; non-stop (voyage) ‖ stopping-place (point d'arrêt) ; ~ *d'autobus,* bus-stop ; ~ *facultatif,* request stop ‖ [chien] *tomber en* ~, set, point ‖ [grève] ~ *de travail* stoppage of work ‖ Aut. *à l'*~, stationary ‖ Mil. arrest ; *mettre aux* ~s, put under arrest ‖ Jur. decision ; ~ *de mort,* death warrant ‖ Méd. ~ *du cœur,* heart failure ‖ ~**é, e** [-te] *adj* standing, stopped (véhicule) ‖ Fig. fixed, firm (idée) ; set (opinion) ● m decree ; ~ *municipal,* by-law.

arrêter [-te] vt (1) stop (immobiliser) ‖ check (entraver) ‖ pull up (véhicule) ‖ leave off (de faire, doing) ‖ determine, fix, settle (choix, plan) ‖ decide upon (projet) ‖ [police] arrest — *vpr* s'~, stop ; [auto, train] stop, pull / draw up ‖ s'~ *court,* stop dead/short ‖ s'~ *à,* stop over at (au cours d'un voyage) ‖ s'~ *de,* leave off ; quit (coll.) ‖ s'~ *chez,* call at.

arrhes [ar] *fpl* down payment, earnest money, deposit ; *laisser 500 francs d'*~, pay a deposit of 500 francs.

arrière [arjɛr] m rear, back (partie) ‖ Sp. back ‖ Mil. rear ‖ Naut. stern ; *à l'*~, astern ‖ *en* ~, behind ; back(wards) [avec mouvement] ; *en* ~ *de,* behind, U.S. back of ● *adj* back (partie) ‖ Aut. rear (feu).

arriéré, e [arjere] *adj* arrear (travail) ‖ antiquated, outmoded (idée, goût) ‖ Fin. overdue (paiement) ‖ Méd. retarded, backward (enfant) ● m backlog (travail) ‖ Comm. arrears ‖ Fin. back interests ● n Méd. moron.

arrière-boutique [arjɛrbutik] f back-shop ‖ ~**-cour** f backyard ‖ ~**-cuisine** f scullery ‖ ~**-garde** f rearguard ‖ ~**-goût** m after-taste ‖ ~**-grand-père** m great-grand-father ‖ ~**-pays** m hinterland ; *dans l'*~, inland ‖ ~**-pensée** f mental reservation, hidden motive ‖ ~**-petit-fils** m great-grandson ‖ ~**-plan** m background ‖ ~**-saison** f late season/autumn ‖ ~**-train** m hind-quarters.

arrim|age [arimaʒ] m Naut. stowage (de la cargaison) ; trim (du navire) ‖ ~**er** vt (1) Naut. stow — *vpr* s'~, Astr. dock.

arriv|age [arivaʒ] m arrival, consignment ‖ ~**ant, e** n arrival ; *nouvel* ~, newcomer ‖ ~**ée** f arrival, coming ; *à son* ~, on his/her arrival ‖ *corbeille du courrier à l'*~, in tray ‖ Sp. home ; *ligne d'*~, finishing line ‖ Techn. inlet ‖ ~**er** vi (1) come ; ~ *à,* arrive at, get to (lieu) ; come home (à la maison) ; check in (hôtel) ‖ turn up (coll.) ‖ happen, occur, come about, take place (se produire) ; *quoi qu'il arrive,* whatever may come, happen what may ; *que lui est-il arrivé ?,* what has happened to him ? ‖ Sp. come in ‖ Naut. sail (in) ‖ Av. land ‖ Rail. *le train doit* ~ *à six heures,* the train is due (to arrive) at six ‖ Pol. ~ *au pouvoir,* come in ‖ ~ *à faire,* succeed in doing, manage to do ; *je n'arrive pas à comprendre,* I can't understand, I fail to understand ; *en* ~ *à,* come to ‖ *y* ~, make the grade ; *je n'y arrive pas,* I can't manage it ; contrive (financièrement) ; cope (se débrouiller) ; *nous y sommes arrivés,* we made it ‖ ~**iste** n go-getter, climber ; pusher (coll.).

arrog|ance [arɔgɑ̃s] f arrogance, haughtiness ‖ ~**ant, e** *adj* arrogant, haughty.

arroger (s') [aʀɔʒe] *vpr* (7) assume (droit) ‖ claim (without right) [droit].

arrondir [aʀɔ̃diʀ] *vt* (2) make round ‖ round off (angle, nombre) ‖ supplement, eke out (revenus) — *vpr* s'~, become round ‖ [corps] fill out ‖ FIG. [fortune] swell.

arrondissement [aʀɔ̃dismɑ̃] *m* district.

arros|age [aʀɔzaʒ] *m* [pelouse] watering ; [rues] spraying ‖ '~**er** *vt* (1) water ; sprinkle (plantes) ; hose (au jet) ‖ [pluie] se faire ~, get drenched ‖ [vin] wash down (repas) ‖ [fête] drink to, toast (succès) ‖ CULIN. baste (rôti) ‖ ~**euse** *f* sprinkler (de jardin) ; watering-cart (de rue) ‖ ~**oir** *m* watering-can.

arsenal, aux [aʀsənal, o] *m* arsenal, armoury.

art [aʀ] *m* art ‖ artistry, skill, art (habileté) ; *avoir l'~ de,* have the knack of ‖ *Pl* (fine) arts (beaux-arts) ; ~*s d'agrément,* accomplishments ; *arts et métiers,* arts and crafts ‖ ARTS *l'~ pour l'~,* art for art's sake.

art|ère [aʀtɛʀ] *f* MÉD. artery ‖ FIG. main road/street (route) ‖ ~**ériel, elle** [-eʀjɛl] *adj* arterial.

arthrit|e [aʀtʀit] *f* arthritis ‖ ~**ique** *adj* arthritic.

artichaut [aʀtiʃo] *m* artichoke.

article [aʀtikl] *m* [journalisme] article ; story ; feature (grand) ; ~ *de fond,* feature ‖ COMM. article, item (à l'inventaire) ; ~ *d'appel,* loss leader ‖ *Pl* goods ; ~*s de bureau,* writing materials ‖ GRAMM. article.

articul|ation [aʀtikylasjɔ̃] *f* ANAT. joint ; [doigt] knuckle ‖ [parole] utterance ‖ TECHN. joint ‖ ~**é, e** *adj* articulate ‖ ~**er** *vt* (1) articulate (prononcer clairement) ‖ TECHN. joint.

artific|e [aʀtifis] *m* artifice ; artful device, trick (stratagème) ‖ *feu d'~,* fireworks ‖ ~**iel, elle** *adj* artificial ‖ imitation (fleur) ‖ TECHN. manmade (satellite) ‖ FIG. unnatural.

artill|erie [aʀtijʀi] *f* artillery, ordnance ; ~ *de campagne,* field artillery ‖ ~**eur** *m* artillery man, gunner.

artisan [aʀtizɑ̃] *m* craftsman, artisan ‖ ~**at** [-zana] *m* cottage industry, handicraft, arts and crafts.

artist|e [aʀtist] *n* artist ‖ TH. actor, actress ; *entrée des ~s,* stage door ‖ ~**ique** *adj* artistic.

as [ɑs] *m* [jeu] ace ‖ FIG. ace, expert ; ~ *du volant,* crack driver.

ascend|ance [asɑ̃dɑ̃s] *f* ancestry, pedigree ‖ ~**ant, e** *adj* rising ; upward ● *m* ascendency, influence ‖ ASTR. ascendant ● *mpl* ancestry (parents).

ascens|eur [asɑ̃sœʀ] *m* lift, U.S. elevator ‖ ~**ion** *f* [ballon] rising ‖ SP. climb(ing) ; *faire l'~ de,* climb.

Ascension [asɑ̃sjɔ̃] *f* Ascension Day.

asc|ète [asɛt] *n,* ascetic ‖ ~**étique** [asetik] *adj* ascetic ‖ ~**étisme** *m* asceticism.

asepti|que [asɛptik] *adj* aseptic ‖ ~**ser** [-ze] *vt* (1) asepticize.

asiatique [azjatik] *adj* Asiatic, Asian ● *n* Asiatic.

Asie [azi] *f* Asia.

asile [azil] *m* asylum ; ~ *de nuit,* night-shelter ‖ shelter, refuge, home (abri) ‖ POL. asylum ; *donner l'~ à,* give asylum to.

aspect [aspɛ] *m* aspect ‖ look, appearance (apparence) ; angle, side, bearing (d'une question) ‖ GRAMM., ASTR. aspect.

asperge [aspɛʀʒ] *f* asparagus.

asperger [aspɛʀʒe] *vt* (7) sprinkle, spray.

aspérité [asperite] *f* asperity ‖ *Pl* asperities, jags ‖ FIG. roughness, harshness.

asphalte [asfalt] *m* asphalt.

asphyx|ie [asfiksi] *f* asphyxia, suffocation ‖ ~**ier** *vt* (1) asphyxiate.

aspic [aspik] *m* CULIN. aspic.

aspirant, e [aspirã, ãt] *adj* Techn. *pompe ~e,* suction-pump ● *m* candidate, aspirant ‖ Naut. midshipman ‖ Mil. cadet.

aspirateur [aspiratœr] *m* vacuum-cleaner; hoover (T.N.) ‖ *passer l'~ dans,* vacuum; hoover (coll.).

aspir|ation *f* [gaz] inhaling ‖ [liquid] suction ‖ Fig. aspiration ‖ **~er** *vt* (1) breathe in, inhale (de l'air) ‖ suck up; draw up (un liquid) — *vi* **~ à,** aspire to, long for.

aspirine [aspirin] *f* aspirin.

assagir (s') [sasaʒir] *vpr* (2) settle down, sober down.

assaill|ant [asajã] *m* assailant, attacker ‖ **~ir** *vt* (17) assail, assault ‖ Fig. beset (de, with) [craintes]; bombard (de, with) [questions].

assain|ir [asenir] *vt* (2) purify (l'air) ‖ clean up (quartier) ‖ Fig. reform ‖ **~issement** *m* purification ‖ cleaning up, drainage (de marais).

assaisonn|ement [asezɔnmã] *m* Culin. seasoning; dressing (de la salade) ‖ **~er** *vt* (1) season; spice (relever le goût); dress (salade).

assass|in [asasɛ̃] *m* murderer ‖ **~inat** [-ina] *m* murder ‖ Pol. assassination ‖ **~iner** [-ine] *vt* (1) murder ‖ Pol. assassinate.

assaut [aso] *m* Mil. assault, onslaught, storm(ing); *donner l'~,* attack, storm; *prendre d'~,* take by storm ‖ Sp. bout.

ass|èchement [aseʃmã] *m* drying ‖ **~écher** [-eʃe] *vt* (5) dry (up); drain (un marais) — *vpr s'~,* run dry.

assembl|age [asãblaʒ] *m* putting together ‖ [couture] sewing together ‖ [réunion] collection ‖ [ensemble] set ‖ Techn. joining ‖ **~ée** *f* assembly (corps constituant) ‖ meeting (réunion) ‖ *~ générale,* general meeting ‖ **~er** *vt* (1) assemble, bring together (personnes); put together, gather, collect (éléments) ‖ Techn. join (up) — *vpr s'~,* gather, assemble, meet.

assener [asene] *vt* (5) deliver (un coup); *bien assené,* telling (coup).

assentiment [asãtimã] *m* assent, consent; *donner son ~,* give one's assent, subscribe (à, to).

asseoir [aswar] *vt* (18) **~ qqn,** sit sb down (personne debout); sit sb up (personne couchée); *être assis,* be sitting; *faire ~,* ask to sit down ‖ Fig. establish — *vpr s'~,* sit down.

assermenté, e *adj* sworn; on oath.

assertion [asɛrsjɔ̃] *f* assertion, contention.

asserv|i, e [asɛrvi] *adj* subservient (à, to) ‖ **~ir** *vt* (2) subjugate, enslave ‖ **~issement** *m* bondage.

assez [ase] *adv* [suffisamment] enough; *bien ~,* quite enough; *~ d'argent,* enough money; *~ chaud,* warm enough ‖ [plutôt] rather, fairly, quite ‖ Fam. *en avoir ~ de,* be sick/fed up of.

assid|u, e [asidy] *adj* [présence] regular ‖ [appliqué] assiduous, painstaking ‖ constant (work) ‖ **~ité** *f* regularity (ponctualité); regular attendance (à l'école) ‖ **~ûment** [-dymã] *adv* assiduously.

assieds [asje] → Asseoir.

assiég|er [asjeʒe] *vt* (5-7) besiege, lay siege (à, to) ‖ Fig. beset.

assiette [asjɛt] *f* plate; *~ plate /creuse,* dinner/soup plate ‖ Fig. *n'être pas dans son ~,* be out of sorts, be off colour.

assigner [asiɲe] *vt* (1) assign (place, etc.) ‖ allot (somme) ‖ Jur. summons.

assimil|ation [asimilasjɔ̃] *f* assimilation (lit., fig.) ‖ **~er** *vt* (1) assimilate; *~ qqn/qqch à,* liken sb/sth to — *vpr s'~,* assimilate ‖ [immigrés] be assimilated, integrate oneself (à, into).

ass|is, ise [asi, iz] *adj* (→ Asseoir) seated, sitting; *être ~,* sit, be seated; *rester ~,* keep one's seat, remain seated ‖ **~ise** [-iz] *f* seating (des fondations) ‖ *Pl* foundations ‖ Jur. *Pl* assizes.

assist|ance [asistɑ̃s] *f* audience; turn-out (participation); onlookers (curieux) ‖ attendance, turn-out (présence) ‖ assistance (aide); *prêter ~ à,* assist, help ‖ *~ sociale,* social welfare ‖ Rel. congregation ‖ **~ant, e** *n* enlooker, bystander, spectator ‖ attendant (personne présente) ‖ assistant, helper ‖ **~ante** *f ~ sociale,* social worker ‖ **~ er** *vt* (1) assist, help ‖ *être assisté,* be on welfare ‖ Inf. *assisté par ordinateur,* computer-aided ‖ *~ à,* witness (un accident); hear (une conférence); attend, be present at (une réunion); attend (un cours).

associ|ation [asɔsjasjɔ̃] *f* association (pr., fig.) ‖ society (club) ‖ Comm. partnership ‖ Phil. *~ d'idées,* association ‖ **~ é** *m* Comm. partner ‖ **~ er** *vt* (1) join together, associate — *vpr* s'~, associate, unite ‖ club together ‖ Comm. enter into partnership ‖ *à,* take part in, share, stand in, join in (activity).

assoiff|é, e [aswafe] *adj* thirsty ‖ Fig. thirsting (de, for) ‖ **~ er** *vt* (1) make thirsty.

assombrir [asɔ̃brir] *vt* (2) darken ‖ Fig. cast a shadow on — *vpr* s'~, darken, grow dark; cloud over.

assomm|ant, e [asɔmɑ̃, ɑ̃t] *adj* Fig. boring ‖ **~ er** *vt* (1) stun (animal); batter do death, knock out/senseless ‖ Fig. stun ‖ Fam. bore stiff (ennuyer).

Assomption [asɔ̃psjɔ̃] *f* Assumption.

assort|i, e [asɔrti] *adj* assorted, mixed (gâteaux); matched, suited (apparié) ‖ **~ iment** [-imɑ̃] *m* matching (des couleurs); assortment, choice, collection, variety, set (d'objects) ‖ **~ ir** *vt* (2) match (couleurs); pair (off) [par deux]; accompany (accompagner) ‖ Comm. supply — *vpr* s'~, match; suit one another, go well together.

assoup|i, e [asupi] *pp* dozing ‖ *~ ir*

vt (2) make drowsy — *vpr* s'~, doze off ‖ **~ issement** *m* drowsiness (torpeur); doze (sommeil); nap (court sommeil).

assoupl|ir [asuplir] *vt* (2) make supple ‖ Fig. relax (règlement) — *vpr* s'~, become supple ‖ **~ issement** *m faire des exercices d'~,* limber up.

assourdir [asurdir] *vt* (2) deafen (pr., fig.) ‖ muffle (un son) ‖ **~ issant, e** *adj* deafening.

assouv|ir [asuvir] *vt* (2) satisfy (pr., fig.) ‖ **~ issement** *m* satisfying.

assujetti|i, e [asyʒeti] *adj* Fig. subject (à, to) ‖ **~ ir** *vt* (2) subject (à, to) ‖ **~ issement** *m* subjection.

assumer [asyme] *vt* (1) assume, take on (des responsabilités, un rôle) ‖ hold (poste).

assur|ance [asyrɑ̃s] *f* assurance, self-confidence; *avoir de l'~,* be self-confident; *manque d'~,* diffidence; *manquer d'~,* lack confidence; *avec ~,* composedly ‖ Jur. insurance, assurance; *police d'~,* insurance policy; *souscrire/prendre une ~,* take out a policy (contre, against); *~ automobile,* car insurance; *~ incendie,* fire insurance; *~ maladie,* sickness insurance; *~ tous risques,* comprehensive insurance; *~ au tiers,* third-party insurance; *~ sur la vie,* life insurance; *~ contre le vol,* insurance against theft.

assu|ré, e *adj* assured, self-confident; secure (avenir) ‖ insured, assured (contre les risques) ● *n* assured/insured person; *l'~,* the assured ‖ **~ ément** [-emɑ̃] *adv* assuredly ‖ **~ er** *vt* (1) certify, warrant (garantir) ‖ assure (affirmer) ‖ provide (surveillance) ‖ Jur. insure, assure — *vpr* s'~, make certain; make sure (de/que, of/that) ‖ Jur. insure oneself (contre, against); take out an insurance ‖ **~ eur** *m* insurer, underwriter.

astérisque [asterisk] *m* asterisk, star.

asthme [asm] *m* asthma.

asticot [astiko] *m* maggot.

astigmat|e [astigmat] *adj* astigmatic ‖ **~isme** *m* astigmatism.

astiquer [astike] *vt* (1) polish (meuble, bottes) ; shine (bottes).

astre [astr] *m* star.

astr|eignant, e [astrɛɲɑ̃, ɑ̃t] *adj* demanding, exacting, compelling ‖ **~eindre** [-ɛ̃dr] *vt* (59) compel, oblige (forcer) — *vpr* **s'~**, force/bind /compel oneself (*à,* to).

astro|logie [astrɔlɔʒi] *f* astrology ‖ **~logue** [-lɔg] *m* astrologer ‖ **~naute** [-not] *n* astronaut, space-man/woman ‖ **~nautique** [-notik] *f* astronautics ‖ **~nome** [-nɔm] *n* astronomer ‖ **~nomie** [-nɔmi] *f* astronomy ‖ **~nomique** *adj* [-nɔmik] astronomic(al).

astuc|e [astys] *f* cunning, astute-ness, shrewdness ‖ trick (tour) ‖ **~ieusement** *adv* astutely, cleverly ‖ **~ieux, ieuse** *adj* shrewd, clever, astute ‖ PÉJ. crafty, cunning, wily (rusé).

atelier [atəlje] *m* TECHN. (work)shop ‖ ARTS studio.

atermoyer [atɛrmwaje] *vi* (9 *a*) procrastinate, temporize, stall for time.

athé|e [ate] *adj* atheistic ● *n* atheist ‖ **~isme** *m* atheism.

Athènes [atɛn] *f* Athens.

athl|ète [atlɛt] *n* athlete ‖ **~étique** [-etik] *adj* athletic ‖ **~étisme** [-etism] *m* athletics.

Atlantique [atlɑ̃tik] *adj/m* Atlantic.

atlas [atlas] *m* [cartes] atlas.

atmosph|ère [atmɔsfɛr] *f* atmo-sphere ‖ **~érique** [-erik] *adj* atmo-spheric.

atom|e [atom] *m* atom ‖ **~ique** [-ɔmik] *adj* atomic ‖ **~iser** (1) *vt* atomize ‖ **~iseur** [-izœr] *m* atom-iserspray.

atout [atu] *m* [cartes] trump ; **~**

trèfle, clubs are trumps ; *sans* **~**, no trumps ‖ FIG. asset.

âtre [a tr] *m* hearth, fire-place.

atroc|e [atrɔs] *adj* atrocious ; ago-nizing, excruciating (douleur) ; hei-nous, outrageous (crime) ‖ **~ement** *adv* horribly, dreadfully ‖ **~ité** *f* atrocity.

attabler (s') [satable] *vpr* (1) sit down at table.

attach|ant, e [ataʃɑ̃, ɑ̃t] *adj* likeable, engaging (personne) ‖ **~e** *f* fastening ‖ clip, paperclip (trombone) ‖ tether (corde) ‖ *Pl* FIG. bonds, ties, links ‖ **~ement** *m* FIG. attachment, affec-tion (*à,* to) ‖ **~er** *vt* (1) fasten, bind, tie (up) [lier] ; tether (avec une longe) ; tie up (un chien) ‖ do up, fasten (ceinture) ; clip (papier) ‖ FIG. attach — *vi* CULIN. stick ; *qui n'attache pas,* non-stick (poêle) — *vpr* **s'~**, fasten (se boutonner) ; be tied (se lier) ‖ FIG. **~** *à,* stick to (s'intéresser à) ; become attached to (aimer).

attaqu|ant [atakɑ̃] *m* attacker ‖ **~e** *f* attack, assault ; **~** *à main armée,* hold-up (d'un véhicule) ; raid (d'une banque) ‖ MIL. attack, charge, onset ; **~** *aérienne,* air-raid ‖ MÉD. attack, seizure ; stroke (d'apoplexie) ; bout (de grippe) ‖ FIG. thrust, criticism ‖ FAM. *d'~,* in top form ‖ **~er** *vt* (1) attack, assault, come at, go for ‖ [acide] eat into, corrode ‖ MUS. strike up ‖ JUR. **~** *en justice,* bring an action against ‖ FIG. tackle (un problème) — *vpr* **s'~** *à,* attack (une personne, une tâche) ‖ FIG. tackle, get down to (une tâche).

attard|é, e [atarde] *adj* backward (enfant) ‖ late (en retard) ‖ **~er (s')** *vpr* (1) linger, delay ; stay on (*chez,* at) ‖ FIG. linger (*à,* over).

atteindre [atɛ̃dr] *vt* (59) reach, arrive at (lieu) ‖ attain (avec effort) ‖ hit (frapper) ; **~** *le but,* hit the mark ‖ MÉD. *être atteint de,* suffer from ‖ COMM. fetch (un prix aux enchères) ‖ FIG. come up to (un niveau) ; accomplish, achieve (un but) ; *ne pas*

~, fall short of (son but) ‖ FIG. affect, touch, wound (blesser).

atteinte [atɛt] reach ; *hors d'~*, out of/beyond reach ‖ FIG. harm, derogation ; *porter ~ à*, injure, damage ; *porter ~ à la réputation de qqn*, cast a slur on sb's reputation ; *ceci ne porte pas ~ à*, this is no reflection on ‖ JUR. *~ à l'ordre public,* breach of the peace.

attel|age [atlaʒ] m team (chevaux) ‖ RAIL. coupling ‖ **—er** vt (8 a) harness (un cheval) ; put to (un cheval à une voiture) — vpr s'~, FIG. get down (à, to) [tâche].

attelle [atɛl] f MÉD. splint.

attenant, e [atnɑ̃, ɑ̃t] adj ~ à, adjoining.

attendre [atɑ̃dr] vt (4) wait for, wait (que, till) ; ~ son tour, wait one's turn ; await (qqn, qqch) ; *aller ~ qqn*, go and meet sb, *faire ~ qqn*, keep sb waiting ‖ *attendez !*, wait a minute ! ‖ ~ *avec impatience/plaisir*, look forward to (+ verbe -ing) ‖ ~ *un bébé*, be expecting ‖ *en attendant*, meanwhile — vpr s'~ à, expect, anticipate ; *je m'y attendais*, I thought as much.

attendr|ir [atɑ̃drir] vt (2) make tender ‖ FIG. move (to pity) [personne] — vpr s'~, FIG. be moved (sur, by) ; feel sorry (sur, for) ‖ ~**issant, e** [-isɑ̃, ɑ̃t] adj moving, touching.

attendu, e [atɑ̃dy] adj (v. ATTENDRE) ‖ AV., RAIL. — ~ à 2 heures, due at 2 o'clock ● loc conj ~ que, considering that ‖ JUR. whereas.

attentat [atɑ̃ta] m murder attempt, attack ; outrage (révoltant) ; ~ *à la bombe*, bomb attack/outrage ; ~ *à la pudeur*, indecent exposure.

attente [atɑ̃t] f wait(ing) ‖ [lettre] *dans l'~ de vos nouvelles,* looking forward to hearing from you ‖ [espoir] expectation.

attenter [atɑ̃te] vi (1) ~ *à ses jours*, attempt suicide ; ~ *à la vie de qqn*, make an attempt on sb's life.

attentif, ive [atɑ̃tif, iv] adj attentive (à, to) ; *être ~ à*, pay attention to ‖ careful (examen) ‖ thoughtful (personne) ‖ considerate (prévenant).

atten|tion [atɑ̃sjɔ̃] f attention, heed, notice ; *faire ~*, take care, mind ; *faire ~ à*, pay attention to, mind ; *ne faire aucune ~ à*, take no notice of ‖ *attirer l'~-de qqn*, attract sb's attention, catch sb's eye ‖ *détourner l'~ de qqn*, divert sb's attention ‖ ~ *!*, mind !, look out !, watch out ! ‖ [estime] regard (à, for/to) ‖ ~**tionné, e** [-sjɔne] adj thoughtful, considerate ‖ ~**tivement** [-tivmɑ̃] adv attentively ; carefully ; closely.

atténuer [atenɥe] vt (1) subdue (couleur, lumière) ; deaden (bruit) ; soften (son) ; alleviate, ease (douleur) ; mitigate (punition) — vpr s'~, [bruit] die down ‖ [douleur] lessen.

atterrer [atere] vt (1) dismay, appall.

atterr|ir [aterir] vi (2) AV. land, touch down ; ~ *en catastrophe*, crashland ‖ NAUT. make a landfall ‖ ~**issage** m AV. landing, touchdown ; ~ *en catastrophe*, crash-landing ; ~ *forcé*, forced/emergency landing.

attest|ation [atɛstasjɔ̃] f testimonial, certificate (certificat) ; ~ *d'assurance*, insurance certificate ‖ ~**er** vt (1) attest (démontrer) ‖ witness, testify (témoigner).

attiédir [atjedir] vt (2) cool (le chaud) ; warm (le froid) ‖ FIG. damp.

attifer [atife] vt (1) FAM. rig out.

attirail [atiraj] m paraphernalia ‖ TECHN. gear, outfit.

attir|ance [atirɑ̃s] f attraction ‖ ~**ant, e** adj attractive, appealing ‖ ~**er** vt (1) attract, draw (vers, towards) ‖ FIG. → ATTENTION ‖ FIG. lure (dans un piège) ; entice (séduire) — vpr s'~, bring upon oneself ; incur (blâme) ; s'~ *des ennuis*, get into trouble.

attiser [atize] vt (1) poke, stir up (le feu) ; fan (avec de l'air) ‖ FIG. stir up.

attitré, e [atitre] *adj* regular, usual ‖ appointed (marchand).

attitude [atityd] *f* attitude (comportement) ‖ bearing (maintien).

attouchement [atuʃmã] *m* touch.

attraction [atraksjɔ̃] ɛ PHYS. attraction ‖ *Pl* amusements ; → PARC ‖ FIG. attraction.

attrait [atrɛ] *m* attraction (attirance) ; appeal (charme) ; liking (penchant).

attrap|e [atrap] *f* FAM. practical joke ‖ ~**er** *vt* (1) catch (ballon) ; catch, get (train) ; seize (saisir) ‖ snare (au piège) ‖ MÉD. catch (maladie) ‖ FIG. trick, take in (berner) ‖ FAM. tell off, dress down (réprimander) ; *se faire* ~, get a good talking-to.

attrayant, e [atrɛjã, ãt] *adj* attractive, engaging, arresting.

attribuer [atribɥe] *vt* (1) award (prix) ‖ grant (avantages) ; ~ **à,** put down to (un effet) ; impute to (une faute) ; allot to, allocate to (une part) ‖ attribute (invention) ‖ ~ **de l'importance à,** attach importance to — *vpr s'*~ claim (mérite) .

attribu|t [atriby] *m* GRAMM. complement ‖ ~**tion** *f* [prix] awarding ‖ [part] allocation ‖ *Pl* duties, attributions.

attrist|é, e [atriste] *adj* sad, sorrowful ‖ ~**er** *vt* (1) sadden, make sad — *vpr s'*~, sadden, become sad (*de,* at/by).

attroup|ement [atrupmã] *m* gathering, crowd ‖ ~**er (s')** *vpr* (1) gather, crowd, flock together.

au [o] *art contr* (= *à le*) → À.

aubaine [obɛn] *f* godsend, windfall ; boon.

aube [ob] *f* dawn, daybreak.

aubépine [obepin] *f* hawthorn.

auberge [oberʒ] *f* inn ; ~ *de la jeunesse,* youth hostel.

aubergine [oberʒin] *f* aubergine, egg-plant ; U.S. zucchini.

aubergiste [oberʒist] *n* innkeeper ‖ [auberge de la jeunesse] *père/mère* ~, warden.

aucun, e [okœ̃] *adj* [proposition négative] no, not any ‖ [proposition affirmative ou interrogative] any ● *pron* none ‖ [v. nég.] any.

audac|e [odas] *f* daring, boldness (témérité) ; *avoir l'*~, *de* dare to ‖ ~**ieux, ieuse** *adj* daring, audacious, bold.

au-dedans, au-dehors, au-delà etc. → DEDANS, DEHORS, DELÀ etc.

audible [odibl] *adj* audible.

audience [odjãs] *f* audience, hearing (entrevue) ‖ JUR. sitting, session.

audimétrie [odimetri] *f* television audience measurement, TAM.

audio-visuel, elle [odjovizɥɛl] *adj* audio-visual.

audi|teur, trice [oditœr, tris] *n* listener ‖ *Pl les* ~*s,* the audience ‖ ~**tif, ive** *adj* auditory ‖ ~**tion** *f* [ouïe] hearing ‖ [essai] audition ‖ ~**tionner** [-sjɔne] *vt* (1) TH., MUS. audition ‖ ~**toire** [-twar] *m* audience ‖ ~**torium** [-tɔrjɔm] *m* auditorium.

auge [oʒ] *f* trough.

augment|ation [ogmãtasjɔ̃] *f* increase ; *en* ~, on the increase ‖ [prix] rise ; U.S. hike ‖ [salaires] increase, rise, U.S. raise ‖ growth (nombre) ; boost (production) ‖ ~**er** *vt* (1) increase, rise, U.S. raise (prix, salaires) ‖ step up, boost (production) ‖ put up (loyer) ; supplement (revenus) — *vi* [prix, salaires, etc.] increase ‖ rise, go up ‖ [production] increase ‖ [population] grow ‖ ~ *de poids/volume,* increase in weight/volume.

augur|e [ogyr] *m* omen ; *de mauvais* ~, ominous ; *de bon* ~, auspicious ‖ ~**er** *vt* (1) portend.

aujourd'hui [oʒurdɥi] *adv* today ; *il y a* ~ *huit jours,* a week ago today ; *d'*~ *en huit,* a week from today ; *d'*~ *en huit/en quinze,* today week/fortnight || [de nos jours] nowadays, today.

aulx [o] *mpl* → AIL.

aumôn‖e [omon] *f* alms ; *faire l'~,* give alms || **~ier** *m* REL., MIL. chaplain ; padre (fam.).

au pair [opɛr] *adj jeune fille ~,* au pair girl.

auparavant [oparavã] *adv* before(hand), previously ; first.

auprès [oprɛ] *adv* near, by ● *loc prép* **~ de,** next to, near, close to/by (à côté de) || compared with (en comparaison de).

auquel [okɛl] → LEQUEL.

auréole [oreɔl] *f* [tache] ring || REL., ASTR. halo.

au revoir [orvwar] *interj/m* goodbye || bye(-bye) [coll.] || tata (coll.).

auriculaire [orikylɛr] *adj* auricular ● *m* little finger.

aurore [ɔrɔr] *f* dawn, daybreak ; *~ boréale,* Northern Lights.

ausculter [oskylte] *vt* (1) MÉD. sound.

auspices [ospis] *mpl sous les ~ de,* under the auspices of.

aussi [osi] *adv* also, too ; *Jean était là,* John too was there ; *moi ~,* FAM. me too ; *vous parlez anglais et moi ~,* you speak English and so do I || *~... que,* as... as ; *il est ~ grand que vous,* he is as tall as you ; *pas ~ grand que,* not so tall as ● *conj* therefore, so || *~ bien* (= d'ailleurs), besides ; *~ bien que,* as well as ; *tout ~ bien,* just as well ; *~ longtemps que,* as long as.

aussitôt [osito] *adv* straight away, immediately, at once || *~ que,* as soon as ; *~ dit, ~ fait,* no sooner said than done.

aust‖ère [ostɛr] *adj* severe, austere, dour || **~érité** [-erite] *f* austerity.

Austral‖ie [ostrali] *f* Australia || **~ien, enne** *n* Australian.

autant [otã] *adv* as much/many (*de,* as) ; *pas ~,* not so many (*de,* as) ;

~ que, as much/many as ; *pas ~ que,* not so much/many as || [tant] so much/many ; *~ que je sache,* as far as I know ; *d'~ que,* the more so as ; *d'~ plus/moins que,* all the more/less as || [la même chose] the same || *~ pour moi !,* my mistake !

autel [otɛl] *m* altar.

auteur [otœr] *m* author, writer ; *femme ~,* authoress ; *~-compositeur,* song-writer ; *~ dramatique,* playwright, dramatist.

authent‖icité [otãtisite] *f* authenticity, genuineness || **~ique** *adj* authentic(al), genuine.

auto [oto] *f* car || [fête foraine] *~s tamponneuses,* dodgems, bumper cars.

auto‖bus [otobys] *m* bus ; *~ à deux étages/à impériale,* double-decker || **~car** *m* coach ; U.S. bus || **~chenille** *f* half-track (vehicle) || **~clave** [-klav] *m* MÉD. sterilizer || **~collant,** *e adj* self-sticking, stick-on ● *m* sticker, transfer || **~critique** [-kritik] *f* self-criticism || **~cuiseur** [-kɥizœr] *m* pressure cooker || **~défense** *f* self-defense || **~didacte** [-didakt] *adj* self-educated ● *n* self-taught person, autodidact || **~école** *f* driving school || **~gène** [-ʒɛn] *adj soudure ~,* (oxy-acetylene) welding || **~gestion** *f* self-management || **~graphe** [-graf] *m* autograph || **~mate** [-mat] *m* automaton || **~mation** [-masjɔ̃] *f* automation || **~matique** [-matik] *adj* automatic ; self-steering (gouvernail) ● *m* TÉL. G.B. = STD (Subscriber Trunk Dialling) || **~matiquement** *adv* automatically || FAM. as a matter of course || **~matiser** *vt* (1) automate || **~matisme** *m* automatism || **~mitrailleuse** *f* armoured car.

automne [otɔn] *n* autumn, U.S. fall.

auto‖mobile [otomɔbil] *adj* motor(ing) ● *f* car, U.S. automobile || **~mobiliste** [-mɔbilist] *n* motorist, driver || **~moteur, trice** *adj* self-propelled || **~neige** *f* snowmobile.

autonome [otonom] *adj* autonomous; self-governing || **~ie** [-nɔmi] f POL. autonomy, self-governement, home rule || AUT., Av. range.

autopont m fly-over, toboggan.

autopsie [otɔpsi] f post-mortem, autopsy.

autoradio m car-radio.

autorail [otoraj] m rail-car.

autori|sation [otorizasjɔ̃] f authorization, permission; *sans ~,* unauthorized || JUR. license || **~sé, e** [-ze] adj allowed || authorized (version) || authoritative (source) || **~ser** vt [chose] authorize, give permission || [chose] allow || JUR. entitle, authorize, license || **~taire** [-tɛr] adj [caractère] authoritarian || [attitude] authoritative; high-handed, overbearing (excessif); bossy (coll.) || **~té** f authority, power; *faire ~ en,* be an authority on; *avoir ~ sur,* have power over; *d'~,* on one's own initiative || *Pl les ~s,* authorities.

auto|route [otorut] f motorway, U.S. superhighway, turnpike, speedway, expressway, thruway || **~-stop** m hitch-hiking; *faire de l'~,* hitch-hike; FAM. thumb a lift/U.S. ride; *prendre en ~,* give a lift || **~-stoppeur, euse** n hitchhiker || **~suggestion** autosuggestion.

autour [otur] adv round, around; *tour ~,* round about ● prép *~ de,* round, about.

autre [otr] adj other; *un(e) ~,* another; *~ chose,* something else; *qqn d'~,* sb else; *les ~s,* other people, the others || *nous ~s Français,* we French ● pron other || *un(e) ~,* another (one); *l'un et l'~,* both; *l'un après l'~,* one after the other; *l'un l'~,* each other || *Pl others; entre ~s,* among others; *et ~s choses/gens (etc.) de ce genre,* and such like || **~fois** [-ɔfwa] adv formerly, in the old days, in the past, once; *d'~,* of the past || [+ used to] *je jouais au bridge, ~,* I used to play bridge || **~ment** [-əmɑ̃] adv otherwise, differently (dif-

féremment) || or else, otherwise (sinon) || *~ dit,* in other words.

Autriche [otriʃ] f Austria || **~ien, ienne** n Austrian.

autrichien, ienne [otriʃjɛ̃, jɛn] adj Austrian.

autruche [otryʃ] f ostrich.

autrui [otrɥi] pron indéf others, other people.

auvent [ovɑ̃] m porch-roof.

aux [o] art contr (= à LES) → à.

auxiliaire [oksiljɛr] adj auxiliary; subsidiary ● n [personne] assistant ● m GRAMM. auxiliary.

avachi, e [avaʃi] adj out of shape (chaussures) || FAM. flabby, slumped (personne).

aval¹, als [aval] m COMM. endorsement.

aval² m *en ~,* down stream; *en ~ de,* below.

avalanche [avalɑ̃ʃ] f avalanche || FIG. shower.

avaler [avale] vt (1) swallow; *~ gloutonnement,* wolf down || inhale (une fumée) || FAM. take in (une histoire); stomach (un affront); *dur à ~,* unpalatable || [médicament] *ne pas ~,* not to be swallowed.

avaliser [avalize] vt (1) COMM. back, endorse (un effet).

avanc|e [avɑ̃s] f advance; *à l'~,* in advance, beforehand; *en ~ sur son époque,* ahead of one's time(s); *être en ~,* be early; *prendre de l'~ (sur l'horaire),* get ahead (of schedule) || SP. *avoir 2 minutes d'~ sur,* have a two minute lead on; *donner 10 mètres d'~ à qqn,* give sb ten metres' start || COMM. advance (acompte) || *Pl faire des ~s à qqn,* make overtures/approaches to sb; advances (galantes) || **~é, e** adj advanced (idées, technique); forward (enfants); progressive (opinions) || *je n'en suis pas plus ~ pour cela,* I am none the wiser for it || *à une heure ~e,* at a late hour; *à une heure ~e de la journée/nuit,* late in the day, well into the night ‖ MIL. advanced (poste) ‖ CULIN. high (viande), overripe (fruit) ‖ **~ement** *m* advancement (des sciences); progress (des études); promotion, rise; *recevoir de l'~*, be promoted ‖ **~ er** *vi* (5) advance, move forward; *~ d'un pas lent*, plod along; *~ péniblement*, trek ‖ [navire] make headway/progress ‖ [auto] *~ au pays*, crawl along ‖ [faire saillie] project, jut out ‖ [montre, horloge] gain; *ma montre avance de cinq minutes*, my watch is five minutes fast — *vt* move/bring forward ‖ advance (un pion); draw up (une chaise); hold out (la main) ‖ bring forward (une réunion); advance (une date); put forward (une montre) ‖ FIN. advance (de l'argent) ‖ FIG. put forward (une idée) — *vpr* s'~, advance, move forward, approach ‖ FIG. commit oneself.

avant [avɑ̃] *prép* [distance, ordre, temps] before; *~ peu*, before long; *~ tout*, above all (surtout); first of all (tout d'abord); earlier than; *~ la fin de la semaine*, by the end of the week; *~ ce moment-là*, by then ‖ *~ de*, before ‖ *en ~ de*, ahead of ‖ *~ tout*, above all, first of all ● *adv* before, beforehand (auparavant) ‖ late (tard) ‖ far (loin) ‖ *en ~*, onwards ‖ *loc conj ~ que*, before ‖ *pas ~ que*, not till/until ● *n* forepart ‖ AUT. *à l'~*, in the front ‖ NAUT. bow(s) [proue] ‖ SP. [football] forward ‖ MIL. front ‖ FIG. *aller de l'~*, go ahead ● *adj inv* AUT. *roue ~*, front wheel.

avantag|e [avɑ̃taʒ] *m* advantage, profit; *avoir ~ à*, be worth (one's while) [faire, to do]; *tirer ~*, benefit (de, by) ‖ Pl *~s en nature*, fringe benefits ‖ [tennis] vantage; *~ service/dehors*, van in/van out; *~ détruit*, deuce ● *loc être à son ~*, be at one's best; PHOT. look one's best ‖ *~ er* *vt* (1) favour, give an advantage to ‖ *~ eux, euse* *adj* advantageous, profitable ‖ COMM. good value (for money).

avant|-bras [avɑ̃brɑ] *m* forearm ‖ **~-centre** *m* [football] centre-forward ‖ **~-coureur** *adj m* forerunner ‖ **~-dernier, ère** *adj/n* last but one ‖ **~-garde** *f* vanguard; van ‖ **~-goût** *m* foretaste ‖ **~-hier** *adv* on the day before yesterday; *~ soir*, the evening before last ‖ **~-port** *m* outer harbour ‖ **~-poste** *m* outpost ‖ **~-première** *f* preview ‖ **~-projet** *m* draught ‖ **~-scène** *f* forestage ‖ **~-toit** *m* eaves.

avar|e [avar] *adj* miserly, tight-fisted, mean, stingy ● *n* miser ‖ **~ice** [-is] *f* avarice, stinginess, miserliness.

avarie [avari] *f* NAUT. damage, injury (de, to).

avar|ié, e [avarje] *adj* spoiled, rotting, rotten (aliment) ‖ **~ier** *vt* (1) damage, spoil.

avec [avɛk] *prép* [accompagnement, simultanéité, moyen] with ‖ [manière] with +*n* (à valeur d'adverbe): *~ soin*, carefully ‖ [opposition] against (lutte); in spite of (malgré) ‖ [extraction] *fait ~ du charbon*, made from coal ‖ *d'~*, from ‖ *et ~ ça?* what next? anything else? ‖ CIN. *~ X*, featuring X., starring X.

avenant, e [avnɑ̃, ɑ̃t] *adj* prepossessing, comely.

avènement [avɛnmɑ̃] *m* advent ‖ accession (au trône).

avenir [avnir] *m* future; *à l'~*, in the future, in years to come ‖ FIG. prospect.

aventur|e [avɑ̃tyr] *f* adventure, venture, experience ‖ affair, intrigue (amoureuse) ‖ *bonne ~*, fortune ‖ chance (hasard); *à l'~*, aimlessly → TERRAIN ‖ **~er (s')** *vpr* (1) venture ‖ **~eux, euse** *adj* adventurous (personne) ‖ hazardous (risqué) ‖ **~ier, ière** *n* adventure, adventuress.

avenue [avny] *f* avenue; drive (privée).

avérer (s') [savere] *vpr* turn out, prove.

averse [avɛrs] *f* shower ; *forte* ~, downpour.

aversion [avɛrsjɔ̃] *f* aversion (*pour*, for) ; *avoir de l'* ~ *pour*, hate, loathe, dislike ; *prendre qqn en* ~, take a dislike to sb.

avert|i, e [avɛrti] *adj* (well-) informed, experienced ‖ forewarned (prévenu) ‖ **~ir** *vt* (2) warn (mettre en garde) ‖ let know, inform (*de*, of) [informer] ‖ **~issement** *m* warning, notice (acte) ‖ caution (avis) ‖ **~isseur** [-isœr] *m* signal ; ~ *d'incendie*, fire-alarm ‖ Aut. hooter, horn.

aveu [avø] *m* avowal, confession (d'une faute) ; *faire l'* ~ *de*, confess.

aveugl|ant, e [avglɑ̃, ɑ̃t] *adj* blinding ‖ **~é, e** *adj* blind ‖ **~e** *n* : *un/une* ~, a blind man/woman ; *les* ~*s*, the blind ‖ **~ément** [-emɑ̃] *adv* blindly ‖ **~er** *vt* (1) blind ‖ dazzle (éblouir) ‖ Fig. ~ *une voie d'eau*, stop up a leak ‖ **~ette (à l')** *loc adv* blindly ; *avancer à l'* ~, grope one's way.

avia|teur, trice [avjatœr, tris] *n* flyer, flier ; Mil. airman, airwoman ‖ **~tion** *f* aviation ‖ Sp. [métier] flying ‖ Mil. air force.

avid|e [avid] *adj* eager (*de*, for) [succès] ; ~ *de faire*, eager to do ; avid (*de*, for) [gloire] ; greedy (*de*, for) [argent, honneurs] ‖ †grasping (avare) ‖ covetous (nature) ‖ **~ement** *adv* eager ; greedily ‖ **~ité** *f* eagerness ; greediness.

avil|ir [avilir] *vt* (2) debase, degrade — *vpr s'* ~, degrade/demean oneself ‖ **~issement** *m* degradation, debasement.

avion [avjɔ̃] *m* aircraft, (aero-)plane, U.S. airplane ; *par* ~, by air(mail) ; *aller/voyager en* ~, go by air/plane, fly (*à*, to) ‖ **~-cargo**, cargo-plane, freighter ; ~ *de ligne*, airliner ; ~ *à réaction*, jet(plane) ; ~ *taxi*, air-taxi ‖ Mil. ~ *de chasse*, fighter.

aviron [avirɔ̃] *m* oar ‖ Sp. rowing.

avis [avi] *m* opinion ; *à mon* ~, in

my opinion, to my mind ; *être d'* ~ *que*, be of (the) opinion that, be for ; *être du même* ~, be of the same mind (*que*, as) ; *être d'un différent*, take a different view (*de*, of) ; *je ne suis pas de votre* ~, I don't agree with you ; *changer d'* ~, change one's mind, think better of sth ‖ counsel, advice ; *un* ~, a piece of advice ‖ notice, announcement, notification ; *jusqu'à nouvel* ~, until further notice ; *sauf* ~ *contraire*, unless you hear to the contrary ; ~ *au public*, public notice ‖ **~é, e** [-ze] *adj* wise ; *bien/mal* ~, well/ill-advised ‖ **~er** [-ze] *vt* (1) inform, notify, advise (avertir) — *vi* think about, consider ; *j'aviserai*, I'll see to/about it.

aviver [avive] *vt* (1) revive (couleur).

avocat¹ [avɔka] *m*, avocado (pear).

avocat², e [-at] *n* lawyer, barrister ; advocate (en Écosse) ; ~*conseil*, counsel.

avoine [avwan] *f* oats ; *farine d'* ~, oatmeal.

avoir [avwar] *vt* (19) [possession] have ‖ [se procurer] get ‖ [éprouver] be ; ~ *chaud/froid/faim*, be warm-/cold/hungry ‖ [dimension] be ; ~ *2 mètres de long*, be 6 feet long ‖ [âge] be ; ~ *dix ans*, be ten years old ‖ [entretenir] keep (des voitures, des domestiques) ‖ Fam. ~ *qqn*, get the better of sb ; *se faire* ~, be taken in ; be taken for a ride, be had (fam.) ; *on vous a eu !*, you've been had ! ; *on les aura !*, we'll beat/get them ‖ *qu'avez-vous*, what is the matter with you ? ; *je n'ai rien*, there's nothing the matter ‖ ~ *à*, have (got) to ; *n'* ~ *qu'à*, have only to ; *vous n'avez qu'à téléphoner*, just give a ring ‖ *en* ~ : *en avoir contre qqn*, have a grudge against sb ; *j'en ai assez*, I am fed up, I am sick of it ; *en* ~ *pour son argent*, get one's money's worth — *v impers y* ~ : *il y a*, there is/are ; *il y avait (autrefois)*, there used to be ; *il y a 10 miles de*, it is 10 miles from ; *combien de temps y a-t-il que ?*, how long yeo is it since ? ; *il y a deux ans,* two years ago — *v aux* have ● *m(pl)* assets ‖ Comm. credit (side).

avoisin|ant, e [avwazinã, ãt] *adj* neighbouring ‖ ~**er** *vt* (1) adjoin, be near.

avort|é, e [avɔrte] *adj* Fig. abortive (projet) ‖ ~**ement** [-mã] *m* abortion ‖ ~**er** *vi* (1) Méd. abort, have an abortion ‖ Fig. fail ‖ ~**on** *m* Péj. runt.

avoué [avwe] *m* solicitor, attorney.

avouer [avwe] *vt* (1) confess, own, admit to (faute) ‖ acknowledge (fait).

avril [avril] *m* April ; *poisson d'*~, April-fool ; *1ᵉʳ* ~, April Fools' Day.

axe [aks] *m* Math. axis ‖ Techn. spindle, axle.

axiome [aksjom] *m* axiom.

ayant [ɛjã] → Avoir ‖ ~ **droit** *m* rightful claimant/owner.

ayons [ɛjã] → Avoir.

azote [azɔt] *m* nitrogen.

azur [azyr] *m* azure.

B

b [be] *m* b.

baba [baba] *adj* Fam. flabbergasted.

babiller [babije] *vi* (1) [bébé] babble, prattle.

babines [babin] *fpl* chaps, chops.

babiole [babjɔl] *f* trinket ; knick-knack ‖ Fig. trifle.

bâbord [babɔr] *m* port ; *à* ~, on the port side.

babouin [babwɛ̃] *m* baboon.

bac [bak] *m* tank, vat (réservoir) ‖ [évier] sink ; tub (pour laver) ‖ Culin. ~ *à glace* ice-tray ; ~ *à légumes,* vegetable compartment ‖ Naut. ferry(-boat) ; *passer (personnes, voitures) en* ~, ferry (people, cars) [across/over].

baccalauréat, Fam. **bac** [bak-(alɔrea)] *m* General Certificate of Education (Advanced Level).

bâche [baʃ] *f* (coarse canvas) cover ; ~ *goudronnée,* tarpaulin.

bachot [baʃo] *m* abrév. fam. de baccalauréat ‖ ~**age** [-ɔtaʒ] *m* cramming ‖ ~**er** *vi* (1) cram.

bacille [basil] *m* bacillus.

bâcl|é, e [bakle] *adj* slipshod, sloppy, slapdash ‖ ~**er** *vt* (1) scamp, botch, bungle.

bactéries [bakteri] *fpl* Méd. bacteria.

badaud [bado] *m* onlooker, by-stander ; loiterer (flâneur).

badigeon [badiʒɔ̃] *m* whitewash ‖ ~**ner** [-ʒɔne] *vt* (1) whitewash ‖ Méd. paint (la gorge).

badine [badin] *f* switch.

bafouer [bafwe] *vt* (1) hold up to ridicule.

bafouiller [bafuje] *vt* (1) [personne] splutter, stammer.

bagag|e [bagaʒ] *m* luggage, U.S. baggage ; ~ *à main,* carry-on ; *faire/défaire ses ~s,* pack/unpack ; *voyager avec peu de ~s,* travel light ‖ ~**iste** *m* luggage handler, porter.

bagarr|e [bagar] fight(ing) ; brawl, scuffle, scrimmage ; dog-fight ; ~ *générale,* free-for-all ‖ ~**er (se)** *vpr* (1) fight, scuffle.

bagatelle [bagatɛl] *f* trifle.

bagne [baɲ] *m* convict settlement / prison.

bagnole [baɲɔl] *f (vieille)* ~, banger, jalopy (coll.).

bagout [bagu] *m* FAM. gab, glibness ; *avoir du* ~, have the gift of the gab.

bagu|e [bag] *f* ring ; ~ *de fiançailles,* engagement ring ‖ ~**er** *vt* (1) ring (oiseau).

baguenauder [bagnode] *vi* (1) fool around (s'amuser) ; moon about (muser).

baguette [bagɛt] *f* rod, stick ; ~ *de sourcier,* dowsing rod ‖ [pain] French loaf ‖ CULIN. chopsticks ‖ MUS. baton ; ~ *de tambour,* drumstick.

bah ! [ba] *interj* who cares ?

bahut [bay] *m* chest.

bai, e [bɛ] *adj* bay (cheval).

baie¹ [bɛ] *f* GÉOGR. bay ‖ ARCH. opening.

baie² *f* BOT. berry.

baign|ade [bɛɲad] *f* [action] bathing ; [lieu] bathing-place ; [bain] bathe, swim ; dip (coll.) ‖ ~**er** *vt* (1) bath (un bébé) ; bathe (le corps) ‖ FIG. wash (la côte) — *vi* soak — *vpr* se ~, bathe, have a swim ; *aller se* ~, go for a swim ‖ ~**eur, euse** *n* bather, swimmer ● *m* [poupée] doll ‖ ~**oire** *f* bath, bath-tub ‖ TH. box.

bail, baux [baj, bo] *m* lease ; *prendre/donner à* ~, lease/lease out.

bâill|ement [bajmã] *m* yawn ‖ ~**er** *vi* (1) yawn ‖ ~**on** *m* gag ‖ ~**onner** [-ɔne] *vt* (1) gag.

bain [bɛ] *m* [dans une baignoire, etc.]

bath ; *prendre un* ~, take a bath, have a bath ; ~ *moussant,* bubble bath ‖ [mer, piscine] bathe, swim ‖ *prendre un* ~ *de soleil,* sunbathe ; ~ *de vapeur,* steam bath ‖ MÉD. ~ *de bouche,* mouth wash.

baïonnette [bajɔnɛt] *f* bayonet.

baiser [beze] *m* kiss ; *donner un* ~, kiss ; *envoyer un* ~, blow a kiss ; *gros* ~, smack(er) [coll.] ● *vt* (1) kiss ; ~ *la main d'une dame,* kiss a lady's hand — *vi/vt* POP. fuck, lay, screw (sl.).

baiss|e [bɛs] *f* drop (de température, de prix) ‖ subsidence (des eaux) ‖ fall (de température) ‖ failing (de la vue) ‖ decline (de l'influence, des prix) ‖ FIN. fall ‖ TECHN. (pression, régime) drop ‖ ~**er** *vt* (1) lower, let down ‖ pull down (un store) ‖ bend (la tête) ; ~ *vivement la tête,* duck ‖ ~ *(les yeux),* look down ‖ turn down (gaz, radio) ‖ dim (une lumière) ‖ COMM. lower, bring down (les prix) — *vi* [eaux] go down, subside, sink ‖ [marée] go/run out, ebb ‖ [température] drop ‖ [baromètre] fall ‖ [vent] drop ‖ [lumière] decline, fade ‖ [vue, forces] fail ‖ [réserves] run low ‖ FIN. [prix] decline, drop — *vpr* se ~, bend down.

bajoue(s) [baʒu] *f(pl)* chaps, chops.

bal, bals [bal] *m* dance, ball ; ~ *costumé,* fancy-dress ball ; ~ *masqué,* masquerade.

balad|e [balad] *f* [à pied] walk, stroll ; *faire une* ~, go for a stroll/jaunt ; [à bicyclette] ride ‖ ~**er (se)** *vpr* (1) go for a walk/stroll saunter.

balafr|e [balafr] *f* scar ; slash, gash (au visage) ‖ ~**er** *vt* (1) scar.

balai [balɛ] *m* broom ; ~ *brosse,* scrubbing-brush ; ~ *à franges,* mop ; ~ *mécanique,* carpet sweeper ; *donner un coup de* ~ *(dans la pièce),* give (the room) a sweep ‖ AUT. wiper-blade (d'essuie-glace).

Balance [balɑ̃s] *f* ASTR. Libra.

balan|ce *f* scales ; ~ *romaine,* steelyard || Comm. balance || **~cement** [-smã] *m* swing(ing), sway(ing), rocking || **~cer** [-se] *vt* (6) swing, rock || Fin. balance (un compte) || Fig. waver, hesitate || Fam. chuck away (qqch) — *vpr se* **~**, swing, sway, rock || Fam. *je m'en balance !*, I couldn't care less ! || **~cier** [-sje] *m* pendulum || **~çoire** [-swar] *f* [sur pivot] seesaw ; [suspendue] swing.

balay|age [balεjaʒ] *m* sweeping || **~er** *vt* (9 *b*) sweep (up) || [radar] scan ; [phare] sweep || Fig. sweep || **~eur** *m* sweeper || **~euse** *f* roadsweeper || **~ures** [-yr] *fpl* sweepings.

balbutier [balbysje] *vi/vt* (1) falter, mumble, stammer (out).

balcon [balkɔ̃] *m* balcony || Th. *(premier)* **~**, dress-circle.

balein|e [balεn] *f* whale || Techn. rib (de parapluie) || **~ier** *m* whaler.

balis|e [baliz] *f* Naut. beacon || **~er** *vt* (1) beacon.

balistique [balistik] *f* ballistics.

balivernes [balivεrn] *fpl* twaddle, nonsense, moonshine.

ballant, e [balã, ãt] *adj* swinging ; *les bras* **~***s*, with arms dangling.

ballast [balast] *m* Rail. ballast *m.*

balle¹ [bal] *f* Agr. chaff.

balle² *f* ball (golf, tennis) ; *jouer à la* **~**, play ball || [tennis] *faire des* **~***s*, have a knock-up ; **~** *nulle,* no ball || Mil. bullet (de fusil) ; **~** *perdue,* stray bullet || Comm. bale (de coton).

ballerine [balrin] *f* ballerina.

ballet [balε] *m* Th. ballet.

ballon [balɔ̃] *m* ball || Sp. **~** *de football,* football ; **~** *de rugby,* rugby ball || [jouet] balloon (gonflé au gaz) || Av. **~** *captif,* captive balloon || Techn. **~** *d'eau chaude,* hot water tank ; **~-sonde,** sounding balloon || Fig. **~** *d'essai,* feeler.

ballot [balo] *m* bale, bundle, pack.

ballottage [balɔtaʒ] *m* Pol. second ballot.

ballotter [balɔte] *vi/vt* (1) toss (about).

balnéaire [balneεr] *adj* seaside ; → STATION.

balourd, e [balur, urd] *adj* clumsy.

balustrade [balystrad] *f* railing, handrail.

bambin [bãbɛ̃] *m* small child ; (tiny) tot.

bamboch|er [bãbɔʃe] *vi* (1) have a wild time || **~eur** *m* reveller.

bambou [bãbu] *m* bamboo.

ban [bã] *m* [applaudissements] round of applause || [mariage] banns || Jur. *mettre au* **~**, bannish, outlaw.

banal, e, als [banal] *adj* banal, commonplace, workaday ; trite (expression) ; *peu* **~**, unusual || **~ité** *f* platitude, commonplace, stock phrase.

banan|e [banan] *f* banana || **~ier** *m* banana-tree.

banc [bã] *m* bench || [école] form || [église] pew || Jur. [jury] box ; [accusés] dock || Naut. bank (de sable) ; shoal (haut fond) ; school, shoal (de poissons) || Techn. **~** *d'essai,* test bench.

bancaire [bãkεr] *adj* banking (chèque).

bancal, e, als [bãkal] *adj* [jambes arquées] bandy-legged || [table] wobbly.

bandage [bãdaʒ] *m* Méd. bandage.

bande¹ [bãd] *f* band (d'étoffe) ; strip (de papier/terrain) ; [journal] wrapper || [billar] cushion || [dessin] **~** *dessinée,* comic strip, comics, strip cartoon ; *Pl* U.S. funnies || [autoroute] **~** *d'arrêt d'urgence,* hard shoulder || Méd. bandage ; **~** *Velpeau,* crepe bandage || Cin. **~** *son,* sound track ; **~** *annonce,* trailer || Techn. tape ; [magnétophone] **~** *magnétique,* magnetic tape ; [magnétoscope] **~** *de magnétoscope,* video-tape || [téléscripteur] ticker-tape || Rad. band.

bande² *f* band, group ; bevy (de

jeunes filles) ; pack (de loups) ‖ gang (de voleurs) ‖ *faire ~ à part,* keep aloof/apart.

bande³ *f* NAUT. *donner de la ~,* list, heel over.

band|eau [bɑ̃do] *m* headband ‖ blindfold (sur les yeux) ‖ bandage (pansement) ‖ **~elette** [-əlet] *f ~ reactive* test strip.

bander *vt* (1) bandage (blessure) ‖ blindfold (yeux) ; *les yeux bandés,* blindfold ‖ bend (arc) ‖ tighten, stretch (ressort) ‖ POP. have a hard-on.

bander|ille [bɑ̃drij] *f* banderilla ‖ **~ole** [-ɔl] *f* pennant, streamer.

bandit [bɑ̃di] *m* bandit, gangster ; gunman.

bandoulière [bɑ̃duljer] *f* shoulder-belt/-strap, sling ; *en ~,* slung across the back.

bang [bɑ̃g] *m* AV. (supersonic) bang, sonic boom.

banjo [bɑ̃ʒo] *m* banjo.

banlieue [bɑ̃ljø] *f* suburbs, outskirts ; *de ~,* suburban.

banlieusard, e [-zar, -zard] *n* suburbanite ‖ RAIL. commuter.

banni, e [bani] *adj* exiled, banished, outcast, outlawed.

bannière [banjer] *f* banner.

bann|ir [banir] *vt* (2) exile, banish (*de,* from) ‖ **~issement** *m* banishment.

banque [bɑ̃k] *f* FIN. bank ‖ MÉD. *~ du sang,* blood-bank ‖ INF. *~ de données,* data bank.

banqueroute [bɑ̃krut] *f* bankruptcy.

banqu|et [bɑ̃ke] *m* banquet ‖ **~eter** [-te] *vi* (8 *a*) banquet.

banquette [bɑ̃ket] *f* bench ‖ AUT., RAIL. seat.

banquier [bɑ̃kje] *m* banker.

banquise [bɑ̃kiz] *f* pack-ice, ice floe.

bapt|ême [batem] *m* REL. baptism,

christening ; *nom de ~,* Christian /first name ‖ Av. *~ de l'air,* first flight ‖ **~iser** *vt* (1) christen, baptize.

baquet [bake] *m* tub, bucket.

bar [bar] *m* bar (comptoir, local) ; pub, U.S. saloon (local) ; [hôtel] cocktail bar.

baragouiner [baragwine] *vt/vi* (1) jabber ‖ speak badly (langue).

baraque [barak] *f* hut, shanty, shack ; [jardin] shed ‖ [foire] booth ; *~ foraine,* fairground stall ‖ **~ments** *mpl* MIL. huts.

barat|in [baratẽ] *m* POP. empty/ smooth talk, patter (boniment) ; U.S. jazz, jive (sl.) ‖ chat-up (galant) ‖ COMM. *faire du ~ à* (un client), give a customer the sales talk ‖ **~iner** [-ine] *vt* (1) chat up (une femme).

barbare [barbar] *adj* barbarous, un-civilized ; cruel ● *m* barbarian.

barbe [barb] *f* beard ; *se laisser pousser la ~,* grow a beard ; *porter la ~,* wear a beard ; *de plusieurs jours,* stubble ; *sans ~,* beardless, clean-shaven ‖ FAM. bother ; *quelle ~ !,* what a nuisance/drag/bore !

barbelé, e [barbəle] *adj/m (fil de fer) ~,* barbed wire.

barbiche [barbiʃ] *f* goatee.

barbot|er [barbɔte] *vi* (1) [personne] paddle, splash about ‖ [canard] dabble — *vt* FAM. pinch (coll.) [voler] ‖ **~euse** *f* rompers, crawlers.

barbouill|age [barbujaʒ] *m* PÉJ. daubing (peinture) ; scribbling (écriture) ‖ **~er** *vt* (1) PÉJ. daub (peinture) ; smear, smut (d'encre) ‖ FAM. upset (estomac) — *vpr se ~,* smear/dirty one's face.

barbu, e [barby] *adj* bearded.

barda [barda] *m* FAM. paraphernalia ; kit, stuff.

barème [barem] *m* schedule, (des prix) ; scale (des salaires/impôts) ‖ COMM. price-list.

baril [baril] *m* barrel, cask, drum.

bariolé [barjole] *adj* many-coloured.

barman [barman] *m* barman U.S. bartender.

baromètre [barɔmɛtr] *m* barometer ; glass (coll.).

baron [barɔ̃] *m* baron ‖ ~**ne** [-ɔn] *f* baroness.

barque [bark] *f* small boat ; ~ *de pêche*, (fishing) smack.

barrage [baraʒ] *m* dam (de lac) ; weir (petit) ‖ cordon (de police) ; *établir un* ~ *(de police)*, cordon off ‖ ~ *routier*, roadblock ‖ [action] blocking ‖ MIL. barrage.

barre [bar] *f* bar ; rod (de fer) ‖ bar (de chocolat) ; lingot (d'or) ‖ [danse] barre ‖ SP. bar ; ~ *fixe*, horizontal bar ; ~*s parallèles*, parallel bars ‖ JUR. bar ; witness-box (des témoins) ‖ NAUT. helm ; [petit bateau] tiller ; *homme de* ~, helmsman ‖ MUS. bar.

barré, e [bare] *adj* barred, blocked (chemin) ; "*rue* ~*e*", "no thoroughfare" ‖ FIN. crossed ; *non* ~, open (chèque).

barreau [baro] *m* rung (d'échelle) ; cross-bar (de chaise) ‖ JUR. *le* ~, the Bar.

barr|er [bare] *vt* (1) cross/strike/ score out ; cross (un « t ») ‖ block (up) [une rue] ; ~ *le passage à qqn*, stand in sb's way ‖ TECHN. dam (un fleuve) ‖ FIN. cross (un chèque) ‖ ~**eur** *m* SP. coxswain ‖ ~**icade** [barikad] *f* barricade ‖ ~**icader** *vt* (1) barricade ; bar (une porte) ‖ ~**ière** *f* fence (clôture) ; gate (ouvrante) ‖ barrier (obstacle).

barrique [barik] *f* cask.

barrir [barir] *vi* (2) trumpet.

bas¹, basse [bɑ, bɑs] *adj* low (mur, prix) ; *à voix* ~*se*, in a low voice ‖ [comparaison] lower ; *les* ~*ses classes*, the lower classes ‖ COMM. *à* ~ *prix*, cheap ‖ NAUT. low (marée) ‖ SP. *below the belt* (coup) ‖ FIG. lowly (rang) ; degrading (besogne) ; vile (action) ; base (conduite) ; *(point) le plus* ~, rock-bottom ; *au* ~ *mot*, at

the very least ● *adv* low ; *parler* ~, speak in a low voice ‖ *à* ~ *X !* down with X ! ‖ *en* ~, (down) below, U.S. way down ; *de haut en* ~, downward(s) ; *de* ~ *en haut*, upward(s) ‖ ZOOL. *mettre* ~, drop ; [chienne] litter ● *m* bottom (d'escalier) ; foot, bottom (de page) ; *au* ~ *de*, at the bottom/foot of, down ‖ FIG. *les hauts et les* ~ *de la vie*, the ups and downs of life.

bas² *m* stocking ‖ *Pl* ~ *Nylon*, nylons.

basané, e [bazane] *adj* tanned, swarthy.

bas-côté [bakote] *m* [route] verge ‖ [église] aisle.

bascul|e [baskyl] *f* weighing machine ‖ seesaw (balançoire) ‖ ~**er** *vi* (1) fall/topple over — *vt (faire)* ~, tip up.

bas|e [bɑz] *f* base ; *de* ~, basic ‖ staple de la production, de l'alimentation ‖ ARCH. foundation ‖ AV. NAUT. base ‖ MIL. ~*aérienne*, air-base ‖ ~*de données*, data base ‖ FIG. ground, basis ; *jeter les* ~*s de*, lay the foundations of ‖ ~**er** *vt* (1) ground, base ‖ MIL. base.

bas-fonds [bafɔ̃] *mpl* underworld.

basilic [bazilik] (sweet) basil.

basilique [basilik] *f* REL. basilica.

basket [basket] *m/f* trainer, sneaker ● *m* basketball ‖ ~-**ball** *m* basketball ‖ ~**eur, euse** *n* basketball player.

basque [bask] *f* tail (d'habit).

basse [bas] *f* MUS. bass (rôle, chanteur) ‖ ~-**cour** *f* farmyard.

bassesse [bases] *f* baseness, lowness, meanness.

basset [basɛ] *m* basset (hound).

bass|in [basɛ̃] *m* pool (de fontaine) ; pond (pièce d'eau) ; basin (cuvette) ‖ NAUT. dock ; ~ *de radoub*, dry dock ; ~ *à flot*, wet dock ‖ GÉOGR. basin (d'un fleuve) ; ~ *houiller*, coal field ‖ ~**ine** [-in] *f* basin.

basson [basɔ̃] *m* MUS. bassoon.

bastingage [bastɛ̃gaʒ] *m* bulwarks, rails.

bastion [bastjɔ̃] *m* FIG. stronghold.

bât [ba] *m* pack ; *cheval de ~,* pack horse.

bataill|e [bataj] *f* battle ; *~ navale,* naval engagement ; *livrer (une) ~,* fight a battle || **~eur, euse** *adj* pugnacious, quarelsome || **~on** *m* MIL. battalion.

bâtard, e [batar, ard] *adj/n* bastard || ZOOL. mongrel.

bateau [bato] *m* boat, ship ; *en ~,* by boat ; *faire du ~,* go boating/sailing || *~ à aubes/roues,* paddle-steamer ; *~-citerne,* tanker ; *~ de course,* racer ; *~ de pêche,* fishing-boat ; *~-phare,* lightship ; *~-pilote,* pilot-board ; *~-pompe,* fire-board ; *~ à rames,* rowing boat ; *~ de sauvetage,* life boat || *~ à vapeur,* steamship ; *~ à voiles,* sailing-boat || FAM. *mener qqn en ~,* pull sb's leg, take sb for a ride.

batelier [batəlje] *m* bargeman, boatman.

bathyscaphe [batiskaf] *m* bathyscaphe.

bâti, e [bati] *adj* built ; *bien ~,* well built ; *mal ~,* of clumsy build.

bâtiment [batimã] *m* building ; *industries du ~,* building-trade || NAUT. vessel ; *ship (de guerre)* || **~ir** *vt* (2) build (un édifice) ; build up (une région) ; *terrain à~,* building site || [couture] baste, tack || FIG. build up.

bât|on [batɔ̃] *m* stick (léger) ; cudgel (gros) ; staff (d'appui) || [chaise] rung || *~ de rouge,* lipstick || MÉD. *~ hémostatique,* styptic pencil || SP. *~ de ski,* skipole || FIG. *à ~s rompus,* disjointed, desultory (conversation) || **~onner** [-ɔne] *vt* (1) cudgel || **~onnet** *m ~ ouaté,* cotton tip.

batt|age [bataʒ] *m* AGR. threshing || FAM. *~ (publicitaire),* hype, ballyhoo ; *faire du ~ autour de,* plug || **~ant, e** *adj* pelting, driving (pluie)

● *m* leaf (de porte) ; flap (de table)
● *n* go-getter (personne).

batte [bat] *f* SP. bat.

batte|ment [batmã] *m* beat (oscillation) ; beating (de tambour) ; clapping (mains) ; banging (d'une porte) ; beat(ing) (du cœur) ; throb (du pouls) ; *~ d'ailes,* flutter || MÉD. *~s de cœur,* palpitations || FIG. *une heure de ~,* an hour's break || **~rie** [-ri] *f* MIL. battery || MUS. drums || ÉLECTR. battery || CULIN. *~ de cuisine,* set of kitchen utensils.

batt|eur [batœr] *m* MUS. drummer || SP. batsman || CULIN. beater || **~euse** *f* AGR. threshing-machine, thresher.

battre [batr] *vt* (20) beat, strike || [mer, vent] buffet || beat, defeat (vaincre) || shuffle (les cartes) || AGR. thresh || CULIN. beat, whip (crème) || SP. *~ un record,* break a record MUS. *~ la mesure,* beat time || NAUT. *~ pavillon,* fly || FIG. *~ froid à qqn,* give sb the cold shoulder ; *~ son plein,* be at its height — *vi* [pluie] drive, lash || [porte] bang || [cœur] beat || [ailes] flap || MIL. *~ en retraite,* retreat, fall back || NAUT. [voile] flap — *vpr se ~,* fight (contre, against ; pour, for) ; *se ~ contre des forces suèprieures,* fight against great odds.

battu, e [baty] *adj* beaten (vaincu) ; *hors des sentiers ~s,* off the beaten track.

baudet [bodɛ] *m* donkey.

baume [bom] *m* MÉD., FIG. balm.

bavard, e [bavar, ard] *adj* talkative, chatty ● *n* chatterbox ; gossip, tattler || **~age** [-daʒ] *m* chatter(ing), gossip(ing) || **~er** [-de] *vi* (1) chat, chatter, gossip, have a chat.

bav|e [bav] *f* [personne] dribble ; [animal] slaver || **~er** *vi* (1) [personne] dribble, drool ; [bébé] slobber ; [animal] slaver || **~ette** [-ɛt] *f* bib || **~eux, euse** *adj* slobbery, dribbling ; runny (omelette) || **~oir** [-war] *m* → **~ETTE** || **~ure** [-yr] *f* smudge (d'encre) ‖ Fam. foul-up (policière etc.).

bazar [bazar] *m* general shop/U.S. store.

B.C.B.G. [besebeʒe] *adj* Fam. classy ● *n* Sloane Ranger.

B.D. [bede] *f* Fam. abrév = BANDE DESSINÉE.

béant, e [beã, ãt] *adj* gaping (bouche) ; wide open (porte) ; yawning (gouffre).

béat, e [bea, at] *adj* smug ‖ ~**itude** [-tityd] *f* beatitude, bliss.

beau [bo], **bel** [bɛl] *adj m*, **belle** [bɛl] *adj f* beautiful, fine, lovely ; *un bel homme*, a handsome/good-looking man ; *un bel arbre*, a beautiful tree ; *une belle femme*, a beautiful/lovely woman ; *se faire belle*, do oneself up, get dressed up ‖ shapely (bien fait) ; *belle apparence*, good looks ‖ fine (temps, personne) ; fair, nice (temps) ; *il fait* ~, the weather is fine ; *le temps est au* ~ *fixe*, the weather is set fair ‖ fair (paroles) ; splendid (appétit) ‖ great, favourable (occasion) ‖ comfortable (fortune) ; handsome (somme d'argent) ‖ Fig. noble (âme) ; ~ *joueur*, good sport ; *les* ~ *jours*, summer days ; *le* ~ *monde*, fashionable society ; *au* ~ *milieu*, right in the middle ; *de plus belle*, more and more, more... than ever, *c'est trop* ~ *pour être vrai*, it's too good to be true ● *m le* ~, beauty, the beautiful ‖ *temps être au* ~ *fixe*, be set fair ‖ *(chien)* **faire le** ~, sit up and beg ● *f* *(jeux)* decider, deciding game ; *jouer la belle*, play the decider ● *adv* **avoir** ~ ; *il a* ~ *essayer*, however had he tries, try as he may.

beaucoup [boku] *adv* much, a great deal ; a lot (fam.) ; ~ *plus jeune*, much younger ; ~ *mieux*, far better ; *boire* ~, drink a great deal ‖ *de* ~, by far, greatly ‖ [nominal] many, a lot ; ~ *l'ont vu*, many have seen him ‖ [déterminatif] ~ *de*, a great/good deal of ; a lot of, lots of (coll.) ; much

(sing.), many (plur.) ; ~ *d'argent*, a lot of money ; ~ *plus de*, much/many more ; ~ *d'entre nous*, many of us ; ~ *mieux*, much better ; ~ *trop*, far too much.

beau|-fils [bofis] *m* son-in-law (gendre) ; stepson (par remariage) ‖ ~**-frère** *m* brother-in-law ‖ ~**-père** *m* father-in-law (père du conjoint) ; stepfather (par remariage). [→ aussi BELLE.]

beauté [bote] *f* beauty ‖ [femme] beauty, good look ‖ loveliness ; *se refaire une* ~, do one's face.

beaux|-arts [bozar] *mpl* fine arts ‖ ~**-parents** [-parã] *mpl* inlaws (coll.).

bébé [bebe] *m* baby ‖ ~ *éprouvette*, test-tube baby.

bec [bɛk] *m* beak, bill (d'oiseau) ; *coup de* ~, peck ; *donner des coups de* ~ *à*, peck at ; nib (de plume) ; spout (de théière) ‖ Techn. ~ *Bunsen*, Bunsen burner ‖ Fam. *prise de* ~, set-to, tif.

bécarre [bekar] *m* Mus. natural.

bécassine [bekasin] *f* Zool. snipe.

bec-de-lièvre [bɛkdɔljɛvr] *m* Méd. hare-lip.

bêch|e [bɛʃ] *f* spade ‖ ~**er** *vt* (1) dig, spade.

becquée [beke] *f* beakful ; *donner la* ~ *à*, feed.

becqueter [bɛkte] *vt* (8, *a*) peck.

bée [be] *adj f* *bouche* ~, gaping (devant, at).

bég|aiement [begɛmã] *m* stammering, stuttering ‖ ~**ayer** [-ɛje] *vi* (9 *b*) stammer, stutter.

bègue [bɛg] *n* stammerer, stutterer.

bégueule [begœl] *adj* prudish.

béguin [begɛ̃] *m* Fam. infatuation ; *avoir le* ~ *pour*, fancy, be sweet on (fam.).

beige [bɛʒ] *adj m* beige.

beigne [bɛɲ] *f* Fam. cuff.

beignet [bɛɲɛ] *m* fritter ; doughnut ; ~ *aux pommes*, appel-fritter.

bel *adj* → BEAU.

bêl|ement [bɛlmɑ̃] *m* bleat ‖ **~er** *vi* (1) bleat.

belette [bəlɛt] *f* weasel.

belge [bɛlʒ] *adj* Belgian.

Belg|e *n* Belgian ‖ **~ique** *f* Belgium.

bélier [belje] *m* ram.

Bélier *m* ASTR. Aries.

belle [bɛl] *adj* → BEAU. ‖ **~-fille** *f* daughter-in-law (épouse du fils); stepdaughter (par remariage) ‖ **~-mère** *f* mother-in-law (mère du conjoint); stepmother (par remariage) ‖ **~-sœur** *f* sister-in-law.

belli|ciste [bellisist] *m* warmonger ‖ **~gérant, e** [-ʒerɑ̃, ɑ̃t] *adj/n* belligerent ‖ **~queux, euse** [-kø, øz] *adj* warlike.

bémol [bemɔl] *m* MUS. flat (note); *la ~*, A flat.

bénédicité [benedisite] *m dire le ~*, say grace.

bénédiction [benediksɔ̃] *f* benediction; blessing ‖ FAM. godsend (aubaine).

bénéfic|e [benefis] *m* COMM. profit, gain, earning, returns; *~ brut/net*, gross/net profit; *faire du ~ sur*, make a profit on ‖ FIG. *accorder le ~ du doute*, give the benefit of the doubt ‖ **~iaire** [-jɛr] *n* FIN. payee (d'un chèque); → MARGE ‖ **~ier** *vt* (1) profit, benefit (*de*, from).

bénéfique [benefik] *adj* beneficent.

Benelux [benelyks] *m* Benelux.

bénévole [benevɔl] *adj* voluntary, unpaid.

béni, e [beni] *adj* hallowed.

Bénin [benɛ̃] *m* Benin.

bénin, igne [benɛ̃, iɲ] *adj* slight, minor (accident) ‖ MÉD. benign (tumeur).

béni-oui-oui [beniwiwi] *m* yes-man.

bén|ir [benir] *vt* (2) bless ‖ REL. consecrate ‖ **~it, e** [-i, it] *adj* REL. consecrated; *eau ~e*, holy water; *pain ~*, consecrated bread ‖ **~itier** [-itje] *m* stoup, holywater basin.

benjamin, e [bɛ̃ʒamɛ̃, in]; *n* youngest son/girl/child.

benne [bɛn] *f* TECHN. tub; *~ à ordures ménagères*, dust-cart; U.S. garbage truck.

benzine [bɛ̃zin] *f* benzine.

béquille [bekij] *f* crutch.

bercail [bɛrkaj] *m sing* fold; *revenir au ~*, come back/return to the fold.

berc|eau [bɛrso] *m* cradle, cot, crib ‖ **~er** *vt* (5) rock (bébé) ‖ FIG. nurse — *vpr se ~*, FIG. delude oneself with (espoirs, illusions) ‖ **~euse** *f* cradlesong, lullaby.

béret [bere] *m* (sailor's) cap; tam-o'-shanter (écossais).

berge [bɛrʒ] *f* (steep) bank.

berg|er [bɛrʒe] *m* shepherd ‖ *(chien) ~ allemand*, Alsatian ‖ **~ère** [-ɛr] *f* shepherdess ‖ **~erie** *f* (sheep-)fold.

berne [bɛrn] *f en ~*, at half mast.

berner [bɛrne] *vt* (1) fool, hoax.

besogn|e [bəzɔɲ] *f* (piece of) work, job, task; chore, stint (quotidienne) ‖ **~eux, euse** *adj* needy.

besoin [bəzwɛ̃] *m* need, want, requirement; *au ~*, if necessary; at a pinch; *si ~ est*, if need be; *avoir ~ de*, need, be in need of, require, want; *vos cheveux ont ~ d'être coupés*, your hair wants cutting; *avoir grand ~*, want badly ‖ *[pauvreté]* need, want; *être dans le ~*, be in want/in straitened circumstances.

bestial, e, aux [bɛstjal, o] *adj* bestial, brutish, beastly ‖ **~ité** *f* bestiality, brutishness.

bestiaux [bɛstjo] *mpl* cattle, livestock.

bestiole [bɛstjɔl] *f* tiny creature; bug, creepy-crawly (coll.).

bêta, asse [beta, as] *adj* silly ● *n* simpleton.

bétail [betaj] *m sing* cattle, livestock.

bêt|e [bɛt] f animal ; ~ *féroce/sauvage*, wild beast ‖ FIG. ~ *de somme*, drudge (personne) ‖ FAM. ~ *noire*, pet aversion ● adj silly, stupid ‖ ~**ifier** [betifje] vi (1) play the fool ‖ ~**ise** [betiz] f foolishness, folly ; *dire des* ~s, talk nonsense ‖ stupid thing ‖ blunder (erreur).

béton [betɔ̃] m concrete ; ~ *armée*, reinforced concrete ‖ ~**nière** [-tɔnjɛr] f cement-/concrete-mixer.

betterave [bɛtrav] f beetroot, U.S. beet.

beugler [bøgle] vi (1) [taureau] bellow ; [vache] low.

beurr|e [bœr] m butter ‖ ~**er** vt (1) butter ‖ ~**ier** m butter-dish.

beuverie [bøvri] f drinking bout.

bévue [bevy] f blunder ; *commettre une* ~, make a slip.

biai|s [bjɛ] m slant ; *de/en* ~, slantwise, aslant ‖ [couture] *couper dans le* ~, cut on the bias/cross.

bibelot [biblo] m trinket, knick-knack (sans valeur) ‖ curio (de valeur).

biberon [bibrɔ̃] m (feeding) bottle ; *nourrir au* ~, feed on the bottle ; *nourri au* ~, bottle-fed.

Bible [bibl] f Bible.

biblio|graphie [biblɔgrafi] f bibliography ‖ ~**graphique** adj bibliographical ‖ ~**thécaire** [-tekɛr] n librarian ‖ ~**thèque** [-tɛk] f library (salle) ‖ lending library (de prêt) ; ~ *municipale*, public library ‖ bookcase (meuble).

biblique [biblik] adj biblical.

Bic [bik] m N.D. *une pointe* ~ = B. a Biro.

bicarbonate [bikarbɔnat] m ~ *de soude*, bicarbonate of soda ‖ CULIN. baking soda.

biceps [bisɛps] m biceps.

biche [biʃ] f doe, hind.

bicoque [bikɔk] f shanty.

bicyclette [bisiklɛt] f bicycle ; *à* ~, on a bicycle ; *aller à* ~, cycle.

bide [bid] m ARG. *faire un* ~, be a flop/washout.

bidon [bidɔ̃] m can ‖ drum (tonneau) ‖ [camping], MIL. waterbottle ● adj inv POP. sham, mock, phoney ‖ ~**ville** m shantytown.

bidule [bidyl] n FAM. thingummy, gadget (coll.).

bielle [bjɛl] f TECHN. (connecting-) rod ; *tête de* ~, big end.

bien [bjɛ̃] adv well ; ~*écrit*, well written ; *il va* ~, he is well ; *ni* ~ *ni mal*, so-so ; *tout va* ~ !, all's well ! ; ~ *reçu*, duly received (envoi) ; ~ *chaud*, good and hot ‖ well, fair (avantageusement) ; *se passer* ~, go off well ‖ ~ *faire de*, do well to ‖ fairly, rightly (loyalement) ‖ fast, tight (solidement) ‖ well, much (beaucoup) ; ~ *trop tard*, far too late ; ~ *plus*, what's more ; ~ *du/de la*, much ; ~ *des*, many ; ~ *du mal*, a lot of trouble ‖ [augmentatif] ~ *heureux*, very happy ; ~ *mieux*, much better ; ~ *entendu*, of course ‖ [emphatique] very ; *il faut* ~ *que je...*, I really must... ; *où peut-il* ~ *être* ?, where ever can he be ? ‖ *tant* ~ *que mal*, after a fashion, anyhow ● adj inv [beau] handsome, good-looking (personne) ‖ nice (chose) ‖ comfortable (à l'aise) ‖ *être* ~ *avec*, get on well with ; *nous ne sommes pas très* ~ (ensemble), we are not on good terms ‖ good ; *qqch de* ~, something good ‖ *assez* ~, middling ● loc conj ~ *que*, although, though ; *si* ~ *que*, so that (de sorte que) ; *ou* ~, or else ● interj ~ !, all right !, good ! ; *très* ~ !, very well ! ; *eh* ~ !, well ! why ! ; *eh* ~ ?, well ? ● m good, right (vertu) ; *le* ~ *et le mal*, right and wrong ‖ blessing, good (avantage) ; *faire du* ~ *à*, benefit ; *cela vous fera du* ~, it'll do you good ‖ profit, welfare ; *vouloir du* ~ *à qqn*, wish sb well, mean well by sb ‖ praise (éloge) ; *dire du* ~ *de qqn*, speak well of sb ‖ *mener à* ~, achieve, go through with ‖ [propriété] property, possessions ‖ *Pl* COMM. ~*s de consommation,* consumer goods ; ~*s meubles,* movables, personal property ; JUR. ~*s immobiliers,* real estate ‖ ~-**aimé, e**[nɛme] *adj/n* beloved, darling ‖ ~-**être** [-nɛtr] *m* [physique] well-being ; welfare ; [matériel] comfort ‖ ~**faisance** [-fəzɑ̃s] *f* charity (aide, œuvre) ‖ ~**faisant, e** [-fəzɑ̃, ɑ̃t] *adj* benevolent, charitable (personne) ; beneficial (chose) ‖ ~**fait** *m* act of kindness ‖ FIG. blessing, boon ‖ ~**faiteur, trice** [fɛtœr, tris] *n* benefactor, -tress ‖ ~**séance** [-seɑ̃s] *f* decency, propriety, decorum ‖ ~**séant, e** [-seɑ̃, ɑ̃t] *adj* decent, seemly, decorous.

bientôt [bjɛ̃to] *adv* soon, shortly ; presently ‖ *à* ~ *!,* see you !, (I'll) be seeing you !

bienveillance [bjɛ̃vɛjɑ̃s] *f* benevolence, friendliness ; *avec* ~, kindly ‖ ~**ant, e** *adj* kindly ; benevolent (*envers,* to).

bienvenu, e [bjɛ̃vny] *adj* welcome ● *f* welcome ; *souhaiter la* ~ *à qqn* welcome.

bière¹ [bjɛr] *f* beer, ale ; ~ *légère,* lager ; ~ *forte,* stout ; ~ *blonde,* pale ale ; ~ *brune,* brown beer, porter ; ~ *à la pression,* draught beer, beer on draught, bitter.

bière² *f* coffin.

biffer [bife] *vt* (1) cross/scratch/ strike out, delete.

bifocal, e, aux [bifɔkal, o] *adj* bifocal ‖ *lunettes* ~*es,* bifocals.

bifteck [biftɛk] *m* (piece of) steak ; ~ *haché,* mince.

bifur|cation [bifyrkasjɔ̃] *f* [road] fork ‖ RAIL. junction ‖ ~**quer** [-ke] *vi* (1) fork ; branch off.

bigam|e [bigam] *adj* bigamous ● *n* bigamist ‖ ~**ie** *f* bigamy.

bigarré, e [bigare] *adj* variegated, motley, pied.

bigot, e [bigo, ɔt] *adj* sanctimonious.

bigoudi [bigudi] *m* curling-pin, curler, roller.

bigrement [bigrəmɑ̃] *adv* awfully, damn(ed).

bijou, oux [biʒu] *m* jewel ‖ ~**terie** [-tri] *f* jeweller's (shop) (boutique) ; jewel(l)ery (bijoux) ‖ ~**tier, ère** [-tje, ɛr] *n* jeweller.

Bikini [bikini] *m* N.D. bikini.

bilan [bilɑ̃] *m* FIN. balance-sheet ; *dresser le* ~, draw up the balance-sheet ; *déposer son* ~, declare oneself insolvent ‖ MÉD. ~ *de santé,* check-up.

bil|e [bil] *f* bile ‖ FIG. worry (souci) ; *se faire de la* ~, get worried (*pour,* about) ‖ ~**er (se)** *vpr* worry (oneself), fret ; *il ne se bile pas,* he takes it easy ‖ ~**eux, euse** *adj* easily upset/worried.

bilingue [bilɛ̃g] *adj/n* bilingual.

billard [bijar] *m* [jeu] billiards ; snooker ; [table] billiard-table ; *jouer au* ~, play billiards ; *salle de* ~, pool room ; ~ *électrique,* pin-ball (machine).

bille [bije] *f* marble ; *jouer aux* ~*s,* play (at) marbles.

billet [bije] *m* RAIL., TH. ticket ; ~ *d'aller et retour,* return ticket, U.S. round trip ticket ; ~ *d'aller simple,* single ticket, U.S. one-way ticket ; *prendre un* ~ *direct pour,* book through to ; ~ *de correspondance,* transfer ‖ COMM. ~ *à ordre,* promissory note ‖ FIN. note, U.S. bill ; ~ *de banque,* bank-note ‖ MIL. ~ *de logement,* billet ‖ ~**erie** [-tri] *f* cash-dispenser.

bimensuel, elle [bimɑ̃sɥɛl] *adj* fortnightly.

bimoteur [bimɔtœr] *adj m* twin-engine(d).

binaire [binɛr] *adj* binary.

bin|er [bine] *vt* (1) AGR. hoe ‖ ~**ette¹** [-ɛt] *f* AGR. hoe.

binette² *f* FAM. mug (visage).

biniou [binju] *m* (Breton) bagpipes.

biochimie [bjɔʃimi] *f* biochemistry.

biodégradable [biɔdegradabl] *adj* biodegradable.

biograph|e [biograf] *n* biographer ‖ ~**ie** *f* biography.

biolog|ie [biɔlɔʒi] *f* biology ‖ ~**iste** *m* biologist.

biréacteur [bireaktœr] *m* twin-engined jet.

birman, e [birmã, an] *adj/n* Burmese.

Birmanie [birmani] *f* Burma.

bis, e¹ [bi, iz] *adj* brown (pain).

bis² [bis] *m* TH. encore ● *interj* encore !

bisbille [bisbij] *f* tiff ; *être en ~ avec*, be at loggerheads with.

biscornu, e [biskɔrny] *adj* crooked ‖ FIG. cranky.

biscotte [biskɔt] *f* rusk, U.S. Melba toast.

biscuit [biskɥi] *m* CULIN. biscuit, U.S. cracker ; ~ *de Savoie*, sponge-cake.

bise¹ [biz] *f* north wind.

bise² *f* FAM. kiss.

biseau [bizo] *m* bevel ‖ ~**té, e**[-te] *adj* bevelled.

bison [bizɔ̃] *m* bison, U.S. buffalo.

bisser [bise] *vt* (1) TH. encore.

bissextile [bisɛkstil] *adj année* ~, leap-year.

bistouri [bisturi] *m* MÉD. knife, lancet.

bistre [bistr] *adj* dark-brown.

bistrot [bistro] *m* FAM. pub ; ~ *du coin*, local.

bivoua|c [bivwak] *m* bivouac ‖ ~**quer** [-ke] *vi* (1) bivouac.

bizarr|e [bizar] *adj* odd, strange (personne) ; odd, queer (idée) ; funny (chose, personne) ; quaint (vêtements) ; kinky (comportement) ; weird (surnaturel) ‖ ~**erie** [-ri] *f* oddness, strangeness, queerness ; quaintness ‖ *Pl* peculiarities.

bizut(h) [bizy] *n* [école] ARG. fresher (sl.).

bla-bla(-bla) [bla-] *m inv* blah-blah, claptrap, hot air.

blackbouler [blakbule] *vt* (1) black-ball.

blafard, e [blafar, ard] *adj* pallid, lurid (lumière) ‖ wan, sallow (teint) ; ghastly (livide).

blague¹ [blag] *f* ~ *à tabac*, (tobacco) pouch.

blagu|e² *f* FAM. joke ; hoax (canular) ; ~ *à part*, joking apart ; *sans* ~ *?*, really ? ; *sans* ~ *!*, no kidding ! ‖ ~**er** *vi* (1) be kidding.

blaireau [blɛro] *m* shaving-brush (à barbe) ‖ ZOOL. badger.

blâm|able [blɑmabl] *adj* blameworthy, blameful ‖ ~ **e** *m* blame ‖ ~**er** *vt* (1) blame, reproach.

blanc, blanche [blã, blãʃ] *adj* white (cheveux, lumière, race) ‖ [non imprimé] blank ; [sans lignes] plain ‖ CULIN. white (vin) ‖ FIG. *nuit blanche*, sleepless night ● *m* white ‖ linen (linge) ; *exposition de* ~, white sale ‖ ANAT. white (de l'œil) ‖ CULIN. white (d'œuf) ; breast (de volaille) ‖ FIN. *chèque en* ~, blank cheque ; *cartouche à* ~, blank (cartridge) ; *tirer à* ~, fire blank ‖ TECHN. [couleur] ~ *cassé*, off white ; *chauffé à* ~, white-hot (métal) ‖ *Pl* PHOT. high lights ‖ FIG. *de but en* ~, point blank ● *n Blanc*, white (man) ; *Blanche*, white woman ; *les Blancs*, the whites.

blanc-bec [blɑ̃bɛk] *m* FAM. greenhorn (coll.).

blanch|âtre [blɑ̃ʃatr] *adj* whitish ‖ ~ **e** *f* MUS. minim ‖ ~**eur** *f* whiteness ‖ ~**ir** *vt* (2) whiten ‖ wash, launder (linge) ‖ launder (argent) ‖ TECHN. bleach ; ~ *à la chaux*, white-wash ‖ CULIN. scald (légumes) — *vi* whiten ‖ grow/turn white ‖ ~**issage** *m* washing, laundering ; *send to the laundry* ‖ ~**isserie** [-isri] *f* laundry ; ~ *automatique*, launderette ‖ ~**isseur** *m* launderer ‖ ~**isseuse** *f* laundress.

blas|é, e [blaze] *adj* blasé ‖ ~**er** *vt* (1) satiate.

blason [blazɔ̃] *m* coat of arms.

blasph|ème [blasfɛm] *m* blasphemy ‖ ~**émer** [-feme] *vi/vt* (5) blaspheme, curse.

blatte [blat] *f* cockroach.

blé [ble] *m* corn, wheat ; ~ *noir,* buckwheat ‖ ARG. bread (sl.) [argent].

bled [blɛd] *m* FAM. hole, godforsaken place (coll.).

blêm|e [blɛm] *adj* pale, livid, ghastly ‖ ~**ir** *vi* (2) turn pale.

bless|ant, e [blesɑ̃, ɑ̃t] *adj* FIG. offensive, cutting, hurtful (parole) ‖ ~**é, e** *adj* wounded (par une arme) ; injured (par accident) ‖ hurt (moralement) ● *n* wounded/injured person ; *les morts et les* ~*s de la route,* road casualties ‖ ~**er** *vt* (1) wound (au combat) ; injure (par accident) ; hurt (légèrement) ‖ [chaussures] pinch ‖ FIG. offend, hurt — *vpr se* ~, injure oneself ; *se* ~ *la jambe,* hurt one's leg ‖ FIG. take offence ‖ ~**ure** *f* wound (au combat) ; injury (par accident) ; hurt (légère) ; sore (par frottement) ‖ FIG. wound, injury, offence.

blet, blette [blɛ, blɛt] *adj* overripe.

bleu, e [blø] *adj* blue ‖ CULIN. rare (bifteck) ● *m* blue ; ~ *marine,* navy blue ‖ *Pl* ~*s de chauffe,* boiler-suit, overalls ‖ TECHN. blue print (d'architecte) ‖ MÉD. bruise ; *couvert de* ~*s,* all black and blue ‖ ~**âtre** [-atr] *adj* bluish ‖ ~**et** [-ɛ] *m* cornflower ‖ ~**ir** *vt/vi* turn blue ‖ ~**té, e**[-te] *adj* bluish, steely-blue.

blind|age [blɛ̃daʒ] *m* MIL. armour (-plate) ‖ ~**é, e** *adj* MIL. armoured (division, engin) ‖ AUT. bullet-proof ‖ ÉLECTR. shielded (câble) ● *m* MIL. tank ; *les* ~*s,* the armour ‖ ~**er** *vt* (1) armour.

bloc [blɔk] *m* block ; lump (de pierre) ; chump (de bois) ‖ ~ *de papier à lettres,* writing-pad ; ~-*notes,* note-pad ‖ [ameublement] unit ‖ *en* ~, as a whole ; *c'est à prendre en* ~,

it's a package deal ‖ TECHN. ~-*moteur,* cylinder-block ; *visser à* ~, screw home/tight ‖ SP. [course à pied] ~ *de départ,* starting block ‖ FIG. *faire* ~ *contre,* unite against ‖ ~**age** *m* TECHN. jamming (on) [des freins] ‖ POL. ~ *des salaires,* wage-freeze ‖ [psychologie] block.

blockhaus [blɔkos] *m* pill-box.

blocus [blɔkys] *m* blockade.

blond, e [blɔ̃, ɔ̃d] *adj* fair, fair-haired, blond (person) ; ~ *roux,* sandy ‖ mild (tabac) ● *m* [homme] fair-haired man ● *f* [femme] blonde ; ~ *platinée,* platinum blonde ‖ → BIÈRE.

bloqu|é, e [blɔke] *adj* tight (écrou) ; ~ *par la neige,* snowed up, snow-bound ‖ FIG. held up, trapped (immobilisé) ; *être* ~, have a mental block ‖ ~**er** *vt* (1) block (up) [route] ; ~ *le passage,* stand in the way ‖ AUT., TECHN. lock ; jam on (freins) ‖ FIN. freeze (salaires) ; block (un commerce) ; tie (une somme) ‖ SP. block (le ballon) — *vpr se* ~, jam, get stuck.

blottir (se) [səblɔtir] *vpr* (2) huddle up, curl up, snuggle up.

blous|e [bluz] *f* blouse (de femme) ; overall (de travail) ‖ ~**on** *m* lumber-jacket, windjammer, U.S. windbreaker ; ~ *de cuir,* leather jacket ‖ FIG. ~ *noir,* G.B. yobbo.

bluet [blyɛ] *m* → BLEUET.

bluff [blœf] *m* bluff ‖ ~**er** *vi/vt* (1) bluff ; try it on (sl.) ‖ ~**eur, euse** *n* bluffer.

boa [bɔa] *m* boa.

bobard [bɔbar] *m* canard (fausse nouvelle) ; lie (mensonge).

bobin|e [bɔbin] *f* reel, bobbin ‖ [machine à écrire] spool ‖ PHOT., CIN. spool ; ~ *réceptrice,* take-up spool ‖ CIN. reel ‖ AUT. ~ *d'allumage,* coil.

bocal, aux [bɔkal] *m* jar.

bœuf [sing. bœf ; plu. bø] *m* ox (*Pl* oxen) ‖ CULIN. beef ; ~ *en conserve,* corned beef, bully beef.

bogue [bɔg] *f* Bot. husk ‖ Inf. bug.

bohème [bɔɛm] *adj* bohemian, happy-go-lucky.

boire [bwar] *vi/vt* (21) drink ; ~ *dans un verre*, drink out of a glass ; sip (à petits coups) ; drink down/up, swig off (d'un trait) ; ~ *à petites gorgées*, sip ‖ ~ *à (même) la bouteille*, drink (straight) from the bottle ‖ ~ *à la santé/au succès de qqn*, drink to sb's health/success ; Fam. ~ *un coup*, have a drink, down a drink ‖ absorb, soak up (encre, pluie) ‖ *payer à* ~ *à qqn*, stand sb a drink ‖ *faire* ~, water (un animal) ● *m* drinking (action) ; *le* ~ *et le manger*, food and drink.

bois [bwa] *m* [matériau] wood ; *de/en* ~, wooden ‖ ~ *blanc*, deal ; ~ *de chauffage*, firewood ; *petit* ~, kindling (allume-feu) ‖ ~ *de construction*, timber ‖ [forêt] wood ; spinney, copse (petite bois) ‖ ~ *de lit*, bedstead ‖ *Pl* Zool. antlers (du cerf) ‖ Mus. *les* ~, the woodwind ‖ Fig., Fam. *toucher du* ~, touch wood ‖ ~*é*, **e**[-ze] *adj* wooded, woody ; *région* ~*e*, woodland ‖ ~**erie** [-zri] *f* woodwork (objets) ; panelling (lambris).

boisson [bwasɔ̃] *f* drink ; ~ *alcoolisée*, alcoholic drink ; U.S. hard liquor ; booze (sl.) ; ~ *non alcoolisée*, soft drink ; *pris de* ~, the worse for liquor, under the influence (of liquor).

boîte [bwat] *f* box (en général) ; canister (en métal) ‖ *en* ~, tinned ; ~ *d'allumettes*, matchbox ; ~ *de chocolat*, box of chocolate ; ~ *de conserve*, tin, U.S. can ; ~ *de couleurs*, box of paints ; ~ *à lait*, milk-can ; ~ *aux lettres*, letter-/pillar-box ; ~ *à maquillage*, vanity-case ; ~ *à musique*, musical box ; ~ *à ordures*, dustbin, U.S. garbage can ; ~ *de peinture*, painting set ; ~ *postale*, P.O. Box ; ~ *à thé*, tea-caddy ‖ Aut. ~ *de vitesses*, gear-box ‖ Av. ~ *noire*, black box ‖ Th. ~ *de nuit*, night-blub/spot ; joint (sl.) ‖ Fam. *mettre qqn*

en ~, pull sb's leg (coll.) ; *mise en* ~, send-up (coll.).

boit|er [bwate] *vi* (1) limp, walk with a limp ‖ ~**eux**, **euse** *adj* lame ; *être* ~, have a game leg ‖ rickety (meuble) ; *cette table est* ~*euse*, this table wobbles ● *n* cripple, lame man/woman.

boîtier [bwatje] *m* Phot. casing.

bol [bɔl] *m* bowl ‖ Fam. luck (chance) ; *le/quel* ~ *!*, what luck !

bombard|ement [bɔ̃bardəmɑ̃] *m* bombing (par avion) ; ~ *aérien*, air raid ; shelling (par artillerie) ‖ ~**er** *vt* (1) [avion] bomb ; blitz, strafe ; [artillerie] shell ‖ Fig. pelt (de, with) [projectiles] ‖ ~**ier** *m* Av. bomber.

bombe [bɔ̃b] *f* bomb ; ~ *atomique*, atom(ic) bomb ; ~ *incendiaire*, fire-bomb ; ~ *à retardement*, time-bomb ‖ [atomiseur] spray, spraycan ; ~ *d'insecticide*, insect spray ; ~ *de laque*, hair spray ‖ Fam. *faire la* ~, go on the spree.

bomber [bɔ̃be] *vt* (1) arch (le dos) ; throw/stick out (le torse) — *vi* bulge.

bôme [bom] *f* Naut. boom.

bon¹, bonne [bɔ̃, bɔn] *adj* good ; nice, pleasant (agréable) ; *bonne odeur*, nice smell ; ~ *vin*, good wine ‖ kind (aimable) ; *de bonne humeur*, good-humoured ‖ good, kind (charitable) ; *qui a* ~ *cœur*, kindhearted ‖ kindly (bienveillant) ‖ fit (apte) ; ~ *à manger*, fit to eat ‖ comfortable (fauteuil) ‖ proper, right (convenable) ‖ correct, right, good (correct) ‖ sound (sûr) ‖ decent (fam.) ; ~ *un dîner*, a decent dinner ‖ clever (habile) ; good (nageur, etc.) ‖ good, profitable (avantageux) ; *une bonne affaire*, a profitable business ; *un* ~ *emploi*, a good job ‖ fit (convenable) ; *juger* ~ *de*, think fit to ; *il serait* ~ *de*, it would be a good thing to ‖ sound, valid (valable) ‖ wholesome (sain) ‖ ~ *sens*, common sense ‖ happy (heureux) ‖ [intensif] good ; *une bonne heure*, a full hour ; *pendant/pour un* ~ *moment*, for quite a while ; *un ~ nombre,* a fairly large number || [temps] *de bonne heure,* early || [souhaits] *~ anniversaire !,* happy birthday ! ; *bonne et heureuse année !,* Happy New Year ! ; *bonne nuit !,* good night ! ; *bonnes vacances !,* have a good holiday ! ; *~ voyage !,* safe journey ! || *~ à,* fit for ; *~ à rien,* not good at anything ; useless (chose) ; *(n)* good-for-nothing, no-gooder || *~ pour,* fit for ; MIL. *~ pour le service,* fit for service ● *adv* nice ; *sentir ~,* smell nice || *il fait ~ ici,* it's nice (and warm/cool) here || *tenir ~,* hold fast, stand firm, stand one's ground || *pour de ~,* in earnest, for good ● *interj* (all) right ! ; well ! ; *ah ~ ?,* really ? ; *à quoi ~ ?,* what's the use ?

bon² *m* slip, form ; *~ de commande,* order form || voucher, coupon ; *~ de caisse,* cash voucher ; *~ d'essence,* petrole coupon || FIN. bill.

bon|bon [bɔ̃bɔ̃] *m* sweet, U.S. candy || *~bonne* [-bɔn] *f* demi-john || *~bonnière* [-bɔnjɛr] *f* sweet-box.

bond [bɔ̃] *m* bound, leap, spring, jump ; *d'un ~,* at one jump ; *se lever d'un ~,* jump up ; *faire un ~ en avant,* leap forward || bounce (d'une balle) || FIG. *faire faux ~ à qqn,* stand sb up, let sb down (coll.).

bonde [bɔ̃d] *f* plug (de lavabo).

bondé, e [bɔ̃de] *adj* jam-packed, crowded, crammed ; cram-full.

bondir [bɔ̃dir] *vi* (2) jump, leap, spring || [balle] bounce.

bon enfant [bɔnɑ̃fɑ̃] *adj inv* good-natured ; folksy.

bonheur [bɔnœr] *m* happiness ; *faire le ~ de qqn,* make sb. happy || good fortune, luck (chance) ; *porter ~,* bring luck (*à,* to) ; *par ~,* fortunately || *au petit ~,* haphazard(ly).

bonhomme, bonshommes [bɔnɔm, bɔ̃zɔm] *m* FAM. chap, fellow (coll.) || *~ de neige,* snowman.

bonification [bɔnifikasjɔ̃] *f* improvement.

boniment [bɔnimɑ̃] *m* patter (coll.) || COMM. salestalk.

bonjour [bɔ̃ʒur] *m* hello ! || [matin] good morning ! ; [après-midi] good afternoon !

bonne [bɔn] *f* maid || *~ d'enfants,* nanny, nurse ● *adj f* → BON¹.

bonnet [bɔnɛ] *m* cap ; bonnet (d'enfant, de femme) ; *~ d'âne,* dunce('s) cap || *~ de bain,* bathing cap || FAM. *gros ~,* bigwig, big shot (coll.).

bonniche [bɔniʃ] *f* POP., PÉJ. skivvy (pej.).

bonsoir [bɔ̃swar] *m* good evening ! ; good night !

bonté [bɔ̃te] goodness, kindness ; *avec ~,* kindly ; *par ~ d'âme,* out of kindness ; *~ divine !,* good gracious !, my goodness ! || *Pl* kindnesses.

bonze [bɔ̃z] *m* bonze.

bookmaker [bukmɛkœr] *m* bookmaker, turf accountant ; bookie (coll.).

boomerang [bumrɑ̃g] *m* boomerang.

bord [bɔr] *m* edge (de l'eau, d'une table, d'un champ) ; border, margin (d'un lac) ; verge, (road-)side (d'une route) ; kerb, U.S. curb (du trottoir) ; rim (d'un verre) ; brim (d'un verre, d'un chapeau) ; *plein jusqu'au ~,* full to the brim || hem (de vêtement) ; brink (d'un précipice) || side, bank (d'une rivière) || *~ de (la) mer,* seashore, seaside ; seafront ; *au ~ de la mer,* by the sea || NAUT. board ; *à ~,* on board, aboard ; *monter à ~,* go aboard/on board ; *jeter par-dessus ~,* throw overboard || FIG. *au ~ de,* on the verge/brink of.

bordeaux [bɔrdo] *m* (= VIN DE BORDEAUX) claret.

bordée [bɔrde] *f* [voile] tack ; *tirer des ~s,* tack, make tacks.

border [bɔrde] *vt* (1) [arbres] line (une route) ; border, skirt (un champ, une forêt) || hem, edge (un vêtement) || tuck in (qqn dans un lit).

bordereau [bɔrdəro] *m* slip ; tally-sheet (de contrôle).

bordure [bɔrdyr] *f* edge (bord) ‖ border (fleurs, etc.) ‖ line (d'arbres) ‖ kerb, U.S. curb (de trottoir) ‖ *en ~ de*, alongside ; by (près de).

borgne [bɔrɲ] *adj* one-eyed.

born|e [bɔrn] *f* boundary-stone ; milestone (routière) ‖ ÉLECTR. terminal ‖ *Pl* FIG. limits, bounds ; *sans ~(s)*, beyond measure ‖ FAM. *dépasser les ~s*, overstep the mark ; *tu dépasses les ~s*, you're the limit ‖ *~é, e adj* narrow-minded, hidebound (personne) ‖ **~er** *vt* (1) mark off (terrain) ‖ FIG. limit — *vpr* **se ~**, limit/confine oneself (*à,* to) ; *il s'est borné à dire*, he merely said.

bosquet [bɔskɛ] *m* grove.

boss|e [bɔs] *f* [chameau] hump ; [front] bump ‖ bulge (d'une surface) ‖ dent, indentation (sur du métal) ‖ MÉD. bump (après un coup) ‖ hunch (malformation) ‖ FIG. *avoir la ~ de*, have a flair/good head for ; *rouler sa ~*, knock about ‖ **~eler** [-le] *vt* (1) dent, batter (déformer) ‖ emboss (marteler) ‖ **~er** *vi* (1) POP. plod/swot/peg away (*pour,* for) ‖ **~elure** *f* [carrosserie] dent.

bossoir [bɔswar] *m* NAUT. davit.

boss|u, e [bɔsy] *adj* hunchbacked, humpbacked ● *n* hunchback.

botanique [bɔtanik] *adj* botanic(al) ● *f* botany.

bott|e¹ [bɔt] *f* boot ; *~ de caoutchouc*, gumboot, wellington ; *Pl* wellies (coll.) ; *~ de cheval/à l'écuyère*, riding boot ; *~ d'égoutier/de pêcheur*, wader ‖ *~é, e adj* booted, with boots on ‖ **~er** *vt* (1) boot, put boots on ‖ kick (frapper).

botte² *f* bunch (de carottes) AGR. bundle (de foin).

Bottin [bɔtɛ̃] *m* N.D. business directory ‖ *~ mondain*, G.B. = Who's Who.

bottine [bɔtin] *f* ankle-boot.

bouc [buk] *m* he-goat (animal) ‖ goatee (barbe) ‖ FIG. *~ émissaire*, scapegoat.

boucan [bukã] *m* din, racket ; *faire du ~*, kick up a racket.

bouche [buʃ] *f* mouth ‖ MÉD. *faire du ~ à ~*, give the kiss of life ‖ GÉOGR. mouth ‖ TECHN. *~ d'aération*, air-vent ; *~ d'égout*, drain(grille) ‖ manhole (plaque) ‖ *~ d'incendie*, (fire) hydrant ; *~ de métro*, metro/tube entrance ‖ *de ~ à oreille*, by word of mouth ; *cela me met l'eau à la ~*, it makes my mouth water ‖ FAM. *~ cousue*, mum's the word.

bouch|é, e [-e] *adj* corked (bouteille) ; blocked (évier) ; chocked (tuyau), stopped (trou) ‖ CULIN. bottled (cidre) ‖ MÉD. stopped up (nez) ‖ **~ée** *f* mouthful ‖ FIG. *mettre les ~s doubles*, work at double speed ; *pour une ~ de pain,* for a song.

boucher¹ [buʃe] *vt* cork (up) (une bouteille) ; clog (un conduit) ; obstruct (un passage) ; stop, plug (un trou) ; block (la vue) ; fill in/up (un trou) ; *se ~ les oreilles*, stop one's ears.

bouch|er² *m* butcher ‖ **~ère** *f* butcher's wife ‖ **~erie** [-ri] *f* butcher's shop ; *~ chevaline*, horse butcher's ‖ FIG. butchery, slaughter.

bouche-trou [buʃtru] *m* stopgap.

bouchon [buʃɔ̃] *m* cork (en liège) ; stopper (en plastique/verre) ; [tube] top ‖ [bidon, réservoir] cap ‖ wisp (de paille) ‖ [pêche] float ‖ FIG. [circulation] (traffic) jam, hold-up, snarl-up ; tailback (file de voitures).

boucl|e [bukl] *f* buckle (de ceinture, de soulier) ‖ lock, curl (de cheveux) ‖ lopp (de nœud, de rivière) ‖ *~ d'oreille*, ear-ring ‖ INF. loop ‖ *~é, e adj* curled, curly ‖ **~er** *vt* (1) fasten, buckle (ceinture) ‖ FIG. finish off (travail) ‖ [police] seal off (quartier) — *vi* [cheveux] curl.

boud|er [bude] *vi* (1) sulk ‖ **~eur, euse** *adj* sulky.

boudin [budɛ̃] *m* black pudding ; *~ blanc*, white pudding.

boue [bu] *f* mud ; Fig. *traîner qqn dans la ~,* fling dirt at sb.

bouée [bue] *f* buoy ; *~ de sauvetage,* lifebuoy.

boueux, euse *adj* muddy ; [neige fondue] slushy ● *mpl* → ÉBOUEUR.

bouffant, e [bufɑ̃, ɑ̃t] *adj* puffed (manche) || fluffy (chevelure).

bouffe [buf] *f* ARG. nosh (sl.).

bouffée *f* puff || [cigarette] drag || [parfum] whiff || *~ d'air,* puff/gust of wind.

bouffer *vt* (1) Pop. scoff (coll.) ; nosh (sl.).

bouffi, e *adj* puffed up, bloated (visage) ; puffy, swollen (yeux) || *~ d'orgueil,* puffed up (with pride).

bouffon [bufɔ̃] *m* HIST. jester.

bouge [buʒ] *m* low dive (coll.).

bougeoir [buʒwar] *m* candlestick.

bouger [buʒe] *vt* (7) move, shift — *vi* move, stir, budge || [dent,tuile] be loose || [négativement] *ne pas ~,* stay put ; *ne pas ~ de chez soi,* stay in.

bougie [buʒi] *f* candle || AUT. *~ d'allumage,* spark(ing)-plug.

bougon, onne [bugɔ̃, ɔn] *adj* grouchy, grumpy || *~ner* [-ɔne] *vi* (1) grumble.

bouillant, e [bujɑ̃, ɑ̃t] *adj* [action] boiling || [chaud] boiling hot || Fig. fiery.

bouillie [buji] *f* baby's cereal ; porridge (d'avoine) || *~ir* *vi* (22) boil ; *faire ~,* boil || Fig. boil || *~oire* *f* kettle || *~on* [-ɔ̃] *m* stock, broth ; *~ cube,* stock cube || *Pl* bubble (bulles) || *~onnement* [-ɔnmɑ̃] *m* bubbling, seething || *~onner* [-ɔne] *vt* (1) bubble, seethe || Fig. seethe (de colère, with anger) || *~otte* [-ɔt] *f* hot-water-bottle.

boulanger [bulɑ̃ʒe] *m* baker || *~ère* *f* baker's wife || *~erie* *f* baker's shop ; bakery (industrielle).

boule [bul] *f* ball (de billard) ; bowl (de jeu de boules) ; *jouer aux ~s,* play bowls ; *~ de neige,* snowball || *se mettre en ~,* [chat] curl up || CULIN. *~ à thé,* tea-ball || MÉD. *~ de gomme,* gum ; *~ Quiès,* ear-plug || FAM. *perdre la ~,* go haywire. || Fig. *faire ~ de neige,* snowball.

bouleau [bulo] *m* birch.

bouledogue [buldɔg] *m* bulldog.

boulet [bulɛ] *m* MIL. (cannon-)ball || Fig. millstone (entrave) || *~ette* *f* pellet (de pain) ; meatball (de viande) || FAM. blunder (erreur).

boulevard [bulvar] *m* boulevard.

bouleversant, e [bulvɛrsɑ̃, ɑ̃t] *adj* shattering || *~ement* *m* disruption, upheaval ; drastic change || *~er* *vt* (1) turn upside down || Fig. upset, mess up (plans) ; shatter, overwhelm, shock (personne).

boulier [bulje] *m* abacus.

boulon [bulɔ̃] *m* bolt || *~ner* [-ɔne] *vt* (1) bolt || FAM. work, slog.

boulot [bulo] *m* FAM. work (travail) || job (emploi).

boulotter [-ɔte] *vt* (1) Pop. eat ; nosh.

boum [bum] *f* FAM. party.

bouquet [bukɛ] *m* [fleurs] bunch ; posy (petit) || *~ d'arbres,* clump of trees || CULIN. bunch (de persil) ; bouquet (du vin) || Fig. *ça, c'est le ~ !,* that takes the biscuit ! || *~etière* [-ktjɛr] *f* flower-girl.

bouquin [bukɛ̃] *m* FAM. book || *~iner* [-ine] *vt* (1) FAM. read (un livre) || *~iniste* [-inist] *n* second-hand bookseller.

bourbeux, euse [burbø, øz] *adj* muddy, miry, splashy ; oozy || *~ier* *m* slough.

bourde [burd] *f* blunder.

bourdon [burdɔ̃] *m* great bell || ZOOL. bumble-bee || *~nement* [-ɔnmɑ̃] *m* buzz(ing) || drone, hum(ming) [d'abeilles] || MÉD. [oreilles] singing noises || *~ner* [-ɔne] *vi* (1) [insectes] buzz, hum, drone ; [foule] murmur ; [oreilles] sing, buzz.

bourg [bur] *m* market-town.

bourgeois, e [burʒwa, waz] *adj* middle-class (famille) || PÉJ. narrow-minded, bourgeois ● *n* middle-class person, bourgeois || ~**ie** [-zi] *f* middle-class ; *petite/grande* ~, lower/upper middle-class.

bourgeon [burʒ̃ɔ] *m* bud || ~**ner** [-ɔne] *vi* (1) bud, shoot, sprout.

Bourgogne [burgɔn] *f* GÉOGR. Burgundy ● *m* [vin] *bourgogne,* burgundy.

bourlinguer [burlɛ̃ge] *vi* (1) FAM. knock about (coll.).

bourrage [buraʒ] *m* cramming || filling (d'un trou) || FIG. ~ *de crâne,* ballyhoo.

bourrasque [burask] *f* gust (de vent) ; squall (avec pluie) ; flurry (de neige).

bourratif, ive [buratif, iv] *adj* FAM. stodgy.

bourr|é, e [bure] *adj* cram full || FAM. ~ *de fric,* loated, stinking rich || POP. pissed, stoned (coll.) [ivre]].

bourreau [buro] *m* executioner, hangman || FIG. ~ *des cœurs,* lady killer ; *un* ~ *de travail,* a demon for work.

bourrelet [burlɛ] weatherstrip (de fenêtre) ; roll (de graisse).

bourrer [bure] *vt* (1) fill, stuff (coussin) || cram full (valise) || fill (une pipe) || FIG. cram — *vpr se* ~, stuff oneself with (aliments).

bourriche [buriʃ] *f* hamper.

bourrique [burik] *f* she-ass.

bourru, e [bury] *adj* gruff, brusque, rugged.

bours|e [burs] *f* purse (porte-monnaie) || FIN. *la Bourse,* the Stock Exchange || [études] scholarship, grant || ~**ier, ière** *n* scholar, grant-holder.

boursoufl|é, e [bursufle] *adj* puffy, swollen || ~**er** *vt* (1) puff up, bloat.

bouscul|ade [buskylad] *f* scramble, crush, jostling || ~**er** *vt* (1) jostle, shove ; push, hustle (pousser) — *vpr se* ~, jostle each other ; *se* ~ *pour avoir qqch,* scramble for sth.

bouse [buz] *f* cow-dung.

bousiller [buzije] *vt* (1) wreck ; smash up (coll.) ; bust up (sl.).

boussole [busɔl] *f* compass.

bout [bu] *m* [extrémité] end ; ~ *à* ~, end to end ; tip (de cigarette, du nez) ; *à* ~-*filtre/de liège,* filter-/cork-tipped || *gros* ~, butt-end || [durée, espace] *au* ~ *d'une heure,* after an hour ; *jusqu'au* ~, right to the end ; *d'un* ~ *à l'autre,* throughout || [morceau] piece, bit || FIG. *joindre les deux* ~*s,* make (both) ends meet ; *à* ~, tired, worn out ; *au* ~ *du rouleau,* at the end of one's tether ● *loc adv* *à* ~ **portant,** point-blank.

boutade [butad] *f* sally (repartie).

bouteille [butɛj] *f* bottle ; *mettre en* ~, bottle ; ~ *isolante,* vacuum-flask ; ~*s vides,* empties || [plongée] air tank.

boutiqu|e [butik] *f* shop, U.S. store ; *tenir* ~, keep shop || ~**ier, ière** *n* shopkeeper.

bouton [butɔ̃] *m* button ; stud (de col) ; ~*s de manchettes,* cufflinks ; ~-*pression,* press-stud, snap(-fastener)|| knob (de porte) ; ~ *de sonnette,* bell-push || RAD. control || BOT. bud || MÉD. spot, pimple || ~-**d'or** [-dɔr] *m* BOT. buttercup || ~**ner** [-ɔne] *vt* (1) button (up), fasten (up) (vêtement) — *vpr se* ~, [vêtement] button up ; [personne] button (up) one's coat/etc. || ~**nière** [-ɔnjɛr] *f* button hole.

bouture [butyr] *f* AGR. cutting.

bouvreuil [buvrœj] *m* bullfinch.

bovins [bɔvɛ̃] *mpl* cattle.

bowling [bulin] *m* tenpin bowling ; bowling-alley.

box [bɔks] *m* [dortoir] cubicle ||

[garage)] lock-up (garage) || [écurie] loose box || JUR. dock (des accusés).

box|e [bɔks] *f* boxing ; *combat de ~,* boxing-match || **~er** *vt* (1) box || **~eur** *m* boxer.

boyau [bwajo] *m* [intestin] bowel ; [corde] (cat) gut.

boycott|age [bɔjkɔtaʒ] *m* boycott-(ing) || **~er** *vt* (1) boycott.

bracelet [braslɛ] *m* bracelet, bangle || watch-strap (de montre) ; **~-montre,** wrist-watch.

braconn|er [brakɔne] *vi* (1) poach || **~ier** *m* poacher.

brad|er [brade] *vt* (1) sell off || **~erie** [-ri] *f* clearance-sale.

braguette [bragɛt] *f* fly, flies.

braill|ard, e [brɑjar, ard] *adj* bawl-ing, screaming ; squalling (enfant) || **~er** *vi* (1) scream, yell bawl ; [enfant] squall.

braire [brɛr] *vi, (23)* bray.

braise [brɛz] *f* live coals, embers.

brancar|d [brɑkar] *m* stretcher (civière) ; shaft (d'une charrette) || **~dier** [-dje] *m* stretcherbearer.

branch|age [brɑ̃ʃaʒ] *m* boughs ; **~e** *f* bough, branch, spray (d'arbre en fleur) ; *grosse ~,* limb ; *petite ~,* sprig || [lunettes] arm || FIG. branch (d'une famille, d'une science) ; line (commerciale) || **~ée,** *e p.p.* [micro] on • *adj* FAM. switched on, with it (coll.) || **~ement** [-ʃmɑ̃] *m* ÉLECTR. plugging-in, connection || INF. jump || **~er** *vt* (1) ÉLECTR. plug in, switch on, connect || FAM. [plaire] turn on (coll.) ; *ça me branche,* it turns me on.

branchies [brɑ̃ʃi] *fpl* gills.

brandir [brɑ̃dir] *vt* (2) flourish, brandish (une arme).

brandon [brɑ̃dɔ̃] *m* fire-brand.

branl|ant, e [brɑ̃lɑ̃, ɑ̃t] *adj* shaky, rickety (meuble) ; wobbly (chaise) ; unsteady (table) || **~e** *m* swing(ing) [d'une cloche] || FIG. *se mettre en ~,* start, get under way || **~e-bas** *m* bustle, confusion || NAUT. *~ de*

combat, clearing for action || **~er** *vt* (1) shake, wag (la tête).

braquer [brake] *vt* (1) aim, point, level (arme) [*sur,* at] ; train, bring to bear (télescope) [*sur,* on] ; shine (une torche) || AUT. turn (the wheel) ; *cette voiture braque bien,* this car has a good lock ; *braquez à droite !,* right lock !, *braquez à fond !,* lock hard over ! || POP raid, stick up (une banque).

bras [brɑ] *m* arm ; *au ~,* on one's arm ; *à bout de ~,* at arm's length ; *saisir à ~-le corps,* grip round the waist ; *~ dessus, ~ dessous,* arm in arm ; *donner le ~ à qqn,* give sb. one's arm ; *être en ~ de chemise,* be in (one's) shirt's sleeves [lutte] *~ de fer,* Indian wrestling || [rivière] branch ; *~ de mer,* channel, arm of the sea, sound, inlet.

bras|ero [brazero] *m* brazier || **~ier** *m* glowing fire.

brassard [brasar] *m* armlet.

brass|e [bras] *f* SP. breast-stroke ; *~ papillon,* butterfly stroke || NAUT. fathom (mesure) || **~er** *vt* (1)brew (bière) ; stir up (agiter) || FIG. handle (des affaires).

brass|erie [brasri] *f* pub (café) || brewery (fabrique).

brassière [brasjɛr] *f* baby's vest.

brav|e [brav] *adj* [après le nom] brave (courageux) ; [avant le nom] good, decent ; *un(e) ~ type/fille,* a good sort || **~er** *vt* (1) brave, face (le danger) ; dare, defy (défier).

bravo ! [bravo] *exclam* well done !; good show ! || [approbation] hear !, hear !, • *mpl* cheers.

bravoure [bravur] *f* bravery.

break [brɛk] *m* estate car, U.S. station-wagon.

brebis [brɑbi] *f* ewe || FIG *~ galeuse, black sheep.*

brèche [brɛʃ] *f* breach ; gap (dans un mur) || MILL. breach.

bredouille [brɑduj] *adj* [chasseur]

rentrer ~, go/come home with° an empty bag/empty-handed.

bredouiller [brəduje] *vi/vt* (1) stammer, jabber, splutter.

bref, brève [brɛf,brɛv] *adj* short, brief (temps) ; curt, sharp (parole) ● *adv* in short/brief ; to make a long story short, in short (pour conclure) || [donc] so anyway.

Brésil [brezil] *m* Brazil || ~**ien, ienne** *n* Brazilian.

Bretagne [brətaɲ] *f* Brittany.

bretelle [brətɛl] *f* [sac] shoulder-strap || [fusil] sling ; *à la* ~, slung over the shoulder || *Pl* braces, U.S. suspenders || [autoroute] slip-road, access-road.

breton, onne [brətɔ̃,ɔn] *adj* B.

Breton, onne *n* Breton.

brev|et [brəvɛ] *m* certificate || Jur. patent (d'invention) || Av. licence (de pilote) || ~**eté, e** [-te] *adj* Jur patented (invention) ; || Techn. qualified (specialiste) || ~**eter** *vt* (8a) patent (une invention) ; *faire* ~, take out a patent for.

bréviaire [brevjɛr] *m* breviary.

bribes [brib] *fpl* bits, scraps (de nourriture) || smattering (de connaissance) || odds and ends (d'objets divers) || snatches (de conversation) || *par* ~, piecemeal.

bric-à-brac [brikabrak] *m* junk ; odds and ends.

bricol|age [brikɔlaʒ] *m* do-it-yourself, D.I.Y. || odd jobs || ~**er** *vi* (1) do odd jobs ; potter/tinker about || ~**eur, euse** *n* do-it-yourselfer ; handyman.

bride[brid] *f* bridle (harnais) || strap (de couture) || Fig *à* ~ *abattue*, at full tilt.

brid|é, e *adj aux yeux* ~*s*, slit-eyed || ~**er** *vt* (1) bridle (un cheval || Fig curb, restrain.

bridge¹ [bridʒ] *m* [cartes] bridge ; ~ *contrat*, contract bridge ; ~ *aux enchères*, auction bridge ; *jouer au* ~,

play bridge ; *faire une partie de* ~, have/play a game of bridge.

bridge² *m* Méd bridge.

briève|ment [brievmã] *adv* briefly, concisely || ~**té** *f* brevity, shortness.

brigad|e [brigad] *f* squad (de police) ; ~ *des mœurs,* vice squad || Mil. brigade.

brigand [brigã] *m* [enfant] rascal, imp.

brill|amment [brijamã] *adv* brilliantly || ~**ant, e** *adj* bright, brilliant, shining, shiny || bright, vivid (couleurs) || Fig. brilliant, outstanding (excellent) || sparkling (conversation) || *ce n'est pas* ~, it's not too good ● *m* lustre ; sheen (d'une étoffe) ; shine, polish (du vernis) ; gloss (du satin) ; brilliant (diamant) || ~**antine** [-ãtin] *f* hair-oil || ~**er** *vi* (1) shine || glitter, sparkle (scintiller) ; [lumière aveuglante] glare ; [vif éclat] flare ; [flammes] blaze ; [acier, verre] glint ; [or, acier, diamant] glitter ; [reflet sur une surface humide] glisten ; [lueur incertaine] glimmer ; [lueur faible ou intermittente] gleam ; [lueur vacillante] flicker ; [lueur incandescente] glow ; [miroiter] shimmer || *faire* ~, brighten ; shine (astiquer) || Fig. stand out ; excel (en, in) ; ~ *par son absence,* be conspicuous by on's absence.

brimbaler [brɛ̃bale] *vi* (1) bump/rattle along.

brimer [brime] *vt* (1) rag, bully (un camarade).

brin [brɛ̃] *m* blade (d'herbe) ; spray (de muguet) ; strand (de ficelle) || Fig. bit ; *un* ~ *de*, a touch of.

brindille [brɛ̃dij] *f* twig, sprig.

bringue [brɛ̃g] *f faire la* ~, paint the town red, go on the spree, U.S. have a bust.

bringuebaler [brɛ̃gbale] *vi* (1) = brimbaler.

brio [brijo] *m* spirit ; *avec* ~, brilliantly.

brioche [brijɔʃ] *f* bun || Fig., Fam. paunch (ventre).

brique [brik] *f* brick.

briquet [brikɛ] *m* lighter.

brisant [brizɑ̃] *m* reef (récif) ; breaker (vague).

brise [briz] *f* breeze.

brise|-glace [brizglas] *m* AUT. ice-breaker ‖ **~-lames** *m* break-water.

bris|er [brize] *vt* (1) break, smash ‖ FIG. break (le cœur) ‖ *~ la glace*, break the ice — *vpr se ~*, break ; shatter, smash ‖ **~eur** *m ~ de grève*, strike-breaker, blackleg.

britannique [britanik] *adj* British (citoyen, îles) ‖ Britannic (roi, reine).

Britannique *n* Briton, U.S. Britisher ; *les ~s*, the British.

broc [bro] *m* pitcher.

brocanteur [brɔkɑ̃tœr] *m* second-hand dealer ; junk dealer.

broch|e [brɔʃ] *f* brooch (bijou) ‖ CULIN. spit, skewer ‖ **~é, e** *adj* paper-backed (livre) ; *livre ~*, paper-back ‖ **~er** *vt* (1) bind (un livre).

brochet [brɔʃɛ] *m* pike.

brochette [brɔʃɛt] *f* CULIN. skewer.

brochure [brɔʃyr] *f* brochure, booklet, pamphlet.

brod|er [brɔde] *vt* (1) embroider ‖ **~erie** *f* embroidery.

broncher [brɔ̃ʃe] *vi* (1) [cheval] stumble ‖ FIG. *sans ~*, without flinching.

bronchite [brɔ̃ʃit] *f* bronchitis.

bronzage [brɔ̃zaʒ] *m* (sun)tan (de la peau).

bronz|e [brɔ̃z] *m* bronze ‖ **~é, e** *adj* (sun)tanned, sunburnt ‖ **~er** *vt* (1) tan (peau) ; *se faire ~*, sunbathe — *vi* [peau] get a tan.

bross|e [brɔs] *f* brush ; *coup de ~*, brush-up ; *~ à cheveux*, hair-brush ; *~ à dents*, toothbrush ; *~ à habits*, clothes-brush ; *~ à ongles*, nail-brush ; *~ en chiendent*, scrubbing-brush ‖ *être coiffé en ~*, have a crewcut ‖ **~er** [brɔse] *vt* (1) brush ‖ brush away

(boue) ; scrub (carrelage) ‖ *se ~ les dents*, clean one's teeth.

brouett|e [bruɛt] *f* wheel-barrow.

brouhaha [bruaa] *m* hubbub.

brouillage [brujaʒ] *m* RAD. jamming (du signal) ; scrambling (du message).

brouillard [brujar] *m* fog ‖ mist (brume) ‖ *~ chargé de fumée*, smog ‖ *perdu dans le ~*, fogbound.

brouill|e [bruj] *f* disagreement, estrangement ; tiff (légère) ‖ **~é, e** *adj* blurred (image) ; muddy (teint) ; dim (yeux) ‖ CULIN. scrambled (œufs) ‖ FIG. *être ~ avec qqn*, be at odds with sb ‖ **~er** *vt* (1) blur (une image, un miroir) ‖ RAD. jam (signal) ; scramble (message codé) ‖ FIG. addle (esprit) ; confuse (les idées) — *vpr se ~*, fall out (*avec*, with) ‖ **~on, onne** *adj* muddle-headed ● *m* rough copy ; first draft.

broussaill|e [brusaj] *f ~s*, brush-wood, underbrush, scrub ‖ *avoir les cheveux en ~*, have tousled hair ‖ **~eux, euse** *adj* bushy, scrubby (terrain).

brousse [brus] *f la ~*, the bush.

brouter [brute] *vi/vt* (1) graze, browse.

broy|er [brwaje] *vt* (9 *a*) grind ‖ FIG. *~ du noir*, have the blues ; mope ‖ **~eur** *m* grinder ; *~ d'ordures*, waste/U.S. garbage disposal unit.

bruin|e [brɥin] *f* drizzle ‖ **~er** *v impers* (1) drizzle.

bruissement [brɥismɑ̃] *m* rustle, rustling.

bruit [brɥi] *m* noise ; *faire du ~*, make a/some noise, be noisy ; *sans ~*, noiselessly ‖ snap (sec) ; pop (d'un bouchon qui saute) ; thud (sourd) ; tread (de pas) ; tramp (de pas lourds) ; clang, rattle (de ferraille) ; jangle (discordant) ‖ FIG. stir, sensation (émoi) ; rumour ; *le ~ court que*, it is rumoured that, rumour has it that ‖ **~age** [-taʒ] *m* sound-effects.

brûl|age [bryla3] m burning ‖ singeing (de cheveux) ‖ **~ant, e** adj burning/boiling hot ‖ scorching hot (soleil) ‖ Fig. eager (de, to/for) ‖ **~e-parfum** m perfume-burner ‖ **~e-pourpoint (à)** [purpwɛ̃] loc adv point-blank (question) ‖ **~é, e** adj burnt ● m odeur de ~, smell of burning ‖ **~er** vt (1) burn ‖ [eau bouillante] scald ; singe (les cheveux) ; roast (le café) ‖ — vi, vif. burn alive ‖ Agr. [froid] nip ; [soleil] parch (les récoltes) ‖ Aut. ~ un feu rouge, go through a red light ; — vi burn ‖ Culin. brun ; [lait] catch ‖ Méd. [peau] smart ‖ Fig. [jeu] tu brûles !, you're getting warm/hot ! ‖ — de, be eager to ‖ **~eur** m Techn. burner ; [cuisinière] gas-ring ‖ **~ure** f burn (par le feu, un acide) ; scald (par l'eau bouillante) ‖ Méd. Pl —s d'estomac, heartburn.

brum|e [brym] f mist ‖ haze (de chaleur) ; banc de ~, fog-bank ‖ **~eux, euse** adj hazy, foggy, misty.

brun, e [brœ̃, yn] adj brown (couleur) tanned (bronzé) ‖ dark (cheveux) ; dark-haired (personne) ‖ brown (bière) ● m brown (couleur) ‖ dark-haired man ● f brunette (femme).

brunir [brynir] vt (2) tan (peau) — vi go darker ‖ [peau] get sunburnt/a tan ‖ [cheveux] darken.

Brushing [brœʃiŋ] n (N.D.) blow-dry ; se faire faire un ~, have one's hair blow-dried.

brusqu|e [brysk] adj sudden, abrupt, brusque (geste, manière) ‖ sharp (tournant) ‖ **~ement** adv suddenly ; abruptly ‖ **~er** vr (1) precipitate (départ) ; rush (les choses) ‖ be blunt with, handle roughly (qqn) ‖ **~erie** f abruptness, brusqueness, bluntness.

brut, e [bryt] adj unrefined, raw (matière) ; crude (pétrole) ‖ rough (diamant) ‖ extra dry (champagne) ‖ Comm. gross (poids) ‖ Fin. gross (benefice) ‖ **~al, e, aux** adj rough,

violent, brutal (caractère) ‖ brute, brutish (force) ‖ **~alement** adv roughly, violently, brutally ‖ bluntly (sans ménagements) **~aliser** [-alize] vt (1) handle roughly, bully ‖ **~alité** [-alite] f brutality, violence ‖ **~e** f brute ‖ [école] bully.

Bruxelles [brysɛl] f Brussels.

bruy|amment [brɥijamɑ̃] adv noisily, loudly ‖ **~ant, e** adj noisy, loud, uproarious (réunion).

bruyère [brɥijɛr] f heather (plante) ; heath, moorland (terrain) ‖ racine de ~, French briar.

bu [by] → boire.

buanderie [bɥɑ̃dri] f washhouse.

bûch|e [byʃ] f log ; ~ de Noël, Yule-log ‖ Fig., Fam. ramasser une ~, come a cropper ‖ **~er¹** m wood-shed (remise) ‖ funeral pile ; stake (supplice).

bûch|er² vi/vt (1) Fam. swot, slog away.

bûcheron [byʃrɔ̃] m woodcutter, lumberjack, lumberman.

bûcheur, euse adj Fam. hard-working ● n slogger.

budg|et [bydʒɛ] m Fin. budget ‖ **~étaire** [-etɛr] adj budget(ary).

buée [bye] f steam (d'eau bouillante) ; mist (sur un miroir) ; couvrir de ~, mist/steam up ; enlever la ~, demist.

buffet [byfɛ] m [salle à manger] sideboard ; [cuisine] dresser ‖ [réception] ~ froid, cold buffet (table) ‖ Rail. refreshment-room ; buffet.

buffle [byfl] m buffalo.

buis [bɥi] m box(-tree).

buiss|on [bɥisɔ̃] m bush, shrub ‖ **~onnière** [-ɔnjɛr] adj faire l'école ~, play truant.

bulbe [bylb] m Bot., Méd. bulb.

bulgare [bylgar] adj Bulgarian.

Bulgar|e n Bulgarian ‖ **~ie** f Bulgaria.

bulle [byl] f bubble ; faire des ~s,

blow (soap) bubbles ‖ [bande dessinée] balloon.

bulletin [byltɛ̃] *m* bulletin, report ~ *météorologique,* weather report/forecast ; ~ *de naissance,* birth certificate ; ~ *de salaire,* pay slip ; [école] ~ *trimestriel,* term report ‖ RAD. ~ *d'information,* newscast, news bulletin ‖ POL. ~ *de vote,* ballot-paper ‖ COMM. receipt, ticket ; ~ *de livraison,* delivery note ‖ RAIL. ~ *de bagages,* luggage-ticket, U.S. baggage check.

bungalow [bœgalo] *m* bungalow ‖ [village de vacances] chalet.

buraliste [byralist] *n* tobacconist.

bureau [byro] *m* [meuble] desk ; bureau ; [salle] study, office ; ~ *de poste,* post-office ‖ COMM. [hôtel] reception desk ; ~ *de tabac,* tobacconist's, U.S. cigar store ‖ JUR. board, department ‖ POL. ~ *de vote,* polling-station ‖ FIG. committee, board ‖ ~**cratie** [-krasi] *f* bureaucracy, officialdom ; red tape.

Bureautique [byrotik] *f* (N.D.) office automation.

burette [byrɛt] *f* TECHN. oil-can.

burin [byrɛ̃] *m* cold chisel ‖ ~**er** [byrine] *vt* (1) engrave.

Burundi [burundi] *m* Burundi.

bus [bys] *m* FAM. bus.

buse [byz] *f* buzzard.

busqué, e [byske] *adj* aquiline, hooked (nez).

buste [byst] *m* bust.

but [byt] *m* [destination] goal ‖ [objectif] aim ; *atteindre/manquer le* ~, hit/miss the mark ‖ Sp. [football] goal ; *marquer un* ~, score a goal ‖ FIG. aim, purpose, goal ; *dans le* ~ *de faire,* in order to do, with a view to doing ; *sans* ~, aimlessly ‖ *de* ~ *en blanc,* pointblank.

butane [bytan] *m* butane.

but|é, e [byte] *adj* stubborn (obstiné) ‖ ~**ée** *f* TECHN. stop ‖ AUT. [direction] lock.

but|er *vi* (1) bang, bump (*dans,* into ; *contre,* against) ; stumble (*dans,* over) — *vt* ARG. do in (sl.) [tuer] — *vpr se* ~, come up (*contre,* against) ‖ ~**eur** *m* Sp. striker.

butin [bytɛ̃] *m* [guerre] spoils, plunder, booty ‖ [vol] loot.

butiner [bytine] *vt* (1) collect/gather nectar.

butoir [bytwar] *m* (door-)stop ‖ RAIL. buffer-stop.

butor [bytɔr] *m* lout.

butte¹ [byt] *f* hillock, knoll, mound.

butte² *f en* ~*à,* exposed to.

buv|able [byvabl] *adj* drinkable ‖ ~**ard** [-ar] *m* (*papier*) ~, blotter ; blotting-paper ; blotting-pad (sous-main) ‖ ~**ette** [byvɛt] *f* refreshment-room (de gare) ; pump-room (de station thermale) ‖ ~**eur, euse** *n* drinker ; ~ *d'eau,* teetotaller, total abstainer.

C

c [se] *m* c.

c' → CE.

ça [sa] *pron dém* → CELA ‖ *comment ~ va ?,* how are you ? ; *~ alors !,* well I never ! ; *c'est ~,* that's it.

çà [sa] *adv ~ et là,* here and there ; about, around.

caban [kabã] *m* NAUT. reefer.

caban|e [kaban] *f* hut, shack, cabin ; *~ à lapins,* rabbit-hutch.

cabaret [kabarɛ] *m* night-club.

cabestan [kabɛstã] *m* capstan.

cabillaud [kabijo] *m* cod.

cabine [kabin] *f* [piscine] cubicle ‖ [plage] (beach) hut ‖ [magasin] *~ d'essayage,* (fitting) cubicle ‖ CIN. *~ de projection,* projection room ‖ NAUT. cabin, state-room ‖ TÉL. *~ téléphonique,* call-box, telephone booth ‖ AV. cockpit ‖ TECHN. cab (de camion) ; car (d'ascenseur).

cabinet [kabinɛ] *m* closet ; *~ de débarras,* lumber-room ; *~ de toilette,* dressing-room ; *~ de travail,* study ‖ *Pl* toilet, loo, lavatory ‖ MÉD. *~ de consultation,* surgery, consulting-room ‖ POL. cabinet.

câble [kɑbl] *m* cable ‖ TÉL. cable ‖ *~er vt* (1) cable ‖ *~ogramme* [-ogram] *m* cablegram.

cabosser [kabɔse] *vt* (1) dent.

cabot [kabo] *m* [chien] cur.

cabot|age [kabɔtaʒ] *m* coasting ‖ *~er vi* (1) coast ‖ *~eur m* coaster.

cabot|in, e [kabɔtɛ̃, in] *n* TH. ham actor ‖ FIG. show-off ‖ *~inage* [-inaʒ] *m* FIG. showing-off.

cabrer (se) [səkɑbre] *vpr* (1) [cheval] rear (up), shy.

cabriol|e [kabrijɔl] *f* caper ; *faire des ~s,* cavort ‖ *Pl* antics ‖ *~er vi* (1) caper about, frolic.

cabriolet [kabriɔlɛ] *m* AUT. cabriolet, convertible.

cacah(o)uète [kakawɛt] *f* peanut.

cacao [kakao] *m* cocoa.

cachalot [kaʃalo] *m* spermwhale.

caché, e [kaʃe] *adj* FIG. covert, close.

cache [kaʃ] *f* hiding-place ● *m* CIN., PHOT. screen, mask ‖ *~-cache m jouer à ~,* play hide and seek ‖ *~-col m* scarf ‖ *~-nez m* muffler, comforter.

cacher [kaʃe] *vt* (1) hide, conceal ; screen (derrière un écran) ‖ cover up (masquer) ‖ plant (bombe, chose volée) ‖ FIG. mask, shroud (voiler) keep secret — *vpr se ~,* hide ‖ [évadé] be in hiding, lie low ‖ lurk (se tapir).

cache-sexe *m* G-string.

cach|et [kaʃɛ] *m* seal (sceau) ; postmark (oblitération) ‖ TH. fee (d'un artiste) ‖ MÉD. cachet, tablet ‖ FIG. mark, air ; *avoir du ~,* have style ‖

~eter [-te] vt (8a) seal (enveloppe, bouteille).

cach|ette [kaʃεt] f hiding-place ‖ hide-out, **en ~**, secretly, on the sly ‖ **~ot** [-o] m cell ‖ **~otteries** [-ɔtri] fpl mysteries ; secrecy ‖ **~ottier, ère** [-ɔtje, εr] adj secretive.

cactus [kaktys] m cactus.

cadastre [kadastr] m land registry.

cada|vérique [kadaverik] adj cadaveric, -erous ‖ **~vre** [-vr] m corpse, (dead) body.

caddie [kadi] m [golf] caddie ‖ [supermarché] trolley.

cadeau [kado] m gift, present ; **~ de Noël,** Christmas present ; **faire un ~ à qqn,** give sb a present ; **faire ~ de qqch,** give sth as a gift (**à qqn,** to sb).

cadenas [kadna] m padlock ‖ **~ser** [-se] vt (1) padlock.

cadenc|e [kadɑ̃s] f cadence, rhythm ; lilt ; **en ~,** rhythmically ‖ TECHN. speed, output ‖ **~é, e** adj measured (pas) ‖ MIL. **au pas ~,** in quick time.

cadet, ette [kadε, εt] adj younger, youngest ● m younger son (fils) ; younger brother (frère) ; youngest (dernier-né) ; **mon ~ de deux ans,** my junior by two years ‖ FAM. **le ~ de mes soucis,** the least of my worries ● f younger daugther (fille) ; younger sister (sœur).

cadrage [kadraʒ] m CIN. centring.

cadran [kadrɑ̃] m dial (d'horloge, de téléphone) ; **~ solaire,** sun-dial ‖ FAM. **faire le tour du ~,** sleep round the clock.

cadr|e [kadr] m [bicyclette, tableau] frame ‖ [administration] executive ; **jeune ~,** junior executive ; **jeune ~ dynamique,** yuppy ; **les ~s,** the management ; **~ supérieur,** senior, executive ‖ [décor] setting, environment, surroundings ‖ FIG. **dans le ~ de,** within the framework of, as a part of ‖ **~er** vi (1) square (**avec,** with)

— vt CIN., PHOT. centre (l'image)‖ FIG. fit in ‖ **~eur** m CIN. cameraman.

caduc, uque [kadyk] adj BOT. **à feuilles ~ques,** deciduous.

cafard¹ [kafar] m ZOOL. cock-roach.

cafard² m **avoir le ~,** be in the dumps, have the blues, feel blue.

cafard³, e [-ard] n sneak, telltale (rapporteur) ‖ **er** [-de] vt (1) FAM. [école] peach, sneak (sl.) ; tell tales on.

caf|é [kafe] m coffee ; **~ noir,** black coffee ; **~ crème,** white coffee ; **~ au lait,** coffee with milk ; **~ soluble,** instant coffe ‖ [lieu] coffee bar ; FR. **café =PUB** ‖ **~éine** [-ein] f caffeine ‖ **~étéria** [-eterja] f cafeteria ‖ **~etière** [-tjεr] f coffee-pot ; — **électrique,** percolator, coffee-maker.

cage [kaʒ] f cage ‖ TECHN. shaft (d'ascenseur) ; **~ d'escalier,** stairwell.

cageot [kaʒo] m crate.

cagnotte [kaɲɔt] f pool, kitty ; **faisons une ~,** let's go kitty.

cagoule [kagul] f [bandit, pénitent] hood.

cahier [kaje] m [école] exercise-book ; **~ d'appel,** registrar.

cahot [kao] m jolt, bump ‖ **~er** [-ɔte] vt (1) jolt, jog — vi jog ‖ **~eux, euse** [-tø, øz] adj bumpy (route).

caille [kaj] f quail.

caill|é [kaje] m curds, junket ‖ **~er** vi/vpr (1) (**se ~**) curdle, clot ‖ **~ot** [-o] m clot.

caillou, oux [kaju] m stone ; pebble (galet) ; U.S. rock ‖ **~teux, euse** [-tø, øz] adj stony.

Caire (Le) [lǝkεr] m GÉOGR. Cairo.

caiss|e [kεs] f box ; crate (à claire-voie) ; **~ d'emballage,** packing-case ‖ COMM. till (tiroir) ; cash-box (coffre) ; cash-desk (lieu) : — **enregistreuse,** cash-register ; **tenir la ~,** be the cashier ‖ [bank] cashier's desk ‖ [supermarché] checkout point ‖ FIN. fund ; **~ d'épargne,** savings bank ‖

Mus. drum ; *grosse* ~, big drum || ~**ier, ière** *n* cashier ; [banque] teller.

cajol|er [kaʒɔle] *vt* (1) cajole, coax, wheedle || ~**erie** [-ri] *f* cajoling, coaxing, wheedling.

cake [kɛk] *m* fruit-cake.

calamité [kalamite] *f* disaster, calamity.

calandre [kalãdr] *f* Aut. radiator grill(e).

calcaire [kalkɛr] *m* limestone ● *adj* chalky || hard (eau).

calciner [kalsine] *vt* (1) char, burn to a cinder.

calcium [kalsjɔm] *m* calcium.

calcul¹ [kalkyl] *m* Méd. stone.

calcul² *m* reckoning, computation, calculation || Math. [école] arithmetic, sums ; ~ *mental,* mental arithmetic || Fig. estimate ; calculations, selfish motives ; *mauvais* ~, miscalculation || ~**atrice** *f* ~ *(de poche),* calculator || ~**er** *vi/vt* (1) calculate, work out, reckon (quantité) ; compute (évaluer) || ~**ette** *f* = calculatrice.

cale¹ [kal] *f* wedge (de meuble) ; chock (de roue).

cale² *f* Naut. hold (de navire) ; slipway (de lancement) ; ~ *sèche,* dry dock.

calé, e [kale] *adj* steady (d'aplomb) || Techn. jammed (bloqué) || FAM. clever, bright.

caleçon [kalsɔ̃] *m* (pair of) underpants ; ~ *long,* long johns || ~ *de bain,* swimming trunks.

calembour [kalãbur] *m* pun.

calendrier [kalãdrije] *m* calendar || schedule, timetable (programme).

calepin [kalpɛ̃] *m* notebook.

caler [kale] *vt* (1) wedge, put a wedge under (un meuble) ; prop up (un malade) ; steady (stabiliser) || Aut. stall (moteur) — *vi* [moteur] stall.

calfater [kalfate] *vt* (1) caulk.

calfeutrer [kalføtre] *vt* (1) weather-strip (une fenêtre).

calibr|e [kalibr] *m* [canon] calibre ; [tuyau] bore || ~**er** *vt* (1) gauge (mesurer) ; grade (fruits, œufs).

califourchon (à) [akalifurʃɔ̃] *loc adv* astride ; *être (assis) à* ~ *sur,* straddle, bestride.

câlin, e [kɑlɛ̃, in] *adj* cuddly (chat, enfant) || loving, caressing (tendre) || wheedling (enjôleur) ● *m* cuddle || ~**er** *vt* (1) cuddle, wheedle.

call|eux, euse [kalø, øz] *adj* horny, callous.

calmant, e [kalmã, ãt] *adj* Méd. painkilling, soothing ● *m* Méd. painkiller, anodyne.

calmar [kalmar] *m* Zool. squid.

calm|e [kalm] *adj* calm (atmosphère, mer) ; still (air) || self-possessed, composed, cool (personne) ; sedate (posé) ; quit (serein) ; uneventful (sans incidents), peaceful (paisible) ● *m* peace (ordre) ; calm, quiet, quietness (quiétude) ; stilness (silence) ; temper, composure (sangfroid) ; *garder son* ~, keep cool || stillness, calm, quiet (silence) || Naut. calm ; ~ *plat,* dead calm || ~**ement** *adv* calmly, composedly, quietly || ~**er** *vt* (1) calm (down) ; quieten down || appease (faim) ; quench (soif) ; cool (ardeur) || relieve, soothe, ease (douleur) || *vpr se* ~, calm down || [personne] cool down ; [tempête] subside, calm down.

calomnie [kalɔmni] *f* calumny, slander || ~**ier** *vi/vt* (1) slander, calumniate || ~**ieux, euse** *adj* slanderous.

calor|ie [kalɔri] *f* calorie || ~**ifuger** [-ifyʒe] *vt* (7) lag, insulate.

calot [kalo] *m* [coiffure] forage cap.

calott|e [kalɔt] *f* skull-cap (bonnet) || Géogr. ~ *glacière,* ice-cap.

calqu|e [kalk] *m* tracing ; *papier-*~, tracing paper || ~**er** *vt* (1) trace.

calumet [kalymɛ] *m* calumet || Fig. peace pipe.

calvados, FAM. **calva** [kalva(dos)] *m* apple-brandy.

calvaire [kalvɛr] *m* calvary.

calvin|isme [kalvinism] *m* Calvinism ‖ ~ **iste** *n* Calvinist.

calvitie [kalvisi] *f* baldness.

camarad|e [kamarad] *n* comrade, companion, friend ; ~ *de classe,* class-mate ; ~ *de jeu,* playmate ‖ ~ **erie** *f* companionship, fellowship.

cambouis [kɑ̃bwi] *m* sludge, dirty oil.

cambr|é, e [kɑ̃bre] *adj* arched (pied) ; shapely (taille) ‖ ~ **er** *vt* (1) ~ *la taille,* brace oneself up — *vpr* se ~, throw out one's chest.

cambriol|age [kɑ̃brijɔlaʒ] *n* burglary, house-breaking, break-in ‖ ~ **er** *vt* (1) break into ; burgle ‖ ~ **eur, euse** *n* burglar.

cambrure [kɑ̃bryr] *f* arch (du pied) ; curve (de la taille).

cambuse [kɑ̃byz] *f* NAUT. store-room.

came[1] [kam] *f* cam ‖ AUT. *arbre à* ~ *s en tête,* overhead cam shaft.

cam|e[2] *f* ARG. junk, dope (sl.) ‖ ~ **é, e** *adj* POP. zonked out (sl.) ● *n* junkie (sl.).

camée [kame] *m* cameo.

caméléon [kameleɔ̃] *m* chameleon.

camel|ot [kamlo] *m* street-hawker, huckster ‖ ~ **ote** [-ɔt] *f* FAM. trash ; junk, shoddy goods.

caméra [kamera] *f* cine-camera ; U.S. movie-camera ‖ ~ **man** [-man] *m* cameraman.

Cameroun [kamerun] *m* Cameroon ‖ ~ **ais, aise** *n* Cameroonian.

camerounais, aise *adj* Cameroonian.

camescope [kameskɔp] *m* camcorder.

cami|on [kamjɔ̃] *m* lorry, U.S. truck ; ~ *-citerne,* tanker ‖ van (fourgon) ‖ ~ **onnage** [-ɔnaʒ] *m* haulage ‖ ~ **onnette** [-ɔnɛt] *f* (small) van ‖

~ **onneur** [-ɔnœr] *m* lorry-/U.S. truck-driver.

camisole [kamizɔl] *f* MÉD. ~ *de force,* strait-jacket.

camomille [kamɔmij] *f* camomile tea (tisane).

camoufl|age [kamuflaʒ] *m* MIL. camouflage ; ~ *des lumières,* black-out ‖ ~ **er** *vt* (1) camouflage.

camp [kɑ̃] *m* MIL., SP. camp ; *lever le* ~, strike/break camp ; ~ *de base/concentration,* base/concentration camp ‖ SP. side ; *changer de* ~, change ends ‖ FIG. side ‖ FAM. *ficher le* ~, clear off, scram (sl.).

campagnard, e [kɑ̃paɲar, ard] *adj* country ‖ rustic, countrified (pej) ● *n* countryman/woman.

campagne [kɑ̃paɲ] *f* country ; countryside (paysage) ; *à la* ~, in the country ; *en pleine/rase* ~, in the open country ‖ MIL. campaign ‖ POL. ~ *électorale,* election campaign ; *faire* ~, canvass (*pour,* for) ‖ FIG. campaign, U.S. drive (propaganda) ; ~ *de presse,* press-campaign.

camp|ement [kɑ̃pmɑ̃] *m* MIL. encampment, camp ‖ ~ **er** *vi* (1) camp (out) ‖ ~ **eur ; euse** *n* camper.

camping [kɑ̃piŋ] *m* camping ; *faire du* ~, go camping ; *emplacement de* ~, camping space ; *terrain de* ~, campsite ‖ ~ **-car** *m* camper.

camus, e [kamy, yz] *adj* flat, snub (nez).

Canad|a [kanada] *m* Canada ‖ ~ **ien, ienne** *n/adj* Canadian.

canadienne *f* [vêtement] sheepskin jacket, furlined jacket.

canaille [kanaj] *f* rabble, riffraff (populace) ; scoundrel, rascal (personne).

canal, aux [kanal, o] *m* canal ‖ ~ **isation** [-izasjɔ̃] mains (à l'extérieur) ; pipes, piping (à l'intérieur) ‖ canalization (d'un cours d'eau) ‖ ~ **iser** *vt* (1) TECHN. canalize ‖ FIG. direct, channel (foule).

canapé [kanape] *m* settee, couch, sofa.

canard [kanar] *m* duck ; drake (mâle) || FAM. rag (journal) || **~er** [-de] *vt* (1) MIL. snipe at.

canari [kanari] *m* canary.

can|can [kɑ̃kɑ̃] *m* piece of gossip || **~aner** [-ane] *vi* (1) gossip || **~anier, ière** [-anje, jɛr] *adj* gossipy.

Cancer [kɑ̃sɛr] *m* ASTR. Cancer.

canc|er *m* cancer ; *avoir un ~*, have cancer || **~éreux, euse** [-erø, øz] *adj* cancerous ● *n* cancer patient.

cancre [kɑ̃kr] *m* dunce.

candeur [kɑ̃dœr] *f* candour, ingenuousness.

candida|t, e [kɑ̃dida, at] *n* [examen] candidate, examinee || applicant (à un poste) || POL. candidate ; *être ~ à la députation,* G.B. stand for Parliament, U.S. run for Congress || **~ture** [-tyr] *f* candidature, U.S. candidacy || [poste] application ; *poser sa ~ à,* apply for.

candide [kɑ̃did] *adj* ingenuous, artless, simple-hearted.

cane [kan] *f* duck || **~ton** [-tɔ̃] *m* duckling.

canette [kanɛt] *f* beer-bottle || TECHN. spool (de machine à coudre).

canevas [kanva] *m* canvas || FIG. outline, sktech.

caniche [kaniʃ] *m* poodle.

canicule [kanikyl] *f* dog-days.

canif [kanif] *m* penknife.

canin, e [kanɛ̃, in] *adj* canine ; *exposition ~e,* dog show ● *f* eyetooth.

caniveau [kanivo] *m* gutter.

canne [kan] *f* cane, walking stick || SP. *~ à pêche,* fishing rod || BOT. *~ à sucre,* sugar-cane.

cannelle¹ [kanɛl] *f* BOT. cinnamon.

cannelle² *f* [tonneau] tap.

canner [kane] *vt* (1) cane.

cannibale [kanibal] *n* cannibal, man-eater.

canoë [kanɔe] *m* canoe ; *faire du ~,* go canoeing.

canon¹ *m* MUS. canon, catch.

can|on² MIL. [arme] gun ; [tube] barrel || **~onnade** [-ɔnad] *f* gun-fire, cannonade || **~onnier** [-ɔnje] *m* gunner || **~onnière** [-ɔnjɛr] *f* gunboat.

can|ot [kano] *m* (open) boat ; dinghy ; *~ automobile,* motor-boat ; *~ pneumatique,* rubber boat ; *~ de sauvetage,* life-boat || **~otage** [-ɔtaʒ] *m* SP. boating ; *faire du ~,* go boating || **~oter** [-ɔte] *vi* (1) go boating.

cantatrice [kɑ̃tatris] *f* (opera) singer, prima donna.

cantine [kɑ̃tin] *f* [usine] canteen ; [école] dining-hall || MIL. tin trunk.

cantique [kɑ̃tik] *m* REL. canticle, hymn.

cantonade [kɑ̃tɔnad] *f* : *à la ~,* TH., CIN. off || **~onnement** [-ɔnmɑ̃] *m* MIL. billet(ing), quartering (action) ; quarters, billets (locaux) || **~onnier** *m* roadmender.

canular [kanylar] *m* hoax ; *faire un ~ à qqn,* hoax sb.

caoutchouc [kautʃu] *m* rubber ; *~ Mousse,* N.D. foam-rubber ; *~ synthétique,* buna || *Pl* overshoes, galoshes, U.S. rubbers (chaussures).

cap [kap] *m* cape ; [promontoire] headland || NAUT. *mettre le ~ sur,* head/steer for ; *changer de ~,* change course || AV. course.

capable [kapabl] *adj* capable (*de,* of) ; *être ~ de faire,* be able to do || likely (susceptible de) || able, clever, efficient (compétent).

capacité [kapasite] *f* [aptitude] ability || [contenance] capacity, content.

cape¹ [kap] *f* cape, cloak.

cape² *f* NAUT. *mettre à la ~,* heave to ; *être à la ~,* lie to.

capitaine [kapitɛn] *m* MIL. captain || NAUT. commander (de frégate) ;

skipper (petit bateau) ; ~ *de port*, harbour-master ‖ Av. flight lieutenant.

capital, e, aux [kapital, o] ; *adj* major, main ; *d'(une) importance* ~, of capital importance ‖ capital (lettre) ● *m* Fin. capital ‖ ~ **e** *f* capital (ville) ‖ capital (letter) ; *en* ~*s d'imprimerie*, in block letters ‖ ~**iser** *vt* (1) capitalize ‖ ~**isme** *m* capitalism ‖ ~**iste** *n* capitalist.

capiteux, euse [kapitø, øz] *adj* heady (parfum, vin).

capitonner [kapitɔne] *vt* (1) pad (*de*, with).

capitul|ation [kapitylasjɔ̃] *f* capitulation, surrender ; ~ *sans condition*, unconditional surrender ‖ ~**er** *vi* (1) capitulate, surrender.

caporal, aux [kapɔral] *m* corporal.

capot [kapo] *m* Aut. bonnet, U.S. hood ‖ Naut. companion-hatch/way.

capote [kapɔt] *f* Mil. overcoat ‖ Aut. hood, U.S. top ‖ Fam. ~ *anglaise*, French letter ; U.S. rubber.

capoter [kapɔte] *vi* (1) Aut. overturn.

câpre [kɑpr] *f* caper.

capric|e [kapris] *m* caprice, whim, fancy ; *faire les* ~*s de qqn*, indulge the fancies of sb ‖ vagary (de la mode) ; *un* ~ *de la nature*, a freak of nature ‖ ~**ieux, ieuse** [-jø, jøz] *adj* capricious (humeur) ; wayward (caractère) ; whimsical (personne) ; temperamental, difficult (enfant).

Capricorne [kaprikɔrn] *m* Astr. Capricorn.

capsule [kapsyl] *f* capsule, cap, seal (de bouteille) ‖ Méd. capsule ‖ Astr. ~ *spatiale*, space capsule.

cap|ter [kapte] *vt* (1) Rad. pick up (émission, message) ‖ Techn. catch (une source) ‖ ~**tif, ive** [-tif, iv] *adj* captive ‖ ~**tivant, e** [-tivɑ̃, ɑ̃t] *adj* gripping, captivating, fascinating ‖

~**tiver** [-tive] *vt* (1) captivate, fascinate ‖ ~**tivité** [-tivite] *f* captivity.

captur|e [kaptyr] *f* capture, catching ‖ ~**er** *vt* (1) capture, catch.

capuchon [kapyʃɔ̃] *m* hood ‖ cap (de stylo).

caqu|et [kakɛ] *m* [poule] cackle ‖ [personne] chatter, gossip ‖ ~**etage** [-taʒ] *m* cackling, gabble ‖ chatter(ing), yackety-yak ‖ ~**eter** [-te] *vt* (8 a) [poule] cackle ‖ [personne] chatter.

car¹ [kar] *conj* for, because.

car² *m* (= Autocar) coach, U.S. bus.

carabin [karabɛ̃] *m* Fam. medic, medico (coll.).

carabine [karabin] *f* Mil. carbine, rifle ; ~ *à air comprimé*, airgun.

carabiné, e [karabine] *adj* Fam. stiff (amende) ; stinking (rhume).

caracoler [karakɔle] *vi,* (1) [cheval] prance.

caract|ère [karaktɛr] *m* characteristic, feature (caractéristique) ; ‖ character, firmness, spirit, moral strenght (fermeté) ; *avoir du* ~, have back-bone/character ; *sans* ~, spineless character, nature (nature)) ; *avoir bon/mauvais* ~, be good/bad-tempered ‖ [cachet, personnalité] character ‖ [typographie] type, character ; *écrire en* ~*s d'imprimerie*, print ‖ ~**ériel, elle** [-erjɛl] *adj* character ; *enfant* ~, problem child ‖ ~**érisé, e** [-erize] *adj* down right (erreur) ‖ ~**ériser** *vt* (1) characterize, mark ; distinguish (définir) ‖ ~**éristique** [-eristik] *adj* typical, characteristic (*de, of*) ● *f* feature, characteristic.

caraf|e [karaf] *f* water-bottle ; decanter (pour le vin) ‖ ~**on** *m* small decanter.

carambol|age [karɑ̃bɔlaʒ] *m* Aut. pile-up ‖ ~**er (se)** *vpr* (1) pile-up.

caramel [karamɛl] *m* butter-scotch, toffee ‖ Culin. caramel.

carapace [karapas] *f* Zool. shell.

caravane [karavan] *f* caravan ‖ party

of tourists || Aut. caravan ; U.S. trailer.

carbon|ate [karbɔnat] *m* carbonate || ~ **e** *m* carbon || ~ **ique** *adj* **acide** ~, carbon dioxide || ~ **iser** *vt* (1) burn up, char ; burn to a cinder (rôti) ; burn to the ground (maison).

carbur|ant [karbyrɑ̃] *m* Aut. (motor)fuel || ~ **ateur** *m* carburettor.

carcasse [karkas] *f* carcass.

cardiaque [kardjak] *adj* cardiac ; **crise** ~, heart attack.

cardigan [kardigɑ̃] *m* cardigan.

cardinal, e, aux [kardinal, o] *adj* [nombre, point] cardinal ● *m* Rel. cardinal.

carême [karɛm] ; *m* Rel. Lent.

carence [karɑ̃s] *f* Méd. deficiency.

car|ène [karɛn] *f* hull, bottom || ~ **éner** [-ene] *vt* (5) careen.

caress|e [karɛs] *f* caress (d'enfant) ; stroke, pat (à un animal) || *Pl* love-making, U.S. petting, necking (d'amoureux) || ~ **er** *vt* (1) pat, stroke (un animal) ; fondle (un enfant) ; caress (un être aimé) || Fig. indulge (un espoir) ; toy/dally with (une idée).

carg|aison [kargɛzɔ̃] *f* cargo, freight, shipment || ~ **o** [-o] *m* cargoboat, freighter, tramp.

carguer [karge] *vt* (1) take in.

cari [kari] *m* Culin. curry.

caricatur|e [karikatyr] *f* caricature, cartoon || ~ **er** *vt* (1) caricature || ~ **iste** *n* cartoonist.

cari|e [kari] *f* decay, caries (des dents) || ~ **é, e** *adj* decayed ; **dent** ~ **e,** bad tooth || ~ **er (se)** *vpr* (1) [dent] decay.

carill|on [karijɔ̃] *m* (set of) bells ; chime(s), peal (of bells) [air] || ~ **onner** [-ɔne] *vt* (1) [cloches] chime, peal ; ring the chimes.

carlingue [karlɛ̃g] *f* cabin.

carnage [karnaʒ] *m* slaughter, carnage, bloodshed.

carnassier, ière [karnasje, jɛr] *adj* carnivorous, flesh-eating ● *m* carnivorous animal || ● *f* game-bag.

carnation [karnasjɔ̃] *f* complexion.

carnaval, als [karnaval] *m* carnival.

carnet [karnɛ] *m* note-book ; memorandum || ~ **d'adresses,** address book ; ~ **de timbres,** book of stamps ; ~ **de chèques,** cheque-book || [école] ~ **de notes,** school report.

carnivore [karnivɔr] *adj* carnivorous, flesh-eating.

carotte [karɔt] *f* carrot.

carpe [karp] *f* carp.

carpette [karpɛt] *f* rug, floor mat.

carre [kar] *f* Sp. edge (des skis).

carré, e [kare] *adj/m* square ; **mètre** ~, square metre || Math. **élever au** ~, square || Naut. wardroom.

carreau [karo] *m* (window-) pane ; (floor) tile (de pavage) ; checked, chequered ; **un tissu/ensemble à** ~, a check || [cartes] diamond || Techn. ~ **de mine,** pithead.

carrefour [karfur] *m* crossroads, intersection || Fig. forum.

carrel|age [karlaʒ] *m* [action] tiling ; [carreaux] tiles, tiled floor || ~ **er** *vt* (8 *a*) tile.

carrelet [karlɛ] *n* plaice.

carrément [karemɑ̃] *adv* bluntly, outright, flatly, squarely.

carrer (se) [sɑkare] *vpr* (1) ensconce oneself.

carrière¹ [karjɛr] *f* quarry, stone-pit.

carrière² *f* [profession] career ; **de** ~, career || Th. run || Fig. **donner libre** ~ **à,** give free scope to.

carrosse [karɔs] *m* Hist. (state-)coach|| ~ **erie** *f* Aut. body ; coachwork || ~ **ier** *m* coach-builder.

carrousel [karuzɛl] *m* [tapis roulant] carrousel.

carrure [kɑ ryr] *f* [corps] build ; [vêtement] breadth of shoulders.

cartable [kartabl] *m* satchel.

carte [kart] *f* card ; ~ *d'embarque-ment/de débarquement*, boarding/landing card ; ~ *d'identité*, identity card ; ~ *postale*, post-card ; ~ *de visite*, visiting-card ; ~ *de vœux*, greetings card ‖ ~ *à jouer*, playing-card ; *jouer aux* ~*s*, play cards ‖ *tirer les* ~*s à qqn*, read sb's cards ‖ [restaurant] *menu* ; *repas à la* ~, a la carte meal ; ~ *des vins*, wine list ‖ ~ *de crédit*, credit card ‖ RAIL. ~ *d'abonnement*, season ticket ; ~ *vermeil*, senior citizen's card ‖ INF. ~ *perforée*, punched card ‖ GÉOGR. map ; *dresser la* ~ *de*, map ; ~ *d'état-major*, Ordnance Survey map ‖ ~ *en relief*, relief map ‖ NAUT. ~ *marine*, chart ; *porter sur la* ~, chart ‖ AUT. ~ *grise*, log book ; ~ *routière*, road-map ‖ FIG. *donner* ~ *blanche à qqn*, give sb a free hand ; ~*s sur table*, cards on the table ; *horaire de travail à la* ~, flexible working hours.

carter [karter] *m* TECHN. casing ‖ AUT. crank-case, sump.

cartilage [kartilaʒ] *m* gristle.

carton [kartɔ̃] *m* cardboard ; pasteboard (matière) ‖ carton (boîte) ; ~ *à chapeau*, hat-box ‖ ARTS ~ *à dessin*, drawing-portfolio ‖ SP. [football] ~ *jaune*, yellow card ; [tir] target ; *faire un* ~, fill a target ‖ ~*né*, e[-ɔne] *adj* hardback (livre).

cartouche [kartuʃ] *f* MIL. cartridge ; round (stylo), PHOT. cartridge.

cas [ka] *m* case, matter ; ~ *de conscience*, case/matter of conscience ‖ case, event, occasion (circonstance) ; ~ *de force majeure*, case of absolute necessity ; *en* ~ *d'urgence*, in an emergency ; *le* ~ *échéant*, *selon le* ~, should the case occur, as the case may be ‖ instance (exemple) ; *un* ~ *d'espèce*, a concrete case ; *c'est précisément le* ~, this is the case in point ‖ case, position (état) ‖ value (importance) ; *faire* ~ *de*, appreciate, think highly of ; *faire grand* ~ *de*, set great store by, make much of ; *faire peu de* ~ *de*, make little of, hold (sth) cheap ; *ne faire aucun* ~ *de*, take

no account of ● *loc adv en aucun* ~, under no circumstances, on no account ; *en ce* ~, in that case, if so ; *dans le* ~ *contraire*, if not ; *en tout* ~, anyway, at any rate ● *loc prép en* ~ *de*, in case of, against ● *loc conj au* ~ *où*, (just) in case ; *au* ~ *où il pleuvrait*, in case it rains ; on the off chance of/that.

casanier, ière [kazanje, jœr] *adj/n* stay-at-home.

cascad|e [kaskad] *f* cascade, ; waterfall ‖ ~*eur* *m* CIN. stunt man.

case [kaz] *f* pigeonhole (de lettres) ‖ square (d'échiquier) ‖ blanck square (de formulaire) ‖ hut, cabin (hutte).

caser [kaze] *vt* (1) put (away) (qqch) ‖ FIG. find a husband for, marry off (une fille) — *vpr se* ~, settle down (s'établir) ; find a place (to live).

caserne [kazern] *f* barracks ; ~ *de pompiers*, fire station.

casier [kazje] *m* pigeonhole (à lettres) ; ~ *à bouteilles*, bottlerack ‖ AV. ~ *à bagages*, overhead luggage compartment/bin ‖ JUR. ~ *judiciaire*, (police) record.

casino [kazino] *m* casino.

casqu|e [kask] *m* helmet ; crash-helmet (de motocyliste) ‖ ~ *colonial*, sun-helmet ‖ [coiffeur] (hair) drier ‖ TÉL. headphones ‖ ~*er* *vi* (1) FAM. stump up fork out (coll.) ‖ ~*ette* *f* cap.

cass|able [kasabl] *adj* breakable ‖ ~*ant, e*adj brittle (fragile) ‖ FIG. curt, sharp (ton).

casse[1] *f* breaking (action) ; breakage (dommage) ‖ *mettre à la* ~, scrap ; *la voiture est bonne pour la* ~, the car is a write-off (*n*).

casse[2] *m* ARG. heist (cambriolage).

casse|-cou [kasku] *m inv* dare-devil (personne) ; dangerous spot (lieu) ‖ ~*-croûte* *m inv* snack ‖ ~*-noisettes/noix* *m inv* nut-crackers ‖ ~*-pieds* *n* [personne] bore, nuisance, pain (in the neck) ● *adj* boring.

casser [kɑ se] *vt* (1) break ; ~*net,* snap ‖ JUR. quash (décision) ; annul (mariage) ; rescind (jugement) ‖ MIL. degrade ‖ FIG., FAM. ~ *la croûte,* have a bite ; ~ *la figure/gueule à qqn,* bash sb's face in ; ~ *les oreilles à,* deafen ; ~ *sa pipe,* kick the bucket — *vpr* **se** ~, break ; *se* ~ *la jambe,* break one's leg.

casserole [kasʀɔl] *f* saucepan.

casse-tête [kɑstɛt] *m inv* puzzle.

cassette [kasɛt] *f* [magnétophone] ‖ cassette.

casseur [kasœʀ] *m* rioter (émeutier) ‖ AUT. ~ *de voitures,* scrap dealer.

cassis[1] [kasi] *m* [route] open culvert ; bump.

cassis[2] [kasis] *m* BOT. black-currant (fruit).

cassonade [kasɔnad] *f* brown sugar, demerara.

castagnettes [kastaɲɛt] *fpl* castanets.

caste [kast] *f* caste.

castor [kastɔʀ] *m* beaver.

cataclysme [kataklism] *m* cataclysm ; act of God.

catadioptre [katadjɔptʀ] *m* AUT. cat's eye.

catalogu|e [katalɔg] *m* catalogue ‖ COMM. *prix* ~, list price ; *achat/vente sur* ~, mail order ‖ ~**er** *vt* (1) catalogue, list.

Cataphote [katafɔt] *n* N.D. = CATADIOPTRE.

cataracte [kataʀakt] *f* waterfall, cataract ‖ MÉD. cataract.

catastroph|e [katastʀɔf] *f* catastrophe, disaster ‖ AV. *atterrissage en* ~, crash/emergency landing ‖ ~**ique** *adj* disastrous, catastrophic.

catch [katʃ] *m* SP. all-in (wrestling) ‖ ~**eur, euse** *n* (all-in) wrestler.

catéchisme [kateʃism] *m* catechism ; Sunday school (et patronage).

catégor|ie [kategɔʀi] *f* category,

class, type ‖ SP. rating ‖ ~**ique** *adj* categorical, straightforward, flat (refus) ‖ ~**iquement** *adv* decidedly, categorically, flatly.

caténaire [katenɛʀ] *f* RAIL. overhead contact wire.

cathédrale [katedʀal] *f* cathedral.

cathod|e [katɔd] *f* cathode ‖ ~**ique** *adj* cathodic.

cathol|icisme [katɔlisism] *m* catholicism ‖ ~**ique** *adj/n* (Roman) Catholic.

catimini (en) [ãkatimini] *loc adv* on the sly.

cauchemar [koʃmaʀ] *m* nightmare ‖ ~**desque** [-dɛsk] *adj* nightmarish.

cause [koz] *f* cause, motive, reason ; *à* ~ *de,* because of, on account of, owing to ; *tant à* ~ *de... et de...,* what with... and ; *sans* ~, without reason ; *et pour* ~, with good reason ; *en connaissance de* ~, knowingly ; *en tout état de* ~, at all events ; *cause* (parti) ; *faire* ~ *commune avec,* make common cause with, side with ‖ JUR. case ; *avoir gain de* ~, carry one's point.

causer[1] [koze] *vt* (1) [être la cause de] cause, create, bring about.

caus|er[2] *vi* (1) [parler] talk, chat ; ~ *de,* talk of/about ; ~ *avec,* talk with ‖ ~**erie** [-zʀi] *f* talk ‖ ~**ette** *f* little chat ; *faire une brin de* ~, have a chat.

caustique [kostik] *adj* caustic.

cautériser [koteʀize] *vt* (1) cauterize.

cauti|on [kosjɔ̃] *f* JUR. guarantee ; *se porter* ~ *pour,* stand security for ; *libéré sous* ~, released on bail.

caval|cade [kavalkad] *f* cavalcade ‖ ~**erie** [-ʀi] *f* cavalry ‖ ~**ier, ière** *adj* casual, off hand (désinvolte) ; free and easy (sans gêne) ● *m* SP. rider, horseman ‖ MIL. trooper, cavalry man ‖ [danse] partner ‖ [échecs] knight ● *f* SP. rider, horsewoman ‖ [danse] partner.

cav|e f cellar, wine-cellar ‖ [cabaret] cellar nightclub ‖ **~eau** [-o] m vault ‖ **~erne** [-ɛrn] f cave ‖ **~erneux, euse** [-ɛrnø, øz] adj hollow (voix).

caviar [kavjar] m caviar(e).

caviarder [kavjarde] vt (1) blot out ‖ censor.

cavité [kavite] f cavity.

ce¹ [sə] (**c'** devant voyelles et « h » muet) pron dém [chose] this, these ; ~ n'est pas ma maison, this is not my house ; ~ sont mes livres, these are my books ‖ [personne déterminée] he, she, it, they ; c'est mon ami, he is my friend ‖ [personne indéterminée] it ; qui est-~ ?, who is it ? ; c'est moi, it is I/me ‖ c'est un livre, it is a book ‖ c'est-à-dire, that is to say, namely ; qu'est-~ que c'est ?, what is it ? ‖ ~ qui, ~ que, [la chose qui/que] what ; il fait ~ qui me plaît, he does what I please ; [chose qui/que] which ; je savais tout, ~ qui l'a surpris, I knew everything, which surprised him ‖ **tout** ~ **qui/que**, all that ‖ ~ **que**, [combien] what, how ; **pour** ~ **qui** (= quant à), as to, as for ; as regards ‖ **sur** ~, there-upon.

ce² adj dém m(**cet** [sɛt] devant voyelle et h muet), **cette** [sɛt] f, **ces** [se] pl ~ **...-ci**, this ; ~ garçon-ci, this boy (here) ‖ ~ **...-là**, that ; cette fille-là, that girl (there) ‖ [temps] ~ matin, this morning ; cette nuit, last night (passée) ; ~ soir, tonight (actuelle-ment ou à venir) ; ~ jour-là, that day ; un de ces jours, one of these days ; à cette époque, then, at the time ‖ [lieu] à cet endroit, there ‖ [exclamatif] cette idée !, what an idea !, the idea ! ‖ [intensif] une de ces frousses !, a devil of a fright.

ceci [səsi] pron dém this.

cécité [sesite] f blindness.

céder [sede] vt (5) yield, give up ; ~ sa place, give up one's seat to ; ~ du terrain, yield/give ground ‖ Comm. dispose of, sell ‖ Fig. ~ le pas à, give precedence to — vi give in/way ;

yield (fléchir) ‖ Fig. ~ **à,** yield to, give way to.

cédille [sedij] f cedilla.

cèdre [sɛdr] m cedar.

ceintur|e [sɛ̃tyr] f belt (de cuir) ; sash (d'étoffe) ‖ [judo] ~ **noire,** black belt ‖ Aut., Av. ~ **de sécurité,** seatbelt, safetybelt ; ~ **de sécurité à enrouleur,** inertia reel belt ‖ [anatomie] waist ‖ **~er** vt (1) girdle (entourer) ‖ Sp. grasp/tackle round the waist ‖ **~on** m Mil. belt.

cela [səla] (Fam. **ça** [sa]) pron dém that (opposé à ceci) ; ceci et ~, this and that ; c'est ~/ça, that's it ; comment ça va ?, how are you ? ; comme ci, comme ça, so-so ; sans ~, otherwise (autrement), or else (sinon) ; haut comme ~, this/that high.

célèbre [selɛbr] adj famous, noted, celebrated (pour/par, for).

célébr|er [selebre] vt (1) commem-orate, celebrate, keep (fêtes) ‖ **~ité** f celebrity, fame ‖ Cin. stardom.

céleri [sɛlri] m celery ; **~-rave,** celeriac.

céleste [selɛst] adj celestial, heav-enly.

céliba|t [seliba] m celibacy ‖ **~taire** [-tɛr] adj single, unmarried ● m bach-elor ● f unmarried woman ; spins-ter (vieille fille).

celle(s) → CELUI.

cellier [selje] m stoneroom ; cellar (cave).

Cellophane [selɔfan] f N.D. Cel-lophane.

cellule [selyl] f Bot., Zool., Méd., Pol., Rel. cell ‖ Électr. ~ **photo-électrique,** photo-electric cell ‖ [tourne-disque] cartridge.

Celluloïd [selylɔid] m N.D. Cellu-loid.

cellulose [selyloz] f cellulose.

celui [səlɥi] pron dém m, **celle** [sɛl] f, **ceux** [sø] pl celui/celle de, that of, 's ; ceux/celles de, those of, 's ‖

69   **cen — cer**

celui-/celle-ci, this (one), the latter ; *ceux-/celles-ci*, these ‖ *celui-/celle-là*, that (one), the former ; *ceux/celles-là*, those ‖ *celui/celle que*, the man-/woman (that) ; [neutre] the one (that) ; *ceux/celles que*, the ones (that) ‖ *celui/celle qui*, the man/woman who ; [neutre] the one that ; *ceux/celles qui*, those who ; [neutre] those, the ones that.

cendr|e [sɑ̃dr] *ash ; cinders (du feu) ; réduire en ~s*, burn to ashes/cinders ‖ REL. *mercredi des Cendres*, Ash Wednesday ‖ *Pl* FIG. ashes ‖ ~**é, e** *adj* ashen, ashgrey ‖ ~**ée f** SP. dirt-track, cinder-track ‖ ~**ier** *m* ashtray.

censé, e [sɑ̃se] *adj être ~ être/faire*, be supposed to be/to do.

censeur [sɑ̃sœr] *m* censor (de la presse, etc.) ‖ [lycée] vice-principal.

censur|e [sɑ̃syr] *f* censorship ‖ ~**er** *vt* (1) censor (film) ‖ LITT. censure (critiquer).

cent [sɑ̃] *adj* hundred ‖ FIN. *pour ~*, per cent ‖ ~**aine** [-tɛn] *f about a hundred ; Pl* hundreds ‖ ~**enaire** [-tner] *adj/n* centenary (anniversaire) ; centenarian (personne) ‖ ~**ième** [-tjɛm] *adj/n* hundredth ‖ ~**igrade** [-tigrad] *adj* centigrade ‖ ~**igramme** [-tigram] *m* centigramme ‖ ~**ime** [-tim] *m* centime ‖ ~**imètre** [-timɛtr] *n* centimetre ‖ [ruban] tape measure.

central, e, aux [sɑ̃tral,o] *adj* central ● *m ~ (téléphonique)*, (telephone) exchange ● *f ~e électrique*, power station, U.S. power-plant ; *~e nucléaire*, atomic/nuclear power station ‖ ~**iser** *vt* (1) centralize.

centr|e [sɑ̃tr] *m* centre, U.S. center ; *~ de la ville*, city centre, U.S. downtown district ‖ [poste] *~ de tri*, sorting office ‖ *~ de loisirs*, leisure centre ‖ COMM. *~ commercial*, shopping centre ; U.S. mall ‖ SP. [football] *~ avant*, centre-forward ‖ PHYS. *~ de gravité*, centre of gravity ‖ FIG. *~ d'intérêt*, focus ‖ ~**é, e** *adj*

TECHN. true ‖ ~**er** [-tre] *vt* (1) centre ‖ FIG. focus (*sur*, on).

centupl|e [sɑ̃typl] *adj* hundred times ● *m le ~ de*, a hundredfold ; *au ~*, a hundred-fold ‖ ~**er** *vt* (1) centuple.

cep [sɛp] *m* vine-stock.

cependant [səpɑ̃dɑ̃] *conj* however, nevertheless.

céram|ique [seramik] *f* ceramics ‖ ~**iste** *n* ceramist.

cerceau [sɛrso] *m* hoop ; *jouer au ~*, bowl a hoop.

cercl|e [sɛrkl] *m* circle ‖ FIG. club (de jeu) ; circle (littéraire) ; *~ vicieux*, vicious circle ‖ ~**er** *vt* (1) hoop.

cercueil [sɛrkœj] *m* coffin.

céréale [sereal] *f* cereal.

cérébral, e, aux [serebral,o] *adj* cerebral.

cérémon|ial, als [seremɔnjal] *m* ceremonial ‖ ~**ie** *f* ceremony ; *sans ~*, informally, in a homely way ; *sans plus de ~s*, without further ado ; *de ~*, formal ; full-dress ‖ ~**ieux, ieuse** *adj* ceremonious, formal.

cerf [sɛr] *m* stag, deer.

cerfeuil [sɛrfœj] *m* chervil.

cerf-volant [sɛrvɔlɑ̃] *m* kite ; *jouer au ~*, fly a kite.

ceris|e [səriz] *f* cherry ‖ CULIN. *~s à l'eau-de-vie*, brandied cherries ‖ ~**ier** *m* cherry-tree.

cern|e [sɛrn] *m* ring, circle ; shadow (sous les yeux) ‖ ~**é, e** *adj avoir les yeux ~s*, have rings under the eyes ‖ ~**er** *vt* (1) surround.

certain, e [sɛrtɛ̃, ɛn] *adj* [après le nom] certain (fait) ; unquestionable, positive (preuve) ; sure (signe) ‖ [attribut] *je veux en être tout à fait ~*, I want to be quite clear on that point ; *sûr et ~*, absolutely certain ● *adj indéf* some, certain ; *jusqu'à un ~ point*, up to a point ; *dans un ~ sens*, in away ; one ; *un ~ M. Smith*, one/a Mr. Smith ● *pron indéf* some, some people ‖ *Pl ~s d'entre eux*, some of them ‖ **~ement** [-ɛnmã] *adv* certainly, most likely, surely ; *mais ~ !,* yes indeed !

certes [sɛrt] *adv* certainly, admittedly ‖ of course (bien sûr).

certif|icat [sɛrtifika] *m* [attestation] certificate ‖ [recommandation] testimonial ‖ Méd. certificate ‖ **~ier** *vt* (1) certify, attest, guarantee ‖ Fin. *chèque certifié,* certified cheque.

certitude [sɛrtityd] *f* certainty, certitude ; *avoir la ~ de,* be sure of.

cerv|eau [sɛrvo] *m* brain ‖ Fig. mastermind (organisateur) ‖ **~elle** [-ɛl] *f* brain ‖ Culin. brains ‖ Fig. *se creuser la ~,* rack one's brains.

ces [sɛ] *adj dém pl* these, those (→ CE²).

césarienne [sezarjɛn] *f* caesarian (section).

cess|ation [sɛsasjõ] *f* discontinuance, cessation ‖ **~e** *f* cease ; *sans ~,* continually, continuously, for ever ‖ **~er** [sɛse] *vt* (1) cease, stop, leave off ; *~ de faire,* stop/U.S. quit doing ; *~ de fumer,* give up smoking ; *~ le travail,* knock off (coll.) ‖ *ne pas ~ de,* keep (on) ‖ Mil. *~ le feu,* cease fire — *vi* stop, cease, desist (*de,* from) ; *faire ~,* put an end/a stop to sth ‖ **~ez-le-feu** *m inv* cease-fire.

c'est-à-dire [sɛtadir] *loc conj* that is to say (abrév. : i.e.).

césure [sezyr] *f* [vers] caesura ‖ Rad. *~ musicale,* jingle.

cet, cette → CE².

ceux → CELUI.

chacal, als [ʃakal] *m* jackal.

chacun, e [ʃakœ̃, yn] *pron indéf* [individuellement] each (one) ‖ [collectivement] everyone, everybody ; *~ pour soi,* every man for himself ; *~ son goût,* every man to his taste.

chagr|in, e [ʃagrɛ̃, in] *adj* sorrowful, sad ● *m* grief, sorrow ; *avoir du ~,* be grieved ; *faire du ~ à,* grieve ; *mourir de ~,* die of a broken heart

‖ **~iner** [-ine] *vt* (1) upset, distress (affliger) ; worry (tracasser).

chahu|t [ʃay] *m* rumpus ‖ rag (d'étudiants) ; *faire du ~,* kick up a row/rumpus/hullaballoo ‖ **~ter** [-te] *vi/vt* (1) [étudiants] rag ‖ **~teur, euse** [-tœr, œz] *adj* unruly, rowdy.

chaîne [ʃɛn] *f* chain ‖ *Pl* chains, fetters ‖ Géogr. (mountain) range ‖ Techn. (montage, assembly line ; [textile] warp ‖ T.V. channel ‖ Rad. *~ Hi-Fi/stéréo,* Hi-Fi/stereo system ‖ Phys. *réaction en ~,* chain reaction ‖ Comm. chain (de magasins).

chair [ʃɛr] *f* flesh ; *(avoir la) ~ de poule,* (have) gooseflesh ; *donner la ~ de poule à qqn,* give sb the creeps ‖ Culin. meat.

chaire [ʃɛr] *f* [université] chair.

chaise [ʃɛz] *f* chair ; *~ d'enfant,* high chair ; *~ longue,* deck-chair.

châle [ʃɑl] *m* shawl.

chaleur [ʃalœr] *f* heat ; warmth (agréable) ‖ *les grandes ~s,* the hot days ‖ Fig. warmth (d'un accueil) ‖ [animal] *en ~,* on heat.

chaleur ● eusement [ʃalørøzmã] *adv* warmly ‖ **~eux, euse** *adj* Fig. warm, hearty.

chaloupe [ʃalup] *f* launch.

chalumeau [ʃalymo] *m* Techn. blowlamp.

chalutier [ʃalytje] *m* trawler.

chamaill|er (se) [ʃəʃamaje] *vpr* (1) Fam. squabble, quarrel (*avec,* with) ‖ **~erie** [-jri] *f* tiff.

chambarder [ʃãbarde], **chambouler** [ʃãbule] *vt* (1) Fam. turn upside down.

chambr|e [ʃãbr] *f* (bed)room (à coucher) ; *~ d'amis,* spare/guest-room ; *~ d'hôte,* bed and breakfast, b and b ; *~ d'enfants,* nursery ‖ [hôtel] *~ à un/deux lit(s),* single-/double room ; *~ libre,* vacancy ‖ Méd. *garder la ~,* keep to one's room ‖ Techn. *~ froide,* cold storage ‖ Comm. chamber (de commerce) ‖

JUR. Chamber, House (assemblée) ‖ NAUT. ~ *des machines,* engine-room ‖ PHOT. ~ *noire,* dark room ‖ AUT. ~ *à air,* inner tube ‖ ~**é, e** *adj* at room temperature (vin) ‖ ~**ée f** MIL. barrack-room ‖ ~**er** *vt* (1) bring to room temperature.

chameau [[amo] *m* camel ‖ FAM. beast, cow (personne).

chamois [[amwa] *m* chamois ● *adj* fawn-coloured, buff.

champ [[ã] *m* field ‖ ~ *de foire,* fair-ground ‖ *Pl* fields country (campagne) ; *à travers* ~, across country ‖ SP. ~ *de courses,* race-course, U.S. race track ‖ MIL. ~ *de bataille,* battle-field ‖ PHOT. *profondeur de* ~, depth of focus ‖ AV. ~ *d'aviation,* airfield ‖ PHYS. ~ *magnétique,* magnetic field ‖ FIG. *d'action,* of activity, sphere ● *loc adv* **sur-le-**~, immediately, straight away, at once.

champagne [[ãpaɲ] *m* champagne.

champêtre [[ãpɛtr] *adj* rural, rustic village, country.

champignon [[ãpiɲɔ̃] *m* fungus ‖ mushroom (comestible) ; toadstool (vénéneux) ‖ AUT., FAM., *appuyer sur le* ~, step on it.

champion, onne [[ãpjɔ̃, ɔn] *n* champion ‖ ~**nat** [-ɔna] *m* championship.

chance [[ãs] *f* [heureux hasard] luck ; *avoir de la* ~, be lucky ; *coup de* ~, piece of luck ; *par* ~, fortunately ; *quelle* ~ !, how lucky ! ; *pas de* ~ !, hard lines/luck ! ‖ [hasard] chance ; *courir sa* ~, try one's luck ‖ [possibilité de réussite] chance ; *avoir de grandes* ~*s de gagner,* have a sporting chance of winning ; *donner* ~*s à qqn,* give sb his chance ; *il n'a aucune* ~, he doesn't stand a chance ; *avoir des* ~*s de,* bid fair to ; *il a des* ~*s de réussir,* he's likely to succeed ; *les* ~*s sont contre nous/pour nous,* the odds are against us/in our favour.

chancel|ant, e [[ãslã, ãt] *adj* un-

steady (chose) ; staggering (personne, pas) ; shaky (santé) ‖ ~**er** *vi* (8 *a*) stagger.

chancelier [[ãsəlje] *m* chancellor.

chanceux, euse [[ãsø, øz] *adj* lucky.

chancre [[ãkr] *m* MÉD. canker.

chandail [[daj] *m* sweater, jersey ; jumper.

chand|elier [[ãdəlje] *m* candlestick ‖ ~**elle** [-ɛl] *f* (tallow) candle ‖ AV. *monter en* ~, rocket, zoom.

change [[ãʒ] *m* FIN. exchange ; *(taux de)* ~, rate of exchange ‖ ~**ant, e** *adj* changing ; fickle ; unsteady, variable (temps) ‖ ~**ment** *m* change, shift, alteration ‖ ~ *d'adresse,* change of address ‖ TH. ~ *de décor,* scene change ‖ AUT. ~ *de vitesse,* gear change ‖ RAIL. change ‖ FIG. *un* ~ *de temps,* a break in the weather ; ~ *d'air,* change of scene ; ~ *radical,* sea change.

changer *vt* (7) change ‖ modify, alter — *vt ind* ~ *de,* change ; ~ *d'adresse,* change one's address ; ~ *de draps,* put on new sheets ‖ RAIL. ~ *de train,* change trains ‖ T.V. ~ *de chaîne,* switch over ‖ FIG. ~ *d'avis,* change one's mind — *vi* change ‖ AV., RAIL. change ‖ FIG. *pour* ~, (just) for a change — *vpr se* ~, turn (*en,* into) ‖ change (one's) clothes), put on fresh clothes.

changeur [[ãʒœr] *m* FIN. money-changer ‖ ~ *de disques automatique,* automatic record-changer ; ~ *de monnaie,* change machine.

chanoine [[anwan] *m* canon.

chans|on [[ãsɔ̃] *f* song ‖ NAUT. ~ *de marins,* shanty ‖ ~**onnette** [-ɔnɛt] *f* ditty ‖ ~**onnier, ère** *n* satirist.

chan|t [[ã] *m* singing ‖ [chanson] song ; vocall [par un chanteur de groupe] ‖ REL. ~ *de Noël,* Christmas carol ‖ ~**tage** [-taʒ] *m* blackmail ; *faire du* ~, blackmail ‖ ~**ter** [-te] *vi/vt* (1) sing ; ~ *faux,* sing flat/out of tune ‖ [coq] crow ‖ ~**teur, euse**

[-tœr, øz] *n* singer ; ~ *de charme,* crooner ; *petit* ~, choir-boy ‖ Fig. *maître* ~, blackmailer.

chantier [ʃɑ̃tje] *m* yard ‖ timber-yard, U.S. lumberyard (de bois de charpente) ‖ Arch. building site (de construction) ‖ Naut. ~ *naval,* (ship-)yard.

chantonner [ʃɑ̃tɔne] *vi/vt* (1) hum.

chanvre [ʃɑ̃vr] *m* hemp.

cha|os [kao] *m* chaos ‖ ~**otique** [-ɔtik] *adj* chaotic.

chaparder [ʃaparde] *vt* (1) pilfer, pinch.

chape [ʃap] *f* [pneu] tread.

chapeau [ʃapo] *m* hat ; ~ *haut-de-forme,* opera-hat ; ~ *melon,* bowler (hat) ; ~ *mou,* felt hat ; *mettre/enlever son* ~, put on/take off one's hat.

chap|elet [ʃaplɛ] *m* Rel. rosary, beads ; *dire son* ~, say the rosary ‖ Culin. string (d'oignons) ‖ ~**elle** [-ɛl] *f* chapel.

chapelure [ʃaplyr] *f* breadcrumb.

chaper|on [ʃaprɔ̃] *m* [arch.] hood ; *le Petit Chaperon rouge,* Little Red Riding Hood ‖ Fig. chaperon ‖ ~**onner** [-ɔne] *vt* (1) chaperon.

chapitre [ʃapitr] *m* chapter ‖ Fig. subject ; *avoir voix au* ~, have a say in the matter.

chaque [ʃak] *adj indéf* [individuellement] each ‖ [collectivement] every ; ~ *fois que,* as often as, each time that ; *à* ~ *instant,* at every moment.

char [ʃar] *m* [carnaval] float ‖ Mil. ~ *de combat,* tank.

charabia [ʃarabja] *m* Fam. gibberish ; mumbo jumbo (coll.).

charade [ʃarad] *f* riddle ; charade.

charb|on [ʃarbɔ̃] *m* coal ; *un morceau de* ~, a coal ; ~ *ardents,* live coals ; ~ *de bois,* charcoal ‖ Fig. *être sur des* ~*s ardents,* be on tenterhooks ‖ ~**onnage** [-ɔnaʒ] *m* colliery (houillère) ‖ ~**onnier** coalman ; coal-dealer ‖ Naut. collier.

charcut|erie [ʃarkytri] *f* pork-butcher's shop (boutique) ; pork-butcher's meat (produits) ‖ ~**ier, ière** *n* pork-butcher.

chard|on [ʃardɔ̃] *m* thistle ‖ ~**onneret** [-ɔnrɛ] *m* goldfinch.

charge [ʃarʒ] *f* load, burden ‖ Techn. [fusil] loading ; ~ *utile,* payload ‖ Électr. charging, charge ; *en* ~, live (conducteur) ‖ Mil. charge (attaque) ‖ Jur. [accusation] *Pl* charges (*contre,* against) ‖ Fin. [taxi] *prise en* ~, minimum fare ; [frais] costs expenses ; *être à la* ~ *de,* be chargeable to ‖ *Pl* [location] utilities and extras ‖ Fig. [responsabilité] onus ; *avoir la* ~ *de qqn,* have sb to support ; *être à la* ~ *de,* be supported by ; *enfant à* ~, dependent child ; [fonction] office, responsibility.

charg|é, e [ʃarʒe] *adj* loaded (fusil, appareil photo) ‖ Fig. busy (journée) ; *être* ~ *de,* be in charge of ‖ ~**ement** *m* load(ing) [d'une arme, d'un appareil photo] ‖ ~**er** *vt* (7) load (véhicule, etc.) ‖ Électr. charge ‖ Mil. charge (l'ennemi) ‖ Fig. ~ *qqn de qqch,* put sb in charge of sthg, entrust/charge sb with — *vpr se* ~ *de,* take care of, see to ; *je m'en charge,* I'll see to it ; undertake, take it upon oneself (*de faire,* to do) ‖ ~**eur** *m* Phot. cartridge ‖ [fusil] clip, magazine ‖ Électr. charger.

chariot [ʃarjo] *m* Agr. wag(g)on ; go-cart (d'enfant) ‖ Rail. (luggage) trolley ‖ Techn. trolley ; carriage (de machine à écrire) ; ~ *élévateur,* fork-lift (truck) ‖ Cin. dolly (de travelling).

charit|able [ʃaritabl] *adj* charitable ‖ ~**é** *f* charity ; *acte de* ~, charity ; alms (aumone) ; *demander la* ~, beg ; *faire la* ~, give something.

charlatan [ʃarlatɑ̃] *m* charlatan ; humbug (fumiste) ‖ Méd. quack.

charm|ant, e [ʃarmɑ̃, ɑ̃t] *adj* charming (personne) ; lovely (personne, scène) ; sweet (jeune fille) ; delightful (endroit) ‖ ~**e** *m* [attrait] charm ; attraction, appeal, glamour [envoûtement] spell ‖ FIG. *se porter comme un ~*, be hale and hearty, be as fit as a fiddle ‖ **~é, e** *adj*, delighted, pleased ‖ **~er** *vt* (1) charm, enchant ‖ charm (les serpents) ‖ **~eur, euse** *adj*, winning ; alluring, engaging ● *n* charmer ; *~ de serpents,* snake-charmer.

charnel, elle [ʃarnɛl] *adj* carnal.

charnière [ʃarnjɛr] *f* hinge.

charnu, e [ʃarny] *adj* fleshy.

charogne [ʃarɔɲ] *f* carrion.

charpent|e [ʃarpɑ̃t] *f* ARCH. framework ‖ FIG. framework, skeleton, structure ‖ **~é, e** *adj* solidement ~, wellbuilt ‖ **~erie** [-ri] *f* carpentry ‖ **~ier** *m* carpenter.

charr|etée [ʃarte] *f* cart-load ‖ **~etier** [-tje] *m* carter ‖ **~ette** *f* cart ; *~ à bras,* hand-cart, barrow ‖ **~ier** [-je] *vt* (1) cart along ‖ (fleuve) carry/sweep along (des glaçons) — *vi* POP. go too far, overstep the mark ; *tu charries !,* you must be kidding ! ‖ **~ue** *f* plough ‖ FIG. *mettre la ~ avant les bœufs,* put the cart before the horse.

charte [ʃart] *f* charter.

charter [ʃartɛr] *m* [vol] charter flight ‖ [avion] chartered plane.

chas [ʃa] *m* eye (d'une aiguille).

châsse [ʃɑs] *f* shrine.

chasse¹ [ʃas] *f* SP. hunting ‖ hunting (à courre) ; shooting (au fusil) ; *la ~ aux grands fauves,* big-game hunting ; *aller à la ~,* go huting/shooting ‖ shooting season (saison) ‖ [terrain] hunting ground, shoot ; *~ gardée,* private shooting ‖ [chasseurs] shoot, hunt ‖ [carnassier] prowl ; *~ aux papillons,* butterfly chase ; *~ sous-marine,* underwater fishing ; *~ au trésor,* treasure hunt ‖ POL. *~ aux sorcières,* witch-hunt ‖ FIG. *donner la ~ à,* give chase to ; *faire la ~ à,* go hunting for, hunt down.

chasse² *f* **~ d'eau,** (toilet) flush ; cistern (réservoir) ; *tirer la ~ d'eau,* pull the chain, flush the loo.

chasse-neige [ʃasnɛʒ] *m inv* snowplough/U.S. plow.

chass|er [ʃase] *vi/vt* (1) SP. shoot (au fusil) ; *~ à courre,* hunt ‖ [animal] hunt, prey on ‖ FIG. drive away (de, from) whisk away/off (une mouche) ‖ **~eur, euse** *n* SP. hunter, huntsman (à courre) ; *un bon ~,* a good shot ‖ AV. *fighter ;* **~-bombardier,** fighter-bomber ‖ [hôtel] page, U.S. bell-boy.

chassieux, euse [ʃasjø, øz] *adj* bleary (yeux).

châssis [ʃasi] *m* frame (de fenêtre) ; sash (de fenêtre à guillotine) ‖ AUT. chassis.

chaste [ʃast] *adj* chaste ‖ **~té** [-əte] *f* chastity.

chat [ʃa] *m* cat ;tomcat(mâle) ; *~ de gouttière,* alleycat, tabby ‖ *~ sauvage,* wild cat ; feral cat (devenu sauvage) ‖ FIG. *~ perché,* tag, tig ; *jouer à ~ perché,* play tig ; *c'est toi le ~ !,* you're it ! ; *s'entendre comme chien et ~,* lead a cat-and-dog life ; *appeler un ~ un ~,* call a spade a spade ‖ [conte] *~ botté,* Puss-in-boots ‖ FAM. *avoir un ~ dans la gorge,* have a frog in one's throat.

châtaign|e [ʃɑtɛɲ] *f* chestnut ‖ **~ier** *m* chestnut-tree.

châtain [ʃɑtɛ̃] *adj* chestnut (brown) light brown ; *~ roux,* auburn.

chât|eau [ʃɑto] *m* castle (~ fort) ‖ hall, manor, country seat, mansion (propriété) ; palace (royal) ‖ TECHN. *~ d'eau,* water-tower ‖ FIG. *~x en Espagne,* castles in the air ‖ **~elain** [-lɛ̃] *m* ‖ squire, lord of the manor ‖ **~elaine** [-lɛn] *f* lady (of the manor).

chat-huant [ʃayɑ̃] *m* screech owl.

chât|ier [ʃatje] *vt* (1) chastise, punish ‖ **~iment** [-imɑ̃] ; *m* punishment, chastisement ‖ G.B. [école] *corporel,* flogging, caning.

chaton [ʃatɔ̃] *m* kitten.

chatouill|es [ʃatuj] *fpl* faire des ~, tickle ‖ **~er** *vt/vi* (1) tickle ‖ **~eux, euse** *adj* ticklish ‖ FIG. touchy.

chatte [ʃat] f she-cat.

chatterton [ʃatɛrtɔn] m Électr. (insulating) tape.

chau|d, e [ʃo, d] adj [chaleur agréable] warm ; [grande chaleur] hot ; **avoir ~**, be hot ; **il fait ~**, it's hot ; **il fait bien ~**, it is nice and warm ; tenir ~, keep one warm ‖ Fig. ; Arts warm ● m tenir au ~, keep in a warm place ‖ **~dement** [-dəmã] adv warmly ‖ **~dière** [-djɛr] f boiler.

chaudr|on [ʃodrɔ̃] m cauldron ‖ **~onnier** [-ɔnje] m coppersmith.

chauff|age [ʃofaʒ] m heating (system) ; ~ central, central heating ; **au gaz,** gas heating ; appareil de ~, heater ‖ **~ant, e** adj heating.

chauffard [ʃofar] m Fam. road-hog ; hit-and-run driver.

chauffe|-bain [ʃofbɛ̃] m inv water-hearter ; geyser (à gaz) ‖ **~-biberon** m inv bottle-warmer ‖ **~-eau** m inv water-heater ‖ **~-plats** m inv dish-warmer, chafing-dish.

chauff|er [ʃofe] vt (1) heat, warm (up) ‖ **faire (ré)~**, warm up ‖ Techn. chauffé à blanc, white-hot ; chauffé au mazout, oil-fired — vpr se ~, warm oneself (up) ; se ~ au soleil, bask in the sun ‖ **~eur** m Rail. fireman ‖ Naut. stoker ‖ Aut. driver ; chauffeur (employé) ; ~ de taxi, taxidriver, U.S. cabdriver, cabman ‖ sans ~, self-drive (voiture).

chaum|e [ʃom] m [champs] stubble ; [toit] thatch ‖ **~ière** f thatched cottage.

chaussée [ʃose] f causeway (surélevée) ‖ roadway, U.S. pavement (rue, route).

chausse-pied [ʃospje] m shoehorn.

chauss|er [ʃose] vt (1) shoe ‖ **~ qqn,** put sb's shoes on — vi/vt fit (bien/mal) ‖ take a size ; ~ du 38, take 38 (G.-B. = 5) in shoes ; du combien ~ ez-vous ?, what size do you take in shoes ? — vpr se ~, put on one's shoes ‖ **~ette** f sock ‖ **~on**

m slipper ; ~ de danse ballet shoe ‖ Culin. ~ aux pommes, apple-turn-over ‖ **~ure** f shoe ; ~ basses, flat shoes ; ~ montantes, ankle boots ; ~ à pointes, spiked shoes ; ~s de tennis, tennis-shoes ; ~ vernies, patent-leather shoes ‖ Comm. foot wear.

chauve [ʃov] adj bald ‖ **~-souris** f bat.

chauv|in, e [ʃovɛ̃, in] n/(adj) chauvinist(ic) ; jingoistic ‖ **~inisme** [-inism] m chauvinism, jingoism.

chaux [ʃo] f lime ; ~ vive, quick-lime ; blanchi à la ~, whitewashed.

chavirer [ʃavire] vi (1) capsize, turn turtle ; faire ~, overturn.

chef [ʃɛf] m chief (de tribu) ; leader (de parti) ; head (de famille, d'État) ‖ **en ~**, in chief ‖ ~ de bureau, chief clerk ‖ [école] ~ de classe, monitor, prefect ‖ [scouts] scoutmaster ; [travail] ~ d'équipe, foreman ‖ Mil. ~ d'état-major, chief of staff ‖ Rail. ~ de gare, station-master ; ~ de train, guard, U.S. conductor ‖ Mus. ~ d'orchestre, conductor ‖ Comm. ~ de rayon, shop-walker, U.S. floor-walker ‖ Culin. chef ‖ Jur. count (d'accusation) ‖ Fig. de son propre ~, on one's own authority ‖ **~ d'œuvre, ~-s-d'œuvre** [ʃedœvr] m master-piece ‖ **~-lieu, ~s-lieux** m Fr. chief town, G.B. country town, U.S. country seat ‖ **~taine** [-tɛn] f scout-ministress.

chelem [ʃlɛm] m slam.

chemin [ʃəmɛ̃] m (foot) path ; lane (creux), trail (piste) ; ~ de terre, dirt road ; ~ muletier, bridle-path ‖ [itinéraire] way ; **à mi-~**, midway, half-way ; faire un bout de ~ avec qqn, go part of the way with sb ; demander son ~, ask one's way ; montrer le ~, lead/show the way ; passer son ~, go one's way, move on ; **perdre son ~**, lose one's way ‖ Rail. ~ **de fer**, G.B. railway, U.S. railroad ; ~ de fer à crémaillère, rack railway ‖ Rel. ~ de croix, Way of the Cross ‖ Fig. le ~ des écoliers, a roundabout way ;

faire du ~, make progress ; *faire son* ~, [personne] make one's way up ; [idée] gain ground.

cheminée [ʃəmine] *f* chimney (extérieure) ; flue (conduit) ; fire-place (foyer) ; mantelpiece (manteau) ; chimney-stack (d'usine) ; funnel (de bateau, de locomotive) ‖ GÉOL. chimney ‖ ~**er** *vi* (1) walk along ‖ ~**ot** [-o] *m* railwayman.

chemis|e [ʃəmiz] *f* shirt ; ~ *de nuit,* nightdress (de femme) ‖ folder (de dossier) ‖ ~**ette** *f* short-sleeved shirt ‖ ~**ier** *m* blouse ; shirtwaister ‖ COMM. shirt-maker.

chenal, aux [ʃənal, o] *m* channel, fairway.

chêne [ʃɛn] *m* oak ; *de/en* ~ oaken ‖ ~**-liège,** cork-oak ‖ ~ *vert,* ilex.

chenet [ʃənɛ] *m* fire-dog, andiron.

chenil [ʃənil] *m* kennels.

chenille [ʃənij] *f* ZOOL., AUT. caterpillar.

cheptel [ʃɛptɛl] *m* AGR. livestock.

chèque [ʃɛk] *m* cheque, U.S. check ; *carnet de* ~ *s,* cheque-book ; *encaisser un* ~, cash a cheque ; *établir/faire un* ~ *de £ 5,* write/make out a cheque for £ 5 ; *tirer un* ~ *sur,* draw a cheque on ; ~ *barré,* crossed cheque ; ~ *impayé,* returned cheque ; ~ *à l'ordre de,* cheque to the order of ; ~ *sur place,* town-cheque ; ~ *au porteur,* bearer-cheque ; ~ *sans provision,* bad cheque ; ~ *en blanc,* blank cheque ; ~ *certifié,* certified cheque ; ~ *postal,* Girochequc ‖ ~ *de voyage,* traveller's cheque ‖ ~**-cadeau,** gift-token.

chéquier [ʃekje] *m* cheque-book.

cher, chère [ʃɛr] *adj* dear (*à,* to) ; beloved (*à,* to) ; ~ *ami,* my dear ‖ COMM. dear, expensive (coûteux) ; high (prix) ; *pas* ~, cheap.

chercher [ʃɛrʃe] *vt* (1) seek, try to find, hunt ; look for (du regard) ‖ search for, fumble for (en fouillant) ; feel/grope for (à tâtons) ‖ look up (un mot dans une liste) ‖ *aller* ~, (go and) fetch, go and get, go for ; *aller*

~ *qqn à la gare,* (go to) meet sb at the station.

chercheur [ʃɛrʃœr] *m* seeker ‖ researcher, research worker (scientifique) ‖ ~ *d'or,* (gold-)digger.

chèrement [ʃɛrmɑ̃] *adv* dearly.

chér|i, e [ʃeri] *adj* beloved ● *n* darling, love, sweetheart ; U.S. honey ‖ ~**ir** *vt* (2) cherish, love ; hold dear.

cherté [ʃɛrte] *f* ~ *de la vie,* high cost of living.

chétif, ive [ʃetif, iv] *adj* weak (santé) ; sickly (mine) ; puny (enfant).

cheval, aux [ʃəval, o] *m* horse ; ~ *de course,* race-horse ; ~ *de selle,* saddle-horse ; ~ *de trait,* draught-horse ; *à* ~, on horseback, astride ‖ SP. ~-*(d')arçons,* (vaulting) horse ; *aller à* ~, ride ; *faire du* ~, go riding ‖ AUT. (~-*vapeur*) horse-power ‖ FIG. *être à* ~ *sur,* be a stickler for.

chevalet [ʃəvalɛ] *m* ARTS easel ‖ TECHN. saw-horse ‖ MUS. bridge (d'un violon) ‖ ~**ier** *m* knight ; *faire* ~, knight ‖ ~**ière** *f* signet ring (bague).

chevauch|ée [ʃəvoʃe] *f* ride ‖ ~**ement** *m* overlap(ping) ‖ ~**er** *vt* (1) ride (un cheval) ; straddle, sit astride (une chaise) — *vpr se* ~, overlap (each other).

chevaux *mpl* → CHEVAL ‖ ~ *de bois,* → MANÈGE.

chevel|u [ʃəvly] *adj* hairy, long-haired ‖ ~**ure** f hair, locks.

chevet [ʃəvɛ] *m* head (de lit) ; *livre de* ~, bedside book.

cheveu, eux [ʃəvø] *m* hair ‖ *Pl* (the) hair ; *se faire couper les* ~*x,* have one's hair cut, get a haircut ‖ FAM. *couper les* ~*x en quatre,* split hairs ; *tiré par les* ~*x,* far-fetched.

cheville [ʃəvij] *f* MÉD. ankle ‖ TECHN. peg (en bois) ; bolt (en fer) ‖ FIG. ~ *ouvrière,* key-man.

chèvre [ʃɛvr] *f* (she-)goat.

chevreau [ʃəvro] *m* kid.

chèvrefeuille [ʃɛvrəfœj] *m* honey-suckle.

chevreuil [ʃəvrœj] *m* roebuck.

chevrier [ʃəvrije] *m* goat-herd.

chevr|on [ʃəvrɔ̃] *m* ARCH. rafter ||
MIL. stripe || **~onné, e** [-ɔne] *adj*
experienced (personne).

chevrot|ant, e [ʃəvrɔtɑ̃, ɑ̃t] *adj*
shaky (voix) || **~er** *vi* (1) [chèvre]
bleat ; [personne] quaver ; [voix]
shake || **~ine** [-in] *f* buck-shot.

chez [ʃe] *prep* [sans mouvement] ~
Pierre, at Peter's (house) ; **~ moi**, at
home ; ~ *qqn*, at sb's place || [avec
mouvement] *aller* ~ *le docteur*, go to
the doctor's ; *venez* ~ *moi*, come to
my house ; *elle rentre* ~ *elle*, she is
going home || [with (avec)] *il habite*
~ *nous*, he lives with us || among,
in (dans le pays de) ; ~ *les Anglais*,
among the English ; ~ *nous*, in our
country || [adresse] care of, c/o FIG.
~ *lui*, with him || ~ *qui*, in/to
whose house, with whom || ~ *soi*,
faire comme ~ *soi*, make oneself at
home || **~-soi** *m* home ; *un autre* ~,
a home from home.

chiader [ʃjade] *vt* ARG. swot up
(coll.).

chialer [ʃjale] *vi* (1) FAM. blubber.

chic [ʃik] *m* knack (habileté) ; *avoir
le* ~ *pour faire*, have the knack of
doing || [élégance] style, stylishness ;
avoir du ~, have style ; *robe qui a du*
~, stylish dress ● *adj inv* [élégant]
chic, stylish, smart, posh || [gentil]
nice, decent.

chican|e [ʃikan] *f* petty, quarrel,
quibble || **~er** *vi*, (1) cavil (*sur*,
about) ; quibble (*sur*, over) || **~eur,
euse** *adj* argumentative ; captious
(pointilleux) ● *n* quibbler.

chiche¹ [ʃiʃ] *adj* FAM. *être* ~ *de faire*,
be capable of doing ● *interj* ~ *que
je le fais !*, I bet you I do it ! ; ~ ?,
are you game ?

chiche² *adj* [mesquin] stingy, mean,
niggardly ; ~ *de*, sparing of (paroles)
|| **~ment** *adv* meanly.

chichi [ʃiʃi] *m* FAM. fuss ; *faire des*
~*s*, make a fuss.

chicorée [ʃikɔre] *f* chicory (sauvage,
torréfiée) ; ~ *frisée*, endive.

chi|en [ʃjɛ̃] *m* dog ; ~ *d'arrêt*,
pointer, setter ; ~ *d'aveugle*, guide
dog ; ~ *de berger*, sheep-dog ; ~ *de
chasse*, retriever ; ~ *courant*, hound ;
~ *de garde*, watch-dog ; **~-loup**,
wolfdog ; ~ *policier*, police dog ||
TECHN. cock, hammer (de fusil) ||
~enne [-ɛn] *f* bitch.

chiff|on [ʃifɔ̃] *m* rag ; duster (à
meuble) || **~onner** [-ɔne] *vt* (1)
rumple, crease (une étoffe) ; crumple
(papier) || **~onnier, ière** [-ɔnje, jer]
n rag-picker, ragman, scavenger.

chiffr|e [ʃifr] *m* [caractère] figure,
numeral, digit ; ~*s romains*, Roman
numerals ; *en* ~*s ronds*, in round
numbers ; [montant] sum, total ; ~
d'affaires, turn-over || MIL. code,
cipher || **~é, e** *adj* in cipher ; *message*
~, code(d) message || **~er** *vt* (1)
calculate || (en) code, cipher (un
message) — *vpr se* ~ *à*, amount to.

chignon [ʃiɲɔ̃] *m* bun, chignon.

Chil|i [ʃili] *m* Chile || **~ien, enne**
n Chilean.

chim|ère [ʃimer] *f* [illusion] idle/
wild dream || **~érique** [-erik] *adj*
fanciful (projet) ; wild (rêve).

chim|ie [ʃimi] *f* chemistry ; ~
minérale, inorganic chemistry ||
~ique *adj* chemical ; *produit* ~,
chemical || **~iste** *n* chemist.

chimpanzé [ʃɛ̃pɑ̃ze] *m* chimpanzee.

Chin|e [ʃin] *f* China ; *République
populaire de* ~, People's Republic of
China || *encre de* ~, India ink || **~ois,
e** [-wa, waz] *n* Chinese.

chinois, e [ʃinwa, waz] *adj* Chinese ● *m* [langue] Chinese.

chiot [ʃo] *m* pup, puppy.

chiper [ʃipe] *vt* (1) FAM. pinch.

chipoter [ʃipɔte] *vt* (1) pick at one's
food, pick and choose || FIG. quibble,
cavil (ergoter).

chips [ʃips] *mpl* CULIN. *(pommes)* ~, crisps ; U.S. chips.

chiqué [ʃike] *m* FAM. sham, bluff, pretence ; put-on (coll.) ; *faire du* ~, put it on ; show off (poser).

chiquenaude [ʃiknod] *f* flip ; *donner une* ~, flick.

chiquer [ʃike] *vi* (1) chew tobacco.

chiro|mancie [kirɔmɑ̃si] *f* palmistry ‖ ~**mancienne** [-mɑ̃sjɛn] *f* palmist ‖ ~**practeur** [-praktœr] *m* chiropractor.

chirurg|ical, e, aux [ʃiryrȝikal, o] *adj* surgical ‖ ~**ie** *f* surgery ; *esthétique*, plastic surgery ‖ ~**ien** *m* surgeon ‖ ~*-dentiste*, dental-surgeon.

chlorophylle [klɔrɔfil] *f* chlorophyl(l).

choc [ʃɔk] *m* shock ‖ clash (violent et sonore) ‖ [collision] crash, smash ‖ [émeute] clash ‖ MÉD. shock, stress ‖ FIG. clash ; ~ *en retour,* backlash ; *de* ~, shock.

chocolat [ʃɔkɔla] *m* chocolate ; ~ *à croquer,* plain chocolate ; *tablette de* ~, bar of chocolate.

chœur [kœr] *m* choir ‖ TH. chorus ; *en* ~, in chorus ; *tous en* ~ !, all together (now) ‖ [église] choir, chancel ‖ REL. *enfant de* ~, altar-boy.

chois|i, e [ʃwazi] *adj* chosen ‖ choice (articles) ; selected (fruits, morceaux) ‖ ~**ir** *vt* (2) choose, single out ; settle on ; select *(parmi,* from) ; pick on/out.

choix [ʃwa] *m* choice, selection ; *au* ~, at choice (par goût) ; by selection (par promotion) ; *faire son* ~, make/take one's choice ; take one's pick (fam.) ; *avoir l'embarras du* ~, have too much to choose from ; *on n'a pas le* ~, it's a case of Hobson's choice ; *(qualité) de* ~, choice.

choléra [kɔlera] *m* cholera.

chôm|age [ʃomaȝ] *m* unemployment ; *en* ~, unemployed, out of work, redundant ; *mettre en*

~ *technique,* lay off ; *s'inscrire au* ~, go on the dole ‖ ~**er** *vi* (1) be out of work/unemployed ‖ FIG. be idle ‖ ~**eur, euse** *n* unemployed worker ; *les* ~*s,* the unemployed.

chope [ʃɔp] *f* tankard, mug.

choqu|ant, e [ʃɔkɑ̃, ɑ̃t] *adj* offensive, outrageous ; shocking (révoltant) ‖ ~**er** *vt* (1) FIG. offend ; shock (blesser) — *vpr se* ~, FIG. be shocked, take offence *(de,* at) ; be offensed (se froisser).

chorale [kɔral] *f* choral society.

chorégraphie [kɔregrafi] *f* choreography.

choriste [kɔrist] *n* chorister.

chorus [kɔrys] *m faire* ~, chime in.

chose [ʃoz] *f* thing, object ; stuff (substance) ; *autre* ~, something else ; *la même* ~, the same ; *avant toute* ~, above all ; ~ *étrange,* oddly enough ; *une* ~ *qui va sans dire,* a matter of course ; *pas grand* ~, nothing much ‖ *Pl* things, affairs, matters ; *toutes* ~*s égales,* other things being equal ; *de deux* ~*s l'une,* it's got to be, one thing or the other ‖ FAM. *bonnes* ~*s,* goodies (coll.).

chou, oux [ʃu] *m* cabbage ; ~ *de Bruxelles,* Brussels sprouts ; ~*-fleur,* cauliflower ‖ CULIN. *salade de* ~, (cole)slaw ; [pâtisserie] ~ *à la crème,* cream puff ‖ FAM. darling (amour) ‖ ~*-chou, te* *n* pet ‖ ~*croute* [-krut] *f* sauerkraut.

chouette¹ [ʃwet] *f* owl.

chouette² *adj* smashing, great (coll.) ● *interj* ~ !, smashing !

choy|é, e [ʃwaje] *adj* spoon-fed (enfant) ‖ ~**er** *vt* (9 *a*) cherish ; coddle ; pamper.

chrétien, ienne [kretjɛ̃, jɛn] *adj/n* Christian ‖ ~**té** [-te] *f* Christendom.

Christ [krist] *m* Christ.

christiania [kristjanja] *m* [ski] parallel turn.

christianisme [-jianism] *m* Christianity.

chrom|e [krom] *m* chromium, chrome || **~é, e** *adj* chrome-plated.

chroniqu|e [krɔnik] *adj* chronic ● *f* chronicle || [journal] column || **~eur** *m* chronicler || [journal] columnist.

chronolog|ie [krɔnɔlɔʒi] *f* chronology || **~ique** *adj* chronological.

chrono|mètre [krɔnɔmɛtr] *m* chronometer || Sp. stop-watch || **~métrer** [-metre] *vt* (1) time.

chrysanthème [krizātɛm] *m* chrysanthemum.

chuchot|ement [ʃyʃɔtmtā] *m* whisper(ing) || **~er** *vi/vt* (1) whisper.

chut [ʃyt] *interj* hush !

chut|e [ʃyt] *f* fall ; *faire une ~,* have afall || spill (de bicyclette, de cheval) || *~ de neige,* snowfall || **~ d'eau,** waterfall || fall (de la pression atmosphérique) ; drop (de la température) || Av. *~ en vrille,* spin ; [parachutisme] *~ libre,* free fall ; *faire du saut en ~ libre,* skydive || [bridge] *faire 2 (plis) de ~,* be 2 (tricks) down || Fin. fall, drop || **~er** *vi* (1) fall || [cartes] *~ de six levées,* go down six.

Chypr|e [ʃipr] *m* Cyprus || **~iote** [-ijɔt] *n* Cypriot.

ci¹ [si] → CE.

ci² [si] *adv* here || **~-après,** hereafter || **~-contre,** opposite || **~-dessous,** below || **~-dessus,** above || *~-gît,* here lies || **~-inclus, e** (herein) enclosed ; herewith || **~-joint, e** enclosed.

cibiste [sibist] *n* CB enthusiast.

cible [sibl] *f* target || Fig. *être la ~ de,* be the butt of.

ciboulette [sibulet] *f* chive(s).

cicatr|ice [sikatris] *f* scar (balafre) ; seam (couture) || **~iser** [-ize] *vt* (1) heal — *vpr se ~,* heal (over/up), scar.

cidre [sidr] *m* cider.

ciel [sjɛl] *m* (*Pl* cieux [sjø]) sky || Litt. heaven(s) || Techn. *à ~ ouvert,* open || Arts (*Pl* ciels) sky || Rel.

heaven || Fam. *juste ~ !,* good heavens !

cierge [sjɛrʒ] *m* Rel. (wax) candle, taper.

cigale [sigal] *f* cicada.

cigar|e [sigar] *m* cigar || **~ette** [-ɛt] *f* cigarette.

cigogne [sigɔɲ] *f* stork.

ciguë [sigy] *f* hemlock.

cil [sil] *m* eyelash || **~ler** [sije] *vi* (1) blink.

cime [sim] *f* top (d'un arbre) ; top, summit (de montagne).

ciment [sim] *m* cement || **~er** [-te] *vt* (1) cement.

cimetière [simtjɛr] *m* graveyard, churchyard || [ville] cemetery || *~ de voitures,* scrapyard.

ciné [sine] *m* Fam. flicks (coll.) ; U.S. movies || **~aste** [-ast] *n* film-maker || **~-club** *m* film society/club || **~ma** [-ma] *m* [art] cinema, film || [salle] cinema || [projection] pictures, U.S. movies ; *aller au ~,* go to the pictures/cinema ; *faire du ~,* be a film actor || **~mathèque** [-matɛk] *f* film-library || **~phile** [-fil] *n* film-fan ; movie goer.

cingl|ant, e [sɛglā, āt] *adj* smart (coup de fouet) || Fig. cutting, biting, stinging ; sharp (critique) || **~é, e** Fam. nuts, daft ; U.S. bonkers || **~er** *vt* (1) lash, slash (un cheval).

cin|q [sɛk] *adj* five ; *le ~ mai,* the fifth of May || **~quante** [-āt] *adj* fifty || **~quième** [-jɛm] *adj* fifth.

cintr|e [sɛtr] *m* [porte-manteau] coat-hanger || **~er** *vt* (1) bend.

cirage [siraʒ] *m* shoe polish ; *~ noir,* blacking.

circonférence [sirkɔ̃ferās] *f* circumference || [arbre] girth.

circon|flexe [sirkɔ̃flɛks] *adj* accent *~,* circumflex || **~locution** *f* circumlocution || **~scription** [-skripsjɔ̃] *f ~ électorale,* constituency, voting district || **~scrire** [-skrir] *vt* (44) circumscribe || Fig. limit || **~spect,**

e [-spε, εkt] *adj* wary, circumspect, cautious ‖ **~spection** [-spεksjɔ̃] *f* circumspection ; *avec ~*, guardedly.

circonstance [sirkɔ̃stɑ̃s] *f* occasion ; *de ~*, occasional ; *dans cette ~*, on this occasion ; *en pareille ~*, in such a case ‖ *Pl* circumstances ‖ JUR. *Pl ~s atténuantes,* extenuating circumstances.

circonstanci|é, e [sirkɔ̃stɑ̃sje] *adj* detailed ‖ **~el, elle** *adj* GRAMM. adverbial.

circuit [sirkɥi] *m* [tourisme] tour, round trip ‖ ÉLECTR. circuit ; *couper/rétablir le ~*, break/restore the circuit ‖ INF. *~ intégré*, integrated circuit ‖ T.V. *télévision en ~ fermé*, closed circuit television.

circul|aire [sirkylεr] *adj* circular ; *voyage ~*, round trip ‖ sweeping (regard) ● *f* circular (lettre) ‖ **~ation** *f* circulation ‖ MÉD. circulation ‖ AUT. traffic ; *~ interdite*, no thoroughfare ‖ RAIL. running (de trains) ‖ COMM. *mettre en ~*, put on the market ‖ CIN. *mettre en ~*, release (un film) ‖ POL. *libre ~*, free movement ‖ **~er** *vi* (1) [choses] circulate, pass ; [personnes] go about ‖ *faire ~*, circulate (air, argent) ; move on (foule) ; pass/hand round (un plat) ; spread (un bruit) ; [agent] *circulez !*, move along ! ‖ MÉD. [sang] circulate ‖ RAIL. [bus] run ‖ FIG. [nouvelle] get about, spread.

cir|e [sir] ; *f* wax ‖ floor polish (encaustique) ‖ *~ à cacheter*, sealing-wax ‖ **~é, e** *m* oil-skin(s) (imperméable) ‖ **~er** *vt* (1) wax ; polish ‖ shine (chaussures, plancher) ; black (au cirage noir) ‖ **~eur** *m* ~ *de chaussures,* boot-/shoe-black ‖ **~euse** *f* floor-polisher/waxer.

cirque [sirk] ; *m* circus ‖ FAM. [embarras] scene ; *faire tout un ~*, kick up a fuss/row.

cisailles [sizɑj] *fpl* shears, wirecutters.

cis|eau, [sizo] *m* chisel (de sculpteur) ‖ *Pl* scissors (de couturière) ‖ **~eler** [-le] *vt* (8 *b*) chisel, tool.

cit|adelle [sitadεl] *f* citadel ‖ **~adin, e** [-adɛ̃, in] *n* townsman, -woman ; city-dweller.

citation [sitasjɔ̃] *f* quotation ; *fin de ~*, unquote ‖ JUR. summons (à comparaître).

cité [site] *f* city, town ‖ housing development estate ; *~ universitaire*, halls of residence.

citer [site] ; *vt* (1) ; quote, cite (un texte) ; *je cite,* quote ; → CITATION ‖ mention (un fait) ‖ JUR. summon.

citerne [sitεrn] *f* [underground] cistern ‖ (water-)tank.

cithare [sitar] *f* zither.

citoy|en, enne [sitwajɛ̃, jεn] *n* citizen ‖ **~enneté** [-jεnte] *f* citizenship.

citr|on [sitrɔ̃] *m* lemon ; *~ pressé*, lemon-squash ; *~ vent*, lime ‖ **~onnade** [-ɔnad] *f* lemon-squash ‖ **~onnier** [-ɔnje] *m* lemon-tree.

citrouille [sitruj] *f* pumpkin.

civet [sivε] *m* stew.

civière [sivjεr] *f* stretcher.

civil, e [sivil] *adj* civil ; *la partie ~e,* the plaintiff ● *m* civilian (non militaire) ; *en ~*, in plain clothes ; *dans le ~*, in private life ; in civvy street (sl.) ‖ **~ement** *adv* civilly ; *se marier ~*, contract a civil marriage ‖ **~isation** [-izasjɔ̃] *f* civilization ‖ **~iser** *vt* (1) civilize.

civ|ique [sivik] *adj* civic ; *instruction ~*, civics ‖ **~isme** *m* public spirit.

clair, e [klεr] *adj* light (couleur, pièce, son) ; clear (eau, teint, voix) ; bright (feu, jour) ; fair (temps, teint) ‖ CULIN. thin (potage) ‖ FIG. clear (pensée) *peu ~*, confusing, doubtful (vague) ; broad (allusion) ; plain, obvious (preuve) ; lucid (esprit) ● *adv* clear, clearly ; *il fait ~*, it is daylight ; *voir ~*, see clearly ‖ FIG. *en ~*, in plain language, in clear ● *m ~ de lune,* moonlight ‖ **~ement** *adv* clearly, plainly, distinctly ‖ **~e-voie**

(à) *loc adv* open-work ‖ ~**ière** *f* clearing.

clair|on [klɛrɔ̃] *m* bugle ‖ ~**onner** [-ɔne] *vt* (1) trumpet.

clairsemé, e [klɛrsəme] *adj* thin, sparse (barbe, population) ; scattered (maisons).

clair|voyance [klɛrvwajɑ̃s] *f* clear-sightedness ‖ clairvoyance (seconde vue) ‖ ~**voyant, e** [-vwajɑ̃, ɑ̃t] *adj* clearsighted.

clameur [klamœr] *f* clamour, shouting ; shout ; outcry.

clan [klɑ̃] *m* clan.

clandestin, e [klɑ̃dɛstɛ̃, in] *adj* secret, clandestine ‖ underground (mouvement) ‖ ~**ement** [-inmɑ̃] *adv* secretly.

clapot|ement [klapɔtmɑ̃] *m* → ~**is** ‖ ~**er** *vi,* (1) lap, splash ‖ ~**eux, euse** *adj* choppy (mer) ‖ ~**is** [-i] *m* lapping.

claquage [klakaʒ] *m* straining (of a muscle) ; strained muscle.

claque [klak] *f* slap, box on the ear ; *donner une* ~, slap.

claqu|é, e [klake] *ad* FAM. dead beat ; tired, worn out ‖ ~**ement** *m* banging, slam (de porte) ; smack (de fouet) ; clap (de main) ‖ ~**er** *vi,* (1) [porte] bang ; [baiser] smack ; [mains] clap ‖ *il* ~*ait des dents,* his teeth were chattering ‖ *faire* ~, crack (un fouet) ; snap (ses doigts) — *vt* bang, slam (une porte) — *vpr se* ~, SP. ~ *un muscle,* strain a muscle.

claquettes [klakɛt] *fpl* tap dancing ; *faire des* ~, tap-dance.

clarifier [klarifje] *vt* (1) clarify.

clarinette [klarinɛt] *f* clarinet.

clarté [klarte] *f* [lumière] light ‖ [jour] brightness ‖ [transparence] clearness ‖ FIG. clarity.

classe [klɑs] *f* class ‖ [société] class ; ~ *ouvrière,* working class ‖ *les* ~*s dirigeantes,* the Establishment ‖ [école] form, U.S. grade ; *(salle de* ~*),* class-room ; ~*s de neige,* winter-sports school ‖ Av. ~ *touriste,* economy/tourist class ‖ RAIL. class ; *voyager en première* ~, travel first class ‖ MIL. age group ; *soldat de première* ~, lance corporal ‖ SP. ~ *internationale,* world-class ‖ GRAMM. category ‖ NAUT. rating.

class|é, e *adj* classified (cru) ‖ listed (monument) ‖ [tennis] seeded (joueur) ‖ ~**ement** *m* classification ; filing (de fiches) ‖ NAUT. rating (de bateaux) ‖ ~ **er** *vt* (1) classify ; ~ *par ordre alphabétique,* file in alphabetical order ; file (dossiers) ; size (par taille) ; grade (par difficulté) ; rank (selon le mérite) ‖ FIG. [ajourner] shelve, U.S. table — *vpr se* ~, *se* ~ *premier,* come first ‖ ~**eur** *m* card-index/-file (à fiches) ; folder, file (à papiers) ; filing-cabinet (meuble) ‖ ~**icisme** [-isism] *m* classicism ‖ ~**ification** [-ifikasjɔ̃] *f* classification ‖ ~**ifier** [-ifje] *vt* (1) classify ‖ ~**ique** *adj* classic ‖ classical (musique) ; conventional (armement) ; standard (référence) ● *m* classicist.

claudication [klodikasjɔ̃] *f* limp.

clause [kloz] *f* JUR. provision, clause.

clavecin [klavsɛ̃] *m* harpsichord.

clavicule [klavikyl] *f* collarbone, clavicle.

clavier [klavje] *m* MUS., TECHN. keyboard.

clayette [klejɛt] *f* [fruits] tray.

clé, clef [kle] *f* key ; ~ *de la porte d'entrée,* latch-key ; *fermer à* ~, lock (up) ; *enfermer à* ~, lock in ; *mettre sous* ~, lock away ‖ TECHN. damper (de poêle) ; ~ *anglaise,* monkey-wrench ; ~ *à molette,* adjustable spanner ‖ MUS. clef ; ~ *de « sol »,* G clef ‖ SP. [lutte] lock ‖ AUT. ~ *de contact,* ignition key ‖ FIG. key, clue (solution) ● *adj* key (industrie).

clém|ence [klemɑ̃s] *f* clemency, leniency ‖ ~**ent, e** *adj* mild (temps).

clerc [klɛr] *m* clerk (de notaire).

clergé [klɛrʒe] *m* clergy.

clérical, e, aux [klerikal, o] *adj* clerical.

cliché [kliʃe] *m* PHOT. negative ‖ FIG. cliché, stock-phrase.

clien|t, e [klijɑ̃, ɑ̃t] *n* COMM. customer ; patron (habituel) ; [coiffeur] client ; [hôtel] guest ; [taxi] fare ‖ MÉD. patient (d'un médecin) ‖ JUR. client (d'un avocat) ‖ **~ tèle** [-tɛl] *f* COMM. customer, clientele, patronage ‖ MÉD. practice.

clign|ement [kliɲmɑ̃] *m* wink(ing) ‖ **~ er** *vi,* (1) **~ des yeux,** blink, wink ‖ **~ otant** [-ɔtɑ̃] *m* AUT. indicator, winker ‖ **~ oter** *vi* (1) [lumière] flicker ‖ [yeux] blink.

clima|t [klima] *m* climate ‖ FIG. atmosphere ‖ **~ tisation** [-tizasjɔ̃] *f* air-conditioning ‖ **~ tisé, e** [-tize] *adj* air-conditioned ‖ **~ tiseur** *m* air conditioner.

clin [klɛ̃] *m* **~ d'œil,** wink ; *faire un* **~ d'œil à,** wink at ; *en un* **~ d'œil,** in the twinkling of an eye, in a flash.

clinique [klinik] *f* private clinic ; nursing home ; **~ d'accouchement,** maternity home.

clinquant [klɛ̃kɑ̃] *m* tinsel.

clip [klip] *m* [bijou] brooch ‖ T.V. music video.

clique|t [klike] *m* TECHN. click ‖ **~ ter** [-kte] *vi* (8 *a*) click ‖ [clefs, verres] jingle ‖ AUT. [moteur] knock ‖ **~ tis** [-kti] *m* cliking ; [clefs] jingle ‖ AUT. pink(ing).

clivage [klivaʒ] *m* cleavage.

clochard, e [klɔʃar, ard] *n* down-and-out, tramp ; U.S. hobo, bum.

cloche [klɔʃ] *f* bell (d'église) ‖ TECHN. **~ à plongeur,** diving bell ‖ AGR. cloche ‖ **~ -pied (à)** *loc adv* *sauter à* **~,** hop along.

clocher[1] [klɔʃe] *vi* (1) FIG. *il y a qqch qui cloche,* there's something wrong there.

cloch|er[2] *m* steeple, church-tower ‖ **~ eton** [klɔʃtɔ̃] *m* pinacle ‖ **~ ette** *f* (hand) bell.

clodo [klodo] *m* ARG. → CLOCHARD.

clois|on [klwaz] *f* ARCH. partition ‖ NAUT. bulkhead.

cloîtr|e [klwɑtr] *m* cloister ‖ **~ er** *vt* (1) shut away ‖ REL. cloister — *vpr* *se* **~,** FIG. shut oneself up.

clopiner [klɔpine] *vi* (1) hobble along.

cloqu|e [klɔk] *f* TECHN., MÉD. blister ‖ **~ er** *vi* (1) [peinture] blister.

clore [klɔr] *vt* (27) close (liste, réunion) ‖ wall in (parc) ‖ seal (lettre) ‖ FIG. end.

clos, e [klo, oz] *adj* (v. CLORE) closed, shut (porte) ; enclosed, walled-in (terrain).

clôtur|e [klotyr] *f* enclosure, fence ‖ **~ er** *vt* (1) enclose, fence in, wall in.

clou [klu] *m* nail ; stud (à grosse tête) ‖ [rue] *les* **~ s,** pedestrian/zebra crossing ‖ MÉD. boil ‖ CULIN. **~ de girofle,** clove ‖ FAM. highlight ‖ POP. pawnshop ; *mettre au* **~,** pawn ; *au* **~,** in pawn ‖ **~ er** *vt* (1) nail (down/up) ; tack down (tapis) ‖ *cloué au lit,* bed ridden ‖ **~ té, e** *adj* studded (ceinture, porte) ; hobnailed (chaussure) ‖ → CLOU, PASSAGE.

clown [klun] *m* clown.

club [klœb] *m* club.

coaguler [koagyle] *vt* (1) coagulate, congeal — *vpr se* **~,** congeal ; clot, cake.

coal|iser [koalize] *vpr* (1) *se* **~,** form a coalition ‖ **~ ition** *f* coalition.

coasser [koase] *vi* (1) croak.

coassocié, e [koasɔsje] *n* copartner.

coaxial, e, aux [koaksjal, o] *adj* co-axial.

cobalt [kobalt] *m* cobalt.

cobaye [kɔbaj] *m* guinea-pig.

cobra [kɔbra] *m* cobra.

cocaïn|e [kɔkain] *f* cocaine ‖ **~ omane** [-ɔman] *n* cocaine-addict.

cocarde [kɔkard] f cockade || Av. roundel.

cocasse [kɔkas] adj droll.

coccinelle [kɔksinɛl] f lady-bird.

coch|e [kɔʃ] f score (entaille) || ~**er¹** vt (1) tick (off), check off.

cocher² m coachman; cabman (de fiacre).

coch|on [kɔʃɔ̃] m pig; ~ *de lait,* sucking-pig; ~ *d'Inde,* guinea-pig || Pop. dirty pig, bastard ~**onnet** [-ɔnɛ] m [boules] jack.

cocktail [kɔktɛl] m cocktail || cocktail party (réunion) || [émeute] ~ *Molotov,* petrol bomb.

cocon [kɔkɔ̃] m cocoon.

cocorico [kɔkɔriko] m cock-a-doo-dle-do.

cocotier [kɔkɔtje] m coconut-palm/tree.

cocotte [kɔkɔt] f CULIN. casserole; *Cocotte-Minute* N.D., pressure-cooker (autocuiseur).

cocu, e [kɔky] adj/n FAM. cuckold.

cod|age [kɔdaʒ] m encoding || ~**e** [kɔd] m code (chiffré) || ~ *postal,* G.B. post code, U.S. zip code || AUT. *Code de la route,* Highway Code; *se mettre en* ~, dip one's (head)lights || COMM. ~ *à barres,* bar code || ~**er** vt (1) (en)code || ~**ifier** [-ifje] vt (1) codify.

coefficient [kɔefisjɑ̃] m coefficient.

coéquipier, ière [koekipje, jɛr] n team-mate.

cœur [kœr] m [organe] heart || FIG. *avoir mal au* ~, feel sick; *donner mal au* ~, make sick, sicken || MÉD. *opération à* ~ *ouvert,* open-heart operation || FIG. heart, conscience; *dire ce qu'on a sur le* ~, get sth. off one's chest || FIG. heart, courage; *donner du* ~, encourage || FIG. mood (disposition); *avoir le* ~ *à,* be in a mood for; *si le* ~ *vous en dit,* if you care to, if you feel like it || FIG. liking (gré); *de bon* ~, willingly, ungrudgingly || FIG. heart, kindness; *de bon*

~, heartily; *de grand* ~, whole-heartedly; *avoir bon* ~, have a kind heart, be kind-hearted; *avoir le* ~ *brisé,* be broken-hearted; *n'avoir pas de* ~, have no feelings; *sans* ~, heartless || FIG. heart, core, kernel || FIG. depth(s) [de l'hiver, etc.]; height (de l'été) || *au* ~ *de la nuit,* in the dead of night || FIG. [mémoire] *par* ~, by heart/rote || [cartes] heart(s).

coexist|ence [kɔɛgzistɑ̃s] f coexistence || ~**er** vi, (1) coexist.

coffre [kɔfr] m chest; box; bin (à charbon) || AUT. boot, U.S. trunk || ~**(-fort),** safe, strongbox.

coffret [kɔfrɛ] m small box; ~ *à bijoux,* jewel-case.

cogner [kɔɲe] vt (1) knock — vi knock; ~ *à la porte,* knock at the door; ~ *sur,* strike, thump, bang on — vpr *se* ~, bang (*contre,* against); *se* ~ *la tête contre,* hit one's head against.

cohabiter [koabite] vi (1) live together, cohabit.

cohé|rent, e [kɔerɑ̃, ɑ̃] adj coherent, consistent || ~**sion** [-zjɔ̃] f cohesion.

cohue [kɔy] f crowd || crush (bousculade).

coi, coite [kwa, kwat] adj quiet; *se tenir* ~, remain silent.

coiff|e [kwaf] f head-dress || ~**é, e** p.p. adj covered (tête) || *être* ~ *en brosse,* have a crew cut; ~ *d'un béret,* wearing a beret || ~**er** vt (1) put on (un chapeau) || do sb's hair (les cheveux); *se faire* ~, have one's hair done, have a hairdo (coll.) — vpr *se* ~, do/dress/U.S. fix one's hair || ~**eur, euse** n hairdresser (pour homme ou femme); barber (pour hommes); hairstylist (pour dames) || ~**euse** f dressingtable (meuble) || ~**ure** f headgear (chapeau); head-dress (ornement); hair-do (style); *salon de* ~, hairdresser's, hairdressing salon.

coin [kwɛ̃] m corner (d'une maison,

d'une rue, de l'œil) ; *le bistrot du* ~, the pub round the corner ; ~ *du feu,* fireside, ingle-nook ; ~ *repas,* dining area ‖ TECHN. wedge (à fendre) ‖ FIG. spot, place (à la campagne) ‖ FAM. *aller au petit* ~, spend a penny ‖ ~**cer** [-se] *vt* (6) wedge, jam ‖ corner (qqn) — *vpr se* ~, jam, get jammed/stuck ; *se* ~ *le doigt,* trap/catch one's finger (*dans,* in).

coïncid|ence [kɔ̃ɛ̃sidɑ̃s] *f* coincidence ‖ ~**er** *vi* (1) coincide.

coing [kwɛ̃] *m* quince.

coke [kɔk] *m* coke.

col [kɔl] *m* collar (de vêtement) ; ~ *montant,* high neck ; ~ *roulé,* polo-neck ; *à* ~ *roulé,* roll-neck (pull) ‖ [bouteille] neck ‖ GÉOGR. col, pass ‖ FIG. ~ *blanc,* white collar worker.

colère [kɔlɛr] *f* anger ; *être/se mettre en* ~, be/get angry/cross/mad (*contre,* with) ; FAM. *piquer une* ~, blow one's top (coll.).

colér|eux, euse [kɔlerø, øz] *adj* hot-quick-/short-tempered.

colifichet [kɔlifiʃɛ] *m* trinket ‖ knick-knack (coll.).

colimaçon [kɔlimasɔ̃] *m* snail ‖ *en* ~, winding, spiral (escalier).

colin [kɔlɛ̃] *m* ZOOL. hake.

colin-maillard [kɔlɛ̃majar] *m* blindman's buff.

colique [kɔlik] *f* diarrhoea ‖ [douleurs] gripes.

colis [kɔli] *m* parcel ; U.S. package ; *par* ~ *postal,* by parcel post ; ~ *piégé,* parcel bomb.

collabor|ateur, trice [kɔlabɔratœr, tris] *n* collaborator, colleague ‖ ~**ation** *f* collaboration ‖ ~**er** *vi* (1) collaborate (*à,* on ; *avec,* with) ; contribute (*à,* to).

collant, e [kɔlɑ̃, ɑ̃t] *adj* sticky (poisseux) ‖ tight-fitting, skintight (vêtement) ● *m* tights ; U.S. panty hose.

collation [kɔlasjɔ̃] *f* CULIN. light

refreshments ; FAM. elevenses (à 11 heures).

colle [kɔl] *f* glue ; paste (pour papier) ‖ FAM. [question] teaser ; *poser une* ~ *à qqn,* set sb a poser ‖ FAM. [école] mock oral test ; detention (retenue).

collect|e [kɔlɛkt] *f* collecting ; *faire une* ~, have a whip-round (*pour, au profit de,* for) ‖ ~**if, ive** *adj* collective.

collec|tion [kɔlɛksjɔ̃] *f* collection ; *faire* ~ *de,* collect ; ~ *de timbres,* stamp-collection ‖ assemblage, set ‖ [mode] collection ; *présentation de* ~, fashion-show ‖ ~**tionner** [-sjɔne] *vt* (1) collect ‖ ~**tionneur, euse** [-sjɔnœr, øz] *n* collector ‖ ~**tivité** [-tivite] *f* community.

collège [kɔlɛʒ] *m* secondary school ; U.S. junior high school ; ~ *d'enseignement général,* comprehensive school ; ~ *technique,* technical school ‖ ~**égien, ienne** [-eʒjɛ̃, jɛn] *n* schoolboy, -girl.

collègue [kɔllɛg] *n* colleague.

coller [kɔle] *vt* (1) paste ; glue (à la colle forte) ; stick (un timbre, une enveloppe, une affiche) ‖ FAM. [école] keep in (detention) ; flunk (coll.) [candidat] — *vi* stick, be sticky ‖ AUT. ~ *au pare-chocs de qqn,* tailgate sb.

collet [kɔlɛ] *m* collar (de vêtement) ‖ [piège] snare ; *attraper au* ~, snare ‖ FIG. ~ *monté,* strait-laced, prim.

colleur [kɔlœr] *m* ~ *d'affiches,* bill-poster/-sticker ‖ FAM. [école] examiner.

collier [kɔlje] *m* necklace (ornement) ; collar (de chien) ‖ [barbe] strap beard ‖ FAM. *reprendre le* ~, be back in harness.

colline [kɔlin] *f* hill ; *petite* ~, hillock.

collision [kɔlizjɔ̃] *f* colision ; *entrer en* ~, collide (*avec,* with), crash (*avec,* with).

colloque [kɔllɔk] *m* symposium.

collyre [kɔllir] *m* eye-wash/-drops.

colmater [kɔlmate] *vt* (1) seal off.

colocataire [kɔlɔkatɛr] *n* joint tenant.

colomb|e [kɔlɔ̃b] *f* dove ‖ **~ier** *m* dove-cot(e) ‖ **~ophile** [-ɔfil] *n* pigeon-fancier ‖ **~ophibie** *f* pigeon-racing.

colon [kɔlɔ̃] *m* settler, colonist.

côlon [kolɔ̃] *m* ANAT. colon.

colonel [kɔlɔnɛl] *m* colonel.

colon|ial, e, aux [kɔlɔnjal, o] *adj* colonial ‖ **~ialisme** [-jalism] *m* colonialism ‖ **~ie** *f* colony, settlement ; **~ de vacances**, holiday camp ‖ **~isation** *f* colonization ‖ **~iser** *vt* (1) colonize, settle.

colonne [kɔlɔn] *f* column ‖ ARCH. pillar, column ‖ ANAT. **~ vertébrale**, spine, backbone.

color|ant [kɔlɔrɑ̃] *m* colouring ‖ **~ation** *f* colouring ‖ **~é, e** *adj* coloured ; ruddy, florid (teint) ‖ **~er** *vt* (1) colour ; stain (bois) ‖ **~ier** *vt* (1) colour ‖ **~is** [-i] *m* colour ‖ ARTS colour scheme.

coloss|al, e, aux [kɔlɔsal, o] *adj* colossal ‖ FIG. mammoth ‖ giant.

colporter [kɔlpɔrte] *vt* (1) COMM. hawk, peddle ‖ FIG. spread (nouvelles) ‖ **~eur, euse** *n* hwaker, peddlar.

colza [kɔlza] *m* rape.

coma [kɔma] *m dans le **~***, in a coma.

combat [kɔ̃ba] *m* fight, struggle ; **~(s) de coqs**, cock-fight(ing) ‖ SP. [boxe] match ‖ MIL. fight(ing) ; **engager le ~**, join battle ‖ NAUT. **~ naval**, naval action ‖ **~if, ive** [-if, iv] *adj* combative, militant ‖ **~tant, e** [-tɑ̃, ɑ̃t] *adj* fighting ● *n* combatant ; **ancien ~**, veteran, ex-serviceman ‖ **~tre** [-tr] *vt* (20) fight (against), combat ‖ FIG. oppose (des projets) — *vi* fight (*contre*, against) ‖ FIG. contend against (en discutant).

combien [kɔ̃bjɛ̃] *adv* [quantité, degré] how much/many ‖ [prix] **~ est-ce ?**, how much is it ? ‖ [temps] **~ de temps ? ;** how long ? ‖ [nombre]

~ de fois ?, how many times ? ‖ **je ne sais ~ de**, umpteen (coll.) ● *m* [date] FAM. **le ~ sommes-nous ?**, what's the date to day ? ; **tous les ~ ?**, how often.

combinaison [kɔ̃binɛzɔ̃] *f* combination ; scheme (de couleurs) ‖ [vêtement] overalls (de mécanicien) ; slip (de femme) ‖ SP. **~ spatiale**, space-suit ‖ SP. **~ de plongée**, wet suit ; **~ de ski**, ski suit ‖ FIG. scheme, contrivance.

combin|e [kɔ̃bin] *f* FAM. trick, scheme ‖ **~é** *m* TÉL. receiver ‖ **~er** *vt* (1) combine ‖ FIG. fix up (arranger) ; think up, scheme ; work out, devise (mauvais coup) — *vpr se ~*, unite, combine (*avec*, with).

combl|e [kɔ̃bl] *m* ARCH. roof (toit) ; **de fond en ~**, from top to bottom ‖ FIG. height (de la joie) ; summit (du bonheur) ; **c'est le ~**, that beats all ; **pour ~ de malheur**, to crown it all ● *adj* packed crammfull, jam-packed, overcrowded (salle) ‖ **~er** *vt* (1) fill up ‖ FIG. make up (la différence) ; fill (joie, lacune) ; load/shower with (cadeaux).

combust|ible [kɔ̃bystibl] *adj m* fuel.

coméd|ie [kɔmedi] *f* comedy ‖ FIG. sham (simulation) ; **jouer la ~**, pretend, put it on ‖ **~ien, enne** *n* actor *(m)* ; actress *(f)* ‖ comedian (comique).

comestible [kɔmɛstibl] *adj* eatable, edible ● *mpl* edibles.

comète [kɔmɛt] *f* comet.

comique [kɔmik] *adj* comic(al), funny, droll ● *m* [actor] comedian ‖ LITT. comedy.

comité [kɔmite] *m* committee, board ; **petit ~**, informal meeting ; **~ électoral**, caucus ; **~ d'entreprise**, work's council.

commandant [kɔmɑ̃dɑ̃] *m* MIL. commander, commanding officer ; [grade] major ‖ NAUT. captain.

command|e [kɔmɑ̃d] *f* COMM. order ; **en ~**, on order ; **fait sur ~**, made to order ; *passer une ~*, give an order ‖ TECHN. control ; *~ à distance*, remote control ‖ **~ement** *m* order, command ‖ REL. commandment ‖ **~er** *vt* (1) order ; *~qqch à qqn*, order sth from sb ‖ lead (une expédition), control (diriger) ‖ [restaurant] order ‖ COMM. order ; write away for (par correspondance) ‖ MIL. command — *vpr se ~*, [salles] lead into each other ‖ **~itaire** [-itɛr] *m* sleeping/U.S. silent partner ‖ RAD., T.V. sponsor.

commando *m* commando.

comme [kɔm] *conj* [comparaison] like, as ‖ *haut ~ ça*, that high (coll.) ‖ [manière] as ; *envoyez-les ~ ils sont*, send them as they are ‖ [cause] as ; *~ il n'était pas prêt, nous partîmes sans lui*, as he was not ready, we went without him ‖ [temps] *~ il descendait du train*, as he was getting off the train ● *adv* [manière] as, like ; *faites ~ moi*, do as I do ‖ [exclamation] how ! ; *~ elle chante bien !*, how well she sings ! ‖ [énumération] such as ; *~ si*, as if/though ‖ FAM. *~ il faut*, properly ; *~ ci, ~ ça*, so so ; *~ qui dirait*, as you might say.

commémor|atif, ive [kɔmemɔratif, iv] *adj* memorial ‖ **~ation** *f* commemoration ‖ **~er** *vt* (1) commemorate.

commen|çant, e [kɔmãsã, ãt] *n* beginner ‖ **~cement** [-smã] *m* beginning, start ; *au/dès le ~*, in/from the beginning ‖ MÉD. onset ‖ **~cer** [-se] *vt* (6) begin, start ; open (histoire) — *vi* begin ; *pour ~*, to begin with, first of all ‖ [saison] come in ; *~ à faire*, begin to do ; *~ par*, start/begin with.

comment [kɔmã] *adv* how ? ; *~ va-t-il ?*, how is he ? ; *~ se fait-il que ?*, how is it that ? ; *~ cela ?*, how so ? ; *n'importe ~*, no matter how ‖ *~ est-elle ?*, what is she like ? ; *~ vous appelez-vous ?*, what is your name ? ; *~ dit-on... en anglais ?*, what's the English for... ? ● *exclam ~ !*, what ! ; *~ donc !*, of course ! ;

~ ?, what ?, pardon ? ; *~ cela ?*, what do you mean ?

comment|aire [kɔmãtɛr] *m* comment ‖ RAD., T.V. commentary ‖ **~ateur, trice** *n* commentator ‖ **~er** *vt* (1) comment ‖ RAD., T.V. commentate.

commérage [kɔmeraʒ] *m* gossip.

commerçant, e [kɔmɛrsã, ãt] *adj* commercial, shopping (quartier) ; trading (ville) ; mercantile (nation) ● *n* shopkeeper ; tradesman *(m)*.

commerc|e [kɔmɛrs] *m* trade ‖ commerce (international) ; *faire le ~*, trade, deal (de, in) ‖ [boutique] shop, business ‖ FIG. intercourse, dealings ‖ **~er** *vi* (6) trade (*avec*, with) ‖ **~ial, e, aux** [-jal, o] *adj* commercial, mercantile ‖ **~ialisation** [-jalizasjɔ̃] *f* marketing ‖ **~ialiser** *vt* (1) market.

commère [kɔmɛr] *f* gossip.

commettre [kɔmɛtr] *vt* (64) commit (crime) ; make (error).

commis [kɔmi] *m* clerk (aux écritures) ‖ [boutique] assistant, salesman ; *~ voyageur*, commercial traveller.

commissaire [kɔmisɛr] *m* **~ de police**, superintendent ‖ NAUT. **~ de bord**, purser ‖ **~-priseur** [-prizœr] *m* auctioneer.

commissariat [kɔmisarja] *m* police-station.

commission [kɔmisjɔ̃] *f* errand (course) ; message (message) ; *faire une ~*, do an errand, deliver a message ‖ [achats] *faire les ~s*, do the shopping ‖ COMM. commission (courtage) ‖ FIN. percentage ‖ [comité] commission, committee ; *~ d'enquête*, board of enquiry ; *~ paritaire*, joint commission ; *membre d'une ~*, commissioner ‖ **~naire** [-ɔnɛr] *m* messenger.

commod|e [kɔmɔd] *adj* convenient ‖ handy (outil) ; easy (route) ‖ FIG. *pas ~*, bad-tempered ● *f* chest of drawers ; U.S. bureau ‖ **~ité** *f* convenience.

commotion [kɔmɔsjɔ̃] f commotion || MÉD. concussion ; shock.

commuer [kɔmɥe] vt (1) commute (en, into).

commun, e [kɔmœ̃, yn] adj common ; d'un ~ accord, with one accord || mutual (ami) || usual ; peu ~, uncommon, out of the ordinary || GRAMM. common (nom) || FIN. en ~, in common ; mettre en ~, pool ; Marché ~, Common Market ● m common ; le ~ des mortels, the common run of mankind ; hors du ~, out of the ordinary || Pl outbuildings, outhouses || ~**al, e, aux** [-ynal, o] adj communal ; parish, parochial || ~**auté** [-ynote] f community || [hippies] commune.

commune f JUR. township (municipalité) ; [village] parish || FR. commune || G.B. Chambre des ~s, House of Commons.

communément [-ynemɑ̃] adv commonly.

communiant, e [kɔmynjɑ̃, ɑ̃t] n REL. communicant.

communic|able [kɔmynikabl] adj communicable || ~**atif, ive** adj communicative ; peu ~, cagey || infections (rire) || ~**ation** f communication || TÉL. connection ; telephone call ; avoir la ~, be through ; mettre qqn en ~, put sb through to ; ~ interurbaine, trunk-call ; ~ en P.C.V., reversed charge call ; U.S. collect call ; ~ avec préavis, personal call ; obtenir la ~, get through.

commun|ier [kɔmynje] vt (1) REL. receive communion || FIG. share, commune || ~**ion** f REL., FIG. communion.

communiqu|é, e [kɔmynike] m communiqué ; ~ de presse, press release || ~**er** vt (1) transmit, communicate, issue || MÉD. transmit (une maladie) — vi [salles] communicate (avec, with).

commun|isant, e [kɔmynizɑ̃, ɑ̃t] adj communistic ● n fellow-traveller || ~**isme** m communism || ~**iste** n communist.

commutateur [kɔmytatœr] m switch.

compact, e [kɔ̃pakt] adj compact.

compagn|e [kɔ̃paɲ] f de COMPAGNON, ladyfriend (maîtresse) || ~**ie** f company, companionship ; tenir ~ à qqn, keep sb company ; fausser ~ à qqn, give sb the slip || AV. ~ aérienne, airline || COMM. company, firm ; fleet (de taxis) | MIL. company || NAUT. ~ de navigation, shipping line || ZOOL. covey (de perdrix) || ~**on** m companion ; ~ de chambre, roommate ; ~ de jeu, playmate ; journeyman, workman (ouvrier).

compar|able [kɔ̃parabl] adj comparable (à, to, with) ; être ~, compare (à, with) || ~**aison** [-ɛzɔ̃] f comparison ; faire la ~, compare ; en ~ de, in comparison with ; sans ~, beyond compare || GRAMM. simile || FIG. parallel.

comparaître [kɔ̃parɛtr] vi (74) JUR. appear ; faire ~ devant, bring before.

compar|atif, ive [kɔ̃paratif, iv] adj/n GRAMM. comparative || ~**ativement** [-ativmɑ̃] adv comparatively || ~**er** vt (1) compare (à, to ; avec, with) ; liken (à, to) [identifier] — vpr se ~, compare (à, with).

comparse [kɔ̃pars] n confederate.

compartiment [kɔ̃partimɑ̃] m RAIL. compartment.

comparution [kɔ̃parysjɔ̃] f JUR. appearance.

compas [kɔ̃pa] m compasses ; ~ d'épaisseur, callipers ; ~ à pointes sèches, dividers || NAUT. compass.

compatible [kɔ̃patibl] adj compatible, consistent (avec, with).

compat|ir [kɔ̃patir] vi (2) sympathize (à, with) || ~**issant, e** [-isɑ̃, ɑ̃t] adj sympathetic.

compatriote [kɔ̃patriɔt] n compatriot ; fellow-countryman/countrywoman.

compens|ation [kɔ̃pɑ̃sasjɔ̃] *f* compensation ; *en ~ de*, in compensation for ∥ FIN. *chambre de ~*, clearing house ∥ ~*é, e adj à semelles ~es*, wedge-heeled ∥ ~**er** *vt* (1) compensate for ; make up for (une perte) ∥ [banque] clear (chèque).

compère [kɔ̃pɛr] *m* accomplice, decoy ∥ ~**loriot** [-lɔrjo] *m* stye.

compét|ence [kɔ̃petɑ̃s] *f* competence, efficiency ∥ ~**ent, e** *adj* competent, capable.

compéti|teur, trice [kɔ̃petitœr, tris] *n* Sp. competitor, contender ∥ ~**tif, tive** *adj* competitive ∥ ~**tion** *f* competition, contest ; *entrer en ~*, compete (*avec,* with) ∥ Sp. competitive sport ; event (épreuve).

compiler [kɔ̃pile] *vt* (1) compile.

complaire (se) [səkɔ̃plɛr] *vpr* (75) take delight in.

complais|ance [kɔ̃plɛzɑ̃s] *f* obligingness, kindness ∥ ~ *envers soimême,* indulgence ∥ ~**ant, e** *adj* obliging ; kind (aimable).

complémen|t [kɔ̃plemɑ̃] *m* complement ∥ remainder (reste) ∥ GRAMM. object ; ~ *direct/indirect,* direct/indirect object ; ~ *circonstanciel,* adverbial phrase ∥ ~**taire** [-tɛr] *adj* complementary, additional.

compl|et, ète [kɔ̃plɛ, ɛt] *adj* complete, entire, whole (entier) ; full (plein) ∥ thorough, utter (total, absolu) ∥ CULIN. *pain ~*, wholemeal/whole-wheat bread ∥ « *Complet* », [autobus] full up ; [hôtel] fully booked ; [sur une écriteau] « *no vacancier* » ● *m* suit, lounge suit ∥ ~**ètement** *adv* completely, entirely ; utterly, thoroughly ∥ ~**éter** [-ete] *vt* (5) complete ∥ (collection) make up (une somme) ∥ top off (niveau).

complex|e [kɔ̃plɛks] *adj* complex ● *m* [psychanalyse] complex ; hang-up (coll.) ; ~ *d'infériorité,* inferiority complex ∥ ~**é, e** *adj* hung-up (coll.) ∥ ~**ité** *f* complexity, intricacy.

complication [kɔ̃plikasjɔ̃] *f* complexity ∥ MÉD. complication.

complic|e [kɔ̃plis] *n* accomplice ; *être ~ de*, be (a) party to ∥ ~**ité** *f* complicity.

complimen|t [kɔ̃plimɑ̃] *m* compliment ∥ *Pl* congratulations (félicitations) ; regards (politesse) ∥ ~**ter** [-te] *vt* (1) compliment.

compliqu|é, e [kɔ̃plike] *adj* complicated, intricate ∥ sophisticated ∥ ~**er** *vt* (1) complicate — *vpr se ~*, become complicated.

complo|t [kɔ̃plo] *m* plot ∥ ~**ter** [-ɔte] *vt* (1) plot.

comport|ement [kɔ̃pɔrtmɑ̃] *m* behaviour ∥ ~**er** *vt* (1) include (contenir) ∥ consist of, be composed of (consister en) — *vpr se ~*, behave.

compos|ant, e [kɔ̃pozɑ̃, ɑ̃t] *m* constituent ∥ TECHN., PHYS. component ∥ ~**é, e** *adj* compound ; composite ; *être ~ de*, consist of ∥ FIN. accumulative (intérêts) ● *m* CH. compound ∥ ~**er** *vt* (1) compose, ∥ make up (un ensemble) ∥ MUS. compose ∥ TECHN. set (texte) ∥ TÉL. dial (un numéro) — *vi* [école] do/take a test ∥ FIG. come to terms — *vpr se ~ de*, be composed of, be made up of, consist of.

composi|teur, trice [kɔ̃pozitœr, tris] *n* MUS. composer ∥ ~**tion** *f* composition ∥ compound, mixture (résultat) ∥ [école] term exam, test paper ; essay (rédaction).

composter [kɔ̃pɔste] *vt* RAIL., FR. validate (ticket).

compote [kɔ̃pɔt] *f* compote ; ~ *de fruits,* stewed fruit.

compréhen|sible [kɔ̃preɑ̃sibl] *adj* understandable, comprehensible ; easy to understand ∥ ~**sif, ive** [-sif, iv] *adj* understanding, sympathetic ∥ ~**sion** [-sjɔ̃] *f* understanding, comprehension (entendement).

comprendre [kɔ̃prɑ̃dr] *vt* (80) include, be composed of (inclure) ∥ understand, make out (un problème) ; *faire ~*, put across, bring home, make it clear ; ~ *à demi-mot,* com — com   88

take a hint ; *bien* ~, get sth right ; *mal* ~, misunderstand ; *vous m'avez mal compris,* you've got me wrong ; *je n'y comprends rien,* I'm all at sea ; *se faire* ~, make oneself understood/clear ; *est-ce que je me fais bien* ~ ?, am I clear ? ‖ realize (se rendre compte) ‖ [prix] be inclusive off ‖ FAM. figure out ; *cela se comprend,* that goes without saying ; *je vous comprends,* I don't blame you — *v récipr se* ~, understand each other.

compress|e [kɔ̃prɛs] *f* MÉD. compress ‖ ~**eur** *m* AUT. supercharger ‖ ~**ion** *f* compression ‖ FIG. cutting-down (des dépenses).

comprim|é [kɔ̃prime] *m* MÉD. tablet ‖ ~**er** *vt* (1) compress ‖ FIG. cut down (les dépenses).

compris, e [kɔ̃pri, iz] *adj* included ; *y* ~, including ; *tout* ~, all in ; *prix tout* ~, inclusive terms ; *non* ~, not included, exclusive of.

comprom|ettre [kɔ̃prɔmɛtr] *vt* (64) compromise (sa réputation) ‖ jeopardize (chances, etc.) — *vpr se* ~, compromise oneself (se discréditer) ‖ ~**is, e** [-iz] *adj* mixed up, involved (*dans,* in) ● *m* compromise, give and take.

compt|abilité [kɔ̃tabilite] *f* book-keeping, accountancy ‖ accounting department ; *tenir la* ~, keep the books ‖ ~**able** [-abl] *n* accountant, book-keeper ; *expert* ~, chartered accountant ‖ ~**ant** *adv* (in) cash ; *paiement* ~, down payment ; *au* ~, cash ; *payer* ~, pay cash down ● *m* cash, ready money ; *prix au* ~, cash price.

compte [kɔ̃t] *m* reckoning, count, calculation (calcul) ; *faire le* ~ *de,* reckon, count up ; ~ *à rebours,* count down ‖ charge, expense ‖ *Pl* accounts ; *faire ses* ~*s,* do one's accounts ; *livre de* ~*s,* account book ; *tenir les* ~*s,* keep the accounts ‖ FIN. account ; ~ *courant,* current account ; ~ *de dépôt,* deposit account ; *ouvrir un* ~, open an account ; ~

chèque postal, G.B. Giro account ‖ COMM. bill (facture) ; *régler un* ~, settle an account ; *à bon* ~, at little cost ; *mettez-le sur mon* ~, chalk it up (coll.) ‖ FIG. profit, advantage ; *pour le* ~ *de qqn,* on sb's behalf ‖ *rendre* ~ *de,* account for, report ‖ FIG. explanations (explication) ; *rendre* ~ *à qqn de qqch,* give sb an account of sthg ‖ FIG. *travailler pour le* ~ *de,* work for ‖ FIG. *se rendre* ~ *de,* realize (comprendre) ; be aware of (prendre conscience) ; see for oneself (examiner) ; *sans s'en rendre* ~, unconsciously ‖ FIG. *tenir* ~ *de,* take into account, take sth. into consideration, allow for ; *ne pas tenir* ~ *de,* disregard, ignore ; *sans tenir* ~, **irrespective** (*de,* of) ; ~ *tenu de,* in view of ‖ *tout* ~ *fait,* on the whole all things considered ‖ ~**-gouttes** *m inv* dropper.

compter [kɔ̃te] *vt* (1) reckon, count (calculer), *tout compté,* all told ‖ number (denombrer) ; count out (un à un) ‖ COMM. charge (faire payer) ‖ FIG. expect ; intend (projeter) ‖ FIG. consider (estimer) ; ~ *pour trois,* count as three ‖ FIG. mention ; *sans* ~, to say nothing of ; — *vi* count, reckon (*jusqu'à,* up to) ; ~ *jusqu'à 10,* count up to ten ‖ FIG. [avoir de l'importance] *cela ne compte pas,* that doesn't count ‖ ~ *sur,* rely on, count on ; *vous pouvez* ~ *là-dessus,* you can depend upon it ‖ FIG. ~ *avec,* reckon with ; *sans* ~, lavishly, without stint ; ~ *parmi,* rank among.

compte|-rendu [kɔ̃trãdy] *m* account, report (de mission) ; statement (exposé) ; write-up, review (d'un livre, etc.), proceedings (d'un congrès, etc.) ‖ ~**-tours** *m inv* rev(olution) counter.

compteur [kɔ̃tœr] *m* TECHN. meter ; ~ *d'électricité,* electricity-meter ; ~ *de gaz,* gas-meter ‖ CIN. ~ *d'images,* frame counter ‖ AUT. ~ *journalier,* trip meter ; ~ *de vitesse,* speede-moter ; *200 au* ~, 200 on the clock.

comptine [kɔ̃tin] *f* nursery rhyme.

comptoir [kɔ̃twar] *m* [magasin] counter ; [bar] bar (meuble).

comt|e [kɔ̃t] *m* G.B. earl ; FR. count || ~**é** *m* GÉOGR. county, shire || ~**esse** *f* countess.

con, onne [kɔ̃, kɔn] *n* POP. bloody fool/idiot.

con *m* POP. [sexe féminin] cunt || ~**ard, e** [kɔnar, -ard] *n* VULG. [homme] silly bugger ; [femme] stupid bitch.

concave [kɔ̃kav] *adj* concave.

concéder [kɔ̃sede] *vt* (5) concede, cede (un droit) || admit, grant (un point).

concentr|ation [kɔ̃strɑsjɔ̃] *f* concentration ; *camp de* ~, concentration camp || ~**é** *m* CULIN. extract ; ~ *de tomates,* tomato purée || ~**er** *(vt)* (1) concentrate || focus (observation, rayons) — *vpr se* ~, concentrate/focus (*sur,* on) || ~**ique** *adj* concentric.

concep|t [kɔ̃sept] *m* concept || ~**tion** *f* conception ; ~ *erronée,* misconception || TECHN. design.

concern|ant, e [kɔ̃sernɑ̃] *prép* concerning || with regards to || ~**er** *vt* (1) concern ; *en ce qui concerne,* as regards ; *en ce qui me concerne,* as far as I am concerned ; *cela ne me concerne pas,* it's no concern of mine.

concer|t [kɔ̃ser] *m* concert ; *salle de* ~, concert-hall || FIG. harmony ● *loc adv de* ~ *(avec),* in concert (with) || ~**ation** [-tasjɔ̃] *f* dialogue || ~**té, e** *adj* concerted || ~**ter (se)** [-te] *vpr* (1) consult each other.

concessi|on [kɔ̃sesjɔ̃] *f* claim (minière) || U.S. franchise (privilège) || JUR. assignment ; grant (cession) || FIG. concession ; *faire une* ~, stretch a point ; *faire des* ~*s,* make concessions ; ~*s mutuelles,* give and take || ~**onnaire** [-ɔnɛr] *n* COMM. franchise holder, distributor.

concev|able [kɔ̃svabl] *adj* conceivable || ~**oir** *vt* (3) MÉD. conceive || FIG. conceive ; devise, develop, de-

sign (élaborer) ; contrive (inventer) ; understand, realize (comprendre) ; imagine (l'infini).

concierge [kɔ̃sjerʒ] *n* caretaker, U.S. janitor || [hôtel] bell-captain.

concil|iant, e [kɔ̃siljɑ̃, ɑ̃t] *adj* conciliating || ~**iation** [-jasjɔ̃] *f* conciliation || ~**ier** *vt* (1) conciliate.

conci|s, e [kɔ̃si, iz] *adj* concise ; terse, brief (récit) || ~**sion** [-zjɔ̃] *f* concision ; *avec* ~, tersely, concisely.

concitoyen, enne [kɔ̃sitwajɛ̃, ɛn] *n* fellow-citizen.

concl|uant, e [kɔ̃klyɑ̃, ɑ̃t] *adj* conclusive || ~**ure** *vt* (29) conclude (un accord) ; end (un ouvrage) || infer, deduce (*de,* from) [déduire] || COMM. ~ *une affaire,* drive a bargain ; *marché* ~ !, it's a deal ! || ~**usion** [-yzjɔ̃] *f* conclusion, close (fin) || inference (déduction) || PL JUR. findings.

concombre [kɔ̃kɔ̃br] *m* cucumber.

concomitant, e [kɔ̃kɔmitɑ̃, ɑ̃t] *adj* concomitant, concurrent, attendant.

concord|ance [kɔ̃kɔrdɑ̃s] *f* concordance || GRAMM. sequence (des temps) || ~**e** *f* concord, harmony || ~**er** *vi* (1) agree, tally, match, dovetail (*avec,* with).

concourir [kɔ̃kurir] *vt* (32) contribute towards (*à,* to) || contend, compete (*avec,* with ; *pour,* for) || enter a competition.

concours [kɔ̃kur] *m* [études] competitive examination ; ~ *d'entrée,* entrance examination || show (parade, exposition) ; ~ *agricole,* agricultural show ; ~ *de beauté,* beauty contest.

conret, ète [kɔ̃krɛ, ɛt] *adj* concrete (substance) || actual (cas).

conçu, e [kɔ̃sy] → CONCEVOIR.

concubinage [kɔ̃kybinaʒ] *m* concubinage ; *vivre en* ~, live together ; live in sin (humour).

concurr|emment [kɔ̃kyramɑ̃] *adv* jointly (*avec,* with) || ~**ence** *f* competition (*avec,* with) ; *faire* ~, compete (à, with); *jusqu'à ~ de,* to the amount of || **~encer** *vt* (1) compete with, challenge || **~ent, e** *adj* competitive, rival (entreprise) ● *n* Sp. competitor, contender ; entrant (dans une course) || **~entiel, elle** *adj* competitive.

condamn|ation [kɔ̃danasjɔ̃] *f* condemnation || Jur. conviction, sentence ; *~ à mort/perpétuité,* death/life sentence || **~é, e** *n* convict ; *~ à mort,* man under a death sentence ; *~ à mort,* man under a death sentence ~ **er** *vt* (1) Jur. sentence, convict || Fig. condemn (blâmer) || block up (une fenêtre) ; wall up (une porte) ; doom (à l'échec).

condens|ateur [kɔ̃dɑ̃satœr] *m* condenser || **~ation** *f* condensation || **~er** *vt* (1) condense || digest (un livre) — *vpr se ~,* condense.

condescendant, e [kɔ̃desɑ̃dɑ̃, ɑ̃t] *adj* patronizing.

condiment [kɔ̃dimɑ̃] *m* condiment, relish.

condition [kɔ̃disjɔ̃] *f* condition ; *dans ces ~s,* under the circumstances || condition (qualité) ; *~s requises,* qualifications, requisites || condition (clause) ; *à ~ que,* on condition that, provided/providing that ; *sans ~s,* unconditional || *(état)* condition, *en bonne/mauvaise ~ physique,* fit/unfit || Comm. *Pl* terms (contrat) ; *acheter à ~,* buy on approval.

conditionné|é, e [kɔ̃disjɔne] *adj* conditioned || **~el, elle** *adj/m* conditional || **~ement** *m* Comm. conditioning ; packaging || **~er** *vt* (1) condition || Comm. package.

condoléances [kɔ̃dɔleɑ̃s] *fpl* condolence ; *présenter ses ~,* offer one's sympathy.

conducteur, trice [kɔ̃dyktœr, tris] *adj* Électr. conducting || Fig. *fil ~,* clue ● *n* Aut. driver || Fig. *~ d'hommes,* leader.

cond|uire [kɔ̃dɥir] *vt* (85) conduct, guide (guider) ; lead (mener) ; *~ qqn à,* take sb to || Aut. drive (une voiture,

qqn) || Techn. carry (eau) || Électr. conduct || Fig. handle (diriger) ; manage (une affaire) — *vpr se ~,* behave (oneself) ; *bien se ~,* behave ; *se ~ mal,* behave badly, misbehave || **~uit** [-ɥi] *m* conduit (eau, de gaz) ; pipe, channel ; *~ de cheminée,* flue || **~uite** [-ɥit] *f* guidance, conduct ; *sous la ~ de,* escorted by || leadership, lead || Aut. driving ; *~ à gauche,* left hand drive ; *~ en état d'ivresse,* drunken driving || Techn. pipe, duct (tube) ; main (d'eau, de gaz) || Fig. behaviour.

cône [kon] *m* cone.

confect|ion [kɔ̃fɛksjɔ̃] *f* making || *de ~,* ready-made (vêtement) || **~ionner** [-jɔne] *vt* (1) make up.

confédér|ation [kɔ̃federasjɔ̃] *f* confederation ; confederacy || **~é, e** *adj/n* confederate.

conférenc|e [kɔ̃ferɑ̃s] *f* conference (entretien, réunion) ; *~ de presse,* press-conference || lecture (sur, on) [exposé oral] ; *faire/donner une ~,* lecture, give a lecture || **~ier, ière** *n* lecturer.

conférer [kɔ̃fere] *vt* (5) confer, bestow (un grade) [à, on] — *vi* confer (avec, with).

confess|e [kɔ̃fɛs] *f aller à ~,* go to confession || **~er** *vt* (1) Rel. confess (ses péchés, un pénitent) — *vpr se ~,* confess (one's sins) [à, to] || **~eur** *m* confessor || **~ion** *f* Rel. confession || **~ionnal, aux** [-jɔnal, o] *m* confessional.

confi|ance [kɔ̃fjɑ̃s] *f* confidence, trust, reliance (en, in) ; *avoir ~ en, faire ~ à,* have confidence/faith in, rely on, trust ; *de ~,* reliable, confidential ; *digne de ~,* trustworthy ; *qui n'inspire pas ~,* unreliable ; *~ en soi,* self-confidence || Jur. *abus de ~,* breach of trust || Pol. *poser la question de ~,* ask for a vote of confidence || **~ant, e** *adj* confident, trusting, trustful ; unsuspecting (sans méfiance).

confid|ence [kɔ̃fidɑ̃s] *f* secret, confidence ; *faire une* ~, tell a secret ǁ ~**ent** [-ɑ̃] *m* confidant ǁ ~**ente** [-ɑ̃t] *f* confidante ǁ ~**entiel, elle** [-ɑ̃sjɛl] *adj* confidential ; off-the-record.

confier [kɔ̃fje] *vt* (1) trust, entrust (*qqch. à qqn*, sb. with sth.) ; confide, impart (un secret) [*à*, to] ; leave (les clefs) [*à*, with] — *vpr se* ~, confide (*à*, in).

configuration [kɔ̃figyrasjɔ̃] *f* ~ *du terrain,* lie of the land.

confin|é, e [kɔ̃fine] *adj* confined, shut away (*chez soi,* at home) ǁ stale, stuffy (air) ǁ ~**er** *vt* (1) confine, shut away — *vpr se* ~, shut oneself up (*dans,* in) — *vi* border (*à,* on).

confins [kɔ̃fɛ̃] *mpl* confines.

confire [kɔ̃fir] *vt* (30) candy.

confirm|ation [kɔ̃firmasjɔ̃] *f* confirmation ǁ REL. confirmation ǁ ~**er** *vt* (1) confirm, bear out.

confiscation [kɔ̃fiskasjɔ̃] *f* confiscation (d'un bien).

confis|erie [kɔ̃fizri] *f* confectionery (produit) ; sweet-shop, U.S. candy store (boutique) ǁ ~**eur** *m* confectionner.

confisquer [kɔ̃fiske] *vt* (1) take away ǁ JUR. confiscate, impound.

confi|t [kɔ̃fi] *adj* preserved, candied ǁ ~**ture** [-tyr] *f* jam ; ~ *d'oranges,* marmalade ǁ *Pl* preserves.

conflit [kɔ̃fli] *m* conflict ; *entrer en* ~ *avec,* conflict with ǁ ~ *du travail,* trade dispute ǁ POL. strife ǁ FIG. clash.

confluent [kɔ̃flyɑ̃] *m* confluence.

confon|dre [kɔ̃fɔ̃dr] *vt* (4) confuse, mix up, mistake (ne pas distinguer) [*avec,* for] ; *je le confonds toujours avec son frère,* I never know him from his brother — *vpr se* ~, blend, merge (se mêler) ǁ FIG. *se* ~ *en remerciements,* thank (sb) effusively.

conform|ation [kɔ̃fɔrmasjɔ̃] *f* conformation ǁ ~**e** *adj* ~ *à,* true to, in accordance with, in keeping with ǁ ~**ément** [-emɑ̃] *adv* ~ *à,* in conformity with, in accordance with,

according to ǁ ~**er** *vt* (1) model, match — *vpr se* ~, conform (*à,* to) ǁ ~**iste** *m* conformist ǁ ~**ité** conformity (*à,* with/to).

confor|t [kɔ̃fɔr] *m* comfort ǁ ~ *moderne,* modern convenience ; mod con (coll.) ; *sans* ~, comfortless ǁ ~**table** [-tabl] *adj* comfortable ; easy (fauteuil) ; snug (maison) ; cosy (pièce) ; *peu* ~, uncomfortable ǁ ~**tablement** *adv* comfortably.

confr|ère [kɔ̃frɛr] *m* colleague ǁ ~**érie** [-eri] *f* brotherhood ; fraternity.

confronter [kɔ̃frɔ̃te] *vt* (1) compare (textes) ǁ JUR. confront (personnes).

confu|s, e [kɔ̃fy, yz] *adj* confused, hazy (souvenir) ; indistinct (bruit) ; foggy (esprit) ; embarrassed (embarrassé) ; ashamed (honteux) ǁ promiscuous (amas) ǁ ~**sément** [-zemɑ̃] *adv* confusedly, vaguely, dimly ǁ ~**sion** *f* confusion, muddle, disorder (désordre) ; *faire une* ~, mix up, mistake) bewilderment (égarement) ; embarrasment (honte).

congé [kɔ̃ʒe] *m* [vacances] holiday ; U.S. vacation ; MIL. leave ; *en* ~, on holiday ; *2 jours de* ~, 2 days' holiday, 2 days off ; ~ *de maladie,* sick leave ; ~ *de maternité,* maternity leave ǁ [avis de départ] notice ; *donner* ~ *au propriétaire,* give notice to the landlord ; *donner* ~ *au locataire,* give the lodger (his) notice ǁ [départ] *prendre* ~ *de,* take leave of ǁ ~**dier** [-dje] *vt* (1) dismiss, discharge (employé).

congél|ateur [kɔ̃ʒelatœr] *m* deep-freeze (meuble) ; freezing compartment ǁ ~**ation** *f* [aliments, eau] freezing.

congel|é, e [kɔ̃ʒle] *adj* frozen ; *produits* ~*s,* (deep) frozen food ǁ ~**er** *vt* (deep-) freeze (aliments) (8 *b*) — *vpr (se)* ~, congeal, freeze, ice.

congère [kɔ̃ʒɛr] *f* snow-drift.

congest|ion [kɔ̃ʒɛstjɔ̃] *f* congestion ; ~ *cérébrale,* stroke ; ~ *pulmonaire,* congestion of the lungs ‖ **~onné, e** [-ɔne] *adj* flushed ‖ **~onner** [ɔne] *vt* (1) congest ; flush (le visage).

conglomérat [kɔglɔmera] *m* conglomerate.

Congo [kɔgo] *m* Congo ‖ **~lais, e** [-lɛ, ɛz] *n/adj* Congolese.

congratuler [kɔgratyle] *vt* (1) congratulate.

congre [kɔgr] *m* conger(-eel).

congr|ès [kɔgrɛ] *m* congress, convention ‖ **~essiste** [-esist] *n* member of participant at a congress.

congru, e [kɔgry] *adj* portion ~*e,* bare living.

con|ifère [kɔnifɛr] *m* conifer, evergreen ‖ **~ique** *adj* conic.

conjectur|al, e, aux [kɔʒɛktyral, o] *adj* speculative ‖ **~e** *f* conjecture, guesswork.

conjoin|t, e [kɔʒwɛ̃, ɛ̃t] *adj* joint ● *n* JUR. spouse ; *les futurs* ~*s,* the bride and bridegroom ; *les* ~*s,* husband and wife ‖ **~tement** [-tmɑ̃] *adv* jointly.

conjonc|tion [kɔʒɔ̃ksjɔ̃] *f* GRAMM. conjunction ‖ **~ture** [-tyr] *f* circumstances ; *dans cette* ~, at this juncture.

conju|gaison [kɔʒygɛzɔ̃] *f* conjugation ‖ **~gal, e, aux** [-gal, o] *adj* conjugal ; *domicile* ~, marital home ; *vie* ~, married life ‖ **~guer** [-ge] *vt* (1) combine, join (efforts) ‖ GRAMM. conjugate.

conjurer *vt* (1) entreat, beseech (supplier) ‖ FIG. ward off, avert (danger).

connaissance [kɔnesɑ̃s] *f* knowledge ; *à ma* ~, to my knowledge, as far as I know ; *en* ~ *de cause,* knowingly, advisedly, on good grounds ‖ [savoir] knowledge, learning ; ~ *fondamentale,* grounding ; ~ *superficielle,* smattering ‖ *Pl* knowledge, acquirement ‖ [relation] acquaintance ; *faire la* ~ *de qqn,* make

sb's acquaintance, become acquainted with sb, meet sb ; *faire faire* ~ *à deux personnes,* bring two people together ‖ FAM. *une vieille* ~, an old friend ‖ MÉD. sense, consciousness ; *perdre* ~, lose consciousness ; *reprendre* ~, regain consciousness, come round ; *sans* ~, unconscious, senseless.

connaisseur [kɔnesœr] *adj* appreciative, expert ● *m* connoisseur.

connaître [kɔnɛtr] *vt* (74) know, be acquainted with ; ~ *de vue,* know by sight ‖ experience (faire l'expérience de) ‖ be familiard with ; be versed in (être versé) ; *n'y rien* ~, know nothing about it ; *faire* ~, make known ; *faire* ~ *qqch à qqn,* let sb know sth ; *faire* ~ *qqn à qqn,* introduce sb to sb ; *être connu de/pour,* be known to/as ‖ know of (l'existence de) — *vpr se* ~, be acquainted ; meet, become acquainted (se rencontrer) ; *s'y* ~ *en,* know a lot about, be well up in/on, be well versed in, be an expert on.

conne|cter [kɔnɛkte] *vt* (1) ÉLECTR. connect ; *connecté,* on line ‖ **~xion** [-ksjɔ̃] *f* connection.

connerie [kɔnri] *f* POP. damned stupidity ; bullshit (vulg.).

connivence [kɔnivɑ̃s] *f* : *être de* ~, connive (avec, with).

connu, e [kɔny] *adj* (well-)known (de, to/by) ; *très* ~, famous ; *être* ~ *sous le nom de,* go under the name of.

conqu|érant, e [kɔkerɑ̃, ɑ̃t] *adj* conquering ‖ FIG. swaggering (air) ● *n* conqueror ‖ **~érir** [-erir] *vt* (13) conquer ‖ FIG. win ‖ **~ête** [-ɛt] *f* conquest ‖ **~is, e** [-i, iz] → CONQUÉRIR.

consacr|é, e [kɔsakre] *adj* [habituel] accepted, usual (terme) ; established (par l'usage) ‖ REL. consecrated, hallowed ‖ **~er** *vt* (1) ~ *à,* devote to, dedicate to ‖ REL. consecrate, hallow ‖ establish (coutume) — *vpr se* ~ *à,* devote oneself to.

consc|iemment [kɔ̃sjamɑ̃] *adv* consciously, knowingly ‖ **~ience** [-jɑ̃s] *f* [psychologie] consciousness, awareness (connaissance) ; *avoir ~ de,* be aware of ; *prendre ~ de,* become aware of, realize ‖ [morale] conscience ; *par acquit de ~,* for conscience' sake ; *un cas de ~,* a matter of conscience ; *en ~,* in all conscience ; *dire ce qu'on a sur la ~,* speak one's mind ‖ conscientiousness (scrupule) ‖ Méd. *perdre/reprendre ~,* lose/regain consciousness ‖ **~iencieusement** [-jɑ̃sjøzmɑ̃] *adv* conscientiously ‖ **~iencieux, ieuse** [-jɑ̃sjø, jøz] *adj* conscientious ‖ careful (soigneux) ‖ **~ient, e** [kɔ̃sjɑ̃, ɑ̃t] *adj* conscious (éveillé) ‖ aware (*de,* of).

conscr|iption [kɔ̃skripsjɔ̃] *f* conscription, U.S. draft ‖ **~it** [-i] *m* Mil. conscript, U.S. draftee.

consécration [kɔ̃sekrasjɔ̃] *f* Rel. consecration, dedication (d'une église).

consécutif, ive [kɔ̃sekytif, iv] *adj* consecutive, successive ‖ *pendant 5 jours ~s,* for five days running ‖ *~ à,* following.

conseil [kɔ̃sɛj] *m* [recommandation] *un ~,* a piece of advice ; a tip (suggestion) ; *demander ~ à qqn,* ask sb's advice ; *suivre le ~ de qqn,* follow sb's advice ‖ [assemblée] council ; *~ d'administration,* board of directors ; *~ municipal,* town council ; *~ de révision,* recruiting board ; *Conseil de Sécurité,* Security Council ‖ Mil. *~ de guerre,* court-martial ; *passer en ~ de guerre,* be court-martialled ‖ **~ler¹** [-e] *m* advisor, counsellor (qui conseille) ‖ councillor (membre d'un conseil) ; *~ municipal,* town councillor, alderman ‖ Jur. *~ juridique,* legal adviser.

conseiller² *vt* (1) recommend (recommander) ; advise (guider).

consent|ement [kɔ̃sɑ̃tmɑ̃] *m* consent, assent ‖ **~ant, e** *adj* willing, agreeable (*à,* to) ‖ **~ir** *vi* (93) consent, agree (*à faire,* to do).

conséqu|ence [kɔ̃sekɑ̃s] *f* consequence, result, outcome ; *en ~,* accordingly ; *sans ~,* of no importance ‖ **~ent, e** *adj* logical ; consistent (*avec,* with) ‖ *par ~,* therefore, consequently ‖ Fam. sizeable (grand, important).

conserva|teur, trice [kɔ̃sɛrvatœr, tris] *adj* conservative ● *m* [musée] curator ‖ [réfrigérateur] freezing compartment ‖ [denrées alimentaires] preservative ‖ Pol. conservative ; Tory (coll.) ; *~ intransigeant,* die-hard ‖ **~tion** *f* preserving, preservation ; *en bon état de ~,* well-preserved ‖ **~toire** [-twar] *m* academy ; U.S. conservatory.

conserv|e [kɔ̃sɛrv] *f* preserve ‖ *Pl* preserves, tinned food ; U.S. canned food ; pickles (au vinaigre) ; *boîte de ~s,* tin ; U.S. can ‖ *mettre en ~,* preserve ; U.S. can ; pickle (dans du vinaigre) ‖ **~er** *vt* (1) preserve ‖ Culin. pickle (dans du vinaigre) ; pot (en pot) ; tin, can (en boîte) ‖ Fig. keep ; preserve — *vpr se ~,* keep.

considérable [kɔ̃siderabl] *adj* considerable (différence) ; substantial (amélioration) ; extensive (rôle) ; wide (culture) ; sizeable (important) ‖ **~ment** *adv* considerably, greatly.

considér|ation [kɔ̃siderasjɔ̃] *f* [attention] consideration ; *prendre en ~,* consider, take into account ; *sans ~ de,* regardless of ‖ [motif] reason ; *en ~ de,* on account of ‖ [estime] regard, respect ‖ **~er** *vt* (5) [examiner] consider, examine ; *tout bien considéré,* all things considered ‖ [juger] regard as, look upon as, consider ‖ [respecter] hold in high regard, look up to, esteem.

consign|e [kɔ̃siɲ] *f* orders, instructions (ordres) ‖ Rail. left-luggage office ; U.S. checkroom ; *mettre une valise à la ~,* leave a case at the left-luggage office ; *~ automatique,* left-luggage lockers ‖ Comm. deposit (somme remboursable) ; *Pl* (returned) empties (bouteilles) ‖ **~é, e** *adj* returnable (bouteille) ‖ **~er** *vt* (1) [école] keep in (after school) ‖ Comm. put a deposit on ‖ Mil. confine to barracks ‖ Fig. keep a record of.

consist|ance [kɔ̃sistɑ̃s] *f* consistency, thickness (d'un liquide) ‖ Fig. *sans ~*, weak ; unfounded (bruit) ‖ **~ant, e** *adj* substantial (repas) ‖ **~er** *vi* (1) consist, be composed (*en*, of) [se composer de] ; consist (*à faire*, in doing).

consœur [kɔ̃sœr] *f* (lady) colleague.

consol|ant, e [kɔ̃sɔlɑ̃, ɑ̃t] *adj* comforting ‖ **~ation** *f* consolation, comfort.

console [kɔ̃sɔl] *f* [table] console-table ‖ [support] bracket ‖ Mus., Inf. console.

consoler [kɔ̃sɔle] *vt* (1) console, comfort — *vpr se ~*, console oneself, be comforted, get over (it).

consolider [kɔ̃sɔlide] *vt* (1) Techn. strenghten ‖ Fig. consolidate.

consomm|ateur, trice [kɔ̃sɔmatœr, tris] *n* consumer ; customer (client d'un café) ‖ **~ation** *f* consumption ; *biens de ~*, consumer goods ; *société de ~*, consumer society ‖ [café] drink ‖ **~é, e** *adj* Fig. consummate, accomplished ● *m* Culin. consommé, beef tea ‖ **~er** *vt* (1) eat (manger) ; drink (boire) ‖ consume, use (gaz, électricité, essence) — *vi* have a drink.

consonne [kɔ̃sɔn] *f* consonant.

conspir|ateur, trice [kɔ̃spiratœr, tris] *n* conspirator, plotter ‖ **~ation** *f* conspiracy, plot ‖ **~er** *vi* (1) conspire, plot (*contre*, against) ‖ Fig. *~ à*, conspire to.

conspuer [kɔ̃spɥe] *vt* (1) shout down, boo.

const|amment [kɔ̃stamɑ̃] *adv* constantly, continuously ‖ **~ance** *f* constancy, steadfastness ‖ **~ant, e** *adj* constant, continued (continuel) ‖ steadfast, stable (ferme).

constat [kɔ̃sta] *m* Aut. *~ (d'accident),* (accident) report ‖ **~ation** [-tasjɔ̃] *f* observation ‖ [en-

quête] conclusion, findings ‖ **~er** *vt* (1) record (un fait) ‖ note, notice, find, observe (*que*, that).

constell|ation [kɔ̃stelasejɔ̃] *f* constellation ‖ **~é, e** *adj* star-studded/-spangled.

constern|ant, e [kɔ̃stɛrnɑ̃, ɑ̃t] dismaying ; appalling (coll.) ‖ **~ation** [-nasjɔ̃] *f* dismay, consternation ‖ **~er** *vt* (1) dismay (abattre).

constip|ation [kɔ̃stipasjɔ̃] *f* constipation ‖ **~er** *vt* (1) constipate, bind ; *constipant,* binding.

constitu|ant, e [kstitɥɑ̃, ɑ̃t] *adj* constituent ‖ **~er** *vt* (1) constitute, compose, make up (un ensemble) ; set up (un comité) ; form (un ministère) ‖ constitute (représenter) ‖ **~tion** *f* Jur., Méd. constitution ‖ **~tionnel, elle** [-sjɔnɛl] *adj* constitutional ‖ Méd. temperamental (maladie).

construc|teur, trice [kɔ̃stryktœr, tris] *n* maker ; builder (bâtisseur) ; *~ automobile*, car manufacturer ‖ **~tif, ive** [-tif, iv] *adj* constructive ‖ **~tion** *f* building, construction (action) ; *~ mécanique*, mechanical engineering ; *~ navale*, shipbuilding ‖ Arch. building ‖ Gramm. construction.

construire [kɔ̃strɥir] *vt* (85) construct, build ‖ Techn. engineer — *vpr se ~*, Gramm. *se ~ avec*, take.

consul [kɔ̃syl] *m* consul ‖ **~at** [-a] *m* consulate.

consult|ant, e [kɔ̃syltɑ̃, ɑ̃t] *adj médecin ~*, consultant ‖ **~atif, ive** *adj* advisory, consultative ‖ **~ation** *f* consultation ‖ **~er** *vt* (1) consult (dictionnaire, personne) ; ask advice from (personne) ‖ Méd. *~ un médecin,* take medical advice — *vpr se ~*, deliberate, think the matter over.

consumer [kɔ̃syme] *vt* (1) consume, burn — *vpr se ~*, burn ‖ Fig. be consumed ; waste away.

contact [kɔ̃takt] *m* contact, touch ‖ Électr. *établir/couper le ~*, make/

break contact ‖ Aut. *clef de ~*, ignition key ; *mettre/couper le ~*, switch on/off ‖ Méd. *lentilles de ~*, contact lenses ‖ Fig. *prendre ~ avec qqn*, get in touch with sb ‖ **~er** *vt* (1) contact.

contag|ieux, ieuse [kɔ̃taʒjø, jøz] *adj* contagious, catching, infectious ‖ **~ion** *f* contagion.

contaminer [kɔ̃tamine] *vt* (1) contaminate, infect.

conte [kɔ̃t] *m* tale ; *~ de fées*, fairy tale.

contempl|atif, ive [kɔ̃tɑ̃platif, iv] *adj* contemplative ‖ **~ation** [-asjɔ̃] *f* contemplation ‖ **~er** *vt* (1) contemplate, gaze at.

contemporain, e [kɔ̃tɑ̃pɔrɛ̃, ɛn] *adj* contemporary (*de*, with) ‖ present-day (*moderne*) ● *n* contemporary.

conten|ance [kɔ̃tnɑ̃s] *f* capacity ‖ Fig. *perdre ~*, lose one's composure ; *faire bonne ~*, put on a bold front ‖ **~eur** *m* container ‖ **~ir** *vt* (101) [*capacité*] contain, hold, take ‖ [renfermer] contain ‖ Th., Aut., seat ‖ Fig. hold back (colère) ; repress, suppress (émotion, sentiment) contain — *vpr se ~*, control oneself.

conten|t, e [kɔ̃tɑ̃, ɑ̃t] *adj* happy, pleased, content, satisfied (*de*, with) ; glad (*de*, of/about) ; *~ de soi*, selfsatisfied ● *m avoir son ~ de*, have one's fill of ‖ **~tement** [-tmɑ̃] *m* contentment, satisfaction ‖ **~ter** [-te] *vt* (1) please, grafity, ; satisfy — *vpr se ~ de (faire) qqch*, content oneself with (doing) sth ; *se ~ de qqch*, make sth do ; *il se contenta de sourire*, he merely smiled.

contenu [kɔ̃tny] *m* contents.

conter [kɔ̃te] *vt* (1) tell, relate.

contest|able [kɔ̃tɛstabl] *adj* questionable, debatable, doubtful ‖ **~ataire** [-atɛr] *adj* anti-establisment ● *n* protester ‖ **~ation** *f* objection ‖ (discussion) contest, dispute ; *sans ~*, beyond all question ‖ [mise en doute] questioning ‖ Pol. anti-estab-

lishment protest ‖ **~e** *m sans ~*, undisputably ‖ **~é, e** *adj* at issue ‖ **~er** *vt* (1) contest, question (mettre en doute), dispute (*que*, that) ; challenge (autorité, validité) ‖ Pol. protest — *vi* take issue (*sur*, over).

conteur [kɔ̃tœr] *m* story-teller.

contexte [kɔ̃tɛkst] *m* context.

contig|u, uë [kɔ̃tigy] *adj* adjacent, contiguous, next (*à*, to) ‖ **~uïté**, [-ɥite] *f* contiguity.

continen|t² [kɔ̃tinɑ̃] *m* Géogr. continent, mainland ‖ **~tal, e, aux** [-tal, o] *adj* continental.

contingent [kɔ̃tɛ̃ʒɑ̃] *m* Mil. contingent, U.S. draft.

contin|u, e [kɔ̃tiny] *adj* continuous, unbroken ‖ Électr. *courant ~*, direct current ‖ **~uation** [-ɥasjɔ̃] *f* continuation ‖ **~uel, elle** [-ɥɛl] *adj* continual, incessant ‖ **~uellement** *adv* continually, endlessly ‖ **~uer** [-ɥe] *vt* (1) go on, continue ; carry on, keep on (with) — *vi* continue, keep on, go on ; *~ à travailler*, work on — *vpr se ~*, continue ‖ **~uité** [-ɥite] *f* continuity.

contorsion [kɔ̃tɔrsjɔ̃] *f* contortion.

contour [kɔ̃tur] *m* outline (silhouette) ; contour (limite) ‖ Fig. contour ‖ **~ner** [-ne] *vt* (1) go round, bypass.

contracep|tif, ive [kɔ̃traseptif, iv] *adj/n* contraceptive ‖ **~tion** *f* contraception.

contract|er¹ [kɔ̃trakte] *vt* (1) contract (obligation) ‖ enter into (un engagement) ‖ Méd. contract, develop (une maladie) ‖ **~uel, elle** [-ɥɛl] *adj* contractual ● *n* Aut. traffic warden ● *f* metermaid ‖ G.B. (devant une école) lollipop lady (coll.).

contrac|ter² *vt* (1) [raidir] contract, tense (muscles, traits) — *vpr se ~*, [métal] contract ‖ [traits] contract ‖ **~tion** *f* contraction.

contradic|teur, trice [kɔ̃tradiktœr, tris] *n* objector ‖ **~tion** *f* contradiction (opposition) ; *esprit de ~*, contrariness ǁ discrepancy, inconsistency (discordance) ; *en* ~, inconsistent, at variance (*avec*, with) ǁ **~toire** [-twar] *adj* contradictory, inconsistent, conflicting.

contr|aignant, e [kɔ̃trɛɲɑ̃, ɑ̃t] ; *adj* contraining ǁ **~aindre** [-ɛ̃dr] *vt* (59) compel, force, constrain (*à faire*, to do) ǁ **~aint, e** [-ɛ̃, ɛ̃t] *adj* constrained ; forced (sourire) ● *f* constraint, restraint ; *sous la* ~, under pressure/compulsion ; *sans* ~, without restraint.

contraire [kɔ̃trɛr] *adj* [opposé] opposite, reverse ; *en sens* ~, in the opposite direction ; *sauf avis* ~, unless you hear to the contrary ; *jusqu'à preuve du* ~, until we get proof to the contrary, adverse (vent) ǁ [nuisible] harmful ; [aliment, climat] *être* ~ *à*, disagree with ; ~ *à la santé*, bad fort the health ǁ JUR. ~ *à la loi*, against the law ● *m* contrary ; *au* ~, on the contrary ; *au* ~ *de*, unlike ǁ **~ment** *adv* ~ *à*, contrary/counter to.

contrari|ant, e [kɔ̃trajɑ̃, ɑ̃t] *adj* contrary (personne) ǁ annoying (chose) ǁ **~er** *vt* (1) annoy, vex, bother, upset, put out (mécontenter) ; *ne pas* ~, humour ǁ cross, go against, oppose (s'opposer à) ; thwart (les plans de qqn) ǁ interfere with, hinder (empêcher) ǁ **~été** [-ete] *f* annoyance, vexation.

contrast|e [kɔ̃trast] *m* contrast ǁ **~er** *vi* (1) contrast (*avec*, with).

contrat [kɔ̃tra] *m* contract, agreement ; *passer un* ~ *avec*, contract with ; ~ *d'assurance*, contract of insurance ; ~ *de mariage*, marriage contract ǁ [bridge] *remplir son* ~, make one's contract.

contravention [kɔ̃travɑ̃sjɔ̃] *f* AUT. fine ; [stationnement] parking-ticket ; *attraper une* ~, get a ticket (coll.).

contre [kɔ̃tr] *prép* [contraste, opposition, choc] against ; ~ *le mur*, against the wall ; *fâché* ~, angry at ; ~ *toute attente*, contrary to all expectations ǁ [protection] *abri* ~ *la pluie*, shelter from the rain ; ǁ [échange] in exchange for ǁ JUR., SP. versus ; *parier dix* ~ *un*, bet ten to one ● *adv par* ~, on the other hand ● *m le pour et le* ~, the pros and cons.

contre|-amiral, aux [kɔ̃tramiral, o] *m* rear-admiral ǁ **~-attaque** *f* counter-attack ǁ **~-attaquer** *vt* (1) counter-attack ǁ **~-balancer** *vt* (1) counter-balance, counteract.

contreband|e [kɔ̃trəbɑ̃d] *f* smuggling ; *faire de la* ~, smuggle ; ~ *d'armes*, gun-running ǁ **~ier, ière** *n* smuggler.

contre|bas [kɔ̃trəba] *m en* ~, lower down ǁ **~basse** *f* double-bass ǁ **~carrer** [-kare] *vt* (1) cross, interfere with, thwart ǁ ~ CIN. reverse shot ǁ **~cœur (à)** *loc adv* unwillingly, reluctantly, grudgingly ǁ **~coup** *m* FIG. after-effect, repercussion, backlash ǁ **~-courant** *m* counter-current ; *à* ~, against the current ǁ **~-culture** *f* counterculture ǁ **~danse** *f* AUT., FAM. fine ; *avoir une* ~ *pour excès de vitesse*, be booked for speeding ǁ **~dire** *vt* (63) contradict ǁ [négativement] gainsay — *vpr se* ~, contradict oneself ǁ **~dit (sans)** *loc adv* unquestionably ǁ **~-écrou** *m* locknut.

contrée [kɔ̃tre] *f* région, country.

contre|-épreuve [kɔ̃trepRœv] *f* countercheck ǁ **~-espionnage** *m* counter-espionage, counterintelligence ǁ **~façon** [kɔ̃trəfasɔ̃] *f* counterfeit(ing), forgery, fake ǁ **~faire** *vt* (50) forge, fake (un document) ; disguise (son écriture) ; ~ [-fɛ, ɛt] *adj* deformed (personne) ǁ **~fait, e** [-fɛ-] *adj* deformed (personne) ǁ **~fort** *m* ARCH. buttress ǁ *Pl* GÉOGR. foothills ǁ **~-gouvernement** *m* shadow cabinet ǁ **~-indiqué, e** *p.p.* MÉD. contraindicated ǁ **~-interrogatoire** *m* cross-examination ǁ **~-jour** *m* backlighting ; PHOT. back-lit shot ; *à* ~, against the light ǁ **~maître** *m* foreman, overseer ǁ **~marque** *f* countermark ; check ǁ **~-offensive**

f counter-offensive ‖ **~partie** *f* compensation ; **en ~,** in exchange/ return ‖ **~-pied** *m* SP. wrong foot ‖ FIG. *prendre le ~ de,* take the opposite view of ‖ **~-plaqué** *m* plywood ‖ **~-plongée** *f* CIN. tilt shot ‖ **~poids** *m* counterweight ; *faire ~ à,* counterbalance ‖ **~point** *m* counterpoint ‖ **~poison** *m* counter-poison, antidote ‖ **~projet** *m* counterplan ‖ **~-proposition** *f* counter-proposal.

contrer [kɔ̃tre] *vt* (1) SP. counter ‖ [cartes] double.

contre|-révolution [kɔ̃trərevɔlysjɔ̃] *f* counter-revolution ‖ **~-révolutionnaire** *n* contra ‖ **~sens** *m* mistranslation (d'un texte) ‖ **~signer** *vt* (1) countersign ‖ **~temps** *m* contretemps, hitch ; set-back (échec) ; mishap (accident) ‖ MUS. syncopation ; *à ~,* off the beat ‖ **~-torpilleur** *m* destroyer ‖ **~venant, ante** *n* offender ‖ **~venir** *vt ind* (101), **~ à,** contravene ‖ **~vérité** *f* untruth.

contribu|able [kɔ̃tribɥabl] *n* tax-payer, ratepayer ‖ **~er** *vi* (1) contribute (*à,* to) ‖ have a share ; be instrumental (*à faire,* in doing) ‖ *~ beaucoup à,* go far to(wards) ‖ **~tion** *f* contribution (participation) ‖ *Pl* rates (impôts).

contri|t, e [kɔ̃tri, it] *adj* contrite ‖ **~tion** *f* contrition.

contrôl|e [kɔ̃trol] *m* check(ing), supervision (action) ; check point (lieu, bureau) ‖ *~ des naissances,* birth-control, family planning ‖ [police] *~ d'identité,* identity check ‖ [enseignement] *~* (written) test ; *~ continu,* continuous assessment ‖ FIN. *~ des changes,* exchange-control ; *~ des prix,* price control ‖ TECHN. *~ à distance,* remote control ‖ AUT. *garder le ~ de sa voiture,* remain in control of one's car ; *il perdit le ~ de sa voiture,* his car went out of control ‖ FIG. control ; *perdre le ~ de soi,* lose control of oneself ‖ **~er** *vt* (1) check up ; inspect (passeports) ‖

supervise (surveiller) ‖ TH. check (les billets) ‖ MÉD. monitor — *vpr se ~,* control oneself ‖ **~eur, euse** *n* RAIL. ticket-inspector/-collector ; [bus] conductor ‖ AV. *~ de la navigation aérienne,* air traffic controller ‖ TH. check-taker.

contrordre [kɔ̃trɔrdr] *m* counter-order ; *sauf ~,* unless otherwise directed.

controvers|e [kɔ̃trɔvɛrs] *f* controversy, contention ‖ **~é, e** *adj* debated, controversial ; *question ~e,* vexed question.

coutumace [kɔ̃tymas] *f* JUR. *par ~,* in his/her absence.

contusi|on [kɔ̃tyzjɔ̃] *f* contusion bruise ‖ **~onner** [-ɔne] *vt* (1) contuse, bruise.

conurbation [kɔnyrbasjɔ̃] *f* conurbation.

conv|aincant, e [kɔ̃vɛ̃kɑ̃, ɑ̃t] *adj* convincing, persuasive ‖ **~aincre** [-ɛ̃kr] *vt* (102) convince, persuade (persuader) ; satisfy (*que,* that) ‖ **~aincu, e** [-ɛ̃ky] *adj* convinced.

convalesc|ence [kɔ̃valɛsɑ̃s] *f* convalescence ; *être en ~,* be convalescing ‖ **~ent, e** *adj/n* convalescent.

convenable [kɔ̃vnabl] *adj* decent, respectable (vêtement) ‖ proper, fit (approprié) ; adequate (acceptable) ; correct, becoming (attitude) ; suitable, convenient (moment) ‖ **~ment** *adv* decently ; properly ; adequately ; correctly ; suitably.

conven|ance [kɔ̃vnɑ̃s] *f* conformity (accord) ; *à votre ~,* as it suits you ‖ *Pl* proprieties ‖ **~ir** *vt ind* (101) *~ que,* agree that ; admit that (reconnaître) — *vt ind ~ à,* suit, agree with ; [date, etc.] suit, be convenient/suitable ; *ne pas ~,* [aliment, climat] disagree with ‖ *~ de,* agree on (un prix) ; *~ de faire,* agree to do ; [reconnaître] *~ d'avoir fait,* admit to doing — *v impers il convient de faire,* it is advisable to do ; it is proper to do (convenable).

conventi|on [kɔ̃vɑ̃sjɔ̃] f agreement (accord) ‖ [industrie] ~ *collective,* collective agreement ‖ convention (règle) ; de ~, conventional ‖ ~**onné, e** [-ɔne] adj G.B., Méd. *médecin* ~, panel doctor ‖ ~**onnel, elle** adj conventional ; formal (style).

convenu, e [kɔ̃vny] adj agreed, appointed (date, heure, lieu) ; *comme* ~, as agreed.

converg|ent, e [kɔ̃vɛrʒɑ̃, ɑ̃t] adj concurrent ‖ ~**er** vi (7) converge ; *faire* ~, focus on (rayons).

convers|ation [kɔ̃vɛrsasjɔ̃] f conversation, talk ; *engager la* ~ *avec qqn,* enter into conversation with sb ; *sujet de* ~, talking point ; *prendre part à une* ~, join in a conversation ‖ ~**er** vi (1) converse, talk.

conver|sion [kɔ̃vɛrsjɔ̃] f conversion ‖ ~**ti, e** [-ti] n convert ‖ ~**tible** [-tibl] adj convertible ‖ ~**tir** vt (2) convert, bring over (à, to) ; transform, change (en, to) ‖ Rel. convert — *vpr se* ~, become converted (à, to) ‖ ~**tisseur** m converter ‖ → couple[2].

convexe [kɔ̃vɛks] adj convex.

conviction [kɔ̃viksjɔ̃] f conviction, firm belief ; *avoir la* ~ *que,* be convinced that.

conv|ier [kɔ̃vje] vt (1) invite (à, to) ‖ ~**ive** n guest.

convocation [kɔ̃vɔkasjɔ̃] f summons, convocation.

convoi [kɔ̃vwa] m funeral procession ‖ Naut. convoy ‖ Rail. train.

convoit|er [kɔ̃vwate] vt (1) covet ‖ ~**ise** f covetousness ‖ [sexe] lust.

convoquer [kɔ̃vɔke] vt (1) summon (personne) ‖ convoke (assemblée) ‖ Mil. call up.

convuls|er [kɔ̃vylse] vt (1) distort, convulse ‖ ~**if, ive** adj convulsive ‖ ~**ion** f convulsion.

coopér|atif, ive [kɔɔperatif, iv] adj co-operative • f co-operative ‖

~**ation** f co-operation ‖ ~**er** vi (5) co-operate.

coopter [kɔɔpte] vt (1) co-opt.

coord|ination [kɔɔrdinasjɔ̃] f co-ordination ‖ ~**onnés** mpl [vêtements] coordinates ‖ ~**onner** [-ɔne] vt (1) co-ordinate.

copain [kɔpɛ̃] m, **copine** [-in] f Fam. pal, chum, crony (coll.) ; buddy (coll.) [ami masculin].

copeau [kɔpo] n chip ; *Pl* shavings.

cop|ie [kɔpi] f [reproduction] copy ; ~ *au net,* fair copy ; ~ *carbone,* carbon copy ‖ [école] sheet (of paper) ; [devoir] paper ‖ Arts replica ‖ ~**ier** [-je] vt (1) copy (out) ‖ ~ *au propre,* make a fair copy of, write out ‖ [écolier] ~ *sur qqn,* crib off sb ‖ Arts copy, reproduce ‖ ~**ieur, euse** n cheat (qui triche) ; copycat (qui imite).

copieux, ieuse [kɔpjø, jøz] adj copious, plentiful ‖ substantial, square (repas).

copilote [kɔpilɔt] n copilot.

copropri|taire [kɔprɔprjetɛr] n joint-owner, part-owner ‖ ~**té** f joint owner ship ‖ *appartement en* ~, U.S. condominium.

coq [kɔk] m cock, rooster ; ~ *de bruyère,* wood grouse ‖ Fig. *être comme un* ~ *en pâte,* be in clover.

coque [kɔk] f shell ; ~ *de noix,* nutshell ‖ Naut. hull.

coquelicot [kɔkliko] m poppy.

coqueluche [kɔklyʃ] f whooping-cough ‖ Fig. idol, darling.

coquet, ette [kɔkɛ, ɛt] adj clothes-conscious (qui a le goût de l'élégance) ‖ trim, neat (jardin) ; charming (maison) ‖ [argent] tidy (somme).

coquetier [kɔktje] m egg-cup.

coquetterie [kɔkɛtri] f love of dress (goût de la toilette).

coquill|age [kɔkijaʒ] m shell (coquille) ; shellfish (mollusque) ‖ ~**e** [kɔkij] f shell (de noix, d'œuf, de mollusque) ; ~ *Saint-Jacques,* scallop ‖ Culin. ~ *de beurre,* shell of butter ;

œuf à la ~, soft-boiled egg ‖ TECHN. misprint.

coquin, e [kɔkɛ̃, in] *adj* mischievous ● naughty boy/girl.

cor¹ [kɔr] *m* MUS. horn (instrument) ; horn-player (musicien) ; ~ *anglais,* cor anglais ; ~ *de chasse,* hunting horn ; ~ *d'harmonie,* French horn ‖ FIG. *demander/réclamer à* ~ *et à cri,* clamour for.

cor² *m* MÉD. corn.

corail, aux [kɔraj, o] *m* coral ; *banc de* ~, coral reef.

corbeau [kɔrbo] *m* crow ; raven (de grande taille).

corbeille [kɔrbɛj] *f* basket ; ~ *à papier,* waste(-paper)-basket ; litterbin (publique).

corbillard [kɔrbijar] *m* hearse.

cord|age [kɔrdaʒ] *m* cordage, rope ‖ NAUT. *Pl* rigging ‖ ~**e** *f* rope, cord ; ~ *à linge,* clothes-line ; ~ *à sauter,* skipping-rope ; *sauter à la* ~, skip ‖ MUS. string ; *orchestre à* ~*s,* string orchestra ; *les instruments à* ~*s, the* stringed instruments, the strings ‖ ANAT. ~*s vocales,* vocal cords ‖ SP. [raquette] string ‖ AUT. *prendre un virage à la* ~, cut a corner close ‖ ~**ée** *f* SP. rope, roped party ‖ ~**elette** [-əlɛt] *f* small rope.

cordial, e, aux [kɔrdjal, o] *adj* hearty, cordial (accueil) ● *m* MÉD. pick-me-up ‖ ~**ement** *adv* heartily ; ~ *à vous,* yours sincerely.

cord|on [kɔrdɔ̃] *m* cord, string ; ~ *de sonnette,* bell-pull ‖ MIL. cordon (de police) ; ~ *sanitaire,* sanitary cordon ‖ CULIN. ~-*bleu,* first-rate cook ‖ ~**onnier, ière** *n* shoemaker, cobbler.

Coré|e [kɔre] *f* Korea ‖ ~**en, enne** [-ɛ̃, ɛn] *n* Korean.

coriace [kɔrjas] *adj* leathery (viande) ‖ FIG. tough (personne).

coricide [kɔrisid] *m* MÉD. cornplaster.

cormoran [kɔrmɔrɑ̃] *m* cormorant.

corne [kɔrn] *f* horn ; *donner un coup de* ~, butt ; *blesser d'un coup de* ~, gore ‖ horn (matière) ; ~ *à chaussure,* shoehorn ‖ [page] dog-ear ; *faire une* ~ *à une page,* turn down the corner of a page ‖ NAUT. ~ *de brume,* foghorn ‖ FIG. ~ *d'abondance,* cornucopia.

corné, e *adj* dog-eared (page).

corned-beef [kɔrnɛdbif] *m* bully beef.

cornée [kɔrne] *f* ANAT. cornea.

corneille [kɔrnɛj] *f* crow, rook.

cornemuse [kɔrnəmyz] *f* bagpipes ; *joueur de* ~, bagpiper.

corner [kɔrne] *vi* (1) AUT. hoot, honk — *vt* ~ *une page,* turn down the corner of a page.

cornet [kɔrnɛ] *m* CULIN. ~ *de glace,* ice-cream cone ‖ MUS. ~ *à pistons,* cornet.

corniaud [kɔrnjo] *m* cur, mongrel.

corniche [kɔrniʃ] *f* ARCH. cornice ‖ GÉOL. shelf (d'une colline) ‖ AUT. cliff-road.

cornichon [kɔrniʃɔ̃] *m* BOT. gherkin ‖ CULIN. pickled gherkins.

cornouaillais, e [kɔrnwaje, ɛz] *adj/n/m* Cornish (langue).

Cornouailles [kɔrnwaj] *f* Cornwall.

cornue [kɔrny] *f* retort.

corollaire [kɔrɔllɛr] *m* corollary.

corporation [kɔrpɔrasjɔ̃] *f* corporate body, corporation (personne morale) ‖ HIST. guild.

corporel, elle [kɔrpɔrɛl] *adj* bodily (du corps).

corp|s [kɔr] *m* ANAT. body (vivant) ; body, corpse (mort) ‖ PHYS., CH. body ‖ MIL. ~ *d'armée,* army corps ; ~ *à* ~, at close quarters ; *combat* ~ *à* ~, hand-to-hand fighting ‖ NAUT. ~ *mort,* moorings ; *perdu* ~ *et biens,* lost with all hands on board ‖ JUR. *séparation de* ~, judicial separation ‖ FIG. main part, body (de qqch) ; *à* ~ *perdu,* desperately ; *à son*

~ *défendant,* unwillingly ; *prendre* ~, materialize ‖ **~ulence** [-pylās] *f* corpulence ‖ **~ulent, e** [-pylā, āt] *adj* stout, corpulent.

correc|t, e [kɔrekt] *adj* correct, accurate, right (exact) ‖ proper (emploi) ‖ **~tement** *adv,* correctly ; properly ; adequately ‖ **~teur, trice** [-tris] *n* [examen] examiner ‖ [édition] reviser, proof-reader ‖ **~tion** *f* correcting, correction (action) ‖ correctness (qualité) ‖ marking (des copies) ; ‖ (proof-)reading (d'épreuves) ‖ Fɪɢ. thrashing, hiding (punition corporelle).

correspon|dance [kɔrespɔ̃dās] *f* conformity, correspondence (entre les choses) ‖ correspondence (lettres) ; *faire sa* ~, write some letters ; *cours par* ~, correspondence course ‖ Rᴀɪʟ. connection, U.S. transfer ; *assurer la* ~, connect (avec, with) ; *(billet de)* ~, transfer ‖ Aᴠ. connecting flight ‖ **~dant, e** [-dā, āt] *adj* corresponding (*à,* to, with) ● *n* [journalisme] correspondent ‖ [affaires] contact ‖ [école] pen-friend ‖ **~dre** [-dr] *vi* (4) [pièces] *(se* ~) communicate ‖ [personnes] correspond (*avec,* with) ‖ Fɪɢ. ~ *à,* correspond to.

corrida [kɔrida] *f* bullfight.

corridor [kɔridɔr] *m* corridor, passage.

corrig|é [kɔriʒe] *m* correct version/ answer(s) ‖ *Pl* [recueil] ~s *des exercices,* key to the exercises ‖ **~er** *vt* (7) correct, put right (erreurs) ; mark (des copies) ; read (épreuve) ; vet (discours) ‖ [reprendre qqn] take sb up sharp — *vpr se* ~, mend one's way.

corroborer [kɔrɔbɔre] *vt* (1) corroborate, confirm.

corroder [kɔrɔde] *vt* (1) corrode, eat into.

corrom|pre [kɔrɔ̃pr] *vt* (90) bribe (avec de l'argent) ‖ taint, spoil (aliments) — *vpr se* ~, [aliments] become tainted ‖ **~pu, e** [kɔrɔ̃py]

adj corrupt (personne) ‖ tainted (aliments).

corruption *f* bribery ; U.S. graft (de fonctionnaire).

corsage [kɔrsaʒ] *m* bodice, corsage ; blouse.

Corse [kɔrs] *f* [pays] Corsica ● *n* [habitant] Corsican.

corse *adj* Corsican.

cors|é, e [kɔrse] *adj* spicy (sauce) ; full-bodied (vin) ‖ Fɪɢ. spicy (histoire) ‖ **~er** *vt* (1) spice (une sauce) ; lace (boisson).

cortège [kɔrtɛʒ] *m* procession.

corvée [kɔrve] *f* drudgery, chore ; drag (coll.) ; *quelle* ~ !, what a bore/drag ! ‖ Mɪʟ. fatigue (travail) ‖ Mɪʟ. fatigue-party (équipe) ; *de* ~, on fatigue.

cosmétique [kɔsmetik] *adj/m* cosmetic.

cosm|ique [kɔsmik] *adj* cosmic ‖ **~onaute** [-ɔnot] *n* cosmonaut, spaceman, spacewoman ‖ **~opolite** [-ɔpɔlit] *adj* cosmopolitan.

cosse [kɔs] *f* pod, hull.

cossu, e [kɔsy] *adj* well-to-do, well-off.

costaud, e [kɔsto, od] *adj* Fᴀᴍ. hefty, husky.

costum|e [kɔstym] *m* costume, dress, suit ; ~ *de bain,* bathing costume ; ~ *deux pièces,* two-piece suit ‖ Tʜ. costume ‖ **~er** *vt* (1) dress up (en, as) — *vpr se* ~, dress up (en, as) ‖ **~ière** *f* Tʜ. wardrobe mistress.

cote [kɔt] [référence] classification mark ‖ Géᴏɢʀ. hill 720 ‖ Sᴘ. [courses] odds ‖ Fɪɴ. quotation ‖ Pᴏʟ. ~ *de popularité,* poll rating.

côte¹ [kot] *f* [animal, homme] rib ; ~ *à* ~, side by side ‖ Cᴜʟɪɴ. [bœuf] rib ; [porc] chop ; [veau] cutlet.

côte² *f* hill, slope (pente).

côte³ *f* Géᴏɢʀ. coast, shore ; *la Côte d'Azur,* the Riviera.

côté [kote] *m* [partie] side ; *de ce ~-ci,* on this side ; *de l'autre ~,* on the other side, across (endroit) ; the other way (direction) ; *de l'autre de la rue,* over the street || [proximité] *à ~ (de),* near ; *la maison d'à ~,* the house next door || [circulation] *~ gauche,* G.B. near side, FR. off side || [direction] way ; *de quel ~ allez-vous ?,* wich way are you going ? ; *de ce ~,* this way ; *de tous ~s,* in all directions, on/from all sides ; *du ~ de,* towards (vers) ; somewhere near (environs) || *de ~,* sideways (démarche) ; sidelong (regard) ; aside (en réserve) || *laisser de ~,* leave out ; *mettre de ~,* lay aside/by/up, set apart ; put by (de l'argent) || MATH. side || FIG. side (aspect) ; *à ~ de,* beside, compared with ; *d'un ~..., de l'autre,* on the one hand..., on the other (hand).

coteau [koto] *m* hill, hillock ; *à flanc de ~,* on the hill-side.

Côte-d'Ivoire *f* Ivory Coast.

côtelette [kotlɛt] *f* chop (de mouton, porc) ; cutlet (de veau).

coter [kote] *vt* (1) put a classification mark on (livre) || mark (devoir) || FIN. quote.

côtier, ière [kotje, jɛr] *adj* coastal ; inshore (pêche).

cotis|ation [kɔtizasjɔ̃] *f* subscription (à une société) ; fees (à un club, un syndicat) ; contribution, share (à une dépense commune) || *~er* [-e] *vi* (1) subscribe — *vpr se ~,* club together.

coton [kɔtɔ̃] *m* cotton ; *~ hydrophile,* cotton-wool.

côtoyer [kotwaje] *vt* (9 *a*) walk/drive along || [route] skirt || FIG. mix with, consort with.

cotre [kɔtr] *m* cutter.

cou [ku] *m* neck ; *se casser le ~,* break one's neck ; *avoir du travail jusqu'au ~,* be up to the eyes/ears in work ; *prendre ses jambes à son ~,* take to one's heels.

couardise [kwardiz] *f* cowardice.

couch|age [kuʃaʒ] *m* sac de *~,* sleeping-bag || *~ant, e adj* setting (soleil) ; *chien ~,* setter ● *m* sunset (coucher du soleil) || west (occident).

couche¹ [kuʃ] *f* [matière] layer || coat(ing) [de peinture].

couche² *f* [bébé] napkin, nappy ; U.S. diaper.

couch|é, e [kuʃe] *adj* lying (étendu) ; in bed (au lit) ● *interj* [à un chien] *~ !,* down ! || *~er vt* (1) lay out (étendre) || put to bed (mettre au lit) ; *~ qqn,* put sb up (loger) ; — *vi* spend the night sleep ; *~ à l'hôtel,* put up at a hotel ; *~ avec,* go to bed with, sleep with || [domestiques] *~ chez ses patrons,* live in — *vpr se ~,* lie down (s'étendre) ; *aller se ~,* go to bed ; turn in (coll.) ; *se ~ tôt,* keep good hours ; *se ~ tard,* keep late hours, keep up ; *ne pas se ~,* sit up, stay up || ASTR. set, go down ● *m* going to bed ; *heure du ~,* bedtime || ASTR. setting ; *~ de soleil,* sunset.

couchette *f* RAIL. berth, couchette || NAUT. bunk.

couci-couça [kusikusa] *adv* FAM. so-so (coll.).

coucou [kuku] *m* ZOOL. cuckoo || [horloge] cuckoo-clock || BOT. cowslip ● *interj ~ !,* peekaboo !

coud|e [kud] *m* elbow ; *~ à ~,* side by side ; *pousser du ~,* nudge ; *jouer des ~s,* elbow one's way, jostle || turn, bend (de rivière, d'une route) || *~é, e adj* cranked, bent || *~ée f* FIG. *avoir les ~s franches,* have elbow-room.

cou-de-pied [kudpje] *m* ANAT. instep.

couder [kude] *vt* (1) crank, bend.

coudoyer [kudwaje] *vt* (9 *a*) mix with ; rub shoulders with (coll.).

coudre [kudr] *vt* (31) sew || sew on (un bouton) ; sew up (un ourlet) ; stitch (du cuir).

couenne [kwan] *f* (pork-)rind.

couette [kwɛt] *f* continental quilt (édredon).

couffin [kufɛ̃] *m* bassinet (pour bébé).

couillon [kujɔ̃] *m* POP. bloody idiot (pop.).

coulée [kule] *f* outflow (de lave); casting (de métal) ‖ **~er**[1] *vi* (1) [liquide] run, flow; *~ goutte à goutte*, trickle; leak (fuir) ‖ *faire ~ un bain*, run a bath ‖ [rivière] flow ‖ [maquillage] run; [nez] run, be runny; *nez qui coule*, runny nose — *vt* TECHN. cast ‖ AUT. *~ une bielle*, run a big end — *vpr se ~*, creep, slip (*dans*, into).

couler[2] *vt* (1) NAUT. [bateau] sink ‖ SP. [nageur] go under; *~ à pic*, sink like a stone.

couleur [kulœr] *f* colour; *de ~*, coloured; *combinaison de ~s*, colour-scheme; *gens de ~*, coloured people ‖ paint (produit); *~s à l'huile*, oil-colours; *marchand de ~s*, chandler ‖ complexion (teint) ‖ [cartes] suit; *jouer dans la ~*, follow suit ‖ CIN. *film en ~s*, colour film ‖ T.V. *en ~s*, colour T.V.

couleuvre [kulœvr] *f* grass-snake ‖ FIG. *avaler des ~s*, eat dirt.

couliss|e [kulis] *f* slide (glissière); *porte à ~*, sliding door ‖ TH. wings; *dans les ~s*, offstage; FIG. behind the scenes ‖ **~er** *vi* (1) slide.

couloir [kulwar] *m* corridor, passage ‖ [bus, train] gangway; *~ (central)*, aisle ‖ FR. [rue] *~ d'autobus*, bus lane ‖ AV. *~ aérien*, air lane.

coup [ku] *m* [choc] knock ‖ [agression] blow; smash (violent); *petit ~*, tip; *porter un ~ à qqn*, deal sb a blow; *rouer de ~s*, beat up; *en venir aux ~s*, come to blows; *sans ~ férir*, without striking a blow ‖ [choc avec une partie du corps] peck (de bec); gore (de corne); nudge (de coude); bite (de dent); scratch (de griffe); kick (de pied); punch (de poing) ‖ [résultat] bruise (contusion); *couvert de ~s*, covered with bruises ‖ [éléments] *~ de chaleur*, heat-stroke; *~ de soleil*, sunburn; *~ de vent*, gust

of wind, gale ‖ [bruit] knock (à la porte); tap, rap (sec); thump (sourd); *~ de feu*, shot; gunshot (de fusil); lash (de fouet); stroke (d'horloge); whistle (de sifflet); ring (de sonnette); thunderclap (de tonnerre); *~ de klaxon*, hoot ‖ [mouvement] pull (en tirant); wrench (pour arracher); *~ de pinceau*, stroke of a/the brush; *donner un ~ de balai/brosse/chiffon/fer à qqch*, give sth a sweep/brush/wipe/press ‖ [dames, échecs] move; [dés] throw ‖ AUT., FAM. *~ du lapin*, whiplash injury ‖ SP. stroke; *~ interdit*, foul; [boxe] *~ bas*, punch below the belt; [tennis] *~ droit*, drive; [football] *~ d'envoi*, kick-off; *donner le ~ d'envoi*, kick off; *~ franc*, free kick; [pêche] *~ de filet*, haul ‖ MIL. *~ au but*, hit; *~ manqué*, miss; *~ de main*, surprise attack ‖ TÉL. call; *donner un ~ de téléphone à qqn*, ring/call up sb; *passer un ~ de fil à qqn*, give sb a ring ‖ JUR. *~s et blessures*, assault and battery; *~ d'État*, coup (d'état) ‖ FIG. blow, shock (moral); *un ~ de chance*, a stroke of luck ‖ FIG. *~ d'œil*, glance, glimpse; *d'un ~ d'œil*, at a glance; *jeter un ~ d'œil à*, glance at; *cast a glance at*; *~ de foudre*, love at first sight; *donner un ~ de main*, lend a hand; [mauvaise action] trick; *~ fourré*, underhand trick; *~ de main*, surprise attack; *~ monté*, put-up job; *sale ~*, mean trick; *~ de théâtre*, sensational development ‖ FIG. [fois] time; *du premier ~*, first time ‖ FAM. *boire un ~*, have a drink; *boire à petits ~s*, sip; *~ de l'étrier* one for the road ‖ FAM. [émotion] *ça m'a donné un ~*, it gave me a turn ‖ LOC. *à ~s de*, with the help of; *à ~ sûr*, definitely; *après ~*, after it's over; *tué sur le ~*, killed outright/on the spot; *tout à ~*, all of a sudden; *d'un seul ~*, at one go; *sur le ~*, instantly; *tenir le ~*, hold out; *dans le ~*, with it (coll.); *en mettre un ~*, pull out all the stops; *tenter le ~*, have a go; *valoir le ~*, be worth it/trying.

coupable [kupabl] *adj* guilty (personne) ; *non ~*, not guilty ; *plaider ~*, plead guilty ‖ sinful (action) ● *n* culprit, offender.

coupant, e [kupã, ãt] *adj* cutting (lame).

coupe¹ [kup] *f* goblet (à boire) ; bowl, dish (à fruits) ‖ Sp. cup.

coupe² *f* cutting (action) ‖ [cheveux] styling (genre) ; *~ de cheveux*, haircut ; *~ au rasoir*, razor-cut ‖ [vêtement] cut ‖ [cartes] cut(ting) ‖ [microscope] section.

coupé, e [kupe] *adj* ÉLECTR., TÉL. cut off ● *m* AUT. coupé.

coupe|-circuit [kupsirkчi] *m inv* circuit-breaker ‖ *~-file m inv* police pass ‖ *~-papier m inv* paper-knife.

coup|er [kupe] *vt* (1) cut ‖ clip (les ailes) ; cut down (un arbre) ; chop (du bois) ; cut up (en morceaux) ; slice (en tranches) ; split (en deux) ; cut off (la tête) ‖ cut out (un habit) ‖ cut, crop (les cheveux) ; *se faire ~ les cheveux*, get/have a haircut ‖ pare (les ongles) ‖ [cartes] cut (un jeu de cartes) ; trump (avec de l'atout) ‖ [mélanger] dilute, add water ‖ TECHN. turn off (l'eau, le gaz) ; shut off (les gaz, la vapeur) ‖ ÉLECTR. switch off (le courant) ‖ TÉL. cut/ring off ‖ MÉD. bring down (la fièvre) ‖ Sp. cut (une balle) ‖ FIG. cut (une route) ; [vent] bite ‖ FIG. *~ d'eau*, water down, dilute (du vin) ; *~ les cheveux en quatre*, split hairs — *vi* cut ; *~ à travers champs*, cut across (the fields) ; *~ au plus court*, take a short cut ‖ FIG. *~ court à*, cut short ‖ FAM. *~ à*, [échapper] get out of (corvée) ; *vous n'y couperez pas*, you won't get away with it ; *nous n'y coupons pas*, we are in for it — *vpr se ~*, cut oneself ; *se ~ le doigt*, cut one's finger ; *se ~ les ongles*, cut one's nails ‖ [lignes] intersect, cross ‖ FAM. give oneself away ‖ *~eret* [kupre] *m* CULIN. chopper, cleaver ‖ *~erosé, e* [-roze] *adj* blotchy ‖ *~eur, euse n* cutter (tailleur).

coupl|e¹ *m* [animaux] pair ‖ [personnes] couple, pair ; *~ marié*, married couple ‖ *~er vt* (1) couple.

couple² *m* PHYS. *~ (moteur)*, torque ‖ AUT. *convertisseur de ~*, torque converter.

couplet [kuplɛ] *m* verse.

coupole [kupɔl] *f* cupola, dome.

coup|on [kupɔ̃] *m* remnant (de tissu) ‖ coupon, ticket ; *~-réponse international*, international reply coupon ‖ *~ure* [-yr] *f* cut ‖ TH. cut (dans le texte) ‖ *~ de presse*, press-cutting/-clipping ; *album de ~s de presse*, scrap-book ‖ ÉLECTR. *~ de courant*, power cut ‖ FIN. *grosses/petites ~s*, big/small notes.

cour¹ [kur] *f* yard, courtyard ‖ *~ de récréation*, playground.

cour² *f* court (d'un souverain) ‖ courtship ; *faire la ~ à*, court.

cour³ *f* JUR. *la ~*, the Bench ; *~ de justice*, law court ; *~ d'appel*, court of appeal ; *~ martiale*, court-martial.

courag|e [kuraʒ] *m* courage ‖ heart (cœur) ; grit, guts (coll.) ‖ [cran] *faire perdre ~ à*, unnerve ; *prendre/perdre ~*, take/loose heart ‖ *~eusement* [-øzmã] *adv* courageously ‖ *~eux, euse adj* courageous, brave ‖ hard-working (au travail).

cour|amment [kuramã] *adj* [parler] fluently ; [lire] easily ‖ commonly, usually (habituellement) ‖ *~ant¹, e* [kurã, ãt] *adj* running (eau) ‖ usual, standard (habituel) ; *mot d'usage ~*, household word ‖ common (fréquent) ‖ run-of-the-mill, workaday (banal, ordinaire) ‖ everyday (vie) ; *les affaires ~es*, routine work ‖ average, ordinary (ordinaire) ; standard (marque, taille) ‖ [en cours] current ‖ COMM. *votre lettre du 6 ~*, your letter of the 6th inst(ant) ‖ *loc adv en ~*, hurriedly, in a hurry.

courant² *m* stream, current, race (d'eau) ‖ *~ d'air*, draught, U.S. draft ‖ ÉLECTR. current, power ; *~ alternatif*, alternating current ; *~ continu*, direct current ; *tous* ~*s,* all-mains ‖ Fig. *(très) au* ~, knowledgeable ; conversant *(de,* with) ; *être au* ~ *de,* know about, be well-informed/in the know ; *mettre qqn au* ~, tell sb about, bring sb up to date, put sb in the picture, brief sb about ; *se mettre au* ~ *de,* acquaint oneself with ; *tenir qqn au* ~ *de,* keep sb informed of ; *se tenir au* ~, keep oneself up to date *(de,* on) ; keep abreast *(de,* of) ‖ *dans le* ~ *de l'année,* in the course of the year.

courbat|u, e [kurbaty] *adj tout* ~, aching all over ‖ ~**ure** *f* ache, stiffness ‖ ~**uré, e** *adj* = COURBATU.

courb|e [kurb] *adj* curved ● *f* curve ‖ sweep (de la route) ; bend (de la rivière) ‖ Math. graph (graphique) ; ~ *de niveau,* contour line ‖ ~**é, e** *adj* bent, curved ; bent, bowed (dos) ; ~ *en deux,* bent double ‖ ~**er** *vt* (1) bend, curve (qqch) ; ~ *la tête,* bow/bend one's head — *vpr se* ~, bend (down), stoop ‖ [politesse] bow ‖ ~**ette** *f* low bow.

coureur, euse [kurœr, øz] *n* Sp. runner (à pied) ; ~ *de fond,* stayer, long-distance runner ; racing cyclist (à bicyclette) ; ~ *automobile,* racing driver ‖ Fig., Péj. [homme] womanizer ; [femme] flirt.

courgette [kurʒɛt] *f* courgette, U.S. zucchini.

courir [kurir] *vi* (32) run ‖ rush (se précipiter) ; ~ *après,* run/go after ; chase (animal) ‖ Sp. run, race ; *faire* ~, race (un cheval) ‖ Fig. [bruit] circulate ; *le bruit court que,* rumour has it that ; *faire* ~ *un bruit,* spread a rumour ; *par les temps qui courent,* as things are — *vt* hunt (le renard) ; rove (les bois) ; run after (les femmes) ; ~ *les bistrots,* go pub-crawling ; ~ *le monde,* knock about ‖ Sp. run (in) [*un 100 m,* a 100-metre race] ‖ Fig. run round (magasins, etc.) ; run (un risque) ; ~ *sa chance,* take one's chance.

couronn|e [kurɔn] *f* crown ‖

wreath (de fleurs) ‖ ~**ement** *m* coronation ‖ Arch. coping-stone ‖ ~**er** *vt* (1) crown (un roi) ; wreathe *(de fleurs,* with flowers) ‖ Fig. award a prize to, crown ‖ Fig. top off (repas) ; *pour* ~ *le tout,* to top/cap it all.

courre [kur] *vt* → CHASSE.

courrier [kurje] *m* mail, post, letters ; *faire son* ~, write one's letters ; *le* ~ *est-il arrivé ?,* has the post come ? ‖ [journalisme] news ; ~ *du cœur,* problem page, agony column ; ~ *mondain,* gossip/social column.

courroie [kurwa] *f* strap ; sling (pour transporter) ; thong (lanière) ‖ Aut. ~ *de ventilateur,* fan belt.

cours¹ [kur] *m* course, flow (d'un fleuve) ; ~ *d'eau,* stream ‖ Astr. course (d'un astre) ‖ Naut. *voyage au long* ~, ocean voyage ‖ Fig. course, progress (développement) ; *suivre son* ~, run/take one's course ; *au* ~ *de,* in the course of, during ; *au* ~ *des années,* over the years ; *au* ~ *du mois dernier,* sometime last month ; *en* ~, in progress, under way ; *année en* ~, current year ; *en* ~ *de,* in the process of ; *en* ~ *de route,* on the way ; *n'avoir plus* ~, no longer be current/in use ; *donner libre* ~ *à,* give free rein to.

cours² *m* Fin. currency (de l'argent) ; ~ *du change,* rate of exchange ; ~ *légal,* legal tender ; *avoir* ~, be legal tender ; *qui n'a plus* ~, out of circulation.

cours³ *m* class ; tuition (enseignement) ; lecture (conférence) ; course (série de leçons) ; lesson, period (leçon) ; ~ *d'histoire,* history period ; ~ *du soir,* night-school ; ~ *de vacances,* summer-school ; *donner des* ~, teach courses ; *faire un* ~, lecture *(sur,* on) ; *suivre un* ~, attend a class ‖ ~ *intensif,* crash course ; → CORRESPONDANCE.

cours|e [kurs] *f* run, race ; *au pas de* ~, at the double ; *prendre le pas de* ~, break into a run ; ~ *précipitée,* rush ‖ distance (trajet) ; journey (de taxi) ‖ errand (commission) ; **faire une ~,** run an errand ; *faire des ~s,* go on/run errands, go shopping ; *faire les ~s,* do the shopping ‖ SP. running ; *~ d'autos, de chevaux, de haies, contre la montre, à pied, de relais, de vitesse,* motor-race, horse-race, hurdles, race against time/the clock, foot-race, relay, sprint ; *~ cycliste,* cycle race ; *~ de taureaux,* bullfight ‖ [taxi] journey ; *prix de la ~,* fare ‖ Pl racing ; race-meeting ‖ TECHN. stroke (du piston) ‖ FIG. lapse (du temps) ‖ **~ier, ière** messenger.

coursive [kursiv] f NAUT. catwalk, alleyway.

court, e [kur, kurt] *adj* short ‖ limited (insuffisant) ‖ short(cut) cheveux ‖ *de ~ durée,* short-lived ● *adv* short ; *couper ~ à qqch,* cut sth short ; *s'arrêter ~,* stop short ; *être à ~ de,* be short of ; *à ~ d'argent,* hard up ; *à ~ de personnel,* short-handed ; *prendre au plus ~,* take the shortest way.

court *m* SP. court (de tennis).

courtage [kurtaʒ] *m* brokerage.

courtaud, e [kurto, od] *adj* dumpy, stocky.

court-circuit [kursirkɥi] *m* short circuit.

courtier, ière [kurtje, jɛr] *n* FIN. broker, jobber.

courtoi|s, e [kurtwa, az] *adj* courteous ‖ **~sie** [-zi] f courtesy ; *manque de ~,* discourtesy.

couru, e [kury] → COURIR ● *adj* popular (spectacle) ‖ FAM. *c'est ~,* it's a dead cert.

cousin, e [kuzɛ̃, in] *n* cousin ; (female) cousin ; *~ germain,* first cousin.

couss|in [kusɛ̃] *m* cushion.

cousu, e [kuzy] *adj* sewn ‖ *~ main,* hand-sewn ‖ FIG. *bouche ~e !,* mum's the word !

coû|t [ku] *m* cost ; *~ de la vie,* cost

of living ‖ **~tant** [-tɑ̃] *adj m* **à prix ~,** at cost price.

cout|eau [kuto] *m* knife ; *~ à cran d'arrêt,* flick knife ; *~ de cuisine,* kitchen knife ; *~ à découper,* carving knife ; *~ à pain,* bread knife ; *~ de poche,* pocket knife ; *~ de table,* table knife ‖ *donner un coup de ~,* knife ‖ FIG. *être à ~x tirés,* be at daggers drawn (*avec,* with) ‖ **~elier, ère** [-əlje, ɛr] *n* cutler ‖ **~ellerie** [-ɛlri] f cutlery (shop).

coût|er [kute] *vi* (1) cost ; *combien ça coûte ?,* how much is it/does it cost ? ; *cela coûte cher,* it is expensive — *v impers* FIG. *il m'en coûte de,* it grieves me to — *vt* cost (de l'argent) ; set back (sl.) ‖ FIG. *~ la vie à qqn,* cost sb's life ; *coûte que coûte,* at any cost ‖ **~eux, euse** *adj* costly, expensive ; *peu ~,* inexpensive.

coutum|e [kutym] f custom ; *avoir ~ de,* be in the habit of ; *comme de ~,* as usual ‖ **~ier, ière** *adj* customary, usual ; *être ~ du fait,* be an old hand at the trick ‖ JUR. common (droit).

coutur|e [kutyr] f sewing (action) ; seam (résultat) ; needlework (travaux) ; *sans ~,* seamless (bas) ; *faire de la ~,* sew ‖ dressmaking (métier) ‖ **~ier** *m* couturier ; *grand ~,* fashion designer ‖ **~ière** f dressmaker ; seamstress ‖ TH. dress rehearsal.

couvée [kuve] f brood clutch ; hatch (de poussins).

couvent [kuvɑ̃] *m* convent.

couver [kuve] *vt* (1) [poule] sit on ; [couveuse] hatch ; incubate (des œufs) — *vi* [poule] sit, be brooding ‖ [feu] smoulder.

couvercle [kuvɛrkl] lid, cover (de pot) ; top (de boîte).

couvert¹ [kuvɛr] *m* [table] cover ; place setting ; **mettre le ~,** lay the cloth ; *mettre deux ~s,* set the table for two ‖ [ustensiles] cutlery ; *~s à salade,* salad servers ‖ [restaurant] cover charge (prix).

couvert², e *adj* covered (*de* with) ‖ with one's hat on (tête) ‖ indoor (piscine) ‖ cloudy, overcast (ciel) ‖ Fig. *à mots ~s,* covertly ● *m* Mil. cover ‖ Fig. *sous ~ de,* under cover of.

couverture¹ [-tyr] *f* cover(ing); blanket (de laine); ~ *chauffante,* electric blanket; ~ *de voyage,* rug ‖ [livre] cover, wrapper, dust-jacket.

couverture² *f* [Press], Rad., T.V. coverage.

couveuse [kuvøz] *f* sitter, brooder (poule) incubator (artificielle).

couvre|-feu [kuvrəfø] *m* curfew ‖ **~-lit** *m* bed-cover/-spread, counterpane ‖ **~-livre** *m* dust-jacket ‖ **~-pied(s)** *m* quilt ‖ **~-théière** *m* tea-cosy.

couvr|eur [kuvrœr] *m* roofer ‖ **~ir** *vt* (72) cover (*de/avec* with) ‖ put the lid on (casserole) ‖ bank up, smother (un feu) ‖ [journalisme] cover (événement) ‖ [parcourir] cover (distance) ‖ [habiller] cover ; *bien ~,* wrap up ; *être trop couvert,* wear too many clothes ‖ Arch. roof ; slate (d'ardoises) ; tile (de tuiles) ‖ Comm. cover (les dépenses) ‖ Fig. drown (un son) ; screen (ses subordonnés) — *vpr se ~,* cover oneself ‖ [se coiffer] put on one's hat ‖ [s'habiller] cover up ; wrap (oneself) up (chaudement) ‖ [ciel] cloud over ‖ Sp. guard oneself.

cow-boy [kobɔi] *m* cow-boy, U.S. wrangler.

crabe [krab] *m* crab.

crach|at [kraʃa] *m* spittle, spit ‖ **~é, e** *adj* Fam. *c'est son père tout ~,* he is the spitting image of his father ‖ **~er** *vi/vt* (1) spit ‖ **~oir** *m* spittoon, U.S. cuspidor ‖ **~oter** [kraʃɔte] *vi* (1) splutter.

crado [krado] *adj* Pop. scruffy.

craie [krɛ] *f* chalk.

crain|dre [krɛ̃dr] ; *vt* (59) fear, be afraid of ‖ *je ne crains pas le froid,* I don't mind the cold ‖ ~ *de,* be afraid of ; ~ *pour,* be anxious about ; ~

que, be afraid (that) ; fear (that) ~**te** [-t] *f* fear, dread ; awe (respectueuse) ‖ Fam. *soyez sans ~* !, have no fear ! ‖ *Pl* alarm ● *loc conj de ~ que,* for fear that, lest ; *de ~ de,* for fear of ‖ **~tif, ive** [-tif, iv] *adj* timid, fearful ; apprehensive, shy.

crampe [krɑ̃p] *f* cramp.

cramp|on [krɑ̃pɔ̃] *m* clamp ; cramp, staple ; stud, spike (de chaussure) ; crampon (à glace) ‖ **~onner** [-ɔne] *vt* (1) Techn. cramp, clamp — *vpr se ~,* cling, hold/hang on ‖ Fig. cling on, hold on (*à,* to).

cran [krɑ̃] *m* hole (de ceinture) ; peg (degré) ‖ Techn. ~ *d'arrêt/de sûreté,* safety-catch ‖ Fam. [courage] *avoir du ~,* have guts, show grit ; *être à ~,* be edgy/on edge.

crân|e [krɑn] *m* skull ‖ **~er** *vi* (1), swank, show off (coll.) ‖ **~eur, euse** *n* swank, show off (coll.).

crapaud [krapo] *m* toad.

crapul|e [krapyl] *f* rogue, villain, blackguard (personne) ‖ [collectif] riff-raff (racaille) ‖ **~eux, euse** *adj* villainous.

craqu|ant, e [krakɑ̃, ɑ̃t] *adj* crisp (neige) ‖ **~eler** [-le] *vt* (8 a) crack, crackle ‖ **~elure** [-lyr] *f* crackle, crack ‖ **~ement** *m* crack, creak ; crackling (des feuilles sèches) ; crunch(ing) [de la neige] ‖ **~er** *vi* (1) crack, creak ‖ [bois sec] crackle ; [neige] crunch ; [chaussures] creak ; *faire ~,* crack (ses doigts) ; rip, split (se déchirer) ‖ Fig. crack up, break down (s'effondrer) — *vt ~ une allumette,* strike amatch.

crasse¹ [kras] *adj* crass (ignorance).

crass|e² *f* dirt, filth, grime ‖ **~eux, euse** *adj* dirty, filthy, grimy ‖ **~ier** *m* slag-heap, tip.

cratère [krater] *m* crater.

cravach|e [kravaʃ] *f* riding-whip ‖ **~er** *vt* (1) flog.

cravate [kravat] *f* necktie.

crawl [krol] *m* crawl ; *nager le ~,* do the crawl.

crayeux, euse [krɛjø, øz] *adj* chalky.

crayon [krɛjɔ̃] *m* pencil ; *au ~*, in pencil ; *~ à bille*, ballpoint pen ; *~ de couleur*, coloured pencil ; *~-feutre*, marker ‖ INF. lightpen ‖ **~ner** [-ɔne] *vt* (1) pencil.

créancier, ière [kreɑ̃sje, jɛr] *n* creditor.

créa|teur, trice [kreatœr, tris] *adj* creative ● *n* creator ‖ ARTS [mode] designer ‖ **~tion** *f* creation ‖ TECHN. designing ‖ **~ture** [-tyr] *f* creature ‖ PÉJ. tool.

crécelle [kresɛl] *f* rattle.

crèche [krɛʃ] *f* crèche, day nursery ‖ REL. manger, crib.

crédible [kredibl] *adj* credible.

crédi|t [kredi] *m* credit (*auprès de*, with) ‖ COMM. *faire ~ à qqn*, give sb credit ; *12 mois de ~*, 12 month's credit ; *acheter/vendre à ~*, buy/sell on credit/hire purchase ‖ FIN. credit ; *réduction du ~*, credit squeeze ; *~ municipal*, pawnshop ‖ **~ter** [-te] *vt* (1) credit ‖ **~teur, trice** *adj* creditor ; *compte/solde ~*, credit account/balance.

crédul|e [kredyl] *adj* credulous, gullible ‖ **~ité** *f* credulity.

créer [kree] *vt* (1) create ‖ TH. create (un rôle) ‖ FIG. cause (des ennuis).

crémaillère [kremajɛr] *f* pothook ; *pendre la ~*, have a housewarming ‖ TECHN. rack ‖ RAIL. *chemin de fer à ~*, rackrailway.

crème [krɛm] *f* cream ; *~ fouettée*, whipped cream ; *~ anglaise*, custard ; *~ (de beauté)*, beauty cream ; *~ à chaussures*, shoe-polish ; *~ épilatoire*, hair remover ; *~ glacée*, ice cream ; *~ hydratante*, moisturizing cream ; *~ de jour*, vanishing cream ; *~ à raser*, shaving-cream ‖ FIG. cream, pick.

crém|erie [kremri] *f* dairy ‖ **~eux, euse** *adj* creamy ‖ **~ier, ière** *n* dairyman, dairywoman.

créneau [kreno] *m* AUT. parking space ; *faire un ~*, reverse into a parking space ‖ RAD., T.V. slot ‖ COMM. gap.

créole [kreɔl] *adj/n* creole.

crêpe¹ [krɛp] *m* crepe, crape (tissu) ‖ crêpe rubber (pour semelles).

crêpe² *f* CULIN. pan-cake ; *faire sauter une ~*, toss a pancake ‖ **~rie** [-ri] *f* pancake shop.

crêper [krɛpe] *vt* (1) back-comb, crimp (les cheveux).

crép|i [krepi] *m* rough-cast ‖ **~ir** *vt* (2) rough-cast.

crépit|ement [krepitmɑ̃] *m* crackle, crackling ; patter (de la pluie) ‖ **~er** *vi* (1) crackle ‖ [pluie] patter ‖ [feu] splutter, sputter ‖ [coups de feu] rattle.

crépu, e [krepy] *adj* frizzy, fuzzy, wooly.

crépuscule [krepyskyl] *m* twilight, dusk.

crescendo [kreʃɛ̃do] *adv* MUS. crescendo ‖ FIG. [vacarme] *aller ~*, grow louder and louder.

cresson [kresɔ̃] *m* (water)cress.

crête [krɛt] *f* crest (de montagne, de vague) ; ridge (de montagne, de toit) ‖ ZOOL. comb (de coq).

crétin, e [kretɛ̃, in] *n* blockhead, idiot.

creus|age [krøzaʒ] *m* digging (d'une fosse) ; sinking (d'un puits) ‖ **~er** *vt* (1) dig (out) [trou] ‖ sink (un puits) ‖ bore (tunnel) ‖ FIG. go into (problème) — *vpr se ~*, FIG. *se ~ la cervelle/tête*, rack one's brain.

creuset [krøzɛ] *m* crucible ‖ FIG. melting-pot.

creux, euse [krø, øz] *adj* hollow ‖ sunken (yeux) ; empty (ventre) ‖ FIG. slack (période) ● *m* [cavité] hollow, hole ‖ FIG. *~ de l'estomac*, pit of the stomach ; *~ des reins*, small of the back ; *~ de la vague*, trough of the sea.

crevaison [krəvezɔ̃] f Aut. puncture, U.S. flat.

crevant, e [krəvã, ãt] ; adj Fam. killing.

crevass|e [krəvas] f crevasse (de glacier) || crack, split (fissure) || Méd. chap. || ~**er** vt/vpr (se ~) [1] crack || [mains] chap.

crève [krɛv] f Pop. death ; *attraper la* ~, catch one's death.

crevé, e [krəve] adj dead (animal) || punctured, flat (pneu) || Fig., Fam. dead-beat (épuisé).

crève-cœur [krɛvkœr] m inv heartbreak.

crever [krəve] vt (5) burst, puncture (pneu) ; put out (les yeux) — vi burst || [animal] die || [bulle, nuage] burst || Aut. [pneu] burst ; *j'ai crevé*, I have had a puncture || Fam. *je crève de faim*, I'm starving.

crevette [krəvɛt] f shrimp (grise) ; prawn (rose).

cri [kri] m cry, shout ; scream, shriek (aigu) || call (appel) ; *pousser un* ~, give a cry ; *pousser des* ~s, shout ; *pousser des* ~s perçants, scream, shriek || [cochon] squeal ; [oiseau] call || Fig. *le dernier* ~, the latest thing || ~**ant, e** [-jã, ãt] adj Fig. glaring (erreur) ; gross (injustice) || ~**ard, e** [-jar, ard] adj piercing (voix) ; garish (couleur).

cribl|e [kribl] m sieve, riddle ; *passer au* ~, sift || ~**er** vt (1) — de (pelt with (pierres) ; riddle with (balles) || Fig. *criblé de dettes*, up to one's eyes in debt.

cric [kri] m Aut. jack.

cri|ée [krije] f (vente) *à la* ~, by auction || ~**er** vi (1) shout ; cry out ; ~ *après qqn*, shout at sb ; call (pour appeler) ; scream, screech, shriek (d'un cri aigu) ; yell (de douleur) — vt shout, cry (des injures, un ordre) || Fig. *sans* ~ *gare*, without a warning || ~**eur, euse** n ~ *de journaux*, newsboy, newsgirl.

crim|e [krim] m crime, murder ; *commettre un* ~, commit a crime ||

Jur. offence (mineur) ; felony (grave) || ~**inel, elle** [-inɛl] adj criminal ● n criminal ; murderer || Jur. felon.

cr|in [krɛ̃] m hair ; horsehair || ~**inière** [-injɛr] f mane.

crique [krik] f creek, cove, inlet.

criquet [krikɛ] m Zool. cricket, grasshopper.

crise [kriz] f crisis (politique) ; slump (dans les affaires) ; depression (économique) ; ~ *de l'énergie,* power crisis ; ~ *du logement,* housing shortage || Méd. attack, fit, bout ; ~ *cardiaque,* heart attack, coronary (infarctus) ; ~ *d'épilepsie,* epileptic fit ; *avoir une* ~ *de nerfs,* go into hysterics ; ~ *de rhumatismes,* bout of rhumatism || Fig. ~ *de larmes,* fit of crying. || Fam *piquer une* ~, throw a fit (coll.) .

crispé, e [krispe] adj tense, edgy, on edge, wound up (personne) ; strained (visage) || ~**er** vt (1) distort, contort (visage) || Fig. irritate — vpr se ~, tense ; become strained ; wince.

crisse|ment [krismã] m grinding (des dents) ; screeching (des pneus) ; crunching (du gravier, de la neige) || ~**er** vi (1) [freins, pneus] screech, squeal ; [gravier, neige] crunch.

cristal, aux [kristal, o] m crystal ; ~ *liquide,* liquid crystal ; ~ *taillé,* cut glass || ~**lin** [-ɛ̃] m Anat. lens || ~**lin, ine** [-ɛ̃, in] adj crystalline || ~**liser** [-ize] vt/vpr (se ~) [1] crystallize.

critère [kritɛr] m criterion, standard.

critiqu|e [kritik] adj critical, crucial ; *situation* ~, emergency ● f criticism (littéraire) ; review, write-up (coll.) (compte rendu) ; critique (examen) ; *faire la* ~, review (d'un livre) ● m critic, reviewer || ~**er** vt (1) criticize, blame, find fault with || review (un ouvrage)

croass|ement [krɔasmã] m croaking, cawing || ~**er** vi (1) [corbeau] croak ; [corneille] caw.

croc [kro] m fang (de chien) || hook

(crochet) ‖ **~en-jambe** [krɔkãʒãb] *m* trip ; *faire un ~ à qqn,* trip sb up.

croche [krɔʃe] *f* Mus. quaver ; U.S. eighth note.

croch|et [krɔʃe] *m* hook ‖ hanger (pour suspendre) ; crochet-hook (à tricoter) ; *faire du ~,* crochet ‖ *Pl* [ponctuation] (square-)brackets ; *entre ~s,* in brackets ; *mettre entre ~s,* bracket ‖ Zool. fang (de serpent) ‖ Techn. skeleton key (de serruriers) ‖ Sp. [boxe] hook ‖ Fig. *vivre aux ~s de qqn,* live at sb's expense, sponge on sb ‖ **~eter** [-te] *vt* (8 *b*) pick (une serrure) ‖ **~u, e** [-y] *adj* crooked ; hooked (nez, bec).

crocodile [krɔkɔdil] *m* crocodile ‖ Fam. *larmes de ~,* crocodile tears.

croire [krwar] *vt* (33) believe ; *faire ~,* make believe ‖ think (penser) ; *je crois qu'il a raison,* I think he is right ; *je crois que oui,* I think/believe so ‖ fancy (imaginer) ; *c'est à ~ que,* you'd think that ; *je crois bien que,* I dare say that ‖ trust, rely upon (se fier à) ; *vous pouvez m'en ~,* you may take it from me ‖ be afraid of (craindre) ; *je crois bien qu'il est mort,* I am afraid he is dead ‖ Fam. *je te crois,* you bet ! — *vi ~ à,* believe in ‖ *~ en,* believe in, have faith in — *vpr se ~,* think oneself ; Fam. fancy oneself as (qqn).

crois|ade [krwazad] *f* Hist. crusade ‖ **~é, e** *adj* cross(ed) ‖ folded (bras) ; crossed (jambes) ; double-breasted (veston) ‖ Zool. cross-bred ; *race ~e,* cross-breed ‖ Mil. *feux ~s,* cross-fire ● *m* Hist. crusader ● *f* Litt. casement (liter.) [fenêtre] ‖ *à la ~ des chemins,* at the cross-roads ‖ **~ement** *m* crossing ‖ cross-roads, junction, U.S. intersection ; *~ en feuille de trèfle,* clover-leaf ‖ Zool. croos(-bred) [race] ‖ **~er** *vt* (1) cross ‖ cross (les jambes) ; fold (les bras) ‖ meet, pass (qqn) ‖ Aut. pass ‖ Zool. cross — *vpr se ~,* cross, pass ; *ma lettre s'est croisée avec la vôtre,* our letter have crossed ‖ pass one another (en chemin) ‖ *se ~ les bras,* fold one's arms — *vi* Naut. cruise ‖ **~eur** *m*

cruiser ‖ **~ière** *f* cruise ; *faire une ~,* go on/for a cruise ‖ *régime de ~,* cruising speed.

croiss|ance [krwasãs] *f* growth, development ; *retarder la ~,* stunt ‖ **~ant, e** *adj* growing, increasing ● *m* Astr. crescent ‖ Culin. croissant.

croître [krwatr] *vi* (34) [enfant, plante] grow ‖ [jours] lengthen, get longer ‖ Astr. wax.

croix [krwa] *f* cross ; *en ~,* cross-wise ‖ *Croix-Rouge,* Red Cross ‖ Astr. *Croix du Sud,* Southern Cross.

croqu|ant, e [krɔkã, ãt] *adj* crisp, crunchy ‖ **~er¹** *vt* (1) crunch, munch — *vi* be crisp/crunchy ‖ **~ette** *f* Culin. croquette ; *~ de poisson,* fishcake.

croqu|er² *vt* (1) Arts. sketch ‖ **~is** [-i] *m* sketch ; *faire un ~,* sketch.

cross-country [krɔskuntri] *m* Sp. cross-country race/run.

crosse [krɔs] *f* Sp. [golf] club ; [hockey] stick ; [cricket] bat ‖ Mil. butt (de fusil) ; grip (de pistolet) ‖ Rel. crosier.

crott|e [krɔt] *f* [excrément] drop-pings, dung ‖ [confiserie] *une ~ de chocolat,* a chocolate ‖ **~é, e** *adj* muddy, dirty ‖ **~in** *m ~ de cheval,* horse-dung.

croul|ant, e [krulã, ãt] *adj* tumble-down, crumbling, ramshackle ‖ **~er** *vi* (1) collapse ; tumble ; *faire ~,* bring down (une maison).

croupe [krup] *f* crupper, hind quar-ters, rump (d'un cheval) ; *monter en ~,* [femme] ride pillion, [homme] ride behind.

croupetons (à) [akruptɔ̃] *loc adv* crouching, squatting.

croupi, e [krupi] *adj* stagnant, foul.

croupier [krupje] *m* croupier.

croupion [krupjɔ̃] *m* rump (d'un oiseau) ‖ Culin. parson's nose.

croupir [krupir] *vi* (2) [eau] stagnate ‖ Fig. wallow (dans l'ignorance, etc.) ; rot (en prison, etc.).

croustillant, e [krustijā, āt] *adj* crisp, crusty, crunchy || FIG. spicy (grivois).

croût|e [krut] *f* crust (de pain, de pâté) ; rind (de fromage) || MÉD. scab || FAM. *casser la ~*, have a snack || *~ on m* crusty end (du pain) ; *un ~ de pain*, a chunk of bread.

croy|able [krwajabl] *adj* believable, credible ; *ce n'est pas ~ !*, it's incredible ! || *~ance f* belief, faith (à/en, in) ; *~ erronée*, misbelief || REL. faith, persuasion || *~ant, e n* believer (chrétien) || *Pl* the faithful (musulmans).

cru [kry] *m* vintage (vin) ; *du ~*, local || FIG. *de mon ~*, of my own invention.

crû → CROÎTRE.

cru¹,e → CROIRE.

crue²,e *adj* CULIN. raw || FIG. garish, crude (couleur) ; glaring, harsh (lumière).

cruauté [kryote] *f* cruelty || act of cruelty.

cruche [kryʃ] *f* pitcher, jug, crock || FAM. blockhead, silly ass (imbécile).

cruc|ial, e, aux [krysjal, o] *adj* crucial ; *point ~*, crux || *~ifier* [-ifje] *vt* (1) crucify || *~ifix* [-ifi] *m* REL. crucifix.

cruciverbiste [krysivɛrbist] *n* crossword enthusiast.

crudité [krydite] *f* rawness || CULIN. *Pl* mixed salad || FIG. harshness (de la lumière) ; coarseness (du langage).

crue [kry] *f* swelling, rising, rise (d'une rivière) ; *en ~*, in spate.

cruel, elle [kryɛl] *adj* cruel (envers, to) [acte, personne] ; fierce (féroce) ; grievous, sad (perte) ; bitter (remords) || *~lement* [-mā] *adv* cruelly (avec cruauté) ; sorely (avec douleur) ; grievously (terriblement).

crûment [krymā] *adv* crudely, bluntly (sans ménagement).

crustacé [krystase] *m* ZOOL. crustacean || CULIN. shellfish ; *Pl* sea food.

cub|e [kyb] *adj* cubic ● *m* cube ; [jeu] building block || MATH. *élever au ~*, cube || *~ique adj* cubic ; *racine ~*, cube root || *~isme m* cubism || *~iste n* cubist.

cueill|ette [kœjet] *f* [action] gathering, picking || [fruits, etc.] harvest (of fruit), crop || *~eur, euse n* picker || *~ir vt* (35) gather, pick, pluck.

cuill|er, ~ère [kɥijɛr] *f* spoon ; *~ à bouche/soupe*, table-spoon ; *~ à café*, tea-spoon || [contenu] spoonful || *~erée* [kɥijre] *f* spoonful.

cuir [kɥir] *m* leather ; hide (peau) ; *~ repoussé*, tooled leather ; *~ à rasoir*, strop || MÉD. *~ chevelu*, scalp.

cuirass|e [kɥiras] *f* armour || *~é, e adj* armoured ● *m* NAUT. battle-ship.

cuire [kɥir] *vt* (85) [faire] ~, cook ; *faire ~ à l'eau/au four/sur le gril/à l'étouffée/à petit feu/à la vapeur*, boil, bake, grill, stew, simmer, steam ; *~ à la broche*, roast on the spit || TECHN. fire (poterie) — *vi* cook || [peau, plaie, yeux] smart, sting.

cuisant, e [kɥizā, āt] *adj* FIG. smarting, burning (douleur) ; biting (froid).

cuisin|e [kɥizin] *f* kitchen (pièce) ; *ustensiles de ~*, kitchenware || cookery (art) ; *livre de ~*, cookery book || cooking (préparation) ; *faire la ~*, do the cooking, cook ; *~ française*, French cooking ; *savoir faire la ~*, be a good cook || NAUT. galley, caboose || *~er vt* (1) cook || *~ier, ière n* cook (personne) || *~ière f* kitchen range ; *~ à gaz*, (gas-)cooker.

cuissardes [kɥisard] *fpl* [pêcheur] waders || [femme] kinky boots.

cuisse [kɥis] *f* thigh || CULIN. leg (de volaille).

cuisson [kɥisɔ̃] *f* cooking || baking (du pain).

cuit, e [kɥi, t] *adj* cooked, baked ; *~ à point/bien ~*, well done, done to a turn ; *peu ~*, *pas assez ~*, underdone ; *trop ~*, overdone || FAM. *c'est du tout ~*, that's a cinch.

cuite [kɥit] *f* POP. *prendre une ~*, get plastered.

cuivr|e [kɥivr] *m* brass (jaune) ; copper (rouge) ‖ MUS. *les ~s*, the brass.

cul [ky] *m* POP. bum ; arse (vulg.) ; U.S. ass (pop.) ‖ [bouteille] bottom.

culasse [kylas] *f* TECHN. cylinder-head (de moteur) ; breech (d'arme à feu).

culbut|e [kylbyt] tumble (chute) ‖ SP. somersault ; *faire la ~*, somersault, turn a somersault ‖ **~er** *vi* (1) tumble down, fall over, topple (over/down) — *vt* upset, overthrow, knock over (renverser) ‖ **~eur** *m* AUT. rocker arm.

cul-de|-jatte [kydʒat] *m* legless cripple ‖ **~-sac** *m* blind alley, cul-de-sac, dead-end.

culinaire [kylinɛr] *adj* culinary.

culmin|ant, e [kylminɑ̃, ɑ̃t] *adj* culminating ; *point ~*, highest point, climax (fig.) ‖ **~er** *vi* (1) culminate.

culot [kylo] *m* TECHN. base ; cap (d'ampoule) ‖ FAM. nerve, cheek ; *avoir le ~ de*, have the nerve to ; *avoir du ~*, have plenty of cheek ; *quel ~ !*, what a nerve ! ‖ **~te** [-ɔt] *f* [enfant] pants, panties ; [femme] knickers ; *~ de cheval*, riding breeches ; *~ de golf*, plus-fours ; *en ~ courte*, in short trousers ‖ **~té, e** [-ɔte] *adj* seasoned (pipe) ‖ FAM. cheeky ‖ **~ter** [-ɔte] *vt* (1) season (une pipe).

culpabilité [kylpabilite] *f* guilt.

culte [kylt] *m* REL. worship (adoration) ; cult (pratique) ; religion (religion) ‖ POL. *~ de la personnalité*, personality cult.

cultivateur, trice [kyltivatœr, tris] *m* farmer.

cult|ivé, e [kyltive] *adj* FIG. cultured, cultivated, well-read ‖ **~iver** [-ive] *vt* (1) cultivate, farm (la terre) ; grow, raise (faire pousser) — *vpr se ~*, cultivate one's mind ‖ **~ure** *f* AGR. farming (de la terre) ; growing

(des plantes) ; *~ maraîchère*, market-gardening ‖ *Pl* crops (récoltes) ; cultivated lands (terres) ‖ FIG. [savoir] culture (de l'esprit) ; *~ générale*, general knowledge ; *~ de masse*, mass culture ‖ civilisation ‖ *~ physique*, physical training ‖ **~urel, elle** [-yrɛl] *adj* cultural ‖ **~urisme** [-yrism] *m* body building.

cumin [kymɛ̃] *m* cumin.

cumul [kymyl] *m* JUR. lumping ; plurality (de fonctions) ‖ **~er** *vt* (1) hold a plurality of offices ; *~ deux traitements*, draw two salaries.

cupid|e [kypid] *adj* greedy, grasping, covetous, moneygrubbing ‖ **~ité** *f* cupidity, greed(iness), covetousness.

curable [kyrabl] *adj* curable.

cure¹ [kyr] *f* MÉD. cure, treatment ; *faire une ~ de repos*, take a rest cure ; *~ thermale*, water cure ; *faire une ~ à Vichy*, take the waters at Vichy.

cure² *f* REL. charge, cure (fonction) ; vicarage, rectory (résidence).

curé [kyre] *m* REL. [Église anglicane] vicar, rector ; [Église catholique] parish priest.

cure|-dents [kyrdɑ̃] *m inv* toothpick ‖ **~-pipe** *m* pipe-cleaner, pipe tool.

curer [kyre] *vt* (1) clean out (un fossé, une pipe, un puits) — *vpr se ~ : se ~ les dents*, pick one's teeth ; *se ~ les ongles*, clean one's nails.

cur|ieux, ieuse [kyrjø, jøz] *adj* inquisitive, curious, nosy, prying (indiscret) ‖ inquiring, eager to learn (intéressé) ‖ curious, odd, funny, peculiar (étrange) ● *loc adv chose ~ieuse*, oddly enough ● *n* [badaud] onlooker, bystander ; *venir en ~*, come (just) to have a look ‖ nosy-parker (coll.) [indiscret] ‖ **~iosité** [-iozite] *f* curiosity, inquisitiveness (indiscrétion) ; *par ~*, out of curiosity ‖ curio (objet) ‖ [site, etc.] curiosity, place of interest, curious sight ‖ *Pl* sights ; *visite des ~s*, sightseeing (d'une ville).

curriculum vitae [kyrikylɔmvite] *m* curriculum vitae, CV ; U.S. résumé.

cutané, e [kytane] *adj* cutaneous.

cuv|e [kyv] *f* tank, vat, cistern || PHOT. tank || ~**ée** *f* vintage (vin) || ~**er** *vt* (1) FAM. ~ *son vin,* sleep off one's wine, sleep oneself sober || ~**ette** *f* (wash-)basin (de toilette) ; pan, toilet (W.-C.) || GÉOGR. basin, bowl.

cybernétique [sibɛrnetik] *f* cybernetics.

cycl|able [siklabl] *adj* → PISTE || ~**e** *m* cycle (bicyclette) || FIG. cycle || ~**isme** *m* cycling || ~**iste** *n* cyclist.

cyclomoteur [siklɔmɔtœr] *m* moped.

cyclone [siklon] *m* cyclone, hurricane.

cyclotron [siklɔtrɔ̃] *m* cyclotron.

cygne [siɲ] *m* swan ; *jeune* ~, cygnet.

cylindr|e [silɛ̃dr] *m* cylinder || ~**ique** *adj* cylindrical || ~**ée** *f* AUT. cylinder capacity, displacement.

cyn|ique [sinik] *adj* brazen ● *n* cynic || ~**isme** *m* cynicism.

cyprès [siprɛ] *m* cypress.

Cypriote [siprjɔt] *n* Cypriot.

D

d [de] *m* d.

dactylo [daktilo] *f* typist || ~**graphie** [-grafi] *f* typewriting || ~**graphier** [-grafje] *vt* (1) typewrite.

dada [dada] *m* FIG. hobby-horse, pet subject (marotte).

daigner [dɛɲe] *vi* (1) deign, condescend.

daim [dɛ̃] *m* ZOOL. (fallow-)deer || COMM. buckskin, doeskin (cuir) ; suede (peau) ; *chaussures de* ~, suede shoes.

dall|age [dalaʒ] *m* paving (action) ; pavement (dalles) || ~**e** *f* flag(stone) ; slab (de marbre).

daltonien, ienne [daltɔnjɛ̃, jɛn] *adj* colour-blind.

Damas [damas] *m* GÉOGR. Damascus.

dama|s [damɑ] *m* [tissu] damask || ~**squiné, e** [-skine] *adj* damask (acier) || ~**ssé, e** [-se] *adj* damask (tissu).

dam|e *f* lady || married woman || [cartes, échecs] queen ; [dames] king || *Pl* draughts, U.S. checkers (jeu) || ~**e-jeanne** *f* demijohn || ~**ier** [damje] *m* draught-board, U.S. checkerboard || FIG. patchwork ; *à* ~, chequered (tissu).

damn|ation [danasjɔ̃] *f* REL. damnation || ~**er** *vt* (1) REL. damn || FAM. *faire* ~ *qqn,* drive sb mad.

dancing [dɑ̃siŋ] *m* dance-hall.

dandiner (se) [sədɑ̃dine] *vpr* (1) waddle.

Danemark [danmark] *m* Denmark.

danger [dɑ̃ʒe] *m* danger ‖ risk, jeopardy ; *en ~ de mort,* in peril of death ; **en cas de ~,** in case of emergency ; *hors de ~,* safe ; *mettre en ~,* jeopardize, endanger ; *sans ~,* safe(ly) ‖ FAM. *pas de ~ !,* no fear !

danger|eusement [dɑ̃ʒrøzmɑ̃] *adv* dangerously ‖ MÉD. critically ‖ **~eux, euse** *adj* dangerous, hazardous.

danois, e [danwa, az] *adj* Danish ● *m* [langue] Danish.

Danois, e *n* Dane.

dans [dɑ̃] *prép* [lieu, sans mouvement] in ; *~ la rue,* in the street ; *~ le train,* on the train ; over (partout) ; *~ le monde entier,* all over the world ; within (dans les limites de) ‖ [lieu, avec mouvement] into (pénétration) ; out of, from (extraction) ; *boire ~ une tasse,* drink out of a cup ‖ [temps] in ; *~ la matinée,* in the morning ; *~ une semaine,* in a week's time ; *~ un mois,* a month from now ‖ [état] in ; *il est ~ les affaires,* he is in business ‖ [évaluation] round (about) ; *~ les 200 francs,* about 200 francs, 200 francs or so.

dans|ant, e [dɑ̃sɑ̃, ɑ̃t] *adj* dancing ; *soirée ~e,* dance ‖ **~e** *f* dance (action) ; dance (air) ; *folklorique,* country dance/dancing ‖ **~er** *vi/vt* (1) dance ‖ **~eur, euse** *n* dancer.

dard [dar] *m* sting.

dare-dare [dardar] *loc adv* FAM. double-quick (coll.).

dat|e [dat] *f* date ; *à quelle ~ ?,* on what date ? ; *quelle ~ sommes-nous ?,* what date is it ? ; *en ~ du,* dated ; *sans ~,* undated ; **prendre ~, fixer une ~,** fix/set a date ; *de longue ~,* (of) long-standing ; *~ limite,* deadline ‖ **~er** *vt* (1) date — *vi* date (de, from) ; *à ~ d'aujourd'hui,* from today onwards ‖ **~ de,** date back to, date from (remonter à).

datt|e [dat] *f* date ‖ **~ier** *m* date-palm.

dauphin [dofɛ̃] *m* dolphin.

davantage [davɑ̃taʒ] *adv* more (en quantité) ; over (plus) ; farther, further (plus loin) ; longer (plus longtemps).

de¹ [də] *prép* (**du** [dy] = *de le ;* **des** [de] = *de les*) [lieu] of, at, in ; *les rues ~ Paris,* the streets of Paris ‖ [lieu, point de départ] from ; *il vient ~ Londres,* he comes from London ‖ [origine] from ; *une lettre ~ mon père,* a letter from my father ; *dites-lui ~ ma part que,* tell him from me that ‖ [destination] for, to ; *le train ~ Londres,* the train for London, the London train ; *la route ~ Londres,* the road to London ‖ [distance] of, from ; *à 2 miles ~ distance,* 2 miles off, at a distance of 2 miles ; *une promenade ~ 2 km,* a 2-km walk ‖ [mesure] in, of ; *4 mètres ~ haut,* 4 metres high/in height ; *un immeuble haut ~ six étages,* a six-storied building, a building six stories high ; *un enfant ~ cinq ans,* a five-year-old child ; *plus grand d'une tête,* taller by a head ‖ [prix] *billet ~ 10 livres,* ten-pound note ; *chèque ~ 10 livres,* cheque for ten pounds ‖ [temps] in, by, 's ; *dans un délai ~ huit jours,* at a week's notice ; *journée ~ huit heures,* eight-hour day ; *voyager ~ jour,* travel by day ‖ [appartenance, dépendance] of, 's ; *la maison ~ mon père,* my father's house ; *le toit ~ la maison,* the roof of the house ‖ [contenu] of ; *une tasse ~ thé,* a cup of tea ‖ [nature, qualité] of ; *homme ~ génie,* man of genius ‖ [genre] *couteau ~ poche,* pocket-knife ‖ [cause] of, for, with ; *mourir ~ faim,* die of hunger ; *pleurer ~ joie,* weep for joy ; *se tordre ~ rire,* shake with laughter ‖ [auteur] by ; *une pièce ~ B. Shaw,* a play by B. Shaw ‖ [instrument] with ; *~ mes mains,* with my hands ‖ [moyens] with, on, off ; *vivre ~ pain,* live on bread ; *dîner ~ pommes de terre,* dine off potatoes ‖ [manière] with, in ; *~ toutes ses forces,* with all his might ‖ [caractérisant] *qqch ~ chaud,* sth warm ; *rien ~ neuf,* nothing new ‖ [matière] in ;

table ~ bois, wooden table ; *un mur ~ pierre,* a stone wall ‖ *une statue ~ marbre,* a statue in marble ‖ [apposition] *la ville ~ Paris,* the town of Paris ; *l'aéroport ~ Londres,* London Airport ‖ [explétif] *un drôle ~ type,* a queer chap ; *deux ~ plus/moins/trop,* two more/less/too many.

de² (*du* [dy] =*de le* ; **de la** [də la] ; **des** [de] =*de les*) *art partitif* [quantité] some, any ; *avez-vous du pain ?,* have you any bread ? ; *donnez-moi du pain,* give me some bread ; *je n'ai pas ~ pain,* I have no bread ; *boire ~ la bière,* drink beer.

dé¹ [de] *m* thimble (à coudre).

dé² die (*Pl* dice) ; *jouer aux ~s,* play dice ‖ *jeu de ~s,* U.S. craps (sl.) ; *jouer aux ~s,* play dice, U.S. shoot craps ‖ CULIN. *couper en ~s,* dice.

dealer [dilər] *m* POP. drug-pusher.

déambuler [deɑ̃byle] *vi* (1) stroll about, wander.

débâcle [debɑkl] *f* break(ing up) [des glaces] ‖ FIG. collapse.

déball|age [debalaʒ] *m* unpacking ‖ COMM. display (étalage) ‖ **~er** *vt* (1) unpack, unwrap.

déband|ade [debɑ̃dad] *f* scurry (galopade) ; stampede (sauve-qui-peut) ; *à la ~,* in disorder ‖ **~er** *vt* (1) MÉD. take off the bandage — *vpr se ~,* disperse ‖ MIL. disband.

débarbouiller [debarbuje] *vt* (1) wash the face (de qqn) — *vpr se ~,* wash one's face.

débarcadère [debarkadɛr] *m* NAUT. landing-stage, wharf.

débard|er [debarde] *vt* (1) unload ‖ **~eur** *m* [ouvrier] docker, stevedore ‖ [vêtement] tank top.

débarqu|ement [debarkəmɑ̃] *m* NAUT. landing (des marchandises, des troupes) ; landing, disembarkation (des passagers) ‖ **~er** *vt* (1) land (marchandises ; troupes) ; unload (marchandises ; troupes) ; disembark (personnes) — *vi* disembark, land ‖ NAUT.

go ashore, land ‖ RAIL. alight (*de,* from) ‖ AV. deplane.

débarras [debara] *m* lumber room ‖ FAM. *bon ~ !,* good riddance ! ‖ **~sé, e** [-se] *adj* quit (*de,* of) ‖ **~ser** *vt* (1) clear (une pièce, la table, le terrain) [*de,* of] ; disembarrass ; rid (*de,* of) ‖ relieve (*qqn de qqch,* sb of sth) — *vpr se ~ de,* get rid of ; dispose of ; rid oneself of ‖ throw off (un rhume) ; shake off (une habitude).

déb|at [deba] *m* discussion, debate ‖ JUR., POL., *Pl* proceedings, debates ‖ T.V. talk-show ‖ **~attre** [-atr] *vt* (20) discuss, debate — *vpr se ~,* struggle.

débauch|e [deboʃ] *f* debauch(ery) ‖ FIG. *une ~ de,* an orgy of ‖ **~é, e** *adj* debauched, dissolute ‖ **~er** *vt* (1) [agitation] incite to strike ‖ [patron] lay off, discharge, make redundant.

débile [debil] *adj* weak(ly), feeble ● *n ~ mental,* mentally handicapped person.

débilit|ant, e [debilitɑ̃, ɑ̃t] *adj* debilitating, enervating ‖ **~é** *f* debility ‖ **~ mentale,** mental deficiency ‖ **~er** *vt* (1) debilitate, enervate.

débiner [debine] *vi* (1) POP. backbite, run down (qqn) — *vpr se ~,* POP. clear off (coll.).

débi|t [debi] *m* [fleuve] flow ; [pompe] outflow ‖ COMM. sales ; *~ de boissons,* bar ; *~ de tabac,* tobacconist's (shop), U.S. cigar store ‖ FIN. debit ; *porter 10 livres au ~ de qqn,* debit sb's account with £ 10 ‖ FIG. [élocution] delivery ‖ **~tant, e** [-tɑ̃, ɑ̃t] *n* COMM. tobacconist (de tabac) ‖ **~ter** [-te] *vt* (1) saw up (du bois) ‖ COMM. retail ‖ FIN. debit ‖ TECHN. turn out, produce ‖ FIG. reel off, pour out (réciter) ‖ **~teur, trice** *n* FIN. debtor ● *adj solde ~,* debit balance ; *compte ~,* debtor account ‖ CIN. *bobine ~trice,* delivery spool.

déblayer [debleje] *vt* (9 *b*) clear (out/away) [terrain] ; sweep away (la neige).

dé|bloquer [deblɔke] *vt* (1) release, free (libérer) || TECHN. unjam — *vi* FAM. talk rot (coll.) || ~**bobiner** *vt* (1) unwind.

déboires [debwar] *mpl* disappointments || setbacks (échecs).

débois|ement [debwazmã] *m* deforestation || ~**er** *vt* (1) deforest (un pays) ; clear of trees (un terrain).

déboîter [debwate] *vt* (1) MÉD. dislocate, pull out of joint ; *se* ~ *l'épaule*, dislocate one's shoulder, put one's shoulder out — *vi* AUT. pull out (du trottoir) ; cut out, swing out (brusquement).

débord|é, e [debɔrde] *adj* FIG. overwhelmed ; ~ *de travail*, swamped with work || ~**er** *vi* (1) [fleuve] overflow ; [liquide] run over ; boil over (en bouillant) ; [récipient] brim over ; FIG. bubble over (*de*, with) — *vt* extend beyond (les limites) || MIL. outflank.

débouch|é [debuʃe] *m* [carrière] prospect || COMM. opening, outlet || ~**er** *vt* (1) uncork, open (une bouteille) ; unblock, unstop (un tuyau, etc.) — *vi* emerge, come out (*de*, from) || [route] open, lead (*sur*, onto, into).

dé|boucler [debukle] *vt* (1) unbuckle (une ceinture) || ~**boulonner** *vt* (1) take the bolts out of, unbolt || FAM. debunk (qqn).

débour|s [debur] *mpl* outlay || ~**ser** [-se] *vt* (1) lay/pay out, disburse.

debout [dəbu] *adv* [personne] standing ; *être* ~, stand ; be up (levé) ; *se mettre* ~, get/stand up || [chose] standing upright/on end || FIG. *cela ne tient pas* ~, it doesn't make sense.

déboutonner [debutɔne] *vt* (1) unbutton, undo.

débraillé, e [debraje] *adj* slovenly, untidy (tenue).

débrancher [debrãʃe] *vt* (1) ÉLECTR. disconnect, unplug.

débray|age [debrɛjaʒ] *m* AUT. clutch(-pedal) || [grève] stoppage,

walk-out || ~**é, e** *adj* out of gear || ~**er** *vt* (9 *b*) AUT. disengage/release the clutch, declutch, throw out of gear || FAM. [grève] walk out, down tools.

débris [debri] *m* remains (restes) ; debris, scraps (déchets) ; wreck(age) [épave, décombres].

débrouill|ard, e [debrujar, ard] *adj* resourceful || ~**er** *vt* (1) disentangle (démêler) — *vpr se* ~, shift/fend for oneself (seul) ; manage (*pour faire*, to do) ; cope, get by (s'en sortir) ; muddle through (tant bien que mal).

débu|t [deby] *m* beginning, start, set-out ; *au* ~, at first, at the beginning ; *au* ~ *de la matinée*, in the early morning ; *au* ~ *du siècle*, at the turn of the century || first steps (*dans*, in) [une carrière] ; start (*dans*, fend) [la vie] || *Pl faire ses* ~s, make one's debut || TH. debut, first appearance || ~**tant, e** [-tã, ãt] *n* beginner, novice, learner ; entrant (dans une profession) ● *f* [haute société] débutante ; deb (coll.) || ~**ter** [-te] *vt* (1) begin, start.

deçà [dəsa] *adv en* ~ *de*, (on) this side of.

décacheter [dekaʃte] *vt* (1) unseal, open (lettre).

décade [dekad] period of ten days || [impropre] = DÉCENNIE.

décad|ence [dekadãs] *f* decadence || ~**ent, e** *adj* decadent.

décaféiné, e [dekafeine] *adj* decaffeinated.

décal|age [dekalaʒ] *m* [temps] ~ *horaire*, time difference ; [voyages en avion] *souffrir du* ~ *horaire*, suffer from jet lag || FIG. gap, hiatus || ~**er** *vt* (1) [temps] move forward (avancer) ; put back (retarder).

décal|comanie [dekalkɔmani] *f* transfer || ~**quer** [-ke] *vt* (1) trace.

décamper [dekãpe] *vt* (1) FAM. scram ; clear off/out, beat it.

décanter [dekãte] *vt* (1) decant.

décap|ant [dekapɑ̃] *m* paint stripper ‖ ~**er** *vt* (1) clean ‖ scour (à la machine) ; pickle (à l'acide) ; remove (peinture, vernis).

décapiter [dekapite] *vt* (1) decapitate, behead.

décapotable [dekapɔtabl] *adj/f* AUT. *(voiture)* ~, convertible.

décapsuleur [dekapsylœr] *m* bottle-opener.

décéd|é, e [desede] *p.p.* deceased ‖ ~**er** *vi* die ; *il est décédé le 1ᵉʳ mai*, he died on May 1ˢᵗ.

déceler [desle] *vt* (8 *b*) detect, discover (découvrir).

décembre [desɑ̃br] *m* December.

déc|emment [desamɑ̃] *adv* decently ‖ ~**ence** *f* decency, modesty ‖ ~**ent, e** *adj* decent, modest.

décennie [deseni] *f* decade.

décentr|aliser [desɑ̃tralize] *vt* (1) decentralize ‖ ~**er** *vt* (1) offset, put out of centre.

déception [desɛpsjɔ̃] *f* disappointment ; *quelle ~ !,* what a let-down/sell ! (coll.).

décerner [deserne] *vt* (1) award.

décès [desɛ] *m* death.

décev|ant, e [desvɑ̃, ɑ̃t] *adj* disappointing ‖ ~**oir** [desəvwar] *vt* (3) disappoint ; let down (coll.).

déchaîn|é, e [deʃene] *adj* FIG. wild (émotion, foule) ; raging (éléments) ‖ ~**ement** [-mɑ̃] *m* outburst (explosion) ‖ ~**er** *vt* (1) unchain ‖ FIG. unleash — *vpr se* ~, [tempête] break ‖ FIG. explode, burst out, break loose, rage ‖ [foule] run wild, go on the rampage.

déchanter [deʃɑ̃te] *vi* (1) be disappointed.

décharg|e [deʃarʒ] *f* [dépôt] tip, dumping-ground, rubbish-dump (lieu) ‖ [arme] firing ; shot (projectile) ‖ ÉLECTR. discharge ; shock (dans les doigts) ‖ COMM. receipt (*pour,* for) ‖ JUR. *témoin à* ~, witness for the defence ‖ ~**ement** [-mɑ̃] *m* unload-

ing (d'un train, d'une voiture) ‖ ~**er** *vt* (7) unload (une voiture) ‖ [arme] fire, discharge (tirer) ; unload (enlever la cartouche) ‖ ÉLECTR. discharge (les accus) ‖ NAUT. unload (un bateau) ; land (les marchandises) ‖ FIG. ~ *qqn de,* relieve sb of, release sb from ‖ FIG. disburden (sa conscience) ; *se ~ de ses responsabilités sur,* pass off one's responsibilities onto ; pass the buck to (coll.) — *vpr se ~,* ÉLECTR. [batterie] run down.

décharné, e [deʃarne] *adj* emaciated, scraggy, lank.

déchausser (se) [sədeʃose] *vpr* (1) take off one's shoes ‖ MÉD. [dents] become bare/loose ; *avoir les dents qui se déchaussent,* have shrinking gums.

déchéance [deʃeɑ̃s] *f* FIG. decay, decline (morale).

déchets [deʃɛ] *mpl* scraps (métal, viande, etc.) ‖ refuse, rubbish (ordures).

déchiffrer [deʃifre] *vt* (1) make out, spell out (écriture) ; decipher (une inscription) ; decode (un message chiffré) ‖ MUS. sight-read.

déchiquet|é, e [deʃikte] *adj* jagged (rocher, côte) ‖ ~**er** *vt* (8 *a*) tear to pieces/shreds.

déchir|ant, e [deʃirɑ̃, ɑ̃t] *adj* heart-rending/breaking (scène) ; harrowing (cri) ‖ ~**ement** *m* MÉD. tearing (d'un muscle) ‖ FIG. heartbreak ‖ ~**er** *vt* (1) tear (up/off) ; tear to pieces ; rend rip (faire un accroc) ‖ *se ~ un muscle,* tear a muscle ‖ FIG. [cri] rend (l'air) ; tear ; break (le cœur) — *vpr se ~,* [tissu] tear, rip (away) ; [muscle] tear ‖ ~**ure** *f* tear, rent, rip ‖ MÉD. ~ *musculaire,* torn muscle.

déch|oir [deʃwar] *vi* (36) lower oneself ; fall *(dans,* in) [l'estime].

décibel [desibɛl] *m* decibel.

décid|é, e [deside] *adj* resolute, decided, determined (*à,* to) ‖ single-minded (personnalité) ‖ ~**er** *vt* (1) decide, settle (régler) ; settle on (qqch) ‖ ~ *que,* decide that ‖ ~ *qqn*

à, persuade sb to — *vt ind* ~ **de,** settle (prendre parti) ; decide, determine (qqch) ; decide, determine (*de faire,* to do) ; || JUR. rule (*que,* that) — *vpr se* ~, make up one's mind, come to a decision ; *se* ~ *à faire, decide on doing ; se* ~ *pour,* decide on/in favour of || ~ **eur** *m* decision maker.

décimal, e, aux [desimal, o] *adj/f* decimal.

décimer [desime] *vt* (1) decimate.

décis|if, ive [desizif, iv] *adj* decisive (action) ; crucial (moment) || ~ **ion** *f* decision, resolve ; *prendre une* ~, come to a decision || determination (résolution) || JUR. decision, ruling.

déclamer [deklame] *vt* (1) declaim ; rant (pompeusement).

déclar|ation [deklarasjɔ̃] *f* statement, declaration || ~ *d'amour/de guerre,* declaration of love/war || FIN. ~ *de revenus,* return of income ; *faire sa* ~ *de revenus,* return one's income || ~ **er** *vt* (1) declare, state, affirm, assert (assurer) ; declare, make known (faire savoir) || report (signaler) || return (revenus) || ~ *la guerre,* declare war || register (naissance) ; declare (à la douane) — *vpr se* ~, declare oneself || declare (*pour,* for ; *contre,* against) || [incendie] break out || MÉD. [maladie] burst out.

déclasser [deklɑse] *vt* (1) lower the social status of || SP. relegate || RAIL. change the class of.

déclench|ement [deklɑ̃ʃmɑ̃] *m* starting || outbreak (des combats) || TECHN. release, triggering off || ~ **er** *vt* (1) release, trigger off || ~ *une grève,* start/call a strike || PHOT. release the shutter of || MIL. launch (une attaque) || FIG. spark/trigger off || ~ **eur** *m* PHOT. (shutter) release ; ~ *automatique,* self-timer ; ~ *souple,* cable release.

déclic [deklik] *m* trigger (mécanisme) ; click (bruit).

déclin [deklɛ̃] *m* ASTR. wane ; decline (du jour) || FIG. decline.

déclin|aison [deklinɛzɔ̃] *f* GRAMM. declension || ~ **er**[1] *vi* (1) ASTR. [lune] wane ; [soleil] sink ; [jour] draw to a close || MÉD. [santé] decline, deteriorate || [vue] fail.

décliner[2] *vt* (1) state (son nom) || decline, refuse (une offre) ; disclaim (une responsabilité) || GRAMM. decline.

décocher [dekɔʃe] *vt* (1) shoot (une flèche) || FIG. flash (un sourire) ; dart (un regard).

dé|coder [dekɔde] *vt* (1) decode || ~ **coiffer** *vt* (1) undo/ruffle sb's hair (dépeigner) — *vpr se* ~, undo one's hair (volontairement) || take off one's hat.

décoll|age [dekɔlaʒ] *m* AV. take-off || ASTR. lift-off, blast-off || ~ **ement** *m* MÉD. detachment (de la rétine) || ~ **er** *vt* (1) unstick (un objet collé) ; loosen (des objets serrés) — *vi* AV. take off — *vpr se* ~, come unstuck.

décolleté, e [dekɔlte] *adj* low-necked (robe) ● *m* neckline ; *robe avec un grand* ~, dress with a low neckline ; ~ *en V,* V-neck.

décolor|ant [dekɔlɔrɑ̃] *m* bleaching agent || ~ **ation** [dekɔlɔrasjɔ̃] *f* discolouration || [femme] *se faire faire une* ~, have one's hair bleached || ~ **é, e** *adj* discoloured || bleached (cheveux) || faded, washed-out (étoffe) || ~ **er** *vt* (1) discolour || bleach (les cheveux) — *vpr se* ~, lose its colour ; [étoffe] fade ; *se* ~ *au lavage,* wash out.

décombres [dekɔ̃br] *mpl* wreckage, debris, ruins ; [démolition] rubble.

dé|commander [dekɔmɑ̃de] *vt* (1) cancel, call off (commande, rendezvous) — *vpr se* ~, cancel an engagement ; cry off || ~ **composer** *vt* (1) CH. decompose || PHYS. split up (la lumière) || GRAMM. break down (phrase) || FIG. distort (visage) — *vpr se* ~, decompose, decay, rot.

décompt|e [dekɔ̃t] *m* FIN. detailed account (compte) ; deduction (déduction) || ~ **er** *vt* (1) deduct (déduire).

déconcert|ant, e [dekɔ̃sertɑ̃, ɑ̃t] *adj* baffling, disconcerting, unnerving ‖ **~é, e** *adj* disconcerted, bewildered, taken aback ‖ **~er** *vt* (1) disconcert, embarrass, nonplus, bewilder, confuse, baffle.

dé|congeler [dekɔ̃ʒle] *vt* (8 *b*) thaw out, defrost (aliments)‖ **~connecter** *vt* (1) disconnect ‖ **~conseiller** *vt* (1) advise against.

décontenancer [dekɔ̃tnɑ̃se] *vt* (6) disconcert, put out of countenance — *vpr se ~*, lose countenance.

décontracté, e [dekɔ̃trakte] *adj* relaxed, easy-going, casual ; cool (coll.).

décor [dekɔr] *m* [maison] décor *m* ‖ [paysage] scenery, setting ‖ TH. scenery ‖ CIN. set ‖ **~ateur, trice** *n* (interior) decorator ‖ TH. (stage) designer ‖ **~atif, ive** *adj* decorative, ornamental ‖ **~ation** *f* [appartement, médaille] decoration ‖ **~er** *vt* (1) decorate ‖ deck (out) [rue, etc.] ‖ FIG. [honneur] decorate.

décortiquer [dekɔrtike] *vt* (1) shell (crevettes, noix) ; husk (céréales).

découcher [dekuʃe] *vi* (1) spend the night away from home, sleep out.

découdre [dekudr] *vt* (31) unpick, unstitch (un vêtement) — *vpr se ~*, [bouton] come off ; [vêtement] come unstitched/apart.

découler [dekule] *vi* (1) derive, stem (*de*, from).

découp|age [dekupaʒ] *m* carving (de la viande) ‖ CIN. shooting script ; cutting ‖ **~er** *vt* (1) carve (viande) ; cut up (gâteau) ; cut out (des images, un patron) — *vpr se ~*, stand out, be outlined (*sur*, against).

découpl|é, e [dekuple] *adj bien ~*, well-built, strapping.

décourag|eant, e [dekuraʒɑ̃, ɑ̃t] *adj* discouraging ‖ **~é, e** *adj* discouraged, down-hearted, disheartened ; downcast, dejected, despondent ‖ **~ement** *m* discouragement, dejection, despondency ‖ **~er** *vt* (7)

discourage, dishearten, dispirit ; put off, deter (rebuter) — *vpr se ~*, lose heart.

décousu, e [dekuzy] *adj* unstitched ‖ FIG. loose (style) ; desultory (pensée) ; disjointed, disconnected, desultory, rambling (propos).

décou|vert, e [dekuver, ert] *adj* uncovered ‖ bareheaded (tête nue) ‖ open (terrain) ‖ AUT. open ‖ FIN. overdrawn (compte) ● *m* COMM. deficiency ‖ FIN. overdraft ; *à ~*, in the red ‖ **~verte** *f* discovery ; *aller à la ~ de*, go in search of ‖ **~capitale**, breakthrough ‖ **~vreur, euse** [-vrœr, øz] *n* discoverer ‖ **~vrir** *vt* (72) [trouver] discover, uncover, find ; detect ‖ [enlever ce qui couvre] uncover ‖ [apercevoir] see, have a view of ‖ [révéler] reveal, disclose — *vpr se ~*, [personne] take off one's hat ; undress ‖ [ciel] clear ‖ SP. lower one's guard.

décrasser [dekrase] *vt* (1) clean (out/up) ; scour.

décrépi|t, e [dekrepi, it] *adj* decrepit ‖ **~tude** [-tyd] *f* decrepitude ‖ ARCH. decay.

décret [dekrɛ] *m* decree.

décréter [dekrete] *vt* (5) decree, enact ‖ declare (état d'urgence).

décrier [dekrije] *vt* (1) decry, cry down, disparage.

décrire [dekrir] *vt* (44) describe.

décrocher [dekrɔʃe] *vt* (1) unhook (rideau) ‖ take down (tableau) ‖ TÉL. pick up/lift the receiver.

décroître [dekrwatr] *vt* (34) decrease ; diminish ; [crue] subside ‖ ASTR. wane.

décrott|er [dekrɔte] *vt* (1) clean (les chaussures) ‖ **~oir** *m* scrapemat.

décrypter [dekripte] *vt* (1) crack, decipher.

déçu, e [desy] *adj* disappointed (*par, at*) ‖ → DÉCEVOIR.

déd|aigner [dedɛɲe] *vt* (1) disdain, despise, scorn (mépriser) ‖ disregard (ne pas tenir compte de) ‖ ~**aigneux, euse** [-ɛɲø, øz] *adj* disdainful, contemptuous, scornful (de, of) ‖ ~**ain** [-ɛ̃] *m* disdain ; contempt, scorn (mépris).

dédale [dedal] *m* maze.

dedans [dədɑ̃] *adv* inside, within ● *loc adv* **au-/en** ~, inside, within ● *m* le ~, the inside.

dédicac|e [dedikas] *f* dedication (d'un livre) ‖ ~**er** *vt* (6) inscribe (à, to) [un livre].

dédier [dedje] *vt* (1) dedicate (un livre, une église).

déd|ire (se) [sədedir] *vpr* (63) retract ; go back on one's word.

dédommag|ement [dedɔmaʒmɑ̃] *m* compensation (indemnisation) ‖ ~**er** *vt* (7) compensate (qqn de, sb for) ; make up (de, for), recoup.

dédouan|ement [dedwanmɑ̃] *m* clearance, clearing ‖ ~**er** *vt* (1) Comm. clear through customs.

dédoubler [deduble] *vt* (1) split/divide in two.

déd|uction [dedyksjɔ̃] *f* inference, deduction ‖ Comm. deduction ‖ ~**uire** *vt* (85) infer, deduce, gather (de, from) ‖ Comm. deduct, knock off, take off (une somme) [de, from] ‖ Math. subtract.

déesse [dees] *f* goddess.

défaill|ance [defajɑ̃s] *f* Techn. fault, failure, breakdown ‖ Méd. avoir une ~, fall in a faint ‖ Fig. ~ de la mémoire, lapse of memory ‖ ~**ant, e** *adj* failing (mémoire, santé) ; faltering (pas) ; faint, weak (personne) [de, with] ‖ ~**ir** *vi* (38) lose strength (s'affaiblir) ‖ [forces] flag ‖ [courage] sink ‖ Méd. faint.

dé|faire [defer] *vt* (50) undo ‖ untie (un nœud) ; unfasten (des liens) ; unpack (une valise) ; strip (un lit) — *vpr* se ~, come undone (nœud) ‖ come apart (se séparer) ‖ se ~ de, part with (se séparer de) ; dispose of, get rid of (se débarrasser de) ‖ Fig. shed ‖ ~**fait, e** [defɛ, ɛt] *adj* undone

‖ loose (nœud) ; unwrapped (paquet) ‖ Fig. haggard, drawn (visage).

défait|e [defɛt] *f* defeat ; subir une ~, suffer a defeat ‖ Fig. failure ‖ ~**isme** *m* defeatism ‖ ~**iste** *n* defeatist.

défalquer [defalke] *vt* (1) write off, deduct (de, from).

défausser (se) [sədefose] *vpr* (1) se ~ de, discard, throw (une carte).

défaut [defo] *m* [manque] lack, want, deficiency ; à ~ de, for want/lack of, failing ; faire ~, fail, be lacking/wanting ‖ [imperfection] fault, defect, blemish ; shortcoming(s) [points faibles] ‖ en ~, at fault (mémoire) ‖ Jur. default ; faire ~, fail to appear ‖ Techn. flaw ; sans ~(s), flawless.

défav|eur [defavœr] *f* disfavour ‖ ~**orable** [-ɔrabl] *adj* unfavourable ; être ~ à, be opposed to ‖ ~**oriser** [-ɔrize] *vt* (1) disadvantage, put at a disadvantage.

défec|tif, ive [defɛktif, ive] *adj* Gramm. defective ‖ ~**tion** *f* defection, desertion ; faire ~, fall away ‖ ~**tueux, euse** [-tɥø, øz] *adj* faulty, defective.

défendre [defɑ̃dr] *vt* (4) [protéger] defend, protect (contre, against) ‖ stand by, champion (cause) ‖ [interdire] forbid, prohibit ‖ Jur. defend — *vpr* se ~, defend oneself (contre, against) ‖ deny (nier) [d'avoir fait, doing] ‖ Fig. bien/mal se ~, do well/badly.

défens|e [defɑ̃s] *f* defence, U.S. defense ; prendre la ~ de qqn, stand up for sb ; sans ~, defenceless ; en état de légitime ~, in self-defence ‖ ~ d'entrer, no admittance/entry ; ~ de stationner, no parking ‖ Mil. defence ; Pl fortifications (ouvrages) ‖ ~ **passive,** civil defence, air-raid precautions ‖ Naut. fender ‖ Jur. defence ‖ Zool. tusk (d'éléphant) ‖ ~**eur** *m* champion, supporter (d'une cause) ‖ advocate ‖ ~**if, ive** *adj* defensive ‖

~ive f defensive ; *être sur la* **~**, be on the defensive.

déferler [defɛrle] *vi* (1) [vague] break || FIG. [foule] surge, sweep.

défi [defi] *m* challenge (provocation) ; *lancer un* **~** *à qqn,* challenge sb ; *relever un* **~**, take up a challenge ; *mettre qqn au* **~**, defy sb (*de faire,* to do) || **~ance** [fjɑ̃s] f distrust.

déficeler [defisle] *vt* (9 *a*) untie.

défic|ience [defisjɑ̃s] f deficiency || **~ient, e** [-jɑ̃, ɑ̃t] *adj* deficient.

déficit [defisit] *m* deficit || **~aire** [-ɛr] *adj* in deficit.

défier [defje] *vt* (1) defy, challenge ; **~** *qqn de faire,* dare sb to do — *vpr* **se ~ de,** mistrust, distrust.

défigurer [defigyre] *vt* (1) disfigure || FIG. distort.

défil|é [defile] *m* parade ; **~** *de mode,* fashion-show || MIL. march past ; **~** *aérien,* fly-past || GÉOGR. defile, gorge || **~er** *vi* (1) walk in procession || MIL. march past (en parade) — *vpr* **se ~,** FAM. shirk, wriggle out (esquiver le travail) ; slip away (filer).

défin|i, e [defini] *adj* definite, clear-cut || GRAMM. definite || **~ir** *vt* (2) define ; specify || **~ition** f definition || [mots croisés] clue.

définit|if, ive [definitif, iv] *adj* definitive, final (décision, solution) ; final (résultat) || **~ive** f *en* **~,** at last, finally (en fin de compte) ; all things considered (tout compte fait) || **~ivement** *adv* definitively ; for good ; finally.

déflation [deflasjɔ̃] f FIN. deflation.

défonc|é, e [defɔ̃se] *adj* bumpy (route) || ARG. stoned (drogué) || **~er** *vt* (6) smash in, stave in (une caisse) ; break up, tear up (une route) — *vpr* **se ~,** ARG. [drogue] get high, freak out (coll.).

déform|ation [defɔrmasjɔ̃] f distortion ; **~** *professionnelle,* vocational bias || **~er** *vt* (1) put out of shape (un vêtement) ; deform (le corps) ||

T.V. distort (image) || FIG. distort — *vpr* **se ~,** lose its shape.

défouler (se) [sədefule] *vpr* (1) let off steam.

défraîchi, e [defreʃi] *adj* faded (tissu) ; the worse for wear (vêtement) || COMM. shop-soiled.

défricher [defriʃe] *vt* (1) AGR. clear (un champ) ; reclaim (amender).

dé|frisé, e [defrize] *adj* out of curl || **~friser** *vt* (1) uncurl || FIG., FAM. annoy || **~froisser** *vt* (1) smooth out.

défunt, e [defœ̃, œ̃t] *adj* late (personne) ● *n* deceased.

dégag|é, e [degaʒe] *adj* clear (ciel, route) ; open (espace) || **~ement** *m* clearing (action) ; clearance (espace libre) || **~er** *vt* (7) disengage, free (libérer) ; clear (la route) || emit (chaleur) ; give off (odeur) || redeem, take out of pledge (un objet en gage) || FIG. free, release (*de,* from) [une promesse] ; bring out (une idée) ; draw (une conclusion) — *vpr* **se ~,** free oneself (*de,* from) || [ciel] clear || FIG. come out.

dégarnir [degarnir] *vt* (2) clear out ; empty (vider) ; strip (un mur) — *vpr* **se ~,** [tête] grow bald ; get thin on top (coll.).

dégât(s) [dega] *m* (*pl*) damage ; *faire des* **~s,** do damage ; *réparer les* **~s,** make good the damage.

dégel [deʒɛl] *m* thaw (pr. et fig.) || **~er** [deʒle] *vi/vt* (8 *b*) thaw — *vpr* **se ~,** thaw out.

dégénér|é, e [deʒenere] *adj/n* degenerate || **~er** *vi* (5) degenerate || FIG. deteriorate, go from bad to worse.

dégivr|age [deʒivraʒ] *m* defrosting || **~er** *vt* (1) defrost (pare-brise, réfrigérateur) || **~eur** *m* deicer, defroster (appareil).

dégonfl|é, e [degɔ̃fle] *adj/n* POP. chicken (sl.) [lâche] || **~er** *vt* (1) deflate (ballon, pneu) — *vpr* **se ~,**

[pneu] go down ‖ Fig., Fam chicken out.

dégourd|i, e [degurdi] *adj* smart ; *un ~,* a smart one ‖ **~ir** *vt* (2) take the numbness off (un membre) ; take the chill off (un liquide) ‖ Fig. smarten up (qqn) ; sharpen the wits of (un niais) — *vpr se ~ : se ~ les jambes,* stretch one's legs.

dégoû|t [degu] *m* disgust, distaste ‖ **~tant, e** [-tã, ãt] *adj* disgusting, revolting, loathesome, sickening ‖ **~té, e** [-te] *adj* disgusted (*de,* at/by/with) ; queasy (nauséeux) ; squeamish (chipoteur) ; *faire le ~,* turn up one's nose ‖ **~ter** [-te] *vt* (1) disgust, make sick ; sicken (écœurer) ‖ Fig. *qqn de qqch,* put/turn sb off sth.

dégradable [degradabl] *adj* degradable ; *non ~,* non-degradable.

dégrad|ation [degradasjõ] *f* damage (dégât) ; deterioration (d'immeubles) ‖ Fig. degradation ‖ **~er** *vt* (1) damage ; deface, deteriorate ‖ Mil. degrade — *vpr se ~,* [couleur] shade off ‖ Fig. [situation] deteriorate.

dégrafer [degrafe] *vt* (1) unfasten, unhook, undo.

dégraiss|age [degresaʒ] *m* cleaning ‖ **~er** *vt* (1) clean ‖ Culin. skim (le bouillon) ‖ Fam. [entreprise] streamline.

degré [dəgre] *m* [niveau] degree ‖ Phys., Ch., Math., Géogr. degree ‖ [alcool] proof ; *whisky à 45°,* 90-proof whisky ‖ Fig. degree, pitch, stage.

dégriffé, e [degrife] *adj vêtements ~s,* cut-price quality clothes.

dégringoler [degrɛ̃gɔle] *vi* (1) tumble down ; come a cropper (coll.) [tomber].

dégriser [degrize] *vt* (1) sober up.

dégrossir [degrosir] *vt* (2) rough out ; rough-hew (pierre).

déguenillé, e [degnije] *adj* ragged, tattered.

déguerpir [degɛrpir] *vi* (2) Fam. clear out (coll.) ; scuttle away.

dégueulasse [degœlas] *adj* Pop. filthy (sale) ‖ lousy, rotten (pop.) [injuste].

déguis|é, e [degize] *adj* disguised, in disguise ; *~ en,* in the disguise of ‖ **~ement** *m* disguise [vêtement] fancy dress ; get-up (coll.) ‖ Fig. disguise — *vpr se ~,* disguise oneself (pour tromper) ; dress up (*en,* as) [pour s'amuser].

dégust|ation [degystasjõ] *f* tasting, sampling ‖ **~er** *vt* (1) taste (goûter) ; sip, relish, sample (savourer).

dehors [dəɔr] *adv* out, outside, outdoors ; *mettre ~,* turn out ● *loc adv* **au-~,** outside, outdoors ; **en ~,** outside ● *loc prép* **en ~ de,** outside, apart from ● *m le ~,* the outside ‖ *Pl* appearances.

déjà [deʒa] *adv* [affirmation] already (dès ce moment) ; *le facteur est ~ passé,* the postman has already been ; as early as (dès cette époque) ; before (auparavant) ; *j'ai ~ vu ce film,* I have seen that film before : [une fois] ever ; *êtes vous ~ allé à Bath ?,* have you uver been to Bath ? ‖ [renforcement] as it is/was ‖ [interr., nég.] yet ; *faut-il ~ que vous partiez ?,* need you go yet ?

déjeuner [deʒœne] *m* lunch ; luncheon ; *~ d'affaires,* business lunch ; *petit ~,* breakfast ; *prendre le petit ~,* breakfast, have breakfast ● *vi* (1) lunch.

déjouer [deʒwe] *vt* (1) foil, thwart (un complot) ; outwit, outmanœuvre (par la ruse).

delà [dəla] *loc adv* **au-~,** farther, further ● *loc prép* **au-~ de,** beyond, past ● *m l'au-~,* the beyond.

délabr|é, e [delabre] *adj* dilapidated, tumble-down, crumbling, ramshackle, run-down (maison) ; shabby (pièce) ‖ Méd. broken (santé) ‖ **~ement** *m* disrepair, decay (des choses) ; decrepitude (des personnes) ‖ Méd. impairment (de la santé) ‖ **~er** *vt* (1) dilapidate (une maison)

|| Méd. impair, shatter (santé) — *vpr se* ~, fall into decay/disrepair ; decay || [santé] fail, break down.

délai [delɛ] *m* delay (retard) ; *sans* ~, without delay ; forthwith || time-limit ; *à bref* ~, at short notice ; *dans un* ~ *de six mois,* within six months ; *dans les meilleurs* ~*s,* at your earliest convenience ; *dernier* ~, deadline || Jur. respite (sursis).

délaisser [delɛse] *vt* (1) abandon, desert.

délass|ant, e [delasã, ãt] *adj* refreshing, relaxing || ~**ement** *m* relaxation, refreshment (détente) ; diversion (divertissement) || ~**er** *vt* (1) relax, refresh (détendre) ; divert (distraire) — *vpr se* ~, relax (se détendre) ; take a rest (se reposer).

délavé, e [delave] *adj* washed out, washy, faded (couleur).

délayer [deleje] *vt* (1) mix (mélanger) || thin down (couleur).

Delco [delko] *m* N.D. Aut. distributor.

délect|able [delɛktabl] *adj* delectable || ~**er (se)** *vpr* (1) take delight, revel (*de,* in).

délé|gation [delegasjɔ̃] *f* delegation (pouvoir, personnes) || ~**gué, e** [-ge] *adj* managing (administrateur) ; deputy (fonctionnaire) ● *n* delegate, deputy, representative ; ~ *syndical,* shop-steward || ~**guer** [-ge] *vt* (5), delegate (personne, pouvoirs) [*à,* to] ; devolve (des fonctions) [*à,* on].

délest|age [delɛstaʒ] *m* Électr. power-cut || [circulation] *itinéraire de* ~, relief road || ~**er** *vt* (1) Fam. ~ *qqn de qqch,* rob sb of sth.

délibér|ation [deliberasjɔ̃] *f* deliberation || *Pl* proceedings || ~**é, e** *adj* deliberate ; *de propos* ~, deliberately || ~**ément** *adv* intentionally ; advisedly || ~**er** *vi* (5) deliberate (*avec,* with ; *sur,* upon) ; confer, debate (*avec,* with ; *sur,* upon).

délica|t, e [delika, at] *adj* delicate (chose) ; delicate (santé, question,

situation) ; awkward (situation) || tactful (plein de tact) ; ticklish, tricky (question) ; squeamish (estomac) || dainty (mets) || ~**tement** [-tmã] *adv* delicately, gingerly || ~**tesse** [-tes] *f* delicacy (du comportement, des sentiments, du goût, des traits) ; daintiness (du goût, des mets) || tact (tact) ; *plein de* ~, thoughtful.

délic|e [delis] *m* delight || *Pl* delights, pleasures, sweets ; *faire ses* ~*s de,* take delight in || ~**ieusement** [-jøzmã] *adv* delightfully || ~**ieux, euse** *adj* delicious, luscious.

déli|é, e [delje] *adj* loose (lacet) || Fig. glib (langue) ; sharp (esprit) || ~**er** *vt* (1) untie (corde, mains) || Fig. release (*de,* from) [une promesse] ; loosen (la langue).

délimiter [delimite] *vt* (1) delimit(-ate), demarcate.

délinqu|ance [delɛ̃kãs] *f* delinquency ; ~ *juvénile,* juvenile delinquency || ~**ant, e** *adj* delinquent ● *n* offender ; ~ *primaire,* first offender.

délir|ant, e [delirã, ãt] *adj* Méd. delirious, raving || Fig. frenzied (imagination) || ~**e** *m* Méd. delirium ; *avoir le* ~, be delirious, wander || ~**er** *vi* (1) be delirious, rave.

délit [deli] *m* crime, offence ; *commettre un* ~, offend against the law ; *être pris en flagrant* ~, be caught in the act/red-handed.

délivr|ance [delivrãs] *f* release (libération) || relief (soulagement) || Jur. issue (de passeport) || ~**er** *vt* (1) release, liberate, set free (un prisonnier) ; rescue (sauver) || Jur. issue (un passeport).

déloger [delɔʒe] *vt* (7) turn out, dislodge.

déloy|al, e, aux [delwajal, o] *adj* unfair (procédé) ; disloyal, faithless (personne) || Sp. foul || ~**auté** [-ote] *f* unfairness ; disloyalty, faithlessness.

delta [dɛlta] *m* delta.

déluge [delyʒ] *m* [pluie] downpour,

deluge || [Bible] *le Déluge,* the Flood || FIG. flood, shower.

déluré, e [delyre] *adj* wide-awake, resourceful.

démago|gie [demagɔʒi] *f* demagogy || **~gue** [-g] *m* demagogue.

démailler [demaje] *vt* (1) unravel (un tricot) — *vpr se* ~, [bas] run.

demain [dǝmɛ̃] *adv* tomorrow ; *à* ~ *!,* good bye till tomorrow !, see you tomorrow ! ; ~ *matin/soir,* tomorrow morning/evening ; ~ *en huit,* tomorrow week.

démancher [demãʃe] *vt* (1) take off the handle of (un outil).

demand|e [dǝmãd] *f* question, inquiry || [requête] request ; ~ *instante,* plea ; *sur* ~, on application /request ; *à la* ~ *de qqn,* on sb's request ; *faire une* ~, make a request/an application ; ~ *d'emploi,* application for a job ; *faire une* ~ *d'emploi,* apply for a job ; ~ *d'augmentation (de salaire),* wage claim || ~ *en mariage,* proposal || COMM. *l'offre et la* ~, supply and demand ; *à la* ~, on demand || JUR. claim (réclamation) || ~ *en divorce,* petition for divorce || **~er** *vt* (1) ask, request ; ~ *qqch à qqn,* ask sb (for) sth, ask sth of sb ; request sth from sb, call (up)on sb for sth ; *demandez-lui,* ask him ; *puis-je vous* ~ *le sel ?,* may I trouble you for the salt ? || ~ *à qqn de faire qqch,* ask sb to do sth || apply for (solliciter) || inquire for (*qqch,* sth) [dans une boutique] ; ~ *son chemin à qqn,* ask sb the way ; ~ *(à voir) qqn,* inquire for sb, ask for sb ; *on vous demande au téléphone,* you are wanted on the phone || require, need (nécessiter) ; ~ *du temps,* take/require time ; *vous me demandez trop,* you expect too much from me ; ~ *des comptes à qqn,* call sb to account || want (désirer) ; *ne* ~ *qu'à,* be quite ready to ; *ne pas* ~ *mieux que,* be all for ; *je ne demande pas mieux que,* I am only too glad to ; ~ *qqn en mariage,* propose (marriage) to sb ||

COMM. ~ *un prix,* charge — *vpr se* ~, wonder (*pourquoi,* why ; *si,* whether) ; *je me demande pourquoi,* I can't think why ; *je me le demande !,* I wonder ! || **~eur** *m* TÉL. caller.

démang|eaison [demãʒɛzɔ̃] *f* itch(ing) || **~er** *vi* (7) itch.

démanteler [demãtle] *vt* (5) MIL. dismantle.

démaquiller (se) [sǝdemakije] *vpr* (1) remove/ take off one's make-up.

démarchage [demarʃaʒ] *m* door-to-door selling ; canvass.

démarche [demarʃ] *f* gait, walk, tread (allure) || FIG. step ; *faire une* ~, take a step.

démarcheur, euse *n* COMM. door-to-door salesman/woman || POL. canvasser.

démarquer [demarke] *vt* (1) unmark (du linge) || COMM. mark down (solder) || copy, lift (plagier) — *vpr se* ~, SP. shake off one's marker.

démarr|age [demaraʒ] *m* start(ing), moving off || **~er** *vi* (1) start, move off ; get moving ; *faire* ~, start up || FIG. get under way || **~eur** AUT. starter.

démâter [demɑte] *vt* (1) dismast.

démêl|é [demele] *m* dispute, quarrel ; *avoir des* ~*s avec,* be at cross purposes with || **~er** *vt* (1) comb out (les cheveux) ; unravel, disentangle (un écheveau) || FIG. elucidate (une question).

déménag|ement [demenaʒmã] *m* moving (house) || removal (des meubles) ; *voiture de* ~, removal van || **~er** *vt* (7) remove (les meubles) — *vi* move house, move out || **~eur** *m* furniture-remover ; removal man.

démence [demãs] *f* madness, insanity.

démener (se) [sǝdemne] *vpr* (5) struggle (lutter) ; fidget (s'agiter) || FIG. exert oneself, take pains.

dément, e [demã, ãt] *adj* insane, demented ● *n* madman/woman, lunatic, maniac.

dément|i [demãti] *m* denial ; *opposer un* ~, deny || ~**ir** *vt* (93) deny, refute, give the lie to (qqch) ; deny, belie (paroles, sentiments) — *vpr se* ~ [amitié, etc.] *ne jamais se* ~, never fail.

démérite [demerit] *m* demerit.

démesur|é, e [deməzyre] *adj* excessive, beyond measure.

démettre [demetr] *vt* (64) dislocate, put out of joint — *vpr se* ~ *de,* resign (ses fonctions).

demeur|e [dəmœr] *f* dwelling, residence || ~**er** *vi* (1) [habiter] live, dwell || [rester] remain, stay.

demi¹, e [dəmi] *adj* half ; *deux et* ~, two and a half ; *une* ~*-douzaine,* half a dozen ; *deux heures et* ~*e,* half past two || *à* ~, half ; *à* ~ *mort,* half dead.

demi² *m* half || half-pint (of beer) || SP. [football] half-back ; [rugby] ~ *de mêlée,* scrumhalf ; ~**e** *f la* ~, the half-hour.

demi-³ *préf* half, demi-, semi- ; ~*-écrémé,* low-fat ; ~*-finale,* semi-final ; ~*-frère,* half-brother ; ~*-heure,* half-hour ; *une* ~*-heure,* half an hour, a half-hour ; ~*-jour,* subdued light ; ~*-lune,* half-moon ; ~*-mot, comprendre à* ~*-mot,* take a hint ; ~*-pause,* MUS. minim rest ; ~*-pension,* half-board ; ~*-pensionnaire,* dayboarder ; ~*-place,* RAIL. half-fare ; TH. half-price ; ~*-pointure,* half-size ; ~*-sœur,* step-sister ; ~*-soupir,* MUS. quaver rest ; ~*-tarif, à* ~*-tarif,* half-fare ; ~*-ton,* MUS. semi-tone ; ~*-tour,* AUT. U-turn ; MIL. about-turn/-face ; *faire* ~*-tour,* go back ; AUT. make a U-turn ; [serrure] *fermée au* ~*-tour,* on the latch ; ~*-volée* [tennis] half-volley.

démilitariser [demilitarize] *vt* (1) demilitarize.

deminéraliser [demineralize] *vt* (1) demineralize.

démissi|on [demisjɔ̃] *f* resignation ;

remettre/donner sa ~, hand in one's resignation || ~**onner** [-ɔne] *vi* (1) resign || ~**onnaire** [-ɔnɛr] *adj* resigning, outgoing.

démobilis|ation [demɔbilizasjɔ̃] *f* demobilization || ~**er** *vt* (1) demobilize ; discharge, release (un soldat).

démocra|te [demɔkrat] *adj/n* democrat || ~**tie** [-si] *f* democracy || ~**tique** [-tik] *adj* democratic.

démodé, e [demɔde] *adj* out of fashion, out of date, old-fashioned, outdated (vêtements, voiture) || ~**er (se)** *vpr* (1) go out of fashion/date, become old-fashioned.

démographie [demɔgrafi] *f* demography.

demoiselle [dəmwazɛl] *f* young lady ; ~ *d'honneur,* bridesmaid || Pl *les* ~*s X,* the misses X.

démol|ir [demɔlir] *vt* (2) demolish || pull/knock down || U.S. tear down (une maison) ; throw down (un mur) || FIG. tear to pieces || ~**ition** *f* demolition.

dém|on [demɔ̃] *m* demon || FIG. fiend || ~**oniaque** [-ɔnjak] *adj* demoniac.

démonstra|teur, trice [demɔ̃stratœr, tris] *n* demonstrator || ~**tif, ive** *adj* demonstrative || FIG. expansive || ~**tion** *f* demonstration || FIG. show.

démont|able [demɔ̃tabl] *adj* that can be dismantled ; detachable (pièce) ; collapsible (bateau) || ~**age** *m* dismantling, overhaul || ~**er** *vt* (1) dismount, unsaddle (un cavalier) || TECHN. take to pieces, dismantle, take/knock down || FIG. put off/out (déconcerter) — *vpr se* ~, [meuble] come apart || FIG. get upset, lose countenance.

démontrer [demɔ̃tre] *vt* (1) demonstrate || prove, make good || MATH. prove.

démoralis|ant, e [demɔralizã, ãt] *adj* demoralizing, depressing || ~**ation** [-zasjɔ̃] *f* demoralization || ~**er** *vt* (1) demoralize || get down, dishearten (décourager) — *vpr se* ~, get demoralized, lose heart.

démordre [demɔrdr] *vi* (4) *ne pas (en)* ~, stick to, stand pat.

démouler [demule] *vt* (1) TECHN. remove from the mould ‖ CULIN. turn out.

démultiplier [demyltiplije] *vt* (1) gear down.

démun|i, e [demyni] *adj* ~ *d'argent*, short of money ‖ ~**ir** *vt* (2) deprive (*de*, of) — *vpr se* ~ *de*, part with.

démystifier [demistifje] *vt* (1) undeceive, disabuse (détromper); debunk (coll.).

dénationaliser [denasjɔnalize] *vt* (1) denationalize.

dénatur|é, e [denatyre] *adj* unnatural (père); perverted (goût) ‖ ~**er** *vt* (1) adulterate (aliments) ‖ FIG. distort (vérité); misrepresent (des faits).

dénégation [denegasjɔ̃] *f* denial.

déni [deni] *m* ~ *de justice*, denial of justice.

dénicher [deniʃe] *vt* (1) *aller* ~ *des oiseaux*, go bird-nesting ‖ FIG. discover; ferret out; hunt down (qqn).

dénicotiniser [denikɔtinize] *vt* (1) denicotinize.

dénier [denje] *vt* (1) deny (*qqch à qqn*, sb sth) ‖ disclaim (une responsabilité).

dénigr|ement [denigrəmã] *m* disparagement, detraction ‖ ~**er** *vt* (1) disparage, run down — *vpr se* ~, belittle oneself.

dénivell|ation [denivellasjɔ̃] *f*, ~**ement** *m* fall, drop (de terrain).

dénombr|ement [denɔ̃brəmã] *m* counting ‖ ~**er** *vt* (1) count.

dénomina|teur [denɔminatœr] *m* denominator ‖ ~**tion** *f* denomination.

dénonc|er [denɔ̃se] *vt* (1) denounce; inform against; give away (qqn) ‖ denounce (traité) ‖ tell on (coll.); squeal on (sl.)) ‖ ~**iateur, trice** [-jatœr, tris] *adj* telltale ● *n* informer, denouncer ‖ ~**iation** [-jasjɔ̃] *f* denunciation; information (*de*, against) ‖ exposure ‖ denouncement (d'un traité).

dénoter [denɔte] *vt* (1) denote, indicate.

dénou|ement [denumã] *m* winding up (d'une histoire); issue, outcome (d'un événement) ‖ FIG., TH. dénouement ‖ ~**er** *vt* (1) untie, undo ‖ let down (ses cheveux) ‖ FIG. clear up (crise) — *vpr se* ~, come undone.

dénoyauter [denwajote] *vt* (1) stone.

denrée [dãre] food-stuff, product; produce (agricole) ‖ *Pl* ~*s périssables*, perishables.

dens|e [dãs] *adj* thick; dense (brouillard); *peu* ~, sparse (population); heavy (circulation) ‖ ~**ité** *f* thickness (du brouillard) ‖ PHYS. density.

den|t [dã] *f* tooth; ~ *de devant*, foretooth; ~ *de lait*, first/milk-tooth; ~ *de sagesse*, wisdom-tooth; *fausses* ~*s*, false teeth; [bébé] *faire ses* ~*s*, cut one's teeth, teethe; *avoir mal aux* ~*s*, have toothache ‖ [fourche] prong; [peigne] tooth ‖ TECHN. cog (d'engrenage); jag (de scie); *en* ~*s de scie*, serrated ‖ FIG. *manger du bout des* ~*s*, pick at one's food ‖ FIG. *avoir une* ~ *contre qqn*, have a grudge against sb; *ne pas desserrer les* ~*s*, not to say a word; *armé jusqu'aux* ~*s*, armed to the teeth ‖ ~**taire** [-ter] *adj* MÉD. dental; *art* ~, dentistry ‖ ~**telé, e** [-tle] *adj* jagged (contour, étoffe) ‖ GÉOGR. indented (littoral).

dent|elle [dãtɛl] *f* lace ‖ ~**ellière** [-əljɛr] *f* lace-maker.

dent|ier [dãtje] *m* denture, set of false teeth ‖ ~**ifrice** [-ifris] *m/adj* (pâte) ~, tooth-paste; *eau* ~, (mouth)wash ‖ ~**iste** *n* dentist.

dénud|é, e [denyde] *adj* bare (arbre, paysage) || bald (crâne) || naked (personne) || **~er** *vt* (1) bare, strip (un arbre) ; leave bare (dos, etc.) || Électr. strip (un fil).

dénu|é, e [denɥe] *adj* destitute, devoid (*de,* of) ; lacking in, without ; **~ de sens,** meaningless || **~ement** *m* destitution.

déodorant [deɔdɔrɑ̃] *m* deodorant.

dépann|age [depanaʒ] *m* emergency repairing || Aut. *service de ~,* breakdown service ; *voiture de ~,* breakdown lorry/U.S. truck || **~er** *vt* (1) repair (on the spot) ; put into working order || T.V. fix, repair || Fig. help out, tide over (qqn) || **~eur** *m* Aut. break-down mechanic || T.V. repair-man || **~euse** *f* break-down lorry, U.S. towtruck, wrecker.

dépaqueter [depakte] *vt* (8 *a*) unpack, unwrap.

dépareillé, e [depareje] *adj* odd (gant, etc.) ; incomplete (collection).

départ [depar] *m* leaving, departure, start(ing), *être sur le ~,* be about to leave/on the point of leaving || Naut. sailing || Fig. beginning, start ; *point de ~,* starting-point ; *au ~,* to begin with, at the outset.

départager [departaʒe] *vt* (7) decide between ; *~ les voix,* give the casting vote.

département [departəmɑ̃] *m* Géogr., G.B. = county.

départir (se) [sədepartir] *vpr* (93) depart (*de,* from) ; renounce.

dépass|ement [depasmɑ̃] *m* Aut. overtaking || **~é, e** *adj* outworn, out-dated ; passé (péj.) || **~er** *vt* (1) go beyond/past ; get ahead (qqn) ; outrun, outstrip (à la course) ; outgrow (en hauteur) || Aut. pass, overtake ; *~ la vitesse permise,* be speeding || Fig. exceed ; turn (un certain âge) ; *avoir dépassé la soixantaine,* be over sixty ; *~ la mesure,* overstep the mark — *vi* overlap (l'extrémité de) ; stick out, protrude (faire saillie) || [vêtement] show, hang out.

dépays|é, e [depeize] *adj se sentir ~,* feel strange/like a fish out of water || **~ement** *m* feeling of strangeness ; change of scenery || **~er** *vt* (1) disorientate || give a change of scenery, remove sb from his usual surroundings.

dépecer [depəse] *vt* (6) cut up (un animal).

dépêcher (se) [sədepeʃe] *vpr* (1) hasten (*de,* to) ; hurry (up), make haste ; *dépêchez-vous !,* hurry up !, get a move on !

dépeign|é, e [depeɲe] *adj* dishevelled, unkempt || **~er** *vt* (1) ruffle.

dépeindre [depɛ̃dr] *vt* (59) depict.

dépend|ance [depɑ̃dɑ̃s] *f* dependence (*de,* on) || Géogr., Jur. dependency || [bâtiment] outbuilding || **~ant, e** *adj* dependent/dependant, reliant (*de,* on).

dépendre [depɑ̃dr] *vt ind* (4) *~ de,* depend on, be dependent on || *cela dépend,* that depends, it all depends ; *il dépend de vous de,* it lies with you to.

dépen|s [depɑ̃] *mpl* Jur. costs || Fig. *aux ~ de,* at the expense of ; *à mes ~,* to my cost || **~se** [-s] *f* [action] spending ; [frais] expense ; outlay (mise de fonds) || *faire la ~ de,* go to the expense of || **~ser** [-se] *vt* (1) spend (de l'argent) [*en,* on] || use (électricité, etc.) — *vpr se ~,* Fig. overexert oneself (se surmener) ; lay oneself out (se mettre en frais) || **~sier, ière** [-sje, jɛr] *adj* extravagant ● *n* spendthrift.

dépér|ir [deperir] *vi* (2) waste away, fade away, fall into decline || [plante] decay || **~issement** [-ismɑ̃] *m* wasting away || Méd. declining || Bot. decay.

dépêtrer (se) [sədepetre] *vpr* (1) extricate oneself (d'une situation).

dépeupler [depœple] *vt* (1) depopulate — *vpr* **se** ~, become depopulated.

dépilatoire [depilatwar] *adj/m* depilatory.

dépist|age [depista3] *m* JUR., MÉD. detection, screening ‖ ~**er** *vt* (1) MÉD. detect ‖ FIG. ~ *qqn*, throw sb off the scent.

dépit [depi] *m* vexation, resentment ; *par* ~, out of spite ‖ *en* ~ *de*, in spite of, despite.

déplac|é, e [deplase] *adj* displaced (personne) ‖ FIG. out of place, out of season (remarque) ; unbecoming (peu convenable) ‖ ~**ement** *m* displacement, shifting ‖ NAUT., PHYS. displacement ‖ SP. *jouer en* ~, play away ‖ ~**er** *vt* (6) displace, shift, move (changer de place) — *vpr* **se** ~, [personne, chose] move ; travel (voyager), get about (aller et venir).

déplai|re [deplɛr] *vt ind* (75) ~ *à qqn*, displease sb, be disliked by sb ; *cela lui déplaît de faire*, he dislikes doing ; *il me déplaît*, I dislike him ‖ [irriter] be disagreeable, displease ‖ ~**sant, e** [-ɛzɑ̃, ɑ̃t] *adj* unpleasant, disagreeable ‖ ~**sir** [-zir] *m* displeasure, annoyance.

dépl|iant [deplijɑ̃] *m* folder ; foldout (grande page) ‖ ~**ier** *vt* (1) unfold (un journal) ‖ ~**oiement** [-wamɑ̃] *m* unfolding (d'un journal) ; stretch(ing) [des bras] ‖ MIL. deployment ‖ FIG. display.

déplor|able [deplɔrabl] *adj* deplorable ‖ disgraceful (blâmable) ‖ ~**er** *vt* (1) regret deeply ‖ mourn (la mort de qqn).

déploy|é, e [deplwaje] *adj* outspread, unfolded ; *rire à gorge* ~*e*, roar with laughter ‖ ~**er** *vt* (9 a) spread (ses ailes) ; unfold (un journal) ; unfurl (un drapeau) ‖ FIG. exert (influence, pouvoir) ; display, exhibit.

déplu [deply] → DÉPLAIRE.

dépoli, e [depɔli] *adj* frosted (verre).

déport|ation [depɔrtasjɔ̃] *f* deportation ‖ ~**é, e** *n* deportee ‖ ~**er** *vt* (1) deport (personne) ‖ *être déporté* [véhicule, navire] be carried/blown off course.

dépos|é, e [depoze] *adj* COMM. *marque* ~*e*, registered trade-mark ‖ ~**er** *vt* (1) deposit, lay/put/set down ; leave, dump (des ordures) ‖ AUT. put down, drop (off) [un passager] ‖ TECHN. take down (des rideaux) ; take up (un tapis) ‖ ZOOL. [poisson] spawn (des œufs) ‖ RAIL., TH., U.S. check (à la consigne, au vestiaire) ‖ FIG. deposit (de l'argent) ‖ JUR. lodge, file (une plainte) ; bring in, introduce (un projet de loi) ; ~ *une motion*, G.B. table/U.S. make a motion ‖ COMM. register (une marque) — *vi* [liquide] settle ‖ JUR. give evidence, testify (témoigner) ‖ ~**itaire** [-itɛr] *n* COMM. agent ‖ ~**ition** *f* statement (déclaration) ; *faire une* ~, make a statement.

déposséder [deposede] *vt* (5) deprive/dispossess (*qqn de*, sb of) ‖ divest (*de*, of) [ses droits].

dépôt [depo] *m* deposit (sédiment) ‖ ~ *d'ordures*, refuse dump, tip ‖ AUT. depot (d'autobus) ‖ MIL. dump (de munitions) ‖ FIN. ~ *de garantie*, deposit ; *mettre en* ~, deposit.

dépotoir [depɔtwar] *m* dumping-ground, (rubbish-)dump.

dépouill|e [depuj] *f* skin, hide (d'un animal) ; slough (d'un serpent) ‖ LITT. ~ *mortelle*, mortal remains ‖ *Pl* spoils (butin) ; U.S. *système des* ~*s*, spoils system ‖ ~**ement** *m* analysis (de documents) ‖ POL. ~ *du scrutin*, counting of the ballots ‖ ~**er** *vt* (1) skin (un animal) ‖ ~ *qqn de* ses *vêtements*, strip ‖ FIG. fleece (qqn) [voler] — *vpr* **se** ~ *de*, [animal] cast off/shed its skin ; [serpent] slough (off) [muer] ; [personne] *se* ~ *de ses vêtements*, strip off/shed one's clothes ; [arbre] *se* ~ *de ses feuilles*, shed its leaves.

dépourvu, e [depurvy] *adj* devoid, destitute (*de*, of) ; ~ *de*, without, lacking in ● *m* **prendre** *qqn au* ~, catch sb unawares.

déprav|ation [depravasjɔ̃] f depravity || ~**é, e** adj depraved (goût, mœurs, personne) || ~**er** vt (1) deprave (le goût); corrupt (les mœurs).

dépréc|iation [depresjasjɔ̃] f depreciation || ~**ier** vt (1) depreciate — vpr se ~, depreciate || Fig. make oneself cheap.

dépression [depresjɔ̃] f depression (creux) || Fin. depression, slump (économique) || Méd. ~ nerveuse, (nervous) breakdown.

déprim|ant, e [deprimɑ̃, ɑ̃t] adj depressing; cheerless || ~**é, e** adj depressed, dispirited; se sentir ~, feel low || ~**er** vt (1) depress, get down.

depuis [dəpɥi] prép since (à partir d'une date); ~ lors, ever since, from then on; ~ longtemps, long since; ~ peu, not long ago || for (au cours de); je suis ici ~ deux semaines, I have been here for two weeks; ~ quand ?, how long ? || from (à partir d'une date jusqu'à une autre date); ~ le matin jusqu'au soir, from morning till night ● adv since, since then || later on (ultérieurement) ● loc conj ~ que, since.

dépur|atif, ive [depyratif, iv] adj/m depurative.

député [depyte] m member of Parliament, U.S. congressman, Fr. deputy.

déraciner [derasine] vt (1) uproot, dig up || Fig. eradicate.

déraill|ement [derajmɑ̃] m derailment; wreck || ~**er** vi (1) jump the rails, be derailed; faire ~, derail, wreck (un train) || Fig. rave, talk nonsense || ~**eur** m [bicyclette] derailleur gears.

déraisonn|able [derezɔnabl] adj unreasonable || ~**er** vi (1) talk nonsense.

dérang|é, e [derɑ̃ʒe] adj upset (estomac); unsound (esprit) || ~**ement** m disorder || trouble || Tél.

en ~, out of order || ~**er** vt (7) misplace (qqch); disarrange (des papiers); mess up (mettre en désordre); disturb, intrude on (qqn) || Techn. put out of order (un appareil) || Méd. upset (l'estomac); derange (l'esprit) || Fig. disturb, bother (troubler); intrude (être importun); trouble, derange, inconvenience (gêner); si cela ne vous dérange pas, if it's no trouble to you; ~ qqn, put sb to inconvenience || Fig. upset, cross (des plans) — vpr se ~, go out of one's way; bother, put oneself out (se donner du mal).

dérap|age [derapaʒ] m skid || ~**er** vi (1) [auto] skid; [piéton] slip.

dératisation [deratizasjɔ̃] f rat extermination, pest/rodent control.

dé|réglé, e [deregle] adj Techn. out of order || Fig. disorderly, wild (vie, imagination) || ~**règlement** m putting out of order (action) || Fig. disorderliness || ~**régler** vt (1) put out of order — vpr se ~, [mécanisme] go wrong.

déris|ion [derizjɔ̃] f derision; objet de ~, laughing-stock || ~**oire** adj derisory, ridiculous.

dériv|atif [derivatif] m diversion || ~**ation** f Électr. shunt || Inf. by-pass || ~**e** f Naut., Av. drift; aller à la ~, drift || Naut. centre-board (quille) || Fig. à la ~, adrift; aller à la ~, go to rack and ruin || ~**é** m Ch. by-product || ~**er** vt (1) divert || Électr. shunt — vt ind ~ de, Gramm. be derived from; Fig. proceed, stem from — vi Naut., Av. drift || ~**eur** m (sailing) dinghy.

dermat|ologie [dermatɔlɔʒi] f dermatology || ~**ologiste** [-ɔlɔʒist], ~**ologue** [-ɔlɔg] m dermatologist || ~**ose** [-oz] f skin-disease.

dernier, ière [dɛrnje, jɛr] adj last (d'une série); lowest, bottom (le plus bas); hindmost (le plus en arrière); late, later, latest (le plus récent); dernières nouvelles, latest news || extreme, utmost (extrême); dernière limite, deadline ; ~ *numéro,* current issue (d'un journal, etc.) ● *m le* ~, the last (l'ultime) ; *en* ~, last ; *ce* ~, the latter (de deux) || ~*-né, dernière-née,* last-born child ● *f* TH. last performance || FAM. final (édition des journaux).

dernièrement [dɛrnjɛrmɑ̃] *adv* recently, lately, latterly.

dérob|ade [derɔbad] *f* FIG. evasion || ~**é, e** *adj* secret (escalier) || ~**ée** (**à la**) *loc adv* by stealth ; *aller à la* ~, steal ; *regard à la* ~, furtive glance ; *regarder à la* ~, steal a glance, peep || ~**er** *vt* (1) steal (qqch) ; rob (*qqch à qqn,* sb of sth) — *vpr se* ~, [cheval] jib, balk || [personne] shy away, shirk, shrink back || [sol] give way.

déro|gation [derɔgasjɔ̃] *f* JUR. derogation (*à,* from) || ~**ger** [-ʒe] *vi* (7) ~ *à,* go against (la règle).

dérouiller [deruje] *vt* (1) rub the rust off || FIG. brush up (ses connaissances) ; *se* ~ *les jambes,* stretch one's legs.

déroul|ement [derulmɑ̃] *m* FIG. march, development || ~**er** *vt* (1) unwind, wind off (bobine) ; unfold, unroll (carte) — *vpr se* ~, unwind, unroll || FIG. take place ; develop.

dérout|ant, e [derutɑ̃, ɑ̃t] *adj* confusing, misleading, disconcerting, baffling, bewildering || ~**e** *f* MIL. rout ; *mettre en* ~, rout, disarray || ~**er** *vt* (1) AV., NAUT. divert, reroute || FIG. put off, put out, nonplus, disconcert, baffle.

derrick [derik] *m* TECHN. derrick ; oil-rig (à terre).

derrière [dɛrjɛr] *prép* behind, U.S. back of ; after ; *fermez la porte* ~ *vous,* shut the door after you ● *adv* behind ● *loc adv* **de** ~ : *les pattes de* ~, the hind legs ; *la porte de* ~, the back door || *par-*~, (from) behind ; behind sb's back ● *m* back, rear (d'une chose) || buttocks, bottom (de l'homme) ; haunches (de l'animal) || FAM. behind, bum, backside (coll.).

des [de] *art* (= DE LES) → DE, UN.

dès [dɛ] *prép* [temps] as early as, as far back (une date éloignée) ; immediately after, as soon as (aussitôt) ; ~ *que possible,* as soon as possible ; from, since (depuis) ; ~ *aujourd'hui,* from this day on ; ~ *lors,* from that time ; ~ *à présent,* from now on || [lieu] from ● *loc* ~ *lors que,* since || ~ *que,* as soon as, FAM. directly ; ~ *que je l'aperçus,* the moment I saw him.

dés|abusé, e [dezabyze] *adj* disillusioned, disenchanted (désenchanté) || wry (sourire) || ~**accord** *m* misunderstanding, discord (divergence) disagreement, conflict ; *être en* ~, disagree, be at odds/variance (*avec,* with) ; be at issue (*sur,* over) ; be at cross purposes (*avec,* with) || ~**accordé, e** *adj* MUS. out of tune || ~**affecté, e** *adj* disused || ~**agréable** *adj* unpleasant, disagreeable ; offensive (odeur) ; unpalatable (goût) ; disagreeable (personne) || ~**agrément** *m* trouble, annoyance ; discomfort || ~**aimanter** *vt* (1) demagnetize || ~**altérer** (1) quench (sb's) thirst — *vpr se* ~, quench one's thirst || ~**amorcer** *vt* (6) defuse (une bombe, une situation) — *vpr se* ~, [pompe] fail || ~**appointement** [-apwɛ̃tmɑ̃] *m* disappointment || ~**appointer** *vt* (1) disappoint || ~**approbateur, trice** *adj* disapproving || ~**approbation** *f* disapproval || ~**approuver** *vt* (1) disapprove of, object to, take a dim view of || ~**arçonner** [-arsɔne] *vt* (1) [cheval] unseat, unsaddle, spill ; [personne] dismount, unhorse || FIG. put out, nonplus || ~**armement** *m* disarmament || ~**armer** *vt* (1) disarm, unload (un revolver) || ~**arroi** [arwa] *m* confusion.

désastr|e [dezastr] *m* disaster || ~**eux, euse** *adj* disastrous || FIG. ruinous.

dés|avantage [dezavɑ̃taʒ] *m* disadvantage (handicap) || drawback (inconvénient) ‖ **~avantagé, e** adj être ~, be at a disadvantage ‖ **~avantageux, euse** adj disadvantageous ‖ **~aveu** m retraction, disavowal ‖ **~avouer** vt (1) disown, disavow (une action) ; retract (un aveu) ‖ **~axé, e** adj FIG., FAM. unbalanced.

descend|ance [desɑ̃dɑ̃s] f lineage, offspring, descent ‖ **~ant¹, e** n descendant, offspring.

descendant², e adj downward ; train ~, down-train (de Londres).

descen|dre [desɑ̃dr] vi (4) go/come down ; get down ; climb down ‖ faire ~, call down (qqn) ‖ [terrain] slope down, fall ‖ [baromètre, thermomètre] fall ‖ [s'arrêter] stop over (à, at) ; descendre à l'hôtel, put up/stay at a hotel ‖ AUT., RAIL. get out/off ; alight from ‖ AV. deplane (d'avion) ‖ SP. alight, dismount (d'un cheval) ; [bicyclette] ~ en roue libre, coast ‖ NAUT. [marée] go out, ebb ‖ FIG. ~ de, be descended from, U.S. stem from ‖ FAM. faire ~, wash down (repas) — vt go/come down, descend ; ~ l'escalier, go/come downstairs ‖ take/bring/carry down (qqch) ‖ AV., FAM. bring/shoot down ‖ **~te** [-ɑ̃t] f going/coming down, descent (action, pente) ‖ way down (direction) ‖ ~ de lit, bedside rug ‖ ~ de police, police raid ; [attaque] swoop ‖ RAIL. getting out/off (du train) ‖ AV. ~ en chute libre, free-fall ‖ NAUT. companion-way (écoutille) ‖ REL. ~ de Croix, deposition.

descrip|tif, ive [deskriptif, iv] adj descriptive ‖ **~tion** f description.

déségrégation [desegregasjɔ̃] f ~ (raciale), integration.

désembu|er [dezɑ̃bɥe] vt (1) demist ‖ **~eur** m AUT. demister.

désempar|é, e [dezɑ̃pare] adj helpless, lost (personne) ‖ NAUT. crippled (navire) ‖ AV. out of control ‖ **~er** vt (1) NAUT. cripple, disable — vi sans ~, without stopping.

désenchant|ement [dezɑ̃ʃɑ̃tmɑ̃] m disenchantment, disillusion ‖ **~é, e** adj disillusioned ; wistful ‖ **~er** vt (1) disenchant, disillusion.

dés|encombrer [dezɑ̃kɔ̃bre] vt (1) clear out, disencumber ‖ **~enfler** vi (1) become less swollen, go down ‖ **~équilibre** m lack of balance ‖ **~équilibré, e** adj off balance ● n unbalanced person ‖ **~équilibrer** vt (1) throw off balance ‖ FIG. unbalance (esprit).

déser|t, e [dezer, ɛrt] adj deserted, empty (rue) ; uninhabited (non habité) ; desolate, empty (région) ● m desert, wilderness, waste ‖ **~ter** [-te] vt (1) desert (un lieu) ; forsake (abandonner) — vi desert ‖ **~teur** m MIL. deserter ‖ **~tion** f desertion ‖ **~tique** [-tik] adj desert.

désesp|érant, e [dezɛsperɑ̃, ɑ̃t] adj hopeless ; distressing ‖ **~éré, e** adj despairing ; hopeless ; desperate (rempli de désespoir) ‖ **~érément** [-emɑ̃] adv desperately, despairingly ; hopelessly ‖ **~érer** vi (5) despair (de, of) ; lose hope — vt drive to despair ‖ **~oir** m despair, desperation ; au ~, in despair ; faire le ~ de qqn, be sb's despair ‖ **en ~ de cause**, in (sheer) desperation, as a last resort.

dés|habillé [dezabije] m négligé ; en ~, in dishabille ‖ **~habiller** vt (1) undress — vpr se ~, take off one's clothes/coat ; strip off (se mettre nu) ‖ **~habituer** vt (1) ~ qqn de faire, break sb of the habit of doing — vpr se ~, get out of a habit ‖ **~herbant** m weedkiller ‖ **~herber** vt (1) weed ‖ **~hériter** vt (1) disinherit.

déshon|neur [dezɔnœr] m disgrace, dishonour ‖ **~orant, e** [-ɔrɑ̃, ɑ̃t] adj dishonourable, disgraceful, disreputable, degrading (action) ‖ **~orer** vt (1) disgrace, dishonour ; be a dishonour to, bring disgrace on — vpr se ~, disgrace oneself.

déshydrater [dezidrate] vt (1) dehydrate.

désign|ation [deziɲasjɔ̃] f designation ‖ **~er** *vt* (1) designate ; point out (du doigt) ; name, appoint, assign (nommer).

désillusion [dezilyzjɔ̃] *f* disillusion ‖ **~ner** [-ɔne] *vt* (1) disillusion.

désinence [dezinɑ̃s] *f* GRAMM. ending.

dés|infectant [dezɛ̃fɛktɑ̃] *m* disinfectant ‖ **~infecter** *vt* (1) disinfect ; fumigate (par fumigation) ‖ **~intégration** *f* disintegration ‖ **~intégrer** *vt/vpr (se)* [5] disintegrate ‖ **~intéressé, e** *adj* disinterested, unselfish ‖ **~intéressement** *m* unselfishness ‖ **~intéresser (se)** *vpr* (1) take no further interest (*de,* in).

désintoxication [dezɛ̃tɔksikasjɔ̃] *f* detoxication.

désinvolt|e [dezɛ̃vɔlt] *adj* casual, off-hand, flippant ‖ **~ure** *f* casualness, offhandedness, flippancy ; *avec* **~,** casually, off-handedly.

désir [dezir] *m* wish, desire (*de qqch,* for sth ; *de faire,* to do) ; *c'est prendre ses* **~s** *pour des réalités,* that's a piece of wishful thinking ‖ *vif* **~,** longing, yearning ; desire (charnel) ‖ **~able** *adj* desirable ‖ **~er** *vt* (1) wish, want, desire ; **~** *qqch,* wish for sth ; **~** *ardemment,* yearn for ‖ *non désiré,* unwanted (enfant) ‖ [magasin] *vous désirez qqch ?,* can I help you ?, what can I do for you ? ‖ FIG. *cela laisse beaucoup à* **~,** it leaves much to be desired ‖ **~eux, euse** *adj* anxious, eager (*de,* for ; *de faire,* to do).

désist|ement [dezistəmɑ̃] *m* POL. withdrawal ‖ **~er (se)** *vpr* (1) withdraw, stand down (*en faveur de,* in favour of).

dés|obéir [dezɔbeir] *vi* (2) **~** *à qqn,* disobey sb ‖ **~obéissance** *f* disobedience ‖ **~obéissant, e** *adj* disobedient ‖ **~obligeant, e** *adj* disagreeable, derogatory, disparaging (remarque) ; invidious (blessant).

désodoris|ant [dezɔdɔrizɑ̃] *m* deodorant ‖ **~er** *vt* (1) deodorize.

désœuvr|é, e [dezœvre] *adj* idle ‖ **~ement** *m* idleness.

désol|ant, e [dezɔlɑ̃, ɑ̃t] *adj* distressing, sad (nouvelle) ; *c'est* **~,** it's a shame ‖ **~ation** *f* distress, grief (affliction) ‖ **~é, e** *adj* desolate, waste (région) ; bleak (paysage) ; disconsolate, grieved (personne) ; *je suis (vraiment)* **~,** I (really) am sorry ‖ **~er** *vt* (1) grieve — *vpr se* **~,** grieve (éprouver du chagrin) ; be upset (être contrarié).

désolidariser (se) *vpr* (1) dissociate oneself (*de,* from).

désopilant, e [dezɔpilɑ̃, ɑ̃t] *adj* FAM. killing, hilarious, screamingly funny.

dés|ordonné, e [dezɔrdɔne] *adj* untidy (personne) ‖ wild (mouvements) ; untidiness ; *en* **~,** untidy, disorderly (pièce) ; messy (sale) ‖ *Pl* disturbance(s), disorder, trouble, unrest (public) ‖ **~organisation** *f* disorganization ‖ **~organiser** *vt* (1) disorganize, dislocate ‖ **~orienté, e** *adj* [déconcerté] bewildered, confused ‖ **~orienter** *vt* (1) disorientate, cause to lose one's bearings ‖ FIG. bewilder, confuse.

désormais [dezɔrmɛ] *adv* from now on, henceforth.

désosser [dezɔse] *vt* (1) bone.

despot|e [dɛspɔt] *m* despot ‖ **~ique** *adj* despotic ‖ **~isme** *m* despotism.

desquamer (se) [sədɛskwame] *vpr* (1) peel (away/off), desquamate.

desquels → LEQUEL.

des|salement [desalmɑ̃] *m* desalination ; *usine de* **~** *de l'eau de mer,* desalination plant ‖ **~saler** *vt* (1) desalinize, desalt ‖ CULIN. *faire* **~** *du poisson,* put fish to soak ‖ **~sécher** *vt* (5) dry up, desiccate ‖ parch (la terre) — *vpr se* **~,** dry up.

dessein [desɛ̃] *m* intention, design, plan, project (plan) ; *à* **~,** design-

edly, intentionally ; *dans le ~ de,* for
the purpose of.

desserr|é, e [desεre] *adj* loose
(nœud, vis) ‖ ~**er** *vt* loosen (un
nœud, une ceinture) ; unscrew (un
écrou) ‖ relax (une étreinte) — *vpr
se ~,* come/work loose, slacken.

dessert [desεr] *m* dessert, sweet,
pudding.

desser|te [desεrt] *f* side-board (meu-
ble) ; dumb-waiter (table) ‖ ~**vir**[1]
[-vir] *vt* (95) clear (away) [la table] ‖
Fig. harm, tell against.

desservir[2] *vt* (95) [transports]
serve ; ply between (deux villes) ‖
Rel. [prêtre] serve (deux paroisses).

dess|in [desε̃] *m* drawing (art) ;
drawing, sketch (réalisation) ; ~
humoristique, cartoon ; ~ *industriel,*
industrial drawing/design ; ~ *de
mode,* fashion design ‖ pattern, design
(motif) ‖ Cin. ~ *animé,* (animated)
cartoon ‖ ~**inateur, trice** [-inatœr,
tris] *n* draweer (artiste) ; ~ *humoristique,* cartoonist ; ~ *de mode,* designer ‖ Techn. draughtsman, U.S.
drafsman ‖ ~**iner** [-ine] *vt* (1) draw
‖ design (robes) ‖ Techn. draught,
design (un plan, un modèle) ; lay out
(un jardin) — *vpr se ~,* show up,
stand out, be outlined (sur un fond)
‖ [projet] take shape.

dessoûler [desule] *vi/vt* sober up.

dessous [dəsu] *adv* under, beneath,
below ● *loc* ***au-~ de,*** below, beneath
‖ ***ci-~,*** below ‖ ***de ~,*** from under
‖ ***en ~,*** below, underneath ‖ Fig.
rester en ~ de, fall short of ‖ ***par-~,***
under(neath) ● *m avoir le ~,* get the
worst of it, be under dog ‖ *Pl* Fam.
[lingerie] underwear ; undies (coll.) ‖
Fig. hidden/shady side (*de,* of) ‖
~**-de-bouteille** *m inv* bottle-mat ‖
~**-de-plat** *m inv* place/table mat.

dessus [dəsy] *adv* (up)on ; above ;
over ● *loc* ***au-~ (de),*** above, over,
on top of ‖ ***ci-~,*** above ‖ ***de ~,*** from
off ‖ ***en ~,*** above, uppermost, on top
‖ ***par-~,*** over, above ; *par-~ bord,*
over-board ; *par-~ tout,* above all ●

m top, upper part (d'un objet) ; back
(de la main) ‖ Méd. *prendre le ~,*
recover (one's health) ‖ Fig. *avoir-
/prendre le ~,* have/get the upper
hand ‖ ~**-de-lit** *m inv* bedspread.

destin [destε̃] *m* destiny (existence)
‖ fate (fatalité).

destin|ataire [destinatεr] *n* ad-
dressee, recipient (d'une lettre) ; con-
signee (de marchandises) ‖ ~**ation**
f destination ; *arriver à ~,* reach one's
journey's end ; ***à ~ de,*** for, going to
(voyageurs) ; Av. *vol à ~ de,* flight
for ; Naut. bound for ‖ Fig. purpose
(but) ‖ ~**é, e** *adj* destined (*à* to) ;
intented (*à,* for) ; meant (*à,* for) ;
fated (*à,* to) ‖ ~**ée** *f* destiny
(existence) ‖ fate (fatalité) ‖ ~**er** *vt*
(1) intend, mean (*à,* for) ; destine (*à,*
to/for) ; design (*à,* for) ‖ ~ *qqn à
qqch,* destine/intend sb for sthg ‖ ~
à un sort tragique, doom — *vpr se ~
à,* intend to become/go into (une
profession).

destitu|er [destitɥe] *vt* (1) relieve
(*de,* from) ; remove from office ;
dismiss (*de,* from) ‖ ~**tion** *f* removal
from office, dismissal, discharge.

destruc|teur, trice [destryktœr,
tris] *adj* destructive (agent, effet) ‖
~**tif, ive** *adj* destructive (influence) ‖
~**tion** *f* destruction, destroying ;
semer la ~, play havoc.

dés|uet, ète [desɥε, ɥεt] *adj* anti-
quated, out-of-date, outmoded, obsolete ‖ ~**uétude** [-ɥetyd] *f* disuse
‖ Jur. *tomber en ~,* become obsolete,
fall into disuse.

désun|ion [dezynjɔ̃] *f* discord, dis-
union, disunity ‖ ~**ir** *vt* (2) disunite,
divide.

détach|ant [deta∫ɑ̃] *m* cleaner, stain
remover ‖ ~**é, e** *adj* loose (chien) ;
untied (nœud) ; separate, loose
(page) ‖ ~**ement** *m* Fig. [indiffé-
rence] detachment ‖ Mil. detachment, detail party ; ~ *spécial,* task-
force ‖ ~**er**[1] *vt* (1) [délier] untie ‖
[dénouer] undo, unfasten ‖ let loose,
unleash (un chien) ‖ Mil. detach,

detail — *vpr se* ~, come undone /untied ‖ [animal] break/get loose ‖ [chose] come apart/away/off ; come /work loose ‖ [roche] break away (*de*, from) ‖ SP. [coureur] break away, pull ahead (*de*, from) ‖ SP. free oneself (*de*, from) ; cast off (s'affranchir) ‖ FIG. stand out (se profiler).

détacher² *vt* (1) remove the stains from, clean.

détail [detaj] *m* detail ; *en* ~, at lenght ‖ *Pl* particulars ; *entrer dans les* ~*s*, go into details/particulars ‖ [facture] retail ; *vendre au* ‖, retail, sell retail ‖ ~**lant, e**[-ã, ãt] *adj/n* retailer ‖ ~**lé, e** *adj* detailed, circumstantial ‖ ~**ler** *vt* (1) retail ‖ COMM. sell separately ; (sell) retail ; itemize (facture).

détaler [detale] *vi* (1) FAM. [personne] bolt ‖ [animal] scamper/ scurry away.

détartrer [detartre] *vt* (1) scale (les dents).

détax|e [detaks] *f* removal of tax ‖ ~**é, e** *adj* duty-free.

détect|er [detɛkte] *vt* (1) detect ‖ ~**eur** *m* TECHN. detector ‖ ~**ive** *m* detective ; private eye (coll.).

déteindre [detɛ̃dr] *vi* (59) [couleur] run, discharge ; [étoffe] lose colour, fade ; come off (*sur*, on) ‖ FIG. influence (*sur qqn*, sb).

dételer [detle] *vt* (8 *a*) unharness (un cheval).

détend|re [detãdr] *vt* (4) slacken, loosen (une corde) ; relax (les muscles) ; unbend (un bras, les jambes) ‖ FIG. relax (l'esprit), ease (situation) — *vpr se* ~, [corde] slacken ; [arc] unbend ; [ressort] run down ‖ FIG. [personne] relax ; [situation] ease off ‖ ~**u, e** *adj* slack, loose (corde) ‖ FIG. relaxed, cool (personne) ; informal (sans cérémonie).

détenir [detnir] *vt* (101) hold (un titre) ‖ have in one's possession ‖ keep back (un secret) ‖ JUR. detain,

hold (en prison) ‖ SP. hold (un record).

détente [detãt] *f* TECHN. release (d'un ressort) ; expansion (de la vapeur) ‖ trigger (d'un fusil) ‖ FIG. [repos] relaxation, easing ‖ POL. détente, thaw (dégel).

déten|teur, trice [detãtœr, tris] *n* holder (d'une charge, d'un record) ‖ ~**tion** *f* holding (de titres) ; possession (de biens) ‖ JUR. detention (d'un prisonnier).

détenu, e [detny] *n* prisoner.

détergent, e [detɛrȝã, ãt] *adj/m* detergent.

détérior|ation [deterjɔrasjɔ̃] *f* damaging, deterioration ; impairment ‖ ~**er** *vt* (1) damage, spoil, deteriorate ; impair (la santé) ; perish (aliments) — *vpr se* ~, deteriorate ; [aliments] perish.

détermin|ant, e [detɛrminã, ãt] *adj* determining ● *m* GRAMM., determiner ‖ MATH. determinant ‖ ~**ation** *f* determination, resolution ‖ ~**é, e** *adj* specific, given, particular (but) ; determinate (sens) ; determined, resolute, purposeful (résolu) ‖ ~**er** *vt* (1) determine, settle (fixer) ‖ [motiver] determine.

déterrer [detɛre] *vt* unearth, dig out/up ; [fouilles] excavate.

détersif, ive [detɛrsif, iv] *adj/m* detergent.

détest|able [detɛstabl] *adj* awful ; loathsome (horrible) ‖ ghastly, wretched (temps) ‖ hateful (odieux) ‖ detestable (personne) ‖ ~**er** *vt* (1) hate, loathe, detest.

déton|ant, e [detɔnã, ãt] *adj* explosive ‖ ~**ateur** *m* detonator ‖ ~**ation** *f* [bombe] detonation ; [fusil] report, crack, bang ‖ ~**er** *vi* (1) detonate ; *faire* ~, detonate.

détonner [detɔne] *vi* (1) [son, couleur] jar, clash (with each other) ; [expression, parure] be out of place.

détour [detur] *m* [rivière, route] bend ‖ [déviation] curve, detour ;

faire un ~, go/come round, make a detour ; *faire un grand* ~, go a long way round ‖ Fig. roundabout way ; *user de* ~*s*, dodge ; *sans* ~, straight out, straightforward(ly).

détourn|é, e [deturne] *adj* roundabout, devious (chemin) ‖ Fig. indirect, roundabout (voies, moyens) ‖ ~**ement** *m* diversion ‖ Jur. embezzlement (de fonds) ‖ Av. hijacking (d'un avion) ‖ ~**er** *vt* (1) divert (la circulation) ‖ distract (l'attention) ‖ ~ *la conversation*, change the subject ‖ ~ *qqn du droit chemin*, lead sb astray ‖ turn away (*qqn de*, sb from) ‖ Jur. embezzle (des fonds) ‖ Av. hijack (un avion) ; divert (changer de route) — *vpr se* ~, turn away/aside (*de*, from).

détraqu|é, e [detrake] *adj* Techn. out of order, broken down ‖ upset, out of order (estomac) ; broken down (santé) ‖ Fam. crazed ‖ ~**er** *vt* (1) put out of order (une machine) ‖ Méd. upset (l'estomac) ‖ shatter (la santé) — *vpr se* ~, go wrong (montre) ; break down, get out of order (machine) ; go haywire (équipement) ‖ [Méd. estomac] become upset ; [santé] break down.

détrempe [detrãp] *f* Arts. tempera.

détremp|é, e *adj* sodden, waterlogged (sol) ‖ ~**er** *vt* (1) soak ‖ dilute, water down (couleur, sol).

détresse [detres] *f* distress (angoisse) ; danger, distress (danger) ‖ Naut. *en* ~, in distress ; *signal de* ~, distress signal.

détriment [detrimã] *m au* ~ *de*, to the detriment of.

détritus [detritys] *mpl* refuse, rubbish, garbage, litter.

détroit [detrwa] *m* strait(s) ; *le* ~ *de Gibraltar*, the straits of Gibraltar.

dé|tromper [detrɔ̃pe] *vt* (1) set right, undeceive, disabuse ; *détrompez-vous !*, don't you believe it ! ‖ ~**trôner** *vt* (1) dethrone.

détr|uire [detrɥir] *vt* (85) destroy ‖ ruin, wreck (anéantir) ‖ [bombardement] blitz, wipe out ‖ Fig. dash (l'espérance) ; overthrow (un projet).

dette [dɛt] *f* debt ; ~ *avoir des* ~*s*, be in debt ; *faire des* ~*s*, run into debt.

deuil [dœj] *m* mourning (état, vêtement, période) ; *en* ~, in mourning (*de*, for) ‖ bereavement (perte).

deux [dø](z) *adj inv* [cardinal] two ; ~ *ou trois jours*, a couple of days ; *un jour sur* ~, *tous les* ~ *jours*, every other day, on alternate days ‖ [ordinal] second ; *le* ~ *mai*, the second of May ● *m* two ; *à* ~, together ; *à* ~, two and two ; *par* ~, in twos, two by two ; *en* ~, in two ; *couper en* ~, cut in halves ‖ *les* ~, both ; *les* ~ *hommes*, both men ; *nous* ~, both of us ; *des* ~ *côtés*, on both sides ; *tous (les)* ~, both (of them) ‖ [cartes, dés] deuce ‖ ~**ième** [-zjɛm] *adj* second ‖ ~**ièmement** [-zjɛmmã] *adv* secondly ‖ ~**-pièces** *m sg* two-piece suit (costume) ; two-piece (maillot de bain) ‖ two-room flat (appartement) ‖ ~**-ponts** *m* Av. double-decker ‖ ~**-roues** *m inv* two-wheeler.

dévaler [devale] *vi/vt* (1) tear/hurtle down.

dévaliser [devalize] *vt* (1) rob ; ~ *qqn*, strip sb of what he/she has on him/her ; burgle, strip (maison, boutique) ‖ Fig. [clients] ~ *un magasin*, buy up a whole shop.

déval|oriser [devalɔrize] *vt* (1) depreciate ‖ ~**uation** [-ɥasjɔ̃] *f* devaluation ‖ ~**uer** [-ɥe] *vt* (1) devaluate.

devancer [dəvãse] *vt* (6) get ahead of, outstrip (qqn) ; steal a march on (qqn) ‖ anticipate, forestall (prévenir) ‖ Mil. ~ *l'appel*, enlist before call up.

devant [dəvã] *prép* [en face de] in front of ‖ [en tête] ahead of ‖ [en présence de] before ‖ Fig. faced with (face à) ; considering, in view of ● *adv* before, in front ; *passer* ~, go past/by ● *loc au* ~ *(de)*, in front (of) ; *aller au* ~ *de qqn*, go to meet sb ● *m* front, fore part (d'un objet)

‖ *Pl prendre les* ~*s,* take the initiative, forestall ● *loc adj de* ~, front ; *pattes de* ~, forelegs.

devanture [dəvãtyr] *f* [vitrine] (shop)-window ‖ [étalage] display.

dévaster [devaste] *vt* (1) lay waste, devastate, ruin.

déveine [devɛn] *f* FAM. bad luck ; *avoir de la* ~, be out of luck.

développ|ement [devlɔpmã] *m* unfolding (d'un objet plié) ; unwrapping (d'un paquet) ‖ growth [affaires] expansion, development (du corps) ; *pays en voie de* ~, developing countries ‖ PHOT. development ‖ FIG. growth ; [sujet] exposition ‖ ~**er** *vt* (1) develop (intelligence, muscles) ‖ expand, develop (entreprise) ‖ PHOT. develop ‖ FIG. develop, improve (les dons) ; enlarge (upon), expand (un sujet) ; work out (une idée) — *vpr se* ~, develop [affaire] expand.

devenir [dəvnir] *vi* (101) become, grow, get, turn, go ‖ become of (advenir) ; *qu'est-il devenu ?,* what has become of him ? ‖ FAM. *que devenez-vous ?,* how are you getting on ?

dévergond|age [devergɔ̃daʒ] *m* licentiousness, loose living ‖ ~**é, e** *adj* shameless ; wanton (femme) ‖ ~**er (se)** *vpr* (1) run wild.

déverser [deverse] *vt* (1) pour, shed ‖ tip out (ordures, sable).

dévêtir [devetir] *vt* (104) undress — *vpr se* ~, undress, take one's clothes off.

déviation [devjasjɔ̃] *f* deviation ‖ AUT. diversion (de la circulation) ; by-pass (route) ; detour (temporaire) ‖ ~**niste** [-ɔnist] *n* POL. deviationist.

dévid|er [devide] *vt* (1) unwind ‖ FIG. reel off ‖ ~**oir** *m* reel.

dévier [devje] *vi* (1) deviate ‖ ~ *de sa route,* go off course ‖ *faire* ~, deflect (ballon, etc.) ; FIG. head off ; divert (la conversation).

dev|in, ineresse [dəvɛ̃, inrɛs] *n* soothsayer ‖ ~**iner** [-ine] *vt* (1) guess

(par l'imagination) ; divine (par la prédiction) ; find out (par la recherche) ‖ FIG. ~ *qqn,* see through sb ‖ FAM. *devine qui pourra,* that's anybody's guess (coll.) ‖ ~**inette** [-inɛt] *f* riddle, conundrum.

devis [dəvi] *m* estimate.

dévisager [devizaʒe] *vt* (7) stare at.

devise¹ [dəviz] *f* motto, slogan.

devise² *f* FIN. currency : ~ *étrangères,* foreign currency.

dé|visser [devise] *vt* (1) screw off, unscrew ; twist off (couvercle) — *vi* SP. [alpinisme] fall (off) ‖ ~**vitaliser** [-vitalize] *vt* (1) devitalize ‖ ~**voiler** *vt* (1) unveil (une statue) ‖ FIG. reveal, disclose (un secret) ; expose (un projet ; un scandale).

devoir¹ [dəvwar] *vt* (9) owe (de l'argent) ; *il me doit 10 livres,* he owes me 10 pounds ‖ FIG. owe (la vie) ● *m* [école] task, assignment ; ~*s du soir,* homework, prep (coll.) ; ~ *supplémentaire,* imposition.

devoir² *v aux* (nécessité) must ; have to ; *je dois partir de bonne heure,* I have to leave early ‖ [convention] be (supposed) to ; *nous devons nous marier le mois prochain,* we are to be married next month ; *quand devons-nous arriver ?,* when are we due to arrive ? ‖ [possibilité, supposition] *il doit être malade,* he must be ill ; *il devrait gagner,* he ought to win ‖ [obligation ; conseil] ought, should ; *vous devriez partir maintenant,* you should start now ● *m* [moral] duty ; *faire son* ~, do one's duty ; *faire un* ~ *de,* make a point of (duty) to ; *se mettre en* ~ *de,* set about to.

dévor|ant, e [devɔrã, ãt] *adj* FIG. devouring, burning, consuming ‖ ~**er** *vt* (1) [fauve] devour ; eat up, wolf (down) [un repas].

dévot|e [devo, ɔt] *adj/n* devout, pious ‖ ~**tion** *f* REL. devoutness ; *faire ses* ~*s,* perform one's devotions ‖ FIG. devotion ; *être à la* ~ *de qqn,* be completely devoted to sb.

dévou|é, e [devwe] *adj* devoted, dedicated ; loyal || **~ement** *m* devotion, dedication || **~er (se)** *vpr* (1) devote oneself.

dévoyé, e [devwaje] *n* delinquent.

dextérité [dɛksterite] *f* dexterity, skill.

diab|ète [djabɛt] *m* MÉD. diabetes || **~étique** [-etik] *adj/n* diabetic || **~étologue** *n* diabetologist.

diab|le [djɑbl] *m* devil || FAM. *pauvre* ~, poor devil/wretch ; [enfant] *petit* ~, little devil, imp || RAIL. trolley || FAM. *tirer le* ~ *par la queue*, live from hand to mouth ; *un vacarme de tous les* ~*s,* a devil of a row || **~olique** [-ɔlik] *adj* diabolic(al), devilish.

diacre [djakr] *m* deacon.

diadème [djadɛm] *m* diadem, coronet.

diagnost|ic [djagnɔstik] *m* diagnosis || **~iquer** [-ike] *vt* (1) diagnose.

diagonale [djagɔnal] *f* diagonal ; *en* ~, diagonally.

diagramme [djagram] *m* diagram || chart (graphique).

dialect|al, e, aux [djalɛktal, o] *adj* dialectal || **~e** *m* dialect ; vernacular || **~icien, ienne** [-isjɛ̃, jɛn] *n* dialectician || **~ique** *adj* dialectic ● *f* dialectics.

dialogu|e [djalɔg] *m* conversation || TH. dialogue || **~er** *vi* (1) have a conversation (*avec*, with).

diamant [djamɑ̃] *m* diamond || TECHN. glass-cutter || **~aire** [-tɛr] *m* diamond-merchant.

diam|étralement [djametralmɑ̃] *adv* diametrically (pr. et fig.) || **~ètre** [-ɛtr] *m* diameter.

diapason [djapazɔ̃] *m* MUS. tuning-fork (instrument) ; range, compass (registre).

diaphragm|e [djafragm] *m* PHOT. diaphragm ; stop || ANAT. diaphragm, midriff || [contraceptif] diaphragm, (Dutch) cap || **~er** *vt* (1) stop down.

diapo [djapo] *f* FAM. [= DIAPOSITIVE]

(colour) slide || **~sitive** [-zitiv] *f* PHOT. slide, transparency.

diarrhée [djare] *f* diarrhoea.

Dictaphone [diktafɔn] *m* N.D. Dictaphone.

dictat|eur [diktatœr] *m* dictator || **~orial, e, aux** [-ɔrjal, o] *adj* dictatorial || **~ure** [-yr] *f* dictatorship.

dict|ée [dikte] *f* dictation || **~er** *vt* (1) dictate.

dicti|on [diksjɔ̃] diction, delivery || **~onnaire** [-ɔnɛr] *m* dictionary.

dicton [diktɔ̃] *m* saying.

didactique [didaktik] *adj* didactic.

dièse [djɛz] *m* sharp ; *sol* ~, G sharp.

diesel [djezɛl] *m* (= MOTEUR DIESEL) diesel engine **~-électrique** *adj* diesel-electric.

di|ète [djɛt] *f* diet (régime) ; ~ *lactée,* milk diet ; ~ *absolue,* starvation diet ; *être/mettre à la* ~, be/put on a low diet || **~ététicien, ienne** [-etetisjɛ̃, jɛn] *n* dietician || **~ététique** [-etetik] *adj* dietetic ; *produits* ~*s,* health food ● *f* dietetics.

dieu [djø] *m* god || [monothéisme] *Dieu,* God ; *Dieu vous bénisse !,* God bless you ! ; *à la grâce de Dieu !,* come what may ! ● *interj mon Dieu !,* my God !, good gracious ! my goodness ! ; *Dieu merci !,* thank God.

diffam|ateur, trice [difamatœr, tris] *n* slanderer || **~ation** *f* defamation, libel, slander || **~atoire** *adj* slanderous, libellous || **~er** *vt* (1) defame, slander, libel.

différ|é, e [difere] *adj* delayed (action) || FIN. deferred (paiement) ● *m* RAD. (émission) *en* ~, recorded (program) || **~emment** [-amɑ̃] *adv* differently || **~ence** *f* difference (divergence) ; *à la* ~ *de,* unlike || disparity (écart) ; *faire la* ~, distinguish (*entre,* between) ; *ne pas faire de* ~, make no distinction || **~enciation** [-ɑ̃sjasjɔ̃] *f* differentiation || **~encier** *vt* (1) differentiate, distinguish (*de,* from) || ~**end** [-ɑ̃] *m* disagreement ; *avoir un* ~ *avec,* be at variance with ; *régler un* ~, settle a dispute || ~**ent, ente** *adj* different, distinct (*de,* from) ; *être* ~, differ (*de,* from) || diverse, various, different (*divers*) || ~**entiel, elle** [-ɑ̃sjɛl] *adj* differential || COMM. discriminating (*tarif*) ● *m* TECHN. differential || ~**er¹** *vt* (5) [*retarder*] postpone (un projet) ; delay (un départ) ; put off (un rendez-vous) ; defer (un départ) || FIN. defer (un paiement).

différer² *vi* (5) [être différent] differ, be different, vary.

diffi|cile [diffisil] *adj* difficult || hard, tough (problème, tâche) ; exacting, fastidious (exigeant) || awkward (délicat) || wayward (enfant) || hard to please, difficult, particular, fussy, choosy (personne) || *faire le/la* ~, pick and choose, be fussy/hard to please || ~**cilement** [-silmɑ̃] *adv* with difficulty || ~**culté** [-kylte]*f* difficulty ; *avoir de la* ~ *à faire qqch,* have difficulty in doing sth ; *faire qqch sans* ~, take sth in one's stride ; *faire des* ~*s,* make a fuss, raise objections.

difform|e [difɔrm] *adj* deformed ; misshapen, twisted || ~**ité** *f* deformity.

diffus, e [dify, yz] *adj* diffuse (lumière, style) || ~**er** [-ze] *vt* (1) diffuse (lumière) || RAD. broadcast || FIG. spread, diffuse (nouvelles) ; distribute (publications) || ~**ion** [-zjɔ̃] *f* diffusion || RAD. broadcast(ing).

dig|érer [diʒere] *vt* (5) digest (nourriture) || FIG. digest (un supporter) || ~**estible** [-ɛstibl] *adj* digestible || ~**estif, ive** [-ɛstif, iv] *adj* digestive || ~**estion** [-ɛstjɔ̃] *f* digestion.

digital, e, aux [diʒital, o] *adj empreinte* ~*e,* finger-print.

dign|e [diɲ] *adj* dignified || ~ *de,* worthy of, deserving of (méritant) ; fit to (capable de) ; fit for (approprié à) || ~**itaire** [-itɛr] *m* dignitary || ~**ité** *f* dignity || *donner de la* ~, dignify ; *qui manque de* ~, undignified.

digression [digrɛsjɔ̃] *f* digression ; *faire une* ~, digress.

digue [dig] *f* dicke, dyke || sea-wall.

dilapider [dilapide] *vt* (1) squander, waste.

dilatation [dilatasjɔ̃] *f* expansion || MÉD., PHYS. dilatation || ~**er** *vt* (1) dilate || PHYS. expand || MÉD. distend — *vpr se* ~, dilate || PHYS. expand.

dilemme [dilɛm] *m* dilemma || FIG. *pris dans un* ~, in a quandary.

dilettante [dilettɑ̃t] *n* dilettante.

dilig|ence [diliʒɑ̃s] *f* HIST. stagecoach (voiture).

dilu|ant [dilyɑ̃] *m* [peinture] thinner || ~**er** *vt* (1) dilute, water down ; thin (peinture).

diluvien, ienne [dilyvjɛ̃, jɛn] *adj* torrential (pluie).

dimanche [dimɑ̃ʃ] *m* Sunday ; *le* ~, on Sundays ; *chauffeur du* ~, weekend driver.

dimension [dimɑ̃sjɔ̃] *f* [mesure] dimension ; *prendre les* ~*s de,* take the measurements of || [taille] size || MATH. *à 2/3* ~*s,* 2/3 dimensional.

dimin|ué, e [diminɥe] *adj* MÉD. handicapped, deficient || ~**uer** *vt* (1) reduce (dimensions, durée, nombre, prix, vitesse) || cut (down) [frais, salaire] ; curtail (dépenses) || decrease (dimensions, frais) || bring down, cut (consommation) || lower, turn down (son) || FIG. lessen — *vi* diminish || [jours] grow shorter || [prix] go down, fall || [provisions] diminish || [bruit] die down || [lumière] fade || [pluie] let up || [circulation] decrease || *un volume* || [vent] drop || FIG. lessen, diminish, decline, go down || ~**utif** [-ytif] *m* GRAMM. diminutive ; ~ *affectueux,* pet name ; *Bob est le* ~ *de Robert,* Bob is short for Robert || ~**ution** [-ysjɔ̃] *f* decrease, reduction, cutting-down, bringing-down, lessening, drop, diminishing, diminution ; *en* ~, on the decrease || FIN. curtailment.

dind|e [dɛ̃d] *f* turkey(-hen) ‖ ~ **on** *m* turkey.

dîn|er [dine] *vi* (1) dine (*de,* off/on) ; have dinner ; ~ *aux chandelles,* have dinner by candlelight ; *avoir qqn à* ~, have sb for dinner ; ~ *en ville,* dine out (Belgique, Canada, Suisse) have lunch ● *m* dinner ; dinner-party ‖ ~ **ette** [-ɛt] *f* doll's tea-party ‖ ~ **eur, euse** *n* dinner.

dingo [dɛ̃go], **dingue** [dɛ̃g] *adj* FAM. crazy, nuts, daft, mental (coll.) ; ~ *de,* wild/crazy/mad about, hooked on (coll.) ● *n* loony, nutcase ; *c'est un* ~ *de cinéma,* he's a film freak.

diocèse [djɔsɛz] *m* diocese.

diphtérie [difteri] *f* diphteria.

diphtongue [diftɔ̃g] *f* diphtong.

diploma|te [diplɔmat] *m* diplomat ‖ ~ **tie** [-si] *f* diplomacy ‖ ~ **tique** [-tik] *adj* diplomatic.

diplôm|e [diplom] *m* diploma, certificate ‖ [Université] degree ; *prendre ses* ~*s,* graduate (*à,* from) ; *remise des* ~*s,* U.S. commencement ‖ ~ **é, e** *adj* graduated ● *n* graduate, post-graduate (étudiant).

dire [dir] *vt* (40) [+ paroles rapportées] say ; *il a dit « oui »,* he said "yes" ; ~ *qqch,* say sth (*à qqn,* to sb) ; ~ *que,* say that ; *dit-on,* as they say ‖ [raconter] tell ; ~ *qqch à qqn,* tell sb sth ; ~ *à qqn que,* tell sb that ; ~ *du bien/mal de,* speak well/ill of ; ~ *ce qu'on pense,* speak one's mind ; ~ *des mensonges,* tell lies ; ~ *l'heure,* tell the time ‖ [ordonner] tell ; *fais ce qu'on te dit,* do as you are told ‖ [décider] *à l'heure dite,* at the appointed time ; *disons...* (let's) say... ‖ [penser] think ; *que dis-tu de ma robe ?,* what do you think of my dress ? ‖ [plaire] *que diriez-vous de (faire) ?;* how about (doing) ? ; *cela vous dirait d'aller faire une promenade ?,* do you feel like going for a walk ? ; *ça ne me dit rien,* I don't feel like it ‖ [signifier] *vouloir* ~, mean ; *cela ne veut rien* ~, it doesn't make sense ‖ *entendre* ~, hear (*que,* that) ‖

[révéler] *ne dites rien à propos de,* don't let on about (coll.) ‖ REL. ~ **une prière,** say a prayer ; ~ *son chapelet,* say the rosary ‖ FIG. **on dirait** [= cela ressemble à] it looks/tastes/sounds/ fells/etc. like ; *on dirait que* [= il semblerait que] it would seem that ‖ FAM. **dites-donc !,** I say !, by the way ! ; *à qui le dites-vous !,* you're telling me ! ‖ LOC. **cela va sans** ~, it goes without saying ; *il va sans* ~ *que,* it stands to reason that ; *sans mot* ~, without a word ; *c'est-à-*~, that is (to say) ; *pour ainsi* ~, so to speak, as it were ; *à vrai* ~, to tell the truth, as a matter of fact — *v réfléch se* ~, say to oneself — *v pron* claim to be (prétendre) ; [mot] be used/said ; FIG. *on se dirait en Afrique,* you'd think yourself in Africa — *v récipr* tell each other ● *m* statement ; *aux* ~*s de (...),* according to what (he, etc.) say(s).

direct, e [dirɛkt] *adj* direct, straight ‖ RAIL. through (billet, train) ; through, non-stop (train) ‖ RAD. *émission en* ~, live broadcast ‖ FIN. direct (impôts) ‖ GRAMM. direct (objet, discours) ‖ FIG. frank, straightforward (personne) ‖ ~ **ement** *adv* straight, direct (sans détour/intermédiaire) ‖ straightaway (immédiatement).

direc|teur, trice [dirɛktœr] *adj* managing (comité) ‖ AUT. steering (roues) ‖ FIG. leading, guiding ● *m* [admistration] head ‖ [banque] manager ; ~ **adjoint,** assistant manager ‖ headmaster (d'école) ‖ [institution] warden ‖ TH. manager ‖ ~ **tion** [gestion] management, supervision ; leadership (d'une opération) ‖ [orientation] direction ; *prendre la* ~ *de,* make one's way towards ; *dans quelle* ~ *?,* which way ? ; *prendre la bonne* ~, go the right way ‖ [métro] FR. = terminal ‖ AUT. steering ; ~ *assistée,* powert steering ‖ ~ **tive** [-tiv] *f* directive, instruction ; *Pl* guidelines ‖ ~ **trice** [-tris] *f* [entreprise] manageress ‖ [école] headmistress.

diri|gé, e [diriʒe] *adj* controlled

(économie) ‖ **~geable** [-ʒabl] *m* Av. dirigible, U.S. blimp ‖ **~geant, e** [-ʒã, ãt] *adj* ruling (class) ● *n* leader, ruler ‖ **~ger** [-ʒe] *vt* (7) control, manage ; run (un hôtel) [gérer] supervise (travaux) ‖ lead (expédition) ‖ NAUT. steer ‖ Mus. conduct (un orchestre) ; aim, point, level (une arme) ; train (canon, télescope) ‖ FIG. direct ; aims at — ; **~vpr se ~vers**, head/make for ; make one's way towards ‖ **~gisme** [-ʒism] *m* controlled economy, state intervention.

discern|ement [disɛrnəmã] *m* discernment, judgement (jugement) ‖ **~er** *vt* (1) discern, distinguish (*entre*, between) ; tell (différencier) ‖ make out, perceive (percevoir).

disciple [disipl] *m* disciple (élève) ‖ follower (adepte).

disciplin|aire [disiplinɛr] *adj* disciplinary ‖ **~e** *f* discipline, order (règle) ‖ [matière] subject, branch ‖ **~é, e** *adj* well-disciplined, orderly ‖ **~er** *vt* (1) discipline ‖ FIG. control.

disco [disko] *m* disco music.

discobole [-bɔl] *m* discus thrower.

discontin|u, e [diskɔ̃tiny] *adj* discontinuous.

discophile [diskɔfil] *n* record enthusiast ‖ **~thèque** [-tɛk] *f* record library ‖ [collection de disques] record collection ‖ [club] discotheque ‖ disco (coll.).

discord|ance [diskɔrds] *f* conflict, clash, discordance ‖ discrepancy, disagreement ; être en ~, jar ‖ Mus. discordance ‖ **~ant, e** *adj* discordant ; clashing (couleurs) ; jarring (sons, couleurs) ‖ **~e** *f* discord ; *pomme de* ~, bone of contention.

discour|ir [diskurir] *vi* (32) expatiate (*sur*, upon) ‖ hold forth (péj.) ‖ **~s** [-kur] *m* speech ; *prononcer un* ~, deliver a speech ‖ GRAMM. ~ *direct/indirect*, direct speech, indirect/reported speech.

dis|courtois, e [diskurtwa, -az] *adj* discourteous ‖ **~crédit** *m* disfavour,

disrepute ; *tomber en* ~, fall into disrepute ‖ **~créditer** *vt* (1) disparage, discredit ‖ explode (une théorie).

discr|et, ète [diskre, et] *adj* unobtrusive, unassuming (effacé) ; inconspicuous (peu apparent) ; discreet, tactful (réservé) ; quiet (tranquille) ‖ **~ètement** [-ɛtmã] *adv* discreetly ; quietly ; soberly ‖ **~étion** [-esjɔ̃] *f* discretion (réserve) ‖ secrecy, discreetness (silence).

discrimin|ation [diskriminasjɔ̃] *f* discrimination ; ~ *racial,* racial discrimination, colour bar ; *sans* ~, indiscriminately ‖ **~er** *vt* (1) discriminate.

disculper [diskylpe] *vt* (1) exculpate, exonerate (*de, from*) ; clear (*de,* of).

discu|ssion [diskysjɔ̃] *f* discussion, debate under discussion (débat) ; argument, dispute (querelle) ; *en* ~, at issue ; **~table** [-tabl] *adj* debatable ‖ questionable (douteux) ‖ **~ter** [-te] *vt* (1) discuss, debate ; argue/confer/talk (*avec*, with) ; ~ *de qqch*, discuss sth.

disette [dizet] *f* dearth (en vivres) ; scarcity, shortage.

diseur, euse [dizœr, œz] *n* **~euse** *de bonne aventure*, palmist, fortune-teller.

disgrâce [disgrɑs] *f* disgrace, disfavour ; *en* ~, under a cloud ; *tomber en* ~, lapse from favour.

disgrac|ié, e [disgrasje] *adj* ugly, ill-favoured (laid) ‖ **~ieux, euse** *adj* ungainly (démarche) ; unsightly (objet).

disjoncteur [disʒɔ̃ktœr] *m* circuit-breaker.

dislo|cation [dislɔkasjɔ̃] *f* MÉD. dislocation ‖ FIG. dispersal ‖ **~quer (se)** *vpr* [-ke] ‖ MÉD. dislocate, put out of joint ‖ FIG. break up (cortège).

disparaître [disparetr] *vi* (74) disappear, vanish ; go/come out of view/sight ; ~ *graduellement*, fade out ‖ [tache] go ‖ *faire* ~, remove ; wash out (en lavant) ; iron out (en repassant) ; conjure away (escamoter) ‖ die (mourir).

dispar|ate [disparat] *adj* ill-assorted.

dispar|ition [disparisjɔ̃] *f* disappearance ‖ ~**u, e** *adj* unaccounted for, missing (dont on est sans nouvelles) ; ~ *en mer,* lost at sea ; dead, departed (mort) ‖ ZOOL. extinct (race).

dispensaire [dispɑ̃sɛr] *m* clinic.

dispens|e [dispɑ̃s] *f* exemption (*de,* from) ; special permission ‖ ~**er** *vt* (1) exonerate, exempt, excuse (*de,* from) ; spare (*qqn de qqch,* sb sth) — *vpr* se ~ **de,** avoid (corvée).

dispers|er [dispɛrse] *vt* (1) scatter, disperse ; break up (une foule) — *vpr* **se** ~, [foule] scatter, break up ‖ ~**ion** *f* dispersal, dispersion, scattering.

disponi|bilité [dispɔnibilite] *f* availability ‖ en ~, temporarily unattached ‖ *Pl* FIN. assets ‖ ~**ble** [-bl] *adj* available, spare (chose) ; free (personne).

dispo|s, e [dispo, oz] *adj* fit (en forme) ; alert (esprit) ‖ ~**sé, e** [-ze] *adj* FIG. disposed, prepared, ready (à, to) ; *être* ~ *à faire,* be willing to do ; *bien/mal* ~, well/ill disposed (*envers,* towards) ‖ ~**ser** *vt* (1) arrange, set/lay out (placer) ; set out (pièces sur l'échiquier) — *vt ind* ~ **de,** have at one's disposal, make use of — *vi vous pouvez* ~ !, you may leave ! ‖ ~**sitif** [-zitif] *m* device ‖ MIL. set-up ‖ ~**sition** *f* arrangement, order(ing) ; lay-out (classement) ‖ disposal, command (usage) ; **à sa** ~, at one's disposal ‖ mood, humour ; ~ *d'esprit,* frame of mind ‖ *Pl* [humeur] *être dans de bonnes* ~s, be well inclined/disposed (*à l'égard de,* towards) ‖ *Pl* [mesures] measures (précautions) ; *prendre ses* ~s, make arrangements (*pour,* for) ; take steps (*pour faire,* to do) ‖ *Pl* [don] aptitude, bent, natural ability, flair.

disproporti|on [disprɔpɔrsjɔ̃] *f* disproportion ‖ ~**onné, e** [-ɔne] *adj* disproportionate.

disput|e [dispyt] *f* quarrel, argument, dispute, row ‖ ~**é, e** *adj* SP. *chaudement* ~, hard-won ‖ ~**er** *vt* (1) dispute, contest ; ~ *qqch à qqn,* contend/fight with sb for sth ‖ SP. play (un match) — *v récipr* se ~ *avec,* quarrel with, have words with, have a row with ; *se* ~ *qqch,* scramble for sth (places, soldes, etc.).

disquaire [diskɛr] *n* record-dealer.

disqualif|ication [diskalifikasjɔ̃] *f* disqualification ‖ ~**ier** *vt* (1) SP. disqualify.

disque [disk] *m* disc (de la lune) ‖ SP. discus ; *lanceur de* ~, discus thrower ‖ MUS. record ; ~ *compact,* compact disc ; ~ *longue durée,* long-playing record, LP ‖ INF. ~ *dur/souple,* hard/floppy disk ‖ AUT. ~ *de stationnement,* parking disc ; → FREIN.

disquette *f* INF. disquette ; floppy disk.

disséminer [disemine] *vt* (1) scatter ‖ FIG. disseminate.

disséquer [diseke] *vt* (5) dissect.

dissert|ation [disɛrtasjɔ̃] *f* essay [école] ‖ ~**er** *vt* (1) write an essay (*sur,* upon).

dissid|ence [disidɑ̃s] *f* dissidence ; *entrer en* ~, rise (in revolt) ‖ ~**ent, e** *adj* dissident ‖ POL. breakaway ● *n* rebel, dissident.

dissimul|ateur, trice [disimylatœr, tris] *n* dissembler ‖ ~**ation** *f* concealment (action de cacher) ‖ dissimulation (cachotterie) ‖ ~**é, e** *adj* dissembling, secretive (personne) ‖ ~**er** *vt* (1) hide, conceal (*qqch à qqn,* sth from sb) ; disguise (ses intentions) — *vpr se* ~, hide oneself, be concealed ; lurk (pour attaquer).

dissip|ation [disipasjɔ̃] *f* misbehaviour ‖ ~**é, e** *adj* unruly (élève) distract ‖ ~**er¹** *vt* (1) — *vpr se* ~, [élève] be unruly, mis behave.

dissiper² *vt* (1) dispel, scatter (le

brouillard) ‖ preclude (un doute) ‖ dissipate, squander (sa fortune) — *vpr se ~*, [brouillard] clear, lift.

dissocier [disɔsje] *vt* (1) dissociate — *vpr se ~*, dissociate oneself (*de,* from).

dissolu, e [disɔly] *adj* dissolute.

dissolution¹ [disɔlysjɔ̃] *f* Jur. dissolution, breaking up.

dissol|ution² *f* Ch. solution ‖ Aut. rubber solution ‖ **~vant, e** [-vã] *m* solvent ; ~ *(de vernis à ongles),* (nail-varnish) remover.

disson|ance [disɔnãs] *f* Mus. dissonance ‖ **~ant, e** *adj* (sons) ‖ Fig. discordant ‖ Mus. discordant.

dissoudre [disudr] *vt* (10) (faire) ~, dissolve ‖ Jur. dismiss, dissolve, break up (une société, une assemblée) ; annul (un mariage) — *vpr se ~*, dissolve ‖ Fig. break up (groupe).

dissua|der [disɥade] *vt* (1) dissuade, discourage, deter (*de,* from) ; ~ *qqn de faire,* argue/talk sb out of doing ‖ **~sif, ive** [-zif, iv] *adj* deterrent ‖ **~sion** [-zjɔ̃] *f* dissuasion ‖ Mil. *force de ~ nucléaire,* nuclear deterrent.

dist|ance [distãs] *f* distance ; *à ~,* from a distance ; *à 2 miles de ~,* 2 miles away ; *à quelle ~ ?,* how far ? ; *sur une ~ de 10 miles,* for 10 miles ; *se tenir à ~,* stand clear of ‖ Fig. *garder ses ~s,* keep one's distances ; *se tenir à ~ de qqn,* give sb a wide berth ‖ **~ancer** [-ãse] *vt* (6) outdistance, outrun, outstrip ‖ Sp. leave behind ; *se laisser ~,* fall/drop behind ; *tenir la ~,* go the distance ‖ Phot. ~ *focale,* focal length ‖ Fam. *ne pas se laisser ~ par les voisins,* keep up with the Joneses ‖ **~ant, e** *adj* far away/off ‖ Fig. distant, standoffish ; aloof.

distendre [distãdr] *vt* (4) distend, strain — *vpr se ~*, [caoutchouc] become looser, slacken.

distill|ation [distilasjɔ̃] *f* distillation ‖ **~er** *vt* (1) distil ; *eau distillée, dis-*tilled water ‖ **~erie** [-ri] *f* distillery.

distin|ct, e [distɛ̃, ɛkt] *adj* distinct, separate (*de,* from) ‖ clear (voix) ‖ **~ectement** [-ktəmã] *adv* distinctly ‖ **~ctif, ive** [-ktif, iv] *adj* distinctive, specific ‖ **~ction** [ksjɔ̃] *f* distinction, discrimination (différence) ; *faire une ~,* make a distinction, distinguish, discriminate (*entre,* between) ; *sans ~ de race,* without racial discrimination ‖ Fig. distinction (récompense) ; distinction (manières) ‖ **~gué, e** [-ge] *adj* refined, distinguished (bien élevé) ‖ eminent, distinguished (illustre) ‖ **~guer** *vt* (1) [percevoir] make out, distinguish [*de,* from] ‖ [choisir] single out (honorer) ; pick out (dans la foule) ‖ [différencier] distinguish ; *pouvez-vous le ~ de son frère jumeau ?,* can you tell him from his twin brother ? — *vpr se ~,* [personne] distinguish oneself.

distorsion [distɔrsjɔ̃] *f* distortion.

distr|action [distraksjɔ̃] *f* [inattention] absent-mindedness ‖ [détente] entertainment, diversion ; pastime, distraction ‖ **~aire** *vt* (11) [détourner l'attention] distract, divert (*de,* from) ; ~ *qqn de qqch,* take sb's mind off sth ‖ [divertir] entertain, amuse (qqn) — *vpr se ~,* enjoy/amuse oneself ‖ **~ait, e** [-ɛ, ɛt] *adj* absent-minded, inattentive ‖ **~aitement** *adv* absent-mindedly.

distrib|uer [distribɥe] *vt* (1) distribute ; hand out, give away/out ‖ deal (les cartes) ; deliver (le courrier) ‖ ~ *parcimonieusement,* dole out ‖ Th. ~ *les rôles,* cast the parts ‖ **~uteur** [-ytœr] *m* dispenser (contenant) ; *automatique,* slot machine, U.S. vending-machine ; ~ *automatique de billets,* cash dispenser, cashpoint ; ~ *automatique de tickets,* ticket machine ; ~ *automatique de timbres-poste,* stamp-machine ‖ Aut., Comm. distributor ‖ Cin. renter ‖ **~ution** [ysjɔ̃] *f* distribution (action) ‖ handing/giving out (de prospectus) ; delivery (du courrier) ; deal (des cartes) ; ~ *des prix,* prize-giving ‖ Cin., Th. cast(ing) ‖ Aut. distribution ; timing (réglage de l'allumage).

district [distrikt] m district.

dit, e [di, dit] → DIRE ● *adj à l'heure* ~*e,* at the appointed time ; *autrement* ~, in other words ; *proprement* ~, proper [après le nom].

diva|gations [divagasjɔ̃] *fpl* ramblings, wanderings ‖ ~**guer** [-ge] *vi* (1) ramble, rave.

divan [divɑ̃] m divan ; ~-*lit,* divanbed.

diverg|ence [divɛrʒɑ̃s] *f* divergence, discrepancy ‖ ~**ent, e** *adj* divergent ‖ ~**er** *vi* (7) diverge.

divers|e [divɛr, ɛrs] *adj* [varié] varied, sundry, miscellaneous, diverse ; [plusieurs] several, various ‖ ~**sement** [-səmɑ̃] *adv* variously, in various ways ‖ ~**sifier** [-sifje] *vt* (1) vary, diversify ‖ ~**sion** [-sjɔ̃] *f* MIL. diversion. FIG. *faire* ~, create a diversion ‖ ~**sité** [-site] *f* diversity, variety.

divert|ir [divɛrtir] *vt* (2) amuse, entertain — *vpr se* ~, enjoy/amuse oneself ‖ ~**issant, e** *adj* amusing, entertaining ‖ ~**issement** m entertainment, pastime.

div|in, e [divɛ̃, in] *adj* divine ‖ ~**inité** [-inite] *f* divinity ; deity (dieu).

divis|er [divize] *vt* (1) divide split (*en,* into) ‖ MATH. divide ; *8 divisé par 4 égale 2,* 4 into 8 goes twice ‖ FIG. divide, set at variance (désunir) ‖ ~**eur** m divisor ‖ ~**ible** *adj* divisible ‖ ~**ion** *f* division, dividing (*en,* into) ‖ MATH., MIL. division ‖ FIG. division.

divorc|e [divɔrs] m JUR. *demander le* ~, ask for/sue for a divorce ; *en instance de* ~, waiting for a divorce ; *obtenir le* ~, get/obtain a divorce ‖ ~**é, e** n divorce ‖ ~**er** *vi* (6) divorce, get a divorce ; ~ *d'avec sa femme/son mari,* divorce one's wife/husband ; *ils ont divorcé,* they divorced (each other).

divulguer [divylge] *vt* (1) divulge, disclose.

dix [di devant consonne ou « h »

aspiré ; diz devant voyelle ou « h » muet ; dis suivi d'une pause] *adj/m* ten ; *le* ~ *mai,* the tenth of May : ~**-huit,** eighteen ; ~**-huitième,** eighteenth ‖ ~**-ième,** [-zjɛm] tenth ; ~**-neuf,** nineteen ; ~**-neuvième,** nineteenth ; ~**-sept,** seventeen ; ~**-septième,** seventeenth.

dizaine [dizɛn] *f* about ten.

do [do] m MUS. C.

docil|e [dɔsil] *adj* docile, submissive ‖ ~**ement** *adv* obediently ‖ ~**ité,** *f* docility, submissiveness.

dock [dɔk] m warehouse (magasin) ‖ dock (bassin) ; ~ *flottant,* floating dock ‖ ~**er** [-ɛr] m docker, stevedore.

doct|eur [dɔktœr] m [Université], MÉD. doctor ‖ ~**orat** [-ɔra] m doctorate, doctor's degree ‖ ~**oresse** [-ɔrɛs] *f* woman doctor.

doctrine [dɔktrin] *f* doctrine.

documen|t [dɔkymɑ̃] m document ‖ ~**taire** [-tɛr] *adj* documentary ● m *(film)* ~, documentary (film) ‖ ~**taliste** [-talist] n research assistant ‖ ~**tation** [-tasjɔ̃] *f* documentation ‖ COMM. literature, information ‖ ~**ter (se)** [-te] *vpr (1)* gather in formation/material.

dodo [dodo] m FAM. bed (lit) ; sleep (sommeil) ; *aller au* ~, go to bye-byes.

dodu, e [dɔdy] *adj* plump ; chubby (joues) ; buxom (femme).

dogm|atique [dɔgmatik] *adj* dogmatic ‖ ~**e** m dogma.

dogue [dɔg] m mastiff.

doig|t [dwa] m finger ; ~ *de pied,* toe ; *le petit* ~, the little finger ; *bout du* ~, finger-tip ; *montrer du* ~, point ; *se mettre les* ~*s dans le nez,* pick one's nose ‖ FIG. [mesure] drop (de vin, etc.) ; *à deux* ~*s de,* within an ace/inch of ‖ ~**té** [-te] m touch ‖ MUS. fingering ‖ FIG. tact.

doléance [dɔleɑ̃s] *f* complaint.

dollar [dɔlar] m dollar, U.S., FAM. greenback ‖ buck (sl.).

domaine [dɔmɛn] *m* [propriété] estate, domain ‖ Fɪɢ., field, sphere, province.

dôme [dom] *m* dome.

domest|icité [dɔmɛstisite] *f* [condition] domestic service ‖ [personnel] household, staff of servants ‖ ~**ique** *adj* domestic (animal); home (usage); family (affaires) • *n* servant (homme ou femme), U.S. help; man (homme) ‖ *être le/la* ~ *de,* fetch and carry for ‖ ~**iquer** [-ike] *vt* (1) domesticate (animal).

domicil|e [dɔmisil] *m* home, domicile; ~ *conjugal,* marital home; *sans* ~ *fixe,* of no fixed address ‖ Cᴏᴍᴍ. *livrer à* ~, deliver ‖ Rᴀɪʟ. *prendre à* ~, collect (des bagages) ‖ Sᴘ. *match à* ~, home match ‖ ~**ié, e** *adj* residing (à, at) ‖ ~**ier** *vt* (1) domicile; *se faire* ~ *chez,* give as one's official address ‖ Cᴏᴍᴍ. domicile, make payable (un chèque).

domin|ant, e [dɔminɑ̃, ɑ̃t] *adj* commanding (position); dominant (caractère) ‖ prevailing (vent, opinion) ‖ ruling (passion) • *f* Mᴜs. dominant ‖ ~**ateur, trice** *adj* domineering, overbearing ‖ ~**ation** *f* domination ‖ rule, control ‖ ~**er** *vt* (1) [être maître de] dominate ‖ [surplomber] tower above, overlook ‖ Fɪɢ. master, control, overcome, keep under overpower (émotions, etc.).

dominical, e, aux [dɔminikal, o] *adj* dominical; *repos* ~, Sunday rest.

domino [dɔmino] *m* domino (jeu, vêtement); *jouer aux* ~*s,* play dominoes.

dommage [dɔmaʒ] *m* damage (dégât); *causer des* ~*s à,* cause damage to ‖ Jᴜʀ. *réclamer des* ~*s et intérêts,* claim damages ‖ Fɪɢ. harm (préjudice) ‖ *quel* ~ !, what a pity/ shame!; *c'est* ~ *que,* it's a pity/ shame that.

dompt|er [dɔ̃te] *vt* (1) tame (un lion); break in (un cheval) ‖ ~**eur, euse** *n* ~ *de lions,* lion tamer.

don [dɔ̃] *m* gift, present; *faire* ~ *de,* make a gift of (à, to) ‖ donation (à une œuvre) ‖ Fᴀᴍ. *faire un* ~ *généreux,* come down handsomely ‖ Fɪɢ. gift, talent ‖ dower (naturel); *avoir le* ~ *de,* have a talent/a flair for, have a knack of.

donc [dɔ̃k] *conj* then (ainsi, alors); therefore (par conséquent); well, so, now (maintenant) ‖ ~, *comme je disais,* well, as I was saying; *qui* ~ *a pu vous dire cela ?,* who ever told you that ?; *allons* ~ !, go on!; come on!; *dis* ~ !, (I) say!, look here!

donjon [dɔ̃ʒɔ̃] *m* keep.

donn|e [dɔn] *f* [cartes] deal ‖ ~**é, e** *adj* given ‖ Fᴀᴍ. *c'est* ~ !, that's giving it away! • *loc prép inv étant* ~, given, considering, in view of; *granted (que,* that) • *fpl* facts, data ‖ Iɴꜰ. input; data (sing.).

donn|er [dɔne] *vt* (1) give; ~ *qqch à qqn,* give sb sth, give sth to sb ‖ hand (over) [remettre] (à, to) ‖ deal (distribuer); [cartes] *à vous de* ~, your deal ‖ give, grant, bestow (accorder); ~ *à contrecœur,* grudge ‖ give away (se débarrasser de) ‖ ~ *un rendez-vous à,* fix/make an appointment with ‖ give (des ordres) ‖ ~ *de l'appétit à qqn,* give sb an appetite; ~ *chaud/soif,* make one (feel) hot/ thirsty; ~ *du souci,* cause worry ‖ Aɢʀ. bear, yield (des fruits) ‖ Cʜ., Pʜʏs. give off/out (de la chaleur/de la lumière) ‖ Cɪɴ., Tʜ. *qu'est-ce qu'on donne à l'Odéon ce soir ?,* what's on at the Odeon tonight ? ‖ Tᴇ́ʟ. ~ *à qqn la communication avec,* put sb through to ‖ Pᴏᴘ. give away, squeal on (un complice) — *vi* ~ *à croire,* lead to believe; ~ *à entendre,* lead to understand ‖ ~ *dans,* fall into (un piège); Fᴀᴍ. ~ *à fond dans,* be into (coll.) ‖ ~ *sur,* [fenêtre] overlook, look (out) onto; [maison] face — *vpr se* ~, give oneself up, devote oneself (à, to); [s'adonner] abandon oneself (à, to) [se livrer] ‖ *se* ~ *du mal/de la peine,* take pains/trouble ‖ *se* ~ *la mort,* kill oneself ‖ *s'en* ~, [enfants] romp, frolic ‖ **~eur, euse** n [cartes] dealer ‖ Méd. ~ **de sang,** blood donor.

dont [dɔ̃] *pron rel* of whom/which; whose (duquel); by whom/which (par lequel); *la table — un pied est cassé,* the table one leg of which is broken ‖ about whom/which (au sujet duquel) ‖ [omis] *l'homme ~ je parle,* the man I am speaking of ‖ among whom/which (parmi lesquels).

dop|age [dɔpaʒ] *m* doping ‖ **~ant** *m* dope (coll.) ‖ **~er** *vt* (1) dope.

doré, e [dɔre] *adj* golden (couleur); gilded, gilt (couvert de dorure); ~ **sur tranche,** giltedged.

dorénavant [dɔrenavɑ̃] *adv* from now on, as from now, henceforth (lit.).

dorer [dɔre] *vt* (1) gild ‖ Culin. brown (un poulet) — *vi* Culin. faire ~, brown — *vpr se* ~ [personne] *se* ~ *au soleil,* bask in the sun.

dorloter [dɔrlɔte] *vt* (1) pamper, coddle, cosset — *vpr se* ~, pamper/coddle oneself.

dorm|ant, e [dɔrmɑ̃, ɑ̃t] *adj* still (eau) ‖ **~eur, euse** n sleeper ‖ **~ir** *vi* (41) sleep; *être en train de* ~, be asleep; *avoir envie de* ~, feel sleepy; ~ *d'un sommeil léger,* sleep lightly; ~ *à poings fermés,* sleep like a log; ~ *profondément,* be fast asleep, sleep soundly; *ne* ~ *que d'un œil,* sleep with one eye open; *empêcher de* ~, keep awake; ~ *au-delà de l'heure voulue,* oversleep (oneself).

dorsal, e, aux [dɔrsal, o] *adj* dorsal ‖ → épine.

dortoir [dɔrtwar] *m* dormitory.

dorure [dɔryr] *f* gilding (action); gilt (or appliqué).

dos [do] *m* back (des animaux, de l'homme); *avoir le* ~ *rond/voûté,* be round-shouldered; *à* ~, back to back; *faire le gros* ~, [chat] hump /arch its back; *tourner le* ~, turn one's back (*à,* on) [pr. et fig.]; *vous* *lui tournez le* ~, it's behind you ‖ [livre, main, page] back ‖ Sp. ~ *crawlé,* backstroke ‖ Fig. mettre qqch sur le ~ *de qqn,* pin sth on sb.

dos d'âne *m pont en* ~, humpback bridge.

dos|age [dozaʒ] *m* measuring-out ‖ Fig. balance ‖ **~e** [doz] *f* quantity, amount ‖ Méd. dose, dosage ‖ **~er** *vt* (1) Méd. dose ‖ Fig. measure out, proportion.

dossard [dɔsar] *m* number.

dossier [dɔsje] *m* back (d'une chaise) ‖ folder (classeur); documents, file (d'une affaire) ‖ Jur. record, brief ‖ Méd. case-history (d'un malade).

dot [dɔt] *f* dowry ‖ **~ation** *f* endowment; *faire une* ~ *à,* endow ‖ **~er** *vt* (1) provide with a dower [sa fille]; endow (une institution) ‖ provide, equip (*de,* with).

douan|e [dwan] *f* customs (administration); custom-house (bureau); *passer la* ~, go through (the) customs ‖ custom duties, customs (droits); *passer des marchandises en* ~, clear goods; *exempt de (droits de)* ~, custom-free; *sous* ~, in transit ‖ **~ier** *m* customs officer.

doubl|age [dublaʒ] *m* Cin. dubbing ‖ **~e** *adj* double, twofold; duplex ‖ duplicate; *en* ~ (exemplaire), in duplicate ‖ **fermer à** ~ **tour,** double-lock ‖ *à* ~ *sens,* with a double meaning ‖ **~s rideaux,** curtains, U.S. drapes; **~-vitrage,** double-glazing ‖ Aut. *parquer en* ~ *file,* double-park ‖ Av. ~ *commande,* dual control ‖ Fin. *en partie* ~, double entry ‖ Fig. *à* ~ *tranchant,* double-barrelled (compliment) ● *adv* double; *voir* ~, see double ● *m* double ‖ *coûter le* ~, cost twice as much; *plus du* ~, more than double; *plier en* ~, fold in half ‖ *faire* ~ *emploi,* be redundant ‖ [duplicata] duplicate; carbon (copy) ‖ [timbres] duplicate; *Pl* swops ‖ [tennis] doubles; ~ **mixte,** mixed doubles ‖ Fig. [sosie] double ‖ **~e**

aveugle (en) *loc adv* double-blind ‖ **~e-croche** *f* semiquaver ‖ **~ement** *adv* doubly ‖ **~er** *vt* (1) double ‖ *le pas,* quicken one's step ‖ line (un vêtement) ; wad (d'ouate) ; fold in two (en pliant) ‖ [AUT. overtake, pass ‖ NAUT. double, round, weather (un camp) ‖ TH. understudy ‖ CIN. dub (un film) ‖ stand in (une vedette) — *vi* [augmenter] double ‖ **~ure** *f* lining (d'un vêtement) ‖ TH. understudy ; *servir de ~ à,* deputize for ‖ CIN. stand-in (pour mise au point) ; stunt-man (cascadeur).

douce [dus] *adj* → DOUX ● *loc adv* FAM. *en ~,* on the quiet/sly ‖ **~-amère** *f* BOT. bitter-sweet ‖ **~âtre** [-atr] *adj* sweetish ‖ **~ment** *adv* softly (à voix basse) ‖ smoothly, gently (sans heurt) ; slowly (lentement) ‖ gingerly (délicatement) ‖ quietly (sans bruit) ‖ mildly, gently (aimablement) ‖ FAM. **~ !,** easy ! ; *allez-y ~ !,* go easy ! ‖ **~reux, euse** [-rø, øz] *adj* mealy-mouthed, smooth (personne), sugary, honeyed (paroles).

douceur [dusœr] *f* softness (au toucher, à l'oreille) ; sweetness (au goût, à l'odorat) ; mildness (du climat) ‖ smoothness (d'un mécanisme) ‖ gentleness (du caractère) ‖ *en ~,* gently ‖ *Pl* FIG. sweet things.

douch|e [duʃ] *f* shower ; *prendre une ~,* have a shower ‖ *~ écossaise,* hot and cold shower ‖ FIG. disappointment (déception) ; rebuke (réprimande) ‖ **~er** *vt* (1) give a shower.

dou|é, e [dwe] *adj* gifted, talented ‖ *être ~ pour,* have a gift for.

douille [duj] *f* ÉLECTR. socket ‖ MIL. case (cartridge).

douill|et, ette [duje, ɛt] *adj* cosy, snug (confortable) ‖ soft (personne) ‖ **~ettement** *adv* cosily.

doul|eur [dulœr] *f* pain, ache (physique) ; grief, sorrow ; distress, suffering, misery (morale) ‖ MÉD. *~ cuisante,* sting ; *~s de l'accouchement,* labour pains ; *sans ~,* painless ‖

~oureusement [-urøzmã] *adv* painfully ‖ grievously ‖ **~oureux, euse** [-urø, øz] *adj* [physiquement] aching, painful ; sore (endroit) ‖ [moralement] painful, grievous, distressing.

dout|e [dut] *m* doubt (*au sujet de,* as to ; *sur,* about) ; *être dans le ~,* be in doubt, be uncertain ; *hors de ~,* beyond question ; *sans aucun ~,* without (a) doubt, undoubtedly ; *sans ~,* probably, possibly (probablement) ‖ *avoir des ~s,* have one's doubts ; *plein de ~,* doubtful ; *mettre qqch en ~,* call sth in question ‖ **~er** *vi/vt ind* (1) **~ de,** doubt (qqch, qqn) ; question (qqch) ; *j'en doute,* I doubt it ‖ **~ que/si,** doubt whether ; *je doute qu'il vienne,* I doubt whether he will come — *vpr se ~ de,* suspect ; *je m'en doutais,* I thought as much ‖ **~eux, euse** *adj* doubtful, dubious, uncertain (indéterminé) ; questionable (contestable) ; doubtful (suspect).

douve [duv] *f* ARCH. moat.

doux, douce [du, dus] *adj* soft ‖ sweet (au goût, à l'odorat), smooth (au toucher) ‖ subdued (lumière, couleur) mild, genial (climat) ; gentle (personne) ; quiet, meek (animal) ; *eau douce,* fresh water (potable), soft water (non calcaire) ‖ soft (drogue) ● *loc adv* FAM. *en douce,* on the quiet.

douz|aine [duzɛn] *f* dozen ; *à la ~,* by the dozen ; *deux ~s d'œufs,* two dozen eggs ; *des ~s de fois,* dozens of times ; *une demi-~,* half a dozen ‖ **~e** *adj/m* twelve ‖ **~ième** [-jɛm] *adj/n* twelfth.

doyen, enne [dwajɛ̃, ɛn] *n* oldest member ‖ [Université] dean.

draconien, enne [drakɔnjɛ̃, ɛn] *adj* drastic, stringent (mesures).

dragée [draʒe] *f* sugar-almond.

dragon [dragɔ̃] *m* dragon (démon, monstre) ‖ MIL. dragoon ‖ FIG. virago (femme).

dragu|e [drag] *f* TECHN. dredger (machine) ‖ **~er** *vt* (1) [recherches] drag ‖ Techn. dredge ‖ Fam. (try and) pick up (girls) ; chat up (faire du baratin) ; **~ eur** m Naut. ~ de mines, mine-sweeper.

drain [drɛ̃] m Agr., Méd. drain.

drainer [drene] vt (1) Agr., Méd. drain ‖ Fig. tap (ressources).

dram|atique [dramatik] adj dramatic ‖ **~atiser** vt (1) dramatize ‖ **~aturge** [-atyrʒ] n playwright ‖ **~e** m drama (pièce) ‖ Fig. tragedy.

drap [dra] m cloth (tissu) ‖ sheet (de lit) ‖ Fam. se mettre dans de beaux **~s**, get into a nice mess.

drap|eau [drapo] m flag ‖ Mil. appeler sous les **~x**, conscript ; être sous les **~x**, serve with the colours ‖ **~er** vt (1) drape — vpr se **~**, drape oneself (dans, in) ‖ **~erie** [-ri] f drapery.

dress|age [dresaʒ] m taming, breaking-in, training d'un animal ‖ **~er¹** vt (1) tame, train (un animal) ; break in (un cheval) ; drill, train (une personne).

dresser² vt (1) [mettre debout] put up (échelle) ; erect (statue) ; put up (tente) ‖ ~ la table, set the table ‖ [chien] ~ les oreilles, cock/prick up one's ears ‖ Fig. make up (une liste) ; ~ un plan, draw up a plan ; ~ procès-verbal à qqn, report sb ‖ Fam. faire ~ les cheveux sur la tête à qqn, make sb's hair stand on end — vpr se ~, [cheval] rise on its hind legs ; [personne] rise (en se levant) ; sit up (en s'asseyant) ‖ [montagne] rise ; [monument] stand ‖ Fig. rise (contre, against).

dresseur, euse [drescœr, øz] n trainer (d'animaux) ; ~ de chiens, dog handler.

dressoir [dreswar] m side-board.

dribbler [drible] vi (1) Sp. dribble.

drogu|e [drɔg] f Méd. drug ‖ Fam. dope (dopant) ‖ **~é, e** n drug addict ; junkie, freak (sl.) ‖ **~er** vt (1) dose (malade) ; drug (victime) — vpr se

~, take drugs (avec des stupéfiants) ‖ **~erie** f hardware shop.

droit¹ [drwa] m right ; ~de passage, right of way ; avoir le ~ de (faire), be allowed to (do), have a/the right to (do) ; avoir ~ à qqch, be entitled to sth ; vous n'avez pas le ~ de, you are not supposed to... ; être dans son ~, be within one's rights, be in the right ; de plein ~, in one's own right ; à bon ~, rightly ; ~ de reproduction, copyright ‖ power (pouvoir) ; ~ de grâce, right of reprieve ‖ title (titre) ; donner ~ à, entitle ‖ use (droit d'utiliser) ‖ Pl. rights, claim (à qqch) ; **~s acquis,** vested interests ; **~s de la femme,** women's rights ; **~s de l'homme,** human rights ‖ Pol. ~ de vote, ballot, franchise ‖ Jur. law ; faire son ~, read study law ; étudiant en ~, law student ; ~ coutumier, common law, unwritten law.

droit², e [drwa, at] adj [non courbe] straight (ligne, route) ; upright, up-standing (debout) ; se tenir ~, stand upright ‖ stand-up (col) ; single-breasted (veston) ‖ Math. right (angle) ‖ Sp. straight (coup) ; [tennis] coup ~, forehand drive ‖ Fig. upright (personne) ; right (chemin) ● adv straight, directly ; tout ~, straight on/ahead, right on ; directly ; filer tout ~ sur, make a bee-line for ● f Math. straight line ‖ **~ement** [-tmã] adv (up)rightly ‖ **~ure** [-tyr] upright-ness.

droit³, e [drwa, at] adj [côté, main] right ; à ~e, on/to the right ‖ **~e** f the right(-hand side) ‖ Fig. de ~ et de gauche, from all sides ‖ Pol. la ~, the Right (wing), être de ~, be right-wing ‖ **~ier, ière** [-tje, jɛr] n right-handed person ● adj right-handed.

droits mpl [taxes] duty, fee, dues ; **~s d'auteur,** royalties, royalty ; **~s de douane,** customs, customs duties ; soumis aux **~s de douane,** dutiable ; exempt de **~s,** dutyfree ; **~s d'entrée,** entrance-fee ; **~s d'inscription,** admission-fee ; **~s de succession,** death-duties.

drôle [drol] *adj* funny, droll, amusing ‖ odd, peculiar (bizarre) Fig. *un ~ de type,* a queer customer ‖ *~ement adv* [intensif] awfully, jolly terribly (rudement).

dromadaire [drɔmadɛr] *m* dromedary.

dru, e [dry] *adj* thick (barbe, herbe) ● *adv* thick(ly) ; [coups] *pleuvoir ~,* fall thick and fast.

du [dy] *art contr/part* → DE.

dû, e [dy] *adj* [dette] owed, owing (*à,* to) ‖ [échéance] due ; *l'argent qui lui est ~,* the money owing/due to him ‖ *~e forme,* in due form ● *m* due ; *payer son, ~,* pay one's share.

dubitatif, ive [dybitatif, iv] *adj* dubitative.

duc [dyk] *m,* **duchesse** [dyʃɛs] *f* duke *m,* duchess *f.*

duel [dɥɛl] *m* duel ; *provoquer en ~,* challenge to a duel ; *se battre en ~,* fight a duel.

duettiste [dɥetist] *n* duettist.

dûment [dymɑ̃] *adv* duly.

dumping [dœmpiŋ] *m* dumping ; *faire du ~,* dump.

dune [dyn] *f* (sand) dune.

duo [dɥo] *m* duo, duet.

dup|e [dyp] *f* dupe ‖ *~er vt* (1) dupe, deceive, fool, trick ‖ *~erie f* dupery ; deception.

duplex [dyplɛks] *m* [appartement] split-level apartment, U.S. duplex ‖ RAD. *(émission en) ~,* link-up.

duplicat|a [dyplikata] *m* duplicate ‖ *~eur m* duplicator, cyclostyle.

duplicité [dyplisite] *f* duplicity, double-dealing.

duquel [dykɛl] *pron* → LEQUEL.

dur, e [dyr] *adj* hard ‖ stiff (brosse, col, levier) ‖ CULIN. hard (eau) ; *œufs ~s,* hard-boiled eggs ; tough (viande) ‖ MÉD. *~ d'oreille,* hard of hearing ‖ FIG. hard (difficile) ; rough (voix) ; tough (résistant) ; harsh (lumière) ;

hard, severe (insensible) ‖ FIG. *avoir la vie ~e,* die hard ● *adv* hard ; *travailler ~,* work hard ● *m* FAM. tough one.

durable [dyrabl] *adj* lasting, durable ; enduring (paix).

durant [dyrɑ̃] *prép* during, in the course of.

durc|ir [dyrsir] *vt* (2) harden — *vi* [ciment] set — *vpr se ~,* harden ‖ *~issement m* hardening.

dure [dyr] *f* *coucher sur la ~,* sleep rough/on the ground ; *en voir de ~s,* have a hard time of it ; *en faire voir de ~s à qqn,* make it hot for sb.

durée [dyre] *f* duration ‖ length, span (of time) ; period (d'un séjour, etc.) ; term (d'un bail) ; *sans limite de ~,* open-ended ‖ [ampoule, pile] life ; *de courte ~,* short-lived ; *de longue ~,* long-lasting ‖ → DISQUE.

durement [dyrmɑ̃] *adv* hard (travailler) ; harshly (péniblement) ; severely (éprouvé) ; *traiter ~,* treat harshly.

durer [dyre] *vi* (1) last ‖ [réserves] hold ; [étoffe] wear well, last ; [œuvre] endure, continue ‖ *trop beau pour ~,* too good to last ; *~ plus longtemps* [choses] outwear ‖ *faire ~,* prolong, protract ; eke out (économiser) ; spin out (histoire).

dur|eté [dyrte] *f* hardness (pr. et fig.) ; harshness, toughness ‖ *~illon* [-ijɔ̃] *m* callosity.

duv|et [dyvɛ] *m* down (plume, poil) ‖ [camping] sleeping-bag ‖ *~eteux, euse* [-tø, øz] *adj* downy.

dynam|ique [dinamik] *adj* dynamic ; go-ahead (entreprise, personne) ; full of go/pep (coll.) [personne] ● *f* dynamics ‖ *~isme m* PHYS. dynamism ‖ [énergie] drive, punch ; pep (coll.) ‖ *~ite f* dynamite ‖ *~iter vt* (1) dynamite, blow up ‖ *~o* [-o] *f* dynamo.

dynastie [dinasti] *f* dynasty.

dysenterie [disɑ̃tri] *f* dysentery.

dyslex|ie [dislɛksi] *f* dyslexia ‖ *~ique adj* dyslexic.

E

e [ə], **é** [e], **è** [ɛ] *m* e.

eau [o] *f* water ; ~ *douce,* fresh water (potable) ; ~ *gazeuse,* aerated water, soda water ; ~ *de Javel,* bleach ; ~ *de mer,* sea water ; ~ *minérale,* mineral water ; ~ *oxygénée* (hydrogen) peroxide ; ~ *potable,* drinking water ; ~ *sale,* slop ; ~ *salée,* salt water ; ~ *de source,* spring water ; ~ *de rose,* rose water ‖ ~ *de Cologne,* eau de Cologne ; ~ *de toilette,* toilet water ‖ *être en* ~, be in a sweat ; *cela me fait venir l'*~ *à la bouche,* that makes my mouth water ‖ *Pl* waters ‖ [alcool] *sans* ~, neat, straight ‖ NAUT. *mettre à l'*~, set afloat, lower (bateau) ; *faire* ~, leak (prendre l'eau) ; make water (s'approvisionner) ‖ CH. ~ *lourde,* heavy water ‖ REL. ~ *bénite,* holy water ‖ FAM. *à l'*~ *de rose,* soppy ‖ ~**-de-vie** *f* brandy ‖ ~**-forte** *f* etching.

ébah|i, e [ebai] *adj* flabbergasted, dumbfounded ‖ ~**ir** *vt* (2) dumbfound ‖ ~**issement** *m* amazement.

éba|ts [eba] *mpl* frolic, gambols ; ~ *amoureux,* love making ‖ ~**ttre (s')** [sebatr] *vpr* (20) frolic, frisk about ‖ [enfants] romp.

ébauch|e [eboʃ] *f* (rough) sketch ‖ FIG. outline ‖ ~**er** *vt* (1) FIG. outline, sketch out (un projet).

éb|ène [eben] *f* ebony ‖ ~**éniste** [-enist] *m* cabinet-maker.

éberlué, e [eberlɥe] *adj* flabbergasted.

éblou|ir [ebluir] *vt* (2) dazzle ‖ ~**issant, e** *adj* dazzling, glaring ‖ ~**issement** *m* dazzle ‖ MÉD. dizziness ; *avoir un* ~, have a dizzy fit.

éborgner [ebɔrɲe] *vt* (1) ~ *qqn,* put out sb's eye.

éboueur [ebuœr] *m* dustman, scavenger, U.S. garbage-collector.

ébouillanter [ebujɑ̃te] *vt* (1) scald.

éboul|ement [ebulmɑ̃] *m* crumbling ; rock fall ‖ ~**er (s')** *vpr* (1) crumble, collapse, fall in ‖ ~**is** [-i] *m* mass of fallen rocks ‖ scree (en montagne).

ébouriffer [eburife] *vt* (1) tousle, dishevel (cheveux) ; ruffle (cheveux, plumes).

ébranl|ement [ebrɑ̃lmɑ̃] *m* shaking ‖ MÉD. shock ‖ FIG. commotion ‖ ~**er** *vt* (1) shake ‖ rattle (les vitres) ‖ MÉD. jar, shatter (nerfs) ; loosen (une dent) ‖ FIG. shake ; move, shock — *vpr* s'~, start, move off.

ébréch|er [ebreʃe] *vt* (5) chip (une assiette) ; nick (une lame) ‖ FIG. make a hole in (son capital) ‖ ~**ure** *f* chip, nick.

ébriété [ebriete] *f* intoxication ; *en état d'*~, intoxicated, under the influence of drink.

ébrou|ement [ebrumɑ̃] *m* snort

(cheval) || ~**er (s')** *vpr* (1) [cheval] snort || splash about (dans l'eau).

ébruiter [ebrɥite] *vt* (1) disclose, noise abroad, spread around — *vpr* **s'~**, spread, become known ; [secret] leak out.

ébullition [ebylisjɔ̃] *f* boil(ing) ; *point d'~*, boiling-point ; *porter à ~*, bring to the boil ; *en ~*, boiling over, FIG. seething.

écaill|e [ekaj] *f* scale (de poisson) ; shell (d'huître, de tortue) || flake (de rouille) || ~**er**[1] *vt* (1) scale (poisson) ; shell (des huîtres) — *vpr* **s'~** [peinture] peel, flake (away/off) || ~**er**[2], **ère** *n* oysterdealer.

écarlate [ekarlat] *adj* scarlet.

écarquiller [ekarkije] *vt* (1) ~ *les yeux*, open the eyes wide.

écart [ekar] *m* gap, distance (entre deux points) || [chiffres] difference || [opinions] divergence || [règle] deviation || sidestep (mouvement) ; *faire un ~*, step aside, [cheval] shy || [cartes] discard(ing) || ARTS [danse] *faire le grand ~*, do the splits || FIG. *~ de conduite*, misdemeanour, lapse ; *~ de régime*, break/lapse in one's diet ● *loc adv à l'~*, apart, out of the way ; *se tenir à l'~*, stand out of the way ; keep aloof (*de*, from) || *à l'~ de*, off, away from, clear of ; *une maison à l'~ de la grande route*, a house off the main road ; *se tenir à l'~ de*, keep/hold oneself aloof/away from.

écart|é, e [ekarte] *adj* spread out/apart (bras, jambes) || out of the way, outlying, secluded, remote (lieu) ; *rue ~e*, back street || ~**ement** *m* space, gap (distance), straddle (des jambes) || RAIL. gauge || ~**er** *vt* (1) spread, open (les bras, les jambes) ; separate (des objets unis) ; keep/move away (éloigner) ; discard (une carte) ; keep off (tenir à distance) || FIG. turn down (une candidature, une réclamation) ; dismiss, rule out (une objection) — *vpr* **s'~**, move away, step/draw aside || FIG. deviate (de la règle) ;

depart, wander, digress (du sujet) ; *ne pas s'~ du sujet*, keep to the subject.

ecchymose [ekimoz] *f* bruise.

ecclésiastique [eklezjastik] *adj* ecclesiastical, clerical ● *m* ecclesiastic, churchman, clergyman.

écervelé, e [esɛrvəle] *adj* harebrained, scatter-brained ● *n* madcap, hare-brain.

échafau|d [eʃafo] *m* scaffold || ~**dage** [-daʒ] *m* scaffolding || heap, pile (d'objets).

échalote [eʃalɔt] *f* shallot.

échancr|er [eʃɑ̃kre] *vt* (1) indent, notch (un objet) ; open (au col) || ~**ure** *f* indentation || neckline (d'une robe).

échang|e [eʃɑ̃ʒ] *m* exchange, interchange ; *objet d'~*, exchange ; *en ~ de*, in exchange for || COMM. barter swap || ~**er** *vt* (7) exchange, switch (*contre*, for) ; swap (coll.) ; interchange (lettres) || COMM. barter, trade || ~**eur** *m* [route] interchange.

échantill|on [eʃɑ̃tijɔ̃] *m* sample, specimen || [poste] ~ *sans valeur*, sample-post || [statistique] cross-section || ~**onner** [-ɔne] *vt* (1) sample.

échapp|atoire [eʃapatwar] evasion, way-out, loop-hole || red herring (coll.) ; *chercher des ~s*, hedge || ~**é, e** *adj* runaway, loose (animal) || ~**ée** *f* vista (vue) || SP. [course] breakaway || ~**ement** *m* exhaust, outlet || escapement (d'horloge) || AUT. *pot d'~*, silencer, U.S. muffler ; ~*tuyau d'~*, exhaust-pipe || ~**er** *vi/vt ind* (1) slip away/out || ~ *des mains*, slip out of the hands || ~ *à*, escape ; get away from (poursuivants) ; evade (l'impôt) ; dodge (une obligation) || *laisser ~*, let go (laisser fuir) ; let slip (manquer) ; overlook (ne pas remarquer) ; drop (un mot) ; let fly (révéler) || FIG. *on l'a échappé belle*, we had a narrow escape, it was a close shave/near miss — *vpr* **s'~**, escape, break away/loose (*de*, from) || get loose, get/run away.

écharde [eʃard] f splinter.

écharpe [eʃarp] f scarf (de femme) ; sash (de maire) ∥ MÉD. sling.

échass|e [eʃas] f stilt ∥ ~**ier** m wader.

échauff|ement [eʃofmã] m heating ∥ MÉD. chafing ∥ Sp. *exercices d'* ~, warning-up exercices ∥ ~**er** vt (1) warm (un peu) ; heat (beaucoup) ∥ FIG. excite ; stir (l'imagination) — vpr s'~, get warm/hot ∥ Sp. warm up ∥ FIG. warm up ; work oneself up.

échauffourée [eʃofure] f brawl, scuffle, affray.

échéance [eʃeãs] f expiry date ; maturity (de crédit) ; *venir à* ~, fall/become due ∥ FIG. *à longue* ~, long term.

échec [eʃɛk] m failure (à un examen) ; miscarriage (d'un plan) ; set-back (revers) ∥ *aller au-devant d'un* ~, court failure ; *faire* ~ *à*, defeat ; *subir un* ~, suffer a set-back ; *tenir en* ~, hold in check ∥ MIL. *tenir l'ennemi en* ~, keep the enemy at bay ∥ TH. flop.

échecs mpl [jeu] chess ; *une partie d'*~, a game of chess ; *jouer aux* ~, play chess ∥ *Sing* ~ *faire* ~ *à*, mettre en ~, check ; ~ *et mat*, checkmate ; *faire* ~ *et mat*, (check) mate.

échelle [eʃɛl] f ladder ; ~ *de corde*, rope-ladder ; *faire la courte* ~ *à qqn*, give sb a leg up ∥ NAUT. ~ *de commandement*, companion-ladder ∥ ~ *de coupée*, accommodation ladder ∥ [bas] ladder ; U.S. run ∥ TECHN. scale (de mesure d'une carte) ; *à l'*~, to scale ∥ *sur une petite/grande* ~, on a small/large scale ∥ FIG. ~ *des salaires*, payscale ; ~ *mobile*, sliding scale ; ~ *sociale*, social scale.

échel|on [eʃlɔ̃] m rung (d'échelle) ∥ [hiérarchie] grade ∥ FIG. step ∥ ~**onnement** [-ɔnmã] m FIN. spreading out (des paiements) ∥ FIG. staggering (des congés) ∥ ~**onner** [-ɔne] vt (1) space out ∥ FIN. spread out (des paiements) ∥ FIG. stagger (les congés, les heures de sortie).

échevel|é, e [eʃəvle] adj tousled, dishevelled ∥ FIG. wild (course).

échiquier [eʃikje] m chessboard.

écho¹ [eko] m echo ; *faire* ~ *à*, echo ∥ FIG. *se faire l'*~ *de*, echo, repeat.

écho² m [Presse] news item, paragraph ; *Pl* social gossip.

échouer [eʃwe] vi, (1) [personne] fail ; ~ *à un examen*, fail an exam ∥ [plan] fail, miscarry, come to grief, fall through ∥ *faire* ~, foil, ruin, wreck (projet) ∥ NAUT. [bateau] (s')~, run aground, ground — vt NAUT. strand, ground (accidentellement) ; beach (volontairement) ; *échoué*, high and dry.

éclabouss|ement [eklabusmã] m splash ∥ ~**er** vt (1) splash, (be)spatter ∥ ~**ure** f splash, spatter ; spot, smear.

éclair [eklɛr] m flash of lightning ∥ FIG. flash (de génie) ; *rapide comme l'*~, as quick as lightning ∥ ~**age** m lighting ∥ ÉLECTR. ~ *fluorescent*, strip-lighting ∥ ~**cie** [-si] f bright period/interval, sunny spell (dans le ciel) ∥ ~**cir** [-sir] vt (2) lighten (couleur) ; thin (down) [sauce] — vpr s'~, [ciel, temps] clear (up) ∥ [brouillard] thin ∥ ~**cissement** m explanation ∥ *Pl* enlightenment ∥ ~**é, e** adj lighted, lit, alight ∥ FIG. wise (conseil) ; enlightened (esprit) ∥ ~**er** vt (1) light, lighten ∥ light up (une pièce) ; ~ *qqn*, light the way for sb ∥ FIG. illuminate (une affaire) ; enlighten (l'esprit) ; inform (qqn) ∥ ~**eur, euse** n (Boy) Scout ; Girl Guide ∥ MIL. scout.

écla|t [ekla] m [morceau] splinter (de bois), chip (de bois, de verre) ∥ *Pl* slivers (minces) ; *voler en* ~s, fly/burst to pieces, shatter ∥ MIL. fragment (de bombe) ; ~ *d'obus*, piece of shrapnel ∥ FIG. ~ *de rire*, burst of laughter ∥ [couleur] vividness [lumière] brightness ; glitter (du diamant) ∥ FIG. splendour, glamour (de la gloire) ; brightness (de l'intelligence, du regard) ; bloom (de la

jeunesse) ‖ **~tant, e** [-tɑ̃, ɑ̃t] *adj* loud, ringing (bruit) ; bright, glittering (lumière) ; vivid (couleurs) ; radiant (beauté) ‖ Fig. ~ *de santé,* bursting with health ‖ **~tement** [-tmɑ̃] *m* burst, explosion ‖ Aut. burst(ing) [d'un pneu] ‖ **~ter** [-te] *vi* (1) burst, explode ; **faire ~,** explode, blow up ‖ [orage] break forth ‖ Aut. [pneu] burst, blow up ‖ Fig. [maladie, feu, guerre] break out ‖ ~ *de rire,* burst out laughing — *vpr s'~,* Pop. have a ball (sl.).

éclectique [eklektik] *adj* eclectic.

éclipse [eklips] *f* eclipse ‖ **~er** (1) Astr. eclipse ‖ Fig. outshine, overshadow — *vpr s'~,* slip away.

éclopé, e [eklɔpe] *adj* Fam. lame ; slightly wounded.

écl|ore [eklɔr] *vi* (43) [œuf, oiseau] hatch (out) ; *faire ~,* hatch ‖ [bourgeon] burst ; [fleur] open out ‖ **~osion** [-ozjɔ̃] *f* Zool. hatching ‖ Bot. opening ‖ Fig. birth, dawn.

écluse [eklyz] *f* lock.

écœur|ant, e [ekœrɑ̃, ɑ̃t] *adj* sickening, nauseating ; sickly (odeur) ‖ Fig. disgusting, revolting ‖ **~é, e** *adj* sick, nauseated ‖ Fig. disgusted, surfeited ‖ **~ement** *m* nausea ‖ Fig. disgust ‖ **~er** *vt* (1) nauseate, sicken ‖ Fig. disgust.

écol|e [ekɔl] *f* school (pr. et fig.) ; *aller à l'~,* go to school ; ~ *de danse,* dancing school ; ~ *de dessin,* art school ; ~ *maternelle,* nursery school ; ~ *militaire,* military academy ; ~ *navale,* naval college ; ~ *normale,* teacher training college ; ~ *primaire,* primary school ; ~ *professionnelle,* training college ; ~ *publique,* state school ; *faire l'~ buissonnière,* play truant ‖ **~ier, ière** *n* schoolboy/girl.

écolog|ie [ekɔlɔʒi] *f* ecology ‖ **~ique** *adj* ecological ‖ **~iste** *n* ecologist ; environmentalist.

éconduire [ekɔ̃dɥir] *vt* (85) reject (un prétendant) ; dismiss (un visiteur).

économat [ekɔnɔma] *m* bursar's office ; steward's office.

économ|e *adj* economical ; thrifty, frugal ; ~ *de,* sparing ● *n* bursar ; *(m)* steward ‖ **~ie** *f* [épargne] economy, thrift ‖ [gain] saving ; *faire une ~ d'argent/de temps,* save money/ time ; *faire l'~ de,* do/go without ‖ *faire des ~s,* save (up) ; *faire des ~s d'essence,* save on petrol ‖ Fam. *faire des ~s de bouts de chandelle,* make cheeseparing economies ‖ [science] economics ; ~ *politique,* political economy ; ~ *dirigée,* state controlled economy ‖ **~ique** *adj* economic ; economical (bon marché) ‖ **~iquement** *adv* economically ; ~*faible,* underprivileged ‖ **~iser** *vt* economize/save on ‖ save (du temps) ‖ eke out (faire durer) ‖ save, put by (de l'argent) ‖ **~iste** *n* economist.

écop|e [ekɔp] *f* Naut. scoop ‖ **~er** *vt* (1) bale/bail out ; scoop water out of (un bateau).

écorc|e [ekɔrs] *f* bark (d'arbre) ; peel (d'orange) ‖ **~er** *vt* (1) bark (un arbre) ; peel, skin (une orange).

écorch|é [ekɔrʃe] *m* Techn. cutaway ‖ **~er** *vt* (1) skin (un lapin) ; graze (par éraflure) ; chafe (par frottement) ‖ Fig. rasp (les oreilles) ; murder (une langue) ; mispronounce (un mot) ‖ **~ure** *f* scratch, graze, sore, scrape.

écorn|é, e [ekɔrne] *adj* dog-eared (livre) ‖ **~er** *vt* (1) turn down the corner of (livre) ‖ make a hole in (fortune).

écossais, e [ekɔse, ez] *adj* Scots, Scottish, Scotch ● *m* Comm. [tissu] tartan, check ‖ [langue] Scots.

Écoss|ais, e *n* Scotsman, -woman ; Scotchman, Scot ; *les ~,* the Scotch ‖ **~e** *f* Scotland.

écosser [ekɔse] *vt* (1) shell, hull, pod.

écot [eko] *m* share ; *payer son ~,* pay one's share ; *chacun a payé son ~,* we/they/all went Dutch.

écoul|ement [ekulmã] *m* [liquide] flow, outflow ‖ [temps] passing, passage ‖ Méd. discharge (de pus) ; flow (de sang) ‖ ~**er** *vt* (1) pass (de faux billets) ‖ Comm. dispose of (des marchandises) — *vpr s'* ~, [liquide] flow out/away, run off ‖ [temps] pass/go by, elapse ‖ Comm. [marchandises] sell.

écourter [ekurte] *vt* (1) shorten ‖ cut short (visite) ‖ dock (queue d'animal).

écoute¹ [ekut] *f* Naut. sheet.

écout|e² [ekut] *f* listening ‖ Rad. listening ; *être à l'* ~, be tuned in (de, on) ; *rester à l'* ~, keep listening in ‖ T.V. *heure de grande* ~, peak viewing time ‖ Tél. ~**s téléphoniques,** telephone tapping ; *mettre (une ligne) sur (table d')* ~, tap (a line) ‖ Fam. *Pl être aux* ~*s,* be eavesdropping (furtivement) ‖ ~**er** *vt* (1) listen to (qqn) ‖ play back (l'enregistrement au magnétophone) ‖ Fam. *écoutez !,* look here ! ; *écoutez-moi bien !,* mark my words ! — *vi* ~ *aux portes,* eavesdrop ‖ ~**eur** *m* Tél. receiver, earphone ; *Pl* headphones.

écoutille [ekutij] *f* Naut. hatch (way), scuttle.

écran [ekrã] *m* Cin. screen ; *porter à l'* ~, screen ‖ T.V. ~ *de contrôle,* monitor (screen) ; Fam. *sur le petit* ~, on the box (fam.).

écras|ant, e [ekrazã, ãt] *adj* crushing (poids, défaite) ; overwhelming (supériorité) ‖ ~**ement** *m* crush(ing) ; grinding (sous-la-meule) ‖ Fig. defeat ‖ ~**er** *vt* (1) crush ; stamp on (avec le pied) ; grind (à la meule) ; pound (au pilon) ; squash (un fruit) ; stub/put out (une cigarette) ; swat (une mouche) ‖ Aut. run over (qqn) ; *se faire* ~, get run over ‖ Comm. slash (les prix) ‖ Fig. crush, put down (rébellion) — *vi* Fam. *en* ~, sleep like a log/top — *vpr s'* ~, [foule] get crushed (dans, in) ; *on s'écrasait pour entrer,* there was a great crush to get in ‖ Aut. crash (contre, into) ‖ Av. crash.

écrém|er [ekreme] *vt* (5) cream, skim (lait).

écrevisse [ekrəvis] *f* crayfish.

écrier (s') [sekrije] *vpr* (1) exclaim, cry out.

écrin [ekrẽ] *m* case.

écr|ire [ekrir] *vt* (44) write ‖ write down (inscrire) ; ~ *en toutes lettres,* write out ; ~ *une lettre à qqn,* write sb a letter ; ~ *un mot à qqn,* drop sb a line ; ~ *en vitesse,* dash off ‖ ~ *à un journal/une station radiophonique pour protester,* write in to protest ; [journaliste] ~*dans un journal,* contribute to a newspaper ‖ write up (un compte rendu) [*sur, about*] ‖ spell (orthographier) ; *mal* ~, misspell — *vpr s'* ~, [mot] be spelt ; *ça s'écrit avec deux r,* it is spelt with two r's ‖ ~**it, e** [-i, it] *adj* written ● *m* writing ; *par* ~, in writing ; *mettre par* ~, write down, put down in writing ‖ [examen] written examination ‖ ~**iteau** [-ito] *m* (notice)board ‖ [manifestation] placard ‖ ~**iture** [-ityr] *f* writing ‖ script, hand(writing) ; *avoir une belle* ~, write a good hand ‖ Rel. *Écriture sainte,* Scriptures, Holy Writ ‖ ~**ivain** [-ivẽ] *m* writer, author ; *être* ~, write.

écrou [ekru] *m* nut.

écroul|ement [ekrulmã] *m* collapse, crumbling (pr. et fig.) ‖ ~**er (s')** *vi* (1) [bâtiment] collapse, give way, crumble down ‖ [personne] slump down, collapse ‖ Fig. [plans] crumble, collapse, fall through ; [résistance] break down.

écru, e [ekry] *adj* raw ; unbleached.

écueil [ekœj] *m* Naut. reef, rock ‖ Fig. *Pl* pitfalls.

éculé, e [ekyle] *adj* down at heel (souliers) ‖ Fig. hackneyed, outworn.

écum|e [ekym] *f* [bière, mer] foam ; [bouche] froth ‖ *pipe en* ~ *de mer,* meerschaum pipe ‖ ~**er** *vi* (1) [mer] foam ; [bouche] froth at the mouth — *vt* skim (off) [bouillon] ‖ ~**eux, euse** *adj* foamy ‖ ~**oire** *f* skimmer.

écureuil [ekyrœj] *m* squirrel.

écurie [ekyri] *f* stable, U.S. barn ; ~ *de course,* racing stable (lieu) ; (racing) stud (chevaux) ; *mettre à l'*~, stable.

écusson [ekysɔ̃] *m* Mɪʟ. badge.

écuyère [ekɥijɛr] *f* horsewoman.

eczéma [ɛgzema] *m* eczema.

édent|é, e [edɑ̃te] *adj* toothless.

édifice [edifis] *m* building || ~ier *vt* (1) build, erect, construct.

édi|ter [edite] *vt* (1) publish || ~teur, trice *n* publisher || ~tion *f* publishing (action) || *maison d'*~, publishing house || edition (tirage) ; issue (d'un journal) ; ~ *spéciale,* special (edition), extra || ~torial, aux [-tɔrjal, o] *m* leader, editorial.

édredon [edrədɔ̃] *m* eider-down.

éducateur, trice [edykatœr, tris] *n* educator || ~tif, ive *adj* educational || ~tion *f* education ; ~ *physique,* physical training ; ~ *sexuelle,* sex education ; *maison d'*~ *surveillée,* approved school, borstal || upbringing (des enfants) || *la bonne* ~, good breeding ; *avoir de l'*~, be well-bred ; *sans* ~, ill-bred.

édulcor|ant, e [edylkɔrɑ̃] *m* sweetener || ~er *vt* (1) sweeten (sucrer) || Fɪɢ. water down.

éduquer [edyke] *vt* (1) educate (à l'école) ; bring up (à la maison).

effac|ement [efasmɑ̃] *m* obliteration || [bande magnétique] erasing ; → ᴛÊᴛᴇ || Fɪɢ. wiping-away (d'un souvenir) || ~é, e *adj* Fɪɢ. retiring, unassuming (personne) || ~er *vt* (6) obliterate, efface (inscription) || rub out (avec une gomme) ; erase (au grattoir) ; wipe away/out (en essuyant) ; clean (tableau noir) || Iɴꜰ. erase, clear (bande magnétique, disque, etc.) || Fɪɢ. blot out — *vpr s'*~, [inscription] wear away || Fɪɢ. [souvenir] fade ; [personne] step aside (s'écarter) ; remain in the background (se tenir à l'écart).

effar|ant, e [efarɑ̃, ɑ̃t] *adj* alarm-ing, frightening, appalling (effrayant) || ~é, e *adj* alarmed, appalled || ~er *vt* (1) alarm, scare || ~oucher [-uʃe] *vt* (1) frighten/scare away — *vpr s'*~ *de,* be shocked/alarmed by (par pudeur).

effectif¹ [efɛktif] *m* [école] (total) number of (pupils), enrolment || Mɪʟ. strength ; ~ *de guerre,* war establish-ment || Nᴀᴜᴛ. complement.

effect|if², ive *adj* effective, actual || ~ivement *adv* effectively, ac-tually (réellement) ; infact, actually.

effectuer [efɛktɥe] *vt* (1) carry out (manœuvre, réparation, etc.) || work out (un calcul) — *vpr s'*~ *de,* be made ; go/come off.

efféminé, e [efemine] *adj* effe-minate, womanish.

effervesc|ence [efɛrvesɑ̃s] *f* effer-vescence || Fɪɢ. turmoil, excitement || ~ent, e *adj* effervescent.

effet [efɛ] *m* effect, result, conse-quence ; impact ; *produire un* ~, have an effect (*sur,* on) ; *manquer son* ~, fall flat ; *sans* ~, ineffectual || [mé-dicament] ~*s secondaires,* side ef-fects ; execution ; *prendre* ~, take effect || [émotion] impression ; *faire de l'*~, create asensation ; *faire bon/mauvais* ~, make a good/bad impression ; *il m'a fait bon* ~, I was favourably impressed by him || [sen-sation] impression ; *faire l'*~ *de,* seem/look/feel like || *Pl* belongings, things, clothes || Cᴏᴍᴍ. bill || Sᴘ. twist, spin (sur une balle) ● *loc adv en* ~, indeed, as a matter of fact, quite so, sure enough ; [confirma-tion] → ᴇꜰꜰᴇᴄᴛɪᴠᴇᴍᴇɴᴛ ; *sous l'*~ *de,* under the influence of ; *à cet* ~, to that effect.

effeuill|er [efœje] *vt* (1) pluck off the leaves (d'un arbre)/the petals (d'une fleur) — *vpr s'*~, shed its leaves/petals || ~euse *f* Tʜ. stripper.

efficac|e [efikas] *adj* effective (chose) ; efficient (personne) ; busi-ness-like (méthodique) || ~ement *adv* effectively ; efficiently ‖ ~**ité** *f* effectiveness ; efficiency.

effigie [efiʒi] *f* effigy.

effil|é, e [efile] *adj* tapering (doigt) ‖ ~**er** *vt* (1) thin (out) [cheveux] ‖ ~**ocher** [-ɔʃe] *vt* (1) fray (un tissu) — *vpr s'~*, [tissu] fray.

efflanqué, e [eflāke] *adj* lank(y).

effleur|ement [eflœrmā] *m* light touch, brush ‖ ~**er** *vt* (1) brush against, touch lightly (doucement) ‖ FIG. skim, touch on (un sujet) ; cross (l'esprit).

effondr|é, e [efɔ̄dre] *adj* FIG. prostrate ‖ ~**ement** *m* collapse ‖ FIN. slump ‖ FIG. collapse ; prostration ‖ ~**er (s')** *vpr* (1) [bâtiment] collapse ; [toit] fall in ; [plancher] cave in ‖ FIN. [cours] slump ‖ MÉD. [santé, personne] break down ‖ FIG. [personne, projet] collapse ‖ [personne] crack up, go to pieces (coll.).

eff|orcer (s') [efɔrse] *vpr* (6) try hard, strive, do one's best (*de*, to) ‖ ~**ort** [-ɔr] *m* effort ; *faire un ~*, make an effort ; *faire tous ses ~s pour*, do one's utmost to ; *sans ~*, easily, effortlessly ‖ TECHN. strain, stress ; pull (de traction) ‖ FIG. *loi du moindre ~*, line of least resistance ‖ endeavour, bid (tentative).

effraction [efraksjɔ̄] *f* break-in ; *vol avec ~*, house-breaking ; *entrer par ~*, break in(to).

effray|ant, e [efrejā, āt] *adj* frightening ; [sens faible] dreadful ‖ ~**er** *vt* (9 *b*) frighten ; scare — *vpr s'~*, take fright (*de*, at) ; be frightened/scared (*de*, by).

effréné, e [efrene] *adj* uncontrolled, unrestrained, frenzied, frantic, wild.

effriter (s') [efrite] *vpr* (1) crumble (away) ; flake (away/off).

effront|é, e [efrɔ̄te] *adj* impudent, cheeky ‖ [menteur] bare-faced, shameless ‖ ~**erie** [-ri] *f* impudence, cheek ‖ shamelessness, effrontery.

effroyable [efrwajabl] *adj* frightful, dreadful, appalling.

effusion [efyzjɔ̄] *f* effusion ; ~ *de sang*, bloodshed.

égal, e, aux [egal, o] *adj* equal (*à*, to) ‖ even (régulier) ; smooth (chemin) ‖ FIG. even (caractère) ; d'humeur ~*e*, even-tempered ‖ *cela m'est ~*, it is all one/all the same to me, I don't mind/care ● *n* equal ; *être l'~ de*, equal, be on a par with (qqn) ; *traiter d'~ à ~ avec qqn*, treat sb as an equal ; *sans ~*, matchless, peerless ‖ ~**ement** *adv* equally ‖ likewise (de la même manière) ‖ [aussi] as well, also, too ‖ ~**er** *vt* (1) equal, be equal to ; match ; *tenter d'~*, emulate ‖ MATH. *2 plus 2 égalent 4*, 2 plus 2 equals 4‖ ~**isation** *f* SP. equalization ‖ ~**iser** *vt* (1) equalize, make equal ‖ level (niveler) ‖ SP. equalize ‖ ~**ité** *f* equality ; *être à ~*, be equal ; [match] draw ‖ SP. tie (de points) ; [tennis] deuce.

égard [egar] *m* [respect] consideration, respect ; *n'avoir aucun ~ pour*, have no consideration/regard for ; *manquer d'~s envers*, be inconsiderate towards ; *avoir beaucoup d'~s pour*, show great consideration for ● *loc à l'~ de*, towards, concerning ; *à certains/tous ~s*, in some/all respects ; *à cet ~*, in this respect, on that score ; *par ~ pour*, out of consideration for ; *eu ~ à*, considering, in view of ; *sans ~ pour*, regardless of.

égar|é, e [egare] *adj* stray (animal) ; misplaced, mislaid (objet) ; lost (personne) ‖ haggard, wild (air, regard) ‖ ~**er** *vt* (1) misplace, mislay (un objet) ; lead astray (qqn) ; lose (perdre) — *vpr s'~*, go astray, stray, lose one's way, get lost.

égayer [egeje] *vt* (9 *b*) enliven (la conversation) ; brighten up (un lieu) ; cheer up (qqn).

églantier [eglātje] sweet-briar.

église [egliz] *f* church (édifice, clergé).

égo|centrique [egosātrik] *adj* self-centred ‖ ~**centrisme** [-ɔism] *m* selfishness, egoism ‖ ~**iste** *adj* selfish, egoistic ● *n* egoist.

égorger [egɔrʒe] *vt* (6) cut the throat of.

égosiller (s') [segozije] *vpr* (1) shout oneself hoarse.

égout [egu] *m* sewer ; *eaux d'~,* sewage.

égoutt|er [egute] *vt* (1) drain (off) ; drain dry (verres) ; strain (avec une passoire) — *vpr s'~,* drip (goutte à goutte) ; drain || ~**oir** *m* platerack, draining-board.

égratign|er [egratiɲe] *vt* (1) scratch || ~**ure** *f* scratch.

égrillard, e [egrijar, ard] *adj* ribald.

Égypte [eʒipt] *f* Egypt || ~**tien, ienne** [-sjɛ̃, -sjɛn] *n* Egyptian.

eh ! [e] *exclam* hey ! hi ! ; ~ *bien ?,* well ?

éhonté, e [eɔ̃te] *adj* shameless, barefaced.

éjec|ter [eʒɛkte] *vt* (1) eject || FAM. *se faire ~,* get kiked out || ~**tion** *f* ejection (de vapeur).

élaborer [elabɔre] *vt* (1) work out, elaborate ; evolve (une théorie).

élaguer [elage] *vt* (1) prune (un arbre).

élan¹ [elɑ̃] *m* ZOOL., elk, U.S. moose.

élan² *m* impetus, momentum (vitesse acquise) || SP. run up ; *prendre son ~,* take a run up ; *saut avec/sans ~,* running/standing jump || FIG. surge || ~**cé, e** [-se] *adj* (tall and) slender (forme) || ~**cement** [-smɑ̃] *m* [douleur] shooting pain || ~**cer** *vi* [douleur] give shooting pains — *vpr s'~,* dash, rush.

élarg|ir [elarʒir] *vt* (2) widen ; make wider || let out (une robe) || FIG. broaden (débats) — *vpr s'~,* widen, grow wider, expand || ~**issement** *m* widening || letting out (d'une robe) || FIG. broadening.

élast|icité [elastisite] *f* elasticity, resilience, spring ; [tissu] give || FIG. laxity (de la morale) || ~**ique** *adj* elastic, springy, resilient ; stretch (tissu) ● *m* [bracelet] rubber band || [couture] elastic.

élec|teur, trice [elɛktœr, tris] *n* elector, constituent, voter || *Pl* constituency || ~**tion** *f* election ; polling ; ~ *partielle,* by-election ; ~*s législatives,* general elections || ~**toral, e, aux** [-tɔral, o] *adj* electoral.

électr|icien, ienne [elɛktrisjɛ̃, jɛn] *n* electrician || ~**icité** *f* electricity, power ; *à l'~,* electrically ; ~ *industrielle,* electrical engineering || ~**ifier** [-ifje] *vt* (1) electrify || ~**ique** *adj* electric, electrical || ~**iquement** *adv* electrically || ~**iser** [-ize] *vt* (1) electrify.

électro|-aimant [elɛktrɔɛmɑ̃] *m* electromagnet || ~**cardiogramme** [-kardjogram] *m* electrocardiogram || ~**choc** *m* electroshock || ~**cuter** [-kyte] *vt* (1) electrocute || ~**cution** [-kysjɔ̃] *f* electrocution || ~**de** [-trɔd] *f* electrode || ~**gène** [-ʒɛn] *adj* generating ; *groupe ~,* generating set || ~**lyse** [-liz] *f* electrolysis || ~**ménager** → APPAREIL.

électr|on [elɛktrɔ̃] *m* electron || ~**onique** [-ɔnik] *adj* electronic ; *jeux ~s,* computer games ● *f* electronics.

électro|phone [elɛktrɔfɔn] *m* record player || ~**statique** *adj* electrostatic || ~**technique** *f* electrical engineering.

élég|amment [elegamɑ̃] *adv* elegantly, handsomely || ~**ance** *f* elegance ; smartness ; *avec ~,* smartly || ~**ant, e** *adj* elegant ; stylish, smart, dressy (vêtements) ; welldressed, smart (personne) ; fashionable (société).

élémen|t [elemɑ̃] *m* element ; constituent || CH. element ; TECHN. unit ; ~ *de cuisine,* kitchen unit ; [hi-fi] component || FIG. *ne pas se sentir dans son ~,* not to feel at home || ~**taire** [-tɛr] *adj* elementary, basic.

éléphan|t, e [elefɑ̃, ɑ̃t] *n* elephant || ~**teau** [-to] *m* young elephant.

élevage [elvaʒ] *m* breeding, rearing ; *faire l'~ de,* breed.

élève [elev] *n* pupil ; schoolboy, school (girl) ; *ancien ~,* old boy.

élev|é, e [elve] *adj* high (montagne) ; tall (bâtiment) ; elevated (position) ‖ COMM. stiff (prix) ‖ FIG. exalted ; noble, lofty (style) ‖ FIG. [éducation] → ÉLEVER² ‖ ~**er¹** *vt* (5) [porter plus haut] raise, lift up ‖ [dresser] put up, erect ‖ [augmenter] raise ‖ [prix] put up ‖ MATH. ~ *à la puisse 3,* raise to the power of 3 ‖ FIG. lift up, elevate ; raise (une objection) — *vpr s'~,* rise ‖ go up *(jusqu'à,* to) ‖ soar (dans les airs) ; [ballon] ascend ‖ [édifice] stand *(sur,* on) ; tower *(au-dessus,* above) ‖ [cris] be uttered ‖ FIN. *s'~ à,* [somme] amount to ; total ‖ FIG. rise (dans la société) ; *s'~ contre,* object to.

élev|er² *vt* (5) [éduquer] bring up, rear, U.S. raise (enfants) ; rear, breed (animaux) ; ~ *des poules,* keep hens ‖ *bien élevé,* well-bred/-mannered ‖ *mal élevé,* ill-bred/-mannered ‖ ~**eur, euse** *n* breeder.

élimé, e [elime] *adj* threadbare ; shabby.

élimin|ation [eliminasjɔ̃] *f* elimination ‖ ~**atoire** [-atwar] *adj* eliminatory (examen) ; disqualifying (note) ‖ SP. *épreuve ~,* heat ● *f* SP. heat ; qualifying round ‖ ~**er** *vt* (1) eliminate ‖ exclude (possibilité) ‖ rule out (exclure) ‖ knock out (concurrent) ‖ phase out (progressivement).

élire [elir] *vt* (60) elect ‖ POL. elect, return (un député).

élite [elit] *f* elite ‖ flower ; cream ‖ MIL. *régiment d'~,* crack regiment ; *tireur m d'~,* crack shot.

elle [ɛl] *pron* [sujet féminin] she ‖ [sujet neutre] it ‖ *Pl* they ‖ [objet dir./indir.] her, it ; them ; *c'est ~,* it's her (coll.) ; *à ~,* of hers, of her own ; *Pl à ~s,* of theirs ‖ ~*-même,* herself *(f),* itself (neutre) ‖ ~*s -mêmes,* themselves.

ellip|se [elips] *f* ellipse ‖ ~**tique** [-tik] *adj* elliptic(al).

élocution [elɔkysjɔ̃] *f* delivery, elocution, diction, utterance.

élog|e [elɔʒ] *m* praise, commendation ; *digne d'~,* praiseworthy ; *faire l'~ de,* praise ‖ ~**ieux, ieuse** *adj* laudatory, complimentary, eulogistic.

éloign|é, e [elwaɲe] *adj* [espace] distant, far-away, far-off, remote ; *plus ~,* farther, further ; *le plus ~,* the farthest ‖ [temps] remote, distant ‖ distant (parent) ‖ ~**ement** *m* distance ‖ ~**er** *vt* (1) take away ; move away (qqch) ; remove *(de,* from) ‖ divert (détourner) *[de,* from] — *vpr s'~,* go/get away, move off, make away.

éloqu|ence [elɔkɑ̃s] *f* eloquence ‖ ~**ent, e** *adj* eloquent.

élu, e [ely] → ÉLIRE.

élucid|ation [elysidasjɔ̃] *f* elucidation ‖ ~**er** *vt* (1) elucidate, clear up, clarify.

éluder [elyde] *vt* (1) elude, evade (une question) ; dodge (une difficulté).

émacié, e [emasje] *adj* emaciated.

ém|ail, aux [emaj, o] *m* enamel ‖ ~**ailler** [-aje] *vt* (1) enamel ‖ FIG. spangle, stud (consteller) ; *émaillé d'incidents,* marked with incidents.

émanation [emanasjɔ̃] *f* exhalation (de gaz) ‖ FIG. product.

émancip|ation [emɑ̃sipasjɔ̃] *f* emancipation ‖ ~**er** *vt* (1) free ‖ JUR. emancipate — *vpr s'~,* liberate oneself ; become emancipated.

émaner [emane] *vt* (1) emanate *(de,* from).

emball|age [ɑ̃balaʒ] *m* packing ; wrapping ; package ; ~ *perdu,* disposable wrapping ; ~ *vides,* empties ‖ ~**er¹** *vt* (1) pack (up) ; wrap/do up (dans du papier) ‖ ~**eur, euse** *n* packer.

emballer² *vt* (1) race, rev (moteur) ‖ FAM. carry away (enthousiasmer) ; *être emballé par,* be hooked on, be keen/enthusiastic on — *vpr s'~,* [cheval] bolt ‖ [moteur] race ‖ [personne] be carried away/worked up, U.S. enthuse.

embarca|dère [ãbarkader] *m* wharf, U.S. pier ‖ ~**tion** *f* boat, craft.

embardée [ãbarde] *f* Aut. swerve, lurch ; *faire une* ~, swerve, give a swerve.

embargo [ãbargo] *m* embargo ; *mettre/lever l'* ~, lay an/raise the embargo (*sur,* on).

embarqu|ement [ãbarkəmã] *m* [marchandises] loading ; shipment ; [passagers] boarding ‖ Av. boarding ; *salle d'* ~, departure lounge ‖ ~**er** *vt* (1) take on board, embark (passagers) ; load, ship (marchandises) — *vi/vpr* s'~, board ; go on board ‖ Fig. s'~ *dans,* embark upon, launch out on.

embarras [ãbara] *m* [gêne] hindrance, obstacle ; ~ *de la circulation,* congestion ‖ [souci] confusion, embarrassment ; *être dans l'* ~, be in trouble, be at a loss ‖ [situation difficile] predicament ; *tirer qqn de l'* ~, help sb out of a scrape ‖ *Pl* ~ *d'argent,* money worries ‖ Fam. *faire des* ~, make a fuss ‖ Méd. ~ *gastrique,* upset stomach ‖ ~**sant, e** [-sã, ãt] *adj* cumbersome (encombrant) ‖ awkward (question) ; puzzling (problème) ‖ ~**sé, e** [-se] *adj* embarrassed, ill-at-ease (personne) ‖ encumbered (encombré) ; full (les mains) ‖ Méd. upset (stomach) ‖ Fig. perplexed, embarrassed ; at a loss (pour répondre) ; confused (situation) ‖ ~**ser** [-se] *vt* (1) encumber (encombrer) ; hinder, be in the way (gêner) ‖ Fig. embarrass, puzzle, nonplus, put out — *vpr* s'~, burden oneself (*de,* with) ‖ Fig. bother (se préoccuper) [*de,* about].

embauch|e [ãboʃ] *f* taking-on, hiring, enrolment ‖ vacancies (postes disponibles) ‖ ~**er** *vt* (1) engage, hire, take on, enroll, sign on (des ouvriers) — *vpr* s'~, sign on.

embauchoir [ãboʃwar] *m* shoe-tree.

embaum|é, e [ãbome] *adj* balmy ‖ ~**er** *vt* (1) embalm (un mort) — *vi* give out a fragrance.

embell|ir [ãbelir] *vt* (2) beautify, embellish ; make more attractive (femme) — *vi* grow lovelier/more attractive ‖ ~**issement** *m* embellishment ‖ improvement (d'une ville).

embêt|ant, e [ãbɛtã, ãt] *adj* tiresome, boring (ennuyeux) ‖ annoying (contrariant) ‖ ~**é, e** *adj* worried (tourmenté) ‖ ~**ement** *m* nuisance, bother ‖ ~**er** *vt* (1) bore (ennuyer) ‖ bother (importuner) ‖ worry (tourmenter).

emblée (d') [dãble] *loc adv* right away, directly.

emblème [ãblɛm] *m* emblem.

embobiner [ãbɔbine] *vt* (1) reel (in/up) ‖ Fam. hoodwink ; bamboozle (coll.) [duper].

emboîter [ãbwate] *vt* (1) fit into ; ~ *le pas à qqn,* tread in sb's foot-steps ; Fig. follow suit — *vpr* s'~, fit into each other, fit together, nest.

embonpoint [ãbɔ̃pwɛ̃] *m* stoutness ; spread ; *prendre de l'* ~, become stout.

embouch|é, e [ãbuʃe] *adj mal* ~, foul mouthed ‖ ~**er** *vt* (1) put to one's mouth ‖ ~**ure** *f* Mus. mouthpiece ‖ Géogr. mouth (d'une rivière).

embourber (s') [sãburbe] *vpr* (1) get bogged down.

embouteillage [ãbuteja3] *m* [circulation] hold-up, traffic jam ; traffic snarl-up.

emboutir [ãbutir] *vt* (2) Techn. stamp, press ‖ Aut., Fam. crash into — *vpr* s'~, Aut. crash, collide.

embranchement [ãbrãʃmã] *m* fork, junction, turning (de routes) ‖ Rail. junction, branch line.

embrasement [ãbrazmã] *m* illumination (par la lumière) ‖ ~**er** *vt* (1) set ablaze (par le feu) ; illuminate (par la lumière) — *vpr s'~*, blaze up, flare up ‖ become illuminated.

embrass|ade [ɑ̃brasad] *f* hugging and kissing ‖ **~er** *vt* (1) kiss (donner des baisers) ; hug, embrace (enlacer) ‖ FIG. take up, enter upon (une carrière) ; embrace (englober) — *v récipr s'~*, kiss (each other).

embrasure [ɑ̃brazyr] *f ~ de la porte*, doorway.

embray|age [ɑ̃brɛjaʒ] *m* AUT. clutch (appareil) ; putting into gear (action) ‖ **~er** *vi/vt* (9 *b*) TECHN. throw into gear ‖ AUT. engage/let in the clutch ‖ FAM. start work.

embrocation [ɑ̃brɔkasjɔ̃] *f* embrocation.

embrouill|amini [ɑ̃brujamini] *m* FAM. tangle, muddle ‖ **~é, e** *adj* muddled, confused, fuddled (idées) ‖ **~er** *vt* (1) ravel, (en)tangle (ficelle, etc.) ; mix up (papiers) ‖ FIG. mess up, muddle up, confuse (une question) — *vpr s'~*, get into a tangle ‖ FIG. get into a muddle, become confused, get mixed up.

embruns [ɑ̃brœ̃] *mpl* spray.

embryon [ɑ̃brijɔ̃] *m* embryo.

embûches [ɑ̃byʃ] *fpl* traps ; *semé d'~*, full of pitfalls.

embué, e [ɑ̃bye] *adj* misted-up (miroir) ‖ clouded, dewy (yeux).

embus|cade [ɑ̃byskad] *f* ambush ; *se tenir en ~*, lie in ambush ; *tomber dans une ~*, fall into an ambush ‖ **~quer** *vt* (1) station in ambush — *vpr s'~*, lie in ambush.

éméché, e [emeʃe] *adj* tipsy.

émeraude [emrod] *f* emerald.

émerger [emɛrʒe] *vi* (5) emerge, rise up.

émeri [emri] *m* emery ; *toile ~*, emery-cloth ; *bouché à l'~*, stoppered.

émerillon [emrijɔ̃] *m* [ligne pour pêcher] swivel.

émerveill|é, e [emɛrveje] *adj* filled with wonder, starry-eyed ‖ **~ement** *m* wonder ‖ **~er** *vt* (1) fill with

wonder — *vpr s'~*, be filled with wonder, marvel (*de*, at).

ém|etteur, trice [emetœr, tris] *adj* RAD. transmitting ; *poste ~*, radio-station, broadcasting station ● *m* RAD. transmitter ; **~-récepteur**, transceiver ‖ **~ettre** [-ɛtr] *vt* (64) give out (lumière) ; emit (chaleur, lumière) ; give off, send forth (odeur) ‖ issue (des timbres) ‖ RAD. broadcast, transmit ‖ FIN. draw (chèque) ‖ FIG. put forward (idée).

émeut|e [emøt] *f* riot, outbreak of violence ‖ **~ier, ière** *n* rioter.

émiett|ement [emjɛtmɑ̃] *m* crumbling ‖ **~er** *vt* (1) crumble — *vpr s'~*, crumble.

émigr|ant, e [emigrɑ̃, ɑ̃t] *n* emigrant ‖ **~ation** *f* emigration ‖ **~é, e** *n* expatriate ‖ HIST. émigré ‖ **~er** *vi* (1) emigrate ‖ [oiseaux] migrate.

émincer [emɛ̃se] *vt* (6) shred.

émin|ence [eminɑ̃s] *f* rise (colline) ‖ FIG. prominence ‖ REL. *Éminence*, Eminence (titre) ‖ **~ent, e** *adj* FIG. prominent, outstanding, eminent.

émir [emir] *m* emir ‖ **~at** [-a] *m* emirate.

émissaire [emisɛr] *m* emissary, envoy ‖ → BOUC.

émission [emisjɔ̃] *f* giving out, emission (de chaleur, de lumière, de parfum) ‖ FIN. issue ‖ RAD., T.V. transmission, programme, broadcast ; transmitting, broadcasting (action) ; *~ différée/en direct*, recorded/live broadcast ; *~ télévisée*, telecast ; *commencer/terminer l'~*, sign on/off.

emmagasin|age [ɑ̃magazinaʒ] *m* storage ‖ **~er** *vt* (1) store up.

emmailloter [ɑ̃majɔte] *vt* (1) bandage (pied, etc.) ‖ wrap up (bébé).

emmanch|er [ɑ̃mɑ̃ʃe] *vt* (1) put a handle to ‖ **~ure** *f* arm-hole.

emmêler [ɑ̃mɛle] *vt* (1) (en)tangle (up) (cheveux, corde) ‖ [passif] snarl

159   **emm — emp**

(up) ‖ Fɪɢ. confuse, muddle up, mix up — *vpr* s'~, tangle, get in a tangle.

emménag|ement [āmenaʒmā] *m* moving in ‖ ~**er** *vi/vt* (7) move in.

emmener [āmne] *vt* (5) take away/off ; ~ *qqn,* take sb.

emmerd|ant, e [āmɛrdā, āt] *adj* Pᴏᴘ. bloody boring ‖ ~**er** *vt* (1) ~ *qqn,* get on sb's wick ; *il nous emmerde,* he's a bloody nuisance — *vpr* s'~, be bored stiff/to death ‖ ~**eur, euse** *n* pain in the arse.

emmitoufler [āmitufle] *vt* (13) muffle (up) [*dans,* in] — *vpr* s'~, muffle oneself up, bundle (oneself) up.

emmurer [āmyre] *vt* (1) [accident] entomb, bury, trap.

émonder [emɔ̃de] *vt* (1) prune, lop, trim.

émo|tif, ive [emotif, iv] *adj* emotional, easily upset ‖ ~**tion** *f* emotion, excitement (sentiments) ; thrill ; fright, shock (peur).

émoulu, e [emuly] *adj* frais ~ *de,* fresh from.

émouss|é, e [emuse] *adj* blunt (couteau) ‖ ~**er** *vt* (1) blunt ‖ Fɪɢ. take the edge off (appétit) — *vpr* s'~, Fɪɢ. become dull.

émoustiller [emustije] *vt* (1) titillate.

émouv|ant, e [emuvā, āt] *adj* moving, stirring, exciting ‖ ~**oir** *vt* (67) move, touch, affect (toucher) ‖ upset, disturb (bouleverser) ‖ thrill (transporter) ‖ stir, excite (exciter) — *vpr* s'~, be/get upset ; get excited.

empailler [āpaje] *vt* (1) stuff (un animal) ‖ rush-bottom (une chaise).

empaquet|age [āpaktaʒ] *m* packing ‖ ~**er** *vt* (8 *a*) pack(age).

emparer (s') [sāpare] *vpr* (1) s'~ *de,* seize, grasp, grab, lay hands on, lay hold of ; *tenter de* ~ *de,* grasp at ‖ Fɪɢ. take possession of ; (sentiments) come over.

empattement [āpatmā] *m* Aᴜᴛ. wheelbase.

empêch|ement [āpeʃmā] *m* impediment, hindrance, obstacle ; unexpected difficulty ; *en cas d'~,* if there's a hitch ‖ ~**er** *vt* (1) prevent, stop (*de,* from) ; ~ *qqn de faire qqch,* prevent/restrain sb from doing sth ; ~ *d'entrer,* keep out ; ~ *de se coucher,* keep up ; ~ *de dormir,* keep awake — *vpr* s'~ *de,* refrain from ; *il ne pouvait* s'~ *de rire,* he couldn't help laughing.

empennage [āpenaʒ] *m* (flèche) feathering ‖ Av. fin.

empereur [āprœr] *m* emperor.

empeser [āpəze] *vt* (1) starch.

empester [āpeste] *vi* (1) (odeur) stink (of), reek (of).

empêtrer (s') [sāpetre] *vpr* (1) get tangled (*dans,* in).

empha|se [āfaz] *f* grandiloquence ‖ ~**tique** *adj* bombastic, pompous.

empiét|ement [āpjetmā] *m* encroachment (*sur,* on) ; overlap ‖ ~**er** *vi* (1) encroach, trespass (*sur,* upon) (la propriété d'autrui) ‖ Fɪɢ. intrude, infringe (*sur,* upon) (les droits, le temps).

empiffrer (s') [sāpifre] *vpr* (1) guzzle ; stuff oneself (up, with).

empiler [āpile] *vt* (1) stack/pile (up) ‖ Pᴏᴘ. *se faire* ~, be had (coll.).

empire [āpir] *m* empire (État) ‖ Fɪɢ. influence, sway (*sur,* over) ; ~ *sur soi-même,* self-control ‖ *sous l'*~ *de,* under the influence of, impelled by.

empirer [āpire] *vi* (1) worsen, get worse, deteriorate.

empir|ique [āpirik] *adj* empiric ‖ ~**iquement** *adv* empirically, by rule of thumb ‖ ~**isme** *m* empiricism.

emplacement [āplasmā] *m* site, place ‖ (construction) location.

emplâtre [āplɑtr] *m* Mᴇ́ᴅ. plaster.

emplette [āplet] *f* purchase ; *faire des* ~s, go shopping.

emplir [ãplir] vt (2) fill.

empl|oi [ãplwa] m use ; *mode d'~,* directions for use ; *prêt à l'~,* ready for use ‖ **~ du temps,** daily routine (quotidien) ; agenda (prévu) ; timetable (tableau) ‖ employment, job, appointment ; *agence pour l'~,* Labour Exchange ; *demande/offre d'~,* situation wanted/vacant ; *sans ~,* out of work, unemployed, jobless ; *être sans ~,* be redundant ; *plein ~,* full employment ‖ GRAMM. [mot] *faire double ~,* be a useless repetition ‖ **~oyé, e** [-waje] n employee — *de bureau,* office worker, clerk ; *~ de chemin de fer,* railwayman ‖ **~oyer** vt (9 a) use, make use of ‖ employ (personne) ‖ spend, use (argent) ; *bien ~,* make good use of (argent, temps) ; *mal ~,* misuse ; *ne plus s'~,* be no longer in use ‖ **~oyeur, euse** [-wajœr, øz] n employer.

empocher [ãpɔʃe] vt (1) pocket.

empoigner [ãpwaɲe] vt (1) grab, grasp (saisir) ; collar (un malfaiteur) — *vpr s'~,* FAM. have a set-to (coll.).

empoison|ant, e [ãpwazɔnã, ãt] *adj* annoying ; *ce qu'il peut être ~ !,* he's such a nuisance/pain ! ‖ **~é, e** *adj* poisoned ; poisonous ‖ **~ement** m poisoning ‖ **~er** vt (1) poison ‖ FAM. bother — vi stink ; reek of (empester) — *vpr s'~,* poison oneself ‖ FAM. [s'ennuyer] be bored.

emport|é, e [ãpɔrte] *adj* quicktempered, short-tempered ‖ **~e- pièce** m *inv* punch ● *loc à l'~,* cutting, incisive (remarque) ‖ **~er** vt (1) take (with one) [bagage, etc.) ‖ take away, remove ‖ COMM. *(repas) à ~,* take-away (meal) ‖ MIL. storm ‖ FIG. [passion] carry away ; *l'~ sur,* get the upper hand of, get the best/better of ; [méthode] prevail over ; outmatch (concurrents) ; [avantages] outweigh ; *l'~,* carry the day — *vpr s'~,* lose one's temper, fly into a rage, flare up.

empoté, e [ãpɔte] *adj* awkward, clumsy.

empreinte [ãprɛ̃t] f imprint, impression ; *~e de pas,* footprint ; *~es digitales,* fingerprints ‖ FIG. mark, stamp.

empress|é, e [ãprese] *adj* attentive ‖ **~ement** m attentiveness, readiness, eagerness ‖ **~er (s')** vpr (1) hasten (de, to) ‖ bustle about (s'affairer).

emprisonn|ement [ãprizɔnmã] m confinement, imprisonment ‖ **~er** vt (1) imprison, put in prison/jail.

emprun|t [ãprœ̃] m borrowing ; *d'~,* assumed (nom) ‖ FIN. loan ; mortgage (pour acheter une maison) ‖ **~té, e** [-te] *adj* FIG. clumsy, ill-at-ease, self-conscious (personne) ‖ **~ter** vt (1) borrow (à, from) ; raise money ‖ FIG. take (un mot) [à, from] ; take (une route) ‖ **~teur** m borrower.

ému, e [emy] *adj* moved (par, by) ‖ upset (perturbé) ; agitated (troublé) ; nervous (tendu).

émul|ation [emylasjɔ̃] f emulation ; *rivaliser d'~ avec,* vie with.

émulsion [emylsjɔ̃] f emulsion.

en [ã] *prép* [lieu, sans mouvement] in, at ; *~ mer,* at sea ; *~ train,* on the train ; [lieu, avec mouvement] (in)to ; *aller ~ Angleterre,* go to England ‖ [temps] in ; *~ juin,* in June ; *~ deux heures,* in two hours ‖ [manière d'être] in ; *~ habit,* in evening dress ; *~ désordre,* in disorder ; *déguisé ~ femme,* disguised as a woman ; *~ groupe,* in a group ; *~ ami,* as a friend ‖ [matière] made (out) of ; *une bague ~ or,* a gold ring ‖ [transformation] (in)to ; *réduire ~ cendres,* reduce to ashes ; *traduire ~ français,* translate into French ‖ [moyen de transport] ; *~ avion,* by air/plane ; *~ bateau/taxi/train,* by boat/taxi/train ‖ **en** + *part prés* [manière] *sortir ~ courant/rampant,* run/crawl out ‖ [moyen] by ; *~ travaillant,* by working ‖ [temps] when, while, on (+ -ing) ; *~ entrant,* on entering ; as ; *~ venant ici,* as I was coming here ; [non traduit] *il sortit ~ riant,* he went out laughing ‖ *~ ce que,* in that ● *pron* [= *de cela/cette personne*] *about/of/with, it/him/her* ; *il ne s'~ soucie pas,* he doesn't care about it ; *j'~ ai besoin,* I need it ‖ [sens partitif] some, any ; none ; *prenez-~,* take some ; *il n'~ a pas,* he hasn't got any ● *adv* [lieu] from there ; *elle ~ vient,* she has just come from there.

énarque [enark] *n* (former) student of the E.N.A.

encadr|ement [ɑ̃kadrəmɑ̃] *m* framing ‖ frame (de porte, de fenêtre) ‖ Mɪʟ. officering (des troupes) ‖ Fɪɢ. training staff (instructeurs) ‖ **~er** *vt* (1) frame (un tableau) ; mount (une photo) ‖ Mɪʟ. officer (les hommes) ; [tir] straddle (le but) ‖ Fɪɢ. control, supervise ; train (instruire).

encaissé, e [ɑ̃kese] *adj* sunken (route) ; deep (valley) ; deeply embanked (rivière).

encaiss|ement [ɑ̃kɛsmɑ̃] *m* Fɪɴ. collection ‖ **~er** *vt* (1) Fɪɴ. cash (un chèque) ; collect (argent) ‖ Sᴘ. take (un coup) ‖ Fᴀᴍ. swallow (un affront) ; *je ne peux pas l'~,* I cant stand him.

encart [ɑ̃kar] *m* insert, inset.

en-cas [ɑ̃kɑ] *m inv* snack.

encastr|é, e [ɑ̃kastre] *adj* built-in (incorporé) ‖ **~er** *vt* (1) embed, fit (*dans,* into) — *vpr* **s'~,** fit, nest (*dans,* into) ‖ [accidentellement] get jammed/stuck.

encaustiqu|e [ɑ̃kostik] *f* wax-/floor-polish ‖ **~er** *vt* (1) polish.

enceinte¹ [ɑ̃sɛ̃t] *f* enclosure, walls (murs) ‖ enclosure ; *dans l'~ de,* within the precincts of ‖ Rᴀᴅ. speakers.

enceinte² *adj* Mᴇ́ᴅ. pregnant, with child ; Fᴀᴍ. in the family way ; *être ~,* be expecting ; *~ de trois mois,* three months pregnant.

encen|s [ɑ̃sɑ̃] *m* incense ‖ **~ser**

[-se] *vt* (1) incense ‖ Fɪɢ. heap praise on ‖ **~soir** *m* censer.

encercler [ɑ̃serkle] *vt* (1) ring, encircle, hem in.

enchaîn|ement [ɑ̃ʃɛnmɑ̃] *m* [liaison] linking ; chain, series, string, concatenation (d'événements) ‖ **~er** *vt* (1) chain, put in chains ‖ Fɪɢ. subjugate (asservir) ; link (up), connect up (des idées) → ꜰᴏɴᴅᴜ ᴇɴᴄʜᴀ̂ɪɴᴇ́.

enchant|é, e [ɑ̃ʃɑ̃te] *adj* charmed, delighted (*de,* with [+ nom] ; to [+ verbe]) ‖ **~ement** *m* [action] enchantement [effet] charm, spell ; *comme par ~,* as if by magic ‖ Fɪɢ. delight, glamour ‖ **~er** *vt* (1) enchant, bewitch (ensorceler) ‖ Fɪɢ. charm, delight ‖ **~eur, eresse** [-œr, res] *adj* fascinating (regard) ; charming, delightful (séjour) ; bewitching (sourire) ; glamorous (nuit).

enchâsser [ɑ̃ʃase] *vt* (1) set (une pierre).

ench|ère [ɑ̃ʃer] *f* bid(ding) ; *faire/mettre une ~,* bid ; *vente aux ~s,* (sale by) auction ; *mettre qqch aux ~s,* put sth up for auction ; *vendre aux ~s,* sell by auction ‖ **~érir** [-erir] *vi* (2) *~ sur une offre,* make a higher bid ; outbid (sur qqn).

enchevêtr|ement [ɑ̃ʃəvetrəmɑ̃] *m* tangle, entanglement ‖ **~er** *vpr* (1) *s'~,* tangle, become entangled.

enclencher [ɑ̃klɑ̃ʃe] *vt* (1) engage — *vpr* **s'~,** interlock (*avec,* with).

enclin, e [ɑ̃klɛ̃, in] *adj* inclined, disposed, prone (*à,* to) ; *peu ~,* loath (*à,* to).

encl|ore [ɑ̃klɔr] *vt* (27) enclose, ‖ shut in ‖ **~os** [-o] *m* enclosure ; pen (pour animaux) ; paddock (pour chevaux).

enclume [ɑ̃klym] *f* anvil ; *entre l'~ et le marteau,* between the devil and the deep blue sea.

encoch|e [ɑ̃kɔʃ] *f* notch, nick ; blaze (sur un arbre) ; *faire une ~,* cut a notch.

encod|age, ~**er** → CODAGE, CO-DER.

encoignure [ākɔɲyr] *f* corner.

encolure [ākɔlyr] *f* neck (cou) ‖ collar size (pointure) ‖ neckline (d'une robe).

encombr|ant, e [ākɔ̄brã, ãt] *adj* cumbersome, bulky ‖ ~ **e (sans)** *loc adv* without mishap, safely ‖ ~**é, e** *adj* crowded, congested ‖ ~**ement** *m* crowding; congestion (de la rue); ~ *de voitures,* traffic block/jam ‖ ~**er** *vt* (1) clutter, encumber (une pièce) ‖ jam, obstruct (une rue) ‖ TÉL. block (lignes) ‖ FIG. clog (la mémoire) — *vpr* s'~, cumber/burden oneself.

encontre de (à l') [alākɔ̄trədə] *loc prép* in opposition to, counter to; *aller à l'~ de,* go against.

encorder [ākɔrde] *vt/vpr* (1) rope (up).

encore [ākɔr] *adv* [toujours] still; *il est ~ là,* he is still there ‖ [jusqu'à présent] yet; *pas ~,* not yet ‖ [de nouveau] again; ~ *une fois,* (once) again, once more ‖ [davantage] more; ~ *une semaine,* one week more; *pendant quelques jours* ~, for another few (more) days ‖ [en outre] ~*non seulement...,* mais ~, not only... but also; *quoi* ~ ?, what else ? ‖ [+ comp.] even, still, yet; ~ *plus riche,* even richer; ~ *mieux,* even better; *pire* ~, even/still worse.

encourag|eant, e [ākuraʒã, ãt] *adj* encouraging (paroles); cheerful (nouvelle) ‖ ~**ement** *m* encourage-ment *(de la part de,* from; *à,* to); incitement; inducement (argent) ‖ *Pl* cheers ‖ ~**er** *vt* (7) encourage, incite, spur on, foster, put a premium on (une action, une ligne de conduite).

encrass|ement [ākrasmã] *m* AUT. sooting-up (d'une bougie) ‖ ~**er** *vt* (1) soot up (tuyau, machine) — *vpr* s'~, AUT. soot up.

encr|e [ākr] *f* ink; ~ *de Chine,* India ink; *noir comme de l'*~, inky; *taché d'*~, inky; *écrire à l'*~, write in ink;

repasser à l'~, ink over ‖ ~**ier** [-ije] *m* inkwell.

encroût|é, e [ākrute] *n* stick-in-the-mud (coll.) ‖ ~**er (s')** *vpr* (1) get into a rut; become rusty.

encyclopéd|ie [āsiklɔpedi] *f* ency-clopaedia ‖ ~**ique** *adj* encyclopae-dic.

endetter (s') [sādete] *vpr* (1) get into debt; *endetté,* in debt.

endeuiller [ādœje] *vt* (1) plunge into mourning ‖ FIG. cast a shadow over.

endiablé, e [ādjable] *adj* frantic, wild, furious.

endiguer [ādige] *vt* (1) dam (up); stem (un flot de liquide) ‖ FIG. check, hold back, stem.

endimanché, e [ādimāʃe] *adj* in one's Sunday best.

endive [ādiv] *f* chicory, endive.

endoctriner [ādɔktrine] *vt* (1) in-doctrinate.

endolori, e [ādɔlɔri] *adj* aching, sore.

endommager [ādɔmaʒe] *vt* (7) damage, impair.

endorm|ant, e [ādɔrmã, ãt] *adj* soporific, drowsy ‖ FIG. dull ‖ ~**i, e** *adj* asleep, sleeping ‖ FIG. sluggish ‖ ~**ir** *vt* (41) put/send to sleep; lull to sleep (en berçant) ‖ FIG. lull (les soupçons) — *vpr* s'~, go to sleep; fall asleep.

endosser [ādose] *vt* (1) put on (habit) ‖ FIN. endorse (chèque).

endroit[1] [ādrwa] *m* [lieu] place, spot; *par* ~*s,* in places ‖ [film, livre] part, passage ‖ FAM. *aller au petit* ~, go to the loo.

endroit[2] *m* [bon côté] right side; *à l'*~, right side out.

end|uire [ādɥir] *vt* (85) coat, daub, do over *(de,* with) ‖ ~**uit** [-ɥi] *m* coating, daub.

endur|ance [ādyrãs] *f* endurance, stamina, staying power (physique);

endurance (patience) ‖ **~ant, e** *adj* hardy, tough.

endurc|i, e [ãdyrsi] *adj* hardened ‖ confirmed (célibataire) ‖ **~ir** *vt* (2) harden, toughen ‖ inure (à, to) ‖ FIG. harden — *vpr* **s'~**, become tough (physiquement) ‖ harden, become hardened/inured (moralement).

endurer [ãdyre] *vt* (1) endure, bear, stand, put up with (tolérer) ‖ suffer (douleur).

énerg|étique [enɛrʒetik] *adj* energizing; *ressources* **~s**, power resources ‖ **~ie** *f* energy (force physique) ‖ PHYS. energy ‖ TECHN. power; *crise de l'~*, power crisis; *~ hydraulique*, water-power; *~ marémotrice*, tidal power; *~ nucléaire*, nuclear energy ‖ FIG. vigour, punch; *avec ~*, forcefully; *sans ~*, spiritless ‖ **~ique** *adj* vigorous, energetic (mouvement); forceful (ton); powerful (résistance); drastic (mesures); energetic (personne); emphatic (refus) ‖ **~iquement** *adv* vigorously, energetically; forcefully; powerfully; drastically, emphatically.

énerv|ant, e [enɛrvã, ãt] *adj* irritating, annoying ‖ **~é, e** *adj* irritated, annoyed (agacé) ‖ jumpy, edgy, nervy (sl.) [nerveux] ‖ **~ement** *m* irritation; nervousness; excitement ‖ **~er** *vt* (1) irritate, annoy; get on sb's nerves — *vpr* **s'~**, get excited; get worked up/flustered; grow nervy (coll.); *ne vous énervez pas*, keep cool.

enfance [ãfãs] *f* childhood; boyhood, girlhood; *première ~*, infancy; *dès ma plus tendre ~*, from earliest childhood; *retomber en ~*, fall into one's dotage ‖ FIG. *~ de l'art*, child's play.

enfan|t [ãfã] *n* child; boy, little girl; *~ gâté*, spoilt child; *~ trouvé*, foundling; *sans ~s*, childless ‖ REL. *~ de chœur*, altar boy ‖ **~tillage** [-tijaʒ] *m* childishness ‖ **~tin, ine** [-tɛ̃, in] *adj* childlike (de l'enfance); infantile, childish (puéril).

enfer [ãfɛr] *m* hell ‖ FIG. inferno; *mener un train d'~*, ride hell for leather.

enfermer [ãferme] *vt* (1) shut in/up; lock in/up (à clef) — *vpr* **s'~**, shut oneself in.

enfil|ade [ãfilad] *f* row, string, series, succession ‖ MIL. *prendre en ~*, enfilade ‖ **~er** *vt* (1) thread (une aiguille); string (des perles); get on, put on, roll on (un vêtement); slip on (une robe).

enfin [ãfɛ̃] *adv* at last, finally ‖ lastly (en dernier) ‖ in short (bref).

enflamm|é, e [ãflame] *adj* burning, on fire ‖ FIG. fiery (discours) ‖ **~er** *vt* (1) set on fire, set fire to ‖ FIG. inflame — *vpr* **s'~**, catch fire; ignite ‖ MÉD. inflame ‖ FIG. flare up.

enfl|é, e [ãfle] *adj* swollen ‖ **~er** *vi* (1) swell (up) — *vt* swell — *vpr* **s'~**, swell, become swollen ‖ [voix] rise ‖ MÉD. swell ‖ **~ure** *f* MÉD. swell(ing).

enfonc|é, e [ãfɔ̃se] *adj* MÉD. broken (côtes); deep-set (yeux) ‖ **~er** *vt* (6) push in; drive in (un clou); stick in (en piquant); sink (un pieu); dig (éperons); knock in (en cognant); ram down/in, thrust (violemment); break in/open (une porte) ‖ MIL. break through (le front) — *vpr* **s'~**, [balle, clou] penetrate (dans, into); *s'~ une écharde dans le doigt*, run a splinter into one's finger; *s'~ dans*, sink into (l'eau); [sol] give way, cave in.

enfouir [ãfwir] *vt* (2) bury — *vpr* **s'~**, bury oneself.

enfourcher [ãfurʃe] *vt* (1) mount (un cheval); get astride mount (une bicyclette).

enfourner [ãfurne] *vt* (1) put/place in the oven.

enfreindre [ãfrɛ̃dr] *vt* (59) break (loi, règlement).

enfuir (s') [sãfɥir] *vpr* (56) run away, fly away (de, from); *s'~ de* *prison,* escape from prison ‖ JUR. [épouse] elope (*avec,* with).

enfumé, e [ãfyme] *adj* smoky.

engag|é, e [ãgaʒe] *adj* POL. committed (écrivain) ; *non* ~, uncommitted ● *m* MIL. enlisted man ; ~ *volontaire,* volunteer ‖ ~eant, e [-ã, ãt] *adj* inviting, attrative (aspect, temps) ; prepossessing (allure) ‖ ~ement *m* promise, pledge, engagement (promesse) ‖ *sans* ~, without obligation ‖ [embauche] taking on ‖ *Pl* commitments (d'argent) ; *faire honneur à ses* ~s, meet one's obligations ‖ COMM. obligation (contrat) ‖ JUR. bond ‖ POL. commitment ‖ MIL. enlistment (recrutement) ; action, engagement (combat) ‖ ~er *vt* (7) [lier] bind, commit ‖ [embaucher] engage, hire, sign on ‖ [mettre en gage] pawn ‖ start upon, enter into (des négociations) ; ~ *la conversation avec qqn,* engage sb in conversation ‖ TECHN. put into gear ‖ AUT. ~ *une vitesse,* throw in a gear ‖ MIL. ~ *le combat,* join battle — *vpr s'*~, bind/ commit oneself, pleage, promise (*à,* to) ‖ [s'embaucher] enroll, sign on (*chez,* with ; *comme, as*) ‖ SP. enter one's name (*dans,* for) ‖ AUT. enter (dans une voie) ‖ MIL. join (the army), enlist, enroll, volunteer.

engelure [ãʒlyr] *f* chilblain.

engendrer [ãʒãdre] *vt* (1) beget (un enfant) ‖ FIG. engender, breed.

engin [ãʒɛ̃] *m* engine, appliance ‖ *Pl* ~s *de pêche,* fishing tackle.

englober [ãglɔbe] *vt* (1) include.

englout|ir [ãglutir] *vt* (2) gobble, gulp down, wolf (down) [nourriture] ‖ FIG. engulf ; swallow up — *vpr s'*~, NAUT. sink.

engoncé, e [ãgɔ̃se] *adj* cramped (*dans,* in).

engorg|é, e [ãgɔrʒe] *adj* foul (pompe) ; chocked up (tuyau) ‖ ~ement *m* obstruction, chocking, stoppage (d'un tuyau) ‖ ~er *vt* (7) obstruct, chocke up, clog ‖ MÉD. congest.

engouement [ãgumã] *m* infatuation.

engouffrer [ãgufre] *vt* (1) engulf ‖ gobble (coll.) [nourriture] — *vpr s'*~, [chose] rush, sweep (*dans,* into) ; [foule] surge, rush (*dans,* into).

engourd|i, e [ãgurdi] *adj* numb, benumbed (doigts) [*de/par,* with] ‖ torpid (animal) ‖ ~ir *vt* (2) numb — *vpr s'*~, go numb ‖ ~issement *m* numbness ‖ [hibernation] torpor ‖ FIG. dullness.

engrais [ãgrɛ] *m* manure (fumier) ; fertilizer (chimique) ‖ ~ser [-se] *vt* (1) fatten (le bétail) ; make fat (qqn) ‖ AGR. fertilize (la terre) — *vi* grow fat, put on flesh.

engren|age [ãgrənaʒ] *m* gearing, gears.

engueul|ade [ãgœlad] *f* POP. slanging match ; blow-up, bust-up (sl.) ‖ ~er *vt* (1) POP. give hell ; *se faire* ~, get hell (pop.) — *vpr s'*~, have a row bust-up (sl.) [*avec qqn,* with sb].

enguirlander [ãgirlãde] ; *vt* (1) FAM. tell off, dress down (coll.).

enhardir [ãardir] *vt* (2) embolden, encourage (*à,* to) — *vpr s'*~, get bolder ; make bold (*à faire qqch,* to do sth).

énième *adj* FAM. *la* ~ *fois,* the umpteenth time.

énigm|atique [enigmatik] *adj* enigmatic ‖ ~e *f* ‖ [mystère] riddle, enigma ‖ [jeu] puzzle.

enivr|ant, e [ãnivrã, ãt] *adj* intoxicating ‖ ~er *vt* (1) intoxicate — *vpr s'*~, get drunk/intoxicated.

enjamb|ée [ãʒãbe] *f* stride ‖ ~er *vt* (1) stride over (un obstacle) ‖ [pont] span (une rivière).

enjeu, eux [ãʒø] *m* stake.

enjô|ler [ãʒole] *vt* (1) wheedle ‖ ~euse *f* FIG. siren.

enjoliv|er [ãʒɔlive] *vt* (1) embellish ‖ ~eur *m* AUT. hubcap.

enjoué, e [ãʒwe] *adj* playful.

enlacer [ãlase] *vt* (1) embrace, hug.

enlaidir [ɑ̃lɛdir] vt (2) make ugly — vi become ugly.

enlèvement [ɑ̃lɛvmɑ̃] m removal ‖ [bagages, ordures] collection ‖ JUR. abduction, kidnapping (rapt).

enlever [ɑ̃lve] vt (5) remove ‖ take off/away, clear away (objets) ; take off (vêtements) ; collect (ordures) ‖ être enlevé par une vague, be washed overboard ‖ kidnap, abduct (personne) ‖ [femme] see faire ∼, elope (par, with) ‖ MIL. take (position) ‖ FIG. carry off, win (prix) — vpr s'∼, [tache] come off.

enliser (s') [ɑ̃lize] vpr (1) sink (dans, into) ‖ AUT. get bogged down/ stuck.

enneig|é, e [ɑ̃nɛʒe] adj snowy, snow-covered (campagne) ; snowed-up (maison) ; snow-bound (col) ‖ ∼ement m SP. snow conditions ; bulletin d'∼, snow report.

ennemi, e [ɛnmi] n enemy ; passer à l'∼, go over to the enemy ● adj hostile.

ennu|i [ɑ̃nɥi] m [lassitude morale] boredom ; mourir d'∼, be bored to death ‖ [monotonie] tediousness ‖ Pl trouble(s), worries ; se préparer des ∼s, look for trouble ; s'attirer des ∼s, get into trouble ; avoir des ∼s, come to grief ; ∼s d'argent, money worries ‖ FIG. l'∼ c'est que, the trouble is that ‖ ∼yer [-je] vt (9 a) bore, bother, worry ‖ trouble (déranger) ; si cela ne vous ennuie pas, if you don't mind ‖ annoy (agacer) — vpr s'∼, be/get bored ‖ s'∼ de qqn, miss sb ‖ ∼yeux, euse [-jø, øz] adj boring, tedious (assommant) ; annoying, vexing (désagréable) ; bothering, troublesome (importun) ; dull tiresome (discours).

énonc|é [enɔ̃se] m terms (d'un problème) ‖ GRAMM. utterance ‖ ∼er vt (6) state (une condition) ; word, express (une idée).

enorgueillir (s') [ɑ̃nɔrgœjir] vpr (2) be proud (de, of) ; pride oneself (de, on).

énorm|e [enɔrm] adj huge, enormous ‖ vast (somme) ‖ tremendous (succès) ‖ ∼ément adv énormously, vastly ; ∼ de, many, masses of ‖ ∼ité f hugeness ‖ FAM. blunder, howler.

enquérir (s') [ɑ̃kerir] vpr (13) inquire (de, about/after) ; ask (de, about).

enquêt|e [ɑ̃kɛt] f inquiry ‖ [Police] investigation ; faire une ∼, make an investigation ; investigate (sur, into) ‖ [sondage] survey ; fieldwork (sur le terrain) ‖ [journalisme] probe ‖ ∼er vi (1) ∼ sur, investigate ‖ conduct an inquiry/a survey ‖ ∼eur, euse n investigator.

enquiquin|er [ɑ̃kikine] vt (1) FAM. Bother, worry ‖ ∼eur, euse n pest, pain in the neck (coll.).

enracin|é, e [ɑ̃rasine] adj FIG. (deep) rooted, ingrained ‖ ∼er vt (1) FIG. implant — vpr s'∼, take root.

enrag|é, e [ɑ̃raʒe] adj rabid (chiens) ‖ FAM. mad, keen (de, on) ; crazy (de, about) ‖ ∼er vi (7) be in a rage ‖ FAM. faire ∼, rag, tease ; get a rise out of (faire marcher).

enrayer [ɑ̃rɛje] vt (9 b) TECHN. jam (une machine) ‖ MÉD. check (une épidémie) ‖ FIG. stem, stop — vpr s'∼, [arme, machine] jam.

enregistr|ement [ɑ̃rəʒistrəmɑ̃] m RAIL. registration, U.S. checking (des bagages) ‖ AV. check-in ; se présenter à l'∼, check in ‖ [disque] recording ; ∼ magnétique, tape-recording ‖ RAD. take ; transcription ‖ JUR. registration ‖ ∼er vt (1) RAIL. (faire) ∼ ses bagages, register one's luggage ‖ TECHN. record (sur disque/bande) ; ∼ au magnétophone, tape(-record), take on tape ‖ JUR. register (naissance).

enrhum|é, e [ɑ̃ryme] adj être ∼, have a cold ‖ ∼er (s') vpr (1) catch (a) cold.

enrich|ir [ɑ̃riʃir] vt (2) enrich, make rich ‖ TECHN. enrich (uranium) — vpr s'~, get/grow rich, make money ‖ ~**issement** m enriching (action); enrichment (résultat).

enrôl|ement [ārolmā] m enrolment ‖ Mıʟ. enlistment ‖ ~**er (s')** vpr enlist, enrol(l), sign on.

enr|oué, e [ārwe] adj hoarse, husky ‖ ~**ouement** [-rumā] m hoarseness, huskiness.

enrouler [ārule] vt/vpr (1) [s'~] roll up (en rouleau); wind (up) [en pelote]; twine (en torsade); wrap (autour de, around) ‖ Cın. wind (sur, on to).

ensabl|ement [āsabləmā] m silting-up (d'un port) ‖ ~**er** vt/vpr (1) [s'~] silt up (un port).

ensacher [āsaʃe] vt (1) sack.

enseignant, e [āsɛɲā, āt] adj teaching ● n teacher.

enseigne¹ [āsɛɲŋ] f sign(board); ~ lumineuse/au néon, electric/neon sign ‖ Naut. ensign (drapeau).

enseigne² m Naut. ~ **de vaisseau**, lieutenant (de 1ʳᵉ classe); sub-lieutenant, U.S. ensign (de 2ᵉ classe).

enseign|ement [āsɛɲŋmā] m education ‖ teaching, instruction (action) ~**primaire** / secondaire | supérieur | technique, primary | secondary |higher | technical education; ~ **programmé**, programmed learning ‖ Fıɢ. ~**er** vt (1) teach; ~ qqch à qqn, teach sb sth; instruct sb (à faire, how to do).

ensembl|e [āsbl] adv together; tous ~, all together; aller ~, match (s'harmoniser) ‖ at the same time, at once (en même temps) ● m whole (totalité); dans l'~, on the whole, by and large; d'~, general, comprehensive, overall (vue) ‖ [vêtements] set, outfit ‖ [urbanisme] grand ~, housing project ‖ Matʜ. set ‖ ~**ier** [-ije] m interior designer.

ensemencer [āsmāse] vt (6) sow.

enserrer [āsere] vt (1) clasp, hug (tightly).

ensevelir [āsəvlir] vt (2) burry (enterrer) ‖ [accident] bury (sous, under).

ensoleillé, e [āsɔlɛje] adj sunny, sunlit.

ensommeillé, e [āsɔmɛje] adj sleepy, drowsy.

ensorcel|ant, e [āsɔrsəlā, āt] adj bewitching, fascinating ‖ ~**é, e** adj bewitched, spellbound ‖ ~**er** vt (8 a) bewitch, cast a spell upon ‖ Fıɢ. fascinate.

ensuite [āsɥit] adv next, then; et ~ ?, what next? ‖ later, afterwards (par la suite).

ensuivre (s') [āsɥivr] vpr (45) come after (suivre) ‖ ensue, follow (de, from) [résulter].

entaill|e [ātaj] f notch, nick (encoche) ‖ cut, slash (blessure) ‖ ~**er** vt (1) notch, nick ‖ cut (la peau).

entam|e [ātam] f first slice ‖ ~**er** vt (1) cut the first slice (le rôti) ‖ Fıɢ. broach, start (un sujet); ~ **des négociations**, enter into negotiations; ~ **un billet d'une livre**, break into a pound note.

entass|ement [ātasmā] m [action] heap(ing); piling up ‖ [résultat] heap, pile ‖ ~**er** vt (1) heap/pile up; bundle up (pêle-mêle); pack, cram (des gens) — vpr s'~, pile (up) ‖ [personnes] crowd/cram/pack (dans, into) ‖ [sable, neige] drift, accumulate.

enten|dre [ātādr] vt (4) hear ‖ ~ **dire que** hear that; ~ parler de, hear about/of; ~ par hasard, overhear ‖ faire ~, give forth (un son); utter (un mot) — vi hear; ~ mal, be hard of hearing ‖ understand (comprendre); laisser ~ que, give to understand that — vpr s'~, [bruit] be heard ‖ Fıɢ. s'y ~ à/pour, be (very) good at, know (how to); be an expert (en, in); be versed (à, in) — v récipr s'~, hear each other ‖ Fıɢ. understand each other, get along/on (s'accorder) [avec, with]; agree (se mettre d'accord) [*about*, sur] ‖ **~ du, e** [-dy] *adj* settled, agreed ; *c'est ~ !*, agreed !, all right ! ‖ *bien ~*, of course ‖ **~te** [-t] *f* [sympathie] understanding ‖ [accord] agreement.

entériner [ãterine] *vt* (1) ratify, confirm.

enterr|ement [ãtɛrmã] *m* burial, interment ‖ **~er** *vt* (1) bury ‖ Fig. shelve (un projet) ‖ Fam. *~ sa vie de garçon*, throw a stag party.

en-tête [ãtɛt] *m* head(ing) ; *papier à lettre à ~*, headed notepaper.

entêt|é, e [ãtete] *adj* wilful, stubborn, pigheaded, mulish ‖ **~ement** *m* stubborness ‖ **~er (s')** *vpr* (11) *s'~ à*, persist in (faire qqch, doing sth).

enthousiasme [ãtuzjasm] *m* enthusiasm, gusto, zest ; *avec ~*, enthusiastically ; *sans ~*, half-heartedly ‖ **~mer** [-me] *vt* (1) fill with enthusiasm, elate — *vpr s'~*, become enthusiastic (*pour*, over) ; enthuse (*pour*, over) ‖ **~te** [-t] *adj* enthusiastic, keen ● *n* enthusiast.

enticher (s') [sãtiʃe] *vpr* (11) *~ de*, become infatuated with.

ent|ier, ière [ãtje, jɛr] *adj* entire, whole ; *le monde ~*, the whole world ; *dans le monde ~*, all over the world ; *une heure ~ière*, a whole/full hour ; *des heures ~ières*, for hours on end ; *pendant deux journées ~ières*, for two clear days ‖ [complete, total (sans restriction) ‖ *lait ~*, full-cream/U.S. whole milk ‖ *tout ~*, entirely, completely ‖ Math. whole ; *nombre ~*, integer ● *m* whole ; *en ~*, entirely, wholly, completely ‖ **~ièrement** *adv* entirely, wholly, fully, completely, thoroughly.

entonner [ãtɔne] *vt* (1) break into (un air).

entonnoir [ãtɔnwar] *m* funnel ‖ Mil. crater.

entorse [ãtɔrs] *f* sprain, twist ; wrench ; *se faire une ~*, sprain/twist one's ankle ‖ Fig. *faire une ~ au règlement*, twist the rule.

entortiller [ãtɔrtije] *vt* (1) twine, twist ‖ Fam. bamboozle, wheedle, hoodwink (coll.) [duper] — *vpr s'~*, (en)twine, tangle, kink.

entour|age [ãturaʒ] *m* surroundings, circle (milieu) ‖ **~er** *vt* (1) fence (clôturer) ; surround, (encercler) [*de*, with] ; *~ de murs*, wall in — *vpr s'~*, surround oneself (*de*, with).

entracte [ãtrakt] *m* interval, U.S. intermission.

entraid|e [ãtrɛd] *f* mutual help ‖ **~er (s')** *v récipr* (1) help one another/each other.

entrain [ãtrɛ̃] *m* liveliness, spirit ; *avec ~*, with zest ; *plein d'~*, lively, high-spirited, full of go/pep ; *sans ~*, half-heartedly.

entraîn|ant, e [ãtrɛnã, ãt] *adj* stirring, rousing ; swinging (rythme) ‖ **~ement** *m* Sp. training, practice ‖ Mil. drill (exercice) ‖ **~er** *vt* (1) carry along/away ; drag along, draw (en tirant) ‖ Sp. train, coach ‖ Mil. drill ‖ Techn. drive ‖ Fig. bring about (causer) ; lead to, entail (des conséquences) ; involve, imply ‖ Fig. [musique, etc.] carry along/away — *vpr* : *s'~*, practise ‖ Sp. train, practise ; [boxe] spar ‖ **~eur** *m* Sp. coach, trainer ‖ **~euse** *f* [bar] hostess.

entrapercevoir [ãtrapersəvwar] *vt* (3) catch a glimpse of.

entrav|e [ãtrav] *f* [animal] shackle (lien) ; fetter (de fer) ‖ Fig. hindrance, restraint, drag ; *sans ~s*, without restraint ‖ **~er** *vt* (1) fetter (avec des fers) ; shackle, hobble (avec des liens) ‖ Aut. hold up (la circulation) ‖ Fig. hamper (qqn) ; cramp (le développement).

entre [ãtr] *prép* between (au milieu) ‖ among (parmi) ; *l'un d'~ eux*, one of them ; *~ autres*, among other things ; [à travers] through ‖ Fig. *~ nous*, between ourselves ‖ [réciproquement] *ils se dévorent ~ eux*, they devour one another/each other.

entrebâill|é, e [ãtrəbaje] *adj* halfopen (fenêtre) ; ajar, off the latch (porte) ‖ ~**er** vt (1) half-open ‖ ~**eur** m door-chain.

entrechoquer [ātrəʃɔke] vt (1) bump together — vpr s'~, clash, clatter ‖ [verres] chink.

entrecôte [ātrəkot] f rib-steak.

entrecoup|é, e [ātrəkupe] adj broken (mots, sommeil) ‖ ~**er** vt/vpr [s'~] intersect.

entrecrois|é, e [ātrəkrwaze] adj criss-cross ‖ ~**er** vt (1) interlace (des fils) ; cross (des lignes) — vpr s'~, [routes] intersect.

entrée [ātre] f [action] entrance, entering, entry ‖ [autorisation] admittance, access, ingress, admission ; ~ interdite, no admittance, no entry ; ~ gratuite, free-admission ‖ [vestibule] entrance-hall, U.S. entry (de la maison) ; doorway (seuil) ; gateway (portail) ; ~ de service, service entrance ‖ [écriteau] "way in" ‖ [dictionnaire] entry ‖ Th. ~ des artistes, stage door ‖ Comm. entry ‖ Électr., Inf. input ‖ Culin. first course ‖ Fig. ~ en matière, opening.

entrefaites [ātrəfɛt] fpl sur ces ~, at that (very) moment.

entrefilet [ātrəfile] m [journal] paragraph, item.

entrelacer [ātrəlase] vt (6) interlace (des fils) ; interweave, entwine (des branches) — vpr s'~, intertwine.

entremêler [ātrəmele] vt (1) intermingle (de, with) — vpr s'~, intermingle.

entremets [ātrəmɛ] m sweet.

entremettre (s') [sātrəmetr] vpr (64) mediate (entre, between) ; intervene (pour, for) ‖ ~**mise** [-miz] f intervention, mediation ; par l'~ de, through the agency/medium of.

entrep|oser [ātrəpoze] vt (1) store ‖ ~**ôt** [-o] m warehouse ‖ ~ en douane, bonded-warehouse.

entre|prenant, e [ātrəprənā, āt] adj enterprising, go-ahead (actif) ;

daring (audacieux) ; forward (osé) ‖ ~**prendre** vt (80) begin, start on, initiate (commencer) ; undertake, set out (travail, etc.) ‖ ~**preneur** [-prɑnœr] m contractor, builder (de construction) ; ~ de pompes funèbres, undertaker, U.S. mortician ‖ ~**prise** [-priz] f [action] undertaking ; venture, gamble (risquée) ; esprit d'~, enterprise ‖ Comm. firm, concern.

entrer [tre] vi (1) go in, enter ; step/walk in ; come in ; ~ chez, call in at ‖ faire ~, show in (visiteur) ; laisser ~, let in (lumière, personne) ; ~ en coup de vent, burst in ; ~ en passant, drop/pop in (chez, on/at) ; ~ sans autorisation, trespass ‖ Inf. feed ‖ Fig. ~ dans, join (l'armée, un club) ; ~ dans les affaires, go into business ; ~ dans les détails, go into details.

entre|sol [ātrəsɔl] m mezzanine ‖ ~**-temps** adv mean-while, in the meantime.

entre|tenir [ātrətnir] vt (101) maintain (en bon état) ; look after (jardin) ; valet (habits) ‖ keep, suppport (famille) ‖ Aut. service ‖ Fig. ~ la conversation, carry on a conversation ; ~ une correspondance, keep up a correspondance ; nurse, harbour (espoir, etc.) — vpr s'~, keep fit (en bonne forme) ‖ converse, confer, have a talk (avec, with) ‖ ~**tien** [-tjɛ̃] m upkeep, maintenance (des routes, etc.) ‖ keeping in repair (d'un objet) ‖ maintenance (d'une personne) ‖ Aut. servicing ‖ Fig. conversation, talk, interview.

entre|voir [ātrəvwar] ; vt (106) catch sight of, catch a glimpse of ; make out (indistinctement) ‖ ~**vue** [-vy] f meeting, interview.

entrouv|ert, e [truver] adj halfopen ; ajar (porte).

énumér|ation [enymerasjɔ̃] f enumerating ‖ ~**er** vt (5) enumerate, list, recite.

envah|i, e [āvai] adj overrun, overgrown (par les herbes) ; flooded (par les eaux ‖ ~**ir** vt (2) invade (un pays) ‖ [herbes] overun ‖ Fɪɢ. [sentiment] come over ‖ ~**issant, e** adj Fɪɢ. pervasive, intruding, encroaching ‖ ~**issement** m invasion ‖ ~**isseur** m invader.

envaser (s') [sɑ̃vaze] vpr (1) [port] silt up.

envelopp|e [ɑ̃vlɔp] f envelope ; ~ **autocollante,** self-adhesive ‖ **sous** ~, under cover ‖ Tᴇᴄʜɴ. [pneu] casing ‖ ~**er** vt (1) wrap (up) ; (qqn dans, sb in).

envenimer [ɑ̃vnime] vt (1) make septic (une plaie) ‖ Fɪɢ. inflame, embitter (une querelle) — vpr s'~, [plaie] go septic, fester ‖ Fɪɢ. grow more bitter.

envergure [ɑ̃vɛrɡyr] f wing spread (des ailes, d'un avion) ‖ Fɪɢ. scope, scale (d'une entreprise) ; rang (d'un esprit) ; calibre (d'une personne) ; **de grande** ~, large-scale.

envers[1] [ɑ̃vɛr] prép Fɪɢ. toward(s), to.

envers[2] m reverse (d'une pièce) ; back, wrong side (d'un tissu) ‖ Fɪɢ. **l'** ~ **du décor,** the seamy side of life ● loc adv **à l'**~, inside out (du mauvais côté) ; wrong side up (retourné) ; upside down, topsyturvy (sens dessus dessous) ; back to front, the wrong way round (devant derrière).

env|ie [ɑ̃vi] f envy (jalousie) ; **faire** ~ **à qqn,** make sb envious ‖ wish, longing, desire (désir) ; **avoir** ~ **de (qqch),** have a fancy for, want (sth) ; **avoir** ~ **de faire qqch,** feel like doing sth ; **avoir bien** ~ **de faire,** have a good mind to do ‖ Aɴᴀᴛ. hangnail ‖ ~**ier** vt (1) envy, be envious of ‖ ~**ieux, euse** adj envious.

environ [ɑ̃virɔ̃] adv about, or so ; **il était** ~ **2 heures,** it was about 2 o'clock or thereabouts.

environn|ant, e [ɑ̃virɔnɑ̃, ɑ̃t] adj surrounding ‖ ~**ement** m environnement, surroundings ‖ ~**er** vt (1) surround.

environs [ɑ̃virɔ̃] mpl surroundings, neighbourhood ; vicinity ; **aux** ~ **de,** in the neighbourhood of ‖ Fɪɢ. **aux** ~ **de 10 livres,** £ 10 or there abouts.

envisager [ɑ̃vizaʒe] vt (7) [prévoir] envisage ‖ [projeter] be thinking of, contemplate (de, faire, doing) ‖ [considérer] contemplate, view.

envoi [ɑ̃vwa] m sending (action) ; consignment (colis) ; shipping (par mer, rail ou route) ; remittance (d'argent) ‖ Cᴏᴍᴍ. ~ **contre remboursement,** cash on delivery ‖ Aʀᴛs. exhibit ‖ Sᴘ. **coup d'**~, kick-off.

envol [ɑ̃vɔl] m taking flight (d'un oiseau) ; **prendre son** ~, take flight/wing ‖ Aᴠ. take-off ‖ ~**ée** f flying off ‖ Sᴘ. [chasse] flush (of an oiseau) ‖ Fɪɢ. flight (d'éloquence) ‖ ~**er (s')** vpr (1) fly away/off, take wing, take one's flight ‖ Aᴠ. take off ‖ Fɪɢ. vanish.

envoût|ement [ɑ̃vutmɑ̃] m spell ‖ ~**er** vt (1) bewitch, cast a spell over.

envoy|é, e [ɑ̃vwaje] m messenger ; ~ **spécial,** special correspondent ‖ ~**er** vt (46) send, dispatch (un messager) ; **aller chercher qqn,** send for sb ‖ Fᴀᴍ. ~ **promener qqn,** send sb packing — vpr s'~, Pᴏᴘ. **s'**~ **une bouteille de vin,** down/knock back a bottle of wine (coll.) ; ~ **une fille,** have it off with a girl (sl.).

épagneul [epaɲœl] m spaniel.

épais|s, aisse [epe, ɛs] adj thick ‖ bushy (barbe) ; dense (brouillard, forêt) ‖ ~**sseur** [-sœr] f thickness ; **deux pouces d'**~, two inches thick ; depth (d'une couche) ; density (du brouillard) ‖ ~**ssir** [-sir] vt (2) thicken, make thicker ‖ Cᴜʟɪɴ. thicken — vpr s'~, thicken ‖ [brouillard] grow denser ‖ [personne] grow fatter ‖ ~**ssissement** m thickening.

épanch|ement [epɑ̃ʃmɑ̃] m discharge (d'un liquide) ‖ Fɪɢ. outpouring, effusion (du cœur) ‖ ~**er** vt (1) discharge ‖ Fɪɢ. open (son cœur) — vpr s'~, unburden oneself.

épanou|i, e [epanwi] adj in full bloom ‖ Fig. beaming (visage) ‖ **~ir (s')** vpr (2) s'~, bloom, come out, open up ‖ Fig. [personne] blossom ; [visage] light up, brighten up ‖ **~issement** m Bot. blooming, opening out ‖ Fig. blossoming.

épargn|ant, e [eparɲã, ãt] n saver, investor ‖ **~e** f saving ; *caisse d'~*, savings-bank ‖ **~er** vt (1) save (argent, temps) ‖ Fig. spare (éviter, ménager) ; *~ à qqn la peine de faire qqch*, save/spare sb the trouble of doing sth — vpr s'~, Fig. spare one's pains.

éparpill|ement [eparpijmã] m scattering = **~er** vt (1) scatter, disperse, strew — vpr s'~, scatter, straggle.

épat|ant, e [epatã, ãt] adj Fam. spanking, stunning, swell ; tiptop ; *un type ~*, a jolly good chap ‖ **~e** f Fam. swank ; *faire de l'~*, show off (coll.) ‖ **~é, e** adj flat (nez) ‖ **~er** vt (1) amaze, impress ; show off (coll.).

épaul|e [epol] shoulder ; *large d'~s*, broad-shouldered ; *charger sur ses ~s*, shoulder ; *hausser les ~s*, shrug (one's shoulders) ; *prendre un enfant sur ses ~s*, give a child a pick back ‖ Culin. *~ d'agneau*, shoulder of lamb ‖ Mil. *mettre (l'arme) sur l'~*, shoulder (arm) ‖ **~er** vt (1) Mil. raise to the shoulder ‖ Fig. lend a hand to sb.

épave [epav] f Naut. wreck (navire naufragé) ; derelict (navire abandonné) ; *~ flottante*, flotsam ‖ Fig. ruin ; wreck (humaine).

épée [epe] f sword.

épeler [eple] vt (8 a) spell (out).

éperdu, e [eperdy] adj distraught, frantic (de douleur, with grief) ; *~ de joie*, wild/beside oneself, with joy ‖ headlong (fuite) ‖ **~ment** adv frantically, distractedly ‖ madly.

éper|on [eprɔ̃] m spur ‖ **~onner** [-ɔne] vt (1) spur (on).

épervier [epervje] m Zool. sparrow-hawk.

éphémère [efemɛr] adj ephemeral, short-lived, fleeting.

épi [epi] m Bot. ear (de céréale) ; *~ de maïs*, corncob ‖ Fig. cow-lick (de cheveux).

épic|e [epis] f spice ‖ **~é, e** adj spiced, spicy, hot ; *peu ~*, mild ‖ Fig. spicy.

épicéa [episea] m spruce.

épicer [epise] vt (6) spice.

épic|erie [episri] f [commerce, magasin] grocery ; [produits] groceries ; [magasin] grocer's (shop) ; *à l'~*, at the grocer's ; *~ fine*, delicatessen ‖ **~ier, ière** n grocer.

épidémie [epidemi] f epidemic.

épier [epje] vt (1) spy on, be on the look-out for ; watch for.

épil|ation [epilasjɔ̃] f removal of unwanted hair, depilation ‖ **~atoire** [-atwar] adj depilatory, hair-removing.

épiler [epile] vt (1) pluck (sourcils) ; remove the hair from (jambes) ; *se faire ~ les jambes à la cire*, have one's legs waxed.

épinard(s) [epinar] m(pl) spinach.

épin|e [epin] f thorn, prickle ‖ Anat. *~ dorsale*, spine, backbone ‖ **~eux, euse** adj thorny, prickly ‖ Fig. tricky (situation) knotty, thorny (problème).

épingl|e [epɛ̃gl] f pin ; *~ à cheveux*, hairpin ; *~ à linge*, clothes peg/U.S. pin ; *~ de cravate*, tie-pin ; *~ de nourrice/de sûreté*, safety-pin ‖ Aut. *virage en ~ à cheveux*, hair-pin bend ‖ Fig. *monter en ~*, blow sth up ‖ **~er** vt (1) pin up.

épique [epik] adj epic.

épisod|e [epizɔd] m episode ; serial, instalment (publication) ‖ **~ique** adj episodic ‖ Fig. occasional.

épissure [episyr] f splice.

épithète [epitɛt] f epithet, attributive adjective.

éploré, e [eplɔre] adj tearful, in tears.

épluch|age [eplyʃaʒ] m peeling ‖ ~**er** vt (1) peel (légumes) ; clean (salade) ‖ ~**eur** m peeler ‖ ~**ure** f peeling.

épointer [epwɛte] vt (1) blunt.

épong|e [epɔ̃ʒ] f sponge ‖ ~ *métallique,* pan-scraper ‖ ~**er** vt (7) sponge (up) ; mop (up), sop up (*avec une serpillière,* with a floor-cloth).

épopée [epɔpe] f epic (poème).

époque [epɔk] f epoch, age ; *qui fait* ~, epoch-making ; *meubles d'*~, period furniture ‖ Aut. *voiture d'*~, vintage car ‖ Agr. ~ *des semailles,* sowing season.

épouiller [epuje] vt (1) delouse.

époumoner (s') [sepumɔne] vpr (1) shout oneself out of breath.

épous|e [epuz] f wife ‖ ~**er** vt (1) marry, get married to.

épousseter [epuste] vt (8 a) dust.

époustouflant, e [epustuflɑ̃, ɑ̃t] adj Fam. staggering (nouvelles).

épouvant|able [epuvɑ̃tabl] adj dreadful, appalling ; shocking (spectacle) ‖ ~**ail** [-aj] m scarecrow ‖ Fig. bogey, bugbear ‖ ~**e** f dread, terror ; *film d'*~, horror film ‖ ~**é, e** adj scared, terror-stricken ‖ ~**er** vt (1) appal, terrify.

époux [epu] m husband ; *les deux* ~, the married couple.

épreuve [eprœv] f test, proof, trial ; *à l'*~ *de,* proof against ; *à toute* ~, unfailing ; *mettre à l'*~, put to the test, try out ; put (sb) through his paces ; tax (la patience) ‖ [école] test-paper ; ~ *orale,* oral examination ‖ Techn. proof (-sheet) [d'un livre] ‖ Phot. print ‖ Sp. event, contest ; ~ *éliminatoire,* preliminary heat ‖ Fig. ordeal, trial (malheur) ; ~ *de force,* showdown ‖ Pl hardships, trials.

épris, e [epri, iz] adj in love, infatuated (*de,* with).

éprouv|ant, e [epruvɑ̃, ɑ̃t] adj testing (climat) ; nerve-racking ‖ ~**é, e** adj tried ‖ Fig. stricken ; afflicted, aggrieved ‖ ~**er** vt (1) test, try, prove (qqch) ; feel (de la sympathie) ; experience (sentir) ; ~ *du plaisir à,* take plesure in ; sustain (une défaite) ; suffer (une perte) ‖ ~**ette** f test-tube.

épuis|ant, e [epɥizɑ̃, ɑ̃t] adj exhausting, wearing ‖ ~**é, e** adj [personne] exhausted, run down, worn out ; played out (coll.) ‖ Comm. sold out ; out of stock ; out of print (livre) ‖ Électr. dead (pile) ‖ Techn. worked out (filon) ‖ ~**ement** m exhaustion ‖ ~**er** vt (1) exhaust, tire out (personne) ; *ce genre de travail vous épuise,* that kind of work takes it out of you (coll.) ‖ Techn. work out (filon) — *vpr s'*~, [personne] exhaust oneself, wear oneself out ‖ [réserves] run out ‖ [source] run dry.

épuisette f landing-net, dip-net.

épur|ation [epyrasjɔ̃] f purifying ‖ Techn. filtering ‖ Pol. purge ‖ ~**er** vt (1) purify ‖ Techn. filter (air, eau).

équa|teur [ekwatœr] m equator ‖ ~**tion** f equation ; ~ *du second degré,* quadratic equation ; *mettre en* ~, equate ‖ ~**torial, e, aux** [-tɔrjal, o] adj equatorial.

équerre [ekɛr] f setsquare ; *d'*~, straight (tableau) ; *pas d'*~, out of square.

équestre [ekɛstr] adj equestrian.

équilatéral, e, aux [ekɥilateral, o] adj equilateral.

équilibr|e [ekilibr] m balance, equilibrium ; *être en* ~, balance (sur, on) ; *garder/perdre l'*~, keep/lose one's balance ‖ Fig. ~ *mental,* soundness of mind, mental stability ‖ ~**é, e** adj well-balanced ; level-headed, well-balanced stable (personne) ‖ ~**er** vt (1) balance ‖ Aut. balance (les roues) ‖ Comm. ~ *les gains et les pertes,* break even — *vpr* s'~, balance ‖ ~**iste** *n* rope-dancer.

équinoxe [ekinɔks] *m* equinox.

équip|age [ekipaʒ] *m* Av., NAUT. crew ‖ ~**e** *f* team, gang (d'ouvriers) ; ~ *de nuit*, night shift ; *travailler en* ~*s*, work in teams/shifts ; *travail d'*~, team work ; *faire* ~ *avec*, team up with ‖ ~ *de secours*, rescue squad/party ‖ SP. team ; (aviron) crew ‖ ~**ement** *m* equipment ; outfit, gear ‖ SP. kit ‖ *Pl* TECHN. fittings, appointments (fixe) ‖ MIL. outfit ‖ ~**er** *vt* (1) equip, fit out ; outfit (de vêtements) ‖ MIL. equip ‖ NAUT. man (bateau, d'un équipage) ‖ ~**ier, ière** *n* team/crew member.

équitable [ekitabl] *adj* fair, equitable, just, rightful (action) ‖ ~**ment** *adv* fairly.

équitation [ekitasjɔ̃] *f* riding, horsemanship.

équival|ence [ekivalɑ̃s] *f* equivalence ‖ ~**ent, e** *adj* equivalent, equal ; ~ *à tantamount to* ● *m* equivalent ; *l'*~, the like ‖ ~**oir** *vi* (81) be equivalent (*à*, to).

équivoque [ekivɔk] *adj* equivocal (ambigu) ; dubious (louche) ● *f* equivocation, ambiguity ; *sans* ~, unambiguous(ly).

érable [erabl] *m* maple(-tree).

érafl|er [erafle] *vt* (1) graze, scratch ‖ ~**ure** *f* graze, scratch.

érailler [eraje] *vt* (1) make hoarse/ husky (la voix).

ère [ɛr] *f* era.

érection [erɛksjɔ̃] *f* erection ‖ ARCH. raising, setting up.

éreint|é, e [erɛ̃te] *adj* FAM. worn-out, dog-tired, done up, dead beat/ tired (coll.) ‖ ~**er** *vt* (1) exhaust, tire out, wear out ‖ FIG. pull to pieces ; cut up (sl.) (œuvre) — *vpr* s'~, fag ; wear oneself out.

ergot [ɛrgo] *m* spur (de coq).

ergot|er [ɛrgɔte] *vi* (1) quibble (*sur*, about) ; cavil (*sur*, at) ‖ ~**eur, euse** *n* quibbler.

ériger [eriʒe] *vt* (7) erect, set up.

ermit|age [ermitaʒ] *m* hermitage ‖ ~**e** *m* hermit ‖ FIG. recluse ; *vivre en* ~, live a secluded life.

éro|der [erɔde] *vt* (1) erode ‖ ~**sion** [erozjɔ̃] *f* erosion.

érot|ique [erɔtik] *adj* erotic, sexy ‖ ~**isme** *m* eroticism.

errant, e [erɑ̃, ɑ̃t] *adj* stray (animal) ‖ *Le Juif errant*, the Wandering Jew.

errer [ere] *vi* (1) wander, roam.

err|eur [erœr] *f* error (*de*, of/in) ; mistake, slip ; ~ *d'adresse*, misdirection ; ~ *d'appellation*, ~ *de nom*, misnomer ; ~ *de calcul*, miscalculation ; ~ *de date*, misdating ; ~ *matérielle*, clerical error ; *être dans l'*~, be in error ; *faire une* ~, make a mistake ; *induire qqn en* ~, lead sb/into error ; *par* ~, by mistake ; *sauf* ~ *de ma part*, unless I'm mistaken ‖ fallacy (illusion) ‖ TÉL. *c'est une* ~ *!*, sorry, wrong number ! ‖ ~**oné, e** [-ɔne] *adj* erroneous, mistaken.

érudi|t, e [erydi, it] *adj* erudite, learned, scholarly ● *n* scholar ‖ ~**tion** *f* erudition, learning, scholarship.

éruption [erypsjɔ̃] *f* GÉOGR. eruption ; *entrer en* ~, erupt ‖ MÉD. rash (de boutons).

es [ɛ] → ÊTRE.

ès [ɛs] *prép* of ; *licencié* ~ *lettres/ sciences*, Bachelor of Arts/Science.

esbroufe [ɛsbruf] *f* FAM. *faire de l'*~, swank, show off.

escabeau [ɛskabo] *m* step-ladder, steps.

escadr|e [ɛskadr] *f* NAUT. squadron ‖ Av. wing ‖ ~**ille** [-ij] *f* Av. flight, squadron ‖ ~**on** [-ɔ̃] *m* MIL. squadron ; *chef d'*~, major.

escalade [ɛskalad] *f* climbing ‖ FIG. escalation ‖ ~**er** *vt* (1) climb.

escale [ɛskal] *f* NAUT. call (action) ;

port of call (lieu) ; *faire* ~, call, put in (*à,* at) ‖ Av. stop(over) ; *vol sans* ~, non-stop flight ; *faire* ~ *à,* stop over at.

escalier [ɛskalje] *m* stairs ; stairway, staircase (cage) ; ~ *mécanique/roulant,* escalator, moving staircase ; ~ *de secours,* fire-escape ; ~ *en colimaçon,* spiralstairs.

escalope [ɛskalɔp] *f* escalope (de veau).

escamot|able [ɛskamɔtabl] *adj* Av. retractable (train d'atterrissage) ‖ ~ **er** *vt* (1) [prestidigitateur] conjure away, juggle away ; palm (dans la main) ‖ [voleur] pinch (coll.) ‖ FIG. evade, get round, skip (une difficulté).

escapade [ɛskapad] *f* escapade.

escargot [ɛskargo] *m* snail.

escarmouche [ɛskarmuʃ] *f* MIL. skirmish.

escarp|é, e [ɛskarpe] *adj* precipitous, steep (pente), bluff (montagne) ; sheer (falaise) ‖ ~ **ement** *m* steep slope (pente) ; bluff (promontoire) ; crag (roc).

escarpin [ɛskarpɛ̃] *m* court-shoe.

escient [ɛsjɑ̃] *m à bon* ~, with discrimination, advisedly.

esclaffer (s') [sɛsklafe] *vpr* (1) burst out laughing, guffaw.

esclandre [ɛsklɑ̃dr] *m faire un* ~, make a scene.

esclav|age [ɛsklavaʒ] *m* slavery ; *réduire en* ~, enslave ‖ ~ **e** *n* slave ; *travailler comme un* ~, slave (away) ● *adj être* ~ *de,* be a slave to.

escompte [ɛskɔ̃t] *m* FIN. discount ‖ ~ **er** *vt* (1) FIN. discount (un effet) ‖ FIG. reckon on, expect.

escort|e [ɛskɔrt] *f* train, suite ‖ MIL. escort ‖ NAUT. convoy ‖ ~ **er** *vt* (1) escort, attend ‖ MIL. escort ‖ NAUT. convoy ‖ ~ **eur** *m* NAUT. escort (vessel).

escrim|e [ɛskrim] *f* fencing ; *faire de*

l'~, fence ‖ ~ **er (s')** *vpr* (1) peg away (*à/sur,* at).

escr|oc [ɛskro] *m* swindler, confidence man ; cheat ; twister (coll.) ; con man, crook (sl.) ‖ ~ **oquer** [-ɔke] *vt* (1) swindle, cheat ; con (sl.) ; ~ *qqn de qqch,* swindle sth out of sb, defraud sb of sth ‖ ~ **oquerie** [-ɔkri] *f* swindle, confidence trick, cheat.

espac|e [ɛspas] *m* space ‖ elbow room (place suffisante) ; *manquer d'*~, not to have enough room ‖ ~ *de rangement,* storage space ; ~*s verts,* park, gardens ; ~ *vital,* living space ‖ ASTR. ~ (interplanétaire), (outer) space ‖ ~ **é, e** *adj* spaced ; *très* ~, wide apart ‖ ~ **ement** *m* [action] spacing out ‖ TECHN. *barre d'*~, space-bar ‖ ~ **er** *vt* (6) [lieu] space (out) ‖ [temps] make less frequent — *vpr* s'~, become less frequent (dans le temps).

espadon [ɛspadɔ̃] *m* ZOOL., swordfish.

espadrilles [ɛspadrij] *fpl* canvasshoes, plimsoll.

Espagn|e [ɛspan] *f* Spain ‖ ~ **ol, e** [-ɔl] *n* Spaniard.

espagnol, e *adj* Spanish ● *m* Spanish (langue).

espèce [ɛspɛs] *f* kind, sort (sorte) ; *une* ~ *de,* a sort of ‖ breed (race) ; ~ *humaine,* human race ‖ BOT., ZOOL. species ‖ FAM. ~ *d'idiot !,* you (great) idiot !

espèces *fpl* FIN. cash ; *en* ~*s,* in hard cash.

espér|ance [ɛsperɑ̃s] *f* hope (espoir) ; trust, expectation (attente) ; ~ *de vie,* life expectancy ‖ ~ **er** *vt* (5) hope for (qqch) ; ~ *faire,* hope to do ; *je l'espère,* I hope so ‖ ~ *que,* hope that ; *j'espère que non,* I hope not — *vi* have faith ; ~ *en Dieu,* trust in God.

espiègl|e [ɛspjɛgl] *adj* mischievous ● *n* imp ‖ ~ **erie** [-əri] *f* mischievousness (disposition) ; trick (tour).

espi|on, onne [ɛspjɔ̃, ɔn] *n* spy ‖ ~ **onnage** [-ɔnaʒ] *m* spying, espionage ; *roman d'~*, spy novel ‖ *~onner* [-ɔne] *vt* (1) spy (on).

espoir [espwar] *m* hope ; *dans l'~ de*, in the hope of ; *plein d'~*, hopeful ; *sans ~*, hopeless, past hope ; *un jeune ~*, a coming man.

esprit [espri] *m* mind (intellect) ; *à l'~ étroit*, narrow-minded ; *à l'~ ouvert*, open-minded ‖ *présence d'~*, presence of mind ‖ *avoir tous ses ~s*, have one's wits about one ; *venir à l'~*, occur (to sb), come to mind ‖ *~ supérieur*, master mind ; *un simple d'~*, a simpleton ‖ [attitude] spirit, turn of mind ; *avoir bon ~*, be well-meaning ; *état d'~*, frame of mind ; *~ d'aventure*, enterprise ; *~ de clocher*, parochialism ; *~ de contradiction*, contrariness ; *~ d'équipe*, team spirit ‖ wit (vivacité) ; *mot/trait d'~*, witticism ; *homme d'~*, wit ; *avoir de l'~*, be witty ‖ ghost (fantôme) ‖ *Pl* spirits ; *reprendre ses ~s*, come to (one's senses) ‖ REL. *le Saint-Esprit*, the Holy Ghost.

Esquimau, aude, aux [eskimo, od, o] *n* Eskimo ● *n* N.D. [crème glacée] choc-ice.

esquinter [eskɛ̃te] *vt* (1) FAM. wreck, ruin ; mess up (coll.).

esquiss|e [eskis] *f* sketch ‖ FIG. outline, draft (ébauche) ‖ *~er vt* (1) sketch ‖ sketch (out), outline ; start (un geste).

esquiver [eskive] *vt* (1) dodge, evade, duck, sidestep (un coup) ; dodge, shirk, wriggle out of (une corvée) ; avoid, evade (une question) — *vpr s'~*, slink/sneak away.

essai [ese] *m* [épreuve] trial, testing, try-out ; *à l'~*, on trial ; *faire l'~ de qqch*, try sth out ; *mettre à l'~*, put to the test ‖ [tentative] attempt, try ; *coup d'~*, first try ; *galop d'~*, trial run ‖ AUT. *~ de vitesse*, speed trial ‖ AV. *pilote/vol d'~*, test pilot/flight ‖ SP. [rugby] try ‖ COMM. *à l'~*, on approval ‖ LITT. essay.

ess|aim [esɛ̃] *m* swarm (d'abeilles)

‖ *~aimer* [-ɛme] *vi* (1) swarm ‖ FIG. spread.

essay|age [esejaʒ] *m* fitting, trying on [de vêtements] ; *cabine d'~*, fitting cubicle ‖ *~er vt* (9 *b*) try, test (un objet) ‖ try on, fit on (un vêtement) ‖ *~ de faire qqch*, try/attempt to do sth ; *~ d'obtenir*, try for — *vpr s'~*, have a try (à, at) ; *s'~ à qqch*, try one's hand at sth ‖ *~eur, euse n* [couture] fitter ‖ TECHN. tester.

essenc|e [esɑ̃s] *f* petrol, U.S. gasoline ; gas (coll.) ; *(~) ordinaire*, two-star (petrol) ‖ essence, oil (extrait) ‖ *~erie* [-ri] *f* [Sénégal] petrol station.

essen|tiel, elle [esɑ̃sjel] *adj* essential ; main ‖ CH. *huile ~le*, essential oil ● *m* gist (d'un texte) ; *l'~*, the main thing ; the main part (de, of) ‖ *~tiellement adv* essentially.

essieu, eux [esjø] *m* axle(-tree).

essor [esɔr] *m* [oiseau] flight ; *prendre son ~*, take wing, soar ‖ FIG. expansion, boom (d'une affaire) ; *en plein ~*, booming, in full expansion.

essor|er [esɔre] *vt* (1) wring dry (à la main) ; spin-dry (à la machine) ‖ *~euse f* wringer ; *~ centrifuge*, spin-drier.

essouffl|é, e [esufle] *adj* breathless, out of breath ‖ *~ement m* breathlessness ‖ *~er vt* (1) wind, make breathless (qqn).

essuie|-glace [esɥiglas] *m* windscreen wiper, U.S. windshield wiper ‖ *~-mains m inv* hand-towel.

essuyer [esɥije] *vt* (9 *a*) dust (un objet poussiéreux) ; wipe dry (un objet humide) ; mop up (le sol) ; wipe away (ses larmes) ; *s'~ le front*, mop one's brow ; *s'~ les pieds*, wipe one's feet ; clean, wipe (le tableau) ‖ NAUT. *~ une tempête*, weather a storm ‖ FIG. suffer (échec) ; meet with (refus) — *vpr s'~*, dry oneself.

est[1] [est] *m* east ; *à l'~*, in the east ; *à l'~ de*, east of ; *de l'~*, eastern ; *l'~ de la France*, eastern France ; *vent* d'~, easterly wind ; vers l'~, eastward, eastern.

est², est-ce que [ε, eskə] → ÊTRE.

estafilade [εstafilad] f slash.

estamp|e [εstɑ̃p] f ARTS print ‖ ~**er** vt (1) TECHN. stamp ‖ FIG., FAM. swindle, fleece (coll.) ‖ ~**ille** [-ij] stamp ‖ ~**iller** vt (1) stamp.

esthét|icien, ienne [εstetisjɛ̃, jɛn] n beauty specialist, U.S. beautician ‖ ~**ique** adj aesthetic ● aesthetics.

estim|able [εstimabl] adj estimable, worthy, respectable ‖ ~**ation** f estimation, appraisal ‖ ~**e** f esteem, respect, regard ‖ tenir qqn en ~, think, highly of sb ; baisser/monter dans l'~ de, fall/rise in the estimation of ‖ ~**er** vt (1) [évaluer] estimate, value ‖ [apprécier] appreciate, prize, value ‖ [faire cas de] respect, esteem ‖ ~ que, consider that — vpr s'~, esteem/consider oneself.

estiv|al, e, aux [εstival, o] adj summer ‖ ~**ant, e** n holiday-maker, U.S. vacationist.

estoma|c [εstɔma] m stomach ; avoir l'~ creux, feel empty ; avoir mal à l'~, have stomach-ache ‖ ~**qué, e** [-ke] adj FAM. flabbergasted.

estomp|e [εstɔ̃p] f stump ‖ ~**er** vt (1) ARTS stump, shade off ‖ FIG. blur (les contours) ; dim (la lumière, la mémoire).

estrade [εstrad] f platform, stand ; dais (d'honneur).

estragon [εstragɔ̃] m tarragon.

estropi|é, e [εstrɔpje] adj crippled (membre, personne) ; game (membre) ; lame (boiteux) ● n cripple ‖ ~**er** vt (1) cripple, disable, maim.

estuaire [εstɥεr] m estuary, firth.

esturgeon [εstyrʒɔ̃] m sturgeon.

et [e] conj and.

étable [etabl] f cow-house/-shed.

établi¹ [etabli] m TECHN. bench.

établi|² e adj established (fait) ; standing (habitude) ‖ ~**ir** vt (2) [installer] put up, set up (une usine, etc.) ; pitch (un camp) ; settle, set up house (son domicile) [à, in] ‖ [instaurer] establish, introduce ‖ draw up (une liste) ‖ FIN. ~ un chèque de 15 livres, make out a cheque for £15 ‖ FIG. base (une théorie) ; lay down (des conditions) ; establish (des faits) ; il est établi que, it is on record that — vpr s'~, settle (dans un lieu) ‖ COMM. set up in business ; set oneself up (as) ‖ FIG. [vent] set in ‖ [habitude] become ingrained ‖ ~**issement** m setting up, establishment (acte) ‖ establishment (bâtiment) ; premise (local ‖ firm (commercial) ; institution (scolaire) ‖ FIG. establishment (d'un fait).

étag|e [etaʒ] m stor(e)y, floor ; un immeuble à six ~s, a six-storied building ; au deuxième ~, on the second/U.S. third floor ; à l'~ supérieur, upstairs ‖ flight of stairs (escalier) ; tier (dans un placard) ‖ TECHN. stage (de fusée) ‖ ~**ère** [-εr] f rack, (set of) shelves.

étai [etε] m prop.

étain [etɛ̃] m [métal] tin ‖ [vaisselle] pewter.

étais, aux ou **als** [etal, o] m stall, stand ‖ ~**age** m COMM. display(ing), show (de marchandises) ; shop/show-window (vitrine) ; à l'~, in the window ; faire l'~, dress the window ; art de l'~, window-display/-dressing ‖ FIG. array, display ; faire ~ de, flaunt, show off (sa fortune, etc.) ‖ ~**agiste** [-ʒist] n windowdresser.

étale [etal] adj slack (mer).

étal|ement [etalmɑ̃] m display(ing) ‖ FIG. staggering (des congés) ‖ ~**er** vt (1) spread (étendre) ; display, lay out (déployer) ; unroll (carte) ‖ COMM. set out (des marchandises) ‖ NAUT. weather (une tempête) ‖ FIG. display, parade, make a show of, show off (faire étalage de) ; ~ son jeu, show one's hand ; stagger, space out (échelonner) — vpr s'~, spread, sprawl ; [personne] spread oneself ;

lounge, sprawl || [période] spread (*sur*, over) || FAM. measure one's lenght, come a cropper (tomber).

étalon¹ [etalɔ̃] *m* ZOOL. studhorse, stallion (cheval).

étalon² *m* FIN. standard ; ~-*or*, gold-standard.

étanch|e [etɑ̃ʃ] *adj* impervious, tight ; ~ *à l'eau*, watertight || weatherproof (vêtement) || NAUT. cloison ~, bulkhead || ~ **er** *vt* (1) stop, sponge up (liquide) || MÉD. sta(u)nch, stem (le sang) || FIG. slake (sa soif).

étang [etɑ̃] *m* pond, pool.

étant [etɑ̃] → ÊTRE.

étape [etap] *f* stage (trajet) ; *par petites* ~**s**, by easy stages ; *la dernière* ~, the last leg (d'un voyage) || stopping-place, stop (lieu) || AV. hop || FIG. stage, step.

état¹ [eta] *m* state, condition ; *en bon* ~, in good condition ; *en mauvais* ~, in bad condition, in bad repair ; rough going (route) ; *à l'*~ *neuf*, as good as new || *en* ~ *d'ivresse*, in a state of intoxication ; *dans un triste* ~, in a sad plight || ~ *d'esprit*, frame of mind ; ~ *d'âme*, mood || *être en* ~ *de faire*, be in a position to do ; *être hors d'*~ *de*, be incapable of, be unable to || ~ *d'urgence*, emergency ; *dans l'*~ *actuel des choses*, as things are ; *en tout* ~ *de cause*, in any case || [house to let] ~ *des lieux*, inventory of fixtures || TECHN. *en* ~ *de marche*, in working order ; *remettre en* ~, do up || MÉD. ~ *de santé*, state of health ; *dans un* ~ *grave*, in a critical condition || POL. ~ *de guerre*, state of war ; ~ *de siège*, state of siege || FAM. *se mettre dans tous ses* ~**s**, work oneself up.

état² *m* condition, social station || trade, occupation (métier) || JUR. ~ *civil*, (civil) status ; *bureau de l'*~ *civil*, registry office.

état³ *m* list, statement, account (document) ; ~ *des lieux*, inventory of fixtures ; ~ *nominatif*, list of names, roll || *faire* ~ *de*, put forward.

État⁴ *m* state (gouvernement, nation) ; *homme d'*~, statesman || ~ *providence*, welfare state ; ~ *tampon*, buffer state.

étatiser [etatise] *vt* (1) bring under state control ; *étatisé*, state-controlled.

état-major [-maʒɔr] *m* staff ; head quarter (bureaux).

États-Unis [etazyni] *mpl* United States, The Union.

étau [eto] *m* vice, U.S. vise.

étayer [eteje] *vt* (9 *b*) prop up, buttress.

été¹ [ete] → ÊTRE.

été² *m* summer ; *en* ~, in summer || ~ *de la Saint-Martin*, Indian summer.

éteindre [etɛ̃dr] *vt* (59) extinguish, put out (le feu, la lumière) ; blow out (une bougie) ; switch off (l'électricité) ; turn out/off (le gaz) — *vpr* *s'*~, [feu] go out || FIG. [personne] die ; [bruit, couleur, voix] die || ~ **eint, e** [-ɛ̃, ɛ̃t] *adj* out (feu, gaz, lumière) ; dead (feu) ; extinct (feu, volcan).

éten|dre [etɑ̃dr] *vt* (4) spread (out) (les jambes) || stretch out ; lay (une nappe) ; hang out (en suspendant) || dilute ; ~ *d'eau*, water down || FIG. extend (ses connaissances) — *vpr* *s'*~, [côte] lie || [plaine] spread, sweep || [route] stretch || [personne] lie down (sur un lit) ; stretch out (*sur*, on) sprawl out || FIG. *s'*~ *sur*, dwell on (un sujet) || ~ **du, e** [-dy] *adj* extensive (vaste) ; wide (plaine) || outspread (ailes) || [personne] *être* ~, lie, recline || FIG. extensive (connaissances) ; comprehensive (programme, sens) || ~ **due** [dy] *f* expanse (d'eau, de terrain) || MUS. range (d'un instrument) || FIG. [importance] extent, scope.

étern|el, elle [etɛrnɛl] *adj* eternal, everlasting, endless || ~ **ellement** *adv* eternally, endlessly || ~ **iser** *vpr* (1) *s'*~, drag on || ~ **ité** *f* eternity ; *de toute* ~, from time immemorial.

éter|nuement [etɛrnymɑ̃] *m* sneeze ‖ **~nuer** [-nɥe] *vi* (1) sneeze.

êtes [ɛt] → ÊTRE.

éther [etɛr] *m* ether.

éthique [etik] *adj* ethical ● *f* ethics.

ethn|ique [etnik] *adj* ethnic ‖ **~ographie** [-ɔgrafi] *f* ethnography ‖ **~ologie** [-ɔlɔʒi] *f* ethnology ‖ **~ologue** [-ɔlɔg] *m* ethnologist.

étin|celant, e [etɛ̃slɑ̃, ɑ̃t] *adj* sparkling, glittering ‖ **~celer** [-sle] *vi* (5) [chose] sparkle, glitter ‖ [regard] sparkle (joyeux) flash (furieux), twinkle (malicieux) ‖ *faire ~,* flash (un diamant) ‖ **~celle** [-sɛl] *f* spark ; *jeter des ~s,* throw out sparks.

étiqu|eter [etikte] *vt* (8 *b*) label ; ticket (avec le prix) ; tag (bouteille, etc.) ‖ **~ette** *f* label, tag, U.S. sticker ‖ tally (pour plantes) ; ticket (indiquant le prix).

étirer [etire] *vt* (1) stretch (un élastique, ses membres) — *vpr* s'~, stretch (oneself), strecht out.

étoff|e [etɔf] *f* material, fabric ‖ Fig. stuff ; *avoir l'~ de,* have the making of ‖ **~er** *vt* (1) Fig. fill out.

étoil|e [etwal] *f* star ; ~ *filante,* shooting star ; ~ *Polaire,* pole star ‖ *coucher à la belle ~,* sleep out/in the open ‖ Cin. star ‖ Fig. *bonne ~,* lucky star ‖ **~é, e** *adj* starry, starlit ‖ starspangled (bannière) ‖ **~er** *vt* (1) stud with stars.

étonn|ant, e [etɔnɑ̃, ɑ̃t] *adj* surprising, amazing, wonderful, astonishing ; *(il n'est) pas ~ que,* no wonder that ‖ **~ement** *m* wonder, amazement, astonishment ; *à mon grand ~,* much to my surprise ‖ **~er** *vt* (1) surprise, amaze, astonish — *vpr* s'~, wonder (que, that) ; marvel, be amazed (de, at).

étouffant, e [etufɑ̃, ɑ̃t] *adj* stifling, sultry (chaleur).

étouff|ement *m* suffocation ‖ **~er** *vt* (1) suffocate, smother (tuer) ‖ smother (un feu) ; muffle (un bruit) ; stifle (un cri) ; suppress (un sanglot)

‖ stamp out (une révolte) ; hush up (un scandale) — *vi* choke ; suffocate to death ‖ ~ *de chaleur,* swelter.

étoupe [etup] *f* tow.

étourd|erie [eturdəri] *f* thoughtlessness ; *par ~,* by an oversight ‖ **~i, e** *adj* thoughtless, hare-/scatterbrained ‖ giddy, dizzy (pris de vertige) ● *n* scatterbrain ‖ **~iment** *adv* heedlessly, thoughtlessly, without thinking ‖ **~ir** *vt* (2) make giddy ‖ [choc] daze, stun ‖ Fig. numb (la douleur) — *vpr* s'~, seek diversion ‖ **~issant, e** *adj* stunning (coup) ; deafening (bruit) ; amazing (succès) ‖ **~issement** *m* avoir un ~, have a fit of giddiness, have a dizzy spell, feel faint/dizzy.

étourneau [eturno] *m* starling.

étrang|e [etrɑ̃ʒ] *adj* strange, odd, queer ; *chose ~,* strange to say, oddly enough ‖ weird (inquiétant) ‖ **~ement** *adv* strangely.

étrang|er, ère [etrɑ̃ʒe, ɛr] *adj* strange (inconnu) ; foreign, alien (d'un autre pays) ‖ Méd. foreign (corps) ‖ Fig. irrelevant (à, to) ; ~ *à la question,* beside the point ● *n* [personne] foreigner, alien (d'une autre nationalité) ; stranger (dans un lieu, à un groupe) ; outsider (à un groupe) ● *m* [pays] foreign country ; *à l'~,* abroad ; *aller/vivre à l'~,* go/live abroad ‖ **~eté** *f* strangeness, queerness.

étrangl|é, e [etrɑ̃gle] *adj* strangled, stifled (voix) ‖ **~ement** *m* strangling (action) ‖ Fig. goulet d'~, bottle-neck ‖ **~er** *vt* (1) strangle, choke, throttle — *vpr* s'~, choke.

étrave [etrav] *f* stem.

être [ɛtr] *vi* (48) [exister] be ; *soit !,* so let it be !, agreed !, all right ! ; *ainsi soit-il,* so be it [position] stand (debout) ; lie (couché) ‖ [nombre] *nous étions trois,* there were three of us ‖ [date] *nous sommes le 10,* today is the 10th ‖ [+ attribut] ~ *malade,* be hill ; *il est docteur,* he is a doctor ‖ Fam. [= aller] *où avez-vous été ?,* where have you been ? ; *j'y ai été,* I have been there || ~ **à**, [= appartenir] belong to ; *c'est à moi/vous,* it's mine/yours ; : *à qui est ce livre ?,* whose book is this ? ; [+ (pro)nom + verbe] *c'est à vous de jouer,* [cartes] it's your lead, [échecs] it's your move ; *c'est à vous de parler,* it's your turn to speak, it's up to you to speak (fam.) || [+ adj numéral] *c'est à 10 miles d'ici,* it is 10 miles from here || [+ verbe] *il est à plaindre,* he is to be pitied || ~ **de** : *il est de Paris,* he is from Paris || *c'est,* it is ; *c'est moi/lui,* that's me/him || [impersonnel] *il est,* there is/are || **en** ~ : *en êtes-vous ?,* will you join us ? ; *je n'en suis pas,* count me out ; *où en êtes-vous ?,* how far have you got ? ; *quoi qu'il en soit,* however that may be || **y** ~ : *y ~ pour qqch,* have sth to do with it, have a finger in the pie ; *n'y ~ pour rien,* have no part in it ; *je n'y suis plus,* I don't follow ; *y êtes-vous ?,* are you ready ? ; *vous y êtes,* you've got it ! (vous avez trouvé) ; *nous y sommes,* this is it ; *ça y est !,* it's done ! (fait) ; it's ready ! (prêt) || *n'était,* were it not for ; *n'eût été,* had it not been for || [formules interrogatives] *est-ce que... ?* ; *est-ce que vous le voulez ?* (= le voulez-vous ?), do you want it ? ; *qu'est-ce que c'est ?,* what is it ? ; *n'est-ce pas ?* : *il est parti hier, n'est-ce pas ?,* he left yesterday, didn't he ? ; *il n'a pas encore répondu, n'est-ce pas ?,* he hasn't answered yet, has he ? ; *il viendra, n'est-ce pas ?,* he will come, won't he ? ● *m* being, existence || being, creature (être vivant) ; ~ *humain,* human being.

étr|eindre [etrɛ̃dr] *vt* (59) embrace, hug ; clasp in one's arms || ~ **einte** [-ɛ̃t] *f* embrace, clasp.

étrenn|e [etren] *f* avoir l' ~ **de,** be the first to use (use, etc.) || *Pl* New Year's gift ; Christmas box (au facteur) || ~ **er** *vt* (1) use/wear for the first time ; christen (une voiture, etc.).

étrier [etrije] *m* stirrup || FIG. *le coup de l' ~,* one for the road.

étrill|er [etrije] *vt* (1) curry (un cheval).

étriqu|é, e [etrike] *adj* skimpy (vêtement) ; cramped (position) ; narrow (esprit).

étroit, e [etrwa, wat] *adj* narrow || *être à l' ~,* be cramped for room || tight (vêtement) || FIG. narrow ; *à l'esprit* ~, narrow-minded ; close (lien, relations) || ~ **ement** [-tmã] *adv* narrowly ; tightly || FIG. closely (intimement).

étud|e [etyd] *f* study (d'une science) ; *faire des* ~s, study ; *faire ses* ~s, study (à, in), be educated || [ouvrage] study, memoir, paper || investigation ; *à l'* ~, under consideration || prep-room (salle) || COMM. ~ *de marché,* market research || JUR. office (de notaire) || TECHN. designing ; *bureau d'* ~s, designing office || ~ **iant, e** [-jã, ãt] *n* student ; ~ **en, lettres/médecine,** arts/medical student undergraduate ; freshman (de 1ʳᵉ année) || ~ **ié, e** *adj* elaborate || ~ **ier** *vt* (1) study, learn || (université) read (une matière) || MUS. practise.

étui [etɥi] *m* case ; ~ *à cigarettes,* cigarette-case ; sheath (à ciseaux) ; holster (de revolver).

étuv|e [etyv] *f* sweating-room (pour transpirer) || drying oven/-room (pour séchage) || ~ **ée** *f cuire à l'* ~, steam, braise.

étymolog|ie [etimɔlɔʒi] *f* etymology || ~ **ique** *adj* etymological.

eu [y] → AVOIR.

eucalyptus [økaliptys] *m* eucalyptus.

euphémisme [øfemism] *m* euphemism, understatement.

euph|onie [øfɔni] *f* euphony || ~ **orie** [-ɔri] *f* euphoria || ~ **orique** [-ɔrik] *adj* euphoric || ~ **orisant** *m* pep pills.

Eur|asie [ørazi] *f* Eurasia || ~ **asien, ienne** [-azjɛ̃, jɛn] *n* Eurasian || ~ **ope**

[ɔp] f Europe ‖ ~ **opéen, enne** [ɔpeɛ̃, ɛn] n European.

européen, enne adj European.

euthanasie [øtanazi] f euthanasia, mercy killing.

eux [ø] pron them ; ce sont ~, it is they/them ; ce sont ~ qui..., they are the ones who... ; à ~, to them, theirs ; ~-mêmes, themselves. (→ LUI.)

évacu|ation [evakɥasjɔ̃] f evacuation ‖ ~é, e n evacuee ‖ ~er vt (1) drain off (liquide) ; vacate (un appartement) ; faire ~, clear (une salle) ‖ MIL., MÉD. evacuate.

évad|é, e [evade] n fugitive, escapee ‖ ~er (s') vpr (1) escape, get away, break out, break loose (de, from).

évalu|ation [evalɥasjɔ̃] f valuation, appraisal, estimate ‖ assessment (progrès, valeur) ‖ ~er vt (1) value, estimate, appraise ‖ price (un objet) ‖ assess (des dommages, des progrès).

évang|éliser [evɑ̃zelize] vt (1) evangelize ‖ ~ile [-il] m Gospel ; parole d'~, Gospel truth.

évanou|i, e [evanwi] adj unconscious ; tomber ~, fall down in a faint ‖ ~ir (s') vpr (2) faint, pass out ; lose consciousness ‖ FIG. vanish ‖ ~issement m fainting fit, blackout, loss of consciousness, black out.

évapor|ation [evapɔrasjɔ̃] f evaporation ‖ ~er vt (1) (faire) ~, evaporate — vpr s'~, evaporate ‖ [eau bouillante] boil away.

évasé, e [evaze] adj splayed (ouverture) ‖ bell-shaped (jupe).

évasif, ive [evazif, iv] adj evasive.

évasion [evazjɔ̃] f escape, prison-breaking ; get-away (coll.) ‖ FIG. escapism ; littérature d'~, escapist literature.

évêché [eveʃe] m bishopric (fonction) ; bishop's palace (palais) ; see (siège) ; cathedral town (ville).

éveil [evej] m awakening ; en ~, on the alert ; donner l'~ à qqn, awaken

sb's suspicion ‖ FIG. dawn(ing) ‖ ~lé, e [e] adj awake(n) ; bien ~, wide awake ‖ FIG. alert, sharp (vigilant) ; smart (vif) ‖ ~ler vt (1) wake up, awake(n) ‖ FIG. awake(n) (la curiosité) ; arouse (les soupçons) — vpr s'~, awake, wake up ‖ FIG. awaken.

événement [evenmɑ̃] m event (à sensation) ; occurrence (fait) ‖ Pl happenings, circumstances ; la suite des ~s, further developments.

éventail [evɑ̃taj] m fan ‖ FIG. ~ des salaires, salary range.

éventaire [evɑ̃tɛr] m stall (dans un marché).

évent|é, e [evɑ̃te], adj stale, flat (bière) ‖ FIG. [secret] out ‖ ~er (1) air (rafraîchir) ; fan (avec un éventail) ‖ FIG. discover (secret, etc.) — vpr s'~, fan oneself (avec un éventail) ‖ [nourriture, parfum] go stale ; [bière] go flat.

éventrer [evɑ̃tre] vt (1) disembowel, rip up ‖ slit open (sac) ‖ FIG. break open (un coffre).

éventu|alité [evɑ̃tɥalite] f contingency, possibility, eventuality ‖ ~el, elle [-ɛl] adj contingent, possible, prospective ‖ ~ellement [-ɛlmɑ̃] adv possibly, on occasion ; if necessary.

évêque [evɛk] m bishop.

évid|emment [evidamɑ̃] adv of course, obviously ‖ ~ence f obviousness ; bien en ~, conspicuously ; de toute ~, obviously ; mettre en ~, place in a prominent position ‖ ~ent, e adj obvious, evident, plain, clear.

évider [evide] vt (1) core (une pomme) ; scoop out (tomate) ‖ TECHN. hollow out.

évier [evje] m sink.

évincer [evɛ̃se] vt (6) supplant, oust.

évit|able [evitabl] adj avoidable ‖ ~er vt (1) avoid ‖ shirk (une corvée, une responsabilité) ; dodge (un coup) : keep clear of (qqn, qqch) ‖ FIG. ~ qqn, give sb a wide berth ; ~

à qqn (la peine de faire) qqch, spare sb (the trouble of doing) sth.

évoca|teur, trice [evɔkatœr, tris] adj evocative, reminiscent (de, of) || **~tion** f evocation.

évolu|é, e [evɔlɥe] adj developed, advanced || **~er¹** vi (1) [idées, civilisation, etc.] evolve, develop, advance || [situation] change || MÉD. [maladie] run its course || **~tion¹** f development, evolution || march (des événements).

évolu|er² vi (1) move about || MIL. manœuvre || **~tion²** f movement.

évoquer [evɔke] vt (1) evoke, call to mind, conjure up (faire penser à) || recall, call up (remémorer).

ex- [eks] préf ex- ; late ; former.

exacerber [egzasɛrbe] vt (1) exacerbate.

exact, e [egza(kt), kt] adj accurate, exact (correct) || correct, true (juste) || précise, accurate (précis) ; l'heure ~, the right time ; c'est ~, that's right || punctual (ponctuel) || **~ement** adv exactly ; accurately ; correctly || **~itude** [-ityd] f accuracy, precision, exactness (précision) || punctuality (ponctualité).

ex aequo [egzeko] adj/adv (école) premiers ~, placed equal first || SP. arriver ~, tie ; classer ~, bracket together.

exagér|ation [egzaʒerasjɔ̃] f exaggeration, overstatement [déclaration] || **~é, e** adj exaggerated (outré) ; undue (précipitation) ; excessive (abusif) || **~ément** [-emā] adv excessively, unduly || **~er** vt (1) exaggerate || overdo (en faire trop).

exalt|ant, e [egzaltā, āt] adj exalting, gratifying || **~ation** f exaltation || **~é, e** adj excited ; eclated ; overjoyed || **~er** vt (1) praise (louer).

exam|en [egzamɛ̃] m examination ; exam (coll.) ; ~ blanc, mock exam ; ~ d'entrée/de passage, entrance/end-of-year examination ; faire passer un ~ à qqn, examine sb, put sb through

an examination ; ~ pour le permis de conduire, driving-test || consideration, investigation, survey (de la situation) ; ~ minutieux, scrutiny ; à l'~, under consideration || study (d'une question) || MÉD. ~ médical, medical examination ; check-up (complet) ; ~ de la vue, eye test || REL. ~ de conscience, self-examination || **~inateur, trice** [-inatœr, tris] n examiner || **~iner** vt (1) examine : go/see over (rapport) ; look into (une question), survey (une situation) ; ~ attentivement, look through ; ~ en détail, investigate ; ~ soigneusemùient, go through, vet ; ~ à fond, scrutinize || MÉD. examine (un malade) ; se faire ~, have oneself examined ; se faire ~ les dents, have one's teeth examined.

exaspér|ant, e [egzasperā, āt] adj exasperating || **~ation** f exasperation || **~er** vt (5) exasperate, aggravate.

exaucer [egzose] vt (6) fulfil, grant (un vœu).

excav|ateur, trice [ɛkskavatœr, tris] n excavator || **~ation** f excavation.

excéden|t [ɛksedā] m excess, surplus ; en ~, (left) over ; ~ de poids, overweight ; ~ de population, overspill || AV. ~ de bagages, excess luggage || **~taire** [-ter] adj excess ; surplus.

excéder [ɛksede] vt (5) exceed (une quantité) ; overstep (outrepasser) || exasperate (agacer).

excell|emment [ɛkselamā] adv excellently || **~ence** f excellence || Son Excellence, His/Her Excellency || loc adv par ~, pre-eminently || **~ent, e** adj excellent, first rate || **~er** vi (1) excel (à, in).

excentr|icité [ɛksātrisite] f remoteness (d'un quartier) || FIG. eccentricity || **~ique** adj remote, outlying (quartier) || FIG. eccentric, kinky (mode) ; offbeat (coll.) ● n eccentric ; freak, weirdie (coll.) ; crank (péj.).

excep|té, e [ɛksɛpte] adj excluding

● *prép* except, apart from, but for ‖ **~ter** *vt* (1) except *(de,* from) ‖ **~tion** *f* exception ; *à l'~ de,* except for ; *sans ~,* barring none ; *tous sans ~,* every one of them ; *faire ~ à,* be an exception to ; *faire une ~ à,* make an exception to ; *faire une ~,* stretch a point *(en faveur de qqn,* in sb's favour) ‖ **~tionnel, elle** [-sjɔnɛl] *adj* exceptional ‖ outstanding (remarquable) ‖ unique, unusual ‖ **~tionnellement** [-sjɔnɛlmɑ̃] *adv* exceptionally, uniquely.

excès [ɛksɛ] *m* excess, surplus ; *à l~,* to excess, overmuch ‖ AUT. *~ de vitesse,* speeding.

excess|if, ive [ɛksɛsif, iv] *adj* excessive ‖ extravagant (prix) ‖ **~ivement** *adv* excessively, too much.

excit|able [ɛksitabl] *adj* excitable ‖ **~ant, e** *adj* exciting ‖ sexy (femme) ● *m* pep pill ‖ **~ation** *f* excitement ‖ **~é, e** *adj* all worked-up, wrought-up, overexcited ‖ **~er** *vt* (1) arouse, excite (désir) ‖ rouse (curiosité) ‖ arouse (sexuellement) — *vpr s'~,* get excited/worked up.

exclamation [ɛksklamasjɔ̃] *f* exclamation ; *point d'~,* exclamation mark ‖ **~er (s')** *vpr* (1) exclaim.

excl|u, e [ɛkskly] *adj* excluded ; *il n'est pas ~ que,* it is not out of the question that ‖ **~ure** *vt* (29) leave out, exclude ‖ prevent (interdire) ‖ preclude (empêcher) ‖ rule out (écarter) ‖ expel, turn out (renvoyer) ‖ **~usif, ive** [-yzif, iv] *adj* exclusive ‖ COMM. sole (droits, représentant) ‖ **~usion** [-yzjɔ̃] *f* exclusion *(de,* from) ; *à l'~ de,* to the exclusion of (en excluant) ; with the exclusion of (excepté) ‖ **~usivement** *adv* exclusively ‖ **~usivité** *f* exclusiveness ‖ COMM. exclusive rights.

excommun|ication [ɛkskɔmynikasjɔ̃] *f* excommunication ‖ **~ier** *vt* (1) excommunicate.

excrément [ɛkskremɑ̃] *m* excrement, waste matter.

excroissance [ɛkskrwasɑ̃s] *f* excrescence, outgrowth.

excursi|on [ɛkskyrsjɔ̃] *f* excursion, outing, trip ; hike, tramp *(à pied)* ; *partir en ~,* go on an excursion, go for an outing ‖ **~onner** [-ɔne] *vi* go on excursions/trips, go touring ; go hiking *(à pied)* ‖ **~onniste** [-ɔnist] *n* excursionist ; tripper ; hiker *(à pied).*

excus|e [ɛkskyz] *f* apology *(de,* for) ; *faire des ~s à qqn,* apologize to sb ; *une lettre d'~,* an apologetic letter ; *excuse, plea* (prétexte) ‖ **~er** *vt* (1) excuse, forgive ; *excusez-moi,* excuse me, pardon me ; *je vous prie de m'~,* I beg your pardon ‖ excuse (dispenser, justifier) ; *se faire ~,* beg off *(de,* for) — *vpr s'~,* apologize *(auprès de qqn,* to sb ; *de qqch,* for sth) ‖ to decline an invitation.

exécr|able [ɛgzekrabl] *adj* nasty, execrable ‖ shocking, vile (temps) ‖ **~er** *vt* (5) execrate.

exécutant, e [ɛgzekytɑ̃, ɑ̃t] *n* MUS. performer, player ‖ **~ter** *vt* (1) execute, carry out perform (accomplir) ‖ fulfil (promesse) ‖ COMM. carry out (une commande) ‖ MUS. execute ; perform *(au piano,* at the piano ; *au violon,* on the violin) ‖ MÉD. make up, dispense (une ordonnance) ‖ JUR. execute (un criminel) — *vpr s'~,* comply (agir) ‖ pay up (payer) ‖ **~tif, ive** *adj/m* executive ‖ **~tion** *f* execution, carrying out, fulfilment (accomplissement) ; *mettre à ~,* carry out ‖ performance, achievement (d'un travail) ‖ JUR. *~ capitale,* capital execution (d'un criminel).

exempl|aire [ɛgzɑ̃plɛr] *adj* exemplary ● *m* copy ; *en deux/trois ~s,* in duplicate/triplicate ‖ **~e** *m* example, instance ; *un ~ pertinent,* a case in point ; *à l'~ de,* after the example of ; *par ~,* for example/instance ; *sans ~,* unprecedented ‖ *donner l'~,* set an example ; *prendre ~ sur qqn,* take example by sb ‖ FAM. *ça par ~ !,* well I never !

exemp|t, e [ɛgzɑ̃, ɑ̃t] *adj* free, exempt (*de*, from) ; ~ *d'impôts*, tax-free ‖ ~**ter** [-te] *vt* (1) exempt, free, excuse (*de*, from) ‖ ~**tion** [-psjɔ̃] *f* exemption (*de*, from).

exerc|é, e [ɛgzɛrse] *adj* experienced (*en* in) ‖ ~**er** *vt* (6) exercise, train (le corps, qqn) ‖ carry on (métier) ; practise (profession libérale) ‖ MIL. drill — *vpr* s'~, practise, oneself ‖ ~**ice** [-is] *m* training, practice (entraînement) ‖ exercise (scolaire) ‖ discharge (d'une fonction) ‖ SP. exercise ; *faire de l'*~, exercise, take some exercise ‖ MIL. *faire l'*~, drill ‖ MUS. *faire des* ~s, practise ‖ MÉD. practice ‖ FIN. ~ *financier*, trading year.

exhal|er [ɛgzale] *vt* (1) exhale, breathe out (de l'air) ‖ send out (parfum).

exhausser [ɛgzose] *vt* (1) raise.

exhaustif, ive [ɛgzostif, iv] *adj* exhaustive.

exhib|er [ɛgzibe] *vt* (1) display (richesse, etc.) ‖ exhibit, show (spectacle) ‖ show off (seins, etc.) ‖ COMM. set out (des marchandises) — *vpr* s'~, show oneself off ‖ exposer oneself (outrage) ‖ ~**ition** *f* exhibition ‖ ~**itionnisme** [-isjɔnism] *m* exhibitionism ‖ ~**itionniste** *n* exhibitionist.

exhort|ation [ɛgzɔrtasjɔ̃] *f* exhortation ‖ ~**er** *vt* (1) exhort (*à*, to) ; ~ *qqn à faire*, urge sb to do.

exhumer [ɛgzyme] *vt* (1) exhume, excavate (vestiges).

exig|eant, e [ɛgziʒɑ̃, ɑ̃t] *adj* exacting, demanding, hard to please ‖ ~**ence** *f* demand ‖ *Pl* requirements ‖ ~**er** *vt* (7) demand (*de*, of) ; call for, require (nécessiter) ; ~ *qqn qu'il fasse qqch*, require sb to do sth ; ~ *de qqch de qqn*, require sth of sb.

exig|u, ë [ɛgzigy] *adj* exiguous, cramped (lieu) ‖ ~**uïté** [-yite] *f* exiguity.

exil [ɛgzil] *m* exile, banishment ‖

~**é, e** *n* exile ‖ ~**er** *vt* (1) exile (*de*, from) — *vpr* s'~, go into exile.

exist|ant, e [ɛgzistɑ̃, ɑ̃t] *adj* existent ; *encore* ~, extant ‖ ~**ence** *f* existence, life (vie) ‖ being (être) ; *moyens d'*~, livelihood ‖ ~**entialisme** [-ɑ̃sjalism] *m* PHIL. existentialism ‖ ~**er** *vi* (1) exist, live ; ~ *depuis cent ans,* have been in existence for a hundred years ‖ be found (se trouver).

exode [ɛgzɔd] *m* exodus.

exonér|ation [ɛgzɔnerasjɔ̃] *f* exemption, exoneration (*de*, from) ‖ ~**é, e** *adj* tax-free ‖ ~**er** *vt* (5) exempt, exonerate (*de*, from).

exorbit|ant, e [ɛgzɔrbitɑ̃, ɑ̃t] *adj* exorbitant, extravagant (demande, prix) ; outrageous (choquant) ‖ ~**ée** *adj* bulging ; *aux yeux* ~s, pop-eyed ‖

exorciser [ɛgzɔrsize] *vt* (1) exorcise.

exot|ique [ɛgzɔtik] *adj* exotic ‖ ~**isme** *m* exoticism.

expans|if, ive [ɛkspɑ̃sif, iv] *adj* communicative, open-hearted (personne) ‖ ~**ion** *f* expansion ; *en* ~, expanding (univers) ; booming (économie).

expatrier (s') [ɛkspatrije] *vpr* (1) expatriate oneself.

expectative [ɛkspɛktativ] *f* state of uncertainty ; *être dans l'*~, be still waiting.

expédient [ɛkspedjɑ̃] *m* makeshift, *vivre d'*~s, live by one's wits.

expédi|er [ɛkspedje] *vt* (1) send, mail (une lettre) ; consign (des marchandises) ; ~ *par avion,* send by airmail ; ~ *par bateau,* send by sea/ship ; ~ *par chemin de fer,* send by rail/train ; ~ *par la poste,* send through the post ; ship (gros articles, par tous moyens) ‖ FAM. send, pack off, dispose of (qqn) ; dispatch (une affaire, un repas) ; make short work of (son travail) ; ~ *qqn sans ménagement,* give sb short-shrift ‖ ~**teur, trice** *n* sender (d'une lettre) ; shipper, consigner (d'un colis) ‖ from (sur

l'enveloppe) ‖ ~tif, ive [-tif, iv] *adj*
expeditious, speedy ‖ ~tion *f* sending, dispatching (d'une lettre) ; consignment, shipment (de marchandises) ‖ trek(king) [randonnée] ‖ Mɪʟ.
expedition ‖ ~tionnaire [-sjɔnɛr] *adj*
Mɪʟ. expeditionary ● *m* Cᴏᴍᴍ. for-
warding agent.

expér|ience [ɛksperjɑ̃s] *f* experi-
ence (connaissance) ; background ;
faire l'~ de qqch, experience sth ; *avoir
de l'~,* have experience ‖ Pʜʏs., Cʜ.
experiment ; *faire une ~,* carry out
an experiment ‖ ~**imental, e, aux**
[-imãtal, o] *adj* experimental ‖ Fɪɢ.
tentative ‖ ~**imenté, e** [-imãte] *adj*
experienced, skilled (*en,* in) ‖
~**imenter** [-imãte] *vt* (1) test ‖ try
out (nouveauté).

exper|t, e [ɛksper, ert] *adj* expert,
skilled (*en,* in) ; proficient (*en,* in) ●
m expert ; ~ *en organisation,*
efficiency expert ; *groupe d'~s,* think
tank ‖ ~**-comptable,** chartered accountant ‖ ~**tise** [-tiz] *f* expertise ;
expert appraisal ; expert's report ‖
~**tiser** *vt* (1) appraise, value.

expir|ation [ɛkspirasjɔ̃] *f* expiration
(pr. et fig.) ; *venir à ~,* expire, run
out ‖ ~**er** *vt* (1) breathe out — *vi*
expire, pass away (mourir).

expli|catif, ive [ɛksplikatif, iv] *adj*
explanatory ‖ ~**cation** [-kasjɔ̃] *f*
explanation ; ~ *de texte,* critical
analysis ‖ ~**cite** [-sit] *adj* explicit ‖
~**quer** [-ke] *vt* (1) explain ‖ account
for (les causes) ‖ Gʀᴀᴍᴍ. construe —
vpr : s'~, explain oneself, make
oneself clear ‖ understand (comprendre) ‖ [discussion] *s'~ avec qqn,* have
it out with sb.

exploit [ɛksplwa] *m* feat, achievement, exploit ‖ deed (acte de bravoure).

exploit|ant, e [ɛksplwatã, ãt] *n*
Aɢʀ. farmer ‖ ~**ation** *f* Aɢʀ. farming
(action) ; farm (ferme) ‖ Tᴇᴄʜɴ.
working (d'une mine) ‖ Cᴏᴍᴍ. running (action) ; concern (entreprise) ‖
Fɪɢ. exploitation (de qqn) ; sweating

(des ouvriers) ‖ ~**er** *vt* (1) exploit,
manage, U.S. operate ‖ ~ *une carrière,*
quarry ‖ Aɢʀ. farm ‖ Cᴏᴍᴍ. run (un
fonds) ‖ Tᴇᴄʜɴ. harness (énergie
naturelle) ; tap (ressources naturelles)
‖ Fɪɢ. make the most of ; follow up
(un succès) ; trade on (la bonté/naïve-
té) ; [journaux] play up (événement) ;
[patrons] exploit, sweat (ouvriers) ‖
~**eur, euse** *n* exploiter.

explor|ateur, trice [ɛksplɔratœr,
tris] *n* explorer ‖ ~**ation** *f* explo-
ration ‖ ~**er** *vt* (1) explore ‖ prospect
(le terrain) ‖ go/seek through (fouiller) ‖ [radar] scan.

explos|er [ɛksploze] *vi* (1) explode,
go off, blow up, burst ; *faire ~,*
explode, blow up ‖ ~**if, ive** *adj*
explosive ‖ Fɪɢ. explosive ; volatile
(situation) ● *m* explosive ‖ ~**ion** *f*
explosion, blowing up, blast ; *faire
~,* explode, go off blow up ‖ Fɪɢ.
outburst (de joie, de colère) ; ~ *de
colère,* outbreak of anger.

export|ateur, trice [ɛksportatœr,
tris] *n* exporter ● *adj* exporting ‖
~**ation** *f* export ; *d'~,* export (article, commerce) ‖ ~**er** *vt* (1) export.

expos|ant, e [ɛkspozã, ãt] *n* exhi-
bitor (personne) ‖ Mᴀᴛʜ. exponent,
index ‖ ~**é¹, e** *adj* exhibited, dis-
played ; on view/show ‖ [orienta-
tion] ~ *au nord,* facing north ‖ Aʀᴛs
objet ~, exhibit.

exposé² *m* account, report, exposition, statement ; *faire un ~ sur,* read
a paper on.

exposer¹ [ɛkspoze] *vt* (1) display,
show, expose (des objets) ; exhibit
(des collections) ‖ Cᴏᴍᴍ. set out,
display (marchandises) ‖ Pʜᴏᴛ. expose ‖ Fɪɢ. explain, expound (une
théorie) ‖ set out, state (des faits) ;
outline (sommairement).

exposer² *vt* (1) imperil, endanger,
risk, jeopardize (mettre en danger) ‖
expose (aux intempéries) — *vpr s'~,*
exposer oneself open to (critique).

exposition [ɛkspozisjɔ̃] *f* display
(d'objets, etc.) ‖ show, exhibition

(salon) ; *salle d'~*, showroom ‖ lie (d'une côte) ; aspect (d'une maison) ‖ Phot. exposure.

exprès¹ [ɛksprɛ] *adv* intentionally, deliberately, on purpose ; *faire qqch ~*, do sth on purpose ; *je ne l'ai pas fait ~*, I didn't mean to (do it).

exprès² [ɛksprɛs] *adj inv* lettre ~, express letter.

exprès³, esse [ɛksprɛ, ɛs] *adj* express (formel).

express [ɛksprɛs] *m café ~*, express (coffee) ‖ Rail. fast train.

expressément [ɛksprɛsemã] *adv* expressly.

expr|essif, ive [ɛksprɛsif, iv] *adj* expressive ‖ ~**ession** [-ɛsjɔ̃] *f* expression (de la pensée) ‖ countenance, cast of features, expression (du visage) ‖ ~ *corporelle,* body language ‖ Gramm. utterance, wording ; ~ *consacrée,* set phrase ‖ ~**imer¹** [-ime] *vt* (1) express ‖ give utterance to, voice, convey (une pensée) ; express (un sentiment) ‖ Pol. *suffrages ~imés,* valid votes — *vpr s'~*, express oneself.

exprimer² *vt* (1) squeeze out.

expropri|ation [ɛksprɔprijasjɔ̃] *f* expropriation ‖ ~**er** *vt* (1) expropriate, dispossess.

expuls|er [ɛkspylse] *vt* (1) evict (un locataire) ; throw out, turn out, expel (un élève) ; expel, deport (un étranger) ‖ ~**ion** *f* expulsion, ejection, eviction (*de,* from) ; throwing out.

exquis, e [ɛkski, iz] *adj* exquisite.

exsangue [ɛksãg] *adj* bloodless.

extas|e [ɛkstɑz] *f* ecstasy ; *en ~*, in an ecstasy ‖ Fig. rapture ‖ ~**ier (s')** *vpr* (1) go into raptures ‖ Fig. go into ecstasies/raptures (*sur,* over) ; rave (*sur,* about) ; enthuse (*sur,* over) [fam.].

exten|sible [ɛkstãsibl] *adj* tensile, extensible ‖ ~**sif, ive** *adj* Agr. extensive ‖ ~**sion** *f* extension ‖

Comm. development, growth (d'une affaire) ‖ Gramm. *par ~*, in a wider sense.

exténu|ant, e [ɛkstenɥã, ãt] *adj* exhausting ‖ ~**é, e** *adj* exhausted ‖ ~**er** *vt* (1) exhaust, tire out — *vpr s'~*, tire oneself out, fag (*à,* at) ; *s'~ au travail,* work oneself to death.

extéri|eur, e [ɛksterjœr] *adj* exterior (*à,* to) ‖ external (apparence, monde) ‖ outer (côté, mur) ‖ Tél. external (appel) ‖ Comm. foreign (commerce) ● *m* exterior, outside ; *à l'~*, outside ‖ Cin. *Pl* location shots, outdoor scenes ; *en ~*, on location ‖ ~**oriser** [-ɔrize] *vt* (1) show, express (ses sentiments).

extermin|ation [ɛ ksterminasjɔ̃] *f* extermination ‖ ~**er** *vt* (1) exterminate.

extern|at [ɛkstɛrna] *m* day-school ‖ ~**e** *adj* external, outer (superficiel) ‖ Méd. *usage ~*, for external use ● *n* day-boy/-girl (élève) ‖ Méd. non-resident medical student, U.S. extern.

extinc|teur [ɛkstɛ̃ktœr] *m* fire extinguisher ‖ ~**tion** *f* extinction, extinguishing, putting out (du feu, de la lumière) ‖ ~ *de voix,* loss of voice.

extirper [ɛkstirpe] *vt* (1) extirpate, eradicate, root out.

extor|quer [ɛkstɔrke] *vt* (1) extort, squeeze, screw (de l'argent) [*à,* out of] ; extort (des aveux) [*à,* from].

extra¹ [ɛkstra] *adj* [qualité supérieure] first-rate ‖ Fam. great, terrific (coll.) ● *m* [supplémentaire] extra ; extracharge (frais) ; hired waiter (personne).

extra-² *préf* extra- ‖ ~**-fin,** superfine ; sheer (bas) ‖ → Extrafort.

extra³ *adj* [en dehors] ~ *conjugal,* extramarital ; ~ *scolaire,* extracurricular ; ~ *terrestre,* extraterrestrial ; ~ *territorialité,* extraterritoriality.

extraction [ɛkstraksjɔ̃] *f* extraction ‖ mining (de charbon).

extrader [ɛkstrade] *vt* (1) extradite.

extrafort, e *adj* extrastrong (moutarde) ● *m* [couture] binding.

extr|aire [ɛkstrɛr] *vt* (11) extract (minerai, pétrole) ; mine (du charbon) ; quarry (pierre, sable), pull out, extract ‖ **~ait** [-ɛ] *m* extract, excerpt (passage) ‖ abstract (abrégé) ‖ JUR. ~ *de naissance,* birth certificate ‖ CULIN. extract.

extraordinaire [ɛkstraɔrdinɛr] *adj* extraordinary, out of the way, uncommon ; wonderful ‖ *si, par* ~, if by some unlikely chance ‖ **~ment** *adv* extraordinarily ; exceptionally.

extravag|ance [ɛkstravagɑ̃s] *f* extravagance ; absurdity ; wildness ; *faire des* ~*s,* act foolishly ‖ **~ant, e** *adj* extravagant, crazy (idées, propos) ; wildcat (entreprise) ; fantastic, cranky (personne) ; *de façon* ~*e,* wildly.

extrêm|e [ɛkstrɛm] *adj* extreme, utmost (éloigné) ‖ intense, deep (intérêt) ‖ extreme (grand, excessif) ‖ drastic (énergique) ; *mesures* ~*s,* drastic measures ‖ REL. ~*-onction,* extreme unction ‖ GÉOGR. *Extrême-Orient,* Far East ● *m* extreme ; utmost ; *à l'*~, in the extreme ; *pousser à l'*~, cary to extremes ‖ **~ement** *adv* extremely, highly, exceedingly.

extrém|iste [-emist] *adj/n* POL. extremist ‖ **~ité** end (bout) ‖ ANAT., *Pl* extremities ‖ FIG. *Pl* extremes.

exubér|ance [ɛgzyberɑ̃s] *f* exuberance ‖ **~ant, e** *adj* exuberant, ebullient ‖ luxuriant (végétation).

exult|ation [ɛgzyltasjɔ̃] *f* exultation ‖ **~er** *vt* (1) exult.

exutoire [ɛgzytwar] *m* outlet.

F

f [ɛf] *m* f.

fa [fa] *m* MUS. F.

fable [fabl] *f* fable (genre littéraire) ‖ tale (mensonge).

fabri|cant [fabrikɑ̃] *m* manufacturer, maker ‖ **~cation** [-kasjɔ̃] *f* manufacture, manufacturing ; **~** *en série,* mass production ; *de* ~ *anglaise,* of English make ‖ **~que** [-k] *f* factory ; ~ *de papier,* paper-mill ‖ **~quer** [-ke] *vt* (1) manufacture, produce ‖ [artisan] make ‖ FIG. fabricate (une histoire).

fabuleux, euse [fabylø, øz] *adj* fabulous, fantastic (prodigieux).

façade [fasad] *f* ARCH. front, façade ‖ FIG. pretence.

face¹ [fas] *f* face (humaine) ‖ [disque] *l'autre* ~, the flip side ‖ FIG. *faire* ~ *à,* face, face up to (un ennemi, une difficulté) ; meet, cope with (une difficulté) ; confront, envisage (un danger) ; *perdre/sauver la* ~, lose/save face ● *loc prép en* ~ *(de),* in front of, opposite (to), over against ; *la maison d'en* ~, the house opposite ● *loc adv* ~ *à,* facing ; *hôtel*

~ **à la mer**, hotel facing the sea ‖ ~ **à** ~, face to face (*avec*, with) ‖ *de* ~, full-face (portrait) ; front (vue, place) ‖ RAIL. *place de* ~, seat facing forward.

face² *f* head (d'une pièce de monnaie) ‖ FIG. aspect, side, angle.

face-à-face *m* T.V. encounter.

facétieux, euse [fasesjø, øz] *adj* facetious, mischievous.

fâch|é, e [fɑʃe] *adj* angry, cross (*contre*, with) ‖ [en colère] sorry (*de*, about) [contrarié] ‖ miffed (vexé) ‖ ~**er** *vt* (1) anger, vex, make angry — *vpr se* ~, [colère] get angry (*contre*, with) ; lose one's temper ‖ [brouille] fall out (*avec*, with) ‖ ~**erie** [-ri] *f* tiff, quarrel, disagreement ‖ ~**eux, euse** *adj* unfortunate, regrettable (événement) ; unwelcome (nouvelle) ; awkward (situation).

facial, e, aux [fasjal, o] *adj* facial.

facil|e [fasil] *adj* easy ‖ ~ **à vivre**, easy going ‖ glib (excuse) ; *avoir la parole* ~, be a fluent speaker ‖ MUS. ~ **à retenir**, catchy (air) ‖ ~**ement** *adv* easily ‖ ~**ité** *f* aptitude ; *avoir de la* ~ *pour*, be gifted for ‖ fluency, readiness (de parole) ‖ *Pl* ~s *de paiement*, easy terms ; ~s *de transport*, transport facilities ‖ ~**iter** *vt* (1) facilitate, make easier.

faç|on [fasɔ̃] *f* [fabrication] making ; *de ma* ~, of my own making ‖ [vêtement] [manière] fashion, way, manner ‖ [imitation] ~ *cuir*, imitation leather ● *loc adv de cette* ~, thus, that way ; *de toute* ~, anyway, anyhow ; *en aucune* ~, in no way, nowise ; *de quelle* ~ ?, how ? ; *d'une certaine* ~, in a way ; *d'une ou d'une autre*, somehow (or other) ● *loc prép de* ~ **à**, in such a way to ; *à la* ~ *de*, after the fashion of ● *loc conj de* ~ *que*, so that ‖ ~**onner** [-ɔne] *vt* (1) form, shape, fashion.

façons *fpl* [comportement] manners, ways ; ceremony ; *faire des* ~, make a fuss ‖ **sans** ~, without ceremony, without fuss (accueil) ; free and easy

(personne) ; *non merci, sans* ~, no thanks, honestly.

fac-similé [faksimile] *m* fac-simile.

facteur¹ [faktœr] *m* factor (agent) ; ~ *nouveau*, new development ‖ MATH. factor ‖ MÉD. ~ *Rhésus*, Rhesus/Rh factor.

facteur², trice [-tris] *n* postman, -woman, U.S. mailman.

factice [faktis] *adj* false, imitation ; *objet* ~, dummy.

faction [faksjɔ̃] *f* POL. faction ‖ MIL. *être de* ~, be on sentry-duty, stand guard.

factotum [faktɔtɔm] *m* odd-job man ; jack-of all-trades (péj).

facture¹ [faktyr] *f* workmanship ; technique.

factur|e² COMM. invoice ‖ ~**er** *vt* (1) invoice, put on the bill, charge.

facultatif, ive [fakyltatif, iv] *adj* optional ‖ [autobus] *arrêt* ~, request stop.

faculté [fakylte] *f* faculty, power (capacité) ‖ [université] faculty.

fadaises [fadɛz] *fpl* twaddle, nonsense, eyewash.

fade [fad] *adj* CULIN. tasteless, insipid (mets) ; flat (boisson).

fagot [fago] *m* bundle of sticks.

faibl|e [fɛbl] *adj* weak, feeble (corps) ; faint (voix, son) ; dim (lumière) ; slight (odeur) ‖ *le sexe* ~, the weaker sex ‖ FIG. weak, soft (caractère) ; low, poor (rendement) ; remote, slender (espoir) ‖ narrow (majorité) ‖ ~ *d'esprit*, half-witted, feeble-minded ● *m* weak point, weakness ; *avoir un* ~ *pour*, be partial to, have a soft spot for ‖ ~**ement** *adv* weakly, feebly, faintly, dimly, slightly ‖ ~**esse** [-ɛs] *f* weakness, feebleness ‖ [voix] faintness ‖ [vue, lumière] dimness ‖ FIG. weakness, softness, fondness ‖ ~**ir** *vi* (2) weaken, grow weaker ‖ [personne] lose strength ‖ [vue] fail ‖ [vent] die away ‖ [intérêt] flag.

faïence [fajɑ̃s] *f* [matière] earthenware ‖ [articles] crockery.

faignant, e [fɛɲã, ãt] *adj* POP. → FAINÉANT.

faille¹ [faj] GÉOL. fault, break.

faille² → FALLOIR.

failli, e [faji] *adj/n* bankrupt.

faill|ible [[fajibl] *adj* fallible ‖ ~**ir** *vt* (49) fail (*à*, in) ‖ *il faillit se noyer,* he narrowly escaped drowning ; *il a failli tomber,* he nearly/almost fell.

faillite [fajit] *f* bankruptcy, failure, insolvency ; *en* ~, insolvent ; *faire* ~, go bankrupt, fail ; go bust (sl.) ‖ FIG. collapse.

faim [fɛ̃] *f* hunger. *avoir* ~, be hungry ; *donner* ~ *à qqn,* make sb hungry ; *manger à sa* ~, eat one's fill ; *mourir de* ~, die of hunger ; *je meurs de faim,* I'm starving.

fainéan|t, e [feneã, ãt] *adj* lazy ● *n* sluggard, lazy-bones, layabout ‖ ~**ter** [-te] *vi* (1) idle.

faire [fɛr] *vt* (50) [fabriquer] make ; ~ *du pain,* make bread ‖ [préparer] ~ *du café,* make coffee ‖ [engendrer] beget ‖ POP. ~ *un enfant à une femme,* make a woman pregnant ‖ [effectuer une activité, un travail] do ; *faites ce que vous voulez,* do what you like ; *bien/mal* ~, do well/wrong ‖ [rédiger] ~ *un chèque,* make out/write a cheque ‖ *ne rien* ~, sit around (coll.) ‖ [réaliser] ~ *fortune,* make a fortune ‖ [arranger] ~ *le lit,* make the bed ; ~ *la chambre,* do the room ‖ [nettoyer] ~ *ses chaussures,* clean/do one's shoes ; ~ *la vaisselle,* wash/do the dishes, wash up ‖ [voyager] ~ *un voyage,* go on/make a journey ; ~ *l'Italie,* do Italy ‖ [distance] ~ *6 km,* do 6 km ‖ [causer] ~ *de la peine à qqn,* hurt sb's feelings ; ~ *du bien à qqn,* do sb good ‖ [transmettre] *faites-lui mes amitiés,* give him my kindest regards ‖ [étudier] ~ *du latin,* do Latin ‖ [contrefaire] ~ *l'idiot,* play the fool ; ~ *le mort,* sham dead ‖ [importer]

cela ne fait rien, it doesn't matter ; *si cela ne vous fait rien,* if you don't mind ; *qu'est-ce que cela fait/peut faire ?,* what does it matter ? ; what's the odds ? (coll.) ‖ [prix] amount to ; *combien cela fait-il ?,* how much does that come to ? ‖ [profession] *que faites-vous ?,* what's your line ? ‖ [conseil] *vous feriez mieux de partir,* you'd better go ‖ MÉD. have (diabète, tension) ; ~ *de la fièvre,* run a temperature ; ~ *des complexes,* have a complex ‖ TÉL. dial (un numéro) ‖ SP. ~ *du sport,* do sport, go in for sport ‖ AUT. ~ *du cent à l'heure,* do sixty miles an hour ‖ CULIN. ~ *la cuisine,* cook, do the cooking ‖ MIL. ~ *son service militaire,* do one's military service ‖ COMM. ~ *un bénéfice,* make a profit ‖ MATH. ~ *un angle,* form an angle ‖ FAM. ~ *les poches de qqn,* go through sb's pockets ‖ [+ infinitif actif] make, have, get, cause ; ~ *attendre qqn,* keep sb waiting ; ~ *entrer qqn,* have/let sb in ; ~ *qqch à qqn,* have/make sb do sth ; ~ *savoir qqch à qqn,* let sb know sth ; ~ *venir qqn,* send for sb ‖ [+ infinitif passif] ~ *qqch,* get sth done ; ~ *bâtir une maison,* have a house built ‖ ~ *son âge,* look one's age ‖ FAM. *c'est bien fait pour toi,* serves you right.

— *v impers il fait froid/nuit,* it is cold/dark ; *il fait bon ici,* it is pleasantly warm/cool here.

— [substitut] *il court moins vite que je ne le faisais à son âge,* he doesn't run so fast as I did when I was his age.

— *vpr se* ~, [passif] be done ; *cela ne se fait pas,* it's not done ‖ [réfléchi] make oneself ‖ [devenir] become ; *se* ~ *vieux,* get old ; *il se fait tard,* it is getting late ‖ [advenir] happen ; *comment se fait-il que ?,* how come that ? ‖ [+ complément] *se* ~ *des amis,* make friends ; *se* ~ *les ongles,* do one's nails ; *se* ~ *une opinion,* form an opinion ; *se* ~ *une idée,* get some idea ‖ *se* ~, get used to ; settle in (un nouvel emploi) ‖ *se* ~ *mal,* hurt oneself ‖ *s'en* ~, worry ; *ne vous en faites pas,* don't worry *(pour moi,* about me) ; take it easy ‖ [+ infinitif] *se ~ comprendre,* make oneself understood ; *se ~ couper les cheveux,* have/get one's hair cut ; *se ~ ~ un costume,* have a suit made ; *se ~ tuer,* get killed.

— *vi (agir)* do ; *comment ~ ?,* how shall I/we do ? ; *pourquoi ~ ?,* what for ? ; *~ comme chez soi,* make oneself at home ; *bien/mal ~,* do well/wrong ; *il a bien fait de,* he did right to ; *~ mieux,* do better *(de,* to) ; *vous feriez mieux de partir,* you had better go.

faire|**-part** [fɛrpar] *m inv* notice ; announcement ; *~ de décès,* notification of death ; *~ de mariage,* wedding-card ‖ *~-valoir m* TH. foil.

faisable [fəzabl] *adj* feasible, achievable.

faisan [fəzɑ̃] *m* pheasant.

faisceau [fɛso] *m* beam (lumière).

faiseur, euse [fəzœr, øz] *n* maker ; *bon ~,* first-rate tailor ‖ FIG. fraud, crook ; show-off.

fait¹, e [fɛ, ɛt] → FAIRE ● *adj* done (accompli) ‖ made (fabriqué) ; *~ à la maison,* home-made ‖ *bien ~,* shapely, personable (bien bâti) ; neat (jambe).

fait² [fɛ(t)] *m* fact ; *~ accompli,* accomplished fact ; *le ~ est que,* the fact is that ‖ *(événement)* occurrence (événement) ; *~ divers,* news item ; *~ nouveau,* new development ‖ act, deed (action) ; *~s et gestes,* doings ; *hauts ~s,* exploits ‖ *prendre qqn sur le ~,* surprise sb in the very act, catch sb redhanded ‖ *(point) venir au ~,* come to the point ‖ *(information) être au ~ de,* be acquainted with ; *mettre qqn au ~,* make sb acquainted with (the facts), prime sb ; inform sb *(de,* of) ‖ *dire son ~ à qqn,* give sb a piece of one's mind ; *prendre ~ et cause pour,* take sides with ● *loc adv au ~ ...,* by the way... ; *de/en ~,* in fact, as a matter of fact, actually, virtually ; *par le ~,* in fact ; *de ce ~,* thereby, for that reason ● *loc prép du ~ de,* because of, owing to ; *en ~ de,* as regards, by way of (a).

faîte [fɛt] *m* top (d'un arbre) ; ridge (d'un toit, d'une montagne) ‖ FIG. *au ~ de,* at the height of.

faitout, fait-tout [fɛtu] *m inv* stewpot.

falaise [falɛz] *f* cliff.

fallacieux, euse [falasjø, jøz] *adj* deceptive, deluding, misleading.

falloir [falwar] *v impers* (51) [nécessité] must, have to ; *il faut que je le voie,* I must see him ; *il nous fallut le faire,* we had to do it ‖ [obligation] be obliged to ‖ [besoin] want, need, require ; *s'il le faut,* if required ; *tout ce qu'il faut,* all that is necessary ; *j'ai tout ce qu'il me faut,* I have all that I need ‖ [conjecture] *il faut qu'elle ait perdu la tête,* she must have lost her head ● *loc adj comme il faut,* respectable, decent — *vpr impers s'en ~,* *il s'en est fallu de peu,* it was a near thing ; *tant s'en faut,* far from it ‖ *c'est exactement ce qu'il me faut,* that's just my cup of tea (coll.).

falsif|**ication** [falsifikasjɔ̃] *f* falsification ‖ adulteration (de denrée) ; forgery (de document) ‖ *~ier vt* (1) fake, falsify, fabricate ; forge (des documents) ; adulterate (des denrées) ; gerrymander (des faits).

famélique [famelik] *adj* starving (aspect) ; half-starved (personne).

fameux, euse [famø, øz] *adj* famous, famed (célèbre) ‖ CULIN. first-rate (mets) ‖ FAM. *pas ~,* not too good.

fam|**ilial, e, aux** [familjal, o] *adj* family (maison, vie) ; home(like) [ambiance] ; *allocations ~es,* family allowance ‖ *~iliariser* [-iljarize] *vt* (1) familiarize *(avec,* with) — *vpr se ~,* become familiar/acquainted *(avec,* with) ; get used *(avec,* to) ‖ *~iliarité* [-iljarite] *f* familiarity ‖ *Pl* familiarities ‖ *~ilier, ière* [-ilje, jɛr] *adj* familiar ‖ welk-known (visage) ‖

informal, casual [entretien] ‖ colloquial (langage) • *m* regular visitor, friend ; **~ilièrement** [-iljɛrmɑ̃] *adv* familiarly ‖ **~ille** [-ij] *f* family ; kindred ; ~ *nombreuse,* large family ; *chef de* ~, head of the family ; householder ; *père de* ~, family man ‖ people, folks (coll.) ‖ BOT., ZOOL. family.

famine [famin] *f* famine ; starvation.

fan [fan] *n* FAM. [admirateur] fan ; *un* ~ *de jazz,* a jazz freak (sl.).

fana [fana] *adj/n* FAM. fanatic ‖ buff (mordu) ; freak.

fanal, aux [fanal, o] *m* lantern ; beacon.

fanat|ique [fanatik] *adj/n* fanatic ; zealot ‖ **~isme** *m* fanaticism.

fan|é, e [fane] *adj* faded, wilted (fleur) ; withered (peau, personne) ‖ **~er (se)** *vpr* (1) [fleur, couleur] fade ; [fleur] wilt, decay, wither.

fan|er *vt* (1) turn over (un végétal fauché) ; make hay ‖ **~eur, euse** *n* hay-maker (personne) • *f* tedder (machine).

fanfare [fɑ̃far] *f* brass band (orchestre) ‖ flourish (de trompettes).

fanfar|on onne [fɑ̃farɔ̃, ɔn] *adj* boastful, bragging, blustering • *n* braggart ; *faire le* ~, brag ... **~onnade** [-ɔnad] *f* bragging, boasting.

fang|e [fɑ̃ʒ] *f* mire ‖ **~eux, euse** *adj* miry.

fanion [fanjɔ̃] *m* pennant.

fantais|ie [fɑ̃tɛzi] *f* [imagination] fancy ‖ [caprice] whim, vagary ‖ **~iste** *adj* fanciful, whimsical • *n* variety artist, entertainer.

fantasme [fɑ̃tasm] *m* fantasy.

fantasque [fɑ̃task] *adj* fantastic (idée) ; whimsical (personne).

fantassin [fɑ̃tasɛ̃] *m* infantryman, foot-soldier.

fantastique [fɑ̃tastik] *adj* fantastic ; weird (surnaturel) ‖ FAM. fantastic, great, terrific (coll.).

fantoche [fɑ̃tɔʃ] *m/adj* puppet ; *État* ~, puppet State.

fantôme [fɑ̃tom] *m* ghost.

faon [fɑ̃] *m* fawn.

farc|e¹ [fars] *f* (practical) joke, prank, hoax ; *faire une* ~ *à qqn,* play a joke/hoax on sb ‖ TH. farce, slapstick ‖ **~eur, euse** *n* joker ; wag (plaisantin).

farc|e² *f* CULIN. stuffing ‖ **~ir** *vt* (2) CULIN. stuff ‖ FIG. cram — *vpr se* ~ : *se* ~ *la mémoire de,* cram one's memory with.

fard [far] *m* make-up.

fardeau [fardo] *m* load, burden ‖ FIG. weight, burden.

farder [farde] *vt* (1) make up ‖ FIG. disguise — *vpr se* ~, make (oneself) up.

farfelu, e [farfəly] *adj* FAM. cranky (coll.) • *n* eccentric, crank.

farin|e [farin] *f* flour, meal ‖ **~eux, euse** *adj* floury, mealy • *m* starchy food.

farouche [faruʃ] *adj* wild (sauvage) ; shy (timide) ; insociable (peu sociable) ‖ grim, fierce (cruel) ‖ fierce (haine) ; bitter (ennemi) ; inflexible (volonté).

fart [fart] *m* [ski] wax ‖ **~er** *vt* (1) fart.

fascicule [fasikyl] *m* [publication] instal(l)ment.

fascin|ant, e [fasinɑ̃, ɑ̃t] *adj* fascinating, glamorous ‖ **~ation** *f* fascination, glamour ‖ **~er** *vt* (1) fascinate, captivate.

fasc|isme [faʃism] *m* fascism ‖ **~iste** *n/adj* fascist.

fasse [fas] → FAIRE.

faste¹ [fast] *m* magnificence, state (apparat) ; display (étalage).

faste² *adj* lucky (jour).

fastidieux, euse [fastidjø, jøz] *adj* tedious, tiresome, irksome.

fastueux, euse [fastɥø, øz] *adj* gorgeous, sumptuous, luxurious.

fatal, e, als [fatal] *adj* fatal, deadly (funeste) || fateful (voulu par le destin) || inévitable ; *c'était ~,* it was bound to happen || **~ement** *adv* inevitably || **~ité** *f* fate, fatality (destin) || fateful coincidence || inevitability.

fatidique [fatidik] *adj* fateful.

fati|gant, e [fatigã, ãt] *adj* tiring (besogne) ; strenuous (journée) ; trying (enfant) ; tiresome (personne) || **~gue** [-g] *f* fatigue, weariness ; *à bout de ~,* over-tired ; *être mort de ~,* be dead tired || **~gué, e** *adj* tired, weary, fatigued || the worse for wear (vêtement) || **~guer** [-ge] *vt* (1) tire, weary || MÉD. strain ; *~ les yeux,* put a strain on the eyes — *vi* tire || TECHN. [moteur] strain — *vpr* **se ~,** get tired ; tire oneself out (*à, faire,* doing) || FAM. *ne vous fatiguez pas !,* take it easy !

fatras [fatra] *m* jumble.

fatuité [fatɥite] *f* self-conceit.

faubourg [fobur] *m* suburb || *Pl* outskirts (d'une ville).

fauch|age [foʃaʒ] *m* AGR. mowing, cutting, reaping || **~é, e** *adj* FAM. [à court d'argent] hard-up ; (stony) broke (sl.) || **~er** *vt* (1) mow, cut (herbe) ; reap (blé) || POP. pinck (coll.) || **~eur, euse** *n* mower, reaper ● *f* AGR. reaper.

faucille [fosij] *f* sickle.

faucon [fokɔ̃] *m* falcon, hawk.

faufiler (se) [səfofile] *vpr* (1) thread/weave one's way (*à travers,* through) ; sneak (furtivement).

faune [fon] *f* ZOOL. wild life, fauna.

fauss|aire [fosɛr] *m* forger || **~e →** FAUX || **~ement** *adv* falsely, wrongly || **~er** ; *vt* (1) warp, bend (un objet) || FIG. warp (l'esprit) ; falsify (la vérité) ; distort (les faits) || FAM. *~ compagnie à qqn,* give sb the slip || **~eté** [-te] *f* falsehood, falseness || untruth (mensonge).

faut [fo] → FALLOIR.

faute¹ [fot] *f* mistake, error ; *faire une ~,* make a mistake ; *à qui la ~ ?,* whose fault is it ? ; *c'est de votre ~,* it's your fault || *~ de frappe,* typing error ; *~ de goût,* error in taste ; *~ d'impression,* misprint ; *~ d'inattention,* careless mistake ; *~ d'orthographe,* spelling mistake ; *faire une ~ d'orthographe,* mispel || Sp. offence ; *faire une ~,* commit an offence ; [tennis] fault ; *double-~,* double-fault ; *~ de pied,* foot-fault ; *faire une ~ de pied,* foot-fault.

faute² *f* lack, want (manque) ● *loc adv* **sans ~,** without fail ; *venez sans ~,* be sure to tome || *~ de temps/mieux,* for lack of time/anything better.

fauteuil [fotœj] *m* arm-chair, easy chair ; *~ à bascule,* rocking-chair ; *~ présidentiel,* chair ; *~ roulant,* wheel-chair || TH. seat ; *~ d'orchestre,* stall, seat.

fauteur [fotœr] *m* *~ de troubles,* trouble-maker.

fautif, ive [fotif, ive] *adj* at fault, guilty.

fauve [fov] *adj* fawn, tawny (couleur) || wild (bête) ● *m* wild beast.

fauvette [fovɛt] *f* warbler.

faux¹ [fo] *f* AGR. scythe.

faux², fausse [fo, fos] *adj* false, untrue ; *fausse nouvelle,* false report || wrong (erroné) ; *~ numéro,* wrong number || false, counterfeit (contrefait) || forged (billet) ; fake, spurious (document) ; bad (pièce de monnaie) ; sham (diamant) || bogus, phoney (coll.) [factice] ; *fausse fenêtre,* blind window || false, deceptive (trompeur) || *fausse pudeur,* mock modesty || MUS. out of tune (instrument) ; *fausse note,* wrong note || MÉD. *fausse couche,* miscarriage ; *faire une fausse couche,* miscarry, have a miscarriage || FIG. hollow (joie) ● *m* forgery (contrefaçon) ; *faire un ~,* commit a forgery ● *adv* MUS. *chanter ~,* sing flat/out of tune || **~ bond** *m* *faire ~ à qqn,* stand sb up || *~*

col *m* Fam. [bière] head ‖ ~-**filet** *m* sirloin ‖ ~ **frais** *mpl* incidental expenses ‖ ~-**fuyant** [-fҷijã] *m* evasion, equivocation *prendre des* ~ *s*, equivocate ‖ ~ **jour** *m* deceptive light ‖ ~-**monnayeur** [-mɔnɛjœr] *m* forger, counterfeiter ‖ ~ **mouvement** *m* awkward movement ‖ ~-**pas** *m* faire un ~, trip (up), stumble ‖ ~-**semblant** *m* makebelieve, sham, pretence ‖ ~-**sens** *m* mistranslation.

fav|eur [favœr] *f* favour ‖ Tʜ. *billet de* ~, complimentary/free ticket ● *loc prép en* ~ *de*, in favour of ‖ *à la* ~ *de*, under cover of ‖ ~**orable** [-ɔrabl] *adj* favourable, conducive (à, to) ‖ ~**ori, ite** [-ɔri, it] *adj* favourite (chose, personne) ● *n* favourite (darling (chouchou) ● *mpl* (side-)whiskers ‖ ~**oriser** *vt* (1) favour, foster; further (le développement, etc.); promote (le commerce) ‖ ~**oritisme** [-ɔritism] *m* favouritism.

fécon|d, e [fekɔ̃, ɔ̃d] *adj* fruitful, fecund, fertile ‖ ~**dation** [-dasjɔ̃] *f* fertilization; ~ *artificielle,* artificial insemination; ~ *in vitro,* in vitro fertilization ‖ ~**der** [-de] *vt* (1) fertilize ‖ make pregnant (femme).

fécul|e [fekyl] *f* Culin. starch ‖ ~**ent** *m* starchy food.

fédér|al, e, aux [federal, o] *adj* federal ‖ ~**ation** *f* federation ‖ ~**é, e** *adj/n* federate ‖ ~**er** *vt/vpr* (1) [*se* ~] federate.

fée [fe] *f* fairy ‖ ~**rie** [-ri] *f* Fig. magic spectacle ‖ ~**rique** [-rik] *adj* fairy(-like), magical.

feindre [fɛ̃dr] *vt* (59) feign, simulate, pretend; ~ *la maladie,* sham sickness.

feint, e [fɛ̃, ɛ̃t] *adj* sham (maladie); spurious (émotion).

feinte [fɛ̃t] *f* make-believe, pretence (faux-semblant) ‖ Sp. feint, dodge (ruse).

fêler [fele] *vt/vpr* (1) [*se* ~] crack.

félicit|ations [felisitasjɔ̃] *fpl* congra-

tulation ‖ ~**é** *f* bliss ‖ ~**er** *vt* (1) congratulate — *vpr se* ~, congratulate oneself (de, on).

félin, e [felɛ̃, in] *adj/m* feline.

fêlure [felyr] *f* crack.

femelle [fəmɛl] *adj* female; she-(animal); hen- (oiseau); cow- (éléphant).

fémin|in, e [feminɛ̃, in] *adj* feminine; female (sexe); womanly (caractère); woman's; ladies' (vêtement) ● *m* Gramm. feminine; *au* ~, in the feminine ‖ ~**iste** *adj* feminist ‖ ~**ité** *f* feminity, womanliness.

femme [fam] *f* woman ‖ ~ *d'affaires,* business-woman ; ~ *de chambre,* housemaid, chambermaid ; ~ *de charge,* house-keeper ; ~ *de ménage,* cleaning lady ; daily (coll.) ; ~ *du monde,* society woman ‖ ~ *wife* (épouse) ‖ ~ *agent f* police-woman ‖ ~ *docteur/professeur f* lady (*ou* woman) doctor/teacher.

fenaison [fənɛzɔ̃] *f* hay-making.

fendiller (se) [səfãdije] *vpr* (1) craze.

fen|dre [fãdr] *vt* (4) split (en deux); cleave (en long); slit (inciser); ~ *du bois,* chop wood ‖ Fig. break (le cœur); *à* ~ *l'âme,* heart-rending — *vpr se* ~, split, crack, cleave ‖ [escrime] lunge.

fenêtre [fənɛtr] *f* window; sash window (à guillotine); casement (à battants); bay-window (en saillie); *double* ~, storm-window.

fenouil [fənuj] *m* fennel, dill.

fente [fãt] *f* crack, split (dans le bois); chink, cranny (dans un mur); crevice, cleft (dans un rocher); slit (dans une jupe); slot (d'un distributeur).

féodal, e, aux [feɔdal, o] *adj* feudal.

fer [fɛr] *m* [métal] iron; ~-**blanc,** tin-plate ; ~ *forgé,* wrought iron ‖ ~ *à cheval,* horseshoe ‖ [ustensile] ~ *à friser,* curling tongs ; ~ *à repasser,* flat iron ; *donner un coup de* ~ *à,* press (un vêtement) ‖ TECHN. ~ *à souder*, soldering-iron ‖ FIG. ~ *de lance*, spear head ; *battre le ~ quand il est chaud*, strike while the iron is hot ; *remuer le ~ dans la plaie*, rub it in.

férié, e [ferje] *adj* jour ~, public holiday, bank-holiday.

férir [ferir] *vt* (52) *sans coup* ~, without striking a blow.

ferler [ferle] *vt* (1) NAUT. furl.

ferme[1] [ferm] *adj* firm (chair) ; solid (sol) ; *la terre* ~, land ‖ steady (main, écriture) ; firm (voix) ‖ CULIN. stiff (pâte) ‖ FIN. firm (achat, vente) ; strong, buoyant (marché) ‖ FIG. firm, steadfast, resolute (déterminé) ● *adv* firmly (serré) ; steadily (marcher, tenir) ; hard (travailler).

ferme[2] *f* farm-house (habitation) ; farm (exploitation) ; ~ *d'élevage*, stock-farm.

fermé, e [ferme] *adj* shut (magasin) ; closed (col) ; off (robinet) ‖ FIG. exclusive (club).

fermement [fermǝmã] *adv* firmly, steadily ; *tenir qqch* ~, hold sth tight.

fermen|t [fermã] *m* ferment ‖ ~**tation** [-tasjɔ̃] *f* fermentation ~**ter** [-te] *vi* (1) ferment.

fermer [ferme] *vt* (1) shut, close ; ~ *à clef/au verrou*, lock/bolt ; ~ *à fond*, shut to (une porte) ; draw (les rideaux) ‖ zip up (avec une fermeture à glissière) ‖ seal (enveloppe, paquet) ‖ turn off/out (le gaz) ; switch off (l'électricité) ‖ COMM. shut down (une entreprise) ; ~ *boutique*, shut up shop ‖ POP. *la ferme !*, shut up ! ‖ FIG. ~ *les yeux sur*, condone — *vi* close, shut ‖ COMM. close, shut ; close down, shut down (définitivement/pour les vacances) — *vpr se* ~, close, shut ‖ [porte battante] swing shut ‖ [robe] do up.

fermeté [fermǝte] *f* firmness, steadiness (de la main) ‖ FIN. buoyancy (des cours) ‖ FIG. resoluteness.

fermeture [fermǝtyr] *f* shutting, closing (action) ; closing time (heure)

‖ catch, latch (serrure) ; ~ *à glissière/Éclair*, zip(-fastener), U.S. zipper ; ~ *Velcro*, Velcro ‖ SP. [chasse] *période de* ~, close season ‖ CIN. ~ *en fondu*, fade out.

ferm|ier [fermje] *m* farmer ‖ ~**ière** *f* farmer's wife.

fermoir [fermwar] *m* clasp.

féroc|e [ferɔs] *adj* fierce, ferocious (animal, regard) ; ravenous (appétit) ‖ ~**ement** *adv* fiercely, ferociously ‖ ~**ité** *f* ferocity, fierceness.

ferr|aille [feraj] *f* scrap(-iron) ; *tas de* ~, scrap-heap ; *mettre à la* ~, scrap ; *marchand de* ~, scrap-dealer ; *faire un bruit de* ~, jangle, clank, rattle ‖ ~**é, e** *adj* shod (cheval) ; hobnailed (souliers) ‖ FIG., FAM. well up (*en/sur*, in) ‖ ~**er** *vt* (1) shoe (cheval) ; nail, stud (souliers) ‖ SP. strike, hook (poisson).

ferr|et [fere] *m* tag (de lacet) ‖ ~**eux, euse** *adj* ferrous ‖ ~**onnerie** [-ɔnri] *f* ironwork (métier, objets) ‖ ~**oviaire** [-ɔvjer] *adj* railway ‖ ~**ure** *f* iron fitting (de porte).

ferry [feri] *m* ferry(-boat).

fertil|e [fertil] *adj* fertile, fruitful (*en*, in), rich, fat (sol) ‖ ~**iser** *vt* (1) AGR. fertilize, enrich ‖ ~**ité** *f* fertility, fruitfulness.

ferv|ent, e [fervã, ãt] *adj* fervent, earnest ● *n* devotee, enthusiast ; fan (fam.) ‖ ~**eur** *f* fervour ; *avec* ~, fervently.

fess|e [fes] *f* buttock ‖ ~**ée** *f* spanking ; *donner une* ~, give a spanking ‖ ~**er** *vt* (1) spank.

festin [festɛ̃] *m* feast.

festival, als [festival] *m* festival.

feston [festɔ̃] *m* festoon ‖ [couture] *Pl* scallops.

festoyer [festwaje] *vi* (9 *a*) feast.

fêtard [fetar] *m* FAM. merry-maker, reveller.

fêt|e [fet] *f* feast (religieuse) ; holiday (civile) ; ~ *légale*, bank/public holiday ; *jour de* ~, holiday ; *fête du* *travail*, Labour Day ; *fête nationale*, Fr. Bastille Day, U.S. Independance Day || *name-day* (jour du prénom) ; *souhaiter une bonne ~ à qqn*, wish sb many happy returns || *fair* (foire) ; fête (kermesse) ; festival, show (exposition) ; *~ de l'air*, air display ; *~ foraine*, fun fair ; *~ des Mères*, Mother's Day ; *~ des morts*, All Souls' Day ; *~ nationale*, national holiday ; *~ paroissiale*, parish fair/fête ; *des Rois*, Twelfth Night ; *air de ~*, festive air || *party* ; *donner une ~*, give a party || *se faire une ~ de venir*, look forward to coming || *faire la ~*, be/go on a spree || *welcome*, faire *~ à qqn*, give sb a warm welcome ; *le chien fait ~ à son maître*, the dog fawns on its master || *Fête-Dieu*, Corpus Christi || **~er** *vt* (1) keep (un anniversaire, Noël) ; celebrate, have a celebration (événement, personne) ; fête (qqn).

fétiche [fetiʃ] *m* fetish.

fétide [fetid] *adj* fetid.

feu¹, eux [fø] *m* fire ; *faire du ~*, make a fire ; *mettre le ~ à qqch.*, set sth on fire/set fire to sth, *avez-vous du ~ ?*, have you got a light ? || [incendie] fire ; *mettre le ~ à*, fire (incendier) ; *prendre ~*, catch/take fire ; *en ~*, on fire, ablaze ; *~ de cheminée*, chimney fire ; *au ~ !*, fire ! || [divertissement] *~ de joie*, bonfire ; *~ d'artifice*, fireworks || [foyer] hearth ; *sans ~ ni lieu*, homeless || [lumière] light || [circulation] *~x de circulation/tricolores*, traffic lights ; *~ orange/rouge/vert*, amber/red/green light || Aut. *~ arrière*, rear light, taillight ; *~ clignotant*, winkers ; *~x de croisement*, dipped headlights ; *~x de détresse*, hard warning lights ; *~x de route*, head lamps || Naut. *~x de côté*, sidelights || Mil. *ouvrir/cesser le ~*, open/cease fire ; *faire ~*, shoot, fire || Culin. *à ~ doux/vif*, on a gentle/brisk fire ; *aller au ~*, be fireproof || Fig. heat ; fire ; *~ de paille*, flash in the pan ; *la part du ~*, a necessary sacrifice ; *faire long ~*, hang fire || Fam. *donner le ~ vert à qqn*, give sb the green light/go-ahead.

feu², e *adj* late (défunt).

feuill|age [fœjaʒ] *m* foliage, leaves ; *arbre à ~ persistant*, evergreen || greenery (décoration) || **~e¹** *f* Bot. leaf ; *sans ~s*, leafless ; *à ~s caduques*, deciduous || Av. *descendre en ~ morte*, do the falling leaf || **~e-morte** *adj inv* [couleur] russet.

feuill|e² *f* sheet (de papier) ; *~ volante*, loose sheet ; *~ de garde*, fly-leaf, end-leaf ; *bonne ~*, pressproof ; *~ de paye*, salary-sheet, pay slip ; *~ d'impôts*, notice of assessment, tax-form ; *~ de métal*, foil || Péj. *~ de chou*, rag (journal) || **~et** [-ɛ] *m* leaf ; *~s de rechange*, refill (pour bloc-notes) ; *à ~s mobiles*, loose-leaf (cahier) || *~ eté*, **e** [-te] *adj* Culin. *pâte ~e*, puff-pastry || Aut. *pare-brise en verre ~*, laminated windscreen || **~eter** [-te] *vt* (8*a*) leaf through, browse (un livre) ; glance/skim through (lire rapidement) || **~eton** *m* serial ; *publier en ~*, serialize || *~ à suspense*, cliff-hanger || T.V. soap opera || **~u**, **e** *adj* leafy.

feutr|e [føtr] *m* felt || (crayon) *~*, felt-tip (pen) || felt-hat (chapeau) || **~é**, **e** *adj* felt || Fig. *à pas ~s*, stealthily.

fève [fɛv] *f* broad bean.

février [fevrije] *m* February.

fia|bilité [fjabilite] *f* reliability || **~ble** [-bl] *adj* reliable ; *peu ~*, unreliable.

fiacre [fjakr] *m* cab.

fian|cailles [fijɑ̃saj] *fpl* engagement || **~cé**, **e** [-se] *adj être ~*, be engaged (*a*, to) ● *n* fiancé, e (*m/f*) || **~cer (se)** *vpr* (1) become engaged (*a*, to).

fiasco [fjasko] *m* fiasco ; *faire ~*, be a failure/fiasco.

fibr|e [fibr] *f* fibre || *~ de verre*, fibre glass || **~eux**, **euse** *adj* fibrous.

Fibrociment [fibrosimɑ̃] *m* N.D. asbestos-cement.

fic|eler [fisle] *vt* (8 *a*) tie up (un paquet) || **~elle** [-el] *f* string, twine || *Pl* Fig. *connaître les ~s du métier*, know the ropes ; *tirer les* ~*s,* pull the wires/strings.

fich|e¹ [fiʃ] *f* Électr. plug || ~**er** *vt* (1) stick, drive (*dans*, in) || Fam. *fiche le camp* !, scram !, clear off ! beat it ! (coll.) ; ~ *la paix à qqn,* leave sb alone ; *il n'a rien fichu de la journée,* he hasn't done a stroke of work all day — *vpr se* ~, stick (*dans*, in) || Fam. *je m'en fiche,* I couldn't care less, I don't give a damn ; *il se fiche de vous,* he's pulling your leg ; *se* ~ *par terre,* come a cropper (coll.).

fich|e² *f* card, index card ; ~ *perforée,* punched card || ~**ier** [-je] *m* card index, file.

fichu¹ [fiʃy] *m* scarf.

fichu² → FICHER || ~, e *adj* Fam. [perdu] done for ; bust (coll.) || Fam. [malade] *mal* ~, off colour, out of sorts, under the weather ; *se sentir mal* ~, feel seedy ; [capable] *être* ~ *de,* be likely to ; *il n'est même pas* ~ *de,* he can't even ; [bien] *bien* ~, well-built, good-looking ; [avant le nom] lousy (mauvais) ; rotten (temps) ; damn(ed) (sacré) ; wretched (affreux).

fic|tif, ive [fiktif, iv] *adj* fictitious || ~**tion** *f* fiction.

fidèl|e [fidel] *adj* faithful, true (ami) ; accurate, close (traduction) ; retentive (mémoire) ; *rester* ~ *à,* stand by (une promesse) ● *n* devotee, votary || Rel. *les* ~*s,* the worshippers, the congregation || ~**ement** *adv* faithfully.

fidélité [fidelite] *f* faithfulness, fidelity ; accuracy, closeness (d'une traduction) || Rad. *haute* ~, high fidelity ; hi-fi (coll.).

fieffé, e [fjefe] *adj* arrant.

fiel [fjɛl] *m* gall.

fiente [fjɑ̃t] *f* droppings.

fier (se) [səfje] *vpr* (1) ; *se* ~ *à,* rely/depend on, trust (qqn).

fier, fière [fjɛr] *adj* proud ; *être* ~ *de,* take a pride in, pride oneself on ; ~ *comme Artaban,* as proud as

Punch ; *être* ~ *de posséder,* boast || ~**-à-bras** *m* swashbuckler.

fièrement [fjɛrmɑ̃] *adv* proudly.

fierté [fjɛrte] *f* pride.

fièvre [fjɛvr] *f* fever ; *avoir de la* ~, have/run a temperature ; *avoir 40 de* ~, have a temperature of 104 (° F) ; ~ *aphteuse,* foot-and-mouth (disease) ; ~ *typhoïde,* typhoid fever || Fig. excitement, heat.

fiévr|eusement [fjevrøzmɑ̃] *adv* feverishly || ~**eux, euse** *adj* feverish.

fifre [fifr] *m* fife (instrument).

fig|é, e [fiʒe] *adj* set (sourire) || ~**er (se)** *vpr* (7) [huile] congeal || [sang] curdle || Fig. freeze.

fignoler [fiɲɔle] *vt* (1) polish up.

figu|e [fig] *f* fig ; *mi-* ~, *mi-raisin,* wry (sourire) || ~**ier** *m* fig (-tree).

figur|ant, e [figyrɑ̃-, ɑ̃t] *n* Th. supernumerary, walk-on || Cin. extra || ~**atif, ive** [-atif, iv] *adj* figurative || ~**ation** *f* Th. walk-on (part) || *faire de la* ~, Th. do walk-on parts ; Cin. play extras.

figur|e [figyr] *f* face || [cartes] court-card, picture-card || [ballet, patinage] figure ; ~ *libre,* freestyle (skating) || [musée] ~*s de cire,* waxworks || Math. figure || Litt. ~ *de rhétorique,* figure of speech || Fig. figure (personnage) ; *faire* ~ *de,* appear as, be looked on as ; *faire bonne* ~, put up a good show ; *faire piètre/triste* ~, cut a poor figure || ~**é, e** *adj* figurative ; *au* (*sens*) ~, figuratively || symbolized (prononciation) || ~**er** *vt* (1) represent — *vi* appear (être mentionné) — *vpr se* ~, imagine || Fam. *figurez-vous que,* believe it or not.

fil¹ [fil] *m* thread (de coton) ; ~ *à coudre,* sewing thread ; yarn (de laine) || [textile] *pur* ~, all linen || ~ *de la Vierge,* gossamer || ~ (*du bois*) grain (du bois) || Techn. ~ *à plomb,* plumb-line ; ~ *de fer,* wire ; ~ (*de fer*) *barbelé,* barbed wire || Électr. cord, flex || Tél. *donner un coup de* ~, give a ring/buzz ; *au* *bout du* ~, on the phone ‖ Fig. ~ *conducteur,* lead, clue ‖ [conversation, pensée] thread ‖ *au* ~ *de l'eau,* with the stream, downstream.

fil² *m* edge (d'une lame).

fil|ament [filamã] *m* filament ‖ ~ **asse** [-as] *f* tow ‖ ~**ature¹** [-atyr] *f* Techn. spinning-mill (fabrique).

filature² *f* [police] shadowing ; *prendre en* ~, shadow, tail.

fil|e [fil] *f* line ; ~ *d'attente,* queue ‖ Aut. ~ *de voitures,* [en stationnement] line of cars ; [en marche] stream of cars ; [bouchon] tailback ; [autoroute] ~ *de droite/gauche,* right-hand/left-hand lane ; *se garer en double-*~, double-park ● *loc à la* ~, in file ; Fig. in a row ; *en* ~ *indienne,* in single file ‖ ~**er¹** *vt* (1) spin (laine, etc.) ‖ Naut. pay out (un câble) — *vi* [bas] ladder, run.

filer² *vt* (1) Fam. give, slip (donner).

filer³ *vi* [partir] go off ‖ [courir] dash, fly (vers, to) ; ~ *droit sur,* make a beeline for ; ~ *à toute vitesse,* tear along ‖ Naut. ~ *20 nœuds,* make 20 knots ‖ Fam. make off, make one's getaway (décamper) ; scoot (sl.); *file !,* scram !, beat it (sl.) ; ~ *à l'anglaise,* take French leave ‖ Fam. ~ *doux,* sing small.

filer⁴ *vt* (1) [détective] shadow, tail.

filet¹ [file] *m* net ; ~ *à papillons,* butterfly net ; ~ *à provisions,* shopping net ‖ ~ *de pêche,* fishing-net ‖ [chasse, pêche] *prendre au* ~ net ‖ Rail. (luggage) rack ‖ Sp. [tennis] net ‖ Fig. *coup de* ~, haul.

filet² *m* thin streak (de lumière) ‖ ~ *d'eau,* trickle ‖ *un* ~ *de voix,* a thin voice ‖ Culin. dash (de vinaigre).

filet³ *m* Culin. fillet (de bœuf, de sole).

filet⁴ *m* Techn. [vis] thread ‖ ~**age** [filtaʒ] *m* threading.

fileur, euse [filœr, øz] *n* spinner.

filial, e, aux [filjal, o] *adj* filial.

filiale [filjal] *f* Comm. subsidiary company.

filière [filjɛr] *f* path ; *suivre la* ~, go through the usual channels.

filigrane [filigran] *m* watermark.

filin [filɛ̃] *m* Naut. rope.

fill|e [fij] *f* [par rapport aux parents] daughter ‖ [par opposition à *garçon*] girl ‖ *petite* ~, little girl ; *jeune* ~, young girl ; *vieille* ~, spinster, old maid ‖ ~**ette** *f* young girl ‖ ~**eul, e** [fijœl] *n* godson *(m),* goddaughter *(f).*

film [film] *m* film (pellicule) ‖ picture, film (œuvre), U.S. movie ; *grand* ~, feature ; *~-annonce,* trailer ; ~ *fixe,* film-strip ‖ ~**er** *vt* (1) film, shoot.

filon [filɔ̃] *m* Géol. lode, vein ‖ Fig. cushy/soft job (sinécure) ; *trouver le* ~, strike oil.

filou [filu] *m* crook, cheat ‖ ~**ter** [-te] *vt* (1) Fam. cheat ; rob, diddle (coll.).

fils [fis] *m* son ; ~ *de son père,* chip of the old block (coll.) ‖ Comm. *Martin* ~, Martin junior ‖ Fig. ~ *de ses œuvres,* self-made man.

filtr|e [filtr] *m* filter ‖ [cigarette] filter-tip ; *à bout* ~, filter-tipped ‖ Phot. filter ‖ Aut. ~ *à air,* air-filter ‖ ~**er** *vt* (1) filter, strain — *vi* filter, seep through.

fin¹ [fɛ̃] *f* end ; ending, close (de l'année, de la journée) ; *vers la* ~ *de l'après-midi,* in the late afternoon ; *avant la* ~ *de la journée,* before the day is out ; ~ *de semaine,* week-end ; *à la* ~, in the end, ultimately ; *sans* ~, endless(ly), without end ; *en* ~ *de compte,* eventually ; *mettre* ~ *à,* put an end to ; *prendre* ~, come to an end ; *tirer à sa* ~, draw to a close ‖ death, end (mort) ‖ Comm. ~ *courant,* at the end of the present month ; ~ *de séries,* oddments ‖ Fig. *faire une* ~, settle down ; *mener à bonne* ~, see through, deal successfully with.

fin² f ~ de non-recevoir, flat refusal.

fin³ f aim, goal (but) ; à seule ~ de, for the sole purpose of.

fin⁴, e [fɛ̃, in] adj fine (aiguille, cheveux, poussière, sable, tissu) ; sharp (pointe) ; thin (papier) ; sheer (bas) ; neat (cheville) ∥ CULIN. delicate (nourriture) ; choice (vin) ∥ FIG. subtle (personne) ; shrewd (esprit) ∥ [intensif] au ~ fond de, in the depths of ● adv fine(ly) ; écrire ~, write small ∥ [intensif] ~ prêt, quite ready.

final, e, al(e)s/aux [final, o] adj final ● m MUS. finale ∥ ~ e f SP. final(s) ; cup-final ; [course] run-off. quart de ~, quarter-final ; demi-~, semi-final ∥ ~ement adv at last, finally, eventually ∥ ~iste n finalist.

financ|e [finɑ̃s] f finance ; moyennant ~, for a consideration ∥ le ministère des Finances, G.B. the Exchequer, U.S. the Treasury Department ∥ ~ement m financing ∥ ~er vt (6) finance ∥ ~ier ~ier, ière adj financial ● m financier ∥ ~ièrement adv financially.

finaud, e [fino, od] adj foxy.

fin|ement [finmɑ̃] adv finely (coupé) ∥ delicately (avec délicatesse) ∥ shrewdly (avec habileté) ∥ ~esse [-ɛs] f fineness ∥ sharpness (d'une pointe) ∥ slenderness (de la taille) ∥ keenness, sharpness (ouïe, vue) ∥ Pl niceties (de la langue) ∥ FIG. subtlety (de l'esprit).

fini, e [fini] adj finished, over ∥ finished (produit) ; done for (usé) ∥ utter (ivrogne, menteur) ∥ MATH. finite ● m finish.

finir [finir] vt (2) [achever] finish, end, complete, get through ∥ ~ de faire qqch, finish doing sth ; avez-vous fini de manger ?, have you done eating ? ∥ [arrêter] stop — vi finish, end, wind up ; come to an end ; mal ~, ~ mal, come to a bad end ; ~ en, end in ; ~ par (faire qqch), end by/in (doing sth) ; il finit par l'acheter, in the end he bought it ; pour ~, lastly ∥ en ~ avec, put an end to,

get over with ; à n'en plus ~, never-ending, endless ; en avoir fini avec, be through with.

finition [finisjɔ̃] f finishing (action) ∥ finish (résultat) ∥ finishing touch.

finland|ais, e [fɛ̃lɑ̃dɛ, ɛz] adj Finnish ● m [langue] Finnish.

Finland|ais, e n Finn ∥ ~e f Finland.

finnois, e [finwa, az] adj Finnish ● m Finnish (langue).

fiole [fjɔl] f phial ∥ POP. mug.

fioul [fjul] m fuel oil.

firme [firm] f firm.

fisc [fisk] m Inland/U.S. Internal Revenue ∥ ~al, e, aux [-al, o] adj tax ; année ~e, fiscal year ∥ ~alité f (mode of) taxation.

fiss|ile [fisil] adj fissile ∥ ~ion f fission ∥ ~ure f crack, fissure.

fiston [fistɔ̃] m FAM. sonny.

fixa|teur [fiksatœr] m PHOT. fixing salt ∥ ~tion f fixing ∥ SP. binding (de ski).

fix|e [fiks] adj fixed (demeure, point) ; permanent (emploi) ; regular (heures) ; stationary (machine) ∥ à heure ~, at a set time ∥ beau ~, set fair ∥ COMM. vendre à prix ~, sell at fixed prices ∥ FIG. idée ~, fixed idea, obsession ● m fixed salary ∥ ~ement adv fixedly ; regarder ~, stare at ∥ ~er¹ vt (1) [immobiliser] fix ; fasten ; ~ solidement, make fast ∥ PHOT. fix ∥ FIG. ~ les yeux sur, stare at ; ~ son attention sur, focus one's attention on.

fixer² vt (1) [déterminer] fix, arrange, appoint (date, heure) ; je ne suis pas encore fixé, I haven't made up my mind yet ∥ COMM. ~ un prix, fix/set/quote a price — vpr se ~, settle (down) [s'installer].

flacon [flakɔ̃] m flask, bottle.

flageller [flaʒele] vt (1) scourge.

flageoler [flaʒɔle] vi (1) totter, stagger.

flagorn|erie [flagɔrnəri] *f* toadying, fawning ‖ **~eur, euse** *n* toady.

flagrant, e [flagrɑ̃, ɑ̃t] *adj* flagrant; glaring, gross (injustice); blatant (mensonge); *pris en ~ délit,* caught red-handed.

flair [flɛr] *m* [chien] nose, smell, scent ‖ Fig. [personne] *avoir du ~ pour,* have a (good) nose for ‖ **~er** *vt* (1) [dog] smell, scent, sniff at ‖ Fig. smell; scent, sense (danger).

flamand, e [flamɑ̃, ɑ̃d] *adj* Flemish ● *m* [langue] Flemish.

Flamand, e *n* Fleming.

flamant [flamɑ̃] *m* flamingo.

flamb|ant, e [flɑ̃bɑ̃, ɑ̃t] *adv* — **neuf,** brand new ‖ **~eau** [-o] *m* torch; *aux ~x,* by torch light ‖ candlestick ‖ **~ée** *f* blaze ‖ Fig. outburst (de violence); explosion (des prix) ‖ **~er** *vi* (1) flame, blaze — *vt* Culin. singe; flambé (crêpes, etc.) ‖ **~oiement** [-wamɑ̃] *m* blaze ‖ **~oyant, e** [-wajɑ̃, ɑ̃t] *adj* flaming, blazing ‖ Fig. flaming (couleur); fiery (yeux) ‖ **~oyer** *vi* (9 *a*) blaze, flame, flare up.

flamme [flam] *f* flame, blaze ‖ *en ~s,* ablaze, on fire ‖ [drapeau] pennant ‖ Fig. fire.

flan [flɑ̃] *m* custard-tart.

flanc [flɑ̃] *m* [personne] side ‖ [animal] flank ‖ [colline] *à ~ de coteau,* on the hillside ‖ Mil. flank; *prendre de ~,* flank ‖ Fam. *tirer au ~,* shirk; *tireur au ~,* shirker.

flancher [flɑ̃ʃe] *vi* (1) Fam. fail, give up; crack up (coll.).

Flandre [flɑ̃dr] *f* Flanders.

flanelle [flanɛl] *f* flannel.

flân|er [flɑne] *vi* (1) [se promener] stroll, saunter, loiter, idle about ‖ [paresser] lounge/hang about ‖ **~erie** [-ri] *f* saunter (promenade); idling (inaction) ‖ **~eur, euse** *n* stroller (promeneur) ‖ idler (oisif).

flanquer¹ [flɑ̃ke] *vt* (1) flank (qqch); escort (qqn) ‖ Mil. flank.

flanquer² *vt* (1) Fam. [jeter] fling; *~ qqn à la porte,* chuck sb out; fetch (un coup); *~ une gifle à qqn,* smack sb's face — *vpr se ~ : se ~ par terre,* measure one's length.

flapi, e [flapi] *adj* Fam. dog-tired (coll.).

flaque [flak] *f ~ d'eau,* puddle.

flash [flaʃ] *m* Phot. flash (light); *au ~,* by flash ‖ Rad., T.V. (news) flash.

flasque [flask] *adj* flabby (main); flaccid (chair).

flatt|er *vt* (1) flatter; play up to (bassement); fawn on (servilement) ‖ Fig. pander to (encourager) — *vpr se ~,* flatter oneself (imaginer); pride oneself (de, on) [s'enorgueillir]; delude oneself (s'illusionner); claim (prétendre) ‖ **~erie** [-ri] *f* flattery; fawning ‖ *Pl* blandishments ‖ **~eur, euse** *adj* flattering; *peu ~,* disparaging ● *n* flatterer.

fléau [fleo] *m* Fig. plague, scourge, curse.

flèche [flɛʃ] *f* arrow ‖ Arch. spire ‖ Av. *ailes en ~,* swept-back wings ‖ Aut. *tourner à la ~,* filter ‖ Fig. shaft; *comme une ~,* like a shot; *partir comme une ~,* dart off; *monter en ~,* rocket (up).

fléch|er [fleʃe] *vt* (5) signpost with arrows ‖ **~ette** *f* dart.

fléch|ir [fleʃir] *vt* (2) bend (le genou); flex (un membre) ‖ Fig. persuade (qqn); *se laisser ~,* yield, give in — *vi* bend, give way (sous un poids); [poutre] sag ‖ Fig. [intérêt] flag ‖ **~issement** *m* bending (du genou); sagging (d'une poutre) ‖ Fin. sagging (des cours) ‖ Fig. yielding, drop, flagging.

flegm|atique [flegmatik] *adj* phlegmatic, stolid ‖ **~e** *m* coolness, composure, phlegm.

flemmard, e [flemar, ard] *adj* Fam. bone idle ● *n* slacker, lazy bones.

flétan [fletɑ̃] *m* halibut.

flétr|i, e [fletri] *adj* withered (fleur,

peau) ‖ FIG. faded (beauté) ‖ —**ir** vt (2) wither (up) [une plante] — vpr se ~, [fleur] wither, wilt ; [beauté] fade ‖ [peau] shrivel.

fleur [flœr] f flower ; ~ des champs, wild flower ‖ blossom (d'arbre) ‖ en ~(s), in flower ; in blossom (arbre) ; in bloom (nature) ‖ à ~s, flowered (papier) ‖ FIG. flower, bloom (élite) ; bloom (de la jeunesse) ; dans la ~ de l'âge, in the prime of life, in one's prime ● loc prép à ~ de : à ~ d'eau, awash.

fleuret [flœre] m SP. foil.

fleur|i, e [flœri] adj in bloom (fleur) ; in blossom (branche) ; in flower (jardin) ; flowery (champ) ‖ decked out with flowers ‖ ~**ir** vi (53) flower, bloom ‖ [arbre] blossom ‖ FIG. [imparfait : florissait ; part. présent : florissant] flourish — vt decorate with flowers ; lay flowers on (une tombe) ‖ ~**iste** n florist ; [boutique] florist's.

fleuve [flœv] m river.

flex|ibilité [fleksibilite] f flexibility ‖ ~**ible** adj pliable, pliant, flexible ‖ ~**ion** f bending ‖ GRAMM. inflexion.

flic [flik] m POP. cop, copper (coll.) ‖ Pl les ~s, the cops/fuzz.

flipper¹ [flipœr] m [billard] pinball machine, U.S. pintable.

flipper² [flipe] vi POP. [drogue] get high (coll.) ; trip (sl.) ‖ [être déprimé] feel low ; freak out (sl.).

flirt [flœrt] m flirting, flirtation (action) ‖ boy/girl friend, U.S. date (personne) ‖ ~**er** vi (1) flirt.

floc [flɔk] onom flop (son).

flocon [flɔkɔ̃] m flake (de neige) ‖ flock (de laine) ‖ CULIN. ~s de maïs, corn flakes.

flopée [flɔpe] f FAM. une ~ de, loads of (coll.).

flor|aison [flɔrezɔ̃] f blooming, blossoming, flowering ; en pleine ~, in full bloom ‖ flower-time (époque) ‖

~**al, e, aux** [-al, o] adj floral ‖ ~**alies** [-ali] fpl flower-show ‖ ~**e** f flora ‖ ~**issant, e** adj flourishing, blooming ‖ FIG. ~ de santé, thriving ‖ → FLEURIR.

flot [flo] m [marée] floodtide ‖ Pl waves ; à ~s, in torrents ; couler à ~s, gush forth ‖ NAUT. mettre à ~, set afloat, launch ‖ FIG. flow, flood (de lumière) ; stream, flood (de gens, de voitures) ; flood (de larmes) ; [lumière] entrer à ~s, flood in.

flot|tabilité [flɔtabilite] f buoyancy ‖ ~**tage** [-taʒ] m floating (du bois) ‖ ~**taison** [-ɛzɔ̃] f NAUT. floating ; ligne de ~, waterline ‖ ~**tant, e** [-ɑ̃, ɑ̃t] adj floating (drapeau, cheveux) ; loose (manteau) ‖ FIN. floating (dette) ‖ ~**te** f NAUT. fleet, navy ‖ FAM. water, rain ‖ ~**tement** [-mɑ̃] m wavering (hésitation) ‖ ~**ter** [-e] vi (1) float (sur l'eau) ‖ [brume] drift, hang ; faire ~, float ‖ [drapeau, cheveux] stream ‖ [odeur] waft ‖ [vêtement] hang loose ‖ FAM. [pleuvoir] qu'est-ce qu'il flotte !, it's pouring ! ‖ FIG. waver ‖ ~**teur** [-œr] m float ‖ ~**tille** [-ij] f flotilla.

flou, e [flu] adj blurred (contour) ; out of focus (image) ; blurred, fuzzy (photo) ‖ FIG. woolly (idées).

fluctu|ant, e [flyktɥɑ̃, ɑ̃t] adj fluctuating ‖ floating (population, vote) ‖ ~**ation** f fluctuation ‖ ~**er** vi (1) [prix] fluctuate.

fluet, ette [flɥɛ, ɛt] adj slender (corps) ; thin (voix).

fluide [flɥid] adj/m fluid.

fluor [flyɔr] m fluorine ‖ ~**escent, e** [-essɑ̃, ɑ̃t] adj fluorescent ‖ ÉLECTR. éclairage ~, strip lighting.

flût|e [flyt] f flute ; ~ à bec, recorder ; ~ de Pan, pan-pipes ; ~ traversière, transverse flute ‖ ~**iste** n flautist, flutist.

fluvial, e, aux [flyvjal, o] adj fluvial ; port ~, river harbour.

flux [fly] m [marée] floodtide ; le ~

et le reflux, the ebb and flow ‖ Phys., Méd. flow ‖ Fig. flood.

foc [fɔk] *m* Naut. jib.

focal, e, aux [fɔkal, o] *adj* focal ● *f* focal length.

fœtus [fetys] *m* foetus.

foi [fwa] *f* faith (sincérité); *de bonne/mauvaise ~,* in good/bad faith ‖ credence (créance); *digne de ~,* trustworthy, credible, reliable; *ajouter ~ à,* credit; *sur la ~ de,* on the strength of ‖ trust (confiance); *avoir ~ en,* trust ‖ word (parole) ‖ *ma ~ ...,* well... ‖ Rel. faith, belief; *sans ~,* faithless.

foie [fwa] *m* liver; *maladie de ~,* liver trouble.

foin [fwɛ̃] *m* hay; *faire les ~s,* make hay ‖ Méd. *rhume des ~s,* hay fever.

foire [fwar] *f* fair ‖ Fig. *c'est une ~ d'empoigne,* it's a free for all.

fois [fwa] *f* time; *combien de ~ ?,* [fréquence] how often?; [nombre] how many time?; *une fois,* once; *deux ~,* twice; *trois ~,* three times; [enchères] *une ~, deux ~, trois ~, adjugé !,* going, going, gone !; *une ~ par hasard,* once in a while; *une ~ de plus,* once more, yet again; *une ~ pour toutes,* once and for all; *une ~ de trop,* once too often ‖ *deux ~ moins,* half as much/many; *deux ~ plus,* twice as much/many ‖ *neuf ~ sur dix,* nine times out of ten ‖ *cette ~(-ci),* this time; *la première ~,* the first time; *une autre ~,* on another occasion; *chaque ~,* every time ‖ *il était une ~,* once upon a time there was ‖ *maintes et maintes ~,* over and over again; *toutes les ~ que,* whenever ‖ Math. 3 *~* 4 (font) 12, 3 times 4 makes/that's 12 ● *loc adv à la ~,* both, at once (ensemble); at the same time (en même temps) ‖ Fam. *des ~,* sometimes ● *loc conj une ~ que,* as soon as ‖ Fam. *des ~ que,* in case.

foison [fwazɔ̃] *f* profusion; *à ~,* in profusion, plentifully ‖ **~ner** [-ɔne] *vi* (1) *~ de,* teem with, abound in.

fol [fɔl] *adj m* → fou.

folâtr|e [fɔlatr] *adj* playful, frisky, blithe ‖ **~er** *vi* (1) frolic, frisk.

folichon, onne [fɔliʃɔ̃, ɔn] *adj* Fam. exciting; *ça n'est pas très ~,* it's not very exciting/not much fun.

folie [fɔli] *f* madness, insanity, lunacy; *~ furieuse,* raving madness; *~ des grandeurs,* delusions of grandeur, megalomania ‖ [dépense] extravagance; *c'est faire une ~ que d'acheter...,* it's (far too) extravagant to buy...; *faire des ~,* spend money like water ‖ [excès] *aimer qqn à la ~,* be madly in love with sb, love sb to distraction.

folklor|e [fɔlklɔr] *m* folklore ‖ **~ique** *adj* folk.

folle [fɔl] *adj f* → fou ● *f* madwoman, lunatic ‖ Pop. [homosexuel] queer, (drag) queen (sl.) ‖ **~ment** *adv* madly; foolishly (sottement); madly, wildly (extrêmement).

fomenter [fɔmɑ̃te] *vt* (1) foment, stir up (une révolte).

fonc|é, e [fɔ̃se] *adj* dark, deep (couleur) ‖ **~er¹** *vi* (6) [couleur] darken, deepen — *vt* darken, make darker.

foncer² *vi* (6) [aller vite] tear along; zip (coll.) ‖ [attaquer] *~ sur,* charge at; dart at.

foncier, ère [fɔ̃sje, ɛr] *adj* landed (biens); *propriétaire ~,* landowner ‖ Fig. fundamental, basic.

foncti|on [fɔ̃ksjɔ̃] *f* function ‖ duty, office; *faire ~ de,* serve/act as; *être ~ de,* depend on; *entrer en ~s,* take up one's post ‖ Jur. *~ publique,* civil service ‖ Math. function ● *loc prép en ~ de,* according to, in terms of ‖ **~onnaire** [-ɔnɛr] *n* civil servant; *haut ~,* top civil servant ‖ **~onnel, elle** [-ɔnɛl] *adj* functional ‖ **~onnement** [-ɔnmɑ̃] *m* Techn. working, running (d'une machine) ‖ **~onner** [-ɔne] *vi* (1) Techn. [machine] work; [frein] act; *cela fonctionne mal,* it isn't working properly;

le distributeur ne fonctionne pas, the dispenser is out of order ; **faire ~**, work, operate, run.

fond [fɔ̃] *m* bottom (d'une boîte, d'un trou) ‖ back (d'une pièce) ; far end (d'une cour, d'une baie) ‖ crown (d'un chapeau) ‖ seat (d'une chaise, d'un pantalon) ‖ **~ de teint,** foundation ‖ Naut. bottom (de la mer) ; *par 10 mètres de* **~**, at a depth of 10 metres ‖ Sp. *coureur de* **~**, long-distance runner ‖ Culin. **~ d'artichaut,** artichoke heart ‖ Arts background (d'un tableau) ‖ Th. *toile de* **~**, backdrop ‖ Fig. bottom, depths ; *du* **~** *du cœur,* from the bottom of my heart ; core (d'un problème) ; content, substance (contenu) ; *le* **~** *de l'air est frais,* there's a nip in the air ● *loc prép au* **~** *de,* in/to the bottom of ● *loc adv au* **~**, *dans le* **~**, basically (en fait) ‖ *à* **~**, thoroughly ; *enfoncer à* **~**, drive home ; Fam. *y aller à* **~**, go the whole hog ‖ Fam. *aller à* **~** *de train,* go hell for leather (coll.) ‖ *de* **~** *en comble,* from top to bottom ‖ **~amental, e, aux** [-damɑ̃tal, o] *adj* fundamental, basic, elemental ; *élément* **~**, essential.

fond|ateur, trice [fɔ̃datœr, tris] *n* founder ‖ **~ation** *f* foundation, founding (action, institut) ‖ Arch. foundation ‖ **~é, e** *adj* founded, grounded ; *bien/mal* **~**, well/ill-founded ; *non* **~**, unfounded ‖ justified ; *être* **~** *à croire,* to be entitled to believe ‖ **~ement** *m* Fig. foundation, basis ; ground (d'une accusation) ; *sans* **~**, groundless, unfounded ‖ **~er** *vt* (1) found, set up (une entreprise, etc.) ; establish (un État) ; start (une famille) ; base, build (une théorie) — *vpr se* **~**, [personne] go by, take one's stand (*sur,* on) ; *sur quoi vous fondez-vous ?* what grounds have you ? ‖ [théorie] be based (*sur,* on).

fon|derie [fɔ̃dri] *f* smelting works (usine) ; foundry (atelier) ‖ **~deur** [-dœr] *m* founder, caster ‖ **~dre¹**

[-dr] *vt* (4) melt (de la cire, du métal) ; smelt (du minerai) ; found, cast (une cloche) ; *faire* **~**, melt, dissolve ‖ Arts blend (des couleurs) — *vi* [beurre, fruit, glace, métal, neige] melt (away) ; *faire* **~**, melt (beurre) ; dissolve (sucre) ‖ [glace] thaw ‖ Électr. [fusible] fuse, blow (out) ‖ Fig. **~ en larmes,** burst into tears — *vpr se* **~**, merge (*dans,* into) ‖ [couleurs] blend in.

fondre² *vi* (4) swoop down (*sur,* on) [s'abattre].

fondrière [fɔ̃drijɛr] *f* bog ‖ pothole (sur une route).

fonds [fɔ̃] *m* Agr. land, estate (terre) ‖ Comm. **~ de commerce,** business ; *commun,* pool ‖ *Pl* Fin. funds, money ; *trouver des* **~**, raise money ‖ Fig. fund.

fondu, e [fɔ̃dy] *adj* molten (métal) ● *m* Cin. dissolve ; **~ enchaîné,** lap-dissolve ; *fermeture/ouverture en* **~**, fade-out/fade-in ; *apparaître en* **~**, fade in ; **~ sonore,** fadeout ● *f* melted cheese.

font [fɔ̃] → faire.

fontaine [fɔ̃tɛn] *f* fountain ‖ spring (source).

fonte¹ [fɔ̃t] *f* [métal] cast-iron.

fonte² *f* melting (action) ; thawing, melting (des neiges) ‖ Techn. founding, casting (du métal) ; smelting (du minerai).

fonts [fɔ̃] *mpl* **~ baptismaux,** font.

football [futbɔl] *m* football ; association football ; soccer ; *jouer au* **~**, play football ‖ **~eur, euse** *n* football player.

for [fɔr] *m dans son* **~** *intérieur,* in one's heart of hearts.

forage [fɔraʒ] *m* drilling ; sinking (d'un puits).

forain, e [fɔrɛ̃, ɛn] *adj* fairground ● *m* [cirque, foire] showman.

forçat [fɔrsa] *m* convict.

force [fɔrs] *f* strength ; *de toutes ses* **~s**, with all one's might ; *reprendre* des ~, regain strength, refresh oneself || [violence] force ; *recourir à la* ~, resort to force ; *entrer de* ~ *dans,* force one's way into ; *nourrir de* ~, force-feed ; *la* ~ *prime le droit,* might is right || MIL. strength ; ~ *aérienne,* air force ; ~ *de dissuasion (nucléaire),* (nuclear) deterrent ; ~ *de frappe,* strike force ; *les* ~*s armées,* the armed forces ; *les* ~*s de l'ordre,* the police (force) ÉLECTR., PHYS. power ; [météorologie] *un vent de* ~ *9,* a force 9 gale || POL. *épreuve de* ~, showdown || FIG. strength ; *dans la* ~ *de l'âge,* in the prime of life ; ~ *d'âme,* moral strength, fortitude ; ~ *de l'habitude,* force of habit ; *cas de* ~ *majeure,* case of absolute necessity ● *loc adv à toute* ~, by all means, at any cost, absolutely ; *de* ~, by force, forcibly ; *en* ~, in force ● *loc adj de* ~ *à,* equal to ● *loc prép à* ~ *de,* by dint of.

forcé, e [fɔrse] *adj* forced (marche, travail) || → ATTERRISSAGE || FAM. *c'est* ~, it's inevitable || ~**ment** *adv* of necessity, inevitably.

forcené, e [fɔrsəne] *adj* frenzied ● *n* maniac.

forceps [fɔrsɛps] *m* forceps.

forcer [fɔrse] *vt* (6) force, compel (*à,* to) ; ~ *qqn à faire qqch,* force sb into doing sth ; *être forcé de,* be compelled/obliged to ; *vous n'êtes pas forcé de,* you don't have to || ~ force open (coffre, tiroir) ; prize open (une boîte) ; break open (une porte) ; strain (sa voix) || FIG. strain (le sens) ; stretch (la loi, le sens) — *vpr se* ~, force/compel oneself (*à faire,* to do).

forer [fɔre] *vt* (1) drill ; sink (un puits) ; drive (un tunnel).

forestier, ière [fɔrɛstje, jɛr] *adj* forest ; *garde* ~, forester.

foret [fɔrɛ] *m* TECHN. drill, broach.

forêt [fɔrɛ] *f* forest, woods ; woodland ; ~ *tropicale,* rain forest ; ~ *vierge,* primeval/virgin forest.

forfai|t¹ [fɔrfɛ] *m* contract || set price ; *à* ~, for a lump/fixed sum ; by the job (travail) || ~ *taire* [-tɛr] *adj* all inclusive ; *paiement* ~, lump sum ; *vacances à prix* ~, package tour.

forfait² *m* SP. scratching, withdrawal ; *déclarer* ~, withdraw ; scratch (un cheval) || FIG. give it up.

forg|e [fɔrʒ] *f* forge, smithy || ~**é, e** *adj* wrought (fer) || FIG. ~ *de toutes pièces,* fabricated || ~**er** *vt* (7) forge || FIG. fabricate, make up (une histoire) ; coin (un mot) || ~**eron** [-ərɔ̃] *m* (black) smith.

formal|iser (se) [səfɔrmalize] *vpr* (1) take offence (*de,* at) || ~**iste** *adj* formal(istic) ; punctilious (pointilleux) ● *n* formalist || ~**ité** *f* formality ; *pure* ~, mere matter of form ; *remplir une* ~, comply with a formality ; *sans autre* ~, without further ado || *Pl* formalities.

format [fɔrma] *m* format, size (d'un livre).

forma|teur, trice [fɔrmatœr, tris] *adj* formative || ~**tion** *f* formation || education, training (instruction) ; ~ *continue/permanente,* adult education || ~ *background* (expérience) || Av. formation || MUS. ~ *musicale,* musical group.

form|e [fɔrm] *f* shape, form ; *sous* ~ *de,* in the shape of ; *en* ~ *de cœur,* heart-shaped ; *prendre* ~, take shape || TECHN. stretcher (pour chaussures) || SP. form, fitness ; *être en* ~, be fit/in good form ; *en pleine* ~, in fine fettle ; *ne pas être en* ~, be out of form ; *en mauvaise* ~, in bad form, unfit ; *se maintenir en* ~, keep in (good) trim || GRAMM. form ; *mettre à la* ~ *passive,* turn into the passive || FIG. form (formalité) ; *pour la* ~, for form's sake ; perfunctory (adj.) ; perfunctorily (adv.) ; *en bonne et due* ~, in due form || ~**el, elle** *adj* formal (démenti) ; express (défense) ; positive (promesse) || ~**ellement** *adv* positively (catégoriquement) ; ~ *interdit,* strictly forbidden.

former [fɔrme] *vt* (1) form (une

lettre, etc.) ; shape (un objet) ‖ POL. form (un cabinet) ‖ MIL. ~ *les rangs*, fall in ‖ FIG. form (le caractère) ; train (élèves) ; make up (un tout) — *vpr se* ~, form ; be formed (se constituer) ; take shape (prendre forme) ; gather (se rassembler) ; train oneself (apprendre un métier).

formidable [fɔrmidabl] *adj* stupendous (sensationnel) ; tremendous (énorme) ‖ FAM. fantastic, great (coll.) [très bien].

formul|aire [fɔrmylɛr] *m* form ‖ ~**e** *f* form (formulaire) ‖ phrase (expression) ; ~ *de politesse*, complimentary close ‖ MATH., CH., PHYS. formula ‖ ~**er** *vt* (1) express (un souhait) ‖ phrase (énoncer) ‖ put forward (des critiques).

for|t¹, e [fɔr, ɔrt] *adj* strong (physique) ‖ big, stout, portly (corpulent) ‖ high (fièvre, vent) ‖ loud (voix) ‖ rank (odeur) ‖ strong (café, moutarde) ; hot (épice) ‖ broad, marked (accent) ; steep (pente) ‖ large (somme) ‖ good (doué) ‖ *c'est plus que moi*, I can't help it ; *à plus ~e raison*, all the more reason ● *adv* hard, heavily (intensément) ‖ greatly, exceedingly, very, most (très) ; *parlez plus* ~, speak louder !, speak up ! ‖ FAM. *y aller* ~, go hard at it ● *m* strong point ; *ce n'est pas mon* ~, that's not my forte ‖ *au (plus)* ~ *de l'été/l'hiver/la mêlée*, at the height of summer, in the depth of winter, in the thick of the fight ‖ ~**tement** [-tǝmã] *adv* strongly, heavily.

for|t² *m* MIL. fort ‖ ~**teresse** [-tǝrɛs] *f* fortress, stronghold.

fortif|iant, e [fɔrtifjã, ãt] *adj* invigorating, restorative ; bracing (air) ● *m* tonic ‖ ~**ication** [-ikasjɔ̃] *f* fortification ‖ ~**ier** *vt* (1) MÉD. strengthen, invigorate, brace up ‖ MIL. fortify.

fortui|t, e [fɔrtɥi, it] *adj* casual, fortuitous, incidental, chance ‖ ~**tement** [-tmã] *adv* fortuitously, accidentally, by chance.

fortun|e [fɔrtyn] *f* wealth, fortune ;

faire ~, make a fortune ; ~ *personnelle*, private means ‖ luck, fortune, chance ; *faire contre mauvaise* ~ *bon cœur*, put a good face on sth ; *manger à la* ~ *du pot*, take pot luck ● *loc adj de* ~, emergency (réparations) ; rough and ready (installation) ; makeshift (moyens) ‖ ~**é, e** *adj* rich, well-off, wealthy (riche).

foss|e [fos] *f* pit (trou) ; grave (tombe) ‖ ~ *aux ours*, bear pit ‖ TECHN. ~ *d'aisances*, cesspool ; ~ *septique*, septic tank ‖ TH. ~ *d'orchestre*, orchestra pit ‖ ~**é** [fose] *m* ditch (de la route) ; drain (d'assèchement) ; moat (douve) ‖ FIG. ~ *des générations*, generation gap ‖ ~**ette** [fosɛt] *f* dimple (sur le visage).

fossile [fɔsil] *adj/m* fossil.

fossoyeur [fɔswajœr] *m* grave-digger.

fou, fol, folle [fu, fɔl] *adj* mad, insane ; *devenir* ~, go mad ; *devenir* ~ *furieux*, go berserk ; *rendre* ~, drive mad ; *à lier*, raving mad ; *complètement* ~, stark mad ‖ crazy (cinglé) ; *tête folle*, mad cap ‖ FIG. wild (idées) ; extravagant (dépenses) ; fantastic (coll.) [énorme] ; *un monde* ~, a fantastic crowd ; *vitesse folle*, terrific speed ; ‖ ~ *de*, crazy/mad about ● *n* madman, -woman ; lunatic ‖ FAM. [enfants] *faire les* ~*s*, romp about ● *m* [échecs] bishop ‖ HIST. jester.

foudr|e [fudr] *f* lightning ; *frappé par la* ~, struck by lightning ; *coup de* ~, thunderbolt ; FIG. love at first sight ‖ ~**oyant, e** [-wajã, ãt] *adj* lightning (attaque) ‖ ~**oyer** [-waje] *vt* (9 *a*) strike ; blast (un arbre) ‖ FIG. strike down (qqn) ; ~ *du regard*, look daggers at.

foue|t [fwɛ] *m* whip ‖ CULIN. whisk ‖ FIG. *coup de* ~, stimulus ; *de plein* ~, head-on ‖ ~**tter** [-te] *vt* (1) whip ; lash (un cheval) ; flog (un enfant) ‖ CULIN. whip (de la crème) ; whisk (des œufs) ‖ FIG. [pluie] ~ *contre*, lash against.

fougère [fuʒɛr] *f* fern, brake.

fougu|e [fug] *f* impetuosity, spirit, mettle ; *plein de ~,* full of dash ‖ **~eux, euse** *adj* fiery, spirited (cheval) ; impetuous (personne).

fouill|e [fuj] *f* searching ‖ [douane, police] search ‖ *Pl* [archéologie] excavations ; *faire des ~s,* carry out excavations ‖ **~er** *vt* (1) search ‖ dig, excavate (le sol) ‖ search, frisk (qqn) ; go through ; delve, rummage (*dans,* in) [poches, etc.] ‖ [animal] grub (le sol) ‖ **~is** [-uji] *m* jumble, muddle, mess.

fouin|ard, e [fwinar, ard] *adj* prying ● *n* nosey-parker ‖ **~e** [fwin] *f* stone marten ‖ **~er** *vi* (1) nose/ferret about.

foulard [fular] *m* scarf.

foule [ful] *f* crowd ‖ turn-out (réunion) ‖ Péj. mob, populace ; *la ~,* the masses ‖ Fig. *une ~ de,* a host of, a lot of.

foul|ée [fule] *f* stride ‖ **~er** *vt* (1) tread (on) [le sol].

foul|er (se) *vpr* (1) *se ~ la cheville,* sprain one's ankle ‖ **~ure** *f* Méd. sprain.

four [fur] *m* oven ; *(faire) cuire au ~,* bake ‖ *~ à micro-ondes,* microwave oven ; *plat allant au ~,* ovenproof dish ‖ Techn. kiln ‖ Th. flop (échec) ; *cette pièce a fait un ~,* this play flopped/is a flop.

fourb|e [furb] *adj* deceitful ‖ **~erie** [-əri] *f* deceitfulness, treachery.

fourbir [furbir] *vt* (2) furbish.

fourbu, e [furby] *adj* dog-tired, done up.

fourch|e [furʃ] *f* (pitch)fork ‖ **~ette** *f* fork ‖ Fig. [statistique] margin ; [salaires] bracket ‖ **~u, e** [-y] *adj* forked, cleft ; *pied ~,* cloven hoof.

fourgon [furgɔ̃] *m* Rail. luggage-van, U.S. baggage car ‖ Aut. van.

fourgonner [furgɔne] *vi* (1) poke about (fouiller).

fourgonnette [furgɔnɛt] *f* (combie) van.

fourmi [furmi] *f* ant ‖ *avoir des ~s dans les jambes,* have pins and needles in one's legs ‖ **~lière** [-ljɛr] *f* ant-hill ‖ **~llement** [-jmɑ̃] *m* swarming ‖ [picotement] pins and needles ‖ **~ller** [-je] *vi* (1) *de,* be swarming/teeming with.

fourn|aise [furnɛz] *f* Fig. oven ‖ **~eau** [furno] *m* stove (officiellement) ‖ kitchen range ; *~ à gaz,* gas-range ‖ Techn. furnace ; *haut ~,* blast-furnace ‖ bowl (de pipe) ‖ **~ée** *f* ovenful ; batch (de pain).

fourni, e [furni] *adj* thick (cheveux) ; bushy (barbe).

fourn|ir [furnir] *vt* (2) supply, provide ; *~ qqch à qqn,* supply/provide sb with sth ‖ issue (officiellement) ‖ yield (produire) ‖ afford (une occasion) ‖ [cartes] *à pique,* follow suit in spades ‖ Comm. cater (des repas) ‖ Fig. give ; put in (un effort) — *vpr se ~,* provide oneself (*de,* with) ‖ *se ~ chez,* deal with, shop at (commerçant) ‖ **~isseur** *m* supplier ‖ Comm. tradesman, retailer ; purveyor (officiel) ; caterer (en alimentation) ‖ **~iture** *f* supply(ing), provision ; *Pl* supplies ; *~s de bureau,* (office) stationery ; *~s scolaires,* school stationery.

fourrage [furaʒ] *m* fodder, forage.

fourré¹, e [fure] *adj* furred, furlined ‖ Culin. cream-filled ; *~ à la crème,* cream-filled.

fourré² *m* thicket, brake.

fourreau [furo] *m* sheath (de sabre) ; cover, case (de parapluie).

fourrer¹ [fure] *vt* (1) line with fur ‖ Culin. stuff.

fourrer² *vt* (1) Fam. stick, thrust, shove (*dans,* into) ‖ *~ son nez partout,* poke one's nose into everything — *vpr se ~,* stick oneself into ‖ hide oneself (se cacher).

fourre-tout [furtu] *m inv* holdall, carryall, U.S. zipper-bag.

fourreur [furœr] *m* furrier.

fourrière [furjɛr] f pound (pour animaux) || [police] *mettre une voiture à la ~,* tow away a car.

fourrure [furyr] fur || [pelage] coat.

fourvoyer [furvwaje] vt (9 a) misguide, mislead — *vpr se* ~, go astray ; stray (*dans*, into) || FIG. get involved (*in*, dans).

foutaise(s) [futɛz] f(pl) POP. rot, rubbish.

foutre [futr] vt (4) POP. do (faire) ; give (donner) ; ~ *le camp,* bugger off (sl.) ; *foutez-lui la paix !,* leave him alone ! ; *qu'est-ce qu'il fout ?,* what the hell is he doing ? || shove (coll.) [mettre] — *vpr se* ~, POP. *je m'en fous !,* I don't care a damn !

foutu, e [futy] adj POP. done for ; bust (fam.) [détruit] || [avant le nom] damned (pop.) ; bloody (grossier).

foyer¹ [fwaje] m fire-place, hearth (âtre) ; grate (de cheminée) || PHYS. focus (de lentille) ; *verres à double ~,* bifocals || FIG. centre ; hotbed (de rébellion) ; focus (d'une épidémie).

foyer² m home ; family || [résidence] home ; ~ *d'étudiants,* (students') hostel || TH. green-room (des artistes) ; foyer (du public).

fracas [fraka] m crash, clatter ; peal (de tonnerre) || ~*sant* adj deafening (bruit) || FIG. shattering || ~*ser* [-se] vt (1) shatter, smash to pieces — *vpr se* ~, crash (*contre*, against/into) ; smash, shatter.

fracti|on [fraksjɔ̃] f fraction || ~*on-ner* [-ɔne] vt (1) divide into fractions.

fractur|e [fraktyr] f MÉD. fracture ; ~ *ouverte,* compound fracture || ~*er* vt (1) break open (un coffre-fort) || MÉD. fracture.

fragil|e [fraʒil] adj fragile ; brittle, breakable || COMM. « *Fragile* », "with care" || FIG. delicate (santé) ; frail (bonheur), shaky (instable) || ~*ité* f fragility || FIG. frailty.

fragment [fragmã] m fragment ;

chip, piece, bit, splinter (de verre, etc.) || ~*er* [-te] vt (1) break up.

frai [frɛ] m spawn.

fraîch|e [frɛʃ] adj/f → FRAIS || ~*ement* adv freshly, newly || ~*eur* f [endroit] coolness || [froid] chilliness || FIG. [aliments] freshness || ~*ir* vi (2) [température] get cool(er) || [vent] freshen.

frais¹, fraîche [frɛ, frɛʃ] adj cool (pièce, temps) ; fresh (air) ; cool (liquide) ; chilly (froid) || fresh (peinture) || CULIN. fresh (beurre, lait, poisson) ; new-laid (œufs) || FIG. hot (nouvelle) ; ~ *et dispos,* refreshed ● adv freshly ; *boire ~,* have a cool drink ● m cool, fresh air ; *prendre le ~,* enjoy the cool air ; *mettre qqch au ~,* put sth in a cool place ● loc adv *de* ~, newly, freshly.

frais² mpl expenses, charges, costs ; *à peu de ~,* at little cost, cheaply ; *à grands ~,* expensively ; *sans ~,* free of charge ; *couvrir ses ~,* cover one's expenses ; ~ *courants,* standing expenses ; ~ *divers,* miscellaneous expenses ; ~ *de fonctionnement,* running costs ; ~ *généraux,* general expenses, overhead expenses ; ~ *professionnels,* expense account ; ~ *de scolarité,* tuition fees.

frais|e¹ [frɛz] f BOT. strawberry ; ~ *des bois,* wild strawberry || ~*ier* m strawberry-plant.

fraise² f MÉD. ~ *de dentiste,* dentist's drill.

frambois|e [frãbwaz] f raspberry || ~*ier* m raspberry-bush.

franc¹ [frã] m franc (monnaie).

franc², franche [frã, ãʃ] adj frank, candid (sincère) ; plain, straight (forward) [réponse] || SP. *coup* ~, free kick ; ~ *jeu,* fair play ; *jouer* ~ *jeu,* play fair || NAUT. free (port).

français, e [frãsɛ, ɛz] adj French || *à la* ~*e,* in the French manner ; *jardin à la* ~*e,* formal garden ● m French (langue).

Français, e n Frenchman, -woman ; *les* ~, the French.

France [frɑ̃s] *f* France.

franchement [frɑ̃ʃmɑ̃] *adv* frankly, plainly (honnêtement) || clearly (sans ambiguïté) || boldly, straight (sans hésiter) || Fig. utterly.

franchir [frɑ̃ʃir] *vt* (2) jump over (un fossé) ; clear (un obstacle) ; cross (une rivière) ; [pont] span || [parcourir] cover (une distance) || Av. : *le mur du son,* break through the sound barrier.

franchise [frɑ̃ʃiz] *f* frankness, straightforwardness, candour ; *en toute ~,* quite frankly || directness (d'une réponse) || [douane] exemption ; *en ~,* duty-free, tax-free || [assurance] excess || Comm. franchise.

franchissable [frɑ̃ʃisabl] *adj* passable (rivière) ; negotiable (obstacle).

franc-maçon [frɑ̃mas5] *m* freemason || **~onnerie** [-ɔnri] *f* freemasonry.

franco [frɑ̃ko] *adv* ~ (de port), post-free.

francophon|e [-fɔn] *adj* French-speaking ● *n* French speaker || **~ie** *f* French speaking communities.

franc|-parler [frɑ̃parle] *m* avoir son ~, speak one's mind, be outspoken/plainspoken || **~-tireur** *m* irregular.

frang|e [frɑ̃ʒ] *f* fringe.

frapp|ant, e [frapɑ̃, ɑ̃t] *adj* striking, arresting (ressemblance) ; *de façon ~,* strikingly || **~e** *f* Techn. coinage, stamping (d'une monnaie) || **~é, e** *adj* struck || [drink] iced.

frapper [frape] *vt* (1) strike (un coup) ; hit (qqn) ; tap (légèrement) ; butt (à coups de tête) ; *~ du pied,* stamp one's foot ; *~ à la porte,* knock at the door ; *~ coin* (de la monnaie) || Culin. ice ; put on ice || Fig. strike, impress ; hit ; [malheur] fall upon, overtake — *vi* strike, hit || *~ à la porte,* knock at the door ; *entrer sans ~,* walk straight in — *vpr se ~,* Fig. worry, get worked up.

fratern|el, elle [fratɛrnɛl] *adj* brotherly, fraternal || **~ellement** *adv* in a brotherly way || **~iser** *vi* (1) fraternize || **~ité** *f* brotherhood, fraternity.

fraud|e [frod] *f* fraud ; *~ fiscale,* tax-evasion/-dodging || smuggling ; *passer en ~,* smuggle in || **~er** *vt* (1) defraud, cheat || *le fisc,* evade taxation || **~eur, euse** *n* tax-dodger (du fisc) || cheat (aux examens) || **~uleux, euse** [-ylø, øz] *adj* fraudulent.

frayer¹ [freje] *vt* (9 *b*) open up, clear (un chemin) || Fig. *~ la voie,* pave the way — *vpr se ~ : se ~ un chemin (à coups de coudes),* force/elbow one's way (à travers, through).

frayer² *vi* (9 *b*) associate, consort, hobnob (avec, with).

frayeur [frejœr] *f* fright, fear.

fredonner [frədɔne] *vt* (1) hum.

frégate [fregat] *f* frigate.

frein [frɛ̃] *m* brake || Aut. : *~ à main,* hand-brake ; *~ à disque,* disc-brake ; *~ à tambour,* drum brake ; *~s assistés,* power brakes ; *mettre le ~,* put the brake on ; *le ~ est mis,* the brake is on ; *donner un coup de ~,* brake suddenly || Techn. *~ à air comprimé,* air-brake || Fig. bridle ; *mettre un ~ à,* check, curb, restrain.

freiner [frene] *vi/vt* (1) brake || slow down (ralentir) || Fig. check.

frelater [frəlate] *vt* (1) adulterate.

frêle [frɛl] *adj* frail || thin (voice) || weak (faible).

frelon [frəlɔ̃] *m* hornet.

frémi|r [fremir] *vi* (2) shake, thrill, shudder (d'horreur) ; *~ de colère,* shake/quiver with rage || [feuillage] rustle || [eau prête à bouillir] simmer || **~ssant, e** [-isɑ̃, ɑ̃t] *adj* quivering ; rustling ; simmering || **~ssement** [-ismɑ̃] *m* quiver(ing) [d'impatience] ; shudder, thrill (de peur) || tremor, rustling (du feuillage).

frêne [frɛn] *m* ash.

frén|ésie [frenezi] *f* frenzy, wildness ; *avec ~,* frantically, like mad ‖ ~**étique** [-etik] *adj* frantic, frenzied, wild ‖ rousing (applaudissements) ~**étiquement** [-etikmɑ̃] *adv* frantically, furiously, wildly.

fréqu|ence [frekɑ̃s] *f* frequency ‖ ~**ent, e** *adj* frequent ; *peu ~,* infrequent ‖ ~**entation** [-ɑ̃tasjɔ̃] *f* [action] frequentation ‖ [relations] company ‖ ~**enté, e** *adj* frequented ; *mal ~,* ill-frequented ; *peu ~,* rather deserted ‖ ~**enter** *vt* (1) frequent, haunt, resort to (un lieu) ; go around with, mix with (des gens) — *vpr se ~,* [fille et garçon] see each other, go steady.

frère [frɛr] *m* brother ; *~ aîné,* elder brother ; *~ cadet,* younger brother ; *~ jumeau,* twin (brother) ; *~ de lait,* foster-brother ; *~s siamois,* Siamese twins ‖ REL. brother, *Pl* brethren.

fresque [frɛsk] *f* fresco.

fret [frɛ] *m* freight, shipment.

fréter [frete] *vt* (1) charter.

frétiller [fretije] *vi* (1) [poisson] wriggle ‖ [chien] *le chien frétille de la queue,* the dog wags its tail.

fretin [frətɛ̃] *m* FIG. *menu ~,* small fry.

friable [frijabl] *adj* crumbly, flaky.

frian|d, e [frijɑ̃, ɑ̃t] *adj* fond (*de,* of) ‖ ~**dise** [diz] *f* dainty, titbit, delicacy.

fric [frik] *m* POP. lolly, dough (sl.).

fric-frac [frikfrak] *m* FAM. break-in.

friche [friʃ] *f* fallow ; *être en ~,* lie fallow ; *terres en ~,* wasteland.

fricti|on [friksjɔ̃] *f* rub(down) [des membres] ; scalp-massage (des cheveux) ‖ ~**onner** [-ɔne] *vt* (1) rub ; give a rub-down to (qqn) ; chafe (pour réchauffer).

frigide [friʒid] *adj* frigid.

frigo [frigo] *m* FAM. fridge (coll.) ‖ ~**rifié, e** [-ɔrifje] *adj* frozen (viande)

‖ chilled to the bone (personne) ‖ ~**rifier** *vt* (1) refrigerate (nourriture).

frileux, euse [frilø, øz] *adj* sensitive to the cold ; *être ~,* feel the cold.

frim|e [frim] *f* FAM. sham ‖ ~**er** *vi* (1) show off ‖ ~**eur, euse** *n* show-off, swank.

frimousse [frimus] *f* little face.

fringale [frɛ̃gal] *f* ravenous hunger.

fringant, e [frɛ̃gɑ̃, ɑ̃t] *adj* frisky (cheval) ; dashing (personne).

fringues [frɛ̃g] *fpl* POP. togs (sl.).

frip|er [fripe] *vt/vpr* (1) [*se ~*] crumple, crush, crease.

fripouille [fripuj] *f* blackguard, scoundrel.

frire [frir] *vt* (55) [*faire*] *~,* fry — *vi* fry.

frise [friz] *f* border (de papier peint) ‖ ARCH. frieze.

fris|é, e [frize] *adj* curly ‖ ~**er**[1] *vt* (1) curl (les cheveux) — *vi* curl, have curly hair.

friser[2] *vt* (1) graze (frôler) ‖ FIG. border on, be close upon (un certain âge) ‖ be within an ace of (catastrophe).

frisquet [friskɛ] *adj* chilly, nippy.

friss|on [frisɔ̃] *m* shiver (de froid) ; shudder (d'horreur) ; *j'en ai le ~,* it gives me the shivers ‖ FIG. thrill ‖ ~**onner** [-ɔne] *vi* (1) shiver (de froid) ; shudder (de froid, d'horreur) ; thrill (d'horreur) ‖ [feuilles] quiver.

frit|es [frit] *fpl* chips, U.S. French fries ‖ ~**euse** *f* deep fryer ‖ ~**ure** *f* frying oil ; deep fat ; fried fish' (poissons) ; *petite ~,* whitebait ‖ RAD., TÉL., FAM. crackle, crackling (noise).

frivol|e [frivɔl] *adj* frivolous (personne) ; shallow (conversation) ‖ ~**ité** *f* frivolity ‖ idleness (des propos).

froc [frɔk] *m* REL. frock ‖ POP. pants.

froi|d, e [frwa, ad] *adj* cold ; *il fait ~,* it is cold ; *~ et humide,* raw (temps) ‖ Zool. *à sang* ~, cold-blooded ‖ Fig. cold, cool ; dry (réponse) ; *laisser* ~, leave one cold ; distant (personne) ● *m* cold, chill ; *j'ai* ~, I am cold ; *j'ai* ~ *aux pieds,* my feet are cold ; *il fait un* ~ *de canard/loup,* it is bitterly/freezing cold ; *prendre* ~, catch cold ‖ Fig. coldness ; *jeter un* ~, cast a chill ; *être en* ~, not to be on speaking terms ‖ ~**dement** [-dmã] *adv* coldly, coolly ‖ ~**deur** [-dœr] *f* Fig. coldness.

froiss|ement [frwasmã] *m* crumpling (de papier) ‖ ~**er** *vt* (1) crumple, crease, crush (du tissu) ‖ Méd. strain (un muscle) ‖ Fig. hurt, offend, give offence to — *vpr se* ~, [tissu] crease, crumple ‖ Fig. take offence (*de,* at).

frôl|ement [frolmã] *m* brushing, light touch ‖ ~**er** *vt* (1) brush (against, over) ; graze, scrape ‖ Fig. be within an ace of (catastrophe).

fromage [fromaʒ] *m* cheese ; ~ *blanc,* cottage cheese ; ~ *de chèvre,* goat's cheese ; ~ *à la crème,* cream cheese ‖ Fig., Pop. soft/cushy job.

froment [fromã] *m* wheat.

fronc|e [frõs] *f* gather (dans un tissu) ‖ ~**ement** *m* ~ *de sourcils,* frown ‖ ~**er** *vt* (1) gather (un tissu) ‖ ~ *les sourcils,* frown, knit one's brows.

fronde [frõd] *f* sling (arme) ‖ catapult (jouet).

front¹ [frõ] *m* forehead, brow.

fron|t² *m* Mil. front ‖ Naut. ~ *de mer,* sea-front, promenade ‖ Fig. *faire* ~ *à,* face ● *loc adv de* ~, abreast (sur la même ligne) ; head-on (collision) ‖ ~**talier, ière** [-talje, jɛr] *adj* border, frontier ‖ ~**tière** [-tjɛr] *f* border, frontier.

frott|ement [frɔtmã] *m* rubbing ‖ Techn. friction ‖ ~**er** *vt* (1) rub ‖ chafe (frictionner) ; polish (le parquet) ‖ strike (une allumette) — *vi* scrape, rub ; ~ *contre,* chafe — *vpr se* ~, rub (*contre,* against) ; *se* ~ *les mains,* rub one's hands.

frou-frou [frufru] *m* rustle (bruit).

frouss|ard, e [frusar, ard] *adj* Fam. chicken, yellow ● *n* Fam. coward ‖ ~*e f* Fam. fright ; funk (coll.) ; *avoir la* ~, get the wind up (sl.) ; *flanquer la* ~ *à qqn,* give sb the jitters (coll.) ; scare sb stiff (sl.).

fruct|ifier [fryktifje] *vi* (1) fructify, bear fruit ‖ ~**ueux, euse** [-ɥø, øz] *adj* fruitful, profitable.

frugal, e, aux [frygal, o] *adj* frugal, abstemious (personne) ; frugal, spare (repas) ‖ ~**ement** *adv* frugally, sparingly.

fruit [frɥi] *m* fruit ; *des* ~*s,* some fruit ; *un* ~, a piece of fruit ‖ Culin. ~ *à cuire,* cooker ; ~*s confits,* candied fruit ; ~*s de mer,* sea-food ‖ Fig. fruit(s) ; *porter ses* ~*s,* bear fruit ‖ ~**é, e** *adj* fruity ‖ ~**ier, ière** [-tje, jɛr] *adj* fruit (arbre) ● *n* fruiterer, green-grocer.

frusques [frysk] *fpl* Pop. togs.

fruste [fryst] *adj* crude, unpolished, uncouth (personne).

frustr|ation [frystrasjõ] *f* frustration ‖ ~**er** *vt* (1) frustrate.

fuel [fjul] *m* fuel-oil ‖ ~ *domestique,* heating oil.

fugace [fygas] *adj* fleeting, transient.

fugitif, ive [fyʒitif, iv] *adj* fugitive, runaway (personne) ‖ Fig. fleeting ● *n* runaway, fugitive.

fugue¹ [fyg] *f* Mus. fugue.

fugue² *f* running away ; *faire une* ~, run away from home.

fu|ir¹ [fɥir] *vi* (56) flee, run away, fly ; *faire* ~, put to flight, scare away — *vt* flee/run away from (un endroit) ‖ shun, avoid (le danger, les gens) ‖ evade (responsabilité) ‖ ~**ite¹** *f* flight ; *mettre en* ~, put to flight ; *prendre la* ~, take to flight.

fu|ir² *vi* (56) [robinet, récipient] leak ; *qui fuit,* leaky ‖ [liquide] leak/run out ‖ [gaz] escape ‖ ~**ite²** *f* [liquide] leak(age) ; seepage (suintement) ‖ ~ **de gaz,** gas leak ‖ FIG. ~ **des cerveaux,** brain drain.

fulgurant, e [fylgyrã, ãt] *adj* flashing.

fulminer [fylmine] *vi* (1) fulminate (*contre,* against) ; rant and rave.

fumant, e [fymã, ãt] *adj* smoking.

fumé, e [fyme] *adj* CULIN. smoked.

fume-cigarette [fymsigaret] *m inv* cigarette-holder.

fum|ée [fyme] *f* smoke ; *remplir de* ~, smoky ; *ruban de* ~, wisp ‖ ~**er¹** *vi* (1) [bois, cheminée, personne] smoke ; *défense de* ~, no smoking ‖ [étang, soupe] steam — *vt* smoke (cigarette) ; ~ *cigarette sur cigarette,* chain-smoke ‖ CULIN. smoke, cure ‖ ~**eur, euse** *n* smoker ‖ RAIL. *compartiment* ~*s,* smoking compartment, smoker ; *non-*~, non-smoker ‖ ~**eux, euse** *adj* hazy.

fum|er² *vt* (1) AGR. manure ‖ ~**ier** *m* manure ; dunghill (tas).

fûmes [fym] → ÊTRE.

fumigène [fymiʒεn] *adj* MIL. *bombe* ~, smoke bomb.

fumist|e¹ [fymist] *m* chimney-sweep (ramoneur) ‖ ~**erie** *f* chimney-building/-sweeping.

fumist|e² *n* FAM. humbug, fraud (imposteur) ‖ ~**erie** *f* (piece of) humbug.

fumoir [fymwar] *m* smoking-room.

funambule [fynãbyl] *n* tight-rope walker.

fun|èbre [fynεbr] *adj* funeral ; *entrepreneur de pompes* ~*s,* undertaker, U.S. mortician ‖ MUS. *marche* ~, dead march ; *chant* ~, dirge ‖ ~**érailles** [-eraj] *fpl* funeral ‖ ~**éraire** [-erer] *adj* funeral.

funeste [fynεst] *adj* grievous, disastrous (désastreux) ‖ deathly (pressentiment).

funiculaire [fynikylεr] *adj/m* funicular, cable-railway.

fur [fyr] *m au* ~ *et à mesure (que),*

[*loc adv*] as one goes along, as fast as, etc.

fur|et [fyrε] *m* ferret ‖ ~**eter** [-te] *vi* (8 *b*) ferret/nose about ; rummage (about), go through (dans un tiroir).

fur|eur [fyrœr] *f* fury (colère) ; *en* ~, in a fury ; *accès de* ~, fit of rage ; *mettre en* ~, infuriate, enrage ; *se mettre en* ~, fly into a rage ‖ frenzy, wildness (ardeur) ; passion (folie) ‖ rage (mode) ; *faire* ~, be all the rage/go ‖ ~**ie** *f* fury ; *en* ~, stormy (mer) ‖ ~**ieusement** [-jøzmã] *adv* furiously ‖ ~**ieux, euse** *adj* furious, U.S. mad ; angry (*contre,* with).

furoncle [fyrɔ̃kl] *m* boil.

furt|if, ive [fyrtif, iv] *adj* furtive, stealthy ‖ ~**ivement** [-ivmã] *adv* stealthily ; *se glisser* ~, steal.

fusain [fyzε̃] *m* ARTS charcoal.

fuseau [fyzo] *m* spindle ‖ FIG. ~ *horaire,* time zone.

fusée [fyze] *f* rocket ‖ MIL. fuse (d'obus) ; ~ *éclairante,* flare ‖ ASTR. rocket ; ~ *auxiliaire,* booster-rocket ; ~ *à trois étages,* three-stage rocket.

fusel|age [fyzlaʒ] *m* AV. fuselage ‖ ~**é, e** *adj* tapering.

fuser [fyze] *vi* (1) [rires] break out, burst forth.

fusible [fyzibl] *m* ÉLECTR. fuse.

fusi|l [fyzi] *m* MIL. rifle ; ~ *lance-roquette,* rocket-gun ; ~ *mitrailleur,* light machine-gun ‖ SP. (shot-)gun (de chasse) ; ~ *sous-marin,* speargun ‖ TECHN. steel (pour affûter) ‖ ~**llade** [-jad] *f* gunfire ‖ shooting (exécution) ‖ ~**ller** [-lje] *vt* (1) shoot ‖ MIL. ~ *marin,* marine ‖ ~**ller** [-je] *vt* (1) shoot ‖ FIG. ~ *du regard,* look daggers at.

fusi|on [fyzjɔ̃] *f* melting, fusion ; *en* ~, molten ‖ PHYS. ~ *nucléaire,* nuclear fusion ‖ COMM. merger ‖ ~**onner** [-ɔne] *vt* (1) COMM. merge, amalgamate ‖ FIG. coalesce.

fût¹ [fy] *m* cask (tonneau).

fût² → ÊTRE.

futé, e [fyte] *adj* sharp, cunning, cute, sly.

futil|e [fytil] *adj* futile, pointless (entreprise) ‖ frivolous (personne) ‖ idle (prétexte) ‖ ~**ité** *f* futility; pointlessness; irrelevance ‖ *Pl* trivialities.

futur, e [fytyr] *adj* future; *les temps* ~*s*, the ages to come; *dans un* ~ *proche*, in the coming years; *les* ~*s*

époux, the bride and groom-to-be ‖ ~*e mère*, expectant mother ‖ intended (choisi) ● *m* GRAMM. future; ~ *antérieur*, future perfect ‖ ~**isme** *m* futurism.

fuy|ant, e [fчijā, āt] *adj* FIG. elusive; shifty (regards); receding (front, menton) ‖ ~**ard** [-ar] *m* MIL. runaway.

G

g [ʒe] *m* g.

gabardine [gabardin] *f* gabardine.

gabarit [gabari] *m* gauge.

gabegie [gabʒi] *f* mismanagement.

Gabon [gabɔ̃] *m* Gabon ‖ ~**ais, e** [-ɔnɛ,ɛz] *n/adj* Gabonese.

gâcher [gɑʃe] *vt* (1) mix (du mortier) ‖ FIG. bungle (bâcler); waste (gaspiller); spoil (un plaisir); mess up (plans); *tout* ~, take a mess of it.

gâchette [gɑʃɛt] *f* [impr. = DÉTENTE] trigger (de fusil).

gâchis [gɑʃi] *m* [désordre] mess; *quel* ~ *!*, what a mess! ‖ [gaspillage] waste.

gadget [gadʒɛt] *m* [chose] thingummy, gadget; [procédé] gimmick.

gadoue [gadu] *f* sludge (boue); slush (neige fondue).

gaffe¹ [gaf] *f* NAUT. boat-hook.

gaffe² POP. *faire* ~, be careful (à, of) ‖ *fais* ~ *!*, watch out !, be careful !

gaff|e³ *f* blunder; *faire une* ~, make a blunder; drop a brick (coll.) [remarque] ‖ ~**er** *vi* (1) blunder ‖ ~**eur, euse** *n* blunderer.

gag [gag] *m* TH., CIN. gag.

gaga [gaga] *adj* FAM. gaga (coll.).

gag|e [gaʒ] *m* [à un prêteur] pledge; *en* ~, in pawn; *mettre en* ~, pawn ‖ [jeux] forfeit (amende) ‖ *Pl* wage(s) [d'un domestique]; *à* ~*s*, hired (tueur) ‖ [garantie] security ‖ [témoignage] proof, evidence; *en* ~ *de*, as a token of ‖ ~**er** *vt* (7) wager, bet (*que*, that) ‖ ~**eure** [-yr] *f* une ~, an impossible thing, a great challenge.

gagn|ant, e [gaɲā, āt] *adj* winning ● *n* winner ‖ ~**e-pain** *m inv* livelihood ‖ ~**er¹** *vt* (1) earn (un salaire); ~ *sa vie*, make a living ‖ win (un pari, un prix) ‖ gain, save (du temps); *chercher à* ~ *du temps*, play for time ‖ spare (de la place) ‖ SP. win (une course); score (des points) ‖ JUR. win (un procès) ‖ FIG. ~ *du terrain*, spread; win (la confiance) ; win/bring over (qqn à une cause) — *vi* win ; ~ *à être connu,* improve on acquaintance.

gagner² *vt* (1) reach (un lieu) || gain (du terrain) — *vi* [émotion] creep over.

gai, e [ge] *adj* merry, cheerful, happy (personne) ; ~ *luron,* jolly fellow || bright, cheerful (couleurs) || cheerful, lively (air) || ~**ement** [gemɑ̃] *adv* merrily, cheerfully, gaily, happily || ~**eté** [gete] *f* cheerfulness, gaiety ; mirth (rires).

gaillard, e [gajar, ard] *adj* strong, vigorous, hale and hearty ● *m solide* ~, strapping fellow || NAUT. ~ *d'avant,* forecastle ● *f* strapping wench.

gain [gɛ̃] *m* gain || *Pl* [jeu] winnings ; [travail] earnings ; [société] profits || [économie] saving || FIG. *avoir* ~ *de cause,* win the case ; *donner* ~ *de cause à qqn,* decide in sb's favour.

gaine [gɛn] *f* sheath (de couteau) || [vêtement] girdle, foundationgarment.

gala [gala] *m* gala.

gal|amment [galamɑ̃] *adv* courteously || ~**ant, e** *adj* gallant, attentive to women || ~**anterie** [-ɑ̃tri] *f* gallantry.

galaxie [galaksi] *f* galaxy.

galb|e [galb] *m* curves, shapeliness || ~**é, e** *adj* curved ; *bien* ~, shapely.

gale [gal] *f* scabies || ZOOL. mange (des chats, des chiens).

galéjade [galeʒad] *f* tall story.

galère [galɛr] *f* NAUT., HIST. galley || FIG. drudgery || FAM. *vogue la* ~ *!,* come what may !

galerie [galri] *f* gallery || ARTS art/picture gallery || TH. circle || AUT. [porte-bagages] roof-rack, grid || COMM. ~ *marchande,* shopping arcade.

galérien [galerjɛ̃] *m* HIST. galleyslave.

galet [galɛ] *m* pebble || *Pl* shingle, *plage de* ~s, shingly/pebbly beach.

galette [galɛt] *f* CULIN. girdlecake.

galeux, euse [galø, øz] *adj* scabby (personne), mangy (chat) || FIG. *brebis* ~*euse,* black sheep.

galimatias [galimatja] *m* gibberish, rigmarole.

galipette [galipɛt] *f* FAM. somersault ; *faire la* ~, somersault.

Galles [gal] *f le pays de* ~, Wales.

gallicisme [galisism] *m* gallicism.

gallois, e [galwa, waz] *adj* Welsh ● *m* [langue] Welsh.

Gallois, e *n* Welshman, -woman.

galon [galɔ̃] *m* braid, lace || MIL. stripe.

galo|p [galo] *m* gallop ; *au* ~, at a gallop ; *grand* ~, full gallop ; *petit* ~, canter ; *aller au petit* ~, canter ; *prendre le* ~, break into a gallop || FIG. ~ *d'essai,* trial run || ~**pade** [-ɔpad] *f* gallop(ping) ; ~**course** [-ɔpad] précipitée] rush, scurry || ~**per** [-ɔpe] *vi* (1) gallop ; *faire* ~, gallop || [enfant] scamper || ~**pin** [-ɔpɛ̃] *m* urchin.

galvaniser [galvanize] *vt* (1) galvanize || FIG. galvanize, stimulate.

gamb|ades [gɑ̃bad] *fpl* gambols, antics || ~**ader** [-ade] *vi* (1) frisk, skip, frolic, gambol.

gamberger *vi* (7) POP. [réfléchir] think, ruminate, cogitate || [imaginer] imagine things || [rêver] dream dreams ; chew things over (coll.).

gambit [gɑ̃bi] *m* gambit.

gamelle [gamɛl] *f* [camping] billy(can) ; MIL. mess-tin.

gam|in [gamɛ̃] *m* kid || ~**ine** [-in] *f* girl.

gamme [gam] *f* MUS. scale ; *faire des* ~s, practise scales || COMM. range (de produits) ; bracket (de prix) ; *bas/haut de* ~, down-/up-market ; *haut de* ~, top of the line || FIG. range.

gangr|ène [gɑ̃grɛn] f gangrene ; **~ener (se)** vpr (1) become gangrenous.

gangster [gɑ̃gstɛr] m gangster.

gangue [gɑ̃g] f matrix, gangue.

ganse [gɑ̃s] f braid, tape.

gan|t [gɑ̃] m glove ; ~s de boxe, boxing-gloves ; ~s de caoutchouc, rubber gloves ; ~-crème, barrier-cream ; ~ de crin, friction glove ; ~ insolant, oven mitt ; ~ de toilette, face flannel, U.S. washcloth ∥ Fig. aller comme un ~, fit like a glove ∥ **~ter** [-te] vt (1) put gloves on ; ganté de cuir, wearing leather gloves.

garag|e [garaʒ] m garage ; ~ de canots, boathouse ∥ Rail. voie de ~, side-track, siding ∥ **~iste** m garageman/mechanic.

garan|t [garɑ̃] m Jur. [personne] guarantor ; se porter ~ de, stand surety for, vouch for ∥ **~tie** [-ti] f guarantee, warranty ; sous ~, under guarantee ; sans ~, unwarranted ; Jur. warranty ; donner sa ~ à, stand security for ∥ **~tir** [-tir] vt (2) guarantee ∥ Comm. warrant, certify.

garce [gars] f Fam., Péj. bitch.

garç|on [garsɔ̃] m boy, lad ; young man ∥ (vieux) ~ (m), old) bachelor ∥ ~ de bureau, office boy ; ~ de café, waiter ; ~ d'honneur, best man ∥ **~onnet** [-ɔnɛ] m young boy ∥ **~onnière** [-ɔnjɛr] f bachelor flat.

garde¹ [gard] f [surveillance] à la ~ de, in sb's care ; avoir la ~ de, be in charge of, look after ; confier qqch à la ~ de qqn, put sb in charge of sth ; confier qqn à la ~ de qqn, commit sb to sb's care ; sous bonne ~, in safe custody ∥ [précaution] être sur ses ~s, be on one's guard ; prendre ~ de ne pas faire, be careful not to do ; prenez ~ que, mind/be careful that ; prenez ~ aux voitures, watch out for the cars ; mettre qqn en ~, caution/warn sb ∥ [responsabilité] être de ~, be on duty ; médecin de ~, doctor on call/duty ∥ Mil. [corps de troupe]

guard ; ~ montante, new guard ; ~ descendante, coming off guard ; relever la ~, relieve (the) guard ; [être de faction] guard duty ; monter la ~, mount guard ∥ Jur. custody (d'un enfant) ∥ Sp. guard ; en ~ !, on guard ! ; se mettre en ~, square off.

garde² f hilt (d'une épée).

garde³ m keeper ; ~ champêtre, rural constable/policeman ; ~ du corps, bodyguard ● f ~ d'enfants, child minder ; baby-sitter (à domicile).

garde|-à-vous m inv attention ; être au ~, stand at attention ; ~ !, attention ! ∥ **~-barrière** n level-crossing keeper ∥ **~-boue** m inv mudguard ∥ **~-chasse** m gamekeeper ∥ **~-côte** m coastguard ∥ **~-feu** m inv fire screen, fender ∥ **~-fou** m railing, parapet ∥ **~-malade** n home nurse ∥ **~-meuble** m furniture-warehouse ; mettre au ~, store.

garder¹ [garde] vt (1) [conserver] keep ∥ keep on (sur soi) ∥ [retenir] ~ qqn à dîner, have sb stay to dinner ∥ [ne pas quitter] ~ la chambre/le lit, keep to one's room/bed ∥ [conserver] (denrées) ∥ Aut. ~ sa gauche, keep (to the) left ∥ Fig. keep (un secret) ; ~ présent à l'esprit, bear in mind ; ~ rancune contre, bear a grudge against ; ~ le silence, keep silent, hold one's peace — vpr se ~, [denrées] keep.

gard|er² vt (1) [surveiller] guard, watch over ∥ look after, mind (enfant) ; tend (des moutons) ; herd (un troupeau) — vpr se ~ de, take care not to ; se bien ~ de (faire), know better than to (do) ∥ **~erie** f day-nursery ∥ **~e-robe** f wardrobe ∥ **~ien, ienne** n keeper, guardian ∥ watchman (veilleur de nuit) ∥ [immeuble] custodian, caretaker, U.S. janitor ∥ [prison] warder ∥ ~ de musée, museum attendant ; ~ de phare, lighthouse keeper ; ~ de la paix, policeman ∥ guard, warder (de prison) ∥ Sp. ~ de but, goal-keeper ∥ Agr. ~ de troupeaux, herdsman.

gare¹ ! [gar] *interj* beware ! ‖ *sans crier ~,* without warning.

gare² f station, U.S. depot ; *~ de marchandises,* goods/U.S. freight station ; *~ maritime,* harbour station ; *~ routière,* coach/U.S. bus station ; *~ de triage,* marshalling yard ‖ *entrer en ~,* [train] pull in.

garer [gare] *vt/vpr* (1) *se ~,* AUT. park.

gargar|iser (se) [səgargarize] *vpr* gargle ‖ **~isme** *m* gargle.

gargote [gargɔt] f PÉJ. cheap restaurant, eating house.

gargouill|e [garguj] f ARCH. gargoyle ‖ **~er** *vi* (1) gurgle ‖ **~is** [-i] *m* gurgling.

garnement [garnəmã] *m* imp, scamp, brat, rascal.

garn|i [garni] *m* furnished flat, lodgings ; digs (coll.) ‖ **~ir** *vt* (2) [remplir] fill ; stock (réfrigérateur) ‖ [équiper] fit out (*de,* with) ; line (*de tissu,* with material) ‖ [enjoliver] trim, decorate ‖ CULIN. garnish (un plat) [*de,* with].

garnison [garnizɔ̃] f garrison ; *être en ~ à,* be stationed at.

garniture [garnityr] f [décoration] trimmings ‖ CULIN. vegetables ‖ AUT. lining (d'embrayage).

garrot [garo] *m* MÉD. tourniquet.

gars [gɑ] *m* FAM. lad, boy ; bloke (coll.) ; U.S. guy (coll.).

gas-oil [gazoil] *m* → GAZOLE.

gaspill|age [gaspijaʒ] *m* waste, wasting ; squandering ‖ **~er** *vt* (1) waste ; squander, trifle away (argent) ; fritter away (argent, temps) ‖ **~eur, euse** *adj* wasteful ● *n* waster ‖ [fortune] squanderer.

gâté, e [gɑte] *adj* spoilt ‖ bad (nourriture) ; rotten, spoilt (fruit) ‖ FIG. spoilt (enfant).

gâteau [gɑto] *m* cake ; *~ de mariage,* wedding cake ; *~ sec,* cracker, biscuit/U.S. cookie.

gât|er [gɑte] *vt* (1) spoil, taint (aliments) ‖ spoil, indulge, pamper (un enfant) ‖ ruin, spoil, mar (le plaisir) — *vpr se ~,* [aliments] go bad/off, spoil ‖ [dent] decay ‖ [temps] turn bad/for the worse ‖ FIG. [situation] go wrong ‖ **~erie** [-tri] f treat ‖ **~eux, euse** *adj* doddering, in one's dotage ● *n* dotard, dodderer ‖ **~isme** *m* senility.

gauch|e [goʃ] *adj* left (côté) ‖ AUT. near (roue d'une voiture en G.-B.) ‖ FIG. awkward, clumsy, ungainly (maladroit) ● f left side ; *à ~,* on/to the left ; *à (main) ~,* on the left hand side ‖ POL. *la ~,* the left wing ; *femme/homme de ~,* left-winger ‖ **~ement** *adv* awkwardly, clumsily ‖ **~er, ère** [-ʃe, ɛr] *adj/(n)* left-handed (person) ‖ **~erie** f awkwardness, clumsiness ‖ **~isme** *m* leftism ‖ **~iste** *n* leftist.

gaufr|e [gofr] f waffle ‖ **~er** *vt* (1) emboss, stamp (du papier, du tissu) ‖ **~ette** f CULIN. wafer ‖ **~ier** *m* waffle-iron.

gaul|e [gol] f pole ‖ SP. fishing-rod (canne à pêche) ‖ **~er** *vt* (1) beat (des noix).

gauloi|s, e [golwa, waz] *adj* Gallic ‖ **~serie** [-zri] f bawdy story.

gaver [gave] *vt* (1) force-feed (oie) — *vpr se ~,* glut/stuff oneself (*de,* with).

gaz [gaz] *m inv* gas ; *~ asphyxiant,* poison-gas ; *~ carbonique,* carbon dioxide ; *~ lacrymogène,* tear-gas ; *le ~ est-il ouvert ?,* is the gas on ? ‖ AUT. *~ d'échappement,* exhaust (fumes) ; *mettre les ~,* step on the gas ; *(à) pleins ~,* flat out.

gaze [gaz] f gauze.

gaz|é, e [gaze] *adj* MÉD. gassed ‖ **~éifier** [-eifje] *vt* (1) gasify.

gazelle [gazɛl] f gazelle.

gaz|er [gaze] *vi* POP. *ça gaze ?,* how are things ?, how goes it ? (coll.) — *vt* MIL. gas ‖ **~eux, euse** *adj* [boisson] fizzy ; *eau ~e,* aerated water ‖ CH. gaseous ‖ **~oduc** [-ɔdyk] *m* gas pipeline.

gazole [gazɔl] *m* fuel oil.

gazon [gazɔ̃] *m* turf, grass (herbe) ‖ lawn (pelouse).

gazouill|er [gazuje] *vi* (1) [oiseau] warble, twitter, chirp ‖ [enfant] gurgle, babble, crow ‖ [ruisseau] babble, purl ‖ **~is** [-i] *m* [oiseau] warbling, chirping, twitter(ing) ‖ [enfant, ruisseau] babbling.

geai [ʒɛ] *m* jay.

géant, e [ʒeã, ãt] *adj* gigantic ‖ jumbo-size (paquet) ● *n* giant ‖ Fig. *à pas de* ~, with giant's stride.

geignard, e [ʒɛɲar, ard] *adj* moaning ● *n* moaner.

geindre [ʒɛ̃dr] *vi* (59) groan, moan ; whine ‖ whimper (pleurnicher).

gel [ʒɛl] *m* frost ‖ [cosmétique] gel ‖ Fin. freeze.

gélatin|e [ʒelatin] *f* gelatin ‖ **~eux, euse** *adj* gelatinous.

gel|é, e [ʒəle] *adj* Méd. frost-bitten ● *f* frost ; ~*e blanche,* white frost, hoarfrost ‖ Culin. jelly, en ~, jellied ‖ **~er** *vt* (8 *b*) freeze (congeler) ; frost (couvrir de gelée) ‖ Agr. frost, nip ‖ Fin. freeze — *vi* freeze — *vpr* se ~, freeze, get frozen.

gélule [ʒelyl] *f* Méd. capsule.

gelure [ʒəlyr] *f* frostbite.

Gémeaux [ʒemo] *mpl* Astr. Gemini, the Twins.

gém|ir [ʒemir] *vi* (2) groan, moan, wail ‖ **~issement** *m* moan(ing), groan(ing), wail(ing).

gênant, e [ʒɛnã, ãt] *adj* inconvenient (objet) ; intrusive, troublesome (personne) ; awkward, embarrassing (situation).

gencive [ʒãsiv] *f* gum.

gendarm|e [ʒãdarm] *m* Fr. gendarme ‖ *jouer aux* ~*s et aux voleurs,* play cops and robbers ‖ **~er (se)** *vpr* (1) [protester] be up in arms ‖ [se mettre en colère] kick up a fuss ‖ **~erie** [-ri] *f* rural police force.

gendre [ʒãdr] *m* son-in-law.

gên|e [ʒɛn] *f* discomfort (physique) ; difficulty (*à respirer*, in breathing) ‖ uneasiness, trouble, bother, annoyance (désagrément) ‖ need (besoin) ; *dans la* ~, in straitened circumstances ‖ embarrassment (confusion) ‖ **~é, e** *adj* embarrassed, awkward, self-conscious (mal à l'aide) ‖ short of money (à court d'argent).

généalog|ie [ʒenealɔʒi] *f* pedigree (ancêtres) ‖ genealogy (science) ‖ **~ique** *adj arbre* ~, family tree.

gên|er [ʒɛne] *vt* (1) embarrass, inconvenience (embarrasser) ; be in the/sb's way (encombrer) ; trouble, annoy, bother (importuner) ; *la fumée vous gêne-t-elle ?*, do you mind if I smoke ? ‖ hamper, cramp (les mouvements) — *vpr* se ~, put oneself out ‖ Fam. *ne vous gênez pas !,* do make yourself at home ! (ironiquement).

général, e, aux [ʒeneral, o] *adj* general ‖ common (répandu) ● *loc adv* **en** ~, in general, usually, by and large ; *en règle* ~*e,* as a rule ● *m* Mil. general ; ~ *de brigade,* brigadier ● *f* Th. dress rehearsal ‖ **~ement** *adv* generally, usually ; ~ *parlant,* broadly speaking ‖ **~isation** *f* generalization ; ~ *hâtive,* sweeping statement ‖ **~iser** *vt* (1) generalize — *vpr* se ~, come into general use, become widespread ‖ **~iste** *n* Méd. general practitioner, G.P. ‖ **~ité** *f* generality ; majority.

généra|tion [ʒeneʀasjɔ̃] *f* generation ‖ **~trice** *f* Électr. generator.

génér|eusement [ʒeneʀøzmã] *adv* generously ‖ without stint, lavishly ‖ **~eux, euse** *adj* generous ; open-handed (personne) ‖ full-bodied (vin).

générique [ʒeneʀik] *m* Cin. credit-titles, credits.

générosité [ʒeneʀozite] *f* generosity, liberality.

Gênes [ʒɛn] *f* Genoa.

genèse [ʒənɛz] *f* genesis.

genêt [ʒənɛ] m broom ; ~ épineux, gorse.

génétique [ʒenetik] adj genetic ● f genetics.

gêneur, euse [ʒɛnœr, øz] n intruder.

Genève [ʒənɛv] f Geneva.

genevois, e [ʒənvwa, waz] adj Genevan.

Genevois, e n Genevan n.

genévrier [ʒənevrije] m juniper.

gén|ial, e, aux [ʒenjal, o] adj of genious (invention, personne) ‖ FAM. brilliant ; idée ~e, brainwave ; great, smashing, fantastic, super (coll.) ‖ ~ie m genious (don, personne) ; un homme de ~, a man of genius ; avoir le ~ des maths, have a genius for maths ‖ TECHN. ~ civil, civil engineering ‖ INF. ~ logiciel, software engineering ‖ MIL. le (corps du) génie, the Engineers ; soldat du ~, engineer ‖ FIG. genius, spirit.

genièvre [ʒənjɛvr] m Hollands (boisson) ‖ juniper (arbre).

génisse [ʒenis] f heifer.

génit|al, e, aux [ʒenital, o] adj genital ; organes ~aux, genitals ‖ ~if [-if] m GRAMM. genitive.

génocide [ʒenɔsid] m genocide.

genou, oux [ʒənu] m knee ; à ~x, kneeling, on one's knees ; jusqu'aux ~x, knee-deep ; se mettre à ~x, go down on one's knees, kneel down ; s'asseoir sur les ~x de qqn, sit in sb's lap.

genre [ʒãr] m kind, type, sort ; ~ humain, human race ‖ FAM. ce n'est pas mon ~, that's not my style/cup of tea (coll.) ‖ GRAMM. gender ‖ ARTS genre, mankind.

gens [ʒã] mpl people ; folk (coll.) ; de braves ~s, good people ; jeunes ~, young men ; ~ du monde, society people, U.S. socialites.

gent|il, ille [ʒãti, ij] adj kind, nice (aimable) ; c'est ~ à vous de, it's kind/nice of you to ‖ ~illesse [-ijɛs] f kindness ; avoir la ~ de faire, be kind

enough to do ‖ ~iment adv nicely, kindly.

génuflexion [ʒenyfleksjɔ̃] f genuflexion ; faire une ~, genuflect.

géod|e [ʒeɔd] f geode ‖ ~ésique [-ezik] adj geodesic.

géo|graphe [ʒeɔgraf] n geographer ‖ ~graphie f geography ‖ ~graphique adj geographical.

geôle [ʒol] f gaol, jail.

géo|logie [ʒeɔlɔʒi] f geology ‖ ~logique adj geological ‖ ~mètre m (arpenteur) ~, land-surveyor ‖ ~métrie [metri] f geometry ‖ Av. à ~ variable, swingwing ‖ ~métrique adj geometrical ‖ ~physique f geophysics ‖ ~stationnaire adj ASTR. geostationary, geostable.

gér|ance [ʒerãs] f COMM. management ‖ ~ant, e n manager, manageress ‖ [immeuble] managing agent.

géranium [ʒeranjɔm] m geranium.

gerbe [ʒɛrb] f sheaf (de blé) ; spray (de fleurs) ‖ column (d'eau).

ger|cer [ʒɛrse] vt (6) crack ‖ MÉD. chap — vpr se ~, crack ‖ MÉD. chap ‖ ~çure [-syr] f chap.

gérer [ʒere] vt (5) manage, administer.

germain, e [ʒɛrmɛ̃, ɛn] adj cousin ~, first cousin.

germanique [ʒɛrmanik] adj Germanic.

germ|e [ʒɛrm] m germ ‖ FIG. seed ‖ ~er vi (1) germinate, sprout.

gérondif [ʒerɔ̃dif] m gerund.

gésier [ʒezje] m gizzard.

geste [ʒɛst] m gesture ; faire un ~, make a gesture ‖ FIG. act, deed.

gesticul|ation [ʒɛstikylasjɔ̃] f gesticulation ‖ ~er vi (1) gesticulate.

gestion [ʒɛstjɔ̃] f management ; administration ; mauvaise ~, mismanagement.

gibecière [ʒibsjɛr] f game-bag.

gibier [ʒibje] m game, chase ; ~

d'eau, waterfowl ; ~ à plumes, winged game ; ~ à poil, ground-game ǁ FIG. ~ de potence, jailbird.

giboulée [ʒibule] f sudden shower ; ~s de mars, April showers.

giboyeux, euse [ʒibwajø, øz] adj abounding in game.

gicl|e [ʒikl] f, ~ement m squirt, spurt ; squelch (de boue) ǁ ~er vi (1) squirt, spurt out ; spout ǁ [boue] splash up ; faire ~, squirt, squelch ǁ ~eur m AUT. jet ; ~ de ralenti, slow-running jet.

gifl|e [ʒifl] f slap (on the face), box on the ear, smack ǁ ~er vt (1) ~ qqn, slap/smack sb's face, box sb's ears.

gigantesque [ʒigɑ̃tɛsk] adj gigantic, enormous.

gigogne [ʒigɔɲ] table ~, nest of tables ǁ [astronautique] fusée ~, multistage rocket.

gigo|t [ʒigo] m leg of mutton ǁ ~ter [-ɔte] vi (1) wriggle about, fidget.

gilet [ʒilɛ] m waistcoat, U.S. vest ǁ ~ de corps, vest, U.S. undershirt ǁ NAUT. ~ de sauvetage, life-jacket.

gingembre [ʒɛ̃ʒɑ̃br] m ginger.

girafe [ʒiraf] f giraffe.

girl [gœrl] f TH. chorus-girl, show-girl.

girofl|e [ʒirofl] m BOT. clou de ~, clove ǁ ~ée f wall-flower, stock.

girouette [ʒirwɛt] weathercock, weather vane.

gisement [ʒizmɑ̃] m GÉOL. deposit, layer ; ~ pétrolifère, oilfield ǁ NAUT. bearing (d'un vaisseau) ; lie (d'une île).

gitan, e [ʒitɑ̃, an] adj/n gipsy.

gît|e¹ [ʒit] m lodging ; sans ~, homeless ; le ~ et le couvert, board and lodging ǁ cover(t) [du renard] ; form (du lièvre).

gît|e² f NAUT. heel, list ǁ ~er vi (1) NAUT. list, heel over.

givr|age [ʒivraʒ] m AV. icing ǁ ~e

m hoarfrost, rime ǁ ~é, e adj frosted-up ǁ POP. nuts (coll.) [fou] ǁ ~er vi/vt (1) ice ǁ AV. ice up.

glabre [glabr] adj beardless, clean-shaven.

glaçage [glasaʒ] m CULIN. icing.

glace¹ [glas] f mirror, looking-glass ǁ AUT., RAIL. window (vitre).

glac|e² f ice ; ~ flottante, floe ǁ CULIN. ice-cream ; ~ aux fruits, sundae ǁ NAUT. pris dans les ~s, ice-bound ǁ FIG. rompre la ~, break the ice ǁ ~é, e adj frozen (eau) ǁ frozen, chilled to the bone (personne) ǁ icy, chill(y) (vent) ; ice-cold (mains) ǁ CULIN. thé ~, iced tea ; → CRÈME ǁ PHOT. glossy ǁ FIG. frigid ǁ ~er vt (5) freeze ǁ PHOT. gloss (un gâteau) — vpr se ~, FIG. [sang] curdle ǁ ~iaire adj glacial (époque) ǁ ~ial, e, als, aux [-jal, -jo] adj icy (température) ; frosty ; bitter (vent) ; bleak (temps) ǁ FIG. chilly, frigid ǁ ~ier m GÉOGR. glacier, ice-field ǁ CULIN. ice-cream maker ǁ ~ière f ice-box, cooler.

glaçon [glasɔ̃] m icicle (au bord d'un toit) ; ice-floe (flottant) ǁ CULIN. ice cube.

glaïeul [glajœl] m gladiolus.

glaise [glɛz] f clay, loam.

gland [glɑ̃] m acorn, mast (d'un chêne) ; tassel (à un rideau).

glande [glɑ̃d] f gland.

glapir [glapir] vi (2) [animal] squeal ; [chien] yelp ; [renard] bark.

glas [gla] m knell.

gliss|ade [glisad] f [volontaire] slide ǁ [involontaire] slip ǁ ~ant, e adj slippery (route) ǁ ~ement m slide, sliding, glide ; ~ de terrain, landslide ǁ ~er vi (1) slide (sur la glace) ; slip (par accident) ; glide (sur l'eau) ǁ FIG. slide (sur, over) [sur] ǁ vt slip (qqch) — vpr se ~, slip (dans, into) ; edge/worm (one's way) ; squash (dans, into) [en se serrant] ; steal/sneak (furtivement) ; [erreur] creep (*dans,* into) ‖ ~**ière** *f* slide ‖ Techn. chute ‖ [autoroute] ~ *de sécurité,* crash barrier.

glob|al, e, aux [glɔbal, o] *adj* total, global ; inclusive, all-in (prix) ; lump (paiement) ‖ ~**e** *m* globe ; ~ **terrestre,** globe ‖ Méd. ~ *oculaire,* eyeball.

globule [glɔbyl] *m* Méd. corpuscle (du sang) ; ~*s blancs/rouges,* white/ red blood cells.

gloire [glwar] *f* glory ‖ *pour la* ~, for nothing ; *tirer* ~ *de,* glory in ‖ Fig. glory (splendeur).

glor|ieusement [glɔrjøzmɑ̃] *adv* gloriously ‖ ~**ieux, euse** *adj* glorious ‖ ~**ifier** [-ifje] *vt* (1) glorify — *vpr se* ~ *de,* glory in, pride in.

glossaire [glɔsɛr] *m* glossary.

glotte [glɔt] *f* glottis.

glouglou [gluglu] *m* Fam. gurgle (d'une bouteille) ‖ gobble (d'un dindon) ‖ ~**ter** *vi* (1) [bouteille] gurgle ‖ [dindon] gobble.

glouss|ement [glusmɑ̃] *m* cluck (de poule) ; gobble (du dindon) ‖ chuckle, cackle (d'une personne) ‖ ~**er** *vi* (1) [poule] cluck ‖ [personne] chuckle.

glout|on, onne [glutɔ̃, ɔn] *adj* gluttonous ● *n* glutton ‖ ~**onnerie** [-ɔnri] *f* gluttony, greed.

glu [gly] *f* bird-lime ‖ ~**ant, e** *adj* sticky, gummy.

glucose [glykoz] *m* glucose.

glycémie [glisemi] *f* Méd. [test] blood sugar test.

glycérine [gliserin] *f* glycerin(e).

glycine [glisin] *f* wistaria.

gnôle [nol] *f* Pop. booze.

gnon [[ɲɔ̃] *m* Pop. wallop, biff.

go (tout de) [tudɡo] *loc adv* Fam. right off, straightway.

gobelet [gɔblɛ] *m* beaker ; tumbler (en métal) ; paper cup.

gober [gɔbe] *vt* (1) suck (un œuf) ‖ Fam. swallow, take in (une histoire).

godasse [gɔdas] *f* Pop. shoe.

godiche [gɔdiʃ] *adj* gawky.

godill|e [gɔdij] *f aller à la* ~, scull ‖ ~**er** [-ije] *vi* (1) scull.

godillot [gɔdijo] *m* Pop. boot.

goéland [gɔelɑ̃] *m* (sea-)gull.

goélette [gɔelɛt] *f* schooner.

goémon [gɔemɔ̃] *m* seaweed.

gogo [gogo] *m* Fam. sucker, mug (coll.).

gogo (à) *loc adv* Fam. galore.

goguenard, e [gɔgnar, ard] *adj* mocking, jeering.

goinfr|e [gwɛ̃fr] *adj* piggish (coll.) ● *m* pig ; *manger comme un* ~, make a pig of oneself ‖ ~**er (se)** *vpr* (1) Fam. stuff oneself, make a pig of oneself.

goitr|e [gwatr] *m* goitre ‖ ~**eux, euse** *adj* goitrous.

golf [gɔlf] *m* golf ; *terrain de* ~, golf-course/-links ; *joueur de* ~, golfer.

golfe [gɔlf] *m* gulf.

gomm|e [gɔm] *f* [substance] gum ‖ [pour effacer] eraser, (India) rubber ‖ ~**é, e** *adj* gummed, adhesive ‖ ~**er** *vt* (1) gum ‖ erase, rub out (effacer).

gond [gɔ̃] *m* hinge ‖ Fig. *sortir de ses* ~*s,* fly into a rage.

gondolant, e [gɔ̃dɔlɑ̃, ɑ̃t] *adj* Fam. killing(ly funny).

gondole [gɔ̃dɔl] *f* gondola.

gondoler (se) [sagɔ̃dɔle] *vi/(vpr)* (1) [bois] warp ; [papier] wrinkle ‖ Pop. split one's sides (laughing).

gondolier [gɔ̃dɔlje] *m* gondolier.

gonfl|able [gɔ̃fl] *adj* inflatable ‖ ~**age** *m* inflating ‖ ~**é, e** *adj* swollen (visage) ; inflated (ballon, pneu) ; bulging (poche) ‖ Culin. puffed (riz) ‖ Aut. souped up (moteur) ‖ Pop. *il est* ~ *!,* he's got a nerve ! (culotté) ‖ ~**ement** *m* inflation ‖ [visage] swelling ‖ Fig. swelling ‖ ~**er** *vt* (1) inflate, pump up (un ballon, un pneu) ; blow up (en soufflant) ‖ bulge (les joues) — *vi* swell — *vpr se* ~, swell, bulge ‖ NAUT. [voile] belly ‖ ~**eur** *m* air pump, inflator.

gong [gɔ̃g] *m* gong.

goret [gɔrɛ] *m* piglet ‖ FAM. dirty child.

gorge¹ [gɔrʒ] *f* GÉOGR. gorge.

gorg|e² *f* throat ; *avoir mal à la* ~, have a sore throat ‖ FIG. *rendre* ~, disgorge ‖ ~**-de-pigeon,** dove-colour(ed) ‖ ~**é, e** *adj* replete (*de,* with) ; ~ *d'eau,* soggy ‖ ~**ée** mouthful ; *boire à grandes* ~*s,* drink in gulps ; [chat] lap ; *petite* ~, sip ‖ ~**er** *vt* (7) surfeit (qqn) — *vpr se* ~ *de,* surfeit/gorge/stuff oneself with.

gorille [gɔrij] *m* gorilla ‖ FAM. body-guard.

gosier [gozje] *m* throat, gullet.

gosse [gɔs] *m* FAM. kid, kiddy.

gothique [gɔtik] *adj* gothic.

gouache [gwaʃ] *f* gouache.

gouailleur, euse [gwajœr, øz] *adj* jeering.

goudr|on [gudrɔ̃] *m* tar ‖ ~**onné, e** [-ɔne] *adj* tarred ‖ ~**onner** *vt* (1) tar.

gouffre [gufr] *m* gulf, abyss, chasm ‖ pothole (grotte).

goujat [guʒa] *m* cad.

goujon [guʒɔ̃] *m* ZOOL. gudgeon.

goulet [gulɛ] *m* NAUT. narrows ‖ FIG. ~ *d'étranglement,* bottleneck.

goulot [gulo] *m* neck ; *boire au* ~, drink straight from the bottle ‖ FIG. ~ *d'étranglement,* bottleneck.

goulu, e [guly] *adj* gluttonous.

goupill|e [gupij] *f* pin ‖ ~**er** [-ije] *vt* (1) TECHN. pin ‖ FAM. fix — *vpr se* ~ : *cela s'est bien/mal goupillé,* it came off nicely/badly.

gourd, e¹ [gur, urd] *adj* numb (de froid). ● *f* FAM. simpleton.

gourde² [gurd] *f* water-bottle, flask.

gourdin [gurdɛ̃] *m* club, cudgel.

gourman|d, e [gurmɑ̃, ɑ̃d] *adj*

greedy ; ~ *de,* fond of ‖ ~**dise** [-diz] *f* greediness, gluttony (excès) ; love of good food (penchant) ‖ *Pl* delicacies.

gourme [gurm] *f* FAM. *jeter sa* ~, sow one's wild oats.

gourmet [gurmɛ] *m* epicure, gourmet.

gousse [gus] *f* pod, hull, shell ; ~ *d'ail,* clove of garlic.

gousset [gusɛ] *m* fob.

goû|t [gu] *m* taste (sens) ‖ taste, flavour, savour, relish (saveur) ; *avoir un* ~ *de,* taste of/like, savour of ; *avoir bon/mauvais* ~, taste good/bad ‖ FIG. taste, liking (penchant) ; *ce n'est pas du tout mon* ~, that's not my cup of tea ; *Pl* likes (préférences) ‖ *par* ~, by choice ; *prendre* ~ *à,* get a liking for, take to ‖ FIG. *de bon/mauvais* ~, in good/bad taste ; *faute de* ~, lapse in taste ‖ ~**ter¹** [-te] *vt* (1) taste (un mets) ‖ relish (déguster) ‖ FIG. enjoy, appreciate ‖ ~ *à,* taste, sample, (nég.) touch.

goûter² *vt* (1) have (afternoon) tea ● *m* (afternoon) tea snack, (afternoon-)tea ; ~ *dînatoire,* high tea.

goutte¹ [gut] *f* MÉD. gout.

goutte² *f* drop, drip (de liquide) ; bead (de sueur) ; ~ *à* ~, drop by drop ; *tomber* ~ *à* ~, drip ; *verser* *à* ~, drop ‖ dash, spot (d'alcool) ‖ ~**lette** [-lɛt] *f* droplet.

gouttière [gutjɛr] *f* gutter (de toit) ; spout (descente) ‖ MÉD. cradle.

gouvern|ail [guvɛrnaj] *m* rudder ; helm (barre) ; ~ *automatique,* self-steering gear ‖ ~**ant, e** *adj* ruling ● *mpl les* ~*s,* the government ‖ ~**ante** *f* housekeeper ‖ governess (d'enfants) ‖ ~**ement** *m* management (direction) ‖ POL. government ; U.S. administration ‖ ~**er** *vt* (1) POL. govern, rule (un pays) ‖ NAUT. steer, navigate (un bateau) ‖ FIG. handle, control — *vpr se* ~, control oneself ‖ NAUT. [bateau] steer ‖ ~**eur** *m* governor.

grabat [graba] *m* pallet ‖ ~**aire** [-tɛr] *adj* bedridden.

grabuge [grabyʒ] *m* scandal ; *il y aura du ~*, there'll be ructions.

grâce¹ [grɑs] *f* grace(fulness) [charme] ; *avec ~*, gracefully ‖ Fig. *de bonne/mauvaise ~*, with good/bad grace.

grâce² *f* favour (faveur) ; *faites-moi la ~ de*, do me the favour of ‖ blessing (de Dieu) ‖ *donner le coup de ~*, give the coup de grace ‖ *Pl être dans les bonnes ~s de qqn*, be in sb's favour ● *loc adv de ~*, for pity's sake.

grâce³ *f* thanks (remerciement) ; *rendre ~(s) à qqn de*, give thanks to sb for ; *actions de ~s*, thanksgiving ‖ REL. grace ; *en état de ~*, in a state of grace ‖ JUR. pardon, reprieve.

grâce⁴ *f* forgiveness (pardon) ; *demander ~*, beg for mercy ; *faire ~ à qqn (de qqch)*, let sb off (from sth) ‖ JUR. pardon, reprieve ; *recours en ~*, petition for mercy.

grâce à *loc prép* thanks to, through.

gracier [grasje] *vt* (1) pardon, reprieve.

grac|ieux, ieuse¹ [grasjø, jøz] *adj* graceful, seemly (séduisant) ‖ **~ieusement** *adv* gracefully.

gracieux, euse² *adj* free (gratuit) ; *à titre ~*, without charge ; complimentary (billet).

grad|ation [gradasjɔ̃] *f* gradation ‖ **~e** *m* rank ‖ [université] degree ‖ MIL. rank ‖ **~é** *m* MIL. non-commissioned officer ‖ **~in** *m* row of seats, tier ‖ SP. *Pl* terraces ‖ **~uation** [-ɥasjɔ̃] *f* graduation ‖ scale (d'un thermomètre) ‖ **~uel, elle** [-ɥɛl] *adj* gradual ‖ **~uellement** [-ɥɛlmɑ̃] *adv* gradually, by degrees ‖ **~uer** [-ɥe] *vt* (1) graduate.

grain¹ [grɛ̃] *m* grain (de blé, etc.) ; bean, berry (de café) ; grape (de raisin) ; seed (de moutarde) ; *~ de poivre*, peppercorn ‖ speck (de poussière) ; grain (de sable) ; bead (de chapelet) ‖ grain (du bois) ; *~ de beauté*, beauty spot ‖ PHOT. *à ~ fin*, fine-grained ‖ FIG. touch ; *mettre son ~ de sel*, butt in.

grain² *m* NAUT. squall (vent) ; heavy shower (pluie).

graine [grɛn] *f* seed ; *monter en ~*, go to seed ‖ **~terie** [-tri] *f* seed shop ‖ **~tier, ière** *n* seedsman, -woman.

graiss|age [grɛsaʒ] *m* greasing (à la graisse) ; lubrication (à l'huile) ‖ **~e** *f* grease ‖ CULIN. fat, suet (de bœuf) ; dripping (de rôti) ‖ **~er** *vt* (1) grease (à la graisse) ; oil (à l'huile) ‖ FIG. *~ à la patte à qqn*, grease sb's palm ‖ **~eux, euse** *adj* greasy, oily.

gramm|aire [grammɛr] *f* grammar ‖ **~atical, e, aux** [-atikal, o] *adj* grammatical.

gramme [gram] *m* gramme.

grand, e [grɑ̃, ɑ̃d] *adj* [taille] tall, high (haut) ; *un homme ~*, a tall man ; *~ et maigre*, lanky ‖ [dimensions] big, large ; wide (large) ; [intense] loud (cri) ; great (soin) ‖ [remarquable] *un ~ homme*, a great man ‖ [important] great (différence) ; big (ville) ; leading, big (pays) ‖ [âge] *~ frère*, big/older brother ‖ [intensif] great (amateur, collectionneur) ; heavy (buveur, fumeur) ; *de la plus ~e importance*, of the utmost importance ; *il est ~ temps de partir*, it's high time we went ‖ [principal] *la ~e question*, the great/main question ‖ RAD. *~es ondes*, long waves ‖ PHOT. *~ angle*, wide angle (lens) ‖ FIG. *au ~ air*, in the open air ; *au ~ jour*, in broad daylight ; *~e soirée*, big party (réception) ● *adv voir ~*, see/think big ; *~ ouvert*, wide open ● *loc adv en ~*, on a large scale ‖ *pas ~-chose*, not/nothing much ● *mpl* grown-ups (les adultes).

Grande-Bretagne [grɑ̃dbrətaɲ] *f* (Great) Britain.

grand|ement [grɑ̃dmɑ̃] *adv* greatly ; largely, highly ‖ lavishly (généreusement) ‖ badly (absolument) ‖ **~eur** *f* greatness ‖ largeness, bigness ‖ size (dimension) ; *~ nature*, life-size, full-scale ‖ FIG. greatness, magnanimity ; grandeur ‖ **~iloquence** [-ibkɑ̃s] *f* grandiloquence ‖ **~iloquent, e** [-ilɔkɑ̃, ɑ̃t] *adj* bombastic (style) ; grandiloquent (personne) ‖ **~iose** [-joz] *adj* grand ; imposing, grandiose ‖ **~ir** *vi* (2) [personne] grow, grow taller/bigger ‖ FIG. increase, grow ‖ **~issant, e** *adj* growing ; increasing.

grand|-maman [grɑ̃mamɑ̃] *f* grandma, granny ‖ **~-mère** *f* grandmother ‖ **~-messe** *f* high mass ‖ **~-papa** *m* grandpa ‖ **~-parents** *mpl* grand-parents ‖ **~-père** *m* grandfather ‖ **~-rue** *f* high street, U.S. main street ‖ **~-teint** [-tɛ̃] *adj* colourfast (tissu).

grange [grɑ̃ʒ] *f* barn.

granit(e) [granit] *m* granite.

granul|e [granyl] *m* granule ‖ **~eux, euse** *adj* granular.

graph|ique [grafik] *adj* graphic ● *m* graph, chart (courbe) ; diagram (dessin) ‖ **~ologie** [-ɔlɔʒi] *f* graphology.

grappe [grap] *f* cluster (de fruits, de fleurs) ; bunch (de raisins).

grappin [grapɛ̃] *m* NAUT. grapnel.

gras, grasse [grɑ, grɑs] *adj* fat (animal) ; fleshy (personne) ; greasy, oily (graisseux) ‖ CULIN. fat, fatty (viandes) ; *bouillon ~*, meat broth ; *matières ~ses*, fats ‖ BOT. *plante ~se*, thick leaf plant ‖ TECHN. *caractères ~*, bold-faced type ‖ FAM. *faire la ~se matinée*, lie in ; have a lie-in ● *m* CULIN. fat ‖ **~sement** *adv* FIG. generously ‖ **~souillet, ette** [-suje̩, ɛt] *adj* FAM. plump.

gratif|ication [gratifikasjɔ̃] *f* gratuity ‖ **~ier** *vt* (1) present (*de,* with) [faire cadeau] ; favour (*de,* with) [accorder].

gratin [gratɛ̃] *m* CULIN. gratin ; *au ~*, au gratin ‖ FAM. *le ~*, the upper crust (coll.) ‖ **~er** [-ine] *vt* (1) CULIN. cook au gratin.

gratis [gratis] *adv* free.

gratitude [gratityd] *f* gratitude.

grattage [grataʒ] *m* scraping (d'une surface) ‖ erasure (effacement).

gratte [grat] *f* FAM. pickings, perks (coll.).

gratte|-ciel [gratsjɛl] *m inv* skyscraper ‖ **~-papier** *m inv* FAM. penpusher (péj.).

gratt|er [grate] *vt* (1) scrape (une surface) ; scratch (avec les ongles) ; scratch off/out (pour effacer) ‖ MUS. *~ la guitare*, strum (on) a guitar — *vpr se ~*, scratch ‖ **~oir** *m* eraser (de bureau) ‖ TECHN. scraper.

gratui|t, e [gratɥi, it] *adj* free (of charge) ; toll free (autoroute) ‖ FIG. unfounded (supposition) ; wanton, gratuitous (insulte) ‖ **~tement** *adv* free (of charge), gratis ; for free (cool.) ‖ FIG. wantonly (sans raison) ; without proof (accuser).

gravats [grava] *mpl* rubble.

grave¹ [grav] *adj* deep (voix) ; low (son) ‖ GRAMM. grave (accent).

grave² *adj* solemn, dignified, grave (air) ; sober (visage) ; important (affaire) ; serious (erreur) ‖ severe, serious (blessure, maladie) ; bad (accident) ; *rien de ~*, nothing serious.

gravement [gravmɑ̃] *adv* solemnly, gravely ‖ severely, seriously.

grav|er [grave] *vt* (1) engrave ; carve (sur bois) ; etch (à l'eau forte) ‖ emboss (en relief) ; cut (un disque) ‖ FIG. imprint/engrave on (la mémoire) ‖ **~eur** *m* engraver.

grav|ier [gravje] *m* gravel ‖ **~illon** [-ijɔ̃] *m* grit, loose chippings.

gravir [gravir] *vt* (2) climb (up) (une échelle, une montagne) ; clamber up (péniblement).

gravit|ation [gravitasjɔ̃] *f* gravitation.

gravité¹ [gravite] *f* seriousness ‖ solemnity.

gravit|é² *f* PHYS. gravity ; *centre de ~*, centre of gravity ‖ **~er** *vi* (1) ASTR. gravitate ; *~ autour de*, orbit.

gravure [gravyr] *f* [action] engraving ; carving (sur pierre) ; etching (à l'eau-forte) ‖ [image] plate (dans une revue) ; print (au mur) ; ~ *sur bois*, wood-cut.

gré [gre] *m* à votre ~, to your liking (convenance) ; *de son plein* ~, of one's own accord/free will ; *contre son* ~, against one's will ; *bon* ~ *mal* ~, willy-nilly ‖ *savoir* ~ *à qqn de qqch*, be grateful to sb for sth.

grec, grecque [grɛk] *adj* Greek ; Grecian (arts) ● *m* [langue] Greek ● *f* ARCH. (Greek) fret ● *n* Greek.

Grèce [grɛs] *f* Greece.

gré|ement [gremã] *m* NAUT. rig-(ging) ‖ **~er** *vt* (1) rig.

greff|e [grɛf] *f* BOT. graft ‖ MÉD. ~ *du cœur*, heart transplant (operation) ; ~ *de peau*, skin graft ‖ **~er** *vt* (1) graft, engraft ‖ MÉD. transplant (organe) ; graft (peau).

greffier [grefje] *m* JUR. recorder, clerk (of the count).

grégaire [greger] *adj* gregarious.

grège [grɛʒ] *adj* raw (soie).

grêle[1] [grɛl] *adj* thin, lanky.

grê|le[2] [grɛl] *f* hail ; *averse de* ~, hail-storm ; FIG. shower (de coups, de projectiles) ; volley (de pierres) ‖ **~é, e** *adj* pockmarked (visage) ‖ **~er** *vi* (1) *il grêle*, it's hailing ‖ **~on** *m* hailstone.

grel|ot [grəlo] *m* bell ‖ **~otter** [-ote] *vi* (1) shiver.

grenad|e [grənad] *f* BOT. pomegranate ‖ MIL. (hand-)grenade ‖ NAUT. ~ *sous-marine*, depth-charge.

grenat [grəna] *m* garnet ● *adj inv* garnet-red.

grenier [grənje] *m* attic, garret ‖ AGR. loft ; ~ *à foin*, hay-loft ; granary (à grain).

grenouille [grənuj] *f* frog.

grès [grɛ] ; *m* sandstone (roche) ‖ stoneware (poterie).

grésil [grezil] *m* (fine hard) hail.

grésill|ement [grezijmã] *m* [friture] sizzling, sputtering ‖ RAD. crackling

‖ **~er** *vi* (1) sizzle, sputter, frizzle ‖ RAD. crackle.

grève[1] [grɛv] *f* [rivage] shore.

grève[2] *f* [arrêt du travail] strike ; ~ *d'avertissement*, token strike ; *faire la* ~ *de la faim*, go on a hunger strike ; ~ *perlée*, go-slow ; ~ *sauvage*, wild-cat strike ; ~ *de solidarité*, sympathetic strike ; ~ *surprise*, lightning strike ; ~ *sur le tas*, sit-down-strike ; ~ *tournante*, staggered strike ; ~ *du zèle*, work-to-rule ; *faire la* ~ *du zèle*, work to rule ; *être en* ~, *faire* ~, be on strike, be striking ; *se mettre en* ~, go on strike ; *appeler à faire* ~, call out.

gréviste [grevist] *n* striker.

gribouill|age [gribujaʒ] *m* scribble, scraw ‖ **~er** *vi/vt* (1) scribble, scraw ‖ **~is** [-i] *m* = GRIBOUILLAGE.

grief [grijɛf] *m* grievance.

grièvement [grijɛvmã] *adv* ~ *blessé*, seriously wounded.

griffe[1] [grif] *f* stamp (signature) COMM. (maker's) label.

griff|e[2] *f* claw ; *le chat fait ses* ~s, the cat is sharpening its claws ‖ FIG. *Pl* clutches ‖ **~er** *vt* (1) [chat] scratch ; [félin] claw.

griffonn|age [grifɔnaʒ] *m* scribble ‖ **~er** *vt* (1) scribble.

grignoter [griɲɔte] *vt* (1) nibble.

gril [gri(l)] *m* gridiron, grill ‖ FIG. *être sur le* ~, be on tenterhooks ‖ **~lade** [-jad] *f* CULIN. grill.

grill|age [grijaʒ] *m* wire netting, wiring ; wire fencing (clôture) ; screen (à une fenêtre) ‖ **~ager** *vt* (1) put wire netting on (fenêtre) ‖ **~e** *f* [protection] grille ‖ [clôture] railings ‖ [porte de jardin] gate ‖ [foyer] grate ‖ [salaires] scale ‖ RAD. [horaires, programmes] schedule.

grillé, e [grije] *adj* toasted (pain) ; *pain* ~, toast ‖ grilled (viande).

grill|e-pain [grijpɛ̃] *m inv* toaster ‖ **~er** *vt* (1) CULIN. grill, U.S. broil (poisson, viande) ; toast (pain) ; roast (café, marrons) ‖ FAM. smoke (une cigarette) ; [automobiliste] ~ *un feu rouge,* jump a red light — *vi* ÉLECTR. [ampoule] blow (out) ‖ FIG. ~ *d'impatience de,* be burning to.

grillon [grijɔ̃] *m* cricket.

grimaçant, e [grimasɑ̃, ɑ̃t] *adj* grimacing, grinning.

grimac|e [grimas] *f* [douleur] grimace, grin ; *faire la* ~, pull a wry face (de dégoût, etc.) ; *faire des* ~*s,* make faces (*à,* at) ‖ ~**er** *vi* (1) grimace (de douleur) ; pull a wry face ; wince (de dégoût/douleur) — *vt* ~ *un sourire,* grin.

grimer [grime] *vt* (1) make up (un acteur) [*en,* as] — *vpr se* ~, make up.

grimp|ant, e [grɛ̃pɑ̃, ɑ̃t] *adj* climbing ; *plante* ~*e,* creeper, vine ‖ ~**er** *vi/vt* (1) climb (up) ; chamber (up) [avec difficulté] ; ~ *à un arbre,* climb (up) a tree, shin up a tree ; ~ *à l'échelle,* go up the ladder ‖ BOT. climb ‖ FIG. [prix] rocket ● *m* Sl. rope climbing ‖ ~**eur, euse** *n* SP. climber.

grinçant, e [grɛ̃sɑ̃, ɑ̃t] *adj* grating.

grinc|ement [grɛ̃smɑ̃] *m* grating, creak, scratching ‖ ~**er** *vi* (6) [gonds] grate ; [plancher] ; creak ‖ ~ *des dents,* gnash/grind one's teeth.

grincheux, euse [grɛ̃ʃø, øʒz] *adj* grumpy, peevish, testy.

gringalet [grɛ̃gale] *m* puny chap.

gripp|e [grip] *f* MÉD. flu, influenza ‖ FIG. *prendre qqn en* ~, take a dislike to sb ‖ ~**é, e** *adj être* ~, have (the) flu ● ~**er** *vi* (1), *vpr se* ~, TECHN. seize up, jam.

grippe-sou [gripsu] *m* FAM. skinflint.

gris, e [gri, iz] *adj/m* grey ‖ [temps] ‖ FAM. merry, tipsy.

grisant, e [-zɑ̃, ɑ̃t] *adj* exhilarating (stimulant).

grisâtre [-zɑtr] *adj* greyish.

griser [grize] *vt* (1) FIG. intoxicate, go to (sb's) head.

gris|onnant, e [grizɔnɑ̃, ɑ̃t] *adj* greying, grizzly ‖ ~**onner** [-ɔne] *vi* (1) turn grey.

grisou [grizu] *m* fire-damp ; *coup de* ~, fire-damp explosion.

grive [griv] *f* thrush.

grivois, e [grivwa, waz] *adj* saucy, spicy.

Groenland [grɔɛnlɑ̃d] *m* Greenland ‖ ~**ais, e** [-ɛ, ɛz] *n* Greenlander.

grog [grɔg] *m* grog.

grogn|ement [grɔɲmɑ̃] *m* grunt (du cochon) ; grumble (de mécontentement) ‖ ~**er** *vi* (1) [cochon] grunt ; [chien] growl, snarl ‖ [personne] grumble, groan ‖ ~**on, onne** [-ɔ̃, ɔn] *adj* grumpy, grouchy.

groin [grwɛ̃] *m* snout.

grommeler [grɔmle] *vi* (8 *a*) grumble, mutter.

grond|ement [grɔ̃dmɑ̃] *m* [tonnerre] rumble, rumbling, roar(ing), peal ; [canon, vagues] boom(ing) ‖ ~**er** *vi* (1) [tonnerre] rumble, roar ; [vagues] roar, boom ‖ [chien] growl — *vt* scold (enfant).

groom [grum] *m* page (boy), bellboy, U.S. bell-hop.

gros, grosse [gro, gros] *adj* big, large ; thick (corde) ; stout (solide) ‖ fat (bébé) ; coarse (toile) ; *à* ~ *grain,* coarse-grained ‖ [journal] ~ *titre,* headline ‖ [temps] *par* ~ *temps,* in rough weather ; ~*se mer,* heavy sea ‖ CIN. ~ *plan,* close-up ‖ CULIN. coarse (sel) ; ~ *rouge,* coarse red wine ‖ MÉD. pregnant (enceinte) ; big with young (animal) ; bad (rhume) ‖ FIG. big (important) ; extensive (dégâts) ; serious (ennuis) ; ~ *lot,* jackpot ; ~ *mot,* rude word ; *dire des* ~ *mots,* use bad language ● *adv écrire* ~, write big ; *il y a* ~ *à parier que,* it's a safe bet that ● *loc adv en* ~, roughly/broadly speaking ● *m* COMM. *(commerce de)* ~, wholesale trade ; *en* ~, wholesale, in bulk ; *prix de* ~, wholesale price.

groseill|e [grozɛj] *f* ~ *(blanche/-*

rouge), (white/red) currant ; ~ **à maquereau,** gooseberry ‖ **~ier** *m* (red/white) currant (bush).

gros-porteur [gropɔrtœr] *m* Av. jumbojet.

gross|esse [grosɛs] *f* Méd. pregnancy ; ~ **nerveuse,** phantom pregnancy ‖ **~eur** *f* [dimension] size ‖ [personne] fatness ‖ Méd. swelling (enflure).

gross|ier, ière [grosje, jɛr] *adj* coarse, rude (étoffe) ; roughly done (travail) ; foul, gross (langage, nourriture) ; rude (personne, mot) ‖ glaring (erreur, mensonge) ; crude (image) ‖ rough-and-ready (solution) ‖ **~ièrement** [-jɛrmã] *adv* grossly ; coarsely ; roughly ; crudely ; rudely ‖ **~ièreté** [-jɛrte] *f* rudeness (manque d'éducation) ; indelicacy (acte) ‖ *Pl* coarse language.

gross|ir [grosir] *vi* (2) grow bigger/larger ‖ [personne] get fat ; put on weight (santé) ‖ [rivière] swell — *vt* enlarge, make bigger ‖ [loupe] magnify ‖ [vêtement] make (one) look fatter ‖ **~issant, e** *adj* Phys. magnifying (verre) ‖ **~issement** *m* swelling, enlarging ; increase in bulbk ‖ Phys. magnification ‖ **~iste** *m* Comm. wholesale dealer, wholesaler.

grosso modo [grosomɔdo] *loc adv* roughly ‖ after a fashion (tant bien que mal).

grotesque [grɔtɛsk] *adj* grotesque (difforme) ‖ ludicrous (risible).

grotte [grɔt] *f* cave.

grouill|ant, e [grujã, ãt] *adj* teeming, swarming (foule) ; ~ **de,** crawling/teeming/alive with ‖ **~er** *vi* (1) teem, swarm ; ~ **de,** be alive/crawling with — *vpr* **se ~,** Pop. get cracking (coll.) ; *grouillez-vous !,* get a move on ! (coll.)

group|e [grup] *m* group, party (de personnes) ; **en ~,** in a group ‖ cluster (d'arbres, de maisons) ‖ ~ **d'experts** think tank ‖ Mus. band ‖ Comm. ring ‖ Rad. ~ **de discussion,**

panel ‖ Méd. ~ **sanguin,** blood group ‖ Électr. ~ **électrogène,** generating set ‖ Mil. [infanterie] section, U.S. squad ‖ Fig. circle ‖ **~ement** *m* grouping ‖ association, group ‖ **~er** *vt* (1) group, arrange in group ‖ pool (ressources) — *vpr* **se ~,** gather ; band together ; cluster (*autour de,* around).

grue [gry] *f* Zool. Techn. crane.

grum|eau [grymo] *m* lump (de farine) ; curd (de lait caillé) ; *faire des* ~ *x,* go lumpy ‖ **~eleux, euse** [-lø, øz] *adj* granular (surface) ‖ Culin. lumpy (sauce).

gruyère [gryjɛr] *m* gruyère, U.S. Swiss cheese.

Guadeloupe [gwadlup] *f* Guadeloupe.

Guadeloupéen, enne [-peẽ, ɛn] *n* native of Guadeloupe.

guadeloupéen, enne *adj* Guadelupian.

gué [ge] *m* ford ; *passer à ~,* ford.

guenille [gənij] *f* rag (chiffon) ‖ *Pl* rags, tatters.

guenon [gənõ] *f* she-monkey.

guépard [gepar] *m* cheetah.

guêp|e [gɛp] *f* wasp ‖ **~ier** *m* wasp's nest.

guère [gɛr] *adv* **ne...~,** hardly, scarcely (rarement) ; not much, little (quantité) ; ~ **de,** very few.

guéridon [geridõ] *m* pedestal table.

guérill|a [gerija] *f* guerilla warfare ‖ **~ero** [-ero] *m* guerilla.

guér|ir [gerir] *vt* (2) heal (blessure) ; cure (malade, maladie) [*de,* of] ; *être guéri,* be oneself again ‖ Fig. remedy, cure ; ~ *qqn d'une habitude,* break sb of a habit – *vi* [blessure] heal ; [malade] recover (*de,* from) ; [maladie] be cured — *vpr* **se ~,** be cured ‖ Fig. **se ~ d'une habitude,** cure oneself of a habit ‖ **~ison** [-izõ] *f* [plaie] healing ; [malade] recovery ; [maladie] cure, curing ; *en voie de ~,* on the mend ǁ ~**isseur, euse** *n* healer.

guérite [gerit] *f* MIL. sentry-box.

guerr|e [gɛr] *f* war, warfare ; *en ~,* at war ; *se mettre en ~,* go to war ; *faire la ~ à,* make war on ; *~ bactériologique,* germ-warfare ; *~ civile,* civil war ; *~ froide,* cold war ; *~ des nerfs,* war of nerves ; *~ d'usure,* war of attrition ǁ ~**ier, ière** [gerje, ɛr] *adj* war (chant) ; warlike (peuple) ● *m* warrior.

guet [ge] *m* watch ; *faire le ~,* be on the look-out ǁ ~-**apens** [-tapã] *m* ambush.

guêtre [gɛtr] *f* legging (en cuir) ; spat (sur la chaussure).

guett|er [gete] *vt* (1) watch (surveiller) ; watch for, be on the watch for (attendre le passage) ; lie in wait for (dans une intention hostile) ǁ ~**eur** *m* MIL., NAUT. look-out.

gueul|e [gœl] *f* mouth (d'un animal) ǁ POP. mug (figure) ; *se casser la ~,* come a cropper ; *ta ~ !,* shut your trap ! ; shut up ! ; *avoir la ~ de bois,* have a hangover ǁ MIL. muzzle, mouth (d'un canon) ǁ ~**er** *vi* (1) bawl, bellow ǁ ~**eton** [-tɔ̃] *m* POP. blow-out, tuck-in, nosh-up (coll.).

gui [gi] *m* mistletoe.

guichet [giʃe] *m* [banque] counter, window ; [bureau de poste] position ǁ FR. [autoroute] ~ *de péage,* toll booth ǁ RAIL. ~ *des billets,* booking office ; [métro] ticket counter ǁ SP. [stade] turnstile.

guid|e¹ [gid] *m* [personne] guide ; [tourisme] courrier ǁ [livre] guide(book) ǁ FIG. pilot, leader ● *f* [scoutisme] Girl Guide ǁ ~**er** *vt* (1), lead, pilot.

guid|e² *f* rein (rêne) ǁ ~**on** *m* handle-bar(s) (de bicyclette).

guignol [giɲɔl] *m* puppet-show, Punch and Judy show (spectacle).

guillemets [gijmɛ] *mpl* quotation, marks, inverted commas ; *mettre entre ~s,* enclose in quotation marks/in quotes ǁ *ouvrir/fermer les ~s,* open/ close the inverted commas ; [dictée] *ouvrez les ~s !,* quote ! ; *fermez les ~ !,* unquote !.

guilleret, ette [gijrɛ, ɛt] *adj* bright, perky.

guimauve [gimov] *f* marsh-mallow.

guimbarde [gɛ̃bard] *f* AUT., FAM. old crock banger (coll.), U.S. jalopy ǁ MUS. Jew's harp.

guindé, e [gɛ̃de] *adj* stiff, starchy, prim.

Guinée [gine] *f* GÉOGR. Guinea.

guingois (de) [dəgɛ̃gwa] *loc adv* askew ; lop-sidedly.

guirlande [girlãd] *f* garland, wreath.

guise [giz] *n'en faire qu'à sa ~,* do as one pleases, have/get one's own way ; *à ta ~ !,* as you like ! ; *en ~ de,* by way of.

guitar|e [gitar] *f* guitar ; ~ *électrique/sèche,* electric/acoustic guitar ǁ ~**iste** *n* guitarist.

guttural, e, aux [gytyral, o] *adj* guttural ǁ throaty (voix).

Guyane [gɥijan] *f* Guiana.

gym|nase [ʒimnaz] *m* gymnasium, gym ǁ [Suisse] secondary school ǁ ~**aste** [-ast] *n* gymnast ǁ ~**astique** [-astik] *f* gymnastics ; gym (coll.) ; *faire de la ~,* do gymnastics ; ~ *suédoise,* calisthenics.

gynécolo|gie [ʒinekɔlɔʒi] *f* gynaecology ǁ ~**gue** [-g] *n* gynaecologist.

gyro|compas [ʒirokɔ̃pa] *m* gyrocompass ǁ ~**scope** [-skɔp] *m* gyroscope.

H

(L' « h » aspiré est indiqué par un astérisque.)

h [aʃ] *m* h ‖ MIL. *bombe H,* H-bomb ; *heure H ;* zero hour.

habil|e [abil] *adj* clever, skilful, able, skilled ‖ handy, dext(e)rous (de ses mains) ; deft (de ses doigts) ‖ cunning (rusé) ‖ **~ement** *adv* cleverly, skilfully ‖ **~eté** [-te] *f* cleverness, skill ; *~ manuelle,* handicraft ; *~ professionnelle,* workmanship ‖ craft, cunning (ruse).

habill|é, e [abije] *adj* dressed (personne) ; *bien/mal ~,* well/badly dressed ; *tout ~,* fully dressed ‖ [soirée] *très ~,* very dressy ‖ **~ement** *m* clothing (action) ‖ dress (vêtement) ‖ **~er** *vt* (1) dress ‖ dress up (déguiser) — *vpr* **s'~,** dress (oneself), get dressed, put on one's clothes ‖ dress up (en tenue de soirée) ‖ buy one's clothes (*chez,* at) ‖ **~euse** *f* CIN., TH. dresser.

habit [abi] *m* dress ‖ [tenue de soirée] tails ; *en ~,* in evening dress ‖ *Pl* clothes.

habitacle [abitakl] *m* AV. cockpit.

habit|ant, e [abitɑ̃, ɑ̃t] *n* inhabitant (d'une ville, d'un pays) ; [maison] occupant ‖ **~ation** *f* dwelling ‖ **~é, e** *adj* inhabited ‖ **~er** *vi* (1) live, dwel (*à,* in ; *chez,* with) — *vt* inhabit, live in (un pays, une ville) ‖ occupy (une maison).

habit|ude [abityd] *f* habit ; *avoir/* *prendre l'~ de faire,* be/get used to doing ; *avoir pour ~ de faire,* be in the habit of doing ; *prendre/perdre l'~ de,* get into/out of the habit of ‖ *loc adv* *d'~,* usually ‖ **~ué, e** [-ɥe] *adj* accustomed, used (*à,* to) ● *n* COMM. regular (customer) ‖ TH. habitué ‖ **~uel, elle** [-ɥɛl] *adj* usual, customary, habitual ‖ **~uellement** *adv* usually ‖ **~uer** [-ɥe] *vt* (1) accustom ; *~ qqn à qqch/faire,* accustom sb to sth/doing — *vpr* **s'~,** get accustomed/used (*à,* to) ; settle/shake down (à un nouvel entourage).

hableur, euse [ablœr, øz] *n* braggart, boaster.

hach|e** [aʃ] *f* axe ‖ **~er** *vt* (1) chop (up), hash ; mince (menu) ‖ *****~ette** *f* hatchet ‖ *****~is** [-i] *m* CULIN. hash, mince, minced meat ; *~ Parmentier,* shepherd's pie ‖ *****~oir** *m* chopper (couperet) ; mincing machine, mincer.

***hagard, e** [agar, ard] *adj* wild (yeux) ‖ distraught (air).

***haie** [ɛ] *f* hedge ; *~ vive,* quickset hedge ‖ SP. [coureurs] hurdle ; [chevaux] fence.

***haillons** [ajɔ̃] *mpl* rags, tatters ; *en ~,* ragged, in rags.

***haine** [ɛn] *f* hate, hatred.

ha|ïr** [air] *vt* (58) hate ‖ **~issable** [-isabl] *adj* hateful.

Haïti [aiti] *f* Haiti.

*haïtien, enne [aisjɛ̃, jɛn] *adj* Haitian.

*halage [alaʒ] *m* towing.

*hâl|e [al] *m* (sun)tan, sunburn ‖ ***~é, e** *adj* (sun)tanned, sunburnt ; weather-beaten.

haleine [alɛn] *f* breath ; *hors d'~*, out of breath, breathless ; *reprendre ~*, get one's wind back ‖ *mauvaise ~*, bad breath ‖ Fig. *de longue ~*, long-term ; *tenir en ~*, keep in suspense.

*haler [ale] *vt* (1) haul in (cordage) ; tow (bateau).

*hâler [ɑle] *vt* (1) tan, sunburn.

*halet|ant, e [altɑ̃, ɑ̃t] *adj* panting, gasping ‖ ***~er** *vi* (8 *b*) pant, gasp.

*hall [ol] *m* hall.

*halle [al] *f* covered market.

hallucin|ation [alysinasjɔ̃] *f* hallucination ‖ **~er** *vt* (1) hallucinate.

*halo [alo] *m* Astr. halo.

*halte [alt] *f* stop ; *courte ~*, stop-off ‖ stopping-place (lieu) ; *faire ~*, stop ‖ Rail. halt ‖ Av. stopover ● *interj* Mil. ~ !, stop !

halt|ère [altɛr] *m* dumb-bell.

haltérophil|e [-erɔfil] *m* weight-lifter ‖ **~ie** f weight-lifting.

*hamac [amak] *m* hammock.

*hameau [amo] *m* hamlet.

hameçon [amsɔ̃] *m* (fish-)hook.

*hampe [ɑ̃p] *f* flagstaff.

*hanche [ɑ̃ʃ] *f* [personne] hip ; *les poings sur les ~s*, with arms akimbo ‖ [cheval] haunch.

*handicap [ɑ̃dikap] *m* handicap ‖ **~é, e** *adj* handicapped ; *être ~*, be at a disadvantage ● *n* handicapped person ; *les ~s*, the disabled ; *~ moteur*, spastic ‖ ***~er** *vt* (1) handicap.

*hangar [ɑ̃gar] *m* shed ‖ Av. hangar ‖ Naut. ~ *à bateaux*, boat-house.

*hanneton [antɔ̃] *m* may-bug.

*hant|é, e [ɑ̃te] *adj* haunted ‖ ***~er**

vt (1) haunt ‖ ***~ise** [-iz] *f* obsession ; *avoir la ~ de qqch*, be obsessed by sth.

*happer [ape] *vt* (1) snatch ‖ [chien] snap.

*haras [arɑ] *m* stud-farm.

*harasser [arase] *vt* (1) exhaust, wear out.

*harc|èlement [arsɛlmɑ̃] *m* Mil. *tir de ~*, harassing fire ‖ ***~eler** [-əle] *vt* (8 *b*) harass ; badger, plague (*de questions*, with questions) ‖ Mil. harass, harry.

*hardi, e [ardi] *adj* bold, daring (courageux) ; enterprising (audacieux) ‖ ***~esse** [-djes] *f* boldness, daring (courage) ‖ ***~ment** [-mɑ̃] *adv* boldly, daringly.

*hareng [arɑ̃] *m* herring ; ~ *saur*, red herring, kipper, bloater.

*hargn|e [arɲ] *f* agressiveness, ill-temper ‖ ***~eux, euse** *adj* aggressive, peevish, cantankerous (personne) ; surly (humeur) ; snarling (chien).

*haricot [ariko] *m* bean ; ~*s blancs*, haricot beans ; ~*s rouges*, kidney beans ; ~*s verts*, French beans, U.S. string-beans ‖ Culin. ~ *de mouton*, mutton stew.

harmon|ica [armɔnika] *m* harmonica, mouth-organ ‖ **~ie** f Mus. harmony ‖ Fig. agreement, concord ; *en ~ avec*, consonant with, in keeping with ‖ **~ieux, ieuse** *adj* harmonious, musical, tuneful ‖ **~ique** *adj* harmonic ● *m* Mus. harmonic, overtone ‖ **~iser** *vt* (1) Mus. harmonize ‖ Fig. match (des couleurs) — *vpr s'~*, Fig. harmonize ; be in harmony tone in (*avec*, with) ‖ **~ium** [-jɔm] *m* harmonium.

*harn|achement [arnaʃmɑ̃] *m* [cheval] harnessing ; trappings ‖ ***~acher** [-aʃe] *vt* (1) harness ‖ ***~ais** *m* harness.

*harp|e [arp] *f* harp ; *jouer de la ~*, play the harp ‖ ***~iste** *n* harper, harpist.

*harp|on [arpɔ̃] m [pêche à la baleine] harpoon || Sp. spear ; *pêche au ~,* spear-fishing || ***—onner** [-ɔne] vt (1) harpoon.

*hasar|d [azar] m chance, luck ; *jeu de ~,* game of chance ; *rencontre de ~,* chance meeting ● loc adv **au ~,** at random, *un heureux ~,* a stroke of luck haphazardly ; aimlessly (sans but) ; *au ~ de mes lectures,* in my desultory reading ; *par ~,* by chance, accidentally ; *j'étais là par ~,* I chanced to be there ; *comme par ~,* as it happens ; *à tout ~,* just in case, on the off-chance ; on spec (coll.) || ***—der** [-de] vt (1) risk || venture, hazard (remarque) — vpr **se ~,** venture (à, to) || ***—deux, euse** [-dø, øz] adj hazardous, risky, wildcat (entreprise).

*hase [ɑz] f doe-hare ;

*hâte [ɑt] f haste, hurry ; *avoir ~ de faire qqch,* be eager/anxious to do sth ● loc adv **à la ~,** hastily, hurriedly ; *en ~,* hurriedly, in haste ; *en toute ~,* posthaste, with all possible speed || ***—er** vt (1) hasten, speed up (accélérer) ; *~ le pas,* quicken one's pace — vpr **se ~,** hasten, make haste, hurry ; *se ~ de faire qqch,* hasten/make haste to do sth || ***—if, ive** adj hasty, hurried || early (fruits).

*hauban [obɑ̃] m guy (de tente) || Naut. Pl shrouds.

*hauss|e [os] f [prix, coût de la vie] rise, U.S. hike ; *~ de salaire,* pay rise, U.S. raise || ***—ement** m *~ d'épaules,* shrug || ***—er** vt (1) raise || *~ les épaules,* shrug (one's shoulders) ; *~ la voix,* raise one's voice — vpr **se ~,** raise oneself ; *se ~ sur la pointe des pieds,* stand on tiptoe.

*haut, e [o, ot] adj high ; *~ de 6 pieds,* 6 feet high/tall || tall (arbre) || *la ~ e bourgeoisie,* the upper middle class ; *le plus ~,* uppermost || lofty (montagne, tour) || loud (voix) || *lire à voix ~e,* read aloud/out || Naut. *marée ~e,* high tide ; *en ~e mer,* on

the high seas || Fig. *avoir une ~e opinion de qqn,* think highly of sb ● adv high || loud ; *tout ~,* loudly, in a loud voice (parler) || *les mains !,* hands up ! || Fig., high, top-ranking ● m height ; *avoir 6 pieds de ~,* be 6 feet in height ; head (d'un escalier, d'une table) ; *vers le ~,* up, upward(s) ; *les ~s les bas,* the ups and downs || Comm. this side up (sur une caisse) ● loc adv **en ~,** at the top, upstairs, overhead ; *de ~ en bas,* from top to bottom ● loc prép **au ~ de,** at the top of ; *du ~ de,* from the top of.

*hautain, e [otɛ̃, ɛn] adj haughty, lofty.

*hautbois [obwa] m oboe.

*haut-de-forme [odfɔrm] m top hat.

*haute fidélité f Rad. high fidelity, hi-fi.

*hauteur [otœr] f height ; *quelle est la ~ de... ?,* how high is... ? ; *avoir 5 mètres de ~,* be 5 meters high || [voix] pitch || Av. *prendre de la ~,* climb || Fig. *à la ~ de,* level with ; *être à la ~ de la situation,* be equal to the situation ; *se montrer à la ~,* rise to the occasion.

*haut|-fond [ofɔ̃] m shoal, shallow(-water) || ***—-le-cœur** m inv qualm ; *avoir des ~,* retch || ***—-parleur** m loud-speaker.

*havane [avan] adj tan (couleur).

*hayon [ɛjɔ̃] m Aut. tailboard, U.S. tailgate.

hé ! [e] interj hey ! ; *~, là-bas !,* hullo you !

hebdomadaire [ɛbdɔmadɛr] adj/m weekly.

héberg|ement [ebɛrʒəmɑ̃] m lodging, housing ; accommodation || ***—er** vt (7) lodge ; put up, accommodate (amis) ; house (réfugiés).

hébét|é, e [ebete] adj dazed, in a daze || **—er** vt (5) daze, stupefy || **—ement** m, **—ude** f daze, stupor.

hébr|eu, eux [ebrø], **aïque** [-aik] *adj* Hebrew ● *m* [langue] Hebrew.

hécatombe [ekatɔ̃b] *f* hecatomb.

hégémonie [eʒemɔni] *f* hegemony.

*hein ? [ɛ̃] *interj* eh ?, what ? ; ok ?

hélas ! [elɑs] *interj* unfortunately ‖ alas !

héli|ce [elis] *f* NAUT., AV. screw, propeller ‖ **~co** [-ko] *m* AV., FAM. copter (coll.) ‖ **~coptère** [-kɔptɛr] *m* helicopter ‖ **~port** *m* heliport ‖ **~porté** [-pɔrte] *adj* heliborne ‖ **~porter** *vt* (1) helilift.

hellén|ique [ellenik] *adj* Hellen(ist)ic ‖ **~iste** *n* hellenist.

helvétique [elvetik] *adj* Confédéra-tion ~, Helvetic Confederacy.

hémisphère [emisfɛr] *m* hemi-sphere.

hém|ophile [emɔfil] *adj/n* hemo-philiac ‖ **~orragie** [ɔraʒi] *f* haem-orrhage, bleeding ‖ **~orroïdes** [-ɔrɔid] *fpl* piles.

*henn|ir [enir] *vi* (2) neigh, whinny ‖ ***~issement** *m* neigh, whinny.

herbage [ɛrbaʒ] *m* grassland, pas-ture.

herb|e [ɛrb] *f* grass ; *mauvaise ~,* weed ‖ MÉD. ~ *médicinale,* herb ‖ CULIN. herbs ; *fines ~s,* fines herbes ‖ FIG. *en ~,* budding, *couper l' ~ sous le pied à qqn,* queer sb's pitch ‖ **~eux, euse** *adj* grassy ‖ **~icide** [-isid] *m* weed-killer ‖ **~ier** *m* herbarium ‖ **~oriser** [-ɔrize] *vt* (1) botanize ‖ **~oriste** [-ɔrist] *n* herbalist.

herculéen, enne [ɛrkyleɛ̃, ɛn] *adj* herculean.

hérédit|aire [ereditɛr] *adj* heredi-tary ‖ **~é** *f* heredity.

héré|sie [erezi] *f* heresy ‖ **~tique** *adj* heretic(al) ● *n* heretic.

*hériss|é, e [erise] *adj* bristling ; ~ *de pointes/piquants,* spiky ‖ FIG. ~ *de difficultés,* bristling with difficulties ‖ ***~er** *vt* (1) bristle up, ruffle — *vpr* *se* ~, [cheveux] stand on end ;

[plumes] bristle (up) ‖ ***~on** *m* hedgehog.

hérit|age [eritaʒ] *m* inheritance, heritage, legacy ; heirloom (souvenir de famille) ; *en* ~, by inheritance ; *faire un* ~, inherit, come into a legacy/an inheritance ‖ **~er** *vi/vt* *(ind.)* [1] inherit ; ~ *(de) qqch,* inherit sth. ; ~ *d'une fortune,* come into a for-tune ; ~ *de qqn,* inherit sb's property ‖ **~ier** *m* heir ‖ **~ière** *f* heiress.

hermétique [ɛrmetik] *adj* air-tight ‖ **~ment** *adv* tight(ly).

hermine [ɛrmin] *f* stoat (animal) ‖ ermine (fourrure).

héroïne¹ [erɔin] *f* heroin (drogue).

héro|ïne² *f* heroine (femme) ‖ **~ïque** *adj* heroic ‖ **~ïsme** *m* heroism.

*héron [erɔ̃] *m* heron.

*héros [ero] *m* hero.

*hers|e [ɛrs] *f* harrow ‖ ***~er** *vt* (1) harrow.

hésit|ant, e [ezitɑ̃, ɑ̃t] *adj* hesitant, undecided, wavering (personne) ; fal-tering (pas, voix) ‖ **~ation** *f* hesi-tation, wavering ; *sans* ~, *unhesitat-ingly* ‖ **~er** *vi* (1) hesitate (*à faire,* to do) ; waver (*entre,* between) ; *sans* ~, without hesitating ‖ hang back (rester en arrière) ‖ falter (en parlant).

hétéro|clite [eterɔklit] *adj* ill-as-sorted, of all sorts (objets) ; confused, jumbled (mélange) ; motley (péj.) ‖ **~gène** [-ʒɛn] *adj* heterogeneous.

*hêtre [etr] *m* beech.

heure [œr] *f* hour (soixante mi-nutes) ; *vingt-quatre ~s sur vingt-quatre,* round-the-clock ‖ time (au cadran) ; *quelle* ~ *est-il ?,* what time is it ? ; *deux ~s dix,* ten past two ; *il est dix ~s moins cinq,* it is five to ten ; *à 2 ~s,* at 2 o'clock ‖ ~ *d'été,* summer time, daylight-saving time ; ~ *normale,* standard time ‖ *à l' ~,* on time/schedule ; *à l' ~ dite,* at the appointed time ; *à l'~ juste,* on the hour ; *à l'~ pile,* on the dot (fam.) ; *à chaque ~,* on every hour ; *à toute ~,* at any time, at all hours ; *toutes les ~s,* hourly || [période] ~*s de bureau,* office hours ; ~ *d'affluence,* rush hour ; ~ *de pointe,* peak period || ~*s creuses,* slack hours, off-peak periods || [travail] ~*s supplémentaires,* over-time ; *payé à l'~,* paid by the hour || Mil. ~ *H,* zero hour || Comm. *en dehors des* ~*s ouvrables,* out of hours ● *loc adv* **tout à l'~,** a short while ago (passé) ; presently (futur) ; *à tout à l'~,* see you later ; *à l'~ actuelle,* at the present time, U.S. presently || *de bonne ~,* early || *attendre qqn d'une ~ à l'autre,* expect sb hourly.

heur|eusement [œrøzmã] *adv* luckily, fortunately (par bonheur) || Fig. happily (judicieusement) || ~**eux, euse** *adj* happy ● glad, pleased (satisfait) || lucky, fortunate (chanceux) || successful (réussi).

*heur|t [œr] *m* collision, bump ; *sans* ~*s,* smooth(ly) || *~**ter** [œrte] *vt* (1) hit, strike, knock ; bump against ; ram (against) [violemment] || Naut. strike || Fig. upset— *vpr se* ~, collide (with each other) ; clash (*contre,* against/into) ; bang (*contre,* against) ; stumble (*contre,* against) || Aut. collide || Fig. [idées] clash || ~**toir** [-twar] *m* knocker.

hexagone [ɛgzagɔn] *m* hexagon.

hiatus [jatys] *m* hiatus.

hibernation [ibɛrnasjɔ̃] *f* hibernation || || ~**er** *vi* (1) hibernate.

*hibou, oux [ibu] *m* owl.

*hic [ik] *m le* ~ *c'est que,* the snag/trouble is that.

*hideux, euse [idø, øz] *adj* hideous.

hier [jɛr] *adv* yesterday ; ~ *matin,* yesterday morning ; ~ *soir,* last night, yesterday evening.

*hiérarch|ie [jerarʃi] *f* hierarchy || *~**ique** *adj* hierarchical ; *ordre* ~,

pecking order (fam.) ; *par la voie* ~, through official channels.

hilar|ant, e [ilarã, ãt] *adj* hilarious || Ch. laughing (gaz) || ~**e** *adj* merry (personne) ; hilarious (public) || ~**ité** *f déclencher l'* ~ *générale,* raise a general laugh.

hindou, e [ɛ̃du] *adj/n* Rel. Hindu.

*hippie [ipi] *adj/n* hippie.

hippique [ipik] *adj* hippic ; *concours* ~, horse-show.

hippo|campe [ipɔkãp] *m* sea-horse || ~**drome** [-drom] *m* race-course || ~**potame** [-pɔtam] *m* hippopotamus.

hirondelle [irɔ̃dɛl] *f* swallow.

hirsute [irsyt] *adj* hairy, hirsute (personne) ; shaggy (barbe) ; unkempt (cheveux).

*hisser [ise] *vt* (1) hoist, haul/pull up — *vpr se* ~, have oneself up.

hist|oire [istwar] *f* history (d'un pays) ; *livre d'* ~, history book || ~ *naturelle,* natural history || ~ *sainte,* Biblical history || story (conte) ; *raconter une* ~, spin a yarn (coll.) ; ~ *à dormir debout,* cock and bull story ; ~ *de fou,* shaggy dog story ; ~ *incroyable,* tall story || trouble (ennui) ; *sale* ~, nasty business || [embarras] fuss ; *faire des* ~*s,* make a fuss ; *faire toute une* ~, kick up a hullabaloo || Fam. ~*s,* just for/to || ~**orien, ienne** [-ɔrjɛ̃, jɛn] *adj* historian || ~**orique** [-ɔrik] *adj* historic(al) ● *m faire l'* ~ *de,* make a review of.

hit parade [itparad] *m* ~ *des 45 tours,* top forty ; *en tête du* ~, at the top of the charts.

hiver [ivɛr] *m* winter ; *d'* ~, winter (journée, vêtements) ; wintry (temps) ; *préparer (une maison) pour l'* ~, winterize (a house) || Sp. *sports d'* ~, winter sports ; *station de sports d'* ~, winter resort || ~**nal, e, aux** [-nal, o] *adj* winter ; wintry || ~**ner** [-ne] *vi* (1) winter || Mil. go into winter quarters.

*hocher [ɔʃe] vt (1) — *la tête*, shake nod one's head (négativement/affirmativement) ‖ *~**et** [-ɛ] m rattle.

*hockey [ɔkɛ] m hockey; ~ *sur glace*, ice-hockey.

*holà [ɔla] m mettre le holà, put a stop (à, to).

*hold-up [ɔldœp]; m inv raid (d'une banque); hold-up (d'un train).

*hollandais, e [ɔlɑ̃dɛ, ɛz] adj Dutch.

*Hollandais, e n Dutchman, woman ‖ *~**e** f Holland.

*hollande m [fromage] Dutch cheese.

holo|causte [ɔlɔkost] m holocaust ‖ Fig. sacrifice ‖ ~**gramme** m hologram.

*homard [ɔmar] m lobster.

homéopa|the [ɔmeɔpat] n homeopath(ist) ‖ ~**thie** [-ti] f homeopathy ‖ ~**thique** adj homeopathic.

homicide [ɔmisid] m homicide; ~ *volontaire*, murder; ~ *involontaire*, manslaughter.

hommage [ɔmaʒ] m rendre ~ à qqn, pay homage/tribute to sb ‖ Pl compliments, respects; présenter ses ~s, pay one's respects.

homasse [ɔmas] adj mannish.

homme [ɔm] m man; jeune ~, young man, youth, lad ; ~ *d'affaires*, businessman ; ~ *d'État*, statesman ; ~ *du monde*, society man ; l'~ *de la rue*, the man in the street ; ~ *à tout faire*, odd-job man ‖ Mil. ~ *de troupe*, private ‖ Naut. ~ *de barre*, helmsman ‖ Av. ~ **volant**, skydiver ‖ ~-**grenouille** m frogman.

homo [ɔmo] adj/m Fam. gay (coll.).

homo|gène [ɔmɔʒɛn] adj homogeneous ‖ ~**généiser** [-ʒeneize] vt (1) homogenize ‖ ~**généité** [-ʒeneite] f homogeneity ‖ ~**logue** [-lɔg] m counterpart, opposite number ‖ ~**loguer** [-lɔge] vt (1) recognize (un record) ‖ ~**nyme** [-nim] adj/m hom-

onym(ous) ‖ [personne] namesake ‖ ~-**sexuel, elle** adj/n homosexual.

*Hongr|ie [ɔ̃gri] f Hungary ‖ *~**ois, e** [-wa, waz] n Hungarian.

*hongrois, e adj Hungarian ● m [langue] Hungarian.

honnête [ɔnɛt] adj honest (personne); decent (attitude, procédé) ‖ ~**ment** adv honestly; decently, fairly ‖ ~**té** f honesty, uprightness ‖ fairness (loyauté).

honneur [ɔnœr] m honour; donner sa parole d'~, give one's word of honour ; **faire ~ à**, honour (ses engagements); do justice to (un repas); be an honour to (son pays); faire ~ à qqn, do sb credit ; faire à qqn l'~ de, do sb the honour of ; j'ai l'~ de demander, I beg to ask ; **président d'~**, honorary president ‖ [mérite] credit ; c'est tout à son ~, it is much to his/her credit ‖ Pl honours ; faire les ~s, do the honours ; derniers ~s, last honours ; [cartes] honours ‖ Mil. rendre les ~s, present arms ‖ Comm. faire ~ à, honour/meet (une traite, un chèque) ● loc prép en l'~ de, in honour of.

honor|abilité [ɔnɔrabilite] f respectability ‖ ~**able** adj honourable, respectable, reputable (personne); creditable (action); peu ~, disreputable ‖ ~**ablement** adv honourably ; creditably ; ~ connu, of good reputation ‖ ~**aire** adj honorary ● mpl fee(s) [de médecin, d'avocat] ‖ ~**er** vt (1) honour ‖ be a credit to ‖ Comm., Fin. meet, honour (chèque, etc.) ‖ ~**ifique** [-fik] adj honorary.

*hont|e [ɔ̃t] f [humiliation] shame, disgrace ‖ [confusion] shame ; **avoir ~ de**, be ashamed of, feel shame at ; faire ~ à qqn, shame sb, put sb to shame ; **quelle ~ !**, shame on you ! ; sans ~, shamelessly ‖ ~**eux, euse** adj [déshonorant] shameful, disgraceful ; c'est ~ !, it's a disgrace ! ‖ [confus] ashamed (de, of); shamefaced (timide); se sentir ~, feel cheap.

hôpital [ɔpital] *m* hospital ; *sortir de l'~*, be discharged from hospital.

***hoqu|et** [ɔkɛ] *m* hiccup ; *avoir le ~*, have the hiccups ‖ gasp (de douleur) ‖ * ~eter** [-te] *vi* (1) hiccup.

horaire [ɔrɛr] *adj* hourly ● *m* [travail] *~ à la carte*, flexitime ; *il a des ~s souples*, he works flexitime ‖ RAIL. time-table, U.S. schedule.

***horde** [ɔrd] *f* horde.

horizon [ɔrizɔ̃] *m* : horizon ; *ligne d'~*, skyline ; *à l'~*, on the horizon ‖ FIG. horizon ‖ **~tal, e, aux** [-tal, o] *adj* horizontal ; level ‖ **~talement** [-talmɑ̃] *adv* horizontally.

horlog|e [ɔrlɔʒ] *f* clock ; *~ parlante*, speaking clock ‖ **~er, ère** *n* clock-maker, watch-maker ‖ **~erie** *f* clock-making ; *mouvement d'~*, clockwork.

hormis [ɔrmi] *prép* except, but, save.

hormone [ɔrmɔn] *f* hormone.

horr|eur [ɔrrœr] *f* horror ; *avoir ~ de*, hate, detest, loathe ; *faire ~*, disgust ‖ FAM. eyesore (chose hideuse) ‖ **~ible** *adj* ghastly, horrible, horrid ; *un ~ bonhomme*, a nasty man ‖ **~ifier** [-ifje] *vt* (1) horrify.

horripil|ant, e [ɔripilɑ̃, ɑ̃t] *adj* exasperating ‖ **~er** *vt* (1) exasperate.

***hors** [ɔr] *prép* outside ; *~ jeu*, off-side ‖ *~ ligne*, exceptional ; *~ pair*, matchless ; *mettre ~ la loi*, outlaw ● *loc prép ~ de*, out of ; *~ d'atteinte/de portée*, out of/beyond reach ; *~ de combat*, disabled ; *~ de danger*, out of danger ; *~ de doute*, beyond doubt ; *~ de prix*, exorbitant ; *~ de propos*, beside the mark/point ; *~ de soi*, beside oneself ‖ * ~-bord** *adj* outboard (moteur) ● *m inv* speed-boat (bateau) ‖ * ~-d'œuvre** *m inv* hors-d'œuvre ; starter (coll.) ‖ * ~-jeu** *m inv* être ~, be offside (football), be out of play (tennis) ‖ * ~-la-loi** *m inv* outlaw ‖ *~ pair** *adj* matchless ‖ **~-piste(s)** *adj/adv* (ski) off-piste ‖ **~ taxe** *adj* tax-/duty-free.

horticult|eur, trice [ɔrtikyltœr,

tris] *n* horticulturist ‖ **~ure** *f* horticulture.

hospi|ce [ɔspis] *m* hospital, home ‖ **~talier, ière** [-talje, jɛr] *adj* hospitable (personne) ‖ hospital (personnel, etc.) ‖ **~taliser** *vt* (1) hospitalize, send to hospital ‖ **~talité** [-talite] *f* hospitality.

hostie [ɔsti] *f* wafer, host.

hostil|e [ɔstil] *adj* hostile ; unfriendly (action) ; *~ à*, opposed to ‖ **~ité** *f* hostility (*à l'égard de*, towards) ‖ MIL. *Pl* hostilities.

hôte, esse [ot, ɛs] *n* host (qui reçoit) ; guest (invité) ; ● *payant*, paying guest ‖ → HÔTESSE.

hôt|el *m* hotel ; *à l'~*, at/in a hotel ; *aller/descendre à l'~*, put up at a hotel ‖ *~ particulier*, town house, mansion ; *~ de ville*, town hall ‖ **~elier, ière** [-əlje, jɛr] *adj* hotel ● *n* hotelier, hotel keeper.

hôtesse *f* hostess ‖ [accueil] receptionist ‖ [tourisme] escort ‖ AV. *~ de l'air*, air-hostess.

***houblon** [ublɔ̃] *m* hop(s).

***houille** [uj] *f* coal ; *~ blanche*, white coal, water-power ‖ * ~er, ère** *adj bassin ~*, coal field ● *f* colliery, coalmine.

***houle** [ul] *f* swell, roll, surge ? ‖ * ~eux, euse** [ulø, øz] *adj* rough (mer) ‖ FIG. stormy (réunion).

***houpp|e** [up] *f* tuft (de cheveux) ‖ **~ette** *f* powder-puff.

***hourra** [ura] *exclam ~ !*, hurrah ! ; *pousser des ~s*, cheer.

***houspiller** [uspije] *vt* (1) chide (gronder) ; rate (réprimander).

***housse** [us] *f* cover (de couette) ; slip-cover (à meubles) ; garment-bag (à habits).

***houx** [u] *m* : holly.

***hublot** [yblo] *m* porthole.

***hu|ées** [ye] *fpl* boos, hoots ‖ TH. catcalls ‖ FIG. outcry (protestations) ‖ **~er** *vt* (1) boo, hoot, shout down.

huil|e [ɥil] *f* oil ; ~ *de table,* salad oil ; ~ *d'olive,* olive oil ; ~ *de ricin,* castor oil ‖ Méd. ~ *de foie de morue,* cod-liver oil ‖ Techn. ~ *de graissage,* lubricating oil ‖ *d'*~, glassy, smooth (mer) ‖ Arts oil-painting ; *à l'*~, in oils ‖ Fig. *jeter de l'*~ *sur le feu,* add fuel to the fire ‖ Fam. ~ *de coude,* elbow-grease ; bigwig (coll.) (personnalité) ‖ **~er** *vt* (1) oil ‖ **~eux, euse** *adj* oily ‖ **~ier** *m* (oil-)cruet.

huissier [ɥisje] *m* [administration] usher ‖ Jur. bailiff.

*huit [ɥit ; ɥi devant consonne] *adj* eight ; *dans* ~ *jours,* (with)in a week ; *d'aujourd'hui en* ~, today week, a week today ‖ ***~aine** [-ɛn] *f* eight or so, about eight ; *dans une* ~, in a week or so ‖ ***~ième** [-jɛm] *adj/n* eighth.

huître [ɥitr] *f* oyster ; *banc d'*~s, oyster-bed ; *parc à* ~s, oyster-farm.

*hulul|ement [ylylmã] *m* hooting, screeching ‖ **~(er)** [-le] *vi ;* (1) hoot, screech.

hum|ain, e [ymɛ̃, ɛn] *adj* human ; *genre* ~, mankind ‖ humane, kind (compatissant) ‖ **~anisme** [ymanism] *m* humanism ‖ **~aniste** *adj/n* humanist ‖ **~anitaire** [-anitɛr] *adj* humanitarian ‖ **~anité** [-anite] *f* mankind, humanity (genre humain) ‖ humaneness (sentiments).

humble [œ̃bl] *adj* humble ‖ **~ment** [-əmã] *adv* humbly.

humecter [ymɛkte] *vt* (1) damp(en), moisten.

humeur [ymœr] *f* [tempérament] temper ; *égalité d'*~, equanimity ‖ [disposition] mood, humour ; *d'*~ *changeante,* moody ; *de bonne* ~, in a good humour/mood ; *de mauvaise* ~, in a bad mood, out of humour, moody, cross.

humid|e [ymid] *adj* wet (mouillé) ; humid (chaud) ; damp, raw (froid) ; dank (cave) ‖ **~ificateur** [-ifikatœr] *m* humidifier ‖ **~ifier** [-ifje] *vt* (1) humidify ‖ **~ité** *f* humidity ; damp(ness) ; moisture (de l'air).

humil|iant, e [ymiljã, ãt] *adj* humiliating ‖ **~iation** [-jasjɔ̃] *f* humiliation, abasement ‖ **~ier** *vt* (1) humiliate, abase — *vpr s'*~, humble oneself ‖ **~ité** *f* humility, humbleness.

hum|oriste [ymɔrist] *m* humorist ‖ **~oristique** [-ɔristik] *adj* humorous ‖ **~our** [-ur] *m* humour ; *avoir de l'*~, have a sense of humour ; *manquer d'*~, have no sense of humour ; ~ *noir,* sick humour.

*hune [yn] *f* Naut. top.

*huppe [yp] *f* crest, tuft (d'oiseau).

*hurl|ement [yrləmã] *m* howl(ing) [d'un animal, du vent] ; yell, scream (de douleur) ; roar (de colère) ‖ ***~er** *vi* (1) [chien, loup, vent] howl ; [cochon] squeal ; roar (de colère) ; yell (de douleur) ; scream (de peur).

*hutte [yt] *f* hut, shack.

hybride [ibrid] *adj* hybrid ● *m* hybrid, mongrel (animal, plante).

hydratant, e [idratã, ãt] *adj* mosturizing (crème).

hydr|aulique [idrolik] *adj* hydraulic ‖ **~avion** [-avjɔ̃] *m* seaplane.

hydro|-électrique [idroelɛktrik] *adj* hydroelectric ‖ **~gène** [-ʒɛn] *m* hydrogen ‖ **~glisseur** *m* hydroplane ‖ **~phile** [-fil] *adj coton* ~, absorbent cotton.

hydroptère [idrɔptɛr] *m* hydrofoil.

hyène [jɛn] *f* hyena.

hygi|ène [iʒjɛn] *f* hygiene, sanitation ‖ **~énique** [-enik] *adj* hygienic, sanitary ; *papier* ~, toilet-paper.

hymne [imn] *m* hymn ; ~ *national,* national anthem.

hyper... [iper] *préf* hyper..., ultra...

hyper|bole [iperbɔl] *f* [rhétorique] overstatement ‖ Math. hyperbola ‖ **~marché** *m* hypermarket ‖ **~métrope** [-metrɔp] *adj* longsighted ‖ **~tension** *f* hypertension ‖ **~trophie** [-trɔfi] *f* hypertrophy.

hypn|ose [ipnoz] *f* hypnosis ‖ **~otique** [-ɔtik] *adj* hypnotic ‖

~otiser [-ɔtize] vt (1) hypnotise, mesmerize ‖ **~otisme** [-ɔtism] m hypnotism, mesmerism.

hypocr|isie [ipɔkrizi] f hypocrisy ‖ **~ite** [-it] adj hypocritical, insincere ● n hypocrite.

hypo|dermique [ipɔdermik] adj hypodermic ‖ **~glycémie** f hypoglycaemia ‖ **~ténuse** [-tenyz] f

hypotenuse ‖ **~thèque** [-tɛk] f mortgage ‖ **~théquer** [-teke] vt (1) mortgage ‖ **~thèse** [-tɛz] f hypothesis ; guesswork ‖ assumption ; dans l'~ où, on the assumption that ‖ **~thétique** [-tetik] adj hypothetic(al) ‖ doubtful, uncertain.

hystér|ie [isteri] f hysteria ‖ **~ique** adj hysterical.

I

i [i] m i ‖ FIG. mettre les points sur les « i », dot one's i's and cross one's t's.

iceberg [isberg] m iceberg.

ici [isi] adv here ; d'~, from here ; par ~, this way (direction), about/around here (proximité) ‖ les gens d'~, the locals (coll.) ; ~ et là, here and there ‖ [temps] jusqu'~, until now, up to now ; d'~ peu, before long ; d'~ là, in the meantime ; d'~ la fin de la semaine, by the end of the week ; d'~ samedi, before next Saturday ‖ TÉL. X, X speaking, this is X ‖ **~-bas** loc adv here below, in this world.

idéal, e, als ou **aux** [ideal, o] adj/m ideal ‖ **~iser** vt (1) idealize ‖ **~isme** m idealism ‖ **~iste** adj idealistic ● n idealist.

idée [ide] f idea, notion ; je n'en ai pas la moindre ~, I haven't the faintest/slightest idea ; I have no inkling (que, that) ; l'~ lui vint que..., it occured to him that ; ~s directrices,

guidelines ; ~ fixe, obsession ; avoir une ~ fixe, have a bee in one's bonnet ; ~ lumineuse, brain-wave ; ~ préconçue, preconception ; quelle ~ l, what an idea ! ‖ hint (suggestion) ; ‖ opinion, view (opinion) ‖ Pl views, outlook ; partager les ~s de qqn, meet sb's views ‖ FIG. avoir des ~ noires, have the blues (coll.).

idem [idem] adv idem, ditto.

ident|ification [idɑ̃tifikasjɔ̃] f identification ‖ **~ifier** [-ifje] vt (1) identify, recognize (qqn) ‖ **~ique** adj identical (à, with) ; same ‖ **~ité** f identity ; carte d'~, identity card.

idéologie [ideɔlɔʒi] f ideology.

idiom|atique [idjɔmatik] adj idiomatic ‖ **~e** [idjom] m idiom.

idiot, e [idjo, ɔt] adj idiotic, stupid ● n idiot, blockhead ; faire l'~, play the fool ‖ **~ie** [-si] f stupid thing to do/say.

idiotisme [idjɔtism] m idiom.

idolâtrer [idolɑtre] vt (1) idolize.

idole [idɔl] idol || FAM. darling.

if [if] *m* yew(-tree).

ignare [iɲar] *adj/n* ignorant.

ignifug|é, e [igni- ou iɲifyʒe] *adj* fire-proof/(ed) || **~er** [-fyʒe] *vt* (7) fireproof.

ign|oble [iɲɔbl] *adj* ignoble, disgusting (action) ; base, vile (personne) || **~ominie** [-ɔmini] *f* ignominy || **~ominieux, ieuse** [-ɔminjø, jøz] *adj* ignominious.

ignor|ance [iɲɔrɑ̃s] *f* ignorance ; *par ~*, out of ignorance || **~ant, e** *adj* ignorant, uneducated || **~ de**, unaware of || **~er** *vt* (1) be ignorant of ; know nothing about, not do know ; *je n'ignore pas que*, I am not unaware that || [indifférence] ignore (qqn).

il, ils [il] *pron* he (*m*) ; it (neutre) || [impers.] it || *Pl* they.

île [il] *f* island, isle || *îles Britanniques*, British Isles.

il|légal, e, aux [illegal, o] *adj* illegal, unlawful || **~légalement** *adv* illegally || **~légalité** *f* illegality || **~légitime** *adj* illegitimate || born out of wedlock, illegitimate (enfant) || **~lettré, e** *adj/n* illiterate || **~licite** *adj* illicit, unlawful || **~limité, e** *adj* boundless, unlimited || **~lisible** *adj* illegible (écriture) ; unreadable (roman) || **~logique** *adj* illogical.

illumin|ation [illyminasjɔ̃] *f* lighting, illumination ; *Pl* lights || **~é, e** *adj* lit up || **~er** *vt* (1) illuminate, light up, floodlight (édifice) — *vpr* s'~, light up.

illus|ion [illyzjɔ̃] *f* illusion (de la vue) ; *~ d'optique*, optical illusion || FIG. delusion ; *se faire des ~s*, delude oneself || **~ionnisme** *m* conjuring || **~ionniste** [-ɔnist] *m* conjurer || **~oire** *adj* illusory, illusive, delusive.

illustr|ateur, trice [illystratœr, tris] *n* illustrator || **~ation** *f* illustration || **~e** *adj* glorious, famous || **~é, e** *adj* illustrated, pictorial ● *m* [journal] comic || **~er** *vt* (1) illustrate

— *vpr* s'~, become famous (dans/ par, through).

îlot [ilo] *m* islet || [maisons] block.

image [imaʒ] *f* picture ; *en ~s*, pictorial || POL. *~ de marque*, public image || FIG. image || FAM. *c'est l'~ de son père*, he is a chip off the old block || LIT. image.

imagin|able [imaʒinabl] *adj* imaginable || **~aire** *adj* imaginary ; fictitious ; *monde ~*, world of make-believe || **~atif, ive** *adj* imaginative || **~ation** *f* imagination || fancy (fantaisie) ; fantasy (chimérique) ; *à bout d'~*, at one's wit's end || **~é, e** *adj* full of imagery || **~er** *vt* (1) imagine, fancy || [inventer] think up, design ; contrive (un plan, un procédé) — *vpr* s'~, fancy, imagine ; picture (oneself) ; s'~ que, think that (croire que).

imbattable [ɛ̃batabl] *adj* invincible.

imbécile [ɛ̃besil] *adj* stupid, idiotic ● *n* idiot, fool, imbecile || blockhead (coll.) ; *faire l'~*, act the fool.

imberbe [ɛ̃bɛrb] *adj* beardless.

im|biber [ɛ̃bibe] *vt* (1) soak, moisten || **~briquer (s')** [sɛ̃brike] *vpr* (1) be linked/intertwoven.

imbu, e [ɛ̃by] *adj* ~ de, imbued with.

imbuvable [ɛ̃byvabl] *adj* undrinkable || FIG., FAM. awful.

imit|ateur, trice [imitatœr, tris] *n* imitator || **~ation** *f* imitation, fake || copy (reproduction) ; sham (faux) || TH. impersonation ● *loc adv* à l'~ de, in imitation of ; d'~, imitation || **~er** *vt* (1) imitate, copy (copier) ; mimic (mimer) ; impersonate (personne) ; take off (la voix).

immaculé, e [immakyle] *adj* immaculate, spotless, stainless.

immangeable [ɛ̃mɑ̃ʒabl] *adj* uneatable, inedible.

immanquablement [ɛ̃mɑ̃kabləmɑ̃] *adv* inevitably, consistently.

immatériel, elle [immaterjɛl] *adj* immaterial, insubstantial ; bodiless.

immatricul|ation [immatrikylasjɔ̃] *f* registration ‖ AUT. *plaque d'~*, number-plate ‖ ~**er** *vt* (1) register.

immature [i](m)matyr] *adj* immature.

immédia|t, e [immedja, at] *adj* immediate ‖ off-hand (impromptu) ; instant (soulagement) ‖ direct (cause) ‖ ~**tement** [-tmã] *adv* immediately, at once, instantly, directly.

immémorial, e, aux [immemɔrjal, o] *adj* immemorial ; *de temps ~*, since time out of mind.

immense [immãs] *adj* immense, vast, huge ‖ ~**ément** [-emã] *adv* immensely, vastly ‖ ~**ité** *f* immensity, vastness.

immerg|é, e [immɛrʒe] *adj* submerged ‖ ~**er** *vt* (7) immerse.

immérité, e [immerite] *adj* undeserved.

immersion [immɛrsjɔ̃] *f* immersion.

immeuble [immœbl] *m* building ; block of flats (d'habitation) ; *~ de bureaux,* office-block ‖ *~-tour,* tower-block, high-rise ‖ JUR. real estate.

immigr|ant, e [immigrã, ãt] *adj/n* immigrant ‖ ~**ation** *f* immigration ‖ ~**é, e** *adj/n* immigrant ‖ ~**er** *vi* (1) immigrate (*en* into).

immin|ence [imminãs] *f* imminence ‖ ~**ent, e** *adj* imminent, impending, upcoming ‖ [désastre] *être* ~, be looming ahead.

immiscer (s') [simmise] *vpr* interfere, intrude (*dans,* with) ; butt/cut (*dans,* into) [une conversation].

im|mobile [immɔbil] *adj* motionless, immobile, still ; stationary (véhicule) ‖ ~**mobilier, ière** *adj* agent ~, estate agent, U.S. realtor ; *biens ~s,* real estate ‖ ~**mobilisation** *f* immobilization ‖ ~**mobiliser** *vt* (1) immobilize ; stop — *vpr s'~,* stop ; [véhicule] come to rest a standstill ‖ ~**mobilité** *f* immobility ‖ ~**mo-**

déré, e *adj* immoderate [boisson] intemperate ‖ ~**modérément** *adv* excessively.

immond|e [immɔ̃d] *adj* filthy ‖ FIG. foul ‖ ~**ices** [-is] *fpl* refuse, U.S. garbage.

immoral, e, aux [immɔral, o] *adj* immoral ‖ [sexe] loose, promiscuous ‖ ~**ement** *adv* immorally ; promiscuously ‖ ~**ité** *f* immorality.

immort|aliser [immɔrtalize] *vt* (1) immortalize ‖ ~**alité** *f* immortality ‖ ~**el, elle** *adj/n* immortal.

immuni|sé, e [immynize] *adj* MÉD. immune (*contre,* to) ‖ ~**ser** *vt* (1) immunize ‖ ~**té** *f* immunity.

impact [ɛ̃pakt] *m* impact (pr. et fig.).

im|pair, e [ɛ̃pɛr] *adj* odd, uneven ; → JOUR ● *m* blunder ; *commettre un ~*, commit a faux-pas, make a blunder ‖ ~**pardonnable** *adj* unforgivable, unpardonable ‖ ~**parfait, e** *adj* imperfect, faulty ‖ GRAMM. imperfect ‖ ~**parfaitement** *adv* imperfectly ‖ ~**partial, e, aux** *adj* impartial, unbiassed, unprejudiced (personne) ‖ ~**partialité** *f* impartiality.

impasse [ɛ̃pas] *f* cul-de-sac, dead end, blind alley ‖ [cartes] *faire une* ~, (make a) finesse ‖ FIG. deadlock, stalemate ; *dans une* ~, in a cleft stick ; *sortir d'une* ~, turn the corner.

impassible [ɛ̃pasibl] *adj* impassive ; *visage* ~, poker-face.

im|patience [ɛ̃pasjãs] *f* impatience (irritation) ‖ eagerness (manque de patience) ‖ ~**patient, e** *adj* impatient, eager, longing ; *être* ~ *de,* look forward to, be eager to ‖ ~**patienter (s')** *vpr* (1) grow/get impatient ‖ ~**payable** *adj* FIG. priceless, screamingly funny ‖ ~**payé, e** *adj* unpaid ‖ FIN. outstanding.

impeccable [ɛ̃pekabl] *adj* perfect, faultless (sans faute) ‖ immatriculate, spotless (propre).

impénitent, e [ɛ̃penitã, ãt] *adj* impenitent ; inveterate (fumeur).

impensable [ɛ̃pɑ̃sabl] *adj* unthinkable.

imper [ɛ̃pɛr] *m* FAM. mac.

impérat|if, ive [ɛ̃peratif, iv] *adj* imperative, urgent ‖ authoritative (ton) ● *m* GRAMM. imperative ‖ ~**ivement** *adv* imperatively.

impératrice [ɛ̃peratris] *f* empress.

imperceptible [ɛ̃pɛrsɛptibl] *adj* imperceptible ‖ ~**ment** *adv* imperceptibly.

imperfection [ɛ̃pɛrfɛksjɔ̃] *f* imperfection ‖ defect, fault, flaw, shortcoming (défaut).

impérial, e, aux [ɛ̃perjal, o] *adj* imperial.

impériale *f* AUT. upper deck; *autobus à* ~, double-decker.

impérial|isme *m* imperialism ‖ ~**iste** *n* imperialist ● *adj* imperialistic.

impérieux, euse [ɛ̃perjø, øz] *adj* imperious ‖ urgent, pressing (besoin).

impermé|abiliser [ɛ̃pɛrmeabilize] *vt* (1) waterproof ‖ ~**able** *adj* waterproof ‖ FIG. impervious (à, to) ● *m* waterproof, mack(intosh), raincoat.

im|personnel, elle [ɛ̃pɛrsɔnɛl] *adj* impersonal ‖ ~**pertinence** *f* impertinence ‖ ~**pertinent, e** *adj* impertinent, saucy.

imperturbable [ɛ̃pɛrtyrbabl] *adj* imperturbable ; unruffled.

impétu|eux, euse [ɛ̃petyø, øz] *adj* rushing (torrent); impetuous, rash (personne) ‖ ~**osité** [-ozite] *f* impetuosity.

impitoyable [ɛ̃pitwajabl] *adj* pitiless, merciless, ruthless.

implacable [ɛ̃plakabl] *adj* implacable, unrelenting, relentless (haine).

implanter [ɛ̃plɑ̃te] *vt* (1) MÉD. implant ‖ FIG. set up, establish — *vpr s'*~, take root.

implication [ɛ̃plikasjɔ̃] *f* implication.

implicite [ɛ̃plisit] *adj* implicit ‖ ~**ment** *adv* implicitly.

impliquer [ɛ̃plike] *vt* (1) involve, implicate, mix up (*dans,* in) ‖ imply (supposer); spell (entraîner).

implorer [ɛ̃plɔre] *vt* (1) implore, beseech entreat ; ~ *qqn de faire,* plead with sb to do.

imploser [ɛ̃ploze] *vi* (1) implode.

im|poli, e [ɛ̃pɔli] *adj* impolite, rude ‖ ~**politesse** *f* discourtesy, impoliteness, rudeness ‖ ~**populaire** *adj* unpopular.

import|ance [ɛ̃pɔrtɑ̃s] *f* importance ‖ consequence, significance ; *sans* ~, unimportant ; *dénué d'*~, insignificant ; *avoir de l'*~, be important, matter ; *ça n'a pas d'*~, it doesn't matter, that makes no difference ; *ne pas attacher d'*~, disregard ‖ (taille) size, amounte, extent (des dégâts) ‖ ~**ant, e** *adj* leading, significant, important (personne, question) ‖ outstanding, momentous (événement) ‖ material (faits) ‖ considerable, sizeable (somme) ‖ *peu* ~, unimportant, immaterial ‖ prominent (position, rôle) ● *m l'*~ *est de,* the main point/thing is to ‖ FAM. *faire l'*~, fuss, give oneself airs, talk big.

import|ateur, trice [ɛ̃pɔrtatœr, tris] *n* importer ‖ ~**ation** *f* COMM. import ‖ ~**er¹** *vt* (1) COMM. import.

importer² *v impers* (1) matter ; be of importance ; *il importe que,* it is important that ; *peu importe !,* never mind ! ; *peu importe/qu'importe (que),* what does it matter (if) ? ; *qu'importe que,* what though ! [nég.] *n'importe,* it doesn't matter !, no matter ! ● *loc adv n'importe comment,* anyway, anyhow ; *n'importe où,* anywhere ; *n'importe quand,* any time ● *adj indéf n'importe quel,* any ; *n'importe quel jour,* any day ; *à n'importe quel moment (que),* no matter when, whenever ● *pron indéf n'importe qui,* anybody ; *n'importe lequel,* anyone ; *n'importe quoi,* anything.

import|un, e [ɛ̃pɔrtœ̃, yn] *adj* intrusive, obtrusive (personne) ; troublesome, unwelcome (visiteur) ; *être* ~, intrude' || ~**uner** [-yne] *vt* (1) importune ; bother, disturb.

imposable [ɛ̃pozabl] *adj* taxable.

impos|ant, e [ɛ̃pozã, ãt] *adj* imposing, impressive (cérémonie) ; commanding (figure) ; stately, proud (majestueux) ; towering (élevé) || ~**é, e** *adj* Comm. fixed (prix) || Fin. taxed (revenu) || ~**er¹**, *vt* (1) tax || Comm. fix (un prix) || ~**ition** *f* Fin. taxation.

impos|er² *vt* (1) impose, lay down (règle) || lay down (une règle) ; ~ *des conditions,* dictate terms || enforce (l'obéissance) ; prescribe, set (une tâche) ; compel (le respect) — *vi en* ~ *à,* impress — *vpr s'*~, assert oneself || [action] be essential/imperative ; *s'*~ *une tâche,* set oneself a task || *s'*~ *à,* impose oneself (par sa présence).

impossi|bilité [ɛ̃pɔsibilite] *f* impossibility || ~**ble** *adj* impossible (*de*, to) ; *il m'est* ~ *de le faire,* can't possibly do it ; ~ *de savoir,* there is no knowing ● *m faire l'*~, do all one can, do one's utmost (*pour*, to).

impost|eur [ɛ̃pɔstœr] *m* impostor, fraud || ~**ure** *f* imposture, sham.

impôt [ɛ̃po] *m* tax ; ~ *sur la fortune,* wealth tax ; ~ *indirect,* excise ; ~*s locaux,* rates ; ~ *sur le revenu,* income-tax.

impotent, e [ɛ̃pɔtã, ãt] *adj* crippled, impotent ● *n* cripple.

im|praticable [ɛ̃pratikabl] *adj* impracticable (projet) || impassable (route) || ~**précision** *f* vagueness, indistinctness ; inaccuracy.

imprégner [ɛ̃preɲe] *vt* (1) impregnate ; permeate (through) || [liquide] soak || Fig. imbue (*de*, with) — *vpr s'*~ *de,* become impregnated/imbued with.

imprésario [ɛ̃presarjo] *m* manager, impresario, agent.

impressi|on [ɛ̃presjɔ̃] *f* impression ; *faire* ~, make an impression ; *avoir l'*~ *de,* seem to ; feel as if/though ; *avoir l'*~ *que,* be under the impression that, have a feeling that || Techn. prin(ting) ; *envoyer à l'*~, send to press || ~**onnable** [-ɔnabl] *adj* impressionable || ~**onnant, e** [-ɔnã, ãt] *adj* impressive ; striking, dramatic (scène) ; awe-inspiring || ~**onner** [-ɔne] *vt* (1) impress, strike, disturb (bouleverser) || Phot. expose (film) || ~**onnisme** *m* impressionism || ~**onniste** *n* impressionist ● *adj* impressionistic.

imprév|isible [ɛ̃previzibl] *adj* unforeseeable, unpredictable || ~**oyance** [-wajãs] *f* lack of foresight || [argent] improvidence || ~**oyant, e** [-wajã, ãt] *adj* lacking foresight ; improvident || ~**u, e** *adj* unforeseen, unexpected ● *m* unexpected event ; *sauf* ~, unless sth unexpected crops up, barring accidents.

imprimante [ɛ̃primãt] *f* Inf. line printer ; ~ *à laser,* laser printer.

imprim|é [ɛ̃prime] *m* print || *Pl* [poste] printed matter || ~**er** *vt* (1) print (un livre, une étoffe) ; impress, imprint (une empreinte), stamp (un dessin) || ~**erie** [-ri] *f* printing office || ~**eur** *m* printer.

improbable [ɛ̃prɔbabl] *adj* improbable, unlikely || ~**productif, ive** *adj* unproductive.

impromptu, e [ɛ̃prɔ̃pty] *adj/adv* impromptu (discours, repas) ; surprise (visite) ; extempore, off the cuff (coll.) [discours].

impropr|e [ɛ̃prɔpr] *adj* unsuitable, unfit, unsuited (*à,* for) || Gramm. improper || ~**ement** *adv* improperly || ~**iété** [-jete] *f* impropriety.

improv|isation [ɛ̃prɔvizasjɔ̃] *f* improvisation ; extemporization (discours) || ~**isé, e** *adj* improvised ; extemporized (discours) ; scratch (dîner, équipe) || ~**iser** *vt/vi* (1) improvise ; adlib ; extemporize (un discours) || Mus. vamp (un accompagnement) ‖ ~iste (à l') *loc adv* unexpectedly, unawares, offhand.

imprud|emment [ɛ̃prydamɑ̃] *adv* carelessly, imprudently, unwisely ; recklessly ‖ ~ence *f* carelessness, imprudence ‖ ~ent, e *adj* careless, imprudent, unwise ; foolish.

impudique [ɛ̃pydik] *adj* immodest ; wanton (regard).

impuissant, e [ɛ̃pɥisɑ̃, ɑ̃t] *adj* powerless, helpless ‖ Méd. impotent.

impulsif, ive [ɛ̃pylsif, iv] *adj* impulsive ‖ ~ion *f* Techni., Électr. impulse ‖ Fig. impulse, impetus.

impun|ément [ɛ̃pynemɑ̃] *adv* with impunity ‖ ~ité *f* impunity.

impur, e [ɛ̃pyr] *adj* impure ‖ ~eté [-te] *f* impurity.

imputer [ɛ̃pyte] *vt* (1) impute, put down (à, to) ‖ Fin. charge (une dépense) [à, to].

in|abordable [inabɔrdabl] *adj* unapproachable (personne) ‖ prohibitive (prix) ‖ ~acceptable *adj* inacceptable ‖ ~accessible *adj* inaccessible, out of reach ‖ ~achevé, e *adj* unfinished, uncompleted ‖ ~actif, ive *adj* inactive, idle ‖ Fin. dull (marché) ‖ ~action *f* inaction ‖ idleness (oisiveté) ‖ ~activité *f* inactivity ‖ ~adapté, e *adj* maladjusted (personne) ; not adapted (chose) ● n (social) misfit ‖ ~adéquat, e *adj* inadequate ‖ ~admissible *adj* inadmissible.

inadvertance [inadvɛrtɑ̃s] *f* oversight ; *par* ~, inadvertently.

in|amical, e, aux [inamikal, o] *adj* unfriendly ‖ ~amovible *adj* irremovable ‖ ~animé, e *adj* inanimate (matière) ‖ unconscious, senseless (évanoui) ; lifeless (mort) ‖ ~anition [-anisjɔ̃] *f* inanition ; *mourir d'*~, starve to death ‖ ~aperçu, e *adj* unnoticed ; *passer* ~, escape observation, pass unnoticed ‖ ~appréciable *adj* Fig. invaluable ‖ ~approprié, e *adj* inappropriate ‖ ~apte *adj* incapable, unfit, unsuited

(à, for) ; *rendre* ~, make unfit, disqualify (à, for) ‖ ~aptitude *f* inaptitude, unfitness ; ‖ ~artistique *adj* inartistic ‖ ~assouvi, e *adj* unsatisfied ‖ ~attaquable *adj* unimpeachabled (réputation) ‖ ~attendu, e *adj* unexpected, unlooked-for ‖ ~attentif, ive *adj* inattentive (ne prêtant pas attention) ‖ heedless, regardless (*au danger,* of danger) ‖ ~attention *f* inattention, distraction ; *faute d'*~, careless mistake ; *dans un moment d'*~, in an unguarded moment ‖ ~audible *adj* inaudible.

inaugur|al, e, aux [inogyral, o] *adj* inaugural ‖ Naut. *voyage* ~, maiden voyage ‖ ~ation *f* inauguration (monument) ; unveiling (d'une statue) ‖ ~er *vt* (1) inaugurate ‖ open (exposition, route) ; unveil (plaque, statue).

inavouable [inavwabl] *adj* shameful.

incalculable [ɛ̃kalkylabl] *adj* incalculable ‖ countless (nombre).

incandescent, e [ɛ̃kɑ̃desɑ̃, ɑ̃t] *adj* incandescent.

in|capable [ɛ̃kapabl] *adj* incapable (*de faire,* of doing) ; unable (*de faire,* to do) ‖ ~capacité *f* incapacity, incompetence.

incarcérer [ɛ̃karsere] *vt* (5) incarcerate, imprison.

incarné, e [ɛ̃karne] *adj* ingrown, ingrowing (ongle) ‖ Fig. incarnate, personified ‖ ~er *vt* (1) embody, personify ‖ Th. play (the part of) ‖ Rel. incarnate.

incassable [ɛ̃kɑ̃sabl] *adj* unbreakable.

incend|iaire [ɛ̃sɑ̃djɛr] *adj* incendiary ● n arsonist, fire-raiser ‖ ~ie m fire ; blaze ; ~ criminel, arson ; ~ de forêt, forest fire ‖ ~ier *vt* (1) set fire to, set on fire ; burn down (un édifice).

in|certain, e [ɛ̃sɛrtɛ̃, ɛn] *adj* uncertain (*de,* about) ; doubtful (renseignement, résultat) ‖ unsettled (temps) ;

hazardous (entreprise) ‖ **~certitude** f uncertainty ; *dans l'~*, in doubt.

incess|amment [ɛ̃sesamɑ̃] *adv* immediately, very shortly (sans délai) ‖ **~ant, e** *adj* unceasing, incessant ; non-stop, continual.

incest|e [ɛ̃sɛst] *m* incest ‖ **~ueux, euse** [-ɥø, øz] *adj* incestuous.

inchangé, e [ɛ̃ʃɑ̃ʒe] *adj* unchanged, unaltered.

incident [ɛ̃sidɑ̃] *m* incident, happening ; *sans ~*, without a hitch.

incinér|ateur [ɛ̃sineratœr] *m* incinerator ‖ **~ation** f incineration ; cremation (des cadavres) ‖ **~er** *vt* (5) incinerate ; cremate.

incis|er [ɛ̃size] *vt* (1) incise, slit ‖ **~if, ive** *adj* incisive ‖ **~ion** f incision ‖ **~ive** f [dent] incisor.

incit|ation [ɛ̃sitasjɔ̃] f incitement (*à*, to), inducement (*à*, to) ‖ **~er** *vt* (1) incite, urge (on), induce, prompt, egg on (*à*, to).

inclin|aison [ɛ̃klinɛzɔ̃] f incline, slope (pente) ; leaning, tilt(ing) ‖ **~ation** f Fig. inclination ‖ **~er** *vt* (1) tilt (bouteille, etc.) ; bend (le corps) ; bow (la tête) — *vpr s'~*, slope, lean, slant ‖ bow bend (*sur*, over ; *devant*, before) ; stoop ‖ Fig. yield (renoncer).

incl|ure [ɛ̃klyr] *vt* (4) include (contenir) ; insert, enclose (insérer) ‖ **~us, e** [-y, yz] *adj* included, inclusive ‖ enclosed (dans une enveloppe) ‖ **~usivement** [-yzivmɑ̃] *adv* inclusively.

incognito [ɛ̃kɔnito] *adv* incognito.

in|cohérent, e [ɛ̃kɔerɑ̃, ɑ̃t] *adj* incoherent, inconsistent, rambling (paroles) ‖ **~colore** [-kɔlɔr] *adj* colourless.

incomber [ɛ̃kɔ̃be] *vt ind* (1) devolve (*à*, upon) ; be incumbent (*à*, on) ‖ [impers.] *il vous incombe de,* it is your responsibility to.

incombustible [ɛ̃kɔ̃bystibl] *adj* fireproof.

incommoder [ɛ̃kɔmɔde] *vt* (1) inconvenience ‖ [chose, circonstances] bother, up set ‖ [bruit] disturb.

in|comparable [ɛ̃kɔ̃parabl] *adj* incomparable, matchless, peerless, unparalleled ‖ **~compatible** *adj* incompatible (*avec,* with) ‖ **~compétence** f incompetence ‖ **~compétent, e** *adj* incompetent, unqualified ‖ **~complet, ète** *adj* unfinished, incomplete ‖ **~compréhensible** *adj* incomprehensible ‖ **~concevable** *adj* inconceivable ‖ **~confort** *m* discomfort ‖ **~congru, e** *adj* incongruous ‖ **~connu, e** *adj* unknown (*de,* to) ● *n* stranger ● *f* MATH. unknown quantity ‖ **~consciemment** *adv* unconsciously, unwittingly (involontairement) ‖ mechanically (machinalement) ‖ **~conscience** f unconsciousness ; thoughtlessness, recklessness (morale) ‖ **~conscient, e** *adj* unconscious (évanoui) ‖ thoughtless, reckless (irréfléchi) ‖ **~** *de,* unaware of ● *m* PHIL. unconscious ‖ **~conséquence** f inconsistency ‖ **~conséquent** *adj* inconsistent ‖ **~considéré, e** *adj* thoughtless, inconsiderate ‖ **~consistant, e** *adj* lacking in consistency ; unsubstancial ‖ Fig. flimsy ‖ **~consolable** *adj* disconsolate ‖ **~constance** f inconstancy, fickleness ‖ **~constant, e** *adj* inconstant, fickle, mercurial (personne) ‖ **~contestable** *adj* unquestionable, incontestable, beyond dispute ‖ **~contestablement** *adv* unquestionably, indisputably ‖ **~contesté, e** *adj* undisputed, unchallenged ‖ **~contrôlable** *adj* uncontrollable ‖ **~convenance** f unseemliness, impropriety ‖ **~convenant, e** *adj* unseemly, improper, unbecoming, indecent.

inconvénient [ɛ̃kɔ̃venjɑ̃] *m* inconvenience, drawback ; *si vous n'y voyez pas d'~*, if you have no objection ‖ *Pl* disadvantages.

incorpor|ation [ɛ̃kɔrpɔrasjɔ̃] f MIL. enrolment ‖ **~é, e** *adj* builtin ‖ **~er**

vt (1) incorporate ǁ Techn. build in (construire); mix (mélanger) ǁ Mil. enrol, recruit.

in|correct, e [ɛ̃kɔrɛkt] *adj* incorrect, wrong (renseignement); improper, impolite (inconvenant) ǁ **~correctement** *adv* incorrectly; improperly, impolitely ǁ **~correction** *f* impropriety (inconvenance); impoliteness, rudeness (comportement) ǁ **~corrigible** *adj* incorrigible (enfant); irreclaimable (adulte) ǁ **~crédule** *adj* incredulous ǁ unbelieving ● Rel. unbeliever ǁ **~crédulité** *f* incredulity ǁ disbelief ǁ **~crevable** *adj* puncture-proof (pneu) ǁ Fam. tireless (personne).

incriminer [ɛ̃krimine] *vt* (1) incriminate.

in|croyable [ɛ̃krwajabl] *adj* unbelievable, incredible, beyond belief ǁ **~croyablement** *adv* incredibly; fabulously ǁ **~croyant, e** *adj* Rel. faithless ● *n* unbeliever.

incrust|ation [ɛ̃krystasjɔ̃] *f* Techn. inlay ǁ T.V. (screen) inset; (screen) box (encadré) ǁ **~é, e** *adj* inlaid (de, with) ǁ **~er** *vt* (1) inlay; inset — *vpr s'~*, Fam. [personne] take root.

incub|ation [ɛ̃kybasjɔ̃] *f* incubation ǁ **~er** *vt* (1) incubate.

inculp|ation [ɛ̃kylpasjɔ̃] *f* indictment; *sous l'~ de*, on a charge of ǁ **~é, e** *n l'~*, the accused ǁ **~er** *vt* (1) inculpate; indict, charge (de, with).

inculquer [ɛ̃kylke] *vt* (1) ~ **à**, inculcate in, instil into.

inculte [ɛ̃kylt] *adj* uncultivated (jardin); waste (région) ǁ Fig. uneducated, uncultured.

incurable [ɛ̃kyrabl] *adj* incurable ● *n* incurable.

incurie [ɛ̃kyri] *f* negligence, carelessness.

incursion [ɛ̃kyrsjɔ̃] *f* Mil. incursion, inroad, foray, raid; *faire une ~*, raid, foray ǁ Fig. incursion.

incurvé, e [ɛ̃kyrve] *adj* (in)curved.

Inde [ɛ̃d] *f* India.

indéc|ence [ɛ̃desɑ̃s] *f* indecency, immodesty ǁ **~ent, e** *adj* indecent, immodest.

in|déchiffrable [ɛ̃deʃifrabl] *adj* indecipherable, illegible ǁ **~déchirable** *adj* tear-proof.

indéci|s, e [ɛ̃desi, iz] *adj* undecided (personne) ǁ indecisive (victoire) ǁ **~sion** [-zjɔ̃] *f* indecision, uncertainty; suspense.

in|défendable [ɛ̃defɑ̃dabl] *adj* indefensible ǁ **~défini, e** *adj* indefinite, indeterminate (durée) ǁ Gramm. indefinite (article) ǁ **~définiment** *adv* indefinitely ǁ **~définissable** *adj* indefinable; nondescript (couleur) ǁ **~déformable** *adj* that will not lose its shape.

indélébile [ɛ̃delebil] *adj* indelible (encre): kiss-proof (rouge à lèvres).

in|délicat, e [ɛ̃delika, at] *adj* indelicate (sans tact); dishonest (employé); unscrupulous (procédé) ǁ **~délicatesse** *f* indelicacy ǁ dishonesty ǁ **~démaillable** [-demajabl] *adj* ladderproof, run-resist.

indemn|e [ɛ̃dɛmn] *adj* unhurt, unharmed, unscathed (personne) ǁ **~isation** *f* compensation ǁ **~iser** *vt* (1) indemnify, compensate ǁ **~ité** *f* compensation, indemnity ǁ [frais] allowance; ~ *de chômage*, unemployment benefit, dole; ~ *de résidence*, weighting.

indéniable [ɛ̃denjabl] *adj* undeniable.

indépend|amment [ɛ̃depɑ̃damɑ̃] *adv* independently; ~ *de*, regardless of ǁ **~ance** *f* independence ǁ **~ant, e** *adj* independent ǁ free-lance (journaliste); ~ *financièrement*, self-supporting ǁ self-contained (appartement).

in|déracinable [ɛ̃derasinabl] *adj* ineradicable ǁ **~déréglable** [-dereglabl] *adj* that cannot go wrong, fool-proof ǁ **~descriptible** [-dɛskriptibl] *adj* indescribable, beyond description ‖ ~**désirable** adj undesirable ‖ ~**destructible** [-dɛstryktibl] adj indestructible ‖ **déterminé, e** adj indeterminate (quantité) ‖ vague (imprécis).

index¹ [ɛ̃dɛks] m forefinger, index (finger).

index² m index (liste) ‖ Fig. *mettre à l'~*, blacklist ‖ ~**er** vt (1) Fin. index, peg (des prix, des salaires).

indica|teur, trice [ɛ̃dikatœr, tris] adj poteau ~, sign-post ● m Rail. time-table, U.S. shedule ● n [police] informer ‖ ~**tif, ive** adj indicative (de, of) ; *à titre ~*, as an indication ‖ Gramm. indicative (mode) ● m Tél. prefix, (dialling) code ‖ Rad. signature tune ; call sign (d'appel) ‖ ~**tion** f indication ; piece of information ; *sur l'~ de*, at the suggestion of ; *sauf ~ contraire*, unless otherwise stated ‖ Th. ~s *scéniques*, stage directions.

indice [ɛ̃dis] m indication, sign ‖ [fonctionnaires] rating, grading ‖ ~ *des prix*, price index ‖ Rad., T.V. ~ *de popularité*, ratings ‖ Aut. ~ *d'octane*, octane number ‖ Math. index ‖ Fig. clue (information).

indien, ienne [ɛ̃djɛ̃, jɛn] adj Indian ● f [étoffe] printed cotton ; print ‖ Sp. [nage] sidestroke.

Indien, ienne n [Amérique, Inde] Indian.

indiffér|emment [ɛ̃diferamɑ̃] adv indiscriminately ; equally well ; ~ *à droite ou à gauche*, either right or left ‖ ~**ence** f indifference (*pour*, to) ; unconcern, detachment ‖ ~**ent, e** adj indifferent (à, to) ; *ça m'est ~*, that's all the same to me ; unconcerned, uninterested.

indigence [ɛ̃diʒɑ̃s] f indigence, destitution, poverty.

indigène [ɛ̃diʒɛn] adj native (population) ; indigenous (plante) ● n [colonies] native ‖ [région] local.

indigent, e [ɛ̃diʒɑ̃, ɑ̃t] adj destitute, indigent, poverty-stricken ● n les ~s, the poor/destitute.

indigest|e [ɛ̃diʒɛst] adj indigestible ; stodgy (pâteux) ‖ ~**ion** f (attack of) indigestion.

indign|ation [ɛ̃dinasjɔ̃] f indignation ; *avec ~*, indignantly ‖ ~**e** adj unworthy, undeserving (de, of) ; *c'est ~ de vous*, it is unworthy of you ; [emploi] it is beneath you ‖ shameful (conduite) ‖ **é, e** adj indignant (de, at) ‖ ~**er** vt (1) rouse to indignation, make indignant — vpr *s'~*, be/become indignant (*de/contre*, at/with) ‖ ~**ité** f unworthiness ‖ indignity (affront).

indigo [ɛ̃digo] adj/n indigo.

indiqu|é, e [ɛ̃dike] adj advisable (conseillé) ‖ appropriate (prescrit) ‖ ~**er** vt (1) point out, show ; point (at/to) [du doigt] ; ~ *(à qqn) le chemin de*, show (sb) the way to, direct (sb) to ‖ recommend, tell of (qqn) ‖ *à l'heure indiquée*, at the appointed time ‖ give, show, state (faire figurer) ; mark (prix) ‖ [instrument] read, register ‖ Fig. denote.

in|direct, e [ɛ̃dirɛkt] adj indirect ; *d'une manière ~e*, in a roundabout way ‖ Jur. circumstantial (preuve) ‖ ~**discernable** adj indistinguishable ‖ ~**discipliné, e** adj undisciplined ; unruly (élève) ‖ ~**discret, ète** [ɛ̃diskrɛ, ɛt] adj indiscreet, inquisitive (personne) ; meddlesome (importun) ; indiscreet (question) ; prying (regard) ● n eavesdropper ‖ ~**discrétion** f indiscretion (conduite, remarque) ‖ ~**discutable** adj unquestionable ‖ ~**discutablement** adv unquestionably, certainly ‖ ~**dispensable** adj indispensable, essential ; *objet ~*, must ‖ ~**disponible** adj unavailable ‖ not free (personne) ‖ ~**disposé, e** adj Méd. indisposed, unwell ; [femme] indisposed ‖ ~**disposition** f indisposition, [femme] period ‖ ~**distinct, e** adj indistinct, vague ; dim (contour, lumière) ; confused (sons) ‖ ~**distinctement** adv indistinctly, vaguely (vaguement) ‖ indiscriminately (sans discrimination).

individu [ɛ̃dividy] *m* individual ||
Péj. fellow, character, customer ||
~**aliser** [-ɥalize] *vt* (1) individualize
|| ~**alisme** [-alism] *m* individualism ||
~**alité** *f* individuality || ~**e, elle**
[-ɥɛl] *adj* individual, personal.

in|divisible [ɛ̃divizibl] *adj* indivisi-
ble || ~**docile** *adj* intractable.

indol|ence [ɛ̃dɔlɑ̃s] *f* indolence ||
~**ent, e** *adj* indolent.

in|dolore [ɛ̃dɔlɔr] *adj* painless ||
~**domptable** *adj* untamable (ani-
mal) || Fig. indomitable, uncon-
trollable || ~**dompté, e** *adj* untamed
(animal) ; unbroken (cheval) || Fig.
uncontrolled.

Indonés|ie [ɛ̃dɔnezi] *f* Indonesia ||
~**ien, ienne** *adj* Indonesian.

indue, e [ɛ̃dy] *adj* undue (excessif)
|| ungodly (heure).

indubitable [ɛ̃dybitabl] *adj* un-
doubted ; unquestionable ; *c'est* ~,
it's beyond doubt || ~**ment** *adv*
undoubtedly, unquestionably.

induction [ɛ̃dyksjɔ̃] *f* Phys. induction.

induire [ɛ̃dɥir] *vt* (85) induce, lead
(*en*, into) ; ~ *en erreur*, lead astray,
mislead.

indulg|ence [ɛ̃dylʒɑ̃s] *f* indulgence ;
leniency || ~**ent, e** *adj* indulgent ;
lenient (juge, etc.).

indûment [ɛ̃dymɑ̃] *adv* unduly.

industr|ialiser [ɛ̃dystrialize] *vt* (1)
industrialize || ~**ie** *f* [activité] in-
dustry ; ~ *(agro) alimentaire*, food
industry ; ~ *automobile*, motor-car industry ; ~ *chimique*, chemical industry ; ~ *légère/lourde*, light/heavy industry ; ~ *de transformation*, proces-
sing industry || [entreprise] industrial
concern || ~**iel, ielle** [-iɛl] *adj*
industrial ● *m* industrialist, manufac-
turer.

inédit, e [inedi, it] *adj* unpublished
(livre) ; unprecedented (fait).

in|effaçable [inefasabl] *adj* indeli-
ble || ~**efficace** *adj* ineffective, in-

effectual (moyen) ; inefficient (machi-
ne, personne) || ~**efficacité** *f* inef-
fectiveness ; inefficiency || ~**égal, e,
aux** *adj* unequal (différent) ; uneven
(irrégulier) | erratic (sportif) || change-
able (humeur) || ~**égalable** *adj*
matchless || ~**égalé, e** *adj* unequal-
led, unmatched || ~**égalité** *f* ine-
quality (sociale) || ~**élégant, e** *adj*
inelegant || ~**éligible** *adj* ineligible ||
~**éluctable** [-elyktabl] *adj* inevitable,
ineluctable || ~**énarrable** [-enarabl]
adj hilarious, screamingly funny ||
~**epte** [-ɛpt] *adj* inept || ~**eptie**
[-ɛpsi] *f* ineptitude || trash (propos
stupides) ; *dire des* ~*s*, talk nonsense
|| ~**épuisable** [-epɥizabl] *adj* in-
exhaustible || Fig. unfailing.

iner|te [inɛrt] *adj* lifeless ; inert
(passif) || ~**tie** [-si] *f* Phys. inertia →
FORCE. || Fig. listlessness.

in|espéré, e [inɛspere] *adj* unhoped
for ; unexpected || ~**estimable** *adj*
inestimable, invaluable, priceless ||
~**évitable** *adj* inevitable, unavoida-
ble || ~**évitablement** *adv* inevitably
|| ~**exact, e** *adj* inaccurate, inexact
(calcul, traduction) ; unpunctual (à
un rendez-vous) || ~**exactitude** *f*
inaccuracy || unpunctuality ||
~**excusable** *adj* inexcusable, unforgi-
vable || ~**existant, e** *adj* non-
existent.

inexorable [inɛgzɔrabl] *adj* inexorable, unrelenting (personne).

in|expérience [inɛksperjɑ̃s] *f* inex-
perience || ~**expérimenté, e** *adj*
inexperienced, unskilled, untrained
(personne) || ~**explicable** *adj* inex-
plicable, unaccountable || ~**expli-
qué, e** *adj* unexplained ; unaccoun-
ted for (phénomène) || ~**exploité,
e** *adj*, Agr. unexploited, undeveloped
(région) ; untapped (ressources) ; un-
worked (mine) || ~**exploré, e** *adj*
unexplored || ~**exprimable** *adj* inex-
pressible, unutterable.

infaillible [ɛ̃fajibl] *adj* infallible (per-
sonne) || unfailing, sure (remède).

in|famant, e [ɛ̃famɑ̃, ɑ̃t] *adj* de-

famatory ‖ ~**fâme** adj infamous ;
dishonourable, vile ‖ ~**famie** f
infamy ; infamous deed.

infanterie [ɛ̃fɑ̃tri] f infantry ; l'~ de
marine, the marines.

infantile [ɛ̃fɑ̃til] adj Méd. infantile,
child ‖ Fig. childish.

infarctus [ɛ̃farktys] m coronary
(thrombosis).

infatigable [ɛ̃fatigabl] adj indefatigable, tireless.

infatué, e [ɛ̃fatɥe] adj conceited,
vain.

infec|t, e [ɛ̃fɛkt] adj foul, noisome
(odeur) ; filthy (taudis) ; vile (nourriture) ‖ Fig. beastly ; foul (temps) ‖
~**ter** [-te] vt (1) infect — vpr s'~,
[plaie] become infected/septic ‖ ~
tieux, euse [-sjø, øz] adj infectious,
catching ‖ ~**tion** f infection ; stench
(puanteur) ‖ Méd. infection.

inférer [ɛ̃fere] vt (5) infer.

infér|ieur, e [ɛ̃ferjœr] adj lower
(lèvre) ; bottom (rayon) ‖ Fig. inferior ; lower (rang) ; poor (qualité) ;
~ à, inferior to, below, unequal to
(à sa tâche) ‖ ~**iorité** [-jɔrite] f
inferiority.

infernal, e, aux [ɛ̃fɛrnal, o] adj Fig.
infernal ; devilish ; un bruit ~, a hell
of a noise.

infester [ɛ̃fɛste] vt (1) infest.

infid|èle [ɛ̃fidɛl] adj faithless, un-
faithful ; [sexe] unfaithful (à, to) ‖
Rel. infidel ‖ ~**élité** [-elite] f in-
fidelity, unfaithfulness ; faithlessness.

infil|tration [ɛ̃filtrasjɔ̃] f [liquide]
seepage ‖ Fig. infiltration ‖ ~**trer**
('s) vpr (1) filtrate, seep, trickle (dans,
into) ; ooze (dans, through) ‖ Fig.
infiltrate (dans, into).

infini, e [ɛ̃fini] adj infinite, endless ●
m Math. infinity ‖ ~**ment** adv
infinitely ‖ ~**té** f infinity ; une ~ de,
end of ‖ ~**tif, ive** [-tif, iv] adj/m
Gramm. infinitive.

infirm|e [ɛ̃firm] adj crippled, dis-
apled (invalide) ; infirm (faible) ● n

cripple, disabled person ‖ ~**erie** f
infirmary ‖ Naut. sick bay ‖ ~**ier**
m male nurse ‖ ~**ière** f nurse ; ~
en chef, sister ‖ ~**ité** f disability,
infirmity.

inflamm|able [ɛ̃flamabl] adj (in)
flammable ‖ ~**ation** f Méd. inflam-
mation.

inflation [ɛ̃flasjɔ̃] f Fin. inflation ‖
~**niste** [-sjɔnist] adj inflationary ;
inflationist (politique).

inflexible [ɛ̃flɛksibl] adj inflexible,
unbending, unyielding (volonté) ;
adamant (personne).

infliger [ɛ̃fliʒe] vt (7) inflict (une
blessure) ; administer (une punition).

influ|ençable [ɛ̃flyɑ̃sabl] adj easily
influenced ‖ ~**ence** f influence ;
exercer une ~ sur, have an effect on
‖ ~**encer** vt (6) influence ; act upon ;
bias (en faveur de, towards) ‖ ~**ent,
e** adj influential ‖ ~**er** vi (1) ~ sur,
have an influence on, tell on, affect.

informateur, trice [ɛ̃fɔrmatœr,
tris] n informant ‖ informer (déla-
teur).

informaticien, ienne [ɛ̃fɔrmatisjɛ̃,
jɛn] n computer scientist.

informat|ion [ɛ̃fɔrmasjɔ̃] f infor-
mation ; une ~, a piece of informa-
tion/news ; les ~ s, the news ; Inf.
information ; **traitement de l'** ~,
data processing ‖ ~**ique** [-tik] f
computer/U.S. information science,
U.S. informatics ; [technique] data
processing ; [activité] computing ‖
~**iser** vt (1) computerize.

informe [ɛ̃fɔrm] adj shapeless, formless.

inform|é, e [ɛ̃fɔrme] adj informed
(de, of) ; jusqu'à plus ample ~, until
further information is available ; bien
~, knowledgeable, well-informed ;
mal ~, ill-informed ‖ ~**er** vt (1)
inform, tell, brief ; tell ; ~
qqn, let sb know ‖ Comm. advise —
vpr s'~, inquire, ask (de, about) ‖
inform oneself (se documenter).

infortune [ɛ̃fɔrtyn] f misfortune.

infraction [ɛ̃fraksjɔ̃] *f* JUR. offence (*à,* against) ; violation, breach (*à la loi,* of the law).

infranchissable [ɛ̃frɑ̃ʃisabl] *adj* impassable.

infrarouge [ɛ̃fraruʒ] *adj* infrared.

infrastructure [ɛ̃frastryktyr] *f* ARCH. substructure ‖ Av. ground installations ‖ FIG. infrastructure.

in|froissable [ɛ̃frwasabl] *adj* crease-resisting ‖ **~fructueux, euse** *adj* fruitless (efforts) ; unsuccessful (essai).

infus|er *vi/vt* CULIN. (faire) ~, infuse, draw, brew (thé) ; *laissez-le* ~, leave it to draw/brew ‖ **~ion** *f* infusion ; [boisson] herb tea ; ~ *de tilleul,* lime tea.

ingéni|erie [ɛ̃ʒeniri] *f* engineering ‖ **~eur** [-jœr] *m* engineer : ~-*conseil m* consulting engineer ; ~ *chimiste,* chemical engineer ; ~ *électricien,* electrical engineer ; ~ *des mines,* mining engineer ; ~ *du son,* sound engineer ‖ **~eux, euse** *adj* ingenious, skilful, clever ‖ **~osité** [-ozite] *f* ingenuity, cleverness.

ingénu, e [ɛ̃ʒeny] *adj* ingenuous, artless ‖ **~ité** *f* ingenuousness.

ingér|ence [ɛ̃ʒerɑ̃s] interference (*dans,* in) ‖ **~er (s')** *vpr* (5) interfere (*dans,* in/with).

ingra|t, e [ɛ̃gra, at] *adj* ungrateful (personne) ; awkward (âge) ; thankless (tâche) ‖ AGR. barren, stubborn (sol) ‖ **~titude** [-tityd] *f* ingratitude.

ingrédient [ɛ̃gredjɑ̃] *m* ingredient.

ingurgiter [ɛ̃gyrʒite] *vt* (1) gulp down.

in|habile [inabil] *adj* unskilful ‖ **~habitable** [inabitabl] *adj* uninhabitable ‖ **~habité, e** *adj* uninhabited, unoccupied, empty (maison) ; uninhabited (région) ‖ **~habitué, e** *adj* unused to ‖ **~habituel, elle** *adj* unusual ; out-of-the-way.

inhal|ateur [inalatœr] *m* inhaler ‖

~ation *f* inhalation ‖ **~er** *vt* (1) inhale.

inhib|é, e [inibe] *adj* inhibited ‖ **~er** *vt* (1) inhibit ‖ **~ition** *f* inhibition.

in|hospitalier, ière [inɔspitalje, jɛr] *adj* inhospitable ‖ **~humain, e** *adj* inhuman ‖ cruel.

inhumer [inyme] *vt* (1) bury, inter.

in|imaginable [inimaʒinabl] *adj* unimaginable ‖ **~imitable** *adj* inimitable.

inimitié [inimitje] *f* enmity.

ininflammable [inɛ̃flamabl] *adj* non-flammable.

in|intelligible [inɛ̃teliʒibl] *adj* unintelligible ‖ **~interrompu, e** *adj* uninterrupted ; unbroken (sommeil), steady (relations) ; non-stop (voyage) ‖ RAD. continuous (musique).

initial, e, aux [inisjal, o] *adj* initial ● *f* initial ‖ **~ement** *adv* initially.

initi|ateur, trice [inisjatœr, tris] *n* initiator ; starter ‖ **~ation** *f* initiation ‖ [titre de livre] ~ *à,* introduction ‖ **~ative** *f* initiative ; *esprit d'*~, spirit of enterprise ; *prendre l'* ~ *de,* take the initiative for ; *de sa propre* ~, on one's own initiative‖ → SYNDICAT ‖ **~é, e** *adj* initiated ● *n* initiate ‖ **~er** *vt* (1) initiate (*à,* into) ; ~ *qqn à,* introduce sb to — *vpr s'*~, learn ; initiate oneself (*à,* into).

injec|té, e [ɛ̃ʒekte] *adj yeux* ~*s de sang,* bloodshot eyes ‖ **~ter** *vt* (1) inject ‖ **~teur** *m* TECHN. injector ‖ **~tion** *f* TECHN. injection ‖ AUT. *moteur à* ~, fuel-injection engine ‖ MÉD. injection (piqûre) ; ~ *de rappel,* booster injection ; *douche* (gynécologique).

injonction [ɛ̃ʒɔ̃ksjɔ̃] *f* injunction.

injur|e [ɛ̃ʒir] *f* insult ; *faire* ~ *à,* offend ‖ *Pl* abuse ‖ **~ier** *vt* (1) insult, abuse, call (sb) names ‖ **~ieux, ieuse** *adj* insulting, abusive, offensive.

in|juste [ɛ̃ʒyst] *adj* unfair, unjust

(*envers,* to) ‖ ~**justement** *adv* unfairly, unjustly, undeservedly ‖ ~**justice** *f* injustice, unfairness, wrong ; *commettre une* ~ *envers qqn,* wrong sb ‖ ~ *justifiable adj* unjustifiable ‖ ~**justifié, e** *adj* unjustified ; groundless (craintes) ; uncalled-for (remarque) ; wrongful (illégal).

inlassable [ɛ̃lɑsabl] *adj* untiring (efforts) ; tireless (personne).

inné, e [inne] *adj* innate, inborn.

innoc|ence [inɔsɑ̃s] *f* innocence ‖ ~**ent, e** *adj* innocent, guiltless (non coupable) ; harmless (inoffensif) ; artless, simple (naïf) ● *n* simpleton ‖ ~**enter** [-ɑ̃te] *vt* (1) clear (disculper).

innombrable [innɔ̃brabl] *adj* innumerable, numberless, without number, countless.

innov|ation [innɔvasjɔ̃] *f* innovation ‖ [science], TECHN. breakthrough ‖ ~**er** *vi* (1) innovate (*en,* in).

in|observance [inɔbsɛrvɑ̃s] *f* nonobservance ‖ ~**occupé, e** *adj* unoccupied, empty, vacant (pièce, siège) ; unemployed, idle (personne).

inoculer [inɔkyle] *vt* (1) inoculate (*contre,* against).

inodore [inɔdɔr] *adj* odourless ‖ scentless (fleur).

inoffensif, ive *adj* inoffensive, innocuous, harmless.

inond|ation [inɔ̃dasjɔ̃] *f* flood(ing), inundation ‖ ~**er** *vt* (1) flood, inundate ‖ COMM. glut (le marché) [*de,* with] ‖ FIG. inundate, flood (*de,* with).

inopiné, e [inɔpine] *adj* unexpected ‖ ~**ment** *adv* unexpectedly.

in|opportun, e [inɔpɔrtœ̃, yn] *adj* inopportune, ill-timed, untimely ‖ ~**organique** *adj* inorganic ‖ ~**oubliable** *adj* unforgettable ‖ ~**ouï, e** [inwi] *adj* unheard-of ‖ ~**ox** [-ɔks] *m* N.D. stainless steel ‖ ~**oxydable** *adj* rust-proof ; *acier* ~, stainless steel.

inqualifiable [ɛ̃kalifjabl] *adj* unspeakable.

inqui|et, ète [ɛ̃kjɛ, ɛt] *adj* worried, uneasy (*au sujet de,* about) ; anxious (*de,* for/about) ; restless (esprit) ‖ ~**étant, e** [-etɑ̃, ɑ̃t] *adj* disquieting, disturbing, worrying ‖ MÉD. alarming (symptôme) ‖ ~**éter** [-ete] *vt* (1) worry, disturb, disquiet bother, trouble — *vpr s'*~, worry [*de,* about] ‖ inquire (*de,* about) [s'enquérir] ‖ ~**étude** [-etyd] *f* worry (souci) ; anxiety, disquiet (anxiété).

in|saisissable [ɛ̃sezisabl] *adj* elusive (personne) ‖ ~**salubre** *adj* unhealthy (climat).

insatiable [ɛ̃sasjabl] *adj* insatiable.

insatisfait, e [ɛ̃satisfɛ, ɛt] *adj* dissatisfied.

inscr|iption [ɛ̃skripsjɔ̃] *f* inscription (gravée) ‖ enrolment, registration (à une école) ‖ ~**ire** *vt* (44) inscribe ‖ write (down) [des mots] ; chalk up (des points) ‖ [enrôler] enroll, sign up, ; put down ; register (étudiant) ; *se faire* ~, put one's name down, enter one's name (*à,* for) — *vpr s'*~, sign on (*à,* for) [un cours, un voyage] ; register (*à,* at) [l'Université] ; enter (oneself) [*à un examen,* for an examination] ‖ *s'* ~ *à un parti/club,* join a party/club.

insect|e [ɛ̃sɛkt] *m* insect, U.S. bug (coll.) ; ~ *nuisible,* pest ‖ ~**icide** [-isid] *m* flyspray (ménager) ‖ AGR. insecticide ● *adj* insecticide.

insémin|ation [ɛ̃seminasjɔ̃] *f* MÉD. ~ *artificielle,* artificial insemination ‖ ~**er** *vt* (1) inseminate.

in|sensé, e [ɛ̃sɑ̃se] *adj* insane (fou) ‖ senseless (stupide) ‖ [sens faible] foolish ‖ ~**sensible** *adj* insensitive (*à,* to) [sensations] ‖ insensible (engourdi) ‖ insensible, unmoved (moralement) ; ~ *à,* unaffected by ‖ imperceptible (mouvement) ‖ ~**sensiblement** *adv* insensibly, imperceptibly ‖ ~**séparable** *adj* inseparable.

ins|érer [ɛ̃sere] *vt* (5) insert ; inset (illustration) ‖ [emploi du temps] slot in (activité) ‖ ~**ertion** [-ɛrsjɔ̃] *f* insertion.

insidieux, ieuse [ɛ̃sidjø, jøz] *adj* insidious.

insigne [ɛ̃siɲ] *m* badge.

insignifiant, e [ɛ̃siɲifjɑ̃, ɑ̃t] *adj* insignificant (degré, nombre, taille) ; paltry (somme) ; petty (détail) ; trifling (question) ; trivial (sans intérêt) ; nondescript (quelconque).

insinuation [ɛ̃sinɥasjɔ̃] *f* insinuation, innuendo, hint ‖ ~**er** *vt* (1) insinuate, imply, hint at, give a hint — *vpr* **s'~**, insinuate oneself (personne) ; get/screep in (humidité, etc.) ; **s'~** dans les bonnes grâces de qqn, worm one's way into sb's favour.

insipide [ɛ̃sipid] *adj* insipid, tasteless, flat ‖ watery, wishy-washy (thé) ‖ FIG. tame (histoire).

insist|ance [ɛ̃sistɑ̃s] *f* insistence ; emphasis (accent) ‖ ~**er** *vi* (1) insist ; *j'insiste pour qu'il vienne,* I insist on his coming ‖ ~ **sur,** stress, lay stress on ; emphasize (accentuer) ‖ [nég.] not dwell on ; FAM. *n'insistons pas !,* let's drop it ! ; *n'insistez pas (lourdement) !,* don't rub it in !

insociable [ɛ̃sɔsjabl] *adj* unsociable.

insolation [ɛ̃sɔlasjɔ̃] *f* sunstroke.

insol|ence [ɛ̃sɔlɑ̃s] *f* insolence, impudence ‖ ~**ent, e** *adj* insolent, impudent.

insolite [ɛ̃sɔlit] *adj* unusual, strange.

in|soluble [ɛ̃sɔlybl] *adj* insoluble ‖ ~**solvabilité** *f* insolvency ‖ ~**solvable** *adj* insolvent.

insomn|iaque [ɛ̃sɔmnjak] *adj/n* insomniac ‖ ~**ie** *f* sleeplessness, wakefulness, insomnia.

in|sondable [ɛ̃sɔ̃dabl] *adj* unfathomable ‖ ~**sonore** *adj* soundproof ‖ ~**sonorisation** *f* soundproofing ‖ ~**sonoriser** *vt* (1) soundproof.

insouci|ance [ɛ̃susjɑ̃s] *f* unconcern

‖ carelessness (négligence) ; disregard (indifférence) ‖ ~**ant, e** *adj* carefree (sans souci) ; happy-go-lucky (imprévoyant) ; careless (négligent) ; casual (désinvolte).

in|soumis, e [ɛ̃sumi, iz] *m* MIL. absentee ‖ ~**soumission** *f* insubordination ‖ MIL. absence without leave ‖ ~**soupçonnable** *adj* beyond suspicion ‖ ~**soupçonné, e** *adj* unsuspected ‖ ~**soutenable** *adj* unbearable (spectacle).

inspec|ter [ɛ̃spɛkte] *vt* (1) inspect, U.S. visit ‖ examine, have a look round ‖ ~**teur, trice** *n* inspector (de police) ; shop-walker, U.S. floorwalker (dans un grand magasin) ‖ ~**tion** *f* inspection, examination ‖ survey ‖ MIL. review.

inspir|ation [ɛ̃spirasjɔ̃] *f* inspiration ; *sous l'~ du moment,* on the spur of the moment ‖ ~**er** *vt* (1) MÉD., FIG. inspire.

instable [ɛ̃stabl] *adj* unstable ; unsteady (objet) ‖ unsettled (temps) ‖ FIG. flighty (caractère) ; fickle, temperamental (personne).

install|ation [ɛ̃stalasjɔ̃] *f* [action] installation, putting in ‖ [appareils] *Pl* fittings, installations (d'une maison) ‖ TECHN. *Pl* facilities ; ~ *sanitaire,* plumbing ‖ ~**er** *vt* (1) install, put in (l'électricité) ; fit out (maison) ‖ settle (qqn) ‖ FIG. inaugurate (un président) — *vpr* **s'~**, settle (down) [s'asseoir] ‖ set up house, settle in.

instan|t [ɛ̃stɑ̃] *m* moment, instant ; *à chaque ~,* at every moment ; *dans un ~,* in a while ; *d'un ~ à l'autre,* at any minute ; *un ~ !,* wait a minute ! ● *loc conj* **à l'~ où,** just as ‖ ~**tané, e** [-tane] *adj* instantaneous ● *m* PHOT. snapshot ; snap (coll.) ; *appareil à développement ~,* instaht camera ‖ ~**tanément** [-tanemɑ̃] *adv* instantaneously.

instaurer [ɛ̃store] *vt* (1) establish, set up.

instinct [ɛ̃stɛ̃] *m* instinct ; *par un ~,* by instinct ; ~ **de conservation,**

instinct of self-preservation ‖ **~if, ive** [·ktif, iv] *adj* instinctive ‖ **~ivement** *adv* instinctively.

instit|uer [ɛ̃stitɥe] *vt* (1) institute, establish, found ‖ JUR. appoint (un héritier) ‖ **~ut** [-y] *m* institute ‖ department (d'université) ‖ **~ de beauté,** beauty-parlour ‖ **~uteur** [-ytœr] *m* school-teacher ‖ **~ution** [-ysjɔ̃] *f* institution ‖ (école) academy, private school ‖ *Pl* institutions ‖ **~utrice** [-ytris] *f* schoolmistress.

instr|ucteur, trice [ɛ̃stryktœr, tris] *n* instructor ‖ **~uctif, ive** [-yktif, iv] *adj* instructive, informative ‖ **~uction** *f* education, schooling (enseignement) ; *avoir reçu une bonne* **~,** be well educated ; *sans* **~,** uneducated ‖ INF. statement ‖ *Pl* instructions, directions ‖ MIL. training ‖ JUR. investigation ‖ **~uire** [-ɥir] *vt* (2) teach, educate (enseigner) ‖ MIL. train, drill ‖ JUR. investigate, conduct investigations ‖ FIG. inform (informer) — *vpr* **s'~,** learn, educate oneself ‖ **~uit, e** [-ɥi, ɥit] *adj* educated, well-read, learned.

instrumen|t [ɛ̃strymã] *m* TECHN., MUS. instrument ; **~ de musique,** musical instrument ; **~ de travail,** tool.

insu [ɛ̃sy] *m* **à l'~ de,** without the knowledge of ; *à mon* **~,** without my knowing it.

insuffisamment [ɛ̃syfizamã] *adv* insufficiently ‖ **~suffisance** *f* insufficiency, deficiency ; shortage ‖ **~suffisant, e** *adj* insufficient ; inadequate, short, deficient, scanty (quantité, etc.) ; scant (attention) ; skimpy (portion).

insulaire [ɛ̃sylɛr] *adj* insular ; island ● *n* islander.

insuline [ɛ̃sylin] *f* insulin.

insult|e [ɛ̃sylt] *f* insult ‖ *Pl* abuse ‖ **~er** *vt* (1) insult ; affront.

insupportable [ɛ̃sypɔrtabl] *adj* unbearable, insufferable.

insurg|é, e [ɛ̃syrʒe] *n* insurgent,

rebel ‖ **~er (s')** *vpr* (7) rebel, revolt (*contre,* against).

insurmontable [ɛ̃syrmɔ̃tabl] *adj* insurmountable, insuperable.

insurrection [ɛ̃syrɛksjɔ̃] *f* insurrection, (up)rising.

intact, e [ɛ̃takt] *adj* intact, undamaged ; whole (entier).

intarissable [ɛ̃tarisabl] *adj* inexhaustible ; unfailing.

intégr|al, e, aux [ɛ̃tegral, o] *adj* complete, entire ● *f* MATH. integral ‖ **~alement** [-almã] *adv* completely, fully ‖ **~alité** *f* entirety ; *l'~ de,* the whole of.

intégration *f* integration.

intègre [ɛ̃tɛgr] *adj* upright, honest.

intégr|er [ɛ̃tegre] *vt* (5) integrate, assimilate (immigrés) ‖ ARG. get into (grande école) — *vpr* **s'~,** integrate (*à,* with) ; [immigrés, etc.] integrate, assimilate, become integrated (*à,* into) ‖ **~iste** *adj/n* fundamentalist ‖ **~ité**[1] *f* integrity, entirety (totalité).

intégrité[2] *f* integrity (honnêteté).

intellect [ɛ̃telɛkt] *m* intellect ‖ **~uel, elle** [-ɥel] *adj* intellectual ● *n* intellectual ‖ PÉJ. highbrow, egghead.

intellig|emment [ɛ̃teliʒamã] *adv* intelligently, cleverly ‖ **~ence** *f* intelligence ‖ understanding (compréhension, entente) ‖ *Pl* dealings (avec l'ennemi) ‖ **~ent, e** *adj* intelligent, smart, clever, bright ‖ **~ible** *adj* intelligible, understandable ; *à haute et* **~ voix,** loudly and clearly.

intempestif, ive [ɛ̃tãpestif, iv] *adj* untimely.

intenable [ɛ̃tənabl] *adj* uncontrollable (enfant) ‖ unbearable (situation).

intend|ance [ɛ̃tãdãs] *f* (école) bursar's office ‖ MIL. commissariat ; G.B. service corps, U.S. quartermaster corps ‖ **~ant** *m* steward (régisseur) ‖ [lycée] bursar ‖ MIL. commissary ; quartermaster ‖ **~ante** *f* stewardess ‖ bursar.

intens|e [ɛ̃tɑ̃s] *adj* intense ; severe (chaleur, froid) ; exquisite (plaisir, chagrin) ; rich, deep (couleurs) ‖ MÉD. high (fièvre) ‖ **~if, ive** [-if, iv] *adj* MÉD. intensive (soins) ‖ GRAMM. intensive ‖ crash (cours) ‖ **~ifier** [-ifje] *vt* (1) intensify — *vpr* s'**~**, increase ‖ **~ité** *f* intensity ‖ ÉLECTR. intensity.

intenter [ɛ̃tɑ̃te] *vt* (1) **~** *un procès contre,* bring an action against.

intenti|on [ɛ̃tɑ̃sjɔ̃] *f* intention, purpose ; *dans l'**~** de faire,* with a view to doing ; **avoir l'~ de,** intend/mean to, be to ; *fait dans une bonne **~**,* well-meant ; *il n'a pas de mauvaises **~**s,* he means no harm ; : *ne pas dévoiler ses **~**s,* keep one's own counsel ‖ *Pl* views • *loc prép* **à l'~ de,** (meant) for ; for the benefit of ‖ **~onné, e** [-ɔne] *adj* **bien ~,** well-meaning/intentioned ; **mal ~,** ill-disposed ‖ **~onnel, elle** *adj* intentional, deliberate ‖ **~onnellement** *adv* intentionally, deliberately, on purpose.

inter [ɛ̃tɛr] *abrév/m* FAM. = INTER-URBAIN.

intercalaire [ɛ̃tɛrkaler] *m* guide-card (fiche), insert (feuille) ‖ **~caler** *vt* (1) insert, slip in (une feuille) ; sandwich ‖ **~céder** *vi* (5) intercede (*auprès,* with) ‖ **~cepter** [-sɛpte] *vt* (1) intercept ‖ **~changeable** *adj* interchangeable.

inter|diction [ɛ̃tɛrdiksjɔ̃] *f* prohibition, ban(ning) [*de,* of] ‖ **~dire** *vt* (63) forbid, prohibit, ban ; **~** *qqch à qqn,* forbid sb sth ‖ preclude, prevent from (empêcher) ‖ bar (l'entrée) ‖ COMM. **~** *la vente,* put a ban on ‖ POL. suppress (publication) ‖ JUR. interdict, veto ‖ **~dit, e**[1] *adj* forbidden ; *formellement **~**,* prohibited ; *c'est **~** par la loi,* it is an offence ‖ *passage **~**,* no entry ‖ **~** *au public,* private ‖ CIN. *film **~** aux moins de 13/18 ans,* A/X film.

interdit, e[2] *adj* **rester ~,** be taken aback.

intéress|ant, e [ɛ̃teresɑ̃, ɑ̃t] *adj* interesting ‖ COMM. attractive (prix) ‖ **~é, e** *adj* [impliqué] interested ; *être **~** dans,* have an interest in ‖ [égoïsme] self-seeking, mercenary • *n* *l'**~**,* the person involved/concerned ‖ **~er** *vt* (1) interest ‖ concern (concerner) — *vpr* s'**~** **à,** be interested in.

intérêt [ɛ̃terɛ] *m* interest ; *sans **~**,* uninteresting ; *dans l'**~** de,* in the interest of ‖ interest, profit, advantage ; *vous avez **~** à faire,* it is in your interest to do ; *vous auriez **~** à faire,* you'd better do ‖ FIN. interest ; *6 % d'**~**,* 6 % interest.

interface [ɛ̃tɛrfas] *f* INF. interface.

interférence [ɛ̃tɛrferɑ̃s] *f* RAD. interference.

intérieur, e [ɛ̃terjœr] *adj* inner, inside, interior ‖ inland (commerce) ; home (marché) ; domestic (politique) • *m* inside, interior ; *d'**~** (vêtement) indoor ‖ *loc adv* **à l'~,** indoors • *loc prép* **à l'~ de,** inside ‖ FIG. within ‖ **~ement** *adv* inwardly.

intérim [ɛ̃terim] *m* interim (period) ; *dans l'**~**,* in the interim/meantime ; *par **~**,* acting ; *assurer l'**~**,* deputize ‖ **~aire** *adj* interim, acting ‖ *faire du travail **~**,* be temping (coll.) • *n (secrétaire) **~**,* temp (coll.).

inter|jection [ɛ̃tɛrʒɛksjɔ̃] *f* interjection ‖ **~ligne** *m* space between the lines ; *double **~**,* double spacing ‖ **~locuteur, trice** [-lɔkytœr, tris] *n* interlocutor.

interlope [ɛ̃tɛrlɔp] *adj* shady.

interloqué, e [ɛ̃tɛrlɔke] *adj* taken aback, nonplussed, speechless.

inter|lude [ɛ̃tɛrlyd] *m,* **~mède** [-mɛd] *m* TH., MUS. interlude.

intermédiaire [ɛ̃tɛrmedjer] *adj* intermediate, middle ; midway (*entre,* between) • *n* intermediary, go-between ‖ *par l'**~** de qqn,* through (the agency of) ; *servir d'**~**,* mediate ; *sans **~**,* directly ‖ COMM. middleman.

inter|minable [ɛ̃tɛrminabl] *adj* endless, unending ; lengthy, drawn-out (discours) ; long-winded (histoire) || **~mittence** [-mitãs] *f* par ~, intermittently ; by fits and starts ; off and on || **~mittent, e** *adj* intermittent, fitfull.

internat [ɛ̃terna] *m* [établissement] boarding-school || [système] boarding.

international, e, aux [ɛ̃ternasjɔnal o] *adj* international || **~iser** *vt* (1) internationalize.

intern|e [ɛ̃tern] *adj* internal ; inner (oreille) ● *n* [école] boarder || MÉD. houseman, U.S. intern || **~ement** *m* JUR. internment || MÉD. confinement || **~er** *vt* (1) JUR. intern || MÉD. confine, put under restraint.

interpell|ation [ɛ̃terpelasjɔ̃] *f* [police] arrest || POL. question (au Parlement) || **~er** *vt* (1) hail, call out to || [police] arrest || POL. interpellate.

Interphone [ɛ̃terfɔn] *m* N.D. intercom, buzzer.

interplanétaire [-planetɛr] *adj* interplanetary.

interpoler [ɛ̃terpɔle] *vt* (1) interpolate.

interposer [ɛ̃terpoze] *vt* (1) interpose (entre, between) ; par personne interposée, through a third party — *vpr* **s'~,** intervene, interpose (entre, between).

interpr|étation [ɛ̃terpretasjɔ̃] *f* interpretation, reading (de texte) || TH., MUS. rendering, interpretation ; performance || **~ète** [-ɛt] *n* interpreter (traducteur) || exponent (d'une théorie) || TH. actor, actress || MUS. interpreter, performer || **~éter** [-ete] *vt* (5) interpret (expliquer) ; mal ~, misunderstand || TH. play || MUS. render, interpret, perform.

interro|gateur, trice [ɛ̃terɔgatœr tris] *adj* questioning ; d'un air ~, inquiringly ● *n* examiner || **~gatif, ive** [-gatif, iv] *adj* GRAMM. interrogative || **~gation** [-gasjɔ̃] *f* interrogation || [école] ~ écrite, written test

|| GRAMM. point d'~, interrogation/ question mark || **~gatoire** [-gatwar] *m* questioning || JUR. interrogation, examination || **~ger** [-ʒe] *vt* (7) interrogate, question || [école] test, examine || JUR. examine.

interr|ompre [ɛ̃terɔ̃pr] *vi/vt* (90) interrupt || break (un voyage) || interrupt (qqn) ; break in on (une conversation) || disrupt (communication) || ÉLECTR. cut off — *vpr* **s'~,** break off || **~upteur** [-yptœr] *m* ÉLECTR. switch || **~uption** [-ypsjɔ̃] *f* interruption, break ; disruption (des communications) ; **sans ~,** without a break, non-stop || MÉD. **~ (volontaire) de grossesse,** termination of pregnancy.

intersection [ɛ̃terseksjɔ̃] *f* intersection.

interstice [ɛ̃terstis] *m* interstice, chink.

interurbain, e [ɛ̃teryrbɛ̃, ɛn] *adj* TÉL. communication ~e, trunk/U.S. long-distance call.

intervalle [ɛ̃terval] *m* [espace] interval, gap || [temps] interval, space of time ; dans l'~, (in the) meantime, meanwhile || MUS. distance, interval.

inter|venir [ɛ̃tervənir] *vi* (2) intervene, come in || [événement] occur, take place, come up || **~vention** [-vãsjɔ̃] *f* interference, intervention || MÉD. ~ chirurgicale, operation.

interver|sion [ɛ̃terversjɔ̃] *f* inversion || **~tir** [-tir] *vt* (2) invert.

interview [ɛ̃tervju] *f* interview || **~er** [-ve] *vt* (1) interview.

intest|in, e [ɛ̃testɛ̃, in] *adj* internal ● *m* intestine ; ~ grêle, small intestine ; gros ~, large intestine || Pl bowels || **~inal, e, aux** [-inal o] *adj* intestinal.

intime [ɛ̃tim] *adj* intimate ; inner, private (pensées), || ami ~, close/ bosom friend || informal, private (réunion) || homelike (atmosphère) || **~ment** *adv* intimately ; privately ; closely || FIG. deeply (convaincu).

intimid|ation [ɛ̃timidasjɔ̃] *f* intimidation || **~é, e** *adj* self-conscious ; *être* **~,** stand in awe (*par qqn,* of sb) || **~er** *vt* (1) intimidate.

intimité [ɛ̃timite] *f* intimacy ; privacy (vie privée) ; *dans l'~,* in private.

intitul|é [ɛ̃tityle] *m* heading || **~er** *vt* (1) entitle, head.

intolér|able [ɛ̃tɔlerabl] *adj* intolerable, unbearable || **~ance** *f* intolerance || **~ant, e** *adj* intolerant.

intonation [ɛ̃tɔnasjɔ̃] *f* intonation, ring.

intoxi|cation [ɛ̃tɔksikasjɔ̃] *f* MÉD. intoxication ; **~** *alimentaire,* food-poisoning || POL. brainwashing || **~qué, e** [-ke] *n* addict || **~quer** *vt* (1) poison.

intraduisible [ɛ̃tradɥizibl] *adj* untranslatable.

intraitable [ɛ̃tretabl] *adj* FIG. intractable, inflexible.

intramusculaire [ɛ̃tramyskyler] *adj* intramuscular.

intransigeant, e [ɛ̃trɑ̃ziʒɑ̃, ɑ̃t] *adj* uncompromising, unbending.

intransitif, ive [ɛ̃trɑ̃zitif, iv] *adj* intransitive.

intransportable [ɛ̃trɑ̃spɔrtabl] *adj* MÉD. unfit to travel/be moved.

intraveineux, euse [ɛ̃travenø, øz] *adj* intravenous.

intrépid|e [ɛ̃trepid] *adj* intrepid, bold, dauntless.

intri|gant, e [ɛ̃trigɑ̃, ɑ̃t] *adj.* scheming ● *n* schemer || **~gue** [-g] *f* intrigue, scheme || plot (de roman) || **~guer¹** [-ge] *vi* (1) intrigue, scheme (manœuvrer).

intriguer² *vt* (1) intrigue, puzzle (exciter la curiosité).

intrinsèque [ɛ̃trɛ̃sɛk] *adj* intrinsic.

introd|uction [ɛ̃trɔdyksjɔ̃] *f* introduction ; *d'~,* introductory || **~uire** [-ɥir] *vt* (95) introduce ; insert (une clef dans la serrure) ; work in (qqch,

progressivement) — *vpr* **s'~,** get into ; work one's way into || show/ usher in (qqn) || FIG. initiate, bring in (une mode).

introuvable [ɛ̃truvabl] *adj* which cannot be found.

introverti, e [ɛ̃trɔverti] *adj/n* introvert.

intru|s, e [ɛ̃try, yz] *n* intruder || JUR. trespasser || **~sion** [-zjɔ̃] *f* intrusion.

intui|tif, ive [ɛ̃tɥitif, iv] *adj* intuitive || **~tion** *f* intuition, hunch || **~tivement** *adv* intuitively.

in|usable [inyzabl] *adj* hard-wearing || **~usité, e** *adj* out of use, uncommon || **~utile** *adj* useless || pointless (paroles) || *il est* **~** *d'essayer,* it's no use trying || unnecessary ; **~** *de dire,* needless to say || undue (excessif) || **~utilement** *adv* uselessly ; pointlessly, unnecessarily ; needlessly || **~utilisable** *adj* unusable, unserviceable ; out of order (détraqué) || **~utilisé, e** *adj* unused || **~utilité** *f* uselessness ; pointlessness.

in|vaincu, e [ɛ̃vɛ̃ky] *adj* unconquered || SP. unbeaten || **~valide** *adj/n* invalid ; **~** *de guerre,* disabled ex-service-man || **~valider** *vt* (1) JUR. invalidate (un testament) ; unseat (un député) || **~validité** *f* MÉD. disability || **~variable** *adj* invariable || **~variablement** *adv* invariably, without fail.

invasion [ɛ̃vazjɔ̃] *f* invasion.

invectives [ɛ̃vɛktiv] *fpl* abuse.

in|vendable [ɛ̃vɑ̃dabl] *adj* unsaleable || **~vendu** *m* unsold article || *Pl* [journaux] unsold copies.

inventaire [ɛ̃vɑ̃ter] *m* COMM. inventory, stock-taking ; *faire l'~,* take stock.

inven|ter [ɛ̃vɑ̃te] *vt* (1) invent ; contrive, think up (moyen) ; make up (excuse) ; coin, mint (mot) || **~teur, trice** *n* inventor || **~tif, ive** *adj* inventive || **~tion** *f* invention.

invérifiable [ɛ̃verifjabl] *adj* impossible to check.

inver|se [ɛ̃vɛrs] *adj* opposite ; *en sens ~*, from the opposite direction ‖ (*circulation*) *venant en sens ~*, oncoming (*voiture*).● *m* opposite, reverse ‖ *~ser vt* (1) invert, reverse ‖ *~sion f* inversion ‖ *~ti, e* [-ti] *n* homosexual ‖ queer (fam.).

investiga|teur, trice [ɛ̃vɛstigatœr, tris] *adj* inquiring ● *n* investigator ‖ *~tion f* investigation.

invest|ir [ɛ̃vɛstir] *vt* (2) (in)vest (*de*, with) [autorité] ‖ MIL., FIN. invest ‖ FIG. *il investit beaucoup dans son travail*, he puts a lot into his work ‖ *~issement m* FIN. investment.

invétéré, e [ɛ̃vetere] *adj* inveterate, deep-rooted (*habitude*) ; inveterate (*ivrogne*).

in|vincible [ɛ̃vɛ̃sibl] *adj* invincible, unconquerable ‖ *~visible adj* invisible, unseen, hidden (*caché*).

invit|ation [ɛ̃vitasjɔ̃] *f* invitation ‖ *~é, e n* guest ; *avoir des ~s*, have company ‖ *~er vt* (1) invite, ask ; *~ qqn*, ask sb round ; *~ qqn à dîner*, ask sb to dinner ‖ request (exhorter).

invocation [ɛ̃vɔkasjɔ̃] *f* invocation.

involontaire [ɛ̃vɔlɔ̃tɛr] *adj* involuntary, unintentional ‖ *~ment adv* involuntarily, unwittingly.

in|voquer [ɛ̃vɔke] *vt* (1) [appeler] invoke (Dieu) ‖ [alléguer] put forward (excuse) ; call up(on) [témoignage] ‖ *~vraisemblable adj* improbable, unlikely ‖ incredible (incroyable) ‖ *~vulnérable adj* invulnerable.

iode [jɔd] *m* iodin(e) ; *teinture d'~*, tincture of iodin(e).

Irak [irak] *m* Iraq ‖ *~ien, ienne n* Iraqi.

Ir|an [irɑ̃] *m* Iran ‖ *~anien, ienne* [-anjɛ̃, jɛn] *n* Iranian.

irascible [irasibl] *adj* irascible.

iris [iris] *m* iris.

irlandais, e [irlɑ̃dɛ, ɛz] *adj* Irish ● *m* Irish (langue).

Irland|ais, e *n* Irishman, -woman ; *les ~*, the Irish ‖ *~e f* Ireland.

iron|ie [irɔni] *f* irony ‖ *~ique adj* ironical ‖ *~iquement adv* ironically, dryly.

irons, iront [irɔ̃] → ALLER.

irradi|ation [irradjasjɔ̃] *f* irradiation ‖ *~er vt* (1) irradiate — *vi* radiate.

ir|rationnel, elle [irrasjɔnɛl] *adj* irrational ‖ *~réalisable adj* impracticable ‖ *~réalisé, e adj* unfulfilled ‖ *~réaliste adj* impractical ‖ *~réconciliable adj* irreconcilable ‖ *~récupérable adj* irretrievable ‖ beyond repair (voiture) ‖ *~réel, elle adj* unreal ‖ *~réfléchi, e adj* thoughtless (paroles) ; unthinking (personne) ; unconsidered (remarque) ; hasty, rash (action) ; headlong (décision) ‖ *~réfutable adj* unanswerable, irrefutable ‖ *~régularité f* irregularity ‖ *~régulier, ière adj* irregular ‖ unpunctual (employé) ; casual (travailleur) ; erratic (mouvement) ; crazy (pavement) ‖ FIG. unsteady ‖ *~religieux, ieuse* [-reliʒjø, jøz] *adj* irreligious ‖ *~rémédiable* [-remedjabl] *adj* irremediable, irredeemable ‖ *~remplaçable adj* irreplaceable ‖ *~réparable adj* irreparable, unmendable, beyond repair ‖ irretrievable (perte) ‖ *~réprochable* [-reprɔfabl] *adj* irreproachable, beyond reproach ; blameless (personne, vie) ; faultless (travail) ‖ *~résistible adj* irresistible (charme) ‖ uncontrollable (émotion) ; compelling (besoin) ‖ *~résolu, e adj* irresolute, undecided (personne) ; unsolved (problème) ‖ *~respect m* disrespect ‖ *~respectueux, euse adj* disrespectful ‖ *~responsable adj* irresponsible ‖ *~rétrécissable* [-retresisabl] *adj* unshrinkable ‖ *~révérencieux, ieuse adj* irreverent ‖ *~réversible adj* CIN. non-reversible (film) ‖ *~révocable adj* irrevocable ‖ *~révocablement adv* beyond recall.

irri|gation [irigasjɔ̃] *f* irrigation ‖ **~guer** [-ge] *vt* (1) irrigate.

irrit|able [iritabl] *adj* irritable, testy, petulant ‖ **~ant, e** *adj* irritating ‖ MÉD. irritant ‖ **~ation** *f* irritation, fret ‖ MÉD. irritation ‖ **~é, e** *adj* irritated, angry, annoyed ‖ MÉD. sore (gorge) ; irritated (peau) ; inflamed (œil) ‖ **~er** *vt* (1) irritate, annoy ‖ MÉD. irritate, inflame ; chafe (par frottement) — *vpr* s'~, become angry ‖ MÉD. become inflamed/irritated ; [peau] chafe.

irruption [irypsjɔ̃] *f* irruption ; in-rush ; *faire ~,* burst/rush (*dans,* into).

isard [izar] *m* (Pyrénées) = CHAMOIS.

islam [islam] *m* REL. Islam ‖ **~ique** [islamik] *adj* Islamic ‖ **~isme** *m* Islamism.

islandais, e [islɑ̃dɛ, ɛz] *adj* Icelandic.

Island|ais, e *n* Icelander ‖ **~e** *f* Iceland.

isocèle [izɔsɛl] *adj* isosceles.

isol|ant, e [izɔlɑ̃, ɑ̃t] *adj* insulating ‖ **~ateur** *m* insulator ‖ **~ation** *f* ÉLECTR. insulation.

isol|é, e [izɔle] *adj* isolated ‖ lonely, remote, out-of-the-way (lieu) ‖ **~ement** *m* isolation ‖ loneliness (d'une maison) ‖ privacy, retirement (retraite) ‖ **~ément** [-emɑ̃] *adv* individually, separately ‖ **~er** *vt* (1) isolate ‖ cut off (ville) ; segregate (séparer) ‖ ÉLECTR. insulate ‖ **~oir** *m* polling-booth.

isotope [izɔtɔp] *m* isotope.

Israël [israɛl] *m* Israel.

Israélien, ienne [israeljɛ̃, jɛn] *n* Israeli ‖ **~ite** *n* Israelite.

issu, e [isy] *adj* born (*de,* from) ; *être* **~ de,** be descended from (né de) ; FIG. stem from (résulter de).

issue [isy] *f* [sortie] exit ; *voie sans* **~,** dead end ; outlet (pour l'eau, le gaz, etc.) ‖ outcome, issue (résultat) ‖ FIG. *à l'~ de,* at the end of.

isthme [ism] *m* isthmus.

Ital|ie [itali] *f* Italy ‖ **~ien, ienne** *n* Italian.

ital|ien, ienne *adj* Italian ● *m* [langue] Italian ‖ **~ique** *adj/f* italic ; *mettre en ~s,* put in italics.

itinéraire [itinerɛr] *m* itinerary, route.

I.V.G. [iveʒe] *abrév/f* = INTERRUPTION VOLONTAIRE DE GROSSESSE.

ivoire [ivwar] *m* ivory.

Ivoirien, ienne *n/adj* GÉOGR. Ivorian.

ivr|e [ivr] *adj* drunk(en), intoxicated ; **~ mort,** dead drunk ; *être* **~,** be the worse for drink ‖ FIG. **~ de joie,** wild with joy ‖ **~esse** [ivrɛs] *f* drunkenness, intoxication ; *en état d'~,* under the influence of drink ‖ AUT. *conduite en état d'~,* drunken driving ‖ **~ogne, ognesse** [ivrɔɲ, ɛs] *n* drunkard ; **~ repenti,** reclaimed drunkard ‖ **~ognerie** [-ɔɲri] *f* drunkenness, drinking.

J

j [ʒi] m j ‖ MIL. *le jour J,* D-day.

j'→ JE.

jabot [ʒabo] m [oiseau] crop ; [parure] frill, ruffle.

jacasser [ʒakase] vi (1) [pie] chatter ‖ [personne] yackety-yak (coll.).

jachère [ʒaʃɛr] f fallow ; *rester en* ~, lie fallow.

jacinthe [ʒasɛ̃t] f hyacinth.

jadis [ʒadis] adv [arch.] formerly ; *de* ~, of old, of long ago.

jaguar [ʒagwar] m jaguar.

jaillir [ʒajir] vi (2) [liquide] spring (up), gush, forth, spout, squirt ; [pétrole] well (up) ; [sang] spurt ‖ [flamme] shoot up ; [lumière] flash.

jais [ʒɛ] m jet ; *(noir) de* ~, jet (-black).

jal|on [ʒalɔ̃] m (surveyor's) staff ‖ FIG. milestone ; *poser des* ~s *pour,* prepare the ground for ‖ ~**onner** [-ɔne] vt (1) stake out/off, mark out.

jal|ouser [ʒaluze] vt (1) be jealous of, envy ‖ ~**ousie** [-uzi] f jealousy ‖ ARCH. Venetian blind (store) ‖ ~**oux, ouse** [-u, uz] adj jealous, envious *(de,* of).

jamais [ʒamɛ] adv [négatif] never ; [positif] ever ; ~ *plus,* never more ; *à* ~, for ever ; *presque* ~, hardly ever ; *si* ~, of ever.

jamb|e [ʒɑ̃b] f leg ; shank (de la cheville au genou) ; ~ *de bois,* wooden leg ; *prendre ses* ~s *à son cou,* take to one's heels ‖ ~**ière** f pad.

jambon [ʒɑ̃bɔ̃] m ham.

jante [ʒɑ̃t] f rim.

janvier [ʒɑ̃vje] m January.

Jap|on [ʒapɔ̃] m Japan ‖ ~**onais, e** [-ɔnɛ, ɛz] n Japanese.

japonais, e adj Japanese ● m [langue] Japanese.

japp|ement [ʒapmɑ̃] m yelp ‖ ~**er** vi (1) yelp.

jaquette [ʒakɛt] f morning coat (d'homme) ; jacket (de femme) ‖ (dust) jacket (de livre).

jard|in [ʒardɛ̃] m garden ; ~ *d'agrément,* flower garden ; ~ *à la française,* formal garden(s) ; ~ *pota- ger,* kitchen garden ‖ ~ *d'enfants,* nursery school, kindergarten ‖ ~**inage** [-inaʒ] m gardening ‖ ~**iner** vi (1) garden ‖ ~**inerie** f garden- centre ‖ ~**inier, ière** [-inje, jɛr] n gardener ‖ ~**ière d'enfants,** kinder- garten mistress.

jargon [ʒargɔ̃] m double-dutch ‖ jargon (de métier) ; journalese (jour- nalistique).

jarre [ʒar] f jar.

jarret [ʒarɛ] m hock (de cheval) ‖ CULIN. ~ *de veau,* knuckle of veal.

jarret|elle [ʒartɛl] f suspender, U.S. garter ‖ ~**ière** f garter.

jars [ʒar] m gander.

jaser [ʒaze] *vi* (1) gossip, tattle ‖ [bébé] prattle.

jasmin [ʒasmɛ̃] *m* jasmin(e).

jatte [ʒat] *f* flat bowl.

jaug|e [ʒoʒ] *f* gauge ‖ AUT. ~ *d'essence*, petrol gauge ; ~ *d'huile*, dipstick ‖ NAUT. tonnage ‖ **~er** *vt* (1) gauge — *vi* NAUT. have a tonnage of.

jaun|âtre [ʒonɑtr] *adj* yellowish ‖ ~**e** *adj* yellow ; brown (chaussures) ● *m* yellow ‖ ~ *d'œuf*, yolk ‖ PÉJ. blackleg ; scab (sl.) [non gréviste] ‖ ~**ir** *vi* (2) turn/become yellow — *vt* yellow ‖ ~**isse** [-is] *f* jaundice.

Javel (eau de) [odʒavel] *f* bleach.

javelliser [ʒavelize] *vt* (1) chlorinate.

javelot [ʒavlo] *m* javelin.

je [ʒə], **j'** (devant voyelle ou « h » muet) *pron pers* I.

je-m'en-fichisme [ʒəmɑ̃fiʃism] *m* FAM. couldn't-care-less attitude.

jésuite [ʒezɥit] *m* Jesuit.

Jésus(-Christ) [ʒezy(kri)] *m* Jesus (Christ) ; *après J.-C.*, A.D. (Anno Domini) ; *avant J.-C.*, B.C. (before Christ).

jet¹ [ʒɛ] *m* throw(ing) ; cast(ing) ; ~ *d'eau*, fountain ; squirt (de liquide) ; spurt (de sang) ; puff (de vapeur) ‖ SP. throw ‖ FIG. *premier* ~, draft (brouillon).

jet² [dʒɛt] *m* AV. jet(-plane).

jetable [ʒətabl] *adj* disposable, throwaway.

jetée [ʒəte] *f* pier, jetty.

jeter [ʒəte] *vt* (8 *a*) throw ; fling, hurl (violemment) ; cast (dés) ; ~ *en l'air*, throw up, toss (une pièce) ; throw away, cast off (se débarrasser) ; *à* ~, disposable, throwaway (bouteille, emballage, etc.) ‖ NAUT. ~ *l'ancre*, cast/drop anchor ; ~ *à la mer*, jettison ‖ FIG. ~ *un regard à*, glance at ; ~ *un regard furieux à*, glare at ; *le sort en est jeté*, the die is cast — *vpr se* ~, throw oneself (*sur*, on) ; *se* ~

sur, go/rush/jump at, fall on ‖ [fleuve] flow (*dans*, into).

jeton [ʒətɔ̃] *m* counter ; check ; ~ *de poker*, chip ‖ TÉL. token.

jeu, eux [ʒø] *m* [amusement] play ‖ [activité] game ; ~ *d'intérieur/de plein air*, indoor/outdoor game ; ~ *de cartes*, card game ; ~ *de construction*, building blocks ; ~ *d'échecs*, chess ; ~*x de société*, parlour games ‖ [partie] game ‖ [pièces] set ; ~ *d'échecs*, chess set ‖ [cartes] ~ *de cartes*, pack/U.S. deck of cards ; [main] hand ‖ [jeu d'argent] gambling ; ~ *de hasard*, a game of chance ; *jouer gros* ~, play for high stakes ‖ SP. play ; *hors* ~, offside ; *franc* ~, fair play ; ~ *à 13*, rugby league ; *jeux Olympiques*, Olympic Games ‖ TH. [acteur] acting ‖ T.V. ~ *télévisé*, television game/quiz ; ~ *vidéo*, video game ‖ MUS. ~ *d'orgue*, organ stop ‖ TECHN. play ; slack (d'un écrou) ‖ *vieux* ~, antiquated ; square (coll.) ‖ FIG. *en* ~, at stake ; *ce n'est pas de* ~, that's not cricket ; *mettre en* ~, bring into play ; ~ *de mots*, play on words, pun.

jeudi [ʒødi] *m* Thursday.

jeun (à) [aʒɶ̃] *loc adv* on an empty stomach (de nourriture) ; sober (de boisson).

jeune [ʒɶn] *adj* [âge] young ; *il est plus* ~ *que moi de deux ans*, he is my junior by two years ; *le* ~ *Smith*, Smith Junior (abrév. : Jr.) ; ~ *fille*, girl ; ~ *homme*, young man ‖ youthful (allure) ‖ [inexpérimenté] inexperienced ; green (coll.) ● *m* young boy, youngster ‖ *Pl* ~ *s gens*, youths ; *les* ~*s*, young people, the youth.

jeûn|e [ʒøn] *m* fast ‖ ~**er** *vi* (1) fast.

jeunesse [ʒɶnɛs] *f* [période] youth ; boyhood, girlhood ; [groupe] *la* ~, the young, the youth.

joaill|erie [ʒɔajri] *f* jewellery ‖ ~**ier, ière** *n* jeweller.

jobard [ʒɔbar] *m* FAM. mug, sucker (coll.).

jockey [ʒɔkɛ] *m* jockey.

jogging [dʒɔgiŋ] *m* faire du ~, go jogging.

joie [ʒwa] *f* joy, gladness, delight ; *avec* ~, with delight ; *d'une débordante,* overjoyed ; *sauter de* ~, jump for joy.

joindre [ʒwɛ̃dr] *vt* (59) [mettre ensemble] join, put together ; link, connect (*à,* to) ; [relier] ~ *les mains,* join hands ‖ [insérer] enclose, annex ‖ [contacter] get in touch with, contact ‖ TÉL. get through to ‖ FIG. ~ *l'utile à l'agréable,* combine business with pleasure ; ~ *les deux bouts,* make (both) ends meet — *vpr se* ~ *à,* join (qqn).

joint¹ [ʒwɛ̃] *m* ARG. [drogue] joint (sl.).

joint² *m* TECHN. joint ; washer (de robinet) ‖ AUT. ~ *de culasse,* gasket ‖ ~**ure** [-tyr] *f* joint ‖ MÉD. knuckle (du doigt).

joker [ʒɔkɛr] *m* joker.

joli, e [ʒɔli] *adj* pretty, nice, attractive ‖ ~**ment** *adv* nicely, prettily ‖ FAM. pretty, jolly (coll.) [très].

jonc [ʒɔ̃] *m* [plante] rush ‖ [canne] cane.

jonch|é, e [ʒɔ̃ʃe] *adj* ~ *de,* littered/ strewn with ‖ ~**er,** *vt* (1) strew, litter.

jonction [ʒɔ̃ksjɔ̃] *f* junction ‖ ASTR. link-up.

jongl|er [ʒɔ̃gle] *vi* (1) juggle ‖ ~**eur, euse** *n* juggler.

jonque [ʒɔ̃k] *f* NAUT. junk.

jonquille [ʒɔ̃kij] *f* daffodil.

joue [ʒu] *f* cheek ; ~ *contre* ~, cheek to cheek ‖ MIL. *mettre en* ~, take aim at.

jou|er [ʒwe] *vi* (1) play ; *bien/mal* ~, play a good/bad game ; ~ *contre qqn,* take sb on ; ~ *aux billes,* play marbles ; ~ *qqch à pile ou face,* toss up for sth ; ~ *à la poupée,* play with one's dolls ‖ [cartes] ~ *aux cartes,* play cards ; *bien* ~, play a good

hand ; *c'est à qui de* ~ ?, who is to lead ? ‖ [échecs] ~ *aux échecs,* play chess ; *c'est à vous de* ~, it's your move ‖ [casino] gamble ‖ MUS. ~ *du piano,* play the piano ‖ SP. ~ *au football,* play football ; ~ *en déplacement,* play away ; ~ *en finale,* play off ; ~ *au tennis,* play tennis ‖ TECHN. work, be loose (avoir du jeu) ; *faire* ~, spring ; trigger (un ressort) ‖ FIG. toy, dally (*avec,* with) ; ~ *sur les mots,* play with words ; *bien joué !,* well done ! — *vt* gamble (de l'argent) ; stake (une somme) ‖ [cartes] ~ *atout,* play trumps ‖ SP. back (un cheval) ‖ TH. play, act (un rôle) ; put on (une pièce) ; *quelle pièce joue-t-on ?,* what's on tonight ? ‖ FIG. ~ *le jeu,* play the game ; ~ *franc jeu,* play fair ‖ ~ *de,* use, make use of (couteau) — *vpr se* ~, CIN., TH. run, be on ‖ *se* ~ *de,* make sport of (se moquer de) ; make light of (surmonter) ‖ ~**et** [-ɛ] *m* toy, plaything ‖ ~**eur, euse** *n* player ; *bon/mauvais* ~, good/bad loser ‖ [jeux d'argent] gambler ‖ [violon] fiddler.

joufflu, e [ʒufly] *adj* chubby-faced.

joug [ʒu] *m* yoke (pr. et fig.).

jou|ir [ʒwir] *vt ind* (2) ~ *de,* enjoy — *vi* [sexe] come (sl.) ‖ ~**issance** [-isɑ̃s] *f* enjoyment ‖ sensual pleasure ‖ climax (orgasme) ‖ JUR. use, possession.

jour [ʒur] *m* [24 heures] day ; *par* ~, per day, a day ; *deux* ~s, a couple of days ; *donner ses huit* ~s (*à*), give a week's warning (to) ; *quinze* ~s, fortnight ‖ [date] day ; ~ *impair/ pair,* odd/even date ; ~ *ouvrable,* working-day, workday ; ~ *de semaine,* weekday ; ~ *férié,* Bank Holiday ; ~ *de congé,* day off ; *un* ~, one day (passé) ; some day (à venir) ; *un de ces* ~s, sometime ; *l'autre* ~, the other day ; *un* ~ *ou l'autre,* some day or other ; *tous les* ~s, every day, daily ; *tous les deux* ~s, every other day ; *tous les huit* ~s, once a week ; ~ *pour* ~, to a day ; *quel* ~

sommes-nous (aujourd'hui) ?, what day is it today ?, what is today ? ; *dans* **huit** ~**s**, in a week's time, a week from today, today week ; *il y a aujourd'hui huit* ~**s**, this day last week ; *il y a eu hier huit* ~**s**, a week ago yesterday, yesterday week ‖ *à ce* ~, to date ; **mettre/tenir à** ~, bring/keep up to date ‖ *plat du* ~, today's special ‖ *[époque] day, time ; de nos* ~**s**, nowadays, these days ; *de tous les* ~**s**, (for) everyday (use), second-best (habits) ; ~ *après* ~, day in day out ; *de* ~ *en* ~, day after day ; *au* ~ *le* ~, from day to day ; *du* ~ *au lendemain*, overnight ‖ *[lumière] day(light) ; point du* ~, daybreak ; *de* ~, by day(light) ; *il fait* ~, it is (day)light ; *il fait grand* ~, it is broad day ; *en plein* ~, in broad daylight ‖ Fig. *mettre au* ~, bring to light, unearth, elicit ; *donner le* ~ *à*, give birth to ; *se faire* ~, come out, come to light, dawn ; *vivre au* ~ *le* ~, live from hand to mouth ‖ *[aspect] sous son meilleur* ~, at one's best ‖ *au grand* ~, publicly.

journal, aux [ʒurnal, o] *m* (news)-paper ; ~ *officiel*, G.B. Hansard ; *vendeur de journaux*, news-boy ; *marchand de journaux*, news-agent ‖ *diary* (intime) ‖ Rad., T.V. ~ *parlé/télévisé*, news(cast) ; radio/television news ‖ Naut. ~ *de bord*, log-book ‖ ~**ier, ière** *adj* daily ● *n* day-labourer ‖ ~**isme** *m* journalism ; *faire du* ~, write for the press ‖ ~**iste** *n* journalist ; columnist.

journ|ée [ʒurne] *f* day(time) ; *à la* ~, by the day ; *pendant la* ~, in the daytime ; *toute la* ~, all day (long) ‖ ~ *de travail*, day's work ‖ ~**ellement** [-ɛlmɑ̃] *adv* daily.

joute [ʒut] *f* tilt.

jouxter [ʒukste] *vt* (1) adjoin, border on, be next to.

jovial, e, als ou **aux** [ʒɔvjal, o] *adj* jovial, jolly, breezy.

joyau [ʒwajo] *m* jewel, gem.

joy|eusement [ʒwajøzmɑ̃] *adv*

cheerfully, gladly, joyfully ‖ ~**eux, euse** *adj* joyful, cheerful, merry ; ~ *anniversaire !*, happy birthday ; ~ *Noël*, merry Christmas !

jucher (se) [səʒyʃe] *vpr* (1) perch.

judas [ʒyda] *m* Judas hole.

judic|iaire [ʒydisjɛr] *adj* judicial ‖ ~**ieusement** *adv* sensibly ‖ ~**ieux, ieuse** *adj* judicious, sensible (choix) ; discerning (esprit) ; *peu* ~, ill-advised.

judo [ʒydo] *m* judo ‖ ~**ka** [-ka] *n* judoist.

jug|e [ʒyʒ] *m* Jur. judge, justice ; ~ *d'instruction*, coroner ; ~ *de paix*, Justice of the Peace ‖ Fig. judge ‖ **-é** *m au*, at a guess ‖ ~**ement** *m* Jur. judgment, trial (épreuve) ; decision, award (décision) ; sentence (verdict) ; *passer en* ~, be tried, stand trial (*pour*, for) ; *prononcer un* ~, pass judgment (*sur*, on) ‖ Rel. *le Jugement dernier*, Doomsday ‖ Fig. ~ *de valeur*, value judgment ; estimation ; (good) sense (discernement) ‖ ~**eote** [-ɔt] *f* Fam. gumption ‖ ~**er** *vt* (7) Jur. judge, try ‖ Fig. estimate, consider, think ; ~ *bon de*, think it best to ‖ judge (apprécier) ; decide (décider) ; size up (jauger) — *vi* ~ *de*, judge, appreciate ‖ ~ *d'après*, go by ‖ *autant que je puisse en* ~, as far as I can see ● *m* = Jugé.

juif, ive [ʒɥif, iv] *adj* Jewish.

Juif *m* Jew ‖ *le* ~ *errant*, the Wandering Jew.

juillet [ʒɥijɛ] *m* July.

juin [ʒɥɛ̃] *m* June.

Juive [ʒɥiv] *f* Jewess.

jum|eau, elle [ʒymo, ɛl] *adj* twin ; *frère* ~, twin brother ‖ semi-detached (maison) ● *n* twin ‖ ~**elage** [-laʒ] *m* twinning ‖ ~**elé, e** [-le] *adj villes* ~*es*, twinned cities ‖ ~**eler** [-le] *vt* (5) twin (villes) ‖ ~**elle(s)** *f(pl)* binoculars ; ~**s** *de théâtre*, opera glasses.

jument [ʒymɑ̃] *f* mare.

jungle [ʒɔ̃gl] *f* jungle.

junior [ʒynjɔr] *adj/n* junior.

jup|e [ʒyp] *f* skirt ; ~*-culotte,* culottes ; ~ *fendue,* split skirt ‖ ~**on** *m* petticoat.

jur|é [ʒyre] *m* juryman, juror • *adj* sworn (ennemi) ‖ ~**er** *vt* (1) swear, vow (promettre) ; ~ *de renoncer à,* swear off — *vi* swear, curse (blasphémer) [*contre,* at] ‖ FIG. [couleurs] clash, jar (*avec,* with).

jur|idiction [ʒyridiksjɔ̃] *f* jurisdiction ‖ ~**idique** [-idik] *adj* legal ; ~**idiquement** *adv* legally ‖ ~**isprudence** [-isprydãs] *f* jurisprudence, case-law ; *faire* ~, set a precedent ‖ ~**iste** *n* lawyer.

juron [ʒyrɔ̃] *m* swear-word, curse, oath.

jury [ʒyri] *m* [examen] board of examiners ‖ JUR. jury.

jus [ʒy] *m* juice ; ~ *de fruits,* fruit juice ‖ CULIN. gravy.

jusqu'au-boutiste [ʒyskobutist] *n* die-hard.

jusque [ʒysk] *prép* [espace] *jusqu'à (au, aux),* to, as far as, down/up to, all the way to ; *jusqu'au bout,* right to the end ; *jusqu'ici,* this far ; *jusque-là,* that far ; *jusqu'où ?,* how far ? ; *dans l'eau jusqu'aux genoux,* knee-deep in the water ‖ [temps] *jusqu'à/en,* till, until, up to ; *jusque-là/alors,* till then ; *jusqu'ici/à présent,* so far, until now ‖ [limite] *jusqu'à la fin/au bout,* to the end ; *jusqu'au dernier,* to the last man/one ; *écouter jusqu'au bout,* hear out ; *jusqu'à un certain point,* up to a point ; *jusqu'à nouvel ordre,* until further notice ‖ [quantité] as much/many as • *loc conj jusqu'à ce que,* till, until.

justaucorps [ʒystokɔr] *m* [danseur] leotard.

just|e [ʒyst] *adj* [exact] right, exact ; *le mot* ~, the right word ; sound (jugement) ‖ [mérité] due ; *la* ~ *récompense,* the just reward ‖ [équitable] just, fair ‖ [quantité] barely enough, short ‖ [vêtement] tight (étroit) ‖ MUS. right ; in tune (piano) ; good (oreille) ‖ COMM. *au plus* ~ *prix,* at rock-bottom price • *adv* [exactement] just, exactly ; *à 6 heures* ~, at six o'clock sharp ; ~ *au moment où,* at the very moment when ; ~ *au coin,* right at the corner ‖ [seulement] only, just ; *c'est tout* ~ *si,* hardly, scarcely, barely ‖ MUS. *chanter* ~, sing in tune • *loc adv au* ~, exactly ; *à* ~ *titre,* justly ; *comme de* ~, needless to say, of course ‖ ~**ement** *adv* [exactement] exactly ; [précisément] in fact ‖ [avec justesse/justice] justly, rightly, deservedly ‖ ~**esse** *f* [exactitude] accuracy, exactness ‖ [raisonnement] soundness • *loc adv de* ~, barely ; *passer de* ~, scrape through (un examen) ‖ ~**ice** [-is] *f* justice, fairness ; *rendre* ~ *à qqn,* do sb justice, give sb his due ‖ JUR. justice ; *palais de* ~, law court ; *aller en* ~, go to law ; *demander* ~, seek redress ; *poursuivre en* ~, prosecute, sue, bring in an action against ‖ ~**ifiable** [-ifjabl] *adj* justifiable ‖ ~**ificatif, ive** *adj* justificative ; *pièce* ~*ive,* supporting document, voucher ‖ ~**ification** [-ifikasjɔ̃] *f* justification ‖ ~**ifié, e** [ifje] *adj* justified ; *non* ~, undue ‖ ~**ifier** *vt* (1) justify ; explain away (sa conduite).

juteux, euse [ʒytø, øz] *adj* juicy.

juvénile [ʒyvenil] *adj* juvenile, youthful.

juxtaposer [ʒykstapoze] *vt* (1) juxtapose.

K

k [ka] *m* k.

kaki [kaki] *adj* Mil. olive drab (vert) ; khaki (jaune).

kaléidoscope [kaleidɔskɔp] *m* kaleidoscope.

kangourou [kɑ̃guru] *m* kangaroo.

kaolin [kaɔlɛ̃] *m* kaolin.

karaté [karate] *m* karate.

kart [kart] *m* (go-)kart ‖ ~**ing** *m faire du* ~, go karting.

kayak [kayak] *m* kayak ; *faire du* ~, go canoeing.

képi [kepi] *m* Mil., Fr. kepi.

kermesse [kɛrmɛs] *f* village fair ‖ charity fête, bazaar.

kidnapp|er [kidnape] *vt* (1) kidnap ‖ ~**eur, euse** *n* kidnapper.

kif-kif [kifkif] *adj inv* Fam. all one, all the same.

kilo|(gramme) [kilo(gram)] *m* kilo(gramme) ‖ ~**métrage** *m* Aut., G.B. mileage ‖ ~**métrique** *adj* kilometrical ; *borne* ~, G.B. milestone

‖ ~**mètre** *m* kilometre ‖ ~**watt** *m* kilowatt.

kinésithérapeute [kineziterapøt] *n* physiotherapist.

kiosque [kjɔsk] *m* kiosk ; ~ *à journaux,* news(paper)-stall, U.S. news-stand ; book-stall (dans une gare) ‖ Mus. bandstand ‖ Naut. conning-tower (de sous-marin).

Klaxon [klaksɔn] *m* N.D. Aut. klaxon, horn ; *coup de* ~, toot ‖ ~**ner** [-ɔne] *vi* (1) Aut. hoot, sound/ toot one's horn.

Kleenex [klinɛks] *m* N.D. tissue.

kleptom|ane [klɛptɔman] *adj/n* kleptomaniac ‖ ~**anie** [-ani] *f* kleptomania.

knock-out [nɔkaut] (abrév. *K.-O.* [kao]) *adj* (knocked) out ; *mettre* ~, knock out ; *être mis K.-O.,* be counted out.

krach [krak] *m* Fin. crash.

kyrielle [kirjɛl] *f* string, stream (de mots) ; crowd (d'amis, etc.).

kyste [kist] *m* Méd. cyst.

L

1 [εl] *m* l.

la¹ [la] (**l'** devant voyelle ou « h » aspiré) → LE.

la² [la] *m* Mus. A ; *donner le ~,* give an A.

là *adv* [lieu] there ; *à 2 miles de ~,* two miles off || [temps] then ; *d'ici ~,* in the meantime, before then ● *loc par ~,* that way (direction) ; thereabouts (proximité) ; *~-bas* down/over there ; *~-dedans,* in there ; *~-dessous,* under that/there, underneath ; *~-dessus,* on that (lieu) ; on that point (à ce sujet) ; thereupon, at that point (à ces mots) ; *~-haut,* up there.

label [labεl] *m* COMM. stamp, seal.

labeur [labœr] *m* toil.

labo [labo] *m* FAM. lab.

labor|antine [laborãtin] *f* female laboratory worker || *~atoire* [-atwar] *m* laboratory.

laborieux, ieuse [laborjø, jøz] *adj* laborious, painstaking (pénible) || hardworking (travailleur) ; *les classes ~ieuses,* the working classes.

labour|(age) [labur(aʒ)] *m* || *~er* *vi/vt* (1) plough, U.S. plow ; till || *~eur* *m* ploughman.

labyrinthe [labirɛ̃t] *m* maze, labyrinth.

lac [lak] *m* lake ; *~ artificiel,* reservoir.

lacer [lase] *vt* (6) lace (up) ; tie up [chaussures].

lacérer [lasere] *vt* (5) tear (to shreds), rip up, lacerate.

lacet [lasε] *m* lace ; *~ de soulier,* shoe-lace, U.S. shoe-string || [route] twist, hairpin bend (virage) ; *en ~,* winding (route).

lâch|e¹ [lɑʃ] *adj* cowardly ● *n* coward || *~ement* *adv* in a cowardly way || *~eté* [-te] *f* cowardice ; cowardly act.

lâch|e² *adj* slack (corde) ; loose (nœud) || *~er* *vt* (1) ~ (prise), let go (of) || drop (laisser tomber) || set loose, unleash (chien) || release (pigeons, objet) || TECHN. let off (vapeur) || FIG. blurt out (un mot) ; give up, quit, let down (abandonner) ; leave alone (laisser tranquille) ; *~ pied,* give ground || FAM. drop, throw over, chuck (up) [ami] ; jilt (amoureux) ; give up (études) — *vi* [freins] fail.

laconique [lakɔnik] *adj* laconic.

lacrymogène [lakrimɔʒen] *adj gaz ~,* tear-gas ; *grenade ~,* tear-gas grenade.

lacté, e [lakte] *adj* milky ; *régime ~,* milk diet || ASTR. *Voie ~e,* Milky Way.

lacune [lakyn] *f* gap, blank.

lad [lad] *m* SP. stable-boy/-lad.

lagune [lagyn] *f* lagoon.

laïc [laik] *adj* → LAÏQUE.

laid, e [lɛ, lɛd] *adj* ugly ; unsightly ‖ Fig. mean, vile ; rude ‖ **~eron** [-drɔ̃] *m* plain Jane ‖ **~eur** [-dœr] *f* ugliness (des personnes) ; unsightliness (des choses).

lain|age [lɛnaʒ] *m* woollen (garment/material) ; woolly (fam.) ‖ *Pl* woollen goods, woollens ; woollies (fam.) [vêtements] ‖ **~e** *f* wool ; *de ~,* woollen ; *~ peignée,* worsted ; *~ de verre,* glass-wool ‖ Fam. *mettre une petite ~,* put a woolly on ‖ **~eux, euse** *adj* woolly.

laïque [laik] *adj* lay, secular ; *école ~,* undenominational school ● *n* layman, laywoman ; *les ~s,* the laity, laymen.

laisse [lɛs] *f* leash, lead ; *tenir un chien en ~,* keep a dog on a lead.

laisser [lese] *vt* (1) leave, quit (quitter) ‖ *~ qqn tranquille,* leave/let sb alone ‖ *~ une marque,* leave a mark ‖ [+ infin.] let, leave ; *~ entrer qqn,* let sb in ; *~ faire qqn,* let sb do ; not to interfere ; *laissez-moi faire,* leave it to me ; *~ passer,* pass up (omettre) ; *~ traîner,* leave about ; *~ tomber,* drop, let fall ‖ Comm. let have (vendre) — *vi ~ (beaucoup) à désirer,* leave much to be desired — *vpr* **se ~ :** *se ~ aller,* let oneself go ‖ *je me suis laissé dire que,* I have been told that ‖ Fam. *se ~ faire,* let oneself be pushed around ‖ **~-aller** *m inv* carelessness, slovenliness.

laissez-passer [lesepase] *m inv* permit, pass (document).

lai|t [lɛ] *m* milk ; *~ caillé,* curd, junket ; *~ concentré/condensé,* condensed milk ; *~ écrémé,* skim(med) milk ; *~ frais,* fresh milk ; *~ en poudre,* dried milk ‖ [cosmétique] *~ solaire,* sun(tan) lotion ‖ **~tage** [-taʒ] *m* dairy product ‖ **~terie** [-tri] *f* dairy ‖ **~teux, euse** [-tø, øz] *adj* milky ‖ **~tier, ière** [-tje, jɛr] *adj* milk, dairy (produit) ● *m* milkman, dairyman ● *f* dairymaid, milkmaid.

laiton [letɔ̃] *m* brass.

laitue [lety] *f* lettuce.

laïus [lajys] *m* Fam. long winded speech.

lambeau [lãbo] *m* shred, tatter, rag ; *en ~x,* in tatters ; *déchirer en ~x,* tear to shreds/bits.

lamb|in, e [lãbɛ̃, in] *adj* Fam. sluggish ● *n* dawdler ‖ **~iner** [-ine] *vi* (1) dawdle.

lambri|s [lãbri] *m* wainscot ; panelling.

lame¹ [lam] *f* [vague] wave ; *~ de fond,* groundswell.

lam|e² *f* blade (de couteau) ; *~ de rasoir,* razor-blade ‖ **~é, e** *adj* spangled (*de,* with) ● *m* lamé.

lament|able [lamãtabl] *adj* appalling ; pitiful (pitoyable) ; wretched (minable) ‖ **~ablement** *adv* miserably, wretchedly ‖ **~ation** *f* lament(ation) ‖ **~er (se)** *vpr* (1) moan ; *se ~ sur,* lament, deplore.

lamin|er [lamine] *vt* (1) laminate ‖ **~oir** *m* rolling-mill.

lampadaire [lãpadɛr] *m* standard lamp ‖ [rue] street lamp.

lampe [lãp] *f* lamp ; *~ à alcool,* spirit-lamp ; *~ tempête,* hurricane lamp, storm lantern ‖ Électr. bulb (ampoule) ; *~ à arc,* arc-light ; *~ de bureau,* desk lamp ; *~ de chevet,* bedside lamp ; *~ de poche,* torch, flashlight ; *~ à rayons U.V.,* sunlamp ; *~ témoin,* pilot light ‖ Techn. *~ à souder,* blowlamp.

lamp|ée [lãpe] *f* draught ; *d'une seule ~,* at one gulp ‖ **~er** *vt* (1) swig.

lamp|ion [lãpjɔ̃] *m* Chinese lantern ‖ **~iste** *m* Fig. scapegoat.

lance [lãs] *f* lance, spear (arme) ‖ *~ d'arrosage,* water-hose ‖ **~-flammes** *m inv* flame-thrower ‖ **~ment** *m* throw(ing), casting ‖ Sp. throwing ; *~ du poids,* putting the shot ‖ Naut. launching ‖ Astr. launching, blast-off, shot ‖ Fin. floating (emprunt) ‖ **~-pierres** *m inv* catapult.

lanc|er [lãse] *vt* (6) throw, cast ‖

toss (en l'air) ; hurl, dash, fling (violemment) ‖ ASTR. launch (fusée) ‖ NAUT. launch (un navire) ‖ SP. pitch (une balle) ; throw (le disque) ; put (le poids) ; [pêche] throw (une ligne) ; cast (un filet) ‖ TECHN. start (une machine) ‖ COMM. float, start (une compagnie, un emprunt) ; market (sur le marché) ; promote (une nouvelle affaire) ; ~ *la mode,* set the fashion ‖ FIG. blurt out (un mot) — *vpr se ~,* shoot (se précipiter) ‖ FIG. embark (*dans,* on) ● *m* SP. throw (jet) ; [pêche] casting ‖ ~**eur, euse** *n* SP. thrower (de disque) ; putter (du poids) ; bowler (au cricket) ; pitcher (au base-ball) ‖ COMM. ~ *d'affaires,* promoter.

lance-roquettes *m inv* rocket launcher.

lancinant, e [lãsinã, ãt] *adj* shooting (douleur).

lande [lãd] *f* moor, heath.

langage [lãgaʒ] *m* language ‖ INF. ~**-machine,** computer language.

langoureux, euse [lãgurø, øz] *adj* languid.

langoust|e [lãgust] *f* spiny lobster ‖ ~**ine** [-in] *f* Dublin Bay prawn ‖ CULIN. ~s *frites,* fried scampi.

langu|e¹ [lãg] *f* ANAT. tongue ; *tirer la ~,* put out one's tongue ‖ FAM. *faire marcher les ~s,* set tongues wagging ; *avoir la ~ bien pendue,* have the gift of the gab ; *mauvaise ~,* scandalmonger ‖ ~**ette** *f* [chaussure] tongue.

langue² *f* tongue, language ; ~ *familière,* colloquial language ; ~ *maternelle,* mother tongue ; ~ *vernaculaire,* vernacular ; ~ *morte/vivante,* dead/modern language.

langu|eur [lãgœr] *f* languor ‖ ~**ir** *vi* (2) languish, pine ‖ ~**issant, e** *adj* languishing (au moral) ; languid (au physique) ‖ FIG. [conversation] flagging.

lanière [lanjer] *f* strap, thong.

lantern|e [lãtern] *f* lantern ‖ ~**er** *vi* (1) dawdle, dilly-dally (coll.).

laper [lape] *vt* (1) lap up, lick up.

lapid|aire [lapider] *adj/m* lapidary ‖ ~**er** *vt* (1) stone.

lap|in [lapɛ̃] *m* rabbit, U.S. cony ; ~ *de garenne,* wild rabbit ‖ FAM. *poser un ~ à qqn,* stand sb up ‖ ~**ine** [-in] *f* doe rabbit.

laps [laps] *m* ~ *de temps,* lapse of time.

lapsus [lapsys] *m* slip (of the tongue/pen).

laque [lak] *f* lacquer ; ~ *pour les cheveux,* hair lacquer ‖ FAM. hair spray (en bombe) ; *mettre de la ~ sur,* lacquer.

laquelle → LEQUEL.

laquer [lake] *vt* (1) lacquer.

larbin [larbɛ̃] *m* flunkey.

larcin [larsɛ̃] *m* JUR. (petty) theft.

lar|d [lar] *m* [porc] fat ‖ CULIN. bacon ‖ ~**der** [-de] *vt* (1) lard.

largage [largaʒ] *m* AV. *zone de ~,* dropping zone.

larg|e [larʒ] *adj* wide, broad ; loose, full (vêtement) ; sweeping (geste) ‖ FIG. broad, liberal (esprit) ; ~ *d'esprit,* broad-minded ● *m 6 mètres de ~,* 6 meters wide/across/in width ‖ NAUT. *le ~,* the open sea ; *au ~,* in the offing ; *au ~ de Douvres,* off Dover ‖ ~**ement** *adv* widely ‖ FIG. extensively (en quantité) ; ~ *suffisant,* more than enough ; generously (généreusement) ; *nous avons ~ le temps,* we have plenty of time ‖ ~**esse** *f* bounty, generosity, liberality ‖ ~**eur** *f* width, breadth ; *dans le sens de la ~,* widthwise, breadthwise ‖ FIG. ~ *d'esprit,* broadmindedness.

larguer [large] *vt* (1) release ; let go, cast off (une amarre) ‖ AV. drop (des bombes, des parachutistes).

larm|e [larm] *f* tear ; *être en ~s,* be in tears ; *enfant en ~s,* tearful child ; *fondre en ~s,* burst into tears ; *verser des ~s,* shed tears ‖ FIG. dash, drop (de liquide) ‖ ~**oyant, e** [-wajã, ãt] *adj* tearful ‖ FIG. maudlin (récit).

larv|e [larv] *f* larva ‖ **~é, e** *adj* latent.

lar|yngite [larēʒit] *f* laryngitis ‖ **~ynx** [-ɛ̃ks] *m* larynx.

las, lasse [lɑ, lɑs] *adj* weary.

lascif, ive [lasif, iv] *adj* lascivious, lustful, prurient.

laser [lazɛr] *m* TECHN. laser.

lass|ant, e [lasɑ̃, ɑ̃t] *adj* tiresome, tiring ‖ **~er** *vt* (1) weary, tire — *vpr* **se ~**, grow weary (*de*, of); *on s'en lasse*, it palls on one ‖ **~itude** [-ityd] *f* weariness.

latent, e [latɑ̃, ɑ̃t] *adj* latent.

latéral, e, aux [lateral, o] *adj* lateral, side ‖ **~ement** *adv* sideways.

latin, e [latɛ̃, in] *adj* latin ● *m* Latin (langue) ‖ FIG. FAM. *y perdre son ~*, be at one's wits' end.

Latin *m* Latin (personne); *les ~s*, the Latin people, the Latins.

latitude [latityd] *f* latitude ‖ FIG. freedom, scope; *avoir toute ~ de faire*, be at liberty to do.

lauréat, e [lɔrea, at] *n* prize-winner.

laurier [lɔrje] *m* laurel; **~ rose**, oleander ‖ CULIN. bay leaf ‖ *Pl* FIG. laurels.

lav|able [lavabl] *adj* washable ‖ **~abo** [-abo] *m* washstand; wash basin (cuvette); FAM. *Pl* toilet ‖ **~age** *m* wash(ing) ‖ FIG. **~ de cerveau**, brainwashing.

lavande [lavɑ̃d] *f* lavender.

lavasse [lavas] *f* FAM. dishwater.

lave [lav] *f* lava.

lave|-glace *m* (wind)screenwasher ‖ **~-linge** *m inv* washing-machine; washer (coll.).

lavement [lavmɑ̃] *m* MÉD. enema.

lav|er [lave] *vt* (1) wash; **~ à grande eau**, swill; **~ au jet**, wash down (une voiture); **~ la vaisselle**, wash the dishes, wash up — *vpr* **se ~**, wash, have a wash; *se ~ les dents*, clean one's teeth; *se ~ les mains*, wash one's hands; *se ~ la tête*, wash one's

hair ‖ **~erie** *f* **~ automatique**, launderette ‖ **~ette** *f* dish cloth/mop ‖ **~eur** *m* washer; **~ de carreaux**, window cleaner ‖ **~euse** *f* washerwoman.

lave-vaisselle *m inv* dishwasher.

laxatif, ive [laksatif, iv] *adj/m* laxative.

layette [lɛjɛt] *f* layette ‖ COMM. baby clothes/wear.

le¹ [lə], **la** [la] (**l'** devant voyelle ou « h » muet), **les** [le] *art déf m/f/pl* the ‖ *elle a la taille fine*, she has a slender waist; *fermez les yeux*, shut your eyes; *les mains dans les poches*, with his hands in his pockets ‖ *50 francs de l'heure*, 50 francs an hour.

le², la, l', les *pron pers m/f/pl* him, her, it; them; **~ voilà**, there he is/comes.

le³, l' *pron neutre* so; it, one; *je ~ pense*, I think so.

lèche [lɛʃ] *f* FAM. *faire de la ~*, suck up (*à*, to) ‖ **~-vitrine** *m inv* FAM. *faire du ~*, go window-shopping.

lécher [leʃe] *vt* (5) lick — *vpr* **se ~**, lick oneself; *se ~ les doigts*, lick one's fingers.

leçon [ləsɔ̃] *f* [cours] lesson, class; *donner des ~s particulières*, coach, give private lessons ‖ [à apprendre] lesson, homework; *réciter sa ~*, say one's lesson ‖ FIG. lesson.

lect|eur, trice [lɛktœr, tris] *n* reader ‖ [université] assistant ● *m* **~ de cassettes/de disques compacts**, cassette/compact disc player; **~ de disquettes**, disc drive ‖ **~ure** *f* reading; **~ rapide**, speed reading.

légal, e, aux [legal, o] *adj* legal, lawful ‖ **~ement** *adv* legally, lawfully ‖ **~iser** *vt* (1) legalize.

légendaire [leʒɑ̃dɛr] *adj* legendary, fabulous.

légende [leʒɑ̃d] *f* legend ‖ key (d'une carte); caption (d'illustration).

lég|er, ère [leʒe, ɛr] *adj* light (poids); flimsy (tissu); thin (vêtement) ‖ Sp. *poids* ~, light-weight ‖ Fig. mild (bière) ; weak (thé) ; light (vin) ; gentle (coup, brise, pente) ● *loc adv* **à la** ~**ère**, thoughtlessly, inconsiderately ‖ ~**èrement** *adv* lightly (habillé) ; slightly (blessé) ; gingerly (délicatement) ‖ Fig. thoughtlessly, rashly ‖ ~**èreté** *f* lightness ‖ Fig. lightness ; thoughtlessness ; fickleness (frivolité).

légion [leʒjɔ̃] *f* legion ‖ *Légion étrangère*, Foreign Legion ; *Légion d'honneur*, Legion of Honour.

législa|teur [leʒislatœr] *m* legislator, lawmaker ‖ ~**tif, ive** *adj* legislative ; *élections* ~*s*, general election.

légitim|e [leʒitim] *adj* legitimate, lawful, rightful (propriétaire) ; born in wedlock (enfant) ‖ *être en état de* ~ *défense*, act in self-defence ‖ ~**er** *vt* (1) legitimate.

legs [lɛ(g)] *m* legacy, bequest.

léguer [lege] *vt* (5) bequeath, make over, will (*à,* to).

légume [legym] *m* vegetable, veg (coll.) ; ~*s verts*, greens ‖ Culin. *petits* ~*s*, baby vegetables ‖ Fig., Fam. *grosse* ~, bigwig (coll.).

lendemain [lɑ̃dmɛ̃] *m* le ~, the next day, the day after ; *le* ~ *matin*, the next morning ; *du jour au* ~, overnight ‖ Fam. ~ *de cuite,* morning after ‖ Fig. *Pl* future, consequences ; *sans* ~, short-lived.

len|t, e [lɑ̃, ɑ̃t] *adj* slow ‖ deliberate (pas) ; tardy (progrès) ; *à l'esprit* ~, dull-minded ‖ ~**tement** *adv* slowly, leisurely ‖ ~**teur** *f* slowness, deliberation.

lentille [lɑ̃tij] *f* Bot., Culin. lentil ‖ Phys. lens ; [optique] ~*s cornéennes/de contact,* contact lenses.

léopard [leɔpar] *m* leopard.

lèpre [lɛpr] *f* Méd. leprosy.

lépr|eux, euse [leprø, øz] *adj* leprous ● *n* leper ‖ ~**oserie** [-ozri] *f* lazaret(to).

lequel [ləkɛl], **laquelle** [lakɛl], **les-quels, lesquelles** [lekɛl] *adj* which ● *pron interr* which ● *pron rel* [personnes] who ; whom/whose ‖ [choses] which ‖ [*à + lequel*] **auquel, auxquels, auxquelles** [okɛl], (prép.) + which ; *auquel cas,* in which case ; [*de + lequel*] **duquel** [dykɛl], **desquels, desquelles** [dekɛl] *pron relatif* → DONT, QUI, QUE.

les → LE.

lès, lez [le] *prép* Géogr. near.

léser [leze] *vt* (5) Jur. wrong ‖ Méd. injure.

lésiner [lezine] *vi* (1) skimp (*sur,* on) ; *sans* ~, without stint.

lésion [lezjɔ̃] *f* Méd. lesion ; ~*s internes,* internal injuries.

lessiv|e [lɛsiv] *f* [produit] washing powder ‖ [lavage] washing ; *jour de* ~, washing day ; *faire la* ~, do the washing/laundry ‖ [linge] washing ‖ ~**er** *vt* (1) wash (murs) ‖ Fam. [jeu] clean out ‖ Fam. [épuiser] *être lessivé,* be dead-beat.

lest [lɛst] *m* ballast.

lest|e [lɛst] *adj* nimble, agile ‖ Fig. spicy ‖ ~**ement** *adv* nimbly, smartly, briskly.

lester [lɛste] *vt* (1) ballast, weight.

lettre [lɛtr] *f* letter, character (caractère) ; *en toutes* ~*s,* in full ‖ letter (message) ; ~ *anonyme,* poison pen letter ; ~ *piégée,* letter bomb ; ~ *de remerciement,* thank-you letter ‖ *Pl* letters ; *homme de* ~*s,* man of letters ; [université] arts (subjects) ‖ Fig. *à la* ~, literally.

leucémie [løsemi] *f* leukæmia.

leur [lœr] *adj poss* their ● *pron poss le/la* ~, *les* ~*s,* theirs ‖ *Pl les* ~*s,* their own (friends/family) ● *pron pers inv pl* (to) them ; *parlez*-~, speak to them.

leurrer [lœre] *vt* (1) lure, deceive ; decoy — *vpr se* ~, delude oneself.

levage [ləvaʒ] *m appareil de* ~, hoist.

levain [ləvɛ̃] *m* leaven (pr. et fig.).

lev|ant [ləvã] *adj m* rising (soleil) ● *m* east ; *le Levant,* the Levant ‖ ~**é, e** *adj* être ~, be up ; [convalescent] be up and about ‖ FIG. *au pied* ~, unprepared, off-hand ● *m* survey(ing) [du terrain] ● *f* [Poste] collection ; [cartes] trick ‖ ~**er** *vt* (1) raise, lift ‖ pull up (la glace) ‖ raise (la main) ‖ ~ *les yeux,* look up ‖ ~ *le camp,* strike/break up camp ; ~ *un plan,* survey ‖ SP. start (du gibier) ‖ FIG. ~ *la séance,* leave the chair — *vi* CULIN. (pâte) rise ; *faire* ~ *la pâte,* make the dough rise — *vpr se* ~, rise, stand up (d'un siège) ; get up (du lit) ; *se* ~ *d'un bond,* spring to one's feet ‖ *se* ~ *de table,* rise from table ‖ [vent, marée] set in ‖ [soleil] rise ‖ [jour] break ‖ [temps] clear ● *m* ~ *de/du soleil,* sunrise ; sunup (coll.) ‖ TH. ~ *de rideau,* curtain raiser.

levier [ləvje] *m* lever ‖ AUT. ~ *des vitesses,* gear lever.

lèvre [levr] *f* lip ; ~ *inférieure/ supérieure,* lower/upper lip.

lévrier [levrije] *m* greyhound.

levure [ləvyr] *f* yeast ; ~ *de bière,* brewer's yeast ; ~ *chimique,* baking powder.

lexique [leksik] *m* vocabulary.

lézard [lezar] *m* lizard ‖ FAM. *faire le* ~ *au soleil,* bask in the sun.

lézard|e [lezard] *f* crack ‖ ~**é, e** *adj* cracked.

liaison [ljezɔ̃] *f* link(ing), connection ‖ contact (entre deux personnes) ‖ (love) affair, liaison (amoureuse) ; *avoir une* ~ *avec qqn,* carry on with sb ‖ [transports] ~ **aérienne,** air connection ; ~ *maritime,* sea link ‖ RAD. link-up ; *établir la* ~ *avec,* make contact with ‖ MUS. slur(ring) ‖ MIL. contact ; *officier de* ~, liaison officer.

liane [ljan] *f* liana.

liant, e [ljã, ãt] *adj* sociable ; *peu* ~, standoffish.

liasse [ljas] *f* bundle (de lettres) ;

sheaf (de papiers) ; wad (de billets de banque).

Liban [libã] *m* Lebanon ‖ ~**ais, e** [-ane, ez] *n* Lebanese.

libanais, e *adj* Lebanese.

libell|é [libele] *m* wording ‖ ~**er** *vt* (1) word.

libellule [libelyl] *f* dragonfly.

libéral, e, aux [liberal, o] *adj* liberal ‖ bountiful, generous ● *n* POL. liberal ‖ ~**ement** *adv* liberally, freely ‖ ~**isme** *m* liberalism ‖ ~**ité** *f* liberality, generosity.

libér|ateur, trice [liberatœr, tris] *n* liberator ‖ ~**ation** *f* liberation ‖ release (de prisonnier) ‖ ~**er** *vt* (1) vacate (siège) ; free, liberate (un peuple) ; deliver (délivrer) ‖ JUR. set free, release, discharge (un prisonnier) ‖ MIL. release, discharge (un soldat) — *vpr se* ~ *de,* free oneself from ; disengage oneself from.

libero [libero] *m* [football] sweeper.

liberté [liberte] *f* liberty, freedom ; *en* ~, at large ; *mettre en* ~, set free ; *un jour de* ~, one day off ‖ JUR. *mettre en* ~ *conditionnelle,* parole, release on parole ; *mettre en* ~ *provisoire/sous caution,* release on bail ; *en* ~ *surveillée,* on probation.

librair|e [librer] *n* bookseller ‖ ~**ie** *f* book-shop/-store.

libre [libr] *adj* free ‖ [sans engagement] free ; off duty ; *jour* ~, day off ; *temps* ~, spare/free time ‖ [chambre] vacant ‖ [siège] free ‖ [taxi] empty, free ; *pas* ~, engaged ‖ [emploi] *poste* ~, vacancy ‖ [route] clear ‖ *école* ~, private school ‖ « *entrée* » , "entrance free" ‖ TÉL., FAM. *pas* ~, engaged, U.S. busy ‖ TECHN. *roue* ~, freewheel ; *faire roue* ~, freewheel ‖ FIG. uncommitted ; ~ *de,* free from (préjugés) ; *donner* ~ *cours à,* let loose (sa colère) ; ~ **arbitre** *m* free will ‖ ~**-échange** *m* free-trade ‖ ~**ment** *adv* freely without restraint ‖ ~**-penseur** *m* free thinker ‖ ~**-service** *m* self-service restaurant, cafeteria ‖ self-service store (magasin).

licenc|e¹ [lisãs] f [université] bachelor's degree ; ~ *en droit/science,* Law/Science degree ; ~ *ès lettres,* Arts degree, B.A. ‖ COMM. licence ‖ SP. permit ‖ **~ié, e** n/adj graduate ; ~ *ès lettres,* bachelor of Arts.

licenc|e² f licentiousness (morale) ‖ **~ieux, ieuse** adj licentious, wanton.

licenc|iement [lisãsimã] m redundancy, lay-off ‖ MIL. discharge ‖ **~ier** vt (1) make redundant ; dismiss (renvoyer).

lichen [liken] m BOT. lichen.

licite [lisit] adj lawful.

lie [li] f [vin] dregs, lees ‖ FIG. *la ~ de la société,* the dregs of society.

lié, e [lje] adj FIG. intimate ; *ils sont très ~s,* they are very thick with each other (coll.).

liège [ljɛʒ] m cork ; *à bout de ~,* cork-tipped.

lien [ljɛ̃] m bond, tie ‖ FIG. connnection ; *Pl* ties (d'amitié, etc.).

lier [lje] vt (1) bind, tie up ‖ link up (mots) ‖ CULIN. thicken (une sauce) ‖ MUS. slur — vpr *se ~,* make friends, take up (avec, with) ; *se ~ d'amitié avec,* strike up a friendship with ; *se ~ facilement,* be a good mixer ‖ JUR. bind oneself (par contrat).

lierre [ljɛr] m ivy.

liesse [ljes] f *en ~,* jubilant.

lieu, eux [ljø] m place ; ~ *de naissance,* birthplace ; ~ *public,* public place ‖ venue (choisi pour une activité) ‖ *en ~ sûr,* in a safe place ; *sur les ~x,* on the spot/scene ; *en tous ~x,* everywhere ‖ FIG. ~ *commun,* commonplace ‖ *en premier/ second ~,* in the first/second place ; *en dernier ~,* lastly ● loc prép *au ~ de,* instead of ● loc verbales *avoir ~,* occur, take place, come off ; *avoir ~ de s'inquiéter/se plaindre,* have

(good) grounds to be alarmed/for complaining ‖ *donner ~ à,* be the occasion for, give rise to ‖ *tenir ~ de,* serve as/for.

lieutenant [ljøtnã] m lieutenant.

lièvre [ljɛvr] m hare.

lift|ier [liftje] m lift-boy/-man ‖ **~ing** [-iŋ] m MÉD. face-lift.

ligament [ligamã] m MÉD. ligament.

lign|e [liɲ] f [trait] line ; ~ *en pointillé,* dotted line ‖ line (d'écriture) ; *à la ~ !,* new paragraph ! ‖ [rangée] row, line ; *se mettre en ~,* line up ‖ GÉOGR. ~ *de partage des eaux,* watershed ‖ [transports] line (d'autobus) ‖ RAIL. ~ *de chemin de fer,* railway line ; *grande ~,* main line, trunk-line ‖ AV. ~ *aérienne,* airline, airway ‖ TÉL. line ; *être en ~,* be through ; ~ *directe,* hot line ; ~ *interurbaine,* trunkline ‖ MIL. line ‖ SP. line ; ~ *de départ,* mark ; ~ *d'avants/ d'arrières,* front/back row ; ~ *de touche,* side line ‖ FIG. ~ *de conduite,* course of action, policy ; *grandes ~s,* main outlines ; *garder la ~,* keep one's figure ; *hors ~,* outstanding ‖ **~ée** f lineage, descendants.

ligoter [ligɔte] vt (1) tie up.

ligu|e [lig] f league ‖ **~er (se)** vpr (1) league (together), gang up, form a league (contre, against).

lilas [lila] m lilac.

limace [limas] f slug.

limaille [limaj] f filings.

limande [limãd] f dab ; **~-sole,** lemon-sole.

lim|e [lim] f file ; ~ *à ongles,* nail-file ; emery board (en carton) ‖ **~er** vt (1) file ; *se ~ les ongles,* file one's nails.

limier [limje] m sleuth (coll.) [détective].

limi|tation [limitasjɔ̃] f limitation ; ~ *des naissances,* birthcontrol ; ~ *de vitesse,* speed limit ‖ **~te** [-t] f boundary (d'un pays) ‖ bound ; *sans*

~, boundless ; *dans les* ~*s de,* within (the limit of) || Fig. limit ; *cas* ~, borderline case ; *date* ~, deadline || ~**ter** *vt* (1) limit || [espace] bound || [frontière] border || Fig. restrict (restreindre) || Fam. ~ *les dégâts,* cut (out) one's losses — *vpr se* ~, limit oneself (*à qqch/à faire,* to sth/to doing) || ~**trophe** [-trɔf] *adj* border(ing) ; ~ *de,* border on ; *pays* ~, borderland.

limog|eage [limɔʒaʒ] *m* dismissal || ~**er** *vt* (5) dismiss.

limon [limɔ̃] *m* silt.

limonade [limɔnad] *f* lemonade.

limpid|e [lɛ̃pid] *adj* clear || ~**ité** *f* clearness.

lin [lɛ̃] *m* flax ; *huile de* ~, linseed oil ; *toile de* ~, linen.

linceul [lɛ̃sœl] *m* shroud.

ling|e [lɛ̃ʒ] *m* linen ; *petit* ~, smalls ; ~ *de corps,* underwear || [lessive] washing, laundry || ~**erie** *f* underclothes, underwear || linen-room (pièce).

lingot [lɛ̃go] *m* ingot.

linguist|e [lɛ̃ɡɥist] *n* linguist || ~**ique** *adj* linguistic ● *f* linguistics.

linteau [lɛ̃to] *m* lintel.

li|on [ljɔ̃] *m* lion ; Astr. *le Lion,* Leo || ~**onceau** [-õso] *m* (lion-)cub || ~**onne** [-ɔn] *f* lioness.

liquéfier [likefje] *vt* (1) liquefy.

liqueur [likœr] *f* liqueur.

liquid|ation [likidasjɔ̃] *f* Jur. liquidation || Fin. settlement (d'une dette) || Comm. selling-off.

liquid|e *adj/m* liquid || *argent* ~, ready cash/money || ~**er** *vt* (1) Jur. settle, pay, wipe off, clear (dette) ; liquidate (société) || Comm. sell off/out (stock) || Fig. finish off, clear up (travail) || Fam. liquidate (coll.) ; bump off (sl.).

lire [lir] *vt* (60) read ; ~ *à haute voix,* read aloud/out ; *mal* ~, misread || ~ *dans les lignes de la main de qqn,* read sb's hand.

lis [lis] *m* lily.

liséré [lizere] *m* border.

lis|euse [lizøz] *f* dust-jacket (couvre-livre) || ~**ible** *adj* readable ; legible (déchiffrable).

lisière [lizjɛr] *f* [champ] edge ; [forêt] skirt ; [tissu] selvage.

liss|e [lis] *adj* smooth ; sleek (cheveux) ; [pneu] slick || ~**er** *vt* (1) smooth (down) ; sleek (down) (cheveux) || [oiseau] preen (ses plumes).

listage [listaʒ] *m* Inf. listing, printout.

liste [list] *f* list, listing ; ~ *de pointage,* check list ; **dresser une** ~, draw up a list || ~ *d'attente,* waiting list ; Av. *être mis sur la* ~ *d'attente,* be put on stand-by || Comm. schedule (de prix) || Pol. ~ *électorale,* electoral register/roll.

li|t [li] *m* bed ; *à deux* ~*s,* double (-bedded) [chambre] ; ~ *de camp,* camp-bed ; ~ *à colonnes,* four-poster ; ~ *d'enfant,* cot ; ~ *improvisé,* shakedown ; ~*s jumeaux,* twin beds ; ~ *d'une personne,* single bed ; ~ *pour deux personnes,* double-bed ; ~*s superposés,* bunk beds || **faire le** ~, make the bed ; *se mettre au* ~, get into bed || *au saut du* ~, on getting out of bed ; ~ *de rivière,* bed (de rivière) || ~**terie** [-tri] *f* bedding ; bed-clothes || ~**tière** [-tjer] *f* litter (pour chevaux).

litig|e [litiʒ] *m* dispute ; *en* ~, at issue, under dispute || ~**ieux, ieuse** *adj* litigious, contentious ; *point* ~, moot point.

litote [litɔt] *f* understatement.

litre [litr] *m* litre.

littér|aire [literer] *adj* literary || ~**al, e, aux** [-al, o] *adj* literal || ~**ature** [-atyr] *f* literature.

littoral, e, aux [litɔral, o] *m* seaboard, coast, littoral.

livide [livid] *adj* pallid.

livr|able [livrabl] *adj* Comm. ready for delivery ; ~ *à domicile,* to be delivered ‖ ~**aison** [-ɛzɔ̃] f COMM. delivery (de marchandises); « ~ *à domicile* », "we deliver".

livre¹ [livr] m book; ~ *de classe,* school-book; ~ *de cuisine,* cook(ing) book; ~ *enregistré,* talking book; ~ *de lecture,* reader; ~ *du maître,* key; ~ *de poche,* paperback ‖ COMM. *Grand* ~, ledger ‖ NAUT., Av. ~ *de bord/vol,* log-book.

livre² f [poids] pound.

livre³ f [monnaie] ~ *(sterling),* pound (sterling).

livrée [livre] f livery.

livrer [livre] vt (1) COMM. deliver (marchandises) ‖ MIL. ~ *bataille,* fight a battle ‖ FIG. hand over (qqn) — *vpr se* ~, abandon oneself (*à,* to); indulge (*à,* in).

livr|esque [livresk] adj bookish ‖ ~**et** [-ɛ] m booklet; ~ *de caisse d'épargne,* savings bankbook; ~ *de l'étudiant,* student's record-book; ~ *de famille,* family record book; ~ *scolaire,* school record book ‖ MIL. ~ *militaire,* military record.

livreur [livrœr] m delivery-man.

lob [lɔb] m lob ‖ ~**er** vi lob.

lobe [lɔb] m lobe.

local, e, aux [lɔkal, o] adj local ● m premises ‖ ~**ement** adv locally ‖ ~**iser** vt (1) locate; pinpoint (avec précision) ‖ ~**ité** f locality, place (ville).

loca|taire [lɔkatɛr] n tenant; *(sous-)*~, lodger, U.S. roomer; *prendre des* ~s, take in lodgers ‖ ~**tion** f hiring, U.S. renting; *en* ~, on hire; ~ *(de voitures) sans chauffeur,* car rental service ‖ [tourisme] ~ *meublée (avec cuisine),* self-catering accommodation ‖ TH., RAIL. booking, reservation ‖ TH. *bureau de* ~, box-office ‖ ~-*vente,* hire-purchase.

loch [lɔk] m NAUT. log.

locomotion [lɔkɔmɔsjɔ̃] f locomotion; *moyens de* ~, means of transport.

locomotive [lɔkɔmɔtiv] f locomotive, engine ‖ FIG. pace-setter.

locution [lɔkysjɔ̃] f phrase.

log|e [lɔʒ] f lodge (de concierge, de franc-maçon); TH. box (de spectateurs); dressing-room (des artistes) ‖ ~**ement** m housing, lodging; *crise du* ~, housing shortage ‖ accommodation (place) ‖ MIL. billeting ‖ ~**er** vt (7) lodge, house, accommodate, put up (qqn); *logé et nourri,* board and lodging; [domestique] *être logé (chez,* at/with); *ne pas être logé,* live out; *cet hôtel peut* ~ *200 personnes,* this hotel can accommodate/sleep/take in 200 guests ‖ MIL. billet, quarter — *vi* live *(chez,* with); ~ *à l'hôtel,* live in a hotel ‖ MIL. ~ *chez l'habitant,* be in billets — *vpr se* ~, find accommodation/lodgings ‖ ~**euse** f land-lady.

logiciel [lɔʒisjɛl] m software ‖ ~ *de traitement de texte,* word processor.

logique [lɔʒik] adj logical ; consistent (raisonnement) ● f logic ‖ ~**ment** adv logically.

logistique [lɔʒistik] adj logistic ● f logistics.

loi [lwa] f law; *projet de* ~, bill; act (votée); statute (écrite); *avoir force de* ~, be law; *respectueux des* ~s, law-abiding; *sans* ~, lawless; *homme de* ~, lawyer ‖ FIG. law; *faire la* ~, lay down the law; rule; *se faire une* ~ *de,* make a point of.

loin [lwɛ̃] adv [espace] far (de, from); *il y a* ~ *de... à,* it's a long way from... to; *moins* ~, not so far; *plus* ~, farther (off), further; *le plus* ~, farthest; *très* ~, far afield ‖ *au* ~, far away, in the distance; *de* ~, from a distance, from afar; *non* ~, near by ‖ [temps] far; ~ *dans le passé,* far back in the past; *de* ~ *en* ~, every now and then ‖ FIG. *de* ~, remotely; by far; ~ *du but,* wide of the mark; ~ *de là,* far from it; ~ *des yeux,* ~ *du cœur,* out of sight, out of mind ‖ ~**tain, e** [-tɛ̃, ɛn] adj far, distant, far-off (lieu) ‖ FIG. remote ●

m distance ; *dans le* ~, in the distance.

loir [lwar] *m* dormouse.

loisir [lwazir] *m* leisure, spare time ; *à* ~, at leisure ǁ *Pl* spare time activities.

Lon|donien, ienne [lɔ̃dɔnjɛ̃, jɛn] *n* Londoner ● *adj* London ǁ ~**dres** [-dr] *m* London.

long, longue [lɔ̃, lɔ̃g] *adj* long ; *2 mètres de* ~, 2 metres long ; [temps] long, lengthy ● *adv en savoir* ~ *sur,* know quite a lot about ; *qui en dit* ~, tell-tale ● *en* ~ length ; *en* ~ *et en large,* to and fro, back and forth, up and down ; *à la longue,* in the long run, at length ; *tout le* ~ *du jour,* all day long ● *loc prép le* ~ *de,* along, alongside ; *tout au* ~ *de,* throughout ǁ ~-**courrier** *m* Av. air liner.

longer [lɔ̃ʒe] *vt* (7) [personne] walk/go along ; [chose] run along ; skirt (contourner).

longitud|e [lɔ̃ʒityd] *f* longitude ǁ ~**inal, e, aux** [-inal, o] *adj* lengthwise.

longtemps [lɔ̃tɑ̃] *adv (pendant)* ~, (for) a long time ; *il habite ici depuis* ~, he has been living here (for) a long time ; *il y a* ~, long ago ; *il n'y a pas* ~, not long ago/since ; *a short while ago* ǁ *je n'en ai pas pour* ~, I shan't be long ; ~ *avant/après,* long before/after.

longu|ement [lɔ̃gmɑ̃] *adv* for a long time ; at length ǁ ~**eur** *f* length ; *en* ~, *dans le sens de la* ~, lengthwise ; *quelle est la* ~ *de...* ?, how long is... ? ǁ Sp. *d'une* ~, by a length ǁ Rad. ~ *d'onde,* wave-length ǁ Fig. *traîner en* ~, drag (on/out) ǁ ~-**e-vue** *f* telescope, spyglass.

lopin [lɔpɛ̃] *m* ~ *de terre,* plot of land.

loquace [lɔk(w)as] *adj* loquacious, talkative.

loque [lɔk] *f* rag ; *en* ~s, tattered, in tatters.

loquet [lɔkɛ] *m* latch ; *fermer au* ~, latch.

loqueteux, euse [lɔktø, øz] *adj* ragged, tattered.

lorgn|er [lɔrɲe] *vt* (1) cast side-long glances at ; leer (méchamment) ; ogle (une femme) ǁ ~**ette** *f* opera-glasses.

lors [lɔr] *adv depuis/dès* ~, from that time ● *loc prép* ~ *de,* at the time of ● *loc conj dès* ~ *que,* since ; ~ *même que,* even though.

lorsque [lɔrsk] *conj* when.

losange [lɔzɑ̃ʒ] *m* lozenge ; *en* ~, diamond-shaped.

lo|t [lo] *m* [portion] share ; ~ *(de terre),* plot (of land) ǁ [loterie] prize ; *gros* ~, first prize ; jackpot ǁ Comm. set ; batch (assortiment) ; [enchères] lot ǁ ~**terie** [lɔtri] *f* lottery ; raffle (tombola) ; *mettre en* ~, raffle (off).

lotion [losjɔ̃] *f* lotion.

lotissement [lɔtismɑ̃] *m* housing estate/development.

loto [loto] *m* lotto ǁ G.B. bingo.

lotus [lɔtys] *m* lotus.

louable [lwabl] *adj* commendable.

louang|e [lwɑ̃ʒ] *f* praise ; *à la* ~ *de,* in praise of.

loubard [lubar] *m* hooligan ; hoodlum, yobbo (coll.).

louche¹ [luʃ] *adj* shady, fishy (affaire, chose) ; doubtful, dubious, suspicious (personne).

louche² *f* ladle.

loucher [luʃe] *vt* (1) squint ; be cross-eyed.

louer¹ [lwe] *vt* (1) praise — *vpr se* ~, congratulate oneself *(de,* on).

louer² *vt* (1) [propriétaire] hire out, let (out), U.S. rent (une maison) ; *maison à* ~, house to let/for rent ; ~ *à bail,* lease ǁ [bateau, voiture, etc.] *à* ~, for hire ǁ [locataire] rent (une maison) ; hire, U.S. rent (une voiture) ; charter (un avion) ǁ Rail., Th. book, reserve (une place).

loufoque [lufɔk] *adj* FAM. crazy, daft ; *histoire* ~, shaggy dog story.

loup [lu] *m* wolf ; *bande de* ~*s*, pack of wolves ‖ FIG. *crier au* ~, cry wolf ; *se jeter dans la gueule du* ~, rush into the lion's mouth ; *avoir une faim de* ~, be ravenous ; *aller à pas de* ~, steal (+ adv.), walk/etc. stealthily ; *il fait un froid de* ~, it is bitterly cold ; *entre chien et* ~, at dusk ‖ NAUT. *vieux* ~ *de mer*, old salt.

loupe [lup] *f* magnifying-glass.

louper [lupe] *vt* (1) FAM. miss (le train) ; muff (une balle) ; bungle (son travail).

lourd, e [lur, lurd] *adj* heavy (pesant) ‖ heavy, stodgy (nourriture) ‖ close, sultry, muggy (temps) ‖ heavy (sommeil) ‖ ~ *de*, fraught with (conséquences) ‖ MIL. heavy (artillerie) ‖ TECHN. heavy (industrie) ; heavy-duty (engin) ‖ PHYS. *eau* ~*e*, heavy water ‖ SP. *poids* ~, heavyweight ‖ FIG. heavy ● *adv* heavy ‖ ~ PESER ‖ ~**aud, e** [-do, od] *adj* clumsy ● *m* oaf ‖ ~**ement** [-dəmã] *adv* heavily ‖ ~**eur** [-dœr] *f* heaviness.

loutre [lutr] *f* otter.

louve [luv] *f* she-wolf ‖ ~**teau** [-to] *m* ZOOL. wolf-cub ‖ FIG. [scout] cub (scout).

louvoyer [luvwaje] *vi* (9 *a*) NAUT. tack ‖ FIG. manœuvre.

lover [lɔve] *vt* (1) coil (une corde) — *vpr se* ~, coil up.

loy|al, e, aux [lwajal, o] *adj* loyal, honest, trusty, faithful (personne) ‖ ~**alement** *adv* loyally, faithfully, fair(ly) ‖ ~**auté** [-ote] *f* loyalty, faithfulness, honesty.

loyer [lwaje] *m* rent ; *montant du* ~, rental ‖ FIN. ~ *de l'argent*, rate of interest.

lu → LIRE.

lubie [lybi] *f* whim, fad, craze.

lubrif|iant, e [lybrifjɑ̃, ɑ̃t] *adj* lubricating ● *m* lubricant ‖ ~**ier** *vt* (1) lubricate, oil.

lubrique [lybrik] *adj* lecherous, lustful (personne) ; lewd (propos).

lucarne [lykarn] *f* dormer-window, skylight.

lucid|e [lysid] *adj* lucid ; clear-minded ‖ ~**ité** *f* lucidity ; clear-mindedness.

luciole [lysjɔl] *f* firefly.

lucratif, ive [lykratif, iv] *adj* lucrative, profitable ; *à but non* ~, non-profit-making.

lueur [lɥœr] *f* gleam, glimmer ; flash (éclair) ; glow (incandescence) ; flare (vif éclat) ; flicker (vacillante) ‖ FIG. spark (d'intelligence) ; ~ *d'espoir*, glimmer of hope.

luge [lyʒ] *f* sledge, U.S. sled ; *faire de la* ~, go sledging.

lugubre [lygybr] *adj* dismal, gloomy, dreary, lugubrious.

lui¹ [lɥi] (*Pl* **eux** [ø] sujet ; **leur** [lœr] complément) *pron* he (sujet) ; *c'est* ~, it's him ; *c'est* ~ *qui*, it's he who ; *elle est plus âgée que* ~, she is older than he is/him ‖ him, her, it ; to him, to her (complément) ; *dites-* ~, tell him ; *donnez-* ~ *ce livre*, give him this book ; *donnez-le-* ~, give it to him ‖ [possession] *c'est à* ~, it's his/its own ‖ ~*-même*, himself ; itself *(neutre)*.

lui² → LUIRE.

lui|re [lɥir] *vi* (61) [soleil] shine ‖ gleam (reflet) ; glow (lueur chaude) ; glimmer (faiblement) ‖ [métal] glint ‖ ~**sant, e** [-zɑ̃, ɑ̃t] *adj* shining, shiny ; gleaming.

lumbago [lɔ̃bago] *m* lumbago.

lum|ière [lymjɛr] *f* light ; *à la* ~, in/to the light ; *un filet de* ~, a streak of light ; ~ *crue*, glare ; ~ *solaire*, sunlight ‖ PHOT. *Pl* high lights ‖ FIG. light ; *(Pl)* enlightenment(s) ; *mettre en* ~, bring out ; highlight ‖ ~**ineux, euse** [-inø, øz] *adj* bright ‖ FIG. illuminating.

lun|aire [lynɛr] *adj* lunar ‖ ~**atique** [-atik] *adj* whimsical.

lundi [lœ̃di] *m* Monday.

lune [lyn] f moon ; *nouvelle* ~, new moon ; *pleine* ~, full moon ; *clair de* ~, moonlight ‖ Fig. ~ *de miel,* honeymoon ; *être dans la* ~, be in the clouds.

luné, e [lyne] adj être *bien/mal* ~, be in a good/bad mood.

lunette [lynɛt] f telescope, spy-glass ‖ *Pl* spectacles, glasses ; ~s *de motocycliste,* goggles ; ~s *de soleil,* sunglasses ‖ Aut. ~ *arrière,* rear window.

lurette [lyrɛt] f Fam. *il y a belle* ~, that was long ago.

luron, onne [lyrɔ̃, ɔn] n *joyeux* ~, gay dog.

lustre [lystr] m chandelier.

lustr|é, e [lystre] adj glossy ; shiny (manche) ‖ ~ **er** vt (1) glaze, gloss, polish.

luth [lyt] m lute.

luthier [lytje] m violin-maker.

lutin [lytɛ̃] m imp.

lutt|e [lyt] f struggle, strife (effort) ; ~ *des classes,* class struggle ; ~ *pour la vie,* struggle for existence ‖ fight, contest (opposition) ‖ Sp. wrestling ; ~ *libre,* all-in wrestling ; ~ *à la corde,* tug of war ‖ ~ **er** vi (1) struggle (résister) ‖ fight (se battre) ; battle (*contre,* against) ‖ Sp. wrestle ; clinch (corps à corps) ‖ Fig. contend (*pour,* for ; *contre,* with) ; strive (*contre,* against) ; *être de force à* ~ *avec qqn,*

be a match for sb ‖ ~ **eur, euse** n Sp. wrestler.

luxation [lyksasjɔ̃] f luxation.

luxe [lyks] m luxury ; *de* ~, luxury ‖ Fig. wealth, lavishness (abondance).

Luxembourg [lyksɑ̃bur] m Luxemburg ‖ ~ **eois, eoise** [-ʒwa, waz] n native of Luxemburg ● adj Luxemburg.

luxer [lykse] vt (1) Méd. luxate, put out of joint ; *se* ~ *l'épaule,* dislocate one's shoulder.

luxueux, euse [lyksɥø, øz] adj luxurious.

luxure [lyksyr] f lust, lechery.

luxuriant, e [lyksyrjɑ̃, ɑ̃t] adj luxuriant, lush, exuberant, rank (végétation).

luzerne [lyzɛrn] f lucerne.

lycé|e [lise] m Fr. secondary/grammar school, U.S. high school ‖ ~ **en, enne** [-ɛ̃, ɛn] n secondary/U.S. high school boy/girl.

lymph|atique [lɛ̃fatik] adj lymphatic ‖ ~ **e** f lymph.

lyncher [lɛ̃ʃe] vt (1) lynch.

lynx [lɛ̃ks] m lynx ; *avoir des yeux de* ~, be lynx-eyed.

lyophiliser [ljɔfilize] vt (1) dry-freeze.

lyr|e [lir] f lyre ‖ ~ **ique** adj lyric(al) ‖ ~ **isme** m lyricism.

M

m [em] *m* m.

m' → ME.

ma [ma] → MON.

maboul, e [mabul] *adj* POP. loony, barmy (sl.).

macabre [makabr] *adj* gruesome, grisly.

macadam [makadam] *m* macadam ; tarmac.

macar|on [makarɔ̃] *m* macaroon ‖ ~**oni** [-ɔni] *m* macaroni.

macédoine [masedwan] *f* CULIN. mixed vegetables ; fruit salad.

macérer [masere] *vi* (1) macerate (dans de l'alcool) ; pickle (dans du vinaigre).

mach [mak] *m* (= NOMBRE DE MACH) Mach ; *voler à* ~ *2,* fly at Mach 2.

mâchefer [maʃfɛr] *m* clinker.

mâcher [maʃe] *vt* (1) chew : munch (bruyamment) ‖ FIG. *ne pas* ~ *ses mots,* not to mince matters/one's words.

mach|in, e [maʃɛ̃, in] *n* FAM. what's-his/-her-name (coll.) [personne] ; thing, thingummy, what's-it, what-d'you-call-it (coll.) [objet] ; contraption (innovation) ‖ ~**inal, e, aux** [-inal, o] *adj* mechanical ‖ ~**inalement** [-inalmã] *adv* mechanically ‖ ~**ine** [-in] *f* machine, engine ; ~ *à adresser,* addressograph ; ~ *à*

calculer, calculating-/adding-machine ; ~ *à coudre,* sewing-machine ; ~ *à écrire,* typewriter ; ~ *à laver,* washing-machine ; ~**-outil,** machine-tool ; ~ *à photocopier,* photocopier, Photostat ‖ ~ *à sous,* fruit-machine, one-armed bandit ; ~ *à vapeur,* steam-engine ‖ *faire* ~ *arrière,* reverse the engine ; FIG. backpedal ; *fait à la* ~, machine-made ‖ RAIL. engine ‖ INF. ~ *dédiée au traitement de texte,* word processor ‖ ~**inerie** [-inri] *f* machinery ‖ ~**iniste** *n* RAIL. engineer ‖ TH. stagehand, scene-shifter.

macho [matʃo] *m* male chauvinist pig.

mâch|oire [maʃwar] *f* jaw ‖ ~**onner** [-ɔne] *vt* (1) munch.

maç|on [masɔ̃] ; *m* bricklayer, mason ‖ ~**onnerie** [-ɔnri] *f* masonry ‖ ~**onnique** [ɔnik] *adj* masonic (loge).

maculer [makyle] *vt* (1) smear, stain.

madame, mesdames [madam, me-] *f* madam ‖ [adresse] ~ *X,* Mrs X ; [lettre] ~, Dear Madam, Dear Mrs X ‖ *Pl* ladies.

mademoiselle, mesdemoiselles [madmwazɛl, me-] *f* [non exprimé] *bonjour* ~ *!,* good morning ! ‖ [adresse] ~ *X,* Miss X ; [lettre] *chère* ~, Dear Madam, Dear Miss X ‖ *Pl* young ladies ; *bonjour Mesdemoiselles !,* good morning (young) ladies ! ; [enveloppe] *Mesdemoiselles X,* the Misses X ‖ [restaurant] ~ *!,* waitress !

magas|in [magazɛ̃] *m* shop, U.S. store ; *grand* ~, department store ; ~ *à prix réduits,* discount store ; ~ *à succursales multiples,* chain/multiple store ; *courir les* ~*s,* go shopping, go round the shops ‖ warehouse (dépôt) ; *avoir en* ~, have in stock ‖ TECHN. magazine ‖ ~**inier** [-inje] *m* warehouseman.

magazine [magazin] *m* magazine.

mag|icien, icienne [maʒisjɛ̃, jɛn] magician ‖ ~**ie** *f* magic ; ~ *noire,* black art ‖ ~**ique** *adj* magic(al).

magistr|al, e, aux [maʒistral, o] *adj* masterly, brilliant ‖ ~**alement** *adv* in a masterly way, brilliantly ‖ ~**at** [a] *m* magistrate ‖ ~**ature** *f* magistracy ; *la magistrature,* the Bench.

magnanime [maɲanim] *adj* magnanimous.

magnat [maɲa] *m* magnate, tycoon.

magnét|ique [maɲetik] *adj* magnetic ‖ ~**iser** *vt* (1) mesmerize ‖ ~**isme** *m* magnetism ‖ ~**ocassette** *m* cassette deck ‖ ~**ophone** [-ɔfɔn] *m* tape recorder ; ~ *à cassettes,* cassette tape recorder ‖ ~**oscope** [-ɔskɔp] *m* video-cassette recorder ; *enregistrer au* ~, videotape ‖ ~**oscoper** *vt* (1) videotape.

magnif|ique [maɲifik] *adj* magnificent, great, splendid ‖ ~**iquement** *adv* magnificently, beautifully.

magot [mago] *m* treasure, hoard.

mai [mɛ] *m* May ; *le premier* ~, May Day.

maigr|e [mɛgr] *adj* lean, thin ; spare, skinny ; *grand et* ~, lank(y) ; ~ *et nerveux,* wiry ‖ CULIN. lean (viande) ; low-fat (fromage) ‖ REL. meatless (repas) ; *faire* ~, abstain from meat ‖ FIG. meagre, slender (ressources) ; scanty (repas) ; scant (végétation) ● *m* [viande] lean ‖ ~**elet, ette** [-alɛ, ɛt] *adj* skinny, scrawny ‖ ~**eur** *f*

thinness, leanness ‖ ~**ichon, onne** [-iʃɔ̃, ɔn] *adj* = MAIGRELET ‖ ~**ir** *vi* (2) grow thin(ner), get lean, lose weight ‖ slim, reduce (au moyen d'un régime).

maille [maj] *f* stitch (de tricot) ; mesh (de filet) ; [bas] ~ *filée,* ladder.

maillet [majɛ] *m* mallet.

maillon [majɔ̃] *m* link.

maillot [majo] *m* ~ *de bain,* [femme] swim-suit, swimming costume ; [homme] swimming trunks ; ~ *de corps,* vest, U.S. undershirt.

main [mɛ̃] *f* hand ; *la* ~ *dans la* ~, hand in hand ; *en* ~, in hand ; *sous la* ~, (near) at hand, handy ; *à portée de la* ~, to hand ‖ *serrer la* ~, *donner une poignée de* ~ *à qqn,* shake sb's hand, shake hands with sb ‖ *voter à* ~ *levée,* vote by a show of hands ‖ [cartes] *avoir la* ~, have the lead ‖ MUS. hand ; *morceau à quatre* ~*s,* duet ‖ TECHN. *coup de* ~, hang, knack ‖ FIG. *demander la* ~ *d'une femme,* ask for a lady's hand ; *mettre la* ~ *sur,* lay hands on ; *être pris la* ~ *dans le sac,* be caught red-handed ; *se laver les* ~*s de qqch,* wash one's hands of sth, *donner un coup de* ~ *à qqn,* give sb a hand ; *en venir aux* ~*s,* come to blows ; *à la* ~, by hand (travail) ; *fait à la* ~, hand-made ; *se faire la* ~, get one's hand in ; *à* ~ *droite,* on the right hand side ; *mettre la dernière* ~ *à (qqch),* give (sth) the finishing touch ; *reprendre en* ~, take back in hand ‖ ~ **courante** *f* handrail ‖ ~**-d'œuvre** *f* manpower, workforce, labour ‖ ~**-forte** *f* prêter ~ *à qqn,* come to sb's assistance/help ‖ ~**mise** *f* seizure (sur, of).

maint, e [mɛ̃, mɛ̃t] *adj* many a ; ~*es fois,* many a time ; ~*es et* ~*es fois,* time and again.

maintenant [mɛ̃tnã] *adv* now ; *à partir de* ~, from now on ● *loc conj* ~ *que,* now (that).

main|tenir [mɛ̃tnir] *vt* (101) hold, keep (up) [soutenir] ; ~ *qqch (en place),* hold sth on ; keep up (une vitesse) ‖ Fɪɢ. maintain (affirmer) ; ~ *ses positions,* hold one's own — *vpr se* ~, [temps] stay fair ‖ Mᴇ́ᴅ. hold one's own ‖ ~**tien** [-tjɛ̃] *m* upholding, preservation (de la tradition, etc.) ‖ ~ *de l'ordre,* maintenance of law and order ‖ [attitude] carriage, bearing ; *leçons de* ~, deportment lessons.

mair|e [mɛr] *m* mayor ‖ ~**ie** *f* town hall.

mais [mɛ] *conj* but ‖ ~ *non !,* of course not ; ~ *oui !,* of course (+ v.).

maïs [mais] *m* maize, Indian corn, U.S. corn ‖ Cᴜʟɪɴ. ~ *en épi,* corn on the cob.

mais|on [mɛzɔ̃] *f* [habitation] house ; ~ *de bois,* frame-house ; ~ *de campagne,* country-house ; ~ *préfabriquée,* prefab ; ~ *de rapport,* tenement-house ‖ [foyer] home ; *à la* ~, at home, indoors ; *vers la* ~, homeward ; *fait à la* ~, home-made ; *tenir la* ~, keep house (de, for) ‖ Cᴏᴍᴍ. company, firm, business ; ~ *d'édition,* publishing company ; ~ *mère,* head-office ‖ Mᴇ́ᴅ. ~ *de santé,* nursing-home ‖ Jᴜʀ. ~ *d'arrêt,* remand home ; ~ *d'éducation surveillée,* borstal, approved school ‖ Fᴀᴍ. *aux frais de la* ~, on the house ‖ ~**onnée** [-ɔne] *f* household ‖ ~**onnette** [-ɔnɛt] *f* small house ; cottage.

maîtr|e, esse [mɛtr, ɛs] *adj* main, major (principal) ‖ master (card) ● *m* master ; ~ *de soi,* self-possessed, in control of oneself ‖ master (expert) ; *être passé* ~ *en,* be a past master in ‖ ~ *d'hôtel,* headwaiter ; butler (d'une maison privée) ; steward (dans un club) ; ~ *chanteur,* blackmailer ; ~ *de maison,* host ; ~ *nageur,* swimming teacher ‖ Nᴀᴜᴛ. ~ *d'équipage,* boatswain ● *f* mistress ‖ ~ *de maison,* housewife ‖ ~**ise** *f* mastery, control, command ‖ ~ *de soi,* self-control/-command ‖ skill, workmanship (habileté) ‖ [université] master's degree ‖ Mᴜs. choir (chorale) ‖ ~**iser** *vt* (1) control, bring under control (soumettre) ‖ hold in

(cheval) ‖ master (situation) ‖ subdue (passions) ; keep down, hold in (colère).

majest|é [maʒeste] *f* majesty ‖ ~**ueux, euse** *adj* majestic, stately.

majeur, e [maʒœr] *adj* [important] leading, major ; *en* ~*e partie,* for the most part ; *la* ~*e partie de,* most of ‖ [âge] *devenir* ~, come of age ‖ Mᴜs. major ● *m* middle finger.

major [maʒɔr] *m* [concours] head of the list ‖ Mɪʟ. *(médecin)* ~, medical officer.

major|ation [maʒɔrasjɔ̃] *f* Cᴏᴍᴍ. increase (des prix) ; ~ *excessive,* overcharge ‖ ~**er** *vt* (1) increase, put up, raise (prix) ‖ ~**ette** *f* (drum) majorette ‖ ~**ité** *f* majority ; *la* ~ *de(s),* the greater part of the ; *être en* ~, be in (the) majority ‖ Jᴜʀ. *atteindre sa* ~, come of age ; *à sa* ~, when he comes of age ‖ Pᴏʟ. majority ; *la* ~, the government.

majuscule [maʒyskyl] *f* capital letter ; *écrire en* ~*s,* write in block letters, capitalize.

mal, maux [mal, mo] *m* [dommage] harm, damage ; ill, evil ; *faire du* ~ *à,* harm, hurt (qqn) ‖ [moral] evil, wrong(-doing) ; *le bien et le* ~, good and evil, right and wrong ; *dire du* ~ *de qqn,* speak ill of sb ; *souhaiter du* ~ *à qqn,* wish sb evil ‖ [difficulté] trouble, difficulty ; *avoir du* ~ *à faire,* have trouble doing ; *se donner du* ~ *à faire,* take trouble to do ‖ [souffrance] pain, ache ; *avoir/faire* ~, hurt, ache, smart ; *cela vous fait-il* ~ ?, does it hurt ? ; *vous êtes-vous fait* ~ ?, did you hurt yourself ? ; *se faire* ~ *au doigt,* hurt one's finger ‖ ailment, disease ; ~ *d'avion/de l'air,* air-sickness ; ~ *de dents,* toothache ; ~ *d'estomac,* stomach-ache ; ~ *de gorge,* sore throat ; ~ *de mer,* sea-sickness ; *avoir le* ~ *de mer,* sea-sick ; ~ *d'oreille,* earache ; ~ *du pays,* home-sickness ; *avoir le* ~ *du pays,* be homesick ; ~ *de la route,* car sickness ; ~ *de tête,* headache ●

loc **avoir ~ à** : avoir ~ *au cœur,* feel sick ; avoir ~ *aux dents,* have a toothache, suffer from (the) toothache ; avoir ~ *à la tête,* have a headache ● *adj* bad, wrong ; *c'est de mentir,* it's wrong to lie ; *bon gré ~ gré,* willy-nilly ● *adv* badly, ill ; *plus ~,* worse ; *de plus en plus ~,* worse than ever ; *de ~ en pis,* from bad to worse || *il va ~,* he's ill ; *se porter ~,* be in bad health ; *se trouver ~,* faint || [inconfortable] uncomfortable || FIG. *se conduire ~,* behave badly ; *être ~ avec qqn,* be on bad terms with sb ; *prendre ~ qqch,* take ill ; *~ comprendre,* misunderstand || *tant bien que ~,* somehow, after a fashion || FAM. *pas ~,* not bad ; *pas ~ de,* a good deal of, quite a lot of || *~ acquis,* ill-gotten ; *~ à l'aise,* ill-at-ease ; *~ élevé,* ill-bred, rude.

malad|e [malad] *adj* ill, sick, poorly ; *être ~ du cœur,* have heart trouble ; *tomber ~,* fall sick, be taken ill ; *se faire porter ~,* report sick || [indigestion] *rendre ~,* make sick, upset || bad (jambe) || *il en est ~,* he is quite upset about it ● *n* sick person, invalid ; *les ~s,* the sick ; patient (d'un médecin) ; *faire la/le ~,* malinger (simuler) || *~ie* f illness, sickness ; disease, complaint ; *~ de Carré,* distemper ; *~ de cœur,* heart complaint/condition ; *~ de foie,* liver complaint/trouble ; *~ de peau,* skin disease ; *~ vénérienne,* venereal disease, V.D. || *~if, ive* *adj* sickly, unhealthy.

maladr|esse [maladrɛs] f clumsiness, awkwardness ; bungling || FIG. blunder || *~oit, e* [-wa, at] *adj* awkward, clumsy || FIG. tactless || *~oitement* *adv* clumsily, awkwardly || FIG. tactlessly.

Malais, e [malɛ, ɛz] *adj/n* Malay.

malais|e [malɛz] *m* feeling of faintness, dizzy spell ; *avoir un ~,* feel faint/queer || *~é, e* [-ɛze] *adj* uneasy, difficult.

Malaisie [malɛzi] f Malaya.

malavisé, e [malavize] *adj* ill-advised.

malaxer [malakse] knead (pétrir) ; mix (mélanger).

malchanc|e [malʃɑ̃s] f ill/bad luck, misfortune ; *par ~,* unfortunately || *~eux, euse* [-āsø, øz] *adj* unlucky.

mal|commode [malkɔmɔd] *adj* inconvenient ; awkward (horaire) || *~donne* f [cartes] misdeal.

mâle [mɑl] *adj* male ; he- ; bull (grands animaux) ; buck (daim, lièvre, lapin) ; cock (oiseau).

malédiction [malediksjɔ̃] f malediction, curse.

mal|encontreux, euse [malɑ̃kɔ̃trø, øz] *adj* unfortunate, awkward || *~entendu* m misunderstanding || *~façon* f defect || *~faisant, e* [-fəzɑ̃, ɑ̃t] *adj* harmful, wicked (personne) || *~faiteur* [-fɛtœr] m lawbreaker, criminal, wrong-doer ; robber, thief, burglar (voleur) || *~famé, e* [-fame] *adj* of ill repute, disreputable.

malfrat [malfra] m ARG. thug.

malgache [malgaʃ] *adj* République ~, Malagasy Republic ● *m* Malagasy (langue).

Malgache *n* Malagasy.

malgré [malgre] *prép* in spite of ; *~ moi,* against my will ; *~ tout,* in spite of everything, for all that ; after all, all the same (quand même) ; *~ toute sa fortune,* for all his wealth ● *loc conj ~ que,* although.

malheur [malœr] m ill luck, misfortune ; *jouer de ~,* be out of luck ; *par ~,* unfortunately, as ill luck would have it ; *pour comble de ~,* to make things worse ; *porter ~ à,* bring bad luck to || misfortune (événement) ; *il lui est arrivé ~,* a misfortune has befallen him ; *quel ~ !,* what a shame ! ; *le ~ c'est que,* the snag/trouble is that || *~eusement* [-øzmɑ̃] *adv* unfortunately || *~eux, euse* *adj* unlucky, ill-fated (malchanceux) ; unsuccessful (candidat) ; unfortunate, miserable, unhappy (infortuné) ; wretched (insignifiant) ● *n* needy person (indigent) ‖ poor/unlucky wretch (infortuné).

malhonnê|te [malɔnɛt] *adj* dishonest ; crooked ‖ ~**tement** [-ɛtmɑ̃] *adv* dishonestly ‖ ~**teté** [-ɛtte] *f* dishonesty.

malic|e [malis] *f* mischievousness, mischief (taquinerie) ‖ malice, spite (méchanceté) ‖ ~**ieux, ieuse** *adj* mischievous.

malin, i(g)ne [malɛ̃, iɲ, in] *adj* smart, shrewd (intelligent) ; crafty, cunning (sourire) ‖ tricky (retors) ‖ Méd. malignant ● *n un* ~, a smart guy, a crafty one.

malingre [malɛ̃gr] *adj* puny.

malle [mal] *f* trunk, box ; *faire/défaire une* ~, pack/unpack a trunk.

mallette [malɛt] *f* small suit-case.

malmener [malmǝne] *vt* (1) handle roughly, maul, bully (brutaliser) ‖ browbeat, hector (houspiller) ‖ Fig. maul (auteur).

malodorant, e [malɔdɔrɑ̃, ɑ̃t] *adj* ill-smelling, smelly.

malotru, e [malɔtry] *n* cur, boor.

malpoli, e [malpɔli] *adj* impolite.

malpropr|e [malprɔpr] *adj* unclean, dirty ‖ ~**eté** [-ǝte] *f* dirtiness.

malsain, e [malsɛ̃, ɛn] *adj* unhealthy ‖ Fig. morbid (curiosité).

malt [malt] *m* malt.

Malt|ais, e [maltɛ, ɛz] *n* Maltese ‖ ~**e** *f* Malta ; *croix de* ~, Maltese cross.

maltraiter [maltrɛte] *vt* (1) ill-treat.

malveill|ance [malvɛjɑ̃s] *f* malevolence, ill-will ‖ ~**ant, e** *adj* malevolent (personne) ; spiteful (remarque) ; mischievous (commérage).

malversation [malvɛrsasjɔ̃] *f* embezzlement.

malvoyant, e [malvwajɑ̃, ɑ̃t] *n (souvent pl)* visually handicapped.

maman [mamɑ̃] *f* mummy ; mum (coll.).

mam|elle [mamɛl] *f* [animal] udder ‖ [personne] breast ‖ ~**elon** [-lɔ̃] *f* [femme] teat, nipple ‖ Géogr. knoll, hillock.

mammifère [mammifɛr] *m* mammal.

Man [mɑ̃] Géogr. *île (f) de* ~, Isle of Man ; *de l'île de* ~, Manx.

Manche [mɑ̃ʃ] *f* Géogr. *la* ~, the (English) Channel.

manche¹ *m* handle ; ~ *à balai,* broom-stick ; Av. joystick.

manche² *f* [cartes] game ‖ Sp. round ; [tennis] set ‖ Arg. [mendicité] *faire la* ~, pass the hat round ; busk.

manch|e³ *f* sleeve ; *en* ~*s de chemise,* in one's shirt-sleeves ; *sans* ~*s,* sleeveless ‖ Av. ~ *à air,* wind-sock ‖ ~**ette** *f* cuff ; *boutons de* ~*s,* cuff-links ‖ [journal] headline ‖ ~**on** *m* [vêtement] muff ‖ Techn. ~ *à incandescence,* (gas-)mantle ‖ ~**ot, e** [-o, ɔt] *adj* one-armed.

mandarine [mɑ̃darin] *f* tangerine.

manda|t [-a] *m* Pol. mandate ; *sous* ~, mandated (territoire) ; term (de député) ; authority, commission (pouvoir) ‖ Jur. warrant ; ~ *de dépôt,* commitment ; ~ *de perquisition,* search warrant ‖ Fin. ~*(-poste),* money-/postal order *(de 1 livre,* for £ 1) ‖ ~**taire** [-tɛr] *n* Comm. agent ‖ Jur. proxy (personne) ‖ Rad. sponsor ‖ ~**ter** *vt* (1) commission.

mandoline [mɑ̃dɔlin] *f* mandoline.

manège [manɛʒ] *m* riding-school ‖ ~ *(de chevaux de bois),* round-about, merry-go-round ‖ Fig. game, stratagem.

manette [manɛt] *f* lever.

mang|eable [mɑ̃ʒabl] *adj* fit to eat, eatable ‖ ~**eaille** [-aj] *f* Fam. grub (coll.) ‖ ~**eoire** [-war] *f* manger, crib ‖ ~ **er** *vt* (7) eat *(dans,* off/from) [une assiette] — *vi* eat, fare ; ~ *sur le pouce,* have a quick snack ; *donner à ~ à/faire ~*, feed || *~eur, euse n* eater ; *gros ~*, big eater.

maniable [manjabl] *adj* easy to handle (objet) ; handy (outil) ; *peu ~*, unmanageable, unwieldy (objet) ; unhandy, awkward (outil).

man|iaque [manjak] *adj* faddy (à marotte) ; fussy (exigeant ; fastidious, finicky (méticuleux) ● *n* crank (original) ; faddist (qui a des marottes) || *~ sexuel*, sex maniac || *~ie f* craze, fad ; funny habit (passagère) || MÉD. mania (folie).

man|iement [manimɑ̃] *m* handling || *~ier vt* (1) handle || wield (un outil) ; pull (une rame).

manière [manjɛr] *f* manner, way ; *de quelle ~ ?*, how ? ; *à la ~ de*, like, after ; *~ d'aborder un sujet*, approach ; *~ d'agir*, proceeding ; *~ de vivre*, way of life ; *d'une ~ ou d'une autre*, somehow (or other) ; *de cette ~*, in this way ; *de la même ~*, alike ; *d'une certaine ~*, after a fashion ; *de ~ à*, so as to ; *en aucune ~*, in no wise, by no means ; *de toute ~*, anyway, at all events || *d'une ~ générale*, by and large || *sort* (espèce) || *Pl* manners ; *bonnes/mauvaises ~s*, good/bad manners ; *faire des ~s*, make a fuss, put on airs.

manif [manif] *f* FAM. demo (coll.).

manifest|ant, e [manifestɑ̃, ɑ̃t] *n* POL. demonstrator, protester || *~ation f* POL. demonstration, protest march ; sit-in || FIG. expression, show || *~e adj* patent, obvious || FIG. palpable ● *m* POL. manifesto || *~ement adv* obviously, evidently || *~er vt* (1) show, evince (des sentiments) ; extend (sympathie) ; display (faire preuve de) || POL. demonstrate — *vpr se ~*, [emotion] show (up) ; [personne] appear, turn up ; [maladie, tendance] develop.

maniganc|e(s) [manigɑ̃s] *f(pl)* schemes, goings-on || *~er vt* (6) scheme, plot.

manipul|ation [manipylasjɔ̃] *f* han-

dling || *Pl* [école] experiments ; POL. rigging || *~er vt* (1) handle || POL. manipulate, rig.

manivelle [manivɛl] *f* crank, handle.

mannequin [mankɛ̃] *m* (tailor's) dummy (de tailleur) ; model (personne) || ARTS lay-figure, manikin.

manœuvr|e [manœvr] *f* operation || RAIL. shunt(ing) || MIL. manœuvre || NAUT. steering || *Pl* FIG. manœuvring, tactics ● *m* labourer, hand || *~er vt* (1) work, operate (machine) || NAUT. manœuvre, sail (bateau) — *vi* MIL. (faire) *~*, manœuvre || POL. lobby (*en vue de*, for) || FIG. scheme (intriguer) ; jockey for position (pour se placer).

manoir [manwar] *m* manor-house.

manomètre [manɔmɛtr] *m* pressure gauge.

manquant, e [mɑ̃kɑ̃, ɑ̃t] *adj* missing.

manqu|e [mɑ̃k] *m* lack, want ; *par ~ de*, for lack of || [somme] shortfall || [drogue] withdrawal || COMM. shortage ; *~ à gagner*, loss of profit || *~é, e adj* unsuccessful, abortive ; *coup ~*, failure, miss ; *garçon ~*, tomboy || wasted (occasion) || *~ement m* breach ; *~ au devoir*, lapse from duty || *~er vi* (1) be lacking (faire défaut) ; be missing (être absent) — *vt ind ~ à*, lack ; *~ à l'appel*, be absent from roll call, be missing ; *vous me manquez*, I miss you ; *est-ce que je vous manque ?*, do you miss me ? || *~ de*, lack, want ; be short of ; *ne ~ de rien*, want for/lack nothing || *ne manquez pas de faire*, don't fail/forget to do, be sure to do || *il a manqué (de) tomber*, he almost/nearly fell — *vt* miss (bus, école, train) || (rater) spoil, make a mess of — *v impers* : *il manque qqch*, there is/(are) sth missing ; *il lui manque un œil*, he has lost one eye || [avoir besoin] *il me manque 10 francs*, I am 10 francs short.

mansarde [mɑ̃sard] *f* attic, garret.

mante [mɑ̃t] *f* ~ *religieuse,* praying mantis.

manteau [mɑ̃to] *m* cloak, coat ; ~ *de fourrure,* fur coat.

manucure [manykyr] *f* manicurist.

manuel, elle [manɥɛl] *adj* manual ; *travaux* ~*s,* manual training ● *m* handbook, manual ; ~ *élémentaire,* primer ; ~ *scolaire,* text-book.

manufacture [manyfaktyr] *f* factory.

manuscrit, e [manyskri, it] *adj* handwritten ● *m* (manu)script.

maquereau [makro] *m* ZOOL. mackerel ‖ POP. pimp.

maquette [makɛt] *f* scale model, dummy.

maquill|age [makijaʒ] *m* make-up ; *boîte à* ~, vanity-case ‖ ~**é, e** *adj* made-up ‖ ~**er** *vt* (1) make up — *vpr* **se** ~, make up, do one's face.

maqui|s [maki] *m* bush ; *prendre le* ~, take to the bush ‖ [guerre 39-45] maquis, underground movement ; *prendre le* ~, go underground ‖ ~**sard** [-zar] *m* underground fighter, partisan.

maraîch|er, ère [mareʃe, ɛr] *adj* *culture* ~*ère,* market-gardening ● *m* market-gardener.

marais [marɛ] *m* marsh, swamp ; ~ *salant,* salt pan.

marasme [marasm] *m* COMM. stagnation.

maraud|e [marod] *f* [taxi] *en* ~, cruising, prowling ‖ ~**er** *vi* (1) pilfer, thieve ‖ [taxi] cruise/prowl/for fares ‖ ~**eur, euse** *n* prowler.

marbr|e [marbr] *m* marble ‖ ~**er** *vt* (1) marble, mottle.

marc [mar] *m* ~ *de café,* grounds.

marchand, e [marʃɑ̃, ɑ̃d] *adj* NAUT. *navire* ~, merchant ship ● *n* dealer, shopkeeper, tradesman ; ~ *ambulant,* hawker ; ~ *de couleurs,* ironmonger ; ~ *de journaux,* newsagent ; newsboy ; ~ *de légumes,* green-grocer ; ~ *de poisson,* fishmonger ; ~*e des quatre-*saisons, costermonger ; ~ *de tableaux,* art dealer ‖ ~**age** [-daʒ] *m* bargaining ‖ ~**er** [-de] *vt* (1) haggle over, bargain ‖ ~**ise** [-diz] *f* commodity ‖ *Pl* merchandise, goods, wares.

marche¹ [marʃ] *f* [escalier] step, stair.

marche² [marʃ] *f* [action] walking ‖ [trajet] walk ; *à une heure de* ~, one hour walk away ‖ MIL. march ; *fermer la* ~, bring up the rear ‖ TECHN. running ; *en* ~, in operation ; *en ordre de* ~ in working order ; ***mettre en*** ~, set in motion, set going, start ‖ AUT. *mettre le moteur en* ~, start (up) the engine ; ~ *arrière,* reverse (gear) ; *faire* ~ *arrière,* reverse one's car, back ; *sortir en* ~ *arrière,* back out (voiture) ‖ RAIL. running (des trains) ‖ MUS. ~ *funèbre/nuptiale,* dead/wedding march ‖ FIG. progress, march, course.

marché [marʃe] *m* market ; *place du* ~, market-place ; ~ *aux fleurs,* flower-market ; ~ *noir,* black market ; ~ *aux puces,* flea market ; *jour de* ~, market-day ; *aller faire le* ~, go to market ; *faire son* ~, go shopping ‖ [transactions] bargain, deal, transaction ; *conclure un* ~, make/strike a bargain (*avec,* with) ; ~ *conclu !,* it's a deal ! ‖ [économie] market ; *étude de* ~, market research ‖ *(à) bon* ~, cheap, inexpensive, *(adv)* cheaply ; *par-dessus le* ~, into the bargain, thrown in ‖ ***Marché commun,*** Common Market ‖ FIG. *mettre le* ~ *en main à qqn,* tell sb to take it or leave it.

marchepied [marʃəpje] *m* step.

march|er [marʃe] *vi* (1) walk ; ~ *à grandes enjambées,* stride ; ~ *de long en large,* pace up and down ; ~ *lourdement,* plod, tramp ; ‖ *majestueusement,* stalk ; ~ *d'un pas rythmé,* swing ; ~ *en traînant les pieds,* shamble ; ~ *avec précaution,* pick one's way ‖ step ; tread (piétiner) ; *défense de* ~ *sur la pelouse,* keep off the grass ‖ TECHN. [machine] work, run, operate ; *faire* ~, operate, run drive ‖ RAIL. [train] run ‖ AUT. *il y* *a qqch qui ne marche pas dans la voiture,* there's sth wrong with the car ‖ Fig. ~ **de pair avec,** keep pace with ‖ Fam. **faire ~ qqn,** take a rise out of sb, pull sb's leg, have sb on (coll.) ‖ ~**eur, euse** *n* walker.

mardi [mardi] *m* Tuesday ‖ ~ **gras,** Shrove Tuesday.

mare [mar] *f* pond (étang) ; pool (flaque).

marécag|e [mareka3] *m* swamp, bog, marsh ‖ ~**eux, euse** *adj* swampy, marshy, boggy.

maréchal, aux [mareʃal] *m* ~**-ferrant,** farrier ‖ Mil. marshal ; ~ **des logis,** sergeant.

mar|ée [mare] *f* tide ; ~ *montante,* flood/rising tide ; ~ *descendante,* ebb tide ; *à ~ haute/basse,* at high/low tide ; *grande ~,* spring tide ‖ ~ *noire,* oil slick ‖ [pêche] fresh fish ‖ ~**émotrice** [-emɔtris] *adj f* usine ~, tidal power-station.

marelle [marɛl] *f* hopscotch.

mareyeur, euse [marejœr, øz] *n* wholesale fish merchant.

margarine [margarin] *f* margarine, marge.

marg|e [mar3] *f* margin (d'une page) ‖ Comm. ~ *bénéficiaire,* profit margin ‖ Fig. fringe ‖ ~**inal, e, aux** [-inal, o] *adj* marginal ● *n* drop-out (hippie).

marguerite [margərit] *f* Bot. daisy.

mar|i [mari] *m* husband ‖ ~**iage** [-ja3] *m* marriage, match, union (union) ; ~ *de raison,* marriage of convenience ; **demander en ~,** propose to ; *demande en ~,* proposal ; *donner/prendre en ~,* give/take in marriage ‖ wedding (cérémonie) ‖ ~ *married life (vie conjugale)* ‖ Jur. wedlock.

mar|ié, e *adj* married ; *non ~,* single, unmarried ● *n* groom, bridegroom ; *(jeune) ~e,* bride ; *les nouveaux ~s,* the newly-weds ‖ ~**ier** *vt* (1) [maire, prêtre] marry ‖ [parents] marry (off) ‖ Fig.

[assortir] harmonize, match (des couleurs) — *vpr* se ~, get married, marry ; *se ~ avec,* marry.

marihuana [mariwana] *f* marijuana.

marin, e [marɛ̃, in] *adj* marine (plante) ; sea (brise) ; nautical (mille) ‖ *avoir le pied ~,* be a good sailor ● *m* sailor, seaman ; *se faire ~,* go to sea ; *vie de ~,* sea-faring life ; ~ *d'eau douce,* landlubber.

marine [marin] *f* ~ *de guerre,* navy ; ~ *marchande,* merchant navy ‖ Arts seascape.

mariner [marine] *vi/vt* (1) *(faire) ~,* marinade.

marinier, ère [marinje, ɛr] *n* bargee ● *f* [vêtement] smock.

marionnette [marjɔnɛt] *f* puppet.

maritime [maritim] *adj* marine (assurance) ; maritime (puissance) ‖ *gare ~,* harbour station.

marmaille [marmaj] *f* Fam. brood, gang of kids.

marmelade [marməlad] *f* stewed fruit, compote (de fruits) ; apple-sauce (de pommes).

marmite [marmit] *f* (cooking-)pot.

marmonner [marmɔne] *vi/vt* (1) mumble, mutter, grumble.

marmot [marmo] *m* Fam. brat, kid.

marmotter [marmɔte] *vi/vt* (1) mutter, mumble.

marne [marn] *f* Agr. marl.

Maroc [marɔk] *m* Morocco ‖ ~**ain, e** [-ɛ̃, ɛn] *n* Moroccan.

marocain, e *adj* Moroccan.

maronner [marɔne] *vi* (1) Fam. grouse (coll.) ‖ Pop. *faire ~,* keep waiting (faire attendre).

maroqu|in [marɔkɛ̃] *m* Comm. morocco ‖ ~**inerie** [-inri] *f* fine-leather shop (boutique) ; fine-leather goods (articles).

marotte [marɔt] *f* Fam. fad, hobby-horse, foible.

marquant, e [markɑ̃, ɑ̃t] *adj* outstanding (événement, personne).

marqu|e [mark] *f* mark, stamp (d'identification) ‖ ~ *de pas,* footprint ‖ [cartes] *tenir la* ~, keep (the) score ‖ [élevage] earmark, blaze ‖ COMM. brand ; ~ *de fabrique,* trademark ; ~ *déposée,* trade name ; *produit de* ~, high-class product ; [disque] label ‖ AUT. make ‖ MÉD. mark, trace ‖ SP. *à vos* ~*s, prêts, partez !,* on your marks, get set, go ! ‖ FIG. ~ *d'affection,* token of affection ‖ ~**é, e** *adj* marked ‖ bold (traits) ‖ labelled (prix) ‖ FIG. pronounced ‖ ~ **er** *vt* (1) mark (endommager) ‖ blaze (un arbre) ‖ [noter] mark, take down ‖ [indiquer] show, mark, indicate ‖ AGR. earmark (le bétail) ; brand (au fer rouge) ‖ SP. mark (un joueur) ; score (des points) ; ~ *un but,* score a goal ; drop a goal (au rugby) ‖ FIG. impress, imprint — *vi* leave a mark ‖ FIG. make an impression.

marqueur [markœr] *m* felt tip (marker pen).

marquis, e [marki, iz] *n* marquis *(m)*; marchioness *(f).*

marquise *f* awning ; glass-porch.

marraine [marɛn] *f* godmother.

marrant, e [marɑ̃, ɑ̃t] *adj* POP. (screamingly) funny ; killing (coll.).

marre [mar] *adv* POP. *en avoir* ~, be fed up/cheesed up/browned off (coll.) *[de,* with].

marrer (se) [səmare] *vpr* (1) POP. have a good laugh (coll.).

marron [marɔ̃] *adj inv* brown ● *m* BOT. chestnut ; ~ *d'Inde,* horse-chestnut ‖ ~ **nier** [-ɔnje] *m* horse-chestnut (tree).

mars [mars] *m* March.

Mars [mars] *m* ASTR. Mars.

marsouin [marswɛ̃] *m* porpoise.

mart|eau [marto] *m* hammer ; gavel (de commissaire-priseur) ; knocker (de porte) ; *enfoncer à coups de* ~, hammer *(dans,* into) ; ~ *piqueur,*

pneumatic drill ‖ ~ **elage** [-əlaʒ] *m,* ~ **èlement** [-ɛlmɑ̃] *m* hammering ‖ ~ **eler** [-əle] *vt* (8 *b*) hammer, pound.

martial, e, aux [marsjal, o] *adj* martial, warlike ; *cour* ~*e,* court-martial ; *loi* ~*e,* martial law.

martinet [martinɛ] *m* ZOOL. swift, martin.

Martiniquais, e [martinikɛ, ɛz] *n* native of Martinique.

martiniquais, e *adj* of/from Martinique.

Martinique [martinik] *f* Martinique.

martin-pêcheur [martɛ̃pɛʃœr] *m* kingfisher.

martre [martr] *f* marten.

martyr, e [martir] *adj/n* martyr ‖ ~ **e** *m* martyrdom ‖ ~ **iser** [-ize] *vt* (1) FIG. torment.

marx|isme [marksism] *m* Marxism ‖ ~ **iste** *adj/n* Marxist.

mascarade [maskarad] *f* masquerade.

mascaret [maskarɛ] *m* (tidal) bore.

mascotte [maskɔt] *f* mascot.

masculin, e [maskylɛ̃, in] *adj* masculine (genre) ; male (sexe) ● *m* GRAMM. masculine.

masoch|isme [mazɔʃism] *m* masochism ‖ ~ **iste** *n* masochist.

masqu|e [mask] *m* mask ; ~ *à gaz,* gas-mask ; ~ *de plongée,* diving mask ‖ ~ *de beauté,* face pack ‖ FIG. screen, mask ‖ ~ **é, e** *adj* masked, in a mask ‖ ~ **er** *vt* (1) mask (mettre un masque à) ‖ hide, blot out, screen (cacher) ‖ FIG. cloak, mask, conceal.

massacr|e [masakr] *m* massacre, slaughter ‖ ~ **er** *vt* (1) slaughter, massacre, butcher ‖ FIG. murder (une langue, de la musique) ; make a mess of (travail).

massage [masaʒ] *m* massage.

mass|e [mas] *f* bulk, mass (tas) ; body (d'eau) ‖ crowd (de gens) ‖ multitude ; *la* ~, the general public ;

les ~*s,* the masses ‖ ÉLECTR. earth, U.S. ground ; *mettre à la* ~, earth ‖ FIG. *de* ~, mass ● *loc adv en* ~, in bulk, in a body ‖ ~**er¹** *vt/vpr* (1) [*se* ~] mass.

mass|er² *vt* (1) MÉD. massage ; *se faire* ~, have a massage ‖ ~**eur, euse** *n* masseur, masseuse.

mass|if, ive [masif, iv] *adj* massive, bulky ‖ solid (pur) ; heavy, ponderous (lourd) ● *m* clump (d'arbres) ‖ GÉOGR. massif ‖ ~**ivement** *adv* massively.

mass media [masmedja] *mpl* mass media.

massue [masy] *f* club.

masti|c [mastik] *m* putty ‖ ~**quer¹** [-ke] *vt* (1) putty.

mastiquer² *vt* (1) masticate, chew.

mastodonte [mastɔdɔ̃t] *m* AUT. juggernaut (camion).

m'as-tu-vu [matyvy] *m inv* showoff, swank (coll.).

masure [mazyr] *f* hovel, shanty.

mat¹ [mat] *m (échec et)* ~, (check)-mate ; *faire échec et* ~, checkmate.

mat², e *adj* flat, dull (couleur, bruit) ; mat(t) (surface, teint) ; *bruit* ~, thud.

mât [mɑ] *m* NAUT. mast ; *grand* ~, main mast ; ~ *de charge,* derrick ‖ SP. ~ *de tente,* (tent-)pole.

match [matʃ] *m* SP. match, game ; ~ *de coupe,* cup tie ; ~ *nul,* tie, drawn game ; score draw (avec buts) ; scoreless draw (0 à 0) ; *faire* ~ *nul,* draw (avec, with) ; ~ *aller,* first leg ; ~ *retour,* return match ; ~ *de boxe,* boxing match.

matel|as [matla] *m* mattress ; ~ *pneumatique,* air-bed ‖ ~**asser** [-ase] *vt* (1) pad, upholster ; quilt (tissu).

matelot [matlo] *m* sailor, rating.

mater [mate] *vt* (1) keep under, break in.

matérial|iser [materjalize] *vt/vpr* (1) [*se*] materialize ‖ ~**isme** *m*

materialism ‖ ~**iste** *adj/n* materialist.

matéri|au [materjo] *m* material ‖ *Pl* materials ; stuff ‖ ~**el, elle** [-jel] *adj* material, physical ‖ FIG. wordly ● *m* gear ; ~ *de camping,* camping gear ; ~ *de pêche,* fishing tackle ‖ INF. hardware ‖ TECHN. equipment, outfit ‖ MIL. equipment ‖ RAIL. ~ *roulant,* rolling stock ‖ ~**ellement** *adv* materially ‖ practically ‖ financially.

matern|el, elle [maternel] *adj* maternal, motherly ; *école* ~**elle,** nursery school ; *langue* ~**elle,** mother tongue ‖ JUR. *du côté* ~, on the distaff side ‖ ~**ité** *f* motherhood, maternity ‖ pregnancy, childbearing (grossesse) ‖ MÉD. maternity hospital.

mathémat|icien, ienne [matematisjɛ̃, jen] *n* mathematician ‖ ~**ique** *adj* mathematical ‖ ~**iques** *fpl* mathematics.

maths [mat] *fpl* FAM. maths.

matière [matjer] *f* [substance] matter, material, stuff ; ~*s grasses,* fat ; ~ *plastique,* plastic ; ~ *première,* raw material(s) ‖ FIG. matter, subject matter ‖ [enseignement] subject ; ~ *principale,* major ; ~ *secondaire,* minor.

mat|in [matɛ̃] *m* morning ; *ce* ~, this morning ; *le* ~, in the morning ; *de bon* ~, in the early morning, early in the morning ; *au petit* ~, in the small hours ; *demain* ~, tomorrow morning ; *du* ~ *au soir,* from morning till night ‖ *6 heures du* ~, 6 in the morning, 6 a.m. ‖ ~**inal, e, aux** [-inal, o] *adj* morning (activité) ‖ *personne* ~**e,** early riser ‖ ~**inée** [-ine] *f* morning ; *faire la grasse* ~, sleep late, lie in, have a lie-in ‖ TH. afternoon performance.

matou [matu] *m* tomcat.

matraquage [matrakaʒ] *m* beating ‖ [publicité] plugging.

matraqu|e *f* club (massue) ‖ [malfaiteur] cosh ; [police] truncheon ‖ ~**er** *vt* (1) club, beat up ‖ [publicité] plug (it).

matrice [matris] *f* ANAT. womb.

matricule [matrikyl] *f* register ● *m* MIL. number.

maturité [matyrite] *f* maturity, ripeness ; *manquer de ~*, be immature.

maud|ire [modir] *vt* (62) curse, damn ‖ *~it, e* [-i, it] *adj* confounded, cursed.

maugréer [mogree] *vi/vt* (1) grumble, grouse (*contre*, about).

maur|e, ~esque [mor, ɛsk] *adj* Moorish ‖ ARCH. Moresque.

Mauric|e [moris] GÉOGR. Mauritius (île) ‖ *~ien, ienne n/adj* Mauritian.

mausolée [mozole] *m* mausoleum.

maussade [mosad] *adj* sullen, glum, moody ; dull, gloomy (temps).

mauvais, e [move, ɛz] *adj* [défectueux] bad ; *plus ~*, worse ‖ [erroné] wrong ; *~ côté*, wrong side ‖ [désagréable] bad ; foul (temps) ‖ [faible] bad, poor (excuse) ; broken (anglais, etc.) ‖ [méchant] spiteful ‖ FIG. *~e volonté*, ill will ● *adv sentir ~*, smell (bad), stink ; *il fait ~*, the weather is bad.

mauve [mov] *m* mauve.

maux → MAL.

maxi [maksi] *adj/f* maxi.

maxillaire [maksilɛr] *m* jawbone.

maximal, e, aux [maksimal, o] *adj* → MAXIMUM.

maxime [maksim] *f* maxim.

maxim|um, a [maksimɔm, -a], *~al, e, aux adj* maximum ● *m au (grand) ~um*, at (the very) most ; *faire le ~um*, do one's utmost.

mayonnaise [majɔnɛz] *f* mayonnaise.

mazout [mazut] *m* heating-oil ; *chauffé au ~*, oil-fired ‖ *~er vt* (1) smear with oil.

me [mə] *pron pers* (to) me ● *pron réfl* myself.

mea-culpa [meakylpa] *m inv faire son ~*, beat one's breast.

méandre [meɑ̃dr] *m* meander ; *faire des ~s*, meander.

mec [mɛk] *m* POP. bloke, U.S. guy.

mécan|icien, ienne [mekanisjɛ̃ jɛn] *n* mechanic ; *~-dentiste*, dental mechanic ‖ RAIL. engine-driver, U.S. engineer ‖ *~ique adj* mechanical ‖ clockwork (jouet) ● *f* mechanics ‖ *~iquement adv* mechanically ‖ *~iser vt* (1) mechanize ‖ *~isme m* mechanism, works, device ‖ *~o m* FAM. mechanic.

méch|amment [meʃamɑ̃] *adv* nastily, spitefully ‖ *~anceté* [-ɑ̃ste] *f* wickedness, spitefulness, malice, nastiness ; *sans ~*, harmless ; *par ~*, out of spite ‖ *~ant, e adj* spiteful, malicious, nasty (personne, chien) ‖ spiteful (remarque) ‖ vicious (cheval).

mèche¹ [mɛʃ] *f* wick (de lampe) ; lash (de fouet) ; fuse (d'explosif) ‖ FIG. *vendre la ~*, let the cat out of the bag, give the game away ; squeal (sl.).

mèche² [cheveux] lock ; *Pl* streaks, highlights ; *se faire faire des ~s*, have one's hair streaked, have highlights put in.

mèche³ *f* TECHN. bit.

mèche⁴ *f* FAM. *être de ~ avec qqn*, be hand in glove with sb, U.S. be in cahoots with sb.

mé|connaissable [mekɔnɛsabl] *adj* unrecognizable ‖ *~connu, e adj* unrecognized ‖ *~content, e adj* discontented, displeased, dissatisfied, disgruntled (*de*, with) ‖ *~contentement m* discontent, dissatisfaction, displeasure ‖ *~contenter vt* (1) displease, dissatisfy, discontent.

Mecque (La) [lamɛk] *f* GÉOGR. Mecca.

mécréant, e [mekreɑ̃, ɑ̃t] *adj* unbelieving ● *n* misbeliever.

médaille [medaj] *f* medal.

médec|in [medsɛ̃] *m* doctor, U.S. physician ; *femme ~*, lady doctor ; *~ de médecine générale*, general practitioner, G.P. ; *~ conventionné*, Health

Service Doctor, panel doctor ; ~ *légiste*, forensic doctor ; ~ *militaire*, medical officer ‖ **~ine** [-in] *f* medicine ; *faire sa* ~, do/study medicine ; ~ *du travail*, occupational medicine ‖ **-ball**, medicine ball.

media [medja] *mpl* (mass-)media.

médiateur, trice [medjatœr, tris] *n* mediator ● *m* POL. ombudsman.

médic|al, e, aux [medikal, o] *adj* medical ‖ **~ament** [-amã] *m* medicine, drug.

médiéval, e, aux [medjeval, o] *adj* medieval.

médiocr|e [medjɔkr] *adj* mediocre, second-rate, cheap, poor ‖ **~ement** *adv* poorly ‖ **~ité** *f* mediocrity, meanness.

méd|ire [medir] *vt ind* (63) speak ill (*de*, of) ‖ **~isance** [-izãs] *f* scandal, slander.

médit|atif, ive [meditatif, iv] *adj* meditative, thoughtful ‖ **~ation** *f* meditation ‖ **~er** *vi/vt* (1) meditate, ponder, brood, muse (*sur*, on).

Méditerranée [mediterane] *f* Mediterranean.

méditerranéen, enne [-ɛ̃, ɛn] *adj* Mediterranean.

médi|um [medjɔm] *m* [spiritisme] medium ‖ **~us** [-ys] *m* middle finger.

médus|e [medyz] *f* jelly fish ‖ **~er** [-ze] *vt* (1) dumbfound, stupefy.

meeting [mitiŋ] *m* meeting ‖ AV. ~ *aérien*, air display.

méfait [mefɛ] *m* [action] misdeed, wrong-doing ‖ FIG. damage.

méfi|ance [mefjãs] *f* distrust, mistrust ; *regarder avec* ~, look askance at ‖ **~ant, e** *adj* distrustful, mistrustful, wary ‖ **~er (se)** *vpr* (1) *se* ~ *de*, distrust, mistrust (qqn) ; be careful about (qqch).

mégaloman|e [megalɔman] *n* megalomaniac ‖ **~ie** *f* megalomania.

mégaphone [megafɔn] *m* loud-hailer, megaphone.

mégarde (par) [parmegard] *loc adv* inadvertently.

mégère [meʒɛr] *f* shrew.

mégot [mego] *m* fag end, butt.

meilleur, e [mejœr] *adj* better (*que*, than) ; *le* ~, the best ; *ce qu'il y a de* ~, the very best.

mélancol|ie [melãkɔli] *f* melancholy, gloom ‖ **~ique** *adj* melancholy, melancholic, gloomy.

mélang|e [melãʒ] *m* mixing, blending (action) ; mixture, blend (résultat) ‖ shuffle (des cartes) **~er** *vt* (7) mix, blend (*a*, with) ; jumble (up) [mettre en désordre] *vpr se* ~, mix, mingle (*à*, with).

mélasse [melas] *f* treacle, U.S. molasses.

mêl|é, e [mele] *adj* mixed (société) ; ~ *de*, mingled with ‖ involved (*à*, in) ● *f* scuffle, fray ; ~ *générale*, free-for-all ‖ [rugby] scrum, pack, scrummage ‖ **~er** *vt* (1) mix, mingle, blend (together) ; mix (*à*, with) ‖ shuffle (les cartes) ‖ involve (*à*, in) [être impliqué] — *vpr se* ~, mix, mingle (se mélanger) ‖ *se* ~ *à*, mix/mingle with, join ; *se* ~ *à la conversation*, join in the conversation ; cut in (coll.) ‖ *se* ~ *de*, meddle in, interfere with ; *mêle-toi de tes affaires*, mind your own business.

mélèze [melɛz] *m* larch.

méli-mélo [melimelo] *m* FAM. hotchpotch, jumble.

mélo|die [melɔdi] *f* melody, tune ‖ **~dieux, ieuse** [-djø, jøz] *adj* melodious, tuneful ‖ **~dramatique** *adj* melodramatic ‖ **~drame** *m* melodrama ‖ **~mane** [-man] *n* music-lover.

melon[1] [məlɔ̃] *m* BOT. melon.

melon[2] *m* [chapeau] bowler.

membrane [mãbran] *f* membrane.

membre [mãbr] *m* MÉD. limb ‖ FIG. [société] member, fellow ; ~ *à part entière*, full member.

même [mɛm] *adj* [avant le nom]

same ; *en ~ temps,* at the same time ; *du ~ âge,* the same age as ‖ [après le nom] very ; *aujourd'hui ~,* this very day ; *à cet instant ~,* at this very moment ; *il est la bonté ~,* he is kindness itself ‖ [après un pronom] self (*Pl* selves) ; *lui-~* (+ verbe), he himself (+ verbe) ; *elles/eux-~s,* themselves ● *pron indéf le/la ~, les ~s,* the same ; *le ~ que,* the same as/that ; *cela revient au ~,* amounts /comes down to the same thing ● *adv* even ; *~ pas, pas ~,* not even ; *~ si,* even if/though ‖ *ici ~,* right here ● *loc adv* **à ~ :** *à ~ la bouteille,* straight from the bottle ; *de ~ : faire de ~,* do likewise/the same, follow suit ; *quand ~, tout de ~,* even so, all the same ; *je le crois tout de ~,* I believe him though ● *loc conj de ~ que,* as well as ● *loc prép* **à ~ de,** able to ; *être à ~ de,* be in a position to.

mémé [meme] *f* FAM. granny (coll.).

mémento [memɛ̃to] *m* reminder (note).

mém|oire [memwar] *f* memory (faculté) ; *avoir une bonne ~,* have a good retentive memory ; *faire qqch de ~,* do sth from memory ; *en ~ de,* in remembrance/memory of ; *pour ~,* for the record ; *garder en ~,* keep/bear in mind ; *manque de ~,* forgetfulness ‖ INF. memory, storages ● *m* [rapport] memoir, report, paper ‖ *Pl* Mémoires, memoirs (autobiographie) ‖ ~**orable** [-ɔrabl] *adj* memorable ‖ ~**orandum** [-ɔrãdɔm] *m* memorandum.

men|açant, e [mənasɑ̃, ɑ̃t] *adj* threatening, forbidding ; impending (imminent) ‖ ~**ace** [-as] *f* threat, menace ‖ ~**acer** [-ase] *vt* (6) threaten, menace.

ménag|e [menaʒ] *m* housekeeping (soins) ; housework (travaux) ; *femme de ~,* cleaning lady, char (woman) ; *faire des ~s,* go out charring ; *faire le ~,* do the housework/chores ‖ married couple *se mettre en ~,* set up house ‖ household (famille) ; *faire bon ~,* get along ‖ ~**er¹, ère** *adj* domestic ; *travaux ~s,* housework ● *f* housewife.

ménag|er² *vt* (7) [économie] spare, use sparingly ; *~ sa santé,* take care of one's health ; *ne pas ~ ses efforts,* spare no effort ‖ [ne pas froisser] treat gently/tactfully ; humour ‖ [préparer] arrange, organize ‖ FIG. *~ la chèvre et le chou,* sit on the fence — *vpr se ~,* take care on oneself, take it easy.

ménagerie [menaʒri] *f* menagerie ;

mend|iant, e [mɑ̃djɑ̃, ɑ̃t] *adj* begging ● *n* beggar ● *f* beggar-woman ‖ ~**icité** [-isite] *f* beggary (état) ; begging (action) ; *réduire à la ~,* reduce to beggary ‖ ~**ier** *vi/vt* (1) beg (for).

men|er [məne] *vt* (1) lead ‖ take (qqn) [à, to] ‖ [route] lead ‖ FIG. lead (vie) ; *~ la belle vie,* live it up ; *~ joyeuse vie,* racket around ‖ carry (entraîner) ; *~ à bien,* work out, achieve, carry through ; *~ jusqu'au bout,* see through — *vi* lead ‖ SP. lead ‖ ~**eur, euse** *n* [contestation] (ring)leader ‖ POL. leader ‖ SP. *~ de train,* pace setter ‖ RAD., T.V. *~ de débats,* anchorman ‖ *~ de jeu,* compère, question/quiz-master.

méningite [menɛ̃ʒit] *f* meningitis.

menotte [mənɔt] *f* little hand ‖ *Pl* [police] handcuffs, manacles ; *passer les ~s à,* handcuff.

mensong|e [mɑ̃sɔ̃ʒ] *m* lie, falsehood ; *petit ~,* fib ; *faire un ~,* tell a lie ‖ ~**er, ère** *adj* untrue (faux) ; deceitful (trompeur).

mensu|alité [mɑ̃syalite] *f* monthly payment/instalment ‖ ~**el, elle** *adj* monthly.

mensurations [mɑ̃syrasjɔ̃] *fpl* measurements.

mental, e, aux [mɑ̃tal, o] *adj* mental ; *calcul ~,* mental arithmetic ‖ ~**ité** *f* mentality.

menteur, euse [mɑ̃tœr, øz] *adj* lying, untruthful ● *n* liar, fibber.

menth|e [mɑ̃t] *f* mint ; *~ poivrée,*

peppermint ; ~ **verte,** spearmint ‖ ~**ol** [-ɔl] *m* menthol.

menti|on [mɑ̃sjɔ̃] *f* mention, reference ; *faire* ~ *de,* mention ‖ [examen] honours ‖ ~**onner** [-ɔne] *vt* (1) mention.

mentir [mɑ̃tir] *vi* (93) lie, tell lies ; fib (petit mensonge).

menton [mɑ̃tɔ̃] *m* chin.

menu¹, e [məny] *adj* small, tiny (petit) ‖ slender (mince) ‖ minute (détail) ; ~*s frais,* petty expenses ● *adv* fine, small.

menu² *m* menu, bill of fare ; ~ *à prix fixe,* set meal.

menuet [mənɥe] *m* Mus. minuet.

menuis|erie [mənɥizri] *f* joiner's shop (atelier) ‖ joinery (métier) ; woodwork, carpentry (travail) ‖ ~**ier** *m* joiner, U.S. carpenter.

méprendre (se) [səmeprɑ̃dr] *vpr* (80) *se* ~ *sur,* make a mistake on ; be mistaken about.

mépri|s [mepri] *m* contempt, scorn ● *loc prép au* ~ *de,* in contempt of, in defiance of ‖ ~**sable** [-zabl] *adj* contemptible, despicable ‖ ~**sant, e** [-zɑ̃, ɑ̃t] *adj* contemptuous, scornful.

méprise [mepriz] *f* mistake, confusion, error ; misunderstanding (malentendu).

mépriser [meprize] *vt* despise, scorn ; spurn (danger).

mer [mɛr] *f* sea ; *bord de la* ~, seaside ; *au bord de la* ~, on the sea ; *en* ~, (out) at sea ; *en pleine* ~, in the open sea ; *par* ~, by sea ; *grosse* ~, heavy sea ; ~ *d'huile,* smooth sea ‖ [marée] *la* ~ *monte,* the tide is coming in/up ; *la* ~ *descend,* the tide is going out/down ; *la* ~ *est basse,* the tide is out ‖ Naut. *de haute* ~, sea-going (navire) ; *prendre la* ~, put to sea ; *un homme à la* ~ *!,* man overboard !

mercantile [mɛrkɑ̃til] *adj* mercenary.

mercenaire [mɛrsənɛr] *adj/m* mercenary.

mercerie [mɛrsəri] *f* [commerce] haberdashery, U.S. notions ‖ haberdasher's shop (magasin).

merci [mɛrsi] *interj* thank you ; ~ *beaucoup,* thank you very much ‖ [oui] thank you ; thanks (coll.) ‖ *non,* ~, no, thank you ● *m* thanks ● *f* mercy, grace (clémence) ; *sans* ~, merciless.

mercier, ière [mɛrsje, jɛr] *n* haberdasher.

mercredi [mɛrkrədi] *m* Wednesday ‖ Rel. ~ *des cendres,* Ash Wednesday.

mercure [mɛrkyr] *m* mercury.

merd|e [mɛrd] *f* Pop. [excrément] shit (trivial) ● *exclam* ~ *!,* shit !, (bloody) hell ! (sl.) ‖ ~**eux, euse** *adj* shitty (trivial).

mère [mɛr] *f* mother ; ~ *célibataire,* unmarried mother ; *future* ~, mother-to-be ; ~ *porteuse,* surrogate mother ‖ ~ *aubergiste,* warden ‖ Fig. *maison* ~, parent company.

méridi|en [meridjɛ̃] *m* meridian ‖ ~**onal, e, aux** [-ɔnal, o] *adj* southern ● *n* Fr Southerner.

mérit|ant, e [meritɑ̃, ɑ̃t] *adj* deserving (personne) ; meritorious ‖ ~**e** *m* merit ; credit ‖ ~**er** *vt* (1) deserve, merit ; be worthy of ‖ [chose] require (demander) ; win, earn (valoir) ‖ ~**oire** *adj* praiseworthy, meritorious (action).

merlan [mɛrlɑ̃] *m* whiting.

merle [mɛrl] *m* blackbird.

merveill|e [mɛrvej] *f* wonder, marvel ; *faire* ~, work wonders ● *loc adv à* ~, wonderfully ; *se porter à* ~, be in the pink of health ‖ ~**eux, euse** *adj* wonderful, marvellous ‖ ~**eusement** *adv* wonderfully.

mes → MON.

mésange [mezɑ̃ʒ] *f* (tom)tit.

mésaventure [mezavɑ̃tyr] *f* mishap, misadventure, misfortune.

mesdames → MADAME.

mesdemoiselles → MADEMOISELLE.

mésentente [mezātāt] f misunderstanding, disagreement.

mésestimer [mezɛstime] vt (1) underrate.

mésintelligence [mezɛ̃teliʒɑ̃s] f misunderstanding, disagreement.

mesqu|in, e [mɛskɛ̃, in] adj mean, stingy (personne) ; petty, shabby (procédé) ; stingy (sordide) || **~inerie** [-inri] f meanness ; pettiness ; stinginess (avarice) ; mean trick (action).

mess [mɛs] m MIL. mess ; manger au ~, mess.

messag|e [mesaʒ] m message || RAD., T.V. ~ publicitaire, spot || **~er, ère** [-e, ɛr] n messenger || **~eries** fpl express transport service || NAUT. ~ maritime, shipping service.

messe [mɛs] f mass ; grand-~, basse, high/low mass ; assister à/dire la ~, attend/say mass.

messieurs → MONSIEUR.

mesur|able [məzyrabl] adj measurable.

mesur|e¹ [məzyr] f [système] measure ; [action] measurement || [récipient] measure || [vêtement] measure ; fait sur ~, made to measure, bespoke, custom-made ; prendre les ~s de qqn, take sb's measurements || MUS. time ; battre la ~, beat time ; en ~, in time ; [groupe de notes] bar || **~er¹** vt (1) measure || gauge (jauger) || FIG. weigh, size — vi [avoir pour mesure] measure ; ~ 4 mètres sur 6, measure 4 meters by 6 ; **combien mesurez-vous ?**, how tall are you ? ; je mesure 1 mètre 80, I'm 1 meter 80 tall — vpr se ~, pit oneself (avec, against).

mesur|e² f [proportion] measure, degree ; à la ~ de, proportionate to ; dans la ~ où, in so far as ; dans la ~ du possible, as far as possible ; dans une certaine/large ~, to a certain/large extent || [modération] moderation ; dépasser la ~, overstep the mark ● loc outre ~, beyond measure ; au fur et à ~, gradually, little by little ; à ~ que, au fur et à ~ que, (in proportion) as ; → FUR || **~é, e** adj measured (paroles, pas) || **~er²** vt [distribuer avec parcimonie] limit ; ration || moderate (langage).

mesure³ f [disposition] step, measure ; prendre des ~s, take steps || provision (contre, against ; pour, for) ; ~s préventives, prevention || être en ~ de, be in a position to, be able to.

met [mɛ] → METTRE.

métal [metal] m metal || **~lique** adj metallic || **~liser** vt (1) metallize || **~lurgie** [-lyrʒi] f metallurgy ; metallurgical industry || **~lurgiste** adj/m ouvrier ~, metal-worker.

méta|morphose [metamɔrfoz] f metamorphosis || **~morphoser** [-mɔrfoze] vt (1) [humour] transmogrify — vpr se ~, change, turn (en, into) || [humour] transmogriphy || **~phore** [-fɔr] f metaphor || **~physique** adj metaphysical ● f metaphysics.

météo [meteo] f FAM. weather forecast (bulletin).

météor|e [meteɔr] m meteor || **~ite** f meteorite.

météorolog|ie [meteorɔlɔʒi] f meteorology || **~ique** adj meteorological ; bulletin ~, weather forecast ; navire ~, weather-ship ; **~iste** n meteorologist, weatherman.

métèque [metɛk] m PÉJ. dago.

méthod|e [metɔd] f method ; avec ~, methodically ; sans ~, desultory (travail) || FIG. approach || **~ique** adj methodical, orderly || **~iquement** adv methodically.

méticuleux, euse [metikylø, øz] adj meticulous ; fussy (pej.).

métier [metje] m [travail] job || [occupation] occupation ; trade (manuel) ; (handi)craft (artisanal) ; profession (intellectuel) ; quel est son ~ ?, what is his (line of) business ? ; exercer un ~, carry on a trade ; il est imprimeur de son ~, he is a printer by trade || [habileté] skill, technique || Mil. *armée de* ~, professional army || Techn. ~ *à tisser,* loom.

métis, isse [metis] *adj* cross-bred ● *n* half-breed (personne) || ~**ser** [-se] *vt* (1) cross.

métrage [metraʒ] *m* length (en mètres) || Cin. footage ; *un court* ~, a short (film) ; *un long* ~, a full-length film, a feature.

mètre [mɛtr] *m* metre || ~ *ruban,* tape-measure ; ~ *carré/cube,* square/ cubic metre.

métrique [metrik] *adj* metric.

métro [metro] *m* Underground (railway) || [Londres] tube, U.S. subway ; elevated (aérien) || ~**pole** [-ɔpɔl] *f* metropolis || ~**politain, e** [-ɔpɔlitɛ̃, ɛn] *adj* metropolitan || Mil. *troupes* ~es, home forces ● *m* → Métro.

mets [mɛ] *m* dish (plat).

mett|able [metabl] *adj* wearable, fit to wear ; *plus* ~, not fit to be worn || ~**eur** *m* ~ **en scène,** Cin. director, Th. producer || Rad. ~ *en onde,* producer || Techn. ~ *en pages,* compositor.

mettre [mɛtr] *vt* (64) put || place (placer) ; set (disposer) ; ~ *la table,* lay the cloth ; *la nappe est-elle mise ?,* is the cloth on ? || lay (down) [couché] || put on (vêtements, chaussures) ; don (un vêtement) ; *aidez-moi à* ~ *mon manteau,* help me on with my coat || ~ *au point,* tune (moteur) ; focus (photo) ; Techn. adjust || Techn. ~ *en pages,* → Page || Naut. ~ *à l'eau,* lower (une embarcation) ; set afloat || Fam. *mettons ...,* let's say ... || Fig. take (du temps) — *vpr se* ~, put oneself (se placer) ; *se* ~ *au lit,* go to bed ; *se* ~ *debout,* stand up ; *se* ~ *du rouge aux lèvres,* put on some lip-stick || *se* ~ *à,* begin ; *se* ~ *à faire,* start doing ; *se* ~ *à boire,* take to drinking ; *se* ~ *au travail,* set/get down to work, set about one's work ; *se* ~ *à l'anglais,* take up English ; *se* ~ *en ménage,* set

up house ; *se* ~ *à table,* sit down to table ; fall to (commencer à manger) || *s'y* ~, set about it.

meubl|e [mœbl] *adj* loose (terre) || Jur. *biens* ~s, movables ● *m un* ~, a piece of furniture || : *Pl* furniture || ~**é, e** *adj* furnished ; *non* ~, unfurnished ● *m* furnished room/ flat ; lodging(s) ; digs (coll.) || ~**er** *vt* (1) furnish || Fig. fill, stock (la mémoire).

meugler [mœgle] *vi* (1) moo, low.

meule[1] [mœl] *f* Agr. stack ; hayrick, haystack (de foin).

meul|e[2] *f* millstone (de moulin) ; grindstone (à aiguiser) || ~**er** *vt* (1) Techn. grind (down).

meunier, ière [mœnje, jɛr] *n* miller *(m),* miller's wife *(f).*

meurtr|e [mœrtr] *m* murder || ~**ier, ière**[1] *adj* murderous, deadly ● *n* murderer *(m),* murderess *(f).*

meurtrière[2] [mœrtrijɛr] *f* Arch. loop-hole.

meurtr|ir [mœrtrir] *vt* (2) bruise || ~**issure** [-isyr] *f* bruise.

meute [mœt] *f* [chiens], Fig. pack.

mévente [mevɑ̃t] *f* slump ; *la* ~ *des automobiles,* the slump in car sales.

mexicain, e [mɛksikɛ̃, ɛn] *adj* Mexican.

Mexi|cain, e *n* Mexican || ~**co** [-ko] *m* Mexico City || ~**que** [-k] *m* Mexico.

mi [mi] *m* Mus. E.

mi- *préf* half, mid- || ~**août** *f* mid-August.

miaul|ement [mjolmɑ̃] *m* mew-(ing) || ~**er** *vi* (1) mew.

mica [mika] *m* mica.

mi-carême *f* third Thursday in Lent.

miche [miʃ] *f* loaf.

mi|-chemin (à) *loc adv* half-way || ~**-corps (à)** *loc adv* (up) to the waist, waist-deep || ~**-côte (à)** *loc adv* half-way up (the hill).

micmac [mikmak] *m* FAM. funny business.

micro¹ [mikro] *m* mike (coll.); ~**-cravate**, breast-microphone; ~**-espion**, bug (coll.).

micro² *m* INF. micro ● *f* INF. microcomputing.

microbe [mikrɔb] *m* microbe, germ.

micro|film [mikrɔfilm] *m* microfilm || ~**-onde** *f* microwave || ~**-ordinateur** *m* micro computer || ~**phone** [-fɔn] *m* microphone || ~**processeur** [-prɔsɛcœr] *m* microprocessor || ~**scope** [-skɔp] *m* microscope || ~**scopique** *adj* microscopic || ~**sillon** *m* long-playing record, L.P.

midi [midi] *m* midday, twelve o'clock ; noon(day) || FR. *le Midi,* the South (of France).

mie [mi] *f* soft part (of bread).

miel [mjɛl] *m* honey ; *rayon de ~,* honeycomb || ~**leux, euse** [-ø, øz] *adj* FIG. honeyed (paroles) ; mealymouthed (personne) ; smooth (voix).

mien, mienne [mjɛ̃, mjɛn] *pron poss* le/la/les ~s, mine ● *mpl* les ~s, my own people.

miette [mjɛt] *f* crumb (de pain) || FIG. scrap, tiny bit.

mieux [mjø] *adv* better, best ; *au ~,* at best ; *le ~,* the best ; *de ~ en ~,* better and better ; *aller ~,* get better ; *se sentir ~,* feel lots better || *aimer ~ qqch,* like sth better ; *j'aimerais ~ faire,* I had rather do, I would sooner do ; *je ferais ~ de partir,* I had better go ● *m de mon ~,* to the best of my ability ; *de son ~,* as best he could ; *faire de son ~,* do one's best || MÉD. *un léger ~,* a slight improvement || *le ~ est l'ennemi du bien,* let well alone.

mièvre [mjɛvr] *adj* affected (style) ; effete (personne).

mignon, onne [miɲɔ̃, ɔn] *adj* sweet, U.S. cute || pretty (femme) ● *n* darling.

migraine [migrɛn] *f* headache.

migra|teur, trice [migratœr, tris] *adj* migratory || ~**tion** *f* migration.

mi-hauteur (à) [amiotœr] *loc adv* half-way up.

mi-jambe (à) [amiʒãb] *loc adv* up/down to the knees.

mijoter [miʒɔte] *vi* (1) CULIN. simmer — *vt* FIG. concoct, brew.

mil¹ [mil] *adj inv* [dates] thousand || → MILLE.

mil³ *m* → MILLET.

milan [milã] *m* kite.

milice [milis] *f* militia.

milieu¹, eux [miljø] *m* [centre] middle ; *au beau ~,* right in the middle || [position moyenne] mean ; *le juste ~,* the golden mean, the happy medium ● *loc prép au ~ de,* in the middle of, among(st).

milieu² *m* [circonstances physiques] atmosphere, environment || [circonstances sociales] surroundings, environment ; milieu, background ; set ; ~ *familial,* family circle || [trafiquants, etc.] *le ~,* the underworld.

milit|aire [militɛr] *adj* military ; army ● *m* soldier ; serviceman || ~**ant, e** *n* militant ; ~**arisme** [-arism] *m* militarism || ~**er** *vi* (1) militate (*pour/contre,* for/against) ; be a militant.

mille [mil] *adj inv* thousand ; ~ *dollars,* a/one thousand dollars ; *deux ~ un,* two thousand and one || *les Mille et une Nuits,* the Arabian Nights || [tir] *mettre dans le ~,* hit the bull's eye ● *m* NAUT. ~ *(marin),* (nautical) mile.

millésim|e [milezim] *m* [vin] year, vintage || ~**é, e** *adj* vintage.

millet [mijɛ] *m* millet.

mill|iard [miljar] *m* thousand million, milliard, U.S. billion || ~**iardaire** [-dɛr] *n* multimillionaire || ~**ième** [-jɛm] *adj/m* thousandth || ~**ier** *m* thousand || ~**ion** *m* million

‖ **~ième** [-ɔnjɛm] *adj/m* millionth ‖ **~ionnaire** [-jɔnɛr] *n* millionaire.

mim|e [mim] *m* mime ‖ **~er** *vt* (1) mime ‖ **~étisme** [-etism] *m* ZOOL. mimicry.

mimosa [mimoza] *m* mimosa.

minable [minabl] *adj* FAM. shabby (-looking), seedy; lousy; miserable (salaire); grotty (sl.) [chambre].

minauder [minode] *vi* (1) simper, mince (around).

minc|e [mɛ̃s] *adj* thin (chose) ‖ slim, slight, slender (taille, personne) ‖ **~eur** *f* thinness ‖ slimness, slenderness.

mine¹ [min] *f* [visage] look, expression; *avoir bonne/mauvaise ~,* look well/poorly ‖ [allure] appearance ‖ *faire ~ de faire,* make a show of doing, pretend to do.

mine² *f* lead (de crayon).

min|e³ *f* TECHN. mine; *~ de charbon,* coal-mine; *~ à ciel ouvert,* opencast mine ‖ [explosif] mine ‖ **~er** *vt* (1) mine, undermine ‖ MIL. mine, sap ‖ FIG. undermine, sap (le moral, la santé) ‖ **~erai** [-rɛ] *m* ore ‖ **~éral, e, aux** [-eral, o] *adj/m* minerai ‖ **~éralogie** [-eralɔʒi] *f* mineralogy.

minet, ette [minɛ, ɛt] *n* [chat] puss, pussy ● *f* [jeune fille] FAM. (dolly)-bird (coll.).

mineur¹ [minœr] *m* TECHN. miner; [charbon] collier.

mineur², e *adj* minor (secondaire) ‖ under age (personne) ‖ MUS. minor ● *n* JUR. minor (personne).

mini(-) [mini] *préf* mini- ; midget ● *f* FAM. [jupe] mini (coll.).

miniatur|e [minjatyr] *adj/f* miniature ‖ *en ~,* in miniature ‖ **~iser** *vt* (1) miniaturize.

minier, ière [minje, jɛr] *adj* mining (région); *bassin ~,* minefield.

minijupe [miniʒyp] *f* miniskirt.

minim|al, e, aux [minimal, o] *adj* minimal ‖ **~e** *adj* minute, tiny ‖

~iser *vt* (1) minimize ‖ FIG. play down ‖ **~um, a** [-ɔm, a] *adj* minimum ● *m* minimum; *au ~,* at least; *réduire au ~,* reduce to a minimum; *~ vital,* minimum living wage.

minis|tère [ministɛr] *m* ministry, U.S. department; *former un ~,* form a cabinet ‖ G.B. *~ du Commerce,* Board of Trade; *~ de l'Intérieur,* Home office; *~ de la Marine,* Admiralty; *~ des Affaires étrangères,* Foreign Office, U.S. State Department ‖ **~tre** [-tr] *m* minister, U.S. secretary; *Premier ~,* Prime Minister, Premier; *~ des Finances,* Chancellor of the Exchequer; *~ de l'Intérieur,* Home Secretary.

minium [minjɔm] *m* red lead.

minois [minwa] *m* (little) face.

minorit|aire [minɔritɛr] *adj* minority; *ils sont ~s,* they are a minority ‖ **~é** *f* POL. minority; *mettre en ~,* defeat ‖ JUR. minority, infancy.

minoterie [minɔtri] *f* [usine] (flour)-mill; [industrie] flour industry.

minuit [minɥi] *m* midnight, twelve (o'clock at night).

minuscule [minyskyl] *adj* minute, tiny, diminutive; scanty (slip) ● *f* small letter.

minut|e *f* [heure, degré] minute; *d'une ~ à l'autre,* any minute; *à la ~,* this instant; *réparation à la ~,* on the spot repairs, repairs while you wait ‖ [Presse] dernière *~,* stop-press ‖ **~er** *vt* (1) time ‖ **~erie** *f* ÉLECTR. time-switch ‖ **~eur** *m* timer (appareil).

minut|ie [minysi] *f* meticulousness ‖ **~ieusement** [-jøzmã] *adv* meticulously, closely, in minute detail ‖ **~ieux, ieuse** [-jø, jøz] *adj* meticulous, particular (personne); minutely detailed (ouvrage); particular, minute (description); searching (examen).

mioche [mjɔʃ] *m* FAM. kid(dy).

mi-pente (à) [amipãt] *loc adv* halfway down/up.

mira|cle [mirakl] *m* REL. miracle ‖ FIG. wonder ; *par* ~, by a miracle ; *faire des* ~*s*, work wonders ‖ ~**culeusement** [-kyløzmɑ̃] *adv* miraculously ‖ ~**culeux, euse** [-kylø, øz] *adj* miraculous.

mirage [miraʒ] *m* mirage.

mir|e [mir] *f* MIL. sight (d'un fusil) ‖ T.V. ~ *de réglage*, test card ‖ FIG. *point de* ~, centre of attraction, cynosure ‖ ~**er** *vt* (1) ~ *un œuf*, candle an egg — *vpr se* ~, [personne] gaze at oneself (in a mirror).

mirobolant, e [mirɔbɔlɑ̃, ɑ̃t] *adj* fabulous.

mir|oir [mirwar] *m* mirror, looking-glass ‖ ~**oitement** [-watmɑ̃] *m* sparkling, glimmer, shimmer ‖ ~**oiter** [-wate] *vi* (1) shimmer, glisten, glimmer.

mis, e [mi, miz] → METTRE ● *adj bien* ~, well dressed.

misaine [mizɛn] *f mât de* ~, fore-mast.

misanthrope [mizɑ̃trɔp] *adj* misanthropic ● *n* misanthrope.

mise¹ [miz] *f* [action] putting, setting ; ~ *en bouteille*, bottling ; ~ *en plis*, (hair) set ; *se faire faire une* ~ *en plis*, have one's hair set ; ~ *en valeur*, development (d'une région) ‖ [chasse à courre] ~ *à mort*, kill ‖ ASTR. ~ *à feu*, blast-off ‖ FIN. ~ *de fonds*, outlay ‖ TH. ~ *en scène*, staging ‖ NAUT. ~ *à flot*, launching, floating ‖ TECHN. ~ *en marche*, starting (up) ; ~ *en pages*, make-up ‖ SP. ~ *en train*, warm-up ‖ JUR. ~ *en accusation*, arraignment ‖ FIG. ~ *à jour*, bringing up to date.

mise² *f* [habillement] attire, dress.

mis|e³ *f* [pari] stake ‖ ~**er** *vt* (1) stake/bet (*sur*, on) ‖ lay (une somme) [*sur*, on] ‖ FIG. gamble (*sur*, on) [parier].

mis|érable [mizerabl] *adj* destitute (pauvre) ‖ squalid, slummy (sordide), miserable, pitiful, wretched (pitoyable) ● *n* poor wretch ‖ ~**ère** [-ɛr]

f destitution, extreme poverty, distress ; ~ *noire*, squalor ; *tomber dans la* ~, fall on hard times ‖ FIG. misery ‖ ~**éreux, euse** [-erø, øʒ] *adj* destitute, poverty-stricken.

miséricord|e [mizerikɔrd] *f* mercy ‖ ~**ieux, ieuse** *adj* merciful.

misogyne [mizɔʒin] *n* woman-hater.

missi|on [misjɔ̃] *f* mission, assignment ; *donner* ~ *à*, commission ‖ ~**onnaire** [-ɔnɛr] *m* missionary.

missile [misil] *m* missile.

mitaine [mitɛn] *f* mitten.

mit|e [mit] *f* (clothes) moth ‖ ~**é, e** *adj* moth-eaten.

mi-temps [mitɑ̃] *f inv* SP. half-time ● *m inv* part-time work ; *travailler à* ~, work part-time ; *secrétaire à* ~, part-time secretary ; *travailleur à* ~, part-timer.

miteux, euse [mitø, øz] *adj* FIG. seedy, shabby, down-at-heel (personne).

mitigé, e [mitiʒe] *adj* mitigated.

mitoyen enne [mitwajɛ̃, jɛn] *adj mur* ~, party-wall.

mitrailler [mitraje] *vt* (1) machine-gun ; strafe ‖ ~**ette** *f* submachine-gun ‖ ~**euse** *f* machine-gun.

mitre [mitr] *f* REL. mitre.

mi-voix (à) [amivwa] *loc adv* in a low voice, in an undertone.

mix|age [miksaʒ] *m* CIN. mixing ‖ ~**eur** *m* CULIN. liquidizer, (food)-mixer, blender ‖ ~**te** [-t] *adj* mixed ‖ joint (commission) ‖ mixed, co-educational (école) ‖ ~**ture** *f* mixture.

M.L.F. [ɛmɛlɛf] *abré/m* FAM. (= MOUVEMENT DE LIBÉRATION DE LA FEMME) Women's Lib (coll.) ; *membre du* ~, Women's Libber (coll.).

mobile¹ [mɔbil] *m* motive.

mobil|e² *adj* mobile, movable, travelling ‖ ~**ier, ière** *adj* movable, personal (biens) ● *m* (set of) furniture ; ~ *d'époque,* period furniture ‖ ~**isation** *f* mobilization ‖ ~**iser** *vt* (1) MIL. mobilize, call up.

Mobylette [mɔbilɛt] *f* N.D. moped.

mocassin [mɔkasɛ̃] *m* mocassin.

moche [mɔʃ] *adj* ugly (laid) ; rotten, lousy (conduite).

mode¹ [mɔd] *m* [méthode] mode ; ~ *d'emploi,* directions for use ‖ ~ *de vie,* way of life ‖ MUS. mode ‖ GRAMM. mood.

mode² *f* fashion ; *(dernière)* ~, trend ; *à la* ~, fashionable ; *suivre la* ~, keep up with fashion ; *à la dernière* ~, trendy ; *lancer la* ~, set the trend ; *à l'ancienne* ~, old-fashioned ; [couleur, etc.] *être à la* ~, be in fashion.

mod|elage [mɔdlaʒ] *m* modelling ‖ ~**èle** [-ɛl] *m* model, pattern (forme) ; ~ *déposé,* registered pattern ‖ design (d'une robe) ‖ ARTS sitter, model ‖ TECHN. model, mark (type) ; ~ *réduit,* scale model ‖ FIG. model, paragon ; *prendre* ~ *sur,* take one's cue from, take sb as one's model ‖ ~**eler** [-le] *vt* (8 *b*) model ; *pâte à* ~, Plasticine (T.N.) — *vpr se* ~, pattern oneself (sur, upon) ‖ ~**éliste** [-elist] *n* [mode] (dress)designer, stylist.

modération [mɔderasjɔ̃] *f* moderation, restraint ‖ ~**é, e** *adj* moderate ‖ temperate (chaleur) ‖ reasonable (prix) ‖ POL. middle-of-the-road • *n* POL. moderate ‖ ~**ément** [-emɑ̃] *adv* moderately ‖ ~**er** *vt* (1) restrain, curb, moderate ; reduce (vitesse) ; modify (exigences) — *vpr se* ~, restrain oneself.

modern|e [mɔdɛrn] *adj* modern, up-to-date ‖ ~**iser** *vt* (1) modernize, bring up to date • *n* ~**ité** *f* modernity.

modest|e [mɔdɛst] *adj* modest, un-assuming, retiring ‖ FIG. small (somme) ‖ ~**ement** *adv* modestly, unassumingly ‖ in a small way ‖ ~**ie** *f* modesty ; *d'une* ~ *affectée,* demure.

modif|ication [mɔdifikasjɔ̃] *f* modification, alteration ‖ ~**ier** *vt* (1)

modify, alter — *vpr se* ~, change, alter.

modique [mɔdik] *adj* small, mod-est ; *pour un prix* ~, at a low price.

modiste [mɔdist] *f* milliner.

modul|ation [mɔdylasjɔ̃] *f* modulation ‖ RAD. ~ *de fréquence,* frequency modulation ‖ ~**er** *vt* (1) modulate.

moel|le [mwal] *f* marrow (d'os) ‖ BOT. pith ‖ MÉD. ~ *épinière,* spinal cord ‖ ~**eux, euse** *adj* soft (lit) ; mellow (vin, voix).

mœurs [mœr(s)] *fpl* moral standards, morals (moralité) ; *de* ~ *légères,* promiscuous, of easy virtue ; [Press] *affaire de* ~, sex case ‖ *police des* ~, vice squad ‖ customs (coutumes) ‖ *c'est entré dans les* ~, it's common practice.

moi [mwa] *pron* → JE ‖ [sujet] I ; *aussi grand que* ~, as tall as I ; *c'est* ~, it is I ; it's me (coll.) ‖ [complément] me ; *un ami à* ~, a friend of mine ; *c'est à* ~, it's mine ‖ ~-*même,* myself • *m* PHIL. self.

moignon [mwaɲɔ̃] *m* [bras] stump.

moindre [mwɛ̃dr] *adj* [comp.] less(er) ; minor (importance) ; *à* ~ *prix,* at a lower price ‖ [sup.] *le* ~, the lesser/least ; *le* ~ *mal,* the lesser of two evils ; *je n'en ai pas la* ~ *idée,* I haven't the faintest/least idea.

moine [mwan] *m* monk, friar.

moineau [mwano] *m* sparrow.

moins [mwɛ̃] *adv* [comparatif] less ‖ ~-*de,* less/fewer than ; ~ *d'argent,* less money ; ~ *de livres,* fewer books ; *pas* ~ *de,* no less/fewer than ; ~ *de 10 francs,* less than 10 francs ; *les (enfants de)* ~ *de dix ans,* children under ten years of age ; *en* ~ *d'une heure,* within an hour ; *en* ~ *de deux jours,* in less than two days ; *en* ~ *de rien,* in no time ; *à* ~ *de 10 miles,* within 10 miles ‖ [superlatif] *le* ~, the least • *loc adv au* ~, *du* ~, at least ‖ *de* ~ :

10 francs de ~, ten francs less ; *elle a six ans de ~ (que moi),* she is six years younger (than I) ; [manque] *un de ~,* one too few ∥ *en ~,* less, missing ∥ *moins ..., moins ...,* the less... the less ; *de ~ en ~,* less and less ; *ni plus ni ~,* neither more nor less ● *loc prép à ~ de,* unless, barring ● *loc conj à ~ que,* unless ; *rien ~ que,* anything but ; *~ que quiconque,* least of all ● *prép* less, minus ; *6 – 1 égale 5,* 6 minus 1 equals 5, 1 from 6 is 5 ; *une heure ~ dix,* ten to one.

moiré, e [mware] *adj* shot (soie).

mois [mwa] *m* month ; *au ~ de mai,* in May.

moïse [mɔiz] *m* bassinet.

mois|i, e [mwazi] *adj* mouldy ● *m* mould ; *odeur de ~,* musty smell ; *sentir le ~,* smell musty ∥ *~ir* *vi* (2) mould ∥ *~issure* [-isyr] *f* mould.

moiss|on [mwasɔ̃] *f* [saison] harvest (time) ∥ [travail] harvesting, reaping ; [récolte] harvest, crop ; *faire la ~,* harvest ; *rentrer la ~,* get in the harvest ∥ *~onner* [-ɔne] *vt* (1) AGR. harvest, reap ∥ *~onneur, euse* *n* [personne] harvester, reaper ● *f* [machine] harvester, reaping-machine, reaper ; *~euse-batteuse,* combine (-harvester).

moit|e [mwat] *adj* clammy, sweaty (main) ∥ *~eur* *f* moistness, mugginess.

moitié [mwatje] *f* half ● *loc adv à ~,* half ; *à ~ vide,* half empty ; *à ~ prix,* at half-price ∥ *de ~,* by half ∥ *partager moitié-moitié,* go fifty-fifty, go halves.

mol [mɔl] → MOU.

molaire [mɔlɛr] *f* molar.

môle [mol] *m* mole (jetée).

molécule [mɔlekyl] *f* molecule.

molester [mɔleste] *vt* (1) molest, manhandle.

mollesse [mɔles] *f* softness (d'un coussin) ; limpness, flabbiness (d'une poignée de main) ; flabbiness (des

traits) ; feebleness, weakness (manque d'énergie).

mollet¹ [mɔlɛ] *adj m* CULIN. soft-boiled.

mollet² *m* ANAT. calf.

molleton [mɔltɔ̃] *m* flannelette, duffel.

mollir [mɔlir] *vi* (2) soften ∥ [vent] go down ∥ [forces] flag.

mollusque [mɔlysk] *m* mollusc.

momen|t [mɔmɑ̃] *m* moment (court) ; while (plus long) ; *attendez un ~,* wait for a while ∥ [période] time ; *passer de bons ~s,* spend some happy times ; *à mes ~s perdus,* in my spare time, in my idle moments ● *loc en ce ~,* at the moment ; *pour le ~,* for the time being ; *d'un ~ à l'autre,* (at) any moment ; *par ~s,* now and then, every so often ; *le ~ venu,* when the time came/comes ∥ *au ~ où,* as, when ; *du ~ que,* as long as, since ∥ *~tané, e* [-tane] *adj* momentary ∥ *~tanément* [-tanemɑ̃] *adv* momentarily, for a short while ∥ for the moment (en ce moment).

momie [mɔmi] *f* mummy.

mon [mɔ̃], **ma** [ma], **mes** [me] *adj poss m/f/pl* my.

monacal, e, aux [mɔnakal, o] *adj* monastic.

Monaco [mɔnako] *m* Monaco.

monar|chie [mɔnarʃi] *f* monarchy ∥ *~que* [-k] *m* monarch.

monas|tère [mɔnastɛr] *m* monastery ∥ *~tique* [-tik] *adj* monastic.

monaural, e, aux [mɔnoral, o] *adj* monaural.

monceau [mɔ̃so] *m un ~ de,* heap/pile of.

mond|ain, e [mɔ̃dɛ̃, ɛn] *adj* society, social ∥ *~anités* [-anite] *fpl* social events/life ∥ polite small talk.

mond|e [mɔ̃d] *m* [terre, univers] world ; *le Nouveau Monde,* the New World ; *dans le ~ entier,* all over the world ; *mettre au ~,* give birth to ∥ [gens] people ; *beaucoup de ~,* a lot of people ; *tout le* ~, everybody, everyone || *avoir du* ~, have company (invités) || [milieu social] world, circle, set ; *le* ~ *du sport,* the sporting world || *le (grand)* ~, (high) society ; *femme/homme du* ~, society man/woman || Fig. *dans l'autre* ~, in the next world || [intensif] *au/du* ~, in the world, on earth ; *je ne le ferais pour rien au* ~, I wouldn't do it for the world || ~**ial, e, aux** [-jal, o] *adj* world ; *record* ~, world record || ~**ialement** *adv* ~ **connu,** known throughout the world.

Monégasque [mɔnegask] *n* Monegasque, Monacan.

monégasque *adj* Monegasque, Monacan.

moniteur, trice [mɔnitœr ; tris] *n* supervisor || Sp. instructor ; coach.

monnaie [mɔnɛ] *f* money || [devises] currency ; *fausse* ~, counterfeit money ; ~ *forte,* hard currency ; *battre* ~, mint money ; *pièce de* ~, coin ; *change ; petite* ~, small change ; *menue* ~, petty cash ; *la* ~ *de cent francs,* change for one hundred francs ; *rendre la* ~ *sur cent francs,* give the change from one hundred francs ; *faire de la* ~, get (some) change.

monocle [mɔnɔkl] *m* eye-glass, monocle.

mono|culture [mɔnɔkyltyr] *f* monoculture || ~**gamie** [-gami] *f* monogamy || ~**kini** [-kini] *m* topless swimsuit || ~**logue** [-lɔg] *m* monologue.

monôme [monom] *m* end-of-term rag.

monopol|e [mɔnɔpɔl] *m* monopoly || ~ *syndical de l'embauche,* closed shop (policy) || ~**iser** *vt* (1) monopolize.

monoton|e [mɔnɔtɔn] *adj* monotonous (vie, voix) ; drab (vie) ; dull (discours) ; dreary (travail) || ~**ie** *f* monotony, dullness, sameness.

monsieur, messieurs [məsjø, me-] *m* [s'adressant à qqn : nom inconnu]

bonjour ~ *!,* good morning ! ; [nom connu] good morning Mr X ! ; || [déférent] Sir ! ; *Pl* gentlemen || [devant un titre] my Lord (selon le rang social) ; ~ *l'abbé !,* Father ; ~ *le Juge !,* Your Honour !, My Lord ! ; ~ *le maire !,* Mr Mayor || [lettre] Dear Sir ; *Pl* Dear Sirs, gentlemen ; *cher* ~, Dear Mr X ; [enveloppe] ~ *John Smith,* Mr. John Smith, John Smith Esq. (= Esquire).

monstr|e [mɔstr] *m* monster ; freak (of nature) || ~**ueux, euse** [-yø, øz] *adj* monstrous (anormal) ; huge (colossal) ; shocking, outrageous (odieux) || ~**uosité** [-ɥɔzite] *f* monstrosity.

mont [mɔ̃] *m* mount (montagne) || Fig. ~*être toujours par* ~*s et par vaux,* be always on the move.

montage [mɔtaʒ] *m* Techn. fitting ; assembly ; *chaîne de* ~, assembly line ; setting (d'un bijou) || Rad. wiring || Cin. montage, editing.

montagn|ard, e [mɔtaɲar, ard] *n* mountain dweller || ~**e** *f* mountain ; ~*s russes,* switchback, U.S. roller coaster || ~**eux, euse** *adj* mountainous, hilly.

montant¹, e [mɔtɑ̃, ɑ̃t] *adj* rising ; uphill (chemin) ; *en* ~, upward(s) || Rail. up (train) || Naut. rising, incoming (marée) || Mus. ascending (gamme).

montant² *m* [lit] post || [échelle] upright || Fin. amount ; ~ *global,* sum total.

monté, e [mɔte] *adj* mounted (police) || Fam. *coup* ~, put-up job, frame-up (coll.).

monte|-charge [mɔtʃarʒ] *m inv* hoist, U.S. service elevator || ~**plats** *m inv* kitchen-lift, U.S. dumb-waiter.

mont|ée [mɔte] *f* [ascension] climb(ing) || [crue] rising || [côte] hill || ~**er¹** *vi,* (1) [se déplacer] go up ; walk/run/cycle/etc. up || [se placer sur, dans] ~ *à bicyclette/cheval,* get on a bicycle/horse ; ~ *en voiture,* get into a car ; ~ *dans un train/avion*, get on/into a train/plane ‖ [eau] come up ‖ [terrain] rise, slope up ‖ [marée] come in ‖ [baromètre, prix, thermomètre] rise ‖ [tennis] ~ *au filet*, go up to the net ‖ Av. climb ; ~ *en chandelle*, zoom ‖ Fig. [progresser] rise, go up ; ~ *en grade*, be promoted ; [colère] surge (up) — *vt* ~ *l'escalier*, go upstairs ‖ ~ *un cheval*, ride a horse ‖ *(faire)* ~, take/bring up (bagages) ‖ Mil. ~ *la garde*, mount guard ‖ Mus. ~ *la gamme*, go up the scale — *vpr* se ~, [frais] come/amount to.

monter² *vt* (1) Techn. assemble, mount ; set (bijou) ; put up/pitch (tente) ‖ Cin. edit. ‖ Th. stage, produce (pièce) ‖ Fig. [équiper] equip ; ~ *son ménage*, set up house ; [organiser] ~ *un coup*, plan a job [influencer] ~ *qqn contre qqn*, set sb against sb ‖ ~**eur, euse** *n* Techn. fitter ‖ Cin. (film) editor.

montgolfière [mɔ̃gɔlfjɛr] *f* hot-hair balloon.

monticule [mɔ̃tikyl] *m* mound, hillock.

montre¹ [mɔ̃tr] *f* watch ; ~-*bracelet*, wrist-watch ; ~ *à affichage numérique*, digital watch ; ~ *de plongée*, diver's watch ; *quelle heure est-il à votre* ~ ? what time is it by your watch ? ‖ Sp. *course contre la* ~, race against time.

montr|e² *f* show, display ; *faire* ~ *de*, show ‖ ~**er** *vt* (1) show ; produce, indicate, point, show (indiquer) ; ~ *le chemin*, lead/show the way ‖ point at (du doigt) ‖ show, display (manifester) ‖ feature (représenter) — *vpr* se ~, show oneself, appear ; put in an appearance ‖ prove, turn out (to be) [s'avérer].

monture [mɔ̃tyr] *f* mount (cheval, support) ‖ Techn. mounting (ajustage) ‖ frame (de lunettes) ; setting (d'une bague).

monumen|t [mɔnymɑ̃] *m* monument ; ~ *commémoratif*, memorial ‖

~**tal, e, aux** [-tal, o] *adj* monumental.

moqu|er (se) [sɛmɔke] *vpr* (1) se ~ *de*, laugh at, make fun/sport of, mock (qqn) ; mock at (qqch) ; *se faire* ~ *de soi*, get laughed at ; *je m'en moque*, I don't care ‖ ~**erie** *f* mockery.

moquette [mɔkɛt] *f* fitted carpet, wall-to-wall carpet.

moqueur, euse [mɔkœr, øz] *adj* mocking ; jeering (remarque) ; snide (sarcastique).

moral, e, aux [mɔral, o] *adj* moral ● *m* [état d'esprit] morale ; *avoir bon/mauvais* ~, be in good/bad spirits ‖ ~**e** *f* [valeur] morality ; moral standards ; *faire la* ~ *à*, lecture ‖ [fable] moral ‖ Phil. moral philosophy, ethic(s) ‖ ~**ement** *adv* morally ‖ ~**isateur, trice** [-izatœr, tris] *adj* moralizing ‖ ~**iser** *vt* (1) moralize ‖ ~**iste** *n* moralist ‖ ~**ité** *f* morality, morals.

morbide [mɔrbid] *adj* morbid.

morc|eau [mɔrso] *m* bit, piece ; *se casser en* ~*x*, fall to pieces ; *mettre en* ~*x*, break into pieces ‖ lump (de sucre) ‖ end (reste) ; *petit* ~, scrap, shred ; *gros* ~, wodge, chunk (coll.) ‖ knob (de charbon) ‖ Culin. cut, piece (de viande) ; *petit* ~, morsel ; *manger un* ~, have a bite ‖ Mus. piece ‖ Litt. ~*x choisis*, selected passages ‖ ~**eler** [-əle] *vt* (5) break up, parcel out (une propriété) ‖ ~**ellement** *m* parcelling out (de terrain).

mor|dant, e [mɔrdɑ̃, ɑ̃t] *adj* cutting, biting, sharp, scathing (critique, ton) ‖ ~**diller** [-dije] *vt* (1) nible (at).

mordoré, e [mɔrdɔre] *adj* bronze (tissu) ; golden brown (peau).

mordre [mɔrdr] *vt* (4) bite (froid) nip ‖ Fig. ~ *à l'hameçon*, rise to the bait ; ~ *la poussière*, bite the dust — *vi* bite (dans, into) ‖ Sp. [poisson] bite.

mordu, e [mɔrdy] *adj* Fam. mad, crazy (about sb) ● *n* un ~ *du football*, a football fan/buff.

morfondre (se) [səmɔrfɔ̃dr] *vpr* (4) feel dejected, mope.

morgue¹ [mɔrg] *f* [attitude] haughtiness.

morgue² *f* [lieu] mortuary ; morgue.

moribond, e [mɔribɔ̃, 5d] *adj* dying ● *n* dying person.

morne [mɔrn] *adj* dismal, dreary, cheerless, doleful ; bleak (paysage).

morose [mɔroz] *adj* glum, gloomy, dismal.

morphine [mɔrfin] *f* morphine.

morpion [mɔrpjɔ̃] *m* crab-louse ‖ *jouer aux* ~*s,* play at noughts and crosses.

mors [mɔr] *m* bit.

morse¹ [mɔrs] *m* (= *alphabet Morse*) Morse (code).

morse² *m* ZOOL. walrus.

morsure [mɔrsyr] *f* bite.

mort [mɔr] *f* death ; [accident, cataclysme] fatality ; *de* ~, deathly (silence) ; *mettre à* ~, put to death.

mort, e [mɔr, mɔrt] → MOURIR ● *adj* dead ; *raide* ~*(e),* stone-dead ; *bois* ~, dead wood ; *doigts* ~*s,* numb fingers ‖ ARTS *nature* ~*e,* still life ‖ TECHN. dead (poids) ‖ AUT. *au point* ~, in neutral ; FIG. at a standstill ; FIG. dead (langue) ; ~ *de fatigue,* dead-tired/-beat ; *temps* ~, idle period, slack ● *n* dead person ; *les* ~*s,* the dead ‖ ~*s et blessés,* casualties ‖ *faire le* ~, sham dead ‖ *tête de* ~, death's head ; [cartes] dummy (au bridge) ‖ REL. *jour des Morts,* All Soul's Day.

mortalité [mɔrtalite] *f* mortality, death-rate.

mort-aux-rats [mɔr(t)ora] *f inv* rat poison.

morte-eau [mɔrto] *f* neap-tide.

mort|el, elle [mɔrtɛl] *adj* mortal (homme) ‖ fatal, deadly, lethal (causant la mort) ‖ ~**ellement** *adv* fatally, mortally (blessé) ‖ FIG. deadly (ennuyeux).

morte-saison [mɔrtsɛzɔ̃] *f* dead/off season.

mort-né, e [mɔrne] *adj* still-born ‖ FIG. abortive (projet).

mortier [mɔrtje] *m* mortar.

morue [mɔry] *f* cod ; *huile de foie de* ~, cod-liver oil.

mosaïque [mɔzaik] *f* ARTS mosaic ‖ FIG. patchwork.

Moscou [mɔsku] Moscow.

mosquée [mɔske] *f* mosque.

mot [mo] *m* word ; *en un* ~, in brief ; *écrit en un seul* ~, written solid ; ~ *à/pour* ~, word for word ‖ *sans* ~ *dire,* without a word ‖ *gros* ~, swear/rude word ; ~*s-croisés,* crossword (puzzle) ; *faire les* ~*s-croisés,* do the crosswords ‖ ~ *de passe,* pass-word, watchword ‖ ~ *vedette,* catch word ; *bon* ~, ~ *d'esprit,* witticism ; *jeu de* ~*s,* pun, wisecrack, joke ‖ *comprendre à demi-*~, take a hint ‖ *au bas* ~, at the lowest estimate ‖ *note (courte lettre)* ; *envoyez-moi un* ~, drop me a line ; *dire un* ~ *de qqch à qqn,* have a word with sb about sth ; *avoir son* ~ *à dire,* have a say in the matter ‖ GRAMM. ~ *composé,* compound (word).

motard [mɔtar] *m* FAM. motor-cycle policeman ‖ [motocycliste] biker (coll.).

motel [mɔtɛl] *m* motel.

moteur, trice [mɔtœr, tris] *adj* motive, driving ; *force motrice,* power ; *roues motrices,* driving wheels ● *m* engine ; ~ *électrique,* electric motor ; ~ *à réaction,* jet-engine ‖ AUT. engine.

motif [mɔtif] *m* motive, cause, grounds ; *sans* ~, without good reason ‖ ARTS pattern, design.

motion [mosjɔ̃] *f* motion ; *déposer une* ~ *pour que,* move that ‖ POL. ~ *de censure,* motion of censure.

motiv|ation [mɔtivasjɔ̃] *f* motivation ; incentive (stimulant) ‖ ~**er** *vt* (1) motivate ‖ account for (justifier).

moto [moto] f/abrév (= MOTOCY-CLETTE) FAM. motor-bike (coll.) ‖ ~-**cross** m motocross, scramble ‖ ~**culteur** [-kyltœr] m cultivator ‖ ~**cyclette** [-siklet] f motor-cycle ‖ ~**cycliste** n motor-cyclist ‖ ~**neige** f [canada] snowmobile, skidoo ‖ ~**riser** [-rize] vt (1) MIL. motorize, mechanize (armée).

motrice → MOTEUR.

motte [mɔt] f clod, lump (de terre) ; ~ **de gazon,** sod, turf ‖ block (de beurre).

motus ! [mɔtys] interj mum's the word !

mou [mu] (**mol** devant voyelle), **molle** [mɔl] adj soft (au toucher) ; limp, flabby (chairs) ; slack (corde) ‖ FIG. weak, listless (personne).

mouchar|d, e [muʃar, ard] n FAM. [école] sneak ‖ [police] stool pigeon, grass (coll.) ● m [micro] bug (coll.) ‖ ~**der** [-de] vt (1) sneak on, grass on (coll.).

mouche [muʃ] f fly ‖ SP. poids ~, fly-weight ; faire ~, score a hit ‖ FIG. ~ du coche, busy body ; prendre la ~, take offence.

moucher [muʃe] vt (1) blow (son nez) — vpr se ~, blow one's nose.

mouch|eron [muʃrɔ̃] m midge, gnat ‖ ~**eté, e** [-te] adj mottled, flecked, speckled ‖ ~**eture** [-tyr] f speckle.

mouchoir [muʃwar] m handkerchief ; hankie (coll.) ; ~ en papier, paper hanky, tissue.

moudre [mudr] vt (65) grind, mill (du blé) ‖ grind (du café).

moue [mu] f faire la ~, purse one's lip ; [enfant] pout.

mouette [mwɛt] f (sea-)gull.

moufle [mufl] f mit(ten).

mouflet, ette [muflɛ, ɛt] n FAM. kid (coll.).

mouillage [muja3] m NAUT. [action] mooring, anchoring ; [poste] moorings, anchorage.

mouill|é, e adj wet ‖ ~**er** vt (1) wet, moisten ‖ dampen (le linge) ‖ water (down) [du vin, du lait] ‖ NAUT. ~ l'ancre, cast/drop anchor — vi NAUT. lie at anchor — vpr se ~, get oneself wet ‖ [yeux] fill with tears, water ‖ FIG., POP. mouiller oneself ‖ ~**eur** m NAUT. ~ de mines, minelayer.

moul|age [mula3] m cast(ing) ‖ ~**ant, e** adj close-fitting, tight.

moule¹ [mul] m TECHN. mould.

moule² f ZOOL. mussel.

mouler [mule] vt (1) mould ‖ cast (du métal).

moul|in [mulɛ̃] m mill ; ~ à café, coffee-mill/-grinder ; ~ à eau, water-mill ; ~ à poivre, pepper-mill ; ~ à vent, wind-mill ‖ ~**inet** [-inɛ] m reel (de canne à pêche) ‖ flourish (mouvement) ‖ ~**u, e** adj ground.

moulure [mulyr] f moulding.

mour|ant, e [murã, ãt] adj dying ‖ ~**ir** vi (66) die (de, of) ; ~ **de faim,** starve (to death) ; ~ **de soif,** die of thirst ‖ FIG. [voix] die away ; ~ **d'envie de,** be dying to ; ~ **de rire,** die with laughter.

mousqueton [muskətɔ̃] m TECHN. swivel ‖ MIL. carbine.

mousse¹ [mus] f moss ; couvert de ~, mossy ‖ foam, froth (de la bière, etc.) ; lather, suds (de savon) ‖ ~ **à raser,** shaving-foam.

mousse² m ship's boy.

mousseline [muslin] f muslin.

mouss|er [muse] vi (1) [bière] froth, foam ‖ [savon] lather ‖ [vin] sparkle, fizz ‖ ~**eux, euse** adj mossy ‖ foamy, frothy (bière) ; sparkling, fizzy (vin).

mousson [musɔ̃] f monsoon.

moussu, e [musy] adj mossy ; mossecovered.

moustache [mustaʃ] f moustache ‖ Pl whiskers (d'un animal).

moustiqu|aire [mustiker] f mosquito-net ‖ **~e** m mosquito, gnat; *produit anti-~s*, mosquito repellent.

moût [mu] m [raisin] must.

moutard [mutaʀ] m POP. kid; brat (pej.).

moutarde [mutaʀd] f mustard.

mout|on [mutɔ̃] m [animal] sheep ‖ [viande] mutton ‖ Pl [pous-sière] fluff; [vagues] white horses/U.S. caps ‖ [police] stool pigeon ‖ **~onner** [-ɔne] vt (1) break into white-caps ‖ **~onneux, euse** adj fleecy.

mouture [mutyʀ] f FIG. draft (d'un projet, etc.).

mouv|ant, e [muvɑ̃, ɑ̃t] adj moving ‖ *sables ~s*, quicksands ‖ **~ement** m movement, motion; *faire un ~, move; en ~,* on the move; *faire un faux ~,* strain oneself ‖ TECHN. works (d'horlogerie) ‖ Mus. move-ment ‖ FIG. impulse; [action collec-tive)] movement; *Mouvement de Li-bération de la Femme,* Women's Liberation Movement; *suivre le ~,* go with the stream.

mouvementé, e adj eventful (his-toire); *vie ~e,* chequered career; *peu ~,* uneventful ‖ rough, hilly (ter-rain).

mouvoir [muvwaʀ] vt (67) move, set in motion ‖ [machine] drive — vpr *se ~,* move.

moy|en¹ [mwajɛ̃] m means, way; *~ de faire,* a means to do; *par ce ~,* hereby; *au ~ de,* by means of ‖ *trouver ~ de,* contrive, make shift to; *il n'y a pas ~ d'entrer,* there is no getting in ‖ **~ de transport,** transport (facilities) ‖ Pl FIN. means; *~s d'existence,* livelihood; *je n'ai pas les ~s d'acheter,* I can't afford to buy ‖ *par tous les ~s,* by fair means or foul ‖ FAM. *perdre ses ~s,* go to pieces; *priver qqn de ses ~s,* cramp sb's style ‖ **~ennant** [-ɛnɑ̃] prép in exchange for; *~ quoi,* in consider-ation of which.

moy|en², enne [mwajɛ̃, ɛn] adj

medium (taille); middle (dimension, position); *classe ~enne,* middle-class; *Moyen Âge,* Middle Ages ‖ [calcul] average; mean; *heure ~enne de Greenwich,* Greenwich Mean Time (G. M. T.) ‖ moderate, middling (mé-diocre) ‖ fair (passable); *prendre un ~ terme,* take a middle course ‖ COMM. middling (qualité) ‖ SP. mid-dle (poids) ● f average; *en ~e,* on the/an average; *au-dessus/-dessous de la ~e,* above/below average; *faire la ~e,* take an average ‖ [examens] pass-mark ‖ MATH. mean ‖ **~ennement** [-ɛnmɑ̃] adv fairly, moderately.

moyeu, eux [mwajø] m hub.

mu|e [my] f [oiseau] moult(ing) ‖ [reptile] sloughing ‖ [voix] breaking ‖ **~er** vi (1) [oiseau] moult ‖ [serpent] slough (off) ‖ [voix] break, crack.

muet, ette [muɛ, ɛt] adj dumb (infirme); mute (qui ne veut pas parler); *rester ~,* keep silent; voice-less, speechless (d'émotion) ‖ CIN. silent ‖ GRAMM. mute ● n mute ‖ → SOURD-MUET.

mufle [myfl] m ZOOL. muzzle ‖ FIG. cad, boor ‖ **~rie** [-əʀi] f caddishness; caddish trick.

mug|ir [myʒiʀ] vt (2) [vache] moo, low; [bœuf] bellow ‖ [vent] howl; [mer] boom, roar ‖ **~issement** m mooing, lowing; bellowing ‖ boo-ming, roaring.

muguet [mygɛ] m BOT. lily-of-the-valley.

mulâtre, esse [mylɑtʀ, ɛs] n mu-latto (m), mulatress (f).

mule¹ [myl] f slipper (pantoufle).

mul|e² f ZOOL. (she-)mule ‖ **~et** [-ɛ] m (he-)mule.

mulot [mylo] m field-mouse.

mult|i- [mylti] préf multi ‖ **~coque** adj/m multihull (boat) ‖ **~colore** [-kɔlɔʀ] adj many-coloured, multi-coloured ‖ **~national, e, aux** adj multinational.

multiple [myltipl] *adj* multiple ‖ many-sided (complexe) ‖ numerous (nombreux) ‖ manifold (varié) ● *m* MATH. multiple.

multipl|ication [myltiplikasjɔ̃] *f* multiplication ‖ FIG. increase ‖ **~ier** [-ije] *vt* (1) multiply (*par*, by) — *vpr se* ~, grow in number ‖ [animaux] multiply.

multipropriété *f* time-sharing ; *acheter un appartement en* ~, buy a flat on a time-sharing basis.

multitude [myltityd] *f* multitude ; *une* ~ *de*, a vast number of.

municipal, e, aux [mynisipal, o] *adj* municipal ; public (bibliothèque) ; *conseil* ~, town council ‖ **~ité** *f* municipality, town.

munir [mynir] *vt* (2) provide, fit (*de*, with) — *vpr se* ~, provide/supply/equip oneself (*de*, with).

munitions [mynisjɔ̃] *fpl* ammunition.

muqueuse [mykøz] *f* MÉD. mucous membrane.

mur [myr] *m* wall ‖ AV. ~ *du son*, sound barrier ‖ REL. *Mur des Lamentations,* Wailing Wall.

mûr, e [myr] *adj* ripe (fruit) ; *pas* ~, unripe ‖ FIG. mature, ripe.

mur|aille [myrɑj] *f* high/thick wall ‖ **~a, e, aux** *adj* mural ; *peinture* ~*e*, mural (painting).

mûre [myr] *f* [ronces]] blackberry, brambleberry ; [mûrier] mulberry.

murer [myre] *vt* (1) wall up (une fenêtre).

mûrier [myrje] *m* mulberry tree.

mûrir [myrir] *vt/vi* (2) ripen ; *(faire)* ~, ripen ‖ MÉD. come to a head ‖ FIG. mature.

murmur|e [myrmyr] *m* murmur, whisper ‖ **~er** *vi/vt* (1) whisper, murmur ‖ [ruisseau] babble.

musarder [myzarde] *vi* (1) dawdle, moon about.

musc [mysk] *m* musk.

muscade [myskad] *f* nutmeg.

muscl|e [myskl] *m* muscle ‖ **~lé, e** [-le] *adj* brawny, muscular ‖ FIG. strong-armed ‖ **~ulaire** [-ylɛr] *adj* muscular ‖ **~ulation** *f* body-building.

muse [myz] *f* muse.

museau [myzo] *m* muzzle ; [porc] snout.

musée [myze] *m* art gallery, museum ; ~ *de cires,* waxworks.

musel|er [myzle] *vt* (1) muzzle ‖ **~ière** [-zəljer] *f* muzzle.

musette [myzɛt] *f* lunchbag ‖ MIL. haversack.

muséum [myzeɔm] *m* museum.

mus|ical, e, aux [myzikal, o] *adj* musical ‖ **~ic-hall** [-ikol] *m* variety show, U.S. vaudeville, burlesque ‖ **~icien, ienne** [-isjɛ̃, jɛn] *n* musician ● *adj* musical (personne) ‖ **~ique** *f* music ; *mettre en* ~, set to music ; ~ *d'ambiance,* Muzak, background music ; ~ *de chambre,* chamber music.

musqué, e [myske] *adj* musk(y).

musulman, e [myzylmɑ̃, an] *adj/n* Moslem, Muslim.

mut|ant, e [mytɑ̃, ɑ̃t] *n* mutant (génétique) ‖ **~ation** *f* mutation ‖ **~er** *vt* (1) transfer (un fonctionnaire).

mutil|ation [mytilasjɔ̃] *f* mutilation ‖ **~é, e** *adj* mutilated, maimed ● *m* MIL. ~ *de guerre,* disabled ex-serviceman ‖ **~er** *vt* (1) mutilate, maim, mangle (estropier) ‖ deface (une œuvre d'art).

mut|in [mytɛ̃] *m* mutineer ‖ **~iner (se)** [-ine] *vpr* (1) mutiny ‖ **~inerie** [-inri] *f* mutiny.

mutisme [mytism] *m* MÉD. dumbness, muteness ‖ FIG. silence.

mutuel, elle [mytɥɛl] *adj* mutual, reciprocal ● *f* friendly society ‖ **~lement** *adv* mutually ; one another, each other.

myop|e [mjɔp] *adj* short-sighted ||
~**ie** *f* short-sightedness.

myosotis [mjɔzɔtis] *m* forget-me-
not.

myrte [mirt] *m* myrtle.

myrtille [mirtij] ; *f* blueberry.

myst|ère [mistɛr] *m* mystery ||
~**érieusement** [misterjøzmɑ̃] *adv*
mysteriously || ~**érieux, euse** [-erjø,
øz] *adj* mysterious ; uncanny.

myst|icism [mistisism] *m* mysti-
cism || ~**iification** [-ifikasjɔ̃] *f* fool-
ing, mystification || ~**ifier** [-ifje] *vt*
fool, take in,(1) mystify ; bamboozle
(coll.) || ~**ique** *adj* mystic(al) ● *n*
mystic.

myth|e [mit] *m* myth, fable ||
~**ique** *adj* mythical || ~**ologie**
[-ɔlɔʒi] *f* mythology.

N

n [ɛn] *m* n || MATH. *élever à la n^e*
puissance/puissance n, raise to the n
power || → ÉNIÈME.

nabot, e [nabo, ɔt] *n* PÉJ. midget.

nacelle [nasɛl] *f* [ballon captif]
gondola, car.

nacr|e [nakr] *f* mother-of-pearl ||
~**é, e** *adj* pearly.

nag|e [naʒ] *f* swimming ; *traverser à*
la ~, swim across ; *traverser la*
Manche à la ~, swim the Channel
|| [type] stroke ; ~ *sur le dos,* back
stroke || FIG. *être en* ~, be in a sweat
|| ~**eoire** [-war] *f* fin || ~**er** *vi* (7)
swim ; ~ *à la chien,* tread water ;
~ *le crawl,* swim the crawl || NAUT.
row ; pull || ~**eur, euse** *n* swimmer.

naguère [nagɛr] *adj* lately, not long
ago || [impr.] formerly (autrefois).

naïf, ive [naif, iv] *adj* naïve, ingenuous.

nain, e [nɛ̃, nɛn] *adj* dwarf(ish),
undersized ● *n* dwarf.

naiss|ance [nɛsɑ̃s] *f* birth ; *acte de*

~, birth certificate ; *donner* ~, give
birth (*à,* to), be delivered (*à,* of) ; *lieu*
de ~, birth-place ; **limitation des**
~**s,** birth-control || FIG. beginning ;
donner ~ *à,* give rise to ; *prendre* ~,
come into being, originate || ~**ant,**
e *adj* incipient, budding.

naître [nɛtr] *vi* (68) be born ; *il est*
né le ..., he was born on the ... ; *qui*
vient de ~, new-born || FIG. arise ;
faire ~, arouse.

naïve|ment [naivmɑ̃] *adv* naively,
ingenuously || ~**té** *f* naivety, inno-
cence, ingenuousness.

nana [nana] *f* POP. bird (sl.).

napalm [napalm] *m* napalm.

naphtaline [naftalin] *f boules de* ~,
moth-balls.

nappe [nap] *f* (table-)cloth || [marée
noire] ~ **de pétrole,** oil slick ;
[brouillard, eau] sheet || ~**ron** [-rɔ̃]
m doily ; tablemat (sous un plat).

narcisse [narsis] *m* BOT. narcissus,
daffodil.

narcotique [narkɔtik] *m* narcotic.

narguer [narge] *vt* (1) flout, beard, snap one's fingers at.

narine [narin] *f* nostril.

narquois, e [narkwa, az] *adj* mocking, derisive.

narr|ateur, trice [naratœr, tris] *n* story-teller, narrator ‖ ∼**atif, ive** *adj* narrative ‖ ∼**ation** *f* narration ‖ ∼**er** *vt* (1) narrate, relate.

nas|al, e, aux [nazal, o] *adj* nasal ‖ ∼**eau** [-o] *m* nostril ‖ ∼**illard, e** [-ijar, ard] *adj* nasal ; *ton* ∼, nasal twang.

natal, e, als [natal] *adj* native ‖ ∼**ité** birth-rate.

natation [natasjɔ̃] *f* swimming.

natif, ive [natif, iv] *adj* native.

nati|on [nasjɔ̃] *f* nation ; *Nations unies,* United Nations ‖ ∼**onal, e, aux** [-ɔnal, o] *adj* national ; *route* ∼*e,* trunk/A road, U.S. state highway ‖ *home* (industries, etc.) ‖ ∼**onalisation** [-ɔnalizasjɔ̃] *f* nationalization ‖ ∼**onaliser** *vt* (1) nationalize ‖ ∼**onalisme** *m* nationalism ‖ ∼**onalité** *f* nationality, citizenship.

natt|e [nat] *f* mat (de joncs) ‖ [cheveux] plait ; *Pl* U.S. braids ‖ ∼**er** *vt* (1) plait, braid.

natur|alisation [natyralizasjɔ̃] *f* naturalization ‖ ∼**aliser** [-alize] *vt* (1) naturalize ‖ stuff (animal) ‖ ∼**e** *f* nature (monde physique) ; *en pleine* ∼, right in the country ‖ nature (constitution) ‖ kind (sorte) ; *de même* ∼, of a kind ; *de* ∼ *à,* likely to ‖ disposition (tempérament) ‖ ARTS *d'après* ∼, from life ; *grandeur* ∼, life-size ; ∼ *morte,* still life ‖ FIN. *en* ∼, in kind ● *adj inv* neat (whisky) ; without milk (thé) ; *café* ∼, black coffee ‖ ∼**el, elle** *adj* natural ‖ unaffected, natural ; matter-of-course (normal) ‖ JUR. natural (enfant) ● *m* nature ; *être d'un bon* ∼, have a happy nature/disposition ‖ CULIN. *au* ∼, plain ‖ native (habitant) ‖ ∼**ellement** *adv* naturally ; of course

‖ ∼**isme** *m* naturism ‖ ∼**iste** *n* naturist.

naufrag|e [nofraʒ] *m* (ship-)wreck ; *faire* ∼, be shipwrecked ; *provoquer le* ∼ *de,* (ship)wreck ‖ ∼**é, e** *adj* shipwrecked ● *n* shipwrecked person ; castaway (sur une île).

naus|éabond, e [nozeabɔ̃, ɔ̃d] *adj* foul-smelling, nauseous, nasty, stinking ‖ ∼**ée** *f* nausea, sickness ; *avoir/donner la* ∼, make/feel sick ‖ FIG. *donner la* ∼, nauseate ‖ *Pl* qualms ; *sujets aux* ∼*s,* queasy, squeamish (personne).

naut|ique [notik] *adj* nautical, aquatic (sports) ‖ ∼**isme** *m* water sports.

naval, e, als [naval] *adj* naval ; *chantier* ∼, ship(building) yard.

navet [navɛ] *m* turnip.

navette [navɛt] *f* TECHN. shuttle ‖ RAIL. shuttle ; shuttle bus ‖ ASTR. ∼ *spatiale,* space-shuttle ‖ FIG. *faire la* ∼, [bateau, bus] ply (*entre,* between) ; [voyageur] commute (*entre,* between).

navig|able [navigabl] *adj* navigable ‖ ∼**ant, e** *adj* AV. *personnel* ∼, flying personnel ; *personnel non* ∼, ground staff ‖ ∼**ateur** *m* AV., NAUT. navigator ‖ ∼**ation** *f* sailing ; navigation ‖ AV. ∼ *aérienne,* air traffic ; *compagnie de* ∼ *aérienne,* airline company ‖ ∼**uer** [-e] *vi* (1) [bateau, personne] sail ‖ [avion, personne] fly ‖ NAUT. navigate ; *en état de* ∼, seaworthy.

navire [navir] *m* ship ; ∼ *amiral,* flagship ; ∼ *de commerce,* merchant-ship, merchantman ; ∼ *école,* training ship ; ∼ *de guerre,* warship.

navr|ant, e [navrɑ̃, ɑ̃t] *adj* distressing (affligeant) ‖ annoying (contrariant) ‖ ∼**é, e** *adj* sorry (*de,* to) ‖ ∼**er** *vt* (1) grieve, distress.

ne [nə] (**n'** devant voyelle ou h muet) *adv* [négation] not ‖ ∼... *plus,* not... any longer (temps), not... any more (quantité), not... again (répétition) ; *attendez qu'il* ∼ *pleuve* *plus,* wait till the rain stops ‖ ~ *...* *que,* only ; *il n'est arrivé qu'à six heures,* he didn't comme till six ‖ [explétif] *je crains qu'il ~ vienne,* I fear (that) he will come.

né, e [ne] *adj* born ‖ → NAÎTRE ‖ *musicien-~,* born musician.

néanmoins [neɑ̃mwɛ̃] *adv* nevertheless, yet, none the less.

néant [neɑ̃] *m* nothingness ‖ *réduire à ~,* reduce to nothing ‖ [inventaire] nil.

nébul|euse [nebyløz] *f* ASTR. nebula ‖ ~**eux, euse** *adj* nebulous, cloudy ‖ FIG. hazy ‖ ~**iseur** [-izœr] *m* MÉD. nasal spray.

nécess|aire [nesesɛr] *adj* necessary *(à,* to) ; *il est ~ de le faire,* it needs/has to be done ; *chose ~,* requirite ● *m* what is needed, the necessary stuff/ etc., the essentials ; *faire le ~,* do the necessary ; *le strict ~,* the bare necessities ‖ kit (trousse, etc.) ; *~ de toilette,* dressing case ; *~ de voyage,* overnight bag ‖ ~**airement** *adv* necessarily, of necessity ‖ ~**ité** *f* necessity ; *être dans la ~ de,* be compelled to ; *~ absolue,* must ‖ ~**iteux, euse** [-itø, øz] *adj* needy.

nécrologique [nekrɔlɔʒik] *adj* obituary.

Néerlandais, e [neerlɑ̃dɛ, ɛz] *n* Dutchman *(m),* Dutchwoman *(f)* ; *les ~,* Dutch people, the Dutch.

néerlandais, e *adj* Dutch ● *m* [langue] Dutch.

nef [nɛf] *f* ARCH. nave.

néfaste [nefast] *adj* harmful, disastrous ; baneful (influence) ; ill-fated (funeste).

négatif, ive [negatif, iv] *adj* negative ‖ MATH. minus ● *m* PHOT. negative ● *f répondre par la ~,* answer in the negative ‖ ~**tion** *f* negation ‖ ~**tivement** *adv* negatively.

néglig|é, e [negliʒe] *adv* untidy, slovenly (vêtement) ; slipshod, sloppy (travail) ‖ ~**eable** [-abl] *adj* negligible, insignificant, trifling ‖

~**emment** [-amɑ̃] *adv* caressely, negligently (sans soin) ‖ casually (nonchalamment) ‖ ~**ence** *f* slovenliness, negligence, carelessness (manque de soin) ‖ omission (faute) ; dereliction (dans le service) ‖ forgetfulness (oubli chronique) (~~) ‖ ~**ent, e** *adj* negligent, careless (sans soin) ; remiss, unmindful (insouciant) ; forgetful (oublieux) ‖ ~**er** *vt* (7) neglect ‖ ignore, disregard (un avis, un conseil) ‖ leave out (un élément utile) ‖ omit, overlook (omettre) — *vpr se ~,* glect oneself, let oneself go.

négociant, e [negɔsjɑ̃, ɑ̃t] merchant, trader ‖ ~**iation** *f* negotiation ‖ ~**ier** *vt* (1) FIN., JUR. negotiate ‖ AUT. ~ *un virage,* negotiate a corner.

nègre [nɛgr] *m* PÉJ. Negro (pej.) ‖ [écrivain] ghost-writer.

négr|esse [negres] *f* PÉJ. Negress (pej.) ‖ ~**itude** *f* negritude.

neig|e [nɛʒ] *f* snow ; *~ fondue,* sleet (tombant) ; slush (à terre) ‖ *~ carbonique,* dry ice ‖ ~**er** *v impers* (7) snow ; *il neige,* it is snowing ‖ ~**eux, euse** *adj* snowy.

nénuphar [nenyfar] *m* waterlily.

Néo-Calédonien, enne [neokaledɔnjɛ̃, ɛn] *n* New-Caledonian.

néo-calédonien, ienne *adj* New-Caledonian.

néologisme [neɔlɔʒisɟiism] *m* neologism.

néon [neɔ̃] *m* neon ; *enseigne au ~,* neon sign.

néophyte [neɔfit] *n* neophyte ; novice, tyro.

Néo-Zélandais, e [neozelɑ̃dɛ, ɛz] *n* New Zealander.

néo-zélandais, e *adj* New Zealand.

ner|f [nɛr] *m* nerve ; [impropre] sinew, tendon ; ◦*Pl crise de ~s,* hysterics ‖ FAM. *être sur les ~s,* be in a state of nerves ; *taper sur les ~s de qqn,* get on sb's nerves, exasperate sb ‖ FIG. vigour ; pep (coll.) ‖ ~**veux, euse** [vø, -øz] *adj* nervous (dépres-

sion) || excitable (par nature) || [(agité)]
nervous, jumpy || [(tendu)] tense,
high(ly) strung ; nervy (sl.) || MÉD.
nervous ; *maigre et ~,* wiry || **~osité**
[-vozite] *f* nervousness (agitation) || tension.

net, nette [nɛt] *adj* clean, spotless
(propre) ; neat, tidy (pièce, personne,
travail) ; fair (copie) ; clear, distinct
(clair) ; clean-/clear-cut (lignes) ;
sharp (photo) || COMM. FIN. net (prix,
poids) ; *bénéfice ~,* net return, clear
profit || FIG. flat (refus) ; decided
(différence) ; vivid, distinct (souvenir) ● *adv s'arrêter ~,* stop dead ●
m mettre qqch au ~, write a fair copy
of sth || **~tement** [-mã] *adv* clearly,
distinctly, plainly || FIG. flatly, definitely || **~teté** [-te] *f* cleanness,
spotlessness, tidiness || clearness,
sharpness (d'un tracé).

nettoiement [netwamã] *m* cleaning ; *service du ~,* refuse collection.

nettoyage [netwaja3] *m* cleaning ;
~ à sec, dry-cleaning || **~er** *vt* (9
a) clean, cleanse || clean out/up (à
fond) ; *~ à grande eau,* flush ; *~ à
fond,* dry-clean.

neuf [nœf] *adj/m* nine.

neuf, neuve [nœf, nœv] *adj* new
(récemment achevé) ; *comme ~, à
l'état ~,* like new, as good as new ;
flambant ~, brand-new ● *m* new ;
habillé de ~, dressed in new clothes ;
remettre à ~, do up like new ;
redecorate (appartement) || FIG. *quoi
de ~ ?,* what's new ?

neurasthén|ie [nørasteni] *f* neurasthenia || **~ique** *adj* neurasthenic.

neurolo|gie [nørɔlɔʒi] *f* neurology
|| **~gue** [-g] *n* neurologist.

neutr|aliser [nøtralize] *vt* neutralize || **~alité** [-alite] *f* neutrality.

neutr|e [nøtr] *adj/m* POL. neutral
|| GRAMM. neuter ||°**~on** *m* neutron.

neuvième [nœvjɛm] *adj* ninth.

neveu, eux [nəvø] *m* nephew.

névr|algie [nevral3i] *f* neuralgia ||
~opathe [-opat] *n* MÉD. nerve-

patient || **~ose** [-oz] *f* neurosis ||
~osé, e [-oze] *adj/n* neurotic.

nez [ne] *m* nose ; *parler du ~,* speak
through one's nose || scent (odorat) ;
avoir du ~, have a good nose || *~ à
~,* face to face || FAM. *fourrer son ~
dans,* poke one's nose into ; *mené par
le bout du ~,* henpecked (mari) ;
mener qqn par le bout du ~, lead sb
by the nose, twist sb round one's
little finger ; *à vue de ~,* at a guess ;
faire un pied de ~, cock a snook,
thumb one's nose (*à,* at).

ni [ni] *conj ~ ... ~ ...,* neither ... nor
..., *~ l'un ~ l'autre,* neither.

niable [njabl] *adj* deniable ; *il
n'est pas ~ que,* it is not to be denied
that.

niai|s, e [nje, ɛz] *adj* silly, foolish
● *n* simpleton || **~serie** [-zri] *f*
silliness || nonsense, fiddle-faddle ;
twaddle (paroles) ; *dire des ~s,* twaddle.

niche[1] [niʃ] *f* FAM. trick, practical
joke ; prank (plaisanterie).

nich|e[2] *f* dog-house (à chien) ||
ARCH. recess || **~ée** *f* litter (de chiots,
of puppies) || **~er (se)** *vpr* (1) nest
|| FIG. nestle.

nichon [niʃɔ̃] *m* POP. boob, tit (sl.).

nick|el [nikɛl] *m* nickel || **~eler** [-le]
vt (8 *a*) nickel-plate.

nicotine [nikɔtin] *f* nicotine.

nid [ni] *m* nest || FIG. *~ à poussière,*
dust-trap || **~-de-pie** *m* NAUT.
crow's nest || **~-de-poule** *m* [route]
pot-hole.

nièce [njɛs] *f* niece.

nier [nje] *vt* (1) deny (que, that) ; *on
ne saurait ~ que,* there is no denying
that || disown, gainsay (faits).

nigaud, e [nigo, od] *n* booby.

Niger [niʒɛr] *m* Niger.

Nigeri|a [niʒɛrja] *m* Nigeria || **~an,
e** [-ã, an] Nigerian.

Nigérien, ienne *n* Nigerien.

n'importe | **qui,** ~ **quel** → IMPORTER².

nitr|ate [nitrat] *m* nitrate || ~**ique** *adj* nitric.

niv|eau [nivo] *m* level ; **au** ~ **de,** **de** ~ **avec,** on a level with, flush with ; *au* ~ *de la mer,* at sea level || AUT. *d'huile,* oil gauge ; *refaire le* ~ *(de la batterie),* to up (the battery) || FIG. [degré] standard ; *atteindre le* ~ *(requis),* come up to standard, make the grade ; ~ **de vie,** standard of living ; *au* ~ *de X,* at X level ; ~ **de langue,** register || ~**eler** [-le] *vt* (8 *a*) level (le sol) || FIG. even out/up (égaliser) || ~**ellement** [-ɛlmɑ̃] *m* levelling.

nobl|e [nɔbl] *adj* noble, gentle || FIG. high ; lofty (style) ● *n* noble-man, -woman || ~**esse** [-ɛs] *f* nobility ; *petite* ~, gentry || FIG. nobleness.

noc|e [nɔs] *f* wedding | *Pl* épouser qqn *en secondes* ~s, be sb's second husband/wife ; ~s *d'or,* golden wedding || FAM. spree ; *faire la* ~, go on the spree/on a binge.

noc|if, ive [nɔsif, iv] *adj* harmful, noxious || ~**ivité** *f* harmfulness.

noct|ambule [nɔktɑ̃byl] *m* FAM. night-bird || ~**urne** [-yrn] *adj* night ; nocturnal ● *f* COMM. late-night opening.

Noël [nɔɛl] *m* Christmas ; *joyeux* ~ *!,* merry Christmas ! ; *Père* ~, Father Christmas, Santa Claus ; *veille de* ~, Christmas Eve || MUS. carol.

nœud [nø] *m* knot ; ~ **coulant,** running knot, noose ; ~ **de cravate,** tie knot ; ~ **papillon,** bow ; **faire/ défaire un** ~, tie/untie a knot || kink (entortillure) || bow (de ruban) ; ~ *papillon,* bow-tie || NAUT. knot ; *filer 10* ~s, make 10 knots || FIG. crux, tie.

noir, e [nwar] *adj* black (couleur) ; ~ *sur blanc,* black and white || dark, deep (nuit) || CULIN. *café* ~, black coffee || PHOT. *chambre* ~*e,* dark room || FIG. *bête* ~*e,* pet aversion, bête

noire ; *misère* ~*e,* dire poverty || *idées* ~*es,* blues ● *m* black || *Noir,* black ; *les Noirs,* the Blacks || FIG. *travailler au* ~, moonlight ● *f* black woman || MUS. crotchet, U.S. quarter note || ~**âtre** [-ɑtr] *adj* blackish || ~**ci, e** [-si] *adj* smutty || ~**cir** [-sir] *vt* (2) black(en) || (suie) smut, grime || FIG. blacken.

nois|etier [nwaztje] *m* hazel (-tree) || ~**ette** *f* hazel-nut.

noix [nwa] *f* (wal)nut ; ~ *de coco,* coconut ; ~ *(de) muscade,* nutmeg || *une* ~ *de beurre,* a knob of butter.

nom [nɔ̃] *m* name ; ~ *de famille,* surname ; ~ *de jeune fille,* maiden name ; *connaître de* ~, know by name ; *sous le* ~ *de Smith,* under the name of Smith || *sans* ~, nameless ; ~ *d'emprunt,* alias ; *erreur de* ~, misnomer || COMM. ~ *déposé,* (registered) trade name || GRAMM. noun || FIG. name ; *se faire un* ~, win fame, make a name for oneself ; *traiter qqn de tous les* ~s, call sb names ● *loc prép* **au** ~ **de,** on behalf of ; *au* ~ *de la loi,* in the name of the law.

nomade [nɔmad] *adj* wandering, nomadi(c) ● *n* nomad.

nombr|e [nɔ̃br] *n* number ; *au* ~ *de dix,* ten in number ; *en grand* ~, in large numbers || MATH. ~ *entier,* integer ; ~ *premier,* prime (number) || GRAMM. number || **au** ~ **de,** among, as one of || ~**eux, euse** *adj* numerous, many, large (assistance) ; *moins/plus* ~, fewer, more.

nombril [nɔ̃bri] *m* navel.

nominal, e, aux [nɔminal, o] *adj* nominal ; *appel* ~, roll-call || FIN. *valeur* ~*e,* face value.

nom|ination [nɔminasjɔ̃] *f* appointment || ~**mément** [-memɑ̃] *adv* by name || ~**mer** [-me] *vt* (1) name (appeler) || FIG. designate, nominate, appoint (à, to) || FIG. *à point nommé,* in the nick of time — *vpr se* ~, be called.

non¹ [nɔ̃] *adv* no ; *mais* ~ *!,* of

course not ! ‖ not ; *je pense que ~,* I think not ● loc adv *~ **plus** : il ne l'aime pas, et moi ~ plus,* he doesn't like it, nor/neither do I ● *n* [vote] no.

non² *préf* non- ‖ *~-aligné,* non-aligned ; *~-conformiste,* nonconformist ; *~-lieu,* withdrawal of case ; *~-retour* → POINT ; *~-syndiqué,* non-union member.

nonce [nɔ̃s] *m* nuncio.

nonchal|amment [nɔ̃ʃalamɑ̃] *adv* nonchalantly ‖ *~ant, e adj* lackadaisical, listless, slack ; easygoing.

nord [nɔr] *m* north ; *au ~,* in the north, up north ; *du ~,* northern ; *vers le ~,* north(wards) ‖ *northerly* (latitude) ; *vent du ~,* northerly wind ‖ GÉOGR. *la mer du Nord,* the North Sea ‖ *~-africain, e adj* North-African ‖ *~-américain, e adj* North-American ‖ *~ique* [-dik] *adj* nordic ● *n* Northerner.

normal, e, aux [nɔrmal, o] *adj* normal, matter-of-course (habituel) ; regular, standard (dimensions) ● *f* normal ; *inférieur/supérieur à la ~,* below/above normal ‖ *~ement adv* normally ‖ *~isation f* normalization ‖ *~isé, e adj* standard ‖ *~iser vt* (1) normalize ; standardize.

normand, e [nɔrmɑ̃, ɑ̃d] *adj* Norman.

Norman|d, e *n* : Norman ‖ *~die* [-di] *f* Normandy.

norme [nɔrm] *f* norm, standard.

Norv|ège [nɔrvɛʒ] *f* Norway ‖ *~égien n* Norwegian.

norvégien, ienne [nɔrveʒjɛ̃, jɛn] *adj* Norwegian ● *m* [langue] Norwegian, Norse.

nos [no] → NOTRE.

nostalg|ie [nɔstalʒi] *f* nostalgia ; *avec ~,* wistfully ‖ *~ique adj* nostalgic, homesick.

notable [nɔtabl] *adj* notable, noteworthy ● *m* notable.

notaire [nɔtɛr] *m* lawyer, notary.

notamment [nɔtamɑ̃] *adv* in particular, especially.

note [nɔt] *f* note ; *prendre ~de,* make a note of ; write/jot down ‖ *Pl* jottings ; *prendre des ~s,* take notes ‖ memo(randum) [pour mémoire] ; *~ annexe,* rider ‖ [livre] *~ en bas de page ;* footnote ‖ [hotel, restaurant] bill, U.S. check ‖ [école] mark, U.S. grade ‖ MUS. note ‖ COMM. account, bill ; *régler une ~,* settle an account ‖ *~é, e adj être bien ~,* have a good record ‖ *~er vt* (1) note/write/get/put/take down ‖ [école] *~ sur 20,* mark out of 20 ‖ *~ice* [-is] *f* notice ; *~ biographique,* memoir ‖ directions (mode d'emploi).

notifier [nɔtifje] *vt* (1) notify.

notion [nɔsjɔ̃] *f* notion ‖ *Pl quelques ~ de,* a smattering of.

not|oire [nɔtwar] *adj* notorious ‖ *~oriété* [-ɔrjete] *f* notoriety.

notre, nos [nɔtr, no] *adj poss* our.

nôtre, s (le, la, les) *pron poss* ours ● *mpl* [parents] our people ‖ [invités] *serez-vous des ~ ?,* will you join us ?

nou|er [nue] *vt* (1) tie, knot ‖ *~eux, euse adj* knotty (bois) ; gnarled (doigts).

nouilles [nuj] *fpl* noodles.

nourr|i, e [nuri] *adj bien/mal ~,* well-/ill-fed ‖ *~ice* [-is] *f* (wet) nurse ; *en ~,* at nurse ; *mettre en ~,* put out to nurse ‖ *~ir vt* (2) feed, nourish ‖ *~ au biberon,* bottle-feed ; *~ au sein,* nurse, breast-feed ‖ nurture (élever) ‖ FIG. nurse, cherish (un espoir) ; harbour, entertain (des doutes) — *vpr se ~,* feed (de, on) ‖ *~issant, e adj* nourishing, nutritious ‖ *~isson* [-isɔ̃] *m* baby ‖ *~iture f* food ‖ feed (pour animaux).

nous [nu] *pron pers* [sujet] we ; [objet] us ; [réfléchi] ourselves ; [réciproque] each other ‖ *à ~,* ours ; *chez ~,* at home, at/to our place ; *entre ~,* between you and me ‖ *~-mêmes,* ourselves.

nouv|eau [nuvo], (**nouvel** [-ɛl] devant un voyelle ou un « h » muet), **elle** adj new ; de ~, again || fresh, novel (original) || ~-né, new-born (child) ; ~ venu, new comer ; ~x mariés, newly weds ; nouvel(le) an(née), New Year ● m newman ; [école] new boy || Fig. y a-t-il du ~ ?, is there anything new ? ● f new woman/girl || ~eauté [-ote] f novelty, newness || Pl Comm. fancy goods, drapery, U.S. dry goods ; [mode] latest fashion || Fig. something new.

nouvell|e¹ [nuvɛl] f short story || ~iste n short story writer.

nouvelle² f [information] une ~, a piece of news, a news item || Pl dernières ~s, latest news ; demander des ~s de qqn, inquire after sb ; donnez-moi de vos ~s, let me hear from you ; ~recevoir des ~s de qqn, hear from sb || ~ment adv newly, recently.

Nouvelle|-Calédonie [-kaledɔni] f New Caledonia || ~-Zélande [-zelãd] f New Zealand.

novembre [nɔvãbr] m November.

novice [nɔvis] adj inexperienced ● n beginner, novice || Rel. novice.

noy|ade [nwajad] f drowning || ~é, e n drowned man/woman.

noyau [nwajo] m stone, U.S. pit (de fruit) || Phys., Fig. nucleus || Élect. core.

noyer¹ [nwaje] vt (9, a) drown || Aut. flood (le carburateur) — vpr se ~, [accident] drown, be drowned || [suicide] drown oneself.

noyer² m walnut(-tree).

nu, e [ny] adj naked, nude ; tout ~, stark-naked || bare (non couvert) || blanck (mur) || Fig. naked (œil, vérité) ; à ~, bare ; mettre à ~, lay bare || ~-jambes, bare-legged || ~-pieds, barefoot(ed) || ~-tête, bare-headed ● m Arts nude.

nuag|e [nɥaʒ] m cloud ; couvert de ~s, overcast ; sans ~, cloudless || Fam. dans les ~s, in the clouds ||

~eux, euse adj cloudy ; overcast (temps).

nuanc|e [nɥãs] f [couleur] shade ; hue, tinge, tone || Fig. slight difference ; shade of meaning ; touch (de, of) || ~é, e adj finely shaded ; delicately expressed (style) ; qualified (opinion) || ~er vt (6) shade || qualify.

nucléaire [nukleɛr] adj nuclear ; physique ~, nucleonics ● m nuclear energy.

nud|isme [nydism] m nudism || ~iste n nudist || ~ité f nude, nakedness.

nu|ire [nɥir] vi (69) ~ à, harm, do harm to (personne) ; damage, injure (réputation, santé) ; ~ à la réputation de qqn, reflect upon sb's reputation || ~isible [-izibl] adj harmful, injurious (à la santé) || animaux ~ s, vermin, pests.

nuisance [nɥizãs] f nuisance.

nuit [nɥi] f night ; la ~, in the night ; à la ~, at night ; avant la ~, before dark ; cette ~, last night (passée), tonight (à venir) ; de ~, by night ; à la tombée de la ~, at nightfall, after dark ; passer la ~ chez des amis, stay overnight with friends ; passer une ~ blanche, have a sleepless night ; il fait ~, it is dark/night ; bonne ~ !, good night ! || boîte de ~, night-club || oiseau de ~, night-bird || Rail. train de ~, night-train || Cin. séance de ~, late night.

nul, nulle [nyl] adj indéf [sans valeur] useless, hopeless (personne) || [avant n] no ; nulle part, nowhere, not... anywhere || Sp. faire match ~, draw ; une partie nulle, a draw/tie ; a nil draw (sans aucun point marqué) || Jur. ~ et non avenu, null and void ● pron indéf no one, no man, none || ~lement [-mã] adv not at all, in no way, nowise || ~lité [-ite] f nullity || nobody, nonentity (personne).

numér|al, e, aux [nymeral, o] adj numeral || ~ateur m numerator ||

~**ation** f numeration ‖ Méd. ~ *globulaire,* blood count ‖ ~**ique** *adj* numerical ‖ digital (calculateur) ‖ Inf. digitized.

numér|o [nymero] *m* number ‖ [journal] issue, number ; *dernier* ~, current issue ; *vieux* ~, back number ‖ Th. number, item ; [music-hall] turn ‖ Tél. ~ *vert,* toll free number ‖ Aut.

~ *d'immatriculation,* registration number ‖ ~**oter** [-ɔte] *vt* (1) number.

nuque [nyk] f nape (of the neck).

nurse [nyrse] f nanny.

nutri|tif, ive [nytritif, iv] *adj* nutritive, nourishing ; rich.

Nylon [nilɔ̃] *m* N.D. Nylon ; *bas (de)* ~, Nylons.

O

o [o] *m* o.

oasis [oazis] f oasis.

obé|ir [ɔbeir] *vi* (2) ~ *à,* obey (un ordre, qqn) ; comply ; *se faire* ~ *de,* compel obedience from ‖ ~**issance** [-isɑ̃s] f obedience ‖ ~**issant, e** *adj* obedient.

obèse [ɔbɛz] *adj* obese.

obésité [ɔbezite] f obesity.

objec|ter [ɔbʒɛkte] *vt* (1) put forward (une raison) ; ~ *que,* object/ argue that ; plead (alléguer) ; ~ *qqch à qqn,* allege sth against sb ‖ ~**teur** *m* ~ *de conscience,* conscientious objector ‖ ~**tif, ive** [-tif, iv] *adj* objective ● *m* Mil. objective, target ‖ Phot. lens ‖ ~**tion** f objection ; *faire des* ~*s,* raise objections, take exception ; *sans faire d'*~, without demur ‖ ~**tivité** [-tivite] f objectivity.

objet [ɔbʒɛ] *m* object, thing ‖ ~ *rare,* curio ‖ *bureau des* ~*s trouvés,* lost property office ; ~*s de valeur,* valuables ‖ Gramm. object ‖ Fig. subject (de la conversation) ; purpose (but).

obliga|tion [ɔbligasjɔ̃] f obligation ; duty ; *être dans l'*~ *de,* be obliged to ‖ Fin. debenture, bond ‖ ~**toire** [-twar] *adj* obligatory, compulsory, mandatory ‖ ~**toirement** [-twarmɑ̃] *adv* necessarily.

obli|geance [ɔbliʒɑ̃s] f *voudriez-vous avoir l'*~ *d'ouvrir la fenêtre ?,* would you be so kind as to open the window ? ‖ ~**geant, e** [-ʒɑ̃, ɑ̃t] *adj* obliging, kind, helpful, neighbourly ‖ ~**ger** [-ʒe] *vt* (7) compel, oblige, force ; *être obligé de,* have to, must, be forced to ; *êtes-vous obligé de partir tout de suite ?,* must/need you go yet ? ‖ oblige (rendre un service).

obliqu|e [ɔblik] *adj* oblique ; slant(ing) ; sidelong (regard) ‖ ~**ement** [-mɑ̃] *adv* obliquely, slantwise, sidelong ‖ ~**er** *vi* (1) *obliquez à droite,* bear half right.

oblitér|ation [ɔbliterasjɔ̃] f obliteration ‖ ~**er** *vt* (1) cancel, postmark (un timbre) ; *timbre oblitéré,* used stamp.

obsc|ène [ɔbsɛn] *adj* obscene,

lewd ; smutty (histoire) ; *mot ~,* four-letter word || **~énité** [-enite] *f* obscenity || *Pl* dirt.

obscur, e [ɔbskyr] *adj* dark || FIG. obscure || **~cir** [-sir] *vt* (2) darken ; dim (la vue) || FIG. obscure, darken — *vpr s'~,* grow dark || [ciel] darken || [yeux] see dim || **~ément** [-emã] *adv* dimly, obscurely || **~ité** *f* dark-(ness), gloom || FIG. obscurity.

obséd|ant, e [ɔbsedã, ãt] *adj* haunting, obsessing || **~é, e** *n* ~ *sexuel,* sex maniac || **~er** *vt* (1) obsess, haunt (*par,* with).

obsèques [ɔbsek] *fpl* funeral.

obséquieux, euse [ɔbsekjø, øz] *adj* obsequious, subservient.

observ|able [ɔbservabl] *adj* observable || **~ance** [-ãs] *f* observance || **~ateur, trice** *adj* observant ; *être très ~,* have a keen eye ● *n* observer || **~ation** *f* observation ; *en ~,* under observation || comment, remark ; *faire des ~s,* comment || **~atoire** [-atwar] *m* observatory || **~er** *vt* (1) [regarder] observe, watch || [remarquer] notice ; *faire ~,* point out, remark || [respecter] observe ; keep (fête).

obsession [ɔbsesjõ] *f* obsession.

obstacle [ɔbstakl] *m* obstacle || SP. hurdle ; fence (pour chevaux) ; *course d'~s,* obstacle race || FIG. impediment, hindrance ; *faire ~ à,* oppose, thwart.

obstin|ation [ɔbstinasjõ] *f* obstinacy, stubbornness || **~é, e** *adj* obstinate, stubborn, persistent || **~ément** [-emã] *adv* obstinately, stubbornly || **~er (s')** *vpr* (1) *s'~ à faire,* persist (obstinately) in doing.

obstru|ction [ɔbstryksjõ] *f* obstruction, block(age) || **~er** *vt* (1) obstruct || block (une rue) ; stop (un passage).

obt|enir [ɔbtənir] *vt* (101) get, obtain, come by (de l'argent) ; gain (un résultat) || coax (par la flatterie) || POL. poll (des voix) || **~ention** [-tãsjõ] *f* obtaining, getting.

obtur|ateur [ɔbtyratœr] *m* PHOT.

shutter || **~er** *vt* (1) stop || MÉD. fill (une dent).

obtus, e [ɔbty, yz] *adj* MATH. obtuse || FIG. obtuse, dull (esprit).

obus [ɔby] *m* shell ; ~ *non explosé,* dud.

occasi|on [ɔkazjõ] *f* [circonstance] occasion ; *à l'~,* on occasion, occasionally ; *à cette ~,* on this occasion ; *en toute ~,* on every occasion || [opportunité] chance, opportunity ; *saisir l'~ pour faire,* seize the opportunity of doing || motive, cause || COMM. bargain ; *d'~,* second-hand || AUT. *voiture d'~,* used car || **~onnel, elle** [-ɔnɛl] *adj* occasional || **~onner** [-ɔne] *vt* (1) cause, occasion, bring about.

Occiden|t [ɔksidã] *m* Occident || **~tal, e, aux** [-tal, o] *n* Westerner.

occidental, e, aux *adj* West(ern), Occidental.

occult|e [ɔkylt] *adj* occult ; *sciences ~s,* black arts || **~isme** *m* occultism.

occup|ant, e [ɔkypã, ãt] *adj* occupying ● *n* occupant, occupier ; inmate (résident) || **~ation** *f* occupation, job ; ~ *secondaire,* side line || MIL. occupation || **~é, e** *adj* busy ; ~ *à faire,* busy doing || [lieu] engaged || TÉL. engaged, U.S. busy || **~er** *vt* (1) occupy (un lieu) ; take up (de la place) ; fill (une fonction) ; ~ *par intérim,* supply || keep busy (absorber) (qqn) — *vpr s'~,* busy oneself (*à faire,* doing) ; keep oneself busy ; *s'~ de,* (qqch) attend to, see about/to, deal with ; [responsabilité] be in charge of ; take charge/care of, look after (enfants) || FAM. *occupez-vous de vos affaires !,* mind your own business !

occurrence [ɔkyrãs] *f* occurrence ; instance ; *en l'~,* in this case.

océan [ɔseã] *m* ocean.

Océanie [ɔseani] *f* Oceania.

océanographie [ɔseanɔgrafi] *f* oceanography.

ocre [ɔkr] *adj* ochre.

octane [ɔktan] *m* CH. octane ; *indice d'~*, octane number.

octave [ɔktav] *f* octave.

octet [ɔktɛt] *m* INF. byte.

octobre [ɔktɔbr] *m* October.

ocul|aire [ɔkyler] *adj* ocular ● *m* eyepiece ▪ *~iste m* oculist.

odeur [ɔdœr] *f* smell, odour ; scent (agréable) ; *bonne/mauvaise ~*, nice/bad smell ; *sans ~*, odourless ; *~ de brûlé*, smell of burning ; *~ de renfermé*, musty smell.

odieux, euse [ɔdjø, øz] *adj* odious, hateful (personne) ▪ heinous, monstrous (crime).

odorat [ɔdɔra] *m* (sense of) smell ▪ [chien] nose.

œcumén|ique [ekymenik] *adj* œcumenic(al) ▪ *~isme m* œcumenism.

œil, yeux [œj, jø] *m* eye ; *aux yeux bleus*, blue-eyed ; *~ de verre*, glass-eye ▪ LOC. *coup d'~*, glance ; *d'un coup d'~*, at a glance ; *jeter un coup d'~*, have a look at ; *jeter un coup d'~ circulaire*, look round ; *coup d'~ furtif*, peep ; *clin d'~*, wink ; *en un clin d'~*, in a twinkling of an eye, in a trice ; *visible à l'~ nu*, visible to the naked eye ; *à vue d'~*, visibly ; *ne dormir que d'un ~*, sleep with one eye open ; *faire signe de l'~ à qqn*, give sb a wink, wink at sb ; *faire de l'~*, make eyes at ; *je n'ai pas fermé l'~ de la nuit*, I didn't sleep a wink all night ▪ FIG. *fermer les yeux sur*, connive at ; *avoir qqn à l'~*, keep tabs on sb ; *voir qqch d'un mauvais ~*, take a dim view of sth ▪ FAM. *à l'~*, for free ; *~ au beurre noir*, black eye ; *tourner de l'~*, faint ▪ *~lade f* wink ▪ *~lère [-ɛr] f* blinker ▪ FIG. *avoir des ~s*, wear blinkers ▪ MÉD. eye-bath/cup ▪ *~let¹* [-ɛ] *m* [chaussure] eyelet.

œillet² *m* BOT. pink, carnation.

œuf, s [œf, ø] *m* egg ; *~s brouillés*, scrambled eggs ; *~ à la coque*, boiled egg ; *~ dur*, hard-boiled egg ; *~ du jour*, new-laid egg ; *~s au plat*, fried

eggs ▪ *Pl.* spawn (de poisson) ▪ FIG. *étouffer dans l'~*, nip in the bud.

œuvre¹ [œvr] *f* work ; *se mettre à l'~*, set to work ; *mettre en ~*, carry into effect, bring into play ; *fils de ses ~s*, self-made man.

œuvre² *f* LITT., ARTS work ; *~ d'art*, work of art ▪ *Pl* works, writings.

œuvre³ *m* [construction] *le gros ~*, the shell.

œuvre⁴ *f ~ de charité*, charity.

offens|e *f* insult ; offence ▪ *~er vt* (1) offend, hurt (the feelings of) ; *soit dit sans vous ~ !*, no offence meant ! — *vpr s'~*, take offence (*de*, at) ; resent ▪ *~if, ive adj* offensive ● *f* offensive, attack.

offert, e [ɔfɛr, t] → OFFRIR.

office¹ [ɔfis] *m* office, duty (emploi) ; *faire ~ de*, [chose] do duty for, be used as ; [personne] act as ▪ [bureau] agency, bureau ; *~ de tourisme*, tourist office ▪ REL. service ● *loc adv d'~*, automatically.

office² *f* (butler's) pantry.

offic|iel, elle [ɔfisjɛl] *adj* official ; *visite ~le*, state visit ● *mpl les ~s*, the authorities ▪ *~iellement* [-jɛlmã] *adv* officially.

officier [ɔfisje] *m* MIL. officer ; *~ de réserve*, reserve officer ; *élève ~*, cadet ▪ NAUT. *~ de marine*, naval officer ; *~ marinier*, petty officer ▪ JUR. officer ; *~ de l'état civil*, registrar.

offici|eusement [ɔfisjøzmã] *adv* unofficially ; off the record ▪ *~eux, euse adj* unofficial.

offr|ande [ɔfrãd] *f* offering ▪ REL. offertory ▪ *~ant m au plus ~*, to the highest bidder ▪ *~e f* offer ▪ COMM. tender ; bid (enchère) ; *l'~ et la demande*, supply and demand ; *faire une ~*, bid (*sur*, on/for) ; *~ publique d'achat*, takeover bid ▪ *~ir vt* (72) present, offer ; *~ qqch à qqn*, present sb with sth ▪ extend (l'hospitalité) ▪ COMM. bid (un prix) — *vpr s'~*, offer (oneself) ; treat oneself to (un repas) ; *~ à faire*, volunteer to do.

offset [ɔfsɛt] *m* offset.

offusquer [ɔfyske] *vt* (1) offend — *vpr* s'~, take offence (*de*, at).

oh ! [o] *interj* oh ! ; ~ *la la !* oh dear !

oie [wa] *f* goose.

oignon [ɔɲɔ̃] *m* onion ; *petits* ~*s,* spring onions || Bot. bulb.

oiseau [wazo] *m* bird ; ~ *aquatique,* waterfowl ; ~ *de mer,* seabird ; ~ *de proie,* bird of prey.

oiseux, euse [wazø, øz] *adj* trivial (question) ; idle (propos).

ois|if, ive [wazif, iv] *adj* idle ● *n* idler || ~**iveté** [-ivte] *f* idleness.

oléoduc [ɔleɔdyk] *m* (oil) pipeline.

oligo-élément [ɔligɔelemɑ̃] *m* trace element.

oliv|e [ɔliv] *f* olive || ~**eraie** [-rɛ] *f* olive-grove || ~**ier** *m* olive(-tree).

ombr|age [ɔ̃braʒ] *m* shade || Fig. *prendre* ~, take umbrage at || ~**agé, e** [-aʒe] *adj* shadowy, shaded, shady (lieu) || ~**ageux, euse** [-aʒø, øz] *adj* quick to take offence (personne) || shy, skittish (cheval) || ~**e** *f* shade (lieu ombragé) ; *à l'*~, in the shade || ~**elle** *f* sunshade, parasol || ~**er** *vt* (1) shade (dessin) || ~ *les paupières,* put eyeshadow on.

omelette [ɔmlɛt] *f* omelet(te).

om|ettre [ɔmɛtr] *vt* (64) omit, leave out, miss out, pass over (un mot) || Gramm. drop || ~**ission** [-isjɔ̃] *f* [action] omission ; [résultat] oversight.

omnibus [ɔmnibys] *m* Rail. slow train.

omnipraticien, enne [ɔmnipratisjɛ̃, jɛn] *n* Méd. general practitioner.

omoplate [ɔmɔplat] *f* shoulder-blade.

on [ɔ̃] *pron indéf* one, we, you ; they, people || [passif] ~ *me dit,* I am told (*que,* that).

oncle [ɔ̃kl] *m* uncle.

onctueux, euse [ɔ̃ktɥø, øz] *adj* smooth, creamy.

onde [ɔ̃d] *f* Phys., Rad. wave ; ~*s courtes,* short waves ; *longueur d'*~, wavelength ; *sur les* ~*s,* on the air ; *metteur en* ~, producer ; [navigation] ~ *de guidage,* beam || [explosion] ~ *de choc,* shock wave.

ondée [ɔ̃de] *f* (sudden) shower.

ondul|ation [ɔ̃dylasjɔ̃] *f* undulation || [coiffure] wave || ~**é, e** *adj* wavy (cheveux) || rolling (terrain) || corrugated (tôle) || ~**er** *vi* (1) wave.

onéreux, euse [ɔnerø, øz] *adj* costly.

ongl|e [ɔ̃gl] *m* (finger-)nail ; *se faire les* ~*s,* do one's nails ; *se faire faire les* ~*s,* have one's nails manicured ; *se ronger les* ~*s,* bite one's nails ; *jusqu'au bout des* ~*s,* to the finger-tips || ~**ée** [-e] *f avoir l'*~, have one's fingers numb with cold || ~**et** *m* thumb index, tab (de dictionnaire).

onomatopée [ɔnɔmatɔpe] *f* onomatopœia.

onz|e [ɔ̃z] *m* eleven || ~**ième** [-jɛm] *adj* eleventh.

O.P.A. [opea] *f* (= offre publique d'achat) takeover.

opaque [ɔpak] *adj* opaque.

opéra [ɔpera] *m* opera house (théâtre) ; ~*-comique,* light opera, opera (œuvre).

opér|ateur, trice [ɔperatœr, tris] *n* operator || ~**ation** *f* operation || Math., Fin., Mil., Méd. operation ; *salle d'*~, operating theatre ; *subir une* ~, undergo an operation || ~**ationnel, elle** [-asjɔnɛl] *adj* operational.

opérer [ɔpere] *vt* (5) work, bring about (produire) || proceed (procéder) || Méd. operate (*qqn de,* on sb for) ; *se faire* ~, have surgery, be operated on (*de,* for).

opérette f operetta.

opiniâtre [ɔpiɲɑtr] adj stubborn (caractère) ; unrelenting, persistent (efforts) ; dogged (résistance) ‖ ~**té** [-əte] f stubbornness, obstinacy.

opinion [ɔpiɲɔ̃] f opinion, view ; ~ erronée, fallacy ; ~s toutes faites, cut and dried opinions ; se former une ~, form an opinion ; journal d'~, party newspaper ‖ avoir une bonne/haute ~ de qqn, think highly of sb ‖ (= ~ publique) public opinion.

opi|omane [ɔpjɔman] n opium addict ‖ ~**um** [-ɔm] m opium.

opport|un, e [ɔpɔrtœ̃, yn] adj opportune, timely, seasonable ; au moment ~, at the appropriate/right time ‖ ~**unément** [-ynemɑ̃] adv opportunely, at the right time ‖ ~**unisme** [-ynism] m opportunism, expediency ‖ ~**uniste** [-ynist] n opportunist ‖ ~**unité** [-ynite] f timeliness (moment) ; appropriateness (remarque).

oppos|ant, e [ɔpozɑ̃, ɑ̃t] n opponent ‖ ~**é, e** adj opposite ; en sens ~, in the opposite direction, contrariwise ; conflicting, opposing (opinions) ; ~ à, opposed to ● m opposite, reverse ; à l'~ de, contrary to ‖ ~**er** vt (1) oppose (résistance) [à, to] ‖ ~ qqn à qqn, match sb against sb ‖ put forward (objections) ‖ contrast (couleurs) ‖ Sp. bring together (équipes, etc.) — vpr s'~ à, oppose to, be against ‖ Fig. stand in the way — v recipr s'~, confront each other ‖ Fig. clash, conflict ‖ ~**ition** f opposition ; par ~ à, as opposed to ; sans ~, unopposed ‖ Fin. faire ~ à un chèque, stop a cheque.

oppr|esser [ɔprese] vt (1) [chaleur, angoisse] oppress ‖ ~**ession** [-esjɔ̃] f oppression ‖ ~**imer** [-ime] vt (1) oppress.

opter [ɔpte] vi (1) ~ pour, opt for, settle on.

opticien, ienne [ɔptisjɛ̃, jɛn] n optician.

optim|isme [ɔptimism] m optimism ‖ ~**iste** adj optimistic ● n optimist.

option [ɔpsjɔ̃] f option ; à ~, optional ‖ Aut. [accessoire] extra.

optique [ɔptik] adj optic(al) ● f optics ‖ Fig. perspective.

opul|ence [ɔpylɑ̃s] f opulence, wealth, affluence ‖ ~**ent, e** adj opulent, wealthy.

or¹ [ɔr] conj now.

or² m gold ; en ~, gold ‖ Fig. d'~, golden.

orag|e [ɔraʒ] m (thunder-)storm ‖ ~**eux, euse** adj stormy ‖ thundery (temps) ‖ Fig. stormy.

oral, e, aux [ɔral, o] adj oral ‖ unwritten (tradition) ● m oral exam, viva (voce) ‖ ~**ement** adv orally.

orang|e [ɔrɑ̃ʒ] adj orange ‖ [circulation] feu ~, amber (light) ● f orange ; ~ sanguine, blood orange ‖ ~**é, e** adj orange-coloured ● m orange ‖ ~**eade** [-ad] f orangeade ‖ ~**er** m orange-tree ‖ ~**eraie** [-ʒrɛ] f orange grove.

orateur, trice [ɔratœr, tris] n orator, speaker.

orb|e [ɔrb] m orb ‖ ~**ital, e, aux** [-ital, ito] adj orbital ‖ ~**ite** f Anat. socket ‖ Astr. orbit ; mettre sur ~, put into orbit.

orchestr|ation [ɔrkɛstrasjɔ̃] f orchestration ; scoring ‖ ~**e** m orchestra (de musique classique) ; band ; ~ de chambre/symphonique, chamber/symphony orchestra ‖ Th. stalls (fauteuils) ‖ ~**er** vt (1) orchestrate, score.

orchidée [ɔrkide] f orchid.

ordinaire [ɔrdinɛr] adj ordinary, usual (habituel) ‖ Péj. common (place), run-of-the-mill ; peu ~, out of the common ‖ [essence] two-star, U.S. regular ● m ordinary ; d'~, usually, normally ; comme à l'~, as usual ; sortir de l'~, be off the beaten track ‖ Aut. two-star, U.S. regular ‖

~ment *adv* ordinarily, commonly, normally.

ordinal, e, aux [ɔrdinal, o] *adj* ordinal.

ordinateur [ɔrdinatœr] *m* computer ; *mettre sur ~,* computerize.

ordination [ɔrdinasjɔ̃] *f* REL. ordination.

ordonnance¹ [ɔrdɔnɑ̃s] *f* MÉD. prescription ; *sur ~,* with a doctor's prescription || JUR. by-law.

ordonnance² *f* MIL. orderly.

ordonn|é, e [ɔrdɔne] *adj* orderly, tidy, methodical || **~er¹** *vt* (1) [mettre en ordre] arrange, organize.

ordonner² *vt* (1) [donner un ordre] order || MÉD. prescribe.

ordonner³ *vt* (1) REL. ordain.

ordre¹ [ɔrdr] *m* [disposition harmonieuse] order, tidiness ; *en ~,* tidy ; shipshape ; *sans ~,* messy (chose) ; untidy (personne) ; *mettre en ~,* set in order, tidy up, put straight || *~ du jour,* order of the day, agenda ; *mettre à l'~ du jour,* put on the agenda || [suite] order ; *par ~ de,* in order of ; *par ~ alphabétique,* in alphabetical order ; *numéro d'~,* serial number || [rang] class, rank ; *de premier ~,* first rate || [paix] order ; *~ public,* peace ; *troubler l'~ public,* disturb the peace ; *maintenir l'~,* maintain law and order || MIL. *en ~ de bataille,* in battle order || TECHN. *en ~ de marche,* in working order || FIG. [environ] *de l'~ de,* about.

ordre² *m* [commandement] order, command ; *donner un ~,* give an order ; *exécuter un ~,* carry out an order ; *obéir aux ~s,* obey orders ; *par ~ de,* by order of ; *jusqu'à nouvel ~,* until further notice || [banque] *à l'~ de X,* payable to X.

ordre³ *m* JUR. order (association) || ARCH., BOT. order || *Pl* REL. orders ; *entrer dans les ~s,* take (holy) orders.

ordur|es [ɔrdyr] *fpl* dirt, filth || *Pl* rubbish, U.S. garbage ; waste, litter || **~ier, ière** *adj* dirty.

oreill|e [ɔrɛj] *f* ear ; *dur d'~,* hard of hearing ; *avoir l'~ fine,* have quick/sharp ears ; *dresser/tendre l'~,* prick up one's ears ; *faire la sourde ~,* turn a deaf ear || FIG. *l'~ basse,* crest-fallen || **~er** *m* pillow || **~ons** *mpl* mumps.

orfèvre [ɔrfɛvr] *m* goldsmith.

organ|e [ɔrgan] *m* MÉD., JUR. organ || FIG. instrument ; spokesman, mouthpiece (porte-parole) || **~igramme** [-igram] *m* organization chart || INF. flowchart || **~ique** *adj* organic || **~isateur, trice** [-izatœr, tris] *n* organizer, promoter ; *~ de voyages,* tour operator || **~isation** *f* organization, planning || set-up, organization (service) || **~iser** *vt* (1) organize, arrange || stage (manifestation) ; mastermind (opération) — *vpr* s'~, get oneself organized/settled || **~isme** *m* organism.

organiste [ɔrganist] *n* organist.

orgasme [ɔrgasm] *m* orgasm, climax.

orge [ɔrʒ] *f* barley.

orgelet [ɔrʒəlɛ] *m* MÉD. sty(e).

orgie [ɔrʒi] *f* orgy || FIG. profusion ; *une ~ de couleurs,* a riot of colour ; *faire des ~s de,* have an orgy of.

orgue [ɔrg] *m* organ ; *~ de Barbarie,* barrel-/street organ.

orgueil [ɔrgœj] *m* pride || **~leusement** [-øzmɑ̃] *adv* proudly || **~leux, euse** *adj* proud.

Orient¹ [ɔrjɑ̃] *m* GÉOGR., LITT. Orient, East ; *Extrême-~,* Far East ; *Moyen-/Proche-~,* Middle/Near East || **~al, e, aux** [-tal, o] *n* Oriental.

orient² *m* east || orient (d'une perle) || **~al, e, aux** *adj* easterly (position) || eastern), oriental || **~ation** *f* [action] directing, positioning ; orientation ; *sens de l'~,* sense of direction || [exposition] aspect, exposure (d'une maison) || FIG. *~ professionnelle,* vocational guidance || **~é, e** *adj* looking (*à,* towards) ; *~ à l'est,* facing east || **~er** *vt* (1) orientate || direct, turn, position (qqch) || Fig. lead, guide ; turn (la conversation) ; U.S. slant (l'information) ; *mal* ~, misguide — *vpr s'* ~, find one's bearings.

orifice [ɔrifis] *m* opening, hole || Techn. vent.

origin|aire [ɔriʒinɛr] *adj* native (*de,* of) ; coming (*de,* from) || ~**al, e, aux** *adj* original (texte) ; original (unique) ; unconventional, cranky (personne) ● *m* original (ouvrage) ● *n* eccentric (personne) || ~**alité** *f* originality.

origin|e [ɔriʒin] *f* origin || source, starting-point ; *tirer son* ~ *de,* originate from || beginning, outset ; *à l'* ~, originally ; *dès l'* ~, from the outset || cause ; *être à l'* ~ *de,* be responsible for || *d'* ~, of origin ; *d'* ~ *française,* of French origin/extraction/descent ; ~**e, elle** *adj* original, primeval.

orme [ɔrm] *m* elm.

ornemen|t [ɔrnəmɑ̃] *m* ornament || ~**tal, e, aux** [-tal, o] *adj* ornamental || ~**tation** [-tasjɔ̃] *f* embellishment.

orn|é, e [ɔrne] *adj* ornate || ~**er** *vt* (1) embellish (*de,* with) ; adorn (personne) ; decorate (pièce).

ornière [ɔrnjɛr] *f* rut (pr. et fig.).

ornithol|ogie [ɔrnitɔlɔʒi] *f* ornithology ; [pratique] bird watching || ~**ogiste, ~ogue** [-ɔg] *n* ornithologist.

orphel|in, ine [ɔrfəlɛ̃, in] *adj* orphan ; fatherless, motherless ● *n* orphan || ~**inat** [-ina] *m* orphanage, orphan's home.

orteil [ɔrtɛj] *m* toe ; *gros* ~, big toe.

ortho|doxe [ɔrtɔdɔks] *adj* orthodox || ~**graphe** [-graf] *f* orthography, spelling ; *faute d'* ~, misspelling ; *savoir l'* ~, be a good speller || ~**graphier** [-grafje] *vt* (1) spell ; *mal* ~, misspell.

ortie [ɔrti] *f* nettle.

os [ɔs ; o au pl] *m* bone ; ~ *à moelle,* marrowbone.

oscill|ation [ɔsilasjɔ̃] *f* oscillation,

sway, swing(ing) || ~**er** *vt* (1) oscillate ; *(faire)* ~, swing, sway.

osé, e [oze] *adj* daring, bold ; risky (plaisanterie).

oseille [ozɛj] *f* sorrel || Pop. dough (coll.) [argent].

oser [oze] *vt* (1) dare, venture — *vi* dare ; *il n'ose pas venir,* he dare not come, he does not dare (to) come ; *osez-vous le lui demander ?,* dare you ask him ? ; *si j'ose dire,* if I may say so.

osier [ozje] *m* osier ; *panier d'* ~, wicker-basket.

oss|ature [ɔsatyr] *f* skeleton, frame || Techn. framework || ~**ements** [-mɑ̃] *mpl* bones || ~**eux, euse** *adj* bony.

otage [ɔtaʒ] *m* hostage ; *prendre qqn en* ~, take sb hostage.

O.T.A.N. [ɔtɑ̃] *abrév* (= Organisation du traité de l'Atlantique nord) NATO.

otarie [ɔtari] *f* sea-lion.

ôter [ote] *vt* (1) take away, remove ; put/take off (vêtements) || Fam. *ôtez-vous de là !,* get out of the way !

oto-rhino(-laryngologiste) [ɔtorino(larɛ̃gɔlɔʒist)] *n* ear, nose and throat specialist.

ou [u] *conj* or ; ~ *bien,* or else ; ~ *(bien)...,* ~ *bien,* either... or.

où *adv interr* where ; ~ *donc ?,* whereabouts ? ● *pron rel* [lieu] where ; ~ *que ce soit,* wherever ; [temps] when, on which ; that || Fig. in which ● *loc adv d'* ~, where... from ; *d'* ~ *êtes-vous ?,* where are you from ? ; Fig. hence (conséquence) || *jusqu'* ~ *?,* how far ? ; *n'importe* ~, anywhere ; *partout* ~, wherever.

ouailles [waj] *fpl* flock.

ouat|e [wat] *f* cotton-wool || Méd. *tampon d'* ~, swab || ~**er** *vt* (1) wad, pad, quilt.

oubli [ubli] *m* forgetting || [trou de mémoire] lapse of memory, omission, oversight || forgetfulness, oblivion ; *tomber dans l'*~, fall into oblivion || ~**er** [-je] *vt* (1) forget (*de,* to) || neglect (omettre) ; *n'oubliez pas de,* remember to || leave behind (qqch quelque part) — *vpr s'*~, [personne] forget oneself ; [chose] be forgotten || ~**ettes** [-jɛt] *fpl* HIST. dungeon || ~**eux, euse** [-jø, øz] *adj* forgetful, negligent.

ouest [wɛst] *m* west ; *à l'*~, in the west ; *à l'*~ *de,* (to the) west of ; *de l'*~, western ; *vers l'*~, westward(s).

oui [wi] *adv* yes ; *mais* ~ *!,* yes of course ! ; *le voulez-vous ?* — ~, do you want it ? — (yes) I do || *je crois que* ~, I think so ; *ah* ~ *?,* really ? ● *m* POL. ay ; *les* ~ *l'emportent,* the ayes have it.

ouï-dire [widir] *m inv par* ~, from hearsay.

ouïe [wi] *f* hearing ; *avoir l'*~ *fine,* be sharp of hearing || *Pl* ZOOL. gills.

ouragan [uragã] *m* hurricane.

ourl|er [urle] *vt* (1) hem || ~**et** [-ɛ] *m* hem ; *faire un* ~, hem.

ours [urs] *m* bear ; ~ *blanc,* polar bear ; ~ *gris,* grizzly || ~ *en peluche,* teddy bear || ~ **e** *f* she-bear || ASTR. *la Grande/Petite Ourse,* the Great/Little Bear, Ursa Major/Minor || ~ **in** *m* sea-urchin || ~ **on** *m* bear cub.

outil [uti] *m* tool, implement || ~**lage** [-jaʒ] *m* tools || [jardinier] equipment || ~**ler** [-je] *vt* (1) supply with tools, equip.

outrag|e [utraʒ] *m* insult || [morale] outrage || JUR. ~ *à magistrat,* contempt of court ; ~ *à la pudeur,* indecent exposure || ~**er** *vt* (7) offend, insult || outrage || ~**eusement** [-øzmã] *adv* outrageously || exceedingly.

outre [utr] *prép* in addition to ; besides ● *adj* beyond ; *en* ~, besides, furthermore, moreover ; *passer* ~ *à,* disregard, ignore, override || *loc adv* ~ *mesure,* overmuch, beyond measure ● *préf* across.

outré, e [utre] *adj* excessive, exaggerated, overdone (chose) || outraged (personne).

outrecuid|ance [utrəkɥidãs] *f* presumptuousness, presumption || ~**ant, e** *adj* presumptuous, bumptious.

outre|-Manche [utrəmãʃ] *adv* across the Channel || ~**-mer** *adv* overseas || ~**mer** *m* ultramarine (couleur) ; ~ **passer** *vt* (1) exceed (limites, droits) ; override (des ordres).

outrer [utre] *vt* (1) exaggerate || outrage (indigner).

outsider [awtsajdœr] *m* outsider.

ouver|t, e [uvɛr, ɛrt] *adj* open ; *grand* ~, wide open, yawning || *le gaz est* ~, the gas is on || SP. open (saison) || MIL. open (ville) || FIG. open-hearted || ~**tement** [-təmã] *adv* openly, declaredly, avowedly || ~**ture** [-tyr] *f* [action] opening (up) || [passage] opening || COMM. *heures d'*~, business hours || SP. ~ *de la chasse,* opening/first day of the shooting season || [cartes] opening || PHOT. aperture || CIN. ~ *en fondu,* fade in || MUS. overture || FIG. beginning, opening (d'une réunion, de négociations) ; ~ *d'esprit,* open-mindedness.

ouvrable [uvrabl] *adj heures* ~*s,* business hours ; *jour* ~, workday, working day.

ouvrag|e [uvraʒ] *m* work ; handiwork (manuel) ; piece of work (objet) || [écrit] book ; *un* ~, a piece of writing || ~**é, e** *adj* carved (bois) ; embroidered (dentelle), wrought (fer).

ouvre-boîtes [uvrəbwat] *m inv* tin-/can-opener.

ouvré, e [uvre] *adj* = OUVRABLE.

ouvreuse [uvrøz] *f* usherette.

ouvrier, ière [uvrije, jɛr] *adj classe* ~*ière,* working class || FIG. *cheville* ~*ière,* mainspring ● *m* worker, workman ; ~ *agricole,* farm-labourer ● *f* female/woman worker ; ~ *du livre,* print worker.

ouvrir [uvrir] *vt* (72) open || [porte]

swing open (en poussant) ; unlock, unfasten (déverrouiller) ; ~ *brusquement la porte,* throw/fling the door open ; *aller* ~, answer the door/bell ‖ prize open (avec un levier) ‖ zip open, unzip (fermeture à glissière) ‖ slit open (une enveloppe) ‖ unfold (un journal) ‖ ~ *le gaz,* turn on the gas ‖ Électr., Rad. switch on ‖ Fin. ~ *un compte en banque,* open an account with a bank ‖ Comm. open (une boutique) ‖ Mil. open (le feu) ‖ Fig. ~ *son cœur,* disburden one's heart — *vpr* s'~, [porte, boutique, fleur] open ; spring open (brusquement).

ovaire [ɔvɛr] *m* ovary.

ovale [ɔval] *adj/m* oval.

ovation [ɔvasjɔ̃] *f* ovation, cheers.

ovni [ɔvni] *m* UFO.

ovoïde [ɔvɔid] *adj* egg-shaped.

ovule [ɔvyl] *m* ovule.

oxy|de [ɔksid] *m* oxide ; ~ *de carbone,* carbon monoxide ‖ ~**der** [-de] *vt* (1) oxidize ‖ ~**gène** [-ʒɛn] *m* oxygen ‖ ~**géné, e** [-ʒene] *adj eau* ~*e,* peroxide of hydrogen ‖ Fam. *blonde* ~*e,* peroxide blonde.

ozone [ozon] *m* ozone.

P

p [pe] *m* p.

pacage [pakaʒ] *m* pasture.

pacif|ication [pasifikasjɔ̃] *f* pacification ‖ ~**ier** *vt* (1) pacify ‖ ~**ique** *adj* peaceable, peaceful (personne) ‖ ~**iste** *n* pacifist.

pacotille [pakɔtij] *f* cheap goods ; trash ; *de* ~, trashy/shoddy.

pacte [pakt] *m* pact, treaty.

paf [paf] *adj inv* Pop. screwed (sl.) [ivre] ; *complètement* ~, plastered (sl.).

pagaie [pagɛ] *f* paddle.

pag|aïe, ~aille [pagaj] *f* mess ; chaos ; *mettre la* ~ *dans,* mess/muddle/snarl up ‖ [quantité] *il y en a en* ~, there are loads/masses of them.

paganisme [paganism] *m* paganism.

pagaye [pagaj] = pagaïe.

pagayer [pageje] *vi* (9 *b*) paddle.

page [paʒ] *f* page ‖ [journal] *première* ~, front page ; *dernière* ~, back page ‖ Techn. *mettre en* ~(*s*), make up, lay out ● *loc à la* ~, up-to-date.

pagne [paɲ] *m* loin-cloth.

paie [pɛ] *f* → paye.

paiement, payement [pɛmɑ̃] *m* payment ; ~ *comptant,* cash payment ; ~ *différé,* deferred payment.

païen, ïenne [pajɛ̃, jɛn] *adj/n* pagan, heathen.

paillard, e [pajar, ard] *adj* bawdy.

paillass|e [pajas] *f* straw mattress ‖ ~**on** *m* door-mat.

paill|e [pɑj] *f* straw ; ~ *de fer,* steel wool ; *tirer à la courte* ~, draw lots ‖ (drinking) straw ; *boire avec une* ~, drink through a straw ‖ FIG. flaw (défaut) ; *homme de ~*, man of straw ‖ **~eter** [-te] *vt* (8 *a*) spangle ‖ **~ette** *f* spangle ‖ *Pl* tinsel ; flakes (de savon).

pain [pɛ̃] *m* bread ; *un ~*, a loaf (of bread) ; *~ azyme,* unleavened bread ; *~ bis,* brown bread ; *~ complet,* wholemeal bread ; *~ d'épice,* gingerbread ; *~ grillé,* toast ; *~ de mie,* sandwich loaf ; *~ perdu,* French toast ; *petit ~,* French roll ; *~ de poisson,* fish loaf ‖ [savon] bar, cake ‖ FIG. *gagner son ~,* earn one's bread ; *se vendre comme des petits ~s,* sell like hot cakes.

pair[1] [pɛr] *m au ~ ; travailler au ~,* work in exchange for bed and board ; *jeune fille au ~,* au pair (girl).

pair[2], **e** *adj* [divisible par 2] even ; *jours ~s,* even dates ● *m* [égal] *aller de ~ avec,* be on a par with ‖ *hors ~,* matchless, unparalleled.

paire [pɛr] *f* pair (de gants, etc.) ; couple, brace (d'animaux) ‖ FAM. *c'est une autre ~ de manches,* that's another story.

paisible [pezibl] *adj* peaceful, quiet, restful.

paître [pɛtr] *vi* (73) graze ; *faire ~,* graze, pasture.

paix [pɛ] *f* peace, quiet ; *en ~,* peacefully ‖ FAM. *ficher la ~ à qqn,* leave sb alone ‖ MIL., POL. peace ; *demander la ~,* sue for peace ; *faire la ~,* make peace.

Pakist|an [pakistɑ̃] *m* Pakistan ‖ **~anais, e** [-anɛ, ɛz] *n* Pakistani.

palais[1] [palɛ] *m* palace.

palais[2] *m* ANAT. palate.

palan [palɑ̃] *m* tackle.

pale [pal] *f* blade (d'hélice).

pâle [pɑl] *adj* pale, colourless ‖ pallid (maladif).

Palestin|e [palɛstin] *f* Palestine ‖ **~ien, ienne** *n* Palestinian.

palet [palɛ] *m* SP. [hockey sur glace] puck.

pâleur [pɑlœr] *f* paleness ‖ pallor (maladive).

palier [palje] *m* landing (d'escalier) ‖ TECHN. bearing ‖ FIG. stage, level.

pâlir [pɑlir] *vi* (2) pale, grow pale ; lose colour ‖ [couleur] fade ‖ FIG. *faire ~,* outshine.

palissade [palisad] *f* fence, palings ; [chantier] hoarding.

pallier [palje] *vt* (*ind*) [1] *~ (à),* palliate ; cover up (cacher) ‖ make up for (compenser).

palmarès [palmarɛs] *m* honours list ‖ SP. prize-list ‖ [show-biz] *le ~ de la chanson,* the charts.

palm|e [palm] *f* BOT. palm ‖ SP. flipper, fin (pour nager) ‖ ZOOL. web ‖ FIG. *remporter la ~,* bear the palm ‖ **~é, e** *adj* web-footed ‖ **~eraie** [-ərɛ] *f* palm-grove ‖ **~ier** *m* palm(tree).

palombe [palɔ̃b] *f* wood-pigeon.

palonnier [palɔnje] *m* AV. rudder-bar.

pâlot, otte [palo, ɔt] *adj* palish.

palourde [palurd] *f* clam.

palper [palpe] *vt* (1) feel, finger.

palpit|ant, e [palpitɑ̃, ɑ̃t] *adj* thrilling, exciting ‖ **~ation** *f* throb(bing) ‖ MÉD. palpitation ‖ **~er** *vi* (1) [cœur] beat ‖ MÉD. palpitate ; throb (violemment).

paludisme [palydism] *m* malaria.

pamphlet [pɑ̃flɛ] *m* lampoon.

pamplemousse [pɑ̃pləmus] *m* grapefruit.

pan [pɑ̃] *m* tail (de chemise) ; skirt (d'une veste) ; flap (de manteau).

pan ! *interj* bang !

panacée [panase] *f* panacea, cure-all.

panach|e [panaʃ] *m* plume ‖ wreath (de fumée) ‖ FIG. dash ; *plein de ~,* dashing ‖ **~é** *m* [boisson] shandy ‖ **~er** *vt* (1) mix ‖ POL. split (one's vote).

panaris [panari] *m* whitlow.

pancarte [pɑ̃kart] *f* sign, notice (board) ‖ [manifestation] placard.

paner [pane] *vt* (1) CULIN. coat with breadcrumbs.

panier [panje] *m* basket ; hamper (grand) ; ~ *à bouteilles,* bottle-carrier ; ~ *de pêche,* creel ; ~ *à provisions,* shopping basket ; ~ *-repas,* packed lunch ; ~ *à salade,* salad shaker ‖ *jeter au* ~, throw away ‖ FIG. ~ *de crabes,* dog-eat-dog world ; ~ *percé,* spend-thrift ; *le dessus du* ~, the cream (of) ‖ FAM. [police] ~ *à salade,* Black Maria (coll.).

panique [panik] *f* panic ‖ stampede (débandade) ; *être pris de* ~, get panicky ; *pris de* ~, panic-stricken ‖ ~**er** *vi* (1) panic, get panicky ; *paniqué,* panicky, in a panic.

panne [pan] *f* TECHN. break-down, failure ; *en* ~, out of order, broken down ‖ AUT. ~ *de moteur,* engine-failure ; *avoir une* ~, *tomber en* ~, break down ; *avoir une* ~ *d'essence,* run dry/out of petrol ; *en* ~, broken-down ‖ ÉLECTR. ~ *de courant,* power failure ; blackout (générale) ‖ NAUT. *mettre en* ~, bring to, heave to.

panneau [pano] *m* panel ; ~ *d'affichage,* notice/bulletin board ; ~ *de signalisation (routière),* traffic/road sign ‖ TECHN. ~ *solaire,* solar panel ‖ FIG. *donner dans le* ~, fall for it (coll.).

panoram|a [panɔrama] *m* panorama, vista ‖ ~**ique** *adj* panoramic ● *m* CIN. pan(ning) shot ; *faire un* ~, pan (round).

pans|ement [pɑ̃smɑ̃] *m* dressing bandage ; ~ *adhésif,* sticking plaster, U.S. band aid ; *faire un* ~ *(à),* dress (a wound) ; bandage (un membre) ‖ ~**er** *vt* (1) dress, bandage (up) ‖ ~ *un cheval,* groom.

pantalon [pɑ̃talɔ̃] *m* (pair of) trousers ; slacks, U.S. pants ; ~ *de flanelle,* flannel trousers ‖ flannels (coll.) ; ~ *de velours,* corduroys ‖ cords (coll.).

pantelant, e [pɑ̃tlɑ̃, ɑ̃t] *adj* panting.

panthère [pɑ̃tɛr] *f* panther.

pant|in [pɑ̃tɛ̃] *m* FIG. puppet ‖ ~**omime** [-ɔmim] *f* pantomime, dumb show.

paon [pɑ̃] *m* peacock.

papa [papa] *m* FAM. dad, daddy.

pap|al, e, aux [papal, o] *adj* papal ‖ ~**e** *m* pope.

paperass|es [papras] *fpl* old papers ‖ ~**erie** *f* paperwork, red tape.

pape|terie [pap(ɛ)tri] *f* TECHN. paper-mill (factory) ‖ COMM. stationery ; stationer's (shop) ‖ ~**tier, ière** [-ptje, jɛr] *n* stationer.

papier [papje] *m* paper ; ~ *d'aluminium,* tinfoil ; ~ *de brouillon,* rough paper ; ~ *bulle,* Manilla paper ; ~ *carbone,* carbon paper ; ~ *d'emballage,* brown/wrapping paper ; ~ *hygiénique,* toilet paper ; ~ *journal,* newsprint ; ~ *à lettres,* writing-paper ; ~ *peint,* wall-paper ; ~ *paraffiné,* wax(ed) paper ; ~ *pelure,* India paper, [dactylographie] flimsy ; ~ *de soie,* tissue paper ; ~ *de verre,* glass/sand-paper ; *passer au* ~ *de verre,* sandpaper ‖ [journalisme] article, story ‖ *Pl* ~**s** *(d'identité),* (identity) papers ; *vieux* ~*s,* waste paper, litter ‖ FAM. *être dans les petits* ~*s de qqn,* be in sb's good books.

papill|on [papijɔ̃] *m* butterfly ; ~ *de nuit,* moth ‖ ~**ote** [-ɔt] *f* curl-paper ‖ ~**oter** [-ɔte] *vi* (1) [lumière] flicker ‖ [yeux] blink.

papot|age [papɔtaʒ] *m* FAM. chatter, prattle ‖ ~**er** *vi* (1) chatter, prattle, have a chat.

pâque [pak] *f* [judaïsme] *la* ~, Passover.

paquebot [pakbo] *m* liner.

pâquerette [pakrɛt] *f* daisy.

Pâques [pak] *m* Easter (day) ; *œufs de* ~, Easter eggs ● *fpl faire ses* ~, do one's Easter duties.

paquet [pakɛ] *m* [colis] parcel ; package ; packet (plus petit) ; *faire un* ~, make up a parcel ‖ ~ *de cigarettes,* paquet/U.S. pack of cigarettes ‖ [cartes] pack, U.S. deck ‖ Fig. ~ *de mer,* heavy sea.

paquetage [pakta3] *m* Mil. pack, kit.

par [par] *prép* [agent, moyen] by ; ~ *avion,* by air-mail ‖ [lieu] through ; ~ *la fenêtre,* out of/through the window ; by way of, via ; ~ *Douvres,* via Dover ‖ [cause] ~ *ignorance,* out of ignorance ‖ [atmosphère] ~ *tous les temps,* in all weathers ; ~ *cette chaleur,* in this heat ‖ [distributif] per ; ~*an,* per year ; *deux fois* ~ *jour,* twice a day ● *loc* ~*delà,* beyond ; at the back ; ~*derrière* (from) behind, round the back ; ~*dessous,* underneath, below ; ~*dessus,* over ; ~*dessus tout,* above all ; ~*devant,* in front, at the front ; ~ *ici,* around here (position) ; this way (direction) ; ~ *là,* that way.

para [para] *m* Mil., Fam. para.

parachut|age [paraʃyta3] *m* parachuting ; air drop ‖ ~**e** *m* parachute ; *sauter en* ~, bale out ‖ ~**er** *vt* (1) parachute, drop ‖ ~**isme** *m faire du* ~, go parachuting ‖ ~**iste** *n* parachutist ‖ Mil. paratrooper ; *Pl* paratroops.

parade¹ [parad] *f* Sp. [escrime] parry.

parad|e² *f* [spectacle] parade ; outside show ‖ Mil. parade ; tattoo ‖ Fig. display ; *faire* ~ *de,* make a show of ‖ ~**er** *vi* (1) Mil. parade ‖ Fig. show off, swagger about.

paradis [paradi] *m* Rel. paradise, heaven ‖ Fig. ~ *fiscal,* tax haven.

paradox|al, e, aux [paradɔksal, o] *adj* paradoxical ‖ ~**e** *m* paradox.

paraf|e [paraf] *m,* ~**er** *vt* (1) = paraph|e, ~er.

paraffine [parafin] *f* paraffin-wax ; *huile de* ~, liquid paraffin.

parages [para3] *mpl* area, parts ;

dans les ~, in the vicinity, round about ; *dans ces* ~, in these parts.

paragraphe [paragraf] *m* paragraph.

paraître¹ [parɛtr] *vi* (74) [se faire voir] appear ‖ [livre, etc.] appear, come out ; *vient de* ~, just out ; *faire* ~, bring out, publish, be published ; *à* ~, forthcoming ‖ Th. appear (*dans,* in) ‖ Naut. ~ *à l'horizon,* heave in sight.

paraître² *vi* (74) [avoir l'apparence] seem, appear, look ; ~ *devoir réussir,* bid fair to succeed — *v impers* **il paraît que,** it seems that ; *à ce qu'il paraît,* so it appears/seems, alledgedly.

parallèle [paralɛl] *adj* parallel ● *m* Géogr. parallel ● *f* Math. parallel ‖ Électr. *en* ~, in parallel.

paraly|ser [paralize] *vt* (1) Méd. paralyse ‖ Fig. cripple ‖ ~**sie** *f* paralysis, palsy ‖ ~**tique** *n* paralytic.

parapet [parapɛ] *m* parapet.

paraph|e [paraf] *m* initials (signature) ‖ ~**er** *vt* (1) initial.

paraphras|e [parafraz] *f* paraphrase ‖ ~**er** *vt* (1) paraphrase.

parapluie [paraplɥi] *m* umbrella ; ~ *à ouverture automatique,* pop-open umbrella.

parasite [parazit] *m* Méd. parasite ‖ Rad. interference, atmospherics ‖ [personne] parasite, hanger-on, sponger.

para|sol [parasɔl] *m* parasol ; sunshade (de table) ; beach-umbrella (de plage) ‖ ~**soleil** *m* Phot. hood ‖ ~**tonnerre** *m* lightning-rod ‖ ~**vent** *m* folding screen ‖ Fig. stalking-horse.

parc [park] *m* park, gardens ‖ grounds (d'un château) ‖ [enclos] ~ *d'attractions,* fair ground, funfair, U.S. amusement park ‖ ~ *à bébé,* playpen ; ~ *à bestiaux,* (cattle) pen, stockyard ; ~ *à huîtres,* oyster farm ; ~ *national,* national park ‖ fleet (de voitures) ‖ Mil. park ‖ Aut. ~ *de stationnement,* car park.

parcelle [parsɛl] f particle (fragment) ‖ AGR. plot (de terre).

parce que [parskə] loc conj because.

parchemin [parʃəmɛ̃] m parchment.

par-ci, par-là [parsiparla] loc adv here and there.

parc(o)mètre [park(ɔ)mɛtr] m parking meter.

parc|ourir [parkurir] vt (32) go over ; walk (les rues) ; travel, cover (une distance), scour (le pays) ; [regarder] glance over ; [lire] skim through, go/look over, browse ‖ **~ours** [-ur] m distance ; journey (trajet) ‖ [bus] route ‖ SP. course.

pardessus [pardəsy] m overcoat.

pard|on [pardɔ̃] m forgiveness, pardon ; je vous demande ~ !, I beg your pardon ! ; ~ !, (I am) sorry ! ; demande ~ !, say you're sorry ! ‖ **~onner** [-ɔne] vt (ind) [1] forgive, pardon ; ~ qqch à qqn, forgive sb for sth.

pare|-balles [parbal] adj inv bulletproof ‖ **~-brise** m inv AUT. windscreen/U.S. -shield ‖ **~-chocs** m inv AUT. bumper, U.S. fender ; ~ contre ~, bumper to bumper ; coller au ~ de, tailgate ‖ **~-étincelles** m inv firescreen, fireguard.

pareil, eille [parɛj] adj [le même] similar, the same ; ~ que, the same as ‖ [tel] such (a) ; avez-vous jamais vu chose ~eille ?, have you ever seen such a thing ? ; en ~ cas, in such a case ● adv in the same way ● m/f rendre la ~le à qqn, do the same for sb ; il n'a pas son ~, he is second to none ; sans ~, unequalled ; nos ~s, our fellow men ‖ **~lement** adv likewise (également) ‖ in the same way (de la même manière).

paren|t, e [parã, ãt] adj related ● n relative, relation ; être ~ de, be related to ‖ le(s) plus proche(s) ~(s), next of kin ● mpl [père et mère] parents ‖ **~té** [-te] f kinship, relationship (de famille) ‖ kindred (parents).

parenthèse [parãtɛz] f [signe] bracket ; mettre entre ~s, bracket, put in brackets ‖ FIG. digression, parenthesis ; entre ~s, incidentally.

parer¹ [pare] vt (1) adorn, deck (de, with) — vpr se ~, adorn oneself (de, with).

parer² vt (1) ward/fend off (un coup) ‖ FIG. head off — vi ~ à, deal with, provide against.

pare-soleil [parsɔlɛj] m inv AUT. (sun-)visor.

paress|e [parɛs] f laziness, idleness ‖ **~er** vi (1) laze about ; ~ au lit, laze in bed ‖ **~eux, euse** adj lazy, idle ; sluggish ● n lazy person.

parf|aire [parfɛr] vt (50) perfect ; round off ‖ **~ait, e** [-ɛ, ɛt] adj perfect ‖ complete (total) ‖ c'est ~ !, that's fine ‖ PÉJ. accomplished, absolute, utter (imbécile) ● m GRAMM. perfect ‖ **~aitement** [-ɛtmã] adv perfectly (très bien) ‖ quite, perfectly (tout à fait) ‖ certainly, of course (certainement).

parfois [parfwa] adv sometimes ‖ occasionally [de temps en temps].

parf|um [parfœ̃] m perfume, fragrance, scent ‖ [glace] flavour ‖ **~umé, e** [-yme] adj scented ‖ fragrant (air) ; sweet-smelling (fleur) ‖ **~umer** vt (1) [fleurs] perfume ‖ scent, put scent on (mouchoir) ‖ **~umerie** [-ymri] f perfume shop ‖ **~umeur, euse** [ymœr, øz] n perfumier.

pari [pari] m bet, wager ‖ SP. betting ; faire un ~, bet ; [football] Pl pools.

paria [parja] m outcast.

par|ier [parje] vt (1) bet (que, that) ‖ [courses] stake ; lay (une somme) [sur, on] ; ~ 10 livres sur, lay/bet £ 10 on ; ~ à cent contre un, bet/lay a hundred to one ‖ FIG. il y a gros à ~ que, the odds are that ‖ **~ieur, ieuse** [-jœr, jøz] n better.

parisien, enne [parizjɛ̃, ɛn] adj/n Parisian.

paritaire [paritɛr] *adj* joint (commission).

parking [parkiŋ] *m* AUT. car park, U.S. parking lot ‖ lay-by, pull-in (en bordure de route).

parlemen|t [parləmɑ̃] *m* parliament ‖ ~**taire** *n* member of Parliament ‖ ~**ter** [-te] *vi* (1) parley.

parl|er [parle] *vi* (1) speak, talk (*à*, to ; *de*, of/about) ; *sans* ~ *de*, to say nothing of ; *à proprement* ~, properly speaking ‖ ~ *franchement*, speak out ; ~ *au nom de*, speak for ‖ [*prononcer*] ~ *distinctement*, speak clearly ; ~ *plus fort*, speak up ; ~ *du nez*, speak with a twang/through one's nose ‖ ~ *de*, talk about ; ~ *de qqch à qqn*, tell sb about sth ; *sans* ~ *de*, to say nothing of ; ~ *de choses et d'autres*, talk about this and that ; *n'en parlons plus !*, let's forget it ! ; *tout le monde en parle*, it's the talk of the town ‖ FAM. *tu parles !*, you bet ! ; you're telling me ! — *vt* speak (une langue) ‖ ~ *affaires/boutique/politique*, talk business/shop/politics ‖ ~**oir** *m* visiting room ‖ [couvent] parlour.

parmi [parmi] *prép* among(st).

parod|ie [parɔdi] *f* parody ; send-up, take-off (pastiche) ‖ ~**ier** [-je] *vt* (1) parody.

paroi [parwa] *f* side ‖ wall (d'un cylindre).

paroiss|e [parwas] *f* parish ‖ ~**ial**, **e**, **iaux** [-jal, o] *adj* parochial ‖ ~**ien**, **ienne** *n* parishioner.

parole [parɔl] *f* speech (faculté) ; *sans* ~*s*, speechless ‖ *adresser la* ~, speak (*à*, to) ‖ *prendre la* ~, make a speech ‖ ~ (expression) ; ~ *d'Évangile*, Gospel truth ‖ *avoir la* ~ *facile*, be a fluent speaker, have the gift of the gab (coll.) ‖ [promesse] *donner/tenir sa* ~, give/keep one's word ; *manquer à sa* ~, break one's word ; *vous pouvez m'en croire sur* ~, you may take my word for it ; *je vous donne ma* ~ (*d'honneur*), I give you my word of honour ‖ [cartes] ~ *!*,

(I) pass ; [bridge] no bid ! ‖ *Pl* [chanson] lyrics.

parolier, ière [parɔlje, jɛr] *n* songwriter.

paroxysme [parɔksism] *m* paroxysm, climax, height.

parquer [parke] *vt* (1) pen (bétail) ‖ park (voiture).

parqu|et [parke] *m* (parquet) floor ‖ JUR. Public Prosecutor's Office.

parr|ain [parɛ̃] *m* godfather ; *être* ~ *de*, stand godfather to ‖ sponsor (membre d'un club) ‖ ~**ainage** [-ɛnaʒ] *m* sponsorship ‖ ~**ainer** [-ɛne] *vt* (1) sponsor.

parricide [parisid] *m/n* parricide.

parsemer [parsəme] *vt* (5) strew, sprinkle (*de*, with).

part¹ [par] *f* share (portion), part (partie) ; *la* ~ *du lion*, the lion's share ; *à* ~ *entière*, full (*citoyen*, citizen) ‖ [participation] part ; *prendre* ~ *à*, take part in, share (in) ; go in for (compétition, etc.) ; *prendre* ~ *à la conversation*, enter into conversation ‖ *faire la* ~ *de*, make allowance for ; *la* ~ *du feu*, a necessary sacrifice ‖ *pour ma* ~, as for me ‖ *de la* ~ *de*, on the part of, from ; *venir de la* ~ *de qqn*, come on sb's behalf ; *dites-lui de ma* ~ *que...*, tell him from me that... ; TÉL. *c'est de la* ~ *de qui ?*, who's calling ? ‖ *faire* ~ *de qqch à qqn*, announce sth to sb, inform sb of sth.

part² *f* : *loc adv à* ~, aside (de côté) ; separately (séparément) ; apart from (sauf) ; *mettre à* ~, put aside ‖ *autre* ~, elsewhere, somewhere else ; *nulle* ~, nowhere ; *quelque* ~, somewhere, anywhere ; *de* ~ *en* ~, right through ; *d'une* ~ *...*, *d'autre* ~, on the one hand..., on the other hand.

partag|e [partaʒ] *m* [division] dividing up, division ‖ [distribution] sharing out, share-out ; *faire le* ~ *de qqch*, divide sth (up) ‖ *recevoir en* ~, come in for (hériter) ‖ GÉOGR. *ligne*

$de \sim des\ eaux$, watershed ‖ **~er** vt (7) [fractionner] divide up ‖ [distribuer] share (out), divide (*entre*, among) ; ~ *avec qqn*, go shares with sb ; ~ *en deux*, halve ; ~ *les frais*, go halves ; go Dutch ‖ Fig. share (in) ; ~ *la douleur de qqn*, sympathize with sb.

part|ance [partãs] f Naut. *en* ~, outgoing ‖ *en* ~ *pour*, bound for ‖ **~ant** m Sp. starter (cheval) ; runner (coureur).

partenaire [partǝnɛr] n partner.

parti¹ [parti] m Pol. party ; *esprit de* ~, party-spirit.

parti² m [choix] *prendre* ~, come to a decision ; *ne pas prendre* ~, sit on the fence ; *prendre* ~ *pour*, take side with ‖ ~ *pris*, bias, prejudice ‖ *prendre le* ~ *de faire*, resolve to do ; *en prendre son* ~, resign oneself.

parti³ m [profit] *tirer* ~ *de qqch*, take advantage of, make good use of, turn sth to account ; *tirer le meilleur* ~ *de*, make the best/most of ‖ [mariage] *un beau* ~, a good match.

partial, e, aux [parsjal, o] adj partial ; biased ‖ **~ité** f partiality.

particip|ation [partisipasjɔ̃] f participation ‖ Fin. contribution ‖ Pol. turn-out (aux élections) ‖ Sp. entry (liste) ‖ **~e** m participle ‖ **~ant, e** adj/n partaker ‖ Sp. entrant ‖ **~er** vi (1) participate, have a share (*à*, in) ‖ take part (*à*, in) ; join (*à*, in) [la conversation].

particul|arité [partikylarite] f peculiarity, particular detail ; distinctive feature ; ~ *individuelle*, idiosyncrasy ‖ **~e** f Gramm., Phys. particle ‖ **~ier, ière** adj particular, peculiar ; [spécial] special ; ~ *à*, peculiar to ; *cas* ~, special case ; *en* ~, in particular, particularly (surtout) ‖ [privé] private (en privé) ‖ [privé] private (voiture, etc.) ● m (ordinary/private) person ‖ **~ièrement** adv particularly, especially.

partie¹ [parti] f [fraction] part ; *en*

~, in part, partly ; *en grande* ~, largely, in a large measure ; *la plus grande* ~ *de*, the greater/most part of ‖ *faire* ~ *de*, be part of, belong to ‖ [piece, section, part (d'un livre) ‖ Pl ~*s sexuelles*, private parts ; privates (sl.) ‖ Mus. part ‖ Gramm. ~ *du discours*, part of speech.

partie² f game ; *faire une* ~ *de cartes*, have a game of cards ‖ [promenade] ~ *de campagne*, outing in the country ‖ Sp. game ; *faire une* ~ *de tennis*, play a game of tennis ‖ Fam. *ce n'est que* ~ *remise*, we'll put it off till another time.

partie³ f [spécialité] field, subject ‖ Comm. line of business ; *ce n'est pas ma* ~, it's not in my line.

partie⁴ f Jur. party ‖ Fig. *prendre qqn à* ~, take sb to task.

parti|el, elle [parsjɛl] adj partial ‖ **~ellement** adv partially, partly.

partir [partir] vi (93) go (away) [quitter] ‖ start, set off/out (se mettre en route) [*de*, from ; *pour*, for) ; *il faut que je parte*, I must be off ; ~ *en voyage*, start on a journey ‖ [quitter l'hôtel] check out ‖ [train] leave ‖ [voiture] start off ‖ [coup de feu] *le coup partit*, the gun went off ‖ [bouton] come off ‖ [taches] come/wash out ‖ Naut. ~ *pour*, set sail for ‖ *faire* ~, let off, fire (un fusil) ; remove (une tache) ● *loc prép à* ~ *de*, (as) from.

partis|an [partizã] m follower, supporter, adherent ; *les* ~*s et les opposants*, the pros and cons ‖ Pl following ‖ Mil. partisan ‖ **~an, e** [-ã, an] adj partisan ‖ **~an, ante** [-ã, ãt] adj *être* ~ *de*, be in favour of, be for.

partition [partisjɔ̃] f Mus. score.

partout [partu] adv everywhere ; all over (the place) ‖ ~ *ailleurs*, everywhere else ‖ ~ *où*, wherever.

paru [pary] → Paraître ● adj out (livre) ‖ **~tion** f appearance, publication.

parven|ir [parvǝnir] *vt ind* (101) ~
à, [atteindre] reach, get to (lieu) ||
faire ~ *qqch à qqn,* send sb sth || FIG.
attain to (perfection) || [réussir] ~ **à
faire,** manage to do, succeed in
doing ; *nous y sommes* ~*s,* we made
it — *vi* [faire fortune] get on in life
|| ~*u, e n* upstart, parvenu.

pas¹ [pa] *adv* not ; ~ **de,** not any,
no ; ~ **du tout,** not at all ; *pourquoi*
~ *?,* why not ? ; *presque* ~ *,* hardly
any.

pas² *m* [mouvement] step ; **faire un**
~, take a step ; *être/marcher au* ~,
be/keep in step ; *rompre le* ~, break
step ; *allonger le* ~, step out ; *emboîter
le* ~ *à qqn,* follow in sb's footsteps ;
céder le ~ *à,* give way to ; **faire un
faux** ~, stumble ; *faire les cent* ~,
pace/walk up and down ; **revenir sur
ses** ~, retrace one's steps || [distance]
pace, step ; *à deux* ~ *d'ici,* a few
steps/paces away || [bruit, empreinte]
footstep ; *bruit de* ~, footfall ||
[démarche] tread, pace, walk ; ~
lourd, heavy tread ; **aller au** ~, go
at a walking pace ; *à* ~ *comptés,* with
measured steps ; ~ *à* ~, step by
step ; *à* ~ *de loup,* stealthily ; *presser
le* ~, hurry up ; *avancer à grands* ~,
stride along || [dance] step || [seuil]
~ *de la porte,* door-step || [dalles]
~ *japonais,* crazy pavement ||
COMM. ~ *de porte,* key money ||
GÉOGR. *le pas de Calais,* the Straits of
Dover || MIL. *au* ~ *de gymnastique,*
at the double ; *marquer le* ~, mark
time || AUT. *avancer au* ~, crawl
along. || FIG. *mauvais* ~, fix ; ~ *de
clerc,* blunder, false step.

pas³ *m* TECHN. [vis] pitch ; thread
(filet).

passable [pɑsabl] *adj* middling, fair
|| [examen] pass. || ~**ment** *adv*
reasonably well (moyennement) ; rather, fairly (assez) ; quite a lot
(beaucoup) ; ~ *émèché,* pretty drunk.

passage [pɑsaʒ] *m* [lieu] passage ;
passageway way ; (couloir) ; *livrer* ~
à, make way for ; [galerie] arcade ;
clouté/piéton, pedestrian/zebra
crossing ; ~ *inférieur,* underpass ;

~ *supérieur,* overpass ; ~ *interdit,* no
entry ; ~ *souterrain,* subway ||
[venue] coming, going ; *attendre le* ~
de qqn, wait for sb to come ; *au* ~,
on the way ; *être de* ~, be passing
through || passage, excerpt (d'un
ouvrage) || RAIL. ~ **à niveau,** level
crossing, U.S. grade crossing || INF.
~ *machine,* run || FIG. [police] ~ *à
tabac,* beating-up.

passager, ère [pɑsaʒe, ɛr] *adj*
transient, passing ; *rue* ~*ère* → PAS-
SANT ● *n* NAUT., AV. passenger ; ~
absent, no-show ; ~ *clandestin,* stow-
away.

passant, e [pɑsɑ̃, ɑ̃t] *adj* frequent-
ed ; *rue* ~*e,* busy street ● *loc adv en*
~, by the way (à propos) ; *soit dit
en* ~, incidentally ● *loc prép en* ~
par, via, by way of ● *n* passer-by.

passe [pɑs] *f* SP. pass || NAUT.
channel, pass || FIG. *dans une mauvaise*
~, in a fix ; *être en* ~ *de,* about to.

passé, e [pɑse] *adj* past, bygone ; *au
cours de la semaine* ~*e,* during the past
week ● *m* past ; *oublions le* ~, let
bygones be bygones || GRAMM. past
tense ; ~ *composé,* present perfect.

passe|-montagne *m* balaclava ||
~**-partout** *m inv* master-key, pass-
key || ~**-passe** *m inv* tour de ~,
sleight of hand, conjuring trick ||
~**port** *m* passport.

passer [pɑse] *vi* (1) pass, pass along,
get by ; ~ *devant* (qqn, qqch, etc.),
pass, go by/past ; ~ *sous,* go under
(tunnel) ; ~ *sur,* go over (pont) || ~
avant son tour, jump the queue ||
adjourn (à un autre endroit) || ~ *chez
qqn,* call at sb's place ; ~ *voir qqn,*
call on sb, look sb up ; drop in on
sb (entrer en passant) ; *le facteur est-il
passé ?,* has the postman been/
called ? ; ~ *prendre,* collect, pick up
|| [bus, route, etc.] run (+ prép.) || ~
par, go by way of, go through
|| *faire* ~, pass (on) [faire circuler] ||
go through (filtrer) || [coffee] perco-
late || [repas] go down || [couleur]
fade || [propriété] descend, be trans-
ferred (à, to) || [temps] go by, pass,

ferred (à, to) ‖ [temps] go by, pass, elapse ; *faire ~ le temps,* beguile the time ; *comme le temps passe !,* how time flies ! ‖ [transports] *faire ~ (par bateau),* ferry over ‖ [douane] ~ *à la douane,* go through customs ; *faire ~ qqch en douane,* get sth through customs ‖ [spectacle] be on ; [film] be showing ‖ RAD. ~ *l'antenne/la télé,* be/go on the air/on T.V. ‖ MÉD., FAM. ~ *à la radio,* have an X-ray ‖ JUR. [loi] go through (être voté) ‖ FIG. ~ *à côté,* miss the mark ‖ ~ *à,* proceed to (autre activité) ‖ ~ *de : ~ de mode,* go out ‖ ~ *pour,* be taken for ; *se faire ~ pour,* give oneself out as/to be.
— *vt* pass, cross ‖ go over (un pont) ‖ cross, go through (franchir) ‖ pass, hand (on) [qqch] ; palm off (une fausse pièce) ‖ spend, pass (le temps) ‖ live (sa vie) ; ~ *la nuit,* stay overnight ; ~ *un bon moment,* have a good time ‖ slip on (vêtement) ; sweep, run (la main) *[sur,* over] ; ~ *l'aspirateur dans,* vacuum, hoover ; ~ *le balai dans,* sweep, ~ *un chiffon,* dust ‖ play (disque) ‖ [examen] sit (for), take ; ~ *un test,* take a test, *faire ~ un test,* give a test ; ~ *avec succès,* pass ‖ [cartes] ~ *son tour,* pass ; *(je) passe !,* (I) pass ; [bridge] no bid ! ‖ [donner] pass, hand, give ‖ [transmettre] pass on ‖ [douane] ~ *la douane,* go through customs ; ~ *qqch en fraude,* smuggle sth (+ prép.) ‖ SP. pass (ballon) *[à,* to] ‖ AUT. change (up/down) *[en,* into] ‖ COMM. ~ *un ordre,* place an order ‖ MIL. ~ *en revue,* pass in review ‖ CULIN. strain ‖ CIN. show, put on ; *quel film passe-t-on ce soir ?,* what's on tonight ? ‖ TÉL. put through to (personne) ‖ JUR. pass (résolution) — *vpr se ~,* take place, happen ; *bien/mal se ~,* go off well/badly ; *que se passe-t-il ?,* what's going on ? ‖ *se ~ de,* do/go without, dispense with ; *se ~ de manger,* go hungry.

passerelle [pasʀɛl] *f* foot-bridge ‖ NAUT. bridge (de commandement) ; gangway d'embarquement) ‖ AV. ramp.

passe|-temps [pastɑ̃] *m inv* pastime ; ~ *favori,* hobby ‖ **~-thé** *m inv* tea-strainer.

passeur [pasœʀ] *m* ferryman.

passif, ive [pasif, iv] *adj* passive ● *m* GRAMM. passive (voice) ‖ FIN. liabilities.

passi|on [pasjɔ̃] *f* passion ; *avec ~,* passionately ; *sans ~,* dispassionately ; *avoir la ~ de,* have a passion for ‖ REL. Passion ‖ **~onnant, e** [-ɔnɑ̃, ɑ̃t] *adj* exciting, fascinating ‖ **~onné, e** [-ɔne] *adj* passionate ; *de,* enthusiastic about ; keen on (coll.) ● *n* enthusiast, fan ; buff (coll.) ‖ **~onnel, elle** [-ɔnɛl] *adj* inspired by passion ; *crime ~,* crime of passion ‖ **~onnément** [-ɔnemɑ̃] *adv* passionately, madly ‖ **~onner** *vt* (1) fascinate, captivate — *vpr se ~,* be fascinated by ; get passionately fond *(pour,* of).

passivité [pasivite] *f* passiveness, passivity.

passoire [paswaʀ] *f* strainer (à thé) ; colander (pour légumes).

pastel [pastɛl] *m* pastel, crayon.

pastèque [pastɛk] *f* watermelon.

pasteur [pastœʀ] *m* parson, clergyman, vicar.

pasteuriser [pastœʀize] *vt* (1) pasteurize.

pastille [pastij] *f* lozenge, tablet ; ~ *pour la gorge,* throat tablet ; ~ *à la menthe,* peppermint (drop) ; *~s contre la toux,* cough-drops.

pat [pat] *m/adj* stale mate(d) [jeu d'échecs].

patate [patat] *f* ~ *douce,* sweet potato, U.S. yam ‖ FAM. spud (coll.).

pataug|eoire [patoʒwaʀ] *f* paddling-pool ‖ **~er** *vi* (7) paddle, splash about ‖ FIG. flounder.

pâte [pɑt] *f* dough (à pain) ; pastry (à tarte) ; (cake) mix (à gâteaux) ; batter (à frire) ; ~ *à tartiner,* sandwichspread ‖ *Pl* pasta (alimentaires) ‖ [hygiène] ~ *dentifrice,* toothpaste ‖

TECHN. ~ *à papier*, (paper) pulp ‖
ARTS ~ *à modeler*, Plasticine.

pâté¹ [pɑte] *m* blot (d'encre).

pâté² *m* block (de maisons).

pât|é³ [pɑte] *m* CULIN. ~ *en croûte*, pie ‖
[plage] ~ *(de sable)*, sand pie ‖ **~ée**
f [dog] feed, mash.

patelin [patlɛ̃] *m* FAM. village ; *quel
~ !*, what a dump ! (coll.).

patent|e [patɑ̃t] *f* COMM. licence ‖
~é, e [-āte] *adj* COMM. licensed.

Pater [patɛr] *m inv* Lord's Prayer.

patère [patɛr] *f* hat-peg.

patern|el, elle [patɛrnɛl] *adj* pater-
nal (descendance) ; fatherly (tendresse) ‖ **~ité** *f* paternity, father-
hood.

pâteux, euse [pɑtø, øz] *adj* pasty
(apparence) ; stodgy (consistance) ‖
MÉD. coated (langue) ‖ FIG. thick
(voix).

pathétique [patetik] *adj* pathetic,
moving ● *m* pathos.

pathologique [patɔlɔʒik] *adj* pathological.

pati|emment [pasjamɑ̃] *adv* pa-
tiently ‖ **~ence** *f* patience ; *prendre
~*, have patience, be patient ; *à bout
de ~*, out of patience ‖ [cartes] *faire
des ~s*, play patience ‖ **~ent, e** *adj*
patient ● *n* MÉD. patient ‖ **~enter**
vi (1) wait patiently ; *patientez un
peu !*, be patient ! ; *faire ~ qqn*, help
sb pass the time.

pat|in [patɛ̃] *m* skate ; ~ *à glace/
roulettes*, ice-/roller-skate ‖ **~inage**
[-inaʒ] *m* skating ‖ **~iner** [-ine] *vi* (1)
skate ‖ TECHN. slip ‖ **~ineur, euse**
n skater ‖ **~inoire** *f* skating-rink.

pâtiss|erie [pɑtisri] *f* pastry (gâ-
teaux) ; cake-shop (magasin) ‖ **~ier,
ière** *n* pastry-cook, confectioner.

patraque [patrak] *adj* FAM. off-
colour, seedy, under the weather.

patrie [patri] *f* homeland, mother
country.

patriot|e [patriɔt] *adj* patriotic ● *n*

patriot ‖ **~ique** *adj* patriotic ‖
~isme *m* patriotism.

patron¹ [patrɔ̃] *m* [couture] pattern.

patr|on², onne *n* [propriétaire]
owner, boss (coll.) ‖ [gérant] manager, employer ; publican (d'un bistrot) ; landlord, -lady (d'un hôtel) ‖
NAUT. skipper ; ~ *de barque*, coxswain ‖ REL. patron ‖ **~onage**
[-ɔnaʒ] *m* patronage, sponsorship ‖
REL. youth club ‖ **~onat** [-ɔna] *m*
employers ‖ **~onner** [-ɔne] *vt* (1)
patronize, sponsor.

patrouill|e [patruj] *f* patrol ‖ **~er**
vi (1) patrol.

patte [pat] *f* paw (de chien) ; leg
(d'insecte) ; foot (d'oiseau, de
quadrupède) ‖ FAM. *à quatre ~s*, on
all fours.

pâtur|age [pɑtyraʒ] *m* pasture.

paume [pom] *f* palm (de la main).

paumé, e [pome] *adj* POP. lost
(perdu) ‖ confused (perturbé) ● *n*
drop-out.

paupière [popjɛr] *f* eyelid.

pause [poz] *f* pause, break ; *faire une
~*, break off, have a break ; ~ *café*,
coffee break ‖ MUS. semibreve rest.

pauvre [povr] *adj* poor, poorly off ;
poverty-stricken ‖ FIG. unfortunate ;
le ~ !, poor thing ! ; bad, paltry,
weak (excuse) ● *n* poor man/woman
‖ *Pl les ~s*, the poor ‖ **~ment** *adv*
poorly, shabbily.

pauvr|esse [povrɛs] *f* poor woman,
beggar woman ‖ **~eté** [-əte] *f*
poverty ‖ FIG. poorness.

pavage [pavaʒ] *m* paving.

pavaner (se) [səpavane] *vpr* (1)
strut about.

pav|é [pave] *m* paving-stone ‖ *Pl*
cobbles, cobblestones ‖ **~er** *vt* (1)
pave ; cobble (rue).

pavillon¹ [pavijɔ̃] *m* detached house
‖ [jardin] summer-house ‖ [hôpital]
ward.

pavillon² *m* NAUT. flag, ensign ;
~ *britannique*, Union Jack ; ~ *de*

complaisance, flag of convenience ; ~ *noir,* Jolly Roger.

pavoiser [pavwaze] *vt* (1) flag ; deck with flags ● *vi* FAM. boast, brag ; *il n'y a pas de quoi* ~, it's nothing to be proud about.

pay|able [pɛjabl] *adj* payable || ~**ant, e** *adj* profitable (rentable) || ~**e** [pɛj], **paie** [pɛ] *f* pay, wages ; *feuille de* ~, pay-slip ; *jour de* ~, pay-day || ~**ement** [pɛmɑ̃] *m* → PAIEMENT || ~**er** *vt* (9 *b*) pay (qqn, une facture) ; pay for (qqch) || ~ *qqch à qqn,* treat sb to sth ; ~ *à boire (à qqn),* stand (sb) a drink ; *c'est moi qui paye,* this is to be my treat, it's on me || *settle (une dette)* ; ~ *en espèces/par chèque,* pay in cash/by cheque ; ~ *la note,* foot the bill (coll.) || *faire* ~, charge (un prix) ; *faire* ~ *trop cher,* overcharge ; *se faire* ~ *un repas,* cadge a meal || ~ *de retour,* requite — *vi* [être rentable] pay off — *vpr* **se** ~, pay oneself (*sur,* out of) || *se* ~ *qqch,* treat oneself to sth || FAM. *se* ~ *la tête de qqn,* take the mickey out of sb (coll.) || *s'en* ~, have one's fling || ~**eur, euse** *n* payer | [banque] teller.

pays [pɛi] *m* country ; ~ *natal,* native land || [région] region, district | *voir du* ~, get around ; go places (coll.) || *village* | GÉOGR. ~ *de Galles,* Wales.

paysag|e [peizaʒ] *m* landscape ; scenery (décor) || ~**iste** *n* landscape painter ; *jardinier* ~, landscape gardener.

paysan, anne [peizɑ̃, an] *n* countryman, -woman.

Pays-Bas [peiba] *mpl* Netherlands.

P.C.V. [peseve] *abrév/m* TÉL. *communication en* ~, transfered charge call, U.S. collect call ; *appeler (qqn) en* ~, transfer the charge (to sb), U.S. call (sb) collect.

P.-D.G. [pedeʒe] *m* FAM. (= PRÉ-SIDENT-DIRECTEUR GÉNÉRAL) managing director.

péage [peaʒ] *m* toll ; *autoroute à* ~, toll motorway ; *barrière de* ~, toll-gate.

peau [po] *f* skin (humaine) || ZOOL. [petits animaux] skin ; ~ *de chamois,* shammy leather ; ~ *de daim,* buck-skin ; ~ *de mouton,* sheepskin ; ~ *de porc,* pigskin || [cheval, vache] hide | [avec la fourrure] pelt, fell || BOT. peel (de pêche) ; rind (de banane) || FAM. *par la* ~ *du cou,* by the scruff of the neck ; *une* ~ *de vache,* a bastard (homme) ; a bitch (femme).

Peau-Rouge [poruʒ] *n* Red Indian ; *femme* ~, squaw.

pêche¹ [pɛʃ] *f* BOT. peach || FAM. form ; *avoir la* ~, be on top form.

pêche² *f* fishing ; *aller à la* ~, go fishing || ~ *à la baleine,* whaling ; ~ *au filet,* net fishing ; ~ **au gros,** big game fishing ; ~ *au lancer,* spinning ; ~ *à la ligne,* angling, fishing.

péch|é [peʃe] *m* sin ; ~ *mortel/véniel,* deadly/venial sin ; ~ *mignon,* beset-ting sin ; ~ *er* *vi* (5) REL. sin || FIG. [chose] be at fault ; ~ *par défaut,* fall short of the mark || [personne] err (*par excès de,* on the side of).

pêcher¹ [peʃe] *m* BOT. peachtree.

pêch|er² *vt* (1) fish for — *vi* go fishing || ~**erie** [-ri] *f* fishery || ~**eur, euse** *n* fisherman, -woman (au filet) ; angler (à la ligne) ; ~ *de perles,* pearl diver.

pécheur, eresse [peʃœr, rɛs] *n* sinner.

pectoral, e, aux [pɛktɔral, o] *adj/m* pectoral.

pécule [pekyl] *m* savings, nest egg.

pédag|ogie [pedagɔʒi] *f* pedagogy, U.S. education || ~**ogue** [-ɔg] *n* pedagogue.

pédal|e [pedal] *f* TECHN. pedal || POP., PÉJ. fairy, queer, U.S. fag (péj.) || ~**er** *vi* (1) pedal || ~**o** *m* pedal-boat.

pédant, e [pedɑ̃, ɑ̃t] *adj* pedantic ● *n* pedant ; wiseacre.

pédé [pede] *m* Pop., Péj. fairy, queer, U.S. fag (péj.).

pédéraste [pederast] *m* homosexual, pederast.

pédiatre [pedjatr] *n* pediatrician.

pédicure [pedikyr] *n* chiropodist.

pedigree [pedigre] *m* pedigree.

pègre [pɛgr] *f* underworld.

peign|e [pɛɲ] *m* comb ; *se donner un coup de ~*, run a comb through one's hair, fix one's hair ‖ Fig. *passer au ~ fin*, comb out ‖ **~er** *vt* (1) comb (the hair of) — *vpr se ~*, comb one's hair ‖ **~oir** *m* dressing-gown ; *~ de bain*, bathrobe.

peindre [pɛ̃dr] *vt* (59) paint ; *~ qqch en bleu*, paint sth blue ‖ Arts paint, picture, depict ; *~ à l'huile*, paint in oils ‖ Techn. *~ au pistolet*, spray.

peine¹ [pɛn] *f* [douleur morale] sorrow, pain, grief ; *avoir de la ~*, be sad ; *faire de la ~ à qqn*, make sb sad, grieve/pain sb ‖ [punition] pain, penalty, punishment ; *~ capitale*, capital punishment ; *sous ~ de*, under penalty.

peine² *f* [effort] pain, trouble ; *avoir ~ à*, be scarcely able to ; *se donner de la ~ pour*, go to a lot of trouble to ; *ce n'est pas la ~ d'essayer*, it's no use trying ; *ne vous donnez pas la ~ !*, don't trouble (*de*, to) ‖ *~ perdue*, it's a waste of time ‖ *valoir la ~*, be worth while ; *ça ne vaut pas la ~ de faire*, it's not worth doing ‖ *sans ~*, easily.

peine (à) *loc adv* scarcely, hardly, barely ‖ *la nuit est à ~ commencée*, the night is still young.

peiner¹ [pene] *vt* (1) pain, sadden, distress, grieve (*causer de la peine*).

peiner² *vi* (1) labour, work hard ; *~ sur*, plod through.

pein|tre [pɛtr] *m* painter ‖ **~ture** [-tyr] *f* [produit] paint ; *attention à la ~*, wet paint ; [activité] painting ‖ Arts painting ; *~ à l'huile*, oil-

painting ; *faire de la ~*, paint ; *boîte de ~*, painting set.

péjoratif, ive [peʒɔratif, iv] *adj* derogatory, pejorative.

pelage [pəlaʒ] *m* coat, fur.

pêle-mêle [pɛlmɛl] *loc adv* higgledy-piggledy (coll.).

peler [pəle] *vt* (8 *b*) peel (off) [un fruit] — *vi* [peau] peel.

pèler|in [pelrɛ̃] *m* pilgrim ‖ **~inage** [-inaʒ] *m* pilgrimage ; *aller en ~*, go on a pilgrimage ‖ **~ine** [-in] *f* cape.

pélican [pelikɑ̃] *m* pelican.

pelle [pɛl] *f* shovel (à bras) ; scoop (à main) ; dustpan (à poussière) ; *coup de ~*, scoop ‖ Fam. *ramasser une ~*, come a cropper ‖ **~tée** [-te] *f* shovelful ‖ **~ter** *vt* (8 *a*) shovel ‖ **~teuse** *f* power shovel, excavator.

pellicule [pelikyl] *f* Phot. film ‖ *Pl* dandruff (dans les cheveux).

pelotage [plɔtaʒ] *m* Fam. petting, U.S. necking.

pelote [p(e)lɔt] *f* ball (de laine) ‖ pincushion (à épingles) ‖ Sp. *~ basque*, pelota.

peloter [plɔte] *vt* (1) Fam. pet, paw (coll.).

peloton [plɔtɔ̃] *m* Mil. squad ; *~ d'exécution*, firing squad ‖ Sp. cluster, group.

pelotonner (se) [səplɔtɔne] *vpr* (1) curl oneself up, nestle.

pelouse [p(ə)luz] *f* lawn, green.

peluch|e [p(ə)lyʃ] *f* plush ‖ **~eux, euse** *adj* fluffy.

pelure [p(ə)lyr] *f* peel (de fruit, de légume) ; rind (de melon) ; skin (d'oignon).

pénal, e, aux [penal, o] *adj* penal ‖ **~isation** *f* penalty, penalization ‖ **~iser** [-ize] *vt* (1) Sp. penalize ‖ **~ité** *f* Jur., Sp. penalty.

penaud, e [pəno, od] *adj* crestfallen, shamefaced.

penchant [pɑ̃ʃɑ̃] *m* liking, fondness, bent ; *avoir un ~ pour*, be partial to.

pencher [pãʃe] *vi* (1) be slanting ‖ [mur] lean over ‖ [tête] droop ‖ Fig. be inclined (*à croire*, to think) — *vt* tip (assiette, meuble) ‖ ~ *la tête*, bend one's head — *vpr se* ~, lean over ; *se* ~ *par la fenêtre*, lean out of the window.

pendaison [pãdɛzɔ̃] *f* hanging.

pendant¹ [pãdã] *m* ~*s d'oreilles*, ear-drops ‖ Fig. matching piece (chose) ; counterpart.

pendant² *prép* during (une période) ; ~ *la journée*, during the day ; ~ *la nuit*, overnight ; ~ *toute la semaine*, all through the week ‖ [durée] for ; ~ *plusieurs années*, for several years ‖ ~ *que*, while, whilst.

pend|entif [pãdãtif] *m* pendant ‖ ~**erie** [-ri] wardrobe, closet ‖ ~**iller** [-ije] *vi* (1) dangle.

pen|dre [pãdr] *vt* (4) hang (chose, criminel) — *vi* hang (down) ; ~ *mollement*, flag — *vpr se* ~, hang oneself ‖ ~**du, e** [-dy] *n* hanged man/woman.

pendule¹ [pãdyl] *m* pendulum.

pendule² *f* clock.

pêne [pɛn] *m* bolt.

pénétr|ant, e [penetrã, ãt] *adj* penetrating, keen (regard) ; sharp, discerning (esprit) ; piercing (froid) ‖ ~**ation** *f* penetration ‖ Fig. keenness, insight ; cunning (finesse) ‖ ~**er** *vi* (5) penetrate ; enter (*dans*, into) ‖ [liquide] soak, seep ; *faire* ~ *en frottant*, rub in — *vt* penetrate ‖ [pointe] pierce ‖ [froid, vent] bite ‖ Fig. penetrate, see into.

pénible [penibl] *adj* hard (travail) ; tiresome (fatigant) ; painful (douloureux) ‖ ~**ment** *adv* with difficulty ‖ painfully (tristement).

péniche [peniʃ] *f* Naut. barge, lighter ‖ Mil. ~ *de débarquement*, landing-craft.

pénicilline [penisilin] *f* penicillin.

péninsule [penɛ̃syl] *f* peninsula.

pénis [penis] *m* penis.

pénit|ence [penitãs] *f* penitence ‖ Rel. penance ‖ ~**ent, e** *n* penitent.

pénombre [penɔ̃br] *f* half-light.

pensée¹ [pãse] *f* Bot. pansy.

pens|ée² *f* thought ‖ ~**er** *vi* (1) think (*à*, of/about) ; *qu'en pensez-vous ?*, what do you think of it ? ; *dire ce qu'on pense*, speak one's mind ; *faire* ~ *qqn à qqch*, remind sb of sth ; *à quoi penses-tu ?*, a penny for your thoughts ‖ ~**eur** *m* thinker ‖ ~**if, ive** *adj* pensive, thoughtful.

pensi|on [pãsjɔ̃] *f* [hébergement] board and lodging ; ~ *complète*, board, bed and board ; *être en* ~ *chez*, board with ‖ [hôtel] ~ *de famille*, boarding-house, guest-house ‖ [école] boarding-school ‖ [allocation] pension ; ~ *alimentaire*, maintenance allowance, alimony ; ~ *de retraite*, retirement pension ; *toucher sa* ~, draw one's pension ‖ ~**onnaire** [-ɔnɛr] *n* [privé] lodger, paying guest ‖ [école] boarder ; [institution] inmate ‖ ~**onnat** [-ɔna] *m* boarding-school ‖ ~**onné, e** *n* pensioner.

pente [pãt] *f* slope, incline ; gradient (degré) ; *en* ~, sloping ; *être en* ~ *douce/raide*, slope (down/up) gently/steeply.

Pentecôte [pãtkot] *f* Whitsun (day/tide) ; *lundi de* ~, Whit Monday.

pénurie [penyri] *f* penury, shortage, scarcity, lack (*de*, of).

pépier [pepje] *vi* (1) chirp, tweet.

pépin [pepɛ̃] *m* [pomme] seed ; *sans* ~*s*, seedless ; [raisin] stone ; [orange] pip ‖ Fam. snag, hitch (ennui) ‖ Pop. brolly (sl.) [parapluie].

pépini|ère [pepinjɛr] *f* nursery ‖ ~**ériste** [-erist] *n* nurseryman, -woman.

pépite [pepit] *f* nugget (d'or).

péquenot [pekno] *m* Pop. bumpkin.

perçant, e [pɛrsã, ãt] *adj* shrill, piercing (cri) ; sharp, keen (vue).

perc|ée [perse] *f* Mil. breakthrough ‖ ~**ement** *m* boring.

perce-neige [pɛrsənɛʒ] *m inv* snow-drop.

percepteur [pɛrsɛptœr] *m* tax collector.

percep|tible [pɛrsɛptibl] *adj* perceptible, noticeable ‖ **~tion¹** *f* perception (faculté).

perception² *f* realization (d'un fait) ‖ Fin. collection (des impôts) ; *(bureau de)* ~, tax (collector's) office.

perc|er [pɛrse] *vt* (6) pierce ‖ drill/bore (un trou) ; drive (un tunnel) ‖ Bot., Méd. burst ‖ Fig. break through ‖ ~**euse** *f* drill ; ~ *électrique,* power-drill.

percevoir¹ [pɛrsəvwar] *vt* (3) perceive, detect ; sense.

percevoir² *vt* (3) collect (impôt, loyer) ; receive (indemnité).

perche [pɛrʃ] *f* pole.

perch|er [pɛrʃe] *vi/vpr* (1) [*se* ~] perch, roost (oiseau) ‖ be set ; *village perché/qui perche dans la montagne,* village set in the mountains. ‖ ~**oir** *m* [volailles] roost ‖ Fig. perch.

percolateur [pɛrkɔlatœr] *m* percolator.

percu|ssion [pɛrkysjɔ̃] *f* percussion ‖ Mus. *Pl* percussion instruments ‖ ~**ter** [-te] *vt* (1) strike ‖ [véhicule] crash into ‖ ~**teur** *m* hammer.

perd|ant, e [pɛrdɑ̃, ɑ̃t] *n* loser ‖ ~**ition** [-isjɔ̃] *f* perdition ‖ Naut. *en* ~, in distress.

perdre [pɛrdr] *vt* (4) lose (qqch) ‖ [arbre] shed (ses feuilles) ‖ Mil. lose (une bataille) ‖ Jur. forfeit (ses droits) ‖ Fig. lose (qqn par décès) ; lose (son chemin) ; outgrow (une habitude, avec le temps) ‖ throw away (gaspiller) ; ~ *ses forces,* waste away ‖ — *au jeu,* gamble away ‖ — *patience,* lose patience ; ~ *la raison,* go out of one's mind ; ~ *son temps,* waste one's time ; ~ *du temps,* lose time — *vi* lose — *vpr se* ~, get lost, lose one's way ‖ Fig. disappear, go out of fashion ‖ Fam. *je m'y perds,* I'm all at sea (coll.).

perdrix [pɛrdri] *f* partridge.

perdu, e [pɛrdy] *adj* lost ‖ stray (balle) ‖ wasted (gaspillé) ‖ Comm. non-returnable, disposable (emballage) ‖ Fig. lost, mixed up ; all at sea (coll.) [perplexe] ; done for (coll.) [malade].

père [pɛr] *m* father ; *Smith* ~, Smith senior ; ~ *de famille,* head of a family ‖ [auberge de la jeunesse] ~ *aubergiste,* warden ‖ Zool. [élevage] sire.

Père *m* ~ *Noël,* Father Christmas ‖ Rel. Father (moine).

péremptoire [perɑ̃ptwar] *adj* peremptory.

perfecti|on [pɛrfɛksjɔ̃] *f* perfection ‖ *à la* ~, to perfection, to a nicety ‖ ~**onné, e** *adj* advanced, sophisticated ‖ ~**onnement** [-ɔnmɑ̃] *m* improvement ; *cours de* ~, refresher course ‖ ~**onner** *vt* (1) improve, perfect, refine upon — *vpr se* ~, improve one's knowledge (*en,* of).

perfid|e [pɛrfid] *adj* perfidious, treacherous ‖ ~**ie** *f* perfidy.

perfor|ation [pɛrfɔrasjɔ̃] *f* perforation ‖ ~**atrice** *f* Techn. drill ‖ Inf. cardpunch ‖ ~**er** *vt* (1) pierce ‖ punch (cartes) ; *carte perforée,* punch card.

perform|ance [pɛrfɔrmɑ̃s] *f* Sp. performance ‖ ~**ant, e** *adj* efficient.

perfusion [pɛrfyzjɔ̃] *f* Méd. perfusion ; *être sous* ~, be on a drip.

péricliter [periklite] *vi* [affaire] go downhill.

péri|l [peril] *m* peril, jeopardy ; *mettre en* ~, imperil, jeopardize ‖ ~**lleux, euse** [-ijø, øz] *adj* perilous, hazardous.

périm|é, e [perime] *adj* expired, no longer valid, out of date (billet, passeport) ‖ Fig. outdated (méthode, etc.) ‖ ~**er** *vi* (1) expire — *vpr se* ~, [billet, etc.] expire ‖ Jur. lapse.

périmètre [perimɛtr] *m* perimeter.

période [perjɔd] *f* period, time ;

spell (de froid, etc.) ‖ MIL. ~ (d'instruction), training ‖ ~ique adj periodic(al), recurrent ‖ MÉD. sanitary (serviette) ● m periodical ‖ ~iquement adv periodically.

périphér|ie [periferi] f outskirts (d'une ville) ‖ ~ique adj peripheral, outlying ● m (boulevard) ~, ring-road, U.S. beltway ‖ INF. peripheral.

périphrase [perifraz] f periphrasis.

périr [perir] vi (2) perish.

périscope [perisɔp] m periscope.

périss|able [perisabl] adj perishable ‖ ~oire f racing-shell.

perle [perl] f pearl ; ~ de culture, cultured pearl ‖ bead (de bois) ‖ FIG. gem (personne).

perman|ence [permanɑ̃s] f permanence ; en ~, permanently, without interruption ‖ committee room ‖ [service] être de ~, be on duty/call ‖ ~ent, e adj permanent ‖ continuous (cinéma) ‖ MIL. standing (armée) ● f [chevelure] perm ; se faire faire une ~, have a perm.

perméable [permeabl] adj permeable.

perm|ettre [permetr] vt (64) permit, allow (de, to) [autoriser] ; vous permettez ?, may I ? ‖ enable (rendre possible) — vpr se ~, allow oneself ; indulge ‖ take upon oneself, venture ‖ je ne peux me ~ (d'acheter), I can't afford (to buy) ‖ [manquer de respect] presume ‖ ~is, e [-i, iz] adj allowed (autorisé) ; permissible (licite) ● m permit ‖ ~ de chasse, shooting-licence ; ~ de séjour/travail, residence/work permit ‖ RAIL. free pass ‖ AUT. ~ de conduire, driving-licence ; passer son ~, take the driving-test ; retirer le ~ de conduire à, disqualify ‖ ~ission [-isjɔ̃] f permission ; avoir la ~ de, may, can, be allowed to ‖ JUR., MIL. leave, furlough ; en ~, on leave ‖ ~issif, ive [-isif, iv] adj permissive ‖ ~issionnaire [-isjɔnɛr] m soldier on leave.

permuter [permyte] vt (1) change, switch, swap — vi exchange posts (avec, with) [qqn].

pérorer [perɔre] vt (1) hold forth.

perpendiculaire [pɛrpɑ̃dikylɛr] adj/f perpendicular.

perpétu|el, elle [pɛrpetɥel] adj everlasting, perpetual ‖ ~ité (à) [-ɥite] loc adv in perpetuity ‖ [condamnation] for life.

perplex|e [pɛrplɛks] adj perplexed, confused, puzzled ‖ ~ité f perplexity.

perquisiti|on [pɛrkizisjɔ̃] f JUR. search ; mandat de ~, search-warrant ‖ ~onner [-ɔne] vt (1) search.

perron [pɛrɔ̃] m flight of steps, U.S. stoop.

perr|oquet [perɔkɛ] m parrot ‖ ~uche [-yʃ] f budgerigar.

perruque [peryk] f wig ‖ [parure] hairpiece.

persécu|ter [persekyte] vt (1) persecute ‖ harass, plague (harceler) ‖ bully (maltraiter) ‖ ~tion f persecution.

persévér|ance [perseverɑ̃s] f perseverance, persistence ‖ ~ant, e adj persevering, persistent, steady ‖ ~er vi (5) persevere, persist.

persienne [persjɛn] f shutter.

persifler [persifle] vt (1) taunt.

persil [persi] m parsley.

persist|ance [persistɑ̃s] f persistence ‖ doggedness ‖ ~ant, e adj persistent ; dogged (obstiné) ‖ BOT. arbre à feuillage ~, evergreen ‖ ~er vi (1) persist (dans, in) ; ~ à faire, keep on doing.

personn|age [pɛrsɔnaʒ] m important/well-known person ; V.I.P. ‖ TH. character ‖ ~alité [-alite] f personality ; double ~, split personality.

personne¹ [-ɔn] f person ; combien de ~ s ?, how many people ? ; deux ~s, two people ; grande ~, grown-up ; en ~, in person ; par ~, per head ‖ bien de sa ~, good-looking ‖ ~ âgée,

elderly person ; *les ~s âgées,* the
elderly ; *~ déplacée,* displaced person
|| JUR. *~ morale,* artificial person ||
GRAMM. person.

personne² *pron indéf* [phrase interr.,
négative] anybody, anyone || [aucune
personne] nobody, no one, none.

personn|el, elle [pɛrsɔnɛl] *adj* per-
sonal, individual || private (maison,
voiture) ; *adresse ~elle,* home address
|| GRAMM. personal ● *m* [hôtel] staff ;
manquer de ~, be short-staffed ||
[école] *~ enseignant,* staff || MIL.
personnel || **~ellement** *adv* perso-
nally || **~ification** [-ifikasjɔ̃] *f*
personification || **~ifier** *vt* (1) per-
sonify.

perspective [pɛrspɛktiv] *f* perspec-
tive, view || FIG. prospect, outlook,
vista ; *en ~,* in prospect.

perspicac|e [pɛrspikas] *adj* clear-
sighted, shrewd (esprit) ; discerning
(personne) || **~ité** *f* perspicacity,
shrewdness, insight.

persua|der [pɛrsɥade] *vt* (1) per-
suade, convince (*de,* of) ; *~ qqn de
faire,* induce sb to do sth, argue sb
into doing || **~sif, ive** [-zif, iv] *adj*
persuasive, forceful || **~sion** [-zjɔ̃] *f*
persuasion.

perte [pɛrt] *f* loss || *~ de temps,*
waste of time || loss, bereavement
(deuil) || *Pl* casualties || Av. *se mettre
en ~ de vitesse,* stall || COMM. *vendre
à ~,* sell at a loss ; *~ sèche,* dead
loss, write-off ; *passer par profits et ~s,*
write off || FIG. undoing, ruin ; *à ~
de vue,* as far as the eye can reach.

pertinent, e [pɛrtinɑ̃, ɑ̃t] *adj* relevant, suitable ; *non ~,* irrelevant.

perturb|ateur, trice [pɛrtyrbatœr,
tris] *n* trouble-maker || **~ation** *f*
disruption, disturbance || [météoro-
logie] *~ atmosphérique,* atmospheric
disturbance || **~er** *vt* (1) perturb ||
disrupt (services, etc.).

pervenche [pɛrvɑ̃ʃ] *f* periwinkle ||
FAM. [Paris] meter maid (contrac-
tuelle).

perver|s, e [pɛrvɛr, ɛrs] *adj* per-
verted, wicked || depraved (vicieux)
|| **~sion** [-sjɔ̃] *f* twist (de l'esprit) ;
perversion (des mœurs) || **~sité**
[-site] *f* perversity || **~ti, e** [-ti] *n*
(sexual) pervert || **~tir** *vt* (2) pervert,
corrupt || deprave.

pes|age [pəzaʒ] *m* weighing ||
~ant, e *adj* heavy, weighty ||
~anteur [-ɑ̃tœr] *f* heaviness, weight-
iness || PHYS. gravity || **~é, e** *adj* FIG.
tout bien ~, on reflection ● *f* weigh-
ing.

pèse-bébé [pɛzbebe] *m* baby-scales
|| **~-lettre** *m* letter-scales ||
~-personne *m* (bathroom) scales.

peser [pəze] *vt* (5) weigh || FIG.
weigh (les conséquences) ; ponder,
balance (une question) ; *~ le pour et
le contre,* weigh up the pros and cons
— *vi* weigh (un certain poids) ; *~
lourd,* be heavy ; *~ une tonne,* weigh
a ton ; *~ plus que,* outweigh || weigh
(*sur,* upon).

pessim|isme [pesimism] *m* pessi-
mism || **~iste** *adj* pessimistic ● *n*
pessimist.

pest|e [pɛst] *f* MÉD. plague || FIG.
plague || **~icide** [-isid] *m* pesticide ||
~iféré, e [-ifere] *adj* plague-stricken.

pet [pe] *m* POP. fart (vulg.).

pétale [petal] *m* petal.

pétanque [petɑ̃k] *f* FR. bowling ;
jouer à la ~, play bowls.

pét|arade [petarad] *f* AUT. backfire
|| **~ard** [-ar] *m* banger, (fire) cracker
|| **~er** *vi* (5) POP. fart.

pétill|ant, e [petijɑ̃, ɑ̃t] *adj* bubbly,
fizzy (eau) ; sparkling (vin) || FIG.
sparkling (yeux, esprit) || **~ement**
m [feu] crackling || [vin] fizz(le) ||
~er *vi* (1) [feu] crackle || [vin]
sparkle, fizz(le) || [yeux, esprit] spar-
kle.

petit, e [pəti, it] *adj* small, little ; *le
~ doigt,* the little finger || short
(personne) || [âge] young ;
quand j'étais ~(e), when I was a
boy/girl || small, petty (peu impor-

tant) ‖ faint, slight (faible) ‖ mean (mesquin) ‖ Fig. [parenté] grand ; **~-fils,** grand-son ; **~e-fille,** grand-daughter ; **~s-enfants,** grandchildren ● loc adv en **~,** in a small way ; **à ~,** little by little ● *n* little boy/girl ; les **~s,** the little ones ‖ Zool. young ; [chatte] kitten ; [chienne] pup(py) ; faire des **~s,** have little kittens/puppies ‖ **~esse** *f* smallness ‖ Fig. meanness.

pétition [petisjɔ̃] *f* petition ; faire une **~,** petition ‖ [rhétorique] faire un **~ de principe,** beg the question.

petit|-lait [pətilɛ] *m* whey ‖ **~-nègre** *m* Fam. pidgin French ‖ **~-suisse** *m* cream cheese.

pétrifier [petrifje] *vt/vpr* (1) [se **~**] petrify.

pétr|in [petrɛ̃] *m* kneading machine (mécanique) ‖ Fam. dans le **~,** in a mess/jam ‖ **~ir** *vt* (2) knead.

pétrol|e [petrɔl] *m* petroleum, oil ; **~ brut,** crude (oil) ; trouver du **~,** strike oil ; **~ lampant,** paraffin oil, U.S. kerosene ‖ **~ier, ière** *adj* produits **~s,** oil products ● *m* Naut. tanker.

peu [pø] *adv* [quantité, valeur] little ‖ [nombre] few ; **~ de,** few ‖ [négatif] not much ● loc **~ à ~,** bit by bit, gradually ‖ **~ après/avant,** shortly after/before ; **à ~ près,** nearly ; **avant/sous ~,** before long ; **depuis ~,** lately, of late ; **pour ~ que,** if only/ever ; **quelque ~,** slightly ; **~ s'en faut,** very nearly ; **un ~,** a little, somewhat ; est-il un **~ mieux ?,** is he any better ? ● *m* **un ~,** a little, a trifle (+ adj.) ; **un ~ de,** a little, a bit of ; **un ~ d'eau,** a little water ; **un tout petit ~ de,** a touch of ‖ **le ~ de,** the/what little/few.

peupl|ade [pœplad] *f* tribe ‖ **~e m** [nation] people, nation ‖ Pol. people ; les gens du **~,** the common people ‖ **~er** *vt* (1) people, populate.

peuplier [pœplije] *m* poplar.

peur [pœr] *f* fear ; avoir **~,** be afraid/frightened/scared (de faire, of doing) ; be nervous ; faire **~,** frighten, scare, give a scare ; prendre **~,** take fright ; sans **~,** fearless ● loc **de ~ de/que,** for fear of/that, lest ‖ **~eux, euse** *adj* fearful, timid.

peut-être [pøtɛtr] loc adv perhaps, maybe, possibly ; **~ viendra-t-il,** he may come ; **~ que non/oui,** perhaps not/so.

phallocrate [falɔkrat] *m* male chauvinist/pig (coll.).

phare [far] *m* Naut. lighthouse ‖ Aut. headlight ; **~ antibrouillard,** fog lamp ; **~ de recul,** reversing light.

pharmac|eutique [farmasøtik] *adj* produit **~,** drug ‖ **~ie** *f* pharmacy ‖ chemist's shop, U.S. drugstore ‖ **~ien, ienne** [-jɛ̃, jɛn] *n* (dispensing) chemist, U.S. pharmacist, druggist.

phase [faz] *f* phase, stage.

phénol [fenɔl] *m* carbolic acid.

phénom|énal, e, aux [fenɔmenal, o] *adj* phenomenal ‖ **~ène** [-ɛn] *m* phenomenon ‖ freak (of nature) [monstre].

phil|anthrope [filɑ̃trɔp] *n* philanthropist ‖ **~atélie** [-ateli] *f* philately ‖ **~atéliste** *n* stamp collector, philatelist.

philo|logie [filɔlɔʒi] *f* philology ‖ **~sophe** [-zɔf] *n* philosopher ‖ **~sophie** [-zɔfi] *f* philosophy ‖ **~sophique** *adj* philosophical.

phobie [fɔbi] *f* phobia ; hang-up (sl.).

phon|ème [fɔnɛm] *m* phoneme ‖ **~étique** [-etik] *adj* phonetic ● *f* phonetics ‖ **~ologie** [-ɔlɔʒi] *f* phonology.

phoque [fɔk] *m* seal.

phos|phate [fɔsfat] *m* phosphate ‖ **~phore** [-fɔr] *m* phosphorus.

photo [fɔto] *f* photo, picture, (snap-shot) ; prendre une **~,** take a photo (de, of) ‖ **~composition** *f* photocomposition ‖ **~copie** f photocopy ‖ **~copier** vt (1) photocopy ‖ **~copieur** m photocopier ‖ **~génique** [-ʒenik] adj photogenic ; être ~, come out well on photos ‖ **~graphe** [-graf] n photographer ‖ **~graphie** f photography ‖ photograph, picture (épreuve) ‖ CIN. ~ de presse, still ‖ **~graphier** vt (1) photograph, take a photo of ‖ **~graphique** adj photographic ‖ **~pile** f solar battery.

phrase [fraz] f sentence.

physicien, ienne [fizisjɛ̃, jɛn] n physicist.

physio|logie [fizjɔlɔʒi] f physiology ‖ **~logique** adj physiological ‖ **~nomie** [-nɔmi] f physiognomy ‖ features (traits) ‖ **~nomiste** [-nɔmist] n être ~, have a memory for faces.

physique¹ [fizik] adj physical ● f physics ; ~ nucléaire, nuclear physics, nucleonics.

physique² adj physical (culture) ‖ material (monde) ‖ bodily (douleur) ● m physical appearance, physique (d'une personne) ; au ~ et au moral, in body and mind.

piaffer [pjafe] vi (1) stamp, paw (the ground).

piailler [pjaje] vi (1) [oiseau] cheep. ‖ FAM. [enfant] squeal, howl.

pian|iste [pjanist] n pianist ‖ **~o** [-o] m piano ; ~ droit, cottage/ upright piano ; ~ à queue, grand piano ; ~ demi-queue, baby grand ‖ **~oter** [-ɔte] vi (1) strum on the piano.

pic¹ [pik] m [pioche] pick(axe).

pic² m [montagne] peak.

pic (à) loc adv sheer, bluff ‖ [avion] plonger/tomber à ~, plumet ‖ [personne] couler à ~, go straight down ‖ FAM. tomber à ~, come in the nick of time.

pichenette [piʃnɛt] f flick.

pichet [piʃɛ] m pitcher, jug.

picoler [pikɔle] vi ARG. booze (sl.).

picorer [pikɔre] vi/vt (1) peck.

picoter [pikɔte] vi/vt (1) [gorge] tickle ; [peau] prickle, tingle.

pic-vert [pivɛr] m → PIVERT.

pie¹ [pi] f magpie.

pie² adj piebald (cheval).

pièce¹ [pjɛs] f [morceau] piece ; bit ; mettre en ~s, break (in)to pieces (en cassant) ; tear to pieces (en déchirant) ‖ [vêtement] d'une seule ~, onepiece ‖ patch (pour raccommoder) ‖ [échecs] (chess)man ‖ ~ d'eau, ornamental pond ‖ document ; ~ justificative, voucher ‖ TECHN. part ; component ; ~ détachée, spare part ; travailler à la ~, do piece-work ; payé à la ~, paid piecerates ‖ COMM. bolt (de drap) ; à la ~, by the piece ; combien (la) ~ ?, how much apiece ? ‖ FIN. ~ de monnaie, coin ; une ~ de 10 francs, a 10-franc piece ‖ MIL. ~ d'artillerie, gun.

pièce² f room, apartment.

pièce³ f TH. play.

pied¹ [pje] m [homme, animal] foot ; donner un coup de ~, kick ; sur la pointe des ~s, on tiptoe ; marcher sur le ~ de qqn, step on sb's toes ‖ à ~, on foot ; aller à ~, walk, go on foot ; y aller à ~, foot it (coll.) ‖ **avoir** ~, be within one's depth ; ne pas avoir ~, be out of one's depth ; perdre ~, get out of one's depth ‖ lâcher ~, give ground ; ne pas lâcher ~, stand one's ground ‖ prendre ~, get a foothold ‖ mettre ~ à terre, dismount ‖ [convalescent] être sur ~, be up and about ‖ MÉD. ~-bot (m) club-foot ‖ NAUT. avoir le ~ marin, be a good sailor, have sea legs ‖ FAM. faire le ~ de grue, kick one's heels ‖ ARG. prendre son ~, get a buzz/a kick/ one's jollies (sl.) ; c'est le ~, it's great/fantastic.

pied² m [chose] foot (arbre, colline, mur) ; stem (verre) ; leg (de chaise, de table) ‖ AGR. head (de salade) ‖ ARTS en ~, full-lenght (portrait) ‖

TECHN. ~ *à coulisse,* calliper rule ‖ FIG. *sur* ~, on foot ; *mettre sur* ~, set on foot, set up ; *sur un* ~ *d'égalité avec,* on an equal footing with ; *mettre à* ~, lay off ; *au* ~ *levé,* offhand.

pied³ *m* [mesure] foot ‖ [poésie] foot.

piédestal, aux [pjedεstal, o] *m* pedestal.

piège [pjεʒ] *m* trap (trappe) ; snare (lacet) ; pit (fosse) ; ~ *à loup,* man-trap ; *prendre au* ~, trap, snare ; *tendre un* ~, set a trap (à, for) ‖ MIL. booby-trap ‖ FIG. pitfall ; *attirer dans un* ~, lure into a trap, decoy.

piéger [pjeʒe] *vt* (7) trap, snare ; *colis piégé,* parcel bomb ‖ FIG. *se faire* ~, be trapped.

pierr|e [pjεr] *f* stone : *mur de* ~, stone wall ; ~ *de taille,* freestone ; *poser la première* ~, lay the foundation stone ‖ ~ *précieuse,* precious stone, gem ‖ ~ *à aiguiser,* whetstone ; ~ *à briquet,* flint ; ~ *ponce,* pumice (stone) ‖ ~ *tombale,* tombstone ‖ FIG. ~ *d'achoppement,* stumbling block ; ~ *angulaire,* corner-stone ; *c'était une* ~ *dans mon jardin,* that was a dig at me ; ~ *de touche,* touchstone ‖ ~**eries** [-ri] *fpl* jewels ‖ ~**eux, euse** *adj* stony.

piété [pjete] *f* piety, devotion.

piét|inement [pjetinmɑ̃] *m* stamping, trampling ‖ ~**iner** *vi* (1) stamp one's foot ‖ tread (écraser) ‖ mark time (ne pas avancer) ; *faire* — *no progress* — *vt* trample on ‖ ~**on** *m* pedestrian ‖ ~**on, onne** [-ɔ̃, ɔn], ~**onnier, ière** [-ɔnje, jεr] *adj zone* ~**onne,** pedestrian precinct.

piètre [pjεtr] *adj* poor ; wretched (repas) ; paltry (excuse).

pieu, eux [pjø] *m* post (poteau) ; stake (pointu) ; pale (de clôture).

pieuvre [pjœvr] *f* octopus.

pieux, euse [pjø, øz] *adj* REL. pious ‖ FIG. dutiful.

pige¹ [piʒ] *f* journalisme *être payé à la* ~, be paid by the line.

pige² *f* POP. year ; *il a au moins 50* ~*s,* he's at least 50.

pige|on [piʒɔ̃] *m* pigeon ; ~*-paon,* fantail pigeon ; ~ *ramier,* woodpigeon ; ~ *voyageur,* homing/carrier pigeon ‖ SP. ~ *d'argile,* clay pigeon ; *tir au* ~ *d'argile,* skeet shooting ‖ FAM. mug (nigaud) ‖ ~**onner** [-ɔne] *vt* (1) FAM. *se faire* ~, be had (coll.) ‖ ~**onnier** [-ɔnje] *m* pigeon-house/loft ; dovecot(e).

piger [piʒe] *vt* (1) POP. cotton on (coll.) ; dig, twig (sl.).

pigiste *n* freelance (journaliste).

pignon [piɲɔ̃] *m* ARCH. gable ‖ TECHN. pinion.

pile¹ [pil] *f* reverse (d'une pièce) ‖ ~ *ou face ?,* heads or tails ? ; *jouer qqch à* ~ *ou face,* toss (up) for sth.

pile² *f* heap, stack (amas) ‖ pier (de pont).

pile³ *f* ~ *(électrique),* battery, pile ; *à* ~*(s),* battery (powered) ; ~ *de rechange,* refill ‖ ~ *atomique,* atomic pile ; ~ *à combustible,* fuel cell ; ~ *sèche,* dry cell.

pile⁴ *adv s'arrêter* ~, come to a dead stop ; stop dead ; *à 2 heures* ~, at 2 on the dot.

piler [pile] *vt* (1) grind.

pilier [pilje] *m* pillar ‖ FIG. ~ *de bistro,* pubcrawler.

pill|age [pijaʒ] *m* plunder(ing), looting ‖ ~**ard, e** [-ar, ard] *n* plunderer ‖ ~**er** *vt* (1) plunder ‖ MIL. loot, ransack, raid (une ville) ‖ FIG. plagiarize.

pil|on [pilɔ̃] *m* pestle (de mortier) ‖ CULIN. drumstick (de volaille) ‖ ~**onner** [-ɔne] *vt* (1) MIL. pound.

pilotage [pilɔtaʒ] *m* piloting ‖ AV. *poste de* ~, cockpit ; ~ *sans visibilité,* blind flying.

pilot|e [pilɔt] *m* AV. pilot ; ~ *acrobatique,* stunt-pilot ; ~ *automatique,* autopilot ; ~ *de chasse,* fighter pilot ; ~ *d'essai,* test pilot ; *sans* ~, unmanned ‖ NAUT. pilot ‖ AUT. ~ *de course,* racing driver ● *adj* experimental (entreprise) ‖ ~**er** *vt* (1) Av. fly, pilot ‖ AUT. drive.

pilotis [piloti] *m* pile.

pilule [pilyl] *f* pill ‖ [contraception] *prendre la* ~, be on the pill, take the pill ; ~ *du lendemain,* morning-after pill.

piment [pimã] *m* CULIN. ~ *rouge,* hot red pepper, chilli ‖ FIG. spice ‖ ~**é, e** [-te] *adj* FIG. spicy (histoire) ‖ ~**er** [-te] *vt* (1) FIG. spice.

pimpant, e [pɛ̃pɑ̃, ɑ̃t] *adj* spruce, smart, dapper.

pin [pɛ̃] *m* pine ‖ pine (wood) [bois].

pinacle [pinakl] *m* FIG. *porter qqn au* ~, praise sb to the skies.

pinard [pinar] *m* POP. plonk (coll.).

pinc|e [pɛ̃s] *f* pliers, nippers ; ~ *coupante,* cutting-nippers ; ~ *à épiler,* tweezers ; ~ *à ongles,* nail-clippers ; ~ *à sucre,* sugar tongs ‖ ~ *à linge,* clothes-peg ‖ ZOOL. claw (de crabe) ‖ AUT. jump leads ‖ ~**é, e** *adj* prim (sourire).

pinceau [pɛ̃so] *m* (paint)brush.

pinc|ée [pɛ̃se] *f* pinch, sprinkle (de sel) ‖ ~**ement** *m* pinch(ing) ; nip(ping) ‖ ~**er** *vt* (6) pinch ; nip ; *se ~ le doigt,* get one's finger caught ‖ purse (les lèvres) ‖ [froid] nip, bite ‖ MUS. pluck (cordes) ‖ FAM. [police] pinch ; *se faire* ~, get busted (sl.) ‖ ~**ettes** *fpl* (fire) tongs.

pinçon [pɛ̃sɔ̃] *m* pinch mark.

pinède [pinɛd] *f* pine-grove/-wood.

pingouin [pɛ̃gwɛ̃] *m* penguin.

ping-pong [piŋpɔ̃g] *m* table-tennis, ping-pong.

pingre [pɛ̃gr] *adj* stingy.

pinson [pɛ̃sɔ̃] *m* finch, chaffinch.

pintade [pɛ̃tad] *f* guinea-fowl.

pin-up [pinœp] *f inv* pin-up (girl).

pioch|e [pjɔʃ] *f* pickaxe ‖ ~**er** *vt* (1) pick, dig ‖ FAM. swot (up).

piolet [pjɔlɛ] *m* ice-axe.

pion [pjɔ̃] *m* [échecs] pawn, chessman ‖ [dames] (draughts)man.

pioncer [pjɔ̃se] *vi* (6) POP. snooze.

pionnier [pjɔnje] *m* pioneer, U.S. backwoods man ; *faire œuvre de* ~, blaze a trail, break new ground ‖ FIG. pathfinder.

pipe [pip] *f* pipe ; ~ *en terre,* clay pipe ‖ FAM. *casser sa* ~, kick the bucket.

pipé, e [pipe] *adj* loaded (dés).

pipe-line [piplin] *m* pipe-line.

pipi [pipi] *m* FAM. pee ; wee (enfant) ; *faire* ~, have a wee.

piquant, e [pikɑ̃, ɑ̃t] *adj* sharp (pointe) ‖ prickly, thorny (plante) ‖ biting, nippy (froid) ‖ CULIN. sharp, pungent (goût) ; piquant (sauce) ‖ FIG. piquant, biting (remarque) ● *m* ZOOL. spine ‖ BOT. thorn, prickle ‖ FIG. zest.

pique [pik] *m* [cartes] spade ● *f* cutting remark.

piqué¹ [pike] *m* [tissu] piqué.

piqué² *m* Av. nosedive ; *bombarder en* ~, dive-bomb ; *descendre en* ~, nose-dive.

pique|-assiette [pikasjɛt] *m inv* sponger ‖ ~**-nique** [-nik] *m* picnic ; *faire un* ~, have a picnic ; *aller en* ~, go on a picnic ‖ ~**-niquer** *vi* (1) picnic, have a picnic.

piquer¹ [pike] *vt* (1) prick ‖ [guêpe] sting ; [moustique, puce] bite ‖ [ortie] nettle ; [poivre] burn ‖ [barbe] prickle ‖ stick (enfoncer) ‖ MÉD., FAM. give an injection ; *faire* ~ *un chien,* have a dog put away/down/to sleep ‖ TECHN. stitch (coudre) ‖ FIG. arouse (curiosité) ; pique, nettle (vexer) ; ~ *une colère,* fly into a rage ; ~ *une crise,* throw a fit ; ~ *au vif,* cut to the quick — *vpr se* ~, prick oneself (par maladresse) ; get stung (aux orties) ‖ [vin] turn sour ‖ MÉD. give oneself a shot ; [drogué] give oneself a shot (coll.)/fix (sl.) ‖ FIG. [avoir la prétention) pride oneself (*de*, on); [se vexer] take offence.

piquer² *vt* (1) Sp. ~ *une tête*, take a header ‖ FAM. ~ *un fard*, blush — *vi* [avion] go into a dive; ~ *droit sur*, zero in on.

piquer³ *vt* (1) FAM. pinch, lift, sneak, walk off with (voler); *se faire* ~ *(par la police)*, be pinched/nabbed (coll.).

piquet [pikɛ] *m* post, stake; peg (de tente) ‖ ~*s de grève*, strike pickets; *entourer de* ~*s de grève*, picket.

piqueur [pikœr] *m* Sp. [chasse] huntsman, whipper-in.

piqûre [pikyr] *f* prick (d'épingle); sting (de guêpe); bite (de moustique/puce) ‖ MÉD. injection; shot, jab (fam.); *se faire une* ~, give oneself an injection/a shot (coll.).

pirat|e [pirat] *m* pirate; ~ *de l'air*, hijacker, skyjacker ‖ INF. hacker ● *adj* pirate; *radio* ~, pirate radio station ‖ ~**er** *vt* (1) pirate ‖ INF. hack (logiciel) ‖ ~**erie** *f* piracy; ~ *aérienne*, hijacking, skyjacking, air piracy.

pire [pir] *adj* [comparatif] worse ‖ [superlatif] worst ● *m le* ~, the worst; *au* ~, at the (very) worst, if the worst comes to the worst; *de* ~ *en* ~, worse and worse.

pirogue [pirɔg] *f* NAUT. dug-out, canoe.

pirouette [pirwɛt] *f* pirouette; *faire une* ~, pirouette.

pis¹ [pi] *adv/adj* worse; ~ *encore*, worse still; *de mal en* ~, from bad to worse; *tant* ~, so much the worse; *au* ~ *aller*, if the worst comes to the worst ‖ ~*-aller (m)*, makeshift, second-best ● *m le* ~, worst.

pis² *m* ZOL. udder.

piscine [pisin] *f* swimming-pool.

pisse-froid [pisfrwa] *m inv* FAM. wet blanket.

pissenlit [pisɑ̃li] *m* dandelion.

pisser [pise] *vi* (1) POP. pee.

piste [pist] *f* [trace] track, trail, scent (d'un animal); *suivre la* ~ *de*, trail, follow the trail of ‖ [chemin] track, trail; ~ *cyclable*, cycle-path ‖ [cirque] ring ‖ [bande magnétique, film] track; ~ *sonore*, sound track ‖ SP. (race-)track; ~ *cendrée*, dirt-track; [ski] ski-run; [moto] ~ *de vitesse*, speedway ‖ AV. ~ *d'envol*, runway ‖ FIG. [police] lead, clue; *être sur la* ~ *de qqn*, be on sb's track; *fausse* ~, wrong track.

pistolet [pistɔlɛ] *m* pistol ‖ MIL. ~*-mitrailleur*, submachine gun ‖ [peintre] spray-gun.

pist|on [pistɔ̃] *m* piston ‖ FAM. pull ‖ ~**onner** [-ɔne] *vt* (1) FAM. push; pull strings for (coll.).

piteux, euse [pitø, øz] *adj* pitiful, sorry (état).

pitié [pitje] *f* pity; *par* ~, out of pity, for pity's sake; *sans* ~, merciless; *avoir* ~ *de*, pity, have pity on.

piton¹ [pitɔ̃] *m* TECHN. screw eye (à vis); hook (à crochet); [escalade] (rock) piton.

piton² *m* [montagne] peak.

pitoyable [pitwajabl] *adj* pitiful, piteous.

pitre [pitr] *m* clown, fool; *faire le* ~, play the fool, clown about.

pittoresque [pitɔrɛsk] *adj* picturesque (paysage); quaint (vieillot); colourful (style).

pivert [piver] *m* woodpecker.

pivoine [pivwan] *f* peony.

piv|ot [pivo] *m* pivot, swivel ‖ FIG. hub; ~**oter** [-ɔte] *vi* (1) revolve, pivot; swivel, swing (round); *faire* ~, swing round.

placage¹ [plakaʒ] *m* TECHN. [bois] veneer.

placage² *m* Sp. = PLAQUAGE.

placard [plakar] *m* cupboard, U.S. closet.

placarder [plakarde] *vt* (1) post.

place¹ [plas] *f* [ville] square ; ~ *du marché*, market-place || MIL. ~ *forte*, fortified place || FIN. *chèque sur* ~, town cheque.

plac|e² *f* [position] place ; *mettre en* ~, place, set, position ; *remettre en* ~, replace || *rester sur* ~, stay put || [espace libre] room ; *faire de la* ~ *à/pour*, make room/place for ; *prendre de la* ~, take up space || [emploi] post, job || [rang] place || [siège] seat ; ~ *assise/debout*, sitting/standing room • *loc adv/(prép) à la* ~ *(de)*, instead (of) ; for ; *à la* ~ *de qqn*, in sb's stead ; *à votre* ~, if I were you ; *sur* ~, on the spot ; COMM. *on the premises* || ~**é** *adj* SP. *jouer un cheval* ~, back a horse for a place || ~**ement** *m* : *bureau de* ~, employment agency || ~**er** *vt* (5) place, put, set, stand (debout) ; lay (couché) ; *mal* ~, misplace || *sur* (un invité) || MIL. post (une sentinelle) || FIN. invest ; deposit (à la Caisse d'Épargne) || JUR. ~ *sous mandat*, mandate || FIG. *je n'ai pas pu* ~ *un mot*, I couldn't get a word in edgeways ; ~ *ses espoirs sur*, lay one's hopes on.

placide [plasid] *adj* placid.

placier [plasje] *m* canvasser.

plaf|ond [plafɔ̃] *m* ARCH., AV. ceiling || COMM. *prix* ~, ceiling price || ~**onnier** [-ɔnje] *m* ÉLECTR. ceiling-light.

plage [plaʒ] *f* beach ; ~ *de galets/sable*, shingly/sandy beach || seaside resort (station balnéaire) || [disque] band, track.

plagi|aire [plaʒjɛr] *n* plagiarist, pirate || ~**at** [-a] *m* plagiarism, piracy || ~**er** *vt* (1) plagiarize.

plaid|er [plede] *vt* (1) plead (*pour*, for) || JUR. ~ *coupable*, plead guilty || ~**eur, euse** *n* suitor || ~**oyer** [-waje] *m* plea (*en faveur de/contre*, for/against).

plaie [plɛ] *f* wound || FIG. sore ; [personne] nuisance.

plaindre [plɛ̃dr] *vt* (59) pity, feel sorry for — *vpr se* ~, moan (gémir) || complain (*à*, to ; *de*, about).

plaine [plɛn] *f* plain.

plain-pied (de) [dəplɛ̃pje] *loc adv* on the same level (*avec*, as).

plaint|e [plɛ̃t] *f* moan, wail (gémissement) || JUR. complaint ; *porter* ~ *contre*, lodge a complaint against || ~**if, ive** *adj* plaintive (ton).

plaire [plɛr] *vi* (75) *cela/elle me plaît*, I like it/her || ~ *à*, please, catch the fancy of ; *il ne me plaît pas*, I don't care for him — *v impers je fais ce qui me plaît*, I do as I like/please ; *s'il vous plaît*, please — *vpr se* ~ *à*, take pleasure in, enjoy — *v récipr se* ~, like each other.

plaisanc|e [plɛzɑ̃s] *f* NAUT. sailing, yachting ; *bateau de* ~, pleasure boat || ~**ier, ière** *n* yachts-man, -woman.

plais|ant, e *adj* pleasant, agreeable || funny, amusing (amusant) || ~**anter** *vi* (1) joke, jest (*de*, with) ; *je ne plaisante pas*, I mean it || ~**anterie** [-ɑ̃tri] *f* joke, jest ; ~ *à part*, joking aside || ~**antin** [-ɑ̃tɛ̃] *m* joker.

plaisir [plezir] *m* pleasure, enjoyment ; *faire* ~ *à qqn*, please/gratify sb ; *prendre* ~ *à*, enjoy, take delight in ; be delighted (*de faire*, to do) ; *avec* ~, with pleasure, gladly || treat (joie inattendue).

plan¹, e [plɑ̃, an] *adj* flat, plane, level • *m* MATH. plane || TECHN. ~ *incliné*, chute || FIG. [niveau] level, plane ; ~ *d'eau*, pool.

plan² *m* ARCH. plan, blueprint, map (d'une ville) ; *dresser le* ~ *de*, plan, design (une maison) || GÉOGR. *lever le* ~ *de*, survey || FIG. plan, scheme, programme ; ~ *quinquennal*, five-year plan ; outline, plan, framework (d'un ouvrage) || FAM. *laisser qqn en* ~, leave sb in the lurch ; *rester en* ~, be left high and dry.

plan³ *m* ARTS, PHOT. *arrière-* ~, background ; *premier* ~, foreground

|| CIN. shot, take ; **gros ~**, close-up ; **~ de coupe**, cut-in scene || FIG. field, sphere ; **sur le ~ de**, in terms of ; **de premier ~**, outstanding (personne).

planch|e [plɑ̃ʃ] f board (mince) ; plank (épaisse) || **~ à repasser**, ironing-board || ARTS plate ; **~ à dessin**, drawing-board || Pl TH. boards ; *monter sur les ~s*, go on the stage || SP. **~ à roulettes**, skateboard ; **~ de surf**, surfboard ; **~ à voile**, sail-board, windsurfer ; [natation] *faire la ~*, float (on one's back) || **~er** m floor.

plancton [plɑ̃ktɔ̃] m plankton.

planer [plane] vi (1) glide, soar ; hover (presque immobile) || AV. sail || FIG. **~ sur**, hang over, overhang || ARG. [drogué] be switched on, freak out, trip out, be high (sl.).

plan|étaire [planetɛr] adj planetary || **~étarium** [-etarjɔm] m planetarium || **~ète** [-ɛt] f planet.

planeur [plancœr] m AV. glider, sail-plane.

planification [planifikasjɔ̃] f planning.

planning [planiŋ] m schedule ; **~ familial**, family planning.

planqu|e [plɑ̃k] f FAM. cushy job (travail) ; hide-out (cachette) || **~er** vt (1) FAM. hide away ; stash (away) [coll.] — *vpr se ~*, FAM. hide oneself, lie low, take cover.

plant [plɑ̃] m bed (de légumes) ; *jeune ~*, seedling || **~ation** [-tasjɔ̃] f plantation.

plante¹ [plɑ̃t] f plant ; **~ grasse**, succulent (plant), thick leaf plant ; **~ grimpante**, creeper ; **~ médicinale**, herb.

plante² f **~ du pied**, sole of the foot.

plant|er [plɑ̃te] vt (1) plant || FIG. stick (*dans*, in) [un couteau, etc.] — *vpr se ~*, FAM. blow it (coll.) [échouer] ; *je me suis planté dans mes calculs*, I got my sums wrong || **~eur** m planter || **~oir** m dibble.

planton [plɑ̃tɔ̃] m MIL. orderly.

plantureux, euse [plɑ̃tyrø, øz] adj abundant (repas) || FAM. buxom (femme).

plaquage [plakaʒ] m [rugby] tackling, tackle.

plaqu|e [plak] plate (de métal) ; slab (de pierre) || AUT. **~ d'immatriculation**, number plate, U.S. licence plate || CULIN. **~ chauffante**, hot-plate, griddle || FAM. *à côté de la ~*, wide of the mark || **~er¹** vt (1) plate (métal) ; *plaqué or*, gold-plated ; veneer (bois).

plaquer² vt (1) SP. tackle || MUS. strike (un accord).

plaquer³ vt (1) POP. be through with ; ditch jilt (sl.) [femme, etc.].

plastique [plastik] adj/m plastic ; *matière ~*, plastic.

plastr|on [plastrɔ̃] m shirt-front || **~onner** [-ɔne] vi (1) swagger, strut.

plat¹, e [pla, at] adj flat || even, level (terrain) || lank (cheveux) || shallow (assiette) ; still (non gazeux) || NAUT. dead (calme) || FIG. flat, dull ● *loc adv* **à ~**, flat ; *poser qqch à ~*, lay flat ; *tomber à ~ ventre*, fall flat on one's face || flat (pneu) ; discharged (accu) || FIG. *tomber à ~*, fall flat || FAM. *à ~*, washed out ; *cela vous met à ~*, it takes it out of you ● m flat (de la main) || SP. flat (course).

plat² m [vaisselle] dish, U.S. platter || CULIN. course (service), dish (mets) ; **~s cuisinés**, delicatessen ; **~ épicé**, savoury ; **~ du jour**, today's special ; **~ de résistance**, main course.

platane [platan] m plane(-tree).

plateau [plato] m tray, salver || scale (de balance) || [tourne-disque] turntable || CULIN. **~-repas**, meal tray || GÉOGR. table(-land), plateau || TH. stage || CIN. set.

plate|-bande [platbɑ̃d] f flower-bed || **~-forme** f plaform ; tail (d'autobus) || TECHN. **~ de forage**, oil drilling platform, offshore rig ||

Astr., Mil. ~ **de lancement,** launching pad ‖ Pol. platform.

platine¹ [platin] *m* (métal) platinum.

platine² *f* [magnétophone] (tape-)desk ‖ [tourne-disque] turntable ‖ *laser,* Compact Disc player.

plâtr|e [plɑtr] *m* plaster ‖ Méd. plaster cast ‖ **~er** *vt* (1) plaster.

plausible [plozibl] *adj* plausible.

plein, e [plɛ̃, ɛn] *adj* full (*de,* of) ; *parler la bouche ~e,* speak with one's mouth full ; *un verre ~,* a full glass ; *~ à déborder,* brimful ‖ crammed (bondé) ; *~ à craquer,* chock-full, jam-packed (coll.) ‖ full (visage) ‖ [non creux] solid ‖ *~ air,* [activités scolaires] games ; *en ~ air,* in the open ‖ Astr. *~e lune,* full moon ‖ Aut. *aller ~s gaz,* go/drive flat out ‖ Zool. pregnant, with young (femelle) ‖ Rail. *~ tarif,* full fare ‖ Fam. tight (ivre) ● *m* Aut. *faire le ~,* fill up, tank up ; *(faites) le ~ !,* fill her up ! ‖ Fig. *battre son ~,* be in full swing, be at its height ● *loc* *~ de :* [n + ~ de] *un sac ~ de livres,* a bag full of books ; [avoir ~ de] *j'ai ~ de livres,* I've lots of books ; *avoir les mains ~es d'encre,* have ink all over one's hands ; *~ d'argent,* flush with money ‖ *à ~ :* ramasser *(qqch) à ~es mains,* pick up handfuls of (sth) ; *travailler à temps ~,* work full-time ‖ *en ~,* dead, right, straight (*dans/sur,* in/on) ; *en ~e figure,* full in the face ; *en ~ jour,* in broad daylight ; *en ~ mer,* in the open sea ; *en ~ milieu,* right in the middle ; *en ~ nord,* due north ; *en ~ nuit,* in the middle of the night ; *en ~e saison,* at the height of the season ‖ **~ement** [-ɛnmɑ̃] *adv* fully, to the full ; wholly, entirely (responsable) ‖ **~-emploi** *m* full employment.

plénier, ière [plenje, jɛr] *adj* plenary.

pléni|potentiaire [plenipɔtɑ̃sjɛr] *adj* plenipotentiary ‖ **~tude** [-tyd] *f* fullness, completeness.

pleurer [plœre] *vi/vt* (1) weep ; cry (très fort) ; *~ à chaudes larmes,* cry one's heart out ; *~ de joie,* weep for joy ; *~ tout son soûl,* have a good cry — *vt* mourn/grieve for (la mort de qqn).

pleurésie [plœrezi] *f* pleurisy.

pleurnich|ard, e [plœrniʃar, ard] *adj* grizzling, snivelling ● *n* cry baby ‖ **~er** *vi* (1) grizzle, snivel ‖ **~eur, euse** = PLEURNICHARD, E.

pleurs [plœr] *mpl* tears ; *en ~,* in tears.

pleutre [pløtr] *m* coward, sneak.

pleuvoir [plœvwar] *v impers* (76) rain ; *il pleut,* it's raining ; *il pleut à verse,* it is pouring — *vi* rain, shower ; *faire ~,* shower.

Plexiglas [plɛksiglas] *m* N.D. Perspex.

pli¹ [pli] *m* fold, pleat ‖ crease (du pantalon) ; *faire le ~ du pantalon,* crease the trousers ; *faux ~,* wrinkle ; *faire des faux ~s,* wrinkle ‖ [coiffure] *mise en ~s,* (hair-)set ; *se faire faire une mise en ~s,* have a set.

pli² *m* envelope ; message ; *sous ~ séparé,* under separate cover ‖ [cartes] trick (levée) ; *faire un ~,* take a trick.

pli|ant [plijɑ̃] *adj* folding (chaise) ‖ Aut. collapsible (capote) ● *m* folding stool ‖ **~er** *vt* (1) fold (up) ‖ bend (le bras, le genou) ; *~ en deux,* double up ‖ *faire ~,* weigh down (sous le poids) ‖ Fig. *~ bagages,* pack up and be off — *vi* Fig. yield (céder) — *vpr se ~,* [objet] fold up ‖ Fig. submit (*à,* to).

plinthe [plɛ̃t] *f* skirting-board.

plisser [plise] *vt* (1) pleat, fold, crease (de l'étoffe) ‖ wrinkle (le front) ; screw up (les yeux) — *vpr se ~,* [tissu] wrinkle, crease.

plomb [plɔ̃] *m* (métal) lead ; *de ~,* leaden ‖ plumb (pour alourdir) ‖ seal (pour sceller) ‖ *sans ~,* leadfree (essence) ‖ Sp. [pêche] sinker, plummet ; [chasse] shot ‖ Électr. fuse ‖

un ~ *a sauté,* a fuse has blown ‖ **~age** [-baʒ] *m* [dentiste] filling, stopping ‖ **~é, e** *adj* leaden (teint) ‖ **~er** *vt* (1) weight (filet) ; seal (colis) ; fill (dent) ‖ **~erie** [-bri] *f* plumbing ‖ **~ier** [bje] *m* plumber.

plongé, e [plɔ̃ʒe] *adj* plunged ‖ FIG. deep, lost, rapt (*dans,* in).

plong|ée *f* NAUT., SP. diving, dive ; *faire une* ~, dive ; ~ *en apnée,* breath-hold diving ; ~ *sous-marine,* skin-diving ; *faire de la* ~, skin-dive ; ~ *libre,* snorkeling ; ~ *avec scaphandre autonome,* scuba diving ; *appareil de* ~ *sous-marine,* aqualung ‖ CIN. high-angle shot ‖ **~eoir** *m* diving-board ‖ **~eon** [-ɔ̃] *m* SP. dive, plunge ; *faire un* ~, dive ‖ **~er** *vi* (7) dive ‖ AV. dive ; plummet (brusquement) ‖ FIG. plunge — *vt* plunge, dip (qqch) ; duck (la tête sous l'eau en nageant) ‖ FIG. steep ; *être plongée dans,* pore over, be absorbed in — *vpr se* ~ *dans,* FIG. bury oneself in ; delve into ‖ **~eur, euse** *n* SP. diver ‖ FAM. dishwasher (laveur de vaisselle).

ployer [plwaje] *vi* (8 *a*) bow, yield — *vt* bend (qqch).

plu¹ [ply] → PLEUVOIR.

plu² → PLAIRE.

pluie [plɥi] *f* rain ; ~ *battante,* downpour, pelting rain ; ~ *fine,* drizzle ; ~ *torrentielle,* pouring rain ; *sous la* ~, in the rain ‖ FIG. shower.

plum|age [plymaʒ] *m* plumage ‖ **~e** *f* feather (d'oiseau) ; pen (pour écrire) ‖ **~eau** [-o] *m* feather-duster ‖ **~er** *vt* (1) pluck (un oiseau) ‖ **~ier** *m* pencil-box.

plupart (la) [laplypar] *loc adv la* ~ *de,* most (of) ; *la* ~ *des gens,* most people ; *pour la* ~, for the most part, mostly.

pluriel, elle [plyrjɛl] *adj* plural ● *m* plural ; *au* ~, in the plural.

plus [ply devant consonne et dans les loc. nég. ; plyz devant voyelle ou « h » muet ; plys en fin de phrase et

en comptant] *adv* [négatif] **ne...** ~, no more, no longer ; *jamais* ~, never more ; **non** ~, not either, nor, neither [quantitatif] more (*que,* than) ; *beaucoup* ~, far/much more ‖ **le** ~ : *le* ~ *grand,* the greater (de deux) ; the greatest (de plusieurs) ; *nous ne pouvons faire* ~, we can't do more ‖ ~ *de,* more than, over ; *il a parlé* ~ *d'une heure,* he spoke for over an hour ; *il a* ~ *de quarante ans,* he is past forty ; *pas* ~ *de,* no more than ‖ *de* ~, more ; *un jour de* ~, one day more ‖ *de* ~ [plys], moreover, furthermore (en outre) ‖ ~... ~, the more... the more, the -er... the -er ‖ *(tout) au* ~, at the most, at the outside ‖ *d'autant* ~ *que,* (all) the more as ‖ *de* ~ *en* ~, more and more, increasingly ; *de* ~ *en* ~ *fort,* stronger and stronger ‖ *en* ~, extra, more ; *en* ~ *de,* in excess, in addition of ; over and above ; *en* ~ *de cela,* on top of that ‖ ~ *ou moins,* more or less ‖ *et qui* ~ *est,* at that ‖ MATH. [plys] plus ● *m le* ~, the most.

plusieurs [plyzjœr] *adj* several.

plus|-que-parfait [plyskəparfɛ] *m* pluperfect ‖ **~-value** [-valy] *f* profit ; [terrain] appreciation.

plutonium [plytɔnjɔm] *m* plutonium.

plutôt [plyto] *adv* rather (*que,* than) ‖ rather (+ adj./adv.) ; ~ *mieux,* rather better ; *c'est* ~ *pire qu'avant,* if anything, it is worse than before ‖ instead (au lieu de cela).

pluv|ieux, ieuse [plyvjø, jøz] *adj* rainy, wet ‖ **~iomètre** [-jɔmɛtr] *m* rain-gauge.

pneu, eus [pnø] *m* AUT. tyre, U.S. tire ; ~ *à carcasse radiale,* radial (ply) tyre ; ~ *(de) neige,* winter tyre ‖ **~matique** [-matik] *adj* pneumatic ● *m* = PNEU ‖ **~monie** [-mɔni] *f* pneumonia.

poch|e [pɔʃ] *f* pocket ; ~ *intérieure,* breast pocket ; ~ *revolver,* hip-pocket ; *mettre dans sa* ~, pocket ‖ [pantalon] *qui fait des* ~*s,* baggy ‖

~é, e *adj* œil ~, black eye ‖ **~er** *vt* (1) poach (œufs) ‖ **~ette** *f* pocket handkerchief ‖ book (d'allumettes) ‖ sleeve (de disque).

pochoir [pɔʃwar] *m* ARTS stencil.

poêle¹ [pwɑl] *m* [chauffage] stove.

poê|le² *f* CULIN. ~ *(à frire)*, frying-pan ‖ **~lon** *m* casserole.

po|ème [pɔɛm] *m* poem ‖ **~ésie** [-ezi] *f* poetry ; *une* ~, a piece of poetry ‖ FIG. romance ‖ **~ète** [-ɛt] *m* poet ‖ **~étesse** [-etɛs] *f* poetess ‖ **~étique** [-etik] *adj* poetic(al).

pognon [pɔɲɔ̃] *m* POP. dough.

poids [pwa] *m* weight ; *prendre/ perdre du* ~, put on/lose weight ‖ COMM. *un* ~ *d'une livre*, a pound weight ; ~ *brut/net*, gross/net weight ; *vendre au* ~, sell by (the) weight ‖ SP. ~ *et haltères*, weight-lifting ; *lancer le* ~, put the weight ‖ SP. ~ *coq*, bantam-weight ; ~ *lourd*, heavy-weight ; ~ *mi-moyen*, welter-weight ; ~ *plume*, feather-weight ‖ AUT. ~ *lourd*, (heavy) lorry, U.S. truck ‖ FIG. burden, load (charge) ; weight (influence) ; ~ *mort*, dead weight ; *sous le* ~ *de*, weighed down by.

poignant, e [pwaɲɑ̃, ɑ̃t] *adj* poignant, heart-rending ; harrowing (aventure).

poign|ard [pwaɲar] *m* dagger ; *coup de* ~, stab ‖ **~arder** [-arde] *vt* (1) stab.

poign|e [pwaɲ] *f* grip, grasp ‖ *homme à* ~, firmhanded man ‖ **~ée** *f* handful (quantité) ‖ ~ *de main*, handshake ‖ handle (de porte) ; pull (de tiroir) ; haft (de couteau) ‖ **~et** [-ɛ] *m* ANAT. wrist ‖ cuff (de chemise) ‖ *à la force du* ~, by sheer strength.

poil [pwal] *m* hair ; *à long* ~*s*, shaggy ; *à* ~*s raides*, bristly ‖ [textile] nap ; *à contre-* ~, against the nap ‖ FAM. *reprendre du* ~ *de la bête*, pick up ; *à* ~, in the raw, starkers (coll.) ; *au* ~, fine, great ‖ **~u, e** *adj* hairy.

poinç|on [pwɛ̃sɔ̃] *m* TECHN. stamp ; ~ *de garantie*, hall-mark ‖ RAIL. punch (de contrôle) ‖ **~onner** [-ɔne] *vt* (1) punch ‖ RAIL. clip ‖ **~onneuse** [-ɔnøz] *f* punch.

poing [pwɛ̃] *m* fist ; *coup de* ~, punch ; *donner un coup de* ~, punch, give a bash ; *serrer les* ~*s*, clench one's fists.

point¹ [pwɛ̃] *m* dot (sur un « i ») ‖ [ponctuation] full stop, period ; ~ *d'interrogation/d'exclamation*, question/ exclamation mark ; ~*s de suspension*, suspension periods/points ; ~*-virgule*, semi-colon ; *deux* ~, colon ‖ MATH. point ‖ MUS. ~ *d'orgue*, pause.

point² *m* [lieu] point, place ; ~ *de vue*, viewpoint ; ~ *de départ*, starting-point ; ~ *de repère*, landmark ‖ [temps] point ; ~ *du jour*, break of day ; *sur le* ~ *de*, about to ; on the point of ; *j'étais sur le* ~ *de partir*, I was just leaving ; *à* ~ *nommé*, in the nick of time ‖ COMM. ~ *de vente*, outlet ‖ AV. ~ *de non-retour*, point of no return ‖ NAUT. *faire le* ~, plot the ship's position ‖ AUT. ~ *mort*, neutral (gear) ; *mettre au* ~ *mort*, put into neutral ‖ MÉD. ~ *sensible*, tender spot ; ~ *de côté*, stitch in one's side ‖ FIG. ~ *mort*, standstill ; ~ *de vue*, standpoint, point of view, outlook ; *du* ~ *de vue de*, from the point of view of ; *de ce* ~ *de vue*, in that respect ; *à mon* ~ *de vue*, in my opinion.

point³ *m* aspect, point ; argument ; head (d'un discours) ; *sur ce* ~, on that score ‖ ~ *faible/fort*, weak/ strong point ‖ GÉOGR. ~*s cardinaux*, cardinal points.

point⁴ *m* [école] mark ‖ SP. point ; *marquer un* ~, make a score ; *marquer des* ~*s*, score points ‖ PHYS. ~ *de fusion*, melting-point ‖ FIG. degree, pitch ; ~ *culminant*, climax ; *au plus haut* ~, to a high degree ; *au* ~ *où en sont les choses*, as matters stand.

point⁵ *m* [couture] stitch : ~ *de bâti*,

tack ; *faire un* ~ *à,* put a stitch in ‖ MÉD. ~ *de suture,* stitch.

point⁶ *loc* **à ~,** just right ; CULIN. medium ‖ **au ~,** PHOT. in focus ; *mettre au* ~, focus, bring into focus ; TECHN. perfect, develop (un procédé) ;tune (un moteur) ; FIG. put the finishing touch to ‖ **à tel ~ que, au ~ que,** to such an extent that ‖ *jusqu'à un certain* ~, up to a point.

point⁷ *adv* LITT. = PAS¹.

pointage [pwɛtaʒ] *m* checking ; *liste de* ~, check-list.

pointe [pwɛt] *f* point (d'aiguille) ; *en* ~, tapering ; *sur la* ~ *des pieds,* on tiptoe ; *marcher sur la* ~ *des pieds,* tiptoe ‖ TECHN. nail, tack (clou) ; [disque] ~ *de lecture,* stylus ‖ SP. spike (de chaussures) ; ~ *de vitesse,* spurt, burst ‖ ÉLECTR. *heures de* ~, peak hours ‖ FIG. *de* ~, leading (entreprise) ; *une* ~ *de,* a touch/dash of.

pointer¹ [pwɛte] *vt* (1) check off (une liste) ; scrutinize (un scrutin) — *vi* [ouvrier] ~ *à l'arrivée/au départ,* clock in/out ; sign on (à l'agence pour l'emploi).

pointer² *vi* (1) BOT. come up, sprout ‖ FIG. bud.

pointer³ *vt* (1) MIL. aim, train, lay (un canon).

pointillé [pwɛtije] *m* dotted line.

pointilleux, euse [pwɛtijø, øz] *adj* fastidious, particular (*sur,* as to).

pointu, e [pwɛty] *adj* pointed, sharp (aiguille) ‖ FIG., FAM. specialized.

pointure [pwɛtyr] *f* [chaussures, gants] size ; *quelle est votre* ~ *?,* what size do you take ?

poire¹ [pwar] *f* pear ‖ FIG. *couper la* ~ *en deux,* meet sb halfway.

poire² *f* FAM. sucker, mug (dupe).

poireau [pwaro] *m* leek ‖ ~**ter** [-ɔte] *vi* (1) FAM. kick one's heels.

poirier [pwarje] *m* pear-tree.

pois [pwa] *mpl* CULIN. *(petits)* ~, (green) peas ; ~ *cassés,* split peas ‖ BOT. ~ *de senteur,* sweet peas ‖ FIG. [tissu] *à* ~, polka dot(ted).

poison [pwazɔ̃] *m* poison ‖ FIG. nuisance ; pest, menace (coll.) [personne].

poisse [pwas] *f* POP. bad luck.

poiss|er [pwase] *vt* (1) make sticky (les mains) ‖ ~**eux, euse** *adj* sticky, gluey.

poiss|on [pwasɔ̃] *m* fish ; ~ *d'eau douce,* fresh-water fish ; ~ *de mer,* salt-water fish ; ~ *rouge,* goldfish ; ~ *volant,* flying fish ‖ ASTR. *les Poissons,* Pisces ‖ FIG. *faire un* ~ *d'avril à qqn,* make an April-fool of sb ‖ ~**onnerie** [-ɔnri] *f* fishmonger's, fish-shop.

poitr|ail [pwatraj] *m* ZOOL. breast (de cheval) ‖ ~**ine** [-in] *f* chest, breast ‖ [femme] breast ; bust.

poivr|e [pwavr] *m* pepper ; ~ *de Cayenne,* cayenne (pepper) ; ~ *en grains,* peppercorns ‖ FIG. ~ *et sel,* pepper and salt ‖ ~**é, e** *adj* peppery ‖ ~**er** *vt* (1) pepper ‖ ~**ière** [-ijɛr] *f* pepper-pot ‖ ~**on** *m* sweet/green pepper.

poivrot, e [pwavro, ɔt] *n* POP. boozer.

poker [pɔkɛr] *m* [cartes] poker ; [dés] ~ *d'as,* poker dice.

polaire [pɔlɛr] *adj* polar.

polar [pɔlar] *m* FAM. whodunit (coll.).

pôle [pol] *m* GÉOGR., ÉLECTR. pole.

polémique [pɔlemik] *adj* polemic(al) ● *f* polemic(s).

poli¹, e [pɔli] *adj* polite, civil.

poli², e → POLIR ● *adj* bright (acier) ; polished (pierre).

police¹ [pɔlis] *f souscrire à une* ~ *d'assurance,* take out a policy.

police² *f* police ; constabulary (d'une ville) ; *agent de* ~, policeman, constable ; *commissaire de* ~, chief constable ; *poste de* ~, police-station ;

faire la ~, keep order ; *appeler* ~ *secours,* G.B., dial 999.

Polichinelle [pɔliʃinɛl] *n pr m* Punch.

policier, ière [pɔlisje, jɛr] *adj* police (chien) ● *m* policeman.

poliment [pɔlimɑ̃] *adv* politely.

poliomyélite [pɔljɔmjelit] *f* polio-(myelitis).

polir [pɔlir] *vt* (2) polish (chaussures, parquet) ; burnish (du métal).

polisson, onne [pɔlisɔ̃, ɔn] *adj* naughty (enfant) ● *n* (little) rascal.

politesse [pɔlitɛs] *f* politeness, good manners.

politi|cien, ienne [pɔlitisjɛ̃, jɛn] *n* politician ∥ ~**que** [-k] *adj* political ; *homme* ~, politician ● *f* politics ; *faire de la* ~, go in for politics ∥ [ligne, programme] policy ; ~ *étrangère/ extérieure,* foreign policy.

pollen [pɔlɛn] *m* pollen.

pollu|er [pɔlɥe] *vt* (1) pollute, defile ∥ ~**tion** *f* pollution.

polo [pɔlo] *m* [vêtement] sweat shirt ∥ Sp. polo.

Polo|gne [pɔlɔɲ] *f* Poland ∥ ~**nais, e** [-nɛ, ɛz] *n* Pole.

polonais, e *adj* Polish ● *m* [langue] Polish.

poltron, onne [pɔltrɔ̃, ɔn] *adj* cowardly ● *n* coward.

polycopier [pɔlikɔpje] *vt* (1) duplicate, mimeograph, run off ; *machine à* ~, duplicator.

poly|gamie [pɔligami] *f* polygamy ∥ ~**glotte** [-glɔt] *n* polyglot ∥ ~**gone** [-gɔn] *m* polygon.

Polynésie [pɔlinezi] *f* Polynesia.

pommade [pɔmad] *f* ointment, salve.

pomme [pɔm] *f* [fruit] apple ; ~ *à couteau,* eating apple ; *eater* (coll.) ; ~ *à cuire,* cooking apple ; cooker (coll.) ; ~ *sauvage,* crab(-apple) ∥ ~ *de pin,* pine/fir cone ∥ ~ *de terre,* potato ; CULIN. ~*s de terre au four,* baked

potatoes ; ~*s (de terre) frites,* chips, U.S. French fries ; ~*s de terre sautées,* roast potatoes ; ~*s vapeur,* boiled potatoes ∥ FIG. ~ *d'arrosoir,* rose ∥ FIG. ~ *de discorde,* bone of contention.

pommette [pɔmɛt] *f* cheek-bone.

pommier [pɔmje] *m* apple-tree.

pompe¹ [pɔ̃p] *f* pomp, state ∥ *Pl* *entrepreneur de* ~*s funèbres,* undertaker.

pomp|e² *f* pump ; ~ *de bicyclette,* bicycle pump ; ~ *à chaleur,* heat pump ; ~ *à essence,* petrol pump ; ~ *à incendie,* fire-engine ∥ FAM. [traction] press-up ; *faire des* ~*s,* do press-ups ∥ ~**er** *vt* (1) pump ∥ ARG. [copier] crib ; ~ *sur son voisin,* crib off one's neighbour.

pompeux, euse [pɔ̃pø, øz] *adj* pompous ; high-falutin(g) [style].

pomp|ier [pɔ̃pje] *m* fireman ; *poste/caserne de* ~*s,* fire-station ∥ ~**iste** *n* (forecourt) attendant, (petrol pump) attendant.

pompon [pɔ̃pɔ̃] *m* tassel.

pomponner (se) [sapɔ̃pɔne] *vpr* (1) titivate, get dolled up (coll.).

ponc|e [pɔ̃s] *f* [*pierre* ~, pumice (stone)] ∥ ~**er** [-e] *vt* (6) sandpaper ; rub down ∥ ~**euse** *f* sander.

poncif [pɔ̃sif] *m* cliché.

ponctualité [pɔ̃ktɥalite] *f* punctuality.

ponctuation [pɔ̃ktɥasjɔ̃] *f* punctuation.

ponctuel, elle [pɔ̃ktɥɛl] *adj* punctual.

pondéré, e [pɔ̃dere] *adj* levelheaded, moderate.

pondre [pɔ̃dr] *vt* (4) lay eggs.

poney [pɔnɛ] *m* pony.

pongiste [pɔ̃ʒist] *n* table tennis player.

pont [pɔ̃] *m* bridge ; ~ *autoroutier,* fly-over ; ~ *basculant,* draw-bridge ; ~ *suspendu,* suspension bridge ; ~

tournant, swing bridge ‖ ~ *transbordeur,* transporter bridge ‖ Mil. ~ *de bateaux,* pontoon/floating bridge ‖ Av. ~ *aérien,* air-lift ‖ Naut. deck ; *premier* ~, lower deck ; ~ *supérieur,* upper deck ; ~ *d'envol,* flight-deck ‖ Aut. ~ *arrière,* rear axle ; [garage] ~ *de graissage,* ramp ‖ Fig. *faire le* ~, take a long weekend ; *ménager un* ~ *entre,* bridge over.

ponte [pɔ̃t] *f* egg-laying (season).

pontif|e [pɔ̃tif] *m le souverain* ~, the Supreme Pontiff ‖ ~**ical, e, aux** [-ikal, o] *adj* pontifical.

pont-levis [pɔ̃lvi] *m* drawbridge.

ponton [pɔ̃tɔ̃] *m* pontoon.

pool [pul] *m* ~ *de dactylos,* typing pool.

pope [pɔp] *m* [Église orthodoxe] pope.

popeline [pɔplin] *f* poplin.

popote [pɔpɔt] *f* Fam. [cuisine] cooking ; *faire la* ~, do the cooking ‖ Mil. mess.

popul|ace [pɔpylas] *f* rabble ; mob (violente) ‖ ~**aire** *adj* popular (chanson, front) ; people's (démocratie) ‖ working class (quartier) ; popular (qui plaît) ‖ ~**arité** [-arite] *f* popularity ‖ ~**ation** *f* population ‖ ~**eux, euse** *adj* populous.

porc [pɔr] *m* Zool. pig, hog ‖ Culin. pork.

porcelaine [pɔrsəlɛn] *f* porcelain, china.

porcelet [pɔrsəlɛ] *m* piglet.

porc-épic [pɔrkepik] *m* porcupine.

porche [pɔrʃ] *m* porch.

porcherie [pɔrʃəri] *f* pigsty.

pore [pɔr] *m* Anat. pore.

poreux, euse [pɔrø, øz] *adj* porous.

porno [pɔrno] *adj* Fam. blue (film) ; dirty (livre) ● *m* porn (coll.). ‖ ~**graphie** [-grafi] *f* pornography ‖ ~**graphique** *adj* pornographic.

port¹ [pɔr] *m* harbour (bassin) ; port (ville) ; ~ *d'attache,* port of registry,

home port ; ~ *d'escale,* port of call ; ~ *de guerre,* naval base ; ~ *de mer,* seaport ‖ Fig. *arriver à bon* ~, arrive safely.

port² *m* carrying (d'un objet) ‖ wear(ing) [d'un vêtement] ‖ [poste] postage ; [transport] carriage ; ~ *dû/payé,* postage due/paid ‖ Fig. bearing, carriage (attitude).

portable [pɔrtabl] *adj* portable.

portail [pɔrtaj] *m* gate(way) ; portal (d'église).

port|ant, e [pɔrtɑ̃, ɑ̃t] *adj bien/mal* ~, in good/poor health ● *loc adv à bout* ~, point-blank ‖ ~**atif, ive** *adj* portable.

porte¹ [pɔrt] *f* door ; gate (de jardin, de ville) ‖ doorway (entrée) ‖ ~ *à deux battants,* double door ; ~ *battante,* swing door ; ~ *cochère,* carriage entrance ; ~ *coulissante,* sliding door ; ~ *d'entrée,* front/street door ; ~-*fenêtre,* French window ; ~ *de service,* tradesmen's entrance ; ~ *à soufflets,* folding door ‖ *être à la* ~, be locked out ‖ Fam. *mettre à la* ~, turn out ; sack (coll.) ; [école] expel ‖ Comm. ~-*à*-~, canvassing ; *faire du* ~-*à*-~, sell from door to door, canvass.

porte² → porter ‖ ~-*avions,* (aircraft) carrier ‖ ~-*bagages,* carrier (de bicyclette) ‖ Rail. rack ‖ ~-*bonheur,* (lucky) charm ‖ ~-*cartes,* card-case ‖ ~-*clefs,* key-ring, key case ‖ ~-*documents,* brief-case ‖ ~-*jarretelles,* suspender belt ‖ ~-*monnaie,* purse ‖ ~-*parapluies,* umbrellastand ‖ ~-*parole,* spokesman, mouthpiece ‖ ~-*plume,* pen-holder ‖ ~-*serviettes,* towel-rack/-rail ‖ ~-*voix,* megaphone ; loud-hailer.

porté, e [pɔrte] *adj* carried ‖ Fig. apt, prone (*à,* to).

porte-à-faux [pɔrtafo] *m inv être en* ~, be out of plumb, jut out.

portée¹ [pɔrte] *f* Zool. litter.

portée² *f* Mus. staff.

portée³ f reach ‖ MIL. range (de fusil) ; *à longue ~,* long-range ‖ RAD. coverage ‖ TECHN. span (d'un pont) ● *loc à ~,* within reach, ready ; *à ~ de la main,* close at/to hand ; *à ~ de voix,* within earshot/call ‖ *hors de ~,* out of reach ; *hors de ~ de la voix,* out of hearing ‖ FIG. import (effet) ; scope (étendue) ; *d'une grande ~,* far-reaching, extensive ; *à la ~ de,* accessible to ; *se mettre à la ~ de,* adapt oneself to.

porte|feuille [pɔrtəfœj] m wallet, notecase, pocket-book ‖ POL. portfolio ‖ **~manteau** m coatrack ; clothes-hanger (cintre) ; hatpeg (patère) ‖ **~-mine** m propelling pencil.

porter [pɔrte] vt (1) [transporter] carry (paquet, etc.) ; tote (coll.) [fusil] ‖ [apporter] bring, take (*qqch à qqn,* sth to sb) ‖ [avoir sur soi] have (on), wear (barbe, vêtement, etc.) ‖ [arbre] bear (fruits) ‖ MÉD. [femme] carry (enfant) ‖ FIG. [causer] ~ *bonheur/malheur,* bring luck/ill-luck ; [inscrire] put down (nom) ; [document] bear (signature) ‖ [montrer] show, bear (traces) ‖ [diriger] direct, turn (son attention) ‖ [attaquer] ~ *un coup à qqn,* catch sb a blow — vi [critique] strike home ‖ [voix] carry ‖ [cours, etc.] be about, concern — vpr se ~, [vêtement] be worn ; [personne] *se ~ bien/mal,* be well/unwell ; *se ~ comme un charme,* be as fit as fiddle.

port|eur, euse [pɔrtœr, øz] adj supporting (poutre) ‖ RAD. *onde ~euse,* carrier wave ‖ FIN. buoyant (marché) ‖ → MÈRE ● m RAIL. porter, U.S. red cap ‖ FIN. holder (d'obligations) ; owner (d'un chèque) ; *payable au ~,* payable to bearer ; *chèque au ~,* bearer-cheque ‖ **~ier** m [hôtel] doorman ‖ **~ière** f AUT., RAIL. door ‖ **~illon** [-ijɔ̃] m turnstile ‖ RAIL. barrier.

portion [pɔrsjɔ̃] f portion, share ‖ CULIN. helping, serving.

portique [pɔrtik] m porch.

porto [pɔrto] m port (vin).

portrait [pɔrtrɛ] m portrait ; *faire le ~ de qqn,* paint sb's portrait ‖ [police] **~-robot (m),** Photofit, identikit ‖ FIG. description ; *c'est tout le ~ de son père,* he's the spitting image of his father.

portugais, e [pɔrtygɛ, ɛz] adj Portuguese ● m [langue] Portuguese.

Portug|ais, e n Portuguese ‖ **~al** [-al] m Portugal.

pose [poz] f TECHN. setting ; laying ‖ PHOT. time-exposure ‖ FIG. pose, attitude ; swank.

posé, e [poze] adj staid, composed ‖ **~ment** adv quietly, deliberately, leisurely.

posemètre [pozmɛtr] m exposure meter.

pos|er [poze] vt (1) put (down) ; lay (down) [couché] ; stand (up) [debout] ‖ hang (un rideau) ; put in (une vitre) ‖ TECHN. install, fit, put in ‖ MATH. put down (un chiffre) ‖ FIG. ~ *sa candidature,* apply for (un emploi) ; set (un problème) ; ~ *une question,* ask a question ; ~ *une question à qqn,* put a question to sb — vi ARTS sit/pose (*pour,* for) ‖ FIG. attitudinize, show off, swank — vpr *se ~,* [oiseau] settle, alight ‖ AV. land ‖ FIG. *se ~ en,* pose as, set (oneself) up as ‖ **~eur, euse** adj swanky ● n prig, show-off ‖ TECHN. layer.

positif, ive [pozitif, iv] adj MATH., ÉLECTR., PHOT. positive ‖ FIG. positive, constructive ● m GRAMM., PHOT. positive.

position [pozisjɔ̃] f position (place) ‖ position (posture) ‖ FIN. balance (d'un compte) ‖ NAUT. bearings ‖ MIL. position ‖ FIG. stance (attitude) ; ~ *sociale,* position, status ‖ position, viewpoint (opinion).

positivement [pozitivmɑ̃] adv positively.

posséd|ant, e [pɔsedɑ̃, ɑ̃t] adj propertied (classe) ‖ **~er** vt (5) possess, own ; have, keep || FIG . enjoy (une bonne santé) ; ~ à fond, master (un sujet).

possess|eur [pɔsɛsœr] *m* owner, possessor || **~if, ive** *adj* possessive || **~ion** *f* possession, ownership ; *entrer en ~ de*, take possession of.

poss|ibilité [pɔsibilite] *f* possibility, chance || *Pl* capability || **~ible** *adj* possible ; *dès que ~*, as soon as possible ; *le plus ~*, as much as possible ; *si ~*, if possible ● *m dans toute la mesure du ~*, as far as possible ; *faire tout son ~*, do one's utmost, do all one can.

postal, e, aux [pɔstal, o] *adj* postal.

postdater [pɔstdate] *vt* postdate.

poste¹ [pɔst] *f* poste ; post-office (bureau) ; ~ *centrale*, General Post Office, G.P.O. ; *par la ~*, by post/ U.S. mail ; *mettre à la ~*, post, U.S. mail ; *porter des lettres à la ~*, take letters to the post ; ~ *aérienne*, airmail ; ~ *restante*, « poste restante », U.S. general delivery.

poste² *m* [lieu] station ; ~ *d'essence*, petrol station ; ~ *de police*, police-station ; ~ *de secours*, first-aid station || MIL. post ; ~ *d'observation*, observation post || AV. ~ *de pilotage*, flight-deck, cockpit || RAIL. ~ *d'aiguillage*, signal-box.

poste³ *m* [emploi] job ; [fonctionnaire] post, appointment ; ~ *vacant*, vacancy || [hiérarchie] position || [industrie] shift || MIL. station ; *prendre son ~*, take up one's station.

poste⁴ *m* RAD. station (émetteur) ; set (récepteur) || TÉL. extension.

poster¹ [pɔste] *vt* (1) post, U.S. mail (du courrier).

poster² *vt* (1) post, station (une sentinelle) — *vpr se ~*, take one's stand/post.

poster³ [pɔster] *m* [affiche] poster.

postérieur, e [pɔsterjœr] *adj* [temps] later ; subsequent (*à*, to) || [membre] back, hind ● *m* FAM. behind ; backside (coll.).

postérité [pɔsterite] *f* posterity || JUR. issue.

posthume [pɔstym] *adj* posthumous.

postiche [pɔstiʃ] *adj* false (cheveux) ● *m* hairpiece.

postier, ière [pɔstje, jɛr] *n* post-office employee.

postill|on [pɔstijɔ̃] *m envoyer des ~s*, splutter || **~onner** [ɔne] *vi* (1) splutter.

post|-scriptum [pɔstskriptɔm] *m* postscript || **~-synchroniser** *vt* (1) CIN. post-synchronize, dub.

postul|ant, e [pɔstylɑ̃, ɑ̃t] *n* applicant || **~er** *vt* (1) postulate.

posture [pɔstyr] *f* posture.

pot [po] *m* pot (en terre) ; jar (en verre) ; jug (à eau, à lait) ; ~ *à confiture*, jamjar ; ~ *à eau*, water jug || crock (cruche) ; ~ *de chambre*, chamber(-pot) ; ~ *de fleurs*, flowerpot || [jeux] jack-pot || AUT. ~ *d'échappement*, exhaust pipe || FAM. *prendre un ~*, have a drink ; *un ~ rapide*, a quickie || POP. luck ; *avoir du ~*, be lucky ; *coup de ~*, stroke of luck.

potable [pɔtabl] *adj* drinkable ; *eau ~*, drinking water.

potache [pɔtaʃ] *m* FAM. schoolboy.

potag|e [pɔtaʒ] *m* soup || **~er, ère** *adj jardin ~*, kitchen-garden.

potass|e [pɔtas] *f* potash || **~er** *vi/vt* (1) FAM. swot (up) ; mug up (coll.).

pot|-au-feu [potofø] *m inv* CULIN. beef stew || FIG. stay-at-home || **~-de-vin** *m* FAM. bribe ; hushmoney.

pote [pɔt] *m* POP. pal (coll.).

poteau [poto] *m* post, pole ; ~ *indicateur*, signpost ; ~ *télégraphique*, telegraph-post || SP. ~ *d'arrivée*, winning-post.

potelé, e [pɔtle] *adj* plump, buxom (femme) ; chubby (enfant).

potence [pɔtɑ̃s] f gallows (supplice) || bracket (d'enseigne).

potentiel, elle [pɔtɑ̃sjɛl] adj potential ● m potential.

poterie [pɔtri] f pottery (travail); earthenware (objet); ~ de grès, stoneware.

potiche [pɔtiʃ] f (porcelain) vase.

potier, ière [pɔtje, jɛr] n potter.

potin [pɔtɛ̃] m FAM. din, racket (coll.); faire du ~, kick up a row || Pl gossip.

potiron [pɔtirɔ̃] m pumpkin.

pot-pourri [popuri] m MUS. medley.

pou, oux [pu] m louse.

poubelle [pubɛl] f dustbin, U.S. garbage/trash can.

pouce [pus] m thumb (doigt); big toe (orteil) || [mesure] inch || FAM. manger sur le ~, have a quick snack; se tourner les ~s, twiddle one's thumbs.

poudr|e [pudr] f powder || ~ de riz, face powder || CULIN. en ~, dried, dehydrated (lait, œufs); powdered (chocolat); sucre en ~, caster sugar || MIL. gun(powder) || FIG. jeter de la ~ aux yeux, throw dust in sb's eyes; se répandre comme une traînée de ~, spread like wild fire || ~er vt (1) powder — vpr se ~, powder one's face || ~erie f MIL. (gun)powder factory || ~eux, euse adj dusty (route) || ~ier [-ije] m (powder) compact.

pouffer [pufe] vi (1) ~ de rire, snigger.

pouilleux, euse [pujø, øz] adj lousy (plein de poux) || FIG. squalid (quartier).

poulailler [pulaje] m henhouse || TH., FAM. gods (coll.).

poulain [pulɛ̃] m colt, foal.

poul|e [pul] f hen; ~ couveuse, brood-hen, sitter || FAM. ~ mouillée, milksop, sissy || ~et [-ɛ] m chicken || CULIN. ~ à rôtir, roaster || POP. cop (coll.) [flic].

pouliche [puliʃ] f filly.

poulie [puli] f pulley; block.

poulpe [pulp] m octopus.

pouls [pu] m pulse; prendre le ~ de qqn, feel sb's pulse.

poumon [pumɔ̃] m lung || MÉD. ~ d'acier, iron lung.

poupe [pup] f stern.

poup|ée [pupe] f doll; jouer à la ~, play dolls || ~on m baby || ~onnière [-ɔnjɛr] f nursery.

pour [pur] prép [+ (pro)nom] for || c'est ~ vous, this is for you; faites-le ~ moi, do it for my sake (par égard); s'habiller ~ le dîner, dress for dinner || [destination] le train ~ Bristol, the train to Bristol; partir ~ New York, leave for New York || [temps] ~ quelques jours, for a few days || [prix] ~ deux livres de, two pounds' worth of || [approbation] être ~, be for, be in favour of; je suis ~ !, I'm all for it ! || [cause] for, because of || FIN. dix ~ cent, ten per cent ● loc conj ~ que, (in order) that, so that; for; ~ peu que, if ever ● m le ~ et le contre, the pros and cons.

pourboire [purbwar] m tip; gratuity; donner un ~, tip.

pourcentage [pursɑ̃taʒ] m percentage.

pourchasser [purʃase] vt (1) chase, hunt down.

pourlécher (se) [səpurleʃe] vpr (1) se ~ (les babines), lick one's lips.

pourparlers [purparle] mpl parley, negotiations, talks; être en ~ avec, negotiate with.

pourpre [purpr] adj crimson.

pourquoi [purkwa] adv/conj why; ~ cela ?, why so ?; ~ pas ?, why not ?; c'est ~, that's (the reason) why.

pourr|i, e [puri] adj rotten || addled (œuf); bad (nourriture) || ~ir vi/vpr (2) [se ~] rot, decay || [nourriture] go bad ; [œuf] addle || **~iture** [-ityr] f rot.

poursuite¹ [pursɥit] f chase, pursuit || JUR. Pl prosecution ; entamer des ~s judiciaires, start legal proceedings.

poursuite² f continuation.

poursui|vant, e [pursɥivɑ̃, ɑ̃t] n pursuer, tracker || JUR. prosecutor || **~vre¹** [-vr] vt (98) [pourchasser] chase, track || JUR. prosecute, proceed against ; ~ qqn en dommages et intérêts, sue sb for damages || FIG. pursue ; seek after/for ; seek (un but) ; follow (une carrière) ; hound (harceler).

poursuivre² vt (98) [continuer] continue ; proceed with (son travail) ; carry on (with) [des études] ; ~ son chemin, carry on one's way.

pourtant [purtɑ̃] adv yet, nevertheless.

pourtour [purtur] m circumference ; perimeter.

pourvoir [purvwar] vt (78) supply, provide (de, with) — vt ind ~ à, provide for ; make provision for ; ~ aux besoins de, provide/cater for — vpr se ~, provide oneself (de, with).

pourvu que [purvykə] loc conj [à condition que] providing/provided (that) ; as/so long as || [souhait] let's hope.

pousse [pus] f Bot. shoot, sprout.

poussé, e [puse] adj souped-up (moteur, voiture).

poussée [puse] f push ; thrust (forte) || shove (secousse) || TECHN. pressure, thrust || ASTR. ~ additionnelle, boost || MÉD. ~ de fièvre, sudden rise in temperature.

pousse-pousse [puspus] m inv rickshaw.

pousser¹ [puse] vt (1) push (qqch, qqn) || shove (brutalement) ; thrust (violemment) ; ~ du coude, poke, prod ; ~ devant soi, drive (animal) ; wheel (brouette) || être poussé, drift (par le vent) || ~ un cri, utter a cry ;

~ un soupir, heave a sigh || FIG. urge on (inciter) || FAM. ne poussez pas !, stop pushing ! — vpr se ~, move, shift ; poussez-vous !, move along ! — vi NAUT. ~ au large, shove off.

pousser² vt (1) [stimuler] urge (on), egg on || [inciter] drive, induce, impell.

pousser³ vi (1) Bot. [plantes] grow ; thrive (venir bien) ; [bourgeon] shoot, sprout ; come out/up (sortir) || FIG. laisser ~, grow (sa barbe).

poussette f push-chair, U.S. stroller.

poussi|er [pusje] m coal-dust || **~ère** f dust ; tomber en ~, crumble, moulder || speck (dans l'œil) || FIG. mordre la ~, bite the dust || **~éreux, euse** [-erø, øz] adj dusty.

poussif, ive [pusif, iv] adj shortwinded.

poussin [pusɛ̃] m chick.

poutre [putr] f beam (en bois) ; ~s apparentes, exposed beams || girder (en fer).

pouvoir¹ [puvwar] vt (79) [force, pouvoir] be able, can ; pouvez-vous soulever cette caisse ?, can you lift this box ? || ne pas ~ faire, be unable to do ; je ne peux faire autrement que, I cannot choose but ; je n'y peux rien, I can't help it ; je n'en peux plus, I am done || [éventualité] may, might, can, could ; cela peut être vrai, that may be true || [permission] may, can, be allowed || [souhait] may ; puisse-t-il être heureux !, may he be happy ! — v imp may ; il pourra se faire que, it may happen that — vpr se ~ : cela se peut, that may be ; il se peut qu'il vienne, he may come.

pouvoir² m power (puissance) || authority, power ; au ~, in power ; ruling (parti) ; arriver au ~, come to power ; prendre le ~, take power || Pl powers ; les ~s publics, the authorities ; pleins ~s, full powers || FIN. ~ d'achat, purchasing power.

praire [prɛr] f clam.

prairie [prɛri] f meadow.

praticable [pratikabl] adj practicable (col); passable (route).

praticien, ienne [pratisjɛ̃, jɛn] n MÉD. practitioner.

pratiquant, e [pratikɑ̃, ɑ̃t] n churchgoer.

pratiqu|e [pratik] adj practical, convenient (commode); handy, serviceable (outil) || [personne] practical (-minded); qui manque d'esprit ~, impractical || [école] travaux ~s, practical exercises ● f practice ; dans la ~, in practice ; mettre en ~, put into practice || practical experience || MÉD., SP. practising || ~ement adv practically ; for all intents and purposes || ~er¹ vt (1) practise (un art, un métier) || go in for (un sport, une activité) — vi MÉD. practise || REL. go to church, be a churchgoer; practise.

pratiquer² vt (1) cut (une ouverture); lay out (une piste).

pré [pre] m meadow.

préalable [prealabl] adj preliminary ● m prerequisite ; au ~, beforehand.

préau [preo] m covered playground.

préavis [preavi] m warning ; (advance) notice ; sans ~, without notice/advance warning ; ~ de grève, strike notice.

précaire [prekɛr] adj precarious.

précaution [prekosjɔ̃] f [dispositions] precaution ; avec ~, carefully, cautiously, delicately ; prendre des ~s, take precautions || [prudence] caution, care ; par ~, as a precaution ; pour plus de ~, to be on the safe side.

précéd|emment [presedamɑ̃] adv previously, before || ~ent, e adj previous ; earlier ; le jour ~, the day before ; former (ancien) ● m precedent ; sans ~, unprecedented, unheard-of || ~er vt (5) [ordre, temps] precede, come before || [devancer] precede, go in front of.

précept|e [presɛpt] m precept || ~eur, trice n private tutor.

prêcher [preʃe] vt (1) preach || FIG. ~ pour son saint, have an axe to grind.

préci|eusement [presjøzmɑ̃] adv preciously || ~eux, euse adj precious (objet).

précipice [presipis] m precipice.

précipit|amment [presipitamɑ̃] adv hurriedly, hastily || ~ation f hurry, haste || Pl rainfall || ~é, e adj hurried (départ); hasty (décision); headlong (fuite) ● m CH. precipitate || ~er vt (1) hurl (jeter) || hasten (événement) — vpr se ~, rush, make a dash ; tear away.

préci|s, e [presi, iz] adj accurate, precise, exact ; strict (sens) ; vivid (souvenir); specific (but) | precise (moment); à 2 heures ~es, at two o'clock sharp || ~sément [-zemɑ̃] adv precisely, exactly || ~ser [-ze] vt (1) specify, state precisely, make clear || ~sion [-zjɔ̃] f accuracy, precision ; avec ~, accurately, precisely || [détail] point, piece of information, particular ; donner des ~s sur, give precise details about || TECHN. instruments de ~, precision instruments.

précoce [prekɔs] adj precocious, advanced, forward (enfant); forward (fleurs, saison); early (fruits, récolte).

pré|conçu, e [prekɔ̃sy] adj preconceived ; idée ~e, preconception, bias || ~coniser [-kɔnize] vt (1) recommend ; advocate (méthode, etc.); urge (vivement) || ~curseur [-kyrsœr] m forerunner || ~décesseur [-desesœr] m predecessor.

prédicat [predika] m GRAMM. predicate.

prédica|teur [predikatœr] m preacher || ~tion f preaching.

prédiction [prediksjɔ̃] f prediction.

prédilection [predilɛksjɔ̃] f predilection ; de ~, favourite.

prédire [predir] vt (63) predict || [prophétie] foretell.

prédispos|é, e [predispoze] *adj* prone, liable (*à*, to) || ~**er** *vt* (1) predispose || ~**ition** *f* predisposition.

prédomin|ance [predɔminãs] *f* predominance || ~**ant, e** *adj* predominant, prevailing || ~**er** *vi* (1) predominate, prevail.

préfabriqué, e [prefabrike] *adj maison ~e*, prefabricated house ; prefab (coll.).

préface [prefas] *f* preface.

préfér|able [preferabl] *adj* preferable (*à*, to) || ~**é, e** *adj* preferred ● *adj/n* favourite ; pet (coll.) || ~**ence** *f* preference ; *montrer une ~ pour,* favour ; *de ~,* preferably, for choice ; *de ~ à,* rather than || ~**er** *vt* (5) prefer (*à*, to) ; ~ *qqch,* like sth better || *je préférerais,* I'd rather/sooner.

préfet [prefɛ] *m* Fr. prefect.

préfigurer [prefigyre] *vt* (1) foreshadow.

préfixe [prefiks] *m* prefix.

préhistorique [preistɔrik] *adj* prehistoric.

préjudic|e [preʒydis] *m* harm ; *porter ~ à qqn,* harm sb, do sb a disservice ; *au ~ de,* to the prejudice of ; *sans ~ de,* without prejudice to || ~**iable** [-jabl] *adj* prejudicial, injurious, hurtful, detrimental (*à*, to).

préjugé [preʒyʒe] *m* prejudice, bias ; *sans ~,* unprejudiced ; *avoir un ~ contre,* be prejudiced/biased against.

prélasser (se) [səprelase] *vpr* (1) sprawl, lounge (*dans,* in) ; bask (*au soleil,* in the sun).

prél|èvement [prelɛvmã] *m* taking || deduction (d'une retenue) || [banque] ~ *automatique,* standing order || Méd. ~ *de sang,* blood sample || ~**ever** [-əve] *vt* (5) take || deduct (retenue) || [banque] withdraw (*sur,* from) || Méd. sample.

préliminaire [preliminɛr] *adj/m* preliminary.

prélude [prelyd] *m* prelude.

prématuré, e [prematyre] *adj* premature (enfant) || untimely (mort) ● *n* premature baby ; preemie (coll.) || ~**ment** *adv* prematurely, too soon.

prémédit|ation [premeditasjɔ̃] *f* premeditation ; *avec ~,* wilful (meurtre, etc.) || ~**er** *vt* (1) premeditate.

premi|er, ère [prəmje, jɛr] *adj* [série] first ; ~ *étage,* first floor ; ~*ière page,* front page ; *en ~ lieu,* in the first place || [temps] first ; early (enfance) ; *au ~ abord,* to begin with ; *les ~ières heures après minuit,* the small hours of the night || [qualité] *de ~ ordre,* first-rate || [école] *être reçu ~,* come out top of the class || [ordre de valeur] leading (danseur) ; prime (importance) ; foremost (écrivain) || Comm. ~ *prix,* bottom price ; *de ~ère qualité,* of the best quality || Pol. ~ *ministre,* Prime Minister ● *m* first ; *en ~,* in the first place ; *le ~ ..., le second,* the former ..., the latter || Sp. ~ *de cordée,* leader || [lycée] sixth form (classe) || Th. first night || Rail. first class || Aut. first (vitesse) || ~**èrement** *adv* first(ly), in the first place.

prémonition [premɔnisjɔ̃] *f* premonition.

prémunir (se) [səpremynir] *vpr* (2) protect oneself, provide (*contre,* against).

prénatal, e, als ou **aux** [prenatal, o] *adj* antenatal.

prendre [prãdr] *vt* (80) [saisir] take (qqch) || [boisson, etc.] take ; ~ *le thé,* have tea ; *prenez un cigare,* have a cigar ; *je prendrais bien une tasse de thé,* I could do with a cup of tea || have (un bain) || take (le train, l'avion) || take (une route, une direction) ; ~ *la mauvaise direction,* take the wrong way || catch (un malfaiteur, un animal au piège) || take in (des locataires) ; pick up (des voyageurs) || gain (du poids) || ~ *l'air,* take an airing, go out for a breath of air || Fin. charge (un intérêt)

|| COMM. charge (faire payer) || MÉD. take (un médicament) || PHOT. take || AUT. *prenez à droite,* bear (to the) right ; ~ *qqn dans sa voiture,* give sb a lift/ride, pick sb up (in one's car) ; ~ *un virage,* take a corner || FIG. assume, take on (une apparence, une forme) || ~ *pour,* mistake (sb) for ; FAM. *pour qui me prenez-vous ?,* what do you take me for ? || ~ *qqn en faute,* catch sb (out) || FAM. *qu'est-ce qui te prend ?,* what's come over you ? ● *loc* ~ *feu,* catch fire ; ~ *du jeu,* come/work loose ; ~ *mal (qqch),* take (sth) ill/amiss ; ~ *du temps,* take time ; *prenez votre temps !,* take your time !, take it easy ! ; ~ *de la vitesse,* build up/gather speed ; *à tout* ~, on the whole — *vi* [feu] catch || [ciment] set || MÉD. [vaccin] take || FAM. *ça ne prend pas !,* it's no go ! — *vpr* **se** ~ : *se* ~ *le pied dans,* catch one's foot in ; *se* ~ *pour qqn,* fancy oneself || *s'en* ~ *à,* blame, put the blame on, come down on (qqn) || *s'y* ~, set about it ; *comment s'y* ~ *?,* how can one go about it ? ; handle, deal with (qqn).

prenne [pʀɛn] → PRENDRE.

prénom [pʀenɔ̃] *m* Christian/first name || JUR. given name.

préoccup|ation [pʀeɔkypasjɔ̃] *f* preoccupation, concern || worry (souci) || ~**é, e** *adj* preoccupied (absorbé) || worried, concerned || ~**er** *vt* (1) concern, worry — *vpr* **se** ~ **de,** worry/be concerned about.

prépar|atifs [pʀepaʀatif] *mpl* preparations || ~**ation** *f* preparation, preparing || ~**atoire** [-atwaʀ] *adj* preparatory || ~**er** *vt* (1) prepare, make ready || [école] coach, train (des élèves) || prepare/work for (examen) || [repas] prepare, make, U.S. fix ; lay (la table) || MÉD. dispense, make up (une ordonnance) || FIG. ~ *le terrain,* pave the way — *vpr* **se** ~, prepare (à, to) ; get ready || SP. train.

prépondérant, e [pʀepɔ̃deʀɑ̃, ɑ̃t] *adj* preponderant || *voix* ~*e,* casting vote.

préposé, e [pʀepoze] *n* man/woman in charge (à, of) ; attendant || [poste] postman, -woman.

préposition [pʀepozisjɔ̃] *f* preposition.

prérogative [pʀeʀɔgativ] *f* prerogative.

près [pʀɛ] *adv* near (by), close/hard by ; *tout* ~, very near, close by ● *loc* **de** ~, closely ; at close range (coup de feu) ; *rasé de* ~, clean/close shaven || ~ *de,* [espace] close to, near ; [temps] close to ; *il est* ~ *de 2 heures,* it's nearly 2 o'clock ; *être* ~ *de faire,* be on the verge of doing, be about to do || *à peu* ~, nearly, about ; *à peu de chose* ~, more or less.

présag|e [pʀezaʒ] *m* omen || ~**er** *vt* (7) be an omen/a sign of.

presbyte [pʀɛsbit] *adj* long-sighted, U.S. far-sighted.

presbytère [pʀɛsbitɛʀ] *m* [Église catholique] presbytery ; [Église anglicane] vicarage, parsonage, rectory.

presbytie [pʀɛsbisi] *f* long-sightedness.

prescr|iption [pʀɛskʀipsjɔ̃] *f* MÉD., JUR., FIG. prescription || ~**ire** *vt* (44) stipulate (ordonner) || MÉD. prescribe.

préséance [pʀeseɑ̃s] *f* precedence ; *avoir la* ~ *sur,* precede.

présence [pʀezɑ̃s] *f* presence ; *en* ~ *de,* in the presence of ; *faire acte de* ~, put in an appearance, show up ; *mettre en* ~, confront (de, with) || [bureau, école] attendance || FIG. ~ *d'esprit,* presence of mind, readiness.

présent¹ *m* [cadeau] present.

présent², e [pʀezɑ̃, ɑ̃t] *adj* present ; *les personnes* ~*es,* those present, the people here ● *interj* : ~ *!,* present ! ● *n* person present ; *les* ~*s,* those present ● *f* [lettre] *la* ~, the present letter.

présent³, e *adj* [temps] present ● *m*

present ‖ GRAMM. present ● *loc adv*
à ~, at present, now ; *jusqu'à* ~,
until/up to now, so far.

présent|able [prezɑ̃tabl] *adj* pre-
sentable ‖ ~**ateur, trice** *n* RAD., T.V.
announcer ; [journal] presenter ‖
~**ation** *f* presentation ‖ *Pl* introductions ; *faire les* ~*s,* make the
introductions ‖ ~ **de mode,** fashion
show ‖ ~**er** *vt* (1) present, show,
produce (document) ‖ offer (excuses)
‖ introduce (qqn) ‖ nominate (qqn à
une élection) ‖ set out, put forward
(théorie) ‖ submit (projet) ; table
(motion) ‖ extend (félicitations) ‖
MIL. present (armes) — *vpr se* ~,
present oneself ; introduce oneself ‖
report (à, to) [supérieur] ‖ [candidat]
come forward ; *se* ~ *à un examen,*
sit (for)/go in for an examination ; *se*
~ *à un emploi,* apply for a job ‖ *se*
~ *bien/mal,* look good/bad ‖ AV. *se*
~ *à l'enregistrement,* check in ‖
POL. *se* ~ *à,* stand for (ville) ‖ FIG.
turn/crop up (survenir).

préserv|atif [prezɛrvatif] *m* MÉD.
condom, sheath ‖ ~**ation** *f* preser-
vation, protection ‖ ~**er** *vt* (1)
preserve, protect (de, from) ; secure
(de, from/against).

présid|ence [prezidɑ̃s] *f* chairman-
ship (d'un comité) ; presidency (d'un
État) ‖ ~**ent, e** *n* chair person,
chairman, -woman (d'un comité) ‖
POL. president (d'un État) ; Speaker
(au Parlement britannique) ‖
~**-directeur général,** chairman and
managing director ‖ ~**entiel, ielle**
[-ɑ̃sjɛl] *adj* presidential ‖ ~**er** *vt* (1)
preside over ; chair, take the chair.

présomp|tion [prezɔ̃psjɔ̃] *f* pre-
sumption, assumption ‖ ~**tueux,
euse** [-tɥø, øz] *adj* presumptuous.

presque [prɛsk] *adv* almost, nearly ;
[+ négation] hardly, scarcely ; ~
pas, scarcely any (de fautes) ; ~ *rien,*
next to nothing ; ~ *jamais,* scarce-
ly/hardly ever.

presqu'île [prɛskil] *f* peninsula.

press|ant, e [prɛsɑ̃, ɑ̃t] *adj* pressing

(besoin) ; urgent (affaire) ‖ ~**é, e** *adj*
être ~, be in a hurry (de, to), be
pressed for time ; *très* ~, in a rush ‖
urgent (travail).

presse [prɛs] TECHN. press ; *sous* ~,
in the press ‖ *la Presse,* the Press ;
papers (journaux).

presse-citron [prɛssitrɔ̃] *m inv*
lemon-squeezer.

pressent|iment [prɛsɑ̃timɑ̃] *m* pre-
sentiment, foreboding ; *j'ai le* ~ *que,*
I have a feeling that ‖ ~**ir** *vt* (2)
[deviner] sense, have a foreboding
(que, that) ‖ *faire* ~, foreshadow ‖
[s'informer] sound out, approach
(qqn, sb).

presse|-papier [prɛspapje] *m inv*
paper-weight ‖ ~**-purée** *m inv* po-
tato-masher.

presser¹ *vt* (1) speed up, hasten
(accélérer) ; ~ *le pas,* hasten one's
steps ‖ urge (inciter) ; press (harceler) ; ~ *qqn de questions,* ply sb with
questions — *vi* be urgent ; *rien ne
presse,* there's no hurry — *vpr se* ~,
hurry up, hasten ; *pressez-vous !,* hurry
up ! ; get a move on (coll.) ; *sans se*
~, at leisure.

press|er² [prɛse] *vt* (1) press ‖
squeeze (une orange) ‖ push (un
bouton) — *vpr se* ~, squeeze up
(contre, against) ‖ ~**ion** *f* MÉD., PHYS.
pressure ‖ COMM. *bière à la* ~,
draught beer, beer on draught ‖ POL.
groupe de ~, pressure group ‖ *faire*
~ *sur,* lobby ‖ FIG. pressure ‖ ~**oir**
m (cider-/wine-)press ‖ ~**uriser**
[-yrize] *vt* (1) pressurize.

prestation [prɛstasjɔ̃] *f* [allocation]
benefit, allowance ‖ [hôtel] service ‖
[artiste] performance ‖ JUR. ~ *de
serment,* taking of an oath.

preste [prɛst] *adj* nimble, agile ‖
~**ment** *adv* nimbly, quickly.

prestidigita|teur, trice [prɛstidi-
ʒitatœr, tris] *n* conjurer ‖ ~**tion** *f*
conjuring, legerdemain ; *tour de* ~,
conjuring trick.

prestig|e [prɛstiʒ] *m* prestige ; sta-

tus (standing) ‖ ~**ieux,
euse** adj prestigious ‖ glamorous.

présum|é, e [prezyme] adj presumed, alleged ‖ ~**er** vt (1) presume, assume, suppose.

prêt¹, e [prɛ, ɛt] adj ready, set ‖ handy (sous la main) ; se tenir ~, stand by ; ~ à, prepared/willing to ‖ ~**-à-porter** adj ready-to-wear ; off the peg (coll.).

prêt² m loan (argent) ; ~ d'honneur, loan on trust ‖ [bibliothèque] lending department ; bibliothèque de ~, lending-library ‖ MIL. pay.

prêté m c'est un ~ pour un rendu, it's tit for tat.

préten|dant, e [pretɑ̃dɑ̃, ɑ̃t] n pretender ; suitor (à la main d'une femme) ‖ ~**dre** vt (4) claim, maintain, contend (affirmer) [que, that] — vt ind ~ à, aspire to, lay claim to ‖ ~**du, e** [-dy] adj would-be, so-called.

préten|tieux, ieuse [pretɑ̃sjø, jøz] adj pretentious, conceited ‖ ~**tion** f [revendication] claim ‖ [ambition] pretension ; avoir la ~ de faire, claim/pretend to be able to do ‖ [vanité] conceit ; sans ~, unassuming, unpretentious.

prêt|er [prete] vt (1) lend, U.S. loan (de l'argent) ‖ FIG. credit (attribuer) ; ~ l'oreille à, give ear to ; ~ serment, take/swear an oath — vpr se ~, [chaussures] give, stretch ; se ~ à, lend oneself to (expérience) ; humour (caprices) ‖ ~**eur, euse** n (money-)lender ; ~ sur gages, pawnbroker.

prétext|e [pretɛkst] m pretext, pretence, stalking-horse ; sous ~ de, under the pretext of, on the plea of ‖ ~**er** vt (1) give as an excuse.

prêtr|e [pretr] m priest ; ~**-ouvrier,** priest-worker ‖ ~**esse** [-ɛs] f priestess.

preuve [prœv] f proof, (piece of) evidence ; jusqu'à ~ du contraire, until we find proof to the contrary ; ~ formelle, proof positive ; faire ses

~s, prove oneself ‖ MATH. faire la ~ par neuf, cast out the nines ‖ FIG. sign, proof (de, of).

prévaloir [prevalwar] vi (81) prevail (contre, against ; sur, over) — vpr se ~ de, take advantage of (profiter).

préven|ance [prevnɑ̃s] f consideration, kindness ; plein de ~s pour, very considerate towards ‖ ~**ant, e** adj considerate, thoughtful, attentive ‖ ~**ir¹** vt (101) [devancer] anticipate (les désirs) ; forestall (les objections) ; prepossess, bias (en faveur de, in favour of ; contre, against).

prévenir² vt (101) [avertir] tell, inform (informer) ; warn (d'un danger, etc.) ; sans ~, without warning ‖ call (le médecin, la police).

prévenir³ vt (101) [empêcher] prevent, preclude ; mieux vaut ~ que guérir, prevention is better than cure ‖ ward off (un danger).

préven|tif, ive [prevɑ̃tif, iv] adj preventive ‖ ~**tion** f prevention ; ~ routière, road safety ‖ prejudice, bias (contre, against) ‖ JUR. detention.

prévenu, e [prevny] adj prejudiced (contre, against) ● n JUR. le ~, the defendant/accused.

prév|isible [previzibl] adj forseeable ‖ ~**ision** [-zjɔ̃] f foresight, expectation ; en ~ de, in anticipation of ‖ ~s météorologiques, weather forecast ‖ ~**oir** vt (82) foresee, anticipate (anticiper) ; impossible de ~, it's anybody's guess ‖ forecast (le temps) ‖ provide for (une éventualité) ‖ schedule, plan (voyage, etc.) ‖ allow (envisager) ‖ ~**oyance** [-wajɑ̃s] f foresight, forethought ‖ ~**oyant, e** [-wajɑ̃, ɑ̃t] adj provident ; far-sighted ; cautious (prudent) ‖ ~**u, e** [-y] adj au moment ~, at the appointed time ; c'était prévu, it was a foregone conclusion ; comme prévu, as expected, according to plan ; ~ pour lundi, scheduled for Monday ‖ RAIL., AV. due (attendu).

prie-Dieu [pridjø] m inv kneeling-chair.

pri|er¹ [prije] *vt* (1) beg (*de,* to) ; *(faites donc), je vous en prie !,* please (do) !, you're welcome ; *sans se faire ~,* willingly ‖ *~ qqn à dîner,* invite sb to dinner.

pri|er² *vi* (1) REL. pray (*pour,* for) — *vt* pray to (Dieu) ‖ *~ère f* REL. prayer ; *faire une ~,* say a prayer ‖ FIG. plea, entreaty.

primaire [primɛr] *adj* primary (couleur, école).

prime¹ [prim] *f* allowance, bonus (allocation) ‖ [assurances] premium ‖ [cadeau] free gift.

prime² *adj dans ma ~ jeunesse,* in my earliest youth ● *loc adv de ~ abord,* at first sight, at the outset.

primeurs [primœr] *fpl* early fruit and vegetables.

primevère [primvɛr] *f* primrose.

primit|if, ive [primitif, iv] *adj/n* primitive (homme) ‖ primeval, original, earliest, pristine (état) ‖ *~ivement* [-ivmã] *adv* originally.

primo [primo] *adv* first(ly).

primordial, e, aux [primɔrdjal, o] *adj* primordial, primary, essential.

princ|e [prɛ̃s] *m* prince ‖ *~esse f* princess ‖ *~ier, ière adj* princely.

principal, e, aux [prɛ̃sipal, o] *adj* [le plus important] principal, chief ; main (entrée) ; leading (rôle) ‖ staple (produit) ● *m* headmaster (de collège) ‖ FIG. *le ~ est ...,* the main thing is ... ● *f* GRAMM. main clause ‖ *~ement adv* chiefly, mainly.

principauté [prɛ̃sipote] *f* principality.

principe [prɛ̃sip] *m* principle ; *par ~,* on principle ; *en ~,* theoretically, normally.

print|anier, ière [prɛ̃tanje, jɛr] *adj* spring(-like) ‖ *~emps* [ɑ̃] *m* spring ; *au ~,* in (the) spring (time).

priorité [priɔrite] *f* priority (*sur,* over) ‖ AUT. right of way ; *céder la ~,* give/yield right of way.

pris, e [pri, iz] *pp* → PRENDRE] taken

(place) ; engaged (taxi) ; busy (personne) ; *désolé, je suis ~ ce soir,* I'm sorry, but I've got something on tonight ‖ *~ de boisson,* the worse for drink.

prise¹ [priz] *f* hold, grasp ; *lâcher ~,* lose one's hold/grasp ; purchase, foothold (point d'appui) ; footing ‖ [échecs] capture ‖ SP. clutch ; [alpinisme, judo] hold ‖ MIL. seizure, capture (d'une ville) ; *~ d'armes,* military review ‖ NAUT. prize (capture) ‖ TECHN. intake, inlet ; *~ d'eau,* hydrant ‖ AUT. *en ~,* in top gear ‖ CIN. *~ de vue,* [action] shooting, filming ; *une ~ de vue,* a shot/take ‖ RAD. *~ de son,* sound recording ‖ ÉLECTR. socket, power-point (au mur) ; plug (fiche) ; *~ multiple,* multiple plug, adapter ; *~ de terre,* earth ‖ MÉD. *faire une ~ de sang,* take a blood sample ‖ FIG. *donner ~ à,* lay oneself open to ; *être aux ~s avec,* be fighting against ‖ FAM. *~ de bec,* set-to (coll.).

pris|e² *f* pinch of snuff (tabac) ‖ *~er vt* (1) take snuff.

prisme [prism] *m* prism.

pris|on [prizɔ̃] *f* prison, gaol, jail ; *aller en ~,* go to jail ; *faire deux ans de ~,* serve two years in prison ‖ *~onnier, ière* [-ɔnje, jɛr] *n* prisoner ; *~ de guerre,* prisoner of war.

privation [privasjɔ̃] *f* deprivation (suppression) ‖ *Pl* privations, hardship.

privé, e [prive] *adj* private (propriété, vie) ● *m* private life ; *en ~,* in private.

priver [prive] *vt* (1) deprive (*de,* of) — *vpr se ~,* deny oneself, stint oneself ; *se ~ de qqch,* go/do without sth.

privil|ège [privilɛʒ] *m* privilege, right ‖ *~égié, e* [-eʒje] *adj* privileged ● *n* privileged person.

prix¹ [pri] *m* [coût] price, cost ; charge ; *~ au comptant,* cash price ; *~ de détail/gros,* retail/wholesale price ; ~ *marqué,* list price ; ~ *net,* net price ; ~ *de revient,* cost price ; ~ *de vente,* selling price ; *fixer un* ~ *à qqch,* set a price on sth || [hôtel] tariff ; [autobus, taxi] ~ *de la place/course,* fare || FIG. value ● *loc à bas* ~, low-priced, cheaply (*adv*) ; cheap (*adj*) ; *à vil* ~, dirt cheap ; *à* ~ *fixe,* for a fixed price ; *repas à* ~ *fixe,* table d'hôte meal ; *à* ~ *réduit,* cut-price, at discount price ; *à tout* ~, at all costs ; *au* ~ *de,* at the cost of ; *sans* ~, priceless.

prix² *m* [récompense] prize, award ; *décerner/remporter un* ~, award/win a prize.

proba|bilité [probabilite] *f* probability, likelihood ; *selon toute* ~, very likely, in all probability, the chances are || ~**ble** [-bl] *adj* probable, likely ; *peu* ~, unlikely || ~**blement** [-bləmɑ̃] *adv* probably ; *très* ~, most likely.

probité [probite] *f* uprightness.

probl|ématique [problematik] *adj* problematic(al), doubtful || ~**ème** [-ɛm] *m* MATH. problem ; [école] sum || FIG. [question discutée] problem, issue || [difficulté] problem ; snag || FAM. *(c'est) sans* ~, (that's) no problem, that's easy || POP. *(y a) pas d'*~ !, no sweat ! (sl.) ; *c'est votre* ~ !, that's your own look-out.

procéd|é [prosede] *m* [méthode] process, method || FIG. [conduite] proceeding || ~**er** *vt ind* (1) proceed || ~ *à,* undertake, carry out (effectuer) ; ~ *de,* proceed from.

procès [prosɛ] *m* case, law-suit ; *intenter un* ~ *à,* bring an action against, sue || trial (criminel).

procession [prosesjɔ̃] *f* procession.

processus [prosɛsys] *m* process.

procès-verbal, aux [prosɛvɛrbal, o] *m* statement (constat) || AUT. (policeman's) report ; [amende] fine ; ticket (coll.) ; *dresser* ~ *à un automobiliste,* book a motorist.

proch|ain, e [prɔʃɛ̃, ɛn] *adj* next (suivant) ; *la* ~*e fois,* next time || near (dans le temps) || *la* ~*e station,* the next stop ● *m* REL. neighbour || ~**ainement** [-ɛnmɑ̃] *adv* shortly, soon.

proche *adj* [lieu] near(by) ; *le plus* ~ *village,* the nearest village || [temps] near, close ; *dans un* ~ *avenir,* in the near future || [imminent] close, at hand || [parent] near, close(ly) related || ~ *de,* close to || akin to (apparenté à) ● *mpl* close relations.

proclam|ation [prɔklamasjɔ̃] *f* proclamation || ~**er** *vt* (1) proclaim, declare.

procréer [prɔkree] *vt* (1) beget, breed.

procuration [prɔkyrasjɔ̃] *f* JUR. power of attorney ; *par* ~, by proxy.

procur|er [prɔkyre] *vt* (1) ~ *qqch à qqn,* provide sb with — *vpr se* ~, get, obtain, find || ~**eur** *m* JUR. ~ *de la République,* Public Prosecutor.

prodigalité [prɔdigalite] *f* prodigality, lavishness ; extravagance.

prodig|e [prɔdiʒ] *m* prodigy, wonder ; *enfant* ~, infant prodigy ; *faire des* ~*s,* work wonders || ~**ieux, ieuse** *adj* prodigious, fantastic, tremendous, stupendous.

prodigu|e [prɔdig] *adj* prodigal ; extravagant (dépensier) ● *n* spendthrift || ~**er** *vt* (1) waste, squander (de l'argent) || lavish (conseils, soins).

prod|ucteur, trice [prɔdyktœr, tris] *adj* producing ● *m* CIN. producer || AGR. grower || ~**uctif, ive** [-yktif, iv] *adj* productive || ~**uction** [-yksjɔ̃] *f* production, output, turnout || AGR. yield ; CIN. production || ~**uire** [-ɥir] *vt* (85) produce || TECHN. produce ; manufacture, turn out (des objets manufacturés) ; generate (de la vapeur, de l'électricité) || AGR. [cultivateur] grow ; [plante, terre] yield, bring forth || FIN. bring, yield (des intérêts) || CIN. produce (un film) ||

Fig. create, cause, bring about — *vpr se* ~, happen, come about, take place, occur ‖ Th. appear (*dans*, in) ‖ ~**uit** [-ųi] *m* product (manufacturé) ‖ ~*s de beauté*, cosmetics ‖ Agr. ~*s agricoles* (farm) produce ; ~*s maraîchers*, garden truck ‖ Comm. commodity ; *Pl* goods ; ~*s alimentaires*, food products ; ~*s congelés*, frozen foods ‖ Ch. ~ *chimique*, chemical.

proéminent, e [prɔeminã, ãt] *adj* prominent.

profan|e [prɔfan] *adj* Rel. profane ‖ Fig. secular (musique) ; uninitiated (personne) ● *n* layman, -woman, -person ‖ ~**er** *vt* (1) Rel. profane, desecrate ‖ Jur. violate (une tombe).

proférer [prɔfere] *vt* (5) utter.

profess|er [prɔfese] *vt* (5) profess (déclarer) — *vi* teach ‖ ~**eur** *m* teacher ; ~ *de piano*, piano teacher ‖ master (de lycée) ; professor (d'université) ‖ ~**ion** *f* occupation ‖ trade (manuelle) ; ~ *libérale*, profession ; *de* ~, by trade ; *sans* ~, unemployed ‖ ~**ionnel, elle** [-jɔnɛl] *adj/n* professional ‖ vocational (enseignement) ; *orientation* ~*le*, vocational guidance ● *n* Sp. professional ‖ ~**orat** [-ɔra] *m* teaching profession.

profil [prɔfil] *m* profile ; *de* ~, in profile ‖ outline (d'une colline) ; sky-line (d'une ville) ‖ Arch. section ‖ ~**é, e** *adj* Aut., Av. streamlined ‖ ~**er** *vt* (1) profile (dessiner) — *vpr se* ~, be outlined, stand out (*sur*, against).

profi|t [prɔfi] *m* benefit, advantage ; *au* ~ *de*, in favour of ; *mettre à* ~, turn to account ; *tirer* ~ *de*, profit/benefit from/by ‖ Comm. profit ; ~*s et pertes*, profit and loss account ; *passer qqch aux* ~*s et pertes*, write sth off ‖ ~**table** [-tabl] *adj* profitable, paying (lucratif) ‖ Fig. of benefit, beneficial ‖ ~**ter** *vt ind* (1) ~ *à*, benefit to, be to (sb's) advantage ‖ ~ *de*, take advantage of, make the most of ; ~ *de l'occasion*, seize the opportunity, improve the occasion ‖ ~**teur, euse** *n* profiteer.

profon|d, e [prɔfɔ̃, 5d] *adj* deep ; *peu* ~, shallow (eau) ‖ Fig. deep, profound ; sound (sommeil) ; *le plus* ~, inmost ; *au plus* ~ *de la nuit*, at dead of night ; ~**dément** [-demã] *adv* deeply ; *dormir* ~, sleep soundly, be sound asleep ‖ ~**deur** *f* depth ; *quelle est la* ~ *de ... ?,* how deep is... ? ; *un mètre de* ~, one metre deep/in depth ‖ Phot. ~ *de champ*, depth of field ‖ Fig. depth.

profusion [prɔfyzjɔ̃] *f* profusion, plenty ; *à* ~, in plenty, galore.

progéniture [prɔʒenityr] *f* progeny, offspring.

programm|ateur, trice [prɔgramatœr, tris] *n* Rad., T.V. programme planner ● *m* Techn. timer ‖ ~**ation** *f* Rad., T.V., Inf. programming.

programm|e [prɔgram] *m* programme ‖ ~ *scolaire*, curriculum ; syllabus ‖ Pol. ~ *électoral*, platform ‖ Rad. programme ‖ Inf. program ‖ ~**er** *vt* (1) schedule, plan ‖ Inf. program ‖ ~**eur, euse** *n* (computer) programmer.

progr|ès [prɔgrɛ] *m* progress ; improvement (comparativement) ; *faire des* ~, progress, improve, make progress ‖ progress, advancement (de la science) ‖ ~**esser** [-ɛse] *vi* (1) progress, advance, make headway (avancer) ‖ come on/along, improve (s'améliorer) ‖ ~**essif, ive** [-ɛsif, iv] *adj* progressive, gradual ‖ ~**ession** [-ɛsjɔ̃] *f* progression, progress, advance ‖ ~**essiste** [-ɛsist] *adj* Pol. progressive ● *n* progressist ‖ ~**essivement** *adv* progressively, gradually.

prohib|er [prɔibe] *vt* (1) prohibit ‖ ~**itif, ive** [-itif, iv] *adj* prohibitive, extravagant (prix) ‖ ~**ition** *f* prohibition.

proie [prwa] *f* prey.

project|eur [prɔʒɛktœr] *m* projector ; ~ *de cinéma*, cine-projector ‖ [pour illuminations] floodlight ‖ Th. spotlight ‖ Mil. searchlight ‖ ~**ile** [-il] *m* missile, projectile ‖

~ion f [projectile] throwing ‖ CIN. projection, screening ; showing (séance).

proj|et [prɔʒɛ] m project, plan ; *faire des ~s,* make plans ‖ [ébauche] draft, blue-print ‖ POL. ~ **de loi,** bill ‖ **~eter¹** [-ʒte] vt (8 *a*) plan, design ‖ [intention] intend (*de,* to).

projeter² vt (8 *a*) throw, hurl (jeter) ‖ cast (ombre) ; flash (une lumière) ‖ CIN. project, screen ; put on (film).

prolét|aire [prɔleter] adj/n proletarian ‖ **~ariat** [-arja] m proletariat ‖ **~arien, ienne** [-arjɛ̃, jɛn] adj proletarian.

prolif|érer [prɔlifere] vi (5) proliferate ‖ **~ique** adj prolific.

prolong|ateur [prɔlɔ̃gatœr] m ÉLECTR. extension cord ‖ **~ation** f prolongation (de durée) ‖ extension (de validité) ‖ SP. extra time ; *jouer les ~s,* play extra time ‖ **~ement** [-ʒmã] m extension (d'une rue) ‖ **~er** [-ʒe] vt (7) [espace, temps] prolong, lengthen ; extend (billet) ; protract (séjour) — vpr *se ~,* go on, continue.

promen|ade [prɔmnad] f [action] walk, stroll (à pied) ; drive, ride (en voiture) ; ride (à cheval, à bicyclette) ; row, sail (en bateau) ; *faire une ~,* go for a walk/stroll/ride, etc. ‖ [lieu] promenade, esplanade (au bord de la mer) ‖ **~er** vt (1) ~ *un chien,* walk a dog ; *(emmener) qqn,* take sb out for a walk ‖ FIG. ~ *ses doigts/son regard sur,* run one's fingers/eyes over ‖ FAM. *envoyer ~ qqn,* send sb packing (coll.), give sb the brush-off (sl.) — vpr *se ~,* go for a walk/stroll/ ride, etc. ; *aller se ~,* go (out) for a walk/stroll, etc. ‖ stroll (flâner) ; wander (au hasard) ‖ **~eur, euse** n walker, stroller ‖ **~oir** m TH. promenade.

prom|esse [prɔmɛs] f promise, pledge ; *faire une ~,* make a promise ; *manquer à/tenir sa ~,* break/keep one's promise ‖ **~etteur, euse** [-ɛtœr, øz] adj promising ‖ **~ettre**

[-ɛtr] vt (4) promise (qqch) ‖ [laisser présager] ~ *de,* bid fair to — vi look promising — vpr *se ~,* promise oneself.

promontoire [prɔmɔ̃twar] m promontory, headland.

prom|oteur, trice [prɔmɔtœr, tris] n promoter, originator ‖ **~ immobilier,** (property) developer ‖ **~otion** f promotion, advancement ‖ [école] year ‖ COMM. special offer ‖ **~ouvoir** [-uvwar] vt (83) promote, advance (à to).

prompt, e [prɔ̃, ɔ̃t] adj prompt ; quick (esprit) ; ready (réponse) ; speedy (guérison) ‖ **~ement** [-tmã] adv promptly ‖ **~eur** m T.V. autocue ‖ **~itude** [-tityd] f promptness ; quickness ; swiftness.

promu, e [prɔmy] → PROMOUVOIR
● adj promoted.

prôner [prone] vt (1) advocate (recommander).

pronom [prɔnɔ̃] m pronoun.

prononc|é, e [prɔnɔ̃se] adj marked ; broad (accent) ‖ **~er** vt (6) pronounce ; utter (un mot) ; mispronounce ‖ deliver (un discours) ‖ JUR. pass (jugement) — vpr *se ~,* [mot] be pronounced ; [lettre] *ne pas se ~,* be silent ‖ FIG. decide (*contre/ pour,* against/in favour of) ‖ **~iation** [-jasjɔ̃] f pronunciation.

pronosti|c [prɔnɔstik] m forecast ; prognostic ‖ **~quer** [-ke] vt (1) forecast ‖ **~queur** m [courses] tipster.

propa|gande [prɔpagɑ̃d] f propaganda ‖ **~gation** [-gasjɔ̃] f propagation ‖ MÉD. spread(ing) ‖ **~ger** [-ʒe] vt (7) propagate ; spread abroad, disseminate — vpr *se ~,* [nouvelles, épidémies] spread.

proph|ète [prɔfɛt] m prophet ‖ **~étie** [-esi] f prophecy ‖ **~étique** [-etik] adj prophetic ‖ **~étiser** [-etize] vt (1) prophesy.

propice [prɔpis] adj propitious, conducive, favourable (*à,* to).

proporti|on [prɔpɔrsjɔ̃] f proportion, ratio (rapport) ; *toutes ~s gardées,* due allowance being made ‖ *Pl* dimensions ● *loc adv hors de (toute) ~,* out of (all) proportion ● *loc prép en ~ de,* in proportion to ‖ **~onnel, elle** *adj* proportional ‖ **~onnellement** [-ɔnɛlmã] *adv* proportionally *(à,* to) ‖ **~onner** [-ɔne] *vt* (1) proportion, adjust.

propos [prɔpo] *m(pl)* words, talk ; remarks ● *loc à ~,* opportune, timely (décision) ; to the point (pertinent) ; *arriver à ~,* come at the right moment ; *à ~,* by the way, incidentally (au fait) ‖ **à ~ de,** about, concerning ; *hors de ~,* off the point, irrelevant.

propos|er [prɔpoze] *vt* (1) [suggérer] propose ; suggest ‖ [offrir] offer ‖ move (une motion) ‖ COMM. *~ un prix,* quote a price — *vpr* **se ~ ;** [intention] *se ~ de,* intend/mean to ‖ [offrir ses services] *se ~ pour,* offer to ‖ **~ition** f proposal, proposition ; offer, suggestion ‖ GRAMM. clause ; *~ circonstancielle/principale/subordonnée,* adverbial/main/subordinate clause.

propre¹ [prɔpr] *adj* own (à soi) ‖ specific, distinctive ; *~ à,* peculiar to ‖ GRAMM. proper (nom) ; *le mot ~,* the right word ; *au sens ~,* in the literal sense ‖ **~ment¹** *adv* literally (exactement) ‖ specifically, strictly (exclusivement) ‖ **~ dit,** so called ; *la ville ~ dite,* the actual city, the city proper ; *à ~ parler,* strictly speaking ‖ absolutely.

propre² *adj* clean ; tidy, neat (travail, écriture, personne) ; housetrained (animal) ● *m recopier au ~,* make a fair copy of ‖ **~ment²** *adv* cleanly, tidily, neatly ‖ **~té** [- əte] f cleanliness, cleanness ; neatness, tidiness.

propriét|aire [prɔprietɛr] *n* owner ; *~ foncier,* landowner ‖ [location] landlord, -lady ‖ **~é¹** f ownership, property (droit) ‖ (real) estate, property (immobilière) ‖ JUR. *~ littéraire,* copyright.

propriété² f [caractéristique] property.

propulser [prɔpylse] *vt* (1) propel.

prorata [prɔrata] *m inv au ~ de,* in proportion to.

prosaïque [prɔzaik] *adj* prosaic, matter of fact, workaday.

proscrire [prɔskrir] *vt* (44) prohibit, ban.

prose [prɔz] f prose.

prospec|ter [prɔspɛkte] *vt* (1) COMM. canvass ‖ TECHN. prospect ‖ **~tus** [-tys] *m* leaflet, handbill, hand out.

prosp|ère [prɔspɛr] *adj* prosperous, thriving, flourishing ‖ **~érer** [-ere] *vi* (5) prosper, flourish, thrive ‖ COMM. boom ‖ **~érité** [-erite] f prosperity ‖ COMM. *vague de ~,* boom.

prosterner (se) [prɔstɛrne] *vpr* (1) prostrate oneself ‖ grovel *(devant,* before) [s'humilier].

prostituée [prɔstitɥe] f prostitute.

prostré, e [prɔstre] *adj* prostrate.

prot|ecteur, trice [prɔtɛktœr, tris] *adj* protective ‖ FIG. patronizing (air) ● *n* protector ‖ patron (des arts) ‖ **~ection** [-ɛksjɔ̃] f protection ‖ patronage ‖ SP. pad ‖ **~éger** [-eʒe] *vt* (5, 7) protect, defend, guard *(contre,* against) ‖ [abriter] shield *(contre, against ; de,* from) ‖ [danger] secure *(de,* against) ‖ patronize (les arts/sports) — *vpr* **se ~ de,** protect oneself from.

protéine [prɔtein] f protein.

protestant, e [prɔtɛstã, ãt] *n* Protestant.

protest|ation [prɔtɛstasjɔ̃] f protest(ing) ; *meeting de ~,* protest meeting ‖ **~er** *vi/vt ind* (1) protest *(contre,* against) ‖ *~ de,* protest (son innocence).

prothèse [prɔtɛz] f prosthesis ; *(appareil de) ~ auditive,* hearing aid, deaf aid ; ~ *dentaire,* denture, dental plate.

proton [prɔtɔ̃] *m* proton.

prototype [prɔtɔtip] *m* prototype.

proue [pru] *f* prow.

prouesse [pruɛs] *f* feat ‖ *Pl* exploits.

prouver [pruve] *vt* (1) prove, establish, show.

proven|ance [prɔvnɑ̃s] *f* origin, source ; *en ~ de,* from ‖ ~**ir** *vi* (101) ~ *de,* come from ; FIG. originate/result/stem from ; be due to.

proverb|e [prɔvɛrb] *m* proverb ‖ ~**ial, e, aux** [-jal, o] *adj* proverbial.

providen|ce [prɔvidɑ̃s] *f* providence ‖ ~**tiel, elle** [-ɑ̃sjɛl] *adj* providential.

provinc|e [prɔvɛ̃s] *f* province ; *vivre en ~,* live in the provinces ‖ ~**ial, e, aux** [-ɛ̃sjal, o] *adj* provincial ; countrified (manières).

proviseur [prɔvizœr] *m* headmaster.

provision [prɔvizjɔ̃] *f* [réserve] stock, supply ‖ [nourriture] *Pl* provisions ; *faire ses ~s,* go shopping ‖ FIN. deposit ; *défaut de ~,* no funds ‖ JUR. retainer (à un avocat).

provisoire [prɔvizwar] *adj* provisional ; temporary ‖ ~**ment** *adv* provisionally ; temporarily ; for the time being.

provo|cant, e [prɔvɔkɑ̃, ɑ̃t] *adj* provocative ‖ ~**cateur, trice** [-katœr, tris] *adj* provoking ; *agent ~,* agitator • *n* agitator, trouble-maker ‖ ~**cation** [-kasjɔ̃] *f* provocation ; challenge (en duel) ‖ ~**quer** [-ke] *vt* (1) provoke ‖ ~ *en duel,* challenge to a duel ‖ give rise to (spéculations) ; induce (réaction) ; cause (accident) ; bring about (révolte).

proxénète [prɔksenɛt] *n* procurer.

proximité [prɔksimite] *f* nearness, proximity ; *à ~ de,* near/close to.

prud|emment [prydamɑ̃] *adv* carefully, cautiously, prudently ‖ wisely (sagement) ‖ ~**ence** care(fulness),

caution ‖ wisdom ‖ ~**ent, e** *adj* prudent, cautious, careful, wary ‖ discreet, wise, well-advised (sage).

prun|e [pryn] *f* plum ‖ ~**eau** [-o] *m* prune ‖ ~**elle** *f* BOT. sloe ‖ ~**ier** *m* plum-tree.

pseud|o [psødo] *préf* pseudo- ‖ ~**onyme** [-ɔnim] *m* pseudonym.

psy [psi] *n* FAM. shrink (coll.).

psychanal|yse [psikanaliz] *f* psychoanalysis ‖ ~**yser** [-ize] *vt* (1) psychoanalyse ; *se faire ~,* have oneself (psycho)analysed ‖ ~**yste** *n* psychoanalyst, U.S. analyst.

psychédélique [psikedelik] *adj* psychedelic.

psychiatr|e [psikjatr] *n* psychiatrist, head-shrinker, shrink (coll.) ‖ ~**ie** [-atri] *f* psychiatry ‖ ~**ique** *adj* psychiatric ; *hôpital ~,* mental hospital.

psychique [psiʃik] *adj* psychic.

psycholo|gie [psikɔlɔʒi] *f* psychology ‖ ~**gique** [-ʒik] *adj* psychological ‖ ~**gue** [-g] *n* psychologist.

psycho|somatique [psikosɔmatik] *adj* psychosomatic ‖ ~**thérapie** [-terapi] *f* psychotherapy ‖ ~**tique** *adj* psychotic.

pu [py] → POUVOIR.

puan|t, e [pɥɑ̃, ɑ̃t] *adj* stinking ‖ ~**teur** *f* stench.

puberté [pybɛrte] *f* puberty.

publ|ic, ique [pyblik] *adj* public ; *fonction ~ique,* civil service ; *rendre ~,* make public, publicize, release • *m* public ; *le grand ~,* the general public ; *parler en ~,* speak in public ‖ audience (spectateurs) ‖ ~**ication** [-ikasjɔ̃] *f* publishing (action) ; publication (ouvrage) ‖ ~**icitaire** [-isiter] *adj* advertising • *m* adman • *n* U.S. huckster ‖ ~**icité** *f* advertising ; *faire de la ~,* advertise ; *agence de ~,* advertising agency ; ~ *aérienne,* skywriting ‖ T.V. commercial ‖ ~**ier** [-ije] *vt* (1) publish ; bring out ; issue

puce [pys] *f* flea ‖ INF. chip.

puceau, elle [pyso, ɛl] *adj/n* virgin.

pud|eur [pydœr] *f* modesty ‖ ~**ibond, e** [-ibɔ̃, ɔ̃d] *adj* prudish ‖ ~**ibonderie** [-ibɔ̃dri] *f* prudishness ‖ ~**ique** *adj* modest, chaste ‖ ~**iquement** *adv* modestly.

puer [pɥe] *vi* (1) stink — *vt* stink/reek of (l'alcool).

puéril, e [pɥeril] *adj* childish.

pugilat [pyʒila] *m* brawl ; *se terminer en* ~, end up in a brawl.

puis [pɥi] *adv* then, next ‖ *et* ~, and what's more ; *et* ~ *après ?*, so what ?

puis|ard [pɥizar] *m* sump ‖ ~**er** *vt* (1) draw (de l'eau) ‖ FIG. dip (*dans*, out of).

puisque [pɥisk] *conj* since, as, seeing that.

puiss|amment [pɥisamɑ̃] *adv* powerfully ‖ ~**ance** *f* power, strength (force) ; *en* ~, potential ‖ power (nation) ‖ MATH. power ; *2* ~ *3*, 2 to the power of 3 ‖ ~**ant, e** *adj* powerful, strong ‖ forceful (argument).

puits [pɥi] *m* well ‖ TECHN. pit (de charbon) ; shaft (d'aération) ; ~ *de pétrole*, oil-well.

pull-over [pulɔvœr] *m* sweater, jumper, pull-over.

pulluler [pylyle] *vi* (1) swarm, teem.

pulmonaire [pylmɔnɛr] *adj* pulmonary.

pulp|e [pylp] *f* pulp ‖ ~**eux, euse** luscious.

pulsation [pylsasjɔ̃] *f* pulsation ; throb(bing) ‖ MÉD. (heart)beat.

pulvéris|ateur [pylverizatœr] *m* sprayer, atomizer ; ~ *nasal*, nasal spray ‖ ~**ation** *f* spraying (action) ‖ ~**er** *vt* (1) atomize, spray (vaporiser) ‖ grind, reduce to powder,

(livre) ‖ announce (faire connaître) ‖ ~**iquement** *adv* publicly.

pulverize (écraser) ‖ FIG. pulverize, smash (record).

punaise¹ [pynɛz] *f* ZOOL. (bed)bug.

punais|e² *f* [dessin] drawing-pin, U.S. thumb-tack ‖ ~**er** *vt* (1) pin (up) [au mur].

punch [pɔ̃ʃ] *m* punch (boisson).

pun|ir [pynir] *vt* (2) punish (*qqn de*, sb for) ‖ ~**ition** *f* punishment.

pupille¹ [pypil] *n* JUR. ward ; ~ *de la nation*, war orphan.

pupille² *f* ANAT. pupil.

pupitre [pypitr] *m* (école) (writing) desk ‖ MUS. music-stand ‖ INF. console.

pur¹, e [pyr] *adj* [sans mélange] pure, unalloyed ; *eau* ~*e*, plain water ‖ neat, straight (whisky) ; undiluted (vin) ; cloudless (ciel) ‖ FIG. pure.

pur², e *adj* [intensif] mere, sheer (absolu) ; ~ *et simple*, pure and simple ; *par* ~ *hasard*, by sheer chance.

purée [pyre] *f* ~ *de pommes de terre*, mashed potatoes ; mash (coll.) ; ~ *en flocons*, instant mashed potatoes ‖ FIG. ~ *de pois*, peasouper (coll.) [brouillard].

pure|ment [pyrmɑ̃] *adv* purely ; ~ *et simplement*, purely and simply ‖ ~**té** *f* purity.

purgatif, ive [pyrgatif, iv] *adj/m* purgative.

purgatoire [pyrgatwar] *m* REL. purgatory.

purg|e [pyrʒ] *f* MÉD. purge, purgative ‖ POL. purge ‖ ~**er** *vt* (7) MÉD., POL. purge ‖ TECHN. drain (un radiateur) ‖ FIG. ~ *une peine*, serve a sentence ‖ ~**eur** *m* TECHN. draincock.

purifier [pyrifje] *vt* (1) purify ‖ MÉD. cleanse (le sang).

purin [pyrɛ̃] *m* AGR. liquid manure.

pur|iste [pyrist] *n* purist ‖ ~**itain, e** [-itɛ̃, ɛn] *adj/n* puritan.

357 | **pur — qua**

pur-sang [pyrsɑ̃] *m inv* [cheval] thoroughbred.

pus *m* MÉD. pus.

put|ain [pytɛ̃], ~**e** [pyt] *f* POP. whore ; pro (sl.) ‖ FIG. tart (sl.).

putois [pytwa] *m* polecat.

putréfier [pytrefje] *vt/vpr* (1) [*se* ~] putrefy.

P.-V. [peve] *abrév/m* (= PROCÈS-VERBAL) AUT., FAM. ticket ; *avoir un* ~, be booked.

pygmée [pigme] *m* pygmy.

pyjama [piʒama] *m* (pair of) pyjamas/U.S. pajamas.

pylône [pilon] *m* pylon.

pyramide [piramid] *f* pyramid.

Pyrénées [pirene] *fpl* les ~, the Pyrenees.

pyromane [piroman] *n* arsonist, pyromaniac.

python [pitɔ̃] *m* python.

Q

q [ky] *m* q.

quadrilatère [kwadrilatɛr] *adj* quadrilateral ● *m* quadrangle.

quadrill|é, e [kadrije] *adj* crisscross ; squared (papier) ‖ ~**er** *vt* (1) square, crisscross.

quadr|imoteur [kwadrimɔtœr] *m* AV. four-engined plane ‖ ~**upède** [-ypɛd] *adj* four-footed ● *m* quadruped ‖ ~**uple** [-ypl] *adj* quadruple, fourfold ‖ ~**uplés, es** *pl* quadruplets ; quads (coll.).

quai [kɛ] *m* [fleuve] embankment, bank ‖ NAUT. quay, wharf ; *à* ~, alongside ‖ RAIL. platform.

qualif|icatif, ive [kalifikatif, iv] *adj* qualifying (adjectif, épreuve, etc.) ‖ ~**ication** [-ikasjɔ̃] *f* qualification ‖ ~**ié, e** *adj* qualified, eligible (*pour*, for) ‖ skilled (ouvrier) ; *non* ~, unskilled ‖ ~**ier** *vt* (1) qualify (*pour*, to/for) ; describe (*de*, as) — *vpr se* ~, qualify (*pour*, for).

qualité *f* quality ; *de première* ~, first-rate ; *de bonne/mauvaise* ~, high/poor quality ‖ ~ *de la vie*, quality of life ‖ *Pl* good points ‖ FIG. position ; *en ma* ~ *de*, in my capacity as ; *avoir* ~ *pour*, be entitled to.

quand [kɑ̃] *adv interr* when ; *depuis* ~ *?*, since when ? ; *depuis* ~ *êtes-vous ici ?*, how long have you been here ? ; *jusqu'à* ~ *?*, till when ?, how long ? ● *conj* when ‖ as (comme) ‖ ~ *vous voudrez*, whenever you like ● *loc conj* ~ *bien même*, even though ● *loc adv* ~ *même*, all the same, for all that, even so.

quant à [kɑ̃ta] *loc prép* as for, as to ; with regard to.

quantité [kɑ̃tite] *f* quantity, amount ; *une grande* ~ *de*, a great deal of ; ~ *de*, scores of, lots of.

quarant|aine [karɑ̃tɛn] *f* about forty ‖ NAUT. quarantine ; *mettre en*

~, quarantine ‖ ~**e** *adj* forty ‖ SP. [tennis] ~ *A*, forty-all ‖ MUS. *un 45 tours*, a single ‖ ~**ième** *adj/n* fortieth ‖ GÉOGR. *les* ~*s rugissants*, the roaring forties.

quart [kar] *m* fourth (partie) ‖ *un* ~ *d'heure*, a quarter of an hour ; *6 heures moins le* ~, a quarter to 6 ; *6 heures et* ~, a quarter past 6 ‖ [mesure] quarter (d'une livre) ‖ NAUT. watch ; *être de* ~, be on watch ‖ SP. ~ *de finale,* quarter-final ‖ AUT. *partir au* ~ *de tour*, start on the switch.

quartette [kartɛt] *m* quartet.

quartier [kartje] *m* [ville] district ; area, neighbourhood ; *le* ~ *des affaires*, the business quarter ; ~ *résidentiel*, residential quarter/area ; *les bas* ~*s*, the slums ‖ MIL. quarters ; ~ *général*, headquarters ‖ ASTR. [lune] quarter ‖ ~**-maître** *m* NAUT. leading seaman.

quartz [kwarts] *m* quartz ; *montre à* ~, quartz (crystal) watch.

quasiment [kazimã] *adv* almost, nearly.

quatorz|e [katɔrz] *adj* fourteen ‖ ~**ième** *adj/n* fourteenth.

quatre [katr] *adj* four ‖ *à* ~ *pattes*, on all fours ‖ FIG. *se mettre en* ~, go out of one's way ‖ ~**-saisons** *f inv* *marchand(e) des* ~, coster(monger) ‖ ~**-vingt(s)** *adj* eighty ‖ ~**-vingt-dix** *adj* ninety.

quatrième [katrijɛm] *adj/n* fourth ‖ ~**ment** *adv* fourthly.

quatuor [kwatyɔr] *m* quartet.

que [kə] *pron rel* [personnes] whom, that ‖ [choses] which, that ‖ [= ce que/qui] what ; *advienne* ~ *pourra*, come what may ‖ *ce* ~, what, that which ; *tout ce* ~, whatever ● *pron interr* what (quoi) ; ~ *dit-il ?,* what does he say ? ; *qu'est-ce que c'est ?,* what is it ? ● *adv* ~ *c'est beau !,* how beautiful it is ! ‖ *ne ...* ~, only, but ; *elle n'a* ~ *dix ans,* she is but ten ● *conj* that [souvent omis] ; *il a dit qu'il*

viendrait, he said (that) he would come ‖ *sans* ~, but ; *il ne se passe jamais de mois sans qu'il ne nous écrive,* never a month passes but he writes to us ‖ ~ *nous restions ou* (~ *nous) partions, le résultat sera le même,* whether we stay or (whether we) go, the result will be the same ‖ [nég.] *il ne pleut jamais qu'il ne pleuve à torrents,* it never rains but it pours ‖ [alternative] *~... ou (non),* whether... or (not) ; ~ *cela vous plaise ou non,* whether you like it or not ‖ [comparaison] than ; *plus grand* ~, greater than.

quel, quelle [kɛl] *adj interr/exclam* what ; ~*s livres avez-vous lus ?,* what books have you read ? ; ~ *âge a-t-il ?,* how old is he ? ; *à* ~*le distance ?,* how far ? ; *de* ~*le longueur ?,* how long ? ‖ which (= lequel) ● *adj exclam* ~ *toupet !,* what a cheek ! ● *adj rel* ~*(le) que soit,* whatever, whichever ‖ [personne] whoever.

quelconque [kɛlkɔ̃k] *adj indéf* any, whatever (n'importe lequel) ‖ some ; *pour une raison* ~, for some reason ‖ ordinary, commonplace (médiocre) ‖ nondescript (indéfinissable).

quelque [kɛlk] *adj indéf* some, any (certain) ‖ *Pl* a few (une certaine quantité) ; *un couple de* (deux ou trois) ; *trente et* ~*s années,* thirty odd years ; *je vous enverrai les* ~*s livres que je possède,* I'll send you such books as I have ; *les* ~*s personnes que je connaisse,* the few people I know ● *adv* [environ] some, about ; *il y a* ~ *quarante ans,* some/about forty years ago ‖ ~ *chose pron indéf* something ‖ ~**fois** *adv* sometimes ‖ ~ *part loc adv* somewhere ‖ [interr.] anywhere.

quelques-uns, unes [kɛlkəzœ̃, yn] *pron indéf pl* some, a few.

quelqu'un, une [kɛlkœ̃, yn] *pron indéf* one, someone, somebody ; ~ *d'autre,* somebody else ‖ [interrogation, négation] anyone, anybody ;

est-il venu quelqu'un ?, has anybody called ?

qu'en-dira-t-on [kɑ̃diratɔ̃] *m inv* public opinion ‖ PÉJ. gossip ; *se moquer du ~,* not to care about what people say.

querell|e [kərɛl] *f* quarrel, wrangle, squabble, strife ; *chercher ~ à qqn,* try to pick a quarrel with sb ‖ **~er (se)** *vpr* (1) quarrel, wrangle, squabble (*avec qqn,* with sb) — *v récipr se ~,* quarrel with one another ‖ **~eur, euse** *adj* quarrelsome.

questi|on [kɛstjɔ̃] *f* [demande] question ; *poser une ~ à qqn,* ask sb a question, put a question to sb ‖ [problème] matter, question, issue ; *en ~,* in question, at issue ; *hors de ~,* out of the question ; *de quoi est-il ~ ?,* what is it about ? ; *la ~ est de savoir si,* the question is whether ; *remettre en ~,* question, challenge, call into question, query ; *~ secondaire,* side issue ; *c'est une ~ de temps,* it's a matter of time ‖ [ce dont on parle] *il est ~ de,* there's talk of ; *il n'est pas ~ de faire,* there is no talk of doing ‖ FAM. *pas ~ !,* no way ! (coll.) ‖ [examen] paper ; *~ subsidiaire,* tie-breaker ; *~ diffi-cile,* teaser ‖ **~onnaire** [-ɔnɛr] *m* questionnaire, quiz ‖ **~onner** [-ɔne] *vt* (1) question, quiz.

quêt|e [kɛt] *f* collection ; *faire la ~,* take up the collection ‖ [recherche] quest ; *en ~ de,* in quest/search of ; *se mettre en ~ de,* set out in quest of, cast about for ‖ **~er** *vi* (1) take up the collection.

queue [kø] *f* tail (d'animal) ; brush (d'un renard) ‖ handle (de casserole) ‖ stalk (de fleur) ‖ stem (de fruit) ‖ *~ de billard,* cue ‖ queue (file d'attente) ; *faire la ~,* queue up, U.S. stand in (a) line ; *à la ~ leu leu,* in Indian file ‖ AUT. *faire une ~ de poisson (à qqn),* cut in (front of sb) ; *il m'a fait une ~ de poisson,* he cut me up ‖ TECHN. *(assembler à) ~-d'aronde,* dovetail.

qui [ki] *pron rel* [sujet] who, that (personnes) ; which, that (choses) ‖ [complément] who, that (per-sonnes) ; *~ ne,* but ; *il n'est personne ~ ne se souvienne de lui,* there is not one of us but remembers him ● *pron interr* [sujet] who ? ; *~ est-ce ~ ?,* who ? ‖ [complément] whom ?, who (coll.) ‖ *à ~ ?,* whose ? ; *à ~ est-ce ?,* whose is it ? ; *à ~ est ce chapeau ?,* whose hat is this ? ‖ *~ que ce soit,* [nég.] anybody ‖ **~conque** [-kɔ̃k] *pron rel* whoever, anyone ● *pron indéf* anyone, anybody (n'importe qui).

quille¹ [kij] *f* skittle ; *jeu de ~s,* skittle, tenpin bowling.

quille² *f* NAUT. keel.

quincaill|erie [kɛ̃kɑjri] *f* hardware, ironmongery ‖ ironmonger's shop ‖ **~ier, ière** *n* ironmonger, hardware dealer.

quinine [kinin] *f* quinine.

quintal [kɛ̃tal] *m* hundredweight, quintal.

quint|e [kɛ̃t] *f* MUS. fifth ‖ MÉD. *~ de toux,* fit of coughing ‖ **~ette** *m* MUS. quintet(te) ‖ **~uple** [-ypl] *adj* fivefold ‖ **~uplés, es** *npl* quintu-plets ; quins (coll.).

quinzaine [kɛ̃zɛn] *f* [nombre] about fifteen, fifteen or so ‖ *une ~ de jours,* a fortnight.

quinz|e *adj* fifteen ; *dans ~ jours,* in a fortnight ; *demain en ~,* a fort-night tomorrow ; *lundi en ~,* a fortnight next Monday ; *tous les ~ jours,* fortnightly ‖ **~ième** *adj/n* fifteenth.

quiproquo [kiprɔko] *m* misunder-standing ‖ [erreur sur la personne] mistake.

quittance [kitɑ̃s] *f* receipt.

quitte [kit] *adj* clear (*de,* of) [dettes] ; *être ~ avec qqn,* be even with sb ; *nous sommes ~s,* we are quits ‖ quit, free ; *en être ~ pour,* get off with, be let off with ; *~ ou double,* double or quits/nothing ‖ ~ **à,** even if it means, at the risk of.

quitter [kite] *vt* (1) leave, quit ‖ take/throw off (ses vêtements) ‖ vacate (un poste) ‖ desert (abandonner) ‖ *hôtel,* ~ *l'hôtel,* check out ‖ Tél. *ne quittez pas !,* hold the line !, hold on ! — *vpr se* ~, separate, part ‖ [rupture] be through (coll.).

qui-vive [kiviv] *m inv* Mil. challenge ; *qui vive ?,* who goes there ? ‖ Fig. *sur le* ~, on the alert.

quoi [kwa] *pron rel* what, which ‖ *à* ~ : *à* ~ *cela sert-il ?,* what is that for ? ; *ce à* ~ *je m'oppose,* what I object to ‖ *de* ~ : *de* ~ *manger,* something to eat ; *il a de* ~ *vivre,* he has enough to live on ; *faute de* ~, failing which ; *il n'y a pas de* ~ *rire,* there's nothing to laugh about ‖ *en* ~ : *c'est en* ~ *elle a raison,* that is where she is right ‖ *pour* ~ *faire ?,* what for ? ‖ *sans* ~, otherwise, if

not ‖ *il n'y a pas de* ~ *!,* don't mention it !, you are welcome ! ‖ *en* ~, wherein ; *par* ~, whereby ; *sur* ~, whereupon — *que,* whatever ; ~ *qu'il arrive,* whatever happens ; ~ *qu'il en soit,* however that may be, be that as it may ● *pron interr* what ; — *de neuf ?,* any news ? ; ~ *encore ?,* what else ? ‖ *en* — *puis-je vous être utile ?,* what can I do for you ? ● *pron exclam* ~ *!,* why !, what !

quoique [kwak] *conj* (al)though.

quota [kɔta] *m* quota.

quote-part [kɔtpar] *f* share.

quotidien, ienne [kɔtidjɛ̃, jɛn] *adj* daily (de chaque jour) ‖ everyday (banal) ● *m* daily (journal) ‖ ~**nement** [-jɛnmã] *adv* daily, every day.

quotient [kɔsjã] *m* quotient ; ~ *intellectuel,* intelligence quotient, I.Q.

R

r [ɛr] *m* r.

rabâcher [rabɑʃe] *vt* (1) Fam. harp on, keep on repeating.

rabais [rabɛ] *m* Comm. discount, rebate ; *acheter au* ~, buy at a reduced price/on the cheap ; *vendre au* ~, sell at a discount.

rabaisser [rabɛse] *vt* (1) disparage, belittle (dénigrer).

rabat [raba] *m* flap (d'une enveloppe) ‖ ~**-joie** *m inv* spoilsport, killjoy ; wet-blanket (coll.).

rabatteur, euse [rabatœr, øz] *n* [chasse] beater.

rabattre [rabatr] *vt* (20) lower, pull down ‖ turn down (son col) ‖ Comm. knock off ; ~ *tant du prix,* reduce the price by so much, take so much off the price — *vpr se* ~, Aut. cut in (*devant,* in front of) ‖ Fig. *se* ~ *sur,* fall back on (faute de mieux).

rabbin [rabɛ̃] *m* rabbi.

rabiot [rabjo] *m* Fam. [nourriture] seconds ; [travail] extra time.

râblé, e [rɑble] *adj* thickset.

rabo|t [rabo] *m* plane ‖ **~ter** [-ɔte] *vt* (1) plane ‖ **~teux, euse** [-ɔtø, øz] *adj* rough, rugged (route).

rabougri, e [rabugri] *adj* stunted, scrubby (personne, végétation).

rabrouer [rabrue] *vt* (1) rebuff.

racaille [rakɑj] *f* rabble, riffraff.

raccommod|age [rakɔmɔdaʒ] *m* mending ; darning (des chaussettes) ‖ **~er** *vt* (1) mend, repair (vêtement) ; darn (chaussette) — *vpr se* **~,** FAM. make it up (se réconcilier).

raccompagner [rakɔ̃paɲe] *vt* (1) take/see back (home) ; *~ qqn à la porte,* see sb to the door.

raccord [rakɔr] *m* TECHN. connection ‖ CIN. continuity shot ‖ **~er** [-de] *vt* (1) connect, link up, join ‖ FIG. dovetail (des faits) — *vpr se* **~,** link up.

raccourc|i [rakursi] short cut ; *prendre un ~,* take a short cut ● *loc adv en ~,* in a nutshell (condensé) ‖ **~ir** *vt* (2) shorten ‖ cut down, take up (une robe) ‖ curtail, cut short (un discours) — *vi* grow shorter ‖ [jours] close in, draw in ‖ [vêtement] shrink (au lavage).

raccrocher [rakrɔʃe] *vi* (1) TÉL. hang up, ring off.

race [ras] *f* race (humaine) ‖ ZOOL. breed (d'animaux) ; *de ~,* pedigree (chien), thoroughbred (cheval).

rach|at [raʃa] *m* buying back ‖ FIN. takeover (O.P.A.) ‖ REL. redemption ‖ **~eter** [-te] *vt* (8 *b*) buy another (un nouvel objet) ; buy back (acheter ce qu'on a vendu) ; buy (*à qqn,* from sb) [acheter d'occasion] ; ransom (otage) ‖ FIN. redeem (dette) ; take over (entreprise) ‖ REL. redeem ; atone for (des péchés) ‖ FIG. make amends for — *vpr se* **~,** redeem oneself.

rachit|ique [raʃitik] *adj* rickety ‖ **~isme** *m* rickets.

racial, e, aux [rasjal, o] *adj* racial.

racine [rasin] *f* root ; *prendre ~,* take

root ‖ MATH. *~ carrée/cubique,* square/cubic root.

rac|isme [rasism] *m* racialism, U.S. racism ‖ **~iste** *n* racialist, U.S. racist.

raclée [rɑkle] *f* FAM. hiding, licking, thrashing (coll.).

racl|er [rɑkle] *vt* (1) scrape ‖ rake (ratisser) ‖ *se ~ la gorge,* clear one's throat ‖ **~ette** *f* [outil] scraper ; squeegee ‖ **~ure** *f* scrapings.

racoler [rakɔle] *vt* (1) [prostituée] accost, solicit ‖ [vendeur] tout (for).

racont|ars [rakɔ̃tar] *mpl* lies, gossip ‖ **~er** *vt* (1) tell, relate, narrate ‖ *d'après ce qu'on raconte,* as the story goes ; *qu'est-ce qu'il nous raconte ?,* what on earth is he talking about ?

radar [radar] *m* radar ‖ **~iste** *n* radar operator.

rade [rad] *f* NAUT. roads, roadstead.

radeau [rado] *m* raft.

radi|ateur [radjatœr] *m* [chauffage central] radiator ‖ [électrique] heater ; *~ à accumulation,* storage heater ; *~ soufflant,* fan heater ‖ *~ à gaz,* gas fire ‖ AUT. radiator ‖ **~ation** *f* PHYS. radiation.

radical, e, aux [radikal, o] *adj* radical ‖ sweeping ● *m* POL. radical ‖ GRAMM. base.

radier [radje] *vt* (1) strike off.

radiesthés|ie [radjɛstezi] *f* dowsing ; *faire de la ~,* dowse ‖ **~iste** *n* dowser.

radieux, ieuse [radjø, jøz] *adj* radiant (soleil, sourire) ‖ glowing (temps).

radin, e [radɛ̃, in] *adj* POP. tight-fisted, stingy.

radio [radjo] *f* radio ; *à la ~,* on the radio ; *appeler du secours par ~,* radio for help ; *poste de ~,* radio set ; *~-cassette,* radio-cassette ; *~-réveil,* clock-radio ; *~-téléphone,* cellular phone ; carphone ‖ MÉD., FAM. *passer à la ~,* have an X-ray ● *m* [technicien] radio operator ; *~amateur,* (radio)ham ‖ **~activité** *f* radioactivity ‖ ~**compas** m radio-compass ‖ ~**diffuser** vt (1) broadcast, radio ‖ ~**diffusion** f broadcast(ing) ‖ coverage (reportage) ‖ ~**goniomètre** [-gɔnjɔmɛtr] m direction finder ‖ ~**graphie** [-grafi] f radiography ‖ ~**graphier** [-grafje] vt (1) X-ray ; se faire ~, have an X-ray ‖ ~**logiste** [-lɔʒist] ‖ ~**logue** [-lɔg] n radiologist ‖ ~**phare** m radio beacon ‖ ~**reportage** m, radio report ; running commentary (d'un match) ‖ ~**scopie** [-skɔpi] f radioscopy ‖ ~**(télégraphiste)** n radio operator ‖ ~**télescope** m radio-telescope ‖ ~**thérapie** [-terapi] f radiotherapy, X-ray treatment.

radis [radi] m radish.

radium [radjɔm] m radium.

radot|age [radɔtaʒ] m drivel, rambling ‖ ~**er** vi (1) drivel, ramble, talk nonsense ‖ ~**eur, euse** n driveller.

radoucir [radusir] vt (2) make milder ; la pluie a radouci le temps, the rain has brought milder weather — vpr se ~, [personne] relent, calm down ‖ [temps] grow milder.

rafale [rafal] f gust, blast (de vent) ‖ MIL. burst, volley.

raffermir [rafɛrmir] vt (2) strengthen, harden (muscles) — vpr se ~, [muscles] grow steadier ‖ [voix] become steadier.

raffin|age [rafinaʒ] m refining ‖ ~**é, e** adj refined, dainty (goût) ; sophisticated (personne) ‖ ~**ement** m refinement ; sophistication ‖ ~**er** vt (1) refine (du pétrole, du sucre) ‖ ~**erie** f TECHN. refinery ; ~ de pétrole, oil refinery.

raffoler [rafɔle] vt ind (1) be wild/ crazy (de, about).

raffut [rafy] m FAM. racket (coll.) ; faire du ~, kick up a row (coll.).

rafiot [rafjo] m NAUT., PÉJ. (vieux) ~, (old) tub.

rafistoler [rafistɔle] vt (1) patch up, botch up.

rafl|e [rafl] f clean-up (vol) ‖ round-

up, raid (de police) ; faire une ~, raid, round up ‖ ~**er** vt (1) sweep up ‖ [cambrioleur] run off with (objets de valeur).

rafraîch|ir [rafreʃir] vt (2) cool (une boisson) ; chill (du vin) ‖ refresh (désaltérer) ‖ give just a trim (les cheveux) ‖ FIG. refresh (la mémoire) ; brush up (son anglais) — vi [vin] cool — vpr se ~, get cool(er) ‖ refresh oneself (en buvant) ‖ ~**issant, e** adj cooling ; refreshing ‖ ~**issement** m cooling (action) ‖ Pl cool drinks, refreshments.

ragaillardir [ragajardir] vt (2) buck/ pep/perk up.

rage¹ [raʒ] f MÉD. rabies.

rag|e² f rage ‖ [tempête] faire ~, rage, bluster ‖ ~**er** vi (7) fume ‖ ~**eur, euse** adj furious.

ragots [rago] mpl FAM. gossip.

ragoût [ragu] m stew ‖ ~**ant, e** [-tɑ̃, ɑ̃t] adj peu ~, unsavoury, off-putting.

raid [rɛd] m MIL. raid ; AV. strike.

raid|e [rɛd] adj stiff (membres) ; straight (cheveux) ‖ tight (corde) ‖ steep (escalier, pente) ‖ FIG. inflexible ‖ ~**eur** f stiffness ‖ rigidity ‖ ~**ir** vt (2) stiffen, tense (muscle) ; tighten (corde) — vpr se ~, grow stiff, stiffen (muscle).

raie¹ [rɛ] f [ligne] line ‖ [bande] streak, stripe ‖ [cheveux] se faire une ~, part one's hair.

raie² f ZOOL. skate (poisson).

raifort [rɛfɔr] m horse-radish.

rail [rɑj] m RAIL. rail.

raill|er [rɑje] vt (1) jeer at, scoff at ‖ ~**erie** [-ri] f quip, scoffing, mockery ‖ ~**eur, euse** adj taunting, scoffing.

rainure [rɛnyr] f groove.

raisin [rezɛ̃] m du ~, grapes ; un grain de ~, a grape ; **grappe de** ~, bunch of grapes ; ~ **sec**, raisin ; ~s de Corinthe, currants ; ~s de Smyrne (ou) Malaga, sultanas.

raison¹ [rɛzɔ̃] f [faculté] reason ‖ *âge de ~*, years of discretion ; *avoir perdu la ~*, be out of one's mind ‖ [vérité] *avoir ~*, be right ; *donner ~ à qqn*, side with sb ; [événement] prove sb right, decide in sb's favour.

raison² f [motif] reason ; *avec (juste) ~*, with good reason, rightly ; *sans ~*, without reason, groundlessly ; *pour ~ de santé*, for health reasons ; *~ de plus, à plus forte ~*, all the more reason ; *la ~ pour laquelle ...*, the reason why ... ; *trouver sa ~ d'être*, come into one's own ‖ *se faire une ~*, resign oneself ‖ COMM. *~ sociale*, corporate name ● *loc prép* **à ~ de**, at the rate of ; *en ~ de*, owing to, on account of.

raisonn|able [rɛzɔnabl] *adj* reasonable, sensible ‖ moderate (prix) ‖ **~ement** [-ɔnmɑ̃] *m* reasoning ‖ argument (logique) ‖ **~er** [-ɔne] *vi* (1) reason (*sur*, about) — *vt* reason with (qqn) ; bring sb to reason — *vpr* **se ~**, reason with oneself, hear/listen to reason ‖ **~eur, euse** [-ɔnœr, øz] *adj* argumentative (discuteur).

rajeunir [raʒœnir] *vi* (2) grow young again — *vt* rejuvenate.

rajouter [raʒute] *vt* (1) add (*de*, more of) ‖ top up with (du liquide).

râle [rɑl] *m* death-rattle.

ralent|i [ralɑ̃ti] *m* CIN. slow motion ‖ T.V. action replay ‖ AUT. idling ; *gicleur de ~*, idler jet ; *tourner au ~*, idle, tick over ‖ **~ir** *vt* (2) slow down — *vi* slacken speed ‖ AUT. slow down ‖ **~issement** *m* slowing down ‖ COMM. recession (des affaires).

râl|er [rɑle] *vi* (1) [blessé] groan ‖ [mourant] give the death-rattle ‖ FAM. grouse, moan (coll.) ‖ **~eur, euse** *n* grouser (coll.).

rall|iement [ralimɑ̃] *m* rallying ‖ **~ier** *vt* (1) [gagner à une cause] bring round, win over (*à*, to) — *vpr* **se ~**, rally (*à*, to) ‖ take sides with.

rallong|e [ralɔ̃ʒ] f [extra) leaf (de table) ‖ [fil] extension ‖ FAM. extra

(supplément) ‖ **~er** *vt* (7) lengthen, make longer ‖ let down (une jupe) — *vi* [jours] get longer, draw out.

rallumer [ralyme] *vt* (1) light again, carry back ; relight ‖ rekindle (pr. et fig.).

rallye [rali] *m* AUT. rally ‖ **~-paper**, paper chase.

ramass|age [ramasaʒ] *m* gathering, collecting ‖ ~ *scolaire*, school bus service ‖ **~er** *vt* (1) pick up (prendre) ‖ collect, gather (rassembler) ‖ AGR. lift (pommes de terre).

rame¹ [ram] f NAUT. oar ; *aller à la ~*, row.

rame² f [métro] train.

rameau [ramo] *m* bough, branch.

Rameaux [ramo] *mpl* REL. *dimanche des ~*, Palm Sunday.

ramener [ramne] *vt* (5) bring/take/ carry back ; ~ *qqn chez lui en voiture*, drive sb home ‖ FIG. [rétablir] restore ; lead back (*à*, to) ; [réduire] reduce (*à*, to) — *vpr* **se ~ à**, boil down to.

ram|er [rame] *vi* (1) row ‖ **~eur, euse** *n* oarsman, -woman, rower.

ramier [ramje] *m* wood-pigeon.

ramifier (se) [səramifje] *vpr* (1) branch away/out.

ramollir [ramɔlir] *vt* (2) soften — *vpr* **se ~**, grow soft.

ramon|er [ramɔne] *vt* (1) sweep ‖ **~eur** *m* (chimney-)sweep.

rampant, e [rɑ̃pɑ̃, ɑ̃t] *adj* crawling, creeping ‖ AV., FAM. *personnel ~*, ground crew/staff.

rampe¹ [rɑ̃p] f [escalier] handrail, banister.

rampe² [voie] ramp ‖ RAIL. grade ‖ ASTR., MIL. *~ de lancement*, launching pad.

rampe³ f TH. footlights ; *passer la ~*, get across.

ramper [rɑ̃pe] *vi* (1) crawl, creep ‖ FIG., PÉJ. grovel (*devant*, before).

rancard, rancart [rɑ̃kar] *m* POP.

[rendez-vous] date ; *filer un ~ à qqn,* make a date with sb.

rancart *m* Fam. *mettre au ~,* scrap ; chuck out (coll.).

ranc|e [rãs] *adj* rancid (beurre) ; rank (odeur) ● *m sentir le ~,* smell rancid/rank ‖ ~**ir** *vi* (2) go rancid.

ranç|on [rãsɔ̃] *f* ransom.

rancun|e [rãkyn] *f* rancour, grudge, spite ; *garder ~ à qqn,* bear a grudge against sb ; *sans ~ !,* no hard feelings ! ‖ ~**ier, ière** *adj* spiteful.

randonn|ée [rãdɔne] *f* [à pied] ramble, hike ; trek (longue) ‖ [en voiture] drive, ride ‖ [à bicyclette] ride ‖ *faire une ~,* go for a hike, etc. ‖ ~**eur, euse** *n* rambler, hiker.

rang [rã] *m* [rangée] row, line ; *en ~,* in line, in a row ‖ *~ de perles,* string of pearls ‖ Mil. rank ; *former/ rompre les ~s,* fall in/fall out ‖ Fig. rank, station, status ; *~ social,* position ; *avoir ~ de,* hold the rank of ; *par ~ de taille,* according to height/ size.

rangé, e [rãʒe] *adj* tidy, neat (bureau) ‖ quiet (vie) ‖ steady (personne).

rang|ée [rãʒe] *f* row, line ‖ ~**er** *vt* (7) put away/back (un objet à sa place) ‖ tidy up (chambre) ‖ clear up (mettre de l'ordre) ‖ Aut. park — *vpr se ~,* range/place oneself ‖ line up (se mettre en rang) ‖ stand/step aside (s'écarter) ‖ Aut. park, pull up, pull over to the side of the road ‖ Fig. take sides, fall into line (*à,* with) [l'opinion de qqn] ‖ fall under (se classer) ‖ Fam. [vie régulière] settle down.

ranimer [ranime] *vt* (1) bring round/to (personne évanouie) ; bring back to life (un noyé) ‖ rekindle (feu) ‖ Fig. revive, wake up — *vpr se ~,* [reprendre vie] revive, come round, regain consciousness.

rapace [rapas] *m* bird of prey.

rapatri|ement [rapatrimã] *m* repa-

triation ‖ ~**er** *vt* (1) repatriate, send home.

râp|e [rɑp] *f* Techn. rasp ‖ Culin. grater ‖ ~**é, e** *adj* threadbare (vêtement) ‖ Culin. grated (fromage) ‖ Arg. *c'est ~,* we've had it (coll.) ‖ ~**er** *vt* (1) Culin. grate.

rapetisser [rapətise] *vt* (1) shorten ‖ make look smaller (faire paraître plus petit).

raphia [rafja] *m* raffia.

rapid|e [rapid] *adj* rapid, quick, fast, swift (mouvement) ; *d'un pas ~,* at a quick pace ‖ speedy (action, voyage) ; fast (véhicule, voie) ‖ cursory (coup d'œil) ; speedy (guérison) ‖ steep (pente) ● *m* Rail. express (train), fast train ‖ *Pl* [rivière] rapids ‖ ~**ement** *adv* fast ; quickly, rapidly, swiftly ‖ ~**ité** *f* speed, rapidity, quickness, swiftness.

rapié|çage, rapiècement [rapjesaʒ, -ɛsmã] *m* patching-up ‖ ~**cer** *vt* (6) patch (up).

rappel| [rapɛl] *m* recall(ing), calling back ; *~ à l'ordre,* call to order ‖ [salaire] backpay ‖ Méd. booster ‖ Mil. call up (des réservistes) ‖ Comm. reminder ‖ Th. curtain-call ‖ Sp. *faire une descente en ~,* rope down ‖ ~**eler** [-le] *vt* (8 a) recall, call back ; *rappelez votre chien,* call off your dog ‖ bring back, call/bring to mind (remémorer) ; *~ qqch à qqn,* remind sb of sth ; *rappelez-moi de le faire,* remind me to do it ; *il me rappelle son père,* he reminds me of his father ; *rappelez-moi au bon souvenir de,* remember me to ‖ Tél. ring back, call again ‖ Fam. *cela me rappelle qqch,* that rings a bell — *vpr se ~,* remember, recall, recollect.

rappliquer [raplike] *vi* (1) Pop. come back.

rapport¹ [rapɔr] *m* [compte-rendu] report, statement ; *faire un ~,* report (*sur,* on).

rapport² [rapɔr] *m* [lien] relation-(ship), connection (*avec,* with) ; bearing (*avec*, on) ; *en ~ avec*, in keeping with ; *par — à*, in comparison with ; *sans — avec*, without any bearing on, irrelevant to ; *sous tous les ~s*, in all respects ; *cela n'a aucun ~ avec*, it bears no relation to ; *mettre qqn en avec*, put sb in touch with ‖ Pl relations, dealings ; *avoir de bons/mauvais ~s avec*, be on good/bad terms with ‖ *~s (sexuels),* (sexual) intercourse ; *avoir des ~s sexuels avec*, have sex with (coll.).

rapport³ *m* [profit] yield, return ; *le meilleur ~ qualité-prix*, the best value for money.

rapporter¹ [rapɔrte] *vt* (1) report, relate, tell ‖ Fam. tell tales, sneak/tell on (moucharder).

rapporter² *vt* (1) bring/take back (qqch) ‖ Sp. [chien] retrieve ‖ Fig. cancel (annuler) ; *l'ordre de grève a été rapporté*, the strike was called off.

rapporter³ *vt* (1) Fin., Comm. pay well ; bring (in) [argent] ; bear, earn (intérêts) ‖ Agr., Fin. yield (récolte, fruits, bénéfice).

rapporter (se) *vpr* (1) refer, relate (à, to) ; *cela ne se rapporte pas à*, it bears no relation to ‖ *s'en — à*, rely on, refer to.

rapporteur, euse [rapɔrtœr, øz] *n* [école] sneak, telltale, tale bearer (mouchard) ● *m* chairman (d'une commission) ‖ [géométrie] protractor.

rapproch|é, e [raprɔʃe] *adj* close ; *à intervalles ~s*, at short intervals ‖ *~ement m* bringing together ‖ Fig. reconciliation (des personnes) ; comparison (d'idées) ‖ *~er* *vt* (1) bring together (deux objets) ; *~ qqch*, draw sth closer/nearer, draw sth up (*de*, to) ‖ [jumelles] bring nearer ‖ Fig. compare, relate, connect (comparer) — *vpr se ~*, get closer/nearer/approach.

rapt [rapt] *m* abduction (de mineur) ; kidnapping (d'enfant).

raquette [raket] *f* racket (de tennis) ;

bat (de ping-pong) ‖ snow-shoe (à neige).

rar|e [rar] *adj* rare, unusual (peu commun) ‖ scarce (peu abondant) ; *se faire ~,* grow scarce ; rare, few (peu nombreux) ‖ sparse, scanty (végétation, cheveux) ; thin (cheveux, barbe) ‖ infrequent ‖ *~éfier* [-efje] *vt* (1) rarefy ‖ *~ement* [-mã] *adv* rarely, seldom ; *cela se produit ~,* it happens once in a blue moon ‖ *~eté* [-te] *f* rarity ‖ scarcity (pénurie) ‖ rare object, curio ‖ *~issime* [-isim] *adj* extremely rare.

ras, e [rɑ, ɑz] *adj* close-cropped (cheveux) ‖ short-haired (chien) ‖ level (cuillerée) ‖ *en ~e campagne*, in the open country ‖ Fig. *faire table ~e de*, make a clean sweep of ● *adj* close ; *plein à ~ bord*, full to the brim ; *à — de*, level with ‖ Arg. *en avoir — le bol,* be fed up/cheesed off ● *loc à ~*, close ; *à/au — de*, level with, flush with ; *voler au ~ du sol*, skim the ground ‖ *~-de-cou m inv* crew-neck jumper.

rasade [razad] *f* glassful.

ras|age [razaʒ] *m* shaving ‖ *~é, e adj — de près*, close/clean shaven.

rase-mottes *m inv* Av. *faire du ~,* hedgehop.

raser¹ *vt* (1) shave ; *se faire ~,* have/get a shave ‖ shave off (complètement) ‖ [projectile] graze ‖ raze (maison) — *vpr se ~,* shave, have a shave ; *se — au rasoir électrique*, dry-shave.

ras|er² *vt* (1) Fam. bore ‖ *~eur, euse n* Fam. bore ; drag (coll.).

rasoir [razwar] *m razor ; ~ de sûreté*, safety-razor ; *~ électrique*, electric razor, shaver ; *lame de ~,* razor blade.

rassasier [rasazje] *vt* (1) satisfy ; feed up.

rassembl|ement [rasãblɔmã] *m* collecting, gathering (d'objets, de personnes) ; roundup (de bestiaux, de personnes) ‖ Mil. muster ‖ *~er* *vt* (1) gather together, collect (objets) ; piece together (informations) ‖ round up (du bétail) ‖ MIL. muster ‖ FIG. summon up ; muster/screw up (son courage) ; put together (ses idées) — *vpr se ~*, gather ‖ assemble, come together ‖ MIL. fall in.

rassis, e [rasi, iz] *adj* stale (pain).

rassur|ant, e [rasyrɑ̃, ɑ̃t] *adj* reassuring ‖ **~er** *vt* (1) reassure ; *~ qqn*, set sb's mind at ease — *vpr se ~*, be reassured, set one's mind at ease *(au sujet de,* about).

rat [ra] *m* rat ; *~ des champs*, field-mouse ; *~ musqué*, musk-rat ‖ FIG. *~ d'hôtel*, hotel thief.

ratatin|é, e [ratatine] *adj* wizened (personne) ; shrivelled (pomme) ‖ **~er (se)** *vpr* (1) shrivel up.

rate¹ [rat] *f* ZOOL. female rat.

rate² *f* MÉD. spleen.

raté, e [rate] *adj* miscarried (affaire) ; wasted (vie) ‖ bungled (travail) ● *m* [fusil, moteur] misfire, backfire ; *avoir des ~s*, misfire, backfire ● *n* failure, might-have-been (personne).

râteau [rɑto] *m* rake.

rater [rate] *vt* (1) miss (manquer) ‖ fail (un examen) ; lose (une occasion) ‖ miss (un train) ‖ mess up (un travail) ‖ SP. muff (une balle) ; [tir] *~ le but*, miss the mark — *vi* [coup] misfire ‖ FIG. [affaire, projet] fail, miscarry.

rat|icide [ratisid] *m* rat poison ‖ **~ière** [-jɛr] *f* rat-trap.

ratifier [ratifje] *vt* (1) ratify (traité).

ration [rasjɔ̃] *f* ration ; share.

ration|aliser [rasjɔnalize] *vt* (1) rationalize ; streamline ‖ **~nel, elle** [-ɛl] *adj* rational.

rationn|ement [rasjɔnmɑ̃] *m* rationing ‖ **~er** *vt* (1) ration (produit) ‖ put on rations (personne).

ratisser [ratise] *vt* (1) rake (un jardin) ‖ FIG. [police] comb (un quartier).

raton [ratɔ̃] *m* small rat ; *~ laveur*, rac(c)oon.

rattacher [rataʃe] *vt* (1) tie up again ‖ FIG. join *(à,* to).

rattraper [ratrape] *vt* (1) recapture (un évadé) ‖ [retenir] catch (qqn qui tombe) ‖ [rejoindre] *~ qqn*, catch sb up, catch up with sb ; *~ le temps perdu*, make up for lost time — *vpr se ~*, catch hold *(à,* of) ‖ FIG. [compensation] make up for it ; make good (one's losses), recoup.

ratur|e [ratyr] *f* crossing out (mot rayé) ; erasure (grattage) ‖ **~er** *vt* (1) cross out.

rauque [rok] *adj* hoarse, raucous.

ravag|e [ravaʒ] *m* [action] laying waste ; [résultat] destruction ; *faire des ~s*, work/play havoc ‖ **~er** *vt* (7) harry, ravage, lay waste ‖ [émeute] vandalize ‖ FIG. ravage, harrow.

ravaler¹ [ravale] *vt* (1) clean, restore (maison).

ravaler² *vt* (1) swallow (salive) ; swallow, choke back (larmes).

ravi, e [ravi] *adj* delighted, overjoyed, ravished.

ravigoter [ravigɔte] *vt* (1) FAM. buck/perk up.

rav|in [ravɛ̃] *m* ravine, gully ‖ **~iner** [-ine] *vt* (1) gully, furrow.

ravir [ravir] *vt* (2) delight, elate ● *loc adv à ~*, ravishingly, beautifully.

raviser (se) [səravize] *vpr* (1) change one's mind, think better of it.

raviss|ant, e [ravisɑ̃, ɑ̃t] *adj* ravishing, beautiful (femme) ‖ delightful (paysage, etc.) ‖ **~ement** *m* rapture(s), ecstasy ‖ **~eur, euse** *n* kidnapper, abductor.

ravitaill|ement [ravitɑjmɑ̃] *m* supplying (action) ; supply (denrées) ; *aller au ~*, go and get food ‖ **~er** *vt* (1) supply *(en vivres/munitions,* with food/ammunition) ; refuel (en carburant) — *vpr se ~*, take in fresh supplies *(en,* of) ‖ *se ~ en combustible,* refuel.

raviver [ravive] *vt* (1) revive (sentiment, souvenir) ‖ poke up (un feu) ; brighten up (une couleur).

ray|é, e [reje] *adj* striped ‖ ruled, lined (papier) ‖ scratched (disque) ‖ **∼er** *vt* (9 *b*) scratch (érafler) ‖ line, rule (du papier) ‖ strike out, cross out, score out (un mot).

rayon¹ [rɛjɔ̃] *m* ray, beam (de lumière) ; ∼ *de soleil,* sunbeam ‖ Phys. ∼*s X,* X-rays ‖ Méd. *traiter aux* ∼*s X,* X-ray ‖ Math. radius ‖ Techn. spoke (d'une roue) ‖ Av., Naut. ∼ *d'action,* range, scope ; *à grand* ∼ *d'action,* long-range ‖ Aut. ∼ **de braquage,** turning circle ; *cette voiture a un bon* ∼ *de braquage,* this car has a good lock.

ray|on² *m* (book-)shelf (de bibliothèque) ‖ ∼ *de miel,* (honey) comb ‖ Comm. department (de magasin) ‖ **∼onnage** [-ɔnaʒ] *f* shelving, shelves.

rayonnant, e [rɛjɔnɑ̃, ɑ̃t] *adj* Phys. radiant ‖ Fig. radiant, beaming (*de,* with).

rayonn|ement [rɛjɔnmɑ̃] *m* Phys. radiation ‖ Fig. influence, extension ‖ **∼er** *vi* (1) [touriste] go for trips (*autour de,* round) ; explore ‖ Phys. radiate ‖ Fig. beam, glow, shine.

rayure [rɛjyr] *f* stripe, streak (raies) ‖ scratch (éraflure).

raz [rɑ] *m* ∼ *de marée,* tidal wave ‖ Fig. landslide.

razzi|a [ra(d)zja] *f* Mil. raid, foray ‖ **∼er** *vt* (1) raid.

ré [re] *m* Mus. D.

réabonner (se) [seeabɔne] *vpr* (1) renew one's subscription.

réac|teur [reaktœr] *m* (nuclear) reactor ‖ Av. jet engine ‖ **∼tif, ive** *adj* reactive ● *m* reagent ‖ **∼tion** *f* reaction ‖ *avion à* ∼*,* jet ; *moteur à* ∼*,* jet engine ‖ Pol. reaction ‖ Fig. after-effects, backlash (répercussion) ; strong feelings (émotion) ‖ **∼tionnaire** [-sjɔnɛr] *adj/n* reactionary.

réadapt|ation [readaptasjɔ̃] *f* read-

justment ‖ Jur. rehabilitation ‖ **∼er** *vt* (1) readjust (*à,* to) — *vpr se* ∼*,* readjust (*à,* to).

réagir [reaʒir] *vi* (2) react (*contre,* against ; *sur,* on).

réalis|able [realizabl] *adj* feasible ‖ attainable (rêve) ‖ **∼ateur, trice** *n* Cin. director ‖ Rad., T.V. producer ‖ **∼ation** *f* realization ; carrying-out, fulfilment (projet, etc.) ; achievement (d'une tâche difficile) ‖ Cin., Rad. production ‖ **∼er** *vt* (1) realize ; carry out, fulfil ; achieve (exploit) ; work out (mettre au point) ‖ realize (se rendre compte) ‖ Fin. sell out, realize ‖ Cin. produce — *vpr se* ∼*,* [projets] come off, materialize ‖ [rêves] come true.

réal|isme [realism] *m* realism ‖ **∼iste** *adj* realistic ‖ down-to-earth (personne) ● *n* realist ‖ **∼ité** *f* reality, actuality ; *en* ∼*,* in reality ‖ *la* ∼ *dépasse la fiction,* truth is stranger than fiction.

réanim|ation [reanimasjɔ̃] *f* Méd. resuscitation ‖ **∼er** *vt* (1) resuscitate.

réappar|aître [reaparɛtr] *vi* (74) reappear ‖ ∼ **ition** *f* reappearance.

réapprovisionner [reaprɔvizjɔne] *vt* (1) restock — *vpr se* ∼*,* stock up again (*en,* with).

réarm|ement [rearməmɑ̃] *m* rearmament ‖ **∼er** *vi/vt* (1) rearm.

rébarbatif, ive [rebarbatif, iv] *adj* forbidding, off-putting.

rebatt|re [rəbatr] *vt* (20) reshuffle (cartes) ‖ Fig. ∼ *les oreilles de qqn avec qqch,* harp on about sth ‖ **∼u, e** *adj* hackneyed, trite (citation).

rebell|e [rəbɛl] *adj* refractory (enfant) ‖ rebellious, insurgent (troupes) ‖ ∼ *à,* resistant to ‖ Méd. obstinate ● *n* rebel ‖ **∼er (se)** *vpr* (1) rebel, revolt (*contre,* against).

rébellion [rebeljɔ̃] *f* rebellion.

rebiffer (se) [sərəbife] *vpr* (1) strike back.

rebois|ement [rəbwazmɑ̃] *m*

reafforestation ‖ ~**er** vt (1) reafforest.

rebond [rəbɔ̃] m bounce ‖ ~**ir** [-dir] vi (2) [balle] rebound (sur un mur) ; bounce (sur le sol) ; faire ~, bounce ‖ Fɪɢ. get going again ; faire ~, set going again ‖ ~**issement** m new turn/development.

rebord [rəbɔr] m edge, rim ‖ window-sill, ledge (de fenêtre).

reboucher [rəbuʃe] vt (1) put the cork back in (avec un bouchon de liège) ; put the cap back on (avec une capsule) ‖ fill in (again) (trou).

rebours (à) [arəbur] loc adv against the grain/nap ; the wrong way ‖ → COMPTE.

rebouteux, euse [rəbutø, øz] n bone-setter.

reboutonner [rəbutɔne] vt (1) button up again — vpr se ~, do oneself up again.

rebrousse-poil (à) [ar(ə)bruspwal] loc adv against the nap/fur ‖ Fɪɢ. prendre qqn à ~, rub sb the wrong way.

rebrousser [rəbruse] ; vt (1) turn/ brush up (les cheveux, le poil) ‖ Fɪɢ. ~ chemin, turn back, retrace one's steps.

rebuffade [rəbyfad] f rebuff, slap in the face ; snub.

rébus [rebys] m rebus.

rebut [rəby] m scrap ; waste (déchets) ; mettre au ~, scrap, throw out, discard ; cast off (vêtement) ‖ Pl [poste] dead letters ‖ COMM. article de ~, reject ‖ Fɪɢ. le ~ de la société, the scum of society.

rebut|ant, e [rəbytɑ̃, ɑ̃t] adj forbidding, off-putting ‖ ~**er** vt (1) put/turn off, discourage ‖ repel (répugner).

récalcitrant, e [rekalsitrɑ̃, ɑ̃t] adj/n recalcitrant.

recaler [rəkale] vt (1) FAM. fail ; être recalé, fail.

récapitul|ation [rekapitylasjɔ̃] f recapitulation, summing-up ‖ ~**er** vt (1) recapitulate, sum up.

recel [rəsɛl] m receiving (of stolen goods) ‖ ~**er** [-səle] vt (5) receive (des objets volés) ‖ Fɪɢ. conceal (cacher) ‖ ~**eur, euse** n [-səlœr, øz] JUR. receiver.

récemment [resamɑ̃] adv recently, lately, latterly.

recens|ement [rəsɑ̃smɑ̃] m census (de la population) ‖ ~**er** vt (1) take the census of.

récent, e [resɑ̃, ɑ̃t] adj recent, late (événement) ; fresh (nouvelles).

récépissé [resepise] m receipt, voucher ‖ check (de bagage).

récep|teur, trice [reseptœr, tris] adj receiving ‖ RAD. poste ~, receiver ● m TÉL. receiver ‖ ~**tion** f [accueil] welcome, reception ‖ [réunion mondaine] reception, party ; donner une ~, give/throw a party ‖ [hôtel] reception desk ‖ RAD. reception ‖ ~**tionniste** [-sjɔnist] n desk clerk, receptionist.

récession [resesjɔ̃] f recession.

recette [rəsɛt] f [bénéfices] Pl receipts, takings ‖ CULIN. recipe ‖ TH. la pièce fait ~, the play draws well/is a success.

recev|able [rəsəvabl] adj admissible ‖ ~**eur, euse** n ~ des postes, postmaster ‖ conductor, -tress (d'autobus) ‖ ~**oir** vt (3) receive, get ‖ accommodate (un hôte) ‖ receive, welcome, entertain (des invités) ‖ admit (des élèves) ‖ take in (des pensionnaires) ‖ pass (un candidat) ; être reçu, pass ‖ take in (un journal) ‖ → REÇU.

rechange [rəʃɑ̃ʒ] m [vêtements] change of clothes ‖ de ~, duplicate ; alternative (solution) ; spare (pièce).

rechaper [rəʃape] vt (1) retread (un pneu).

réchapper [reʃape] vt ind (1) escape (à/de, from) ; en ~, get away with it.

recharg|e [rəʃarʒ] f refill (de stylo,

de briquet, etc.) ‖ Électr. recharging ‖ ~**er** *vt* (1) recharge (des accus) ; reload (un fusil) ‖ refuel (un feu).

réchaud [reʃo] *m* stove.

réchauffer [reʃofe] *vt* (1) warm/heat up (again) [un plat] — *vpr se* ~, [temps] get warmer, warm up ‖ [personne] warm oneself, get warm.

rêche [rɛʃ] *adj* harsh, rough.

recherch|e [rəʃɛrʃ] *f* search, quest ; *à la ~ de,* in search of ; *être à la ~ de qqn,* be looking for sb ‖ research (scientifique) ‖ *Pl* investigations ‖ Fig. refinement, elegance ‖ ~**é, e** *adj* much sought after, in great demand (article, personne) ‖ elaborate (toilette) ‖ far-fetched (expression) ‖ wanted (par la police) ‖ ~**er** *vt* (1) search after/for ; seek after/for, hunt for ‖ investigate (les causes) ‖ go after (un emploi) ‖ court (les faveurs).

rechigner [rəʃiɲe] *vi* (1) ~ *à,* balk at, jib at (travailler) ; *faire qqch en rechignant/sans ~,* do sth with a bad grace/good grace.

rechut|e [rəʃyt] *f* Méd. relapse ; *faire une ~,* have a relapse ‖ ~**er** *vi* (1) relapse.

récidiv|e [residiv] *f* Jur. second/further offence ‖ ~**er** *vi* (1) Jur. commit a second/further offence ‖ Méd. recur ‖ Fig. backslide ‖ ~**iste** *n* second/further offender, recidivist.

récif [resif] *m* reef.

récipient [resipjɑ̃] *m* container.

récipr|ocité [resiprɔsite] *f* reciprocity ‖ ~**oque** [-ɔk] *adj* mutual, reciprocal ● *f la ~,* the opposite/same ‖ ~**oquement** [-ɔkmɑ̃] *adv* vice versa, conversely ‖ mutually, each other, one another (l'un l'autre).

récit [resi] *m* account, story.

récital, als [resital] *m* Mus. recital.

récit|ation [resitasjɔ̃] *f* recitation ‖ ~**er** *vt* (1) recite (une poésie) ; say (une leçon) ; *faire ~,* hear.

réclamation [reklamasjɔ̃] *f* complaint, claim ; *faire une ~,* make a complaint, put in a claim.

réclam|e *f* advertising ; advertisement ; *faire de la ~,* advertise ‖ ~**er** *vt* (1) [demander] ask for ‖ [exiger] claim (back), demand (qqch) ‖ [nécessiter] call for, require.

réclusion [reklyzjɔ̃] *f* Jur. ~ *(criminelle),* imprisonment ; ~ *à perpétuité,* life imprisonment.

recoin [rəkwɛ̃] *m* nook ; *tous les coins et ~s,* every nook and cranny.

recoller [rəkɔle] *vt* (1) stick back together.

récolt|e [rekɔlt] *f* Agr. [action] harvest(ing), gathering ; reaping ‖ [produit] crop, harvest ‖ ~**er** *vt* (1) Agr. harvest, reap, gather in ‖ Fig. collect.

recommand|able [rəkɔmɑ̃dabl] *adj* commendable ; *peu ~,* unsavoury (personne) ; advisable (procédé) ‖ ~**ation** *f* [appui, conseil] recommendation ‖ testimonial (certificat) ‖ ~**é, e** *adj* [courrier] recorded, registered ; *envoyer en ~,* send by registered mail ‖ ~**er** *vt* (1) [appuyer] recommend ‖ [conseiller] advise ; ~ *à qqn de faire qqch,* advise sb to do sth ‖ register (une lettre) — *vpr se* ~ *: se ~ de qqn,* give sb's name as a reference.

recommencer [rəkɔmɑ̃se] *vi/vt* (6) begin/start again.

récompens|e [rekɔ̃pɑ̃s] *f* reward ; *en ~ de,* as a reward for, in return for ‖ ~**er** *vt* (1) reward.

réconcili|ation [rekɔ̃siljasjɔ̃] *f* reconciliation ‖ ~**er** *vt* (1) reconcile — *vpr se* ~, become friends again ; make (it) up (*avec,* with).

reconduire [rəkɔ̃dɥir] *vt* (85) accompany ; ~ *qqn chez qqn,* escort/see/take/drive sb home ; show/usher out (un visiteur).

reconfirmer [rəkɔ̃firme] *vt* (1) Av. reconfirm.

réconfor|t [rekɔ̃fɔr] *m* comfort ‖ ~**tant, e** [-tɑ̃, ɑ̃t] *adj* comforting (paroles) ; refreshing, stimulating (breuvage) ∥ ~**ter** [-te] vt (1) comfort (redonner du courage) ; refresh (redonner des forces) — vpr **se** ~, refresh oneself, take some refreshment.

reconn|aissable [rəkɔnɛsabl] adj recognizable (à, by) ∥ ~**aissance** [-ɛsɑ̃s] f recognition (action) ∥ gratitude ∥ [exploration] reconnaissance ; **aller en** ~, scout around ; MIL. go on reconnaissance ∥ FIN. acknowledgement ; signer une ~ (de dette), write out an I.O.U. (= I owe you) ∥ ~**aissant, e** [-ɛsɑ̃, ɑ̃t] adj grateful, thankful (envers, to ; de, for) ; je vous suis très ~, I am much obliged ∥ ~**aître** [-ɛtr] vt (74) [identifier] recognize, know ; je ne vous ai pas reconnue dans votre nouvelle robe, I didn't know you in your new dress ∥ [admettre] admit, own ∥ JUR. acknowledge (un enfant, un gouvernement) ∥ MIL. reconnoitre — vpr **se** ~, FIG. find one's bearings (se retrouver) — v recipr recognize each other ∥ ~**u, e** adj recognized, accepted.

reconstitu|ant [rəkɔ̃stitɥɑ̃] m tonic ∥ ~**er** vt (1) reconstitute, piece together (une histoire) ∥ reconstruct (un crime).

reconstruction [rəkɔ̃stryksjɔ̃] f reconstruction, rebuilding ∥ rehabilitation (des régions sinistrées).

reconvertir (se) [sərəkɔ̃vɛrtir] vpr (2) go over (dans, into).

recopier [rəkɔpje] vt (1) copy/write out.

record [rəkɔr] m record ; battre le ~, break the record ; détenir un ~, hold a record ; ~ mondial, world record.

recoudre [rəkudr] vt (31) sew on again (un bouton) ; sew up again (une manche) ∥ MÉD. stitch up.

recoup|ement [rəkupmɑ̃] m crosscheck(ing) ; vérifier par ~, crosscheck ∥ ~**er** vt (1) FIG. [témoignage] support, confirm — vpr **se** ~,

confirm each other, link up ∥ faire se ~, crosscheck.

recourb|é, e [rəkurbe] adj curved ; bent (par accident) ∥ ~**er** vt (1) bend back/down, curve.

recourir [rəkurir] vt ind (32) ~ **à**, resort to.

recours [rəkur] m resort (à, to) ; avoir ~ à, have recourse to, resort to ; sans ~, helpless ; en dernier ~, as a last resort.

recouvrer [rəkuvre] vt (1) recover (la santé) ; get back (la vue) ; regain (ses forces, la liberté).

recouvrir [rəkuvrir] vt (72) re-cover (à nouveau) ∥ cover (up) (entièrement) ; overlay (de, with) [couche fine] — vpr **se** ~, overlap (se chevaucher).

récréation [rekreasjɔ̃] f [école] break.

récrimination [rekriminasjɔ̃] f complaint.

récrire [rekrir] vt (44) rewrite.

recroqueviller (se) [sərəkrɔkvije] vpr (1) [personne] huddle (up) ∥ [feuille] shrivel up.

recrudescence [rəkrydɛsɑ̃s] f rise (de, in) [criminalité] ; further outburst (de, of) [maladie, violence].

recru|e [rəkry] f MIL. recruit, conscript, U.S. draftee ∥ ~**tement** [-tmɑ̃] m recruiting ∥ ~**ter** vt (1) recruit.

rectang|le [rɛktɑ̃gl] m rectangle ∥ ~**ulaire** [-yler] adj rectangular, right-angled.

rectif|ication [rɛktifikasjɔ̃] f rectification, correction ∥ ~**ier** vt (1) rectify, put right ∥ correct (une erreur).

recti|ligne [rɛktiliɲ] adj in a straight line ∥ ~**tude** [-tyd] f uprightness (de caractère).

recto [rɛkto] m front ; ~ **verso,** on both sides.

reçu, e [rəsy] → RECEVOIR ● adj successful (candidat) ; être ~ **à un**

examen, pass an exam ● *m* COMM. receipt, voucher ● *loc prép au ~ de,* on receipt of.

recueil [rəkœj] *m* collection ‖ LITT. miscellany ; *~ de morceaux choisis de,* selections from ‖ **~lir** [-ir] *vt* (35) collect (des fonds/objets) ; gather (informations) ; catch (de l'eau) ; take in, give shelter to (des malheureux) — *vpr se ~,* collect one's thoughts.

recul [rəkyl] *m* backward movement ; *avoir un mouvement de ~,* shrink back, recoil ‖ [arme à feu] recoil, kick ‖ MIL. retreat ‖ FIG. [déclin] decline ; [espace, temps] *prendre du ~,* stand back ‖ **~é, e** *adj* [espace] distant, out-of-the-way ‖ [temps] remote ‖ **~er** *vt* (1) repeat ‖ [espace] move back, push back (une chaise, etc.) ; [temps] reverse, back (une voiture) ; [temps] put off, postpone — *vi* [personne] move back (on cheval) ; [canon] recoil ; [fusil] kick ‖ MIL. fall back, retreat ‖ FIG. be on the decline (diminuer) ; shrink back (hésiter) ; back out (changer d'avis) ; *ne pas ~,* stand one's ground ‖ **~ons (à)** [-ɔ̃] *loc adv* backwards ; *sortir à ~,* back out.

récupér|able [rekyperabl] *adj* retrievable (objet) ‖ **~ation** *f* salvage (des matières premières) ‖ POL. take-over ‖ **~er** *vt* (1) get back, recover ; retrieve (un objet perdu) ; make up (journées de travail) ‖ rescue (sauver) ‖ TECHN. salvage (des matières premières) ‖ FIN. retrieve, recoup (une perte) ‖ POL. take over — *vi* MÉD. recover, recuperate.

récurer [rekyre] *vt* (1) scour, scrub.

récuser [rekyze] *vt* (1) JUR. challenge, impeach (un témoin) — *vpr se ~,* decline to give an opinion ; opt out (coll.).

recycl|age [rəsiklaʒ] *m* [personne] retraining ; refresher course ‖ [matières] recycling ‖ **~er** *vt* (1) retrain (personne) ‖ recycle (matière) — *vpr se ~,* learn a new skill ; take a refresher course.

rédac|teur, trice [redaktœr, tris] *n* writer (d'un article) ; *~ en chef,* editor ; *~ sportif,* sports editor ‖ **~tion** *f* writing (action) ; wording (manière) ‖ [journalism] editing ; editorial staff ; *(salle de) ~,* newsroom ‖ [école] composition, essay.

reddition [reddisjɔ̃] *f* surrender.

Rédemp|teur [redɑ̃ptœr] *m* Redeemer ‖ **~tion** *f* Atonement, Redemption.

redescendre [rədesɑ̃dr] *vt* (4) bring down again (qqch) — *vi* come/go down again.

redevable [rədəvabl] *adj* indebted (*à,* to ; *de,* for).

rediffus|er [rədifyze] *vt* (1) repeat ‖ **~ion** *f* repeat.

rédiger [rediʒe] *vt* (7) write (un rapport) ; word, phrase (une lettre) ; write out (un chèque).

redingote [rədɛ̃gɔt] *f* fitted coat ‖ HIST. frock coat.

red|ire [rədir] *vt* (40) say/tell again — *vi trouver à ~,* find fault with, take exception to ‖ **~ite** *f* repetition.

redond|ant, e [rədɔ̃dɑ̃, ɑ̃t] *adj* redundant ‖ **~ance** *f* redundancy.

redonner [rədɔne] *vt* (1) give again/ back.

redoubler [rəduble] *vt* (1) redouble ; *~ le pas,* double one's pace ‖ [école] *~ une classe,* stay down for a year, repeat a class.

redout|able [rədutabl] *adj* formidable, redoubtable, dreadful ‖ **~er** *vt* (1) dread, fear.

redoux [rədu] *m* spell of milder weather ; thaw (dégel).

redresser [rədrese] *vt* (1) straighten (out) ; unbend ; set right ; *~ la tête,* hold up one's head ‖ AUT. straighten up ‖ NAUT. right ‖ AV. flatten out ‖ ÉLECTR. rectify — *vpr se ~,* draw oneself up ; sit up ; stand up straight.

réd|uction [redyksjɔ̃] *f* reduction, decrease ‖ cut (de salaire) ‖ COMM. discount, allowance ; *10 % de ~,*

10 % off ‖ Fin. cutting down (des dépenses) ‖ ~**uire** [-ɥir] *vt* (85) reduce, diminish, cut down (les coûts) ‖ phase down (progressivement) [activité] ‖ ~ **en poudre,** reduce to powder ‖ Méd. ~ *une fracture,* set a bone ‖ Fig. drive (à, to) [désespoir] ; ~ *au silence,* talk down — *vpr* **se** ~, be reduced (à, to) ‖ confine oneself (à, to) ‖ boil down (à, to) ‖ ~**uit, e** [-ɥi, it] *adj* reduced ‖ low (vitesse) ‖ *prix* ~s, cut prices ; *magasin à prix* ~*s,* cut price store ● *m* recess ; nook.

réédition [reedisjɔ̃] *f* new edition.

réédu|cation [reedykasjɔ̃] *f* Méd. rehabilitation ‖ ~**quer** [-ke] *vt* (1) Méd. rehabilitate.

réel, elle [reel] *adj* real (besoin) ; actual (fait) ● *m* reality ‖ ~**lement** [-mã] *adv* really, actually.

réexpédi|tion [reɛkspedisjɔ̃] *f* forwarding (du courrier) ‖ ~**er** *vt* (1) forward (faire suivre).

refaire [rəfɛr] *vt* (50) do/make again, remake ‖ do up, redo (remettre en état) ‖ Pop. take in (duper) — *vpr* **se** ~, [pertes] make up one's losses, recoup oneself ‖ Méd. recover one's health, recuperate.

réfection [refɛksjɔ̃] *f* repairing ; *en* ~, under repair.

réfectoire [refɛktwar] *m* [école] (dining-)hall.

référ|ence [referãs] *f* [renvoi] reference ‖ [recommandation] *(Pl)* reference ‖ ~**endum** [-ãdɔm] *m* referendum ‖ ~**er** *vt ind* (5) *en* ~ *à,* refer to — *vpr* **se** ~ *à,* refer to.

refermer [rəfɛrme] *vt* (1) close/ shut again — *vpr* **se** ~, [fleur, plaie] close up (again).

refiler [rəfile] *vt* (1) Pop. palm/ foist/fob off (à, on) [fausse pièce] ; *il m'a refilé sa grippe,* I've caught the flu off him.

réfléch|i, e [refleʃi] *adj* thoughtful (personne) ‖ purposeful, carefully considered (action) ‖ *tout bien* ~, on reflexion ‖ Gramm. reflexive ‖ ~**ir¹**

vi (2) think, consider ; ~ *à,* think about ; *réfléchissez-y,* think it over ! ; *cela donne à* ~, that gives you food for thought ; *sans* ~, without thinking.

réfléchir² *vt* (2) Phys. reflect, throw back.

réflecteur [reflɛktœr] *m* reflector.

réfl|et [reflɛ] *m* reflection (d'une image) ; flash (rapide) ; shimmer (tremblant) ‖ Fig. shadow ‖ ~**éter** [-ete] *vt* (5) reflect, mirror ; send/throw back — *vpr* **se** ~, be reflected/mirrored.

réflexe [reflɛks] *m/adj* reflex.

réflexion¹ [reflɛksjɔ̃] *f* thought, reflection ; *à la* ~, when I come to think of it ; ~ *faite,* on second thoughts ‖ remark, reflection.

réflexion² *f* Phys. reflection.

refl|uer [rəflye] *vi* (1) [marée] ebb ; [eaux] flow back ‖ Fig. surge back ‖ ~**ux** [-y] *m* ebb(-tide).

refondre [rəfɔ̃dr] *vt* (4) Fig. recast (un ouvrage).

réform|ateur, trice [refɔrmatœr, tris] *adj* reformatory ● *n* reformer ‖ ~**e** *f* reform ‖ Rel. *la Réforme,* Reformation ‖ ~**er** *vt* (1) reform ‖ Mil. declare unfit for service ; invalid out of the army, discharge.

refoul|ement [rəfulmã] *m* [psychanalyse] repression ‖ ~**é, e** *adj* pent up (émotion) ‖ ~**er** *vt* (1) turn back (immigrants) ; *être refoulé à la frontière,* be refused entry ‖ Mil. repulse, drive back ‖ Techn. force back (l'eau) ‖ Fig. repress (larmes, désir, un souvenir) ; inhibit (an instinct).

réfraction [refraksjɔ̃] *f* refraction.

refrain [rəfrɛ̃] *m* Mus. refrain, chorus.

refréner [rəfrene] *vt* (5) curb, restrain, hold in, check.

réfrigér|ant, e [refriʒerã, ãt] *adj* freezing (mélange) ‖ ~**ateur** [-atœr] *m* refrigerator, U.S. ice-box ; fridge (coll.) ‖ **~ation** *f* refrigeration ‖ **~er** *vt* (5) refrigerate.

refroid|ir [rəfrwadir] *vi* (2) cool (down) ; chill (plus frais) ; get cold (froid) — *vt* chill, cool ‖ Fig. cool (l'ardeur) ; damp (le zèle) — *vpr se ~,* get cold, grow colder ‖ Méd. catch a chill ‖ Fig. cool down ‖ **~issement** *m* cooling down ‖ fall (de la température) ‖ Aut. *à ~ par air,* air-cooled ‖ Méd. chill.

refuge [rəfyʒ] *m* [montagne] refuge, hut ‖ shelter (abri) ‖ [circulation] (traffic-)island ‖ Jur. sanctuary ‖ Pol. asylum.

réfug|ié, e [refyʒje] *n* refugee ‖ **~ier (se)** *vpr* (1) take refuge (*chez,* with).

refu|s [rəfy] *m* refusal, turn-down (d'une offre) ‖ **~ d'obéissance,** non-compliance ‖ mil. insubordination ‖ **~sé, e** [-ze] *adj* unsuccessful (candidat) ‖ **~ser** [-ze] *vt* (1) refuse (cadeau) ; decline, turn down (une offre) ; **~ qqch à qqn,** deny sb sth ; fail (un candidat) ‖ [banque] bounce (un chèque) — *vpr se ~,* refuse/deny oneself (qqch) ‖ *se ~ à faire,* refuse/decline to do ‖ *ne rien se ~,* indulge oneself.

réfut|er [refyte] *vt* (1) refute, disprove ‖ **~ation** *f* refutation, disproof.

regagner [rəgaɲe] *vt* (1) [récupérer] re(gain) ; get back ; win back (l'estime) ‖ **~ le temps perdu,** make up for lost time ‖ [retourner à] get back to, reach.

regain [rəgɛ̃] *m* Agr. second crop, aftermath ‖ Fig. renewal (de jeunesse) ; **~ d'activité,** revival/renewal of activity ; **~ de vie,** new lease of life.

régal, als [regal] *m* delight, treat ‖ **~er** *vt* (1) treat, feast ‖ Fam. *c'est moi qui régale,* this is to be my treat — *vpr se ~,* have a treat ; regale oneself, feast (*de,* on).

regar|d [rəgar] *m* look ; stare (fixe) ; gaze (long) ; glance (rapide) ; glare (furieux) ; leer (sournois) ; frown (sévère) ; *parcourir qqch du ~,* cast a glance over sth ; *jeter un ~ sur,* glance at ‖ [égout] manhole ‖ **~der** [-de] *vt* (1) look at, have a look at ; stare (fixement) ; gaze (longuement) ; watch (observer) ; peep (à la dérobée) ; glance at (rapidement) ‖ Fam. **~ la télé,** look in ‖ Fig. consider, regard ; look upon (considérer) [*comme,* as] ‖ **~ de haut,** look down on ‖ concern ; *ça ne vous regarde pas,* that's no business of yours — *vi* look ; **~ en arrière,** look back ; **~ par la fenêtre,** look out of the window ‖ Fig. **~ à,** pay attention to ; **ne pas ~ à la dépense,** spare no expense ; *y ~ à deux fois avant de faire qqch,* think twice before doing sth.

régate [regat] *f* regatta.

régence [reʒɑ̃s] *f* regency.

régenter [reʒɑ̃te] rule over ; *elle veut tout ~,* she wants to run the whole show.

régie [reʒi] *f* Rad., T.V. control room.

régime¹ [reʒim] *m* Pol. regime, system.

régime² *m* Méd. diet ; *de ~,* dietary ; *se mettre au ~,* go on a diet ; *suivre un ~ pour maigrir,* be slimming ‖ Fam. *être au ~ sec,* be on the (water) waggon (coll.).

régime³ *m* bunch, cluster (de bananes).

régime⁴ *m* Techn. speed (d'un moteur) ; *à plein ~,* at top speed.

régiment [reʒimɑ̃] *m* regiment.

régi|on [reʒjɔ̃] *f* region, district, area ; *dans cette ~,* in these parts ‖ **~onal, e, aux** [-ɔnal, o] *adj* regional.

régisseur [reʒisœr] *m* (land-)agent, steward (d'une propriété) ‖ Th. stage manager.

registre [rəʒistr] *m* register, record ‖ Comm. account-book ‖ Mus.

[étendue de la voix] compass, range ; [orgue] stop.

régl|able [reglabl] *adj* adjustable ‖ **~age** *m* TECHN. adjustment ‖ RAD., AUT. tuning ; [allumage] timing.

règle [regl] *f* rule ; *en* **~,** in order (passeport) ; **~ d'or,** golden rule ; [instrument] ruler ‖ MATH. **~ de trois,** rule of three ; **~ à calcul,** slide-rule ‖ *Pl* (monthly) period(s) ; *avoir ses* **~s,** have one's period(s) ● *loc en* **~ générale,** as a rule ; *selon la* **~,** according to rule ; *contre les* **~s,** against the rules.

réglé, e [regle] *adj* lined, ruled (papier) ‖ FIG. steady (personne) ; well-regulated (vie) ; settled (affaire).

règlement [regləmã] *m* regulation, rule ; statute (d'une société) ; **~ de police,** by-law ‖ FIG. settlement (d'une discussion).

réglement|aire [regləmãter] *adj* according to the regulations ‖ MIL. *tenue* **~,** regulation uniform ‖ **~er** *vt* (5) regulate, control.

régler [regle] *vt* (5) put in order ‖ **~ l'allure,** set the pace ‖ TECHN. adjust, regulate ‖ AUT. time (l'allumage) ; tune (up) [un moteur] ‖ PHOT. focus ‖ COMM. settle, pay (un compte) ; **~ la note,** pay the bill ; [hôtel] check out (et partir) ‖ FIG. settle (un différend) — *vpr se* **~ sur,** go by.

réglisse [reglis] *f* liquorice.

règne [reɲ] *m* reign ‖ BOT., ZOOL. kingdom.

régner [reɲe] *vi* (5) [souverain] reign ‖ rule (*sur,* over) ‖ FIG. [prédominer] prevail, be rife ; *faire* **~ l'ordre,** maintain law and order.

regorger [rəgɔrʒe] *vi* (7) abound (*de,* in) ; teem (*de,* with).

régression [regresjɔ̃] *f* regression ‖ FIG. decline.

regret [rəgrɛ] *m* regret ; *être au* **~ de,** be sorry to ; *avec* **~,** regretfully ; *sans* **~,** with no regrets ● *loc adv* **à ~,** with regret, reluctantly,

grudgingly ‖ **~ettable** [-etabl] *adj* regrettable, deplorable ; *il est* **~ que,** it is a pity that ‖ **~etter** [-ete] *vt* (1) regret (qqn, qqch) ; **~ de,** be sorry for.

régul|ariser [regylarize] *vt* (1) regularize ; put in order (passeport) ; **~ sa situation,** straighten out one's position ‖ **~arité** [-arite] *f* regularity, steadiness ‖ **~ier, ière** *adj* regular (habitude, intervalles, traits) ; routine (réglementaire) ; steady (pouls, progrès) ; even, smooth (mouvement) ; business-like (transaction) ‖ JUR. lawful ‖ AV. scheduled (vol) ‖ FIG. honest, straight ‖ **~ièrement** [-jɛrmã] *adv* regularly ; evenly, steadily ‖ usually (d'habitude) ‖ legally.

réhabilit|ation [reabilitasjɔ̃] *f* rehabilitation ‖ JUR. discharge ‖ **~er** *vt* (1) rehabilitate (qqn) ‖ JUR. discharge.

réhabituer [reabitɥe] *vt* (1) **~ qqn à faire,** get sb used to doing again — *vpr se* **~ à,** get used to again.

rehausser [rəose] *vt* (1) raise, heighten (un mur, etc.) ‖ FIG. set off (faire ressortir) ; enhance (la beauté) ; heighten (des couleurs).

réimpr|ession [reɛ̃presjɔ̃] *f* reprint ‖ **~imer** [-ime] *vt* (1) reprint.

rein [rɛ̃] *m* kidney ; *les* **~s,** the small of the back ; *avoir mal aux* **~s,** have backache ‖ MÉD. **~ artificiel,** kidney machine.

réincarner [reɛ̃karne] *vt* (1) reincarnate.

reine [rɛn] *f* queen ‖ ZOOL. **~ des abeilles,** queen bee ‖ BOT. **~-claude,** greengage.

réins|érer [reɛ̃sere] *vt* (5) JUR. rehabilitate, reintegrate (délinquant, handicapé) ‖ **~ertion** [-ɛrsjɔ̃] *f* JUR. rehabilitation, reintegration.

réintégr|ation [reɛ̃tegrasjɔ̃] *f* reinstatement ‖ **~er** *vt* (5) reinstate (qqn dans ses fonctions, sb in his job).

réitérer [reitere] *vt* (5) reiterate.

rejaillir [rəʒajir] *vi* (2) splash back, gush out/up (*sur*, onto).

rej|et [rəʒɛ] *m* throwing out/up ; casting up (par la mer) || MÉD. rejection (d'une greffe) || ~**eter** [-te] *vt* (8 *a*) throw away/back/out || [mer] cast/wash up || throw up (vomir) || reject, turn down (refuser) ; spurn (avec mépris) || MIL. drive back (envahisseur) || JUR. vote down (motion) || FIG. ~ *la responsabilité sur*, throw the blame on.

rejeton [rəʒtɔ̃] *m* BOT. shoot || FAM. kid (coll.).

rejoindre [rəʒwɛ̃dr] *vt* (59) [regagner] get back to, regain || [rencontrer] meet || [rattraper] catch up with || rejoin, join (armée, parti) — *vpr se* ~, join, meet ; link up.

rejouer [rəʒwe] *vt* (1) play again || SP. replay.

réjou|ir [reʒwir] *vt* (2) gladden, delight — *vpr se* ~, be delighted/glad (*de*, about) || ~**issance** *f* rejoicing || *Pl* merry-making, festivities ; rejoicings.

relâche¹ [rəlɑʃ] *f* NAUT. faire ~ *à*, put in at, call at.

relâch|e² *f* respite, letup ; *sans* ~, without respite/letup || TH. « no performance today » || ~**é, e** [-aʃe] *adj* lax, loose (morale) || ~**ement** [-aʃmɑ̃] relaxation, loosening || FIG. relaxation (de la discipline) ; laxity (des mœurs) || ~**er** [-ɑʃe] *vt* (1) loosen, slacken (une corde) || JUR. release, set free (un prisonnier) || FIG. relax (la discipline) — *vpr se* ~, slacken, become loose ; loosen || FIG. (discipline, mœurs) become lax ; slack off (dans son travail).

relais [rəlɛ] *m* stage || *prendre le* ~ *de*, take over from || RAD. linkup ; relay (émission) || SP. *course de* ~, relay race.

relanc|e [rəlɑ̃s] *f* [cartes] raise || COMM. follow-up || ~**er** *vt* (5) SP. send back, return || [cartes] raise || FIG. harass, pester.

relater [rəlate] *vt* (1) relate, recount.

rela|tif, ive [rəlatif, iv] *adj* relative ; relating (*à*, to) || ~**tion** *f* [abstrait] relation(ship) ; connection, bearing || [personne] acquaintance, *être en* ~ *avec qqn*, be in touch with sb || [rapports entre personnes] relationship ; *Pl* relations, dealings ; ~*s* **publiques,** public relations ; ~*s* **sexuelles** (sexual) intercourse || [connaissance] acquaintance || [récit] account, report || ~**tivement** [-tivmɑ̃] *adv* relatively || ~**tivité** [-tivite] *f* relativity.

relax|ation [rəlaksasjɔ̃] *f* relaxation || ~**e** *f* JUR. release, discharge || ~**er** *vt* (1) JUR. discharge — *vpr se* ~, relax.

relayer [rəleje] *vt* (9 *b*) relieve, take over from || RAD. relay — *vpr se* ~, take turns ; work in shifts.

reléguer [rəlege] *vt* (1) relegate.

relent [rəlɑ̃] *m* foul smell, reek.

relève [rəlɛv] *f* relay (d'ouvriers) || MIL. relief ; *la* ~ *de la garde,* the changing of the guards.

relevé¹, e [rəlve] *adj* CULIN. spicy (plat) ; pungent (sauce).

rel|evé² [rəlve] *m* reading (d'un compteur) || [école] ~ *des notes,* report || [banque] statement (de compte) || ~**ever** [-ve] *vt* (5) raise, lift ; pick up (qqch) ; set upright (mettre debout) || put up (ses cheveux) ; roll up (ses manches) ; turn up (son pantalon, son col) || *la tête,* hold up one's head || FIG. raise, increase (les salaires) ; take down (une adresse) ; read (un compteur) || MIL. change (la garde) ; relieve (une sentinelle) || CULIN. season (une sauce) || FIG. ~ *le défi,* take up the challenge — *vt ind* ~ *de,* be dependent on ; be the concern of, come under || MÉD. ~ *de maladie,* recover from illness — *vpr se* ~, get up again ; get back to one's feet.

relié, e [rəlje] *adj* bound ; ~ *cuir,* leather bound.

relief [rəljef] *m* relief ; *en ~*, in relief ; CIN. three-dimensional ; *carte en ~*, relief map ‖ FIG. *mettre en ~*, bring out ; emphasize (souligner).

reli|er [rəlje] *vt* (1) bind (un livre) ‖ connect, link (réunir) ; join (together) ‖ *~eur, euse n* bookbinder.

religi|eux, euse [rəliʒjø, øz] *adj* religious ; *école ~euse,* denominational school ● *f* nun ‖ *~on f* religion ; *entrer en ~*, take one's vows.

reliquat [rəlika] *m* remainder.

relique [rəlik] *f* REL. relic.

relire [rəlir] *vt* (60) read over (again) ‖ vet (coll.) [corriger].

reliure [rəljyr] *f* [activité] bookbinding ; [couverture] binding.

reloger [rələʒe] *vt* (7) rehouse.

relui|re [rəlɥir] *vi* (61) shine, gleam ; [surface humide] glisten ‖ *faire ~*, polish up, shine ‖ *~sant, e adj* gleaming, shining, shiny.

remani|ement [rəmanimã] *m* rearrangement ‖ POL. (re)shuffle (d'un cabinet) ‖ *~er vt* (1) rearrange ; rewrite ‖ POL. reshuffle.

remari|age [rəmarjaʒ] *m* remarriage ‖ *~er (se) vpr* (1) remarry, get married again.

remarquable [rəmarkabl] *adj* remarkable, outstanding ‖ noteworthy (événement).

remarqu|e *f* remark, comment ; *en faire la ~ à qqn,* remark about it to sb ; *faire une ~ à,* make a critical remark to ‖ *~s désobligeantes,* personalities ; *faire des ~s désobligeantes sur,* cast reflections on ‖ *~er vt* (1) notice, observe ; *faire ~, remark (que,* that) ; *faire ~ qqch à qqn,* point out sth to sb, call sb's attention to sth ; *se faire ~,* attract notice.

rembarquer [rãbarke] *vi/vt* (1) reembark.

rembarrer [rãbare] *vt* (1) FAM. tell off ‖ [remettre à sa place] put (sb) in his/her place.

rembl|ai [rãblɛ] *m* [route], RAIL. embankment ‖ *~ayer* [-ɛje] *vt* (9 *b*) bank up.

rembobiner [rãbɔbine] *vt* (1) rewind.

rembourr|age [rãburaʒ] *m* padding, stuffing ‖ *~er vt* (1) pad, stuff.

rembours|able [rãbursabl] *adj* repayable ; refundable (billet) ; *~ement m* reimbursement, repayment, refund ; *envoi contre ~,* cash on delivery, C.O.D. ‖ *~er vt* (1) pay back, repay, reimburse (qqn) ; pay off, refund (une somme) ; *se faire ~,* get one's money back.

rem|ède [rəmɛd] *m* remedy (médicament) ‖ cure (traitement) ‖ *~édier* [-edje] *vt ind* (1) *~ à qqch,* remedy, put sth right.

remembrement [rəmãbrəmã] *m* regrouping (de terres).

remémorer (se) [sərəmemɔre] *vpr* (1) (recall, recollect, call to mind.

remerc|iements [rəmɛrsimã] *mpl* thanks ‖ [livre] acknowledgements ‖ *~ier vt* (1) thank (*qqn de qqch,* sb for sth) ‖ [renvoyer] dismiss.

remettre [rəmɛtr] *vt* (64) [replacer] put back, replace ‖ put on again (un vêtement) ‖ give (back) [rendre] ‖ hand in/over, deliver (lettre, paquet) ; *~ sa démission,* hand in/ tender one's resignation ‖ *~ en état,* repair, overhaul, U.S. fix ; *~ à neuf,* renovate, do up like new ‖ [ajourner] defer, postpone, put off ‖ [rajouter] add some more ‖ put back (un membre) ; *~ en forme,* pull round ‖ TECHN. *~ en marche,* start up again ‖ FIG. *~ en ordre,* tidy up ; *~ en question,* call in(to) question again ‖ AUT. *~ (de l'eau) dans,* top off ‖ FAM. place (qqn) [reconnaître] — *vpr se ~ : se ~ en route,* start off again, set off on one's journey again ; *se ~ à faire,* start doing again ; *se ~ au travail,* set to work again ‖ [temps] *se ~ au beau,* settle ‖ MÉD. get better, recover, be mending ; *se ~ d'une maladie,* recover from/get over an illness ‖ *s'en ~ à qqn,* rely on sb, leave it to sb.

remis, e [rǝmi, iz] *adj* put off, postponed ; *ce n'est que partie ~e,* it will be for another time.

remise¹ [rǝmiz] *f* [livraison] delivery (d'un paquet) ‖ COMM. discount, allowance ; *5 % de ~,* 5 % discount/off ‖ TECHN. *~ en état,* overhauling ‖ SP. *~ en jeu,* throw-in ‖ FIG. *~ en question,* calling into question.

remis|e² [local] *f* shed ‖ *~er vt* (1) park (un tracteur).

remontage [rǝmɔ̃taʒ] *m* TECHN. *à ~ automatique,* self-winding (montre).

remontant, e *adj* invigorating ● *m* tonic, pick-me-up (coll.).

remont|ée mécanique *f*, *~e-pente m* ski-lift, drag-lift, chair-lift.

remonter [rǝmɔ̃te] *vi* (1) [monter de nouveau] go/come back up ; get back into (dans une voiture) ‖ [marée] come in again ‖ [baromètre] rise again ‖ [jupe] ride up ‖ FIG. [souvenir, famille] date back, go back (*à,* to) — *vt* come/go up back ; climb back up (côte, etc.) ; ‖ *~ la rue,* walk up the street ‖ *~* raise (relever) ‖ hitch up (son pantalon) ‖ *~ le courant à la nage,* swim upstream ‖ wind up (une horloge) ‖ FIG. *~ le moral de qqn,* cheer sb up, boost sb's spirits ; buck sb up (coll.).

remontoir [rǝmɔ̃twar] *m* [montre] winder.

remontrance [rǝmɔ̃trɑ̃s] *f* reprimand ; *faire des ~s à qqn,* reprimand sb.

remords [rǝmɔr] *m* remorse ; *avoir des ~,* feel remorse.

remorqu|age [rǝmɔrkaʒ] *m* hauling, towing ‖ *~e f* AUT. [véhicule] trailer ; [action] *prendre qqn en ~,* give sb a tow ‖ *~er vt* (1) NAUT. tow, tug ‖ RAIL. haul ‖ AUT. tow (une voiture en panne) ‖ *~eur m* NAUT. tug (boat).

remous [rǝmu] *m* eddy (d'eau, de

vent) ; swirl (de marée) ; wash (d'un bateau) ‖ FIG. commotion, stir.

rempart [rɑ̃par] *m* rampart.

remplaç|able [rɑ̃plasabl] *adj* replaceable ‖ *~ant, e* *n* substitute, replacement ; stand-by ; [enseignant] supply teacher ‖ CIN. stand-in ‖ SP. reserve ; substitute (pendant le match).

remplac|ement [rɑ̃plasmɑ̃] *m* replacement ; *assurer le ~ de,* stand in for ; [enseignant] *faire un ~,* be on supply ‖ *~er vt* (6) [chose] replace ‖ [chose nouvelle] supersede ‖ [personne] stand in for, substitute for ; deputize for (assurer l'intérim de).

rempl|ir [rɑ̃plir] *vt* (2) fill (*de,* with) ; *~ un verre,* fill up a glass ‖ replenish, refill (de nouveau) ‖ fill in/up (un formulaire) ‖ make out (un chèque) ‖ AUT. top up (batterie, radiateur) ‖ FIG. fulfil (un devoir) — *vpr se ~,* fill ‖ *~issage* [-isaʒ] *m* filling (up) ‖ FIG. padding (dans un texte).

remporter [rɑ̃pɔrte] *vt* (1) take back ‖ SP. win (victoire) ; carry off (un prix).

remuant, e [rǝmɥɑ̃, ɑ̃t] *adj* restless, fidgety.

remue-ménage [rǝmymenaʒ] *m inv* commotion, hurly-burly.

remuer [rǝmɥe] *vt* (1) move (membre, objet) ; stir (un liquide) ; [chien] *~ la queue,* wag its tail ‖ FIG. move, stir up — *vi* move ‖ [enfant] fidget.

rémunér|ateur, trice [remyneratœr, tris] *adj* paying, profitable, rewarding ‖ *~ation f* remuneration, payment ‖ *~er vt* (5) remunerate, pay.

renâcler [rǝnɑkle] *vi* (1) [cheval] snort ‖ FIG. grumble.

ren|aissance [rǝnɛsɑ̃s] *f* rebirth ‖ *~aître* [-ɛtr] *vi* (68) ‖ FIG. revive, be revived.

renar|d [rǝnar] *m* fox ‖ *~de* [-d] *f* vixen ‖ *~deau* [-do] *m* fox-cub.

renchérir [rãʃerir] vi (2) get dearer ‖ [cartes] raise ‖ Fig. go one better, outbid.

rencontr|e [rãkɔ̃tr] f meeting, encounter ; *aller à la ~ de qqn*, go to meet sb ‖ Sp. meeting ‖ **~er** [-ɔ̃tre] vt (1) meet ‖ *~ par hasard*, meet with, come across/upon, chance upon, bump into, run into (obstacle) — vpr se ~, [personnes] meet ; [routes] join ; [véhicules] collide ‖ Fig. [exister] be found.

rendement [rãdmã] m Agr. yield ‖ Fin. return ‖ Techn. efficiency, turn-out (d'une machine) ; output (d'une machine, d'une personne).

rendez-vous [rãdevu] m appointment ; [amoureux] date (coll.) ; *sur ~*, by appointment ; *fixer/prendre (un) ~ avec qqn*, make an appointment with sb ; *être fidèle au ~*, keep an appointment ‖ meeting-place, haunt (lieu).

rendormir (se) [(sə)rãdɔrmir] vpr (41) go back to sleep.

rendre [rãdr] vt (4) give back, return, restore (restituer) ‖ return (invitation) ‖ [+ adj.] ~ *qqn heureux/responsable*, make sb happy/responsible ‖ [traduction] render ‖ [vomir] make sick, throw up (déjeuner) ● *loc ~ hommage* (à, to) ; *~ service à*, be of service to ; *~ visite à qqn*, pay sb a visit, call on sb — vi yield (produire) ‖ [vomir] be sick ; *avoir envie de ~*, feel sick — vpr se ~, go, proceed (à, to) ‖ Mil. surrender ● *loc se ~ compte de*, realize, be aware of ; *se ~ utile*, make oneself useful.

rêne [rɛn] f rein.

renferm|é, e [rãferme] adj withdrawn, secretive (personne) ● m *sentir le ~*, have a stuffy/fusty smell ‖ **~er** vt (1) shut up again ‖ Fig. contain, hold (contenir) — vpr se ~, se ~ *dans sa coquille*, withdraw into one's shell.

renflé, e [rãfle] adj swollen, bulging.

renflouer [rãflue] vt (1) Naut. refloat, set afloat ‖ Fig. pull off the rocks.

renfonc|ement [rãfɔ̃smã] m Arch. recess ‖ **~er** vt (1) pull down (un chapeau).

renforcer [rãfɔrse] vt (1) reinforce ‖ Mil. strenghten ‖ **~orts** [-ɔr] mpl Mil. reinforcements.

renfrogn|é, e [rãfrɔɲe] adj sullen, scowling (personne) ; *mine ~e*, scowl ‖ **~er (se)** vpr (1) scowl.

rengager (se) [sərãgaʒe] vpr (7) Mil. re-enlist.

rengaine [rãgɛn] f catch-phrase ‖ Fam. *c'est toujours la même ~*, it's always the same old chorus.

rengainer [rãgɛne] vt (1) sheathe.

rengorger (se) [sərãgɔrʒe] vpr (7) Fig. swagger, swank, put on airs.

ren|iement [rənimã] m renunciation (d'un ami, d'un fils) ‖ **~ier** vt (1) renounce (foi) ; repudiate (ami) ; deny (sa signature).

renifler [rənifle] vi (1) sniff, snuffle, snort — vt sniff at, smell (qqch.).

renne [rɛn] m reindeer.

ren|om [rənɔ̃] m renown, repute, fame ; *en ~*, renowned ‖ **~ommé, e** [-ɔme] adj celebrated, famous ; *~ pour*, famed for it ‖ **~ommée** f fame, renown (réputation) ; *bonne ~*, good fame ; *de ~ mondiale*, world-famous.

renonc|ement [rənɔ̃smã] m renouncement ‖ renunciation, sacrifice (abnégation) ‖ **~er** vt ind (6) ~ *à*, give in up (faire, doing) ; drop (une habitude) ; forgo (un plaisir) ‖ **~iation** [-jasjɔ̃] f giving up, renunciation (à, of).

renouer [rənwe] vt (1) tie again ‖ resume (conversation) — vt ind *~ avec*, renew friendship with.

renouv|eau [rənuvo] m revival ‖ **~elable** [-labl] adj renewable ‖ **~eler** [-le] vt (8 a) renew, replace (personnel) ‖ change (l'air, un pansement) ‖ renew (abonnement, passeport) || COMM. repeat (un ordre) || MÉD. give a repeat of ; *à ~*, to be renewed (ordonnance) || FIG. revive, renew — *vpr* **se ~**, be renewed/replaced || [événement] occur again || **~ellement** [-ɛlmɑ̃] *m* renewal, replacement (changement) || repetition (d'une action) || renewal (d'un passeport) || turnover (de personnel) || MÉD. repeat (d'ordonnance).

rénov|ation [renɔvasjɔ̃] *f* renovation, modernization || **~er** *vt* (1) renovate, modernize || reform ; renew, bring up to date (méthode, etc.).

renseign|é, e [rɑ̃sɛɲe] *adj* **bien/mal ~**, well-/ill-informed || **~ement** *m un ~*, a piece of information || *Pl* information, particulars ; *bureau de ~s*, information bureau ; *prendre des ~s sur*, inquire about || *Pl* RAIL. inquiries (bureau) || MIL. intelligence || **~er** *vt* (1) inform, tell, give some information to (sur, about) ; *mal ~*, misinform — *vpr* **se ~**, make inquiries, inquire (sur, into) ; look (sur, into) ; ask for information ; find out (découvrir).

rentable [rɑ̃tabl] *adj* profitable, paying ; *être ~*, pay off.

rent|e *f* [rɑ̃t] annuity, pension ; *~ viagère*, life annuity || *Pl* income ; *vivre de ses ~s*, live on one's income || *Pl* FIN. *~s sur l'État*, funds || **~ier, ière** *n* person of private means.

rentr|ée [rɑ̃tre] *f* (école) start of the new school year || [Parlement, tribunaux] reopening || AGR. bringing in (de la récolte) || FIG. come-back (d'un artiste) || **~er** *vi* (1) come/go back, return ; *~ chez soi*, go home ; *~ chez soi à pied*, walk home ; *ne pas ~ (chez soi)*, stay out || *~ en classe*, go back to school || AUT. *~ dans*, crash into — *vt* take in (objet) ; tuck in (sa chemise) || draw in (ses griffes) || AGR. gather in (moisson) ; bring in (animaux) || AUT. *~ une voiture au garage*, ; put a car away || FIN. *~ dans ses frais*, break even.

renversant, e [rɑ̃vɛrsɑ̃, ɑ̃t] *adj* staggering, stunning.

renverse [rɑ̃vɛrs] *f tomber à la ~*, fall backwards.

renvers|ement *m* GRAMM., MUS. inversion || POL. defeat (du gouvernement) ; overthrow (coup d'État) || **~er** *vt* (1) upset, overturn || knock down/over (une chaise, un piéton) ; topple (une pile de livres) || spill (un liquide) || turn upside down (mettre à l'envers) || TECHN. reverse || POL. defeat (un ministère) ; overthrow (un État) — *vpr* **se ~**, upset || [véhicule] overturn || [objet] fall over || [liquide] slop (over) || [personne] **~** *(en arrière)*, lean back.

renv|oi [rɑ̃vwa] *m* dismissal, discharge (d'un employé) ; expulsion (de l'école) || [référence] cross-reference || [digestion] belch, burp ; *les oignons me donnent des ~s*, onions repeat on me || FIG. postponement (ajournement) || **~oyer** [-waje] *vt* (9 *a*) dismiss, discharge (un employé) ; expel (élève) ; send down (un étudiant) ; send back (une lettre) || SP. throw back (une balle) || PHYS. reverberate (un son) || MIL. *~ dans ses foyers*, dismiss || JUR. refer (*devant*, to) || FIG. postpone, put off (ajourner).

réouverture [reuvɛrtyr] *f* reopening.

repaire [rəpɛr] *m* den, lair (de bêtes sauvages) || den, haunt, hide-out (de criminels).

répan|dre [repɑ̃dr] *vt* (4) spill (un liquide) ; scatter (graines) ; give off (une odeur) ; shed (de la lumière) || FIG. broadcast, spread (une rumeur) — *vpr* **se ~**, [liquide] spill, slop over || [épidémie, nouvelle] spread (*sur*, over) || FIG. **se ~** *comme une traînée de poudre*, spread like wild fire || **~du, e** [-ɑ̃dy] *adj* common, prevalent ; rife (maladie, etc.) ||*largement ~*, widespread.

réparable [reparabl] *adj* repairable.

reparaître [rəparɛtr] *vi* (74) reappear.

répar|ateur, trice [reparatœr, tris] *adj* refreshing (sommeil) ● *n* repairer, mender ‖ **~ation** *f* repair(ing) ; *en ~,* under repair ‖ Jur. amends, redress (d'un tort) ‖ **~er** *vt* (1) repair ; fix (coll.) ‖ mend (des chaussures) ‖ Aut. service ‖ Fig. make good, make amends for (un dommage) ; redress (une erreur) ; make up for (une faute).

repartie [rəparti] *f* repartee.

repartir [rəpartir] *vi* (93) set off again, leave/start again.

répart|ir [repartir] *vt* (2) distribute, share out ; divide (*en groupes,* into groups) ‖ **~ition** *f* distribution, sharing out.

repas [rəpɑ] *m* meal ; *faire un ~,* take a meal ; *faire son ~ de,* dine off ; *~ à prix fixe,* table d'hôte meal ; *~ froid,* cold snack.

repass|age [rəpasaʒ] *m* ironing (du linge) ; *qui ne nécessite pas de ~,* drip-dry ; pressing (de vêtement) ; sharpening (d'un couteau) ‖ **~er¹** *vt* iron (du linge) ; press (vêtement) ‖ sharpen (couteau) ; strop (rasoir).

repasser² *vt* (1) [apprendre] go over again, loook through (leçon) ‖ resit (examen).

repass|er³ *vt* (1) [revenir] come back ; call again ; *je repasserai ce soir,* I'll look in again this evening ; [magnétophone] play back (la bande) ‖ **~eur** [-sœr] *m* grinder ‖ **~euse** *f* ironer (personne ou machine) ‖ ironing-machine (machine).

repêcher [rəpeʃe] *vt* (1) fish out (un noyé) ‖ Fig. give a second chance to (un candidat).

repenser [rəpɑ̃se] *vt* (1) reconsider.

repent|ant, e, ~i, e [rəpɑ̃tɑ̃, ɑ̃t, -i] *adj* repentant, penitent ‖ **~ir** *m* repentance ‖ **~ir (se)** *vpr* (93) repent ; *vous vous en repentirez,* you'll be sorry for that.

repérage [rəperaʒ] *m* Mil. location ‖ Rad. detection.

réperc|ussion [reperkysjɔ̃] *f* repercussion (*sur,* on) ; after-effect, backlash ; **~uter** [-yte] *vt* (1) throw back — *vpr se ~,* [son] reverberate.

repère [rəpɛr] *m* landmark (sur le terrain) ‖ Fig. mark, landmark.

repérer [rəpere] *vt* (5) spot, pick out ‖ Mil. locate, spot — *vpr se ~,* find one's bearings.

répert|oire [repertwar] *m* index, notebook ‖ Th. repertoire ‖ **~orier** [-ɔrje] *vt* (1) index, make a list of, catalogue.

répét|er [repete] *vt* (5) repeat, say again ‖ Th. rehearse — *vpr se ~,* repeat oneself ‖ Fig. be repeated, recur (se reproduire) ‖ **~iteur, trice** [-itœr, tris] *n* coach, tutor ‖ **~ition** *f* repetition ‖ *Pl* [enseignement] coaching ‖ Th. rehearsal ; *~ générale,* dress rehearsal.

repiquer [rəpike] *vt* (1) Bot. plant/bed out ‖ Phot. retouch.

répit [repi] *m* respite, rest ; *sans ~,* relentlessly, continuously ; *travailler sans ~,* work away.

replacer [rəplase] *vt* (6) put back, replace.

repli [rəpli] *m* [pli] fold ‖ Mil. withdrawal ‖ **~er** [-je] *vt* (1) fold up (again) ‖ tuck up (les jambes) ‖ double up (couverture) ‖ furl (un parapluie) — *vpr se ~,* [couteau] fold ‖ Mil. fall back, withdraw ‖ Fig. *se ~ sur soi-même,* withdraw into oneself.

répliqu|e [replik] *f* retort, rejoinder ‖ Th. cue ; *donner la ~ à qqn,* give sb his/her cue ‖ Arts replica ‖ **~er** *vi* (1) retort, rejoin ‖ [enfant] answer back.

rép|ondant, e [repɔ̃dɑ̃] *m* guarantor ; *servir de ~ à,* stand surety for ‖ **~ondeur** *m* Tél. *~ automatique,* answering machine ‖ **~ondre** [-ɔ̃dr] *vt/i* (4) answer, reply (qqch) ; *~ à qqn,* answer sb ; *~ à une question,* answer a question ; *~ à une lettre,* write back ; *~ à la porte,* answer the door/bell ; *~ au téléphone,* answer the telephone ‖ [école] U.S. recite ‖ Fig. ~ **à,** meet, answer (des besoins) ; come up to (espérance) ‖ ~ **de,** answer for (qqch, qqn) ; vouch for (qqn).

réponse [repõs] *f* answer, reply ; ~ **payée** reply paid ; **en** ~ **à,** in answer/reply to ; **resté sans** ~, unacknowledged (lettre) ‖ Fig. response.

report [rəpɔr] *m* postponement, putting off, deferment.

report|age [rəpɔrtaʒ] *m* [Presse], Rad., T.V. report(age), coverage ; series of articles ; [match] commentary ; ~ **en direct,** live commentary ; **faire le** ~ **de,** cover ‖ ~**er¹** [-er] *m* reporter ; ~ **photographe,** press photographer ‖ Rad. commentator.

reporter² [-e] *vt* (1) take/carry back ‖ postpone put of, defer (différer) ‖ transfer (un dessin) ‖ Math. carry forward (un total) ‖ Comm. [comptabilité] bring forward (une somme) — *vpr* **se** ~, refer (à, to).

repo|s [rəpo] *m* rest ; **au** ~, at rest ; **jour de** ~, day off ‖ break (pause) ‖ relaxation (détente) ‖ Techn. **au** ~, idle (machine) ‖ Mil. ~ **!,** at ease ! ‖ ~**sant, e** [-zã, ãt] *adj* restful (lieu) ; relaxing (délassant) refreshing (sommeil) ‖ ~**sé, e** [-ze] *adj* fresh, rested ; **à tête** ~, at leisure ‖ ~**ser¹** *vt* (1) rest (appuyer) ; recline (sa tête) — *vi* rest, relax ‖ **ici repose,** here lies ‖ [liquide] stand — *vpr* **se** ~, recline (sur, on) [s'appuyer] ‖ rest, have/take a rest, relax (se délasser) ; refresh oneself ‖ Fig. **se** ~ **sur,** rely/rest on.

reposer² *vt* (poser à nouveau) put back down ‖ place/lay again.

repous|sant, e [rəpusã, ãt] *adj* repulsive ‖ ~**er** *vt* (1) push back ‖ [date] put off, postpone ‖ Mil. repel, drive back ‖ Pol. vote down (une loi) ‖ Fig. turn down, reject (une offre) ‖ rebuff (rabrouer) ‖ ~**oir** *m* Fig. **servir de** ~ **à qqn,** act as a foil to sb.

répréhensible [repreãsibl] *adj* reprehensible, blameworthy.

reprendre¹ [rəprãdr] *vt* (80) take back/again ; ~ **haleine,** gather breath ‖ [repas] have a second helping of, have some more/another ‖ [poursuivre] resume ; take up again ‖ [couture] take in (vêtement trop large) ‖ Comm. take over (une affaire) ; **faire** ~, trade in (article usé) ‖ Méd. ~ **connaissance,** come round/to, regain consciousness ; ~ **des forces,** recover get stronger ‖ Sp. catch ‖ Fig. ~ **courage,** pluck up courage.

reprendre² *vt* (80) find fault with ; ~ **qqn,** tell sb off — *vpr* **se** ~, correct oneself.

représailles [rəprezɑj] *fpl* reprisals, retaliation ; **exercer des** ~ **envers,** take reprisals against, retaliate upon.

représent|ant, e [rəprezãtã, ãt] *n* Comm. representative, agent, salesman ; rep (coll.) ‖ Fig. exponent (d'une théorie, etc.) ‖ ~**atif, ive** *adj* representative (typique) ‖ ~**ation** *f* representation ‖ Th. performance, show ‖ ~**er** *vt* (1) [agir au nom de] represent ; stand for ‖ Comm. represent ‖ Th. perform, enact (une pièce) ‖ Arts [tableau] represent, picture ‖ Jur. stand for — *vpr* **se** ~ : **se** ~ **(mentalement) qqch,** imagine, visualize sth, picture sth to oneself.

répression [represjõ] *f* repression ; suppression (d'une révolte).

réprimand|e [reprimãd] *f* scolding, rebuke, reprimand, reproof ‖ ~**er** *vt* (1) scold, reprimand, rebuke ; ~ **qqn pour qqch,** take sb to task for sth.

réprimer [reprime] *vt* repress ‖ put down, quell (insurrection) ‖ Fig. curb (abus) ; repress (sentiment) ; suppress (bâillement), quench (désir).

repris, e [rəpri, iz] *adj* Comm. returnable (consigné) ● *m* ~ **de justice,** recidivist, jail-bird ; old lag (sl.).

reprise¹ [rəpriz] *f* [recommencement] resumption ‖ key money (payée par un nouveau locataire) ‖ Th. revival ‖ Mus. repeat ‖ Sp. [boxe]

round ‖ Aut. pick-up ‖ Comm. *donner en ~,* trade in ; *~ des affaires,* recovery of business ● *loc adv à plusieurs ~s,* on several occasions, repeatedly.

repris|e² *f* mend ; darn (chaussette) ‖ *~er* *vt* (1) mend ; darn (chaussette).

réprobateur, trice [reprɔbatœr, tris] *adj* reproachful, disapproving.

reproch|e [rəprɔʃ] *m* reproach, blame ; *sans ~,* blameless ; *faire des ~s à qqn pour,* reproach sb with ‖ *~er* *vt* (1) *~ qqch à qqn,* blame sb for sth ; *~ à qqn d'avoir fait qqch,* reproach sb for doing sth — *vpr se ~,* reproach oneself with, blame oneself for (*qqch,* sth).

reprod|uction [rəprɔdyksjɔ̃] *f* reproduction ‖ Arts copy ‖ *~uire* [-ɥir] *vt* (85) reproduce ; *~ en double,* duplicate ‖ Arts copy — *vpr se ~,* Zool. reproduce, breed ‖ Fig. recur.

reprographie [rəprɔgrafi] *f* reprography.

réprouver [repruve] *vt* (1) disapprove.

rept|ation [rɛptasjɔ̃] *f* crawling ‖ *~ile* [-il] *m* reptile.

repu, e [rəpy] *adj* satiated ; *je suis ~,* I've eaten my fill, I'm full (up).

républ|icain, e [repyblikɛ̃, ɛn] *adj/n* republican ‖ *~ique* *f* republic.

répugn|ance [repynɑ̃s] *f* [répulsion] loathing (*pour,* for) ; repugnance (*pour,* of) ‖ [hésitation] reluctance (*à faire qqch,* to do sth) ; *avoir de la ~ à,* be reluctant/loath to ‖ *~ant, e* *adj* loathsome, repugnant ; disgusting, revolting (spectacle) ; offensive (odeur) ‖ *~er* *vi* (1) repel, disgust ; *~ à faire,* ne loth/loath to do ‖ [chose] disgust, fill with loathing.

répulsion [repylsjɔ̃] *f* Fig. repulsion (*pour,* for).

réput|ation [repytasjɔ̃] *f* reputation, repute ; *de bonne ~,* of good repute ; *de mauvaise ~,* disreputable,

of evil repute ‖ *~é, e* *adj* reputed ‖ famed, renowned, of repute.

requin [rəkɛ̃] *m* shark.

requis, e [rəki, iz] *adj* required, requisite.

réquisi|tion [rekizisjɔ̃] *f* Mil. requisition(ing) ‖ *~tionner* [-sjɔne] *vt* (1) requisition.

rescapé, e [reskape] *adj* surviving, rescued ● *n* survivor.

rescousse [reskus] *f aller à la ~ de qqn,* go to sb's rescue.

réseau [rezo] *m* Rail. network, system ‖ Fig. network.

réservation [rezervasjɔ̃] *f* reservation, booking (des places) ‖ Av. *voyageur sans ~,* stand-by.

réserve¹ [rezerv] *f* reserve ; stock ; *en ~,* in reserve ; *mettre qqch en ~,* put sth by, store (up) sth ‖ *~ (naturelle),* reserve, U.S. reservation (indienne) ; *~ de chasse,* (game) preserve ‖ [local] storeroom ‖ Mil. reserve ; *officier de ~,* reserve officer ● *loc de ~,* spare (de rechange).

réserv|e² *f* reserve (prudence) ‖ reserve, qualification (restriction) ● *loc adj/adv sans ~,* unreserved (admiration) ; unqualified (accord) ; unreservedly, without reserve ; *sous toutes ~s,* with rerservations ‖ *~é, e¹* *adj* shy, reserved (personne).

réserv|é, e² *adj* reserved (droits, place) ‖ *~er* *vt* (1) [mettre de côté] put/set aside, put by, save ‖ reserve, book (chambre, etc.) ‖ Fig. hold in store ; earmark (une somme d'argent) ‖ *~iste* *m* Mil. reservist ‖ *~oir* *m* (water-)tank, cistern ‖ Aut. tank.

résid|ence [rezidɑ̃s] *f* residence ; *~ principale/secondaire,* main/second home ‖ *~ent, e* *n* resident ‖ *~entiel, elle* [-ɑ̃sjɛl] *adj* residential ‖ *~er* *vi* (1) reside, dwell.

résidu [rezidy] *m* residue.

résign|ation [rezinasjɔ̃] *f* resignation ‖ *~er (se)* *vpr* (1) resign oneself (*à,* to).

résilier [rezilje] vt (1) cancel.

résille [rezij] f hair-net.

résine [rezin] f resin.

résist|ance [rezistɑ̃s] f resistance ; *sans rencontrer de ~,* unopposed ‖ HIST. [1939-45] Résistance, Underground Movement ‖ [endurance] stamina ; endurance (à la fatigue) ‖ ÉLECTR. resistance ‖ ~**ant, e** adj strong, hard-wearing (vêtement) ‖ robust, tough (personne) ‖ ~ *à la chaleur,* heat proof/resistant ● n HIST. Resistance fighter ‖ ~**er** vt ind (1) ~ **à,** resist (attaque, tentation) ; hold out against, withstand (attaque) ; stand up to (fatigue) ; withstand (douleur) — vi MIL. hold one's ground.

résolu, e [rezɔly] adj resolute, determined (à, to) ; purposeful, single-minded (ferme) ‖ ~**ment** adv resolutely, decidedly ‖ ~**tion** f resolution, determination (fermeté) ‖ decision, resolve (décision).

résonner [rezɔne] vi (1) resound, reverberate ‖ [métal] ring, clang ‖ [lieu] echo, ring.

résoudre [rezudr] vt (87) solve, resolve (un problème) ; settle, sort out (difficulté) ; work out, solve (équation) — ~*vpr* se ~, resolve, determine (à, on) ; make up one's mind (à, to).

respect [rɛspɛ] m respect ; *par ~ pour,* out of respect for ; *manquer de ~ à,* be disrespectful to ; *sauf votre ~,* with all due respect ‖ *mes ~s à,* my regards to ; *présenter ses ~s,* present one's respect to ‖ ~**able** [rɛspɛktabl] adj respectable ‖ ~**er** vt (1) respect ; *se faire ~,* command respect ‖ JUR. comply with (une clause) ; ~ *la loi,* abide by the law ; *faire ~,* enforce (la loi) ‖ FIG. obey, observe ‖ ~**if, ive** adj respective ‖ ~**ivement** adv respectively ‖ ~**ueux, euse** [ɥø, øz] adj respectful, dutiful ; observant (des coutumes) ; ~ *des lois,* law-abiding ‖ *avec mes sentiments ~,* yours faithfully.

respir|ation [rɛspirasjɔ̃] f breathing, respiration ‖ ~**er** vi (1) breathe — vt breathe in, inhale ‖ FIG. ~ *la santé,* be the picture of health.

resplend|ir [rɛsplɑ̃dir] vi (2) be resplendent, shine, beam ‖ ~**issant, e** adj resplendent, shining, glorious (ciel, jour).

responsa|bilité [rɛspɔ̃sabilite] f responsibility, liability ; care ; *avoir la ~ de,* be in charge of ‖ *rejeter la ~ sur qqn,* blame sb ; pass the buck to sb (coll.) ‖ JUR. *société à ~ limitée,* limited liability company ‖ ~**ble** adj responsible, answerable (de, for ; *envers,* to) ; accountable (*devant,* to) ; ~ *de,* in charge of ‖ JUR. liable (de, to) ● n person in charge ‖ official.

resquill|er [rɛskije] vi (1) FAM. wangle (ne pas payer) ‖ gate-crash (entrer dans une réception sans être invité) ; jump the queue (ne pas faire la queue) ‖ ~**eur, euse** n FAM. wangler ; gate-crasher ; queue jumper.

ressac [rəsak] m [mouvement] undertow ; [vague] surf.

ressaisir (se) [sərəsezir] vpr (2) regain one's self-control ; pull oneself together (coll.).

ressasser [rəsase] vt (1) keep repeating, harp on ‖ keep turning over (dans son esprit).

ressembl|ance [rəsɑ̃blɑ̃s] f resemblance, likeness (avec, to) ‖ ~**ant, e** adj like (photo) ; lifelike (portrait) ‖ ~**er** vt ind (1) ~ **à,** resemble, look like ; [parenté] take after ‖ FIG. *cela ne lui ressemble pas,* such behaviour is unlike him — vpr se ~, look alike.

ressemel|age [rəsəmlaʒ] m resoling ‖ ~**er** vt (8 a) resole.

ressentiment [rəsɑ̃timɑ̃] m resentment ; *éprouver du ~,* feel resentful (contre, against).

ressentir [rəsɑ̃tir] vt (93) feel, experience — vpr se ~, feel/show the effects (de, of).

resserre [rəsɛr] f store-room.

resserrer [rəserer] *vt* (1) tighten (un écrou) — *vpr se* ~, contract, tighten ‖ [vallée] narrow.

ressort [rəsɔr] *m* TECHN. spring ‖ FIG. spirit, resilience (énergie).

ressortir *vi* (2) come/go out again ‖ stand out (apparaître) ‖ [clou] stick out ‖ show up (sur un fond) ‖ FIG. *faire* ~, bring out, emphasize, set off.

ressortissant, e [rəsɔrtisɑ̃, ɑ̃t] *n* national.

ressource [rəsurs] *f Pl* resources, means (moyens pécuniaires) ; *sans* ~s, destitute ‖ [FIG. resort (recours) ; *pleins de* ~s, resourceful.

ressusciter [resysite] *vi/vt* (1) resuscitate ‖ REL. rise from the dead.

restant, e [rəstɑ̃, ɑ̃t] *adj* remaining ‖ → POSTE ● *m* rest, remainder.

restaurant [rəstɔrɑ̃] *m* restaurant ; *manger au* ~, eat out.

restaur|ation¹ [rəstɔrasjɔ̃] *f* ARCH., ARTS, JUR. restoration ‖ ~**er¹** *vt* (1) ARCH., ARTS restore, renovate ‖ JUR. restore.

restauration² *f* [hôtellerie] catering ; ~ *rapide,* fast food ‖ ~**er²** (se) *vpr* (1) have sth to eat, take some refreshment.

rest|e [rest] *m* rest, remnant ; *avoir... de* ~, have... left ‖ *Pl* remains, leavings ; [nourriture] scraps, leftovers ‖ MATH. remainder ‖ ~**er¹** *vi* (1) remain, be left (over) ; *il ne me reste que 2 livres,* I have only £2 left.

rester² *vi* (1) [état, lieu] remain, stay ; ~ *au lit,* stay/keep in bed ; ~ *chez soi,* ‖ stay in, keep in ; ~ *en arrière,* keep back ; ~ *debout,* remain standing ; stay up (ne pas se coucher) ; ~ *à distance,* keep off ; ~ *éveillé,* stay awake ; ~ *jusqu'à la fin de,* sit out (d'une représentation) ‖ [subsister] remain, be left ; *il reste du lait,* there's some milk left ; *il ~ deux minutes,* two minutes to go ‖ ~ *sur ;* ~ *sur sa faim,* go hungry ; ~ *sur le cœur,* rankle (in one's mind) ‖ *en* ~ *à,* go no further than ; *restons-en là,*

let's leave it at that ‖ FAM. live (habiter).

restit|uer [restitɥe] *vt* (1) give back, return, restore (objet volé) ‖ ~**ution** [-ysjɔ̃] *f* return, restoration.

Restoroute [rɛstɔrut] *m* N.D. motorway restaurant/café.

restr|eindre [rɛstrɛ̃dr] *vt* (59) restrict, limit, cut down — *vpr se* ~, cut down expenses, retrench (dans son train de vie) ‖ ~**eint, e** [-ɛ̃, ɛ̃t] *adj* limited, restricted ‖ ~**ictif, ive** [-iktif, iv] *adj* restrictive ‖ ~**iction** *f* restriction, limitation ‖ [réticence] qualification ; *sans* ~, unreservedly ‖ ~ *mentale,* mental reservation.

résultat [rezylta] *m* [conséquence] result, outcome ; *sans* ~, without result, to no avail ‖ [chose obtenue] result, achievement ‖ [solution] result ‖ [compétition] *Pl* results, score ‖ FIG. sum total ‖ ~**er** *vi/impers* (1) ~ *de,* result/proceed from.

résum|é [rezyme] *m* summary, summing up, abstract ; *en* ~, in short, to sum up ; ~ *des chapitres précédents,* the story so far ‖ RAD. ~ *des nouvelles,* headlines ‖ ~**er** *vt* (1) sum up, summarize.

résurrection [rezyrɛksjɔ̃] *f* resurrection.

rétabl|ir [retablir] *vt* (2) restore ‖ JUR. reinstate (*dans,* in) ‖ MÉD. restore (la santé) — *vpr se* ~, MÉD. recover, get better, pick up ‖ ~**issement** *m* restoration ‖ JUR. reinstatement ‖ MÉD. recovery.

retar|d [rətar] *m* delay ; *être en* ~, be late ; *dix minutes de* ~, ten minutes late ; *prendre du* ~, fall behind ; *être en* ~ *dans son travail,* be behindhand with one's work ‖ [montre] *avoir du* ~, be slow ; *prendre cinq minutes de* ~ *par jour,* lose five minutes a day ‖ AV., RAIL. delay ; *en* ~, overdue, behind schedule ‖ AUT. ~ *à l'allumage,* retarded ignition ‖ ~**dataire** [-dater] *n* late-comer ‖ ~**ateur** [-datœr] *m* PHOT. self-timer ‖ ~**dé, e** [-de] *adj* backward [enfant] ‖

~dement [-dəmɑ̃] m MIL. *bombe à ~,* time-bomb ‖ **~er** vt (1) delay, put off (qqch) ‖ delay, hold up (qqn) ‖ set/put back (une montre) — vi [montre] be slow ; *~ de cinq minutes,* be five minutes slow ‖ FIG. be behind the times.

retenir [rət(ə)nir] vt (101) [maintenir] hold back (qqch, qqn qui glisse) ; *~ son souffle,* catch one's breath ; *~ l'attention de qqn,* hold sb's attention ‖ [garder] detain, keep back ; *qqn à dîner,* have sb stay for dinner ‖ [réserver] book, reserve (chambre, etc.) ‖ [se souvenir] remember ‖ [retrancher] deduct, keep back (some) ‖ MATH. carry ; *je pose 2 et je retiens 3,* I write 2 and carry 3 — vpr *se ~,* [s'accrocher] hold oneself back ; *se ~ à,* hold on to ‖ [se contenir] restrain oneself ; *se ~ de pleurer,* stop oneself crying.

retent|ir [rətɑ̃tir] vt (2) (re)sound, echo, ring ‖ FIG. *~ sur,* have effects on ‖ **~issant, e** adj resounding.

retenue [rət(ə)ny] f [école] detention ; *garder en ~,* keep in ‖ FIN. deduction ‖ MATH. carrying over ‖ FIG. self-control, moderation, restraint.

rétic|ence [retisɑ̃s] f reluctance ‖ **~ent, e** adj reluctant, reticent.

rétine [retin] f retina.

retir|é, e [rətire] adj secluded (vie) ; remote, out-of-the-way, retired (lieu) ‖ **~er** vt (1) withdraw ‖ take off, remove (gants, etc.) ‖ take back (reprendre) ‖ redeem (un gage) ‖ FIN. (with)draw (de l'argent) ‖ RAIL. take out, collect, pick up, U.S. check out (des bagages) ‖ FIG. derive (des avantages) — vpr *se ~,* withdraw, retire (*des affaires,* from business) ‖ back/opt out (*de,* of) [abandonner] ‖ [mer] recede, go out ‖ MIL. withdraw ‖ FIG. retire, withdraw.

retomb|ées [rətɔ̃be] fpl ~ *radioactives,* (radioactive) fall-out ‖ FIG. fall-out ; spin-off (avantageuses) ‖ **~er** vi (1) fall (down) again ‖ FIG.

fall (*sur,* on) ; relapse (*dans,* into) [l'erreur, la misère, etc.].

rétorquer [retɔrke] vt (1) retort.

retors, e [rətɔr, ɔrs] adj wily.

retouch|e [rətuʃ] f (minor) alteration (à un vêtement) ‖ PHOT. touching-up ; *faire une ~ à,* touch up ‖ **~er** vt (1) readjust ‖ alter (un vêtement) ‖ PHOT. touch up.

retour [rətur] n return ; *au ~,* on the way back ; *dès son ~,* on his return ; *sur le chemin du ~,* homebound ; *être de ~,* be (back) home ; *~ au foyer/pays,* home-coming ; *~par ~ (du courrier),* by return (of post) ‖ recurrence (réapparition) ‖ Sp. *match ~,* return match ‖ RAIL. *voyage de ~,* home journey ‖ CIN. *~ en arrière,* flash-back ‖ AUT. *~ de flamme,* back-fire ‖ MÉD. *~ d'âge,* change of life ‖ POL. come-back ‖ COMM. Pl *les ~s,* the returns ‖ FIG. reversal, turn (changement brusque) ● *loc adv en ~,* in return (*de,* for) ‖ **~ner** [-ne] vi (1) go back, return — vt return, send back (qqch) ‖ turn (un vêtement) ; turn inside out (un gant) ; turn over/round (mettre dans l'autre sens) ‖ upturn, turn up (le sol) ‖ FIG. reciprocate (un service) ; reverse (la situation) ; *~ sa veste,* turn one's coat ‖ FAM. upset, shock (bouleverser) — vpr *se ~,* turn round ; look back/round ‖ turn over (dans son lit) ‖ AUT. turn over (capoter) ‖ FIG. *se ~ contre qqn,* turn against sb.

rétracter [retrakte] vt (1) draw in, retract (griffes).

retrait [rətrɛ] m withdrawal (des troupes, de la mer, d'une somme d'argent) ‖ [tissu] shrin kase ‖ FIG. *situé en ~, de,* set back from.

retrait|e [rətrɛt] f retirement ; *prendre sa ~,* retire ; *être à la ~,* be retired ; *mettre à la ~,* pension off ‖ REL. retreat ‖ MIL. retreat ; [sonnerie] tattoo ‖ FIG. seclusion ‖ **~é, e** adj retired ● n pensioner.

retrancher [rətrɑ̃ʃe] vt (1) take away, subtract (*de,* from).

retransmettre [rətrãsmɛtr] vt (64) RAD. relay ; broadcast.

rétréc|ir [retresir] vt (2) take in (un vêtement) — vi/vpr se ~, [étoffe] shrink ǁ [chemin] narrow, get/grow narrow(er) ǁ ~**issement** m shrinkage.

rétrib|uer [retribɥe] vt (1) pay, remunerate ; mal ~, underpay.

rétroactif, ive [retroaktif, iv] adj retroactive ǁ ~**tion** f [cybernétique] feedback.

rétrograde [retrograd] adj reactionary (esprit, idée).

rétrograder [retrograde] vt (1) MIL. reduce to a lower rank, demote — vi AUT. change down.

rétrospect|if, ive [retrospɛktif, iv] adj retrospective ● f ARTS retrospective exhibition ǁ ~**ivement** adv in retrospect.

retrouss|é, e [rətruse] adj turned-up (manche, nez) ǁ ~**er** vt (1) roll up, turn up (manches, pantalon) ; hitch up (jupe).

retrouver [rətruve] vt (1) find again ǁ retrieve, trace (un objet perdu) ǁ meet up with again, join (qqn) ǁ regain, recover (santé) — v récipr se ~, meet (se donner rendez-vous) ; meet (up) (again) [après séparation] — vpr find oneself back (au même endroit) ; find one's way (retrouver son chemin).

rétroviseur [retrovizœr] m AUT. driving-mirror, rear-view mirror.

réun|ion [reynjɔ̃] f bringing together (acte) ǁ meeting, getting-together (de personnes) ǁ gathering, collection (d'objets) ǁ ~**ir** vt (2) gather, collect (faits, objets) ǁ bring together, gather (personnes) — vpr **se** ~, meet, come/get together ; gather.

réuss|i, e [reysi] adj successful ǁ ~**ir** vi (2) [chose] be a success, work out weel, come off ǁ [personne] succeed, be successful, do well ; prosper, thrive (prospérer) — vt ind ~ **à** : ~ **à faire,** succeed in doing ;

manage to do ǁ ~ **à un examen,** get through an exam(ination), pass ǁ [être bénéfique à] le whisky ne me réussit pas, whisky doesn't agree with me— vt make a success of ; bring off (une entreprise difficile) ǁ ~**ite** f success ǁ achievement (exploit) ǁ [cartes] patience ; faire des ~s, play patience.

revanche [rəvãʃ] f revenge ; prendre sa ~ sur, take one's revenge on, get one's own back, get even with ǁ [jeux], SP. revenge game/match ● loc **en** ~, on the other hand.

rêv|asser [rɛvase] vi (1) day-dream ǁ ~**e** m dream ; faire un ~, have a dream.

revêche [rəvɛʃ] adj surly.

réveil [revɛj] m awakening, waking (up) ; au ~, on waking-up ; dès son ~, as soon as he wakes up ǁ MIL. sonner le ~, sound the reveille ǁ FIG. revival ǁ ~**lé, e** [-e] adj awake ǁ ~**le-matin** m inv alarm-clock ǁ ~**ler** [-eje] vt (1) wake up, waken, rouse ; knock up (en frappant à la porte) ǁ FIG. awake, rouse — vpr se ~, wake up, awake ; il ne s'est pas réveillé à temps, he overslept ǁ ~**lon** [-jɔ̃] m [Noël] Christmas Eve dinner ; [Nouvel An] New Year's Eve dinner ǁ ~**onner** [-ɔne] vi (1) [Noël] celebrate Christmas, Eve ; [Nouvel An] celebrate New Year's Eve, see the New Year in.

révél|ateur, trice [revelatœr, tris] adj revealing, telling, telltale ● m PHOT. developer ǁ ~**ation** f revelation, disclosure, exposure ; eye-opener ǁ ~**er** vt (5) reveal, disclose, expose (nouvelle) ǁ divulge (secret) — vpr se ~, reveal oneself ǁ [talent] reveal itself, be revealed ǁ [s'avérer] prove to be ; [outil, etc.] se ~ utile, come in handy.

revenant [rəvnã] m ghost.

revendeur, euse [rəvãdœr, øz] n retailer ǁ [drogue] drug-pusher ǁ tout (des billets au marché noir).

revendi|cation [rəvãdikasjɔ̃] f

claim, demand ‖ **~quer** [-ke] vt (1) claim, demand ; put in a claim ‖ assert (*ses droits*, one's rights).

revendre [rəvãdr] vt (4) reseel ‖ tout (des billets au marché noir).

revenir [rəvnir] vi (101) come/get back, return ; **~ à pied**, walk back ; **~ sur ses pas**, retrace one's steps ; *je reviens dans une minute*, I'll be right back ‖ **~ périodiquement**, come round ‖ CULIN. **faire ~**, brown ‖ FIN. **~ à**, cost, come/amount to ‖ MÉD. **~ à soi**, come round, come to ‖ FIG. **~ à**, [être la part de] come/go to ; [équivaloir] come down to ; *cela revient au même*, it amounts to the same thing ; [souvenir] come back to ‖ **~ à**, take back ; **~ sur sa parole**, go back on one's word ‖ FAM. *je n'en reviens pas*, I can't get over it.

revenu [rəvny] m income.

rêver [reve] vi (1) dream (à, of ; de, about) ; have a dream (en dormant) ‖ day-dream (éveillé).

réverb|ération [reverberasjɔ̃] f reverberation ‖ **~ère** [-ɛr] m streetlamp, lamp-post ‖ **~érer** [-ere] vt (7) reverberate (son) ; reflect (chaleur).

révér|ence [reverãs] f [homme] bow ; [femme] curtsey ; *faire une ~*, drop a curtsey ‖ **~end, e** [-ã, ãt] adj/n REL. reverend.

rêverie [revri] f day-dream(ing).

revers [rəvɛr] m reverse (side) ‖ facing (d'un manteau) ; lapel (d'un veston) ‖ turn-up, U.S. cuff (de pantalon) ‖ back (de la main) ‖ SP. back-hand(ed) [stroke] ‖ FIG. set-back ; *le ~ de la médaille*, the other side of the coin.

reverser [rəvɛrse] vt (1) pour back (liquide) ‖ FIN. pay back.

réversible [reversibl] adj reversible.

rêveur, euse [revœr, øz] adj dreamy, wool-gathering ● n dreamer.

revient [rəvjɛ̃] m → PRIX.

revigorer [rəvigore] vt (1) invigorate, refresh ; buck up (coll.).

revirement [rəvirmã] m change of mind : **~ d'opinion**, reversal of opinion.

révis|er [revize] vt (1) revise, look over again (texte) ; go through again, vet (soigneusement) ‖ TECHN. overhaul ‖ AUT. service ; recondition (remettre à neuf) ‖ FIG. recant (une opinion) ‖ **~ion** f revision ‖ TECHN. overhaul(ing) ‖ AUT. servicing, service ‖ MIL. **conseil de ~**, recruiting board.

revivre [rəvivr] vi (105) FIG. come alive again ; **faire ~**, bring back to life ; revive (une mode).

revoir [rəvwar] vt (106) see again ; meet again (qqn) ‖ [réviser] revise, go over again ● m/interj **au ~**, good-bye ; bye-bye (coll.) ; *dire au ~ à qqn*, see/send sb off.

révolt|ant, e [revɔltã, ãt] adj revolting, appalling ‖ **~e** f revolt ‖ **~é, e** adj shocked (par, at) ● n rebel ‖ **~er (se)** vpr (1) revolt, rebel (contre, against).

révolu, e [revɔly] adj past, by gone ; *avoir vingt ans ~s*, be over twenty.

révoluti|on [revɔlysjɔ̃] f POL., ASTR. revolution ‖ **~onnaire** [-ɔnɛr] adj/n revolutionary.

revolver [revɔlvɛr] m revolver.

révoquer [revɔke] vt (1) dismiss (qqn) ‖ JUR. revoke, repeal.

revue [rəvy] f [inspection] review ; *faire la ~ de*, go through, look over, review ‖ magazine ‖ MIL. review, inspection ; *passer en ~*, review ‖ TH. revue ; variety show.

rez-de-chaussée [redʃose] m inv ground floor, U.S. first floor.

rhabiller (se) [sərabije] vpr (1) get dressed again.

rhésus [rezys] m facteur **~**, rhesus-factor.

rhétorique [retɔrik] f rhetoric.

rhinocéros [rinɔserɔs] m rhinoceros.

rhubarbe [rybarbe] f rhubarb.

rhum [rɔm] *m* rum.

rhumatisant, e [rymatizɑ̃, ɑ̃t] *adj/n* rheumatic ‖ ~**isme** *m* rheumatism.

rhume [rym] *m* cold ; ~ **de cerveau,** head cold ‖ ~ **des foins,** hay-fever.

riant, e [rijɑ̃, ɑ̃t] *adj* cheerful.

ribambelle [ribɑ̃bɛl] *f* swarm.

rican|ement [rikanmɑ̃] *m* sneer, chuckle ‖ ~**er** *vi* (1) sneer ; giggle (bêtement).

rich|e [riʃ] *adj* rich, moneyed, wealthy (pays, personne) ; well-to-do, well-off (personne) ‖ AGR. fat (sol) ● *n* rich/wealthy person ; *les* ~**s,** the rich ; the wealthy ; *nouveau* ~, nouveau riche ‖ ~**ement** *adv* richly ‖ ~**esse** *f* wealth, fortune, riches ‖ FIG. richness ‖ ~**issime** [-isim] *adj* rolling in money.

ricoch|er [rikɔʃe] *vi* (1) [projectile] ricochet, glance off ‖ ~**et** [-ɛ] *m* faire *des* ~s *sur l'eau,* play ducks and drakes.

rictus [riktys] *m* grin.

rid|e [rid] *f* wrinkle, line (sur la figure) ‖ rippe (sur l'eau) ‖ ~**é, e** *adj* wrinkled.

rideau [rido] *m* curtain ‖ screen (d'arbres) ‖ TH. lever de ~, curtain-raiser.

rider [ride] *vt* (1) wrinkle, line (le visage) ‖ ruffle (l'eau) — *vpr se* ~, [peau] wrinkle ‖ [eau] ripple.

ridicul|e [ridikyl] *adj* ridiculous, ludicrous, laughable ● *m* ridicule ; *se couvrir de* ~, make a fool of oneself ; *tourner en* ~, hold up to ridicule ‖ ~**iser** *vt* (1) ridicule, deride.

rien [rjɛ̃] *pron indéf* [interr.] anything ‖ [nég.] nothing ; *absolument* ~, nothing whatever ; ~ *d'autre,* nothing else ‖ ~ *que,* nothing but, only ; just ; ~ *que d'y penser...,* the very thought... ; ~ *moins que,* nothing less than, no better than ; *plus* ~, ~ *de plus,* nothing more ; ~ *du tout,* nothing at all ; *pour ne* — *dire de,* to say nothing of ; ~ *à faire,* nothing

doing ; *pour* ~, for free (sans payer) ; *pour moins que* ~, for a song ; *pour trois fois* ~, dirtcheap ; *en moins de* ~, in no time ; *ça ne fait* ~ *!,* never mind !, that doesn't matter ; *de* ~ *!,* you're welcome !, don't mention it ! ‖ *ce n'est* ~, it's no trouble at all ‖ *bon à* ~, worthless ; ~ *à faire !,* nothing doing ! ‖ *à* ~ : *il n'arrivera jamais à rien,* he'll never get anywhere ‖ *n'y être pour rien,* have no part in ● *m* [néant] nothingness ‖ FIG. trifle ; *un* ~, a mere nothing ; *en un* ~ *de temps,* in no time.

rigid|e [riʒid] *adj* stiff ‖ FIG. strict ; hidebound (à l'étroit étroit) ‖ ~**ité** *f* stiffness ‖ strictness.

rigole [rigɔl] *f* runnell (caniveau) ‖ furrow (sillon).

rigol|ade [rigɔlad] *f* FAM. laugh ; *aimer la* ~, like a bit of fun ; *c'est une vaste* ~, it's a big joke ‖ ~**er** *vi* (1) FAM. laugh ; have a good laugh ‖ ~**o, ote** [-o, ɔt] *adj* FAM. funny.

rigour|eusement [rigurøzmɑ̃] *adv* strictly, rigorously (strictement) ‖ ~**eux, euse** *adj* rigorous (méthode) ; strict (exact) ‖ stringent, hard and fast (règle), harsh ; severe (hiver).

rigueur [rigœr] *f* [austérité, sévérité] rigour, stringency, harshness ; *tenir* ~ *à,* hold it against ‖ [précision] rigour ● *loc* *à la* ~, at a pinch, if necessary ; *de* ~, obligatory.

rim|e [rim] *f* rhyme ‖ ~**er** *vi/vt* (1) rhyme.

rinc|e-doigts [rɛ̃sdwa] *m inv* finger bowl ‖ ~**er** *vt* (6) rinse ; ~ *à grande eau,* swill, sluice.

ring [riŋ] *m* SP. ring.

ringard, e [rɛ̃gar, d] *adj* FAM. corny ● *m* has-been (coll.).

ripost|e [ripɔst] *f* retort, rejoinder ‖ ~**er** *vi* (1) retort, answer back (à, to) ‖ [contre-attaquer] counter, hit back ; retaliate.

rire [rir] *vi* (89) laugh ; guffaw (bruyamment) ; *éclater de* ~, burst out laughing ; ~ *aux éclats/à gorge* *déployée*, roar/scream with laughter, laugh one's head off ; ~ *sous cape*, laugh up one's sleeve ; ~ *jaune*, laugh on the other side of one's face || *pour* ~, in sport, for a joke — *vt ind* ~ *de*, laugh at ● *m* laugh (rire) ; *un gros* ~, a loud laugh, a guffaw ; *à mourir de* ~, screamingly funny || *Pl* laughter || **avoir le fou** ~, go into fits of laughter, have the giggles.

ris¹ [ri] *m* NAUT. reef ; *prendre un* ~, take a reef.

ris² *m* CULIN. ~ *de veau*, calf sweet-bread.

ris|ée [rize] *f* mockery ; *être la* ~ *de*, be the laughing stock of || ~**ible** *adj* laughable, ridiculous.

risqu|e [risk] *m* risk, hazard ; *courir un/le* ~, run a/the risk ; *courir des* ~s, take chances ; *à vos* ~s *et périls*, at your own risk ; *sans* ~, safe ; *ne pas courir de* ~s, play (it) safe || [assurance] *assurance tous* ~, all-in/comprehensive policy ● *loc* **au** ~ **de**, at the risk of || ~**é, e** *adj* hazardous, risky, chancy || ~**er** *vt (1)* risk ; venture, hazard (hasarder) || ~ *de*, may/might (well) [+ v.] — *vpr se* ~ *à*, venture, dare (*faire*, to do) || ~**e-tout** [-ətu] *n inv* daredevil.

rissoler [risɔle] *vt (1)* [*faire*] ~, brown.

ristourne [risturn] *f* discount ; *faire une* ~, give a discount.

rit|e [rit] *m* rite || ~**uel, elle** [yɛl] *adj/m* ritual.

rivage [rivaʒ] *m* shore.

rival, e, aux [rival, o] *adj/n* rival || ~**iser** *vi (1)* ~ *avec*, compete/vie with ; rival || ~**ité** *f* rivalry ; competition.

rive [riv] *f* [rivière] bank || [lac] shore.

riverain, e [rivrɛ̃, ɛn] *adj* riparian ● *n* water-side resident || FIG. resident.

rivet [rivɛ] *m* rivet.

rivière [rivjɛr] *f* river.

rixe [riks] *f* brawl, scuffle.

ri|z [ri] *m* rice ; ~ *au lait*, rice-pudding || ~**zière** [-zjɛr] *f* rice field, paddy (field).

robe [rɔb] *f* dress, frock ; gown (habillée) ; ~ *du soir*, evening-gown/-dress || ~ *de chambre*, dressing-gown ; ~ *de grossesse*, maternity dress || [magistrat] robe || ZOOL. coat (d'un animal) || CULIN. *pommes de terre en* ~ *des champs/de chambre*, potatoes in their jackets.

robinet [rɔbinɛ] *m* tap, U.S. faucet.

robot [rɔbo] *m* robot || ~ *de cuisine*, food processor || ~**ique** [rɔbɔtik] *f* robotics.

robuste [rɔbyst] *adj* sturdy, robust, strong || sound (santé) || BOT. hardy, thriving.

roc [rɔk] *m* rock.

rocade [rɔkad] *f* [route] bypass.

rocaill|e [rɔkaj] *f* loose stones || ~**eux, euse** *adj* rocky, rugged.

roch|e [rɔʃ] *f* rock || ~**er** *m* rock ; boulder (rond) || ~**eux, euse** *adj* rocky.

rod|age [rɔdaʒ] *m* AUT. *en* ~, running in, U.S. breaking in || ~**er** *vt (1)* AUT. run in.

rôd|er [rode] *vi (1)* prowl (about) ; hang about/around || [suspect] loiter || ~**eur, euse** *n* prowler.

rogne [rɔɲ] *f* FAM. *en* ~, in a temper ; ratty (coll.).

rogner [rɔɲe] *vt (1)* FIG. cut back/down (*sur*, on).

rognon [rɔɲɔ̃] *m* kidney.

rognures [rɔɲyr] *fpl* clippings (de métal) ; trimmings (de papier) || ~ *de viande*, scraps of meat.

roi [rwa] *m* king || ~**telet** [-tlɛ] *m* ZOOL. wren.

rôle¹ [rol] *m* TH. role, part ; *premier* ~, lead, leading part ; *second* ~, supporting actor ; *jouer le* ~ *de*, act the part of ● *loc adv* **à tour de** ~, in turns.

rôle² *m* NAUT. muster-roll.

romain, e [rɔmɛ̃, ɛn] *adj* Roman.

roman, e [rɔmɑ̃, an] *adj* ARTS Romanesque.

rom|an *m* novel ; ~-*feuilleton,* serial (story) ; ~-*policier,* detective story ‖ ~**ancier, ière** [-ɑ̃sje, jɛr] *n* novelist ‖ ~**anesque** [anɛsk] *adj* romantic ; *histoire* ~, romance ‖ fantastic.

romanichel, elle [rɔmaniʃɛl] *n* gipsy.

romant|ique [rɔmɑ̃tik] *adj* romantic ● *n* romanticist ‖ ~**isme** *m* romanticism.

romarin [rɔmarɛ̃] *m* rosemary.

rompre [rɔ̃pr] *vt* (90) break ‖ burst (une digue) ‖ MIL. ~ *le pas,* break step ; ~ *les rangs,* fall out, dismiss ‖ FIG. break (le silence) ; break off (relations) — *vi* break, split (*avec qqn,* with sb) — *vpr se* ~, break, snap ; *se* ~ *le cou,* break one's neck.

rompu, e [rɔ̃py] *adj* FIG. ~ *de fatigue,* worn out.

ronce [rɔ̃s] *f* bramble.

ronchonner [rɔ̃ʃɔne] *vi* (1) grouch.

rond, e [rɔ̃, ɔ̃d] *adj* round ; *en chiffres* ~*s,* in round figures ; *tout* ~, exactly ‖ FIG. *on tourne en* ~, it's a catch 22 situation ‖ FAM. tight (ivre) ● *m* circle, ring ‖ ~ *de serviette,* napkinring ● *loc adv en* ~, in a circle ‖ ~-**de-cuir** *m* pen-pusher.

ronde *f* [surveillance] rounds ; beat (de police) ; *faire sa* ~, be on the beat ‖ MUS. semi-breve ● *loc à des kilomètres à la* ~, for miles round.

rondelet, ette [rɔ̃dlɛ, ɛt] *adj* plump ‖ FIG. tidy (somme).

rondelle [rɔ̃dɛl] *f* [citron, saucisson] slice ‖ TECHN. washer.

rond|ement [rɔ̃dmɑ̃] *adv* FIG. briskly (vivement) ‖ ~**in** [-ɛ̃] *m* log ‖ ~-**point** *m* [circulation] roundabout ‖ [place] circus.

ronéo|ter, ~**typer** [rɔneɔte, -tipe] *vt* (1) Ronéo, U.S. Mimeograph.

ronflement [rɔ̃fləmɑ̃] *m* snore, snoring ‖ ~**er** *vi* (1) snore ‖ [feu] roar

‖ [moteur] whir(r) ‖ ~**eur, euse** *n* snorer.

rong|er [rɔ̃ʒe] *vt* (7) [animal] gnaw ‖ [personne] pick (un os) ‖ [acide] corrode, eat into ‖ [rivière] fret ‖ FIG. ~ *son frein,* champ at the bit — *vpr se* ~ : *se* ~ *les ongles,* bite one's nails ‖ ~**eur** *m* rodent.

ronr|on(nement) [rɔ̃rɔ̃, -ɔnmɑ̃] *m* purr(ing) ‖ ~**onner** [-ɔne] *vi* (1) purr.

roqu|e [rɔk] *m* [échecs] castling ‖ ~**er** *vi* (1) castle.

roquette [rɔkɛt] *f* rocket.

rosace [rozas] *f* ARCH. rosewindow.

rosbif [rɔsbif] *m* roast beef ; *un* ~, a joint of beef.

ros|e [roz] *f* rose ; ~ *trémière,* hollyhock ; *eau de* ~, rose-water ‖ NAUT. ~ *des vents,* compass-card ‖ FAM. *envoyer qqn sur les* ~*s,* send sb packing ● *adj* pink ‖ ~**é, e** *adj* roseate ; rosy (teint) ● *m* rosé wine.

roseau [rozo] *m* reed.

rosée [roze] *f* dew ; *couvert de* ~, dewy ; *goutte de* ~, dew-drop.

ros|eraie [rozrɛ] *f* rose-garden ‖ ~**ier** *m* rose-tree.

rosse [rɔs] *adj* FAM. beastly, nasty ● *f* FAM. beast (personne).

rosser [rɔse] *vt* (1) thrash, beat (up), lick.

rossignol [rɔsiɲɔl] *m* ZOOL. nightingale.

rot [ro] *m* belch, burp ‖ ~**er** [rɔte] *vi* (1) belch, burp.

rôt|i [roti] *m* roast, joint ‖ ~**ir** *vt* (2) [faire] ~, roast ; *(faire)* ~ *à la broche,* spitroast — *vpr se* ~, *se* ~ *au soleil,* bask in the sun ‖ ~**isserie** [-isri] steakhouse ‖ ~**issoire** [iswar] *f* roaster.

rotule [rɔtyl] *f* MÉD. knee-cap.

rouages [ruaʒ] *mpl* wheels.

roublard, e [rublar, ard] *adj* FAM. cunning, crafty.

roucouler [rukule] *vi* (1) coo.

roue [ru] *f* wheel ‖ TECHN. *~ dentée,* cog-wheel ‖ *~ libre,* freewheel ‖ *faire ~ libre,* freewheel ‖ *descendre en ~ libre,* coast ‖ AUT. *~ de secours,* spare wheel ; *la ~ avant droite* (en G.B.) [gauche en France], the off front wheel ‖ NAUT. *~ à aubes,* paddle-wheel ; *~ de gouvernail,* steering-wheel.

rouer [rwe] *vt* (1) *~ de coups,* thrash, cudgel.

rouet [rwɛ] *m* spinning-wheel.

rouf [ruf] *m* NAUT. deck-house.

rouge [ruʒ] *adj* red ‖ ruddy (joues) ● *m* red ‖ rouge (fard) ; *~ à lèvres,* lipstick ; *~ à ongles,* nail varnish ‖ TECHN. *chauffé au ~,* red hot ‖ FAM. *gros ~,* coarse red wine ‖ **~âtre** [-ɑtr] *adj* reddish ‖ **~aud, e** [-o, od] *adj* red-faced ‖ **~-gorge** *m* robin, redbreast ‖ **~ole** [-ɔl] *f* measles ‖ **~oyant, e** [-wajɑ̃, ɑ̃t] *adj* glowing ‖ **~oyer** [-waje] *vi* (9 a) glow.

roug|eur [ruʒœr] *f* redness ‖ [visage] flushing ; [honte] blush(ing) ‖ MÉD. red patch ‖ **~ir** *vt* (2) redden — *vi* turn red ‖ [personne] flush (*de,* with) [chaleur, émotion] ; blush (*de,* with) [émotion].

rouill|e [ruj] *f* rust ; *tache de ~,* rust-stain ‖ AGR. blight ‖ **~é, e** *adj* rusty ‖ FIG. *être ~,* be out of practice ‖ **~er** *vt vt* (1) rust — *vpr se ~,* rust, get rusty.

roul|ant, e [rulɑ̃, ɑ̃t] *adj* rolling on wheels (meuble) ‖ **~é, e** *adj* FAM. *elle est bien ~e,* she's a smasher ‖ **~eau** [-o] *m* *~ de papier,* roll of paper ; coil (de corde) ‖ CULIN. *à pâtisserie,* rolling-pin ‖ PHOT. spool (de film) ; (roller) squeegee (pour essorer) ‖ TECHN., FIG. *~ compresseur,* steam-roller ‖ **~ement** *m* [action] rolling ‖ [bruit] roll, rumble ‖ TECHN. *~ à billes,* ball bearings ‖ FIG. rotation (remplacement) ; *par ~,* in rotation ‖ **~er** *vi* (1) [bille] roll ‖ [train, voiture] run, go ‖ AV. *~ au sol,* taxi ‖ NAUT. roll — *vt* roll ‖ wheel (chariot) ‖ furl (parapluie) ‖ roll

(cigarette) ‖ roll (une pelouse) ‖ [prononciation] *~ les « r »,* roll one's r's ‖ FAM. [duper] trick, gull, swindle ; con (sl.) ; *se faire ~,* be had ‖ **~ette** *f* [meuble] castor ‖ [jeu] roulette ‖ drill (de dentiste) ‖ FAM. *ça va marcher comme sur des ~s,* it will be plain-sailing ‖ **~is** [-i] *m* NAUT. roll(ing) ‖ **~otte** [-ɔt] *f* caravan, U.S. trailer.

Roum|ain, e [rumɛ̃, ɛn] *n* Roma-nian ‖ **~anie** [-ani] *f* Romania.

roupill|er [rupije] *vi* (1) POP. snooze ‖ **~on** [-ɔ̃] *m* POP. snooze ; *piquer un ~,* have a snooze/forty winks.

rouquin, e [rukɛ̃, in] *n* FAM. red-head.

rouspét|er [ruspete] *vi* (1) FAM. grouch, grouse, bitch (coll.) ‖ **~eur, euse** *n* grouser (coll.).

rouss|âtre [rusɑtr] *adj* reddish, rus-set ‖ **~e** *adj* → ROUX ‖ **~eur** *f tache de ~,* freckle ‖ **~i** *m* smell of burning ‖ **~ir** *vt* (2) scorch, singe.

rout|e [rut] *f* road ; *~ nationale,* trunk/main road, highway ; *la ~ de Londres,* the road to London, the London road ; *~ écartée,* by-road ; *à trois voies,* three-lane road : *~ à quatre voies,* dual carriage-road ; *~ touristique,* scenic road ‖ *en ~ pour,* on the way to ; NAUT. bound for ; *en ~ !,* let's go ! ; *faire ~ vers,* make for ; NAUT. head for ‖ *se mettre en ~,* set forth/off/out ‖ FIG. *faire fausse ~,* be on the wrong track ‖ **~ier, ière** *adj carte ~ière,* road map ; *gare ~ière,* bus station ● *m* [camionneur] lorry-driver, U.S. truck-driver, team-ster ‖ [restaurant] transport café ; pull-in.

routin|e [rutin] *f* routine ; groove ; *par ~,* as a matter of routine ‖ **~ier, ière** *adj* mechanical (esprit) ; routine-minded (personne).

rouvrir [ruvrir] *vt* (72) reopen, open again.

roux, rousse [ru, rus] *adj* reddish brown ; red (cheveux) ; red-headed (personne) ‖ brown (beurre, sucre) ● *n* red-haired person, redhead ● *m* CULIN. roux.

roy|al, e, aux [rwajal, o] *adj* royal, kingly ‖ ~**aliste** *adj/n* royalist ‖ ~**aume** [-om] *m* kingdom, realm ‖ *Royaume Uni,* United Kingdom, U.K..

ruade [rɥad] *f* kick.

ruban [rybɑ̃] *m* ribbon ; ~ *adhésif,* adhesive/sticky tape ‖ strip (de papier) ; ribbon (de machine à écrire).

rubis [rybi] *m* ruby ‖ TECHN. jewel (de montre) ‖ FIG. *payer* ~ *sur l'ongle,* pay on the nail.

rubrique [rybrik] *f* [journal] column.

ruch|e [ryʃ] *f* (bee)hive ‖ ~**er** *m* apiary.

rud|e [ryd] *adj* rough ‖ coarse (toile) ‖ hard (métier) ; harsh (hiver) ; gruff (voix) ‖ severe (épreuve) ‖ ~**ement** *adv* roughly, harshly ‖ FAM. [très] awfully, jolly ‖ ~**esse** *f* roughness, harshness ‖ severity (du climat).

rudimen|ts [rydimɑ̃] *mpl* rudiments ‖ ~**taire** [-ter] *adj* rudimentary ; crude (travail).

rudoyer [rydwaje] *vt* (9 *a*) treat harshly, browbeat.

rue [ry] *f* street.

ruée [rɥe] *f* rush ‖ PÉJ. scramble, stampede.

ruelle [rɥel] *f* alley, (by-)lane.

ruer [rɥe] *vi* (1) kick — *vpr se* ~, rush, dash (*sur,* at).

rugby [rygbi] *m* rugby (football) ; rugger (coll.) ‖ ~**man** [-man] *m* rugby-player.

rugir [ryʒir] *vi* (2) (lion) roar ‖ (vent) howl ‖ ~**issement** *m* roar(ing).

rugueux, euse [rygø, øz] *adj* rough (surface, peau).

ruin|e [rɥin] *f* ruin (décombres) ; *Pl* ruins, wreck (décombres) ; *en* ~, ruinous ; *tomber en* ~, fall into ruin(s), crumble down ‖ FIG. undoing, downfall (d'une

personne) ; wreck (personne) ‖ ~**er** *vt* (1) ruin, destroy ‖ FIG. wreck (la réputation, la santé) — *vpr se* ~, ruin oneself ‖ FIG. spend a fortune ‖ ~**eux, euse** ruinous, wasteful, extravagant (dépenses).

ruiss|eau [rɥiso] *m* brook, stream ‖ gutter (caniveau) ‖ ~**elant, e** [-lɑ̃, ɑ̃t] *adj* dripping wet ‖ ~**eler** [-le] *vi* (1) [eau, lumière] stream.

rumeur [rymœr] *f* rumour (nouvelle incertaine) ; *selon certaines* ~*s,* rumour has it that...

rumin|ant [rymināɑ̃] *m* ruminant ‖ ~**er** *vi* (1) ZOOL. ruminate, chew the cud — *vt* FIG. ruminate over, brood over, mull over.

rupin, e [rypɛ̃, in] *adj* POP. stinking rich (personne) ‖ posh (quartier).

rupture [ryptyr] *f* TECHN. *point de* ~, breaking point ‖ JUR. ~ *de contrat,* breach of contract ; ~ *d'engagement/de fiançailles,* breach of promise ‖ COMM. *nous sommes en* ~ *de stock,* we're all sold out (of...) ‖ FIG. breaking off, breakaway (des relations) ; break-up, split (entre amants).

rural, e, aux [ryral, o] *adj* rural.

rus|e [ryz] *f* cunning, guile ; *une* ~, a trick/ruse/dodge ‖ ~**é, e** *adj* artful, cunning, crafty, wily, foxy, sly.

russe [rys] *adj* Russian ● *m* [langue] Russian.

Russ|e [rys] *n* Russian ‖ ~**ie** [-i] *f* Russia.

Rustine [rystin] *f* N.D. puncture-patch.

rustique [rystik] *adj* rustic.

rustre [rystr] *n* boor, lout ● *adj* boorish.

rut [ryt] *m* ZOOL. rut.

rutilant, e [rytilɑ̃, ɑ̃t] *adj* glittering (brillant).

rythme [ritm] *m* rhythm ‖ MUS. [jazz] beat ‖ FIG. tempo, pace (du travail) ‖ ~**é, e** *adj* rhythmic(al) ‖ ~**er** *vt* (1) give rhythm to ‖ ~**ique** *adj* rhythmic(al).

S

s [ɛs] *m* s.

sa [sa] *adj poss* → SON.

sabbat [saba] *m* REL. Sabbath ‖ FIG. din, racket (bruit).

sabir [sabir] *m* jargon.

sabl|e [sɑbl] *m* sand ; *de ~,* sandy ; *~s mouvants,* quicksand ; *bac à ~,* sandpit ‖ **~é** *m* CULIN. short-bread biscuit ‖ **~er** *vt* (1) sand ‖ grit (route) ‖ FIG. toss off (du champagne) ‖ **~ier** *m* sandglass, hourglass ‖ CULIN. egg-timer ‖ **~ière** *f* sand quarry | **~onneux, euse** [-ɔnø, øz] *adj* sandy.

sabor|d [sabɔr] *m* port ‖ **~der** [-de] *vt* (1) NAUT. scuttle.

sabo|t [sabo] *m* wooden shoe, clog ‖ ZOOL. hoof ‖ **~tage** [-ɔtaʒ] *m* sabotage ‖ **~ter** *vt* (1) sabotage.

sabre [sɑbr] *m* sword.

sac¹ [sak] *m* bag ; [grand, en toile] sack ; *~ de couchage,* sleeping-bag ; *~ à dos,* rucksack, U.S. back-pack ; *~ à main,* handbag ; *~ de marin,* kit-bag ; **~-poubelle,** bin-liner, U.S. trash-bag ; *~ à provisions,* shopping bag, carrier-bag ; *~ de toilette,* sponge-bag ; *~ de voyage,* travelling bag ; *mettre en ~,* sack, bag.

sac² *m* sack (pillage) ; *mettre à ~,* sack.

saccad|e [sakad] *f* jerk ; *par ~s,* jerkily, by fits and starts ‖ **~é, e** *adj* jerky.

saccager [sakaʒe] *vt* (7) devastate, wreck ; vandalize ‖ MIL. ransack, lay waste.

saccharine [sakarin] *f* saccharin.

sachet [saʃe] *m* bag ; *~ de thé,* tea bag.

sacoche [sakɔʃ] *f* bag (bourse) ; satchel (serviette) ‖ [bicyclette] saddle-bag, pannier.

sacquer [sake] *vt* = SAQUER.

sacr|e [sakr] *m* consecration (d'un évêque) ; coronation (d'un roi) ‖ **~é, e** *adj* REL. sacred, holy ‖ POP. [intensif] confounded ; damn(ed), bloody [sl.] ‖ **~ement** *m* sacrament ‖ **~er** *vt* (1) crown (un roi) ‖ consecrate (un évêque).

sacrif|ice [sakrifis] *m* sacrifice ‖ **~ier** *vt* (1) sacrifice ‖ COMM. bargain away.

sacrilège [sakrilεʒ] *adj* sacrilegious ● *m* sacrilège ; *c'est un ~ de,* it's sacrilege to.

sacrist|ain [sakristε̃] *m* sexton ‖ **~ie** *f* vestry.

sad|ique [sadik] *adj* sadistic ● *n* sadist ‖ **~isme** *m* sadism.

safari [safari] *m* safari ; *en ~,* on safari.

safran [safrɑ̃] *m* CULIN. saffron.

sagac|e [sagas] *adj* sagacious, shrewd ‖ **~ité** *f* sagacity, shrewdness ; *faire preuve d'une grande ~,* show great shrewdness.

sage [saʒ] *adj* wise, sensible ‖ [enfant] good ; *pas* ~, naughty ; *sois* ~ !, be good ! ‖ Fɪɢ. sober (modéré) ● *m* wise man ‖ ~-**femme** *f* midwife.

sag|ement [saʒmɑ̃] *adv* wisely ‖ ~**esse** *f* wisdom, prudence.

Sagittaire [saʒitɛr] *m* Astr. Sagittarius.

saign|ant, e [sɛɲɑ̃, ɑ̃t] *adj* Cuʟɪɴ. underdone, U.S. rare ‖ ~**ement** *m* bleeding ; ~ *de nez,* nose-bleed ‖ ~**er** *vt* (1) bleed (un animal) — *vi* bleed ; *il saigne du nez,* his nose is bleeding.

saill|ant, e [sajɑ̃, ɑ̃t] *adj* protruding, prominent ‖ ~**ie¹** [-ji] *f* projection ; ledge (rebord) ; *en* ~, projecting ; *faire* ~, jut/stick out, protrude.

saill|ie² *f* Zooʟ. covering, serving ‖ ~**ir** *vt* (91) Zooʟ. cover, serve.

sain, e [sɛ̃, ɛn] *adj* healthy, sound (en bonne santé) ‖ wholesome (climat, nourriture) ‖ ~ *et sauf,* safe and sound ; unharmed ‖ Fɪɢ. sound, wholesome ; ~ *d'esprit,* sane.

saindoux [sɛ̃du] *m* lard.

sainement [sɛnmɑ̃] *adv* healthily ‖ Fɪɢ. soundly, sanely.

sain|t, e [sɛ̃, ɛ̃t] *adj* holy, sacred ; *lieu* ~, shrine ‖ *Saint-Esprit,* Holy Ghost/Spirit ; *Saint-Siège,* Holy See ; *Sainte Vierge,* Blessed Virgin ● *n* saint ‖ ~**te nitouche** [sɛ̃tnituʃ] *f* smooth hypocrite ‖ ~**teté** [-tate] *f* holiness.

sais|ie [sɛzi] *f* Juʀ. seizure ‖ Inf. seizing, acquisition ‖ ~**ir** *vt* (2) seize, grab, grasp, catch/lay hold of (vivement) ; snatch (brusquement) ‖ [froid] seize, strike ‖ Juʀ. seize, impound ‖ Fɪɢ. grasp, take in (comprendre) ; seize (une occasion) ; strike (surprendre) ; [peur] grip, seize ‖ ~**issant, e** *adj* striking, arresting, startling ‖ ~**issement** *m* shock.

sais|on [sɛzɔ̃] *f* season ; *de* ~, in season ; *en toutes* ~s, all the year round ; *basse* ~, off-season ; *hors* ~,

out of season ‖ ~*de la chasse/pêche,* open season ‖ [fruit] *être de* ~, be in ‖ Méd. *faire une* ~ *à Vichy,* take a cure at Vichy ‖ ~**onnier, ière** [-ɔnje, jɛr] *adj* seasonal ‖ casual (travailleur).

salad|e [salad] *f* [plante] lettuce ‖ [plat] green salad ; ~ *de fruits,* fruit salad ‖ ~**ier** *m* salad-bowl.

salaire [salɛr] *m* pay ‖ wages (hebdomadaire) ‖ salary (mensuel).

salarié, e [salarje] *adj* salaried ● *n* wage-earner.

salaud [salo] *m* Pop. [sale type] bastard, swine, son-of-a-bitch (sl.).

sale [sal] *adj* dirty ‖ Fɪɢ. filthy (histoire) ; nasty (tour) ; beastly (temps).

sal|é, e [sale] *adj* salt (beurre, porc) ; salted (amandes) ; *eau* ~*e,* salt water ‖ Fɪɢ. spicy (histoire) ‖ ~**er** *vt* (1) Cuʟɪɴ. salt, put salt in (dans un mets) ; salt (du porc).

saleté [salte] *f* dirt, filth ; grime (crasse) ; squalor (sordide) ‖ [chat] *faire des* ~s, make a mess ‖ *Pl* Fɪɢ. dirty things (obscénités) ; rubbish (chose sans valeur).

salière [saljɛr] *f* salt-cellar.

salin, ine [salɛ̃, in] *adj* salt, salty ● *m/f* salt marsh, saline.

sal|ir [salir] *vt* (2) soil, dirty, make dirty — *vpr se* ~, dirty oneself ‖ [vêtement] soil ; stain (facilement) ‖ ~**issant, e** *adj* [tissu] easily soiled ‖ [travail] dirty, messy ‖ ~**issure** [-isyr] *f* smear.

salive [saliv] *f* saliva, spittle.

salle [sal] *f* room ; ~ *de bains,* bath-room ; ~ *à manger,* diningroom ; ~ *de séjour,* living-room ‖ [lieux publics] ~ *de concert,* concert hall ; ~ *de conférences,* theatre ; ~ *d'exposition,* showroom ‖ saloon (de café) ‖ [école] ~ *de classe,* classroom ; ~ *des professeurs,* common room ‖ Méd. ward (d'hôpital) ‖ Comm. ~ *des ventes,* saleroom ‖ Raɪʟ. ~ *d'attente,* waiting room ‖

TH. auditorium, theatre ; ~ *comble,* full house ‖ CIN. theatre, cinema.

salon [salɔ̃] *m* lounge, living-room, sitting-room ‖ [hôtel] lounge ‖ [bateau] saloon ‖ ~ *de coiffure,* hairdressing salon ; ~ *de thé,* tea-room, teashop ‖ [exposition] show-room ; ~ *des arts ménagers,* Ideal Home Exhibition ; ~ *de l'auto,* Motor-Show.

salopette [salɔpɛt] *f* overalls, dungarees.

salpêtre [salpɛtr] *m* salpetre.

salsifis [salsifi] *m* salsify.

salubre [salybr] *adj* healthy.

sal|uer [salɥe] *vt* (1) greet (dire bonjour) ‖ take one's leave (dire au revoir) ‖ hail (acclamer) ; bow to (de la tête) ‖ MIL. salute ‖ TH. [acteur] take a bow ‖ ~**ut** [-y] *m* wave (de la main) ; nod (de la tête) ; bow (en s'inclinant) ‖ MIL. *faire le* ~ *militaire,* give the military salute ; ~ *au drapeau,* trooping the colours ‖ REL. salvation ‖ *Armée du salut,* Salvation Army ‖ safety (sécurité) ● *interj* ~ *!,* hallo !, hi ! ; [au revoir] bye !, see you !, so long ! ‖ ~**utation** [-ytasjɔ̃] *f* salutation, greeting ‖ *Pl* [correspondance] *veuillez agréer mes* ~*s distinguées,* yours truly.

salve [salv] *f* MIL. salvo ‖ FIG. ~ *d'applaudissements,* volley of applause.

samedi [samdi] *m* Saturday.

sanctifier [sɑ̃ktifje] *vt* (1) sanctify, hallow.

sancti|on [sɑ̃ksjɔ̃] *f* sanction ; penalty ‖ ~**onner** [-ɔne] *vt* (1) discipline, punish (qqn) ; punish (qqch).

sandale [sɑ̃dal] *f* sandal.

sandwich [sɑ̃dwitʃ] *m* sandwich ; *double* ~, double-decker (coll.) ‖ FIG. *être pris en* ~, be sandwiched.

sang [sɑ̃] *m* blood ; *perdre du* ~, bleed ‖ ZOOL. *à* ~ *chaud/froid,* warm-/cold-blooded ‖ FIG. *se faire du mauvais* ~, worry ‖ ~**-froid** *m inv* composure, self-control ; *de* ~ *in*

cold blood ; *garder/perdre son* ~, keep/lose one's temper.

sanglant, e [sɑ̃glɑ̃, ɑ̃t] *adj* bloody (couteau, pansement) ; bloody, covered in blood (mains, visage, etc.) ; bloody (combat).

sangl|e [sɑ̃gl] *f* strap ‖ ~**er** *vt* (1) strap up (le corps) ‖ girth (un cheval).

sanglier [sɑ̃glije] *m* wild boar.

sangl|ot [sɑ̃glo] *m* sob ‖ ~**oter** [-ɔte] *vi* (1) sob.

sangsue [sɑ̃sy] *f* leech.

sangu|in, ine [sɑ̃gɛ̃, in] *adj* sanguine (tempérament) ‖ MÉD. *groupe* ~, blood group ● *f* blood-orange ‖ ~**inaire** [-inɛr] *adj* blood-thirsty.

sanitaire [sanitɛr] *adj* sanitary ; *installations* ~*s,* sanitation ‖ [maison] *installation* ~, (bath-room) plumbing ‖ MÉD. *poste* ~ *d'urgence,* first-aid station.

sans [sɑ̃(z)] *prép* (absence) without ; *cela va* ~ *dire,* that goes without saying ‖ -less ; ~ *peur,* fearless ; ~ *le sou,* penniless ‖ [supposition négative] but for, had it not been for ; ~ *votre aide,* but for your help (si vous ne m'aviez pas aidé) ; ~ *quoi,* otherwise (dans le cas contraire) ● *loc conj* ~ *que :* ~ *que je le sache,* without my knowing it ‖ ~**-abri** *n inv* homeless person ‖ ~**-atout** *m* no-trumps ‖ ~ **cesse** *loc adv* ceaselessly ‖ ~**-cœur** *adj/n inv* heartless ‖ ~**-emploi** *adj* jobless ‖ ~**-gêne** *adj inv* off-hand, inconsiderate ● *m* off-handedness, inconsiderateness ‖ ~**-soin** *adj inv* careless ; slovenly.

sansonnet [sɑ̃sɔnɛ] *m* starling.

sans-souci [sɑ̃susi] *adj inv* easy-going, carefree.

santé [sɑ̃te] *f* health ; *en bonne/ mauvaise* ~, in good/bad health ; *respirer la* ~, be the picture of health ; ~ *mentale,* sanity ‖ *boire à la* ~ *de qqn,* drink (to) sb's health ; *à votre* ~ *!,* cheers !

saoul [su] *adj* = SOÛL.

saper¹ [sape] *vt* (1) POP. dress ; *elle est toujours bien sapée,* she's always well-dressed.

sap|er² [sape] *vt* (1) ARCH., MIL., FIG. undermine, sap ‖ **~eur** *m* MIL. sapper ‖ **~-pompier,** fireman.

saphir [safir] *m* sapphire ‖ [disque] needle.

sapin [sapɛ̃] *m* fir(-tree).

saquer [sake] *vt* (1) POP. give sb the sack, fire.

sarbacane [sarbakan] *f* blowgun ‖ pea-shooter (d'enfant).

sarcas|me [sarkasm] *m* sarcasm, sarcastic remark, taunt ‖ **~tique** [-tik] *adj* sarcastic ; snide (narquois).

sarcler [sarkle] *vt* (1) weed.

Sardaigne [sardɛɲ] *f* Sardinia.

sardine [sardin] *f* sardine ; *boîte de ~s,* sardine-tin.

sardonique [sardɔnik] *adj* sardonic.

sarment [sarmɑ̃] *m* vine shoot.

sarrasin [sarazɛ̃] *m* BOT. buckwheat.

sas [sas] *m* sieve ‖ NAUT. flooding-chamber.

satané, e [satane] *adj* FAM. confounded, blasted (coll.).

satell|iser [satelize] *vt* (1) put into orbit ‖ **~ite** *m* satellite.

sat|in [satɛ̃] *m* satin ‖ **~iné, e** [-ine] *adj* satiny, silken.

satir|e [satir] *f* satire ‖ **~ique** *adj* satirical.

satisf|action [satisfaksjɔ̃] *f* satisfaction, gratification (d'un désir) ‖ **~aire** *vt* (50) satisfy ; meet (une demande) ‖ gratify (un désir) — *vt ind* **~ à,** meet, fulfil ‖ **~aisant, e** [-əzɑ̃, ɑ̃t] *adj* satisfying, satisfactory ‖ **~ait, e** [-ɛ, ɛt] *adj* satisfied, pleased, happy ; content(ed) [de, with] ; *~ de soi,* self-righteous.

sauc|e [sos] *f* CULIN. sauce (condiment) ; gravy (jus) ; *~ vinaigrette,* salad dressing ‖ **~ière** *f* sauce-boat, gravy-boat.

sauciss|e [sosis] *f* sausage ‖ **~on** *m* sausage, salami.

sauf [sof] *prép* save, except (for) ; *~ accident,* barring accidents ; *tous ~ lui,* all but him ● *loc conj ~ que,* save/except that.

sauf, sauve [sof, sov] *adj* safe.

sauf-conduit [sofkɔ̃dɥi] *m* safe-conduct.

sauge [soʒ] *f* sage.

saule [sol] *m* willow ; *~ pleureur,* weeping willow.

saumâtre [somɑtr] *adj* brackish, briny.

saumon [somɔ̃] *m* salmon.

saumure [somyr] *f* brine, pickle.

sauna [sona] *m* sauna.

saupoudrer [sopudre] *vt* (1) sprinkle, powder (de, with).

saut [so] *m* leap, bound, jump ‖ SP. *~ de l'ange,* swallow dive ; *~ à la corde,* skipping ; *~ avec élan,* running jump ; *~ de haies,* hurdling ; *~ en hauteur,* high jump ; *~ en longueur,* long jump ; *~ à la perche,* pole vault(ing) ; *faire un ~ périlleux,* turn a somersault ; *~ à pieds joints,* standing jump ; *~ à skis,* skijump(ing) ‖ AV. *~ en parachute,* parachute jump(ing) ; *~ en chute libre,* sky-diving ‖ **~-de-mouton** *m* [route] fly-over.

saute [sot] *f* shift (de vent) ‖ **~-mouton** *m* leap-frog ; *jouer à ~,* play leap-frog.

sauter [sote] *vi* (1) jump, leap (sur, at) ; spring, bound (s'élancer) ; *~ à cloche-pied,* hop ‖ [attaquer] *~ sur,* go for ‖ [bouchon] pop out ; explode (exploser) ; *faire ~,* blow up, blast ‖ SP. *~ à la perche,* pole vault ; *~ à la corde,* skip ; *faire ~,* jump (un cheval) ‖ AV. *~ (en parachute),* bale out ‖ ÉLECTR. [fusible] blow ; *faire ~ les plombs,* blow the fuse, fuse the lights ‖ CULIN. *faire ~,* sauté, fry ; toss (crêpe) ‖ FIG. *faire ~ la banque,* break the bank ; *~ sur* *l'occasion,* seize upon an opportunity — *vt* jump, leap over ; clear (fossé) ‖ Fig. skip, miss (out) [un passage].

sauterelle [sotrɛl] *f* grass-hopper.

saut|eur, euse *n* Sp. jumper ‖ ~**iller** [-ije] *vi* (1) hop.

sauvage [sovaʒ] *adj* wild ‖ untamed, wild (animal) ; uncultivated (lieu) ; *à l'état ~,* in the wild ‖ savage (peuplade) ; Fig. unsociable (personne) ; unauthorized (camping) ; wildcat (grève) ● *n* savage ‖ ~**ment** *adv* savagely ‖ ~**rie** *f* savageness, savagery.

sauve|garde [sovgard] *f* safeguard ‖ ~**garder** *vt* (1) safeguard ‖ ~**-qui-peut** [-kipø] *m inv* (panique) stampede ‖ → SAUVER.

sauv|er [sove] *vt* (1) save, rescue (*de,* from) ; *sauve qui peut !,* run for your lives ! ‖ Méd. bring through ‖ Naut. save, bring off (des naufragés) ‖ Rel. save, redeem ‖ Fig. ~ *les apparences,* keep up appearances — *vpr se* ~, run away ‖ Fam. *il faut que je me sauve,* I must be off (coll.) ‖ [lait] boil over ‖ ~**etage** [-taʒ] *m* rescue ; *équipe de* ~, rescue party ‖ Naut. salvage, rescuing ‖ ~**eteur** *m* rescuer.

sav|amment [savamɑ̃] *adj* learnedly ; knowingly ‖ ~**ant, e** [savɑ̃, ɑ̃t] *adj* learned (personne) ; scholarly (ouvrage) ; *chien* ~, performing dog ● *n* scholar, scientist.

savane [savan] *f* savanna.

savate [savat] *f* old slipper (pantoufle) ; old shoe (chaussure) ‖ Fam. [personne maladroite] clumsy oaf ; *il joue au tennis comme une* ~, he's an absolutely hopeless tennis player ‖ Fam. *traîner la* ~, bum around (coll.).

saveur [savœr] *f* flavour, savour ‖ Fig. zest.

savoir [savwar] *vt* (92) know ; ~ *par cœur,* know by heart ; ~ *ce qu'on veut,* know one's mind ‖ know, be aware/informed of (être informé) ; *autant que je sache,* as far as I know,

for all I know ; *pas que je sache,* not to my knowledge ‖ *en* ~ *long sur,* know a lot about ; *personne n'en sait rien au juste,* it's anybody's guess ; *qu'en savez-vous ?,* how do you know ? ; *je crois* ~ *que,* I understand that ‖ [+ inf.] know how, be able (faire *qqch,* to do sth) ; *savez-vous nager ?,* can you swim ? ‖ *faire* ~ *à qqn,* let sb know, acquaint sb with ● *loc et que sais-je encore,* and what not ; *à* ~, namely ; *sans le* ~, unknowingly ; *tu sais/vous savez,* you know ; *qui sait ?,* who knows ? ; *si j'avais su,* if I had known, had I known ; *on ne sait jamais,* you never can tell ● *m* knowledge, learning ‖ ~**-faire** *m inv* know-how ‖ ~**-vivre** *m inv* (good) manners ; *il n'a aucun* ~, he has no manners at all.

sav|on [savɔ̃] *m* soap ; ~ *à barbe,* shaving-soap ; ~ *de Marseille,* household soap ‖ Fam. talking-to ; *passer un* ~ *à qqn,* tick sb off (coll.) ; give sb a good dressing-down/a ticking-off (coll.) ‖ ~**onner** [-ɔne] *vt* (1) soap, wash with soap ; lather (pour se raser) ‖ ~**onnette** [-ɔnɛt] *f* bar/cake of soap ‖ ~**onneux, euse** [-ɔnø, øz] *adj* soapy ; *eau* ~*euse,* soap suds.

savour|er [savure] *vt* (1) savour ; taste slowly ; relish, enjoy ‖ ~**eux, euse** *adj* savoury, tasty ‖ Fig. juicy, racy (anecdote).

saxophon|e [saksɔfɔn] *m* saxophone ; sax (coll.) ‖ ~**iste** *n* sax player.

scabreux, euse [skabrø, øz] *adj* improper, shocking.

scandal|e [skɑ̃dal] *m* scandal ; outrage ; *faire* ~, cause a scandal ; *faire du* ~, make a scene, kick up a fuss/row ‖ ~**eux, euse** *adj* scandalous, outrageous, shocking ‖ ~**iser** *vt* (1) scandalize, shock, outrage.

scander [skɑ̃de] *vt* (1) scan (vers) ‖ chant (slogan).

scandinave [skɑ̃dinav] *adj* Scandinavian.

scaphandr|e [skafɑ̃dr] *m* diving

suit ‖ SP. ~ *autonome,* aqualung, scuba ‖ ~**ier** *m* diver.

scarabée [skarabe] *m* beetle.

scarlatine [skarlatin] *f* scarlet fever.

sceau [so] *m* seal ‖ FIG. stamp, hall-mark.

scell|er [sele] *vt* (1) seal (une lettre) ‖ ~**és** *mpl* JUR. seals ; *mettre les ~ sur,* put the seals on.

scénar|io [senarjo] *m* scenario, continuity, script, screenplay ‖ ~**iste** *n* scenario-/script-writer, scenarist.

scène [sɛn] *f* TH. stage (partie du théâtre) ; scene (décor, lieu de l'action, partie d'un acte) ; *porter à la ~,* stage, put on ; *mettre en ~,* CIN. direct, TH. produce ; *metteur en ~,* CIN. director, TH. producer ; *mise en ~,* CIN. direction, TH. staging, setting ‖ FIG. scene ; *faire une ~,* make a scene.

scept|icisme [sɛptisism] *m* scepticism ‖ ~**ique** *adj* sceptical ; dubious (sur, about) ● *n* sceptic.

schéma [ʃema] *m* diagram, sketch FIG. outline (résumé).

schuss [ʃus] *adv descendre ~,* schuss down.

sciatique [sjatik] *f* sciatica.

scie [si] *f* saw ; ~ *à découper,* fretsaw ; jigsaw (sauteuse) ; ~ *égoïne,* hand-saw ; ~ *mécanique,* power saw ; ~ *à métaux,* hacksaw ; ~ *à ruban,* band-saw ‖ FIG. *en dents de ~,* serrated ‖ FAM. catch-phrase (slogan).

sciemment [sjamã] *adv* knowingly.

science [sjãs] *f* science ; ~*s appliquées/exactes/humaines/sociales,* applied/exact/human/social sciences ; ~*s occultes,* black art(s) ‖ [érudition] knowledge, learning ‖ ~**-fiction** *f* science fiction.

scientifiqu|e *adj* scientific ● *n* scientist ‖ ~**ement** *adv* scientifically.

sci|er [sje] *vt* (1) saw (off) ‖ ~**erie** [siri] *f* sawmill.

scinder [sɛde] *vt/vpr* [se ~] (1) divide/split up (en, into).

scintill|ement [sɛtijma] *m* glitter, twinkle ‖ ~**er** *vi* (1) sparkle, glitter, scintillate ‖ [étoile] twinkle.

scission [sisjɔ̃] *f* POL. split.

sciure [sjyr] *f* sawdust.

scol|aire [skɔlɛr] *adj* academic, school ; *année ~,* school year ‖ ~**arité** [-arite] *f* schooling, school attendance ; *frais de ~,* school fees.

sconce [skɔ̃s] *m* skunk.

scooter [skutɛr] *m* (motor) scooter.

scorbut [skɔrbyt] *m* scurvy.

score [skɔr] *m* SP. score.

scories [skɔri] *fpl* slag, dross.

scorpion [skɔrpjɔ̃] *m* ZOOL. scorpion.

Scorpion *m* ASTR. Scorpio.

scout [skut] *m* (boy-)scout ‖ ~**isme** *m* boy-scout movement ; scouting (activité).

script [skript] *m* CIN. (shooting) script, continuity.

scripte, script-girl *f* CIN. continuity girl.

scrupul|e [skrypyl] *m* scruple ‖ *sans ~s,* unscrupulous ‖ ~**eusement** *adv* scrupulously ‖ ~**eux, euse** *adj* scrupulous ; *peu ~,* unscrupulous.

scrut|ateur, trice [skrytatœr, tris] *adj* searching ● *n* POL. teller, scrutineer (de votes) ‖ ~**er** *vt* (1) scrutinize ; peer (qqch, at/into sth) ‖ ~**in** [-ɛ̃] *m* ballot, poll.

sculpt|er [skylte] *vt* (1) carve (le bois) ; sculpture (la pierre) ‖ ~**eur** *m* sculptor ; *femme ~,* sculptress ; (wood-)carver (sur bois) ‖ ~**ure** *f* sculpture ; ~ *sur bois,* wood-carving.

se [sə] *pron* [réfléchi] oneself ; himself, herself, itself ‖ *Pl* themselves ‖ [réciproque] each other, one another ‖ [= possessif] ~ *casser le bras,* break one's arm ‖ [= passif] *cela ne ~ fait pas,* that's not done ‖ [= vi] ~ *casser,* break ; ~ *rencontrer,* meet.

séance [seɑ̃s] *f* [assemblée] sitting, session, meeting ‖ [période] session

|| [pose] sitting || Cin. showing, performance || Fig. ~ *tenante,* there and then, forthwith.

seau [so] *m* pail, bucket ; ~ *à charbon,* (coal) scuttle ; ~ *à glace,* ice-bucket.

sec, sèche [sɛk, sɛʃ] *adj* dry ; dried (fruit) ; *à pied* ~, dry-shod || [cartes] *valet* ~, singleton jack || Comm. *nettoyage à* ~, dry-cleaning || Culin. crisp (biscuits, etc.) ; neat, straight (whisky) || Fin. *perte sèche,* clear loss || Fig. cold (cœur) ; sharp (bruit) ; curt, dry (réponse) ● *adv* boire ~, drink hard ● *loc adv* **à** ~ [puits] dry ; Fam. broke (coll.) [sans argent] ● *m* tenir au ~, keep in a dry place ● *f* Pop. fag (cigarette).

sécateur [sekatœr] *m* pruning-scissors, sécateur.

sécession [sesɛsjɔ̃] *f* secession ; *faire* ~, secede.

séch|age [seʃaʒ] *m* drying (du linge) ; seasoning (du bois) || ~é, e *adj* dried.

sèche|-cheveux *m* (hair-)dryer || ~-linge *m* drying-cabinet (armoire) ; tumble-dryer (machine).

sèchement [sɛʃmɑ̃] *adv* dryly (raconter) ; curtly (brièvement).

séch|er [seʃe] *vt* (5) dry (up) || blot (avec un buvard) ; air (du linge) ; blow dry (cheveux) || Fam. cut, skip (coll.) [un cours] — *vi* dry || *faire* ~, dry ; season (bois) || [école] Arg. be stumped (ne savoir que répondre) || ~eresse [-res] *f* dryness || drought (période) || ~oir *m* ~ (à cheveux), (hair-)dryer ; ~ (à linge), clotheshorse.

secon|d, e [səgɔ̃, ɔ̃d] *adj* second (→ Deuxième) ● *m* second in command || Naut. (first) mate || Sp. [courses] runner-up ● *loc adv* **en** ~ : *commander en* ~, be second in command || ~daire [-dɛr] *adj* secondary ; side (effet).

seconde [səgɔ̃d] *f* second (temps, angle) ; *d'une* ~ *à l'autre,* any moment || Rail. second class.

seconder [səgɔ̃de] *vt* (1) assist.

secouer [səkwe] *vt* (1) shake || shake off (la poussière) ; knock out (sa pipe) || [vagues] toss (le navire) ; [cahot] jolt || [oiseau] flutter (ses ailes) || Fig. give a turn (bouleverser) ; stir up (stimuler).

secour|ir [səkurir] *vt* (32) help, aid, assist || rescue (sauver) || ~isme *m* first aid.

secours [səkur] *m* help, assistance ; *aller au* ~ *de qqn,* go to sb's rescue ; *appeler au* ~, call for help ; *porter* ~, give sb help ; *venir au* ~ *de,* come to sb's assistance/help ; *premiers* ~, first help || *au* ~ *!,* help ! || *de* ~, emergency (sortie) ; stand-by (groupe électrogène) ; spare (batterie) ; Mil. relief.

secousse [səkus] *f* shake || [voiture] bump, jolt || [traction] tug, jerk || tremor (sismique) || Fig. shock, commotion.

secret, ète [səkrɛ, ɛt] *adj* secret || underhand (clandestin) || secretive (personne) || Fig. hidden ; *le plus* ~, in(ner) most (pensées) ● *m* secret || secrecy (discrétion) || ~ *de Polichinelle,* open secret ; (honteux) ~ *de famille,* skeleton in the cupboard ● *loc en* ~, secretly, in secrecy.

secrét|aire [səkretɛr] *n* secretary (personne) ; ~ *de mairie,* town clerk || writing desk, davenport (meuble) || ~ariat [-arja] *m* secretary's office ; post of secretary.

secrètement [səkrɛtmɑ̃] *adv* secretly.

sect|aire [sɛktɛr] *adj/n* bigoted (opinion, personne) || Rel. sectarian || ~e *f* sect, denomination.

sec|teur [sɛktœr] *m* area ; district (postal) || [économie] ~ *tertiaire,* service industries || Math. sector || Électr. *le* ~, the mains || ~ **tion** *f* section || [autobus] fare-stage || [université] department || Mil. platoon || ~ **tionner** [-sjɔne] *vt* (1) sever, cut off, section.

sécul|aire [sekylɛr] *adj* secular (tous les cent ans) || age-old (très ancien) || **~ier, ière** *adj* secular.

sécurité [sekyrite] *f* [sentiment] security || [absence de danger] safety ; *en toute ~,* safely ; *se sentir en ~,* feel safe || TECHN. *dispositif de ~,* safety device || JUR. **~ sociale,** social security, G.B. National Health Service || AUT. **~ routière,** road safety || FAM. *pour plus de ~,* to be on the safe side.

sédatif, ive [sedatif, iv] *m/adj* sedative.

sédentaire [sedātɛr] *adj* sedentary (personne) ; settled (population).

sédiment [sedimā] *m* sediment.

sédit|ieux, ieuse [sedisjø, jøz] *adj* seditious, riotous || **~ion** *f* sedition.

séd|ucteur, trice [sedyktœr, tris] *adj* seductive ● *m* seducer ● *f* seductress || **~uction** [-yksjɔ̃] *f* seduction, enticement (d'une femme) || FIG. appeal, attraction, glamour || **~uire** [-ɥir] *vt* (85) seduce, entice (une femme) || FIG. appeal to, attract, entice, fascinate ; lure, tempt (tenter) || **~uisant, e** [-ɥizā, āt] *adj* seductive, alluring, attractive, glamorous (femme) ; fascinating, fetching (sourire) || FIG. tempting (offre).

segment [sɛgmā] *m* segment || AUT. **~ de piston,** piston ring.

ségrégation [segregasjɔ̃] *f* segregation.

seiche [sɛʃ] *f* cuttle-fish.

seigle [sɛgl] *m* rye.

seigneur [sɛɲœr] *m* lord || REL. *Notre-Seigneur,* Our Lord.

sein [sɛ̃] *m* breast (de femme) ; *donner le ~ à,* breast-feed || [mode] *aux ~s nus,* topless || FIG. bosom ; *au ~ de,* amid, within.

séisme [seism] *m* earthquake.

seiz|e [sɛz] *m/adj* sixteen || **~ième** [-jɛm] *adj* sixteenth.

séjour [seʒur] *m* stay, visit || [pièce]

living-room || **~ner** [-ne] *vi* (1) stay, sojourn.

sel [sɛl] *m* salt ; **~ fin,** table salt ; *gros ~,* kitchen salt ; *sans ~,* salt-free || *Pl ~s de bain,* bath salt || CH. salt || FIG. spice (piquant) ; wit (humour).

sélec|t [selɛkt] *adj* high-class ; posh (coll.) ; exclusive (club) || **~tif, ive** [-tif, iv] *adj* selective || **~tion** *f* selection || SP. trial || **~tionner** [-sjɔne] *vt* (1) select ; screen (personnel qualifié).

selle¹ [sɛl] *f* MÉD. *aller à la ~,* go to stool ; *Pl* stools.

sell|e² [sɛl] *f* saddle || [bicyclette] seat || **~er** *vt* (1) saddle || **~ier** *m* saddler.

selon [səlɔ̃] *prép* according to ; **~ moi,** in my opinion ● *loc conj* **~ que,** according to whether, according as.

semailles [səmaj] *fpl* sowing.

semaine [s(ə)mɛn] *f* week ; *en ~,* on week-days ; *toutes les ~s,* weekly || REL. *~ sainte,* Holy Week.

sémaphore [semafɔr] *m* NAUT. semaphore.

sembl|able [sāblabl] *adj* similar ; **~ à,** like, similar to ; *assez ~,* not unlike || [avant le n.] such || [attribut] *être ~,* be alike ● *m* fellow (creature) || **~ant** *m un ~ de,* a semblance of ; *faire ~ de,* pretend (de dormir, to be asleep) ; *faire ~ de ne pas (re)connaître qqn,* ignore sb || **~er** *vi* (1) seem — *v impers il semble que,* it seems/appears that ; *il me semble que,* it seems to me that ; *faites comme bon vous semble,* do as you please.

semelle [səmɛl] *f* sole.

sem|ence [səmās] *f* seed || TECHN. tack (clou) || **~er** *vt* (5) sow (du blé) ; scatter (disperser) || FIG., FAM. **~ qqn,** shake sb off, give sb the slip.

semestre [səmɛstr] *m* half-year || [université] semester.

semeur, euse [səmœr, øz] *n* sower.

semi- [səmi] *préf* semi-.

sémin|aire [seminɛr] *m* [université]

seminar ‖ REL. seminary ‖ **~ariste** [-arist] *m* REL. seminarist.

semi-remorque *m* articulated lorry, U.S. semitrailer.

sem|is [səmi] *m* seedling (plante) ‖ seed-bed ‖ **~oir** seeder.

semonce [səmɔ̃s] *f* reprimand ‖ NAUT. *coup de ~,* warning shot (across the bows).

semoule [səmul] *f* semolina.

séna|t [sena] *m* senate ‖ **~teur** [-tœr] *m* senator.

Sénégal [senegal] *m* Senegal ‖ **~ais, aise** [-ɛ, ɛz] *n* Senegalese.

sénil|e [senil] *adj* senile ‖ **~ité** *f* senility.

sens¹ [sɑ̃s] *m* sense ; *les cinq ~,* the five senses ‖ *Pl* sensuality.

sens² *m* [connaissance intuitive] sense, feeling ; *~ de l'orientation,* sense of direction ; *avoir le ~ de la musique,* have a feeling for music ‖ [jugement] sense, understanding ; *bon ~, ~ commun,* (common) sense ; *cela n'a pas de ~,* it does not make sense ; *en dépit du bon ~,* against all sense ‖ opinion ; *à mon ~,* to my mind ; *dans un certain ~,* in a sense ‖ [signification] meaning, sense, signification ; *~ figuré/propre,* figurative/literal sense ; *dénué de ~,* meaningless.

sens³ *m* [direction] direction ; *~ interdit/unique,* one-way street ; *~ interdit,* no entry (panneau) ‖ [circulation] *venant en ~ inverse,* oncoming (voitures) ; *aller en ~ inverse,* go in the opposite direction ‖ *dans le ~ des aiguilles d'une montre,* clockwise ; *dans le ~ contraire des aiguilles d'une montre,* anticlockwise ; *dans le ~ de la largeur/longueur,* widthwise/lengthwise ‖ RAIL. *dans le ~ de la marche,* facing the front ● *loc* **~ dessus dessous** [sɑ̃sydsu] upside-down, wrong side up ; topsy-turvy (en désordre) ; *mettre ~ dessus dessous,* tumble down ; **~ devant derrière,**

back to front ; the wrong way round ‖ *en ~ opposé,* contrariwise.

sensati|on [sɑ̃sasjɔ̃] *f* [perception] sensation ‖ [impression] feeling ; *donner la ~ de,* feel like ; [effet] sensation, stir ; *faire ~,* create a sensation, make a splash (coll.) ; *presse à ~,* gutter press ‖ **~onnel, elle** [-ɔnɛl] *adj* FAM. fantastic, sensational, terrific, tremendous (coll.).

sensé, e [sɑ̃se] *adj* sensible.

sensi|bilité [sɑ̃sibilite] *f* sensitiveness (physique) ; sensibility (émotivité) ‖ **~ble** *adj* sensitive (impressionnable) ; sore (point) ; sensitive (instrument) ; noticeable (perceptible) ; *être ~ au froid,* feel the cold ‖ PHOT. sensitive (papier) ‖ **~blement** *adv* noticeably (d'une façon appréciable) ‖ approximately, more or less (presque).

sensu|alité [sɑ̃sɥalite] *f* sensuality ‖ **~el, elle** *adj* sensual (voluptueux) ‖ sensuous (raffiné).

sentence [sɑ̃tɑ̃s] *f* JUR. sentence.

sentier [sɑ̃tje] *m* (foot)path ‖ FIG. *hors des ~s battus,* off the beaten track.

sentimen|t [sɑ̃timɑ̃] *m* [émotion] feeling ; *~ de culpabilité,* guilty feeling ‖ [conscience] *avoir le ~ de,* be aware of ; *avoir le ~ que,* feel that ‖ [sensibilité] emotion, feeling ; *jouer avec ~,* play with feeling ‖ **~tal, e, aux** [-tal, o] *adj* sentimental ‖ **~talité** [-talite] *f* sentimentality.

sentinelle [sɑ̃tinɛl] *f* sentry.

sentir [sɑ̃tir] *vt* (93) feel (par le toucher) ‖ [personne] smell (une fleur) ; *~ l'alcool,* smell of brandy ‖ [chose] smell of (exhaler) ; taste of (avoir le goût de) ‖ FIG. *faire ~,* bring home — *vi* smell ; *~ bon/mauvais,* smell nice/bad — *vpr se ~,* feel ; *se ~ bien/mal,* feel well/bad ; *on se sent bien ici,* it's cosy here ; *se ~ fatigué,* feel tired ; *ne pas se ~ bien,* feel under the weather.

sépar|ation [separasjɔ̃] *f* separation,

parting (action) ‖ breakaway (rupture) ‖ partition (mur) ‖ JUR. separation ‖ FIG. breaking off ‖ **~é, e** *pp/adj* separate, distinct (choses) ; parted (personnes) ; *être ~*, be apart ‖ **~ément** *adv* separately, individually, singly ‖ **~er** *vt* (1) separate, divide (*de*, from) ‖ divide (être placé entre) ‖ part (adversaires, amis) ‖ FIG. divide, divorce (*de*, from) — *vpr se ~*, break up, disperse (se disperser) ; *se ~ de*, part with (qqn, qqch) ‖ part, part company (with), split up (se quitter).

sept [sɛt] *m/adj* seven.

septembre [sɛptɑ̃br] *m* September.

septentrional, e, aux [sɛptɑ̃trijɔnal, o] *adj* north(ern).

septième [sɛtjɛm] *m/adj* seventh.

septique [sɛptik] *adj* septic.

sépulture [sepyltyr] *f* burial place.

séquelles [sekɛl] *fpl* MÉD. after-effects ‖ FIG. aftermath.

séquence [sekɑ̃s] *f* CIN. sequence.

séquestrer [sekɛstre] *vt* (1) hold hostage (prendre en otage) ‖ JUR. confine illegally.

serein, e [sərɛ̃, ɛn] *adj* serene (personne, temps) ; cloudless (ciel).

sérénité [serenite] *f* serenity.

sergent [sɛrʒɑ̃] *m* MIL. sergeant.

série [seri] *f* series, set ; succession (de faits) ; *de ~*, serial (numéro) ; standard (modèle) ; *hors ~*, custom made ‖ [industrie] *fabriquer en ~*, mass produce ; *production en ~*, mass production ‖ MÉD. *une ~ de piqûres*, a course of injections.

séri|eusement [serjøzmɑ̃] *adv* seriously ‖ in earnest (de bonne foi) ‖ **~eux, euse** *adj* serious (grave) ; earnest (consciencieux) ; responsible (digne de confiance) ; sober-minded (sensé) ; business-like (transaction) ; grave, serious (maladie) ● *m* seriousness ; *garder son ~*, keep one's countenance. *prendre au ~*, take seriously.

sérigraphie [serigrafi] *f* silkscreen process/printing.

serin [sərɛ̃] *m* canary.

seringue [sərɛ̃g] *f* syringe.

serment [sɛrmɑ̃] *m* oath ; *faire ~ de*, swear to ; *prêter ~*, swear an oath, be sworn in ‖ [promesse] pledge, vow (d'amour).

serm|on [sɛrmɔ̃] *m* sermon ; lecture [discours moralisateur] ‖ **~onner** [-ɔne] *vt* (1) lecture (réprimander).

séropositif, ive [serɔpozitif, iv] *adj* MÉD. seropositive.

serpe [sɛrp] *f* billhook.

serpen|t [sɛrpɑ̃] *m* snake ; *~ à sonnettes*, rattlesnake ‖ FIN. snake ‖ **~ter** [-te] *vi* (1) [chemin] wind ; [ruisseau] meander ‖ **~tin** [-tɛ̃] *m* streamer, U.S. ticker-tape.

serpillière [sɛrpijɛr] *f* floor-cloth.

serre¹ [sɛr] *f* glass-house, green-house, conservatory.

serre² *f* ZOOL. claw, talon.

serr|é, e [sere] *adj* tight (nœud, vêtement) ‖ tightly packed (tassé) ‖ SP. tight (match) ‖ FIG. *avoir le cœur ~*, be sick at heart ‖ **~ement** *m* squeezing ‖ FIG. *~ de cœur*, pang of anguish.

serre-livres [sɛrlivr] *m inv* bookend.

serrer [sere] *vt* (1) squeeze (presser) ‖ clasp, hug (dans ses bras) ‖ *~ la main de qqn*, press sb's hand ‖ *~ les dents/poings*, clench one's teeth/fists ‖ hold tight (dans sa main) ‖ [vêtement] be too tight ‖ tighten (la ceinture) ‖ [chaussures] pinch ‖ TECHN. tighten (écrou) ‖ AUT. *~ à droite*, keep well to the right ‖ *~ le frein*, put on the brake ‖ MIL. *~ les rangs*, close the ranks ‖ FIG. wring (le cœur) ; *~ le texte de près*, keep close to the text — *vpr se ~*, huddle/cuddle (up) [se blottir] ‖ FIG. [cœur] sink ‖ FAM. *se ~ la ceinture*, tighten one's belt.

serre-tête [sɛrtɛt] *m inv* headband.

serrur|e [seryr] f lock ; *trou de ~*, keyhole || **~ier** m locksmith.

sertir [sertir] vt (2) TECHN. set (un diamant).

sérum [serɔm] m serum.

serv|eur [servœr] m [bar] barman ; [restaurant] waiter || SP. server || **~euse** f barmaid ; waitress || **~iable** [-jabl] adj obliging, helpful, co-operative ; neighbourly.

service¹ [servis] m [aide] service ; *à votre ~*, at your service ; *demander un ~ à qqn*, ask sb a favour ; *rendre ~ à qqn*, do sb a good turn ; *rendre un mauvais ~ à qqn*, do sb a disservice ; *ça peut toujours rendre ~*, it may come in handy || [domesticité] service ; *au ~ de*, in the employ of ; *entrer en ~ chez qqn*, go into sb's service ; *faire le ~ à table*, wait at table || [hôtel] *~ des chambres*, room service ; **service charge** ; *~ compris*, service included || *~ de table*, dinner-set ; *~ à thé*, tea-set || [série de repas] sitting ; *manger au premier ~*, eat at the first sitting || COMM. **libre ~**, self-service ; *~ après vente*, after sales service || SP. [tennis] serve, service || MIL. *~ national*, national service ; *faire son ~*, do one's national service ; *bon pour le ~*, fit for service || REL. service.

service² m [administration] department, bureau ; *~ public*, public service || [fonction] duty ; *de ~*, on duty ; [médecin] *en call* TECHN. *en ~*, working ; *hors de ~*, out of order || RAIL. service.

serviette [servjet] f napkin (de table) ; *~ en papier*, paper napkin ; *~ à démaquiller*, facial tissue ; *~ de toilette*, towel || brief-case (sac).

servil|e [servil] adj servile (condition) || FIG. fawning, cringing || **~ité** f servility.

serv|ir [servir] vt (95) serve || serve (un plat) ; *~ qqn* (à table), wait on sb ; *~ qqch à qqn*, help sb to sth || [tennis] serve ; *à vous de ~*, your serve || COMM. serve, attend to — vi

wait (à table) — vt ind *~ à*, be useful for, be used for ; *à quoi sert-il de ?*, what's the use of ? ; *cela ne sert à rien (de faire)*, it's no good (doing) ; *cela peut toujours ~*, it may come in handy ; *ne ~ à rien*, be of no use || *~ de*, serve as, be used for — vpr *se ~*, help oneself (de, to) [à table] || use (utiliser) || **~iteur** [-itœr] m (man)servant || **~itude** [-ityd] f servitude || JUR. right of way.

ses [se] adj poss → SON.

session [sesjɔ̃] f [Parlement] session || [examens] session ; *la deuxième ~*, the resits.

set [set] *~ de table*, place-/table-mat || [tennis] set.

seuil [sœj] m threshold.

seul, e [sœl] adj alone, by oneself, on one's own || [après le n.] *un homme ~*, a man on his own || [avant le n.] *un ~ homme*, one man, a single man ; *elle est la ~e personne qui...*, she's the one person who... ; *une ~e fois*, only once, once only || [apposition] *lui ~*, he alone ; *~ cet homme pourrait...*, only that man could... || [isolé] lonely || JUR. sole ● adv vivre *tout ~*, live alone/by oneself ● n un *~*, one (man), a single man ; *pas un ~*, none at all, not a single one || **~ement** adv only (pas davantage) || only (just) [pas avant] || only, alone, solely (exclusivement) ● loc *non ~ ..., mais (encore)*, not only... but... (also).

sève [sev] f sap || FIG. vim, vigour.

sév|ère [sever] adj strict, severe (personne) ; grim (visage) ; stern, (regard) ; harsh (punition) || **~èrement** adv strictly, severely || **~érité** [-erite] f strictness, severity, sternness.

sévir [sevir] vt ind (2) *~ contre*, chastise, deal severely with — vi [épidémie] be rife/rampant.

sevrer [savre] vt (5) wean.

sex|e [seks] m sex ; *enfant de ~ masculin/féminin*, male/female child ||

le beau ~, the fair sex ‖ **~isme** *m* sexism ‖ **~iste** *adj* sexist ‖ **~ologue** [-ɔlɔg] *n* sex specialist.

sextant [sɛkstɑ̃] *m* sextant.

sextuor [sɛkstɥɔr] *m* sextet(te).

sex|uel, elle [sɛksɥɛl] *adj* sexual ‖ **~y** [-i] *adj* sexy; kinky.

seyant, e [sejɑ̃, ɑ̃t] *adj* becoming (robe).

shampooing [ʃɑ̃pwɛ̃] *m* shampoo; *se faire faire un* ~, have a shampoo/one's hair shampooed.

shooter [ʃute] *vi* [football] shoot — *vpr se* ~, ARG. [drogue] give oneself a fix (sl.).

short [ʃɔrt] *m* shorts; *en* ~, in/wearing shorts.

shunter [œ̃te] *vi* (1) shunt.

si¹ [si] *conj* [condition] if; *comme* ~, as if/though; ~ *j'étais à votre place*, if I were you; *s'il venait*, if he should come ‖ [suggestion] ~ *on allait au cinéma ?*, what about going to the pictures ?; *et* ~ *on allait faire une promenade*, suppose we go for a walk ‖ [souhait] ~ *seulement*, if only; *si (seulement) j'avais su*, if (only) I had known ‖ [question indirecte] *whether*; *je me demande s'il viendra*, I wonder whether he will come; ~... *ou*, whether... or ● *loc conj* ~... *que*: ~ *peu que ce soit*, however little; ~ *intelligent qu'il fût*, intelligent as he was; ~ *ce n'est que*, except that, but for the fact that; ~ *bien que*, so that.

si² *adv* [tellement] so (+ adj.); so much (+ part. passé); *un homme* ~ *habile*, such a clever man ‖ [réponse] yes; *mais* ~ *!*, yes, of course !

si³ *m* MUS. B.

siamois, e [sjamwa, az] *adj frères* ~, Siamese twins.

siccatif [sikatif] *m* drier.

Sicile [sisil] *f* Sicily.

sida [sida] *m* MÉD. = AIDS; *sida avéré/déclaré*, full-blown AIDS.

side-car [sidkar] *m* side-car.

sidérer [sidere] *vt* (5) stagger; *ça me sidère*, it gets me; *il était sidéré*, he was flabbergasted.

sidérurgie [sideryrʒi] *f* iron and steel industry.

siècle [sjɛkl] *m* century; *au début/à la fin du* ~, at the turn of the century.

siège¹ [sjɛʒ] *m* seat ‖ *bottom* (de chaise) ‖ AUT. ~ *réglable*, reclining seat ‖ POL. seat ‖ COMM. ~ *(social)*, head-office.

siège² *m* MIL. siege.

siéger [sjeʒe] *vi* (7) JUR. [Parlement] sit, be in session.

sien, sienne [sjɛ̃, sjɛn] *adj poss* his, hers, its, one's; *un* ~ *cousin*, a cousin of his/hers ● *pron poss le* ~, *la sienne*; *les* ~*s, les siennes*, his, hers, its own, one's own ● *mpl les* ~*s*, one's (own) people.

sieste [sjɛst] *f* snooze, (afternoon) nap; *faire la* ~, take a nap.

siffl|ement [siflɑ̃mɑ̃] *m* whistle; whiz(z) [de balle de fusil]; swish (d'un fouet); hiss (de serpent) ‖ **~er** *vi/vt* (1) whistle; ~ *son chien*, whistle one's dog back ‖ pipe (un ordre) ‖ [balle] whiz(z) ‖ [serpent, vapeur] hiss ‖ TH. hiss, boo ‖ **~et** [-ɛ] *m* whistle; *donner un coup de* ~, blow a whistle ‖ TH. hissing, booings.

sigle [sigl] *m* acronym.

signal, aux [siɲal, o] *m* signal; *faire des signaux*, signal ‖ ~ *horaire*, time signal ‖ RAIL. signal; ~ *d'alarme*, communication cord ‖ NAUT. ~ *de détresse*, distress signal ‖ **~ement** *m* description ‖ **~er** *vt* (1) point out, indicate (montrer) ‖ signal (un navire, un train) ‖ warn of, notify; report (à la police) ‖ *rien à* ~, nothing to report ‖ **~étique** [-etik] *adj fiche* ~, identification sheet ‖ **~isation** [-izasjɔ̃] *f* signalling; *panneaux de* ~, road signs.

signature [siɲatyr] *f* signature.

signe [siɲ] *m* sign, gesture, motion; *faire* ~, beckon, make a sign, motion, signal (à, to); flag (down), hail (taxi) ; *faire (un)* ~ *de la main,* wave, give a wave ; *faire un* ~ *de tête,* (give a) nod (affirmatif) ; shake one's head (négatif) || symbol, mark ; ~ *distinctif,* earmark || ~ *du zodiaque,* sign of the zodiac || token (témoignage) || ~ *de ponctuation,* punctuation mark || MATH. sign ; ~ *moins/plus,* minus/plus sign || REL. *faire le* ~ *de la croix,* make the sign of the cross.

signer [siɲe] *vi/vt* (1) sign — *vpr se* ~, REL. cross oneself.

signet [siɲe] *m* book-mark.

signif|ication [siɲifikasjɔ̃] *f* meaning || ~**icatif, ive** *adj* significant, meaningful || ~**ier** *vt* (1) mean, signify || make known (faire connaître) || FIG. spell (impliquer).

silenc|e [silɑ̃s] *m* silence, quiet || stillness (calme) ; hush (après le bruit) || ~ *!,* be quiet !, hush ! ; *garder le* ~, keep/remain silent ; *rompre le* ~, break the silence ; *passer sous* ~, slur over, omit, leave unsaid ; *réduire au* ~, silence || pause (dans la conversation) || MUS. rest || ~**ieusement** *adv* silently, noiselessly, quietly || ~**ieux, ieuse** *adj* silent (personne) ; still, quiet (lieu) ; noiseless (machine) || mute (muet) ● *m* [pistolet] silencer || AUT. silencer, U.S. muffler.

silex [sileks] *m* flint.

silhouette [silwɛt] *f* [contre-jour] silhouette, outline || [forme du corps] figure.

sillage [sijaʒ] *m* NAUT. wake ; wash || AV. trail || FIG. wake.

sill|on [sijɔ̃] *m* AGR. furrow || TECHN. groove || ~**onner** [-ɔne] *vt* (1) furrow (creuser des rides) || go all over, travel up and down, crisscross (traverser) || [éclair] streak.

silo [silo] *m* silo.

simagrées [simagre] *fpl* fuss ; *faire des* ~, make a fuss.

simil|aire [similɛr] *adj* similar, like || ~**i** *m* imitation.

similicuir [similikɥir] *m* imitation leather.

similitude [similityd] *f* similitude, similarity, likeness, sameness.

simpl|e [sɛ̃pl] *adj* [non composé] simple || [facile] easy || plain (sans recherche) ; common (ordinaire) ; natural, unaffected, homely (sans prétention) || ~ *d'esprit, (adj)* simple-minded ; *(n)* simpleton || single, mere, bare (unique) || FAM. *dans le plus* ~ *appareil,* in one's birthday suit || MIL. ~ *soldat,* private || RAIL. *aller* ~, single (ticket) ● *m* [tennis] singles ; *dames/messieurs,* ladies'/men's singles || *Pl* BOT. medicinal plants || ~**ement** *adv* simply || merely, just ; *purement et* ~, (purely and) simply || ~**icité** [-isite] *f* simplicity || informality || simpleness (naïveté) || ~**ification** [-ifikasjɔ̃] *f* simplification || ~**ifier** [-ifje] *vt* (1) simplify, make simpler.

simul|acre [simylakr] *m* sham, pretence ; *un* ~ *de,* a show of || ~**ateur, trice** *n* shammer, pretender || ~**ation** *f* sham, simulation, pretence || ~**é, e** *adj* mock (bataille) ; feigned (maladie) || ~**er** *vt* (1) feign, pretend, sham.

simultané, e [simyltane] *adj* simultaneous || ~**ment** *adv* simultaneously, concurrently.

sinc|ère [sɛ̃sɛr] *adj* sincere (personne) ; true (amitié) ; genuine (sentiments) ; honest (explication) || ~**èrement** [-ɛrmɑ̃] *adv* sincerely ; truly, honestly || ~**érité** [-erite] *f* sincerity || genuineness || honesty.

sing|e [sɛ̃ʒ] *m* monkey ; *(grand)* ~, ape || ~**er** *vt* (7) ape, mimic ; take off (coll.).

singulariser (se) [sɛ̃gylarize] *vpr* (1) make oneself conspicuous || ~**ité** *f* singularity || peculiarity (anomalie).

singul|ier, ière [sɛ̃gylje, jɛr] *adj* uncommon (rare) ● *adj/m* GRAMM. singular || ~**ièrement** *adv* oddly, peculiarly (bizarrement) || particularly (notamment) ; extremely (beaucoup).

sinistr|e [sinistr] *adj* sinister ‖ dismal, grim (lugubre) ● *m* disaster ‖ conflagration (incendie) ‖ Jur. damage ‖ ~**é, e** *adj* homeless (personne) ; damaged, wrecked (chose) ; devastated, stricken (région) ● *n* victim (of the disaster).

sinon [sinɔ̃] *conj* [concession] if not ‖ [autrement] or else, otherwise ‖ except (sauf).

sinu|eux, euse [sinɥø, øz] *adj* sinuous, winding (route, rivière) ‖ ~**osité** [-ozite] *f* winding ‖ meandering (rivière).

sinu|s [sinys] *m* Méd. sinus ‖ ~**site** [-zit] *f* sinusitis.

siphon [sifɔ̃] *m* Techn. trap.

sirène [sirɛn] *f* [bateau] siren ; [usine] hooter ‖ [mythologie] siren, mermaid.

sir|op [siro] *m* syrup ‖ ~**oter** [-ɔte] *vt* (1) sip.

sism|ique [sismik] *adj* seismic ; → secousse ‖ ~**ographe** [-ɔgraf] *m* seismograph.

site [sit] *m* site ‖ [environnement] setting ‖ [tourisme] ~ *pittoresque*, beauty spot.

sitôt [sito] *adv* so soon ● *loc conj* ~ *que*, as soon as.

situ|ation [sitɥasjɔ̃] *f* [lieu] location, situation, position ‖ [circonstances] situation ; ~ *critique*, emergency, razor-edge ; ~ *difficile*, predicament ; *dans une triste* ~, in a sorry plight ‖ [emploi] job ‖ ~ *financière*, circumstances ‖ Fam. *dans une* ~ *intéressante*, in the family way ‖ ~**er** *vt* (1) situate, locate ‖ Fig. place.

six [si devant consonne ; siz devant voyelle ou « h » muet ; sis en fin de phrase] *m/adj* six ‖ ~**ième** [sizjɛm] *adj* sixth.

sketch [skɛtʃ] *m* Th. sketch.

ski [ski] *m* ski ‖ Sp. skiing ; *faire du* ~, ski, go skiing ; ~ *de descente,* downhill skiing ; ~ *évolutif,* Graduated Length Method ; ~ *de fond,*

crosscountry skiing ; ~ *nautique,* waterskiing ‖ ~**er** *vi* (1) ski ‖ ~**eur, euse** [skjœr, øz] *n* skier.

slalom [slalɔm] *m* Sp. slalom ‖ ~**er** *vi* (1) Sp. slalom ‖ Fam. zigzag (éviter des obstacles).

slip [slip] *m* [homme] briefs, (under)pants *(pl)* ; [femme] pants, panties ‖ ~ *de bain,* (swimming) trunks *(pl)*.

slogan [slɔgã] *m* slogan.

smash [smaʃ] *m* Sp. smash ‖ ~**er** *vi* (1) smash.

S.M.I.C. [smik] *abrév/m* minimum wage.

smicard, e [smikar, ard] *n* Fam. minimum wage earner.

smoking [smɔkiŋ] *m* dinner-jacket, U.S. tuxedo.

snack [snak] *m* ~*(-bar),* snack bar ‖ [autoroute] pull-in.

snob [snɔb] *adj* snobbish ● *n* snob ‖ ~**er** *vt* (1) snub (qqn) ‖ ~**isme** *m* snobbery, snobbishness.

sobr|e [sɔbr] *adj* abstemious, temperate (qui boit peu) ‖ Fig. moderate ; sober, quiet (couleur) ‖ ~ *en paroles,* sparing of words ‖ ~**ement** *adv* soberly ‖ ~**iété** [-ijete] *f* sobriety, temperance ‖ soberness (modération).

sobriquet [sɔbrikɛ] *m* nickname.

soc [sɔk] *m* ploughshare.

soci|able [sɔsjabl] *adj* sociable, gregarious ; *être très* ~, be a good mixer ‖ ~**al, e, aux** *adj* social ‖ ~**alisme** [-alism] *m* socialism ‖ ~**aliste** [-alist] *adj/n* socialist ‖ ~**étaire** [-etɛr] *n* member ‖ ~**été** [-ete] *f* society (communauté) ‖ [association] society ; club ‖ ~ *d'abondance,* affluent society ; ~ *de consommation,* consumer society ‖ Comm. company, firm, corporation ; ~ *par actions,* joint-stock company ; ~ *anonyme,* limited company ; ~ *immobilière de prêt,* building society ; ~ *à respon-*

sabilité limitée, limited liability company.

socioculturel, elle [sɔsjɔ-] *adj* sociocultural.

sociolo|gie [-lɔʒi] *f* sociology ‖ **~gue** [-lɔg] *n* sociologist.

socle [sɔkl] *m* pedestal (de statue); base (de lampe).

socquette [sɔkɛt] *f* ankle-sock.

soda [sɔda] *m* soda.

sœur [sœr] *f* sister ‖ REL. sister; nun.

sofa [sɔfa] *m* sofa, couch.

soi [swa] *pron pers ~(-même),* oneself; himself, itself; *chacun pour ~,* everyone for himself ‖ *chez ~,* at home ‖ *il va de ~ que,* it stands to reason that ‖ **~-disant** *adj inv* would-be, self-styled.

soie [swa] *f* silk; *de/en ~,* silk ‖ bristle (de porc) ‖ **~ries** [-ri] *fpl* silk goods.

soif [swaf] *f* thirst; *avoir ~,* be thirsty; *boire à sa ~,* drink one's fill ‖ FIG. craving *(de,* for).

soign|é, e [swaɲe] *adj* neat, trim, well-groomed (personne) ‖ well-cared-for (mains); well-groomed (ongles) ‖ well-kept (jardin); careful, painstaking (travail) ‖ **~er** *vt* (1) [dorloter] take care of; look after (plantes) ‖ MÉD. [médecin] treat; [infirmière] nurse, look after ‖ **~eusement** [-øzmã] *adv* carefully, tidily ‖ **~eux, euse** *adj* neat, tidy (propre); careful (consciencieux); painstaking (appliqué).

soin [swɛ̃] *m* care; *prendre ~ de,* take care of, tend (qqn); *sans ~,* untidy *(adj);* untidily *(adv)* ‖ [propreté] tidiness, neatness ‖ *Pl* care, attention; *~s de beauté,* beauty treatment; [hôpital] nursing, treatment; *~s d'urgence,* first aid ● *loc prendre ~ de,* take care of (qqn, qqch); *~ de faire,* be careful to do ‖ *aux bons ~s de,* care of, c/o.

soir [swar] *m* evening; *au ~,* at night; *ce ~,* tonight; *le ~,* in the

evening; *à 10 heures du ~,* at 10 p.m.; *demain ~,* tomorrow evening; *la veille au ~,* the night before; *hier (au) ~,* last night, yesterday evening ‖ **~ée** *f* evening; *dans la ~,* in the evening ‖ [réception] party; *tenue de ~,* evening-dress ‖ TH. evening performance; *en ~,* nightly.

soit [swa(t)] *conj ~...,* ~ , either ... or ‖ [à savoir] that is to say ‖ MATH. let; *~ x = 2, y = 3,* let x = 2, y = 3 ● *loc conj ~ que ... ~ que,* whether... or ● *[swat] adv ~!,* (very) well!, let it be so!

soixant|aine [swasãtɛn] *f* about sixty ‖ **~e** *adj* sixty ‖ **~e-dix** *m/adj* seventy.

soja [sɔʒa] *m* soy(a); soybean ‖ CULIN. *sauce au ~,* soy(a) sauce.

sol¹ [sɔl] *m* ground; floor (plancher) ‖ AGR. soil, earth (matière) ‖ Av. *personnel au ~,* ground-crew ‖ MIL. **~-air** *(adj),* ground-to-air.

sol² *m* MUS. G.

sol|aire [sɔlɛr] *adj* solar; sun ‖ **~arium** [-arjɔm] *m* solarium.

soldat [sɔlda] *m* soldier; *simple ~,* private (soldier); *~ de première classe,* lance-corporal.

solde¹ [sɔld] *f* MIL. pay.

sold|e² *m* FIN. balance ‖ *Pl* COMM. sales; *en ~,* at sale price ‖ **~er** *vt* (1) FIN. pay off (acquitter) ‖ COMM. clear, sell off — *vpr se ~ par,* COMM. show (un bénéfice/déficit); FIG. end in.

sole [sɔl] *f* ZOOL. sole.

soleil [sɔlɛj] *m* sun (astre) ‖ sunshine, sunlight (lumière); *au ~,* in the sun; *il fait (du) ~,* it is sunny; *coucher de ~,* sunset, U.S. sundown; *lever du ~,* sunrise, U.S. sun-up ‖ BOT. sunflower.

solenn|el, elle [sɔlanɛl] *adj* solemn, dignified ‖ **~ellement** *adv* solemnly ‖ **~ité** *f* solemnity.

solfège [sɔlfɛʒ] *m* solfège.

solidarité [sɔlidarite] *f* solidarity.

solid|e [sɔlid] *adj* sturdy, tough (personne) || strong, firm (chose) || hard-wearing, durable (vêtement) || fast (couleur) || solid (non liquide) || Fig. sound (argument) || staunch (ami) || **~ement** *adv* solidly, firmly || soundly || **~ifier (se)** [-ifje] *vpr* (1) solidify, become solid || **~ité** *f* solidity || sturdiness, strength || Fig. soundness.

soliste [sɔlist] *n* solist.

solit|aire [sɔliter] *n/adj* solitary; lonely, lonesome (personne) ; lonely (lieu) || Naut. *en ~,* singlehanded (traversée) ● *n* loner || recluse (ermite) ● *m* [diamant, jeu] solitaire || **~ude** *f* solitude ; [personne, lieu] loneliness ; seclusion (isolement).

sollicit|er [sɔlisite] *vt* (1) beg for ; ask for (qqch) || appeal to (qqn) ; *être très sollicité,* be much in demand || **~ude** [-yd] *f* solicitude, concern (*envers,* for).

solo [sɔlo] *m/adj* solo.

solstice [sɔlstis] *m* solstice ; *~ d'été,* midsummer ; *~ d'hiver,* midwinter.

solu|ble [sɔlubl] *adj* soluble ; *café/ thé ~,* instant coffee/tea || **~tion** *f* solution, answer ; key (*de,* to) || *~ de rechange,* alternative || Ch. solution || Fig. *~ de continuité,* gap, break of continuity.

solvable [sɔlvabl] *adj* solvent.

sombre [sɔ̃br] *adj* dark ; *il fait ~,* it's dark || overcast (ciel) || Fig. gloomy, sombre (mélancolique).

sombrer [sɔ̃bre] *vi* (1) [bateau] sink, go under, founder.

sommaire [sɔmer] *adj* summary || brief (examen) || crude (travail) ● *m* summary, abstract || **~ment** *adv* briefly || Fig. scantily (vêtu).

sommation [sɔmasjɔ̃] *f* Jur. summons || Mil. challenge ; warning (avant de tirer).

somme¹ [sɔm] *f* sum (total) ; *faire la ~ de,* add up || sum, amount (quantité d'argent) ; *~ forfaitaire,* lump sum ● *loc adv en ~, ~ toute,* all in all (tout bien pesé) ; in sum, in short (en résumé).

somm|e² *m* Fam. nap ; doze ; *faire un ~,* take a nap ; *faire un petit ~,* have forty winks (coll.) || **~eil** [-ɛj] *m* sleep ; *avoir ~,* feel sleepy ; *avoir le ~ profond/léger,* be a heavy/light sleeper ; *tomber de ~,* be ready to drop (with sleep) || Fig. *en ~,* dormant (volcan) || **~eiller** [-eje] *vi* (1) sleep, drowse.

sommelier [sɔməlje] *m* wine-waiter.

sommet [sɔmɛ] *m* summit, top ; *au ~ de,* on top of || brow (d'une colline) || Fig. acme, apex, summit, heights ; *au ~,* top-level (conférence).

sommier [sɔmje] *m* base.

somnambul|e [sɔmnãbyl] *n* sleep-walker ; *être ~,* sleepwalk || **~isme** *m* sleepwalking.

somnifère [sɔmnifer] *m* sleeping pill.

somnol|ence [sɔmnɔlãs] *f* sleepiness, drowsiness || **~ent, e** *adj* drowsy, sleepy, somnolent || **~er** *vi* (1) drowse, doze.

somptueux, euse [sɔ̃ptɥø, øz] *adj* sumptuous, costly, gorgeous.

son¹ [sɔ̃], **sa** [sa], **ses** [se] *adj poss m/f/pl* his, her, its, one's.

son² *m* sound ; *~ discordant,* jar.

son³ *m* [céréales] bran.

sonate [sɔnat] *f* sonata.

sondage [sɔ̃daʒ] *m* Techn. boring || Naut. sounding || Méd. probing || Fig. *~ d'opinion,* public opinion poll.

sond|e [sɔ̃d] *f* Naut. lead || Méd. probe || Astr. *~ spatiale,* space probe || **~er** *vt* (1) Naut. sound, fathom || Méd. probe || Fig. sound out (qqn) ; poll (l'opinion).

song|e [sɔ̃ʒ] *m* dream || **~er** *vt ind* (7) *~ à,* consider, think of ; *j'y songerai,* I'll see about it ; *songez-y !,* think it over ! ‖ **~eur, euse** *adj* pensive.

sonn|er [sɔne] *vi* (1) ring ‖ [cloche, pendule] strike ; [réveil] go off ‖ Tél. ring — *vt* ring (une cloche) ‖ ring for (un domestique) ‖ Mil. sound (la retraite) ‖ Mus. ~ **de**, sound, blow (cor, etc.) ‖ **~erie** [-ri] *f* ring(ing) ‖ Tél. bell ‖ Mus. blare (de trompette) ‖ Mil. bugle-call ‖ **~ette** *f* (door-) bell ; *coup de ~*, ring ; *~ d'alarme*, alarm (bell).

sono [sɔno] *f* (= SONORISATION) FAM. P.A.

sonor|e [sɔnɔr] *adj* sonorous ; ringing, clear ‖ Cin. *film ~*, sound-film ‖ **~isation** *f* sound equipment ‖ public address system, P.A. ‖ **~iser** *vt* (1) Cin. add the sound track ‖ Techn. fit with a P.A. (salle) ‖ **~ité** *f* sonority ‖ Mus. tone.

Sonotone [sɔnɔtɔn] *m* N.D. hearing aid.

sophistiqué, e [sɔfistike] *adj* sophisticated.

soporifique [sɔpɔrifik] *m/adj* soporific.

sorbet [sɔrbɛ] *m* water ice, sorbet, U.S. sherbet.

sorc|ellerie [sɔrselri] *f* sorcery, witchcraft ‖ **~ier** *m* sorcerer, wizard ‖ **~ière** *f* witch.

sordide [sɔrdid] *adj* squalid (maison) ; filthy (sale) ‖ Fig. sordid.

sort [sɔr] *m* lot (condition) ‖ fate, destiny (destinée) ‖ fortune, chance (hasard) ; *le ~ en est jeté*, the die is cast ‖ charm, spell (sortilège) ; *jeter un ~ à qqn*, cast a spell over sb.

sortant, e [sɔrtɑ̃, ɑ̃t] *adj* outgoing (député) ; retiring (président) ; winning (numéro).

sorte [sɔrt] *f* sort, kind (espèce) ; *une ~ de*, a kind/sort of ; *toutes ~s de*, all manner/sorts of ; *faire en ~ que*, see to it that ● *loc adv de la ~*, thus, like that ; *en quelque ~*, in a sort, as it were ● *loc conj de (telle) ~ que*, so that.

sort|i, e [sɔrti] *adj* out ‖ → SORTIR ‖ **~ie** *f* going/coming out (action) ; *jour de ~*, day out ‖ way out, exit, outlet (issue) ; **~ de secours**, emergency exit ‖ outing (promenade) ‖ Mil. sally ‖ Inf. output.

sortilège [sɔrtilɛʒ] *m* spell.

sortir [sɔrtir] *vi* (93) go/come out ; walk out ; leave ‖ [livre] come out ‖ Méd. *il est sorti de l'hôpital*, he has been discharged from hospital ‖ Cin. [film] be released ‖ Fig. ~ **de**, come of, originate from ‖ Fam. [amoureux, euse] ~ **avec (qqn)**, go steady with, U.S. date (sb) — *vt* take out (chien, personne) ‖ release (disque, film) — *vpr s'en* (1) contrive (financièrement) ; muddle through ‖ [malade] pull through.

S.O.S. [ɛsɔɛs] *m* SOS, mayday call.

sosie [sɔzi] *m* double.

sot, sotte [so, sɔt] *adj* silly, foolish ● *n* fool, ass.

sottise [sɔtiz] *f* foolishness (stupidité) ; *une ~*, a foolish remark ‖ *Pl* abuse, insult (injures).

sou ' [su] *m* penny ; *sans le ~*, penniless ‖ Fam. *machine à ~s*, fruit-machine, one-armed bandit.

soubassement [subasmɑ̃] *m* base.

souche [suʃ] *f* stump (d'arbre) ; stock (de vigne) ‖ Fin. stub (d'un carnet de chèques).

souci[1] [susi] *m* Bot. marigold.

souc|i[2] *m* care, worry, concern (inquiétude) ; *se faire du ~*, worry, be concerned (*à propos de*, about) ; *sans ~*, carefree, happy-go-lucky ; *vivre sans ~s*, live free of cares ; *c'est le cadet de mes ~s*, that's the least of my worries ‖ bother (tracas) ‖ [préoccupation] concern ‖ **~ier (se)** *vpr* (1) *se ~ de*, care about ; worry about ; *ne vous souciez pas de cela*, don't worry/bother about that ‖ *sans se ~ de*, without respect to, regardless of ‖ **~ieux, ieuse** *adj* worried, anxious, concerned (*de*, about) ; *peu ~ de*, unconcerned about.

soucoupe [sukup] *f* saucer ‖ ~ *volante,* flying saucer.

soud|ain, e [sudɛ̃, ɛn] *adj* sudden ‖ ~**ainement** [-ɛnmɑ̃] *adv* suddenly ‖ ~**aineté** [-ɛnte] *f* suddenness.

soude [sud] *f* soda.

soud|er [sude] *vt* (1) solder, weld ; *fer à* ~, solding-iron — *vpr se* ~, MÉD. [os] knit together ‖ ~**eur** *m* welder.

soudoyer [sudwaje] *vt* (9 *a*) bribe, buy off/over.

soudure [sudyr] *f* [joint] solder ; [travail] soldering ; welding (autogène) ‖ FIG. *faire la* ~, bridge the gap.

souffl|e [sufl] *m* [expiration] blow ; [inspiration] breath, breathing ; *à bout de* ~, out of breath ; *couper le* ~ *de qqn,* take sb's breath away, wind sb ‖ [bombe] blast ‖ [vent] puff/breath of air ‖ ~**er** *vi* (1) [personne, vent] blow ‖ [personne] breathe out (expirer) ; take breath (reprendre haleine) ; puff (avec peine) ‖ [baleine] spout — *vt* blow out (une bougie) ‖ [jeu de dames] huff (un pion) ‖ TECHN. blow (du verre) ‖ TH. prompt ‖ FIG. *ne pas* ~ *mot,* not to breathe a word, keep mum ‖ ~**erie** [- əri] *f* TECHN. windtunnel ‖ ~**et** *m* (a pair of) bellows ‖ RAIL. vestibule ‖ ~**eur, euse** *n* TH. prompter.

souffr|ance [sufrɑ̃s] *f* suffering ; hardship (épreuves) ‖ *en* ~, awaiting delivery (colis) ; unclaimed (lettre) ‖ ~**ant, e** *adj* unwell ; poorly (coll.).

souffre-douleur *m* whipping-boy.

souffr|eteux, euse [-tø, øz] *adj* sickly ‖ ~**ir** *vi* (72) suffer (physiquement ou moralement) ; *faire* ~ *qqn,* hurt sb, make sb suffer (moralement) ‖ ~ *de,* suffer from (la chaleur, etc.) ‖ be in pain ; *d'où souffrez-vous ?,* where is the pain ? — *vt* suffer (pertes) ; undergo (éprouver) ‖ FIG. allow (tolérer) [nég.] *je ne peux pas le* ~, I can't bear/stand him.

soufre [sufr] *m* sulphur.

souhai|t [swɛ] *m* wish ‖ *Pl* wishes, greetings (vœux de bonheur) ‖ *à vos* ~*s !,* bless you ! ‖ ~**table** [-tabl] *adj* desirable ‖ ~**ter** [-te] *vt* (1) wish for (qqch) ; ~ *qqch à qqn,* wish sb sth ‖ ~ *que,* hope that.

souill|er [suje] *vt* (1) soil, dirty ‖ FIG. tarnish, taint ‖ ~**on** *f* slut.

soûl, e [su, sul] *adj* drunk ; ~ *comme un Polonais,* (as) drunk as a lord ● *m* FAM. *manger tout son* ~, eat one's fill.

soulag|ement [sulaʒmɑ̃] *m* relief ‖ ~**er** *vt* (7) relieve, ease (moralement, physiquement) ‖ FIG. unburden, ease (conscience) — *vpr se* ~, ease one's feelings/conscience ‖ FAM. relieve oneself (coll.).

soûl|ard, e [sular, ard] *n* POP. drunk(ard) ‖ ~**er** *vt* (1) FAM. ~ *qqn,* [personne] get sb drunk ; [boisson] make sb drunk — *vpr se* ~, get drunk.

soul|èvement [sulevmɑ̃] *m* rising (révolte) ‖ GÉOGR. upheaval ‖ ~**ever** [-ve] *vt* (5) raise, lift up, heave (un fardeau) ‖ AUT. jack (up) ‖ MÉD. turn (l'estomac) ‖ FIG. bring up (une question) ; arouse, give rise to (provoquer) — *vpr se* ~, lift oneself up ‖ [vague] surge, heave ‖ FIG. [peuple] rise up.

soulier [sulje] *m* shoe.

souligner [suliɲe] *vt* (1) underline ‖ FIG. stress, emphasize.

soum|ettre [sumetr] *vt* (64) subject, bring under, subdue (pays) ‖ submit (présenter) ‖ ~ *qqn à,* subject sb to (loi, traitement) — *vpr se* ~, submit, give in, yield (*à,* to) ; comply (*à,* with) ‖ ~**is, e** [-i, iz] *adj* submissive ‖ subject, liable (*à,* to) [des droits] ‖ ~**ission** [-isjɔ̃] *f* submission (*à,* to) ‖ COMM. tender.

soupape [supap] *f* valve ; ~ *de sûreté,* safety-valve.

soupç|on [supsɔ̃] *m* suspicion ‖ [petite quantité] *un* ~ *de,* a hint/touch of (maquillage, vulgarité) ; a dash/drop of (lait, etc.) ‖ ~**onner**

[-ɔne] vt (1) suspect ‖ ~**onneux, euse** adj suspicious.

soupe [sup] f soup ; ~ *populaire,* soup-kitchen ‖ Fam. être ~ *au lait,* be quick-tempered.

soupente [supɑ̃t] f garret.

souper [supe] m Fr. late supper ‖ [Belgique, Canada, Suisse] dinner ● vi (1) have supper/dinner.

soupeser [supəze] vt (1) weigh in one's hand.

soupière [supjɛr] f (soup-)tureen.

soupir [supir] m sigh ; *pousser un* ~, heave a sigh ; *rendre le dernier* ~, breathe one's last ‖ Mus. crotchet-rest.

soupirail, aux [supiraj, o] m cellar-window.

soupirer [supire] vi (1) sigh — vt ind — *après,* yearn for.

soupl|e [supl] adj supple, pliable, flexible ‖ lithe (corps) ‖ Techn. limp (reliure) ‖ Fig. adaptable, versatile, flexible ‖ ~**esse** [-ɛs] f suppleness, flexibility, litheness (du corps) ‖ Fig. adaptability, versatility, flexibility.

sourc|e [surs] f spring ; *prendre sa* ~, [rivière] take its rise, spring up ‖ Fig. source, origin ; *de* ~ *sûre,* from a reliable source ‖ ~**ier** m dowser, water diviner.

sourc|il [sursi] m eyebrow ‖ ~**iller** [-ije] vi (1) *sans* ~, without wincing/batting an eyelid ‖ ~**illeux, euse** [-ijø, øz] adj finicky.

sourd, e [sur, urd] adj deaf ; ~ *comme un pot,* stone-deaf ‖ dull (bruit, douleur) ‖ Fig. deaf (à, to) ; *faire la* ~e *oreille à,* turn a deaf ear to ● n deaf person ; *les* ~s, the deaf.

sourdine [surdin] f Mus. mute.

sourd-muet [surmɥe], **sourde-muette** [surdmɥet] adj deaf-and-dumb ● n deaf-mute.

souriant, e [surjɑ̃, ɑ̃t] adj smiling.

souricière [surisjɛr] f mousetrap.

sourire [surir] m smile ; ~ *désabusé,*

wry smile ; *large* ~, grin ● vi (89) smile.

souris [suri] f mouse.

sournois, e [surnwa, az] adj deceitful, underhand, sneaky, sly ‖ ~**ement** [-zmɑ̃] adv deceitfully, in an underhand manner.

sous [su(z)] prép [espace] under, beneath, underneath, below ; ~ *la pluie,* in the rain ; ~ *les tropiques,* in the tropics ‖ [temps] under, during ; ~ *huitaine,* within a week ; ~ *peu,* shortly ‖ [manière] ~ *un faux nom,* under a false name ‖ [dépendance] ~ *cette condition,* on this condition ; ~ *ses ordres,* under his orders.

sous- préf under-, sub- ‖ ~**alimentation** n malnutrition ‖ ~**alimenté, e** adj underfed ‖ ~**bois** m undergrowth, underwood ‖ ~**comité** m sub-committee ‖ ~**couche** f primer.

souscr|ipteur [suskriptœr] m subscriber ‖ Fin. contributor ‖ ~**iption** [-ipsjɔ̃] f subscription ‖ ~**ire** vt (44) subscribe (à, for/to) [emprunt, opinion] ‖ take out (une assurance) ‖ contribute (à, to) [en donnant de l'argent].

sous|-cutané, e [sukytane] adj subcutaneous ‖ ~**-développé, e** adj underdeveloped (pays) ‖ ~**-directeur, trice** n assistant-manager, -manageress ‖ ~**-emploi** m under-employment.

sous|-entendre vt (4) imply ‖ Gramm. understand ‖ ~**-entendu, e** adj understood ● m implication, innuendo, overtone ‖ ~**-estimer** vt (1) underestimate, underrate, minimize ‖ ~**-exposé, e** adj Phot. underexposed ‖ ~**-fifre** m second fiddle ‖ ~**-jacent, e** adj underlying ‖ ~**-lieutenant** m second lieutenant ‖ ~**-locataire** n lodger, subtenant ‖ ~**-louer** vt (1) sublet (une chambre) ‖ ~**-main** m inv blotting-/writing pad ● loc adv en ~, underhand ‖ ~**-marin, e** adj underwater (chasse), submarine (faune) ● m submarine ‖ ~**-officier** m noncommissioned of-

sou — spe
412

ficer ‖ ~**-ordre** m underling ‖ ~**-payer** vt underpay ‖ ~**-produit** m by-product ; spin-off.

sous|signé, e [susiɲe] adj/n undersigned ; je, ~, I, the undersigned ‖ ~**-sol** m basement ‖ Agr. subsoil ‖ ~**-station** f Électr. substation ‖ ~**-titre** m Cin. subtitle ‖ ~**-titrer** vt (1) subtitle.

soustr|action [sustraksjɔ̃] f Math. subtraction ‖ ~**aire** vt (11) subtract ‖ Fig. take away.

sous|-traitant [sutretɑ̃] m subcontractor ‖ ~**-traiter** vt (1) contract out ‖ ~**-vêtement** m underwear ‖ Pl underclothes, underclothing ‖ smalls (coll.).

soutane [sutan] f cassock.

soute [sut] f Naut. hold ; bunker (à charbon/mazout) ‖ Av. (luggage-) hold.

souten|able [sutnabl] adj tenable ‖ ~**eur** m pimp.

souten|ir [sutnir] vt (101) [servir d'appui] support, hold up ; buttress, prop up (étayer) ‖ [donner son soutien à] stand by (qqn) ; stand for, champion (une cause) ; uphold, support (une opinion) ; keep up (la conversation) ; argue, assert, claim, contend (que, that) [affirmer] ; je soutiens que, my contention is that.

souterrain, e [suterɛ̃, ɛn] adj underground ● m underground passage, subway.

soutien [sutjɛ̃] m support ‖ ~ de famille, breadwinner ‖ Pol. backing ‖ ~**-gorge** m bra.

soutirer [sutire] vt (1) draw off (du vin) ‖ Fig. extort (à, from) ; ~ qqch à qqn, squeeze sth out of sb ; worm (un secret) [à, out of].

souvenir [suvnir] m memory, recollection ; en ~ de, in memory of ‖ memento, keepsake (objet) ; souvenir (pour touristes) ; ~ de famille, heirloom ‖ ~ (se) vpr (101) se ~ de qqch, remember, recall, keep sth in mind.

souvent [suvɑ̃] adv often ; le plus ~, more often than not.

souver|ain, e [suvrɛ̃, ɛn] adj sovereign ‖ Fig. supreme ; sovereign (remède) ; paramount (importance) ● n sovereign ‖ ~**ainement** adv supremely ‖ ~**aineté** [-ɛnte] f sovereignty, dominion.

sovi|et [sɔvjɛt] m soviet ‖ ~**étique** [-etik] adj Soviet ; Union ~, Soviet Union ● n Soviet citizen.

soya [sɔja] m = soja.

soyeux, euse [swajø, øz] adj silky, silken.

spacieux, ieuse [spasjø, jøz] adj spacious, roomy.

spaghetti [spageti] mpl spaghetti.

sparadrap [sparadra] m sticking-plaster ; Elastoplast, Band Aid N.D.

spasm|e [spasm] m spasm ‖ ~**odique** [-ɔdik] adj spasmodic.

spati|al, e, aux [spasjal, o] adj space ‖ ~**onaute** [-ɔnot] n spaceman, -woman.

speaker, ine [spikœr, krin] n (woman) announcer.

spécial, e, aux [spesjal, o] adj special ‖ ~**ement** adv (e)specially, particularly ‖ ~**isation** [-izasjɔ̃] f specialization ‖ ~**isé, e** [-ize] adj skilled (ouvrier) ‖ ~**iser (se)** vpr (1) specialize ‖ U.S. (étudiant) major (dans, in) ‖ ~**iste** n specialist ‖ ~**ité** f specialty (activité, produit) ; line (d'une personne) ‖ Méd. ~ pharmaceutique, patent medicine.

spécif|ier [spesifje] vt (1) specify, state ‖ ~**ique** adj specific.

spécimen [spesimɛn] m specimen, sample ‖ specimen copy (livre).

specta|cle [spektakl] m spectacle, sight, scene ; se donner en ~, make an exhibition of oneself ‖ Th. show, entertainment ‖ ~**culaire** [-kylɛr] adj spectacular ‖ Fig. spectacular, dramatic ‖ ~**teur, trice** n onlooker, witness, by-stander (témoins) ‖ Sp.

spectator ‖ TH. *un* ~, a member of the audience ; *les* ~*s,* the audience.

spectre [spɛktr] *m* ghost, spectre ‖ PHYS. spectrum.

spécul|ateur, trice [spekylatœr, tris] *n* speculator ‖ ~**ation** *f* speculation ‖ ~**er** *vi* (1) FIN. speculate ‖ FIG. rely on.

spéléo|logie [speleɔlɔʒi] *f* speleology ; pot-holing ; caving (coll.) ‖ ~**logue** [-lɔg] *n* speleologist ; pot-holer.

sperme [spɛrm] *m* sperm.

sph|ère [sfɛr] *f* sphere (pr. et fig.) ‖ ~**érique** [-erik] *adj* spherical.

spi [spi] *m* = SPINNAKER.

spinal, e, aux [spinal, o] *adj* spinal.

spinnaker [spinekœr] *m* spinnaker.

spir|ale [spiral] *f* spiral ; *en* ~, spiral ‖ ~**e** *f* spire.

spirit|e [spirit] *n* spiritualist ‖ ~**isme** *m* spiritualism ‖ ~**uel, elle** [ɥɛl] *adj* [vivacité] witty ‖ REL. spiritual.

spiritueux, euse [spirityø] *adj* spongy, mushy.

splend|eur [splɑ̃dœr] *f* splendour, glory, magnificence ‖ ~**ide** [-id] *adj* splendid ; gorgeous (temps).

spolier [spɔlje] *vt* (1) deprive, rob (*de,* of).

spongieux, euse [spɔ̃ʒjø] *adj* spongy, mushy.

spontané, e [spɔ̃tane] *adj* spontaneous, unasked for ‖ ~**ment** *adv* spontaneously, of one's own accord ‖ ~**ité** *f* spontaneity.

sport [spɔr] *m* sport ; *faire du* ~, do sport ; ~ *s d'hiver,* winter sports ; ~ *s nautiques,* water sports ‖ ~ [-tif, iv] *adj* sports (épreuve, résultats) ‖ fond of sports (qui aime le sport) ‖ sporting, sportsmanlike (attitude) ● *n* sportsman, -woman.

spot [spɔt] *m* spotlight ‖ T.V. ~ *publicitaire,* commercial.

sprint [sprint] *m* sprint, dash ‖ sprint, spurt (final) ; *piquer un* ~

spurt ; make a sprint (*pour attraper l'autobus,* for the bus) ‖ ~**er** [-œr ou -ɛr] *m* sprinter.

square [skwar] *m* (small) public garden.

squelette [skəlɛt] *m* skeleton.

Sri Lank|a [srilɑ̃ka] *m* Sri Lanka ‖ ~**ais, e** *n* Sri Lankan.

stabili|sation [stabilizasjɔ̃] *f* stabilization ‖ ~**ser** [-ze] *vt* (1) stabilize ‖ [économie] peg (les prix) ‖ ~**té** *f* stability ‖ steadiness ‖ permanence.

stable [stabl] *adj* stable, steady, firm ; constant, permanent.

stade¹ [stad] *m* SP. stadium.

stade² *m* stage (phase).

stag|e [staʒ] *m* training period ; *faire un* ~, go on a training course ‖ ~**iaire** [-jɛr] *adj/n* trainee.

stagn|ant, e [stagnɑ̃, ɑ̃t] *adj* stagnant ‖ ~**ation** *f* stagnation ‖ ~**er** *vi* (1) stagnate.

stala|ctite [stalaktit] *f* stalactite ‖ ~**gmite** [-gmit] *f* stalagmite.

stalle [stal] *f* [église, étable] stall.

stand [stɑ̃d] *m* stand, stall ‖ ~ *de tir,* shooting-gallery, rifle-range.

standar|d [stɑ̃dar] *adj* standard ● *m* : ~ *téléphonique,* switchboard ‖ ~**disation** [-dizasjɔ̃] *f* standardization ‖ ~**diste** [-dist] *n* TÉL. (switchboard) operator.

standing [stɑ̃diŋ] *m* status ; *marque de* ~, status symbol ● *loc adj de grand* ~, luxury (immeuble).

star [star] *f* film star ‖ ~**lette** [-lɛt] *f* starlet.

starter [starter] *m* SP. starter ‖ AUT. choke ; *mettre le* ~, pull the choke out.

stati|on [stasjɔ̃] *f* stop, halt (arrêt) ‖ ~ *debout,* standing (position) ‖ resort (lieu) ; ~ *balnéaire,* seaside resort ; ~ *de ski,* ski resort ; ~ *de sports d'hiver,* winter sports resort ; ~ *thermale,* watering-place, spa ‖ [autobus] stop ; [métro] station ; RAIL.

halt ; ~ **de taxis,** taxi-rank/-stand ‖ RAD. ~ **de radio,** broadcasting/radio station ‖ ~**onnaire** [-ɔnɛr] *adj* stationary (véhicule) ‖ MÉD. stationary (état) ‖ ~**onnement** [-ɔnmɑ̃] *m* AUT. stopping ; *taxis en* ~, cabs in attendance ; ~ *interdit,* no parking ‖ ~**onner** [-ɔne] *vi* (1) stop ‖ AUT. park ; *défense de* ~, no waiting/U.S. standing ‖ ~**on-service** *f* service station.

statique [statik] *adj* static.

statist|icien, ienne [statistisjɛ̃, jɛn] *n* statistician ‖ ~**ique** *adj* statistical ● *f* statistics.

statue [staty] *f* statue.

statu quo [statyko] *m* status quo.

stature [statyr] *f* stature.

statut [staty] *m* JUR. status.

sténo [steno] *f* FAM. shorthand ‖ ~**dactylo** [-daktilo] *f* shorthand typist ‖ ~**graphie** [-grafi] *f* stenography ‖ ~**graphier** *vt* (1) take (down) in shorthand ‖ ~**typie** [-tipi] *f* stenotypy.

stéréo [stereo] *abrév/f* FAM. = STÉRÉOPHONIE ● *adj* = STÉRÉOPHONIQUE ‖ FAM. *(chaîne)* ~, stereo (system) ‖ ~**phonie** [-fɔni] *f* stereophony ‖ ~**phonique** *adj* stereophonic.

stéril|e [steril] *adj* MÉD. sterile (femme) ; childless (mariage) ‖ AGR. barren ‖ FIG. fruitless ‖ ~**et** [-ɛ] *m* MÉD. loop, coil ; IUD (= INTRA-UTERINE DEVICE) ‖ ~**iser** *vt* (1) sterilize ‖ ~**ité** *f* sterility ; barrenness.

stéthoscope [stetɔskɔp] *m* stethoscope.

stimul|ant, e [stimylɑ̃, ɑ̃t] *adj* stimulating ; exhilarating (climat) ; challenging (livre) ● *m* stimulant ; incentive, spur ‖ ~**ateur** *m* MÉD. ~ *cardiaque,* pacemaker ‖ ~**ation** *f* stimulation ‖ ~**er** *vt* (1) stimulate ; whet (l'appétit) ; spur on (personne) ; boost (économie).

stipuler [stipyle] *vt* (1) specify.

stock [stɔk] *m* stock ‖ ~**age** *m* stocking ‖ stockpiling (par le gouvernement) ‖ ~**er** *vt* (1) stock.

stoïque [stɔik] *adj* stoic.

stop [stɔp] *m* stop ‖ AUT. brake-light ; FAM. **faire du** ~, hitchhike, thumb a lift ; *prendre qqn en* ~, give sb a lift.

stopper [stɔpe] *vt* stop (un véhicule) — *vi* draw up, come to a stop.

store [stɔr] *m* (window-)blind, U.S. shade ; ~ *vénitien,* Venetian blind.

strabisme [strabism] *m* squint.

strapontin [strapɔ̃tɛ̃] *m* tip-up seat.

strat|agème [strataʒɛm] *m* stratagem, device ; ploy (coll.) [truc] ‖ ~**égie** [-eʒi] *f* strategy ‖ ~**égique** [-eʒik] *adj* strategic ‖ MIL. *position* ~, key position.

stratosphère [stratɔsfɛr] *f* stratosphere.

stress [strɛs] *m* MÉD. stress.

strict, e [strikt] *adj* strict ; precise (sens) ‖ strict, severe (personne) ; stringent (ordre) ; hard and fast (règle) ; plain (vérité) ‖ *le* ~ *nécessaire,* the bare essentials ‖ ~**ement** [-ɑ̃mɑ̃] *adv* strictly.

strident, e [stridɑ̃, ɑ̃t] *adj* shrill.

strier [strije] *vt* (1) streak.

strip-teas|e [striptiz] *m* strip (-tease) ; *faire du* ~, strip ; *spectacle de* ~, strip show ‖ ~**euse** *f* stripper.

strophe [strɔf] *f* stanza, verse.

structural, e, aux [stryktyral, o] *adj* structural ‖ ~**isme** *m* structuralism.

structure *f* structure ‖ framework.

stuc [styk] *m* stucco.

studieux, ieuse [stydjø, jøz] *adj* studious.

studio [stydjo] *m* bed-sitting-room ; bed-sitter (coll.) ‖ CIN., RAD. studio.

stupéf|action [stypefaksjɔ̃] *f* stupefaction, amazement ‖ ~**ait, e** [-ɛ, ɛt] *adj* stunned, amazed, astounded ; *regarder qqn d'un air* ~, look at sb in amazement ‖ ~**iant, e** *adj* stunning, staggering, astounding ● *m* drug, narcotic ‖ **~ier** *vt* (1) stun, stagger, astound.

stupeur [stypœr] *f* amazement.

stupid|e [stypid] *adj* stupid, silly ‖ **~ité** *f* stupidity, silliness.

style [stil] *m* style ; **~** *journalistique,* journalese ; **~** *télégraphique,* telegraphese.

styliste [stilist] *n* (fashion) designer.

stylo [stilo] *m* (fountain) pen ; **~** *à bille,* **~-bille,** ball-point (pen).

su, e [sy] → SAVOIR ● *m* *au vu et au* **~** *de tous,* to everybody's knowledge.

suaire [sɥɛr] *m* shroud.

suave [sɥav] *adj* suave, smooth, sweet, bland.

subalterne [sybaltɛrn] *adj* subordinate ● *n* underling ‖ MIL. subaltern.

subconscient, e [sybkɔ̃sjɑ̃, ɑ̃t] *adj/m* subconscious.

subdiviser [sybdivize] *vt* (1) subdivide.

subir [sybir] *vt* (2) suffer, be subjected to (affront) ‖ sustain (dommages) ‖ undergo (opération) ; go through (des épreuves).

subi|t, e [sybi, it] *adj* sudden, unexpected ‖ **~tement** [-tmɑ̃] *adv* suddenly.

subjectif, ive [sybʒɛktif, iv] *adj* subjective.

subjonctif [sybʒɔ̃ktif] *m* subjunctive.

subjuguer [sybʒyge] *vt* (1) subdue, subjugate (soumettre) ‖ FIG. bewitch (envoûter) ; captivate (auditoire).

sublim|e [syblim] *adj* sublime.

submerg|é, e [sybmɛrʒe] *pp/adj* submerged, flooded (terres) ; sunken (rocher) ‖ **~er** *vt* (7) submerge, flood, swamp ‖ FIG. overwhelm, snow under, swamp ; *être submergé de travail,* be snowed under/swamped with work.

subord|ination [sybɔrdinasjɔ̃] *f* subordination ; dependence (*de,* on)

‖ **~onné, e** [-ɔne] *adj* subordinate ‖ GRAMM. *proposition* **~***e,* dependent clause.

suborner [sybɔrne] *vt* (1) bribe (témoin).

subreptice [sybrɛptis] *adj* surreptitious ‖ **~ment** *adv* surreptitiously.

subsid|e [sybsid] *m* allowance, grant ‖ **~iaire** [-jɛr] *adj* subsidiary ; *question* **~***,* deciding question.

subsist|ance [sybzistɑ̃s] *f* subsistence, sustenance, keep ‖ **~er** *vi* (1) stay alive (survivre) ‖ subsist, eke out a living (tant bien que mal) ‖ FIG. remain (rester).

subsonique [sybsɔnik] *adj* subsonic.

substan|ce [sypstɑ̃s] *f* substance, matter ‖ **~tiel, ielle** [-sjɛl] *adj* substantial ; square (repas).

substantif [sypstɑ̃tif] *m* substantive.

substit|uer [sypstitɥe] *vt* (1) substitute (*à,* for) ‖ **~ution** [-ysjɔ̃] *f* substitution (*à,* for).

subterfuge [s'yptɛrfyʒ] *m* subterfuge.

subtil, e [syptil] *adj* subtle (esprit) ; nice (distinction) ; shrewd (esprit) ‖ **~iser** *vt* (1) spirit away ‖ **~ité** *f* subtlety.

subv|enir [sybvənir] *vt ind* (101) **~** *à,* provide for ; **~** *aux besoins de sa famille,* keep one's family ‖ **~ention** [-ɑ̃sjɔ̃] *f* subsidy, grant ‖ **~entionner** [-ɑ̃sjɔne] *vt* (1) subsidize.

subvers|if, ive [sybvɛrsif, iv] *adj* subversive ‖ **~ion** *f* subversion.

suc [syk] *m* MÉD. juice.

succédané [syksedane] *m* substitute.

succéder [syksede] *vt ind* (1) **~** *à,* succeed — *vpr se* **~,** follow one another.

succès [syksɛ] *m* success ; *avec* **~***,* successfully ; *sans* **~***,* unsuccessful(ly) ; *avoir du* **~** *auprès de,* be popular with ‖ MUS., TH. hit.

success|eur [syksesœr] m successor ‖ ~**if, ive** adj successive ‖ ~**ivement** adv successively ‖ ~**ion** f succession ; *prendre la* ~, take over (d'une entreprise) ‖ run, sequence (série) ‖ Jur. *droits de* ~, death-duties.

succinc|t, e [syksɛ̃, ɛ̃t] adj concise ‖ ~**tement** [-tmã] adv briefly, concisely.

succion [syksjɔ̃] f suction.

succomber [sykɔ̃be] vi (1) die ‖ Fig. go under (être vaincu) — vt ind succumb, yield (à, to).

succulent, e [sykylã, ãt] adj succulent, luscious.

succursale [sykyrsal] f Comm. branch ; *magasin à* ~*s multiples*, multiple/chain store.

suc|er [suse] vt (6) suck ‖ ~**ette** f lollipop ; lolly (coll.).

sucr|e [sykr] m sugar ; ~ *candi*, candy ; ~ *de canne*, cane-sugar ; ~ *en poudre*, lump sugar ; ~ *roux*, brown sugar, caster-sugar ; ~ *roux*, brown sugar, demerara ‖ ~**é, e** adj sweetened (lait condensé) ; sweet (boisson, fruit) ; sugary (goût) ‖ ~**er** vt (1) sweeten, put sugar in ‖ ~**erie** [əri] f sugar refinery (usine) ‖ Pl sweet things ; *aimer les* ~*s*, have a sweet tooth ‖ ~**ier** f sweetener (chim.) ‖ ~**ier** m sugar basin/U.S. bowl.

sud [syd] m south ; *au* ~, in the south ; *du* ~, south, southern, southerly ; *vers le* ~, south(wards) ‖ ~**-est**, south-east ‖ ~**-ouest**, south-west.

sudation [sydasjɔ̃] f sweating.

suède [sɥɛd] m suède (cuir).

Suède f Sweden.

Suédois, e [sɥedwa, az] n Swede.

suédois, e adj Swedish ● m [langue] Swedish.

su|ée [sɥe] f Fam. sweat ‖ ~**er** vi (1) sweat ‖ Fam. *il nous fait* ~, he's a pain in the neck ‖ ~**eur** f sweat ; *en* ~, sweaty ; *être en* ~, be

sweating/in a sweat ‖ Fig. *avoir des* ~*s froides*, be in a cold sweat.

suff|ire [syfir] vi (97) suffice, be enough/sufficient ; *ça suffit comme ça*, let's call it a day ‖ ~**isamment** [-izamã] adv sufficiently, enough ‖ ~**isance** [-izãs] f Fig. self-conceit (vanité) ‖ ~**isant, e** [-izã, ãt] adj sufficient, enough, adequate ‖ Fig. conceited, self-important, smug (vaniteux).

suffixe [syfiks] m suffix.

suffo|cation [syfɔkasjɔ̃] f suffocation ‖ ~**quer** [-ke] vi (1) suffocate, gasp for breath — vt [fumée] choke, stifle.

suffrage [syfraʒ] m vote.

sugg|érer [syɡʒere] vt (5) suggest ; put forward ‖ ~**estif, ive** [-ɛstif, iv] adj suggestive ‖ ~**estion** [-ɛstjɔ̃] f suggestion.

suicid|aire [sɥisider] adj suicidal ‖ ~**e** [-d] m suicide ‖ ~**é, e** n suicide ‖ ~**er (se)** vpr (1) commit suicide.

suie [sɥi] f soot ; *couvert/noir de* ~, sooty ; *tache de* ~, smut.

suif [sɥif] m tallow.

suint|ement [sɥɛ̃tmã] m oozing ; seepage ‖ ~**er** vi (1) ooze, seep.

suisse [sɥis] adj Swiss.

Suiss|e f Switzerland ● m Swiss ● npl *les* ~*s*, the Swiss ‖ ~**esse** f Swiss.

suite [sɥit] f continuation, sequel (de, to) [continuation] ; *la* ~ *au prochain numéro*, to be continued ‖ [reste] follow-up, remainder ‖ connection, order (liaison) ; *esprit de* ~, consistency ; *sans* ~, discursive, incoherent ‖ series ; run (série) ‖ consequence, result (résultat) ; *donner* ~ à, follow up (une offre) ‖ *prendre la* ~ *de*, take over from, succeed ‖ retinue, train (escorte) ‖ [cartes] run ● *loc de* ~, *à la* ~, in succession ; *à la* ~ *de*, behind (derrière) ; following (conséquence) ; *at once* (immédiatement) ; *je reviens de* ~, I'll be right back ; *par la* ~, afterward, later, subsequently ; *par ~ de*, as a result of, owing to ; *tout de ~*, at once, right now ; *et ainsi de ~*, and so on.

suivant, e [sɥivã, ãt] *adj* following, next (ordre) ● *n* follower ; *au ~ !*, next ! ● *prép* according to, depending on ● *loc conj ~ que*, according as.

suivre [sɥivr] *vt* (98) follow, come after (succéder à) ‖ follow, go along (un chemin) ‖ *~ un régime*, be on a diet ‖ *~ un cours*, go to/attend a course ‖ [police] tail ‖ COMM. repeat (un article) ‖ FIG. follow, observe ; go by (se conformer à) ; *le conseil de qqn*, follow sb's advice *à ~*, to be continued — *vi* [élève] pay attention (être attentif) ; keep up (se maintenir au niveau) ‖ [courrier] send on ; *prière de faire ~*, please forward.

sujet, ette [syʒɛ, ɛt] *adj* subject, prone, liable (*à*, to) ● *m* subject, matter ; *~ de conversation*, topic ; *à ce ~*, by the way ‖ motive ; reason ‖ subject (personne) ‖ FIG. *~ de*, cause for ‖ FAM. *mauvais ~*, bad lot ‖ GRAMM. subject ● *loc prép au ~ de*, about, concerning.

sujétion [syʒesjɔ̃] *f* subjection.

sulf|amide [sylfamid] *m* sulpha drug ‖ *~ate* [sylfat] *m* sulphate.

sulfur|e [sylfyr] *m* sulphide ‖ *~eux, euse* *adj* sulphurous ‖ *~ique* *adj* sulphuric.

super [sypɛr] *m* AUT. four-star (petrol), U.S. hi-test (gas) ● *adj inv* FAM. fantastic, great, super.

superbe [sypɛrb] *adj* superb, splendid, magnificent ; glamorous (star).

supercherie [sypɛrʃəri] *f* fraud, deceit, deception.

superfic|ie [sypɛrfisi] *f* (surface) area ‖ *~iel, ielle* [-jɛl] *adj* superficial ‖ FIG. shallow, superficial (esprit) ; skin-deep (beauté, optimisme, etc.).

superflu, e [sypɛrfly] *adj* superfluous ; unwanted ● *m* superfluity.

supéri|eur, e [sypɛrjœr] *adj* [du haut] upper, higher ‖ FIG. upper (classe) ; *être ~ à*, rank above ; higher (offre, vitesse) ; superior (qualité) ; *d'un niveau ~ à*, of a higher standard than ; advanced (études) ● *n* superior ; *ses ~s*, one's betters ‖ *~eurement* *adv* superlatively ; exceedingly ‖ *~orité* [-ɔrite] *f* superiority.

superlatif, ive [sypɛrlatif, iv] *adj/m* superlative.

super|marché [sypɛrmarʃe] *m* supermarket ‖ *~poser* *vt* (1) superimpose ; stack (empiler) ‖ *~sonique* *adj* supersonic.

supersti|tieux, ieuse [sypɛrstisjø, jøz] *adj* superstitious ‖ *~tion* *f* superstition.

superstructure [sypɛrstryktyr] *f* superstructure.

superviser [sypɛrvize] *vt* (1) supervise.

supplanter [syplãte] *vt* (1) supplant, supersede.

supplé|ance [sypleãs] *f* (temporary) replacement ; [enseignant] *faire une ~*, be on supply ‖ *~ant, e* *n* supply, deputy ; [enseignant] supply teacher ‖ MÉD. locum ‖ SP. substitute ‖ JUR. deputy ‖ *~er* *vt* (1) supply (ajouter) ‖ make up for (compenser) ‖ replace, stand in for (remplacer) — *vt ind* *~ à*, make up for.

supplémen|t [syplemã] *m* supplement, extra ; *en ~*, additional, extra ‖ COMM. extra charge ‖ RAIL. excess fare ‖ *~taire* [-tɛr] *adj* supplementary, additional, extra ; *heures ~s*, overtime ; *faire des heures ~s*, work overtime ‖ RAIL. *train ~*, relief train.

suppli|ant, e [syplijã, ãt] *adj* imploring, entreating ‖ *~cation* [-kasjɔ̃] *f* plea, entreaty.

supplice [syplis] *m* torture ‖ FIG. torment ; *être au ~*, be on the rack.

supplier [syplije] *vt* (1) entreat, beg,

implore ; ~ *qqn de faire qqch,* plead with sb to do sth.

suppor|t [sypɔr] *m* rest ; prop (étai) || ʌʀᴄʜ. support || **~table** [-tabl] *adj* tolerable, bearable (douleur) || **~ter**[1] [-te] *vt* (1) [soutenir] bear, support ; sustain (un poids) || [résister] withstand || Fɪɴ. bear (les frais) || Fɪɢ. [endurer] suffer, endure ; put up with (qqn) ; *ne pas pouvoir* ~, be allergic to.

supporter[2] [sypɔrter] *m* follower || Sᴘ. supporter.

supposer [sypoze] *vt* (1) suppose, assume ; *à* ~ *que,* supposing that || imply (impliquer) || **~ition** [-isjɔ̃] *f* supposition, assumption, guess. || Fᴀᴍ. *une* ~ *que,* supposing.

suppositoire [sypozitwar] *m* suppository.

suppr|ession [sypresjɔ̃] *f* suppression || deletion, removal (d'un mal) ; cancellation (d'un train) || **~imer** [-ime] *vt* (1) suppress (abus) ; remove, delete (un mot) ; cut out (un passage, le tabac, etc.) || do away with (douleur) || cancel (un train) || make away with (qqn) [tuer].

suppur|ation [sypyrasjɔ̃] *f* discharge || **~er** *vi* (1) fester, discharge.

supputer [sypyte] *vt* (1) calculate, compute.

supr|ématie [sypremasi] *f* supremacy || **~ême** [-ɛm] *adj* supreme, paramount.

sur [syr] *prép* [lieu] on (à la surface de) ; [avec mouvement] on to || ~ *soi,* about, with ; *je n'ai pas d'argent* ~ *moi,* I have no money about me ; over (sur toute la surface) ; against (contre) || [direction] towards, on, at || [cause] by ; *juger* ~ *les apparences,* judge by appearances || [temps] ~ *les 9 heures,* at about 9 o'clock || [manière] *fait* ~ *mesure,* made to measure || [sujet] on, about || [proportion] in ; *un* ~ *cinq,* one in five ; by (mesure) ; *2 mètres* ~*4,* 2 metres by 4 ; [notation] *5* ~ *10,* out of 10 ● *loc* ~ *ce,* whereupon.

sur- *préf* [excessif] over || [supérieur] super.

sur, e *adj* sour (aigre).

sûr, e [syr] *adj* sure, certain ; *en êtes-vous bien* ~ *?,* are you positive ? ; *j'en étais* ~ *!,* I knew it ! ; *il est* ~ *de gagner,* he's bound to win ; *soyez-en* ~, depend upon it ; ~ *de soi,* self-confident || safe (sans danger) ; *peu* ~, unreliable ; *mettre en lieu* ~, secure || reliable, trustworthy (digne de confiance) || unerring (goût) || sound (jugement) || Fɪɴ. *valeurs* ~*es,* gilt-edged securities ● *loc adv* *à coup* ~, for a certainty, for certain ; *bien* ~, of course ; *bien* ~ *que non !,* certainly not ! ; Fᴀᴍ. *pour* ~, sure enough, definitely.

suraliment|ation [syralimɑ̃tasjɔ̃] *f* overfeeding || **~er** *vt* (1) overfeed, feed up.

suranné, e [syrane] *adj* out-of-date, outdated.

surcharg|e [syrʃarʒ] *f* excess load || [véhicule] overload(ing) || [timbre] surcharge || **~er** *vt* (7) overload ; overweight || ~ *de travail,* overwork || surcharge (un timbre).

surchauffer [syrʃofe] *vt* (1) overheat.

surclasser [syrklase] *vt* (1) outclass.

surcontrer [syrkɔ̃tre] *vt* (1) [bridge] redouble.

surcroît [syrkrwa] *m* : *un* ~ *de travail,* additional work ● *loc adv de* ~, in addition, and what's more.

surdité [syrdite] *f* deafness.

sureau [syro] *m* elder(-tree).

surélever [syrelve] *vt* (1) raise.

sûrement [syrmɑ̃] *adv* [sans risques] securely || [certainement] certainly ; ~ *pas,* surely not.

surench|ère [syrɑ̃ʃɛr] *f* higher bid || **~érir** [-erir] *vi* (2) outbid ; bid higher (*sur qqn,* than sb).

surestimer [syrɛstime] *vt* (1) overrate, overestimate ; ~ *ses forces,* overreach oneself.

sûreté [syrte] *f* safety, security (sécurité) ; *en ~,* safe, secure ‖ reliability (fiabilité) ‖ TECHN. safety catch.

surévaluer *vt* (1) overvalue.

surexcité, e [syrɛkskite] *adj* over-strung, over-excited, keyed-up.

surexpos|er [syrɛkspoze] *vt* (1) PHOT. over-expose ‖ *~ition f* over-exposure.

surf [sœrf] *m* surf ; *faire du ~,* go surfing, surfride.

surface [syrfas] *f* surface ‖ COMM. *grande ~,* superstore ‖ [superficie] surface area ‖ NAUT. *faire ~,* surface ‖ SP. [football] *~ de réparation,* penalty area.

surfait, e [syrfɛ, ɛt] *adj* overrated.

surfeur, euse [sœrfœr, øz] *n* surfer, surfboarder.

surgelés [syrʒəle] *mpl* frozen food.

surgénérateur [syrʒeneratœr] *m* breeder reactor.

surgeon [syrʒɔ̃] *m* sucker.

surgir [syrʒir] *vi* (2) appear suddenly, spring up ‖ FIG. crop up, arise.

sur|homme [syrɔm] *m* superman ‖ *~humain, e adj* superhuman.

surimpression [syrɛ̃prɛsjɔ̃] *f* PHOT. double exposure.

surir [syrir] *vi* (2) turn sour.

sur-le-champ [syrləʃɑ̃] *loc adv* straight away, on the spot, there and then, at once.

surlendemain [syrlɑ̃dmɛ̃] *m le ~,* the next day but one, two days later/after.

surligneur [syrliɲœr] *m* highlighter.

surmen|age [syrmənaʒ] *m* over-work ; (mental) strain ‖ *~é, e adj* overworked ‖ *~er vt* (1) overwork, overstrain — *vpr se ~,* strain oneself, overwork oneself.

surmonter [syrmɔ̃te] *vt* (1) [être au dessus] surmount, top ‖ FIG. sur-mount, overcome, get over [vaincre] weather, ride out (difficulté).

surmultipliée [syrmyltiplije] *f* AUT. overdrive.

surnager [syrnaʒe] *vi* (7) float (on the surface).

surnaturel, elle [syrnatyrɛl] *adj* supernatural, unearthly.

surnom [syrnɔ̃] *m* nickname.

surnombre [syrnɔ̃br] *m en ~,* too many ; redundant ; *être en ~,* be one too many.

surnommer [syrnɔme] *vt* (1) nick-name ; [humour] dub.

suroît [syrwa] *m* sou'wester (vent, chapeau).

surpasser [syrpase] *vt* (1) sur-pass, outdo (l'emporter sur) ; out-shine (éclipser) ; *~ en nombre,* out-number.

surpleuplé, e [syrpœple] *adj* over-populated ; overcrowded.

surplis [syrpli] *m* REL. surplice.

surplomb [syrplɔ̃] *m* overhang ; *en ~,* overhanging ‖ *~er* [-be] *vt* (1) overhang.

surplus [syrply] *m* surplus, excess ‖ FIG. spill (de population).

surpr|enant, e [syrprənɑ̃, ɑ̃t] *adj* surprising, amazing, singular ‖ *~endre* [-ɑ̃dr] *vt* (80) amaze, sur-prise (étonner) ; catch unawares (prendre au dépourvu) ; catch out ; *être surpris par la marée,* be caught out by the tide ‖ overhear (une conver-sation) ‖ *~is, e adj* surprised (*de,* at/to) ‖ *~ise f* surprise ; *faire une ~ à qqn,* give sb a surprise.

surproduction [syrprɔdyksjɔ̃] *f* overproduction.

sursau|t [syrso] *m* start, jump ; *en ~,* with a start ‖ *~ter* [-te] *vi* (1) start ; jump ; *faire ~ qqn,* give sb a jump.

surs|eoir [syrswar] *vt ind* (100) suspend, postpone ‖ JUR. *~ à,* suspend (un jugement) ; *~ à l'exé-cution,* reprieve ‖ *~is* [-i] *m* JUR.

suspended sentence ; reprieve ‖ MIL. deferment ‖ ~**itaire** [itεr] *m* FR. deferred conscript.

surtax|e [syrtaks] *f* [lettre] surcharge ‖ ~**er** *vt* (1) surcharge (une lettre).

surtout [syrtu] *adv* above all (avant tout) ‖especially (spécialement) ‖ mainly (principalement).

surveill|ance [syrvejɑ̃s] *f* watching(ing) ‖ supervision, control ; *sans* ~, unattended ‖ ~**ant, e** *n* overseer, superintendent, supervisor ‖ [examens] ~ *de salle,* invigilator ‖ [prison] warder *(m)* wardress *(f)* ● *f* MÉD. matron (hôpital) ‖ ~**er** *vt* (1) watch over, look after, keep an eye on (faire attention à) ‖ supervise, superintend, overlook, oversee (ouvriers, travail) ‖ mind (un bébé) ‖ [examen] invigilate (candidats) ‖ TECHN. monitor.

survenir [syrvənir] *vi* (101) [événement] happen, take place ‖ [difficulté] arise ; crop up (coll.) ‖ [soudainement] ‖ [personne] arrive unexpectedly.

survêtement [syrvεtmɑ̃] *m* SP. tracksuit.

survie [syrvi] *f* survival.

survirer [syrvire] *vi* (1) AUT. oversteer ‖ ~**eur, euse** *adj* which oversteers.

surviv|ance [syrvivɑ̃s] *f* survival ‖ ~**ant, e** *n* survivor.

survivre [syrvivr] *vi* (105) survive ‖ ~ *à,* outlive, outlast ; live through (guerre, etc.).

survoler [syrvɔle] *vt* (1) fly over ‖ FIG. skim through.

survolt|age [syrvɔltaʒ] *m* boosting ‖ ~**er** *vt* (1) boost ‖ ~**eur** *m* booster.

sus [sy(s)] *adv en* ~, in addition (*de,* to).

suscepti|bilité [sysεptibilite] *f* touchiness ‖ ~**ble** [-bl] *adj* liable, likely (*de,* to) ‖ touchy, sensitive (ombrageux).

susciter [sysite] *vt* (1) stir up, arouse, provoke (un sentiment) ‖ bring about, create (volontairement).

suspec|t, e [syspε(kt), εkt] *adj* suspicious, dubious (louche) ‖ suspect (douteux) ; ~ *de,* suspected of ● *n* suspect ‖ ~**ter** [-kte] *vt* (1) suspect (*de,* of).

suspendre[1] [syspɑdr] *vt* (4) hang (up) ; sling (au moyen d'une courroie) ; string up (à une corde) ‖ AUT. *cette voiture est bien suspendue,* this car has a smooth ride.

suspendre[2] *vt* (4) suspend, discontinue, hold up ; ~ *la séance,* adjourn the meeting ‖ FIN. stop (payement) ‖ FIG. suspend (destituer).

suspens (en) [ɑ̃syspɑ̃] *loc adv* in abeyance (projet) ; unsolved (problème) ; outstanding (travail).

suspense [syspεns] *m* suspense ; *film/roman à* ~, thriller ; *feuilleton à* ~, cliff-hanger.

suspension[1] [syspɑ̃sjɔ̃] *f* suspension, hanging ‖ AUT. suspension, springs.

suspension[2] *f* break, interruption, adjournment (de séance) ‖ JUR. ~ *de permis : il a eu six mois de* ~ *de permis,* he was banned from driving for six months ‖ MIL. ~ *d'armes,* suspension of hostilities.

suspicion [syspisjɔ̃] *f* suspicion.

susurrer [sysyre] *vt* (1) whisper.

sutur|e [sytyr] MÉD. *point de* ~, stitch ; *faire un point de* ~, stitch up ‖ ~**er** *vt* (1) stitch up.

svelt|e [svεlt] *adj* slim, slender ‖ ~**esse** *f* slimness, slenderness.

syllabe [sillab] *f* syllable.

sylviculture [silvikyltyr] *f* forestry.

symbol|e [sɛ̃bɔl] *m* symbol ‖ ~**ique** *adj* symbolic ‖ ~**iser** *vt* (1) symbolize.

symétr|ie [simetri] *f* symmetry ‖ ~**ique** *adj* symmetrical.

sympath|ie [sɛ̃pati] *f* liking, fellow feeling ; *avoir de la* ~ *pour qqn,* like sb, have a liking for sb ; *se prendre de ~ pour,* warm to ‖ fellow feeling (affinité) ‖ **~ique** *adj* likable, attractive, nice, genial (personne) ; congenial, pleasant (endroit) ‖ **~isant, e** *adj* sympathising ● *n* sympathiser ‖ **~iser** *vi* (1) get on well together ; *~ avec,* be friendly with, take to, hit it off with.

symphon|ie [sɛ̃fɔni] *f* symphony ‖ **~ique** *adj* symphonic ; symphony (orchestre).

symp|tomatique [sɛ̃ptɔmatik] *adj* symptomatic ‖ **~tôme** [-tom] *m* symptom.

synagogue [sinagɔg] *f* synagogue.

synchron|e [sɛ̃krɔn] *adj* synchronous ‖ **~ique** *adj* synchronic ‖ **~iser** *vt* (1) synchronize.

syncop|e [sɛ̃kɔp] *f* MÉD. syncope, fainting fit ‖ MUS. syncopation ‖ **~er** *vt* (1) syncopate.

syndi|calisme [sɛ̃dikalism] *m* trade-unionism ‖ **~caliste** *n* union member, (trade) unionist ‖ **~cat** [-ka] *m* (trade) union ‖ *~ d'initiative,* tourist office ‖ **~qué, e** [-ke] *n* (trade) union member ; *non-~,* non-union worker ‖ **~quer (se)** *vpr* (1) join a trade-union ; *êtes-vous syndiqué ?,* are you in a/the union ?

synonyme [sinɔnim] *adj* synonymous *(de,* with) ‖ FIG. *être ~ de,* be a by-word for ● *m* synonym.

synop|sis [sinɔpsis] *m* CIN. synopsis ‖ **~tique** *adj* synoptic ; *tableau ~,* synoptic table, summary chart.

syntax|e [sɛ̃taks] *f* syntax ‖ **~ique** *adj* syntactic.

synth|èse [sɛ̃tɛz] *f* synthesis ‖ **~étique** [-etik] *adj* synthetic ‖ **~étiser** [-etize] *vt* (1) synthesize ‖ **~étiseur** [-etizœr] *m* synthesizer.

syphil|is [sifilis] *f* syphilis ‖ **~itique** [-itik] *adj* syphilitic.

syst|ématique [sistematik] *adj* systematic ; unconditional ‖ **~ème** [-ɛm] *m* system, scheme, device.

T

t [te] *m* t.

ta [ta] *adj poss* → TON.

taba|c [taba] *m* tobacco ‖ [boutique] tobacconist's ‖ FAM. [police] *passer à ~,* beat up, give the third degree ‖ FAM. *du même ~,* of that ilk ; *faire un ~,* be a roaring success/a big hit ‖ **~sser** *vt* (1) POP. beat up (coll.) ‖ **~tière** [-tjɛr] *f* snuff-box.

table¹ [tabl] *f* table ; *~ à dessin,*

drawing-table ; *~s gigognes,* nest of tables ; *~ de jeu,* card table ; *~ de nuit,* bedside table ; *~ roulante,* (tea-) trolley ‖ *mettre la ~,* lay/set the table ; *se mettre à ~,* sit down to table ; *à ~ !,* dinner is served ! ; *tenir ~ ouverte,* keep open house ‖ TÉL. *brancher sur ~ d'écoute,* tap ‖ FIG. *~ ronde,* round table ; *faire ~ rase,* make a clean sweep *(de,* of).

table² *f ~ des matières,* table of

contents ‖ MATH. ~ *de multiplication*, multiplication table.

tableau [tablo] *m* board ; ~ *d'affichage,* notice-board ; SP. score-board ; ~ *noir,* blackboard ‖ table, list ; rota, roster (de service) ; ~ *synoptique,* synopsis ‖ [dactylographie] *disposer en* ~, tabulate ‖ [graphique] chart ‖ ÉLECTR. ~ *de distribution,* switch-board ‖ ~ *de bord,* AUT. dashboard ; AV. instrument panel ‖ ARTS painting, picture ‖ TH. scene ‖ FIG. sight ; picture (description).

tabler [table] *vi* (1) count, reckon, (*sur,* on).

tablette[tablɛt] *f* shelf (rayon) ‖ CULIN. bar (de chocolat).

tablier [tablije] *m* apron (de ménagère) ; pinafore (d'enfant) ; overall (d'écolier).

tabou [tabu] *adj/m* taboo.

tabouret [taburɛ] *m* stool.

tac [tak] *m répondre du* ~ *au* ~, give tit for tat, answer pat.

tache [taʃ] *f* spot ; speck (petite) ; smear, smudge (souillure) ; splash (éclaboussure) ; blot (d'encre) ; blob (de couleur) ; ~ *d'huile,* oily mark ; ~ *de sang,* blood stain ‖ ~ *de rousseur,* freckle ‖ FIG. flaw, taint ; *sans* ~, spotless ; *faire* ~ *d'huile,* spread.

tâche [tɑʃ] *f* task, work ; *une* ~, a piece of work, a job ; stint (part) ; *à la* ~, by the piece ; *être à la* ~, be on piecework.

tacher [taʃe] *vt* (1) [encre, fruit, vin] stain ; blot (faire des pâtés) ‖ [graisse] mark (faire des pâtés) — *vpr se* ~, [tissu] stain ‖ [personne] get stains on one's clothes.

tâcher [tɑʃe] *vi* (1) try (*de,* to).

tâcheron [tɑʃrɔ̃] *m* jobber.

tacheté, e [taʃte] *adj* spotted, speckled.

tacit|e [tasit] *adj* tacit ‖ ~**urne** [-yrn] *adj* silent, taciturn.

tacot [tako] *m* AUT., FAM. crock, banger ; [humour] jalopy.

tact [takt] *m* tact ; *plein de* ~, tactful ; *sans* ~, tactless.

tactique [taktik] *adj* MIL. tactical ● *f* MIL. tactics.

taffetas[tafta] *m* taffeta.

Tahit|i [taiti] *f* Tahiti ‖ ~**ien, ienne** [-sjɛ̃, jɛn] Tahitian.

taie [tɛ] *f* ~ *d'oreiller,* pillow-case/-slip.

taillader [tajade] *vt* (1) slash.

taille¹ [taj] *f* size (d'un vêtement) ; *quelle est votre* ~ ?, what size do you take ? ; *être à la* ~ *de qqn,* fit sb ‖ height (hauteur) ; *quelle est votre* ~ ?, how tall are you ? ‖ [ceinture] waist (line) ; middle (coll.) ; *tour de* ~, girth ; waist size ; *à* ~ *basse/haute,* low-/high-waisted ; *pantalon* ~ *basse,* hip-hugger pants.

taille² *f* cutting (d'un arbre) ; clipping (des cheveux, d'une haie) ‖ TECHN. cut ‖ ~**-crayon** *m inv* pencil-sharpener.

taill|er [taje] *vt* (1) cut ‖ prune (un arbre) ; trim, clip (une barbe, une haie) ; cut (les cheveux) ; sharpen (un crayon) ; hew (la pierre) ‖ TECHN. cut (un diamant) ‖ ~**eur** *m* [couture] tailor (personne) ; *(costume)* ~, tailormade) suit, two-piece suit ; *s'asseoir en* ~, sit cross-legged ‖ TECHN. cutter ; ~ *de pierre,* stone-cutter.

taillis [taji] *m* copse, coppice.

tain [tɛ̃] *m* silvering ; *glace sans* ~, two-way mirror.

taire [tɛr] *vt* (75) keep back, hush up ; *faire* ~, silence, hush ; *faire* ~ *les enfants,* make the children keep quiet — *vpr se* ~, fall/be silent, keep quiet.

talc [talk] *m* talcum powder.

talé, e [tale] *adj* bruised.

talent [talɑ̃] *m* [aptitude] talent ; *de* ~, talented ; *aux multiples* ~*s,* versatile ‖ *Pl* accomplishments ‖ ~**ueux, euse** [-tɥø, øz] *adj* talented.

talon[1] [talɔ̃] *m* [chèque] stub, counterfoil.

tal|on[2] *m* heel (du pied, de la chaussure) ; *~s aiguilles,* stiletto heels ‖ **~onner** [-ɔne] *vt* (1) spur (on) [un cheval] ‖ *~ qqn,* tread on sb's heels ‖ [rugby] heel (le ballon) ‖ FIG. dog, hound ‖ **~onnette** [-ɔnɛt] *f* binding (tissu) ‖ **~onneur** *m* [rugby] hooker.

talus [taly] *m* bank, embankment.

tambour [tābur] *m* MUS. drum (instrument) ; *battre le ~,* beat the drum ‖ drummer (personne) ‖ *porte à ~,* revolving door ‖ AUT. brakedrum (de frein) ‖ FIG. *sans ~ ni trompette,* quietly ‖ **~in** [-rɛ̃] *m* tabor ‖ **~iner** [-ine] *vi* (1) beat a drum ‖ drum, beat a tattoo (avec les doigts) ‖ [pluie] patter.

tamis [tami] *m* sieve.

Tamise [tamiz] *f* Thames.

tamis|é, e [tamize] *adj* subdued (lumière) ‖ **~er** *vt* (1) sieve, sift (du sable) ‖ FIG. subdue, soften (la lumière).

Tamoul [tamul] *n* Tamil.

tamoul *adj* Tamil ● *m* [langue] Tamil.

tampon[1] [tāpɔ̃] *m* plug (bouchon) ; wad (de coton, de laine) ‖ [timbre] rubber-stamp ; *~ encreur,* inkpad ‖ *~ à récurer,* pan-scrubber ‖ MÉD. *~ (périodique),* tampon.

tamp|on[2] *m* RAIL. buffer ‖ POL. *État ~,* buffer State ‖ **~onnement** [-ɔnmā] *m* AUT., RAIL. collision, smash(-up) ‖ **~onner** [-ɔne] *vt* (1) AUT., RAIL. crash into, collide with.

tanche [tāʃ] *f* tench.

tandis que [tādikə] *loc conj* while (pendant que) ‖ whereas (au lieu que).

tangage [tāgaʒ] *m* NAUT. pitch (ing).

tangent, e [tāʒā, āt] *adj* tangent ● *f* tangent.

tangible [tāʒibl] *adj* tangible.

tanguer [tāge] *vi* (1) pitch.

tanière [tanjɛr] *f* den, lair.

tan(n)in [tanɛ̃] *m* tannin.

tank [tāk] *m* tank.

tann|age [tanaʒ] *m* tanning ‖ **~é, e** *adj* weather-beaten (hâlé) ‖ **~er** *vt* (1) tan (le cuir) ‖ FAM. badger, pester (harceler) ‖ **~erie** [-ri] *f* tannery ‖ **~eur** *m* tanner.

tant [tā] *adv* [quantité] *~ de,* so much/many ‖ [degré] so much ‖ [temps] *~ que,* as long as (aussi longtemps que) ; *il ne partira pas ~ que vous ne serez pas de retour,* he won't leave till you come back ; while (pendant que) ● *loc ~ bien que mal,* so-so, after a fashion ; *~ s'en faut,* far from it ; *~ mieux !,* so much the better ; that's fine ! ; *~ pis !,* (that's) too bad ! ; never mind ! (ça ne fait rien) ; *~ soit peu,* ever so little ; *un ~ soit peu,* a little big (+ adj.) ‖ *~ qu'à faire,* if it comes to that ‖ *en ~ que,* as.

tante [tāt] *f* aunt ; aunty (coll.) ‖ POP. queer, fairy (sl.) [homosexuel].

tantôt[1] [tāto] *adv* FAM. after lunch (cet après-midi).

tantôt[2] *adv : ~..., ~...,* now... now ; sometimes... sometimes.

taon [tā] *m* horse-fly, gadfly.

tapag|e [tapaʒ] *m* din, uproar ; *faire du ~,* make a racket, kick up a row ‖ **~eur, euse** *adj* noisy ; boisterous (enfant) ‖ FIG. showy, flashy (toilette).

tape [tap] *f* tap, slap (sur l'épaule) ; pat (sur la joue) ‖ **~-à-l'œil** *adj inv* FAM. flashy, jazzy, showy ● *m inv* flash.

taper [tape] *vt* (1) tap (légèrement) ; strike (plus fortement) ; slap (gifler) ‖ *~ à la machine,* type ‖ FAM. *~ qqn de cent francs,* touch sb for a hundred francs — *vi* knock (sur, on) ; *~ du pied,* stamp one's foot ‖ FAM. *~ sur les nerfs de qqn,* get on sb's nerves ; *~ dans l'œil de qqn,* take sb's fancy.

tapette [tapɛt] *f* POP. pansy (sl.).

tapir (se) [sətapir] *vpr* (2) squat, crouch, cower (se blottir); lurk (s'embusquer).

tapis [tapi] *m* carpet, rug; ~ *de bain*, bath mat || ~ *roulant*, travelator (pour personnes), conveyor, carousel (pour bagages) || [camping] ~ *de sol*, ground sheet || [seuil] ~*brosse*, doormat || [boxe] *aller au* ~, go down for the count.

tapiss|er [tapise] *vt* (1) hang (*de*, with); paper (un mur) || ~**erie** [-ri] *f* tapestry (murale); upholstery (pour meuble) || FAM. *faire* ~, be a wall-flower || ~**ier, ière** *n* upholsterer (décorateur) || tapestry-weaver (tisserand).

tapoter [tapɔte] *vi/vt* (1) tap, dab (*sur*, on); pat (la joue) || MUS. strum on the piano.

tapuscrit [tapyskri] *m* typescript.

taqu|in, ine [takɛ̃, in] *adj* teasing || ~**iner** [-ine] *vt* (1) tease || ~**inerie** [-inri] *f* teasing.

tar|d [tar] *adv* late; *il se fait* ~, it is getting late; *plus* ~, later (on), by and by; *trois jours plus* ~, three days after; *tôt ou* ~, sooner or later; *au plus* ~, at the latest; *remettre à plus* ~, put off || ~**der** [-de] *vi* (1) delay, put off; *sans* ~, without delay; ~ *à*, be long in; *il ne va pas* ~ *maintenant*, he won't be long now — *v impers* : *il lui tarde de faire votre connaissance*, he is anxious to meet you; *il me tarde de vous voir*, I'm longing to see you || ~**dif, ive** [-dif, iv] *adj* late (heure, arbre) || FIG. belated (regrets) || ~**divement** [-divmã] *adv* late, belatedly.

tar|e¹ [tar] *f* MÉD. taint || FIG. blemish || ~**é, e** *adj* degenerate.

tar|e² *f* COMM. tare (poids) || ~**er** *vt* (1) COMM. tare.

tari, e [tari] *adj* dry (puits).

tarif [tarif] *m* tariff, price-list (prix) || rates (barème); ~*s douaniers*, tariffs; ~*s postaux*, postage rates; *plein* ~/~ *réduit*, full/reduced fare.

tarir [tarir] *vt* (2) exhaust, dry up (un puits) — *vi/vpr (se)* ~, run dry, dry up.

tarte [tart] *f* tart, pie; ~ *aux pommes*, apple-pie || FAM. *c'est pas de la* ~, it's no joke.

tartin|e [tartin] *f* ~ *(de beurre)*, slice of bread and butter || ~**er** *vt* (1) spread.

tartre [tartr] *m* [dents] tartar || [bouilloires, chaudières] fur, scale.

tas [tɑ] *m* heap, pile; *mettre en* ~, pile up || FAM. *un* ~ *de*, *des* ~ *de*, heaps/scores/lots of.

tasse [tɑs] *f* cup; ~ *à thé*, tea-cup; ~ *de thé*, cup of tea; *grande* ~, mug.

tasseau [taso] *m* bracket.

tasser [tɑse] *vt* (1) ram down (la terre); pack (down) [*dans*, into] — *vpr se* ~, bunch up, cram (*dans*, into); squeeze, crowd together || FIG. settle down.

tât|er [tɑte] *vt* (1) feel, touch || FAM. ~ *le terrain*, see how the land lies || ~**e-vin** *m inv* wine-taster.

tatillon, onne [tatijɔ̃, ɔn] *adj* finicky, finical.

tâtonner [tɑtɔne] *vi* (1) feel/grope one's way || ~**ons (à)** [atɑtɔ̃] *loc adv* gropingly; *avancer* ~, grope (one's way) along; *chercher à* ~, feel for.

tatou|age [tatwaʒ] *m* tattoo(ing) || ~**er** *vt* (1) tattoo.

taudis [todi] *m* hovel, slum || *Pl* slums.

taup|e [top] *f* mole || ~**inière** [-injɛr] *f* mole-hill.

taureau [toro] *m* bull.

Taureau *m* ASTR. Taurus.

taux [to] *m* rate; ~ *de change*, rate of exchange; *(~ de) natalité*, birthrate || FIN. *au* ~ *de 5%*, at the rate of 5%.

tax|e [taks] *f* tax (redevance); ~ *de séjour*, visitor's tax; ~ *à la valeur ajoutée*, value added tax || COMM. *hors*

~s, duty-free ‖ ~er vt (1) tax ‖ fix the price of ‖ FIG. ~ de, call.

taxi [taksi] m taxi, cab ; en ~, by taxi.

Tchad [tʃad] m Chad ‖ ~ien, ienne ● n Chadian.

tchécoslovaque [tʃekɔslɔvak] adj Czechoslovak.

Tchécoslovaquie [tʃekɔslɔvaki] f Czechoslovakia.

Tchèque [tʃɛk] n Czech.

tchèque adj/m Czech (langue).

te [tə] pron pers → TU ‖ you ● pron réfléchi yourself.

té [te] m T-square.

techn|icien, enne [tɛknisjɛ̃, ɛn] n technician ‖ ~icité [-isite] f technicality ‖ ~ique adj technical ● f technique ‖ skill, ; know-how (savoir-faire) ‖ ~ocrate [-ɔkrat] n technocrat ‖ ~ocratie [-ɔkrasi] f technocracy ‖ ~ologie [-ɔlɔʒi] f technology ; ~ de pointe, high-technology ‖ ~ologique [-ɔlɔʒik] adj technological.

teck [tɛk] m teak (bois).

teckel [tekɛl] m dachshund.

teindre [tɛ̃dr] vt (59) dye (un vêtement) ; faire ~ une robe en bleu, have a dress dyed blue — vpr se ~ se ~les cheveux, dye one's hair.

teint [tɛ̃] m complexion (du visage) ‖ [couleur] shade, colour ; grand ~, colour fast ‖ FIG. bon ~, dyed-in-the-wool.

teint|e [tɛ̃t] f colour ‖ hue, shade (nuance) ‖ ~er vt (1) tint (cheveux) ‖ stain (bois) ‖ ~ure f dye ‖ dyeing (action) ‖ MÉD. ~ d'iode, tincture of iodine ‖ FIG. smattering (connaissance vague) ‖ ~urerie [-tyrri] f dye-works (atelier) ; (dry-)cleaner's (boutique) ‖ ~urier, ière n COMM. cleaner ‖ TECHN. dyer.

tel, telle [tɛl] adj [ressemblance] such, like ; un ~ homme, such a man ; un ~ courage, such courage ; si ~ est le cas, if such is the case ; ~ père, ~ fils, like father, like son ; ~ que : un

homme ~ que lui, a man like him ; un ami ~ que Jean, such a friend as John ‖ comme ~, as such ‖ ~ quel, such as it is ‖ [énumération] ~ que, such as, like ‖ [indéfini] ~ jour, on such (and such) a day ; à ~ endroit, in such (and such) a place ● pron Un ~, Une ~le, So-and-so.

télé¹ [tele] f FAM. T.V., telly, box, U.S. tube (coll.).

télé·² préf tele- ‖ ~benne/cabine f = TÉLÉPHÉRIQUE ‖ ~commande f remote control ‖ ~commander vt (1) operate by remote control ‖ FIG. mastermind ‖ ~communication fpl telecommunications ‖ ~copieur m facsimile machine ; fax(machine) [coll.] ‖ ~distribution f cable T.V. ‖ ~férique m cableway ; cable car ‖ ~gramme m telegram ; wire (fam.) ‖ ~graphe [-graf] m telegraph ‖ ~graphie f telegraphy ‖ ~graphier vi/vt (1) wire, cable, telegraph ‖ ~graphique adj telegraph(ic) ; style ~, telegraphese ‖ ~graphiste [-grafist] n telegraphist ‖ ~guidé, e adj projectile ~, guided missile ‖ ~guider vt (1) radio-control ‖ ~informatique f remote processing ‖ ~matique f telematics ‖ ~mètre m range-finder ‖ ~objectif m telephoto lens ‖ ~pathie [-pati] f telepathy ‖ ~phérique [-ferik] m cable-railway, ropeway ‖ ~phone [-fɔn] m telephone, phone (coll.) ; avoir le ~, be on the phone ; coup de ~, telephone call ; donner un coup de ~ à qqn, give sb a ring ‖ POL. ~ rouge, hot line ‖ ~phoner vt (1) telephone (message) — vi ~ à qqn, phone sb, ring/call up sb ; ~ en P.C.V., transfer the charges ‖ ~phonique adj telephone ; telephonic ‖ ~oniste n (telephone) operator.

télescop|e [teleskɔp] m telescope ‖ ~er vt/vpr (1) [se ~] telescope ‖ AUT. concertina ‖ ~ique adj telescopic.

télé|scripteur [teleskriptœr] m teleprinter ‖ ~siège m chairlift ‖ ~ski m ski-lift ‖ ~spectateur, trice n viewer ‖ **~traitement** *m* teleprocessing ‖ **~type** *m* teleprinter, ticker ‖ **~viser** *vt* (1) televise ; *journal télévisé,* television news ‖ **~viseur** *m* television (set) ‖ **~vision** *f* television, U.S. video ; ~ *(en) couleurs,* colour T.V. ; *à la ~,* on television.

télex [teleks] *m* telex ; *transmettre par ~,* telex ‖ **~er** *vt* (1) telex.

tellement [telmã] *adv* [degre] so ; ~ *bon/fatigué,* so good/tired ; [+ comparatif] ~ *mieux,* so much better ‖ [quantité] so much/many ; *il travaille ~,* he works so much/hard ‖ [négativement] *pas ~ grand,* not (all) that high.

témér|aire [temerɛr] *adj* rash, reckless, foolhardy ‖ **~ité** *f* rashness, recklessness.

tém|oignage [temwaɲaʒ] *m* JUR. testimony, evidence, witness (action) ; *porter ~ sur,* bear witness to ; *faux ~,* false evidence ; perjury ‖ FIG. account (récit) ; mark, token (marque) ; *en ~ de,* as a token of ‖ **~oigner** [-waɲe] *vi* (1) JUR. give evidence ; ~ *contre/en faveur de qqn,* testify against sb/in sb's favour — *vt ind* ~ *de qqch,* bear witness to sth, testify to — *vt* FIG. show (sa gratitude) ; express (un sentiment) ‖ **~oin** [-wɛ̃] *m* witness ; ~ *oculaire,* eye-witness ; *être ~ de,* witness ‖ [mariage] best man ‖ JUR. ~ *à décharge/charge,* witness for the defence/prosecution ; *banc des ~s,* witness box ‖ SP. baton.

tempe [tãp] *f* ANAT. temple.

tempérament¹ [tãperamã] *m* [constitution] temperament, constitution ‖ [nature] disposition, temper, nature (moral).

tempérament² *m vente à ~,* hire-purchase, U.S. installment plan ; *acheter à ~,* buy on the hire-purchase system ; on (the) H.P.

tempérance [tãperãs] *f* temperance, moderation.

tempér|ature [tãperatyr] *f* tempe-

rature ‖ MÉD. *faire de la ~,* have/run a temperature ; *prendre la ~ de qqn,* take sb's temperature ‖ **~é, e** *adj* temperate (climat) ‖ **~er** *vt* (5) temper.

tempêt|e [tãpɛt] *f* storm, tempest, gale ; ~ *de neige,* snow-storm, blizzard ; *souffler en ~,* blow a gale ‖ **~er** *vi* (1) FIG. storm, bluster.

temple [tãpl] *m* temple.

tempor|aire [tãpɔrɛr] *adj* temporary (emploi, fonction, personnel) ; provisional (pouvoir) ‖ **~airement** *adv* temporarily ‖ **~el, elle** *adj* temporal (non «éternel») ‖ secular, wordly («non spiritual ») ‖ **~isation** [-izasjɔ̃] *f* procrastination ‖ **~iser** [-ize] *vi* (1) play/stall for time.

temps¹ [tã] *m* [durée] time ; *avoir du ~ devant soi,* have time to spare ; *nous avons tout le ~,* we've got plenty of time ; *il y a quelque ~,* some time ago ; *gagner/perdre du ~,* gain/waste time ; *mettre/prendre du ~ à faire qqch,* take time doing sth ; *(faire) passer le ~,* while away the time ; *pendant quelque ~,* for some time ; *quelque ~ après,* after a while ; *en un rien de ~,* in no time ; *prenez votre ~,* don't let me rush you, don't hurry ; *combien de ~ ?,* how long ? ; *depuis combien de ~ êtes-vous ici ?,* how long have you been here ? ‖ [durée limitée] time(s) ; ~ *libre,* time off ; ~ *mort,* slack period, lull ; *il a fait son ~,* he has had his days ; *pendant ce ~,* meantime, meanwhile ‖ [époque] time(s) ; *en ~ voulu,* at the proper time, in due time ; *de mon ~,* in my days ; *en ce ~-là,* in those days ; *en ~ de guerre,* in wartime ; *en ~ normal,* in normal circumstances ‖ GRAMM. tense ‖ MUS. beat ; ~ *faible/fort,* weak/strong beat ‖ TECHN. *moteur à deux ~,* two-stroke engine ; ~ *de réponse,* time lag ‖ INF. ~ *partagé/réel,* time sharing/real time ‖ MIL. *faire son ~,* serve one's time ● *loc à ~,* in time ; *en même ~,* at the same time, at once ; *en ~ utile,* in due course/time ; *de ~ à autre,* off and on, at times, once in a while ; *de ~ en ~,* from time to time, now and then ; ***tout le ~,*** always, all the while ; *de tout ~,* at all times ; *à ~ partiel,* part-time ; *à ~ plein, à plein ~,* full-time.

temps² *m* [conditions météorologiques] weather ; *beau/mauvais ~,* nice/bad weather ; ***quel ~ fait-il ?,*** what's the weather like ? ; *par tous les ~,* rain or shine ∥ Naut. *gros ~,* heavy weather.

tenace [tənas] *adj* tenacious, peristent (personne) ; dogged (efforts) stubborn (rhume) ; persistent (toux).

ténacité [tenasite] *f* tenacity.

tenaill|e(s) [tənɑj] nippers ; pincers ∥ ~**er** *vt* (1) Fig. torture ; [faim] gnaw.

tenancier, ière [tənɑsje, jɛr] *n* manager, -ess.

tenant, e [tənɑ̃, ɑ̃t] *adj* attached (col) ● *n* Sp. holder (d'un record) ∥ *Pl* Fig. *les ~s et les aboutissants,* the ins and outs (d'une affaire) ● *loc adv d'un seul ~,* all in one piece.

tendanc|e [tɑ̃dɑ̃s] *f* [inclination] tendency ; *avoir ~ à,* tend to, have a tendency towards ∥ [évolution générale] trend ∥ Pol. leanings ∥ ~**ieux, ieuse** [-jø, jøz] *adj* tendentious.

tendeur [tɑ̃dœr] *m* guy (-rope).

tendon [tɑ̃dɔ̃] *m* sinew, tendon.

tendre¹ [tɑ̃dr] *vt* (4) stretch, strain, tighten (une corde) ; bend (un arc) ; hang (du tissu) ; set (un piège) ∥ [porter en avant] hold/stretch out (le bras, la main) ; ~ *le cou,* crane one's neck ∥ ~ *l'oreille,* strain one's ears — *vt ind* ~ **à,** tend to — *vpr se ~,* [corde] become taut, tighten.

tendr|e² *adj* tender ∥ soft (pierre) ; delicate (peau) ; tender (viande) ∥ Fig. fond, loving, tender (affectueux) ; *dès la plus ~ enfance,* from early childhood ∥ ~**ement** [-əmɑ̃] *adv* tenderly, dearly ; fondly, lovingly ∥ ~**esse** *f* tenderness, affection, fondness ∥ *Pl*

endearments (marques d'affection) ∥ ~**eté** [-əte] *f* [viande] tenderness.

tendu, e [tɑ̃dy] *adj* taut, tight (corde) ; outstretched (bras) ∥ Comm. stringent (marché) ∥ Fig. high(ly)-strung (personne) ; taut (nerfs) ; strained (rapports) ; tense (situation).

ténèbres [tenɛbr] *fpl* darkness, gloom.

teneur [tənœr] *f* content.

tenir [tənir] *vt* (101) [à la main] hold ; *se ~ par la main,* hold hands ∥ [maintenir] keep, hold ; ~ *un chien en laisse,* keep a dog on the lead ; ~ *chaud,* keep (one) warm ; ~ *(qqch) au frais,* keep (sth) in a cool place ∥ [occuper] take up (de la place) ∥ [entretenir] keep, look after ; ~ *le ménage,* keep house ∥ [diriger] run, keep (un hôtel) ∥ Aut. hold (la route) ; ~ *sa droite,* keep (to the) right ∥ Naut. ~ *la mer,* be seaworthy ∥ Comm. keep (un commerce) ; keep, stock (un article) ; ~ *les comptes,* keep accounts ∥ Th. ~ *longtemps l'affiche,* have a long run ∥ Fig. keep, live up to (sa parole) ; consider, hold (considérer) ; ~ *qqn pour responsable de,* hold sb responsible for ; ~ *qqn à distance,* keep sb off ; ~ *une réunion,* hold a meeting ; ~ *tête à,* stand up to, make a stand against — *vt ind* ~ **à,** care about ; ~ *à qqn,* be attached to sb ; ~ *à faire,* be anxious/eager to do, insist on doing ; *si vous y tenez,* if you insist/really want to ; *je n'y tiens pas tellement,* I'm not that keen ∥ depend on, result from (provenir de) ; *à quoi cela tient-il ?,* what is that due to ? ; ~ *à qqch,* care for sth ∥ ~ *de,* learn from (apprendre) ; take after (ressembler).

— *vi* [objet] hold ∥ [personne] ~ *debout,* stand ∥ Fam. *je ne tiens plus debout,* I'm ready to drop ∥ hold, resist (résister) ; ~ *bon,* hold fast/out, stand firm, hold one's own ∥ [contenir] ~ *dans,* fit in(to) ∥ [durer] hold, last ● *loc* ***tenez !,*** here you are ! (prenez !) ; ***tiens !*** you don't say so ! (pas possible !) — *v impers* [dépendre] *il ne tient qu'à vous de,* it rests entirely with you to, it's up to you to.

— *vpr* **se** : **se** ~ *debout,* stand ; *se* ~ *droit,* stand up straight ; *se* ~ *à l'écart,* keep out of the way, keep oneself aloof ; *se* ~ *tranquille,* keep quiet ‖ behave *(bien/mal,* well/ badly) ; *tiens-toi bien !,* behave yourself ! ‖ *se* ~ *à,* hold on to (se cramponner) ‖ FIG. [être cohérent] hold together ; *cela ne se tient pas,* it's not consistent ; *s'en* ~ *à,* confine oneself to, stick to, leave it at ; *savoir à quoi s'en* ~, know where one stands.

tennis [tenis] *m* (lawn-)tennis ; *(court de)* ~, tennis-court ; ~ *couvert,* indoor tennis ; ~ *de table,* table-tennis ; *jouer au* ~, *faire du* ~, play tennis ‖ *Pl* tennis-shoes, plimsolls ‖ ~**man** [man] *m* tennis-player.

ténor [tenɔr] *m* MUS. tenor.

tension [tãsjɔ̃] *f* tension (d'une corde, etc.) ‖ MÉD. ~ *artérielle,* blood pressure ; ~ *nerveuse,* nervous stress ‖ ÉLECTR. tension ; *basse/haute* ~, low/high voltage ; *sous* ~, live ‖ FIG. tension.

tentacule [tãtakyl] *m* tentacle.

tent|ant, e [tãtã, ãt] *adj* tempting, inviting ; tantalizing ‖ ~**ation** *f* temptation ‖ ~**ative** [-ativ] *f* attempt, try, endeavour, bid ; ~ *de suicide,* attempted suicide.

tente [tãt] *f* tent ; *dresser la* ~, pitch the tent ; *coucher sous la* ~, sleep under canvas ‖ marquee (de garden-party).

tenter¹ [tãte] *vt* (1) [essayer] attempt, try ; ~ *le coup,* risk it — *vt ind* ~ *de,* attempt/try to.

tenter² *vt* (1) [séduire] tempt, tantalize ; *se laisser* ~, yield to the temptation.

tenture [tãtyr] *f* hangings.

tenu, e [təny] → TENIR ● *adj bien* ~, well kept ; tidy (chambre) ‖ FIG. *être* ~ *de faire,* be obliged to do.

ténu, e [teny] *adj* tenuous ; fine, thin (fil).

tenue [təny] *f* [habillement] dress, clothes ; ~ *de soirée,* evening dress ; *se mettre en grande* ~, dress oneself up ‖ MIL. ~ *de combat,* battle dress ; ~ *de corvée,* fatigue dress ; *en grande* ~, in full dress ‖ SP. ~ *de ski,* skiing outfit ; ~ *de sport,* sportswear ‖ AUT. ~ *de route,* road holding ‖ FIG. behaviour.

térébenthine [terebãtin] *f* (= ES-SENCE DE ~) turpentine.

tergiverser [terʒiverse] *vi* (1) shilly-shally (coll.).

terme¹ [term] *m* [date limite] time limit ; *à court/long* ~, in the short/long term ‖ [loyer] rent ; *jour du* ~, quarter-day ‖ MÉD. *né avant* ~, premature ‖ COMM. *ventes à* ~, credit sales ‖ [fin] end ; *mettre un* ~ *à,* put an end to.

terme² *m* [mot(s)] term, word ; *en d'autres* ~*s,* in other words.

termes *mpl* [relations] *être en bons/mauvais* ~ *avec,* be on good/bad terms with.

termin|aison [terminɛzɔ̃] *f* GRAMM. termination, ending ‖ ~**al, e, aux** *adj* terminal ‖ G.B. [école] *classe* ~*e,* Upper Sixth ● *m* INF. terminal ‖ ~**er** *vt* (1) end, finish, bring to an end ‖ complete (travail) ; conclude (par, with) ‖ finish off (repas) — *vpr se* ~, end, come to an end, finish ; wind up ‖ ~**us** [-ys] *m* terminus, terminal.

termite [termit] *m* white ant, termite.

tern|e [tern] *adj* dull, dim (couleur) ; lacklustre (yeux) ‖ FIG. tame, dull (histoire, style) ; flat (style, vie) ; drab (existence) ‖ ~**ir** *vt* (2) tarnish (un métal) ; cloud, blur (une vitre) ‖ FIG. tarnish, sully, blemish (une réputation) — *vpr se* ~, [métal] tarnish.

terrain [terɛ̃] *m* ground ‖ *un* ~, a piece/plot of land ; ~ *à bâtir,* site ; ~ *vague,* waste ground ‖ [jeux d'enfants] ~ *d'aventure,* adventure playground ‖ SP. **~ de sport,** sports ground ; [football, rugby] pitch, field ; [cricket] pitch ; **~ de basket-ball,** basket ball court ; **~ de golf,** golf-course/-links ; **~ de camping,** campsite ‖ FIG. gagner/perdre du ~, gain/lose ground ; **~ d'entente,** area of agreement ; préparer le ~, set the scene.

terrass|e [teras] f terrace ; patio (plus petite) ; en ~s, terraced ‖ **~ement** m digging (creusage) ‖ **~er** vt (1) SP. throw down, floor (renverser) ‖ FIG. overcome ‖ **~ier** m navvy.

terre [tɛr] f [planète] earth ‖ [continent] land ; **~ ferme,** dry land ; basse(s) ~(s), lowland, haute(s) ~(s), upland ; par voie de ~, overland ‖ [sol] ground ; **par ~,** on the floor/ground ‖ earth (matière) ; de/en ~, earthen ; recouvrir de ~, earth up ‖ Pl estate ‖ [tennis] ~ battue, hard court ‖ AGR. ~s en friche, wasteland ‖ NAUT. à ~, on shore/ashore ; descendre à ~, land ‖ MIL. armée de ~, land forces ‖ ÉLECTR. earth ; mettre à la ~, earth ‖ ARTS ~ cuite, terra cotta ● loc adj inv **~ à ~,** matter-of-fact, down-to-earth.

terreau [tɛro] m loam, mould.

Terre-Neuve [tɛrnœv] f GÉOGR. Newfoundland.

terre-neuve m inv Newfoundland dog.

terre-plein [tɛrplɛ̃] m platform.

terr|er (se) [sətɛre] vpr (1) crouch down ‖ lie low (se cacher) ‖ **~estre** [-ɛstr] adj terrestrial (globe) ‖ land (transports) ‖ FIG. earthly, worldly.

terreur [tɛrœr] f terror, dread ; frappé de ~, awe-struck ‖ FAM. [enfant terrible] terror, menace.

terreux, euse [tɛrø, -øz] adj muddy (chaussures) ‖ gritty (salade) ‖ sallow (teint).

terrible [tɛribl] adj terrible, dreadful ‖ FAM. terrific, tremendous ; great, smashing (coll.) ‖ **~ment** [-əmã] adv

terribly, dreadfully ‖ FAM. awfully tremendously.

terrien, enne adj landed ; propriétaire ~, landowner ● m landlubber (coll.).

terrier [tɛrje] m [lapin] burrow ; [renard] earth.

terrif|iant, e [tɛrifjã, ãt] adj terrifying, frightening, appalling ‖ **~ier** vt (1) terrify, frighten, appal.

terrine [tɛrin] f earthenware pan (pot) ; ~ de canard, duck pâté.

territ|oire [tɛritwar] m territory ‖ **~orial, e, aux** [-ɔrjal, o] adj territorial ‖ JUR. eaux ~es, territorial waters.

terror|iser [tɛrɔrize] vt (1) terrorize ‖ **~isme** m terrorism ‖ **~iste** n terrorist.

tertiaire [tɛrsjɛr] adj secteur ~, tertiary activities.

tertre [tɛrtr] m hillock, mound.

tes [te] adj poss → TON.

tesson [tɛsɔ̃] m piece/sliver of broken glass.

test [tɛst] m test ; **passer un ~,** take a test ; faire passer un ~ à qqn, give sb a test ‖ MÉD. **~ de grossesse,** pregnancy test.

testament [tɛstamã] m will ; faire un ~, make a will.

tétanos [tetanos] m tetanus.

têtard [tɛtar] m tadpole.

tête [tɛt] f head ; de la ~ aux pieds, from top to toe ; tomber la ~ la première, fall headlong ‖ [visage] face ; faire la ~, sulk ‖ head (de bétail) ‖ head (de clou) ‖ [magnétophone] **~ d'effacement,** erasing head ; **~ d'enregistrement/de lecture,** recording/playback head ‖ [électrophone] **~ de lecture,** stylus ‖ MIL. **~ nucléaire,** nuclear warhead ; **~ de pont,** beachhead ‖ SP. [football] header ; [natation] piquer une ~, dive headfirst ; [tennis] **~ de série,** seeded player ‖ RAIL. **~ de ligne,** terminus ; voiture de ~, front coach ‖ FIG. être en ~, lead ;

be ahead (*de,* of) ; *prendre la* ~, take the lead ; *être à la* ~, head ; [facultés] *avoir toute sa* ~, have one's wits about one ; *perdre la* ~ (5) suck ; *donner à* ~, suckle ; *il n'a pas toute sa* ~, he's not all there ; *se mettre dans la* ~ *de/que,* take it into one's head to/that ; *ne savoir où donner de la* ~, not to know which way to turn ; *à* ~ *reposée,* at one's leisure ; *de* ~, from memory ; ‖ Fam. *grosse* ~, egghead (intellectuel) ; *se payer la* ~ *de qqn,* pull sb's leg ; *avoir du travail par-dessus la* ~, be swamped with work ‖ ~**à-queue** *m inv* spin ; *faire un* ~, spin/slew (right) round ‖ ~**-à-** ~ *m inv* tête-à-tête ; *en* ~ *avec* , alone with ‖ ~ **de mort** *f* death's head ‖ skull and crossbones.

tét|**ée** [tete] *f* sucking (action) ; feed (repas) ; *donner la* ~ *à,* give suck to ‖ ~**er** *vt* (5) suck ; *donner à* ~, suckle ‖ ~**ine** *f* teat (de biberon) ; dummy (sucette) ‖ ~**on** *m* Fam. teat ; tit (sl.).

têtu, e [tety] *adj* stubborn, pig-headed, mulish.

texte [tɛkst] *m* text ‖ Rad., Th. script.

textile [tɛkstil] *adj/m* textile.

textuel, elle [tɛkstɥɛl] *adj* textual ‖ ~**lement** *adv* verbatim.

thé [te] *m* tea (boisson, repas) ; tea-party (réunion).

théâtr|**al, e, aux** [teɑtral, o] *adj* theatrical ‖ dramatic ‖ ~**e** *m* theatre ; *pièce de* ~, play ; *faire du* ~, go on the stage, act ‖ ~ *d'amateurs,* amateur dramatics.

théière [tejɛr] *f* tea-pot.

thème [tɛm] *m* theme, subject matter ‖ prose (traduction).

théologie [teɔlɔʒi] *f* theology.

théor|**ème** [teɔrɛm] *m* theorem ‖ ~**icien, ienne** [-isjɛ̃, jɛn] *n* theoretician, theorist ‖ ~**ie** [-i] *f* theory ; *en* ~, in theory ‖ ~**ique** *adj* theoretical, on paper ‖ ~**iquement** *adv* theoretically.

therm|**al, e, aux** [tɛrmal, o] *adj* thermal ; *faire une cure* ~*e,* take the

waters ; *établissement* ~, hydro ; *station* ~*e,* spa, watering-place ‖ ~**omètre** [-ɔmɛtr] *m* thermometer ‖ ~**onucléaire** [-ɔnykleɛr] *adj* thermonuclear.

Therm|**os** [tɛrmos] *m/f* (= *bouteille* ~) N.D. thermos(-flask) ‖ ~**ostat** [-osta] *m* thermostat.

thèse [tɛz] *f* thesis.

thon [tɔ̃] *m* tunny ‖ tuna (fish) [en boîte].

thorax [tɔraks] *m* chest.

thym [tɛ̃] *m* thyme.

thyroïde [tiroid] *adj/f* thyroid.

Tibet [tibɛ] *m* Tibet.

tibia [tibja] *m* shin(-bone).

tic [tik] *m* twitch, tic.

ticket [tikɛ] *m* ticket ; check ‖ Rail. ~ *de quai,* platform ticket ‖ Comm. ~ *de caisse,* receipt ; ~ *repas ;* luncheon voucher.

tic-tac [tiktak] *m inv* tick(-tock).

tie-break [tajbrɛk] *m* [tennis] tie-break(er).

tiède [tjɛd] *adj* tepid, lukewarm (eau) ; mild, soft (air).

tiédir [tjedir] *vi* (2) cool down (refroidir) ; *faire* ~, take the chill off ; warm (up) [réchauffer].

tien, tienne [tjɛ̃, tjɛn] *pron poss le* ~, *la tienne, les* ~*s, les tiennes,* yours.

tiens ! [tjɛ̃] *interj* well ! ‖ → Tenir.

tierce [tjɛrs] *adj* → Tiers ● *f* Mus. third.

tiers, tierce [tjɛr, ɛrs] *adj* third ● *m* third ‖ Jur. third party ; *assurance au* ~, third party insurance.

tiers monde *m* Third World.

tige [tiʒ] *f* Bot. stem, stalk ‖ Techn. rod (de piston).

tignasse [tiɲas] *f* shock of hair, mop.

tigr|**e** [tigr] *m* tiger ‖ ~**esse** *f* tigress.

tilleul [tijœl] *m* Bot. lime-tree, linden ‖ Méd. lime tea.

timbale [tɛ̃bal] *f* mug (gobelet) || Mus. kettledrum ; *Pl* timpani.

timbre¹ [tɛ̃br] *m* stamp (sur un document) || ~-*poste*, (postage) stamp (vignette) ; ~ *neuf,* new/mint stamp ; ~ *oblitéré,* used, used stamp || ~ *en caoutchouc,* rubber stamp ; ~ *dateur,* date-stamp.

timbre² *m* bell (de bicyclette) || Mus. tone (d'un instrument).

timbr|é, e [tɛ̃bre] *adj* stamped (papier) || Fam. cracked, dotty, mental || ~**er** *vt* (1) stamp (une lettre).

timid|e [timid] *adj* shy, bashful, timid || ~ **ement** *adv* shyly, timidly || ~**ité** *f* shyness, bashfulness, timidity.

timon|erie [timɔnri] *f* wheelhouse || ~**ier** *m* helmsman, man at the wheel.

timoré, e [timɔre] *adj* timorous.

tintamarre [tɛ̃tamar] *m* din, racket.

tint|ement [tɛ̃tmã] *m* ringing, toll (d'une cloche) ; tinkle (d'une clochette) ; jingle (de clefs) ; chink (de pièces) ; clink (de verres) || ~**er** *vi* (1) (cloche, oreilles) ring ; [clochette, pièces de monnaie] jingle, tinkle ; [or] chink ; [verres] clink.

tintouin [tɛ̃twɛ̃] *m* Fam. bother (souci).

tir [tir] *m* shooting || shooting-gallery (baraque foraine) ; ~ *à l'arc,* archery ; ~ *aux pigeons d'argile,* skeet (shooting) || [football] shot || Mil. fire, firing ; rifle-range (stand) || Astr. shot (d'une fusée).

tirade [tirad] *f* tirade || Th. *fin de* ~, cue.

tir|age [tiraʒ] *m* draught (d'une cheminée) || [loterie] draw ; ~ *au sort,* draw(ing) lots || Techn. printing || [nombre d'exemplaires] circulation || Phot. print || ~**aillement** [-ajmã] *m* gnawing pain (douleur) || Fig. friction, conflict || ~**ailler** [-aje] *vt* (1) pull about — *vi* Mil. fire away || ~**ant** *m* ~ *d'eau,* draught.

tire [tir] *f voleur à la* ~, pickpocket.

tiré, e [tire] *adj* drawn, haggard (visage) || Fam. ~ *par les cheveux,* far-fetched.

tire|-au-flanc [tiroflã] *m inv* skiver, shirker, slacker, dodger || ~-**bouchon** *m* corkscrew ; *queue en* ~, corkscrew tail || ~-**d'ailes (à)** *loc adv* swiftly || ~-**fesses** *m inv* Fam. ski-tow || ~-**ligne** *m* drawing-pen.

tirelire [tirlir] *f* money-box, piggy bank.

tirer [tire] *vt* (1) pull, draw || draw (une ligne, des rideaux, du vin) ; ~ *la langue,* stick out one's tongue || Mil. shoot, fire (une balle) || Techn. print (off) ; run off (polycopier) || Phot. print (un négatif) || Fin. draw, make out ; ~ *un chèque de 10 £ sur la banque X,* make out a cheque for £ 10 on the X bank ; ~ *à découvert,* overdraw || Fig. ~ *une conclusion,* draw a conclusion ; ~ *parti/profit de,* take advantage of, profit by ; ~ *(qqch) au sort,* draw/cast lots (for sth) ; ~ *les cartes à qqn,* read sb's cards — *vi* pull || [cheminée] draw || [arme à feu] shoot, fire (*sur,* at) ; [football] shoot || ~ *sur,* pull at/on, tug at ; [couleur] border on, verge on ; ~ *sur sa pipe,* puff at one's pipe || Fig. ~ *à sa fin,* be drawing to an end ; ~ *au flanc,* skive (coll.) || ~ *à la courte paille,* draw lots.
— *vpr se* ~, get (oneself) out (*de,* from) ; *se* ~ *d'affaire,* get out of a difficulty, rub along, get out of trouble ; *s'en* ~, pull through, get off ; get away with.

tiret [tire] *m* dash.

tireur¹, euse [tirœr, øz] *n* shooter ; *un bon* ~, a good shot || Mil. ~ *d'élite,* marksman, sharpshooter ; ~ *embusqué,* sniper.

tireur², euse *n* Comm. drawer (de chèque).

tireuse *f* ~ *de cartes,* fortune-teller.

tiroir [tirwar] *m* drawer || Comm. ~-*caisse,* till.

tisane [tizan] *f* herb(al) tea.

tis|on [tizɔ̃] *m* (fire-)brand, ember ‖ ~**onner** [-ɔne] *vt* (1) poke ‖ ~**onnier** [-ɔnje] *m* poker.

tiss|age [tisaʒ] *m* weaving ‖ ~**er** *vt* (1) weave ‖ ~**erand** [-rɑ̃] *m* weaver.

tissu [tisy] *m* material, cloth ‖ fabric (coton, soie) ; cloth (laine) ; ~ **à carreaux**, check ; ~ **écossais**, plaid ; ~**-éponge**, (terry) towelling.

titre[1] [titr] *m* title (de livre) ; heading (de chapitre) ; headline (de journal) ; caption (d'un article).

titr|e[2] *m* title (dignité) ‖ right, claim (droit) ; *à juste* ~, rightly, deservedly ‖ *Pl* [diplômes] qualifications ‖ RAIL. ~ *de circulation*, pass, ticket ‖ JUR. title ‖ FIN. securit ‖ CH. [or] standard ● *loc à* ~ *amical*, as a friend ; *à* ~ *d'exemple*, by way of example ‖ ~**er** *vt* (1) title ‖ CH. assay.

tituber [titybe] *vi* (1) stagger.

titulaire [tityler] *n* holder (de carte, permis, etc.).

toast [tost] *m* CULIN. *un* ~, a piece of toast ‖ *Pl* toast ‖ FIG. *porter un* ~ *à qqn*, give/drink (a toast) to sb.

toboggan [tɔbɔgɑ̃] *m* [traîneau] toboggan ‖ [circulation] fly-over ‖ [jeu] slide.

toc [tɔk] *m* fake ; *en* ~, fake ; *c'est du* ~, it's junk/rubbish.

tocard [tɔkar] *m* FAM. [cheval] hack ‖ POP. [personne] dead loss.

tocsin [tɔksɛ̃] *m* alarm-bell.

toge [tɔʒ] *f* gown, robe (de magistrat, de professeur).

Togo [tɔgo] *m* Togo ‖ ~**lais, e** [-ɔlɛ, ɛz] *n/adj* Togolese.

tohu-bohu [tɔyboy] *m* FAM. hubbub, hurly-burly (tumulte) ; jumble (désordre).

toi [twa] *pron pers* → TU ‖ you ; *c'est* ~, it's you ; *à* ~, yours ‖ ~**-même**, yourself.

toile [twal] *f* cloth ; linen (fine) ; canvas (grossière) ; ~ *huilée*, oil-

cloth ; ~ *imprimée*, printed cotton ; ~ *à laver*, floor-cloth ‖ ~ *d'araignée*, spider's web, cobweb ‖ ARTS canvas, picture ‖ TH., FIG. ~ *de fond*, back-cloth.

toilette [twalɛt] *f* wash(ing) [action] ; *faire sa* ~, wash, have a wash ; *faire un brin de* ~, have a quick wash, freshen (oneself) up ‖ [habillement] clothes (pl.) ‖ *Pl* lavatory, washroom, toilet (sing.), U.S. restroom ; *où sont les* ~*s* ?, where is the toilet ?

tois|e [twaz] *f* height gauge ‖ ~**er** *vt* (1) measure ‖ FIG. look up and down.

toison [twazɔ̃] *m* [mouton] fleece.

toit [twa] *m* roof ‖ AUT. ~ *ouvrant*, sliding roof, sunroof ‖ ~**ure** [-tyr] *f* roof(ing).

tôle [tol] *f* sheet metal ; ~ *d'acier*, sheet steel ; ~ *ondulée*, corrugated iron.

tolér|able [tɔlerabl] *adj* tolerable ‖ ~**ance** *f* toleration, tolerance ; permissiveness ‖ TECHN. allowance ‖ ~**ant, e** *adj* tolerant ‖ ~**er** *vt* (1) tolerate ‖ [supporter] endure, put up with, stand ‖ [accepter] allow (of) [qqch].

tollé [tɔle] *m* outcry.

tomate [tɔmat] *f* tomato ; *sauce* ~, tomato sauce, ketchup.

tombant, e [tɔ̃bɑ̃, ɑ̃t] *adj* drooping, sloping (épaules) ‖ *à la nuit* ~*e*, at night fall.

tomb|e [tɔ̃b] *f* tomb, grave ‖ ~**eau** [-o] *m* tomb.

tombée [tɔ̃be] *f à la* ~ *du jour*, at the close of day ; *à la* ~ *de la nuit*, at dusk, at nightfall.

tomber [tɔ̃be] *vi* (1) fall (down) ; tumble (down) [culbuter] ; drop (s'effondrer) ; slump (lourdement) ; ~ *à pic*, plummet (pr. et fig.) ; ~ *à la renverse*, fall backwards ‖ *faire* ~, knock down/off ‖ *laisser* ~, let fall, drop ; FIG. *laisser* ~ *qqn*, fail sb, walk out on sb ‖ ~ *de cheval*, fall off a horse || [bouton] come away/off (se détacher) || [obscurité] fall ; *la nuit tombe*, night is falling || [température, vent] drop || [vent] fall, subside, die down || [date] fall || [vêtement] ~ *bien/mal*, hangs well/badly || Méd. ~ *malade*, fall ill || Mil. fall (sur le champ de bataille) || Fig. ~ *sur*, come across, run into (rencontrer) ; [dates] ~ *le même jour*, fall on the same day ; clash (*que*, with) || Fam. ~ *à l'eau*, fall through (échouer) ; ~ *de fatigue*, drop from exhaustion, be ready to drop.

tombola [tɔ̃bɔla] *f* raffle.

tome [tɔm] *m* volume (livre).

ton¹ [tɔ̃], **ta** [ta], **tes** [te] *adj poss m/f/pl* your.

ton² *m* tone (de voix) || Arts tone, shade || Mus. tone (d'un instrument) ; key (clef) ; pitch (hauteur) || Gramm. tone || Fig. tone ; *bon* ~, good form.

tonalité [tɔnalite] *f* tone || Tél. ~ *(d'appel)*, dialling-tone ; ~ *d'occupation*, engaged/U.S. busy signal.

ton|deuse [tɔ̃døz] *f* clippers [pour cheveux] || ~ *(à gazon)*, lawn-mover || ~**dre** [-dr] *vt* (4) clip (chien) ; crop (cheveux) ; shear (moutons) ; mow (pelouse) || Fam. fleece (dépouiller).

ton|ifier [tɔnifje] *vt* (1) Méd. brace (up), tone up || ~**ique** *adj* bracing, invigorating (climat) || Méd. tonic ● *m* Méd. tonic ● *f* Mus. tonic, keynote.

tonn|age [tɔnaʒ] *m* Naut. tonnage, burden || ~**e** *f* ton || ~**eau** [-o] *m* cask, barrel || Naut. ton (poids) || Aut. *faire un* ~, somersault || ~**elet** [-lɛ] *m* keg || ~**elier** [-əlje] *m* cooper.

tonnelle [tɔnɛl] *f* bower, arbour.

tonn|er [tɔne] *vi* (1) thunder || ~**erre** [-ɛr] *m* thunder ; *coup de* ~, clap of thunder || Fig. thunder, burst (d'applaudissements).

tonte [tɔ̃t] *f* [moutons] shearing || [gazon] mowing.

tonus [tɔnys] *m* Méd. tone || Fig. dynamism, energy.

topaze [tɔpaz] *f* topaz.

topographie [tɔpɔgrafi] *f* topography || lay-out (configuration).

toquade [tɔkad] *f* craze, passing fancy/fad ; infatuation (*pour qqn*, for sb).

toquard [tɔkar] *m* → TOCARD.

toque [tɔk] *f* hat ; ~ *de fourrure*, fur hat ; cap (de jockey, de professeur).

toqué, e [tɔke] *adj* Fam. crazy, cracked (coll.) ● *n* nutcase (coll.).

torch|e [tɔrʃ] *f* torch || ~ *(électrique)*, (electric) torch || ~**ère** [-ɛr] *f* floor-lamp.

torchis [tɔrʃi] *m* cob.

torchon [tɔrʃɔ̃] *m* cloth ; ~ *à vaisselle*, dish cloth, tea towel ; *un coup de* ~, a wipe || Fam. mess (devoir sale) || Fam. rag (mauvais journal).

tor|dant, e [tɔrdɑ̃, ɑ̃t] *adj* killing, screamingly funny, side-splitting || → TORDRE || ~**dre** [-dr] *vt* (4) wring (essorer) ; twist, distort (déformer) — *vpr se* ~, wriggle, squirm ; *se* ~ *de douleur*, writhe with pain ; *se* ~ *la cheville*, twist one's ankle ; *se* ~ *les mains*, wring one's hands || Fam. *se* ~ *de rire*, split one's sides with laughter || ~**du, e** [-dy] *adj* wry.

tornade [tɔrnad] *f* tornado.

torpill|e [tɔrpij] *f* Naut. torpedo || Zool. *(poisson-)* ~, cramp-fish || ~**er** *vt* (1) torpedo || ~**eur** *m* torpedo-boat.

torréfier [tɔrrefje] *vt* (1) roast.

torrent [tɔrrɑ̃] *m* torrent || Fig. flood (de larmes) ; stream (d'injures).

torride [tɔrid] *adj* torrid.

tors, e [tɔr, s] *adj* crooked, bent (jambes) || ~**ade** [tɔrsad] *f* [cheveux] coil of hair.

torse [tɔrs] *m* chest ; ~ *nu*, stripped to the waist.

torsion [tɔrsjɔ̃] *f* twist(ing) || Aut. *barre de* ~, torsion bar.

tort [tɔr] *m* [erreur] wrong, error ;

avoir ~, be wrong ; *être dans son* ~, be in the wrong ; *donner* ~ *à qqn,* blame sb, lay the blame on sb ‖ *à* ~, wrongly ; *à* ~ *ou à raison,* rightly or wrongly ; *à* ~ *et à travers,* thoughtlessly ‖ *se mettre dans son* ~, put oneself in the wrong ‖ [*dommage*] harm, damage ; *faire (du)* ~ *à qqn,* harm/wrong sb, do sb harm, reflect upon sb ‖ JUR. grievance (injustice).

torticolis [tɔrtikɔli] *m* stiff neck ; *avoir le* ~, have a crick in the neck.

tortiller [tɔrtije] *vt* (1) twist, wiggle — *vpr se* ~, wriggle, squirm.

tortionnaire [tɔrsjɔnɛr] *n* torturer.

tortue [tɔrty] *f* tortoise ; ~ *de mer,* turtle.

tortueux, euse [tɔrtɥø, øz] *adj* winding, twisting (rue) ‖ FIG. devious.

tortur|e [tɔrtyr] *f* torture ‖ FIG. torment ; *mettre à la* ~, rack, torture ‖ **–er** *vt* (1) torture ‖ FIG. torment, harrow.

tôt [to] *adv* early (de bonne heure) ; soon (bientôt) ; *au plus* ~, at the earliest ; *le plus* ~ *sera le mieux,* the sooner the better ; *le plus* ~ *possible,* as soon as possible ; ~ *ou tard,* sooner or later.

total, e, aux [tɔtal, o] *adj* total, entire, whole ; overall (longueur) ‖ utter (complet) ● *m* total ; sum total ; *au* ~, on the whole, altogether, all in all ; *faire le* ~ *de,* tot up, work out the total ‖ MATH. sum ‖ **–ement** *adv* totally, completely ‖ utterly, entirely ‖ **–iser** [-ize] *vt* (1) total, have a total of ‖ **–itaire** [-itɛr] *adj* POL. totalitarian ‖ **–ité** *f* totality, entirety, whole ; *la* ~ *de,* the whole of.

toubib [tubib] *m* FAM. doc, medic(o) (coll.).

touchant, e [tuʃɑ̃, ɑ̃t] *adj* touching ● *prép* concerning.

touche *f* touche, dab (de peinture) ‖ [machine à écrire] key ; ~ *de majuscules,* shift key ‖ [pêche] bite ;

avoir une ~, have a bite ‖ [escrime] hit ‖ SP. touch ; *ligne de* ~, touchline ‖ FIG. *pierre de* ~, touchstone ‖ FAM. *faire une* ~, make a hit (coll.).

touche-à-tout *n inv* dabbler.

toucher [tuʃe] *vt* (1) touch, feel (tâter) ‖ hit (atteindre, endommager) ‖ get in touch with (contacter) ‖ MIL. draw (des rations) ‖ FIN. draw (de l'argent) ; cash (un chèque) ‖ FIG. touch, affect (émouvoir) ; concern (concerner) ‖ FAM. ~ *du bois,* touch wood (coll.) — *vt ind* ~ *à,* touch (qqch) ‖ adjoin (*à,* to) [être contigu] ‖ ~ *au but,* be nearing the goal ‖ FIG. verge on (être proche de) ● *m* (sense of) touch ‖ feel(ing) ; *au* ~, to the touch, by (the) feel.

touff|e [tuf] *f* tuft (de cheveux, d'herbe) ‖ **–u, e** *adj* thick (végétation) ; bushy (barbe, haie, sourcils).

toujours [tuʒur] *adv* always ; *pour* ~, for ever ‖ [répétition] all the time ‖ still (encore) ‖ ~ *est-il que,* the fact remains that.

toupet [tupɛ] *m* FAM. cheek ; *quel* ~ *!,* what a nerve !

toupie [tupi] *f* top.

tour¹ [tur] *f* ARCH. tower ; high rise (immeuble) ‖ [échecs] castle, rook ‖ AV. ~ *de contrôle,* control tower.

tour² *m* circumference ; ~ *de taille,* waist measurement.

tour³ [rotation] turn ‖ TECHN. revolution ‖ FIG. turn (tournure).

tour⁴ *m* round ; *faire le* ~ *de,* go round, walk/drive round ‖ [promenade] *aller faire un* ~, go for a stroll/ride ‖ turn (de clef) ‖ SP. ~ *de piste,* lap.

tour⁵ *m* ~ *d'adresse,* feat of skill ; ~ *de force,* feat of strengh ; ~ *de passe-passe,* sleight of hand ; ~ *de cartes,* card trick ‖ [duperie] trick ; *jouer un (sale)* ~ *à qqn,* play a (mean) trick on sb ‖ [habileté] ~ *de main,* knack, know-how ‖ MÉD. ~ *de reins,* crick in the back.

tour⁶ *m* [ordre de succession] turn ;

c'est à qui le ~ ?, whose turn is it ?, who's next ? ; *c'est à votre ~,* it's your turn ; *en dehors de son ~,* out of turn ; *à ~ de rôle,* by turns ; *chacun à son ~,* in turn ; [échecs] move ‖ TH. turn ‖ POL. *~ de scrutin,* ballot.

tour[7] *m* TECHN. lathe ; potter's wheel.

tourb|e [turb] *f* peat ‖ **~ière** *f* peat-bog.

tourbill|on [turbijɔ̃] *m* [vent] whirlwind ; [eau] whirlpool, eddy ; [fumée, neige, sable] swirl ‖ **~onner** [-ɔne] *vi* (1) whirl round, swirl, eddy.

tourelle [turɛl] *f* NAUT., MIL. turret.

tour|isme [turism] *m* tourism ‖ [action] touring ; *faire du ~,* go sightseeing/touring ‖ **~iste** *n* tourist ‖ **~istique** *adj* tourist ; scenic (route).

tourmenter [turmɑ̃te] *vt* (1) torment plague, pester (harceler) — *vpr se ~,* worry, fret.

tourn|age [turnaʒ] *m* TECHN. turning ‖ CIN. shooting, filming ‖ **~ant** *m* corner ; *au ~ de la rue,* round the corner ‖ AUT. bend, turn, curve ; *prendre un ~ à la corde,* cut a corner close ‖ FIG. *~ décisif,* watershed ‖ **~é, e** *adj* sour, off (lait) ‖ *bien ~,* shapely (personne) ‖ *bien/mal ~,* well/badly expressed (lettre).

tourne-disque [turnədisk] *m* record-player.

tournée [turne] *f* tour ‖ [livreur, etc.] round ‖ *faire la ~ des magasins,* go round the shops ‖ COMM. canvass ‖ POL. *faire une ~ électorale,* canvass ‖ TH. circuit, tour ; *en ~,* on tour ‖ FAM. *payer une ~,* stand a round of drinks ; *faire la ~ des bistrots,* go on a pub crawl.

tourner [turne] *vt* (1) turn (manivelle) ; *~ le dos,* turn one's back ; *~ la tête,* look round ‖ turn over (pages) ‖ twiddle (entre ses doigts) ‖ TECHN. turn (avec un tour) ‖ CIN. shoot, film (un film) ‖ MIL. outflank ‖ FIG. get round, dodge (une

loi) ; *~ la tête à qqn,* turn sb's head. — *vi* turn, go round, revolve ‖ *~ à gauche,* turn left ‖ **~autour de,** go round ; *~ autour de qqn,* hang round sb (importuner) ‖ *faire ~,* revolve ; spin (toupie) ‖ [moteur] *~ au ralenti,* tick over ‖ [vent] shift ‖ [lait] turn sour ‖ AUT. *~ à la flèche,* filter ‖ FIG. *~ bien,* turn out well ; *~ mal,* turn out badly, come to grief ; go haywire (coll.) ; *avoir l'esprit mal ~,* have a nasty turn of mind ; *la tête me tourne,* my head is spinning ‖ FAM. *~ autour du pot,* beat about the bush — *vpr se ~,* turn (vers, to/towards).

tournesol [turnəsɔl] *m* BOT. sunflower.

tournevis [turnəvis] *m* screwdriver.

tourniquet [turnikɛ] *m* turnstile (barrière) ‖ revolving stand (présentoir) ‖ *~ (d'arrosage),* (lawn-) sprinkler.

tournoi [turnwa] *m* [bridge, échecs, tennis] tournament ‖ SP. *~ des cinq nations,* five-nation championship.

tournoyer [turnwaje] *vi* (9 *a*) [oiseau] wheel (round) ‖ [fumée, poussière] swirl ‖ [eau] eddy, swirl.

tournure [turnyr] *f* turn, direction ‖ turn of phrase [style] ‖ FIG. *~ des événements,* the turn of events ; *prendre ~,* take shape ; *~ d'esprit,* cast/turn of mind.

tourte [turt] *f* pie.

tourterelle [turtərɛl] *f* turtledove.

tous [tu(s)/(z)] → TOUT.

Toussaint [tusɛ̃] *f* All Saints' Day, All Hallows ; *veille de la ~,* Hallowe'en.

tousser [tuse] *vi* (1) cough.

tout, e [tu, -ut] **tous** [tu(s)/(z)], **toutes** [tut] *adj* [entier] *~ le,* all (the), the whole ; *~ le temps,* all the time ; *~e la journée,* all day (long), the whole day ‖ [intensif] *à ~e vitesse,* at full speed ‖ [n'importe lequel] any ; *à ~e heure,* at any time ; *de ~e façon,* anyway, in any case ‖ [unique] only ; *~e la difficulté,* the only difficulty ‖ *Pl tous les,* all (the) ; every (+ sing.) ; *de tous côtés,* on all sides ; *tous les hommes,* all men ; **tous les jours,** everyday ; *nous tous,* all of us ; *tous ensemble,* all together ; **tous les deux jours,** every other day ; *tous les trois jours,* every third day/three days ; **tous les deux,** both ; *tous les trois,* all three of them/us ● *pron* (inv. au sing.) all, everything, anything ; *c'est ~,* that's all ; *après ~,* after all ; *~ pourrait arriver,* anything might happen ; *à ~ prendre,* all in all ; *~ ce qui/que,* all that ‖ *Pl* all, everybody, everyone ; *vous tous,* all of you ; *tous sans exception,* every one of them ● *adv* [complètement] quite, completely ; most ; *~ étonné,* most surprised ; *c'est ~ naturel,* it's quite natural ; *~ seul,* all alone ; *~ nu,* stark naked ; *~ neuf,* brand new ‖ [intensif] *~ près/à côté,* hard by ; *~ contre le mur,* right against the wall ; *le ~ premier,* the very first ; *tomber de ~ son long,* fall full length ‖ *~ au plus,* at most ‖ *~ en* (+ p.p.) ; *~ en faisant,* while doing, as he/she, etc., did/was doing ● *loc ~ à/d'un coup,* suddenly, all of a sudden ; *à fait,* quite, completely, wholly ; *~ de go,* straight-out ; *~ à l'heure,* presently (futur) ; just now (passé) ; *~ de même,* all the same (malgré tout) ; *~ de suite,* at once, straight away, immediately ● *m le ~,* the whole, everything ; *le ~ est de...,* the main thing is to... ● *loc adv* **pas du** ~, not at all, not a bit ; *du ~ au ~,* completely, entirely ; *rien du ~,* nothing at all ‖ *en ~,* altogether ; *en ~ et pour ~,* all told.

toutefois [tutfwa] *adv* however, nevertheless.

toutou [tutu] *m* doggie, bow-wow.

tout-puissant [tupɥisɑ̃], **toute-puissante** [tutpɥisɑ̃t] *adj* all-powerful ‖ Rel. almighty.

toux [tu] *f* cough.

toxicoman|**e** [tɔksikɔman] *n* drug-addict ‖ *~ie f* drug addiction.

tox|**ine** [tɔksin] *f* toxin ‖ *~ique m /adj* toxic.

trac [trak] *m* [examens] nerves ; *avoir le ~,* get nerves, feel nervous ‖ Th. stage fright.

traca|**s** [traka] *m* bother, worry ‖ *~sser* [-se] *vt/vpr* **[se ~]** worry, bother.

trac|**e** [tras] *f* [empreinte] tracks ; *~ de pas,* footprint ‖ [gibier] scent, trail ‖ [marque] trace, mark ; *laisser une ~,* leave a mark (*sur,* on) ‖ Fig. (vestige) trace, sign ; *marcher sur les ~s de qqn,* follow in sb's footsteps ‖ *~é m* tracing (action) ‖ lay-out (d'une voie ferrée) ‖ *~er vt* (6) draw (une ligne) ; trace (out) [un plan] ‖ Math. plot (une courbe) ‖ Fig. chalk out.

trachée(-artère) [traʃe(artɛr)] *f* windpipe.

tract [trakt] *m* tract.

trac|**teur** [traktœr] *m* tractor ‖ *~tion f* traction, pull(ing), tug ‖ Aut. *~ avant,* front wheel drive ‖ Sp. *faire des ~s,* do pull-ups/press-ups (au sol).

traditi|**on** [tradisjɔ̃] *f* tradition ‖ *~onnel, elle* [-ɔnɛl] *adj* traditional.

trad|**ucteur, trice** [tradyktœr, tris] *n* translator ‖ *~uction* [-yksjɔ̃] *f* translation ; *~ automatique,* machine translation ; *~ simultanée,* simultaneous translation ‖ *~uire*[1] [-ɥir] *vt* (85) translate, turn (*en,* into) ‖ render, express, convey (exprimer).

traduire[2] *vt* (85) *~ qqn en justice,* bring sb before the courts.

trafi|**c** [trafik] *m* [commerce clandestin] traffic(king), dealings ; *faire le ~ de,* traffic in ; *~ des stupéfiants,* drug racket ‖ [circulation] traffic ‖ *~quant, e* [kɑ̃, ɑ̃t] *n* trafficker, dealer ‖ [drogue] drug trafficker/pusher (sl.) ‖ *~quer* [-ke] *vt ind* (1) traffic (*de,* in).

trag|**édie** [traʒedi] *f* tragedy ‖ *~ique adj* tragic.

trah|**ir** [trair] *vt* (2) betray ‖ sell (son

pays) ‖ [forces] fail ‖ betray, reveal (révéler) ; give away (un secret) — *vpr* **se ~**, betray oneself, give oneself away ‖ **~ison** [-izɔ̃] *f* betrayal, betraying ; sell-out (coll.) ‖ JUR. treason.

train¹ [trɛ̃] *m* RAIL. train ; **~ couchettes,** sleeper ; **~ autos-couchettes,** car-sleeper ; **~ de marchandises,** goods train ; **~ omnibus,** stopping train ; **~ supplémentaire,** relief train ; **~ de voyageurs,** passenger train ‖ ZOOL. **~ de derrière/devant,** hind-/forequarters ‖ AV. **~ d'atterrissage,** undercarriage, landing-gear.

train² *m* pace, speed ; *à fond de ~,* at full speed ; *aller son petit ~,* jog along ‖ **~ de vie,** style of living ; *en ~,* afoot, underway (en marche) ; *mettre qqch en ~,* start sth ; *être en ~ de faire,* be (busy) doing, be in the act of doing ‖ FAM. *être très en ~,* be in great form ; *être mal en ~,* be out of sorts ; be off-colour ; be under the weather.

train|ant, e [trɛnɑ̃, ɑ̃t] *adj aller d'un pas ~,* slouch along ; *parler d'une voix ~e,* drawl ‖ **~ard, e** [-ar, ard] *n* straggler ‖ **~asser** [-ase] *vi* (1) FAM. dawdle, hang about, potter (about) ‖ **~ e** *f* train (d'une robe) ‖ FAM. *être à la ~,* lag behind ‖ **~eau** [-o] *m* sledge, sleigh, U.S. sled ‖ **~ée** *f* trail (de fumée) ; drift (de nuages) ; *se répandre comme une ~ de poudre,* spread like wildfire.

traîner [trɛne] *vt* (1) drag, pull, haul (un fardeau) ; lug (avec effort) ; pull (des wagons) ; trail (une remorque) ‖ **~ la jambe,** trudge, limp ; **~ les pieds,** drag one's feet, shuffle — *vi* drag (along) ‖ [robe] trail ‖ [personne] straggle, lag (behind) ‖ [objets] lie about/around ‖ [affaire, discussion] **~ (en longueur),** drag on ‖ [maladie] linger on — *vpr* **se ~,** crawl, drag oneself (along) ‖ FIG. drag oneself ; [conversation] drag on.

train-train [trɛ̃trɛ̃] *m* FAM. **~ quotidien,** daily round.

traire [trɛr] *vt* (11) milk ‖ AGR. *machine à ~,* milking machine.

trait¹ [trɛ] *m* stroke ; line (en soulignant) ; *tirer un ~,* draw a line ; **~ plein,** solid line ; **~ d'union,** hyphen ‖ *Pl* features (du visage) ‖ ARTS *dessin au ~,* line drawing ‖ FIG. characteristic ; **~ d'esprit,** witticism ; *avoir ~ à,* refer to, be connected to, bear on.

trait² *m* [gorgée] draught ; *d'un ~* at one gulp ; *à longs ~s,* in long draughts.

traite¹ [trɛt] *f* *tout d'une ~,* at a stretch.

traite² *f* COMM. traffic ; **~ des Noirs,** slave trade ; **~ des blanches,** white-slave trade.

traite³ *f* COMM. draft, bill ; *escompter/tirer une ~,* discount/draw a bill.

traite⁴ *f* AGR. milking (des vaches).

traité¹ [trɛte] *m* treatise (ouvrage).

traité² *m* POL. treaty ; *conclure un ~,* conclude a treaty.

traitement¹ [trɛtmɑ̃] *m* salary ; *toucher un ~,* draw a salary.

trait|ement² *m* treatment ; *mauvais ~,* ill-treatment, maltreatment ‖ INF. **~ de l'information,** data processing ; **~ de texte,** word processing ; *logiciel de ~ de texte,* word processor ; *machine à ~ de texte,* word processor ‖ PHOT., TECHN. processing ‖ MÉD. treatment ; *suivre un ~,* take a cure, follow a course of treatment ‖ **~er** *vt* (1) treat ; *bien/mal ~ qqn,* treat sb well/badly ; **~ en ami,** befriend ; **~ avec condescendance,** patronize ; **~ à la légère,** trifle with ; [qualifier] **~ qqn de voleur,** call sb a thief ; **~ qqn de tous les noms,** call sb names ‖ discuss (une question) ; transact, negotiate (une affaire) ‖ PHOT., TECHN. process ‖ MÉD. treat (une maladie, un malade) — *vi* negociate, deal (avec, with ; de, for) — *vt ind* **~ de,** treat of, deal with (qqch) ‖ **~eur** *m* [personne] caterer ‖ [boutique] take-away, delicatessen.

traître|e [trɛtr, ɛs] adj treacherous || FIG. pas un ~ mot, not a single word • m traitor || TH. villain • f traitresse || ~ise f treachery.

trajectoire [traʒɛktwar] f trajectory.

trajet [traʒɛ] m [distance] distance || [itinéraire] route || [voyage] journey ; pendant le ~, on the way ; [bus] ride, run.

tram|e [tram] f woof, weft || FIG. web || ~er vt (1) FIG. plot (un complot).

trampoline [trãpɔlin] m trampoline.

tramway [tramwɛ] m tram(-car), U.S. streetcar.

tranchant, e [trãʃã, ãt] adj sharp, cutting || FIG. sharp (ton) • m (cutting) edge || FIG. à double ~, double-edged.

tranche f slice ; slab (grosse) ; sliver (mince) ; rasher (de bacon) ; couper en ~s, slice, cut into slices || FIG. [âge, revenus] bracket.

tranchée f trench || RAIL. cutting.

trancher vt (1) cut (off) ; chop off ; sever (en deux) || FIG. settle, resolve (une difficulté).

tranquill|e [trãkil] adj quiet, peaceful (quartier) ; tranquil, undisturbed (conscience) ; quiet (vie) ; even (caractère) ; laisser qqn ~, leave sb alone ; tenez-vous ~, keep quiet || ~ement adv quietly, peacefully || ~isant [-izã] m MÉD. tranquillizer || ~iser vt (1) tranquillize || reassure ; ~qqn, set sb's mind at rest — vpr se ~, set one's mind at rest || ~ité f tranquillity, quiet(ness) ; ~ d'esprit, peace of mind.

transaction [trãzaksjɔ̃] f JUR. compromise || COMM. transaction ; Pl dealings.

trans|at [trãzat] m FAM. deckchair || ~atlantique adj transatlantic • m liner || ~border vt (1) NAUT. tranship || RAIL. transfer || ~bordeur [-bɔrdœr] m : (pont ~), transporter bridge || ~cription [kripsjɔ̃] f transcription || ~crire [-krir] vt (44) transcribe, copy out.

trans|férer [trãsfere] vt (5) transfer, move || ~fert [-fɛr] m transfer || JUR. conveyance (de propriété) || ~formateur m ÉLECTR. transformer || ~formation f transformation, alteration || [rugby] conversion || ~former vt (1) transform, alter ; convert, change, turn (en, into) || make (en, into) [vêtement] || [rugby] convert || ~fuge [-fyʒ] n POL. defector || ~fusion f transfusion || ~gresser [-grese] vt (1) transgress, infringe, trespass against || ~gression [-gresjɔ̃] f transgression.

transi, e [trãzi] adj ~ (de froid), chilled (to the bone), benumbed with cold.

transiger [trãziʒe] vi (7) compromise, come to terms (avec, with).

transistor [trãzistɔr] m transistor || RAD. transistor ; tranny (coll.) || ~iser vt (1) transistorize.

transi|t [trãzit] m transit ; en ~, in transit || AV. voyageur en ~, stop-over || ~tif, ive [-tif, iv] adj transitive || ~tion f transition || MUS. [jazz] break || ~toire [-twar] adj transitory.

translucide [trãslysid] adj translucent.

trans|metteur [trãsmɛtœr] m RAD. transmitter || ~mettre vt (64) pass on (message) ; send on, forward (une lettre) || convey (un ordre) || JUR. hand down, pass on, make over (un héritage) [à, to] || RAD. transmit, broadcast || ~missible [-misibl] adj communicable || ~mission f conveying, handing down || RAD. transmission || Pl MIL. signals || TECHN. drive || AUT. transmission.

transparence [trãsparãs] f transparency || ~parent, e [-parã, ãt] adj transparent ; see-through (coll.) || ~percer vt (5) pierce, go through.

transpir|ation [trãspirasjɔ̃] f perspiration ; en ~, in a sweat || ~er vi (1) perspire, sweat ; faire ~, sweat || FIG. leak out.

transplant|ation [trãsplãtasjɔ̃] f
MÉD. transplant ‖ ~**er** vt (1) transplant.

transpor|t [trãspɔr] m transport,
transportation, conveyance, carriage ;
~**s en commun,** public transport ; ~
maritime/par rail, sea/rail transport ;
~ *routier,* haulage ‖ MIL. carrier
(bateau, véhicule) ‖ ~**ter** [-te] vt (1)
transport, convey, cart, cart (avec
un véhicule) ‖ carry, move (à la main)
‖ cart (dans une charrette) ‖ ship (par
bateau) ‖ take over (qqn) ; rush (de
toute urgence) ‖ ferry (des enfants à
l'école) ‖ FIG. rapture, carry away ‖
~**teur** m carrier, haulier ‖ TECHN.
conveyor.

trans|vaser [trãsvaze] vt (1) decant
‖ ~**versal, e, aux** [-versal, o] adj
transverse, cross ; *coupe ~e,* cross-
section.

trapèze [trapɛz] m SP. trapeze.

trapp|e [trap] f trap(-door) ‖ pitfall
(piège) ‖ ~**eur** m trapper.

trapu, e [trapy] adj thickset, squat,
stocky ‖ [école] ARG. tough (difficile).

traquenard [traknar] m boobytrap
‖ FIG. pitfall.

traquer [trake] vt (1) track down
(gibier) ‖ hunt down (personne).

traumatis|er [tromatize] vt (1) trau-
matize ‖ ~**me** m MÉD. traumatism
‖ FIG. shock, trauma.

travail, aux [travaj, o] m work
(manuel, intellectuel) ; **au** ~, at
work ; *en plein* ~, hard at work ; *de*
~, working (habits) ; *se mettre au*
~, set/get to work ‖ handiwork
(manuel) ‖ *un* ~, a piece of work ;
~ *courant,* routine ; ~ *à la pièce,*
piece-work ‖ [tâche] work, job ; *petits
travaux,* odd jobs ‖ [emploi] occupa-
tion, job ; ~ *à la carte,* flexitime,
U.S. gliding time ; ~ *au noir,* moon-
lighting ; ~ *à mi-/plein temps,*
part-/full-time job ; *être sans* ~, be
jobless/unemployed/out of a job ‖
[opposé au capital] labour ‖ *Pl* ~*aux
ménagers,* housework ; ~*aux publics,*

civil engineering ; [voie publique]
roadworks ; [immeuble] alterations ;
[école] ~*aux pratiques,* practical
work ; [université] ~ *dirigés,* tutori-
als ‖ ~**ler** [-aje] vi (1) work (à, at) ;
labour (besogner) ; *bien/mal* ~, make
a good/bad job of it ‖ potter (sans
suite) ‖ *faire* ~, work ‖ [bois] warp
— vt work ‖ study (étudier) ‖ TECHN.
work (p.p. wrought) [le bois] ‖
~**leur, euse** [-ajœr, øz] adj hard-
working ● n worker ; ~ *agricole,* farm
worker ; ~ *immigré,* guest worker ;
~ *manuel,* manual worker ; ~ *au
noir,* moonlighter ‖ T~**liste** [-ajist] adj
Labour ● n Labour Party Member.

travée [trave] f row (of seats).

travelling [travliŋ] m CIN. tracking
shot, dolly shot ; ~ *avant/arrière,*
tracking in/out ; *faire un* ~, track,
dolly.

travers [travɛr] m *à* ~, *au* ~ *de,*
through ; *à* ~ *champs,* across the
fields ‖ *de* ~, askew, out of square,
crooked ; *avaler de* ~, swallow the
wrong way ; *comprendre de* ~, misunderstand ; *prendre de* ~, take
amiss ; *regarder de* ~, scowl at, look
askance at ‖ *en* ~, across, crosswise,
athwart.

traverse [travɛrs] f cross-beam
(poutre) ; *chemin de* ~, crossroad,
short cut ‖ RAIL. sleeper, U.S. tie.

travers|ée [travɛrse] f NAUT. cross-
ing, passage ; *faire la* ~ *de,* cross ‖
~**er** vt (1) cross, go/get across ‖ go
through (une foule) ; ~ *en courant/à
la nage,* run/swim across ; ~ *la
Manche à la nage,* swim the Channel ;
~ *la ville,* go through the town ‖
cross (un pont, une rivière, la mer) ;
faire ~ *qqn,* get sb across ‖ [pluie]
soak through ‖ NAUT. sail (across),
navigate (l'océan) ‖ FIG. ~ *l'esprit,*
cross one's mind, flash through one's
mind.

traversin [travɛrsɛ̃] m bolster.

travest|i [travɛsti] m [bal] fancy
dress ‖ [homosexuel] transvestite ;
drag queen, street-fairy (sl.) ‖ TH.

drag (vêtement) ‖ **~ir** vt (2) dress up, disguise ‖ FIG. disguise — vpr : **se ~**, [bal] put on fancy dress ; [cabaret] put on drag ‖ **~issement** m dressing up ‖ fancy dress ‖ FIG. travesty.

trébucher [trebyʃe] vi (1) stumble, trip (sur, over) ; **faire ~ qqn**, trip (up) sb.

trèfle [trɛfl] m BOT. clover ; shamrock (d'Irlande) ‖ [cartes] club(s).

treillage [trejaʒ] m trellis, lattice(-work) [en bois] ; wire netting (en fer).

treille [trɛj] f climbing vine.

treillis [treji] m [étoffe] canvas ‖ MIL. fatigues.

treize [trɛz] adj/m thirteen ‖ **~ième** [-jɛm] adj/n thirteenth.

tréma [trema] m diaeresis.

tremblant, e [trɑ̃blɑ̃, ɑ̃t] adj trembling, shaking ‖ shaky, tremulous, wobbly (voix) ‖ trembling (main).

tremble [trɑ̃bl] m aspen.

trembl|ement [trɑ̃bləmɑ̃] m trembling, shaking (de la main) ; quiver (de froid) ; shiver (de froid, de peur) ; tremor (de colère) ‖ **~ de terre**, earthquake ‖ **~er** vi (1) tremble ‖ shake (violemment) ; **~ de froid/de peur**, shiver with cold/with fear ; quiver (d'émotion) ‖ quake (de froid, de peur) ‖ [voix] quiver, waver ‖ [fenêtre] rattle ‖ **~oter** [-ɔte] vi (1) quiver ‖ [voix] quaver ‖ [lumière] flicker.

trémousser (se) [sətremuse] vpr (1) fidget about (sur sa chaise).

trempe [trɑ̃p] f caliber (fermeté morale) ‖ FAM. hiding, thrashing, walloping (coll.) [correction].

tremp|é, e [trɑ̃pe] adj wet through, drenched, soaking wet ; **~ jusqu'aux os**, soaked to the skin, wet through ‖ **~er** vt (1) steep, soak ‖ douse (plonger) ‖ dip (sa plume) ‖ dunk (une tartine) ‖ [pluie] drench ‖ CULIN. sop (du pain) ‖ TECHN.

temper, harden — vi (faire) **~**, soak ‖ FIG. **~ dans**, be involved in — vpr **se ~**, have a quick dip (bain rapide) ‖ **~ette** f FAM. **faire ~**, have a dip.

tremplin [trɑ̃plɛ̃] m springboard.

trent|aine [trɑ̃tɛn] f about thirty ‖ **~e** adj/m thirty ‖ **~-et-un : se mettre sur son ~-et-un**, tog oneself up ; **être sur son ~-et-un**, be dressed to kill ‖ MUS. **un 33 tours**, an L.P. ‖ **~-six**, FAM. umpteen ; **voir ~-six chandelles**, see stars ‖ **~ième** adj/n thirtieth.

trépid|ant, e [trepidɑ̃, ɑ̃t] adj hectic ‖ **~er** vt (1) vibrate.

trépied [trepje] m tripod.

trépign|ement [trepiɲmɑ̃] m stamping ‖ **~er** vi (1) stamp one's feet ; **~ de joie**, jump for joy.

très [trɛ] adv very, most [+ adj.] ‖ very much, greatly, highly [+ part. passé] ‖ **~ bien !**, very well !, all right !

trésor [trezɔr] m treasure ‖ JUR. treasure-trove (trouvé) ‖ FIN. **~ public**, Treasury ‖ FAM. duck, darling ‖ **~ier, ière** n treasurer.

tressaill|ement [tresajmɑ̃] m thrill, shudder, wince ‖ **~ir** vi, (17) start, shudder, wince.

tress|e [trɛs] f braid, plait (de cheveux) ‖ **~er** vt (1) braid, plait (cheveux) ‖ weave (guirlande).

tréteau [treto] m trestle.

treuil [trœj] m windlass, winch.

trêve [trɛv] f MIL. truce ‖ FIG. **sans ~**, without a break, relentlessly.

tri [tri] m sorting (out) ; **faire le ~ de**, sort out ; [courrier] centre de **~**, sorting office ‖ **~age** [-jaʒ] m RAIL. **gare de ~**, marshalling yard.

trian|gle [trijɑ̃gl] m triangle ; **~ rectangle**, right-angled triangle ‖ **~gulaire** [-gylɛr] adj triangular.

tribord [tribɔr] m starboard.

tribu [triby] f tribe.

tribunal, aux [tribynal, o] m JUR. (law-)court ; court of justice ; **~ pour**

enfants, juvenile court ; ~ *de police,* police-court.

tribune [tribyn] *f* [église] gallery ‖ [orateur] platform, rostrum (estrade) ; soap-box (improvisée) ‖ [journal], RAD. forum ‖ POL. *monter à la* ~, address the House ‖ SP. ~ *d'honneur,* grand-stand.

trich|er [triʃe] *vi* (1) cheat ‖ ~**erie** [-ri] *f* cheating ‖ ~**eur, euse** *n* cheater ; cheat (coll.) ‖ [cartes] cardsharper.

tric|ot [triko] *m* [action] knitting ‖ [vêtement] sweater, jersey ‖ ~**oter** [-ɔte] *vt* (1) knit ; *aiguille à* ~, knitting-needle ; *machine à* ~, knitting-machine.

trier [trije] *vt* (1) sort (out) [des lettres] ‖ select, screen (sélectionner).

trigonométrie [trigɔnɔmetri] *f* trigonometry.

trille [trij] *m* trill.

trimaran [trimarɑ̃] *m* trimaran.

trimbaler [trɛ̃bale] *vt* (1) FAM. cart around (coll.) — *vpr se* ~, trail along.

trimer [trime] *vi* (1) FAM. slave/slog away.

trimestr|e [trimɛstr] *m* quarter ‖ [école] term, U.S. session ‖ ~**iel, ielle** [-ijɛl] *adj* quarterly ‖ [école] end-of-term (composition).

tringle [trɛ̃gl] *f* rod.

trinité [trinite] *f* trinity.

trinquer¹ [trɛ̃ke] *vi* (1) clink glasses.

trinquer² *vi* (1) FAM. cop it (sl.).

trio [trijo] *m* trio.

triomph|al, e, aux [trijɔ̃fal, o] *adj* triumphal ‖ ~**ant, e** *adj* triumphant ‖ ~**e** *m* triumph ; *arc de* ~, triumphal arch ‖ ~**er** *vi* (1) triumph ; ~ *de,* overcome, get the better of.

tripes [trip] *fpl* CULIN. tripe.

triphasé, e [trifaze] *adj* ÉLECTR. three-phase.

tripl|e [tripl] *adj* triple, three-fold,

treble ‖ ~**er** *vt/vi* (1) triple, treble ‖ ~**és, es** *mpl* triplets (bébés).

tripot [tripo] *m* gambling-den ; dive (coll.) ; joint (sl.).

tripoter [tripɔte] *vt* (1) tamper with, fiddle with.

trique [trik] *f* cudgel.

trist|e [trist] *adj* sad, sorrowful, unhappy (personne) ‖ cheerless, gloomy (jour, temps) ‖ ~**ement** *adv* sadly ‖ ~**esse** *f* sadness, gloom, misery ; *avec* ~, sadly ‖ dullness (de l'existence).

trivial, e, aux [trivjal, o] *adj* coarse, crude (plaisanterie).

troc [trɔk] *m* barter, swap, truck.

troène [trɔɛn] *m* privet.

trognon [trɔɲɔ̃] *m* core (de pomme) ; stalk (de chou).

troi|s [trwɑ ; trwɑz devant voyelle] *adj/m* three ; *le* ~ *mai,* the third of May ‖ [travail] *les* ~ *huit,* the three-8-hour shifts ‖ ~**ième** [-zjɛm] *adj/n* third ● *m au* ~ *(étage),* on the third floor/U.S. fourth story.

trois-quarts *mpl* three-quarters ‖ *manteau* ~, three-quarter length coat.

trolleybus [trɔlɛbys] *m* trolleybus.

trombe [trɔ̃b] *f* waterspout ‖ FIG. *entrer en* ~, burst/dash in ; *partir en* ~, tear off.

trombone [trɔ̃bɔn] *m* [agrafe] paper-clip ‖ MUS. trombone.

trompe¹ [trɔ̃p] *f* trunk (d'éléphant).

trompe² *f* MUS. horn ‖ NAUT. ~ *de brume,* fog horn.

tromp|er [trɔ̃pe] *vt* (1) deceive, delude, trick ; ~ *qqn,* play sb false ‖ be unfaithful to (conjoint) ‖ mislead (*sur,* about) ‖ FIG. disappoint (l'attente) ; beguile (l'ennui) ; stave off (la faim) — *vpr se* ~, deceive/delude oneself ; be mistaken, make a mistake, be wrong (*sur,* about) ; *se* ~ *d'adresse,* get the address wrong ; *je ne me trompais pas de beaucoup,* I was not far out ‖ *se* ~ *de chemin,* miss one's way, go the wrong way ; *se* ~

de train, take the wrong train ; *où est-ce que je me suis trompé ?,* where did I go wrong ? ‖ **~erie** [-ri] *f* deceit, deception.

trompett|e [trɔpɛt] *f* trumpet ‖ FIG. *nez en ~,* turned-up nose ● *m* MIL. trumpeter ‖ **~iste** *n* trumpet player.

tromp|eur, euse [trɔpœr, øz] *adj* deceptive, misleading (apparence) ‖ deceitful (paroles, personne).

tronc [trɔ̃] *m* ANAT., BOT., trunk ; *~ d'arbre,* tree trunk ‖ [église] poor-box.

tronçon [trɔ̃sɔ̃] *m* section (de route) ‖ **~neuse** [-ɔnøz] *f* chain-saw.

trône [tron] *m* throne.

tronquer [trɔ̃ke] *vt* (1) cut down, truncate (texte).

trop [tro] *adv* too, over- [+ adj.] ; *~ haut,* too high ; *~ plein,* overfull ; *bien ~ petit,* much too small ‖ too [+ adv.] ; *~ peu,* too little/few ; *~ loin,* too far ‖ too much [+ part. passé] ; *~ admiré,* too much admired ‖ too much [+ verbe] ; *~ parler, parler ~,* talk too much ‖ *~ de* [+ nom], too much/many ; *~ d'eau,* too much water ; *~ de voitures,* too many cars ● *loc de/en ~,* too much/many ; *un de ~,* one too many ; *2 F de ~,* 2 francs too much ; left over, extra (qui reste) ‖ *par ~,* far too ‖ **~-perçu** *m* overcharge.

trophée [trɔfe] *m* trophy.

trop|ical, e, aux [trɔpikal, o] *adj* tropical ‖ **~ique** *m* tropic.

trop-plein [troplɛ̃] *m* overflow.

troquer [trɔke] *vt* (1) barter, trade (*contre,* for) ; swap (coll.).

trot [tro] *m* trot ; *aller au ~,* trot along.

trott|e [trɔt] *f* FAM. distance ; *une bonne ~,* a good way ‖ **~er** *vi* (1) trot ‖ **~euse** *f* second hand (aiguille) ‖ **~iner** [-ine] *vi* (1) jog along ; [souris] scamper about ‖ **~inette** [-inɛt] *f* scooter ‖ **~oir** *m* pavement, U.S. side-walk ; *~ roulant,* travelator

‖ [prostituée] *faire le ~,* walk the streets.

trou [tru] *m* hole ; *creuser un ~,* dig a hole ; *faire un ~,* cut a hole ; *boucher un ~,* stop up a hole ‖ [vêtement] tear ; *faire un ~,* wear a hole ‖ ASTR. *~ noir,* black hole ‖ AV. *~ d'air,* air-pocket ‖ TECHN. eye (d'une aiguille) ; *~ d'aération,* vent ; *~ de la serrure,* keyhole ‖ FIG. hole (localité) ; gap (dans emploi du temps) ; *~ de mémoire,* lapse of memory, black-out ; *boire comme un ~,* drink like a fish.

troublant, e [trublã, ãt] *adj* disturbing, upsetting ; arousing (sexuellement).

troubl|e *adj* cloudy (eau) ; dim (vue) ‖ confused (situation) ● *m* fluster, commotion, agitation ‖ *Pl* disturbances, troubles (émeutes) ; *~s politiques,* political unrest ‖ **~é, e** *adj* upset, embarrassed, put out ‖ **~e-fête** *m inv* spoilsport ‖ **~er** *vt* (1) cloud, make cloudy (eau, vin) ‖ embarrass, upset, disturb, make uneasy, fluster (qqn) ; confuse (l'esprit) — *vpr se ~,* [liquide] cloud up, become muddy/cloudy ‖ [vue] dim, grow dim ‖ [esprit] get confused ‖ [personne] get confused, lose one's composure.

trou|é, e [true] *adj* with a hole/holes in (chaussettes) ‖ **~ée** *f* gap ‖ MIL. breakthrough ; *faire une ~ dans,* break through ‖ **~er** *vt* (1) make holes/ a hole in ; wear holes in (un vêtement).

troufion [trufjɔ̃] *m* POP. soldier.

trouille [truj] *f* POP. funk (sl.) ; *avoir la ~,* have the wind up.

troup|e [trup] *f* troop ‖ MIL. troop ; *la ~,* the army ‖ *Pl* forces ; *hommes de ~,* rank and file ‖ *~s de choc,* shock troops ‖ TH. company ‖ **~eau** [-o] *m* flock (de moutons) ; herd (de vaches) ; drove (en marche).

trousse [trus] *f* case ; pencil-case (d'écolier) ; *~ à outils,* tool-bag ; *~ de secours,* first-aid kit ; *~ de toilette,* toilet bag ; ~ *de voyage,* travelling-case ‖ Techn. kit, kitbag, tool-kit.

trousseau [truso] *m* ~ *de clefs,* bunch of keys ‖ [vêtements] outfit (d'écolier) ; trousseau (de mariée).

trousses [trus] *fpl* avoir qqn à ses ~, have sb on one's heels.

trouv|aille [truvaj] *f* find (objet) ‖ Fig. felicity (expression) ; brain-wave (idée) ‖ **~é, e** *adj* found ; enfant ~, foundling ; *bureau des objets* ~s, lost property office ‖ **~er** *vt* (1) find, discover ; ~ *par hasard,* come upon ‖ think (penser) ‖ [estimer] *comment trouvez-vous Londres ?,* how do you like London ? — *vpr se* ~, [personne] be present ; find oneself (dans une situation) ; feel (se sentir) ; *se* ~ *mal,* faint ‖ [chose] be met with, be found, occur ; [maison] stand ; [île] lie ‖ *il se trouve que,* it (so) happens that.

truand [tryɑ̃] *m* thug, gangster.

truc [tryk] *m* [moyen] trick, knack ; *saisir le* ~, get the hang of it ; trick ; ploy (coll.) [tour] gadget, thing, gimmick (objet) ‖ thingummy, whatsit (coll.) [dont le nom échappe] ‖ Fam. *ce n'est pas mon* ~, that's not my cup of tea.

trucage [trykaʒ] *m* faking ‖ gerrymander (d'élections) ‖ Cin. (special) effects ; trick shot.

truculent, e [trykylɑ̃, ɑ̃t] *adj* colourful.

truelle [tryɛl] *f* trowel.

truff|e [tryf] *f* Bot., Culin. truffle.

truie [trɥi] *f* sow.

truite [trɥit] *f* trout.

truqu|age [trykaʒ] *m* = TRUCAGE ‖ **~é, e** *adj* faked ‖ **~er** *vt* (1) fake ‖ gerrymander (des élections).

tsar [tsar] *m* czar, tsar, tzar ‖ **~ine** [-rin] *f* czarina, tsarina, tzarina.

tu [ty] *pron* [sujet] ; **te** [tə] ; **toi** [twa] *pron* [complément] you ‖ Rel. [Bible] thou (sujet) ; thee (complément).

tuba [tyba] *m* Sp. [plongée] snorkel ‖ Mus. tuba.

tube [tyb] *m* tube, pipe ‖ tube (de pâte dentifrice) ‖ Électr. ~ *au néon,* neon tube ‖ Ch. ~ *à essai,* test tube ‖ Fam. hit-song.

tubercul|eux, euse [tybɛrkylø, øz] *adj* tubercular ● *n* TB patient ‖ **~ose** [-oz] *f* tuberculosis.

tu|er [tɥe] *vt* (1) kill (qqn) ‖ [boucher] slaughter ‖ destroy (une plante) ‖ Fig. kill (le temps) ; ~ *dans l'œuf,* nip in the bud — *vpr se* ~, [accident] be killed ‖ [suicide] kill oneself ‖ **~erie** [tyri] *f* slaughter ‖ **~e-tête (à)** [atytɛt] *loc adv* at the top of one's voice ‖ ~ *!,* what a blow ! ‖ **~eur, euse** *n* killer.

tuile [tɥil] *f* tile ‖ Fam. (piece of) bad luck ; *quelle* ~ *!,* what a blow !

tulipe [tylip] *f* tulip.

tumeur [tymœr] *f* tumour.

tumult|e [tymylt] *m* tumult, uproar, hubbub, commotion ‖ **~ueux, euse** [-ɥø, øz] *adj* tumultuous, wild (torrent) ; boisterous (mer) ; disorderly (foule) ; uproarious (meeting).

tunique [tynik] *f* tunic.

Tunis|ie [tynizi] *f* Tunisia ‖ **~ien, ienne** *n* Tunisian.

tunnel [tynɛl] *m* tunnel ; ~ *routier,* road tunnel.

turban [tyrbɑ̃] *m* turban.

turbin|e [tyrbin] *f* turbine ‖ **~er** *vi* (1) Fam. plug/slog away.

turboréacteur [tyrboreaktœr] *m* turbojet.

turbulent, e [tyrbylɑ̃, ɑ̃t] *adj* turbulent ‖ restless, unruly, boisterous (enfant).

turc, turque [tyrk] *adj* Turkish ● *m* Turkish (langue).

Turc, Turque [tyrk] *n* Turk ‖ Fam. *fort comme un* ~, as strong as a horse ; *tête de* ~, Aunt Sally, butt.

turf [tyrf] *m* Sp. turf ‖ **~iste** *n* race-goer ; punter (coll.).

turlupiner [tyrlypine] *vt* (1) FAM. worry, bother.

Turquie [tyrki] *f* Turkey.

tut|elle [tytɛl] *f* JUR. guardianship, ward ‖ POL. trusteeship ‖ **~eur¹, trice** *n* JUR. guardian.

tuteur² *m* AGR. stake, prop.

tutoyer [tytwaje] *vt* (9 *a*) be on familiar terms with (qqn) ‖ FR. address sb as « tu ».

tutu [tyty] *m* ballet-skirt.

tuyau [tɥijo] *m* pipe, tube ‖ stem (de pipe) ‖ hoze (d'arrosage) ‖ ~ *de descente,* spout (pour l'eau de pluie) ; ~ *de poêle,* stove-pipe ; ~ *de vidange,* drain(-pipe) ‖ MUS. ~ *d'orgue,* organ pipe ‖ AUT. ~ *d'échappement,* exhaust pipe ‖ FAM. [courses de chevaux] tip ; *Pl* dope (sl.) ‖ **~ter** [-te] *vt* (1) FAM. tip off, give a tip, put in the picture

‖ **~terie** [-tri] *f* TECHN. piping, plumbing.

T.V.A. [tevea] *abrév/f* (= TAXE À LA VALEUR AJOUTÉE) G.B. = V.A.T.

tympan [tɛ̃pɑ̃] *m* eardrum.

type [tip] *m* type, model ‖ FAM. fellow, chap, U.S. guy (sl.) ; *un chic* ~, a good sort ; *un drôle de* ~, a queer customer ; *un pauvre* ~, a failure ; *un sale* ~, a stinker ‖ TECHN. mark.

typhoïde [tifɔid] *f* typhoid.

typhon [tifɔ̃] *m* typhoon.

typhus [tifys] *m* typhus.

typique [tipik] *adj* typical ‖ **~ment** *adv* typically.

tyr|an [tirɑ̃] *m* tyran ‖ **~annie** [-ani] *f* tyranny ‖ **~annique** [-anik] *adj* tyrannical ‖ **~anniser** [-anize] *vt* (1) domineer, bully.

tzar, tzarine = TSAR, TSARINE.

U

u [y] *m* u.

ulc|ère [ylsɛr] *m* ulcer ‖ **~érer** [-ere] *vt* (5) FIG. hurt, offend.

U.L.M. [yɛlɛm] *m* AV. microlite.

ultérieur, e [ylterjœr] *adj* later, subsequent ‖ **~ement** *adv* later on, subsequently.

ultimatum [yltimatɔm] *m* ultimatum.

ultime [yltim] *adj* ultimate, final, hindmost.

ultra¹ [yltra] *m* POL. extremist ● *préf*

ultra- ‖ **~-secret** *adj* top secret ‖ **~son** *m* ultrasonic sound ‖ **~sonique** [-sɔnik] *adj* ultrasonic ‖ **~violet** *adj* ultraviolet.

ululer = HULULER.

un [œ̃], **une** [yn] *art indéf* a (devant consonne, *h* aspiré), an (devant voyelle) ; ~ *certain M. X.,* one Mr X ● *adj indéf* one ● *adj numéral/ordinal* one ● *pron indéf* one ; ~ *à* ~, one by one, singly, separately ; *encore* ~, another ; ~ *de ces jours,* one of these days ; ~ *de vos amis,* a friend of yours ; *l'~ de nous,* one of us ; *l'~ ou l'autre,* either ; *l'~ et l'autre,* both ; *l'~ après l'autre,* one after the other, in turn ; *l'~ l'autre,* each other, one another ; *ni l'~ ni l'autre,* neither (of them) ; *l'~ dans l'autre,* all in all ; *les ~s les autres,* one another, each other ● *one* ‖ FAM. *sans ~,* stony broke ● *f* **la une,** [journal] the front page ; FR., T.V. the first channel.

unanim|e [ynanim] *adj* unanimous, solid (opinion, vote) ‖ **~ement** *adv* unanimously ‖ **~ité** *f* unanimity ; *à l'~,* unanimously, with one voice.

uni, e [yni] *adj* united ‖ plain (couleur) ‖ level, even (plat) ‖ **~fier** [-fje] *vt* (1) unify.

uniforme¹ [yniform] *m* uniform ‖ MIL. *en grand ~,* in full regimentals.

uniform|e² *adj* uniform ‖ even (égal) ‖ **~ément** [-emã] *adv* uniformly, evenly ‖ **~ité** *f* uniformity.

unijambiste [yniʒãbist] *n* one-legged person.

unilatéral, e, aux [ynilateral, o] *adj* unilateral ; one-sided.

union [ynjɔ̃] *f* union ‖ union, marriage (de deux personnes) ‖ association (société) ‖ COMM. tie-up ‖ FIG. unity.

uniqu|e [ynik] *adj* only ; *enfant ~,* only child ; *sens ~,* one-way street ‖ *à usage ~,* throwaway, disposable ‖ FIG. unique, unparalleled ‖ **~ement** *adv* solely, only, exclusively.

un|ir [ynir] *vt* (2) unite ‖ [priest] marry — *vpr s'~,* unite, join forces (*avec,* with) ; [choses] combine, join ‖ marry (se marier) ‖ [animaux] mate ‖ **~isson** [-isõ] *f à l'~,* in concert.

unisexe [yniseks] *adj* unisex.

unité [ynite] *f* unity ‖ MATH. unit ‖ MIL. unit ‖ NAUT. ship.

univer|s [yniver] *m* universe, world ‖ **~sel, elle** [-sɛl] *adj* universal, world-wide ‖ **~sellement** [-sɛlmã] *adv* universally ‖ **~sitaire** [-sitɛr] *adj*

university, academic ● *n* academic ‖ **~sité** [-site] *f* university, U.S. college.

uranium [yranjɔm] *m* uranium.

urb|ain, e [yrbɛ̃, ɛn] *adj* urban ; city (transports) ‖ **~aniser** [-anize] *vt* (1) urbanize ‖ **~anisme** *m* town planning ‖ **~aniste** *n* town planner.

urg|ence [yrʒãs] *f* urgency ; *d'~,* urgently ‖ [cas urgent] emergency ; *en cas d'~,* in an emergency ; *transporter qqn d'~ à,* rush sb to ; [hôpital] *les ~s,* emergency ward ‖ **~ent, e** *adj* urgent ; pressing (affaire) ; instant (besoin) ‖ *un cas ~,* an emergency.

urin|e [yrin] *f* urine ‖ **~er** *vi* (1) urinate, pass water.

urne [yrn] *f* urn ‖ POL. ballot-box ; *aller aux ~s,* go to the poll.

U.R.S.S. [yɛrɛsɛs/yrs] *f* U.S.S.R.

urticaire [yrtikɛr] *f* MÉD. nettle rash, hives.

usag|e [yzaʒ] *m* use ; *à l'~,* with use ; *d'un ~ courant,* in common use ; *faire ~ de,* make use of, employ ; *faire mauvais ~ de,* misuse, misapply ‖ *hors d'~,* worn out, useless ; out of action (machine) ‖ *faire de l'~,* wear well ; *qui fait de l'~,* serviceable ‖ usage, custom, practice (coutume) ‖ *Pl* conventions ‖ GRAMM. *~ impropre,* misuse ‖ MÉD. *~ externe,* for external use only ; *à ~ unique,* one-off ‖ **~é, e** *adj* worn, used ; second-hand (d'occasion) ‖ **~er** *m* user.

us|é, e [yze] *adj* worn(-out) [vêtement, etc.] ; *~ jusqu'à la corde,* threadbare ‖ worn-out (personne) ‖ **~er** *vt* (1) wear away/out — *vt ind ~ de,* make use of, employ ‖ exercice (un droit) — *vpr s'~,* wear away/out ‖ *s'~ les yeux,* strain one's eyes.

usin|e [yzin] *f* factory ‖ mill, works, plant ; *~ atomique,* atomic plant ; *~ marémotrice,* tidal power-station ; *~ sidérurgique,* steelworks ‖ **~er** *vt* (1) machine, tool.

usité, e [yzite] *adj* in use, current.

ustensile [ystãsil] *m* implement ; ~s *de cuisine,* kitchen utensils, kitchenware.

usuel, elle [yzɥɛl] *adj* usual, in common use.

usure¹ [yzyr] *f* wear (and tear) ‖ MIL. *guerre d'~,* war of attrition.

usur|e² *f* usury ‖ ~**ier, ière** *n* usurer.

usurp|ateur, trice [yzyrpatœr, tris] *n* usurper ‖ ~**er** *vt* (1) usurp.

ut [yt] *m* MUS. C.

util|e [ytil] *adj* useful, of use, serviceable ; handy ; *être ~ à qqch,* be of use for sth ; *être très ~ à qqn,* stand

sb in good stead ; *se rendre ~,* make oneself useful ; *en quoi puis-je vous être ~ ?,* what can I do for you ? ● *m joindre l'~ à l'agréable,* combine business with pleasure ‖ ~**ement** *adv* usefully, profitably ‖ ~**isable** *adj* usable, available ‖ ~**isation** *f* use, using, utilization ‖ ~**iser** *vt* (1) use, utilize ; employ ‖ FIG. make use of ‖ ~**itaire** [-itɛr] *adj* utilitarian ‖ ~**ité** *f* usefulness, convenience ; *d'une grande ~,* of great use ; *d'aucune ~,* of no use whatever.

utop|ie [ytɔpi] *f* utopia ‖ ~**ique** *adj* utopian.

uval, e, aux [yval, o] *adj* cure ~*e,* grape cure.

V

v [ve] *m* v ● *loc en V,* V-shaped ; *encolure en V,* V-neck.

va [va] → ALLER ‖ *interj ça ~ !,* all right ! ; ~ *pour,* agreed/right for ‖ FAM. *à la ~-comme-je-te-pousse,* happy-go-lucky ; *à la ~-vite,* slapdash.

vac|ance [vakãs] *f* vacancy (état) ‖ *Pl* holidays, U.S./[université] vacation ; *en ~s,* on holiday ; *partir en ~s,* go away on holiday ; *prendre ses ~s,* take one's holidays ; *un jour/mois de ~s,* a day's/month's holiday ; *grandes ~s,* summer holidays ; *long vacation* (à l'université) ; *entrer en ~s,* break up ; *colonie de ~s,* holiday camp ; ~*s de neige,* winter sports holiday ‖ *Pl* JUR. recess ‖ ~**ancier, ière** [-ãsje, jɛr] *n* holiday-maker ; U.S.

vacationer, vacationist ‖ ~**ant, e** *adj* vacant ; *poste ~,* vacancy.

vacarme [vakarm] *m* din, racket.

vacc|in [vaksɛ̃] *m* vaccine ; *faire un ~,* give a vaccination ‖ ~**ination** [-inasjɔ̃] *f* vaccination ‖ ~**iner** [-ine] *vt* (1) vaccinate ; *se faire ~,* get vaccinated.

vach|e [vaʃ] *f* cow ; ~ *laitière,* dairy cow ‖ FAM. *manger de la ~ enragée,* rough it ‖ ~**ement** *adv* FAM. awfully ; bloody (sl.) ‖ ~**er, ère** *n* cow-herd ‖ ~**erie** [-ri] *f* FAM. dirty trick (action) ; nasty remark.

vacill|ant, e [vasijã, ãt] *adj* flickering, unsteady (lumière) ‖ ~**er** *vt* (1) vacillate, wobble ‖ [lumière] flicker ‖ stagger (chanceler).

vadrouiller [vadruje] *vi* (1) FAM. gad about, knock about.

va-et-vient [vaevjɛ̃] *m inv* coming and going (de gens) || *mouvement de* ~, to and fro movement || ÉLECTR. two-way switch.

vagabon|d, e [vagabɔ̃, ɔ̃d] *adj* vagrant (personne) ; rambling (pensées) ● *n* vagrant, tramp, U.S. hobo || ~**dage** [-daʒ] *m* JUR. vagrancy || ~**der** [-de] *vi* (1) wander/rove (about) ; ramble.

vagin [vaʒɛ̃] *m* ANAT. vagina.

vague[1] [vag] *f* wave ; billow (grande) ; surf (déferlante) ; ~ *de fond*, ground swell || FIG. ~ *de chaleur*, heat-wave ; ~ *de froid*, cold spell/snap.

vague[2] *adj* vague, sketchy (connaissance) ; hazy (idée) ; loose (terme) ; indistinct (souvenir) ; vacant (regard) ● *m* vagueness ; *rester dans le* ~, remain vague || ~ *à l'âme*, vague longings || ~**ment** *adv* vaguely.

vaguemestre [vagmɛstr] *m* MIL. post-orderly.

vaill|amment [vajamɑ̃] *adv* valiantly || ~**ant, e** *adj* valiant.

vaille que vaille [vajkəvaj] *loc adv* after a fashion, somehow.

vain, e [vɛ̃, vɛn] *adj* vain (espoir) ; *en* ~, in vain ; empty, idle (paroles) ; fruitless (efforts).

vain|cre [vɛ̃kr] *vt* (102) defeat, conquer || FIG. overcome ● ~**cu, e** [-ky] *adj* defeated, vanquished ; *s'avouer* ~, admit defeat ● *n* defeated man/woman ; *les* ~*s*, the defeated/ vanquished.

vainement [vɛnmɑ̃] *adv* vainly, in vain.

vainqueur [vɛ̃kœr] *adj* victorious, conquering ● *m* victor, conqueror || SP. winner.

vaisseau [vɛso] *m* NAUT. vessel, ship || ASTR. ~ *spatial*, space-ship || MÉD. vessel.

vaisselle [vɛsɛl] *f* crockery, table-ware || [à laver] dishes || [lavage] washing-up ; *laver/faire la* ~, wash up, do the washing-up dishes.

valable [valabl] *adj* valid (ticket, excuse) || representative (interlocuteur) || worthwhile (rentable).

valet [valɛ] *m* valet ; ~ *de chambre*, manservant ; ~ *d'écurie*, groom ; ~ *de ferme*, farm-hand ; ~ *de pied*, footman || [cartes] jack, knave.

valeur [valœr] *f* value, worth ; *de* ~, valuable ; *sans* ~, worthless, of no value ; *avoir de la* ~, be valuable ; *objets de* ~, valuables || **mettre en** ~, develop (une région) ; set off (un effet) ; bring out (qualités) || [terrain] *prendre de la* ~, appreciate || FIN. value, share, stock ; ~ *nominale*, face value ; *Pl* securities || FIG. efficiency (d'une personne) ; validity (d'un argument).

valide[1] [valid] *adj* able-bodied (non blessé) ; fit (en bonne santé) || good (membre).

valid|e[2] *adj* RAIL. valid (ticket) || JUR. valid (passeport) || ~**er** *vt* (1) validate || ~**ité** *f* validity.

valise [valiz] *f* (suit-)case ; *faire sa* ~, pack (one's case) || JUR. ~ *diplomatique*, diplomatic bag.

vall|ée [vale] *f* valley || ~**on** *m* small valley.

valoir [valwar] *vi* (103) [prix] be worth ; *combien cela vaut-il ?*, how much is it worth ? || [qualité] *qu'est-ce que ça vaut ?*, is it any good ? ; *ça ne vaut rien*, it's no good ; *cela ne vaut pas grand-chose*, it's not much good || [justifier] *cela en vaut-il la peine ?*, is it worth while ? ; *ce livre vaut-il la peine d'être lu ?*, is this book worth reading ? ; *cela vaut le coup*, it's worth trying ; *cela vaut le détour*, it's worth the detour || [équivaloir] be equivalent to, be as good/bad as || ~ *pour*, apply to || *faire* ~, exploit (domaine) ; develop (terres) ; invest (capital) ; FIG. claim, assert (droits) ; emphasize (un argument) ; set off, show off (la beauté) || FIN. *à* ~, to be deducted (*sur*, from) — *vt* ~ *qqch à qqn*, earn sb sth — *v impers : il vaut mieux faire,* it is better to do ; *il vaut mieux que nous restions,* we'd better stay ; *mieux vaut tard que jamais,* better late than never — *vpr se* ~, be as good/bad as the other, be much about the same ; *ça se vaut,* it's all the same.

valoriser [valɔrize] *vt* (1) develop (région) ; enhance the value of (maison, terrain, etc.)

vals|e [vals] *f* waltz || ~ **er** *vi* (1) waltz.

valve [valv] *f* valve.

vampire [vãpir] *m* vampire.

vandal|e [vãdal] *m* vandal, hooligan || ~ **isme** *m* vandalism.

vanille [vanij] *f* vanilla.

vanit|é [vanite] *f* vanity, conceit ; *tirer* ~ *de,* pride oneself on || ~ **eux, euse** *adj* vain, conceited.

vanne [van] *f* sluice(-gate).

vanné, e [vane] *adj* Fam. deadbeat, all in (coll.).

vannerie [vanri] *f* basket-work.

vant|ard, e [vãtar, ard] *adj* boastful, bragging ● *n* boaster, braggart || ~ **ardise** [-ardiz] *f* boast(ing) || ~ **er** *vt* (1) praise — *vpr se* ~, boast, brag (*de, of*/about) ; *se* ~ *de* (tirer vanité de), pride oneself on ; *il n'y a pas de quoi se* ~, there's nothing to boast about.

va-nu-pieds [vanypje] *n inv* ragamuffin, beggar.

vapeur[1] [vapœr] *m* Naut. steamer.

vapeur[2] *f* steam, vapour ; *bain de* ~, vapour-bath || *Pl* fumes || Culin. *cuire à la* ~, steam.

vaporis|ateur [vapɔrizatœr] *m* sprayer, atomizer || ~ **er** *vt* (1) spray, atomize.

vaquer [vake] *vt ind* (1) ~ *à :* ~ *à ses occupations,* go about one's business.

varappe [varap] *f* rock-climbing.

varech [varɛk] *m* wrack.

vareuse [varøz] *f* Mil. blouse ; tunic (d'officier) || Naut. jumper.

vari|able [varjabl] *adj* variable || changeable, unsettled, variable (temps) ● *f* Math. variable || ~ **ante** *f* variant || ~ **ation** *f* variation || Fin. fluctuation (des cours).

varice [varis] *f* varicose vein.

varicelle [varisɛl] *f* chicken-pox.

vari|é, e [varje] *adj* varied, diverse, miscellaneous, diversified || ~ **er** *vi* (1) vary || [prix] fluctuate — *vt* diversify ; vary (les menus) || ~ **été** [-ete] *f* variety ; *une grande* ~, a wide range || Comm. choice || *Pl* Th. variety show, U.S. vaudeville.

variole [varjɔl] *f* smallpox.

vase[1] [vaz] *m* vase (à fleurs) || Phys. ~ *s communicants,* communicating vessels.

vase[2] *f* mud, silt, sludge.

vaseline [vazlin] *f* vaseline.

vaseux, euse [vazø, øz] *adj* slimy, muddy || Fam. seedy, washed-out, off-colour (personne) ; hasy (confus) ; poor (astuce).

vasistas [vazistas] *m* skylight.

vaste [vast] *adj* vast (plaine, mer) ; wide (monde) ; broad (étendue) ; spacious, roomy (pièce) || Fig. wide, extensive (érudition).

Vatican [vatikã] *m cité du* ~, Vatican City.

va-tout [vatu] *m inv jouer son* ~, stake one's all.

vaudeville [vodvil] *m* light comedy.

vau-l'eau (à) [avolo] *loc adv* Fig. *aller* ~, be left to drift, go to rack and ruin ; go to pot (coll.).

vaurien, ienne [vorjɛ̃, ɛn] *n* good-for-nothing || scamp (gamin).

vautour [votur] *m* vulture.

vautrer (se) [səvotre] *vpr* (1) wallow (*dans,* in) ; sprawl (out) (*dans un fauteuil,* in a chair).

va-vite (à la) [alavavit] *loc adv* slapdash, hastily.

veau [vo] *m* ZOOL. calf ‖ CULIN. veal (viande) ; *foie de ~*, calf's liver ; *rôti de ~*, roast veal.

vécu, e [veky] → VIVRE ● *adj* founded on fact (histoire) ● *m* real-life.

vedettariat [vədetarja] *m* stardom ; star system.

vedette¹ [vədet] *f* CIN. film star, U.S. movie star ; [film] *avoir X pour ~*, feature/star X ‖ FIG. *en ~*, in the limelight ; *mettre en ~*, spotlight, put the spotlight on.

vedette² *f* NAUT. patrol-boat, launch ; *~ lance-torpilles*, motor torpedo-boat.

végét|al, e, aux [veʒetal, o] *adj* vegetable ● *m* plant ‖ **~arien, ienne** [-arjɛ̃, jɛn] *n/adj* vegetarian ‖ **~ation** *f* vegetation ‖ **~er** *vi* (5) BOT., FIG. vegetate.

véhém|ence [veemɑ̃s] *f* vehemence ; *avec ~*, vehemently ‖ **~ent, e** *adj* vehement.

véhicule [veikyl] *m* vehicle.

veille¹ [vɛj] *f* eve, day before (jour précédent) ; *la ~ au soir*, the evening/night before ‖ REL. *la ~ de Noël*, Christmas Eve ‖ FIG. *(à) la ~ de*, on the eve of.

veill|e² *f* wakefulness (état) ‖ sitting/staying up (volontaire) ‖ **~ée** *f* evening (gathering) ‖ watch ‖ **~er** *vi* (1) be awake ‖ stay/sit/wait up (volontairement) ; *faire ~ qqn*, keep sb up ‖ watch over (malade) — *vt ind ~ à*, attend, see to, look after ; *~ à ce que*, see to it that ‖ **~ sur**, watch over ‖ **~eur** *m ~ (de nuit)*, (night) watchman ‖ **~euse** *f* night light ‖ [appareil à gaz] pilot-light ; *mettre en ~*, turn down (flamme) ; dim (lampe).

veinard, e [vɛnar, ard] *n* lucky devil/dog (coll.).

veine¹ *f* FAM. luck ; *un coup de ~*, a stroke of luck ; *avoir de la ~*, be

lucky ; *ce n'est pas de ~ !*, hard lines ! ; *c'est bien ma ~ !*, just my luck !

veine² *f* MÉD. vein ‖ TECHN. seam (de charbon) ‖ *Pl* grain (du bois).

véliplanchiste [veliplɑ̃ʃist] *n* windsurfer.

vélo [velo] *m* FAM. (push-)bike (coll.) ‖ **~moteur** *m* moped.

velou|rs [vəlur] *m* velvet ; *~ côtelé*, corduroy ‖ **~té, e** *adj* velvety ‖ mellow (vin).

velu, e [vəly] *adj* hairy, shaggy.

vénal, e, aux [venal, o] *adj* mercenary, venal.

vendable [vɑ̃dabl] *adj* marketable.

vendang|e [vɑ̃dɑ̃ʒ] *f* grape-gathering/-harvest ; vintage (saison) ‖ **~er** *vi* (7) gather the grapes.

vendetta [vɑ̃deta] *f* feud, vendetta.

vend|eur [vɑ̃dœr] *m* salesman, shop-assistant, U.S. salesclerk ‖ **~euse** *f* shop-girl, saleswoman, salesgirl ‖ **~re** [-dr] *vt* (4) sell ; *à ~*, for sale, to be sold ; *au détail*, retail ; *~ moins cher que*, undersell ; *~ à perte* sell at a loss — *vpr se ~*, [marchandises] sell, be sold ; *se ~ mieux que*, outsell.

vendredi [vɑ̃drədi] *m* Friday ; *~ saint*, Good Friday.

vénéneux, euse [venenø, øz] *adj* poisonous.

vénér|ation [venerasjɔ̃] *f* veneration, reverence (grande admiration) ‖ **~er** *vt* (5) revere, venerate, worship.

veneur [vənœr] *m* huntsman.

vénérien, ienne [venerjɛ̃, jɛn] *adj* venereal.

veng|eance [vɑ̃ʒɑ̃s] *f* vengeance, revenge ; retaliation (représailles) ‖ **~er** *vt* (7) avenge (affront) — *vpr se ~*, avenge/revenge oneself ; *se ~ de qqn*, take revenge on sb, retaliate against sb (*de qqch*, for sth) ‖ **~eur, eresse** [-œr, ərɛs] *adj* revengeful ; avenging.

véniel, ielle [venjɛl] *adj* venial.

ven|imeux, euse [vənimø, øz] *adj* (pr. et fig.) venomous, poisonous || **~in** [-ɛ̃] *m* venom.

venir [vənir] *vi* (101) come || *venez donc !*, come along ! ; *venez me voir*, come and see me || ~ *à l'esprit*, cross one's mind, occur ; *il me vint à l'esprit que*, it occurred to me that || *faire* ~, send for (qqn), call in (le médecin) || *voir* ~, wait and see || *à* ~, (forth) coming, future ; *dans les années à* ~, in after years, in the years to come || *en* ~, come to ; *où voulez-vous en* ~ *?*, what are you after ?, what are you getting at ? ; *en* ~ *aux mains*, come to blows || ~ *de*, have just ; *vient de paraître*, just out.

Venise [vəniz] *f* Venice.

vénitien, ienne [venisjɛ̃, jɛn] *adj/n* Venetian || ~ *store* ~, Venetian blind.

vent [vɑ̃] *m* wind ; *il fait du* ~, it's windy ; *le* ~ *se lève*, the wind is rising || *exposé au* ~, windy ; *balayé par les* ~*s*, windswept || GÉOGR. ~*s alizés*, trade winds || NAUT. *au* ~, windward ; *sous le* ~, leeward || MUS. *instruments à* ~, wind instruments || FIG. *avoir* ~ *de*, get wind of ; *dans le* ~, trendy (robe, jeunes gens) ; in (coll.) [endroit] ; with it (coll.) [comportement] ; *être dans le* ~, be switched on (coll.).

vente [vɑ̃t] *f* sale ; ~ *de charité*, jumble sale, bazaar ; ~ *au comptant/à terme*, cash/credit sale ; ~ *par correspondance*, mail-order ; ~*aux enchères*, auction sale || *en* ~, on sale, obtainable, available (*chez*, from) ; *mettre en* ~, put on sale (produit), put up for sale (maison) ; *mise en* ~, release.

venteux, euse [vɑ̃tø, øz] *adj* windy, wind-swept.

ventil|ateur [vɑ̃tilatœr] *m* (electric) fan || ~**ation** *f* ventilation || ~**er** *vt* (1) ventilate.

ventouse [vɑ̃tuz] *f* ZOOL. sucker.

ventre [vɑ̃tr] *m* stomach ; belly

(coll.) || [langage enfantin] tummy || *à plat* ~, flat on one's face || *avoir mal au* ~, have stomach ache/[enfant] tummy ache.

venu, e [vəny] *n* comer ; *nouveau* ~, newcomer ; *le premier* ~, anyone || ~**e** *f* coming, arrival.

ver [vɛr] *m* worm ; ~ *luisant*, glow-worm ; ~ *à soie*, silkworm ; ~ *de terre*, earthworm || *mangé aux* ~*s*, worm-eaten || MÉD. ~ *solitaire*, tapeworm.

véracité [verasite] *f* truthfulness.

véranda [verɑ̃da] *f* veranda, U.S. porch.

verbal, e, aux [vɛrbal, o] *adj* verbal || ~**ement** *adv* by word of mouth || ~**iser** [-ize] *vi* (1) [agent] ~ *contre qqn*, report sb.

verbe [vɛrb] *m* GRAMM. verb.

verbeux, euse [vɛrbø, øz] *adj* verbose, wordy || ~**iage** [-jaʒ] *m* verbiage.

verd|âtre [vɛrdɑ̃tr] *adj* greenish || ~**eur** *f* [fruits] sharpness ; [vin] acidity || vigour, vitality (vigueur) || crudeness (crudité du langage).

verdict [vɛrdikt] *m* verdict ; *rendre un* ~ *de culpabilité/d'acquittement*, bring in a verdict of guilty/not guilty.

verd|ir [vɛrdir] *vi* (2) grow/turn green || ~**ure** *f* greenery (plantes).

véreux, euse [verø, øz] *adj* wormy, maggoty || FIG. shady.

verger [vɛrʒe] *m* orchard.

vergl|acé, e [vɛrglase] *adj* icy || ~**as** [-ɑ] *m* black ice/frost.

vergogne [vɛrgɔɲ] *f sans* ~, shameless(ly).

véridique [veridik] *adj* truthful.

vérif|icateur, trice [verifikatœr, tris] *n* checker, controller || ~**ication** [-ikasjɔ̃] *f* verification, checking ; audit (des comptes) ; ~ *d'identité*, identity check || ~**ier** *vt* (1) verify, check (upon) ; cross-check (par recoupement) || go over (liste) || audit (comptes) ‖ Aut. ~ *les pressions,* check the air/pressure.

vérin [verɛ̃] *m* jack.

vérit|able [veritabl] *adj* true (ami) ‖ real, genuine (authentique) ‖ **~é** *f* truth ; *dire la ~,* tell the truth ‖ *en ~,* actually (en fait) ; to tell the truth (dire vrai) ‖ Fam. *dire ses quatre ~s à qqn,* give sb a piece of one's mind.

vermeil¹, eille [vɛrmɛj] *adj* ruddy (teint) ; ruby, cherry-red (lèvres).

vermeil² *m* gilded silver.

vermicelle [vɛrmisɛl] *m* Culin. vermicelli.

vermifuge [vɛrmify3] *m* vermifuge.

vermillon [vɛrmijɔ̃] *m* vermilion.

vermine [vɛrmin] *f* vermin.

vermoulu, e [vɛrmuly] *adj* worm-eaten.

vernaculaire [vɛrnakylɛr] *adj* vernacular.

vern|i, e [vɛrni] *adj* varnished ; *souliers ~s,* patent-leather shoes ‖ **~ir** [-ir] *vt* (2) varnish (un tableau) ; polish (du bois, les ongles) ‖ **~is** [-i] *m* varnish ; ~ **à ongles,** nail-polish/varnish ; *mettre du ~ à ongles,* varnish one's nails ; [poterie] glaze ‖ Fig. polish ‖ **~issage** [-isa3] *m* varnishing ‖ Arts preview ‖ **~isser** [-ise] *vt* (1) glaze.

verr|e [vɛr] *m* glass (matière) ; ~ *dépoli,* frosted glass ; ~ *feuilleté,* laminated glass ‖ glass (à boire) ; tumbler (sans pied) ; ~ **à pied,** goblet ; *offrir un ~ à qqn,* stand sb a drink ; *prendre un ~,* have a drink ‖ Méd. *porter des ~s,* wear glasses ; **~s de contact,** contact lenses ‖ **~erie** [-ri] *f* glass-ware (objets) ‖ glassworks (usine) ‖ **~ier** *m* glass-blower ‖ **~ière** [-jɛr] *f* glass-roof.

verr|ou [vɛru] *m* bolt ; *fermer au ~,* lock ‖ Jur. *sous les ~s,* in custody ‖ **~ouiller** [-uje] *vt* (1) bolt.

verrue [vɛry] *f* wart.

vers¹ [vɛr] *m* [poésie] line ‖ *Pl* verse ;

faire des ~, write verse ‖ ~ **blanc/libre,** blank/free verse.

vers² prép [direction] toward(s), to ; [lieu] ~ *Lyon,* somewhere near Lyons ‖ [temps] about ; ~ *deux heures,* about two.

versant [vɛrsɑ̃] *m* slope, side.

versatile [vɛrsatil] *adj* changeable, fickle.

verse (à) [avɛrs] *loc adv* in torrents ; *il pleut à ~,* it's pouring.

versé, e [vɛrse] *adj* (well-)versed (*dans,* in).

Verseau [vɛrso] *m* Astr. Aquarius.

vers|ement [vɛrsəmɑ̃] *m* Fin. payment ; instalment (partiel) ; ~ *symbolique,* token payment ‖ **~er¹** *vt* (1) Fin. pay ; ~ *(un chèque, etc.) à un compte en banque,* pay (a cheque) into a bank account.

verser² *vt* (1) pour (out) [un liquide] ; shed (des larmes, du sang) — *vi* overturn ‖ Aut. ditch.

verset [vɛrsɛ] *m* [Bible, Coran] verse.

version [vɛrsjɔ̃] *f* [traduction] translation ‖ [interprétation, récit] version ‖ Ciné. version ; *en ~ originale,* in the original ; *en ~ française,* dubbed in French.

verso [vɛrso] *m* verso, back, reverse ; *voir au ~,* see overleaf.

vert, e [vɛr, vɛrt] *adj* [couleur] green ‖ [non mûr] unripe, green (fruit) ; sour (raisins) ; green (café) ; green (bois) ‖ Culin. *légumes ~s,* greens ‖ Fig. *avoir la main ~e,* have green fingers ‖ Fam. *donner le feu ~ à qqn,* give sb the green light ● *m* green ‖ **~-de-gris** *m inv* verdigris.

vert|ébral, e, aux [vɛrtebral, o] *adj* vertebral ‖ **~èbre** [-ɛbr] *f* vertebra.

vertical, e, aux [vɛrtikal, o] *adj* vertical, upright ● *f* vertical ; *à la ~e,* vertically ‖ **~ement** *adv* vertically.

vertig|e [vɛrti3] *m* vertigo, giddiness, dizziness ; *avoir le ~,* feel dizzy/giddy ; *donner le ~,* make giddy ‖ Méd. *avoir des ~s,* have dizzy spells, feel giddy ‖ **~ineux, euse** [-inø, øz] *adj* dizzy, breathtaking (hauteur, vitesse).

vertu [vɛrty] *f* virtue ● *loc prép en ~ de,* by virtue of ‖ **~eux, euse** [-ɥø, øz] *adj* virtuous, rigtheous.

verve [vɛrv] *f* verve ; *plein de ~,* lively ; *en ~,* in great form.

vésicule [vezikyl] *f* ~ *biliaire,* gallbladder.

vessie [vɛsi] *f* bladder.

vest|e [vɛst] *f* jacket, coat ; ~ *de sport,* sports-jacket ‖ Fam. *retourner sa ~,* turn one's coat ‖ **~iaire** [-jɛr] *m* Th. cloakroom, U.S. checkroom ; *mettre au ~,* put in the cloakroom, U.S. check (one's coat, etc.) ‖ Sp. ~ *individuel,* locker.

vestibule [vɛstibyl] *m* hall.

vestige [vɛstiʒ] *m* vestige, remnant ‖ *Pl* remains.

veston [vɛstɔ̃] *m* jacket, coat ; *complet ~,* lounge-suit.

Vésuve [vezyv] *m* Vesuvius.

vêtement [vɛtmɑ̃] *m* garment, article of clothing ‖ *Pl* clothes, clothing ; **~s de travail,** working clothes ‖ Comm. **~s de sport/pour hommes,** sports/men's wear.

vétéran [veterɑ̃] *m* Mil. veteran.

vétérinaire [veterinɛr] *adj* veterinary ● *n* veterinary surgeon ; vet (coll.).

vétille [vetij] *f* trifle.

vêtir (se) [səvetir] *vpr* (104) dress.

veto [veto] *m inv* veto ; *opposer son ~,* veto.

vêtu, e [vɛty] → Vêtir (se) ● *adj* clad.

vétuste [vetyst] *adj* time-worn.

veuf, veuve [vœf, vœv] *adj* widowed ● *m* widower ‖ *f* widow.

veule [vøl] *adj* flabby, spineless.

veuv|age [vœvaʒ] *m* widowhood ‖ **~e** *f* → veuf.

vex|ant, e [vɛksɑ̃, ɑ̃t] *adj* annoying,

vexing (contrariant) ‖ **~ation** *f* vexation ‖ **~er** *vt* (1) offend, hurt, upset — *vpr se ~,* take offence (*de,* at) ; get upset.

via [vja] *prép* via.

viaduc [vjadyk] *m* viaduct.

viande [vjɑ̃d] *f* meat.

vibr|ant, e [vibrɑ̃, ɑ̃t] *adj* vibrant, responsive (public) ‖ **~aphone** [-afɔn] *m* vibraphone ; vibes (coll.) ‖ **~ation** *f* vibration ‖ **~er** *vi* (1) vibrate ‖ [voix] quiver ‖ Fig. *faire ~,* stir, thrill (un auditoire) ‖ **~eur** *m* buzzer.

vicaire [vikɛr] *m* curate.

vice-[vis] *préf* vice- ‖ **~-président,** vice-president, deputy chairman.

vice *m* vice ‖ Fig. fault.

vice versa [vis(e)vɛrsa] *loc adv* vice versa.

vici|é, e [visje] *adj* foul, polluted (air) ‖ **~eux, euse** *adj* lecherous, depraved (personne) ; vicious (cheval).

vicissitudes [visisityd] *fpl* ups and downs.

victime [viktim] *f* victim ‖ [journaux] *les ~s de la route,* the toll of the road.

vict|oire [viktwar] *f* victory ; ~ *facile,* walk-over ; *remporter la ~,* win a victory, carry the day ‖ **~orieusement** [-ɔrjøzmɑ̃] *adv* victoriously ‖ **~orieux, ieuse** [-ɔrjø, jøz] *adj* victorious, conquering.

victuailles [viktɥaj] *fpl* provisions.

vidang|e [vidɑ̃ʒ] *f* emptying ‖ [baignoire] *la ~,* the plug (bonde) ‖ Aut. oil-change ‖ **~er** *vt* (7) drain ‖ **~eur** *m* nightman.

vid|e [vid] *adj* empty ‖ unoccupied, vacant (maison) ; bare of furniture (pièce) ‖ Fig. vacant (esprit) ; ~ *de sens,* meaningless ● *m* emptiness ‖ empty space, vacancy ; [du haut d'une falaise, etc.] drop ; *regarder dans le ~,* gaze into space ‖ Techn. vacuum ; *faire le ~,* make a vacuum

‖ Comm. *emballé sous* ~, vacuum-packed ● *loc adv* **à** ~, empty ; Techn. *tourner à* ~, idle, tick over ‖ *les mains* ~**s,** empty-handed ‖ ~**é, e** *adj* Fam. exhausted, played out.

vidéo [video] *f* video ‖ ~**cassette** *f* video-cassette ‖ ~**disque** *m* video-disc ‖ ~**phone** *m* → visiophone.

vide-ordures *m inv* rubbish chute.

vid|er [vide] *vt* (1) empty (out) ‖ drain, empty (un verre) ; ~ *d'un trait,* drink down ‖ drain (une citerne, un étang) ‖ scoop (écoper) ‖ clear out (un tiroir) ‖ knock out (une pipe) ‖ Culin. draw (une volaille) ; gut (un poisson) ‖ Fam. bounce (qqn) ; ~ *une bouteille,* crack a bottle — *vpr* **se** ~, empty ‖ ~**eur** *m* bouncer (de boîte de nuit).

vie [vi] *f* life ; *en* ~, alive, living ; *plein de* ~, alive, lively ; *sans* ~, lifeless ; *avoir la* ~ *dure,* die hard ‖ lifetime (durée) ; *à* ~, *pour la* ~, for life ; *jamais de la* ~, not on your life ‖ living (moyens d'existence) ; *coût de la* ~, cost of living ; *gagner sa* ~, earn one's living ; *mode de* ~, way of life ; *niveau de* ~, standard of living ; *train de* ~, style of living ‖ ~ *privée,* private life, privacy ‖ Fam. *jamais de la* ~ !, not on your life !

vieil [vjɛj] *adj* → vieux ‖ ~**lard** [-ar] *m* old man ‖ ~**le** *f* old woman ‖ ~**lesse** [-ɛs] *f* old age ‖ ~**lir** [-ir] *vi* (2) grow/get old ; age — *vt* ~ *qqn,* make sb look older ‖ ~**lissement** *m* ageing ‖ ~**lot, otte** [-o, ɔt] *adj* oldish ‖ antiquated, quaint.

vierge [vjɛrʒ] *adj/f* virgin ; maid (en) ‖ blank (feuille de papier) ‖ unrecorded, blank (cassette).

Vierge [vjɛrʒ] Astr. Virgo ‖ Rel. *la (Sainte)* ~, the (Blessed) Virgin.

Viêt-nam [vjetnam] *m* VietNam ‖ ~**ien, ienne** *n* Viet-Namese.

vieux [vjø] (**vieil** devant voyelle ou « h » muet), **vieille** [vjɛj] *adj* old ; *se faire* ~, grow old ; *vieille fille,* old maid, spinster ; ~ *garçon,* bachelor ;

~ *jeu,* old-fashioned, fusty, anti-quated ; old-hat, square (coll.) ● *n* old person, old man/woman ; *les* ~, the aged/old/elderly, old people ‖ Fam. *mon* ~, old chap ; *ma vieille,* old girl.

vif, vive¹ [vif, viv] *adj* alive, living ; *brûlé* ~, burnt alive ; *mort ou* ~, dead or alive ‖ Fig. *eau* ~, running water ; *de vive voix,* by word of mouth ● *m* quick ‖ *à* ~, raw (blessure) ‖ *peindre sur le* ~, paint from life ‖ Fig. *le* ~ *du sujet,* the heart of the matter ; *piqué au* ~, stung to the quick.

vif, vive² *adj* [plein de vie] lively, spirited, sprightly ; vivacious (femme)‖ [à l'esprit prompt] sharp, keen, quick-witted ‖ [prompt à s'emporter] brusque ‖ [sensations] bright, vivid (couleur, lumière) ; crisp, keen, nippy (air) ; sharp, biting, bitter (froid) ; sharp (douleur) ‖ [intensif] loud (applaudissements) ; vivid (imagination, impression, souvenir) ; strong (émotion) ; keen (plaisir) ; bitter (critiques) ; *à vive allure,* at a brisk pace.

vigi|e [viʒi] *f* Naut. look-out ‖ ~**lant, e** [-ɑ̃, ɑ̃t] *adj* vigilant, watchful ‖ ~**le** *m* (night) watchman ‖ [auto-défense] U.S. vigilante.

vigne [viɲ] *f* vine (plante) ‖ vineyard (plantation) ‖ ~**ron, onne** [-rɔ̃, ɔn] *n* vine-grower.

vignette [viɲɛt] *f* Arts vignette ‖ Aut. tax disc.

vignoble [viɲɔbl] *m* vineyard.

vigour|eusement [viguʀøzmɑ̃] *adv* vigorously, energetically ; strongly ‖ ~**eux, euse** *adj* vigorous ; strong, sturdy, stalwart.

vigueur [vigœʀ] *f* vigour, strength ‖ Jur. *en* ~, effective, in force ; *entrer en* ~, become operative, take effect, come into force ; *mettre en* ~, enforce.

vil, e [vil] *adj* vile, base (action) ‖ Comm. *à* ~ *prix,* dirt-cheap.

vilain, aine [vilɛ̃, ɛn] *adj* naughty (enfant) ‖ nasty (temps) ‖ ugly (laid).

vilebrequin [vilbrəkɛ̃] *m* TECHN. brace ‖ AUT. crank-shaft.

villa [vil(l)a] *f* (detached) house.

village [vilaʒ] *m* village ‖ ~**ois, e** [·wa, waz] *n* villager.

ville [vil] *f* town ; *(grande)* ~, city ; *en* ~, in town, U.S. downtown.

vin [vɛ̃] *m* wine ; ~ *blanc/rosé/ rouge,* white/rosé/red wine ; ~ *mousseux,* sparkling wine ; ~ *du Rhin,* hock.

vinaigr|e [vinɛgr] *m* vinegar ; *au* ~, pickled (oignons) ‖ ~**ette** *f* vinegar sauce, French dressing ‖ ~**ier** *m* cruet(-stand).

vindicatif, ive [vɛ̃dikatif, iv] *adj* vindictive, revengeful.

vingt [vɛ̃ ; vɛ̃t devant voyelle] *adj* twenty ‖ ~**taine** [·tɛn] *f une* ~, twenty odd, about twenty ; a score *(de,* of) ‖ ~**ième** [·jɛm] *adj* twentieth ‖ ~-**quatre** [vɛ̃tkatr] *adj* twenty-four ; ~ *heures sur* ~, round the clock.

viol [vjɔl] *m* rape ‖ ~**ation** *f* violation ‖ JUR. infringement, transgression ; breach (de la loi) ~ *des droits de l'homme,* abuse of human rights ‖ ~**emment** [·amã] *adv* violently ‖ ~**ence** *f* violence ; aggro (coll.) ; *acte de* ~, outrage, act of violence ; *faire* ~ *à,* do violence to ; *recourir à la* ~, use violence ‖ ~**ent, e** *adj* violent ; *mourir de mort* ~*e,* die a violent death ‖ fiery (tempérament) ‖ rude (choc) ‖ violent, fierce (orage) ‖ MIL. heavy (bombardement) ‖ ~**er** *vt* (1) rape (femme) ‖ FIG. violate (tombe) ; break (traité) ; transgress (loi).

viol|et, ette [vjɔlɛ, ɛt] *adj/m* purple, violet ● *f* BOT. violet.

violeur [vjɔlœr] *m* rapist.

violon [vjɔlɔ̃] *m* violin ; fiddle (coll.) ; *jouer du* ~, play the violin ; [orchestre] *premier* ~, leader ‖ FIG. ~ *d'Ingres,* hobby ‖ ~**celle** [·sɛl] *m* cello ‖ ~**celliste** [·selist] *n* cellist ‖ ~**iste** [·ɔnist] *n* violonist.

vipère [vipɛr] *f* viper, adder.

virage [viraʒ] *m* turning ‖ AUT. bend ; ~ *en épingle à cheveux,* hairpin bend ; *prendre un* ~, take a corner.

vir|ée [vire] *f* FAM. trip ; drive (en voiture) ; *faire une* ~, go for a run/drive ‖ ~**ement** [virmã] *m* FIN. transfer ; ~ *automatique,* standing order ‖ ~**er** *vt* (1) FIN. transfer ‖ FAM. [expulser] sack ; kick out (coll.) ; *se faire* ~, get the sack — *vi* turn ‖ NAUT. swing (round) ; ~ *de bord,* tack (about) ‖ AV. ~ *sur l'aile,* bank ‖ TECHN. [couleur] turn, change ; ~ *au bleu,* turn blue.

virginité [virʒinite] *f* virginity.

virgule [virgyl] *f* GRAMM. comma ; *point-* ~, semi-colon ‖ MATH. (decimal) point.

viril, e [viril] *adj* virile, manly ‖ ~**ité** *f* virility ‖ manhood.

virtuel, elle [virtɥɛl] *adj* virtual ‖ ~**lement** *adv* virtually, to all intents and purposes.

virtuos|e [virtɥoz] *n* virtuoso ‖ ~**ité** *f* virtuosity.

virulent, e [virylɑ̃, ɑ̃t] *adj* virulent ; scathing (critique).

virus [virys] *m* virus.

vis [vis] *f* screw ; ~*sans fin,* worm.

visa [viza] *m* [passeport] visa ; stamp.

visag|e [vizaʒ] *m* face ‖ ~**iste** [·ʒist] *n* beautician.

vis-à-vis [vizavi] *loc adv* opposite ‖ FIG. ~ *de,* towards.

vis|ée [vize] *f* aiming ‖ ~**er¹** *vi/vt* (1) [arme à feu] aim ; take sight ‖ FIG. concern (concerner) ; ~ *à,* aim at/for.

viser² *vt* (1) visa (un passeport).

viseur [vizœr]] *m* PHOT. viewfinder.

visi|bilité [vizibilite] *f* visibility ‖ AV. *vol sans* ~, blind flying ‖ ~**ble** *adj* visible ; ~ *à l'œil nu,* visible to the naked eye ‖ FIG. obvious (évident) ‖ ~**blement** adv visibly ‖ Fig. obviously.

visière [vizjɛr] f [casquette] peak ; eyeshade ‖ Aut. sun-visor.

visi|on [vizjɔ̃] f vision, (eye-)sight (faculté) ‖ sight (fait de voir) ‖ Fig. vision ‖ ~**onnaire** [-ɔnɛr] adj/n visionary ‖ ~**onner** vt (1) view ‖ ~**onneuse** [-ɔnøz] f viewer.

visiophone [vizjɔfɔn] m picture phone.

visite [vizit] f visit, call (chez, at) ; courte ~, look-in ; **rendre ~ à qqn,** call on sb, pay sb a visit ; ~ (personne) ‖ ~ **des curiosités (d'une ville),** sightseeing ; ~ **guidée,** conducted tour ‖ Méd. ~ **médicale,** medical (examination) ‖ Jur. examination (par la douane) ‖ ~**er** vt (1) visit (qqn) ‖ have a look round (un lieu) ; look over, view (une maison) ; **faire ~ une maison à qqn,** show sb over a house, show sb round ‖ look round (une ville) ; ~ **les monuments,** see the sights ‖ visit, tour (un pays) ‖ Méd. visit, attend ‖ Jur. [douane] inspect, go through, search (fouiller) ‖ Comm. canvass ‖ ~**eur, euse** n caller, visitor ‖ Comm. representative ‖ Sp. **équipe des ~s,** away team.

vison [vizɔ̃] m mink ; **manteau de ~,** mink coat.

visqueux, euse [viskø, øz] adj viscous, sticky.

visser [vise] vt (1) screw on (un écrou) ; screw in (une vis) ; ~ **à bloc,** screw tight ; vissé sur sa chaise, sit glued to one's chair — vpr se ~, screw on/in.

visuel, elle [vizɥɛl] adj visual ● m Inf. display.

vital, e, aux [vital, o] adj vital ‖ ~**ité** f vitality.

vitamine [vitamin] f vitamin.

vit|e [vit] adv fast, quickly swiftly ; faites ~ !, hurry up ! ; look sharp ! ‖ ~**esse** [-ɛs] f speed ; à toute ~, at full speed ; prendre de la ~, pick up (speed) ‖ ~ **acquise,** momentum ;

~ **de croisière,** cruising speed ‖ Aut. gear ; **changer de ~,** change gear ; première ~, first gear ; dépasser la ~ permise, be speeding ; à quelle ~ allons-nous ?, how fast/what speed are we going ? ‖ Av. **(se) mettre en perte de ~,** stall ; perte de ~, stalling.

viti|cole [vitikɔl] adj wine (-growing) ‖ ~**culteur, trice** n wine grower ‖ ~**culture** f wine growing.

vitrage [vitraʒ] m glazing ; mettre un double ~, double-glaze.

vitrail, aux [vitraj, o] m stained glass window.

vitr|e [vitr] f (window) pane ‖ Aut. ~ **de sécurité,** splinterproof glass ‖ ~**er** vt (1) glaze, fit with glass ‖ ~**eux, euse** adj glassy (yeux) ‖ ~**ier** [-ije] m glazier ‖ ~**ifier** [-ifje] vt (1) vitrify ‖ ~**ine** [-in] f shop-window ; show-case.

vitupérer [vitypere] vt (1) rant and rave against ; ~ (contre), inveigh against, rail at.

viv|able [vivabl] adj fit to live in (maison) ; il n'est pas ~, he's impossible to live with ‖ ~**ant, e** [vivã, ãt] adj living, alive ‖ Fig. lively (animé) ; vivid (description) ; lifelike (ressemblant) ● m living being ; les ~s et les morts, the living and the dead ; Rel. the quick and the dead ‖ bon ~, jovial person ‖ **de son ~,** in his lifetime, while he/she was alive.

vivac|e [vivas] Bot. hardy, perennial ‖ ~**ité** f vivacity ; quickness ‖ readiness (d'esprit).

vivats [viva] mpl cheers.

vive [viv] interj ~ **la reine !,** long live the Queen !, hurrah for the Queen !

vivement [vivmã] adv quickly, briskly ; sharply (brusquement) ‖ Fig. keenly ; deeply ; warmly (chaleureusement) ‖ Fam. ~ **l'été,** roll on summer !

vivifi|ant, e [vivifjã, ãt] adj bracing, invigorating, exhilarating (climat) ‖ ~**er** vt (1) brace, invigorate.

vivoter [vivɔte] vi (1) FAM. rub along, scrape along.

vivre [vivr] vi (105) [exister] live, be alive || [habiter] live ; ~ à Paris, live in Paris ; [subsister] live on ; ~ de fruits/ses revenus, live on fruit/one's private income ; travailler pour ~, work for a living ; ~ au jour le jour, live from hand to mouth ; ~ aux crochets de qqn, sponge on sb || ~ selon, live up to (ses principes) || faire ~, maintain, support (sa famille) || MIL. qui vive ?, who goes there ? || FIG. last (survivre) — vt live ; ~ sa vie, live one's life ● m le ~ et le couvert, bed and board || Pl supplies, provisions || MIL. supplies, rations ; ~ de réserve, emergency rations.

vlan ! [vlɑ̃] excl wham !, bang !

vocabulaire [vɔkabylɛr] m vocabulary.

vocal, e, aux [vɔkal, o] adj vocal.

vocation [vɔkasjɔ̃] f vocation, call(ing).

vociférer [vɔsifere] vt (5) shout angrily.

vœu, œux [vø] m wish (souhait) ; faire un ~, make a wish ; meilleurs ~x !, best wishes ! || REL. vow ; prononcer ses ~x, take one's vows ; faire ~ de, make a vow of.

vogue [vɔg] f vogue, fashion ; en ~, in vogue, popular ; c'est la grande ~, it's all the rage/vogue.

voici [vwasi] prép here is/are ; le ~, here he is ; nous ~ arrivés, here we are ; ~ mon livre, voilà le sien, this is my book, that is his || ~ !, here you are ! (en remettant un objet demandé) || [temps] ~ dix ans que je ne l'ai vu, I haven't seen him for (the past) ten years.

voie [vwa] f [chemin] way || [partie d'une route] lane || la ~ rapide, the fast lane ; ~ unique, single-lane road ; route à quatre ~s, dual carriageway ; ~ d'accès, access road ; ~ de dégagement, relief road ; ~ express, U.S. speedway ; ~ navigable, wa-

terway || RAIL. ~ (ferrée), (railway) track ; à ~ étroite, narrow gauge ; à ~ unique, singletrack ; ~ de garage, siding || NAUT. ~ d'eau, leak ; faire une ~ d'eau, spring a leak || JUR. ~s de fait, assault and battery || ASTR. la Voie lactée, the Milky Way || FIG. sur la bonne ~, on the right track ; être en bonne ~, be doing well || FIG. par la ~ hiérarchique, through official channels ● loc en ~ de, in (the) process of ; en ~ d'achèvement, nearing completion || [transports] par ~ de terre, overland.

voilà [vwala] prép there is/are ; le ~ qui vient !, there he comes || ~ !, there you are ! (en remettant un objet demandé) || [temps] → VOICI || FAM. ~ !, j'arrive, here I come ; et ~, so that's that.

voilage [vwalaʒ] m window-curtain.

voile¹ [vwal] f NAUT. sail ; grand-~, main-sail ; faire ~, sail ; mettre à la ~, set sail (vers, for) ; à la ~, under sail (vers, for) || SP. sailing ; faire de la ~, go sailing.

voil|e² m TECHN. buckle || ~é, e adj buckled (roue) ; warped (planche) || ~er (se) vpr (1) [roue] buckle ; [planche] warp.

voil|e³ m veil || PHOT. fog || MÉD. mist (devant les yeux) || REL. prendre le ~, take the veil || FIG. screen ; pall (de fumée) || ~é, e adj hazy (temps) ; dim (regard) || PHOT. fogged || FIG. covert || ~er vt (1) veil (le visage) || dim (la lumière) ; hide (des étoiles) || PHOT. fog || FIG. cloak, mask (ses intentions) — vpr se ~, [ciel] cloud over || ~ette f (hat-)veil.

voil|ier [vwalje] m sailing-boat || ~ure [-yr] f NAUT. sails.

voir [vwar] vi/vt (106) see (percevoir) ; faire/laisser ~, show || watch (observer) || witness (être témoin de) || examine (examiner) || meet (rencontrer) || [recevoir, rendre visite] see ; venez me ~, come and see me ; aller ~ qqn, go and see sb, visit sb ; passer ~ qqn, come round and see sb ‖ [examiner] look at ‖ [découvrir] see, find ‖ [imaginer] see, imagine ‖ [comprendre, juger] see ‖ *se faire bien/mal ~ de qqn,* get into sb's good/bad books ; ~ *venir,* wait and see ; *on verra bien,* we'll see ; *voyons (un peu),* let me see ; *je verrai ça,* I'll see about it ; *en faire ~ à qqn,* play sb up ; *en faire ~ de dures à qqn,* make it hot for sb ; *n'avoir rien à ~ avec,* have nothing to do with — *vpr se* ~, [être visible] show ; *ça se voit,* it's obvious ; FAM. *va te faire ~ !,* get lost ! ; *se ~ forcé de,* find oneself forced to — *v récipr* see each other.

vois|in, e [vwazɛ̃, in] *adj* neighbouring ; next (door), nearby (tout proche) ‖ FIG. similar (semblable) ; akin, related (apparenté) ● *n* neighbour ‖ ~**inage** [-inaʒ] *m* neighbourhood ‖ vicinity (proximité) ; *entretenir des relations de bon ~ avec,* be on neighbourly terms with.

voiture [vwatyr] *f* carriage, vehicle ; ~ *à bras,* hand-cart, barrow ; ~ *à cheval,* cart ; ~ *d'enfant,* baby carriage, pram (fam.) ; ~ *des quatre-saisons,* apple-cart ‖ AUT. car ; ~ *de la Belle Époque,* veteran car ; ~ *de course,* racing car ; ~ *décapotable,* convertible ; ~ *de livraison,* delivery van ; ~ *pie,* panda car ; ~ *de police,* patrol car, Z-car ; ~ *de sport,* sports-car ; ~ *de tourisme,* touring car ; *aller en* ~, motor, drive ‖ RAIL. carriage, coach, U.S. car ; ~*-lit,* sleeping-car, sleeper ; ~*-restaurant,* dining-car, U.S. diner ; *en* ~ *!,* all aboard !

voix¹ [vwa] *f* voice ; *à* ~ *basse,* in a low voice ; *à* ~ *haute,* aloud, in a loud voice ; *rester sans* ~, be speechless ‖ CIN., RAD. ~ *hors champ,* voice over ‖ GRAMM. voice.

voix² *f* JUR. vote ; *mettre aux* ~, put to the vote ; ~ *prépondérante,* deciding vote.

vol¹ [vɔl] *m* [oiseau] flight, flying ; *au* ~, on the wing ; *en plein* ~, in flight ; *prendre son* ~, take wing ; flight, flock (groupe) ; covey (de perdrix) ‖ AV. flight ; ~ *sans escale,*

non-stop flight ; ~ *direct/intérieur,* through/domestic flight ; ~ *de nuit,* night flight ; ~ *plané,* glide ; SP. ~ *libre,* hang-gliding ; *faire du* ~ *libre,* hang-glide, go hang-gliding ; ~ *à voile,* gliding ● *loc à* ~ *d'oiseau,* as the crow flies ; *vue à* ~ *d'oiseau,* bird's-eye view.

vol² *m* [délit] theft ; thieving, stealing, robbery (action) ; ~ *à l'arraché,* bagsnatch ; ~ *à l'américaine,* confidence trick ; ~ *à l'étalage,* shoplifting ; ~ *à main armée,* armed robbery ; ~ *à la tire,* pocket-picking.

volage [vɔlaʒ] *adj* fickle, flighty.

volaille [vɔlaj] *f* poultry (collectif) ; *une* ~, a fowl ; *marchand de* ~, poulterer.

volant¹, e [vɔlɑ̃, ɑ̃t] *adj* flying (poisson) ‖ AV. *personnel* ~, flight staff.

volant² *m* TECHN. fly-wheel ‖ AUT. steering-wheel ‖ SP. shuttlecock ‖ FIG. reserve, margin.

volant³ *m* [bande de tissu] flounce ; *robe à* ~*s,* flounced dress.

volatiliser (se) [sǝvɔlatilize] *vpr* (1) volatilize ‖ FIG. disappear, vanish into thin air.

volc|an [vɔlkɑ̃] *m* volcano ; ~ *en activité/éteint,* active/extinct volcano ‖ ~**anique** [-anik] *adj* volcanic ‖ ~**anologue** [-anɔlɔg] *n* vulcanologist.

volée¹ [vɔle] *f* volley (de coups, de flèches, etc.) ‖ thrashing, hiding (correction).

volée² *f* [tennis] volley ; *à la* ~, on the volley ; *renvoyer à la* ~, volley.

volée³ *f* ~ *d'escalier,* flight of stairs.

voler [vɔle] *vi* (1) [oiseau] fly ‖ ~ *en éclats,* fly into pieces ‖ AV. fly ; *faire* ~, fly (un cerf-volant) ‖ FIG. ~ *de ses propres ailes,* fend for oneself.

voler² *vt* (1) [délit] steal (qqch) ; rob (qqn) ; ~ *qqch à qqn,* steal sth from sb, rob sb of sth ; cheat ; con (sl.)

[escroquer] || FAM. *tu ne l'as pas volé !*, you asked for it !

volet [vɔlɛ] *m* [fenêtre] shutter || [questionnaire] part, section || Av. flap || FIG. *trié sur le ~*, hand-picked.

voleter [vɔlte] *vi* (8 *a*) flit, flutter.

voleur, euse [vɔlœr, øz] *n* thief ; robber (avec agression) ; burglar (cambrioleur) ; *~ à l'étalage*, shoplifter ; *~ à la tire*, pickpocket ; *au ~ !*, stop thief !

volière [vɔljɛr] *f* aviary.

volley|**-ball** [vɔlebol] *m* volley-ball || *~eur, euse* [-jœr, øz] *n* volley-ball player || [au tennis] volleyer.

volont|**aire** [vɔlɔ̃tɛr] *adj* voluntary, intentional || wilful determined (déterminé) ● *n* volunteer ; *s'engager comme/se porter ~*, volunteer || *~airement* *adv* voluntarily || wilfully, deliberately (exprès).

volont|**é** *f* [faculté] will ; will-power (énergie) ; *bonne ~*, goodwill ; *mauvaise ~*, unwillingness ; *de sa propre ~*, of one's own free will || *Pl* whims (caprices) ; *dernières ~s*, last wishes || *loc adv à ~*, at will, at discretion || *~iers* [-je] *adv* willingly, gladly, readily, with pleasure.

volt [vɔlt] *m* volt ; *fonctionner en 220 ~ s*, work on 220 volts || *~age* *m* voltage.

volte-face [vɔltəfas] *f inv* about-face ; *faire ~*, swing round ; FIG. do an about-face.

voltiger [vɔltiʒe] *vt* (7) flit/flutter (about).

voltmètre [vɔltmɛtr] *m* voltmeter.

volubilis [vɔlybilis] *m* convolvulus, morning glory.

volume[1] [vɔlym] *m* volume (livre).

volum|**e**[2] *m* volume ; *faire du ~*, be bulky, take up space || [son] volume || *~ineux, euse* [-inø, øz] *adj* voluminous, bulky, large.

volupt|**é** [vɔlypte] *f* sensual delight, pleasure || *~ueux, euse* [-ɥø, øz] *adj* voluptuous, sensual || *~ueusement* *adv* voluptuously.

volute [vɔlyt] *f* wisp, wreath (de fumée).

vom|**ir** [vɔmir] *vt* (2) vomit, be sick, bring up ; *avoir envie de ~*, feel sick || FIG. belch out (flammes, fumée) || *~issement* *m* vomiting || *~issure* *f* vomit.

vont [vɔ̃] → ALLER.

vorac|**e** [vɔras] *adj* ravenous, greedy.

votant, e [vɔtɑ̃, ɑ̃t] *n* voter.

vot|**e** [vɔt] *m* vote ; *droit de ~*, franchise ; *bulletin de ~*, ballot (-paper) ; *bureau de ~*, polling-station, polls || [Parlement] division ; *~ de confiance*, vote of confidence || *~er* *vi* (1) vote ; cast one's vote || [Parlement britannique] divide (*sur*, on) ; *faire ~ la Chambre*, divide the House || *~ à mains levées*, take a show of hands — *vt* vote (des crédits) ; pass (une loi).

votre, vos [vɔtr, vo], *adj poss* your.

vôtre [votr] *adj sincèrement ~*, yours truly ● *pron poss le/la ~, les ~s*, yours || FAM. *à la ~*, cheers !

vou|**é, e** [vwe] *adj* fated, doomed (à l'échec) || *~er* *vt* (1) dedicate, devote (sa vie) [*à*, to] — *vpr se ~*, devote oneself (*à*, to).

voul|**oir** [vulwar] *vt* (107) [sens fort] want ; *je veux le faire*, I want to do it ; *je veux qu'il le fasse*, I want him to do it ; *~ qqch*, want sth || [sens faible] wish ; *~ du bien/mal à qqn*, wish sb well/ill ; *je veux bien*, I don't mind ; *voulez-vous (prendre) une tasse de thé ?*, would you like (to drink) a cup of tea ? ; *partons, voulez-vous ?*, let's go, shall we ? || intend, mean (avoir l'intention de) ; *sans le ~*, unwittingly, without meaning to || try (essayer) ; *il voulut me frapper*, he tried to hit me || like (aimer) ; *comme vous voudrez*, as you like ; *si vous voulez*, if you like || *en ~ à qqn*, bear sb a grudge || *~ dire*, mean ● *m* *bon/mauvais* ~, goodwill, ill will ‖ ~**u, e** [-y] *adj* deliberate, intentional ; wilful.

vous [vu] *pron pers* [sujet et complément] you ; [complément indirect] *à* ~, to you ; *c'est à* ~ *de*, it's up to you to ; *à* ~, yours (possession) ; *ce livre est à* ~, that book is yours ‖ ~ *autres*, you (emphatic) ‖ ~-*même(s)*, yourself (-selves) ‖ RAD. *à* ~ *!*, over (to you !)

voût|e [vut] *f* ARCH. vault, arch(way) ‖ ANAT. ~ *plantaire*, arch of the foot ‖ FIG. ~ *céleste*, vault of heaven ‖ ~ *adj* MÉD. stooping, round (épaules) ‖ ~**er** *vt* (1) cover with an arch — *vpr se* ~, stoop, get round-shouldered.

vouv|oiement [vuvwamã] *m* use of the (formal) « vous » form ‖ ~**oyer** *vt* (9) address as « vous », use the formal « vous » form with.

voyag|e [vwajaʒ] *m* journey, trip ; *en* ~, on a journey ; *partir en* ~, take a trip, go on a journey/tour/trip ; *faire un* ~, make a journey ; *faire un long et pénible* ~, trek ; *un* ~ *à Rome*, a visit to Rome ; ~ *organisé*, package tour ; ~ *de noces*, honeymoon ‖ [course] trip ‖ *Pl* travel(s) ‖ [souhait] *bon* ~ *!*, have a safe journey ‖ NAUT. voyage ; *premier* ~, maiden voyage (d'un bateau) ‖ ~**er** *vi* (7) travel ; journey ; go places, go about (coll.) ; ~ *en voiture/avion*, travel by car/plane ; ~ *en première classe/par le train*, travel first class/by train ‖ ~**eur, euse** *n* traveller ‖ [bateau, car, train] passenger ‖ ~ *(de banlieue)* commuter ‖ AV. ~ *sans réservation*, stand-by ‖ COMM. ~ *de commerce*, commercial traveller ‖ ~**iste** *m* tour operator.

voyant, e [vwajã, ãt] *adj* flashy, showy ; garish (couleurs) ● *n* seer (prophète) ; clairvoyant (extralucide) ● *m* (signal) light ; ~ *luminmeux*, warning light.

voyelle [vwajɛl] *f* vowel.

voyeur, euse [vwajœr, øz] *n* peeping Tom, voyeur.

voyou [vwaju] *m* hooligan ‖ mobster, roughneck ; thug (casseur).

vrac (en) [ãvrak] *loc adv* in bulk ; loose.

vrai, e [vrɛ] *adj* true ‖ [intensif] real ; regular (coll.) ‖ genuine (authentique) ● *m* truth ; *le* ~ *de l'affaire*, the truth of the matter ; *être dans le* ~, be right ; *distinguer le* ~ *du faux*, tell the difference between truth and falsehood ● *loc adv* à ~ *dire*, à *dire* ~, to tell the truth, as a matter of fact ‖ ~*ment adv* really, truly ; ~ *?*, is that so ?, really ? ‖ ~*semblable adj* likely, probable ‖ ~*semblablement adv* in all likelihood, presumably, very likely ‖ ~*semblance f* verisimilitude ; *selon toute* ~, in all probability.

vrille [vrij] *f* TECHN. gimlet ‖ BOT. tendril ‖ AV. tail-spin ; *descendre en* ~, spiral down, come down in a spin ; *se mettre en* ~, go into a tail-spin.

vromb|ir [vrɔ̃bir] *vi* (2) [avion] hum ; [moteur] throb ; [hélice] whir ; [insecte] buzz ‖ ~*issement m* hum ; throb ; whir.

vu, e [vy] *adj* considered ; *être bien* ~, be well thought of ; *mal* ~, poorly thought of ● *prép* considering, owing to ● *loc conj* ~ *que*, seeing that ● *m au* ~ *de tous*, openly ; *au* ~ *et au su de tous*, to everybody's knowledge.

vue [vy] *f* [sens] (eye)sight ; *à la* ~ *basse*, short-sighted ; *avoir mauvaise* ~, have poor sight ‖ [observation] sight ; *connaître qqn de* ~, know sb by sight ; *à première* ~, at first sight, on the face of it ; *à* ~ *d'œil*, visibly ; *en* ~, in sight ; *hors de* ~, out of sight ; *à perte de* ~, as far as the eye can reach ; *perdre de* ~, lose sight of ; *ne pas perdre de* ~, keep in view/sight ; *mettre en* ~, show up (qqch) ‖ [spectacle] sight ‖ [panorama] view, prospect, vista ; ~ *générale*, survey, bird's eye view ; *avoir* ~ *sur*, overlook ‖ *Pl* view, designs ‖ ARTS view (tableau)

COMM. *à* ~, at sight ‖ FIG. *bien en* ~, prominent (personne) ; *être très en* ~, be in the public eye ‖ FIG. *à courte* ~, shortsighted ‖ FAM. *à ~ de nez,* at a rough estimate ● *loc prép en ~ de,* in order to, with a view to.

vulcanologue [vylkanɔlɔg] = VOL-CANOLOGUE.

vulg|aire [vylgɛr] *adj* common (courant) ‖ low, coarse, vulgar (grossier) ‖ ~**arisation** [-arizasjɔ̃] *f* popularization ; *ouvrage de ~,* popularizing work ‖ ~**ariser** [-arize] *vt* (1) popularize (ouvrage) ‖ ~**arité** *f* vulgarity.

vulnérable [vylnerabl] *adj* vulnerable ‖ [bridge] vulnerable.

W

w [dublǝve] *m* w.

wag|on [vagɔ̃] *m* ~ *(de voyageurs),* carriage, coach, U.S. passenger car ; ~ *à bestiaux,* cattle truck/wagon ; ~*-citerne,* tanker ; ~ *frigorifique,* refrigerated van ; ~*-lit,* sleeping-car, sleeper ; ~ *de marchandises,* (goods) waggon, U.S. freight-car ; truck (plateforme) ; ~ *panoramique,* observation-car ; ~*-poste,* mail van ; ~*-restaurant,* restaurant/dining car, U.S. diner ‖ ~**onnet** [-ɔne] *m* small waggon.

Walkman [wɔkman] *m* N.D. Walkman (T.N.).

Wallon, onne [walɔ̃, ɔn] *n* Walloon.

water-closet(s) [watɛrklɔzet] (FAM. **waters, w.-c.)** *m (pl)* toilet, lavatory ; loo (coll.).

water-polo [watɛrpɔlo] *m* water polo.

watt [wat] *m* watt ; *une ampoule de 40 ~s,* a 40-watt bulb.

w.-c. [dublǝvese ; fam. vese] *mpl* → WATER-CLOSET(s).

week-end [wikɛnd] *m* week-end ; *partir en ~,* go away for the week-end.

western [wɛstɛrn] *m* CIN. western.

whisky [wiski] *m* (*pl* -s, -ies) whisky ; (U.S., Irlande) whiskey.

X

x [iks] *m* x ‖ Méd., Phys. *rayons X,* X-rays ‖ Jur. *plainte contre X,* action against person(s) unknown ‖ Fam. *ça fait ~ temps que je ne l'ai pas vu,* it's ages since I saw her ; *je lui ai dit ~ fois,* I've told him umpteen times.

xénophob|e [ksenɔfɔb]] *n* xenophobe ‖ **~ie** *f* xenophobia.

Xérès [keres, gzeres] *m* sherry.

xylophone [ksilɔfɔn] *m* xylophone.

Y

y [igrɛk] *m* y.

y [i] *adv* [lieu] there ; *j'~ suis allé,* I went there ; *il ~ a,* there is/are ‖ → Avoir ● *pron* it ; *pensez-~,* think about it ; *il ~ travaille,* he is at it ‖ [personne], him, her, them ; *ne vous ~ fiez pas,* don't trust him ‖ *s'~ attendre,* expect it ; *~ être pour qqch,* have sth to do with it.

yacht [jak(t) ou jɔt] *m* yacht ‖ **~ing** [·iŋ] *m* yachting, sailing ‖ **~man** [·man] *m* yachtsman.

yaourt [jaurt] *m* yog(h)urt ‖ **~ière** [·tjɛr] *f* yoghurt-maker.

yeux [jø] *mpl* → Œil.

yiddish [(j)idiʃ] *adj/m* Yiddish.

yog|a [jɔga] *m* yoga ; *faire du ~,* do yoga ‖ **~i** [·i] *n* yogi.

yoghourt [jɔgur(t)] = Yaourt.

yole [jɔl] *f* skiff.

yougoslave [jugoslav] *adj* Yugoslav(ian).

Yougoslav|e *n* Yugoslav ‖ **~ie** [·i] *f* Yugoslavia.

youyou [juju] *m* dinghy, dingey.

Z

z [zɛd] *m* z.

Zaïre [zair] *m* Zaire ‖ ~**ois, e** [-wa, waz] *n* Zairean.

zaïrois, e *adj* Zairean.

Zamb|ie [zãbi] *f* Zambia ‖ ~**ien, ienne** [-jɛ̃, ɛn] *n* Zambian.

zambien, ienne *adj* Zambian.

zapper [zape] *vi* FAM. (= faire *du zapping*) channelhop ; zap over (coll.).

zèbre [zɛbr] *m* zebra ‖ FAM. bloke, guy (coll.) [individu] ; *un drôle de ~*, a queer fish ‖ FAM. *courir /filer comme un ~*, run like the wind.

zébr|er [zebre] *vt* (1) stripe, streak ; *tissu bleu zébré de blanc*, blue material striped with white/with white stripes ; *des éclairs zébraient le ciel*, the sky was streaked with lightning flashes ‖ ~**ure** *f* stripe (rayure) ; weal, welt (marque de coup).

zébu [zeby] *m* zebu.

zèle [zɛl] *m* zeal, ardour ; earnestness ; *faire du ~*, be over-zealous → GRÈVE.

zélé, e [zele] *adj* zealous, officious.

zénith [zenit] *m* zenith ; *le soleil est au/à son ~*, the sun's at its zenith ‖ FIG. height, peak, zenith ; *être au ~ de sa gloire*, be at the peak of one's fame.

zéro [zero] *m* zero, naught, nought, cipher ; *10 degrés au-dessous de ~*, 10

degrees of frost/below zero ; [devoir] *j'ai eu ~*, I got nought ‖ TÉL. O ‖ SP. [football] nil ; *gagner par trois buts à ~*, win by three goals to nil, win three-nil ; *~ à ~ à la mi-temps*, no score at half time ; [tennis] *30 à ~*, 30 love ; *mener par 2 jeux à ~*, lead by 2 games to love ‖ FIG. nonentity (personne) ; *partir de ~*, start from scratch ; *réduire à ~*, reduce to nothing ‖ FAM. *~ pour moi !*, no way ! ‖ POP. *les avoir à ~*, be scared stiff (coll.).

zeste [zɛst] *m* peel, twist (citron, orange) ; *un ~ de citron*, a piece/strip of lemon.

zéza|iement [zezemã] *m* lisp ‖ ~**yer** [-zeje] *vi* (9 *b*) lisp.

zibeline [ziblin] *f* sable ; *manteau de ~*, sable coat.

zigouiller [ziguje] *vt* (1) FAM. *~ qqn*, do sb in (coll.).

zigza|g [zigzag] *m* zigzag ; *faire des ~s*, zigzag (along) ‖ ~**guer** [-ge] *vi* (1) zigzag (along).

Zimbab|we [zimbabwe] *m* Zimbabwe ‖ ~**wéen, enne** [-weɛ̃, weɛn] *n* Zimbabwean.

zimbabwéen, enne *adj* Zimbabwean.

zinc [zɛ̃g] *m* zinc ; *toit en ~*, zinc roof ‖ FAM. [bar] counter ‖ FAM. [avion] plane, crate.

zinzin [zɛ̃zɛ̃] *adj* FAM. barmy, nuts (coll.) ● *m* thingummy(jig) [coll.].

zizanie [zizani] *f* ill-feeling ; *semer la ~,* stir up trouble ; *semer la ~ dans un couple,* stir up ill-feeling in a couple.

zizi [zizi] *m* FAM. willy (coll.).

zodiaque [zɔdjak] *m* zodiac ; → SIGNE.

zona [zɔna] *m* shingles.

zone [zon] *f* zone, area ; *~ franc,* franc area ; *~ industrielle,* industrial estate ∥ [ville] *~ bleue,* restricted parking area ; *la ~,* the slum area ∥ GÉOGR. belt ∥ FIG. *de seconde ~,* second-rate.

zoo [zoo] *m* zoo ∥ *~* **logie** [-lɔʒi] *f* zoology ∥ *~* **logique** [-lɔʒik] *adj* zoological ∥ *~* **logiste** [-lɔʒist] *n* zoologist.

zoom [zum] *m* PHOT., CIN. zoom lens ; *faire un ~ avant/arrière,* zoom in/out.

zouave [swav] *m* FAM. bloke (coll.) ∥ FAM. *faire le ~,* play the fool, act the goat.

zozoter [zɔzɔte] *vi* (1) FAM. = ZÉZAYER.

zut ! [zyt] *interj* FAM. dash it !

LOCUTIONS ET PROVERBES FRANÇAIS

LOCUTIONS ET PROVERBES ANGLAIS ÉQUIVALENTS

À beau mentir qui vient de loin	Long ways, long lies
À bon chat, bon rat	Tit for tat
À bon entendeur, salut	A word to the wise is enough
À bon vin, point d'enseigne	Good wine needs no bush
À brebis tondue, Dieu mesure le vent	God tempers the wind to the shorn lamb
À chacun son métier	Every man to his own trade
À chaque jour suffit sa peine	Sufficient unto the day is the evil thereof
À tout oiseau, son nid est beau	There is no place like home
À cheval donné, on ne regarde pas la bride	Never look a gift horse in the mouth
À d'autres !	Tell that to the (horse) marines!
À l'œuvre on connaît l'ouvrier	A carpenter is known by his chips
À malin, malin et demi	Two can play at that game
À quelque chose, malheur est bon	It's an ill wind that blows nobody any good
À vol d'oiseau	As the crow flies
Acheter chat en poche	To buy a pig in a poke
Advienne que pourra !	Come what may!
Aide-toi, le Ciel t'aidera	God helps those who help themselves
Appeler un chat un chat	To call a spade a spade
Apporter de l'eau au moulin	To bring grist to the mill
Après la pluie, le beau temps	Every cloud has a silver lining
Arriver après la bataille	To come a day after the fair
Arriver dans un fauteuil	To win hands down
Au besoin, on connaît l'ami	A friend in need is a friend indeed
Au royaume des aveugles, les borgnes sont rois	In the land of the blind, the one-eyed man is king

Aussitôt dit, aussitôt fait	No sooner said than done
Autant de têtes, autant d'avis	So many heads, so many minds
Avoir bon pied, bon œil	To be as fit as a fiddle
Avoir d'autres chats à fouetter	To have other fish to fry
Avoir des fourmis dans les jambes	To have pins and needles in one's legs
Avoir du pain sur la planche	To have a lot on one's plate
Avoir la partie belle	To be sitting pretty
Avoir la puce à l'oreille	To smell a rat
Avoir l'âme chevillée au corps	To have nine lives
Avoir le bras long	To have a long arm
Avoir le champ libre	To have a clear field
Avoir les coudées franches	To have elbow room
Avoir les doigts crochus	To have an itchy palm
Avoir les yeux plus grands que le ventre	To bite off more than one can chew
Avoir plus d'une corde à son arc	To have more than one string to one's bow
Avoir un chat dans la gorge	To have a frog in one's throat
Avoir un poil dans la main	To be bone idle
Avoir une araignée au plafond	To have bats in the belfry
Avoir une dent contre quelqu'un	To bear a grudge against someone

B

Baisser les bras	To throw in the towel
Balayer devant sa porte	To put one's own house in order
Bâtir des châteaux en Espagne	To build castles in the air
Battre froid à quelqu'un	To cold-shoulder someone
Beaucoup de bruit pour rien	Much ado about nothing
Beaucoup d'eau est passée sous les ponts	A lot of water has passed under the bridge
Bien faire et laisser dire	Do right and fear no man
Bien mal acquis ne profite jamais	Ill-gotten gains seldom prosper
Bille en tête	Like a bull at a gate
Boire le calice jusqu'à la lie	To drain the cup of bitterness
Bon à tout, bon à rien	Jack of all trades and master of none
Bon chien chasse de race	A well-bred dog hunts by nature
Bon sang ne saurait mentir	Blood will out
Brûler ses dernières cartouches	To play one's last card

Ça ne casse pas trois pattes à un canard	It's nothing to write home about
Ce n'est pas à un vieux singe qu'on apprend à faire la grimace	You can't teach your grandmother to suck eggs
Ce qui vient de la flûte s'en va par le tambour	Easy come, easy go
Ce qu'on perd d'un côté on le regagne de l'autre	What you lose on the swings you get back on the roundabouts
Ce sont les tonneaux vides qui font le plus de bruit	Empty vessels make most noise
C'est bonnet blanc et blanc bonnet	It's six of one and half a dozen of the other
C'est du chinois	It's double-dutch
C'est en forgeant qu'on devient forgeron	Practice makes perfect
C'est la goutte d'eau qui fait déborder le vase	It's the last straw that breaks the camel's back
C'est là que la bât blesse	That's where the shoe pinches
C'est le bouquet	That takes the biscuit
C'est le moins qu'on puisse dire	To say the least
C'est l'hôpital qui se moque de la Charité	It's the pot calling the kettle black
C'est mon petit doigt qui me l'a dit	A little bird told me
C'est simple comme bonjour	It's as easy as falling off a log
C'est un cadavre ambulant	He looks like death warmed up
C'est un jour à marquer d'une pierre blanche	It's a red-letter day
C'est une autre paire de manches	That's a different kettle of fish
C'était moins cinq	It was a close shave
Chacun est l'artisan de son sort	Every man is the architect of his own fate
Changer d'air	To go to pastures new
Changer de conduite	To turn over a new leaf
Chantez à l'âne, il vous fera des pets	What can you expect from a pig but a grunt
Chaque chose en son temps	Everything in its own time
Charbonnier est maître chez lui	Everyone is master in this own house
Charité bien ordonnée commence par soi-même	Charity begins at home

Chassez le naturel, il revient au galop	What is bred in the bone will come out in the flesh
Chat échaudé craint l'eau froide	Once bitten, twice shy
Chercher une aiguille dans une botte de foin	To look for a needle in a haystack
Chien qui aboie ne mord pas	A barking dog never bites
Comme on fait son lit on se couche	As you make your bed, so you must lie upon it
Comme un coup de tonnerre (dans un ciel serein)	Out of a clear blue sky
Comme un éléphant dans un magasin de porcelaine	Like a bull in a china shop
Connaître les ficelles	To know the ropes
Coup de Jarnac	Stab in the back
Courir deux lièvres à la fois	To have one's finger in more than one pie
Coûter les yeux de la tête	To cost an arm and a leg
Couvrir quelqu'un de fleurs	To heap someone with praise

D

Dans les petits pots, les bons onguents	The best things come in small packages
Déménager à la cloche de bois	To do a moonlight flit
Dépasser les bornes	To overstep the mark
Des goûts et des couleurs, on ne discute pas	There is no accounting for tastes
Déshabiller Pierre pour habiller Paul	To rob Peter to pay Paul
Deux avis valent mieux qu'un	Two heads are better than one
Deux s'amusent, trois s'embêtent	Two is company, three is none
Dis-moi qui tu hantes, je te dirai qui tu es	A man is known by the company he keeps
Diviser pour régner	Divide and rule
Donner le change	To put off the scent
Dorer la pilule	To sugar the pill
Dormir à poings fermés	To sleep like a log

E

En avoir vu de vertes et de pas mûres	To have been through the mill
En avril, ne te découvre pas d'un fil	In the month of May, cast ne'er a clout away
En chair et en os	As large as life
En costume d'Adam	In one's birthday suit

En faire une montagne	To make a mountain out of a molehill
Enfermer un loup dans la bergerie	To set the fox to mind the geese
En mettre sa main au feu	To stake one's life on it
En toutes choses il faut considérer la fin	Look before you leap
Endormir quelqu'un par des promesses	To pull the wool over somebody's eyes
Enfoncer une porte ouverte	To preach to the converted
Enterrer sa vie de garçon	To give a stag party
Entre deux maux il faut choisir le moindre	Of two evils, choose the lesser
Entre quatre yeux	Between you, me and the bedpost
Être au bout du rouleau	To be on one's beam-ends
Être aux abois	To be in dire straits
Être aux anges	To be in seventh heaven
Être aux petits soins (pour quelqu'un)	To wait (on someone) hand and foot
Être bien le fils de son père	To be a chip off the old block
Être bouché à l'émeri	To be as thick as two short planks
Être dans de beaux draps	To be in a pretty pickle
Être dans les petits papiers (de quelqu'un)	To be in (someone's) good books
Être la cinquième roue du carrosse	To be the fifth wheel
Être le portrait craché de quelqu'un	To be the spitting image of someone
Être logés à la même enseigne	To be in the same boat
Être né coiffé	To be born with a silver spoon in one's mouth
Être protégé des dieux	To lead a charmed life
Être sur des charbons ardents	To be like a cat on hot bricks
Être tout sucre tout miel	To be all sweetness and light
Être tout yeux, tout oreilles	To be all eyes (*or* to be all ears)

Faire bande à part	To keep oneself to oneself
Faire bouillir la marmite	To keep the pot boiling
Faire cavalier seul	To go it alone
Faire chou blanc	To draw a blank
Faire contre mauvaise fortune bon cœur	To make the best of a bad deal

Faire des affaires d'or	To make money hand over fist
Faire les quatre cents coups	To paint the town red
Faire les yeux doux à quelqu'un	To make sheep's eyes at somebody
Faire d'une pierre deux coups	To kill two birds with one stone
Faire la politique de l'autruche	To bury one's head in the sand
Faire la sainte-nitouche	To look as if butter would not melt in one's mouth
Faire la sourde oreille	To turn a deaf ear
Faire le pied de grue	To cool one's heels
Faire marcher quelqu'un	To lead someone up the garden path
Faire ses premières armes	To learn the ropes
Faire une tête d'enterrement	To look down in the mouth
Fais ce que je dis, non ce que je fais	Do as I say, not as I do
Faute de grives, on mange des merles	Half a loaf is better than none
Faute de parler, on meurt sans confession	A closed mouth catches no flies
Faute d'un point, Martin perdit son âne	For want of a nail, the shoe was lost

G H

Garder une poire pour la soif	To provide against a rainy day
Grand bruit, petite besogne	Much cry and little wool
Hâte-toi lentement	More haste, less speed

I

Il a dépassé la quarantaine	He is on the wrong side of forty
Il connaît toutes les ficelles du métier	He is up to all the tricks of the trade
Il faut battre le fer pendant qu'il est chaud	Strike while the iron is hot
Il faut de tout pour faire un monde	It takes all sorts to make a world
Il faut manger pour vivre et non vivre pour manger	Eat to live, not live to eat
Il faut que jeunesse se passe	Boys will be boys
Il n'a pas toute sa tête	He's not all there
Il ne faut jamais dire : « Fontaine, je ne boirai pas de ton eau »	Never is a long time

Il ne faut pas remettre au lendemain ce qu'on peut faire le jour même	Never put off till tomorrow what you can do today
Il ne faut pas réveiller le chat qui dort	Let sleeping dogs lie
Il ne faut pas se fier aux apparences	Appearances are deceptive
Il ne faut pas se moquer des chiens avant d'avoir quitté le village	Don't halloo till you are out of the wood
Il ne faut pas vendre la peau de l'ours avant de l'avoir tué	Don't count your chickens before they are hatched
Il n'est jamais plus tard que minuit	The darkest hour is just before dawn
Il n'est pas tombé de la dernière pluie	He was not born yesterday
Il n'est pire eau que l'eau qui dort	Still waters run deep
Il n'est pire sourd que celui qui ne veut pas entendre	There's none so deaf as those who will not hear
Il n'y a pas de grand homme pour son valet de chambre	No man is a hero to his valet
Il n'y a pas de petites économies	A penny saved is a penny earned
Il n'y a pas la place de se retourner	There is no room to swing a cat
Il n'y a que le premier pas qui coûte	It's the first step that is difficult
Il pleut à verse	It's coming down in sheets
Ils sont tous à mettre dans le même panier	They are all tarred with the same brush
Il s'y connaît	He knows his onions
Il tombe des hallebardes	It's raining cats and dogs
Il y a à boire et à manger là-dedans	It's like the curate's egg
Il y a loin de la coupe aux lèvres	There is many a slip 'twixt cup and lip
Il y a temps pour tout	There is a time for everything
Il y a un commencement à tout	Everything has a beginning
Il y a un Dieu pour les ivrognes	Heaven protects children, sailors and drunken men

J'ai du travail par-dessus la tête	I'm up to the eyes in work
Jamais honteux n'eut belle amie	Faint heart never won fair lady

Jeter de l'huile sur le feu	To add fuel to the flames
Jeter des perles aux pourceaux	To cast pearls before swine
Jeter l'argent par les fenêtres	To throw money down the drain
Jeter le manche après la cognée	To throw the helve after the hatchet
Jouer avec le feu	To play with fire
Jouer sur les deux tableaux	To play both ends against the middle
Juger l'arbre à l'écorce	To judge a book by its cover

L

La beauté est affaire de goût	Beauty is in the eye of the beholder
La brebis enragée est pire que le loup	From the sweetest wine, the tartest vinegar
La caque sent toujours le hareng	What's bred in the bone will come out in the flesh
La course ne revient pas aux plus rapides, ni la lutte aux plus forts	The race is not to the swift, nor the battle to the strong
La faim fait sortir le loup du bois	Hunger drives the wolf out of the wood
La fin justifie les moyens	The end justifies the means
La foi transporte les montagnes	Faith will move mountains
La force prime le droit	Might is right
La fortune sourit aux audacieux	Fortune favours the brave
La nature a horreur du vide	Nature abhors a vacuum
La nuit, tous les chats sont gris	All cats are grey in the dark
La parole est d'argent mais le silence est d'or	Speech is silver, but silence is golden
La plus belle fille du monde ne peut donner que ce qu'elle a	You cannot get a quart into a pint pot
La qualité d'une chose se révèle à l'usage	The proof of the pudding is in the eating
La réalité dépasse la fiction	Truth is stranger than fiction
La vérité est au fond du puits	Truth lies at the bottom of a well
La vérité sort de la bouche des enfants	Out of the mouths of babes and sucklings (comes the truth)
La violence engendre la violence	Violence breeds violence
Laisser le champ libre à quelqu'un	To leave someone a clear field
L'amour est aveugle	Love is blind
Lancer un ballon d'essai	To fly a kite
L'argent est le nerf de la guerre	Money is the sinew of war
L'argent n'a pas d'odeur	Money has no smell

Le coup de l'étrier	One for the road
Le jeu n'en vaut pas la chandelle	The game is not worth the candle
Le malheur n'a pas d'ami	Adversity makes strange bedfellows
Le meilleur moyen de se défendre c'est d'attaquer	Attack is the best form of defence
Le mieux est l'ennemi du bien	It's better to leave well alone
Le pain vient à qui les dents manquent	The gods send nuts to those who have no teeth
L'erreur est humaine	To err is human
Le temps, c'est de l'argent	Time is money
Le temps perdu ne se retrouve jamais	Time and tide wait for no man
L'échapper belle	To have a close shave
Lécher les bottes (de quelqu'un)	To lick (someone's) boots
L'éloignement augmente le prestige	Absence makes the heart grow fonder
L'enfant est père de l'homme	The child is the father of the man
L'enfer est pavé de bonnes intentions	The road to hell is paved with good intentions
Les actes sont plus éloquents que les paroles	Actions speak louder than words
Les bons comptes font les bons amis	Short reckonings make long friends
Les chiens aboient, la caravane passe	Let the world say what it will
Les conseillers ne sont pas les payeurs	Advice is cheap
Les extrêmes se touchent	Extremes meet
Les grands esprits se rencontrent	Great minds think alike
Les loups ne se mangent pas entre eux	There is honour among thieves
Les murs ont des oreilles	Walls have ears
Les soucis partagés sont à demi soulagés	A trouble shared is a trouble halved
Les voyages forment la jeunesse	Travel broadens the mind
L'événement à venir se fait pressentir	Coming events cast their shadow before
Le vin est tiré, il faut le boire	In for a penny, in for a pound
L'exactitude est la politesse des rois	Punctuality is the politeness of princes
L'exception confirme la règle	The exception proves the rule
L'excès en tout est un défaut	Moderation is the best policy

L'habit ne fait pas le moine	The cowl does not make the monk
L'habitude est une seconde nature	Old habits die hard
L'histoire est un perpétuel recommencement	History repeats itself
L'occasion fait le larron	Opportunity makes a thief
Loin des yeux, loin du cœur	Out of sight, out of mind
L'oisiveté est la mère de tous les vices	The Devil finds work for idle hands

M

Malheureux au jeu, heureux en amour	Lucky at cards, unlucky in love
Manger à la fortune du pot	To take pot luck
Manger comme quatre	To eat like a horse
Manger le morceau	To spill the beans
Manger les pissenlits par la racine	To be pushing up the daisies
Manger un morceau	To have a bite
Marcher comme sur des roulettes	To go like clockwork
Marcher sur les traces (de quelqu'un)	To tread in (someone's) footsteps
Mauvais ouvrier ne trouve jamais bon outil	A bad workman blames his tools
Mauvaise herbe croît toujours	Ill weeds grow apace
Ménager la chèvre et le chou	To run with the hare and hunt with the hounds
Mener quelqu'un à la baguette	To rule someone with a rod of iron
Mener un train d'enfer	To go hell for leather
Mettre cartes sur table	To put one's cards on the table
Mettre des bâtons dans les roues	To throw a spanner in the works
Mettre les pieds dans le plat	To put one's foot in it
Mettre son grain de sel	To put one's oar in
Mieux vaut faire envie que pitié	Better be envied than pitied
Mieux vaut tard que jamais	Better late than never
Mieux vaut tenir que courir	A bird in the hand is worth two in the bush
Monter sur ses ergots	To get one's hackles up
Monter sur ses grands chevaux	To get on one's high horse
Mordre à l'hameçon	To rise to the bait
Morte la bête, mort le venin	Dead men tell no tales

N

Nécessité fait loi	Necessity knows no law
Ne connaître quelqu'un ni d'Ève ni d'Adam	Not to know someone from Adam
Ne faites pas à autrui ce que vous ne voudriez pas qu'on vous fît	Do as you would be done by
Ne pas arriver à la cheville de quelqu'un	Not to hold a candle to someone
Ne pas être à prendre avec des pincettes	To be like a bear with a sore head
Ne pas mettre son drapeau dans sa poche	Not to hide one's light under a bushel
Ne pas prendre de gants avec quelqu'un	Not to pull one's punches with someone
Ne pas se laisser abattre	To keep one's spirits up
Ne pas se trouver sous le pas d'un cheval	Not to grow on trees
Ne pas y aller par quatre chemins	To make no bones about it
Ne tenir qu'à un cheveu	To hang by a thread
Nécessité est mère d'industrie	Necessity is the mother of invention
Nécessité n'a pas de loi	Any port in a storm
N'être ni chair ni poisson	To be neither fish nor fowl
N'être qu'un feu de paille	To be a flash in the pan
Nul n'est censé ignorer la loi	Ignorance of the law is no excuse
Nul n'est prophète en son pays	No man is a prophet in his own country

O

Obéir au doigt et à l'œil de quelqu'un	To be at someone's beck and call
Œil pour œil, dent pour dent	An eye for an eye and a tooth for a tooth
On apprend à tout âge	Never too old to learn
On a souvent besoin d'un plus petit que soi	A mouse may be of service to a lion
On ne fait pas d'omelette sans casser des œufs	You cannot make an omelette without breaking eggs
On ne peut avoir deux poids et deux mesures	You must not make flesh of one and fish of the other
On ne peut contenter tout le monde et son père	You can't please everyone
On ne peut être et avoir été	You can't have your cake and eat it

On ne saurait faire boire un âne qui n'a pas soif	You can take a horse to the water, but you can't make him drink
On ne se refait pas	The leopard does not change his spots
On n'est pas sortis de l'auberge	We're not out of the wood
On récolte ce qu'on a semé	As you sow, so you reap
On reconnaît l'arbre à ses fruits	The tree is known by its fruit
Ôter le pain de la bouche (à quelqu'un)	To take the bread out of (someone's) mouth
Ouvrir l'œil et le bon	To keep a weather eye open

P

Paris ne s'est pas fait en un jour	Rome wasn't built in a day
Parler à bâtons rompus	To talk of shoes and ships and sealing-wax
Parole d'Évangile	Gospel truth
Partir avec armes et bagages	To take everything but the kitchen sink
Pas de nouvelles, bonnes nouvelles	No news is good news
Pas pour tout l'or du monde	Not for all the tea in China
Passer l'arme à gauche	To go west
Pauvreté n'est pas vice	Poverty is not a crime
Payer rubis sur l'ongle	To pay on the nail
Péché avoué est à moitié pardonné	A fault confessed is half redressed
Pierre qui roule n'amasse pas mousse	A rolling stone gathers no moss
Plus haute est la montagne et plus grande est la chute	The bigger they come, the harder they fall
Plus on est de fous, plus on rit	The more the merrier
Point ne sera noyé qui doit être pendu	If you are born to be hanged, then you'll never drown
Pomme de discorde	Bone of contention
Porter de l'eau à la rivière	To carry coals to Newcastle
Possession vaut titre	Possession is nine points of the law
Prêcher dans le désert	To talk to a brick wall
Prêcher d'exemple	To practise what one preaches
Prêcher pour son saint	To take care of number one
Premier levé, premier servi	The early bird catches the worm
Prendre fait et cause pour quelqu'un	To take up the cudgels on someone's behalf

Prendre la vie du bon côté	To look on the bright side of life
Prendre le mors aux dents	To take the bit between one's teeth
Prendre quelqu'un la main dans le sac	To catch someone red-handed
Prendre ses cliques et ses claques	To pack up and go
Promettre la lune	To promise the moon
Prudence est mère de sûreté	Safety first

Q

Quand le chat est parti, les souris dansent	When the cat's away the mice will play
Quand le foin manque au râtelier, les chevaux se battent	When poverty comes in at the door, love flies out at the window
Quand les poules auront des dents	When the cows come home
Quand on parle du loup, on en voit la queue	Talk of the devil and he will appear
Qui aime bien châtie bien	Spare the rod and spoil the child
Qui casse les verres les paie	The culprit must pay for the damage
Qui joue avec le feu finit par se brûler	He that touches pitch shall be defiled
Qui ne risque rien n'a rien	Nothing ventured nothing gained
Qui n'entend qu'une cloche n'entend qu'un son	There are two sides to every question
Qui se marie à la hâte se repent à loisir	Marry in haste and repent at leisure
Qui se ressemble s'assemble	Birds of a feather flock together
Qui sème le vent récolte la tempête	He who sows the wind shall reap the whirlwind
Qui trop embrasse mal étreint	Grasp all lose all
Qui va lentement va sûrement	Slow but sure
Qui veut la fin veut les moyens	The cat would eat fish, but would not wet its feet
Qui veut la vérité s'abstient de questionner	Ask no questions and hear no lies
Qui veut tuer son chien l'accuse de la rage	Give a dog a bad name and hang him
Qui vivra verra	Time will tell
Quiconque se sert de l'épée périra par l'épée	Who lives by the sword shall die by the sword

R

Rabattre le caquet à quelqu'un	To take someone down a peg or two
Remuer ciel et terre	To leave no stone unturned
Rendre à quelqu'un la monnaie de sa pièce	To pay someone back in his own coin
Rendre l'âme	To give up the ghost
Renvoyer aux calendes grecques	To put off till Domesday
Rester en carafe	To be left high and dry
Rien de nouveau sous le soleil	There is nothing new under the sun
Rira bien qui rira le dernier	He who laughs last laughs longest
Rire sous cape	To laugh up one's sleeve
Risquer le tout pour le tout	To risk all to win all
Rompre la glace	To break the ice
Ruer dans les brancards	To kick over the traces

S

Saisir l'occasion aux cheveux	To take time by the forelock
Sans receleurs, point de voleurs	If there were no receivers, there would be no thieves
Savoir où est son intérêt	To know which side one's bread is buttered
Scier la branche sur laquelle on est assis	To saw off the branch one is sitting on
Se croire sorti de la cuisse de Jupiter	To think one is the bee's knees
Se jeter dans la gueule du loup	To put one's head into the lion's mouth
Se lever du pied gauche	To get out of bed the wrong side
Se mettre en quatre (pour quelqu'un)	To bend over backwards (to help someone)
Se mettre la corde au cou	To take the big leap
Se montrer à la hauteur	To be up to scratch
Se montrer sous son vrai jour	To show one's true colours
Se moquer de quelque chose comme de l'an quarante	Not to give two hoots about something
S'entendre comme chien et chat	To lead a cat and dog life
S'entendre comme larrons en foire	To get along like a house on fire / To be as thick as thieves
Se ressembler comme deux gouttes d'eau	To be as alike as two peas in a pod
Se ronger les sangs	To eat one's heart out

Se sentir d'attaque	To be full of beans
Se tailler la part du lion	To take the lion's share
Se tenir à carreau	To keep one's nose clean
Se trouver entre l'enclume et le marteau	To be between the devil and the deep blue sea
Séparer le bon grain de l'ivraie	To separate the wheat from the chaff
S'étaler de tout son long	To measure one's length
Seule la mort est sans remède	There is a remedy for anything but death
Son compte est bon	His number's up
Sortir de ses gonds	To fly off the handle
Soutenir la conversation	To keep the ball rolling
Suivre le mouvement	To go with the flow

T

Tâter le terrain	To see how the land lies
Tel est pris qui croyait prendre	It's a case of the biter bit
Tel maître, tel valet	Like master, like man
Tel père, tel fils	Like father, like son
Tenir la chandelle	To play gooseberry
Tiré à quatre épingles	Dressed up to the nines
Tirer les marrons du feu (pour quelqu'un)	To be (someone's) cat's paw
Tomber de Charybde en Scylla	To jump out of the frying pan into the fire
Tomber de haut	To come down to earth (with a bump)
Tondre un œuf	To get blood from a stone
Tourner autour du pot	To beat about the bush
Tous les chemins mènent à Rome	All roads lead to Rome
Tous les trente-six du mois	Once in a blue moon
Tout ce qui brille n'est pas or	All that glitters is not gold
Tout est bien qui finit bien	All's well that ends well
Tout est pour le mieux dans le meilleur des mondes (possibles)	All is for the best in the best of all possible worlds
Tout nouveau tout beau	New brooms sweep clean
Tout vient à point à qui sait attendre	All things come to those who wait
Trop de cuisiniers gâtent la sauce	Too many cooks spoil the broth
Trouver à qui parler	To meet one's match

Trouver le défaut de la cuirasse	To find the chink in someone's armour
Tuer la poule aux œufs d'or	To kill the goose that lays the golden eggs

U

Un chien regarde bien un évêque	A cat may look at a king
Un clou chasse l'autre	One nail drives out another
Un de perdu, dix de retrouvés	There are plenty of fish in the sea
Une fois n'est pas coutume	Once does not count
Un homme averti en vaut deux	Forewarned is forearmed
Un malheur ne vient jamais seul	It never rains but it pours
Un prêté pour un rendu	A Roland for an Oliver
Un « tiens » vaut mieux que deux « tu l'auras »	One bird in the hand is worth two in the bush
Un service en vaut un autre	One good turn deserves another
Un sou amène l'autre	Look after the pennies and the pounds will look after themselves
Une hirondelle ne fait pas le printemps	One swallow does not make a summer
Une tempête dans un verre d'eau	A storm in a teacup

V

Ventre affamé n'a pas d'oreille	A hungry man is an angry man
Vivre d'amour et d'eau fraîche	To live on bread and cheese and kisses
Voir d'où vient le vent	To see which way the wind blows
Voler de ses propres ailes	To stand on one's own two feet
Vouloir c'est pouvoir	Where there's a will there's a way

LOCUTIONS ET PROVERBES ANGLAIS

LOCUTIONS ET PROVERBES FRANÇAIS ÉQUIVALENTS

A

A bad workman blames his tools	Mauvais ouvrier ne trouve jamais bon outil
A barking dog never bites	Chien qui aboie ne mord pas
A bird in the hand is worth two in the bush	Mieux vaut tenir que courir
A carpenter is known by his chips	À l'œuvre on connaît l'ouvrier
A cat may look at a king	Un chien regarde bien un évêque
A closed mouth catches no flies	Faute de parler, on meurt sans confession
A fault confessed is half redressed	Péché avoué est à moitié pardonné
A friend in need is a friend indeed	Au besoin, on connaît l'ami
A hungry man is an angry man	Ventre affamé n'a point d'oreille
A little bird told me	C'est mon petit doigt qui me l'a dit
A lot of water has passed under the bridge	Beaucoup d'eau est passée sous les ponts
A man is known by the company he keeps	Dis-moi qui tu hantes, je te dirai qui tu es
A mouse may be of service to a lion	On a souvent besoin d'un plus petit que soi
A penny saved is a penny earned	Il n'y a pas de petites économies
A Roland for an Oliver	Un prêté pour un rendu
A rolling stone gathers no moss	Pierre qui roule n'amasse pas mousse
A storm in a teacup	Une tempête dans un verre d'eau
A trouble shared is a trouble halved	Les soucis partagés sont à demi soulagés
A well-bred dog hunts by nature	Bon chien chasse de race

A word to the wise is enough	À bon entendeur, salut
Absence makes the heart grow fonder	L'éloignement augmente le prestige
Actions speak louder than words	Les actes sont plus éloquents que les paroles
Adversity makes strange bedfellows	Le malheur n'a pas d'ami
Advice is cheap	Les conseilleurs ne sont pas les payeurs
All cats are grey in the dark	La nuit, tous les chats sont gris
All is for the best in the best of all possible worlds	Tout est pour le mieux dans le meilleur des mondes (possibles)
All roads lead to Rome	Tous les chemins mènent à Rome
All that glitters is not gold	Tout ce qui brille n'est pas or
All things come to those who wait	Tout vient à point à qui sait attendre
All's well that ends well	Tout est bien qui finit bien
An eye for an eye and a tooth for a tooth	Œil pour œil, dent pour dent
Any port in a storm	Nécessité n'a pas de loi
Appearances are deceptive	Il ne faut pas se fier aux apparences
As large as life	En chair et en os
As the crow flies	À vol d'oiseau
As you make your bed, so you must lie upon it	Comme on fait son lit on se couche
As you sow, so you reap	On récolte ce qu'on a semé
Ask no questions and hear no lies	Qui veut la vérité s'abstient de questionner
Attack is the best form of defence	Le meilleur moyen de se défendre c'est d'attaquer

B

Beauty is in the eye of the beholder	La beauté est affaire de goût
Better be envied than pitied	Mieux vaut faire envie que pitié
Better late than never	Mieux vaut tard que jamais
Between you, me and the bedpost	Entre quatre yeux
Birds of a feather flock together	Qui se ressemble s'assemble
Blood will out	Bon sang ne saurait mentir
Bone of contention	Pomme de discorde
Boys will be boys	Il faut que jeunesse se passe

Charity begins at home	Charité bien ordonnée commence par soi-même
Come what may !	Advienne que pourra !
Coming events cast their shadow before	L'événement à venir se fait pressentir

Dead men tell no tales	Morte la bête, mort le venin
Divide and rule	Diviser pour régner
Do as I say, not as I do	Fais ce que je dis, non ce que je fais
Do as you would be done by	Ne faites pas à autrui ce que vous ne voudriez pas qu'on vous fît
Do right and fear no man	Bien faire et laisser dire
Don't count your chickens before they are hatched	Il ne faut pas vendre la peau de l'ours avant de l'avoir tué
Don't halloo till you are out of the wood	Il ne faut pas se moquer des chiens avant d'avoir quitté le village
Dressed up to the nines	Tiré à quatre épingles

Easy come, easy go	Ce qui vient de la flûte s'en va par le tambour
Eat to live, not live to eat	Il faut manger pour vivre et non vivre pour manger
Empty vessels make most noise	Ce sont les tonneaux vides qui font le plus de bruit
Every cloud has a silver lining	Après la pluie, le beau temps
Every man is the architect of his own fate	Chacun est l'artisan de son sort
Every man to his own trade	À chacun son métier
Everyone is master in his own house	Charbonnier est maître chez lui
Everything has a beginning	Il y a un commencement à tout
Everything in its own time	Chaque chose en son temps
Extremes meet	Les extrêmes se touchent

Faint heart never won fair lady	Jamais honteux n'eut belle amie
Faith will move mountains	La foi transporte les montagnes
For want of a nail, the shoe was lost	Faute d'un point, Martin perdit son âne
Forewarned is forearmed	Un homme averti en vaut deux

Fortune favours the brave	La fortune sourit aux audacieux
From the sweetest wine, the tartest vinegar	La brebis enragée est pire que le loup

G

Give a dog a bad name and hang him	Qui veut tuer son chien l'accuse de la rage
God helps those who help themselves	Aide-toi, le Ciel t'aidera
God tempers the wind to the shorn lamb	À brebis tondue, Dieu mesure le vent
Good wine needs no bush	À bon vin point d'enseigne
Gospel truth	Parole d'Évangile
Grasp all, lose all	Qui trop embrasse mal étreint
Great minds think alike	Les grands esprits se rencontrent

H

Half a loaf is better than none	Faute de grives, on mange des merles
He is on the wrong side of forty	Il a dépassé la quarantaine
He is up to all the tricks of the trade	Il connaît toutes les ficelles du métier
He knows his onions	Il s'y connaît
He looks like death warmed up	C'est un cadavre ambulant
He's not all there	Il n'a pas toute sa tête
He that touches pitch shall be defiled	Qui joue avec le feu finit par se brûler
He was not born yesterday	Il n'est pas tombé de la dernière pluie
He who laughs last laughs longest	Rira bien qui rira le dernier
He who sows the wind shall reap the whirlwind	Qui sème le vent récolte la tempête
Heaven protects children, sailors and drunken men	Il y a un Dieu pour les ivrognes
His number's up	Son compte est bon
History repeats itself	L'histoire est un perpétuel recommencement
Hunger drives the wolf out of the wood	La faim fait sortir le loup du bois

I J

I'm up to the eyes in work	J'ai du travail par-dessus la tête
If there were no receivers, there would be no thieves	Sans receleurs, point de voleurs

If you are born to be hanged, then you'll never drown	Point ne sera noyé qui doit être pendu
Ignorance of the law is no excuse	Nul n'est censé ignorer la loi
Ill weeds grow apace	Mauvaise herbe pousse toujours
Ill-gotten gains seldom prosper	Bien mal acquis ne profite jamais
In for a penny, in for a pound	Le vin est tiré, il faut le boire
In one's birthday suit	En costume d'Adam
In the land of the blind, the one-eyed man is king	Au royaume des aveugles, les borgnes sont rois
In the month of May, cast ne'er a clout away	En avril, ne te découvre pas d'un fil
It never rains but it pours	Un malheur ne vient jamais seul
It's the pot calling the kettle black	C'est l'hôpital qui se moque de la Charité
It takes all sorts to make a world	Il faut de tout pour faire un monde
It was a close shave	C'était moins cinq
It's a case of the biter bit	Tel est pris qui croyait prendre
It's a red-letter day	C'est un jour à marquer d'une pierre blanche
It's an ill wind that blows nobody any good	À quelque chose, malheur est bon
It's as easy as falling off a log	C'est simple comme bonjour
It's better to leave well alone	Le mieux est l'ennemi du bien
It's coming down in sheets	Il pleut à verse
It's double-dutch	C'est du chinois
It's like the curate's egg	Il y a à boire et à manger là-dedans
It's nothing to write home about	Ça ne casse pas trois pattes à un canard
It's raining cats and dogs	Il tombe des hallebardes
It's six of one and half a dozen of the other	C'est bonnet blanc et blanc bonnet
It's the first step that is difficult	Il n'y a que le premier pas qui coûte
It's the last straw that breaks the camel's back	C'est la goutte d'eau qui fait déborder le vase
Jack of all trades and master of none	Bon à tout, bon à rien

Let sleeping dogs lie	Il ne faut pas réveiller le chat qui dort
Let the world say what it will	Les chiens aboient, la caravane passe

Like a bull at a gate	Bille en tête
Like a bull in a china shop	Comme un éléphant dans un magasin de porcelaine
Like father, like son	Tel père, tel fils
Like master, like man	Tel maître, tel valet
Long ways, long lies	A beau mentir qui vient de loin
Look after the pennies and the pounds will look after themselves	Un sou amène l'autre
Look before you leap	En toutes choses il faut considérer la fin
Love is blind	L'amour est aveugle
Lucky at cards, unlucky in love	Malheureux au jeu, heureux en amour

M

Marry in haste and repent at leisure	Qui se marie à la hâte se repent à loisir
Might is right	La force prime le droit
Moderation is the best policy	L'excès en tout est un défaut
Money has no smell	L'argent n'a pas d'odeur
Money is the sinew of war	L'argent est le nerf de la guerre
More haste, less speed	Hâte-toi lentement
Much ado about nothing	Beaucoup de bruit pour rien
Much cry and little wool	Grand bruit, petite besogne

N

Nature abhors a vacuum	La nature a horreur du vide
Necessity knows no law	Nécessité fait loi
Never is a long time	Il ne faut jamais dire : « Fontaine, je ne boirai pas de ton eau »
Never look a gift horse in the mouth	À cheval donné, on ne regarde pas la bride
Never put off till tomorrow what you can do today	Il ne faut pas remettre au lendemain ce qu'on peut faire le jour même
Never too old to learn	On apprend à tout âge
New brooms sweep clean	Tout nouveau, tout beau
No man is a hero to his valet	Il n'y a pas de grand homme pour son valet de chambre
No man is a prophet in his own country	Nul n'est prophète en son pays
No news is good news	Pas de nouvelles, bonnes nouvelles

No sooner said than done	Aussitôt dit, aussitôt fait
Not for all the tea in China	Pas pour tout l'or du monde
Not to give two hoots about something	Se moquer de quelque chose comme de l'an quarante
Not to grow on trees	Ne pas se trouver sous le pas d'un cheval
Not to hide one's light under a bushel	Ne pas mettre son drapeau dans sa poche
Not to hold a candle to someone	Ne pas arriver à la cheville de quelqu'un
Not to know someone from Adam	Ne connaître quelqu'un ni d'Ève ni d'Adam
Not to pull one's punches with someone	Ne pas prendre de gants avec quelqu'un
Nothing for nothing	On n'a rien pour rien
Nothing ventured nothing gained	Qui ne risque rien n'a rien

O

Of two evils, choose the lesser	Entre deux maux il faut choisir le moindre
Old habits die hard	L'habitude est une seconde nature
Once bitten, twice shy	Chat échaudé craint l'eau froide
Once does not count	Une fois n'est pas coutume
Once in a blue moon	Tous les trente-six du mois
One bird in the hand is worth two in the bush	Un « tiens » vaut mieux que deux « tu l'auras »
One for the road	Le coup de l'étrier
One good turn deserves another	Un service en vaut un autre
One nail drives out another	Un clou chasse l'autre
One swallow does not make a summer	Une hirondelle ne fait pas le printemps
Opportunity makes a thief	L'occasion fait le larron
Out of a clear blue sky	Comme un coup de tonnerre (dans un ciel serein)
Out of sight, out of mind	Loin des yeux, loin du cœur
Out of the mouths of babes and sucklings (comes the truth)	La vérité sort de la bouche des enfants

P R

Possession is nine points of the law	Possession vaut titre
Poverty is not a crime	Pauvreté n'est pas vice
Practice makes perfect	C'est en forgeant qu'on devient forgeron

Punctuality is the politeness of princes	L'exactitude est la politesse des rois
Rome wasn't built in a day	Paris ne s'est pas fait en un jour

S

Safety first	Prudence est mère de sûreté
Short reckonings make long friends	Les bons comptes font les bons amis
Slow but sure	Qui va lentement va sûrement
So many heads, so many minds	Autant de têtes, autant d'avis
Spare the rod and spoil the child	Qui aime bien châtie bien
Speech is silver, but silence is golden	La parole est d'argent mais le silence est d'or
Stab in the back	Coup de Jarnac
Still waters run deep	Il n'est pire eau que l'eau qui dort
Strike while the iron is hot	Il faut battre le fer pendant qu'il est chaud
Sufficient unto the day is the evil thereof	À chaque jour suffit sa peine

T

Talk of the devil and he will appear	Quand on parle du loup, on en voit la queue
Tell that to the (horse) marines !	À d'autres !
That takes the biscuit	C'est le bouquet
That's a different kettle of fish	C'est une autre paire de manches
That's where the shoe pinches	C'est là que le bât blesse
The best things come in small packages	Dans les petits pots, les bons onguents
The bigger they come, the harder they fall	Plus haute est la montagne et plus grande est la chute
The cat would eat fish, but would not wet its feet	Qui veut la fin veut les moyens
The child is the father of the man	L'enfant est père de l'homme
The cowl does not make the monk	L'habit ne fait pas le moine
The culprit must pay for the damage	Qui casse les verres les paie
The darkest hour is just before dawn	Il n'est jamais plus tard que minuit
The Devil finds work for idle hands	L'oisiveté est la mère de tous les vices
The early bird catches the worm	Premier levé, premier servi

The end justifies the means	La fin justifie les moyens
The exception proves the rule	L'exception confirme la règle
The game is not worth the candle	Le jeu n'en vaut pas la chandelle
The gods send nuts to those who have no teeth	Le pain vient à qui les dents manquent
The leopard does not change his spots	On ne se refait pas
The more the merrier	Plus on est de fous, plus on rit
The proof of the pudding is in the eating	La qualité d'une chose se révèle à l'usage
The race is not to the swift, nor the battle to the strong	La course ne revient pas aux plus rapides, ni la lutte aux plus forts
The road to hell is paved with good intentions	L'enfer est pavé de bonnes intentions
The tree is known by its fruit	On reconnaît l'arbre à ses fruits
There are plenty of fish in the sea	Un de perdu, dix de retrouvés
There are two sides to every question	Qui n'entend qu'une cloche n'entend qu'un son
There is a remedy for anything but death	Seule la mort est sans remède
There is a time for everything	Il y a temps pour tout
There is honour among thieves	Les loups ne se mangent pas entre eux
There is many a slip 'twixt cup and lip	Il y a loin de la coupe aux lèvres
There is no accounting for tastes	Des goûts et des couleurs, on ne discute pas
There is no place like home	À tout oiseau, son nid est beau
There is no room to swing a cat	Il n'y a pas la place de se retourner
There is nothing new under the sun	Rien de nouveau sous le soleil
There's none so deaf as those who will not hear	Il n'est pire sourd que celui qui ne veut pas entendre
They are all tarred with the same brush	Ils sont tous à mettre dans le même panier
Time and tide wait for no man	Le temps perdu ne se retrouve jamais
Time is money	Le temps, c'est de l'argent
Time will tell	Qui vivra verra
To add fuel to the flames	Jeter de l'huile sur le feu
To be (someone's) cat's paw	Tirer les marrons du feu (pour quelqu'un)

To be a chip off the old block	Être bien le fils de son père
To be a flash in the pan	N'être qu'un feu de paille
To be all eyes (*or* to be all ears)	Être tout yeux, tout oreilles
To be all sweetness and light	Être tout sucre tout miel
To be as alike as two peas in a pod	Se ressembler comme deux gouttes d'eau
To be as fit as a fiddle	Avoir bon pied, bon œil
To be as thick as thieves	S'entendre comme larrons en foire
To be as thick as two short planks	Être bouché à l'émeri
To be at someone's beck and call	Obéir au doigt et à l'œil de quelqu'un
To be between the devil and the deep blue sea	Se trouver entre l'enclume et le marteau
To be bone idle	Avoir un poil dans la main
To be born with a silver spoon in one's mouth	Être né coiffé
To be full of beans	Se sentir d'attaque
To be in (someone's) good books	Être dans les petits papiers (de quelqu'un)
To be in a pretty pickle	Être dans de beaux draps
To be in dire straits	Être aux abois
To be in seventh heaven	Être aux anges
To be in the same boat	Être logés à la même enseigne
To be left high and dry	Rester en carafe
To be like a bear with a sore head	Ne pas être à prendre avec des pincettes
To be like a cat on hot bricks	Être sur des charbons ardents
To be neither fish nor fowl	N'être ni chair ni poisson
To be on one's beam-ends	Être au bout du rouleau
To be pushing up the daisies	Manger les pissenlits par la racine
To be sitting pretty	Avoir la partie belle
To be the fifth wheel	Être la cinquième roue du carrosse
To be the spitting image of someone	Être le portrait craché de quelqu'un
To be up to scratch	Se montrer à la hauteur
To bear a grudge against someone	Avoir une dent contre quelqu'un
To beat about the bush	Tourner autour du pot
To bend over backwards (to help someone)	Se mettre en quatre (pour quelqu'un)
To bite off more than one can chew	Avoir les yeux plus grands que le ventre

To break the ice	Rompre la glace
To bring grist to the mill	Apporter de l'eau au moulin
To build castles in the air	Bâtir des châteaux en Espagne
To bury one's head in the sand	Faire la politique de l'autruche
To buy a pig in a poke	Acheter chat en poche
To call a spade a spade	Appeler un chat un chat
To carry coals to Newcastle	Porter de l'eau à la rivière
To cast pearls before swine	Jeter des perles aux pourceaux
To catch someone red-handed	Prendre quelqu'un la main dans le sac
To cold-shoulder someone	Battre froid (à quelqu'un)
To come a day after the fair	Arriver après la bataille
To come down to earth (with a bump)	Tomber de haut
To cool one's heels	Faire le pied de grue
To cost an arm and a leg	Coûter les yeux de la tête
To do a moonlight flit	Déménager à la cloche de bois
To drain the cup of bitterness	Boire le calice jusqu'à la lie
To draw a blank	Faire chou blanc
To eat like a horse	Manger comme quatre
To eat one's heart out	Se ronger les sangs
To err is human	L'erreur est humaine
To find the chink in someone's armour	Trouver le défaut de la cuirasse
To fly a kite	Lancer un ballon d'essai
To fly off the handle	Sortir de ses gonds
To get along like a house on fire	S'entendre comme larrons en foire
To get blood from a stone	Tondre un œuf
To get on one's high horse	Monter sur ses grands chevaux
To get one's hackles up	Monter sur ses ergots
To get out of bed the wrong side	Se lever du pied gauche
To give a stag party	Enterrer sa vie de garçon
To give up the ghost	Rendre l'âme
To go hell for leather	Mener un train d'enfer
To go it alone	Faire cavalier seul
To go like clockwork	Marcher comme sur des roulettes
To go to pastures new	Changer d'air
To go west	Passer l'arme à gauche
To go with the flow	Suivre le mouvement
To hang by a thread	Ne tenir qu'à un cheveu
To have a bite	Manger un morceau
To have a clear field	Avoir le champ libre

To have a frog in one's throat	Avoir un chat dans la gorge
To have a long arm	Avoir le bras long
To have a lot on one's plate	Avoir du pain sur la planche
To have an itchy palm	Avoir les doigts crochus
To have bats in the belfry	Avoir une araignée au plafond
To have been through the mill	En avoir vu de vertes et de pas mûres
To have elbow room	Avoir les coudées franches
To have more than one string to one's bow	Avoir plus d'une corde à son arc
To have nine lives	Avoir l'âme chevillée au corps
To have one's finger in more than one pie	Courir deux lièvres à la fois
To have other fish to fry	Avoir d'autres chats à fouetter
To have pins and needles in one's legs	Avoir des fourmis dans les jambes
To heap someone with praise	Couvrir quelqu'un de fleurs
To judge a book by its cover	Juger l'arbre à l'écorce
To jump at the opportunity	Saisir l'occasion au vol
To jump out of the frying pan into the fire	Tomber de Charybde en Scylla
To keep a weather eye open	Ouvrir l'œil et le bon
To keep one's nose clean	Se tenir à carreau
To keep one's spirits up	Ne pas se laisser abattre
To keep oneself to oneself	Faire bande à part
To keep the ball rolling	Soutenir la conversation
To keep the pot boiling	Faire bouillir la marmite
To kick over the traces	Ruer dans les brancards
To kill the goose that lays the golden eggs	Tuer la poule aux œufs d'or
To kill two birds with one stone	Faire d'une pierre deux coups
To know the ropes	Connaître les ficelles
To know which side one's bread is buttered	Savoir où est son intérêt
To laugh up one's sleeve	Rire sous cape
To lead a cat and dog life	S'entendre comme chien et chat
To lead a charmed life	Être protégé des dieux
To lead someone up the garden path	Faire marcher quelqu'un
To learn the ropes	Faire ses premières armes
To leave no stone unturned	Remuer ciel et terre
To leave someone a clear field	Laisser le champ libre à quelqu'un

To lick (someone's) boots	Lécher les bottes (de quelqu'un)
To live on bread and cheese and kisses	Vivre d'amour et d'eau fraîche
To look as if butter would not melt in one's mouth	Faire la sainte-nitouche
To look down in the mouth	Faire une tête d'enterrement
To look for a needle in a haystack	Chercher une aiguille dans une botte de foin
To look on the bright side of life	Prendre la vie du bon côté
To make a mountain out of a molehill	En faire une montagne
To make money hand over fist	Faire des affaires d'or
To make no bones about it	Ne pas y aller par quatre chemins
To make sheep's eyes at somebody	Faire les yeux doux à quelqu'un
To make the best of a bad deal	Faire contre mauvaise fortune bon cœur
To measure one's length	S'étaler de tout son long
To meet one's match	Trouver à qui parler
To overstep the mark	Dépasser les bornes
To pack up and go	Prendre ses cliques et ses claques
To paint the town red	Faire les quatre cents coups
To pay on the nail	Payer rubis sur l'ongle
To pay someone back in his own coin	Rendre à quelqu'un la monnaie de sa pièce
To play both ends against the middle	Jouer sur les deux tableaux
To play gooseberry	Tenir la chandelle
To play one's last card	Brûler ses dernières cartouches
To play with fire	Jouer avec le feu
To practise what one preaches	Prêcher d'exemple
To preach to the converted	Enfoncer une porte ouverte
To promise the moon	Promettre la lune
To provide against a rainy day	Garder une poire pour la soif
To pull the wool over somebody's eyes	Endormir quelqu'un par des promesses
To put off the scent	Donner le change
To put off till Domesday	Renvoyer aux calendes grecques
To put one's cards on the table	Mettre cartes sur table
To put one's foot in it	Mettre les pieds dans le plat
To put one's head into the lion's mouth	Se jeter dans la gueule du loup

To put one's oar in	Mettre son grain de sel
To put one's own house in order	Balayer devant sa porte
To rise to the bait	Mordre à l'hameçon
To risk all to win all	Risquer le tout pour le tout
To rob Peter to pay Paul	Déshabiller Pierre pour habiller Paul
To rule someone with a rod of iron	Mener quelqu'un à la baguette
To run with the hare and hunt with the hounds	Ménager la chèvre et le chou
To saw off the branch one is sitting on	Scier la branche sur laquelle on est assis
To say the least	C'est le moins qu'on puisse dire
To see how the land lies	Tâter le terrain
To see which way the wind blows	Voir d'où vient le vent
To separate the wheat from the chaff	Séparer le bon grain de l'ivraie
To set the fox to mind the geese	Enfermer un loup dans la bergerie
To show one's true colours	Se montrer sous son vrai jour
To smell a rat	Avoir la puce à l'oreille
To spill the beans	Manger le morceau
To stake one's life on it	En mettre sa main au feu
To stand on one's own two feet	Voler de ses propres ailes
To sugar the pill	Dorer la pilule
To take care of number one	Prêcher pour son saint
To take everything but the kitchen sink	Partir avec armes et bagages
To take pot luck	Manger à la fortune du pot
To take someone down a peg or two	Rabattre le caquet à quelqu'un
To take the big leap	Se mettre la corde au cou
To take the bit between one's teeth	Prendre le mors aux dents
To take the bread out of (someone's) mouth	Ôter le pain de la bouche (à quelqu'un)
To take the lion's share	Se tailler la part du lion
To take time by the forelock	Saisir l'occasion aux cheveux
To take up the cudgels on someone's behalf	Prendre fait et cause pour quelqu'un
To talk of shoes and ships and sealing-wax	Parler à bâtons rompus
To talk to a brick wall	Prêcher dans le désert
To think one is the bee's knees	Se croire sorti de la cuisse de Jupiter

To throw a spanner in the works	Mettre des bâtons dans les roues
To throw in the towel	Baisser les bras
To throw money down the drain	Jeter l'argent par les fenêtres
To throw the helve after the hatchet	Jeter le manche après la cognée
To tread in (someone's) footsteps	Marcher sur les traces (de quelqu'un)
To turn a deaf ear	Faire la sourde oreille
To turn over a new leaf	Changer de conduite
To wait (on someone) hand and foot	Être aux petits soins (pour quelqu'un)
To win hands down	Arriver dans un fauteuil
Too many cooks spoil the broth	Trop de cuisiniers gâtent la sauce
Travel broadens the mind	Les voyages forment la jeunesse
Truth is stranger than fiction	La réalité dépasse la fiction
Truth lies at the bottom of a well	La vérité est au fond du puits
Two can play at that game	À malin, malin et demi
Two heads are better than one	Deux avis valent mieux qu'un
Two is company, three is none	Deux s'amusent, trois s'embêtent

V W

Violence breeds violence	La violence engendre la violence
Walls have ears	Les murs ont des oreilles
We're not out of the wood	On n'est pas sortis de l'auberge
What can you expect from a pig but a grunt	Chantez à l'âne, il vous fera des pets
What is bred in the bone will come out in the flesh	Chassez le naturel, il revient au galop
What you lose on the swings, you get back on the roundabouts	Ce qu'on perd d'un côté on le regagne de l'autre
When poverty comes in at the door, love flies out at the window	Quand le foin manque au râtelier, les chevaux se battent
When the cat's away the mice will play	Quand le chat est parti, les souris dansent
When the cows come home	Quand les poules auront des dents
Where there's a will there's a way	Vouloir c'est pouvoir
Who lives by the sword shall die by the sword	Quiconque se sert de l'épée périra par l'épée

Y

You can take a horse to the water, but you can't make him drink	On ne saurait faire boire un âne qui n'a pas soif
You cannot get a quart into a pint pot	La plus belle fille du monde ne peut donner que ce qu'elle a
You cannot make an omelette without breaking eggs	On ne fait pas d'omelette sans casser des œufs
You can't have your cake and eat it	On ne peut être et avoir été
You can't please everyone	On ne peut contenter tout le monde et son père
You can't teach your grandmother to suck eggs	Ce n'est pas à un vieux singe qu'on apprend à faire la grimace
You must not make flesh of one and fish of the other	On ne peut avoir deux poids et deux mesures

ENGLISH
FRENCH

DICTIONARY

APOLLO

by Jean Mergault

Agrégé de l'Université
maître-assistant à la Sorbonne (Paris VII)

NEW ENLARGED
EDITION

17, rue du Montparnasse
75298 Paris Cedex 06

Abréviations

abbrev.	abbreviation	*mod*	modal
adj	adjective, adjectival	*n*	noun (masculine or
adv	adverb, adverbial		feminine)
arch.	archaic	*neg.* neg.	negative
art	article	obj.	object
aux	auxiliary	*onom*	onomatopœia
coll.	colloquial (fam.)	p.	past
comp.	comparative	pej.	pejorative
cond.	conditional	*pers*	personal
conj	conjunction	*pl.* pl.	plural
def	definite	*poss*	possessive
dem	demonstrative	p. p.	past participle
dim.	diminutive	pr. p.	present participle
dir.	direct	pr. t.	present tense
emph	emphatic	*pref*	prefix
exclam	exclamation	*prep*	preposition,
f	feminine (French		prepositional
	noun)	pret.	preterite
fig.	figurative	*pron*	pronoun
imp.	imperative	p. t.	past tense
impers.	impersonal	*reflex*	reflexive
impers.		*rel*	relative
indef	indefinite	sb	somebody
indir.	indirect	*Sg. sing.*	
infin.	infinitive	sing.	singular
interj	interjection	sl.	slang (argot)
interr.	interrogative	*sth*	something
inv	invariable	sup.	superlative
lit.	literally	*usu.*	usual(ly)
liter.	literary	*v,* v.	verb
m	masculine (French	*vi*	verb intransitive
	noun)	*vt*	verb transitive

III

Transcription phonétique

SYMBOLES	MOTS TYPES	SYMBOLES	MOTS TYPES	SYMBOLES	MOTS TYPES
æ	cat	ə	*a*gain	j	yes
ɑ:	far	ə:	bird	g	get
e	pen	ai	ice	w	war
i	sit	au	down	ʃ	show
i:	tea	ei	say	ʒ	pleasure
ɔ	box	ɛə	pair	ŋ	bring
ɔ:	call	iə	dear	θ	thin
u	book	ɔi	boy	ð	that
u:	blue	əu	no	tʃ	chip
ʌ	duck	uə	poor	dʒ	jam

● Les autres symboles : [p], [b], [t], [d], [k], [m], [n], [l], [r], [f], [v], [s], [z], [h], ont la même valeur que dans l'écriture orthographique. Le H dit aspiré étant, en fait, soufflé.

REMARQUE : en anglais britannique, la lettre R ne se prononce jamais devant une autre consonne, ni à la fin d'un mot, à moins que la syllabe ou le mot suivant ne commence par une voyelle. La prononciation américaine fait entendre un r « rétroflexe ».

● ACCENTUATION : l'accent principal (ˊ) ou l'accent secondaire (ˌ) précède la syllabe concernée (ex. : *determination* [diˌtə:miˊneiʃn]).

Orthographe américaine

L'orthographe américaine diffère parfois de l'orthographe anglaise. Notez, entre autres, les graphies suivantes :

G.B. **-our,** U.S. **-or :** *honour, honor.*
G.B. **-re,** U.S. **-er :** *centre, center.*
G.B. **-ce,** U.S. **-se :** *defence, defense.*
G.B. **-ll,** U.S. **-l :** *travelled, traveled.*
G.B. *catalogue, programme,* U.S. *catalog, program,* etc.
Cas spéciaux. G.B. *plough, tyre, gaol, kerb, skilful,* U.S. *plow, tire, jail, curb, skillful,* etc.

Prononciation des terminaisons anglaises courantes

-able	[-əbl]	·ism	[·izm][3]
-al	[-əl]	-ist	[-ist]
-an	[-ən]	-ity	[-iti]
-ance	[-əns]	-ive	[-iv]
-ant	[-ənt]	-ize	[-aiz]
-ary	[-əri]	-less	[-lis]
-cy	[-si]	-like	[-laik]
-en	[-ən]	-ly	[-li]
-ence	[-əns]	-man	[-mən]
-ency	[-ənsi]	-ment	[-mnt][3]
-ent	[-ənt]	-ness	[-nis]
-er	[-ə][1]	-o(u)r	[-ə][1]
-ess	[-is]	-ous	[-əs]
-est	[-əst]	-ship	[-ʃip]
-ful	[-f(u)l][2]	-ster	[-stə][1]
-hood	[-hud]	-tion	[-ʃn]
-ible	[-ibl][3]	-ty	[-ti]
-ing	[-iŋ][4]	-ward(s)	[-wəd(z)]
-ish	[-iʃ]	-y	[-i][4]

1. Le **r** final étant prononcé [-r] si le mot suivant commence par une voyelle (liaison).
2. Ou, le plus souvent, [-fl] ([l] syllabique).
3. [l], [m], [n] syllabiques.
4. Précédé ou non d'une consonne redoublée.

ÉLÉMENTS DE GRAMMAIRE ANGLAISE

L'ARTICLE

Article défini

L'article défini a une forme unique et invariable : THE ([ðə] ; [ði] devant une voyelle ou un *h* muet), correspondant à *le, la, les*. L'article THE s'emploie devant un nom au singulier représentant soit une unité déterminée (*the dog*, le chien = ce chien-ci), soit la classe (*the dog is a faithful animal*, le chien est un animal fidèle). Il ne s'emploie devant un nom au pluriel que si celui-ci est déterminé par le contexte ou la situation (*the dogs that bit him*, les chiens qui l'ont mordu) ; il s'efface dans le cas contraire (*dogs are faithful animals*, les chiens sont des animaux fidèles).

• L'absence d'article (article zéro) est également de règle devant certaines catégories de noms, lorsqu'ils ne sont pas déterminés : noms de substances, de masses, de couleurs, de langues, de sports, etc., ainsi que devant *man* et *woman* : *iron*, le fer ; *water*, l'eau ; *red*, le rouge ; *English*, l'anglais ; *tennis*, le tennis ; *man*, l'homme (= l'humanité). Certains noms géographiques, assimilables à des noms propres (noms de pays, de villes, etc.), ne sont pas, en général, précédés de l'article défini : *England*, l'Angleterre ; mais : *the United States*, les États-Unis.

Article indéfini

L'article indéfini a deux formes : 1° A [ə] devant une consonne ou une semi-consonne : [w], [j], ainsi que devant *u* prononcé [juː] : *a man, a hat, a wing, a year, a university* ; 2° AN [ən] devant une voyelle ou un *h* muet : *an apple, an hour*. L'article indéfini s'emploie devant un nom commun dénombrable, au singulier. Il n'a pas de pluriel (article zéro) : *a chair*, une chaise ; *chairs*, des chaises.

LE NOM

Genre

Masculin quand il désigne un homme ou un être mâle, féminin quand il désigne une femme ou un être femelle, neutre dans les autres cas. *Parent* désigne soit le père, soit la mère ; *cousin*, un cousin ou une cousine. *Child* et *baby* sont en général du neutre, *ship* et *car* du féminin. Le féminin se forme de trois façons : 1° au moyen d'une désinence (*actor/actress*, acteur/actrice) ; 2° par un mot composé (*milkman/milkmaid*, laitier/laitière ; *ass/she-ass*, âne/ânesse) ou l'adjonction de l'adjectif *female* (*female workers*, ouvrières) ; 3° au moyen d'un mot différent (*father/mother*, père/mère ; *son/daughter*, fils/fille).

Nombre

Le pluriel des noms se forme en général au moyen d'un suffixe, qui peut être : 1° -s [-s] après une consonne sourde *(books)*, [-z] après une consonne sonore ou une voyelle *(dogs, lines)* ; 2° -ES [-z] après la voyelle *o (potatoes)* ; [-iz] après s, x, z, SH, CH *(boxes, churches...)*. Les noms terminés en -Y forment leur pluriel en -s [-z] si cet Y est précédé d'une voyelle *(boy/boys)*, en -IES [-iz] dans les autres cas *(lady/ladies)*. Les noms terminés en -F(E) forment, pour la plupart, leur pluriel en -VES [-vz] *(wife/wives)*. Quelques anciennes formes subsistent : *man/men, foot/feet,* etc. Certains noms d'animaux sont invariables : *deer, sheep,* etc.

Génitif

Il est appelé aussi CAS POSSESSIF et se forme en plaçant le nom du possesseur suivi de 's devant le nom de l'objet possédé, sans article : *John's book,* le livre de Jean ; *St Jame's Park,* le parc Saint-James. Avec les noms au pluriel terminés par *s,* on n'ajoute qu'une apostrophe : *the girls' school,* l'école des filles. Le génitif s'emploie surtout lorsque le possesseur est un être animé ou susceptible d'être personnifié *(London's history)* ou s'il admet le genre féminin *(the ship's company,* l'équipage du navire) : mais l'anglais moderne étend son usage à toutes sortes de noms communs neutres. Il se rencontre aussi dans des locutions exprimant la durée, la distance *(an hour's walk,* une promenade d'une heure ; *at a mile's distance,* à une distance d'un mile) ainsi que dans certaines expressions idiomatiques : *the water's edge,* le bord de l'eau, *get one's money's worth,* en avoir pour son argent, etc.

L'ADJECTIF

L'adjectif qualificatif

L'adjectif qualificatif est invariable. Lorsqu'il est épithète, il se place normalement devant le nom : *a good boy ; good boys.*

• Comparatif et superlatif de supériorité

1 – Adjectifs d'une syllabe. Le comparatif et le superlatif se forment au moyen des désinences -ER et -EST : *tall,* grand ; *taller,* plus grand ; *the tallest,* le plus grand.
2 – Adjectifs de trois syllabes ou plus. Le comparatif et le superlatif se forment en faisant précéder l'adjectif des adverbes MORE et MOST : *more interesting,* plus intéressant, *the most interesting,* le plus intéressant.
3 – Les adjectifs de deux ou trois syllabes suivent l'une ou l'autre règle. Ceux qui sont terminés en -FUL utilisent habituellement *more* et *most (more careful, the most careful)* ; ceux qui sont terminés en -ER, -Y utilisent -ER et -EST *(clever, cleverer, the cleverest ; pretty, prettier, the prettiest,* avec changement de Y en I).

• Comparatif et superlatif d'infériorité

Ils se forment en faisant précéder l'adjectif des adverbes LESS et LEAST : *less interesting,* moins intéressant, *the least interesting,* le moins intéressant.

• Comparatifs et superlatifs irréguliers

good (bon)	*better* (meilleur)	*the best* (le meilleur)
bad (mauvais)	*worse* (pire)	*the worst* (le pire)
little (petit)	*less* (moins de)	*the least* (le moins de)
	lesser (moindre)	*the lesser* (le moindre)
far (éloigné)	*farther* (plus éloigné)	*the farthest* (le plus éloigné)
old (vieux)	*older* (plus vieux)	*the oldest* (le plus vieux)
	elder (aîné)	*the eldest* (l'aîné)

Constructions

1 – COMPARATIF D'ÉGALITÉ : AS ... AS, aussi ... que *(as tall as,* aussi grand que) ; NOT AS/SO ... AS, pas aussi ... que *(not so tall as, not as tall as).*
2 – COMPARATIF DE SUPÉRIORITÉ : -ER/MORE ...THAN *(taller/more interesting than).*
3 – COMPARATIF D'INFÉRIORITÉ : LESS... THAN *(less tall/interesting than).*
4 – SUPERLATIFS : THE -EST/MOST ..., THE LEAST ... IN (suivi d'un complément de lieu)/OF (dans les autres cas) : *the cleverest of them all,* le plus habile de tous ; *the tallest building in the world,* le plus grand édifice du monde.

L'adjectif numéral (cardinal et ordinal)

1	one	*first*	17	seventeen	*(~th)*
2	two	*second*	18	eighteen	*(~th)*
3	three	*third*	19	nineteen	*(~th)*
4	four	*fourth*	20	twenty	*(twentieth)*
5	five	*fifth*	21	twenty-one	*twenty-first*
6	six	*sixth*	30	thirty	*thirtieth*
7	seven	*seventh*	40	forty	*fortieth*
8	eight	*eighth*	50	fifty	*fiftieth*
9	nine	*ninth*	60	sixty	*sixtieth*
10	ten	*tenth*	70	seventy	*seventieth*
11	eleven	*eleventh*	80	eighty	*eightieth*
12	twelve	*twelfth*	90	ninety	*ninetieth*
13	thirteen	*thirteenth*	100	one hundred	*hundredth*
14	fourteen	*fourteenth*	200	two hundred	*(~th)*
15	fifteen	*fifteenth*	1 000	one thousand	*thousandth*
16	sixteen	*(~th)*	2 000	two thousand	*(~th)*

LE PRONOM

Pronoms personnels, possessifs et réfléchis, adjectifs possessifs

| | PER-SONNE | GENRE | PERSONNELS | | POSSESSIFS | | PRONOMS RÉFLÉCHIS |
			sujet	compl.	adjectifs	pronoms	
	1		I	me	my	mine	myself
SING.	2		you	you	your	yours	yourself
			*thou	*thee	*thy	*thine	*thyself
	3	m	he	him	his	his	himself
		f	she	her	her	hers	herself
		n	it	it	its	its own	itself
		indéf.	one	one	one's	one's own	oneself
PLUR.	1		we	us	our	ours	ourselves
	2		you	you	your	yours	yourselves
	3		they	them	their	theirs	themselves

* Ces formes archaïques du tutoiement ne s'emploient plus que dans les prières, en s'adressant à Dieu, et en poésie.

Contrairement au français, les adjectifs et pronoms possessifs de la 3ᵉ personne du singulier s'accordent en genre avec le nom du possesseur et non avec celui de l'objet possédé : *his wife,* sa femme ; *her husband,* son mari.

Pronoms relatifs

	sujet	*compl.*	*possessif*
PERSONNES	who that	who(m) that	whose
CHOSES	which that	which that	of which whose

THAT remplace WHO(M), WHICH dans les propositions relatives restrictives. Il est obligatoire après un superlatif. Le pronom complément est souvent omis (*the man I saw,* l'homme que j'ai vu) et la préposition rejetée à la fin : *the man (that) I spoke to.* WHOM est réservé à la langue écrite ; dans la conversation, WHO complément est conforme à l'usage normal. WHAT = *that which* (ce que) : *he told me what he had done,* il m'a dit ce qu'il avait fait.

WHICH (ce que) reprend une proposition : *he told me everything, which surprised me,* il m'a tout dit, ce qui m'a surpris.

Pronoms et adjectifs interrogatifs

	sujet	*compl.*	*possessif*
PERSONNES	who ?	who(m) ?	whose ?
CHOSES	what ? which ?	what ? which ?	whose ?

WHO et WHO(M) sont pronoms seulement. Sur l'emploi de WHO(M), même remarque que pour le relatif. WHICH s'emploie dans le cas d'un choix restreint et correspond à *lequel.*

Adjectifs et pronoms démonstratifs

SING.   *this* (adj. = ce... -ci/pron. = ceci)
       that (adj. = ce ... -là/pron. = cela)

PLUR.   *these* (adj. = ces ... -ci/pron. = ceux-ci)
       those (adj. = ces ... -là/pron. = ceux-là)

Les adjectifs démonstratifs sont les seuls adjectifs qui s'accordent en nombre avec le nom qu'ils déterminent.

Adjectifs et pronoms indéfinis

Each (adj. = chaque/pron. = chacun, chacune), every (adj. = chaque, tout, tous) sont suivis d'un verbe au singulier.

Every n'est qu'adjectif ; le pronom correspondant est *every one*.

Every désigne la totalité (*on every side*, de tous côtés ; *every boy*, tous les garçons) ; each souligne l'unité, l'individualité (*on each side*, de chaque côté ; *each of them*, chacun d'eux).

● **Composés :** everyone, everybody (tout le monde, tous) ; everything (tout).

All (adj./pron. = tout, tous) peut être suivi d'un verbe au singulier ou au pluriel : *all is well*, tout va bien ; *all horses are animals*, tous les chevaux sont des animaux.

Adjectifs et pronoms de quantité

Some/any (= quelque[s]), any étant employé dans les phrases négatives ou interrogatives.

Much (sing.)/many (plur.) [= beaucoup (de)].

Little (sing.)/few (plur.) [= peu de].

A little (sing.)/a few (plur.) [= un peu de/quelques].

No (adj.)/none (pron.) [= aucun, pas de/aucun, aucune].

● **Composés :** somebody, someone (= quelqu'un) ; anybody, anyone (= quelqu'un, dans les phrases interrogatives ou négatives ; = n'importe qui, n'importe lequel, dans les phrases affirmatives) ; nobody, not ... anybody (= personne) ; nothing (= rien).

Pronoms réciproques

Each other, one another (= l'un l'autre, les uns les autres). V. verbe.

L'ADVERBE

L'adverbe de manière se forme en ajoutant -ly à l'adjectif : poor, pauvre ; poorly, pauvrement.

Les adjectifs en -y (sauf ceux en -ly) forment leurs adverbes en -ily : *happy*, heureux ; *happily*, heureusement.

Les adjectifs en -ly sont aussi employés comme adverbes.

Les règles de formation et de construction des comparatifs et superlatifs des adjectifs s'appliquent aux adverbes également. Parmi les irréguliers : well (bien) ; better (mieux) ; the best (le mieux).

Pour les autres adverbes (de lieu, de temps, etc.), consulter le dictionnaire.

La place des adverbes dans la proposition est déterminée par diverses règles.

LE VERBE

A. Auxiliaires

1. **be** (être)

INDICATIF

présent		*passé*[1]	

présent	*passé*[1]
I am	I was
you are	you were
he is	he was
we are	we were
you are	you were
they are	they were

parfait[2]	*plus-que-parfait*[3]
I have been	I had been
you have been	you had been
he has been	he had been
we have been	we had been
you have been	you had been
they have been	they had been

futur	*futur antérieur*[4]
I shall be	I shall have been
you will be	you will have been
he will be	he will have been
we shall be	we shall have been
you will be	you will have been
they will be	they will have been

CONDITIONNEL

présent	*passé*
I should be	I should have been
you would be	you would have been
he would be	he would have been
we should be	we should have been
you would be	you would have been
they would be	they would have been

SUBJONCTIF

présent : be (à toutes les personnes)
passé : were (à toutes les personnes)

PARTICIPE

présent : being
passé : been

INFINITIF

présent : (to) be
passé : have been

---

1. "preterite" ; 2. "present perfect" ; 3. "pluperfect" ; 4. "future perfect".

2. **have** (avoir)

INDICATIF

> *présent* : have (à toutes les personnes, sauf la 3ᵉ, qui est *has*)
>
> *passé* : had (à toutes les personnes)
>
> *parfait* : have had ; 3ᵉ pers. : has had
>
> *futur* : shall/will have
>
> *futur antérieur* : shall/will have had

CONDITIONNEL

> *présent* : should/would have
> *passé* : should/would have had
> } même schéma que pour BE

SUBJONCTIF

> *présent* : have (à toutes les personnes)
>
> *passé* : had (à toutes les personnes)

PARTICIPE

> *présent* : having
>
> *passé* : had

INFINITIF

> *présent* : (to) have
>
> *passé* : have had

3. **do**

Auxiliaire[1] dépourvu de sens propre et servant à la conjugaison des verbes. V. CONJUGAISON NÉGATIVE, INTERROGATIVE, EMPHATIQUE.

Il sert en outre de substitut de verbe (pro-verbe), afin d'éviter une répétition (*she plays tennis better than she did last year,* elle joue mieux au tennis maintenant que l'année dernière).

Formes :

Indicatif présent, DO (à toutes les personnes, sauf la 3ᵉ du sing., qui est DOES [dəz]) ; passé, DID (à toutes les personnes).

N.B. – Pour l'IMPÉRATIF, voir p. XIV : conjugaison du verbe OPEN.

---

1. Le verbe « plein » étant : TO DO, DID, DONE, qui se conjugue avec *do* auxiliaire (v. CONJUGAISON NÉGATIVE, INTERROGATIVE).

B. Auxiliaires de modalité

● CAN (présent, futur)/COULD (passé) = pouvoir (physique ou intellectuel) : *he can swim,* il peut = il sait nager ; *he cannot read,* il ne sait pas lire. Peut être remplacé par *be able* à certains temps.

● MUST (présent, futur) : *a)* falloir, devoir (contrainte) : *I must go now,* il faut que je parte maintenant ; *b)* devoir (grande probabilité) : *he must be ill,* il doit être malade. Peut être remplacé par *have to* à certains temps (au sens *a* seulement).

● MAY (présent, futur)/MIGHT (passé) : *a)* pouvoir (permission) : *may I leave now ?,* puis-je partir maintenant ? (question déférente ; CAN est l'usage normal) ; *b)* pouvoir (probabilité) : *it may rain,* il se peut qu'il pleuve. Remplacé par *can* dans l'usage courant et *be allowed* à certains temps (pour le sens *a* seulement).

● SHALL et WILL : auxiliaires du futur marquant respectivement l'obligation extérieure au sujet et la volonté du sujet ; il en est de même pour SHOULD et WOULD auxiliaires du conditionnel.

Dans la pratique, WILL est employé à toutes les personnes du futur et WOULD à celles du conditionnel.

Dans la langue parlée, les formes contractées 'LL et 'D sont d'usage presque constant, l'opposition *shall* et *will* étant ainsi neutralisée : I'LL GO = *I shall* ou *will go* : j'irai ; WE'D LIKE = *we should* ou *would like,* nous aimerions.

● SHOULD, OUGHT TO (passé, présent, futur) = devoir (conseil ou obligation de la conscience) : *you should see that film,* vous devriez voir ce film ; *a child ought to obey his parents,* un enfant doit obéir à ses parents.

● NEED (présent) = avoir besoin ; DARE (présent, passé, futur) = oser. Ces deux verbes se conjuguent comme des « défectifs » (v. plus bas) dans les phrases négatives et interrogatives, comme des verbes « pleins » dans les phrases affirmatives.

● USED TO (passé uniquement) indique une action répétitive révolue dans un passé relativement éloigné (et correspond à l'imparfait d'habitude français) : *they used to play football on Saturday afternoon,* ils jouaient au football le samedi après-midi ; *that's where I used to live,* c'est là que j'habitais. À ne pas confondre avec *to be used to,* être habitué à, qui se conjugue à tous les temps.

WOULD a une valeur voisine, mais souligne la répétition plus ou moins obstinée : *he would stop here everyday,* il s'arrêtait ici tous les jours.

● Conjugaison

Ces auxiliaires, encore appelés « défectifs », n'ont qu'une ou deux formes (présent et passé), ne prennent pas d's à la 3ᵉ personne du singulier du présent, ne sont jamais précédés ni de DO ni d'aucun autre auxiliaire.

À l'exception de OUGHT, le verbe qui les suit est l'infinitif sans TO ; ils ne peuvent être suivis d'un complément d'objet sans l'intervention de l'auxiliaire HAVE : *you must have a dictionary,* il vous faut un dictionnaire.

Leur forme du passé a, le plus souvent, une valeur de conditionnel.

Aux temps qui leur manquent, ils peuvent être remplacés, dans certains cas, par des « équivalents ».

Les temps composés du passé se construisent au moyen de l'infinitif passé : *he might have seen you,* il aurait (peut-être) pu vous voir ; *he must have missed his train,* il a dû manquer son train.

C. Verbe « plein »

---

open *ouvrir* (v. régulier).

INDICATIF

présent : open (à toutes les personnes, sauf à la 3ᵉ pers. du sing., qui est *opens*)

passé : opened (forme unique)

parfait : have opened (forme unique)

plus-que-parfait : had opened

futur : shall/will open

futur antérieur : shall/will have opened

CONDITIONNEL

présent : should/would open

passé : should/would have opened

IMPÉRATIF

sing. 1. let me open ; 2. open ; 3. let him open ;

plur. 1. let us open ; 2. open ; 3. let them open

PARTICIPE

présent : opening

passé : opened

INFINITIF

présent : (to) open

passé : have opened

---

1 – Emploi des temps

Le passé (PRETERITE) et le parfait (PRESENT PERFECT) n'ont pas la même valeur que les temps français auxquels ils ressemblent par la forme (passé simple et passé composé).

Le passé anglais exprime une action passée s'étant produite à une époque donnée et qui exclut le présent ; il correspond soit au passé simple (passé historique) : *William the Conqueror invaded Britain in 1066,* Guillaume le Conquérant envahit la Grande-Bretagne en 1066 ; soit au passé composé : *I met him yesterday,* je l'ai rencontré hier.

Le parfait exprime :

a. une action ayant eu lieu à une époque non précisée (*I have lost my watch,* j'ai perdu ma montre) ;

b. une action ayant eu lieu à une époque qui embrasse le présent : *I have bought a new car,* j'ai acheté une nouvelle voiture ;

c. une action commencée dans le passé et qui se continue dans le présent : *I have been living in London for six years,* j'habite à Londres depuis six ans, il y a six ans que j'habite Londres. Le plus souvent à la forme progressive, dans ce dernier cas, il correspond aux tournures françaises : *il y a... que,* ou le présent + *depuis*.

2 – Forme dite « progressive »

BE + ~ING : *I am reading,* je lis (en ce moment) ; *I was reading,* je lisais.

Elle indique qu'une action se déroule au moment où l'on parle (au présent), au moment où une autre action intervient (au passé) et correspond alors à l'imparfait français : *he was reading when you came in,* il lisait quand vous êtes entré.

3 – Forme dite « emphatique » (ou « d'insistance »)

Elle consiste à mettre un accent d'intensité sur l'auxiliaire de conjugaison, s'il y en a un : *I **am** listening,* mais si, j'écoute ! ; *you **must** see him,* il faut absolument que vous le voyiez. S'il n'y a pas d'auxiliaire (c'est le cas du présent et du passé à la forme simple), conjuguer DO, DOES, DID (avec un accent d'intensité) devant le verbe à l'infinitif sans TO : *I **do** hope,* j'espère bien ; *he **did** come,* il est effectivement venu. À l'impératif : *do come !,* venez donc !

4 – Forme dite « fréquentative »

Elle se forme au passé au moyen des auxiliaires de modalité USED TO et WOULD.

Elle correspond à l'imparfait d'habitude français : *I used to see him every Saturday,* je le voyais tous les samedis. WOULD a une valeur voisine, mais souligne une répétition volontaire et parfois obstinée : *he would stop here everyday,* il s'arrêtait ici tous les jours.

5 – Conjugaison négative

Elle se forme au moyen de la négation NOT placée après le premier auxiliaire :
I am not working now ; he will not come ; we have not seen him ; you need not worry.

À l'indicatif présent et passé (forme simple), il suffit de conjuguer DO, DOES, DID suivi de NOT devant le verbe à l'infinitif sans TO : *I do not know him*, je ne le connais pas ; *he does not know her*, il ne la connaît pas ; *he did not do it*, il ne l'a pas fait.

• Dans la phrase parlée, NOT est réduit à N'T : *I don't think so*, je ne (le) pense pas ; *he doesn't know him*, il ne le connaît pas ; *you musn't do that*, il ne faut pas faire cela ; *I can't* (= cannot) *tell you*, je ne peux vous dire ; *she won't* (= will not) *come*, elle ne viendra pas.

• L'impératif se conjugue négativement en plaçant DON'T devant le groupe verbal à toutes les personnes : *don't let me (him/us/them) go* et *don't go* pour la 2ᵉ personne du singulier ou du pluriel ; à la 1ʳᵉ personne, on rencontre également : *let's not go*, dans un style moins familier.

6 – Conjugaison interrogative

Elle se forme par inversion du sujet par rapport à l'auxiliaire selon la formule : AUX. + SUJET + VERBE. *Are you coming ?*, Venez-vous ? *Will you come with us ?*, Viendrez-vous avec nous ? *Do you speak English ?*, Parlez-vous anglais ?

7 – Conjugaison interro-négative

La construction est : AUX. + N'T + SUJET + VERBE. *Don't you think so ?*, Ne trouvez-vous pas ?
Cette construction sert à former des formules interrogatives correspondant au français *N'est-ce pas ?* (Consultez le dictionnaire à l'article ÊTRE.)

8 – La voix passive

Elle se forme au moyen de l'auxiliaire BE suivi du participe passé du verbe, le complément d'agent étant introduit, le plus souvent, par *by* : *she was examined by the doctor*, elle fut examinée par le médecin.
Elle correspond souvent à la tournure impersonnelle française *on* : *you are wanted on the phone*, on vous demande au téléphone.

9 – Conjugaison réfléchie

Elle se forme au moyen de pronoms réfléchis (v. TABLEAU) placés après le verbe : *I see myself*, je me vois.
Elle ne s'emploie que lorsque le sujet exerce l'action volontairement ou consciemment sur lui-même : *he killed himself*, il s'est suicidé ; mais : *he was killed*, il s'est tué (accidentellement).
Très souvent, un verbe employé absolument correspond à un verbe pronominal français : *he stopped*, il s'arrêta.

10 – Conjugaison réciproque

Elle se forme au moyen des pronoms réciproques EACH OTHER OU ONE ANOTHER : *they love each other* (ou *one another*), ils s'aiment.

11 – Particularité de prononciation

☐ La terminaison -ED (passé ou participe passé) se prononce :

1. [d] lorsque la consonne terminale du radical est sonore ou après un son vocalique : *moved* [muvd], *sawed* [sɔːd] ;

2. [t] lorsque la consonne terminale du radical est sourde : *ticked, brushed, scoffed, placed, remarked* ;

3. [id] après les alvéolaires (*t* ou *d*) : *glided, flitted, rated, melted*.

N. B. – Il existe un certain nombre d'adjectifs en -*ed* (prononcer [id]) : *beloved, learned, naked, wicked, wretched*.

☐ Les verbes dont l'infinitif se termine par -*ce*, -*se*, -*ge* se prononcent avec une syllabe supplémentaire [iz] à la troisième personne du singulier de l'indicatif présent : *dances, fences, cleanses, changes*.

☐ Les verbes dont l'infinitif se termine par -*ss*, -*x*, -*z*, -*sh* et -*ch* forment la troisième personne du singulier de l'indicatif présent en -*es* avec une syllabe supplémentaire dans la prononciation [iz] : *passes, misses, fixes, reaches, fizzes, crushes*.

MODIFICATIONS ORTHOGRAPHIQUES

1. Le **redoublement de la consonne finale** d'un verbe monosyllabique a lieu si elle est précédée d'une seule voyelle, devant toute désinence commençant par une voyelle. Ex. : *stop, stopped*.

La consonne finale d'un mot de deux syllabes suit la même règle si l'accent porte sur la dernière syllabe. Ex. : *prefer*, préférer [pri'fə:], *preferred* ; mais : *offer*, offrir ['ɔfə], *offered*.

La consonne finale d'un mot de plusieurs syllabes suit la même règle, si la dernière syllabe porte un accent.

Exceptions : 1° Tous les verbes polysyllabiques terminés par une voyelle suivie de *l* (sauf *parallel*) redoublent le *l* final. Ex. : *travel, travelled* ; *carol, carolled*.

2. Les **verbes terminés en « y »** précédé d'une consonne forment leur troisième personne du singulier de l'indicatif présent en *ies* et leur passé en *ied*. Ex. : *study*, étudier ; *he studies* ; *studied*.

Les verbes dont l'infinitif se termine en -*y* précédé d'une voyelle forment la 3ᵉ pers. du sing. à l'ind. pr. en -*ys* et du p. pr. en -*ying*. Ex. : *play*, jouer ; *plays* ; *playing*.

3. Les **verbes monosyllabiques terminés en « ie »** font leur participe présent en -*ying*. Ex. : *die*, mourir ; *died* ; *dying*.

4. Les **verbes terminés en « o »** ajoutent -*ed* à la voyelle finale. Ex. : *halo*, auréoler ; *haloed*.

LISTE DES VERBES IRRÉGULIERS ANGLAIS

N. B. – Les formes les plus fréquentes sont données en premier. Les formes rares ou archaïques sont placées entre parenthèses.

La lettre R indique l'existence d'une forme régulière.

INFINITIF	PRÉTÉRIT	PART. PASSÉ	SENS
abide	abode	abode	*demeurer*
arise	arose	arisen	*se lever*
awake	awoke, R	R, awoken	*s'éveiller*
be	was	been	*être*
bear	bore	borne [born = né]	*porter*
beat	beat	beaten	*battre*
become	became	become	*devenir*
befall	befell	befallen	*arriver à*
beget	begot	begotten	*engendrer*
begin	began	begun	*commencer*
behold	beheld	beheld	*contempler*
bend	bent	bent	*courber*
bereave	bereft, R	bereft, R	*priver*
beseech	besought	besought	*supplier*
bespeak	bespoke	bespoken	*commander, retenir*
bet	bet, R	bet, R	*parier*
(bid)	(bade, bid)	(bidden)	*ordonner*
bind	bound	bound	*lier, relier*
bite	bit	bitten	*mordre*
bleed	bled	bled	*saigner*
blow	blew	blown	*souffler*
break	broke	broken	*briser*
breed	bred	bred	*élever*
bring	brought	brought	*apporter*
broadcast	broadcast, R	broadcast, R	*radiodiffuser*
build	built	built	*construire*
burn	burnt, R	burnt, R	*brûler*
burst	burst	burst	*éclater*
buy	bought	bought	*acheter*
cast	cast	cast	*jeter*
catch	caught	caught	*attraper*
chide	chid, R	chidden, chid, R	*gronder*
choose	chose	chosen	*choisir*
cleave	clove, cleft, R	cleft, cloven	*fendre*
(cleave)	(clave), R	(cleaved)	*adhérer*
cling	clung	clung	*s'accrocher*
clothe	R, (clad)	R, (clad)	*vêtir*
come	came	come	*venir*
cost	cost	cost	*coûter*
creep	crept	crept	*ramper*
crow	R, (crew)	crowed	*chanter (coq)*
cut	cut	cut	*couper*
dare	dared, (durst)	dared	*oser*

deal	dealt	dealt	*distribuer*
dig	dug	dug	*creuser*
do	did	done	*faire*
draw	drew	drawn	*tirer*
dream	R, dreamt	R, dreamt	*rêver*
drink	drank	drunk	*boire*
drive	drove	driven	*conduire*
dwell	dwelt	dwelt	*demeurer*
eat	ate	eaten	*manger*
fall	fell	fallen	*tomber*
feed	fed	fed	*nourrir*
feel	felt	felt	*sentir*
fight	fought	fought	*combattre*
find	found	found	*trouver*
flee	fled	fled	*fuir*
fling	flung	flung	*lancer*
fly	flew	flown	*voler*
forbear	forbore	forborne	*s'abstenir*
forbid	forbade	forbidden	*défendre*
forecast	forecast, R	forecast, R	*prédire*
forget	forgot	forgotten	*oublier*
forgive	forgave	forgiven	*pardonner*
forsake	forsook	forsaken	*abandonner*
freeze	froze	frozen	*geler*
get	got	got, U.S. gotten	*obtenir*
gild	R, gilt	R, gilt	*dorer*
gird	R, girt	R, girt	*ceindre*
give	gave	given	*donner*
go	went	gone	*aller*
grind	ground	ground	*moudre*
grow	grew	grown	*croître*
hang	hung	hung	*suspendre*
	hanged	hanged	*pendre (supplice)*
have	had	had	*avoir*
hear	heard	heard	*entendre*
heave	R, hove	R, hove	*se soulever*
hew	hewed	R, hewn	*tailler*
hide	hid	hidden, hid	*cacher*
hit	hit	hit	*frapper atteindre*
hold	held	held	*tenir*
hurt	hurt	hurt	*blesser*
keep	kept	kept	*garder*
kneel	knelt	knelt	*s'agenouiller*
knit	R, knit	R, knit	*tricoter*
know	knew	known	*connaître*
(lade)	(laded)	laden	*charger*
lay	laid	laid	*poser*
lead	led	led	*conduire*
lean	R, leant	R, leant	*se pencher*
leap	leapt, R	leapt, R	*bondir*
learn	learnt, R	learnt, R	*apprendre*
leave	left	left	*laisser*

lend	lent	lent	*prêter*
let	let	let	*laisser*
lie	lay	lain	*être couché*
light	lit, R	lit, R	*allumer*
lose	lost	lost	*perdre*
make	made	made	*faire*
mean	meant	meant	*signifier*
meet	met	met	*rencontrer*
melt	melted	melted, (molten)	*fondre*
mistake	mistook	mistaken	*se tromper*
mow	mowed	mown, R	*faucher*
pay	paid	paid	*payer*
put	put	put	*mettre*
quit	R, quit	R, quit	*quitter*
read	read	read	*lire*
rend	rent	rent	*déchirer*
rid	rid, R	rid, R	*débarrasser*
ride	rode	ridden	*chevaucher*
ring	rang	rung	*sonner*
rise	rose	risen	*se lever*
run	ran	run	*courir*
saw	sawed	sawn, R	*scier*
say	said	said	*dire*
see	saw	seen	*voir*
seek	sought	sought	*chercher*
seethe	R, (sod)	R, (sodden)	*bouillir*
sell	sold	sold	*vendre*
send	sent	sent	*envoyer*
set	set	set	*placer*
sew	sewed	sewn, R	*coudre*
shake	shook	shaken	*secouer*
shear	R, (shore)	shorn, R	*tondre*
shed	shed	shed	*verser*
shine	shone	shone	*briller*
shoe	shod	shod	*chausser*
shoot	shot	shot	*tirer*
show	showed	shown, R	*montrer*
shred	R, (shred)	R, (shred)	*lacérer*
shrink	shrank	shrunk, (shrunken)	*rétrécir*
(shrive)	(shrove), R	(shriven), R	*confesser*
shut	shut	shut	*fermer*
sing	sang	sung	*chanter*
sink	sank	sunk	*enfoncer*
sit	sat	sat	*être assis*
(slay)	(slew)	(slain)	*tuer*
sleep	slept	slept	*dormir*
slide	slid	slid	*glisser*
sling	slung	slung	*lancer*
slink	slunk	slunk	*se glisser*
slit	slit	slit	*fendre*
smell	smelt	smelt	*sentir*
smite	smote	smitten	*frapper*

sow	sowed	sown	*semer*
speak	spoke	spoken	*parler*
speed	sped	sped	*se hâter*
spell	R, spelt	R, spelt	*épeler*
spend	spent	spent	*dépenser*
spill	spilt, R	spilt, R	*répandre*
spin	spun, span	spun	*filer, tourner*
spit	spat, (spit)	spat, (spit)	*cracher*
split	split	split	*fendre (en éclats)*
spoil	spoilt, R	spoilt, R	*gâter*
spread	spread	spread	*étendre*
spring	sprang	sprung	*s'élancer*
stand	stood	stood	*se tenir debout*
steal	stole	stolen	*voler (dérober)*
stick	stuck	stuck	*coller*
sting	stung	stung	*piquer*
stink	stank, stunk	stunk	*puer*
strew	strewed	strewn, R	*joncher*
stride	strode	stridden	*marcher à grands pas*
strike	struck	struck, stricken	*frapper*
string	strung	strung	*enfiler*
strive	strove	striven	*s'efforcer*
swear	swore	sworn	*jurer*
sweat	R, (sweat)	R, (sweat)	*suer*
sweep	swept	swept	*balayer*
swell	swelled	swollen, R	*enfler*
swim	swam	swum	*nager*
swing	swung	swung	*balancer*
take	took	taken	*prendre*
teach	taught	taught	*enseigner*
tear	tore	torn	*déchirer*
tell	told	told	*dire*
think	thought	thought	*penser*
thrive	throve, R	thriven, R	*prospérer*
throw	threw	thrown	*jeter*
thrust	thrust	thrust	*lancer*
tread	trod	trodden	*fouler (aux pieds)*
understand	understood	understood	*comprendre*
undo	undid	undone	*défaire*
upset	upset	upset	*renverser*
wake	woke, R	R, woken, woke	*éveiller*
wear	wore	worn	*porter, user*
weave	wove	woven	*tisser*
weep	wept	wept	*pleurer*
win	won	won	*gagner*
wind	wound	wound	*enrouler*
withdraw	withdrew	withdrawn	*retirer*
withstand	withstood	withstood	*résister à*
work	R, (wrought)	R, (wrought)	*travailler*
wring	wrung	wrung	*tordre*
write	wrote	written	*écrire*

Monnaies, poids et mesures anglais, américains et canadiens

Monnaies

Grande-Bretagne

£ 1 : a pound ; SL. a quid [kwid] = 100 pence.

PIÈCES	VALEUR
1 p : a penny	a penny ; FAM. one p [pi:]
2 p : a twopenny ['tʌpni] piece	twopence ['tʌpns] ; FAM. two p [pi:]
5 p : a fivepenny piece	five pence
10 p : a tenpenny piece	ten pence
20 p : a twenty pence piece	twenty pence
50 p : a fifty pence piece	fifty pence
£ 1 : a pound coin	one hundred pence

BILLETS : £ 5, £ 10, £ 20, £ 50 note.

La « guinée » (**guinea**, abrév. *gns*) est une monnaie de compte, utilisée pour indiquer le montant des honoraires, le prix de certains articles de luxe, etc., et vaut 105 pence.

Avant l'adoption du système monétaire décimal (15 février 1971), la livre était divisée en 20 **shillings,** le shilling en 12 pence.

États-Unis

$ 1 : a dollar ; SL. a buck = 100 cents.

PIÈCES	VALEUR
1 c : a penny	a cent
5 c : a nickel	five cents
10 c : a dime	ten cents
25 c : a quarter	twenty-five cents
50 c : a half-dollar	half a dollar

BILLETS : $ 1, $ 5, $ 10, $ 20 bill.

Australie, Canada, Nouvelle-Zélande

Même système qu'aux États-Unis : $ 1 = 100 cents.

Poids

Système *avoirdupois*

Hundredweight (cwt) :		Dram : 27 grains	1,772 g
112 lb	50,8 kg	Ounce (oz.)	28,35 g
Ton (t.) : 20 cwts	1 017,000 kg	Pound (lb.) : 16 oz.	453,592 g
Am. A short ton.	907,18 kg	Stone (st.) : 14 lb.	6,350 kg
Grain (gr.)	0,064 kg	Quarter (Qr.) : 28 lb.	12,695 kg

Système *troy* **pour les matières précieuses**

Grain (gr.)	0,064 g	Ounce troy : 20 dwts.	31,10 g
Pennyweight (dwt) :		Pound troy : 12 oz	373,23 g
24 grains	1,555 g		

Mesures de longueur

Inch (in.) : 12 lines	0,0254 m	Rood ou furlong :	
Foot (ft.) : 12 inches	0,3048 m	40 poles	201,16 m
Yard (yd.) : 3 feet	0,9144 m	Mile (m.) :	
Fathom (fthm.) : 6 ft.	1,8288 m	8 furlongs	1 609,432 m
Pole, rod, perch :		Knot ou nautical	
5,5 yds	5,0292 m	mile : 2 025 yards	1 853 m

Mesures de superficie

Square inch : 6,451 cm² ; square foot : 929 cm² ; square yard : 0,8361 m² ;
rood : 10,11 ares ; acre : 40,46 ares.

Mesures de volume

Cubic inch : 16,387 cm³ ; cubic foot : 28,315 dm³ ; cubic yard : 764 dm³.

Mesures de capacité

En Angleterre et au Canada

Pint : 0,567 litre ; quart (2 pints) : 1,135 l ; gallon (4 quarts) : 4,543 l ;
peck (2 gallons) ; 9,086 l ; bushel (8 gallons) : 36,347 l ; quarter (8 bushels) :
290,780 l.

Aux États-Unis

Am. Dry pint	0,551 litre	*Am.* Bushel	35,24 litres
Am. Dry quart	1,11 litre	*Am.* Pint (1/2 quart)	0,473 litre
Am. Dry gallon	4,41 litres	*Am.* Quart	0,946 litre
Am. Peck (1/4 bushel)	8,81 litres	*Am.* Gallon (4 quarts)	3,785 litres

Common English & American abbreviations and acronyms

AA	Alcoholics Anonymous; Automobile Association
AAA	American Automobile Association
ABC	American Broadcasting Association
ABS	Antilock Braking System
AC	alternating current
A/C	account
AD	(L *anno Domini*) in the year of our Lord (= after the birth of Jesus Christ)
AFL	American Federation of Labour
Agt	agent
AI	Amnesty International; artificial insemination
AIDS	Acquired Immune Deficiency Syndrome
am	(L *ante meridiem*) before noon
amp	ampere(s)
anon	anonymous
A/O	account of
AP	Associated Press
appro	approval
arrd	arrived
ASA	American Standard Association
AT & T	American Telegraph & Telephone Company
AV	ad valorem; audiovisual; Authorized Version (Bible)
av	average
avdp	avoirdupois
Ave	Avenue
AZ	all inclusive
BA	Bachelor of Arts
B & B	Bed and Breakfast
B & W	black and white
bar	barrel
BB	double black (pencils)

BBC	British Broadcasting Corporation
BC	before Christ; British Council
BH	bill of health
BL	bill of lading
BM	British Museum
bn	billion
BO	body odour; box office
B of E	Bank of England
BOT	Board of Trade
BP	British Petroleum
BR	British Rail
Bros	Brothers
BSc	Bachelor of Science
BST	British Summer Time
C	centigrade
c	cent; cubic
CA	Chartered Accountant
c & f	cost and freight
CB	Citizen Band
cbd	cash before delivery
cc	carbon copy; cubic centimetre
CD	compact disc
cent	century
CHE	Campaign for Homosexual Equality
chge	charge
CI	Channel Island
CIA	Central Intelligence Agency
cif	cost, insurance, freight
C in C	Commander in Chief
cl	class
Clo	close (St names)
cm	centimetre
Co	company
c/o	care of
COD	Concise Oxford Dictionary
C of C	Chamber of Commerce
col	column
contd	continued
corp	corporation
CP	carriage paid

cresc	crescent (St names)	fac	fac simile
ct	cent	FAO	Food and Agricultural Organization
cwt	hundredweight		
d	pence, penny ; discount	FBI	Federal Bureau of Investigation
DC	direct current ; District of Columbia		
		FBR	fast breeder reactor
deg	degree	FCA	Fellow of the Institute of Chartered Accountants
dep	departure ; deputy		
dept	department		
disc	discount	fd	forward
DIY	do it yourself	Fed	federal ; Federation
DJ	disc jockey	ff	following
DLO	Dead-letter office	FM	frequency modulation
do	ditto	FO	Foreign Office
dol	dollar	fob	free on board
doz	dozen	foc	free of charge
DP	data processing	FRG	Federal Republic of Germany
Dr	debtor ; debit ; doctor		
DSO	Distinguished Service Order	frt fwd	freight forward
		frt pd	freight paid
DST	daylight saving time	ft	foot ; feet
DT	*delirium tremens*	fwd	forward
E	east	G	German
EC	East Central (London postal district)	g	gram
		gal	gallon
ECU	European Currency Unit	GATT	General Agreement on Tariffs and Trade
		GB	Great Britain
Ed	edition ; editor	Gdns	gardens (St names)
EEC	European Economic Community	GDP	gross domestic product
		GDR	German Democratic Republic
EFTA	European Free Trade Association		
		GHQ	General Headquarters
e.g.	(L *exempli gratia*) for example	GI	(USA, government issue), [FAM.] enlisted soldier
e.o.m.	end of month		
Esq.	Esquire	GLC	Greater London Council
EST	Eastern Standard Time	GLM	graduated length method
ETA	estimated time of arrival		
etc.	*et cetera*	gm	gram
ETD	estimated time of departure	GMT	Greenwich Mean Time
		GNP	gross national product
EURATOM	European Atomic Energy Community	GOP	Grand Old Party
		GP	general practitioner
EURECA	European Retrievable Carrier	GPO	General Post Office
		gr	grade ; gross
exc	except	GT	grand touring
excl	excluding	GTT	glucose tolerance test
F	Fahrenheit ; fine (pencils) ; French	guar	guaranteed
		H	hard (pencils)
f	foot ; feet	h	height ; hour

HB	hard black (pencils)	iv	intravenous
HH	Her/His Highness	JP	Justice of the Peace
HM	Her/His Majesty	Jr	Junior
HMC	Her/His Majesty's Customs	KC	King's Counsel
		kg	kilogram
HMS	Her/His Majesty's Ship	km	kilometre
HMSO	Her/His Majesty's Stationery Office	KO	knock-out
		kw	kilowatt
HMV	His Master's Voice	L	Latin ; learner
HO	Head Office, Home Office	l	litre(s)
		LA	Los Angeles
HP	hire purchase ; horsepower	£	pound
		lb	(L *libra*) pound
HQ	Headquarters	LC	Library of Congress
HRW	heated rear window	LCC	London County Council
HST	high speed train		
Hz	hertz	£ E	Egyptian pound
I	island	£ NZ	New Zealand pound
IBA	Independent Broadcasting Authority	£ SA	South African pound
		Ld	Limited ; Lord
ib(id)	*ibidem*	LED	Light Emitting Diode
IBM	International Business Machines	LP	long-playing (record)
		Ltd	Limited
ICI	Imperial Chemical Industry	m	month ; mile ; million ; metre ; minute
ICL	International Computers Limited	MA	Master of Arts
		MC	Master of Ceremonies ; Member of Congress ; Military Cross
ie	(L *id est*) that is		
ILO	International Labour Organization		
		Messrs	Messieurs
in	inch	met	meteorological
Inc	Incorporated	mg	milligram
incl	inclusive, including	Mhz	megahertz
inst	instant	MIDI	Musical Instrument Digital Interface
INTELSAT	International Telecommunication Satellite		
		misc	miscellaneous
IOM	Isle of Man	MIT	Massachusetts Institute of Technology
IOU	I owe you		
IQ	intelligence quotient	mm	millimetre
IR	Inland Revenue	MO	money order
IRA	Irish Republic Army	MP	Member of Parliament ; Military Police
IRO	Inland Revenue Office		
ISD	International subscriber dialling	mpg/h	miles per gallon/hour
		MS	manuscript
ITN	Independent Television News	MSc	Master of Science
		N	north
ITT	International Telephone & Telegraph (Corporation)	NASA	National Aeronautics and Space Administration
		NATO	North Atlantic Treaty Organization
IUCD	Intra uterine contraceptive device	NB	*nota bene*

NCO	non-commissioned officer	pt	payment ; pint
No	number	PT	physical training
non-U	not upper class	PTA	Parent-Teacher Association
NY	New York	PTO	please turn over
NZ	New Zealand	Pty	proprietary
OAU	Organization for African Unity	pw	per week
		pwr	power
OC	oral contraceptive	Q	Queen
OECD	Organization for Economic Cooperation & Development	QED	(L *quod erat demonstrandum*) which was to be demonstrated
OPEC	Organization of Petroleum Exporting Countries	qv	(L *quae vide*) which see (pl)
		QSO	quasi-stellar object
OT	Old Testament	Que	Quebec
OXFAM	Oxford Committee for Famine Relief	R	registered ; ringroad
		RAC	Royal Automobile Club
Oxon	of Oxford	RAF	Royal Air Force
oz	ounce	RAM	random access memory
p	page ; paid ; pence, penny	RC	Red Cross ; Roman Catholic
PA	public adress system		
PAL	phase alternation line	re	regarding
P & P	postage and packing	recd	received
P & T	Posts and Telegraphs Department	ref	reference
		Rev	Reverend
PAYE	« Pay as you earn »	RM	Royal Mail
PC	personal computer ; Police Constable	RN	Royal Navy
		ROM	read only memory
pc	per cent	RP	Received Pronunciation ; reply paid
pd	paid		
per an	*per annum*	rpm	revolutions per minute
PFLP	Popular Front for the Liberation of Palestine	RSPCA	Royal Society for the Prevention of Cruelty to Animals
P G	Paying guest		
PhD	Doctor of Philosophy	Rt Hon	Right Honourable
pkg	package	r-t-w	ready to wear
pl	plural	RV	Revised Version (Bible)
PLA	Port of London Authority	S	Saint ; Society ; south
		SA	Salvation Army
pm	(L *post meridiem*) afternoon	sae	stamped addressed envelope
PMG	Post Master General	SALT	Strategic Arms Limitation Talks
PO	post office ; postal order ; Petty Officer		
		SAYE	save as you earn
POB	post-office box	ScD	Doctor of Science
pp	parcel post	Scot	Scotland ; Scottish
ppd	postpaid ; prepaid	SCUBA	Self contained underwater breathing apparatus
PQ	Province of Quebec		
PS	postscript	SDI	Strategic Defense Initiative
PST	Pacific Standard Line		

SDR	special drawing rights	US(A)	United States (of America)
SF	science fiction		
Soc	society	USSR	Union of Soviet Socialist Republics
SOS	SOS		
sq	square	UV	ultraviolet (ray)
Sr	Senior ; Sister	V	volt(age)
SS	steamship	v	versus
st	stone	V & A	Victoria & Albert Museum
St	Saint ; Street		
std	standard	Vat	Vatican
STD	subscriber trunk dialling	VAT	Value-added Tax
STV	Scottish Television	VC	Victoria Cross
St-Ex	Stock-Exchange	VCR	video cassette recorder
T	temperature	VD	venereal disease
t	time ; ton	VHF	very high frequency
TAM	television audience measurement	VHS	Video Home System
		VIP	very important person
TB	tuberculosis	viz	(L *videlicet*) namely
tbs(p)	tablespoon (ful)	VSOP	Very Special Old Pale
TC	Technical College	VTOL	vertical takeoff and landing
Tce	terrace (St names)		
tel	telegraph ; telephone	VTR	video tape recorder
TM	trademark	vv	vice versa
TMO	telegraphic money order	W	watt ; West
		w	week
tsp	teaspoon (ful)	WAR	Women Against Rape
TT	teatotaller	WASP	white Anglo-Saxon Protestant
TTL	through the lens		
TUC	Trades-Union Congress	WC	West Central (London postal district)
TV	Television		
U	union ; University ; upper class	WHO	World Health Organization
		Wlk	walk (St names)
u	unit	WO	War Office
UAE	United Arab Emirates	wp	weather permitting
UAR	United Arab Republic	X	Christ
UCLA	University of California Los Angeles	x	ex ; extra
		Xmas	Christmas
UFO	Unidentified Flying Object	x wks	ex works
		y	year
UHT	ultra high temperature	YHA	Youth Hostel Association
UK	United Kingdom		
UN	United Nations	YMCA	Young Men's Christian Association
UNESCO	UN Educational, Scientific and Cultural Organization		
		YMHA	Young Men's Hebrew Association
UNICEF	UN Children's (Emergency) Fund		
		YWHA	Young Women's Hebrew Association
UNO	UN Organization		
UNRWA	UN Relief and Works Agency		
UPU	Universal Postal Union	ZPG	zero population growth

Abréviations françaises les plus usuelles

a	are
A. C. E.	Administration de Coopération économique
A. E. L. E.	Association européenne de Libre-Échange
A. I. D.	Association internationale de Développement
A. I. T. A.	Association internationale des Transports aériens
A. M.	assurance mutuelle
A. M. E.	accord monétaire européen
A. O. C.	appellation d'origine contrôlée
ass. extr.	assemblée extraordinaire
Av.	avoir
B. D.	bande dessinée
Benelux	BElgique-NEderland-LUXembourg
B. I. R. D.	Banque internationale pour la Reconstruction et le Développement
B. I. T.	Bureau international du Travail
bl	baril
B. N.	Bibliothèque nationale
B. O.	Bulletin officiel
B. P. F.	bon pour francs
bt	brut
bté	breveté
c	centime
c.	coupon
c.-à-d.	c'est-à-dire
C. A. F.	coût, assurance, fret
C. A. O.	Conception assistée par ordinateur
c. att.	coupon attaché
c/c.	compte courant
C. C. E. E.	Commission de Coopération économique européenne
C. C. I.	Chambre de Commerce internationale

C. C. P.	Centre de Chèques postaux ; Compte Chèques postaux
C. E.	Comité d'entreprise
C. E. A.	Commissariat à l'énergie atomique
C. E. C. A.	Communauté européenne du Charbon et de l'Acier
CEDEX	courrier d'entreprise à distribution exceptionnelle
C. E. E.	Commission économique pour l'Europe, Communauté économique européenne
cent.	centime
Cern	Conseil européen pour la recherche nucléaire
Cf.	confer (reportez-vous à ...)
cg	centigramme
C. G. C.	Confédération générale des Cadres
cgr	centigrade
C. G. S.	Confédération générale des Syndicats
C. G. T.	Confédération générale du Travail
C. H. U.	Centre hospitalier universitaire
C. I. C. A.	Confédération internationale du Crédit agricole
Cie	compagnie
C.I.S.C.	Confédération internationale des Syndicats chrétiens
cl	centilitre
cm	centimètre
C. N. C. E.	Centre national du Commerce extérieur
C. N. P. F.	Conseil national du Patronat français
C. N. R. S.	Centre national de la Recherche scientifique

c/o.	compte ouvert	E. N. A.	École nationale d'Administration
C. O. B.	Commission des opérations de Bourse	env.	environ
compt.	comptabilité	E. O. R.	élève officier de réserve
C. O. S.	coefficient d'occupation des sols	escte	escompte
coup.	coupon	etc.	*et caetera*
cour.	courant	E. V.	en ville
cpt	comptant	ex.	exercice
cpte	compte	ex-c.	ex-coupon
C. Q. F. D.	ce qu'il fallait démontrer	expn	expédition
		F	franc
cr.	crédit ; créditeur	f. à b.	franco à bord
C. R. S.	Compagnie républicaine de Sécurité	F. A. O.	Fabrication assistée par ordinateur
C. S. A.	Conseil supérieur de l'audiovisuel	F. A. S.	franco le long du navire (free alongside ship)
C. V.	curriculum vitae	FB	franc belge
dal	décalitre	FCFA	franc de la Communauté financière africaine
dam	décamètre		
D. B.	Division blindée	fco	franco
D. C. A.	Défense contre aéronefs	F. E. D.	Fonds européen de Développement
déb.	débit	F. E. N.	Fédération de l'Éducation nationale
débit.	débiteur		
dép.	département	FF	franc français
dét.	détaché	F. G.	frais généraux
dg	décigramme	F. I. V.	fécondation in vitro
dgr	décigrade	FLUX	franc luxembourgeois
D. I.	division d'infanterie	F. M.	franchise militaire ; fusil-mitrailleur ; modulation de fréquence
diff.	différé		
dl	décilitre		
dm	décimètre	FMG	franc malgache
d°	*dito* (« ce qui a été dit »)	FMI	Fonds monétaire international
doll.	dollar		
D. O. M.	département d'outre-mer	F. N. A. C.	Fédération nationale d'achat des cadres
D. O. T.	Défense opérationnelle du territoire	F. O.	Force ouvrière
D. P.	délégué du personnel	F. O. R. M. A.	Fonds d'Orientation et de Régulation des Marchés agricoles
D^r	docteur		
Dt.	débit ; débiteur ; doit	fre	facture
D. T. S.	droits de tirage spéciaux	FS	franc suisse ; faire suivre
E	est	g	gramme
E. A. O.	enseignement assisté par ordinateur	G. I. C.	grand invalide civil
		GICEX	Groupement interbancaire pour les Opérations de Crédits à l'Exportation
éd.	édition		
E. D. F.	Électricité de France	G. I. G.	grand invalide de guerre

G. Q. G.	Grand Quartier général	oblig.	obligation
ha	hectare	O. C. D. E.	Organisation de Coopération et de Développement économiques
hg	hectogramme		
hl	hectolitre		
H. L. M.	habitation à loyer modéré	O. E. C. E.	Organisation européenne de Coopération économique
H. S. P.	haute société protestante		
		O. I. C.	Organisation internationale du Commerce
H. T.	haute tension		
id.	*idem*	O. I. T.	Organisation internationale du Travail
I. D. S.	Initiative de Défense stratégique		
		O. M. S.	Organisation mondiale de la Santé
imp.	impayé		
int.	intérêt	O. N. U.	Organisation des Nations unies
I. V. G.	interruption volontaire de grossesse		
		O. P. A.	offre publique d'achat
J.-C.	Jésus-Christ	op. cit.	de l'ouvrage cité (L *opere citato*)
J. O.	Journal officiel		
kg	kilogramme		
km	kilomètre	O. P. E. P.	Organisation des Pays Exportateurs de Pétrole
kW	kilowatt		
kWh	kilowatt-heure	O. T. A. N.	Organisation du Traité de l'Atlantique Nord
L	latin		
l	litre	O. U. A.	Organisation de l'Unité africaine
LL. AA.	Leurs Altesses		
LL. MM.	Leurs Majestés	ovni	objet volant non identifié
M.	monsieur		
m	mètre	p.	page ; pair
m.	mois	P. et P.	pertes et profits
Mᵉ	Maître	P. C.	poste de commandement
mg	milligramme		
Mᵍʳ	Monseigneur	p. c.	pour cent
MIDEM	Marché international des disques et de l'édition musicale	P. C. C.	pour copie conforme
		P. C. V.	paiement contre vérification
MM.	messieurs	p. d.	port dû
mm	millimètre	PIB	produit intérieur brut
Mᵐᵉ	madame	P. J.	Police judiciaire
Mˡˡᵉ	mademoiselle	PME	petites et moyennes entreprises
Mᵒⁿ	maison		
M. S. T.	maladie sexuellement transmissible	PMI	petites et moyennes industries
		P. M. (S.)	préparation militaire (supérieure)
N	nord		
N. B.	*nota bene*	P. M. U.	Pari mutuel urbain
N.-D.	Notre-Dame	PNB	produit national brut
Nᵒ	numéro	p. o.	par ordre
nom.	nominatif	P. O. S.	plan d'occupation des sols
O. A. C. I.	Organisation de l'Aviation civile internationale	p. p	port payé
		p. pon	par procuration

P. R.	poste restante
P.-S.	post-scriptum
P. S. U.	Parti socialiste unifié
P. S. V.	pilotage sans visibilité
P. T. T.	Postes, Télécommunications et Télédiffusion
P.-V.	procès-verbal (contravention)
Q. G.	quartier général
Q. I.	quotient intellectuel
r.	recommandé
R. A. T. P.	Régie autonome des Transports parisiens
R. C.	Registre du Commerce
réf.	référence
règlt	règlement
R. F.	République française
R. M. I.	revenu minimum d'insertion
R. N.	route nationale
R. S. V. P.	répondez, s'il vous plaît
S	sud
S. A.	société anonyme
S. A. R. L.	société à responsabilité limitée
SECAM	séquentiel à mémoire
s. e. et o.	sauf erreur et omission
S. F.	sans frais
S. G. D. G.	sans garantie du gouvernement
sida	syndrome immuno-déficitaire acquis
sle	succursale
S. M.	Sa Majesté
S. M. E.	système monétaire européen
S. M. I. C.	salaire minimum (interprofessionnel) de croissance
St, Ste	Saint, Sainte
S. N. C. F.	Société nationale des Chemins de fer français
S. O. S.	appel télégraphique de détresse (« Save our souls »)
S. P.	secteur postal
S. P. O. T.	satellite pour l'observation de la Terre
sr	successeur
S. S.	Sa Sainteté ; Sécurité sociale
S. S. P.	sous seing privé
Sté	société
S. U. R. F.	système urbain de régulation des feux
S. V. P.	s'il vous plaît
T.	tare
T.	traite
tél.	téléphone
T. G. V.	Train à grande vitesse
TIR	Transports internationaux routiers
TM	télégramme multiple
T. O. M.	territoire d'outre-mer
T. P. S.	taxe sur les prestations de service
tr.	traite
T. S.	tarif spécial
T. S. V. P.	tournez, s'il vous plaît
T. V. A.	taxe à la valeur ajoutée
tx	tonneaux
U. E. P.	Union européenne des Paiements
U. E. R.	Union européenne de radiodiffusion
U. F. R.	Unité de formation et de recherche
U. I. T.	Union internationale des Télécommunications
U. L. M.	Ultra-Léger motorisé
U. P. U.	Union postale universelle
U. R. S. S.	Union des Républiques socialistes soviétiques
v.	voir
V/.	valeur
V. D. Q. S.	vin délimité de qualité supérieure
virt	virement
V. O.	version originale
vol.	volume
V. R. P.	voyageur représentant placier

A

a [ei] *m* a || *Mus. A,* la *m* || *A-1,* de première qualité/classe || *A-bomb,* bombe *f* atomique.

a [ei, ə], **an** [æn, ən] *indef art* un, une ; ~ *Mr. Smith,* un certain M. Smith || *le, la, les ; she has ~ slender waist,* elle a la taille fine || du, de la ; *make ~ noise,* faire du bruit ; [predicative] *he is ~ soldier,* il est soldat [distributively] *twice ~ day,* deux fois par jour ; *50p an hour,* 50 pence de l'heure.

aback [əˈbæk] *adv be taken ~,* être pris au dépourvu, en rester tout interdit.

abacus [ˈæbəkəs] *n* boulier *m.*

abandon [əˈbændən] *vt* abandonner ● *n* abandon *m* || **~ment** *n* abandon *m.*

abase [əˈbeis] *vt* abaisser, humilier || **~ment** *n* humiliation *f.*

abash [əˈbæʃ] *vt* décontenancer.

abate [əˈbeit] *vt* diminuer || apaiser — *vi* [storm] se calmer.

abbey [ˈæbi] *n* abbaye *f.*

abbot [ˈæbət] *n* abbé *m* (of a convent).

abbrev|iate [əˈbri:vieit] *vt* abréger || **~iation** [-viˈeiʃn] *n* abréviation *f.*

abdicate [ˈæbdikeit] *vi* abdiquer.

abdom|en [ˈæbdəmən] *n* abdomen *m* || **~inal** [æbˈdɔminl] *adj* abdominal.

abduc|t [æbˈdʌkt] *vt* enlever (a person) || **~tion** *n* enlèvement *m* || **~tor** [-tə] *n* ravisseur *m.*

aberration [æbəˈreiʃn] *n* aberration *f.*

abet [əˈbet] *vt* inciter || JUR. *aid and ~,* être complice.

abeyance [əˈbeiəns] *n in ~,* en suspens/souffrance.

abhor [əbˈhɔ:] *vt* détester || **~rence** [-rns] *n* aversion *f.*

abid|e [əˈbaid] *vi* (abode [-ˈbəud]) *~ by,* se soumettre à (a decision) ; respecter (rules) ; rester fidèle à (a promise) — *vt* [neg./interr.] supporter, souffrir (endure) || **~ing** *adj* durable.

ability [əˈbiliti] *n* aptitude *f ; to the best of my ~,* de mon mieux.

abject [ˈæbʒekt] *adj* abject.

abjure [əbˈdʒuə] *vt* abjurer (religion) ; renoncer à (rights).

ablaze [əˈbleiz] *adv/adj* en feu ; *set ~,* embraser.

able [ˈeibl] *adj* capable ; *be ~,* pouvoir || habile || **~-bodied** [-ˈbɔdid] *adj* solide, robuste || valide (unharmed) || NAUT. *~ seaman,* matelot breveté.

ably [ˈeibli] *adv* habilement, avec talent.

abnormal [æbˈnɔ:ml] *adj* anormal.

aboard [əˈbɔ:d] *adv* à bord ; *go ~,*

monter à bord ‖ U.S. *all ~ !*, en voiture ! ● *prep* à bord de.

abode [ə'bəud] *n* domicile *m ; of no fixed ~*, sans domicile fixe. ‖ → ABIDE.

abol|ish [ə'bɔliʃ] *vt* abolir ‖ **~ition** [æbə'liʃn] *n* abolition *f*.

abominable [ə'bɔminəbl] *adj* abominable.

aborig|inal [æbə'ridʒənəl] *adj/n* aborigène ‖ **~ines** [-ini:z] *npl* aborigènes *mpl*.

abort [ə'bɔːt] *vi* avorter — *vt* faire avorter ‖ **~ion** [ə'bɔːʃn] *n* avortement *m* ‖ **~ive** [ə'bɔːtiv] *adj* FIG. manqué, raté (unsuccessful).

abound [ə'baund] *vi* abonder.

about [ə'baut] *prep* dans (le voisinage de), vers ; *walk ~ the town*, se promener dans la ville ‖ sur ; *I haven't any money ~ me*, je n'ai pas d'argent sur moi ‖ près de ; *~ here*, par ici ‖ autour (round) ‖ au sujet de ; *what is it ~ ?*, de quoi s'agit-il ? ; *how/what ~ going to the pictures ?*, si on allait au cinéma ? ; *what are you ~ ?*, que faites-vous ? ; *be ~ to do*, être sur le point de faire ● *adv* à peu près, environ ; *~ 4 (o'clock)*, vers 4 heures ‖ çà et là, dans le voisinage ; *there were books lying ~ on the floor*, des livres traînaient sur le plancher ; *there was no one ~*, on ne voyait personne ‖ MIL. *~, right !*, demi-tour à droite, droite ! ‖ **~-face** *n* volte-face *f ; do an ~*, faire volte-face ● *vi* faire demi-tour.

above [ə'bʌv] *prep* au-dessus de ‖ *~ all*, surtout ‖ au-delà de ; en amont de (river) ● *adv* au-dessus ‖ **~-board** [-bɔːd] *adv* franchement, ouvertement ● *adj* honnête, régulier ‖ **~-mentioned** [-menʃnd] *adj* ci-dessus.

abrasive [ə'breisiv] *adj* abrasif ‖ FIG. cassant, dur ● *n* abrasif *m*.

abreast [ə'brest] *adv* de front ‖ FIG. *keep ~ of*, se tenir au courant de.

abridge [ə'bridʒ] *vt* abréger.

abroad [ə'brɔːd] *adv* à l'étranger ; *go ~*, aller à l'étranger ‖ à l'extérieur (outside) ‖ en circulation ; *there is a rumour ~ that...*, le bruit court que...

abrogate ['æbrəgeit] *vt* abroger.

abrupt [ə'brʌpt] *adj* précipité (hasty) ; abrupt, escarpé (steep) ; brusque (sudden) ‖ **~ly** *adv* brusquement.

abscess ['æbses] *n* abcès *m*.

abscissa [æb'sisə] *n* abscisse *f*.

abscond [əb'skɔnd] *vi* s'enfuir secrètement.

absence ['æbsns] *n* absence *f* ‖ JUR. *in his ~*, par contumace.

absent ['æbsnt] *adj* absent (*from*, de) ● [æb'sent] *vt* *~ oneself*, s'absenter (*from*, de) ‖ **~ee** [æbsn'ti:] *n* absent *n* ‖ MIL. insoumis *m* ‖ **~-minded** [-'maindid] *adj* distrait ‖ **~-mindedness** [-nis] *n* distraction *f* ; étourderie *f*.

absolute ['æbslu:t] *adj* absolu, total ‖ **~ly** *adv* absolument ; formellement (without conditions).

absolution [æbsə'lu:ʃn] *n* absolution *f*.

absolve [əb'zɔlv] *vt* absoudre.

absorb [əb'sɔːb] *vt* absorber ; *be ~ed in*, être plongé dans ‖ **~ent** *adj* absorbant ; *~ cotton*, coton *m* hydrophile ‖ **~ing** *adj* absorbant [lit. and fig.] ‖ **~er** *n* TECHN. shock *~*, amortisseur *m*.

abstain [əbs'tein] *vi* s'abstenir (*from*, de) ‖ **~er** *n* total *~*, abstinent *n*, buveur *m* d'eau.

abstemious [æb'sti:miəs] *adj* sobre, frugal.

abstention [æb'stenʃn] *n* abstention *f*.

abstinence ['æbstinəns] *n* abstinence *f*.

abstract ['æbstrækt] *adj* abstrait ● *n* abrégé, résumé, extrait *m* ● [æb'strækt] *vt* extraire ‖ FIG. faire abstraction de ‖ **~ion** [æb'strækʃn] *n* abstraction *f* ‖ distraction *f* (absent-mindedness).

absurd [əb'sə:d] *adj* absurde ‖ ~**ity** *n* absurdité *f.*

abund|ance [ə'bʌndəns] *n* abondance *f* ‖ ~**ant** *adj* abondant.

abuse [ə'bju:s] *n* abus *m* ; ~ *of human rights,* violation *f* des droits de l'homme ; *child* ~, sévices *mpl* à enfants ; *drug* ~, usage *m* de stupéfiants ; *sexual* ~, violences sexuelles ‖ insultes, injures *fpl* ● [ə'bju:z] *vt* abuser de (misuse) ‖ insulter (insult).

abyss [ə'bis] *n* abîme, gouffre *m.*

acad|emic [ˌækə'demik] *adj* académique, universitaire, scolaire ● *n* universitaire *m* ‖ ~**emy** [ə'kædəmi] *n* académie *f* ; *naval/military* ~, école navale/militaire ‖ institution *f.*

accede [æk'si:d] *vi* accéder (*to,* à) ‖ monter sur le trône.

acceler|ate [æk'seləreit] *vt* accélérer ‖ ~**ation** [æk sela'reiʃn] *n* accélération *f* ‖ ~**ator** [æk'seləreitə] *n* accélérateur *m.*

accent ['æksənt] *n* accent *m* ‖ ~**uate** [æk'sentjueit] *vt* accentuer.

accept [ək'sept] *vt* accepter ‖ ~**able** [-əbl] *adj* acceptable ; agréable (satisfactory) ‖ ~**ance** *n* acceptation *f* ‖ approbation *f* ‖ ~**ation** [ˌæksep'teiʃn] *n* acception *f.*

access ['ækses] *n* accès *m,* admission *f* ‖ [motorway] ~ *road,* bretelle *f* (d'accès).

access|ible [ək'sesəbl] *adj* accessible ‖ ~**ion** [-'seʃn] *n* accession *f* ‖ accroissement *m.*

accessory [æk'sesəri] *n* accessoire *m* ‖ JUR. complice *n.*

accident ['æksidnt] *n* accident *m* ; *meet with an* ~, avoir un accident ; *motoring* ~, accident d'auto ; ~ *report,* constat *m* d'accident ‖ hasard *m* (chance) ; *by* ~, accidentellement ‖ *Pl barring* ~*s,* sauf imprévu ‖ JUR. ~ *to a third party,* accident *m* causé

au tiers ‖ ~**al** [ˌæksi'dentl] *adj* accidentel, fortuit ‖ ~**ally** [-əli] *adv* accidentellement.

accl|aim [ə'kleim] *vt* acclamer ‖ ~**amation** [ˌæklə'meiʃn] *n* acclamation *f.*

acclimatize [ə'klaimətaiz] *vt* acclimater.

accommodat|e [ə'kɔmədeit] *vt* loger ‖ harmoniser ‖ FIG. fournir, accorder (*sb with sth,* qqch à qqn) ‖ ~**ing** *adj* obligeant ‖ ~**ion** [ə kɔmə'deiʃn] *n* logement *m,* place *f* ‖ compromis *m* ‖ facilités *fpl* ‖ NAUT. ~ *ladder,* échelle *f* de coupée ‖ U.S. ~ *train,* train *m* omnibus.

accompan|iment [ə'kʌmpəni-mənt] *n* MUS. accompagnement *m* ‖ ~**ist** *n* accompagnateur *n* ‖ ~**y** *vt* accompagner.

accomplice [ə'kɔmplis] *n* complice *n.*

accomplish [ə'kɔmpliʃ] *vt* accomplir, effectuer, réaliser ‖ ~**ed** [-t] *adj* accompli, parfait, doué (person) ‖ ~**ment** *n* réalisation *f* ‖ *Pl* talents *mpl* (d'agrément).

accord [ə'kɔ:d] *n* accord, consentement *m* ; *of one's own* ~, de son propre gré ; *with one* ~, d'un commun accord ● *vi* s'accorder (*with,* avec) — *vt* accorder, concéder ‖ ~**ance** *n* conformité *f,* accord *m* ; *in* ~ *with,* conformément à ‖ ~**ing** *adv* ~ *as,* selon que ; ~ *to,* selon, suivant ‖ ~**ingly** *adv* en conséquence.

accordion [ə'kɔ:djən] *n* accordéon *m* ; *play the* ~, jouer de l'accordéon.

accost [ə'kɔst] *vt* accoster ‖ [prostitute] racoler (fam.).

account [ə'kaunt] *vt* estimer, considérer — *vi* ~ *for,* rendre compte de, justifier ; expliquer ; COLL. régler son compte à ● *n* récit, exposé *m,* relation *f* ‖ raison *f,* motif *m* ; *on* ~ *of,* à cause de ; *on no* ~, en aucun cas ‖ *take into* ~, tenir compte de, prendre en considération ‖ profit ; *turn to* ~, tirer parti, mettre à profit || importance *f*; *of no* ~, sans importance || MATH. calcul *m* || FIN. compte *m*; *current* ~, compte courant; *deposit* ~, compte de dépôt; *open an* ~, ouvrir un compte || COMM. note *f*, état *m*; *settle an* ~, régler une note || *£ 10 on* ~, un acompte de £ 10.

account|able [ə'kauntəbl] *adj* responsable (*for, de*) || ~**ancy** [-ənsi] *n* comptabilité *f* || ~**ant** *n* comptable *n*; *chartered* ~, expert-comptable *m* || ~**ing** *adj* ~ *department*, comptabilité *f*.

accoutrements [ə'kutrəmənts] *npl* attirail, bazar *m* (fam.).

accru|e [ə'kru:] *vi* provenir de || FIN. s'accumuler || ~**ing** *adj* [interests] à échoir || afférent à (*concerning*).

accumula|te [ə'kju:mjuleit] *vt/vi* (s')accumuler, (s')entasser || ~**tive** [ə'kju:mjulətiv] *adj* FIN. composés (*interests*) || ~**tor** *n* accumulateur *m*.

accur|acy ['ækjurəsi] *n* précision, exactitude *f*; justesse *f* || ~**ate** [-it] *adj* précis, exact, juste || ~**ately** *adv* avec précision, correctement.

accusation [əkju'zeiʃn] *n* accusation *f*.

accus|e [ə'kju:z] *vt* accuser || ~**ed** [-d] *n* JUR. the ~, l'accusé *n*.

accustom [ə'kʌstəm] *vt* habituer (*to, à*) || ~**ed** [-d] *adj* habitué; *get* ~*to*, s'habituer à, s'accoutumer à.

ace [eis] *n* [cards, dice] as *m* || [tennis] ace *m* || COLL. as ● *loc within an* ~ *of*, à deux doigts de.

acetone ['æsitəun] *n* acétone *f*.

ache [eik] *n* douleur *f*; *mal m* ● *vi* faire mal à, avoir mal à ; *my head* ~*s*, j'ai mal à la tête.

achievable [ə'tʃi:vəbl] *adj* faisable.

achieve [ə'tʃi:v] *vt* réaliser, accomplir; atteindre, arriver à || ~**ment** *n* réalisation *f*, accomplissement *m* (*completion*) || exploit *m*, réussite *f* (*success*).

acid ['æsid] *adj/n* acide *(m)* || FIG.

~ *test*, épreuve décisive || ~**ity** [ə'siditi] *n* acidité *f*.

acknowledg|e [ək'nɔlidʒ] *vt* reconnaître, admettre, avouer || accuser réception de || ~**ment** *n* reconnaissance *f*, remerciements *mpl* || [letter] accusé *m* de réception || [money] récépissé *m*.

acme ['ækmi] *n* FIG. sommet, comble *m*.

acorn ['eikɔ:n] *n* gland *m* (of an oak).

acoustic [ə'ku:stik] *adj* acoustique *f* || ~**s** [-s] *n* acoustique *f*.

acquaint [ə'kweint] *vt* faire savoir; *get* ~*with*, faire la connaissance de; *be* ~*ed with*, connaître || ~ *oneself with*, se mettre au courant de, s'initier à || ~**ance** *n make sb's* ~, faire la connaissance de qqn || relation *f* (person).

acquiesce [ækwi'es] *vi* acquiescer.

acquire [ə'kwaiə] *vt* acquérir.

acquisition [ækwi'ziʃn] *n* INF. saisie *f*.

acquisitive [ə'kwizitiv] *adj* avide, âpre au gain.

acquit [ə'kwit] *vt* acquitter || ~**tal** *n* acquittement *m*.

acre ['eikə] *n* acre *f*, arpent *m*.

acrid ['ækrid] *adj* âcre || FIG. acerbe.

acrimon|ious [ækri'məunjəs] *adj* acrimonieux || ~**y** ['ækriməni] *n* acrimonie *f*.

acrobat ['ækrəbæt] *n* acrobate *n* || ~**ic** [ˌækrə'bætik] *adj* acrobatique || ~**ics** *n* acrobaties *fpl*.

across [ə'krɔs] *prep* à travers; de l'autre côté de (on the other side); ~ *the Channel*, outre-Manche; en travers de (crosswise) ● *adv 2 km* ~, 2 km de large || *swim* ~, traverser à la nage.

act [ækt] *n* acte *m*, action *f*; *be caught in the* ~, être pris la main dans le sac || TH. acte *m* || JUR. loi *f* || FIG. ~ *of God*, cataclysme *m* ● *vt* jouer (a part) — *vi* agir (on, sur) || [brake] fonctionner || [person] se conduire ||

faire fonction (*as*, de) ‖ **~ up to**, agir en accord avec ‖ **~ing** *adj* suppléant, intérimaire • *n* TH. jeu *m* ‖ **~ion** [´ækʃn] *n* action *f* ‖ TH. jeu *m* ‖ MIL. engagement, combat *m* ; **~ station**, poste *m* de combat ‖ JUR. procès *m* ; action *f* en justice ; *bring an* **~**, intenter un procès (*against*, à) ‖ **~ive** *adj* actif ‖ MIL. *on* **~** *service*, en service actif ‖ **~ively** *adv* activement ‖ **~ivity** [æk´tiviti] *n* activité *f* ; *Pl* occupations *fpl*.

act|or [´æktə] *n* acteur *m* ‖ **~ress** [-ris] *n* actrice *f*.

actual [´æktjuəl] *adj* réel ‖ concret (case) ‖ **~ity** [æktju´æliti] *n* réalité *f* ‖ **~ly** *adv* en réalité/fait.

actu|ary [´æktjuəri] *n* actuaire *m* ‖ **~ate** [-eit] *vt* inciter ‖ TECHN. actionner.

acumen [ə´kju:men] *n* FIG. pénétration *f*.

acupuncture [´ækjupʌŋktʃə] *n* acupuncture *f*.

acute [ə´kju:t] *adj* aigu ‖ FIG. pénétrant, vif ‖ MATH. aigu ‖ **~ly** *adv* intensément ‖ avec perspicacité ‖ **~ness** *n* acuité *f*.

ad [æd] *n* [advertisement] COLL. annonce *f* ; *classified* **~s**, petites annonces ; *place an* **~**, passer une annonce.

adamant [´ædəmənt] *adj* inflexible.

adapt [ə´dæpt] *vt* adapter (*to*, à) ‖ TH., RAD. adapter ‖ **~ oneself**, s'adapter (*to*, à) ‖ **~ation** *n* adaptation *f* ‖ **~er** *n* adaptateur *n* (person) ‖ ELECTR. prise *f* multiple.

add [æd] *vt* ajouter (*to*, à) ‖ **~ up**, additionner ‖ **~ up to**, [numbers] s'élever à ‖ FIG. signifier.

addendum [ə´dendəm] *n* supplément *m*.

adder [´ædə] *n* vipère *f*.

addict [ə´dikt] *vt be* **~ed to**, s'adonner à • [´ædikt] *n* intoxiqué *n* ; *drug* **~**, toxicomane *n* ‖ COLL. fanatique

n (devotee) ‖ **~ion** [ə´dikʃn] *n* intoxication *f*.

addition [ə´diʃn] *n* addition *f*; augmentation *f* (increase) ; *in* **~**, en plus (*to*, de) ; *par surcroît* ‖ MATH. addition *f* ‖ **~al** *adj* supplémentaire.

addle [´ædl] *adj* pourri (egg) ‖ FIG. vide, confus • *vi* [egg] se pourrir — *vt* brouiller (mind) ‖ **~-brained** *adj* écervelé, brouillon.

address [ə´dres] *n* adresse *f*; **~-book**, répertoire *m* d'adresses ‖ allocution *f* • *vt* [letter] adresser, mettre l'adresse sur ‖ [speak to] adresser la parole/s'adresser à ‖ **~ee** [ædre´si:] *n* destinataire *n*.

adduce [ə´dju:s] *vt* invoquer (an authority) ; fournir (proof).

adept [´ædept] *adj* expert (*in*, en), habile (*in*, à) • *n* expert *m* (*in*, en).

adequate [´ædikwit] *adj* suffisant (*to*, à) ‖ **~ly** *adv* convenablement.

ad|here [əd´hiə] *vi* adhérer ‖ FIG. persister (*to*, à) ‖ **~herence** [-´hiərns] *n* adhésion *f* ‖ **~herent** [-´hiərnt] *n* adhérent *n*, partisan *m* ‖ **~hesion** [´hiʒn] *n* adhésion *f* ‖ adhérence *f* ‖ **~hesive** [-´hi:siv] *adj* adhésif, gommé ‖ MED. **~** *plaster/tape*, sparadrap *m*.

adjacent [ə´dʒeisnt] *adj* adjacent, voisin, contigu (*to*, à).

adjective [´edʒiktiv] *n* adjectif *m*.

adjoin [ə´dʒɔin] *vt* toucher à, jouxter — *vi* être contigu ‖ **~ing** *adj* voisin • *prep* attenant à.

adjourn [ə´dʒə:n] *vt* ajourner, différer, remettre (*to*, à) — *vi* suspendre la séance ‖ passer (to another place) ‖ **~ment** *n* ajournement *m* ; suspension *f* de séance.

adjudge [ə´dʒʌdʒ] *vt* attribuer, décerner ‖ JUR. déclarer, juger ; condamner.

adjudic|ate [ə´dʒu:dikeit] *vt/vi* juger (competition) ‖ JUR. juger ; déclarer ‖ **~ation** [e͵dʒu:di´keiʃn] *n*

Jur. décision f, arrêt m ‖ **~ator** [əˈdʒuːdikeitə] n Jur. juge, arbitre m.

adjunct [ˈædʒʌŋkt] n adjoint n (person) ‖ accessoire m (thing) ‖ Gramm. adjonction f.

adjure [əˈdʒuə] vt adjurer.

adjust [əˈdʒʌst] vt adapter, régler ‖ Techn. ajuster, régler, mettre au point ‖ ~ oneself; s'adapter (to, à) ‖ **~able** adj Techn. réglable ‖ **~ment** n règlement, arrangement m (of a difference) ‖ Fig. adaptation f ‖ Techn. ajustage, réglage m.

adjutant [ˈædʒutnt] n Mil. adjudant-major m.

ad-lib [ˌædˈlib] vi/vt Th. improviser.

adman [ˈædmæn] n publicitaire n.

administer [ədˈministə] vt administrer, gérer ‖ Jur. rendre (justice) ‖ Fig. ~ a punishment, infliger une punition ‖ Rel. administrer (sacraments) ‖ Méd. administrer (a remedy).

administr|ation [ədˌminisˈtreiʃn] n Comm. administration, gestion f ‖ Pol. gouvernement m ‖ administration (of justice, a remedy) ‖ **~ative** [ədˈministrətiv] adj administratif ‖ **~ator** [ədˈministreitə] n administrateur, gérant n.

admirable [ˈædmərəbl] adj admirable.

admiral [ˈædmərəl] n amiral m ‖ **~ty** [-ti] n amirauté f, ministère m de la Marine.

admiration [ˌædməˈreiʃn] n admiration f.

admir|e [ədˈmaiə] vt admirer, estimer ‖ **~er** [-rə] n admirateur n ‖ **~ing** [-riŋ] adj admiratif.

admissible [ədˈmisəbl] adj admissible ‖ Jur. recevable.

admission [ədˈmiʃn] n admission f; ~ free, entrée gratuite ‖ admission f (to a society, school, etc.) ; **~-fees**, droits mpl d'inscription ‖ admission f (of evidence) ‖ aveu m (of a misdeed) ‖ Aut. admission f.

admit [ədˈmit] vt admettre, laisser

entrer ‖ contenir (have room for) ‖ admettre, reconnaître (acknowledge) ; ~ to, avouer — vi ~ of, admettre, laisser place à ‖ **~tance** n (droit m d')entrée f; no ~, défense f d'entrer ‖ **~tedly** [-idli] adv de toute évidence, de l'aveu général.

admon|ish [ədˈmɔniʃ] vt admonester, exhorter (to, à) ‖ avertir, prévenir ‖ **~ition** [ˌædməˈniʃn] n remontrance f.

ado [əˈduː] n difficulté, peine f ‖ embarras m ; histoires, façons fpl ; without further ~, sans plus de cérémonies.

adolesc|ense [ˌædəˈlesns] n adolescence f ‖ **~ent** adj/n adolescent.

adopt [əˈdɔpt] vt adopter ‖ **~ed** [-id] adj adoptif ‖ **~ers** npl parents adoptifs ‖ **~ion** [əˈdɔpʃn] n adoption f ‖ **~ive** adj adoptif (child, parent).

ador|able [əˈdɔːrəbl] adj adorable ‖ **~ation** [ˌædɔːˈreiʃn] n adoration f.

ador|e [əˈdɔː] vt adorer ‖ **~er** [-rə] n adorateur n.

adorn [əˈdɔːn] vt orner, parer (with, de) ‖ **~ment** n ornement m, parure f.

adrift [əˈdrift] adv/adj à la dérive.

adroit [əˈdrɔit] adj adroit ‖ **~ness** n adresse f.

adult [ˈædʌlt] adj/n adulte ; ~ education, formation continue/permanente.

adulter|ate [əˈdʌltəreit] vt adultérer, falsifier ; dénaturer, frelater (food) ‖ **~ation** [əˌdʌltəˈreiʃn] n falsification, altération f.

adult|erer [əˈdʌltərə] m, **~eress** [-əris] f adultère n ‖ **~erous** [-rəs] adj adultère ‖ **~ery** [-əri] n adultère m.

advanc|e [ədˈvɑːns] n avance, progression f ‖ in ~, à l'avance ‖ Fin. avance (of funds) ‖ Aut. sparking ~, avance à l'allumage ‖ Fig. progrès m ● vt avancer, progresser ‖ avancer (date) ‖ avancer, émettre (an opinion) ‖ Fin. avancer, prêter (money) ‖

[prices] augmenter ‖ Fig. promouvoir (*to*, à) — *vi* s'avancer ; progresser (make progress) ‖ [prices] monter ‖ ~**ed** [-t] *adj* avancé (ideas) ‖ supérieur (studies) ‖ Mil. avancé (post) ‖ Fig. perfectionné, de pointe ‖ ~**ement** *n* avancement, progrès *m* ‖ promotion *f*.

advantag|e [əd'vɑːntidʒ] *n* avantage *m* ; take ~ *of*, profiter de ; *turn to* ~, tirer parti de ‖ Sp. avantage *m* (in tennis) ‖ ~**eous** [ˌædvən'teidʒəs] *adj* avantageux.

advent [ˈædvent] *n* venue, arrivée *f* ‖ Rel. Advent, Avent *m*.

adventu|re [əd'ventʃə] *n* aventure *f*, risque *m* ; ~ *playground*, terrain d'aventure ‖ Jur. *marine* ~, sinistre *m* en mer ‖ ~**rer** [-rə] *n* aventurier *m* ‖ ~**ress** [-ris] *n* aventurière *f* ‖ ~**rous** [-rəs] *adj* aventureux, dangereux.

adverb [ˈædvəːb] *n* adverbe *m* ‖ ~**ial** [əd'vəːbjəl] *adj* adverbial.

advers|ary [ˈædvəsri] *n* adversaire *n* ‖ ~**e** [ˈædvəːs] *adj* adverse, hostile ; contraire (wind) ‖ ~**ity** [əd'vəːsiti] *n* adversité *f*.

advert|ise [ˈædvətaiz] *vt* faire de la publicité pour — *vi* insérer une annonce (in a newspaper) ‖ ~**isement** [əd'vəːtismənt] *n* annonce, réclame *f* ‖ ~**iser** [ˈædvətaizə] *n* publicitaire *n* ‖ ~**ising** [-aiziŋ] *n* publicité *f*; ~ *agency*, agence *f* de publicité ● *adj* publicitaire.

advice [əd'vais] *n* avis *m*, conseils *mpl*; *a piece of* ~, un conseil ; take medical ~, consulter un médecin.

advisable [əd'vaizəbl] *adj* judicieux, opportun, recommandable ; indiqué ; *it is* ~ *to*, il est conseillé de.

advis|e [əd'vaiz] *vt* conseiller ; ~ *sb against sth*, déconseiller qqch à qqn ‖ informer, aviser ; *ill/well- ~ed* [-d] *adj* mal/bien avisé ‖ ~**edly** [-idli] *adv* en connaissance de cause, délibérément ‖ ~**ory** [-əri] *adj* consultatif.

advoc|acy [ˈædvəkəsi] *n* plaidoyer

m, défense *f* ‖ ~**ate** [ˈædvəkit] *n* avocat *n*, défenseur, partisan *m* ‖ Jur. avocat *n* (in Scotland) ● *vt* [-eit] recommander, préconiser.

aegis [ˈiːdʒis] *n under the* ~ *of*, sous l'égide *f* de.

aer|ate [ˈeəreit] *vt* aérer ; ~**ated** *water*, eau gazeuse ‖ ~**ation** [ˌeiəˈreiʃn] *n* aération *f* ‖ ~**ial** [ˈɛəriəl] *adj* aérien ● *n* Rad., T.V. antenne *f*.

aero|batics [ˌɛərəˈbætiks] *n* Av. acrobaties aériennes ‖ ~**drome** [ˈɛərədrəum] *n* aérodrome *m* ‖ ~**dynamics** [ˈɛərədaiˈnæmiks] *n* aérodynamique *f* ‖ ~**naut** [ˈɛərənɔːt] *n* aéronaute *m* ‖ ~**nautics** [-ˈnɔːtiks] *n* aéronautique *f* ‖ ~**plane** [ˈɛərəplein] *n* avion *m* ‖ ~**sol** [ˈɛərəsɔl] *n* aérosol *m*.

aesthetic [iːsˈθetik] *adj* esthétique ‖ ~**s** [-s] *n* esthétique *f*.

afar [əˈfɑː] *adv* loin ; *from* ~, de loin.

affable [ˈæfəbl] *adj* affable.

affair [əˈfɛə] *n* affaire *f*; question *f* ‖ *(love)* ~, liaison, aventure *f* ‖ *Pl* affaires, choses *fpl*.

affect¹ [əˈfekt] *vt* affecter, agir sur ‖ concerner (concern) ‖ toucher, émouvoir (move the feelings) ‖ ~**ed** [-id] touché, ému (by, par) ‖ prétentieux, maniéré.

affect² *vt* affectionner (like).

affect|ation [ˌæfekˈteiʃn] *n* affectation *f*, maniérisme *m* (pose) ‖ ~**ion** [əˈfekʃn] *n* affection, tendresse *f* ‖ Med. affection, maladie *f* ‖ ~**ionate** [əˈfekʃnit] *adj* affectueux.

affidavit [ˌæfiˈdeivit] *n* Jur. déclaration *f* sous serment.

affili|ate [əˈfilieit] *vt/vi* (s')affilier ‖ ~**ation** [əˌfiliˈeiʃn] *n* affiliation *f*.

affinity [əˈfiniti] *n* affinité *f*, attraction *f*.

affirm [əˈfəːm] *vt* affirmer, déclarer ‖ ~**ation** [ˌæfəːˈmeiʃn] *n* affirmation, déclaration *f* ‖ ~**ative** [-ətiv] *adj* affirmatif ● *n* affirmative *f*.

afflict [əˈflikt] *vt* affliger (*with,* de) ǁ ~**ion** [əˈflikʃn] *n* affliction *f*.

afflu|ence [ˈæfluəns] *n* opulence *f* ǁ ~**ent** *adj* opulent ; ~ *society,* société *f* d'abondance.

afford [əˈfɔːd] *vt* [following *can/ could*] avoir les moyens de, pouvoir, se permettre de ; *I can't* ~ *it,* je n'en ai pas les moyens, c'est trop cher pour moi ǁ Fig. fournir (provide).

affray [əˈfrei] *n* rixe, bagarre *f*.

affront [əˈfrʌnt] *vt* insulter (slight) ǁ affronter, braver (brave).

afield [əˈfiːld] *adv far* ~, très loin.

afire [əˈfaiə] *adj/adv* en feu.

afloat [əˈfləut] *adj/adv* flottant, à flot ; *set* ~, mettre à l'eau ; renflouer ǁ Fig. répandu, en circulation (rumour) ; *get* ~, lancer (business).

afoot [əˈfut] *adv* Fig. en cours, en train.

afore|-mentioned [əˈfɔːmenʃnd] *adj* susmentionné ǁ ~**-said** [-sed] *adj* susdit, précité ǁ ~**-thought** [-θɔːt] *adj* prémédité.

afraid [əˈfreid] *adj* effrayé (*of,* de) ; *be* ~ *that,* craindre que ǁ [expressing regret] *I am* ~ *(that),* je crains que ; je regrette que.

afresh [əˈfreʃ] *adv* de/à nouveau.

Afric|a [ˈæfrikə] *n* Afrique *f* ǁ ~**an** [-ən] *adj/n* africain.

aft [ɑːft] *adv* Naut. à/sur l'arrière.

after [ˈɑːftə] *prep* après (later than) ; *the day* ~ *tomorrow,* après-demain ; *day* ~ *day,* de jour en jour ǁ derrière (behind) ; *shut the door* ~ *you,* fermez la porte derrière vous ǁ Fig. *be* ~ *sb,* rechercher qqn ; *ask* ~ *sb,* demander des nouvelles de qqn ; *what are you* ~ *?,* où voulez-vous en venir ? ; ~ *all,* après tout ǁ d'après, à la manière de (according to) ● *conj* après que ● *adv three days* ~, trois jours plus tard ; *the day* ~, le lendemain ● *adj in* ~ *years,* dans les années à venir ǁ ~**-effect** *n* répercussion *f* ǁ Med. séquelles *fpl* ǁ ~**math** [-mæθ]

n conséquences, suites, séquelles *fpl* ǁ Agr. regain *m*.

afternoon [-ˈnuːn] *n* après-midi *m/f*.

after-sales service *n* service *m* après-vente.

after|-shave *n* (lotion *f*) après-rasage *m* ǁ ~**-taste** *n* arrière-goût *m* ǁ ~**-thought** *n* réflexion *f* après coup.

afterwards [ˈɑːftəwədz] *adv* ensuite, après, par la suite.

again [əˈge(i)n] *adv* de nouveau, encore ; *come* ~, revenir ; *once* ~, une fois de plus ; *now and* ~, de temps à autre ; ~ *and* ~, maintes et maintes fois ; *be oneself* ~, être guéri ǁ aussi ; *as much/many* ~, deux fois plus ǁ *then* ~, de plus, en outre.

against [əˈge(i)nst] *prep* contre, sur ; ~ *the wall,* contre le mur ǁ contre (contrast, opposition, impact) ǁ en cas de (anticipation) ǁ *over* ~, vis-à-vis de, en face de.

ag|e [eidʒ] *n* âge *m* ; *under/of* ~, mineur/majeur ; *be over* ~, avoir dépassé la limite d'âge ; *come of* ~, atteindre sa majorité ; *old* ~, vieillesse *f* ● *vi/vt* vieillir ǁ ~**ed** [-id] *adj* âgé ; *the* ~, les vieux ǁ ~**-group** *n* tranche *f* d'âge ǁ ~**eless** *adj* éternellement jeune ǁ ~**e-long** *adj* séculaire.

agency [ˈeidʒnsi] *n* action *f* ǁ entremise *f* ; *through sb's* ~, par l'intermédiaire de qqn ǁ Comm. agence, succursale *f*.

agenda [əˈdʒendə] *n* programme *m*, emploi *m* du temps, ordre *m* du jour.

agent [ˈeidʒnt] *n* agent *m* ; *(artist's)* imprésario *m* ǁ Ch. agent *m* ǁ [intelligence] *secret* ~, agent secret ǁ Comm. représentant *n*, agent commercial, mandataire *m* ǁ Naut. *shipping-* ~, agent *m* maritime.

age-old *adj* séculaire.

agglomerate [əˈglɔməreit] *vt* agglomérer.

aggrava|te [ˈægrəveit] *vt* aggraver ǁ

COLL. agacer, exaspérer ‖ **~ting** [-tiŋ] *adj* exaspérant ‖ **~tion** [ægrə'veiʃn] *n* aggravation *f* ‖ COLL. irritation *f.*

aggrega|te ['ægrigeit] *n* total *m;* masse *f; in the* **~**, dans l'ensemble, en bloc ● *adj* global ‖ **~tion** [ægri'geiʃn] *n* assemblage *m.*

aggress|ion [ə'greʃn] *n* agression *f* ‖ **~ive** [ə'gresiv] *adj* agressif, U.S. entreprenant ‖ **~iveness** *n* agressivité *f* ‖ **~or** [ə'gresə] *n* agresseur *m.*

aggrieved [ə'gri:vd] *adj* FIG. blessé.

aggro ['ægrəu] *n* SL. agressivité *f* ‖ bagarre *f* (fam.).

aghast [ə'gɑ:st] *adj* épouvanté (fear) ‖ sidéré (surprise).

agil|e ['ædʒail] *adj* agile ‖ **~ity** [ə'dʒiliti] *n* agilité *f.*

agita|te ['ædʒiteit] *vt* agiter ‖ FIG. discuter, débattre — *vi* soulever l'opinion (*against*, contre; *for*, en faveur de) ‖ **~tion** [ædʒi'teiʃn] *n* agitation, émotion *f* ‖ discussion *f,* débat *m* ‖ POL. campagne *f* ‖ **~tor** ['ædʒiteitə] *n* POL. agitateur *m.*

aglow [ə'gləu] *adj* rougeoyant.

agnail ['ægneil] *n* MED. envie *f.*

agnostic [æg'nɔstik] *adj/n* agnostique.

ago [ə'gəu] *adj* [= écoulé] *two years* **~**, il y a deux ans; *a little while* **~**, tout à l'heure ● *adv* **long ~**, il y a longtemps; *not long* **~**, depuis peu; *how long* **~** *is it since ?*, combien de temps y a-t-il que ?

agog [ə'gɔg] *adj* en émoi ‖ impatient, brûlant (*to do*, de faire).

agon|ize ['ægənaiz] *vi* souffrir horriblement ‖ **~izing** [-aiziŋ] *adj* atroce ‖ **~y** *n* angoisse, détresse *f* ‖ *death* **~**, agonie *f* ‖ [newspaper] **~** *column*, courrier *m* du cœur.

agrarian [ə'greəriən] *adj* agraire.

agree [ə'gri:] *vi* consentir (*to*, à) ‖ être d'accord (*with*, avec) ‖ s'entendre (*about*, sur); s'engager (*to*, à) ‖ convenir (*that*, que); *it is* **~d**, c'est entendu

‖ **~ with**, [climate] convenir à; [food] réussir; [ideas] concorder avec ‖ GRAMM. s'accorder (*with*, avec) ‖ **~d** [-d] *adj* d'accord; *as* **~**, comme convenu ‖ **~d-on** *adj* convenu (date, place, time) ‖ **~able** *adj* agréable ‖ consentant (*to doing*, à faire) ‖ **~ment** [ə'gri:mənt] *n* entente *f,* accord *m,* harmonie *f; be in* **~**, être d'accord ‖ JUR. convention *f,* contrat *m; come to an* **~**, se mettre d'accord.

agricult|ural [ægri'kʌltʃərl] *adj* agricole ‖ **~ure** ['ægrikʌltʃə] *n* agriculture *f* ‖ **~urist** [ægri'kʌltʃərist] *n* agriculteur *n.*

agronom|ist [ə'grɔnəmist] *n* agronome *m* ‖ **~y** *n* agronomie *f.*

aground [ə'graund] *adv* à sec; *run* **~**, s'échouer.

ague ['eigju:] *n* fièvre paludéenne.

ahead [ə'hed] *adv* [place] en avant; **~** *of*, devant; *go* **~**, aller de l'avant, progresser; *go* **~** *!*, allez-y !; *get* **~**, prendre de l'avance (*of*, sur), devancer; *straight* **~**, tout droit ‖ [time] en avance; **~** *of*, en avance sur; *be* **~**, [clock] avancer; *look* **~**, prévoir.

aid [eid] *vt* aider (*to*, à); secourir; **~** *one another*, s'entraider ● *n* aide *f,* secours *m,* assistance *f.*

aide *n* aide, assistant *n* (helper).

AIDS [eidz] *n* MED. sida *m.*

ail [eil] *vi* souffrir ‖ **~ing** [-iŋ] *adj* souffrant ‖ **~ment** *n* indisposition *f* ‖ malaise *m.*

aim [eim] *vt* lancer (an object); **~** *a blow at*, porter un coup à ‖ pointer (gun) [*at*, sur] ‖ diriger (remark) [*at*, contre] — *vi* **~** *at*, viser ‖ FIG. viser; tendre (*at*, à); s'efforcer (*at*, de) ● *n* visée, cible *f* (target); *take* **~** *at*, mettre (qqn, qqch) en joue ‖ FIG. but, dessein *m* ‖ **~less** *adj* sans but ‖ **~lessly** *adv* sans but, à l'aventure.

ain't [eint] COLL. = *am/is/are not.*

air [εə] *n* air *m; take the* **~**, prendre l'air ‖ brise *f* (light wind) ‖ RAD. *on the* **~**, diffusé, sur les ondes; *be on the* **~**, passer à l'antenne ‖ AV. *by* **~**, par avion ‖ Mus. air *m* (tune) ‖ Fig. air, aspect *m* ; *put on* ~*s,* faire des manières ‖ *in the* ~, dans l'air (ideas) ● *adj* aérien, par avion ‖ See compounds further on ● *vt* aérer (a room) ‖ sécher (linen) ; ~*ing cup-board,* placard *m* sèche-linge ‖ Fig. donner libre cours à (one's feelings) ; afficher (one's opinion) ‖ ~**-base** *n* base aérienne ‖ ~**-bed** *n* matelas *m* pneumatique ‖ ~**borne** *adj* aéro-porté ‖ ~**brake** *n* frein *m* à air comprimé ‖ ~**-conditioned** *adj* climatisé ‖ ~**-conditioner** *n* clima-tiseur *m* ‖ ~ **connection** *n* liaison aérienne ‖ ~**-cooled** [-d] *adj* à refroidissement par air ‖ ~**craft** *n* avion *m* ; ~ *carrier,* porte-avions *m* ‖ ~ **cushion vehicle** *n* U.S. aéro-glisseur *m* ‖ ~ **display** *n* meeting aérien ‖ ~**drome** [-drəum] *n* aéro-drome *m* ‖ ~**-drop** *n* parachutage *m* ‖ ~**field** [-fi:ld] *n* terrain *m* d'aviation ‖ ~**force** *n* armée *f* de l'air ‖ ~**-gun** *n* carabine *f* à air comprimé ‖ ~**-hostess** *n* hôtesse *f* de l'air ‖ ~**ing** *n* promenade *f* ; tour *m* ‖ ~**lane** *n* couloir aérien ‖ ~**-lift** *n* pont aérien ‖ ~**line** *n* ligne/compagnie aérienne ‖ ~**liner** *n* avion *m* long-courrier ‖ ~**mail** *n* poste aérienne ; *by* ~, par avion ‖ ~**man** [-mən] *n* aviateur *m* ‖ ~**-mattress** *n* → AIR-BED ‖ ~ **piracy** *n* piraterie aérienne ‖ ~ **pirate** *n* pirate *n* de l'air ‖ ~**plane** *n* U.S. avion *m* ‖ ~**-pocket** *n* trou *m* d'air ‖ ~**port** *n* aéroport *m* ‖ ~ **raid** *n* bombar-dement aérien ; ~*-raid precautions,* défense passive ; ~*-raid shelter,* abri antiaérien ‖ ~**ship** *n* dirigeable *m* ‖ ~**-sickness** *n* mal *m* de l'air ‖ ~**stop** *n* héliport *m* ‖ ~**strip** *n* piste *f* d'atterrissage ‖ ~**tank** *n* bouteille *f* de plongée ‖ ~**-terminal** *n* aéro-gare *f* ‖ ~**tight** *adj* hermétique ‖ ~ **traffic controller** *n* contrôleur *m* de la navigation aérienne ; aiguilleur *m* du ciel (fam.) ‖ ~**-vent** *n* bouche *f* d'aération ‖ ~**way** *n* route aérienne ‖ ~**woman** *n* aviatrice *f.*

airy [ˈɛəri] *adj* aéré ; ventilé (breezy)

‖ Fig. léger (flippant) ; vif (sprightly) ; en l'air (superficial).

aisle [ail] *n* Rail., Av., U.S. couloir central ‖ Th. allée *f* ‖ Arch. bas-côté *m,* nef latérale.

ajar [əˈdʒɑ:] *adj* entrouvert, entre-bâillé (door).

akimbo [əˈkimbəu] *adv* with arms ~, les poings sur les hanches.

akin [əˈkin] *adj* apparenté (*to,* à) ‖ Fig. proche (*to,* de).

alacrity [əˈlækriti] *n* alacrité *f.*

alarm [əˈlɑ:m] *n* alarme, alerte *f ; give the* ~, donner l'alerte ‖ Fig. craintes *fpl* ● *vt* alarmer, effrayer ‖ ~**-bell** *n* tocsin *m* ‖ ~**-clock** *n* réveil, réveille-matin *m* ‖ ~**ing** *adj* alarmant ‖ ~**-signal** *n* signal *m* d'alarme.

alas ! [əˈlæs] *interj* hélas !

albatross [ˈælbətrɔs] *n* albatros *m.*

album [ˈælbəm] n album *m.*

alchemy [ˈælkimi] *n* alchimie *f.*

alcohol [ˈælkəhɔl] *n* alcool *m* ‖ ~**ic** [ˌælkəˈhɔlik] *adj* alcoolique ; alco-olisé ● *n* alcoolique *n* ‖ ~**ism** [ˈælkəhɔlizm] *n* alcoolisme *m.*

alderman [ˈɔ:ldəmən] *n* conseiller municipal.

ale [eil] *n* pale ~, bière blonde.

alert [əˈlə:t] *adj* éveillé (watchful) ; alerte (nimble) ; *on the* ~, sur le qui-vive ● *vt* alerter ‖ Mil. mettre en état d'alerte.

algebra [ˈældʒibrə] *n* algèbre *f.*

Alger|ia [ælˈdʒiəriə] *n* Algérie *f* ‖ ~**ian** [-iən] *adj/n* algérien.

Algiers [ælˈdʒiəz] *n* Alger *m.*

alias [ˈeiliæs] *adv* alias ● *n* nom *m* d'emprunt.

alibi [ˈælibai] *n* alibi *m.*

alien [ˈeiljən] *adj* étranger (*from,* à) ; hostile (*to,* à) ● *n* étranger *n* ‖ ~**ate** [-eit] *vt* aliéner, détacher (*from,* de).

alight[1] [əˈlait] *vi* mettre pied à terre, descendre (*from,* de) ; (bird) se poser

‖ Av. amerrir (on sea) ; atterrir (on land) ‖ Fig. ~ *on,* tomber sur (by chance).

alight² *adj* allumé (kindled) ; éclairé (lighted up).

align [əˈlain] *vt* aligner ‖ ~**ment** *n* alignement *m.*

alike [əˈlaik] *adj* pareil, semblable ; *they are all* ~, ils se ressemblent tous ● *adv* de la même manière/façon.

alimony [ˈæliməni] *n* pension alimentaire.

alive [əˈlaiv] *adj* vivant (living) ; vif, plein de vie (alert) ; *look* ~ *!* ; dépêchez-vous ! ; ~ *to,* sensible à ; conscient de ; ~ *with,* grouillant de.

all [ɔːl] *adj* tout, toute ; *Pl* tous, toutes ; ~ *England,* toute l'Angleterre ; ~ *(the) men,* tous les hommes ; ~ *day long,* toute la journée ‖ ~**-mains,** Rad. tous courants ● *pron* tout le monde, tous ; ~ *that,* tout ce qui/que ; ~ *of us,* nous tous ; ~ *together,* tous ensemble ‖ *above* ~, surtout ; *after* ~, après tout, somme toute ; *at* ~, tant soit peu ‖ *not at* ~, pas du tout ‖ ~ *in all,* tout bien considéré ‖ *for* ~, malgré ‖ *once for* ~, une fois pour toutes ; *that's* ~, c'est tout ; *first of* ~, tout d'abord ‖ Coll. *not* ~ *that,* pas tellement ● *adv* tout, entièrement ; ~ *alone,* tout seul ; *five* ~, cinq à cinq (score) ; ~ *at once,* tout d'un coup ‖ *be* ~ *for,* ne pas demander mieux que ‖ Mil. ~ *clear* [n], fin f d'alerte ‖ Coll. ~ *in,* éreinté ‖ ~ *one,* tout un ; *it is* ~ *one to me,* cela m'est égal ‖ Coll. ~ *out,* de toutes ses forces ; ~ *over,* entièrement ; achevé, fini ‖ ~ *the same,* malgré tout ‖ Coll. *he is not quite* ~ *there,* il n'a pas toute sa tête ● *n* tout *m* ; *stake one's* ~, jouer son va-tout.

allay [əˈlei] *vt* apaiser, diminuer ‖ Med. soulager.

allegation [æleˈgeiʃn] *n* allégation f.

alleg|e [əˈledʒ] *vt* alléguer, prétendre ‖ ~**ed** [-d] *adj* prétendu ; présumé ‖ ~**edly** [-idli] *adv* paraît-il.

allegiance [əˈliːdʒns] *n* fidélité, obéissance, soumission f.

allegory [ˈæligəri] *n* allégorie f.

allerg|ic [əˈləːdʒik] *adj* Med. allergique ‖ Coll. *be* ~ *to,* ne pas pouvoir supporter ‖ ~**y** [ˈælədʒi] *n* allergie f.

alleviate [əˈliːvieit] *vt* soulager, alléger ; atténuer (pain).

alley [ˈæli] *n* ruelle f ; *blind* ~, impasse f ‖ [garden] allée f.

All Hallows [ɔːlˈhæləuz] *n* = All Saints' Day.

alliance [əˈlaiəns] *n* alliance f ‖ Pol. apparentement *m.*

alloca|te [ˈæləkeit] *vt* allouer, attribuer ‖ ~**tion** [æləˈkeiʃn] *n* allocation, attribution f.

all-in [ˈɔːlin] *adj* global, tout compris (price) ; tous risques (insurance policy) ‖ Sp. ~ *wrestling,* lutte f libre.

all-night *adj* de nuit.

allot [əˈlɔt] *vt* attribuer, affecter (*to,* à) ‖ répartir, distribuer ‖ ~**ment** *n* répartition, attribution, part f.

allow [əˈlau] *vt* permettre, autoriser ‖ admettre, accepter — *vi* ~ *for,* tenir compte de ; envisager, prévoir ‖ ~ *of,* souffrir, tolérer, admettre ‖ ~**able** *adj* admissible ‖ ~**ance** *n* permission f ‖ allocation f ; *family* ~*s,* allocations familiales ‖ Jur. pension f ‖ Comm. remise, réduction f ‖ Jur. indemnité f ‖ Techn. tolérance f ‖ *make* ~*(s) for,* faire la part de, tenir compte de ; *due* ~ *being made,* toutes proportions gardées.

alloy [ˈæləi] *n* alliage *m* ● *vt* faire un alliage.

all right [ɔːlˈrait] *adj/adv* très bien ‖ en bonne santé (well) ‖ sain et sauf (safe) ● *exclam* ~ *!,* ça va !, entendu !

All|Saints' Day [ɔːlˈseintsdei] *n* la Toussaint ‖ ~ **Souls' Day** [ˈˈsəulzdei] *n* la fête des Morts.

allude [əˈl(j)uːd] *vi* faire allusion (*to,* à).

allur|e [əˈljuə] *vt* attirer, séduire ‖

~**ement** n attrait m, séduction f ‖ ~**ing** [-riŋ] adj séduisant ; provocant (woman).

allus|ion [ə'lu:ʒn] n allusion f ‖ ~**ive** [ə'lu:siv] adj allusif.

ally ['ælai] m allié n ; the Allies, les Alliés ● [ə'lai] vi/vt ~ (oneself), s'allier (with/to, à).

almanac ['ɔ:lmənæk] n almanach m ‖ NAUT. annuaire m.

almighty [ɔ:l'maiti] adj tout-puissant ● m the Almighty, le Tout-Puissant.

almond ['ɑ:mənd] n amande f.

almost ['ɔ:lməust] adv presque ; he ~ fell, il a failli tomber.

alms [ɑ:mz] n aumône f ; give ~, faire l'aumône.

aloft [ə'lɔft] adv NAUT. en haut (dans la mâture).

alone [ə'ləun] adj seul ; all ~, tout seul ; leave/let sb ~, laisser qqn tranquille ; let ~, sans parler de ; ~ well alone, le mieux est l'ennemi du bien.

along [ə'lɔŋ] adv en avant ; move ~ ! avancez ! ; come ~ !, venez donc ! ‖ ~ with, avec ‖ all ~, [time] du début à la fin ; [space] d'un bout à l'autre ● prep le long de ‖ ~side adv NAUT. bord à bord ; à quai ; come ~, accoster ● prep le long de, au bord de.

aloof [ə'lu:f] adj distant ● adv à l'écart (from, de) ; keep ~, faire bande à part ‖ ~ness n réserve, froideur f ; attitude distante.

aloud [ə'laud] adv à haute voix, (tout) haut.

alphabet ['ælfəbit] n alphabet m ; ~ical [ælfə'betikl] adj alphabétique.

already [ɔ:l'redi] adv déjà.

alright = ALL RIGHT.

also ['ɔ:lsəu] adv aussi, également ; not only... but ~, non seulement..., mais encore.

altar ['ɔ:ltə] n REL. autel m ; ~-boy, enfant m de chœur.

alter ['ɔ:ltə] vt changer, modifier, retoucher (a garment) — vi changer ‖ ~**ation** [ɔ:ltə'reiʃn] n modification f, changement m, retouche f (to, à), transformations fpl (of a building).

altercation [ɔ:ltə:'keiʃn] n altercation f.

altern|ate ['ɔ:ltəneit] vi alterner, se succéder ● adj alterné ‖ on ~ days, un jour sur deux ‖ ~**ately** [ɔ:l'tə:nitli] adv alternativement ‖ ~**ating** ['-] adj ELECTR. alternatif ‖ ~**ation** [ɔ:ltə'neiʃn] n alternance f ‖ ~**ative** [ɔ:l'tə:nətiv] adj autre ‖ de rechange (solution) ● n alternative f, choix m (choice) ‖ solution f de rechange (course of action).

alternator ['ɔ:ltəneitə] n alternateur m.

although [ɔ:l'ðəu] conj bien que, quoique.

alti|meter ['æltimi:tə] n altimètre m ‖ ~**tude** [-tju:d] n altitude f.

altogether [ɔ:ltə'geðə] adv tout à fait, complètement (wholly) ; en tout (all included) ; au total.

altruism ['æltruizm] n altruisme m.

alumin|ium [ælju'minjəm] U.S. ~**um** [ə'luminəm] n aluminium m.

alumna, -nae [ə'lʌmnə, -ni:] n U.S. ancienne élève/étudiante.

alumnus, -ni [ə'lʌmnəs, -nai] n U.S. ancien élève/étudiant.

always ['ɔ:lweiz] adv toujours, tout le temps.

am [æm] → BE.

AM [ei'em] abbrev (= AMPLITUDE MODULATION) RAD. modulation f d'amplitude.

a.m. [ei'em] adv du matin ; the 6 ~ train, le train de 6 heures du matin.

amalgamate [ə'mælgəmeit] vt/vi (s')amalgamer ‖ JUR. (vt) absorber ; (vi) fusionner.

amass [ə'mæs] vt amasser.

amateur [ˈæmətə:] *n* amateur ‖ ~**ish** [ˌæməˈtəriʃ] *adj* d'amateur.

amaze [əˈmeiz] *vt* stupéfier, surprendre ‖ ~**ment** *n* stupeur *f*, étonnement *m* ‖ ~**ing** *adj* stupéfiant, étonnant.

ambassador [æmˈbæsədə] *n* ambassadeur *m*.

amber [ˈæmbə] *n* [traffic] ~ *(light)*, feu *m* orange.

ambient [ˈæmbiənt] *adj* ambiant.

ambiguity [ˌæmbiˈgjuiti] *n* ambiguïté *f* ‖ ~**ous** [æmˈbigjuəs] *adj* ambigu.

ambition [æmˈbiʃn] *n* ambition *f* ‖ ~**ious** [-əs] *adj* ambitieux.

amble [ˈæmbl] *vi* aller l'amble.

ambulance [ˈæmbjuləns] *n* ambulance *f*.

ambush [ˈæmbuʃ] *n* guet-apens *m* ; MIL. embuscade *f* ; *lie in* ~, s'embusquer ; *fall into an* ~, tomber dans une embuscade ● *vt* tendre une embuscade.

ameliorate [əˈmiːljəreit] *vt/vi* (s')améliorer ‖ ~**tion** [əˈmiːljəˌreiʃn] *n* amélioration.

amen [ɑːˈmen] *interj* ainsi soit-il !, amen !

amenable [əˈmiːnəbl] *adj* docile, soumis ‖ JUR. relevant (*to*, de).

amend [əˈmend] *vt* amender, corriger — *vi* s'amender.

amendment *n* amendement *m*.

amends [-z] *npl* réparation *f*, dédommagement *m* ; *make* ~, faire amende honorable ; *make* ~ *to sb for sth*, dédommager qqn de qqch.

amenity [əˈmiːniti] *n* aménité *f* ; agrément, charme *m* (of a place) ‖ *Pl* commodités *fpl*, confort *m* ; aménagements socio-culturels.

America [əˈmerikə] *n* Amérique *f* ‖ ~**an** *adj/n* américain ‖ ~**anism** [-ənizm] *n* américanisme *m*.

amiable [ˈeimjəbl] *adj* aimable, affable ‖ ~**y** *adv* aimablement.

amicable [ˈæmikəbl] *adj* amical ‖ ~**y** *adv* amicalement ‖ JUR. à l'amiable.

amid [əˈmid], **amidst** [əˈmidst] *prep* parmi.

amiss [əˈmis] *adv* *take (sth)* ~, mal prendre (qqch).

amity [ˈæmiti] *n* relations amicales.

ammeter [ˈæmitə] *n* ampèremètre *m*.

ammonia [əˈməunjə] *n* CH. ammoniaque *f* ‖ ~**iac** [-iæk] *adj* ammoniac *m*.

ammunition [ˌæmjuˈniʃn] *n* munitions *fpl*.

amnesia [æmˈniːzjə] *n* amnésie *f*.

amnesty [ˈæmnisti] *n* amnistie *f*.

amok [əˈmɔk] *adv* = AMUCK.

among(st) [əˈmʌŋ(kst)] *prep* parmi, au milieu de, entre, chez.

amoral [æˈmɔrəl] *adj* amoral.

amorous [ˈæmərəs] *adj* amoureux.

amortization [əˌmɔːtiˈzeiʃn] *n* amortissement *m* ‖ ~**ize** [əˈmɔːtaiz] *vt* FIN. amortir.

amount [əˈmaunt] *n* montant, total *m* ; *to the* ~ *of*, jusqu'à concurrence de ‖ quantité *f* ● *vi* s'élever (*to*, à) ‖ FIG. ~ *to the same thing*, revenir au même.

amphibian [æmˈfibiən] *adj/n* amphibie *(m)*.

amphitheatre [ˈæmfiˌθiətə] *n* amphithéâtre *m*.

ample [ˈæmpl] *adj* suffisant (sufficient), ample, spacieux (roomy). ‖ ~**ifier** [-ifaiə] *n* TECHN. amplificateur ; ampli *m* (fam.) ‖ ~**ify** [-ifai] *vt* amplifier ‖ ~**itude** [-itjuːd] *n* amplitude *f* ‖ ~**y** *adv* amplement.

amputate [ˈæmpjuteit] *vt* amputer ‖ ~**ation** [ˌæmpjuˈteiʃn] *n* amputation *f*.

amuck [əˈmʌk] *adv* *run* ~, être pris d'une folie furieuse.

amuse [ə´mju:z] *vt* amuser ; ~ oneself, s'amuser.

amusement *n* amusement *m* ‖ distraction *f* ‖ *Pl* attractions *fpl*.

amusing *adj* amusant, drôle.

an [æn] → A.

anachronism [ə´nækrənizm] *n* anachronisme *m*.

anaem|ia [ə´ni:mjə] *n* anémie *f* ‖ ~ic [-ik] *adj* anémique.

anaesth|esia [ænis´θi:zjə] *n* anesthésie *f* ‖ ~etic [-´etik] *adj/n* anesthésique *(m)* ‖ ~etist [æ´ni:sθitist] *n* anesthésiste *n* ‖ ~etize [æ´ni:sθitaiz] *vt* anesthésier.

analgesic [ænæl´dʒesik] *adj/n* analgésique *(m)*.

anal|ogous [ə´næləgəs] *adj* analogue ‖ ~ogue [´ænələg] *n* analogue *m* ‖ ~ computer, calculateur *m* analogique ‖ ~ogy [ə´nælədʒi] *n* analogie *f*.

anal|yse [´ænəlaiz] *vt* analyser ‖ ~ysis, -yses [ə´næləsis, -si:z] *n* analyse *f* ‖ ~yst [´ænəlist] *n* U.S. psychanalyste *n*.

anarch|ism [´ænəkizm] *n* anarchisme *m* ‖ ~ist *adj/n* anarchiste ‖ ~y *n* anarchie *f*.

anat|omical [ænə´tɔmikl] *adj* anatomique ‖ ~omy [ə´nætəmi] *n* anatomie *f*.

anc|estor [´ænsistə] *n* ancêtre *m* ‖ ~estral [æn´sestrl] *adj* ancestral ‖ ~estry [´ænsistri] *n* ancêtres, aïeux *mpl* ; lignée *f* (lineage).

anchor [´æŋkə] *n* NAUT. ancre *f* ; *at* ~, à l'ancre ; *cast* ~, jeter l'ancre, mouiller ; *lie at* ~, être à l'ancre, mouiller ; *weigh* ~, lever l'ancre ● *vi* mouiller, jeter l'ancre — *vt* ancrer, mettre à l'ancre ‖ ~age [-ridʒ] *n* ancrage, mouillage *m*.

anchor-man *n* RAD., T.V. animateur, producteur *m*.

anchovy [´æntʃəvi] *n* anchois *m*.

ancient [´einʃnt] *adj* antique ; ancien (world) ● *npl* anciens *mpl*.

and [ænd ; ənd] *conj* et, en ; *better* ~ *better*, de mieux en mieux ‖ [omited in French] *go* ~ *see*, aller voir ‖ au ; *coffee* ~ *milk*, café au lait.

Andorr|a [æn´dɔrə] *n* Andorre *f* ‖ ~an *adj/n* andorran.

anecdote [´ænikdəut] *n* anecdote *f*.

angel [´eindʒl] *n* ange *m* ‖ ~ic [æn´dʒelik] *adj* angélique ‖ ~us [´ændʒiləs] *n* angélus *m*.

anger [´æŋgə] *n* colère *f* ● *vt* mettre en colère, courroucer.

angle¹ [´æŋgl] *n* angle *m* ; *right* ~, angle droit ‖ FIG. angle ; aspect *m* ● *vt* U.S., COLL., présenter sous un certain jour (news).

angl|e² *vi* pêcher à la ligne ‖ ~er *n* pêcheur *n* à la ligne ‖ ~ing *n* pêche *f* à la ligne.

Angl|ican [´æŋglikən] *adj/n* anglican ‖ ~icism [-isizm] *n* anglicisme *m* ‖ ~icize [-isaiz] *vt* angliciser.

angr|ily [´æŋgrili] *adv* avec colère ‖ ~y *adj* fâché, irrité, furieux (with, contre) ; *get* ~, se fâcher ‖ MED. enflammé.

anguish [´æŋgwiʃ] *n* angoisse *f* ‖ ~ed [-t] *adj* angoissé.

angular [´æŋgjulə] *adj* angulaire ‖ FIG., COLL. anguleux.

animal [´æniml] *n/adj* animal *(m)*.

anim|ate [´ænimit] *adj* animé ‖ [´ænimeit] *vt* animer, stimuler (courage) ‖ ~ated [-eitid] *adj* animé ; ~ *cartoon*, dessin animé ‖ ~ation [æni´meiʃn] *n* animation *f*.

animosity [æni´mɔsiti] *n* animosité *f*.

ani|se [´ænis] *n* BOT. anis *m* ‖ ~seed [´ænisi:d] *n* graine *f* d'anis.

ankle [´æŋkl] *n* cheville *f* ; ~-boot, bottine *f* ‖ ~-socks, Socquettes *fpl*.

annals [´ænlz] *npl* annales *fpl*.

annex [ə´neks] *vt* annexer, joindre (a document) ● [´æneks] *n* annexe *f* ‖ ~ation [ænek´seiʃn] *n* annexion *f* ‖

~**ed** [ə´nekst] *adj* ci-joint (letter, etc.).

annihil|ate [ə´naiəleit] *vt* annihiler || MIL. exterminer, anéantir || ~**ation** [ə͵naiə´leiʃn] *n* anéantissement *m*.

anniversary [͵æni´və:sri] *n/adj* anniversaire *(m)*.

annotate [´ænəteit] *vt* annoter.

announc|e [ə´nauns] *vt* annoncer ; ~ *sth to sb,* faire part de qqch à qqn || publier || ~**ement** *n* annonce *f* || ~**er** *n* RAD. speaker *m*.

annoy [ə´nɔi] *vt* ennuyer, agacer, contrarier ; *get* ~*ed,* s'énerver || ~**ance** *n* contrariété *f,* désagrément, agacement *m* (bother) || ~**ing** *adj* agaçant, contrariant ; énervant (disturbing) ; ennuyeux (bothersome).

annual [´ænjuəl] *adj* annuel ● *n* [publication] annuaire *m*.

annuity [ə´njuiti] *n* annuité *f* ; *life* ~, rente viagère.

annul [ə´nʌl] *vt* résilier, annuler (a contract) ; abroger (a law).

annunciation [ə͵nʌnsi´eiʃn] *n* annonciation *f*.

anode [´ænəud] *n* anode *f*.

anodyne [´ænədain] *n* analgésique, calmant *m*.

anomalous [ə´nɔmələs] *adj* anormal.

anonymous [ə´nɔniməs] *adj* anonyme.

anorak [´ænəræk] *n* anorak *m*.

another [ə´nʌðə] *adj/pron* un autre ; nouveau, encore un || *one* ~, les uns les autres, réciproquement.

answer [´ɑ:nsə] *n* réponse *f* ; *in* ~ *to,* en réponse à || MATH. solution *f* ● *vt* répondre ; ~ *sb,* répondre à qqn ; ~ *a question,* répondre à une question ; ~ *the telephone,* répondre au téléphone ; ~ *the door/bell,* aller ouvrir || ~ *back,* répliquer, répondre || FIG. ~ *for,* être responsable de || ~**able** [-rəbl] *adj* FIG. responsable (responsible).

answering machine *n* répondeur *m* automatique.

ant [ænt] *n* fourmi *f* ; *white* ~, termite *m* || ~**-hill** *n* fourmilière *f*.

antagon|ism [æn´tægənizm] *n* antagonisme *m* || ~**ize** *vt* contrarier ; éveiller l'hostilité de ; se mettre à dos (fam.).

Antarctic [ænt´ɑ:ktik] *adj/n* Antarctique *(m)*.

ante|cedent [͵ænti´sidnt] *adj/n* antécédent *(m)* || ~**chamber** [´ænti͵tʃeimbə] *n* antichambre *f* || ~**date** [´ænti´deit] *vt* antidater.

antelope [´æntiləup] *n* antilope *f*.

antenatal [´ænti´neitl] *adj* prénatal.

antenna [æn´tenə] *n* (*Pl* -**næ** [-i:]) ZOOL. antenne *f* || (*Pl* ~**s**) RAD., T.V. U.S. antenne *f*.

anteroom [´æntirum] *n* antichambre *f*.

anthem [´ænθəm] *n* hymne *m* || REL. antienne *f*.

anthology [æn´θɔlədʒi] *n* anthologie *f*.

anthracite [´ænθrəsait] *n* anthracite *m*.

anthropology [͵ænθrə´pɔlədʒi] *n* anthropologie *f*.

anti|aircraft [͵ænti´ɛəkrɑ:ft] *adj* antiaérien || ~**atomic** [-ə´tɔmik] *adj* antiatomique || ~**biotic** [-bai´ɔtik] *n* antibiotique *m* || ~**body** [´ænti͵bɔdi] *n* anticorps *m*.

anticipa|te [æn´tisipeit] *vt* devancer, prévenir (desires) || prévoir (foresee) ; *as* ~*d,* comme prévu || se promettre, savourer à l'avance (a pleasure) || ~**tion** [æn͵tisi´peiʃn] *n* anticipation, prévision *f*.

anticlockwise [͵ænti´klɔkwaiz] *adv* dans le sens contraire des aiguilles d'une montre.

antics [´æntiks] *npl* bouffonneries, cabrioles, gambades *fpl*.

anti|dote [´æntidəut] *n* antidote *m* || ~**-freeze** *n* AUT. antigel *m* ||

~-**icer** [-aisə] *n* antigivre *m* ‖ ~**pathetic** [ˌæntipə´θetik] *adj* antipathique ‖ qui éprouve de l'aversion (*to,* pour) ‖ ~**pathy** [æn´tipəθi] *n* antipathie *f* ‖ ~**podes** [æn´tipədiːz] *npl* antipodes *mpl.*

antiqu|ary [´æntikwəri] *n* amateur *m* d'antiquités ‖ ~**ated** [-eitid] *adj* vétuste (building) ; démodé (dress) ; vieillot (idea) ; désuet, vieux jeu (person).

antiqu|e [æn´tiːk] *adj* ancien, antique (ancient Greece and Rome) ● *n* meuble/objet d'art ancien ; ~ *dealer,* antiquaire *n* ‖ ~**ity** [æn´tikwiti] *n* monde *m* antique, antiquité *f.*

anti|septic [ˌænti´septik] *adj/n* antiseptique *(m)* ‖ ~-**tank** *adj* antichar ‖ ~-**theft** *adj* Aut. ~ *device,* antivol *m* ‖ ~**thesis** [æn´tiθisis] *n* antithèse *f* ‖ ~**thetical** [ˌænti´θetikl] *adj* antithétique.

anvil [´ænvil] *n* enclume *f.*

anx|iety [æŋ´zaiəti] *n* anxiété, inquiétude *f ;* vif désir.

anxious [´æŋʃəs] *adj* anxieux ‖ impatient ; *be* ~ *to,* tenir beaucoup à ‖ inquiet (*about/for,* de) ‖ ~**ly** *adv* anxieusement, avec inquiétude ‖ avec impatience.

any [´eni] *adj* n'importe quel, tout ; *come* ~ *day,* venez n'importe quel jour ; *in* ~ *case,* en tout cas ‖ [interr. or neg. sentences] quelque(s) ; du, de la, des ; *have you (got)* ~ *bread/pears ?,* avez-vous du pain/des poires ? ; *we haven't (got)* ~ *wine,* nous n'avons pas de vin ● *pron* n'importe lequel ; quiconque ; en ; *I haven't* ~, je n'en ai pas ● *adv* [neg. or interr. sentences] un peu ; *is your father* ~ *better ?,* votre père va-t-il un peu mieux ? ; *he isn't* ~ *better,* il ne va pas mieux du tout ‖ ~**body** [´enibɔdi] *pron* qui que ce soit, n'importe qui ; quelqu'un ; *has* ~ *called ?,* quelqu'un est-il venu ? ‖ ~**how** *adv* n'importe comment, tant bien que mal ‖ in tout cas ‖ ~ *old* **how** *adv* Coll. à la va-comme-je-te-pousse (fam.) ‖ ~**one** *pron* →

ANYBODY ‖ ~**thing** [-θiŋ] *pron* n'importe quoi ; tout ; ~ *but,* rien moins que ‖ ~**way** [-wei] *adv* → ANYHOW ‖ U.S. en fait, en fin de compte ‖ ~**where** [-wɛə] *adv* n'importe où ; quelque part ‖ Fig. *he'll never get* ~, il n'arrivera jamais à rien.

apart [ə´pɑːt] *adv* de côté, à part, espacé, séparément ; *come* ~, se défaire, se détacher ; *take* ~, démonter ; ~ *from,* à part (except).

apartment [ə´pɑːtmənt] *n* pièce *f* (d'apparat) ‖ *Pl furnished* ~*s,* meublé *m,* U.S. appartement *m.*

apathy [´æpəθi] *n* apathie *f.*

ape [eip] *n* grand singe ● *vt* singer.

aperture [´æpətjuə] *n* Phot. ouverture *f.*

apex [´eipeks] *n* sommet *m.*

aphorism [´æfərizm] *n* aphorisme *m.*

apiar|ist [´eipjərist] *n* apiculteur *n* ‖ ~**y** *n* rucher *m.*

apiculture [´eipi͵kʌltʃə] *n* apiculture *f.*

apiece [ə´piːs] *adv* la pièce, chacun ; *a dollar* ~, un dollar pièce.

apolog|etic [əˌpɔlə´dʒetik] *adj* d'excuse ; *be very* ~, se confondre en excuses ‖ ~**ize** [ə´pɔlədʒaiz] *vi* s'excuser (*to,* auprès de ; *for,* de).

apology [ə´pɔlədʒi] *n* excuse *f* (*for,* de) ; *make an* ~, faire amende *f* honorable.

apostle [ə´pɔsl] *n* apôtre *m* ‖ ~**ship** *n* apostolat *m.*

apostrophe [ə´pɔstrəf] *n* apostrophe *f.*

appal [ə´pɔːl] *vt* terrifier ; atterrer ‖ ~**ling** *adj* terrifiant, épouvantable ‖ consternant (hopeless).

apparatus, es [ˌæpə´reitəs, -iz] *n* appareil *m.*

apparel [ə´pærl] *n* vêtements *mpl.*

apparent [ə´pærnt] *adj* apparent ; évident (obvious) ‖ ~**ly** *adv* apparemment.

apparition [æpəˈriʃn] *n* apparition *f* (act, ghost).

appeal [əˈpiːl] *vi* avoir recours (*to*, à) || JUR. faire appel (*to*, à) || FIG. allécher, séduire, attirer ; *if it ~s to you,* si cela vous tente ● *n* appel *m* || supplication *f* || attrait, charme *m* || JUR. appel, pourvoi *m* ; *court of ~,* cour *f* d'appel ; *without ~,* sans appel.

appear [əˈpiə] *vi* apparaître (become visible) || paraître, sembler (seem) ; *so it ~s,* à ce qu'il paraît || figurer (in a list) || [book] paraître || TH. figurer, se produire (*in,* dans) || JUR. comparaître ; *fail to ~,* faire défaut || FIG. *~ as,* faire figure de || **~ance** [-rns] *n* [active] apparition *f* ; *put in an ~,* se montrer, faire acte de présence || publication *f* (book) || TH. *first ~,* débuts *mpl* || JUR. comparution *f* || [passive] apparence *f* (sight) || *by/to all ~s,* selon toute apparence ; *keep up ~s,* sauver les apparences.

appease [əˈpiːz] *vt* apaiser, calmer || **~ment** *n* apaisement *m* ; conciliation *f.*

appendage [əˈpendidʒ] *n* accessoire *m.*

appendicitis [əˌpendiˈsaitis] *n* appendicite *f.*

appendix, -ices [əˈpendiks, -isiːz] *n* appendice *m.*

appertain [ˌæpəˈtein] *vi* appartenir, être attaché (*to*, à).

appet|ite [ˈæpitait] *n* appétit *m* ; *eat with an ~,* manger à belles dents ; *lack of ~,* manque *m* d'appétit || FIG. désir *m* || **~izer** [-aizə] *n* apéritif *m* ; amuse-gueule *m* (food) || **~izing** [-aizin] *adj* appétissant.

appl|aud [əˈplɔːd] *vt/vi* applaudir || FIG. applaudir à, louer || **~ause** [-ɔːz] *n* applaudissements *mpl.*

apple [ˈæpl] *n* pomme *f* ; *eating ~,* pomme à couteau || **~-brandy** *n* [Normandy] calvados *m* || **~-cart** *n* voiture *f* des quatre saisons || **~-fritter** *n* beignet *m* aux pommes || **~-pie** *n* tourte *f* aux pommes ||

~-sauce *n* compote *f* de pommes || **~-tree** *n* pommier *m* || **~-turn-over** *n* chausson *m* aux pommes.

appliance [əˈplaiəns] *n* appareil, dispositif *m* || accessoire *m* ; *domestic electrical ~,* appareil *m* électroménager.

applic|able [ˈæplikəbl] *adj* applicable, approprié (*to,* à) || **~ant** *n* postulant, candidat *m* || JUR. requérant *n* || **~ation** [ˌæpliˈkeiʃn] *n* demande, candidature *f* ; *~ for a job,* demande *f* d'emploi ; *on ~,* sur demande ; *~ form,* formulaire *m* || application *f* (diligence) || INF. application *f.*

applied [əˈplaid] *adj* appliqué.

apply [əˈplai] *vi* s'adresser (*to sb,* à qqn ; *at an office,* à un bureau ; *for sth,* pour obtenir qqch) ; *~ for a job,* faire une demande d'emploi || [rule] s'appliquer (*to,* à) — *vt* appliquer (paint, theory) — *vpr* [pupil] *~ oneself,* s'appliquer.

appoint [əˈpoint] *vt* désigner, nommer (*to,* à) || fixer, décider (a date) ; *at the ~ed time,* à l'heure convenue || aménager, équiper ; *well ~ed,* bien installé || **~ment** *n* rendez-vous *m* ; *by ~,* sur rendez-vous ; *make an ~ with,* fixer un rendez-vous à || nomination *f* ; emploi, poste *m* (job) || *Pl* équipement *m,* installations *fpl* (fixtures).

apportion [əˈpɔːʃn] *vt* répartir.

appraisal [əˈpreizl] *n* estimation, évaluation *f* || expertise *f.*

apprais|e [əˈpreiz] *vt* évaluer, estimer || **~er** *n* expert *m.*

apprec|iable [əˈpriːʃəbl] *adj* appréciable || **~iate** [-ʃieit] *vt* évaluer, estimer (estimate) || apprécier, faire cas de (esteem) || U.S. être reconnaissant de — *vi* FIN. monter, prendre de la valeur || **~iation** [əˌpriːʃiˈeiʃn] *n* appréciation *f* || reconnaissance *f* || FIN. hausse, plus-value *f* || **~iative** [əˈpriːʃjətiv] *adj* qui sait apprécier || U.S. reconnaissant.

apprehen|d [ˌæpriˈhend] *vt* appréhender, craindre (dread) ‖ saisir, comprendre (understand) ‖ appréhender (arrest) ‖ ~**sion** [-ʃn] *n* crainte *f* (dread) ‖ compréhension *f* (understanding) ‖ arrestation *f* (arrest) ‖ ~**sive** [-siv] *adj* anxieux, craintif.

apprentice [əˈprentis] *n* apprenti *m* ‖ débutant *n* ● *vt* mettre en apprentissage (to, chez) ‖ ~**ship** *n* apprentissage *m*.

appro [ˈæprəu] *n* COLL. *on* ~ = ON APPROVAL.

approach [əˈprəutʃ] *vi/vt* (s')approcher (de) ; ~ *a subject*, aborder une question ● *n* approche *f* (action) ‖ voie *f* d'accès ‖ FIG. façon *f* d'aborder, méthode *f*.

approbation [ˌæprəˈbeiʃn] *n* approbation *f.*

appropri|ate [əˈprəuprieit] *adj* approprié, adéquat ‖ opportun (time) ● *vt* affecter, attribuer (to, à) ‖ s'approprier ‖ ~**ation** [əˌprəupriˈeiʃn] *n* appropriation *f.*

approval [əˈpruːvl] *n* approbation *f* ‖ COMM. *buy on* ~, acheter à l'essai/sous condition.

approve [əˈpruːv] *vt* approuver, agréer.

approximate [əˈprɔksmit] *adj* avoisinant, proche ‖ ressemblant ‖ approximatif ● [əˈprɔksimeit] *vt* FIG. rapprocher — *vi* se rapprocher (to, de) ‖ ~**ly** [əˈprɔksmitli] *adv* à peu près, approximativement.

apricot [ˈeiprikɔt] *n* abricot *m.*

April [ˈeiprl] *n* avril *m* ; ~ *showers*, giboulées *fpl* de mars ‖ ~**-fool** *n make an* ~ *of*, faire un poisson d'avril à ; ~ *day*, premier avril.

apron [ˈeiprn] *n* tablier *m.*

apt [æpt] *adj* juste, approprié (remark) ‖ porté, enclin (to, à) ; susceptible (to, de) ‖ doué (at, pour) ‖ ~**itude** [ˈæptitjuːd] *n* aptitude *f,* talent *m,* disposition *f* (for, pour).

aqua|lung [ˈækwələŋ] *n* scaphandre *m* autonome ‖ ~**marine** [ˌækwəməˈriːn] *n* aigue-marine *f* ‖ ~**rium** [əˈkweəriəm] *n* aquarium *m.*

Aquarius [əˈkweəriəs] *n* ASTR. Verseau *m.*

aquatic [əˈkwætik] *adj* aquatique.

aqueduct [ˈækwidʌkt] *n* aqueduc *m.*

aquiline [ˈækwilain] *adj* aquilin.

Arab [ˈærəb] *n* Arabe *n* ‖ ~**ia** [əˈreibjə] *n* Arabie *f* ‖ ~**ian** [əˈreibjən] *adj* arabe ; *the* ~ *Nights,* les Mille et Une Nuits ‖ ~**ic** [ˈærəbik] *adj* arabe ● *n* arabe *m* (language).

arable [ˈærəbl] *adj* arable.

arbitr|ament [ɑːˈbitrəmənt] *n* arbitrage *m,* sentence *f* ‖ ~**ary** [ˈɑːbitrəri] *adj* arbitraire ‖ ~**ate** [ˈɑːbitreit] *vt* arbitrer ‖ ~**ation** [ˌɑːbiˈtreiʃn] *n* arbitrage *m* ‖ ~**ator** [ˈɑːbitreitə] *n* JUR. arbitre *m* ; juge *m.*

arbo(u)r [ˈɑːbə] *n* tonnelle *f.*

arc [ɑːk] *n* ELECTR. arc *m* ; ~*-lamp/light,* lampe *f* à arc ‖ TECHN. ~*-welding,* soudure *f* à l'arc.

arcade [ɑːˈkeid] *n* arcades *fpl* ; passage *m* ; *shopping* ~, galerie marchande.

arch[1] [ɑːtʃ] *n* ARCH. arc, cintre *m* ; arche *f* (of a bridge) ‖ cambrure *f* (of the foot) ● *vt* arquer, bomber, voûter ; *the cat* ~*es its back,* le chat fait le gros dos.

arch[2] *adj* espiègle, malicieux.

arch[3] *pref* principal, archi ‖ PEJ. fieffé.

archaeology [ˌɑːkiˈɔlədʒi] *n* archéologie *f.*

archaic [ɑːˈkeiik] *adj* archaïque.

arch|angel [ˈɑːkˌeinʒl] *n* archange *m* ‖ ~**bishop** [ˈɑːtʃbiʃəp] *n* archevêque *m.*

archery [ˈɑːtʃəri] *n* tir *m* à l'arc.

archipelago [ˌɑːkiˈpeligəu] *n* archipel *m.*

architect [ˈɑːkitekt] *n* architecte *m* ‖ ~**ure** [ˈɑːkitektʃə] *n* architecture *f.*

archives ['ɑːkaivz] *npl* archives *fpl* ‖ ~**ivist** [-ivist] *n* archiviste *n*.

archway ['ɑːtʃwei] *n* voûte *f*; portail *m*; passage voûté.

Arctic ['ɑːktik] *n/adj* Arctique (*m*).

ard|ent ['ɑːdnt] *adj* ardent, passionné ‖ ~**o(u)r** *n* ardeur *f*, zèle *m*.

arduous ['ɑːdjuəs] *adj* ardu (work) ‖ escarpé (way).

are [ɑː] → BE.

area [ɛəriə] *n* aire, superficie *f* ‖ région *f* (region); quartier *m* (district) ‖ courette *f* (yard) ‖ MIL. zone *f* ‖ FIG. domaine *m*.

arena [ə'riːnə] *n* arène *f*.

aren't [ɑːnt] = ARE NOT or AM NOT ‖ → BE.

argue ['ɑːgjuː] *vi* [dispute] se disputer ‖ [debate] argumenter (*against*, contre; *for*, en faveur de) — *vt* ~ *sb into/out of doing sth*, convaincre/dissuader qqn de faire qqch ‖ discuter (*sth*, qqch) [debate] ‖ [maintain] affirmer, prétendre.

argument ['ɑːgjumənt] *n* argument *m* (reasoning); discussion *f*, débat *m* (debate) ‖ JUR. plaidoyer *m* ‖ ~**ative** [ɑːgjuˈmentətiv] *adj* raisonneur, ergoteur.

arid ['ærid] *adj* aride, sec ‖ ~**ity** [æ'riditi] *n* aridité *f*, sécheresse *f*.

Aries ['ɛəriːz] *n* ASTR. Bélier *m*.

arise [əˈraiz] *vi* (arose [əˈrəuz], arisen [əˈrizn]) se lever ‖ [difficulties] survenir, s'élever ‖ provenir, résulter (*from*, de) [result].

aristocr|acy [ˌærisˈtɔkrəsi] *n* aristocratie *f* ‖ ~**at** ['æristəkræt] *n* aristocrate *n* ‖ ~**atic** [ˌæristəˈkrætik] *adj* aristocratique.

arithmetic [əˈriθmetik] *n* arithmétique *f*.

ark [ɑːk] *n* Noah's ~, l'arche (*f*) de Noé.

arm¹ [ɑːm] *n* bras *m*; *on one's* ~, au bras ‖ *in one's* ~*s*, dans les bras ‖ ~ *in* ~, bras dessus, bras dessous; *at* ~*'s length*, à bout de bras ‖ FIG. à distance ‖ FIG. ~ *of the sea*, bras *m* de mer ‖ ~**-band** *n* → ARMLET ‖ ~**chair** *n* fauteuil *m* ‖ ~**ful** *n* brassée *f* ‖ ~**-hole** *n* emmanchure *f* ‖ ~**let** [-lit] *n* brassard *m* ‖ ~**pit** *n* aisselle *f* ‖ ~**-rest** *n* accoudoir *m*.

arm² [ɑːm] *n* arme *f* (weapon); *in* ~*s*, en armes; *fire-* ~, arme à feu; *take up* ~*s*, prendre les armes ● *vt* armer — *vi* s'armer ‖ ~**ament** [-əmənt] *n* armement *m* ‖ ~**ature** [-ətjuə] *n* armature *f* ‖ ~**istice** [-istis] *n* armistice *m* ‖ ~**o(u)r** *n* armure, cuirasse *f* ‖ MIL. blindage *m* (covering); blindés *mpl* (units); ~**-plate**, plaque *f* de blindage ● *vt* blinder, cuirasser ‖ ~**oured** [-əd] *adj* blindé, cuirassé ‖ MIL. ~ *car*, automitrailleuse *f* ‖ ~**o(u)ry** [-əri] *n* armurerie *f*; arsenal *m*.

army ['ɑːmi] *n* armée *f* ‖ FIG. foule, multitude *f*.

arom|a [əˈrəumə] *n* arôme *m* ‖ ~**atic** [ˌærəuˈmætik] *adj* aromatique.

arose → ARISE.

around [əˈraund] *adv* autour, alentour, çà et là; à portée de la main ● *prep* autour de ‖ à peu près, environ (approximately).

arouse [əˈrauz] *vt* éveiller, réveiller (lit. and fig.) ‖ FIG. susciter; stimuler; exciter (sexually).

arraign [əˈrein] *vt* attaquer, critiquer ‖ JUR. déférer au parquet, inculper ‖ ~**ment** *n* inculpation *f*.

arrange [əˈreinʒ] *vt* arranger, disposer (objects) ‖ organiser (make plans) ‖ MUS. adapter — *vi* s'arranger, s'entendre (*with*, avec) ‖ ~**ment** *n* arrangement, aménagement *m*; *make* ~*s*, prendre des dispositions.

arrant ['ærnt] *adj* fieffé.

array [əˈrei] *vt* MIL. déployer (forces) ‖ parer (adorn); revêtir (dress) ● *n in battle* ~, en ordre de bataille ‖ LITT. habit *m* d'apparat; parure *f*, atours *mpl* ‖ FIG. étalage *m*; collection *f*.

arrears [əˈrɪəz] *npl* arriéré *m* (work to be done) ‖ Fin. *Pl* arriéré *m ; in ~s,* arriéré.

arrest [əˈrest] *n* Jur. arrestation *f* ‖ Mil. *put under ~,* mettre aux arrêts ● [*vt*] arrêter (a process) ‖ Jur. surseoir à (a judgment) ‖ Fig. retenir (sb's attention) ‖ ~**ing** *adj* frappant, saisissant.

arrival [əˈraivl] *n* arrivée *f* (of trains) ‖ arrivant *n* (person) ‖ arrivage *m* (goods).

arrive [əˈraiv] *vi* arriver, parvenir, atteindre (*at,* à).

arrog|ance [ˈærəgəns] *n* arrogance *f* ‖ ~**ant** *adj* arrogant.

arrow [ˈærəu] *n* flèche *f ; ~ head,* pointe *f* de flèche.

arsenal [ˈɑːsinl] *n* arsenal *m.*

arson [ˈɑːsn] *n* incendie criminel ‖ ~**ist** *n* incendiaire *n.*

art [ɑːt] *n* art *m ; work of ~,* œuvre *f* d'art ; *fine ~s,* Beaux-Arts ; *for ~'s sake,* l'art pour l'art ; ~ *dealer,* marchand *n* de tableaux ; ~ *gallery,* galerie *f* (de tableaux) ; musée *m* ; ~ *house,* U.S. cinéma *m* d'essai ; ~ *school,* école *f* de dessin ‖ artifice *m,* ruse *f* (cunning) ‖ *Pl* [University] ~*s degree,* licence *f* ès lettres ; Techn. ~*s and crafts,* artisanat *m.*

artery [ˈɑːtəri] *n* Med. Fig. artère *f.*

artful [ˈɑːtful] *adj* rusé, malin, astucieux (cunning) ‖ ingénieux (clever) ‖ ~**ly** *adv* astucieusement.

arthr|itic [ɑːˈθritik] *adj* arthritique ‖ ~**itis** [ˈθraitis] *n* arthrite *f.*

artichoke [ˈɑːtitʃəuk] *n* artichaut *m ; Jerusalem ~,* topinambour *m.*

article [ˈɑːtikl] *n* article *m* (in a newspaper) ‖ Gramm. article *m* ‖ Jur. clause *f; Pl* statuts *mpl* ‖ Comm. article, objet *m* (item).

articul|ate [ɑːˈtikjulit] *adj* articulé ‖ qui s'exprime bien (person) ● [-eit] *vt* articuler ‖ Techn. ~*d lorry,* semi-remorque *m* ‖ ~**ation** [ɑːˌtikjuˈleiʃn] *n* articulation *f.*

artif|ice [ˈɑːtifis] *n* artifice, stratagème *m* ‖ ~**icial** [ɑːtiˈfiʃl] *adj* artificiel, simili.

artillery [ɑːˈtiləri] *n* artillerie *f* ‖ ~**man** *n* artilleur *m.*

artisan [ɑːtiˈzan] *n* artisan *m.*

art|ist [ˈɑːtist] *n* artiste *n* ‖ ~**istic** [ɑːˈtistik] *adj* artistique ‖ ~**istry** [ˈɑːtistri] *n* art *m* ‖ ~**less** *adj* ingénu, naturel (simple).

as [æz, əz] *adv* autant, aussi ; *as ... as,* aussi ... que ; *as much/many ... as,* autant ... que ; *as soon as,* aussitôt que ● *conj* puisque, comme, étant donné que ; ~ *I was tired, I stayed in,* comme j'étais fatigué, je suis resté à la maison ‖ lorsque, au moment où ; ~ *he was getting off the train,* comme il descendait du train ‖ (au fur et) à mesure que ‖ quoique ; *intelligent ~ he was,* si intelligent qu'il fût ; *try ~ he would,* il avait beau essayer ‖ comme ; *do ~ I do,* faites comme moi ‖ ~ *if/though,* comme si ; ~ *it were,* pour ainsi dire ‖ ~ *for/to,* quant à ‖ *so ~ to,* afin de ; *so ... ~ to,* assez ... pour ; *the same ... ~,* le(s) même(s) que ; *such ... ~, les ... qui* ‖ ~ *long ~,* tant que ‖ ~ *yet,* jusqu'à présent ● *prep* comme, en tant que ; *treat sb ~ a friend,* traiter qqn en ami ; *act ~ a friend,* agir en ami.

asbestos [æzˈbestəs] *n* amiante *f* ‖ ~**cement** *n* Fibrociment *m* (N.D.).

ascend [əˈsend] *vt* gravir, monter — *vi* s'élever ‖ ~**ancy** [-ənsi] *n* Fig. ascendant *m,* influence *f* (*over,* sur) ‖ ~**ant** *n* Astr. ascendant *m.*

ascension [əˈsenʃn] *n* ascension *f; Ascension Day* (jour *m,* fête *f* de) l'Ascension *f.*

ascent [əˈsent] *n* montée *f* ‖ Sp. ascension *f.*

ascertain [æsəˈtein] *vt* constater, vérifier ‖ s'informer (determine) ‖ s'assurer de (*from,* auprès de).

ascet|ic [əˈsetik] *adj* ascétique ● *n* ascète *n* ‖ ~**icism** [əˈsetisizm] *n* ascétisme *m.*

ascribe [əsˈkraib] vt attribuer (to, à).

asept|ic [æˈseptik] adj aseptique ‖ ~**icize** [-isaiz] vt aseptiser.

ash¹ [æʃ] n Bot. frêne m.

ash² n cendre f ; ~-coloured, cendré ‖ ~-tray, cendrier m ‖ Rel. Ash Wednesday, mercredi m des cendres ‖ Pl cendres fpl ; Fig. dépouille mortelle, cendres.

ashamed [əˈʃeimd] adj honteux ; be ~, avoir honte (of, de).

ashen [ˈæʃn] adj cendré ; blême.

ashore [əˈʃɔː] adv Naut. à terre ; run ~, s'échouer ; go ~, débarquer.

ashy [ˈæʃi] adj couvert de cendre ‖ Fig. = ashen.

Asia [ˈeiʃə] n Asie f ‖ ~**n** [-n], ~**tic** [ˌeiʃiˈætik] adj/n asiatique.

aside [əˈsaid] adv de côté, à part ; turn ~, se détourner (from, de) ● n Th. aparté m.

ask [ɑːsk] vt demander ; ~ sb (for) sth, ~ sth of sb, demander qqch à qqn ; ~ sb to do sth, demander à qqn de faire qqch. ; ~ sb to dinner, inviter qqn à dîner ‖ interroger, poser une question — vi ~ **about**, s'informer de, se renseigner sur ; ~ for trouble, aller au-devant d'ennuis, chercher des ennuis ; you were ~ing for it !, tu l'as (bien) cherché !

askance [əsˈkæns] adv de travers ; look ~ at, regarder avec méfiance.

askew [əsˈkjuː] adv de travers, de guingois.

aslant [əˈslɑːnt] adv obliquement.

asleep [əˈsliːp] adj/adv endormi ‖ fall ~, s'endormir ; be fast ~, dormir à poings fermés ‖ Fig. engourdi.

asparagus [əsˈpærəgəs] n asperges fpl.

aspect [ˈæspekt] n aspect, air m ‖ [house] orientation, exposition f ‖ angle m (side).

aspen [ˈæspən] n Bot. tremble m.

asphalt [ˈæsfælt] n asphalte m.

asphyxiate [æsˈfiksieit] vt asphyxier.

aspic [ˈæspik] n Culin. gelée f ; aspic m (dish).

aspiration [ˌæspəˈreiʃn] n Med., Fig. aspiration f.

aspire [əsˈpaiə] vi ~ after/to, aspirer à, ambitionner.

aspirin [ˈæsprin] n aspirine f.

ass¹ [æs] n âne m ; she-~, ânesse f ‖ ~'s foal, ânon ‖ Fig. âne m, imbécile n.

ass² n U.S., Pop. cul m (pop.).

assail [əˈseil] vt assaillir, attaquer ‖ ~**ant** n assaillant n, agresseur m.

assassin [əˈsæsin] n assassin m ‖ ~**ate** [-eit] vt assassiner ‖ ~**ation** [əˌsæsiˈneiʃn] n assassinat m.

assault [əˈsɔːlt] n attaque f ‖ Mil. assaut m ‖ Jur. agression f ; indecent ~, attentat m à la pudeur ; ~ **and battery**, coups et blessures mpl ● vt attaquer, assaillir.

assay [əˈsei] vt Ch. titrer.

assemblage [əˈsemblidʒ] n assemblage m ; collection f.

assembl|e [əˈsembl] vt assembler ‖ Techn. monter (parts) — vi se réunir, s'assembler ‖ ~**y** n assemblée, réunion f ‖ Techn. assemblage, montage m ; ~-line (n), chaîne f de montage ; ~-shop (n), atelier m de montage.

assent [əˈsent] n assentiment m ● vi donner son assentiment, acquiescer (to, à).

assert [əˈsɜːt] vt revendiquer, faire valoir (one's rights) ‖ affirmer, soutenir (declare) ‖ ~ oneself, s'affirmer, s'imposer.

asser|tion [əˈsɜːʃn] n revendication f ‖ assertion f ‖ ~**tive** [əˈsɜːtiv] adj affirmatif, péremptoire.

assess [əˈses] vt estimer, évaluer ‖ ~**ment** n évaluation f ‖ Fin. estimation f ‖ Fig. jugement m.

asset [ˈæset] n avantage, atout m

‖ FIN. *Pl* biens, avoirs *mpl* ‖ COMM. actif *m*.

assid|uity [ˌæsiˈdjuiti] *n* assiduité *f* ‖ ~**uous** [əˈsidjuəs] *adj* assidu ‖ ~**uously** *adv* assidûment.

assign [əˈsain] *vt* assigner (a task) ; désigner (sb) [*to*, à] ; fixer (a date) ; attribuer (a room) [*to*, à] ‖ JUR. céder, transférer ‖ ~**ment** *n* attribution, affectation *f* (act) ; mission *f* (duty) ; tâche *f* (task) ; devoir *m* (at school) ‖ JUR. cession *f*.

assimil|ate [əˈsimileit] *vt* assimiler ‖ FIG. comparer (*to*, à) ‖ ~**ation** [əˌsimiˈleiʃn] *n* assimilation *f*.

assist [əˈsist] *vt* aider, assister, seconder ‖ ~**ance** *n* aide, assistance *f* ; *give/render* ~, prêter main-forte ; *come to sb's* ~, venir au secours de qqn ‖ ~**ant** *n* aide, auxiliaire *n* ‖ adjoint, assistant *n* (in a school) ‖ COMM. *shop* ~, vendeur *n* ; ~ *manager*, sous-directeur *n*.

assizes [əˈsaiziz] *npl* JUR. assises *fpl*.

associate [əˈsəuʃieit] *vt* associer ; ~ *with*, fréquenter — *vi* s'associer ● *n* collègue *n* ‖ associé *n* ‖ [society] membre *m* ‖ [crime] complice *n* ● *adj* associé.

association [əˌsəusiˈeiʃn] *n* relations *fpl*, fréquentation *f* (associating) ‖ association, société *f* (club) ‖ FIG. association *f* d'idées, souvenirs *mpl* ‖ SP. ~ *football*, football *m*.

assort [əˈsɔːt] *vt* trier, classer, assortir — *vi* ~ *with*, aller bien avec ‖ ~**ed** [-id] *adj* assorti ‖ ~**ment** *n* assortiment *m*.

assuage [əˈsweidʒ] *vt* assouvir, satisfaire (hunger) ‖ calmer (pain).

assum|e [əˈsjuːm] *vt* présumer, supposer ‖ assumer (responsabilities) ‖ prendre (an appearance) ‖ s'attribuer, s'arroger (rights, control) ‖ ~**ed** *name*, nom *m* d'emprunt ‖ ~**ing** *adj* présomptueux.

assumption [əˈsʌmpʃən] *n* supposition, hypothèse *f* ‖ REL. *Assumption*, l'Assomption *f*.

assurance [əˈʃurəns] *n* assurance, certitude *f* (certainty) ‖ garantie *f* (guarantee) ‖ JUR. assurance *f* (insurance).

assur|e [əˈʃuə] *vt* assurer, affirmer ‖ convaincre ‖ assurer (insure) ; *the* ~*d*, l'assuré *n* ‖ ~**edly** [-ridli] *adv* assurément.

asterisk [ˈæstərisk] *n* astérisque *m*.

astern [əsˈtəːn] *adv* NAUT. à l'arrière ● *prep* sur l'arrière (*of*, de).

asthma [ˈæsmə] *n* asthme *m*.

astir [əˈstəː] *adj/adv* en mouvement, animé (in motion) ‖ agité, en émoi (in excitement) ‖ levé, debout (out of bed).

astonish [əsˈtɒniʃ] *vt* étonner, surprendre ‖ ~**ed** [-t] *adj* stupéfait, ébahi ‖ ~**ing** *adj* étonnant ; stupéfiant ‖ ~**ment** *n* étonnement *m* ; stupéfaction *f*.

astound [əsˈtaund] *vt* stupéfier, sidérer ‖ ~**ed** [-id] *adj* stupéfait.

astray [əsˈtrei] *adv* hors du bon chemin ; *go* ~, s'égarer ; *lead* ~, induire en erreur ‖ [moral] détourner du droit chemin.

astride [əsˈtraid] *adv/adj* à cheval, à califourchon sur ; *be* ~, chevaucher.

astrol|oger [əsˈtrɔlədʒə] *n* astrologue *n* ‖ ~**ogy** [-ədʒi] *n* astrologie *f*.

astro|naut [ˈæstrənɔːt] *n* astronaute *n* ‖ ~**nautics** [-ˈnɔːtiks] *n* astronautique *f* ‖ ~**nomer** [əsˈtrɒnəmə] *n* astronome *n* ‖ ~**nomic(al)** [ˌæstrəˈnɒmik(l)] *adj* astronomique ‖ ~**nomy** [əsˈtrɒnəmi] *n* astronomie *f*.

astute [əsˈtjuːt] *adj* astucieux, rusé, malin.

asunder [əˈsʌndə] *adv* en deux ; *break* ~, se casser en deux.

asylum [əˈsailəm] *n* asile *m* ; *political* ~, asile politique.

at [æt, ət] *prep* à ; ~ *the station*, à la gare ; ~ *8 o'clock*, à 8 heures ; en ; ~ *any rate*, en tout cas ‖ sur ; *shoot* ~, tirer sur ‖ contre ; *angry* ~, fâché contre ‖ de ; ~ *a distance*, de loin ‖

par ; *annoyed* ~, contrarié par ‖ y ; *he is* ~ *it,* il y travaille.

ate [et, U.S. eit] → EAT.

athe|ism ['eiθiizm] *n* athéisme *m* ‖ ~**ist** *n* athée *n.*

athlet|e ['æθli:t] *n* athlète *n* ‖ ~**ic** [æθ'letik] *adj* athlétique ‖ ~**ics** [-iks] *n* athlétisme *m.*

at-home [.-'-] *n* réception *f.*

athwart [ə'θwɔ:t] *adv* en travers ‖ NAUT. par le travers ● *prep* en travers de.

Atlantic [ət'læntik] *n/adj* Atlantique *(m).*

atlas ['ætləs] *n* atlas *m.*

atmosphere ['ætməsfiə] *n* atmosphère *f* ‖ FIG. ambiance *f.*

atmospher|ic [.ætməs'ferik] *adj* atmosphérique ‖ ~**ics** *npl* RAD. parasites *mpl.*

atoll ['ætɒl] *n* atoll *m.*

atom ['ætəm] *n* atome *m* ; ~ *bomb,* bombe *f* atomique ‖ ~**ic** [ə'tɒmik] *adj* atomique ; ~ *energy,* énergie *f* nucléaire ; ~ *pile,* pile *f* atomique ‖ ~**izer** ['ætəmaizə] *n* atomiseur *m.*

atone [ə'təun] *vi* ~ *for,* expier, racheter ‖ ~**ment** [-mənt] *n* expiation *f,* rachat *m* ‖ REL. *the Atonement,* la Rédemption.

atop [ə'tɒp] *adv* au sommet (*of,* de).

atroc|ious [ə'trəuʃəs] *adj* atroce ‖ ~**ity** [ə'trɔsiti] *n* atrocité *f.*

attach [ə'tætʃ] *vt* attacher ‖ MIL. affecter ‖ FIG. ~ *oneself to,* s'attacher à ‖ ~**é** [-ei] *n* attaché *n* d'ambassade ‖ ~**é-case** *n* attaché-case *m* ‖ ~**ed** [-t] *adj* tenant (collar) ‖ ~**ment** *n* FIG. attachement *m,* affection *f* ‖ TECHN. accessoire *m.*

attack [ə'tæk] *n* MIL., FIG. attaque *f* ‖ MED. crise *f* (of nerves) ; accès *m* (of fever) ● *vt* attaquer ; s'attaquer à (a person, a task) ‖ ~**er** *n* assaillant *n,* agresseur *n.*

attain [ə'tein] *vt* atteindre, parvenir (*to,* à) ‖ ~**ment** *n* acquisition *f*

(knowledge) ; réalisation *f* (fulfilment) ‖ *Pl* résultats *mpl.*

attempt [ə'temt] *n* essai *m,* tentative *f* (unsuccessful) ; *make an* ~ *at,* tenter de ‖ JUR. *make an* ~ *on sb's life,* commettre un attentat contre qqn ● *vt* tenter de, essayer de ; ~*ed murder,* tentative *f* de meurtre.

attend [ə'tend] *vt* assister à, suivre (lectures) ; fréquenter (school, church) ‖ FIG. accompagner — *vi* ~ *to,* faire attention à ; veiller sur, s'occuper de (sb) ; COMM. servir (a customer) ; ~ *upon,* servir (sb) ; MED. soigner (sb) ‖ ~**ance** *n* assistance, présence *f* ; *regular* ~, assiduité *f* ; ~*-list,* liste *f* de présence ‖ service *m* ‖ MED. soins *mpl* ‖ ~**ant** *n* assistant, employé *n* ‖ *Pl* suite *f,* cortège *m* ● *adj* concomitant, qui accompagne.

attention [ə'tenʃn] *n* attention *f* ; *pay* ~ *to,* faire attention à ; *call* ~ *to,* faire remarquer, attirer l'attention sur ; *draw away sb's* ~ *from,* détourner l'attention de qqn ; *focus one's* ~ *on,* fixer son attention sur ‖ *Pl* égards *mpl* ; attentions, prévenances *fpl* ‖ MIL. garde-à-vous *m* ; *stand at/come to* ~, être/se mettre au garde-à-vous ; ~ *!,* garde-à-vous !

attentive [ə'tentiv] *adj* attentif, prévenant ‖ ~**ly** *adv* attentivement ‖ ~**ness** *n* attention, prévenance *f,* empressement *m.*

attenu|ate [ə'tenjueit] *vt* atténuer, affaiblir, réduire ‖ ~**ation** [ə.tenju'eiʃn] *n* atténuation *f.*

attest [ə'test] *vt* attester, certifier ‖ ~**ation** [.ætes'teiʃn] *n* JUR. attestation *f.*

attic ['ætik] *n* mansarde *f,* grenier *m.*

attire [ə'taiə] *vt* habiller ● *n* habits *mpl* ; tenue *f.*

attitud|e ['ætitju:d] *n* attitude *f* ‖ ~**inize** [.æti'tju:dinaiz] *vi* poser.

attorney [ə'tə:ni] *n* JUR. avoué *m* ; *Attorney General,* procureur général ; *Crown* ~, G.B. procureur *m* de la Couronne.

attract [ə'trækt] *vt* attirer ; ~ *attention*, attirer l'attention.

attrac|tion [ə'trækʃn] *n* PHYS. attraction *f* || FIG. attrait *m*, séduction *f* || ~**tive** [-id] *adj* attrayant, attirant ; séduisant (person) || COMM. intéressant (prices).

attribut|e [ə'tribjut] *vt* attribuer (*to*, à) ● ['ætribjuːt] *n* attribut, symbole *m* || GRAMM. épithète *f* || ~**ion** [ætri'bjuːʃn] *n* attribution *f*.

attrition [ə'triʃn] *n war of* ~, guerre *f* d'usure.

auburn ['ɔːbən] *adj* châtain roux.

auction ['ɔːkʃn] *n* (vente *f* aux) enchères *fpl* ; *sell by* ~, vendre aux enchères ; *put sth up for* ~, mettre qqch aux enchères ; ~ *bridge*, bridge *m* aux enchères ; ~ *room*, salle *f* des ventes ● *vt* vendre aux enchères || ~**eer** [ɔːkʃə'niə] *n* commissaire-priseur *m*.

audac|ious [ɔː'deiʃəs] *adj* audacieux || ~**ity** [ɔː'dæsiti] *n* audace *f*.

audible ['ɔːdəbl] *adj* audible.

audience ['ɔːdjəns] *n* audience *f* (interview) || assistance *f*, auditoire, public *m* || RAD. auditeurs *mpl* || TH. spectateurs *mpl* || T.V. téléspectateurs *mpl*.

audio-visual ['ɔːdiəu'viʒuəl] *adj* audiovisuel.

audit ['ɔːdit] *vt* apurer, vérifier (accounts) ● *n* apurement *m*, vérification *f* ; *Audit Office*, Cour *f* des comptes.

audition [ɔː'diʃn] *n* audition *f* ● *vt* TH, MUS. auditionner.

audit|orium [ɔːdi'tɔːriəm] *n* auditorium *m* || ~**ory** ['ɔːditri] *adj* auditif.

augment [ɔːg'ment] *vt* augmenter || ~**ation** [ɔːgmen'teiʃn] *n* augmentation *f*.

August ['ɔːgəst] *n* août *m*.

aunt [ɑːnt] *n* tante *f* || FIG. *Aunt Sally*, tête *f* de Turc.

au pair [əu'peə] *adj/n* ~ (*girl*), jeune fille *f* au pair.

auspices ['ɔːspisiz] *npl under the* ~ *of*, sous les auspices de.

auspicious [ɔːs'piʃəs] *adj* propice, favorable.

Aussie ['ɔzi] *n* COLL. = AUSTRALIAN.

auster|e [ɔs'tiə] *adj* austère || ~**ity** [ɔs'teriti] *n* austérité *f*, restrictions *fpl*.

Austral|ia [ɔs'treiljə] *n* Australie *f* || ~**ian** [-jən] *adj/n* australien.

Austr|ia ['ɔstriə] *n* Autriche *f* || ~**ian** [-iən] *adj/n* autrichien.

authent|ic [ɔː'θentik] *adj* authentique || ~**icity** [ɔːθen'tisiti] *n* authenticité *f*.

author ['ɔːθə] *n* auteur, écrivain *m* || ~**ess** [-ris] *n* (femme *f*) auteur *m*.

authoritative [ɔː'θɔritətiv] *adj* autoritaire (disposition) ; d'autorité (argument) ; impératif, impérieux (tone) ; autorisé (source) ; qui fait autorité (book).

author|ity [ɔː'θɔriti] *n* autorité *f*, pouvoir *m* (power) || autorisation *f*, délégation *f* de pouvoir, mandat *m* (right) || autorité *f*, personne compétente, expert *m* ; *be an* ~ *on*, faire autorité en || source autorisée *f* || *Pl* autorités *fpl*, corps constitués *mpl* ; administration *f* || ~**ization** [ɔːθɔrai'zeiʃn] *n* autorisation *f* || ~**ize** ['ɔːθəraiz] *vt* autoriser, donner pouvoir.

auto|cue ['ɔːtəkjuː] *n* T.V. prompteur *m* || ~**graph** [-grɑːf] *n* autographe *m* || ~**mate** [-meit] *vt* automatiser || ~**matic(ally)** ['ɔːtə'mætik(li)] *adj/(adv)* automatique(ment) || ~**mation** [ɔːtə'meiʃn] *n* automa(tisa)tion *f* || ~**maton** [ɔː'tɔmətn] *n* automate *m* || ~**mobile** ['ɔːtəməbiːl] *n* U.S. automobile *f* || ~**motive** [ɔːtə'məutiv] *adj* automobile.

autono|mous [ɔː'tɔnəməs] *adj* autonome || ~**my** *n* autonomie *f*.

autopilot [-'--] *n* pilote *m* automatique.

autopsy ['ɔːtəpsi] *n* autopsie *f*.

autumn ['ɔːtəm] *n* automne *m*.

auxiliary [ɔːgˈziljəri] *adj* auxiliaire ● *n* auxiliaire *n* ● *m* GRAMM. (verbe *m*) auxiliaire *m*.

avail [əˈveil] *n* to no ~, sans effet ; *without* ~, inutilement ; *of what* ~ *is it ?*, à quoi bon ? ● *vt* ~*oneself of*, profiter de ‖ ~**ability** [əˌveiləˈbiliti] *n* disponibilité *f* ‖ ~**able** *adj* disponible, utilisable ‖ RAIL. valable, valide (ticket).

avalanche [ˈævəlɑːnʃ] *n* avalanche *f*.

avar|ice [ˈævəris] *n* avarice, cupidité *f* ‖ ~**icious** [ˌævəˈriʃəs] *adj* avare.

aveng|e [əˈvendʒ] *vt* venger (*for*, de) ; ~ *oneself*, se venger (*on sb*, sur qqn) ‖ ~**ing** *adj* vengeur.

avenue [ˈævinjuː] *n* allée bordée d'arbres ‖ avenue *f*.

average [ˈævəridʒ] *n* moyenne *f* ; *on (the/an)* ~, en moyenne ; *above the* ~, au-dessus de la moyenne ; *take an* ~, faire la moyenne ● *adj* moyen, ordinaire, courant ● *vt* atteindre la moyenne de ‖ AUT. ~ *80,* faire une moyenne de 80.

averse [əˈvəːs] *adj* opposé, peu disposé (*to*, à) ; *be* ~ *to/from doing,* répugner à faire.

aversion [əˈvəʃn] *n* aversion, répugnance *f* ; *pet* ~, bête noire.

avert [əˈvəːt] *vt* détourner, éloigner (suspicions).

aviary [ˈeivjəri] *n* volière *f*.

aviat|ion [ˌeiviˈeiʃn] *n* aviation *f* ‖ ~**or** [ˈeivieitə] *n* aviateur *m*.

avid [ˈævid] *adj* avide ‖ ~**ity** [əˈviditi] *n* avidité *f*.

avocado [ˌævəˈkɑːdəu] *n* BOT. ~ *(pear),* avocat *m*.

avoid [əˈvɔid] *vt* éviter, esquiver, se soustraire à ‖ JUR. annuler ‖ ~**able** *adj* évitable ‖ ~**ance** *n* action d'éviter ‖ JUR. annulation *f*.

avow [əˈvau] *vt* avouer, admettre ‖ ~**al** *n* aveu *m* ‖ ~**ed** [-d] *adj* avéré, notoire ‖ ~**edly** [-idli] *adv* ouvertement, de son propre aveu.

await [əˈweit] *vt* attendre ‖ COMM. ~*ing delivery,* en souffrance.

awake [əˈweik] *vt* (awoke [əˈwəuk], awoke *or* awaked [əˈweikt]) éveiller, réveiller ‖ FIG. faire naître — *vi* s'éveiller, se réveiller FIG. prendre conscience (*to*, de) ● *adj* (r)éveillé ; *be* ~, veiller ; *keep* ~, empêcher de dormir ‖ FIG. conscient.

awaken [əˈweikn] *vt/vi* (s')éveiller, (se) réveiller ‖ ~**ing** *n* (r)éveil *m*.

award [əˈwɔːd] *n* prix *m*, récompense *f* ‖ U.S. bourse *f* ‖ JUR. jugement *m*, décision arbitrale ● *vt* décerner/attribuer (prize) ‖ allouer (money).

aware [əˈwɛə] *adj* conscient ; *be* ~ *of/that,* avoir le sentiment de/que ; *become* ~ *of/that,* se rendre compte, prendre conscience de/que ‖ avisé ‖ ~**ness** *n* conscience *f*.

awash [əˈwɔʃ] *adj* à fleur d'eau ‖ inondé (flooded).

away [əˈwei] *adv* loin, au loin ; ~ *from,* à l'écart de ; *far* ~, au loin ; *2 miles* ~, à 2 miles d'ici ‖ SP. *play* ~, jouer en déplacement ‖ sans arrêt ; *work* ~, travailler sans répit ‖ [loss] *die* ~, s'éteindre, disparaître ; *melt* ~, fondre ‖ *right/straight* ~, tout de suite ; *out and* ~, sans comparaison ; *far and* ~, beaucoup ● *adj* absent ; *be* ~ *from work,* être absent de son travail ‖ SP. ~ *ground,* terrain *m* adverse ; ~ *match,* match *m* à l'extérieur ● *interj* ~ *(with you) !,* (allez), hors d'ici !, fiche le camp ! (fam.).

awe [ɔː] *n* crainte (mêlée de respect ou d'admiration) ; ~*-inspiring,* impressionnant, terrifiant ; ~*-struck,* frappé de terreur.

awful [ˈɔːful] *adj* terrifiant (dreadful) ‖ COLL. affreux (weather) ; [intensive] formidable ‖ ~**ly** *adv* terriblement ‖ COLL. bigrement.

awhile [əˈwail] *adv* un instant, un moment.

awkward [ˈɔːkwəd] *adj* maladroit,

gauche, empoté (person) ; peu maniable (tool) ; embarrassant (question) ; inopportun (moment) ; délicat (situation) ; ingrat (age) || **~ly** *adv* gauchement, maladroitement || **~ness** *n* gaucherie, maladresse *f.*

awl [ɔːl] *n* alêne.

awning [ˈɔːniŋ] *n* [shop] store *m* || [hotel door] marquise *f* || NAUT. taud *m*, tente *f.*

awoke → AWAKE.

awry [əˈrai] *adj* de travers.

ax(e), (e)s [æks, -iz] *n* hache *f* || FIG. *have an ~ to grind,* prêcher pour son saint.

axis, axes [ˈæksis, -iːz] *n* axe *m.*

axle [ˈæksl] *n* ~*(-tree),* essieu *m* || TECHN. arbre *m* || AUT. *rear ~,* pont *m* arrière.

aye [ai] *n* oui *m* || POL. vote affirmatif ; *the ~s have it,* les « oui » l'emportent.

azure [ˈæʒə] *n* azur *m* ● *adj* d'azur, azuré.

B

b [biː] *n* b *m* || MUS. *B,* si *m.*

babbl|e [ˈbæbl] *n* babil *m* ● *vi* babiller ; [brook] murmurer || **~ing** *adj* babillard, bavard.

baboon [bəˈbuːn] *n* babouin *m.*

baby [ˈbeibi] *n* bébé *m* || **~carriage** *n* U.S. voiture *f* d'enfant || **~clothes/wear** *n* layette *f* || **~grand** *n* (piano) demi-queue *m* || **~scales** *npl* pèse-bébé *m* || **~sit** *vi* garder des enfants || **~sitter** *n* garde *n* d'enfant(s), baby-sitter *n.*

bachelor [ˈbætʃlə] *n* célibataire *m* ; *~'s room,* garçonnière *f* || [university] *Bachelor of Arts,* licencié *n* ès lettres.

bacillus [bəˈsiləs] *n* bacille *m.*

back [bæk] *n* dos *m* ; *fall on one's ~,* tomber à la renverse ; *turn one's ~,* tourner le dos (*on,* à) || dos *m* (of a book, the hand) || verso *m* (of a sheet) ; revers *m* (of a medal) ;

deuxième face *f* (of a record) || dossier *m* (of a chair) ; derrière *m* (of a house) ; fond *m* (of a room) || ~ *to front,* sens devant derrière ● *adj* (d')arrière ; *~ shop,* arrière-boutique *f* ; *~ street,* rue écartée || arriéré, échu ; *~ number,* ancien numéro (of a magazine) ● *adv* en arrière, vers l'arrière ; *walk ~,* revenir à pied ; *walk ~ and forth,* faire les cent pas || *answer ~,* → ANSWER || de retour ; *he's ~,* il est de retour ● *prep ~ of,* U.S. en arrière de.
● *vi* reculer || AUT. *~ in/out,* entrer/sortir en marche arrière || *~ down,* se dégonfler (fam.) || *~ out,* FIG. se retirer, se dérober. — *vt* faire reculer (car) ; *~ the car out,* sortir la voiture en marche arrière || FIN. financer ; avaliser, endosser (bill) || SP. miser sur, jouer (horse) || FIG. soutenir.

back|ache [ˈ-eik] *n* mal *m* de reins ;

have ~, avoir mal aux reins ‖ ~**bite** *vt* médire de ‖ ~**bone** *n* épine dorsale ‖ FIG. caractère *m*; pivot *m* ‖ ~**cloth** ‖ ~-DROP ‖ ~-DROP ‖ ~**comb** *vt* crêper (hair) ‖ ~**date** *vt* antidater ‖ ~**-door** *n* porte *f* de derrière ‖ ~**-drop** *n* TH. toile *f* de fond ‖ ~**-fire** *n* AUT. raté *m* ● *vi* pétarader ‖ FIG. échouer ‖ ~**ground** *n* fond, arrière-plan *m*; ~ *music*, musique *f* de fond ‖ FIG. milieu *m*, origines *fpl*, antécédents *mpl*; formation *f* (experience) ‖ ~**hand(ed)** ['bækhænd (id)] *adj* de revers ‖ ~**ing** *n* soutien, appui *m* ‖ ~**lash** *n* répercussion *f*, contrecoup *m*; réaction brutale ‖ ~**log** *n* arriéré, travail *m* en souffrance ‖ ~**pay** *n* [salary] rappel *m* ‖ ~**-shop** *n* arrière-boutique *f* ‖ ~**slide** ['bæk'slaid] *vi* (-slid [slid], -slidden [-slidn]) rechuter, récidiver ‖ ~**stroke** *n* SP. dos crawlé ‖ ~**ward** ['bækwəd] *adj* en arrière; arriéré (child) ‖ ~**wards** [-wədz] *adv* en arrière, à reculons; *fall* ~, tomber à la renverse ‖ ~**water** *n* bras mort ‖ ~**woods** *npl* [North America] forêt/région inexploitée ‖ ~**woods-man** *n* pionnier *m* ‖ ~**yard** *n* arrière-cour *f*.

bacon ['beikn] *n* lard *m*.

bacteria [bæk'tiəriə] *npl* MED. bactéries *fpl*.

bad [bæd] *adj* mauvais (action, person, smell, weather, argument, pronunciation, work); ~ *faith*, mauvaise foi ‖ ~ *luck*, malchance *f*; *be* ~ *tempered* [-əd], avoir mauvais caractère, être acariâtre ‖ faux (coin) ‖ CULIN. gâté, pourri (food); *go* ~, se gâter, pourrir ‖ MED. carié (tooth); malade (leg); *a* ~ *cold*, un gros rhume ‖ FIN. ~ *cheque*, chèque *m* sans provision ‖ COLL. *too* ~ !, dommage ! ● *n* mal *m*; *from* ~ *to worse*, de mal en pis.

bade → BID.

badge [bædʒ] *n* insigne *m* ‖ MIL. écusson *m*.

badger ['bædʒə] *n* ZOOL. blaireau *m* ● *vt* harceler (*with*, de); tanner (fam.).

badly ['bædli] *adv* mal ‖ ~ *wounded*, grièvement blessé ‖ ~ *off*, dans la misère ‖ [intensive] diablement; *he wants it* ~, il en a grand besoin.

badminton ['bædmintən] *n* badminton *m*.

badness ['bædnis] *n* mauvais état ‖ méchanceté *f* (of a person) ‖ COMM. mauvaise qualité.

baffle¹ [bæfl] *n* TECHN. déflecteur *m* ‖ RAD. baffle *m*.

baffl|e² *vt* déjouer (a plot) ‖ FIG. dérouter, déconcerter ‖ ~**ing** *adj* déroutant, déconcertant.

bag [bæg] *n* sac *m*; *paper* ~, sac en papier ‖ *Pl* valises *fpl* ‖ SP. quantité *f* de gibier abattu; *get a good* ~, faire bonne chasse ● *vt* mettre en sac, ensacher ‖ SP. abattre (game).

baggage ['bægidʒ] *n* U.S. bagages *mpl*; ~-*car*, fourgon *m*; ~-*check*, bulletin *m* de bagages.

baggy ['bægi] *adj* [trousers] qui fait des poches.

bagpip|er ['bægpaipə] *n* joueur *m* de cornemuse ‖ ~**e(s)** [-paip(s)] *n(pl)* [Scotland] cornemuse *f* ‖ [Brittany] biniou *m*.

bagsnatch *n* vol *m* à l'arraché.

bail¹ [beil] *vt* ~ (*out*), écoper (a boat) — *vi* ~ *out*, AV., U.S. = BALE OUT.

bail² *n* JUR. caution *f*; *on* ~, sous caution ‖ → RELEASE ● *vt* ~ (*out*), mettre en liberté provisoire sous caution.

bailiff ['beilif] *n* JUR. huissier *m*.

bait [beit] *n* appât *m* ● *vt* amorcer (a hook) ‖ FIG. harceler.

bak|e [beik] *vt/vi* (faire) cuire au four ‖ ~-*house*, fournil *m* ‖ ~**er** *n* boulanger *n*; ~'s (*shop*), boulangerie *f* ‖ ~**ery** ['beikəri] *n* boulangerie (industrielle) ‖ ~**ing-powder** *n* levure *f* chimique.

balaclava [,bælə'klɑ:və] *n* passe-montagne *m*.

balance ['bæləns] *n* équilibre *m*; *keep/lose one's* ~, garder/perdre l'équilibre ; *off* ~, déséquilibré ‖ FIN. solde *m* ; ~*-sheet*, bilan *m* ● *vt* peser (chances) ‖ tenir en équilibre ; compenser (compensate) ‖ COMM. tirer le solde (accounts) ‖ équilibrer (budget) ‖ AUT. équilibrer (wheels).

balcony ['bælkəni] *n* balcon *m*.

bald [bɔːld] *adj* chauve ‖ FIG. dénudé ; lisse (tyre) ‖ ~*ness* *n* calvitie *f*.

bale¹ [beil] *n* balle *f*, ballot *m* ● *vt* emballer.

bale² *vi* AV. ~ *out,* sauter en parachute.

balk [bɔːlk] *n* ARCH. solive *f* ‖ FIG. obstacle, contretemps *m* ● *vt* entraver, gêner (hinder) ; contrarier (thwart) — *vi* hésiter (*at,* devant) ‖ [horse] se dérober ; ~ *at a difficulty,* caler devant une difficulté.

ball¹ [bɔːl] *n* bal *m* (dance).

ball² *n* balle *f* (golf, tennis) ; ballon *m* (football) ; bille *f* (billiards) ; boule *f* (hockey, snow) ; boulet *m* (of cannon) ; pelote *f* (wool) ‖ FIG. *keep the* ~ *rolling,* entretenir la conversation ● *vt* mettre en pelote (wool) ‖ ~*bearings* *npl* roulement *m* à billes ; ~*(-point)-pen* *n* stylo *m* à bille.

ballast ['bæləst] *n* lest *m* ● *vt* lester.

ballerina [bælə'riːnə] *n* ballerine *f*.

ballet ['bælei] *n* TH. ballet *m* ; ~*-skirt,* tutu *m*.

ballistics [bə'listiks] *n* balistique *f*.

balloon [bə'luːn] *n* ballon *m*, aérostat *m* ; *(captive)* ~, ballon captif ‖ [comics] bulle *f*.

ballot ['bælət] *n* (tour *m* de) scrutin, vote *m* ‖ droit *m* de vote ‖ ~*box,* urne *f* ‖ ~*paper,* bulletin *m* de vote.

ballyhoo [bæli'huː] *n* COLL. bourrage *m* de crâne, battage *m* publicitaire.

balm [bɑːm] *n* baume *m* ‖ ~*y* *adj* embaumé ‖ SL. = BARMY.

balsam ['bɔːlsəm] *n* MED., FIG. baume *m*.

bamboo [bæm'buː] *n* bambou *m*.

bamboozle [bæm'buːzl] *vt* COLL. embobiner.

ban [bæn] *n* interdiction *f* ‖ COMM. embargo *m* ; *put a* ~ *on,* interdire ● *vt* interdire.

banal [bə'nɑːl] *adj* banal.

banana [bə'nɑːnə] *n* banane *f* ; ~*tree,* bananier *m*.

band¹ [bænd] *n* bande *f* (belt) ‖ ruban *m* (ribbon) ; *elastic* ~, élastique *m* ‖ TECHN. ~*saw,* scie *f* à ruban ‖ RAD. bande *f* ● *vt* bander.

band² *n* bande *f* (robbers) ‖ orchestre *m* ; *brass* ~, fanfare *f* ; ~*stand,* kiosque *m* à musique ● *vi* ~ *(together),* se réunir, former un groupe — *vt* ~ *people together,* réunir/rassembler des personnes.

bandage ['bændidʒ] *n* bandeau *m* ‖ MED. bandage, pansement *m* ; *crepe* ~, bande *f* Velpeau ● *vt* bander, faire un pansement.

b and b *abbr for bed and breakfast,* chambre *f* d'hôte.

bandit ['bændit] *n* bandit *m*.

bandy ['bændi] *adj* arqué (legs) ● *vt* échanger (words, blows, balls) ‖ ~*legged* ['bændilegd] *adj* bancal.

bane [bein] *n* poison *m* ‖ FIG. *it was the* ~ *of my life,* ça m'a empoisonné l'existence.

bang [bæŋ] *n* claquement *m* ‖ fracas *m* (loud noise) ‖ détonation *f* (of a gun) ‖ AV. *supersonic* ~, bang *m* ● *vt* frapper (violemment) ; claquer (sth) — *vi* [door] claquer ; ~ *at/on,* frapper à, cogner sur ; ~ *into,* buter dans ● *exclam* pan !, vlan ! ‖ ~*er* *n* COLL. saucisse *f* (sausage) ; pétard *m* (firework) ‖ vieux tacot (car).

bangle ['bæŋgl] *n* bracelet *m*.

banish ['bæniʃ] *vt* bannir ‖ ~*ment* *n* exil, bannissement *m*.

banister ['bænistə] *n* rampe *f* (of a staircase).

bank¹ [bæŋk] *n* rive, berge *f* (of a river) ; talus, remblai *m* (of earth) ;

banc m (sand) ; amoncellement m (of snow, fog) ● vi s'amonceler ‖ Av. virer sur l'aile ‖ ~ *on*, compter sur — vt — *(up)*, remblayer ‖ entasser ; ~ *up the fire*, couvrir le feu.

bank² n Fin. banque f ; *savings* ~, caisse f d'épargne ‖ ~**er** n banquier m ‖ ~**-holiday** n jour férié ‖ ~**-note** n billet m de banque ‖ ~**rupt** [ˈbænkrʌpt] adj failli ; *go* ~, faire faillite ‖ ~**-ruptcy** [ˈbænkrəpsi] n faillite, banqueroute f.

banner [ˈbænə] n bannière f, étendard m.

banns [bænz] npl bans mpl ; *put up the* ~, publier les bans.

banquet [ˈbæŋkwit] n banquet m ● vi banqueter, festoyer.

bantam [ˈbæntəm] n Sp. ~ *weight*, poids coq m.

banter [ˈbæntə] n plaisanterie f, badinage m ● vi plaisanter, badiner ~**ing** [-riŋ] adj badin.

bapt|ism [ˈbæptizm] n Rel. baptême m ‖ ~**ize** [bæpˈtaiz] vt baptiser.

bar¹ [bɑː] n barre f (of iron) ‖ tablette f (of chocolate) ; ~ *of soap*, savonnette f ‖ Jur. barreau m ‖ Mus. mesure f ● vt barrer (road) ; barricader (door) ‖ interdire (prohibit) ‖ rayer, barrer (with a stripe) ‖ ~ *code* n code m à barres.

bar² n bar m (counter, room) ; ~**man**/U.S. *tender*, barman m ; ~**maid** n serveuse f.

bar³ prep → BARRING.

barb [bɑːb] n [feather] barbe f ‖ [fishhook] barbillon m ‖ ~**ed wire**, fil m de fer barbelé.

barbarian [bɑːˈbɛəriən] adj/n barbare ‖ ~**ic** [bɑːˈbærik] adj barbare, grossier ‖ ~**ous** [ˈbɑːbrəs] adj barbare, cruel.

barbecue [ˈbɑːbikjuː] n gril, barbecue m ● vt faire cuire/griller au barbecue.

barber [ˈbɑːbə] n coiffeur m ‖ ~**-shop** n U.S. salon m de coiffure.

bare [bɛə] adj nu, dénudé (tree, landscape) ; *lay* ~, mettre à nu ; *leave* ~, dénuder (shoulders) ‖ vide (room) ‖ simple (plain) ‖ (tout) juste, à peine suffisant ; ~ *living*, portion congrue ● vt dénuder, découvrir ‖ ~**faced** [-feist] adj effronté, éhonté ‖ ~**foot(ed)** [ˈfut(id)] adj aux pieds nus ● adv nu-pieds ‖ ~**headed** [ˈhedid] adj nu-tête ‖ ~**legged** [ˈlegd] adj nu-jambes ‖ ~**ly** adv à peine, tout au plus, de justesse.

bargain [ˈbɑːgin] n marché m ; *make/strike a* ~, faire/conclure un marché (with, avec) ; *it's a* ~ !, c'est entendu ! ; *into the* ~, par-dessus le marché ‖ Comm. occasion, affaire f ; *a good* ~, une bonne affaire ● vi conclure un marché, négocier (with, avec ; for, de) ; ~ *over*, marchander ‖ Fig. ~ *for sth*, s'attendre à qqch — vt ~ *away*, céder à vil prix ‖ ~**ing** n marchandage m.

barge [bɑːdʒ] n chaland m, péniche f ‖ ~**man** n marinier, batelier m.

bark¹ [bɑːk] n Bot. écorce f ● vt écorcer.

bark² n aboiement m ● vi aboyer ‖ [fox] glapir.

barley [bɑːli] n orge f.

barmy [ˈbɑːmi] adj Coll. toqué.

barn [bɑːn] n grange f ‖ U.S. écurie, étable f ‖ ~**-yard** n basse-cour f.

barometer [bəˈrɔmitə] n baromètre m.

baron [ˈbærən] n baron m ‖ U.S., Coll. magnat, roi m, gros bonnet (fam.).

barrack [ˈbærək] n baraque f ‖ Pl Mil. caserne f ‖ ~**-room** n Mil. chambrée f.

barrage [ˈbærɑːʒ] n Mil. barrage m.

barrel [ˈbærəl] n baril m ‖ Mil. canon m (of gun) ● vt mettre en baril, entonner (wine) ‖ ~**-organ** n orgue m de Barbarie.

barren [ˈbærən] adj stérile, aride

(land) ‖ stérile (plant, animal) ‖ ~**ness** n stérilité f.

barricade [,bæri'keid] n barricade f ● vt barricader.

barrier ['bæriə] n barrière f ‖ RAIL. portillon m ‖ FIG. obstacle m ‖ ~ **cream** n gant-crème m.

barring ['ba:riŋ] prep sauf, excepté ; ~ none, sans exception.

barrister ['bæristə] n avocat m.

barrow[1] ['bærəu] n (wheel-)~, brouette f ; voiture f à bras ● vt brouetter.

barrow[2] n tumulus m.

barter ['ba:tə] n troc m ● vt troquer.

base[1] [beis] adj bas, ignoble ‖ vil (metal) ‖ ~**ness** n bassesse, ignominie f.

base[2] n base f ; socle m (of a lamp) ‖ ARCH. soubassement m ‖ NAUT. base f ‖ GRAMM. radical m ● vt fonder, baser, établir.

basement n ARCH. sous-sol m.

bash [bæʃ] vt cogner ● n coup m de poing.

bashful ['bæʃfl] adj timide ‖ ~**ness** n timidité f.

basic ['beisik] adj de base, fondamental.

basil ['bæzəl] n basilic m.

basilica [bə'zilikə] n basilique f.

basin ['beisn] n bassin m, cuvette f (wash-bowl) ; sugar ~, sucrier m ‖ GEOGR. bassin m.

basis, bases ['beisis, -i:z] n FIG. base f.

bask [ba:sk] vi ~ in the sun, se chauffer/dorer au soleil ; faire le lézard (au soleil) [fam.].

basket ['ba:skit] n panier m ; corbeille f ; waste-paper-~, corbeille à papier ‖ ~-**ball** n basketball m ; ~ **player**, basketteur n ‖ ~-**work** n vannerie f.

bass [beis] adj MUS. grave, de basse

● n basse f (part, singer) ; double-~, contrebasse f.

basset ['bæsit] n ZOOL. basset m.

bassinet [,bæsi'net] n couffin m.

bassoon [bə'su:n] n basson m.

bastard ['bæstəd] adj/n bâtard (n) ‖ POP. salaud m, peau f de vache.

baste[1] [beist] vt [sewing] bâtir.

baste[2] vt CULIN. arroser (meat).

bat[1] [bæt] n [cricket] batte f ; [table tennis] raquette f.

bat[2] n ZOOL. chauve-souris f.

batch [bætʃ] n fournée f (of loaves) ‖ bande f (of people) ; tas, monceau m (of letters) ; quantité f.

bath [ba:θ] n bain m ; have a ~, prendre un bain ; ~ **mat**, tapis m de bain ; ~**robe**, peignoir m de bain ; ~**room**, salle f de bains ; ~(**tub**), baignoire f ● vt baigner, donner un bain à — vi prendre un bain.

bath|e [beið] n bain m (in the sea, etc.) ; go for a ~, aller se baigner ● vi/vt (se) baigner ‖ bathing costume/suit, costume/maillot m de bain ; ~**er** n baigneur n ‖ ~**ing cap** n bonnet m de bain ‖ ~**ing-place** n baignade f.

bathyscaphe ['bæθiskæf] n bathyscaphe m.

baton ['bætn] n bâton m ; matraque f ‖ MUS. baguette f ‖ SP. témoin m.

bats [bæts] adj SL. cinglé.

battalion [bə'tæljən] n MIL. bataillon m.

batter[1] ['bætə] vt frapper, maltraiter ‖ bosseler (hat).

batter[2] n CULIN. pâte à frire.

battery ['bætəri] n pile f électrique ; batterie f, accumulateur m ; ~ **powered**, à piles (set) ‖ MIL. batterie f.

battle ['bætl] n bataille f, combat m ; naval ~, combat naval ● vi combattre, lutter (against, contre) ‖ ~-**axe** n COLL. virago f ‖ ~-**dress** n tenue f de combat ‖ ~-**field** n champ m de bataille ‖ ~**-ship** n NAUT. cuirassé m.

baulk n/vi = BALK.

bawdy ['bɔːdi] adj paillard.

bawl [bɔːl] vi brailler, beugler ‖ U.S., COLL. ~ **out**, engueuler.

bay¹ [bei] n baie f ‖ ~**-window**, fenêtre f en saillie.

bay² n aboiement m ‖ at ~, aux abois ; keep the enemy at ~, tenir l'ennemi en échec ● vi aboyer.

bay³ n BOT. laurier m ; ~ leaf/wreath, feuille f/couronne f de laurier.

bay⁴ adj bai (horse) ● n cheval bai ; red ~, alezan m.

bayonet ['beiənit] n baïonnette f.

bazaar [bəˈzaː] n bazar m (shop) ‖ vente f de charité (sale).

bazooka [bəˈzuːkə] n bazooka m.

be [biː] vi (pr. t. am [æm], is [iz], are [ɑː] ; p. t. was [wɔz], were [wə] ; p. p. been [biːn]) être ‖ exister ; as things are, dans l'état actuel des choses ‖ avoir ; she is ten years old, elle a dix ans ; I am cold, j'ai froid ‖ **there is/are...,** il y a ‖ se produire ; when is your birthday ?, quel jour est votre anniversaire ? ‖ rester ; will you be here long ?, resterez-vous longtemps ? ‖ se porter ; how are you ?, comment allez-vous ? ‖ aller ; have you been to London ?, êtes-vous allé à Londres ? ; has the postman been ?, le facteur est-il passé ? ‖ être partisan (for, de) ‖ [impers.] it is 10 miles from here, c'est à 10 miles d'ici, il y a 10 miles d'ici (to, à) ‖ it is cold, il fait froid ‖ **as it were,** pour ainsi dire ‖ were it not that, si ce n'était que ; had it not been for, n'eût été, sans ‖ let it ~ so, soit. — aux [passive] I am told, on me dit ‖ [continuous] what are you doing ?, que faites-vous ? ‖ ~ **to,** devoir, avoir l'intention de ; I am to tell you that, je dois vous dire que ; we are to be married next month, nous devons nous marier le mois prochain.

beach [biːtʃ] n plage f ; ~**-umbrella,**

parasol m ● vt échouer (a ship) ‖ ~**-head** n MIL. tête f de pont.

beacon ['biːkn] n fanal m ‖ NAUT. balise f ‖ Belisha ~, signal m clignotant (at pedestrian crossing).

bead [biːd] n perle f (of wood, glass) ‖ goutte f (of sweat) ‖ REL. grain m (de chapelet) ; tell one's ~s, dire son chapelet.

beak [biːk] n bec m (of birds).

beaker ['biːkə] n gobelet m ‖ CH. vase m à bec.

be-all and end-all [ˌ—ˈ—] n the ~ of, le but suprême de.

beam [biːm] n poutre f ; **exposed** ~**s,** poutres apparentes ‖ [scales] fléau m ‖ [light] rayon m ; faisceau m ‖ AV. onde f de guidage ● vi [face, sun] rayonner — vt RAD. transmettre (par radio).

bean [biːn] n haricot m ; French ~**s,** haricots verts ‖ grain m (of coffee) ‖ COLL. be full of ~s, péter le feu (fam.).

bear¹ [bɛə] n ours m ; ~'s cub, ourson m ‖ FIN. baissier m.

Bear² n ASTR. Great/Little ~, Grande/Petite Ourse.

bear³ (bore [bɔː], borne [bɔːn]) vt porter, supporter (sth) ‖ donner naissance à (child) ; **when were you born ?,** quand êtes-vous né ? ‖ produire (crop, fruit) ‖ FIN. produire (interest) ‖ JUR. être revêtu de, porter (signature) ; ~ **witness,** témoigner ‖ MIL. porter (arms) ‖ FIG. supporter, tolérer (endure) ‖ ~ **out,** confirmer (a statement) ‖ ~ **up,** soutenir (sb). — vi souffrir, endurer ; ~ **with sb,** supporter qqn ‖ faire de l'effet ; **bring to** ~, faire porter (on, sur) ; bring a gun to ~ on, pointer, braquer un canon sur ‖ [direction] ~ **left,** prendre à gauche ‖ ~ **up,** tenir bon, tenir le coup (fam.) ‖ ~**able** ['bɛərəlb] adj supportable (pains).

beard [biəd] n barbe f ; wear a ~, porter la barbe ● vt défier, narguer ‖ ~**ed** [-id] adj barbu ‖ ~**less** adj imberbe.

bearer ['bɛərə] n porteur n ‖ titulaire n (of passport) ‖ Fin. ~-cheque, chèque m au porteur.

bearing ['bɛəriŋ] n port, transport m (of a weight) ‖ portée f (of an argument) ‖ aspect, angle m (of a question) ‖ rapport m, relation f (on, avec) ‖ endurance, patience f ‖ Techn. coussinet, palier m ‖ Naut. Pl relèvement m, position f; take the ship's ~s, faire le point; take one's ~s, s'orienter ‖ Fig. port m, allure f.

beast [bi:st] n bête f, quadrupède m ‖ Pej. brute f ‖ ~ly adj brutal, bestial ‖ Fig. sale, infect (disgusting).

beat¹ [bi:t] n battement m (of drum) ‖ pulsation f (of heart) ‖ ronde f [policeman] be on one's ~, faire sa ronde ‖ Mus. mesure f; [jazz] rythme m; strong/weak ~, temps fort/faible.

beat² [bi:t] vt (beat, beaten [-n]) battre, frapper ‖ Mus. ~ time, battre la mesure ‖ Culin. battre, fouetter (cream) ‖ Fig. battre, vaincre; surpasser; ~ the record, battre le record ‖ Coll. ~ up, tabasser ‖ Sl. ~ it!, fiche le camp!; that ~s me!, ça me dépasse — vi cogner, frapper ‖ Naut. louvoyer ‖ Coll. ~ about the bush, tourner autour du pot, tergiverser ● adj éreinté, claqué ‖ ~en [-n] adj battu ‖ Fig. off the ~ track, hors des sentiers battus, retiré ‖ ~er n [hunting] rabatteur m ‖ Culin. (egg-)~, batteur m ‖ ~ing n correction f; volée f (fam.) ; [police] matraquage m ‖ [heart] battement m ‖ Sp. défaite f.

beatitude [bi'ætitju:d] n béatitude f.

beautician [bju'tiʃn] n esthéticienne f, visagiste n.

beauti|ful ['bju:təfl] adj beau, magnifique ‖ ~ifully [-əfli] adv admirablement, à la perfection, à ravir ‖ ~ify [-ifai] vt embellir, enjoliver.

beauty ['bju:ti] n beauté f, charme m; ~-treatment, soins mpl de beauté; ~-parlour, institut m de beauté ‖ ~-spot, site m touristique (place); grain m de beauté (skin).

beaver ['bi:və] n castor m.

became → BECOME.

because [bi'kɔz] conj parce que; ~ of, à cause de.

beckon ['bekn] vi faire signe à.

becom|e [bi'kʌm] vi (became [bi'keim], become [bi'kʌm]) devenir; what has ~ of him?, qu'est-il devenu? — vt aller (suit) ‖ ~ing adj seyant (dress) ‖ convenable (attitude).

bed [bed] n lit m; double/single ~, lit à deux/une place(s); go to ~, (aller) se coucher; go to ~ with sb, coucher avec qqn; put to ~, coucher (a child); take to one's ~, prendre le lit; stay in ~, garder le lit; get out of ~, se lever; on getting out of ~, au saut du lit; make the ~, faire le lit; ~ and board, pension complète ‖ lit m (of river) ‖ plate-bande f (of flowers) ‖ ~bug n punaise f ‖ ~clothes npl literie f ‖ ~cover n couvre-lit m ‖ ~ding n literie f ‖ ~ridden adj alité, cloué au lit ‖ ~room n chambre f à coucher ‖ ~side n chevet m; ~ lamp, lampe f de chevet; ~ table, table f de nuit ‖ ~-sitter/~-sitting-room n studio m ‖ ~-spread n dessus m de lit, couvre-lit m ‖ ~stead [-sted] n bois m de lit ‖ ~time [-taim] n heure f du coucher.

bee [bi:] n abeille f; bumble ~, bourdon m; ~-keeping n apiculture f ‖ Fig have a ~ in one's bonnet, avoir une idée fixe; make a ~-line for, filer droit sur.

beech [bi:tʃ] n hêtre m.

beef [bi:f] n bœuf m (flesh) ; roast ~, rosbif m ‖ ~steak ['bi:f'steik] n bifteck m.

beehive ['bi:haiv] n ruche f.

been → BE.

beer [biə] n bière f; ~ on draught, bière à la pression.

beet [bi:t] n betterave f.

beetle¹ ['bi:tl] n scarabée m.

beetle² vi surplomber ● adj proéminent.

befall [bi'fɔ:l] vi (befell [-'fel] befallen [-'fɔ:ln]) arriver, survenir — vt arriver à.

befit [bi'fit] vt convenir à.

before [bi'fɔ:] prep avant (earlier than) ; *the day ~ yesterday*, avant-hier ; *~ long*, avant peu ‖ avant (preference, order) ‖ devant (in front of) ‖ JUR. par-devant (a judge) ● adv auparavant ; *the day ~*, la veille ; *never ~*, jamais encore ‖ déjà (earlier) ● conj avant que ; plutôt que (de) ; *~hand*, d'avance, à l'avance.

befriend [bi'frend] vt traiter en ami ‖ se lier d'amitié avec.

beg [beg] vt mendier ‖ solliciter (ask) ; *I ~ your pardon*, je vous demande pardon ‖ se permettre de (allow oneself) ; *I ~ to inform you that*, j'ai l'honneur de vous faire savoir que ‖ *~ the question*, faire une pétition de principe — vi ~ (for), mendier ‖ [dog] (sit up and) ~, faire le beau ‖ *~ off*, se faire excuser.

began → BEGIN.

beget [bi'get] vt (begot [bi'gɔt], begotten [bi'gɔtn]) engendrer.

begg|ar ['begə] n mendiant m ● vt réduire à la mendicité ‖ *~arly* adj misérable ‖ *~ary* n mendicité f.

begin [bi'gin] vt (began [bi'gæn], begun [bi'gʌn]) commencer ; se mettre à, entreprendre — vi commencer ; *~ again*, recommencer ; *~ with*, commencer par ‖ *~ner* n débutant, novice n ‖ *~ning* n commencement, début m ; origine, naissance f.

begot, begotten → BEGET.

begrudge [bi'grʌdʒ] vt donner à contrecœur ‖ *~ sb sthg*, envier qqch à qqn.

beguile [bi'gail] vt tromper ‖ faire passer (time).

begun → BEGIN.

behalf [bi'hɑ:f] n *on ~ of*, au nom de ; *on my ~*, de ma part.

behav|e [bi'heiv] vi se comporter, agir ; bien se conduire/tenir ; *~ yourself !*, tiens-toi bien ! ‖ *~iour* [-jə] n comportement m, tenue f ; conduite f (towards sb, envers qqn).

behead [bi'hed] vt décapiter.

beheld → BEHOLD.

behind [bi'haind] prep derrière ; en arrière de, à la suite de ; *it's ~ you*, vous lui tournez le dos ‖ *~ time*, en retard ● adv en arrière ; *from ~*, par derrière ; *stay ~*, rester en arrière ‖ [time] *be ~ with*, être en retard dans ● n COLL. derrière, postérieur m.

behindhand adv en retard.

behold [bi'həuld] vt (beheld [-held]) apercevoir, contempler.

beige [beiʒ] adj beige ;

being → BE ● n existence f ; *come into ~*, prendre naissance f ‖ être m ; *human ~*, être humain.

belated [bi'leitid] adj tardif ‖ *~ly* adv tardivement.

belch [belt∫] vi roter — vt FIG. *~ out*, vomir (smoke, flames) ● n rot, renvoi m.

belfry ['belfri] n beffroi m.

Belg|ian ['beldʒn] adj/n belge ‖ *~ium* [-əm] n Belgique f.

belie [bi'lai] vt démentir.

belief [bi'li:f] n croyance f (in, en) ; foi f ; *to the best of my ~*, pour autant que je sache.

believ|able [bi'li:vəbl] adj croyable ‖ *~e* vt croire ‖ penser, estimer ; *I ~ so/not*, je crois que oui/non ‖ *don't you ~ it !*, détrompez-vous ! ‖ *make ~*, faire semblant — vi croire (in, à) ‖ *~er* n adepte n, partisan m (in, de) ‖ REL. croyant n.

belittle [bi'litl] vt déprécier, rabaisser, dénigrer.

bell [bel] n cloche f ‖ [telephone] sonnerie f ‖ [bicycle] timbre m ‖ [door] sonnette f ‖ [small] clochette f ; grelot m (of acollar) ‖ COLL. *that rings a~*, cela me rappelle qqch ‖

~**-boy**, groom *m*; ~**-captain**, U.S. [hotel] concierge *m*.

belle [bel] *n* belle, beauté *f*.

bell-hop [ˈbelhɔp] *n* U.S. = BELL-BOY.

belligerent [biˈlidʒərnt] *adj/n* belligérant.

bellow [ˈbeləu] *vi* beugler, mugir ‖ COLL. [person] hurler, brailler.

bellows [ˈbeləuz] *npl* soufflet *m*.

bell|pull/push *n* cordon/bouton *m* de sonnette ‖ ~**-shaped** [-ʃeipt] *adj* évasé.

belly [ˈbeli] *n* ventre *m* ● *vi* NAUT. [sail] se gonfler ‖ ~**ache** [ˈ-eik] *vi* SL. ronchonner, rouspéter (fam.) ● *n have the* ~, avoir mal au ventre.

belong [biˈlɔŋ] *vi* appartenir (*to,* à) ; faire partie (*to,* de) ‖ habiter ; être à sa place, avoir sa place (*in,* dans).

belongings [-iŋz] *npl* affaires (personnelles).

beloved [biˈlʌvd] *adj* bien-aimé ● *n* [-vid] bien-aimé *n*.

below [biˈləu] *prep* sous, au-dessous de ● *adv* dessous ‖ *down*~, en bas ; *here* ~, ici-bas ; *see* ~, cf/voir ci-dessous.

belt [belt] *n* ceinture *f* ‖ MIL. ceinturon *m* ‖ GEOGR. zone *f* ‖ TECHN. courroie *f* ‖ FIG. *blow below the* ~, coup bas ; *tighten one's* ~, se serrer la ceinture (fam.) ● *vt* ~ (*up*), mettre/boucler la ceinture (à) ‖ fouetter (trash).

belying [biˈlaiiŋ] → BELIE.

bemoan [biˈməun] *vt* FIG. pleurer (sb, sth).

bench [benʃ] *n* banc *m*, banquette *f* ‖ TECHN. établi *m* ‖ JUR. cour *f* de justice, tribunal *m*.

bend [bend] *vt* (bent [bent]) courber, plier, incliner (sth) ‖ incliner (head) ‖ tendre, bander (a bow) ‖ ~ *one's steps,* diriger ses pas (*towards,* vers) ‖ FIG. *bent upon,* résolu à — ‖ *vi* ~ (*down*), se courber ; plier ‖ [river] faire un coude ‖ FIG. s'incliner ● *n*

courbure *f* ‖ [river] coude *m* ‖ [road] tournant, virage *m*.

beneath [biˈniːθ] *adv* dessous, en dessous ● *prep* sous, au-dessous de ‖ FIG. *it is* ~ *you,* c'est indigne de vous.

benedic|tine [ˌbeniˈdiktin] *n* REL. bénédictin *m* ‖ ~**tion** *n* bénédiction *f*.

benefac|tor [ˈbenifæktə] *n* bienfaiteur *m* ‖ ~**tress** [-tris] *n* bienfaitrice *f*.

benefic|e [ˈbenefis] *n* REL. bénéfice *m* ‖ ~**ent** [biˈnefisnt] *adj* bienfaisant ‖ ~**ial** [ˌbeniˈfiʃl] *adj* salutaire (*to,* à).

benefit [ˈbenefit] *n* profit, bénéfice *m* ; allocation *f* ; *family* ~, allocations familiales ; *unemployment* ~, indemnité *f* de chômage ; *of* ~, profitable ● *vt* profiter à ; faire du bien à — *vi* tirer profit/avantage (*from/by,* de).

benevol|ence [biˈnevələns] *n* bienveillance *f*; bienfaisance *f* ‖ ~**ent** *adj* bienveillant ; bienfaisant, charitable.

benign [biˈnain] *adj* MED. bénin.

bent¹ → BEND.

bent² [bent] *n* penchant *m*, tendance *f* ‖ dispositions *fpl*.

benumb [biˈnʌm] *vt* engourdir ‖ ~**ed** [-d] *adj* transi.

benzine [ˈbenziːn] *n* benzine *f*.

bequeath [biˈkwiːð] *vt* léguer (*to,* à).

bequest [biˈkwest] *n* legs *m*.

berate [biˈreit] *vt* réprimander.

bereave [biˈriːv] *vt* (bereft [biˈreft] or bereaved [-d]) priver, déposséder (*of,* de) ‖ ~**d** *adj* veuf, en deuil ‖ ~**ment** *n* deuil *m*, perte *f*.

bereft → BEREAVE ● *adj* ~ *of,* dénué de.

berry [ˈberi] *n* BOT. baie *f*; grain *m* (of coffee).

berserk [bəˈsəːk] *adj go* ~, devenir fou furieux.

berth [bəːθ] *n* couchette *f* ‖ NAUT. mouillage *m* ‖ FIG. *give (sb) a wide* ~, éviter, se tenir à distance de (sb) ●

vi Naut. mouiller ; accoster, venir à quai.

beseech [bi´si:tʃ] *vt* (besought [bi´sɔ:t]) implorer, supplier.

beset [bi´set] *vt* (beset) assaillir, serrer de près ; accabler ‖ ~ *ting sin*, péché mignon.

beside [bi´said] *prep* à côté de ‖ hors de ; *be* ~ *oneself*, être hors de soi ; ~ *the mark/point*, hors de propos ‖ comparé à (in comparison with).

besides [bi´saidz] *prep* outre, à part ● *adv* en outre, d'ailleurs.

besiege [bi´si:dʒ] *vt* assiéger.

besought → BESEECH.

be|spatter [bi´spætə] *vt* éclabousser ‖ ~**speak** *vt* (bespoke, bespoken) commander (a meal) ; retenir (a table) ‖ ~**spoke** [bi´spəuk] *adj* fait sur mesure.

best [best] (sup. of *good/well*) *adj* meilleur ● *adj* mieux ; *at* ~, au mieux ; *as* ~ *he could*, de son mieux ; *he had* ~ *stay*, il ferait mieux de rester (→ also BETTER) ● *n* mieux *m* ; *at one's* ~, sous son meilleur jour, à son avantage ; *do one's* ~, faire de son mieux ; *get/have the* ~ *of*, l'emporter sur ; *make the* ~ *of*, tirer le meilleur parti de ‖ ~-*seller*, succès *m* de librairie, best-seller *m*.

bestial [´bestjəl] *adj* bestial ‖ ~**ity** [¸bestiˈæliti] *n* bestialité *f*.

best man *n* garçon *m* d'honneur, témoin *m*.

bestow [bi´stəu] *vt* accorder, donner (*on*, à).

bestride [bi´straid] *vt* (→ RIDE) être à cheval/califourchon sur.

bet [bet] *n* pari *m* ● *vi/vt* (bet or betted [-tid]) parier (*against*, contre ; *on*, sur) ‖ Coll. *I* ~ *you I do it !*, chiche ! ‖ Sl. *you* ~ *!*, tu parles !, pour sûr !

betray [bi´trei] *vt* trahir, tromper ‖ ~**al** [bi´treəl] *n* trahison *f* ‖ ~**er** *n* traître *m*.

betroth [bi´trəuð] *vt* fiancer ‖ ~**al**

[-l] *n* fiançailles *fpl* ‖ ~**ed** [-d] *adj/n* fiancé.

better[1] [´betə] (comp. of *good/well*) *adj* meilleur (*than*, que) ; *no* ~ *than*, rien moins que ; *the* ~ *part of*, la plus grande partie de ‖ Coll. ~ *off*, plus riche ; *his* ~ *half*, sa moitié (wife) ‖ *get* ~, [things] s'améliorer, [person] se remettre ; *be/feel* ~, aller mieux ; *it is* ~ *to*, il vaut mieux... ; *go one* ~, renchérir ● *adv* mieux ; ~ *and* ~, de mieux en mieux ; *so much the* ~, tant mieux ; *like sth* ~, préférer, aimer mieux qqch ; *think* ~ *of sth*, se raviser, changer d'avis ; *know* ~, avoir plus d'expérience, être mieux avisé, en savoir plus long ‖ *had* ~ : *you had* ~ *stay*, vous feriez mieux de rester (→ also BEST) ● *n* mieux *m* ; *get the* ~ *of*, prendre le dessus sur (sb) ; venir à bout de (sth) ‖ *Pl* supérieurs *mpl* ● *vi/vt* (s')améliorer (improve).

better[2] *n* = BETTOR.

betterment *n* amélioration *f*.

betting [´betiŋ] *n* pari *m*.

bettor [´betə] *n* parieur *m*.

between [bi´twi:n] *prep* entre ; ~ *ourselves*, entre nous ‖ à (combined efforts) ; ~ *us*, à nous deux (or trois, etc.) ; ~ *them*, à eux tous ‖ ~-**decks** *n* entrepont *m*.

beverage [´bevəridʒ] *n* boisson *f*.

bevy [´bevi] *n* bande *f* ; vol *m* (of larks) ‖ Fig. essaim *m*, troupe *f*.

bewail [bi´weil] *vt* déplorer, se lamenter.

beware [bi´wɛə] *vi* prendre garde à ‖ [imperative] ~ *of pickpockets !*, attention aux pickpockets !

bewilder [bi´wildə] *vt* déconcerter, désorienter ‖ ~**ed** [-d] *adj* désorienté, ahuri ‖ ~**ing** [-riŋ] *adj* déroutant, ahurissant ‖ ~**ment** *n* trouble *m*, confusion *f*.

bewitch [bi´witʃ] *vt* ensorceler ‖ ~**ing** *adj* ensorceleur (smile).

beyond [bi´jɔnd] *adv* au-delà ● *prep*

au-delà de, au-dessus de ‖ plus que ‖ outre ; ~ *belief,* incroyable ; ~ *doubt,* hors de doute ; ~ *measure,* outre mesure.

bias ['baiəs] *n* biais *m* ‖ FIG. préjugé *m* ; prévention *f (prejudice)* ‖ penchant *m* ; *vocational* ~, déformation professionnelle ● *vt* influencer ; prévenir *(against,* contre).

biblical ['biblikl] *adj* biblique.

bibliography [,bibli'ɔgrəfi] *n* bibliographie *f.*

biceps ['baiseps] *n* biceps *m.*

bicker ['bikə] *vi* se chamailler.

bicycle ['baisikl] *n* bicyclette *f ; on a* ~, à bicyclette ● *vi* aller à bicyclette.

bid [bid] *vt* (bade [bæd], bidden ['bidn] ordonner [arch.] dire ; ~ *somebody farewell,* dire adieu à qqn ‖ prier, inviter ; ~ *sb to dinner,* inviter qqn à dîner — *vi* (p.t. and p. p. *bid*) offrir, mettre une enchère *(for/on,* sur) ‖ annoncer (at bridge) ‖ FIG. ~ *fair to succeed,* paraître devoir réussir ● *n* offre, enchère *f* ‖ annonce *f* (at bridge) ; *higher* ~, surenchère *f ; no* ~ !, parole !, passe ! ‖ tentative *f ; make à* ~ *for,* tenter d'obtenir ‖ ~**der** *n* enchérisseur *n ; to the highest* ~, au plus offrant.

biff [bif] *n* SL. gnon *m* (pop.).

bifocals ['baifəuklz] *npl* OPT. verres *mpl* à double foyer.

big [big] *adj* grand, gros, fort (person) ‖ *grow* ~, grossir ‖ MED. ~ *with young,* pleine (animal) ‖ FIG. important (business) ● *adv see/think* ~, voir grand ; *talk* ~, faire l'important, se vanter.

bigam|ist ['bigəmist] *n* bigame *n* ‖ ~**ous** *adj* bigame ‖ ~**y** *n* bigamie *f.*

big end *n* AUT. tête *f* de bielle ; *run a* ~, couler une bielle.

bigness ['bignis] *n* grosseur *f.*

bigot ['bigət] *n* sectaire, fanatique *n* ‖ ~**ed** [-id] *adj* sectaire ; bigot *n* ‖ ~**ry**

[-ri] *n* POL. sectarisme *m* ‖ REL. bigoterie *f.*

bigwig *n* COLL. huile *f* (fam.).

bike [baik] *n* COLL. vélo *m.*

bile [bail] *n* bile *f* ‖ FIG. colère *f.*

bilingu|al [bai'lingwəl] *adj/n* bilingue ‖ ~**ism** *n* bilinguisme *m.*

bilious ['biljəs] *adj* bilieux ‖ FIG. acariâtre.

bilk [bilk] *vt* voler ; rouler (fam.).

bill[1] [bil] *n* bec *m* (of bird).

bill[2] *n* affiche *f ; ~-poster/-sticker,* colleur *n* d'affiches ‖ ~ *of fare,* menu *m* ‖ facture *f ;* [restaurant] addition, note *f* ‖ COMM. traite *f,* effet *m ; discount/draw a* ~, escompter/tirer une traite ‖ FIN. *foreign* ~s, devises étrangères ‖ U.S. billet *m* de banque ‖ JUR. projet *m* de loi.

billet ['bilit] *n* MIL. billet *m* de logement (order) ; cantonnement *m* (place) ● *vt* MIL. loger, cantonner.

bill-hook ['bilhuk] *n* serpe *f.*

billiards ['biljədz] *npl* billard *m ; play* ~, jouer au billard.

billiard-table *n* billard *m.*

billion ['biljən] *n* G.B. billion *m* ‖ U.S. milliard *m.*

billow ['biləu] *n* LITT. lame, vague *f ;* [poetic] *the* ~s, les flots ● *vi* [sea] se soulever, onduler ‖ ~**y** *adj* houleux.

bin [bin] *n* huche *f,* coffre *m* ‖ *(dust-)* ~, boîte *f* à ordures ; ~*-liner,* sac poubelle *m.*

binary ['bainəri] *adj* binaire.

bind [baind] *vt* (bound [baund]) attacher, lier ; réunir, relier (a book) ‖ ~**er** *n* relieur *m* ‖ AGR. moissonneuse-lieuse *f* ‖ ~**ing** *n* [book] reliure *f* ‖ [garment] extrafort *m ;* [trousers] talonnette *f* ‖ [ski] fixation *f* ● *adj* contraignant ; obligatoire ‖ MED. constipant.

binge [binʒ] *n* COLL. noce, bombe *f* (fam.) ; bringue *f* (pop.).

bingo ['bingəu] *n* loto *m.*

binoculars [bi'nɔkjuləz] n jumelle f.

bio|chemistry ['baiə'kemistri] n biochimie f ‖ **~degradable** adj, biodégradable ; **~grapher** [bai'ɔ-grəfə] n biographe n ‖ **~graphy** [-grəfi] n biographie f ‖ **~logist** [bai'ɔlədʒist] n biologiste n ‖ **~logy** [-lədʒi] n biologie f.

birch [bə:tʃ] n bouleau m.

bird [bə:d] n oiseau m ; ~ of prey, oiseau de proie, rapace m ‖ CULIN. volaille f ‖ COLL. [person] type m ; a queer ~, un drôle d'oiseau ‖ SL. [girl] nana f.

bird fancier n amateur m d'oiseaux.

birdie [-i] n COLL. nénette, minette f (fam.).

bird-lime n glu f.

bird's| eye view n vue f d'ensemble ‖ **~ nest** n nid m d'oiseau(x) ‖ → NEST vi.

bird|song n chant m des oiseaux ‖ **~-watching** n G.B. observation f des oiseaux (dans leur cadre naturel).

biro ['baiərəu] n T.N. FR. = pointe f Bic.

birth [bə:θ] n naissance f ‖ **give ~**, donner naissance (to, à), mettre au monde ‖ **~-certificate**, acte m de naissance ‖ FIG. éclosion, origine f ‖ **~-control** n contrôle m/limitation f des naissances ‖ **~-day** n anniversaire m ‖ **~-place** n lieu m de naissance ‖ **~-rate** n (taux m de) natalité f.

Biscay ['biskei] n bay of ~, golfe m de Gascogne.

biscuit ['biskit] n gâteau sec ‖ COLL. that takes the biscuit !, c'est le bouquet !

bisect [bai'sekt] vt couper en deux.

bishop ['biʃəp] n évêque m ‖ fou m (chessman) ‖ **~ric** [-rik] n évêché m (district) ; épiscopat m (function).

bison ['baisn] n bison m.

bit¹ [bit] n morceau, bout m ‖ petite pièce (coin) ‖ CULIN. morceau m, bouchée f ‖ TECHN. mèche f ‖ a ~ (of), un peu (de) ; not a ~, pas

du tout ; ~ by ~, peu à peu ; wait a ~, attendez un instant/un peu ‖ INF. bit m.

bit² n mors m (on a bridle).

bit³ → BITE.

bitch¹ [bitʃ] n chienne f ‖ COLL. garce f, peau f de vache (woman).

bitch² vi SL. râler, rouspéter (fam.).

bite [bait] vt (bit [bit], bitten ['bitn]) mordre ; [flea] piquer ; [wind] couper ‖ ~ one's nails, se ronger les ongles ● n morsure f ; coup m de dent ; piqûre f (of insect) ; bouchée f (mouthful) ; COLL. have a ~, manger un morceau ‖ [fishing] touche f.

bitten → BITE.

bitter ['bitə] adj amer (food) ‖ glacial (wind) ‖ rigoureux (winter) ‖ cruel (remorse) ; acerbe (criticism) ; **to the ~ end**, jusqu'au bout ● n bière (anglaise) ‖ **~ly** adv amèrement ‖ FIG. it is ~ cold, il fait un froid de loup ‖ **~ness** n amertume f ‖ rigueur f (of weather) ‖ **~-sweet** n BOT. douce-amère f ● adj aigre-doux.

black [blæk] adj noir (colour) ; ~ and white, noir sur blanc ‖ [road] ~ ice, verglas m ; CULIN. ~ coffee, café noir ; ~ pudding, boudin m ‖ MED. ~ and blue, couvert de bleus ; ~ eye, œil poché ‖ COMM. ~ market, marché noir ‖ FIN. in the ~, créditeur (account) ‖ FIG. ~ sheep, brebis galeuse f ● n nègre n (Negro) ● vt noircir (blacken) ‖ cirer (shoes) ‖ ~ out, caviarder ; censurer ; (vi) FIG. s'évanouir ‖ → ~ OUT (n) ‖ ~ art(s) n magie noire, sciences fpl occultes ‖ **~ball** vt blackbouler ‖ **~berry** n mûre f ‖ **~bird** n merle m ‖ **~board** n tableau noir ‖ **~-currant** n cassis m ‖ **~en** vt noircir ‖ **~guard** ['blæɡɑ:d] n vaurien m, fripouille f ‖ **~ing** n cirage noir ‖ **~leg** n jaune m, briseur m de grève (strike-breaker) ‖ **~list** vt mettre à l'index ‖ **~mail** vt faire chanter ‖ **~mailer** n maître chanteur.

Black Maria [-mɛəriə] n COLL. [police] panier m à salade (fam.).

black|ness n noirceur f ‖ **~out** n [war] camouflage m des lumières, black-out m ‖ [lighting] panne f d'électricité ‖ FIG. évanouissement (fainting) ; trou m de mémoire (failure of the memory).

blacksmith ['blæksmiθ] n forgeron m.

bladder ['blædə] n vessie f.

blade [bleid] n lame f (of knife, sword) ; pale f (of oar) ‖ BOT. brin m d'herbe ‖ AV. pale f (of propeller).

blah-blah ['blɑ:'blɑ:] n COLL. blabla(-bla) m inv (fam.).

blame [bleim] n [reproach] blâme m, reproches mpl ‖ responsabilité f ; lay the ~ upon, rejeter la responsabilité sur ; put the ~ on, s'en prendre à ● vt blâmer (censure) ‖ ~ sb for sth, rejeter la responsabilité de qqch sur qqn ; mettre qqch sur le dos de qqn (fam.) ‖ **~less** adj irréprochable ‖ **~worthy** adj blâmable.

bland [blænd] adj [person] aimable, affable ‖ [food] léger ; insipide (tasteless).

blandishment(s) ['blændiʃ-mənt(s)] n(pl) flatterie(s) f(pl).

blank [blæŋk] adj vide ; nu (wall) ; blanc (space) ; vierge (cassette, tape) ‖ FIN. en blanc (cheque) ‖ MIL. à blanc (cartridge) ‖ POL. blanc (vote) ‖ FIG. vide (mind) ; vague, perdu (look) ; désorienté (person) ‖ LITT. ~ verse, vers blanc ● n blanc, vide m (empty space).

blanket ['blæŋkit] n couverture f ; electric ~, couverture chauffante ; woollen/wrapping ~, lange m ‖ FIG. wet ~, rabat-joie m ● vt recouvrir (with snow) ‖ FIG. étouffer (scandal).

blare [blɛə] n sonnerie f de trompettes ● vt/vi COLL. claironner.

blasphem|e [blæs'fi:m] vi blasphémer ‖ **~er** n blasphémateur n ‖ **~ous** ['blæs'fiməs] adj blasphé-

matoire ‖ **~y** ['blæsfimi] n blasphème m.

blast [blɑːst] n rafale f, coup m de vent ‖ [bomb] explosion f ; souffle m ‖ MUS. sonnerie f (of a trumpet) ‖ FIG. at full ~, à toute allure ● vt faire sauter ‖ [lightning] foudroyer ‖ FIG. ruiner ; détruire ‖ **~-furnace** n haut fourneau m ‖ **~-off** n ASTR. [rocket] lancement m, mise f à feu ; décollage m (take-off).

blatant ['bleitnt] adj criard (noisy) ; voyant (showy) ‖ criant, flagrant.

blaze¹ [bleiz] n flambée, flamme f ‖ feu m (conflagration) ‖ flamboiement m (of jewels) ‖ [colère] explosion f ● vi flamber, flamboyer ‖ [jewels] étinceler, resplendir ‖ ~ up, s'enflammer ‖ FIG. s'emporter (with anger).

blaze² n marque, encoche f (on a tree) ● vt marquer (a tree) ‖ **~ a trail**, frayer un chemin ; FIG. ouvrir la voie.

blazer ['bleizə] n blazer m.

bleach [bliːtʃ] vt blanchir (whiten) ‖ décolorer ; have one's hair ~ed, se faire une décoloration ● n FR. = eau de Javel.

bleak [bliːk] adj battu par les vents, nu, désolé (land) ‖ glacial (cold) ‖ FIG. sombre, désolé, morne.

bleary ['bliəri] adj larmoyant ; chassieux (eye).

bleat [bliːt] n bêlement m ● vi bêler ; chevroter.

bled → BLEED.

bleed [bliːd] vi (bled [bled]) saigner, perdre du sang ; his nose is ~ing, il saigne du nez ● n saignement m ‖ **~ing** n saignement m, hémorragie f.

blemish ['blemiʃ] n défaut m, tare f ● vt gâter (beauty) ‖ ternir (reputation).

blench [blenʃ] vi sursauter.

blend [blend] vt (blended [-id] or blent [blent]) mélanger (with, à) ‖ fondre (colours) — vi se fondre ● n mélange m ‖ **~er** n mixer m.

bless [bles] (p. t., p. p. blessed [-t] or blest [blest]) vt bénir ‖ favoriser, douer ‖ ~ed [-id] or blest adj béni, sanctifié (holy) ‖ *Blessed Virgin,* Sainte Vierge ‖ bienheureux (with God) ‖ SL. sacré, fichu (fam.) ‖ ~ing n bénédiction, grâce f (of God) ‖ bénédicité m (at meals) ‖ FIG. bienfait m ; chance f ‖ it is a ~ in disguise, à quelque chose malheur est bon ; c'est un mal pour un bien.

blest → BLESS, BLESSED.

blew → BLOW 2.

blight [blait] n AGR. rouille, nielle f ‖ FIG. tache, flétrissure f ● vt FIG. détruire, ruiner.

blighter [ˈblaitə] n COLL. type m.

blind[1] [blaind] adj aveugle ; *a ~ man/woman,* un/une aveugle ‖ ~ *in one eye,* borgne ‖ ~ *man's buff* colin-maillard m ‖ AV. ~ *flying,* vol m sans visibilité ‖ ARCH. ~ *window,* fausse fenêtre ‖ FIG. *be ~ to sth,* fermer les yeux sur qqch ● adv à l'aveuglette ● vt aveugler.

blind[2] n store m (at a window) ; *Venetian ~,* jalousie f, store vénitien.

blindfold [-fəuld] vt bander les yeux ● adv les yeux bandés ‖ ~ing adj aveuglant ‖ ~ly adv à l'aveuglette ‖ ~ness n cécité f ‖ FIG. aveuglement m (to, devant, à l'égard de).

blink [bliŋk] vi cligner des yeux ‖ [light] clignoter ‖ FIG. ignorer (a fact) ● n clignotement m, lueur intermittente ‖ ~er n AUT. clignotant m ‖ Pl œillères fpl.

bliss [blis] n béatitude, félicité f ; ~ful adj bienheureux.

blister [ˈblistə] n ampoule f (on skin) ‖ TECHN. cloque f ● vi [hands] se couvrir d'ampoules ‖ [paint] cloquer.

blithe [blaið] adj joyeux, allègre.

blitz [blits] n AV. attaque f surprise ; bombardement m ● vt bombarder.

blizzard [ˈblizəd] n tempête f de neige.

bloated [ˈbləutid] adj boursouflé ; bouffi.

bloater [ˈbləutə] n hareng m saur.

blob [blɔb] n tache f (colour) ; ‖ pâté m (of ink).

block [blɔk] n bloc m (of rock) ‖ pâté m de maison (street) ; *two ~s away,* à deux rues de là ‖ ~ *letters,* capitales fpl d'imprimerie ‖ ~ *of flats,* immeuble m ‖ AUT. *traffic ~,* encombrement, embouteillage m ‖ NAUT. poulie f ‖ FIG. *(mental) ~,* blocage m ● vt obstruer, barrer le passage ‖ FIG. entraver, gêner.

blockade [blɔˈkeid] n blocus m ● vt faire le blocus de.

blockhead [ˈblɔkhed] n imbécile, idiot, crétin m.

bloke [bləuk] n POP. mec m (pop.).

blond(e) [blɔnd] adj/n blond(e).

blood [blʌd] n sang m ‖ FIG. colère, indignation f (anger) ; *in cold ~,* de sang-froid ‖ FIG. sang m, parenté f ; ~ *feud,* vendetta f ‖ ~-**bank** n banque f du sang ‖ ~-**count** n numération f globulaire ‖ ~ **donor** n donneur m de sang ‖ ~-**group** n groupe sanguin ‖ ~**hound** n ZOOL. limier m ; COLL. détective m ‖ ~**less** adj exsangue ‖ ~-**orange** n sanguine f ‖ ~-**pressure** n tension artérielle ‖ ~-**sample** n prise f de sang, prélèvement m ‖ ~**shed** n effusion f de sang ‖ ~**shot** adj injecté de sang [eyes] ‖ ~**stain** n tache f de sang ‖ ~ *sugar test* n MED. glycémie f ‖ ~-**thirsty** adj sanguinaire ‖ ~**y** adj sanglant ‖ SL. foutu, sacré (fam.).

bloom [blu:m] n fleur, floraison f ; *in ~,* en fleur ‖ BOT. velouté m, pruine, fleur f (of plums) ● vi fleurir, s'épanouir ‖ ~**er** n SL. boulette f ‖ ~**ing** adj fleuri ‖ FIG. épanoui, florissant ‖ COLL. fichu, sacré.

blossom [ˈblɔsəm] n fleur f (of a tree) ; *in ~,* en fleur ● vi fleurir, s'épanouir ‖ ~**ing time,** floraison f.

blot [blɔt] n pâté m (of ink) ‖ FIG. tache f ● vt tacher (stain) ‖ sécher (dry) ‖ ~ **out,** raturer ‖ caviarder ‖ Fig. masquer ‖ ~**ter** *n* buvard *m* ‖ ~**ting-pad** *n* sous-main *m* ‖ ~**ting-paper** *n* buvard *m*.

blouse [blauz] *n* blouse *f* (of peasants) ; chemisier *m* (of women) ‖ Mil. vareuse *f.*

blow[1] [bləu] *n* coup *m ; come to* ~**s,** en venir aux mains ‖ *without striking a* ~**,** sans coup férir ‖ Fig. coup, choc, malheur *m.*

blow[2] [bləu] *vi* (blew [blu:], blown [bləun]) [wind] souffler ‖ Mus. [instrument] sonner, retentir ‖ Electr. [bulb] griller ; [fuse] fondre, sauter ‖ ~ **out,** [tyre] éclater — ~ **up,** exploser — *vt* souffler ‖ chasser en soufflant ; ~ *one's nose,* se moucher ‖ souffler dans (a whistle) ‖ Coll. *he blew it,* il s'est planté (fam.) ‖ ~ *a kiss,* envoyer un baiser ‖ Techn. souffler ‖ Electr. faire sauter (a fuse) ‖ ~ **out,** souffler (a candle) ‖ ~ **up,** faire sauter, dynamiter (a bridge) ‖ Aut. gonfler (a tyre) ‖ Phot. agrandir ‖ ~ **dry** *n* Brushing *m* (N.D.) ● *vt have one's hair* ~*-dried,* se faire faire un Brushing. ‖ ~**-gun** *n* sarbacane *f* (weapon) ‖ ~ **heater** *n* radiateur électrique soufflant ‖ ~**-out** *n* Sl. gueuleton *m* (pop.) ‖ ~**-pipe** *n* [weapon] sarbacane *f* ‖ Techn. chalumeau *m* ‖ ~**-up** *n* Phot. agrandissement *m* ‖ Coll. accès *m* de colère.

blubber [ˈblʌbə] *vi* pleurnicher, chialer (pop.).

blue [blu:] *adj* bleu ‖ Fig. cafardeux ; *feel* ~**,** avoir le cafard ● *n* bleu *m* ‖ *Pl* Coll. idées noires ; *have the* ~**s,** broyer du noir ‖ ~**berry** *n* myrtille, airelle *f* ‖ ~**-collar worker** *n* col bleu (fam.) ‖ ~**-print** *n* [process] bleu *m* ‖ Fig. plan, projet *m.*

bluff[1] [blʌf] *adj* à pic, escarpé ‖ bourru (person) ● *n* falaise *f,* promontoire *m.*

bluff[2] *n* bluff *m* ● *vt/vi* bluffer ‖ ~**er** *n* bluffeur *n.*

blunder [ˈblʌndə] *n* gaffe, bévue *f ; make a* ~**,** faire une gaffe ; se planter (arg.) ● *vi* gaffer ‖ ~**er** [-rə] *n* gaffeur *n.* (fam.).

blunt [blʌnt] *adj* émoussé (edge) ; épointé (point) ‖ Fig. brusque ● *vt* émousser, épointer ‖ ~**ly** *adv* carrément.

blur [blə:] *vt* brouiller, estomper ‖ Fig. ternir ● *n* tache *f* (d'encre) ‖ vision *f* trouble, brouillard *m* ‖ buée *f* (of breath).

blurb [blə:b] *n* prière *m/f* d'insérer.

blurt [blə:t] *vt* ~ **out,** lancer (a word).

blush [blʌʃ] *vi* [person] rougir ● *n* rougeur *f.*

bluster [ˈblʌstə] *vi* [wind] souffler en tempête ; [storm] faire rage ; [person] tempêter ● *n* [wind, waves] mugissement *m* ‖ Fig. menaces (bruyantes) ‖ ~**y** [-ri] *adj* de tempête ; qui souffle en rafales.

boa [ˈbəuə] *n* boa *m.*

boar [bɔ:] *n* sanglier *m.*

board [bɔ:d] *n* planche *f* ‖ panneau *m* d'affichage ; écriteau *m* ‖ table, pension *f* ; ~ *and lodging,* chambre *f* avec pension ‖ comité *m,* commission *f* ; ~ *of directors,* conseil *m* d'administration ‖ [exam] ~ *of examiners,* jury *m* ‖ *Board of Trade,* ministère *m* du Commerce ‖ Naut. bord *m* ; *go on* ~**,** embarquer, monter à bord (a ship) ‖ *Pl* Th. planches *fpl,* scène *f* ‖ Fig. *above* ~**,** franc, loyal ● *vt* couvrir de planches ‖ prendre en pension ‖ monter à bord (ship) ; monter dans (train) — *vi* prendre pension (*at, chez*) ‖ ~**er** *n* pensionnaire *n* ‖ ~**ing card** *n* carte *f* d'embarquement ‖ ~**ing-house** *n* pension *f* de famille ‖ ~**ing-school** *n* pensionnat *m.*

boast [bəust] *vi* se vanter ‖ se flatter de ; s'enorgueillir/être fier de posséder ● *n* vantardise, hâblerie *f* ‖ ~**ful** *adj* vantard, fanfaron ‖.

boat [bəut] *n* bateau *m,* embarcation

f ; canot *m* (small) ; *by* ~, en bateau ● *vi* go ~ing, faire du canot, canoter ‖ ~-hook *n* NAUT. gaffe *f* ‖ ~-house *n* hangar *m* à bateaux ‖ ~ing *n* canotage *m*.

boatswain ['bəusn] *n* maître *m* d'équipage.

bob¹ [bɔb] *vi* se balancer (on water) ● *n* bouchon *m* (on a fishing line).

bob² *vt* couper (a woman's hair) ● *n* coiffure *f* à la Jeanne d'Arc.

bob³ *n* (pl. unchanged) COLL. shilling *m*.

bobby ['bɔbi] *n* COLL. agent *m* de police ‖ ~-socks/-sox *npl* Socquettes *fpl* ‖ ~-soxer *n* U.S., COLL. [1940's] minette *f*.

bob-sleigh ['bɔbslei] *n* bobsleigh *m*.

bobtailed [-teild] *adj* à queue écourtée (horse).

bode [bəud] *vt* présager, augurer.

bodice ['bɔdis] *n* corsage *m*.

bodi|less ['bɔdilis] *adj* immatériel ‖ ~ly *adj* corporel, physique.

body ['bɔdi] *n* corps *m* ; *in* ~ *and mind*, au physique et au moral ‖ [dead] cadavre *m*, dépouille mortelle ‖ masse (of water, people) ; *in a* ~, tous ensemble ‖ JUR. corporation *f*, corps *m* ; collège électoral ‖ AUT. carrosserie *f* ‖ ~ builder *n* culturiste *n* ‖ ~ building *n* musculation *f*, culturisme *m* ‖ ~guard *n* garde *m* du corps ‖ ~ language *n* expression corporelle ‖ ~stocking *n* body *m* ‖ ~work *n* AUT. carrosserie *f*.

bog [bɔg] *n* fondrière *f*, marais *m* ● *vt* embourber, enliser ; *get* ~ged, s'embourber.

bogey ['bəugi] *n* épouvantail *m* ; ~ *man*, père fouettard.

bogus ['bəugəs] *adj* faux, factice.

bohemian [bə'hi:mjən] *adj* FIG. bohème.

boil¹ [bɔil] *n* furoncle *m*.

boil² *n* ébullition *f* ; *bring to the* ~, porter à ébullition ● *vi* bouillir (lit.

and fig.) ; ~ing hot, bouillant ‖ ~away, s'évaporer ‖ ~ down, FIG. se ramener, revenir (*to*, à) ‖ ~ over [milk] se sauver, [water] déborder — *vt* faire bouillir ‖ CULIN. faire cuire à l'eau ; ~ed egg, œuf *m* à la coque ; ~ed potatoes, pommes *fpl* vapeur ‖ ~ down, CULIN. faire réduire.

boiler *n* chaudière *f* ‖ ~-suit, bleus *mpl* de chauffe.

boiling *adj* bouillant, brûlant ‖ ~ point *n* point *m* d'ébullition.

boisterous ['bɔistrəs] *adj* bruyant, turbulent ; tumultueux (sea).

bold [bəuld] *adj* audacieux, téméraire, hardi, intrépide ; *make/grow* ~, s'enhardir ‖ PEJ. effronté, impudent ‖ escarpé, à pic (steep) ‖ marqué, vigoureux (line) ‖ TECHN. ~faced type, caractères *mpl* gras ‖ ~ly *adv* hardiment ‖ franchement ‖ PEJ. effrontément ‖ ~ness *n* audace *f* ‖ PEJ. effronterie *f*.

bolster ['bəulstə] *n* traversin *m* ● *vt* ~ up, soutenir (a cause, etc.).

bolt¹ [bəult] *n* TECHN. boulon *m* ; cheville *f* ‖ verrou *m* (for a door) → THUNDERBOLT ‖ FIG. départ *m* brusque ● *vt* verrouiller (a door) ; engloutir (food) — *vi* COLL. décamper, déguerpir.

bolt² *vt* tamiser (flour) ; ~ing cloth, étamine *f*.

bolt³ *adv* ~ upright, droit comme un I/piquet.

bomb [bɔm] *n* bombe *f* ; ~ scare, alerte *f* à la bombe ● *vt* bombarder ‖ ~ard [bɔm'bɑ:d] *vt* bombarder.

bombastic [bɔm'bæstik] *adj* grandiloquent.

bomb|er ['bɔmə] *n* AV. bombardier *m* ‖ ~ing [-miŋ] *n* bombardement *m*.

bonanza [bə'nænzə] *n* U.S. aubaine *f*, filon *m* ● *adj* exceptionnel.

bond [bɔnd] *n* lien *m*, attache *f* ‖ *Pl* fers *mpl*, captivité *f* ‖ JUR. engagement *m* ‖ FIN. obligation *f*; bon *m* ‖ ~age [-idʒ] *n* servitude *f*, FIG. esclavage *m*

‖ ~ed [-id] *adj* entreposé ‖ ~-***warehouse,*** entrepôt *m* en douane ‖ ~-**holder** *n* Fin. obligataire *n*.

bone [bəun] *n* os *m* ‖ *Pl* ossements *mpl* ‖ *Pl* Mus. castagnettes *fpl* ‖ ~ *of contention,* pomme *f* de discorde ● *vt* désosser (● *meat*); ôter les arêtes de (fish) ‖ ~ -**idle** *adj* Coll. flemmard (fam.) ‖ ~-**setter** *n* rebouteux *m*.

bonfire ['bɔn͵faiə] *n* feu *m* de joie ‖ feu du jardin.

bonkers ['bɔnkəz] *adj* Sl. cinglé.

bonnet ['bɔnit] *n* bonnet *m* (for child) ‖ Aut. capot *m*.

bonus, es ['bəunəs, -iz] *n* boni *m*, prime, ristourne *f*.

bony ['bəuni] *adj* osseux, anguleux.

boo [bu:] *interj* hou ! ● *vt* huer, conspuer ● *n* huée *f*.

boob [bu:b] *n* Sl. gaffe *f* ● *vi* gaffer ; se planter (arg.).

boobs [-z] *n pl* Coll. nichons *mpl* (pop.).

booby ['bu:bi] *n* nigaud *m* ‖ ~-**trap** *n* piège *m*, objet piégé ● *vt* piéger ; ~*ped car,* voiture piégée.

book [buk] *n* livre *m* ; cahier *m* (copybook) ‖ Comm. registre *m* ; carnet *m* (of tickets, stamps) ‖ pochette *f* (of matches) ‖ *keep ~s,* tenir la comptabilité ‖ Coll. *be in sb's good ~s,* être dans les petits papiers de qqn ● *vt* enregistrer ‖ Th. louer, réserver, retenir (seats) ; ~*ed up,* complet ‖ Rail retenir, louer (seats) ; ~ *through to,* prendre un billet direct pour ‖ [police] mettre un P.V. à ; *be ~ed for speeding,* attraper une contredanse pour excès de vitesse.

book|binder *n* relieur *n* ‖ ~**binding** *n* reliure *f* ‖ ~-**case** *n* bibliothèque *f* ‖ ~ **end** *n* serre-livres *m*.

bookie ['buki] *n* Coll. book *n* (pop.).

booking-office *n* guichet *m* (des billets).

bookish *adj* livresque.

book|-keeper *n* comptable *n* ‖ ~-**keeping** *n* comptabilité *f* ‖ ~**let** ['buklit] *n* livret *m*, brochure *f* ‖ ~**maker** *n* bookmaker *m* ‖ ~-**mark** *n* signet *m* ‖ ~**seller** *n* libraire *m* ; *second-hand* ~, bouquiniste *m* ‖ ~-**shelf** *n* rayon *m* ‖ ~-**shop**/ U.S. **-store** *n* librairie *f* ‖ ~-**stall**/**-stand** *n* bibliothèque *f* de gare.

boom[1] [bu:m] *vi* gronder, mugir ● *n* grondement, mugissement *m* (of the sea).

boom[2] *n* Comm. (vague *f* de) prospérité *f*, expansion *f*, essor *m* ‖ Fin. forte hausse, montée *f* en flèche ● *vi* prospérer ‖ ~**ing** *adj* en plein essor, en expansion.

boom[3] *n* Naut. baume *f*.

boomerang ['bu:məræŋ] *n* boomerang *m* ● *vi* faire boomerang.

boon[1] [bu:n] *n* aubaine *f* (blessing).

boon[2] *adj* ~ *companion,* bon vivant.

boor [buə] *n* rustre, malotru *n* ‖ ~**ish** *adj* rustre, grossier.

boost [bu:st] *vt* pousser (vers le haut) ‖ augmenter (prices) ; accroître (output) ; promouvoir (sales) ; stimuler (economy) ‖ Electr. survolter ● *n* Astr. poussée additionnelle ‖ Fig. augmentation *f* ; élan, dynamisme *m* ‖ ~**er** *n* Electr. survolteur *m* ‖ Rad. amplificateur *m* ‖ Med. ~ *(injection),* (injection *f* de) rappel *m* ; stimulant *m* ‖ Mil. ~*(-rocket),* fusée *f* auxiliaire, pousseur *m*.

boot[1] [bu:t] *n to* ~, par-dessus le marché ; en plus ; et qui plus est.

boot[2] *n* botte *f* ; ankle ~, bottillon *m* ; *riding* ~ , botte de cheval/à l'écuyère ‖ Aut. coffre *m* ● *vt* botter, donner un coup de pied dans ‖ ~-**maker** *n* bottier *m*.

booth [bu:ð] *n* baraque *f* (at fairs) ‖ isoloir *m* (at elections) ‖ cabine *f* téléphonique.

booty ['bu:ti] *n* butin *m*.

booz|e [bu:z] *n* Sl. boisson *f* al-

coolique ● *vi* picoler (pop.) ‖ **~er** *n* soûlard, pochard, poivrot *n*.

border [ˈbɔːdə] *n* bord *m* (of a lake); lisière *f* (of a wood) ‖ bordure, lisière *f* ‖ frontière *f* (limit) ● *vt* border ‖ lisérer; encadrer ‖ limiter; **~ on,** être limitrophe/contigu de, jouxter ‖ FIG. frôler, friser ‖ **~-line,** ligne *f* de démarcation ‖ **-line case,** cas *m* limite ‖ **~land** *n* pays *m* limitrophe.

bore¹ [bɔː] *vt* percer, perforer ● *n* calibre *m*.

bore² → BEAR³.

bore³ *n* mascaret *m*.

bor|e⁴ *vt* ennuyer ‖ COLL. assommer; *be ~d to death,* s'ennuyer à mourir ● *n* COLL. raseur *n*; casse-pieds *n* (person); corvée *f* (thing) ‖ **~edom** [ˈbɔːdəm] *n* ennui *m* ‖ **~ing** [-rin] *adj* ennuyeux; assommant, rasoir (fam.).

born [bɔːn] *pp* (→ BEAR³) *be ~,* naître; *he was ~ in 1950,* il est né en 1950 ● *adj* a~ *musician,* un musicien-né.

borne → BEAR³.

borough [ˈbʌrə] *n* circonscription électorale ‖ [London] arrondissement *m*.

borrow [ˈbɔrəu] *vt* emprunter (*from,* à) ‖ **~er** *n* emprunteur *m* ‖ **~ing** *n* emprunt *m*.

Borstal [ˈbɔːstl] *n* ~ *Institution,* établissement *m* d'éducation surveillée.

bosom [ˈbuzəm] *n* sein *m*, poitrine *f* ‖ FIG. sein *m*; *~ friend,* ami intime.

boss [bɔs] *n* patron *m* ● *vt* COLL. régenter, mener, diriger ‖ **~y** *adj* autoritaire.

botan|ic(al) [bəˈtænik(l)] *adj* botanique ‖ **~ize** [ˈbɔtənaiz] *vt* herboriser.

botany [ˈbɔtəni] *n* botanique *f*.

botch [bɔtʃ] *vt* COLL. rafistoler (fam.) [repair] ‖ **~ (up),** cochonner, bousiller (fam.) [bungle].

both [bəuθ] *adj* les deux; *on ~ sides,* des deux côtés ● *pron* tous les deux, l'un et l'autre; *~ of us,* nous deux; *~of them,* tous les deux ● *adv* **~ ... and ;** *she is ~ beautiful and clever,* elle est à la fois belle et intelligente.

bother [ˈbɔðə] *n* tracas, souci *m*; ennui *m* ● *vt* ennuyer; embêter (fam.) — *vi* se donner de la peine; *don't ~,* ne vous tracassez pas ‖ **~some** [-səm] *adj* ennuyeux.

bottle [ˈbɔtl] *n* bouteille *f*, flacon *m*, carafe *f* (for water); *(feeding)* ~, biberon *m* ● *vt* mettre en bouteilles ‖ **~-feed** *vt* nourrir au biberon ‖ **~-mat** *n* dessous-de-bouteille *m* ‖ **~-neck** *n* goulot *m* ‖ FIG. goulet *m* d'étranglement ‖ **~-opener** *n* décapsuleur *m* ‖ **~-rack** *n* casier *m* à bouteilles ‖ **~-warmer** *n* chauffe-biberon *m*.

bottling *n* mise *f* en bouteilles.

bottom [ˈbɔtəm] *n* fond *m* (of a box) ‖ bas *m* (of a dress, page) ‖ siège *m* (of a chair) ‖ cul *m* (of a bottle) ‖ postérieur *m*, derrière *m* (fam.) [of a person] ‖ fond *m*; *at the very ~ of,* au fin fond de ‖ bout *m* (of the table) ‖ NAUT. fond *m* (of the sea); carène *f* (of a ship) ‖ FIG. fond, fondement *m*; *at ~,* au fond ● *adj* inférieur; dernier; du bas ● *vt* mettre un fond à ‖ FIG. fonder, baser.

bough [bau] *n* LIT. rameau *m*, branche *f*.

bought → BUY.

boulder [ˈbəuldə] *n* rocher *m*, grosse pierre roulée.

bounc|e [bauns] *n* bond, rebond *m* ● *vi* [ball] rebondir ‖ [cheque] revenir impayé — *vt* faire rebondir (ball) ‖ SL. refuser (cheque); vider (intruder) ‖ **~er** *n* SL. [club] videur *m*.

bound¹ [baund] *pp* → BIND ‖ forcé, obligé (compelled) ‖ destiné (fated); *he is ~ to win,* il est sûr de gagner ● *adj* relié (book).

bound² *adj* NAUT. ~ *for,* en partance pour; à destination de.

bound³ *n* bond, saut *m* (jump) ● *vi*

bondir, sauter (leap) ; rebondir (rebound).

bound(s)⁴ *n(pl)* borne(s), limite(s) *f(pl)* ; *out of ~s*, interdit ; *within ~s*, dans la juste mesure ● *vt* borner, limiter ‖ **~ary** [-ri] *n* limite *f* ; **~-stone**, borne *f* ‖ **~less** *adj* illimité, sans borne.

bountiful ['bauntifl] *adj* généreux, libéral (person) ‖ abondant (thing).

bounty ['baunti] *n* générosité, largesse, libéralité *f*.

bouquet ['bukei] *n* bouquet *m* (flowers) ‖ [wine] bouquet *m*.

bout [baut] *n* [activity] période *f*, tour *m* ; *drinking ~*, beuverie *f*, [illness] attaque, crise *f*, accès *m* ‖ Sp. combat, assaut *m*.

bow¹ [bəu] *n* arc *m* (weapon) ‖ Mus. archet *m* ‖ nœud *m* ‖ **~-legged**, bancal ‖ **~-tie**, nœud *m* papillon ‖ **~-window**, fenêtre *f* en saillie.

bow² [bau] *n* salut *m* ; courbette *f* ‖ Th. *take a ~*, saluer ● *vi* s'incliner, saluer ‖ fléchir, se courber (*under*, sous) — *vt* courber (one's back ; one's head).

bow³ [bau] *n* (often pl) Naut. avant *m* (of a boat).

bowdlerize ['baudləraiz] *vt* expurger (a book).

bowel ['bauəl] *n* intestin, boyau *m* ‖ *Pl* Fig. entraille *fpl*.

bower ['bauə] *n* tonnelle *f*.

bowl¹ [bəul] *n* bol *m* ; coupe *f* (wineglass) ‖ fourneau *m* (of a pipe) ‖ Geogr. cuvette *f*, bassin *m*.

bowl² *n* Sp. boule *f* ‖ **~er** *n* Sp. lanceur *m* (in cricket).

bowler ['bəulə] *n* (~-hat) [chapeau] melon *m*.

bowling ['bəuliŋ] *n* jeu *m* de boules ; bowling *m* ; [Provence] pétanque *f* ‖ **~-alley** *n* bowling *m* ‖ **~-green** *n* terrain *m* de boules (sur gazon).

bow-wow ['bau'wau] *n* toutou *m*.

box¹ [bɔks] *n* Bot. buis *m*.

box² *n* boîte *f* ; coffre *m* (chest) ; coffret *m* (small) ; *musical ~*, boîte à musique ‖ caisse *f* (case) ‖ malle *f* (trunk) ‖ *Post Office ~*, boîte postale ‖ cadeau *m* ; *Christmas ~*, étrennes *fpl* ; *Boxing Day*, jour *m* des étrennes (26 déc.) ‖ Th. loge, baignoire *f* ; **~-office**, bureau *m* de location ‖ T.V., Coll. *on the ~*, sur le petit écran ‖ Jur. banc *m* (for the jury) ; barre *f* (for the witnesses) ‖ Sp. [horse] box *m* ‖ Av. *black ~*, boîte noire ● *vt* mettre en boîte.

box³ *n* ~ *on the ear*, claque, gifle *f* ● *vt* boxer ; ~ *sb's ears*, gifler qqn — *vi* faire de la boxe ‖ **~er** *n* boxeur *m* ‖ **~ing** *n* boxe *f* ‖ **~ing-glove** *n* gant *m* de boxe ‖ **~ing-match** *n* combat *m* de boxe.

boy [bɔi] *n* garçon *m* (lad) ‖ fils *m* (son) ‖ boy *m* (servant) ‖ *old ~*, ancien élève *m* ; ~ *friend* *m* petit ami ; ~ *scout*, scout, éclaireur *m*.

boycott ['bɔikɔt] *n* boycott(age) *m* ● *vt* boycotter.

boy|hood ['bɔihud] *n* enfance, adolescence *f* ‖ **~ish** *adj* enfantin, puéril.

bra [brɑː] *n* (= BRASSIÈRE) soutien-gorge *m*.

brace¹ [breis] *n* *inv* paire *f* (of animals).

brac|e² *n* attache, agrafe *f* (fastener) ‖ *Pl* bretelles *fpl* ‖ Arch. entretoise *f* ‖ [printing] accolade *f* ‖ Techn. vilebrequin *m* ● *vt* attacher ; étayer ‖ Arch. entretoiser ‖ Med. ~ (*up*), fortifier, tonifier ‖ Fig. tendre (one's energies) ‖ **~ing** *adj* vivifiant, fortifiant.

bracelet ['breislit] *n* bracelet *m*.

bracken ['brækn] *n* fougère *f*.

bracket ['brækit] *n* console, équerre *f*, bras *m* (support) ; ~ *lamp*, applique *f* ‖ [printing] parenthèse *f*, crochet *m* ‖ Fig. [people] groupe *m*, tranche *f* ● *vt* mettre entre parenthèses ‖ Fig. ~ *together*, classer « ex æquo » (candidates).

brackish ['brækiʃ] *adj* saumâtre.

brag [bræg] vi se vanter (of, de) ‖ ~**gart** ['brægət] n hâbleur m ‖ ~**ging** adj fanfaron.

braid [breid] n tresse, natte f ‖ galon m • vt tresser, natter.

brain [brein] n cerveau m ‖ FIG. cerveau m ; ~ **drain,** fuite f des cerveaux ‖ Pl CULIN. cervelle f ; FIG. intelligence f ; rack one's ~s, se creuser la cervelle ‖ ~**less** adj stupide ‖ ~**(s)-trust** n groupe m d'experts ‖ ~**-washing** n lavage m de cerveau ‖ ~**-wave** n idée lumineuse, trouvaille f ‖ ~**y** adj intelligent.

braise [breiz] vt cuire à l'étuvée, braiser.

brake[1] [breik] n fougère f (fern) ‖ fourré m (thicket).

brake[2] n frein m ; put the ~ on, mettre le frein ‖ ~ **light,** AUT. (feu m de) stop m • vi freiner.

bramble ['bræmbl] n ronce f sauvage ‖ ~**-berry** mûre f.

bran [bræn] n son m (of wheat).

branch [brɑ:nʃ] n BOT. branche f ‖ [river] bras m ; U.S. ruisseau m ‖ RAIL. embranchement m ‖ FIN. succursale f ‖ ~**-office,** bureau m auxiliaire ‖ FIG. branche f • vi ~ **away/off,** [tree] se ramifier ; [road] bifurquer.

brand [brænd] n. brandon, tison m (fire) ‖ COMM. marque f ‖ FIG. flétrissure f • vt marquer (au fer rouge) ‖ FIG. stigmatiser ‖ ~**-new,** flambant neuf.

brandish ['brændiʃ] vt brandir.

brandy ['brændi] n eau-de-vie f, alcool m.

brash [bræʃ] adj effronté.

brass [brɑ:s] n cuivre m jaune, laiton m ‖ MUS. the ~, les cuivres mpl ‖ SL. culot m (fam.).

brassière ['bræsiə] n → BRA.

brat [bræt] n moutard m (fam.) ; gamin, môme n (fam.).

brav|e [breiv] adj brave, courageux • vt braver, affronter ‖ ~**ery** [-ri] n bravoure f.

brawl [brɔ:l] n dispute, bagarre f • vi se quereller.

brawn [brɔ:n] n muscle m ‖ ~**y** adj musclé.

bray [brei] vi braire • n braiement m.

brazen ['breizn] adj de cuivre, cuivré ‖ FIG. rude (voice) ; effronté, impudent • vt ~ **it out,** crâner ; ~**-faced,** impudent.

brazier ['breizjə] n brasero m.

Brazil [brə'zil] n Brésil m ‖ ~**ian** adj/n brésilien.

breach [bri:tʃ] n JUR. infraction f, manquement m ; ~ of contract, rupture f de contrat ; ~ **of the peace,** atteinte f à l'ordre public ; ~ of promise, rupture f d'engagement/de fiançailles ‖ MIL. brèche f.

bread [bred] n pain m ; a loaf of ~, un pain ; brown ~, pain bis ; ~ **and butter,** tartines fpl de beurre ‖ FIG. earn one's ~, gagner son pain ‖ SL. [money] blé m (arg.). ‖ ~**-crumbs** npl chapelure f ‖ ~**-winner** n soutien m de famille.

breadth [bredθ] n largeur f ‖ FIG. largeur f (of mind) ‖ ~**wise** adv dans le sens de la largeur.

break [breik] vt (broke [brəuk], broken ['brəukn]) casser, rompre, briser ; ~ **in(to) pieces,** mettre en pièces ‖ ~ **open,** fracturer (a safe) ; forcer (a door) ‖ SP. [tennis] ~ (sb's) serve, prendre le service de qqn ‖ JUR. violer, enfreindre (the law) ‖ MIL. ~ step, rompre le pas ; ~ (the) ranks, rompre les rangs ‖ FIG. rompre (silence) ; ~ one's word, manquer à sa parole ; ~ **an appointment,** faire faux bond ; ~ sb of a habit, guérir qqn d'une habitude ; ~ **the news to,** annoncer la (mauvaise) nouvelle à ; ~ **a record,** battre un record ; ~ **the bank,** faire sauter la banque ; ~ **the speed limit,** dépasser la vitesse autorisée ; ~ **a strike,** briser une grève ‖ ~ **down,** abattre, renverser ; FIG. analyser, décomposer ‖ ~ **in,** entrer par effraction ; dresser (horse) ‖ **~ off,** rompre (an engagement) ‖ **~ through,** enfoncer, percer ‖ **~ up,** (se) briser ; [crowd] se disperser ; [school] entrer en vacances ‖ **~ with,** rompre (a friendship) ; abandonner (old habits).

— *vi* se casser, se briser ‖ [weather] changer ‖ [day] poindre, se lever ‖ commencer, se mettre à ‖ **~ away,** se détacher, s'échapper (*from,* de) ‖ **~ down,** s'écrouler, s'effondrer ; [plan] échouer ; [health] se délabrer ; [person] s'effondrer ; craquer (fam.) ; [car] tomber en panne ‖ **~ forth,** jaillir ; [storm] éclater ‖ **~ in,** entrer par effraction ‖ **~ in (up)on,** interrompre brusquement (a conversation) ‖ **~ into,** se mettre (brusquement) à ; **~ into a ten pound note,** entamer un billet de dix livres ‖ **~ loose,** [animal] se détacher, s'échapper ‖ **~ off,** s'interrompre, faire une pause ‖ **~ out,** se livrer à, se répandre (*into,* en) ; [fire, storm, war] éclater ; [disease] se déclarer ; [prisoner] s'évader (de prison) ‖ **~ up,** [crowd] se disperser ; [pupils] entrer en vacances ; [weather] se gâter ; [person] s'affaiblir, décliner. ● *n* brisure, rupture *f* ‖ **~ of day,** point *m* du jour ‖ brèche, lacune *f* (gap) ‖ interruption *f* ; **~ in continuity,** solution *f* de continuité ‖ pause *f,* repos *m* (interval) ; **without a ~,** sans discontinuer ; **have a ~,** faire une pause ; **an hour's ~,** une pause d'une heure, une heure de battement ‖ récréation *f* (at school) ‖ Mus. altération *f* ; transposition *f* mélodique ‖ Gramm. points *mpl* de suspension ‖ Geol. faille *f* ‖ Coll. **bad/good ~,** période de déveine/veine ; **give sb a ~,** donner sa chance à qqn ‖ Fig. changement *m* (in the weather) ‖ rupture, brouille *f* (falling out).

break|able [ˈbreikəbl] *adj* fragile ‖ **~age** [-idʒ] *n* casse *f ;* bris *m* ‖ **~away** *n* [racing] échappée *f* ‖ Fig. séparation, rupture *f* ● *adj* Pol. dissident (group) ‖ **~down** *n* Aut.

panne *f ;* **~ truck,** dépanneuse *f* ‖ Med. dépression nerveuse ‖ Fig. analyse détaillée.

breakfast [ˈbrekfəst] *n* petit déjeuner ● *vi* prendre le petit déjeuner.

break-in [ˈbreikin] *n* cambriolage *m ;* fric-frac *m* (pop.).

breaking [ˈbreikiŋ] *n* rupture *f* ‖ Techn. **~ point,** point *m* de rupture.

breakthrough [ˈbreikθru:] *n* Mil. percée *f* ‖ Fig. découverte capitale/sensationnelle ; innovation *f,* progrès *m.*

break-up *n* rupture *f* (of a relationship).

breakwater [ˈbreikˌwɔ:tə] *n* brise-lames, môle *m.*

breast [brest] *n* [man, woman] poitrine *f,* sein *m ;* [animal] poitrail *m* ‖ Fig. cœur, sein *m* ‖ Coll. **make a clean ~ of it,** dire ce qu'on a sur le cœur ● *vt* affronter ‖ **~-feed** *vt* nourrir au sein, allaiter ‖ **~ pocket** *n* poche intérieure ‖ **~-stroke** *n* Sp brasse *f.*

breath [breθ] *n* haleine *f,* souffle *m ;* **be short of ~,** être essoufflé ; **out of ~,** hors d'haleine, à bout de souffle ; **catch/hold one's ~,** retenir son souffle ; **~ hold diving,** plongée *f* en apnée ‖ **go out for a ~ of air,** sortir prendre l'air.

breathalyser [-ələizə] *n* Alcootest *m ;* **take a ~ test,** subir un Alcootest ; **put sb through a ~ test,** faire passer un Alcootest à qqn.

breath|e [bri:ð] *vi/vt* respirer ‖ Fig. **he didn't ~ a word,** il n'a pas soufflé mot ‖ **~ in,** inspirer ; **~ out,** expirer ‖ **~ing** *n* respiration *f.*

breath|less [ˈbreθlis] *adj* essoufflé, hors d'haleine, haletant ‖ **~ taking** *adj* stupéfiant ‖ **~-test** *vt* soumettre à l'Alcootest ● *n* = breathalyser.

bred → breed.

breech [bri:tʃ] *n* culasse *f* (of a gun) ‖ **~es** [ˈbritʃiz] *npl* culotte *f.*

breed [briːd] *vt* (bred [bred]) engendrer, procréer ‖ FIG. élever, éduquer ; **well-bred,** bien élevé ‖ AGR. faire l'élevage de — *vi* se reproduire ‖ FIG. [ideas] se propager ● *n* ZOOL. race ‖ **~er** *n* éleveur *n* (person) ; reproducteur *n* (animal) ‖ **~ing** *n* procréation *f* ‖ AGR. élevage *m* ‖ FIG. éducation *f*.

breez|e [briːz] *n* brise *f* ‖ **~y** *adj* aéré, éventé (of weather) ‖ FIG. jovial (joyful) ; désinvolte (jaunty).

Bren [bren] *n* **~(-gun),** fusil mitrailleur.

brethren ['breðrin] *npl* → BROTHER ‖ REL. frères *mpl.*

Breton ['bretn] *adj/n* Breton *(n).*

brevity ['breviti] *n* brièveté *f* (shortness) ; concision *f* (terseness).

brew [bruː] *vt* brasser (ale) ‖ faire infuser (tea) ‖ FIG. comploter ‖ **~er** *n* brasseur *m* ‖ **~ery** ['bruəri] *n* brasserie *f.*

bribe [braib] *n* pot-de-vin *m* ● *vt* suborner, soudoyer, acheter ‖ **~ry** [-əri] *n* corruption *f.*

brick [brik] *n* brique *f* ‖ pain *m* (of soap) ‖ FIG. *drop a* **~,** faire une gaffe ‖ **~layer** ['brik leə] *n* maçon *m* ‖ **~-yard** *n* briqueterie *f.*

bridal ['braidl] *adj* conjugal, nuptial.

bride [braid] *n* jeune mariée *f* ‖ **~groom** *n* jeune marié ‖ **~smaid** ['braidzmeid] *n* demoiselle *f* d'honneur.

bridge [bridʒ] *n* pont *m* ; *suspension* **~,** pont suspendu ‖ bridge *m* (in dentistry) ‖ chevalet *m* (of a violin) ‖ bridge *m* (card-game) ; *play* **~,** jouer au bridge ‖ NAUT. passerelle *f* (de commandement) ● *vt* jeter un pont (*over,* sur) ‖ FIG. **~** *the gap,* faire la soudure (*between,* entre) ; **~** *over,* surmonter (difficulties) ‖ **~-head** *n* MIL. tête *f* de pont.

bridle ['braidl] *n* bride *f* (harness) ‖ FIG. frein *m* ● *vt* brider ‖ FIG. refréner ‖ **~-path** *n* allée cavalière ‖ **~-way** *n* chemin muletier.

brief [briːf] *adj* bref, concis ; *in* **~,** en un mot ‖ JUR. dossier *m* ● *vt* informer (sb) ‖ MIL. donner des instructions à ‖ **~-case** *n* porte-document *m* ‖ **~ing** *n* MIL. instructions *fpl,* briefing *m* ‖ **~ly** *adv* brièvement.

briefs [-s] *npl* slip *m.*

brigad|e [bri'geid] *n* brigade *f* ‖ **~ier** [brigə'diə] *n* général *m* de brigade.

bright [brait] *adj* brillant, lumineux, vif, poli (steel) ‖ clair (day) ‖ gai (colours) ‖ intelligent, brillant ‖ **~en** *vt* **~** *(up),* faire briller ; raviver (colours) ‖ FIG. égayer — *vi* [weather] s'éclaircir ‖ **~ly** *adv* brillamment ‖ **~ness** *n* éclat *m* ‖ gaieté *f.*

brill|iance ['briljəns] *n* éclat, lustre *m* ‖ **~iant** [-jənt] *adj* brillant ‖ **~iantly** *adv* avec brio.

brim [brim] *n* bord *m* (of a glass, hat) ; *full to the* **~,** plein jusqu'au bord ● *vi* **~** *over,* déborder ‖ **~-ful(l)** [-'ful] *adj* plein à déborder.

brin|e [brain] *n* eau salée, saumure *f* ‖ **~y** *adj* saumâtre.

bring [briŋ] *vt* (brought [brɔːt]) amener, conduire, accompagner (sb) ; apporter (sth) ‖ faire venir (tears) ; ramener, mettre ; **~** *to light,* mettre au jour ‖ amener, persuader, pousser (sb) ; réduire, conduire (*to,* à) ; **~** *sb's plans to nought,* déjouer les plans de qqn ‖ JUR. intenter (an action) ; soumettre (a case) ; avancer (evidence) ‖ **~** *to bear,* porter, faire porter (one's energies upon) ‖ pointer (gun) ; braquer (telescope) ‖ **~** *sth to mind,* rappeler à la mémoire ‖ **~** *about,* occasionner, provoquer ‖ **~** *back,* ramener (sb), rapporter (sth) ; rappeler (a recollection) ; rétablir (sb's health) ‖ **~** *down,* abattre (sb, sth) ; TH., COLL. **~** *the house down,* faire crouler la salle ; FIN. faire baisser les prix ‖ **~** *forward,* avancer (a meeting) ; JUR. avancer, alléguer (evidence, a proof) ; produire (a plea, a witness) ; COMM. reporter (an amount) ‖ **~** *in,* faire entrer ; rapporter (interest); déposer (a bill); rendre (a verdict); ~ *in a verdict of guilty*, déclarer coupable || ~ *off*, sauver (people from a dangerous place); mener à bien, réussir (sth difficult) || ~ *on*, MED. provoquer, causer; AGR. faire pousser || ~ *out*, mettre en lumière, faire ressortir (meaning, quality); faire paraître (a book); faire faire ses débuts dans le monde à (a girl) || ~ *over,* gagner, convertir (to, à) || ~ *round,* MED. ranimer; FIG. rallier, convaincre, persuader || ~ *through,* sauver (sb who is ill) || ~ *to,* NAUT. mettre en panne; MED. ranimer || ~ *together,* rapprocher || ~ *under,* assujettir, soumettre || ~ *up,* élever (animals, children); MED. vomir; NAUT. mouiller; FIG. évoquer, soulever (an issue).

brink [briŋk] *n* bord *m*; *on the* ~ *of,* à deux doigts de || ~**manship** [ˈbriŋkmənʃip] *n* politique *f* du risque calculé.

brisk [brisk] *adj* vif, alerte, animé; *at a* ~ *pace,* à vive allure || ~**ly** *adv* vivement.

bristl|e [ˈbrisl] *n* poil *m* (of a brush) || ZOOL. soie *f* (of boar) ● *vi* se hérisser (*with,* de) || ~**y** *adj* hérissé; aux poils raides.

Brit|ain [ˈbritn] *n* Grande-Bretagne || ~**annic** [briˈtænik] *adj* britannique || ~**ish** [ˈbritiʃ] *adj* britannique; ~ *Isles,* îles *fpl* Britanniques ● *npl the* ~, les Britanniques *mpl* || ~**isher** [ˈbritiʃə], ~**on** [ˈbritn] *n* Britannique *n*.

Brittany [ˈbritəni] *n* Bretagne *f*.

brittle [ˈbritl] *adj* fragile, cassant, friable.

broach [brəutʃ] *n* TECHN. foret *m* ● *vt* mettre en perce (a cask) || FIG. entamer (a topic).

broad [brɔːd] *adj* large, vaste (wide) || FIG. large, vaste; fort, prononcé (accent); clair, évident (fact, hint); grossier, vulgaire (story); libéral, tolérant (mind, view); *in* ~ *daylight,* en plein jour ● *n* U.S., SL. nana *f*

(fam.) || ~**cast** *n* radiodiffusion, émission *f* ● *vt/vi* radiodiffuser, émettre; ~*ing station,* poste émetteur, station *f* de radio || FIG. répandre (rumour) || ~**en** *vt/vi* élargir || ~**ly** *adv* largement; ~ *speaking,* en gros || ~**minded** *adj* large d'esprit || ~**side** *n* NAUT. bordée *f* || ~**ways**, ~**wise** *adv* en largeur.

brochure [ˈbrəuʃə] *n* COMM. dépliant *m* (leaflet); brochure *f* (booklet).

brogue¹ [brəug] *n* accent irlandais (or) provincial.

brogue² *n* [shoe] chaussure *f* de marche.

broil [brɔil] *vt* CULIN. griller || ~**er** *n* gril *m*.

broke [brəuk] → BREAK. ● *adj* COLL. *(stony)* ~, (complètement) fauché, sans un (fam.).

broken [ˈbrəukn] → BREAK ● *adj* brisé || tourmenté (coast); accidenté (ground) || entrecoupé (sleep, words) || abattu (spirit) || délabré (health) || mauvais (English) || brisé (marriage); détruit (foyer) || ~**-down** *adj* TECHN. détraqué || AUT. en panne || ~**-hearted** *adj* au cœur brisé || ~**-winded** *adj* poussif.

broker [ˈbrəukə] *n* FIN. courtier *m*; *outside* ~, coulissier *m* || ~**age** [-ridʒ] *n* courtage *m*.

brolly [ˈbrɔli] *n* COLL. pépin *m* (umbrella).

bronch|ia [ˈbrɔŋkiə] *npl* bronches *fpl* || ~**itis** [-ˈkaitis] *n* bronchite *f*.

bronze [brɔnz] *n* bronze *m* ● *vt/vi* FIG. basaner, bronzer.

brooch [brəutʃ] *n* broche *f*, clip *m*.

brood [bruːd] *n* couvée *f* ● *vt* couver (eggs) — *vi* FIG. [storm] menacer; [person] ruminer; ~ *over,* méditer sur || ~**-hen,** poule couveuse.

brook¹ [bruk] *vt* tolérer, supporter, souffrir (usually in neg.).

brook² *n* ruisseau *m* || ~**let** [-lit] *n* ruisselet *m*.

broom [brum] *n* balai *m* ‖ Bot. genêt *m* ‖ ~-**stick** *n* manche *m* à balai.

Bros [brɔs] *abbrev* Comm. = brothers.

broth [brɔθ] *n* bouillon, potage *m* ; *meat* ~, bouillon gras.

brother ['brʌðə] *n* frère *m* ; *elder* ~, frère aîné ; *younger* ~, frère cadet ‖ Rel. frère *m* ‖ ~-**hood** *n* fraternité *f* ; confrérie *f* ‖ ~-**in-law** [-rinlɔ:] *n* beau-frère *m* ‖ ~-**ly** *adj* fraternel.

brought → bring.

brow [brau] *n* sourcil *m* (eyebrow) ; *knit one's* ~*s*, froncer les sourcils ‖ front *m* (forehead) ‖ sommet *m* (of a hill).

browbeat ['braubi:t] *vt* rudoyer, intimider.

brown [braun] *adj* brun (colour) ; *dark* ~, bistre ‖ marron (leather) ‖ Culin. bis (bread) ; roux (butter) ; doré (roast) • *vi/vt* brunir ‖ Culin. faire dorer/revenir ‖ Coll. *be* ~*ed off*, en avoir marre/ras le bol (fam.).

browse [brauz] *vi* [animal] brouter ‖ feuilleter, parcourir (read).

bruise [bru:z] *n* contusion *f*, bleu *m* • *vt* contusionner, meurtrir ; ~*d*, talé (fruit) ‖ Fig. meurtrir — *vi* se meurtrir.

brunette [bru:'net] *n* brune *f*.

brunt [brʌnt] *n* choc *m* (of an attack).

brush [brʌʃ] *n* brosse *f* ‖ coup *m* de brosse (act) ‖ effleurement *m* (light touch) ‖ broussailles *fpl* (bush) ‖ queue *f* (of a fox) ‖ Arts pinceau *m* ‖ Mil. accrochage *m*, escarmouche *f* • *vt* brosser ; effleurer, frôler (touch) ; ~ *up*, faire reluire, donner un coup de brosse ; Fig. rafraîchir (one's English) ; ~-*up (n)*, coup *m* de brosse ‖ ~-**wood** *n* broussailles *fpl*.

brusque [brusk] *adj* brusque, brutal ‖ ~**ness** *n* brusquerie *f*.

Brussels ['brʌslz] *n* Bruxelles ‖ ~ *sprouts*, choux *mpl* de Bruxelles.

brutal ['bru:tl] *adj* brutal ‖ ~**ity** [bru:'tæliti] *n* brutalité *f* ‖ ~**ize** ['bru:tǝlaiz] *vt* abrutir.

brut|e [bru:t] *n* bête *f* (animal) ‖ brute *f* (person) ‖ ~**ish** *adj* bestial ‖ Fig. grossier ; stupide.

bubbl|e ['bʌbl] *n* bulle *f* ; ~ *bath*, bain moussant ‖ Fig. chimère *f* • *vi* bouillonner ‖ [champagne] pétiller ‖ Fig. ~ *over*, déborder (*with*, de) ‖ ~**y** *adj* pétillant.

buck [bʌk] *n* mâle *m* (of a deer, hare, rabbit) ‖ U.S., Sl. dollar *m* ‖ Fig. *pass the* ~, refiler la responsabilité aux autres • *vi/vt* rembrousser ; se grouiller (fam.) [hurry up].

bucket ['bʌkit] *n* seau *m* ‖ Coll. *kick the* ~, casser sa pipe.

buckle ['bʌkl] *n* boucle *f* • *vt* boucler, attacher ‖ Techn. voiler (a wheel) — *vi* se boucler ; ~ *(down) to*, s'y atteler, s'y mettre sérieusement.

buck|shot ['bʌkʃɔt] *n* chevrotine *f* ‖ ~**skin** *n* peau *f* de daim.

buckwheat ['bʌkwi:t] *n* Bot. blé noir, sarrasin *m*.

bud [bʌd] *n* Bot. bourgeon *m* ; *in* ~, en bourgeon/bouton • *vi* bourgeonner ‖ Fig. pointer, apparaître ‖ ~**ding** *adj* Fig. naissant, en herbe.

buddy ['bʌdi] *n* U.S., Coll. copain ; pote *m* (fam.).

budge [bʌdʒ] *vt/vi* (faire) bouger.

budgerigar ['bʌdʒǝrigɑ:] *n* perruche *f*.

budget ['bʌdʒit] *n* Fin. budget *m* • *vi* ~ *for sth*, porter qqch au budget.

buff¹ [bʌf] *n* [colour] chamois *m*.

buff² *n* Coll. passionné ; mordu, fana (fam) ; accro *n* (pop.).

buffalo ['bʌfǝlǝu] *n* buffle *m* ‖ U.S. bison *m*.

buffer ['bʌfǝ] *n* Rail. tampon *m* ‖ Aut. U.S. pare-chocs *m* ‖ ~-**state** *n* État *m* tampon ‖ ~-**stop** *n* butoir *m*.

buffet¹ [ˈbufei] *n* buffet *m* (counter) ‖ RAIL. ~-*car*, voiture-buffet *f*.

buffet² [ˈbʌfit] *n* coup *m* (de poing) ‖ FIG. coup du sort ● *vt* frapper, battre (wind, sea).

bug [bʌg] *n* ZOOL. (= BEDBUG) punaise *f* ‖ U.S. insecte *m* ; bestiole *f* (fam.) ‖ COLL. microbe *m* ‖ SL. mouchard, micro-espion *m* ‖ U.S. défaut *m* ‖ INF. bogue *m* ● *vt* SL. placer des micros dans ‖ ~ *bear* *n* FIG. cauchemar *m*.

buggy [ˈbʌgi] *n* voiture *f* tout terrain, buggy *m* ‖ U.S. voiture *f* d'enfant (pram).

bugle [ˈbjuːgl] *n* clairon *m* ● *vi* clalronner.

build [bild] *vt* (built [bilt]) bâtir, construire ; ~ *up*, bâtir (area) ; FIG. bâtir, édifier (theory) ; FIG. ~ *up speed*, prendre de la vitesse ● *n* structure *f* ‖ [person] carrure, taille *f* ‖ ~-*er* *n* ARCH. entrepreneur *m* ‖ ~*ing* *n* construction *f* (act) ‖ bâtiment *m* ; édifice *m* (imposing) ; immeuble *m* (flats/offices) ; ~ *site*, chantier *m* de construction ; ~ *society*, société *f* de prêt immobilier ; ~-*trade*, industrie *f* du bâtiment.

built [bilt] *pp* (→ BUILD) bâti, façonné ; *well* ~, bien bâti ‖ ~-*in* (adj), encastré, incorporé ; ~-*up area*, agglomération (urbaine).

bulb [bʌlb] *n* BOT. bulbe, oignon *m* ‖ ELECTR. ampoule *f*.

Bulgari|a [bʌlˈgeəriə] *n* Bulgarie *f* ‖ ~*an* *adj/n* bulgare.

bulg|e [bʌldʒ] *vt* gonfler — *vi* se gonfler, bomber ‖ ~*ing* *adj* gonflé (pocket) ; exorbité (eyes).

bulk [bʌlk] *n* masse *f*, volume *m* ; *in* ~, en gros, en vrac ● *vi* tenir de la place.

bulkhead [ˈbʌlkhed] *n* NAUT. cloison *f*.

bulky [ˈbʌlki] *adj* corpulent, massif (person) ; volumineux (thing).

bull¹ [bul] *n* COLL. bévue *f* ; boulette *f* (fam.).

bull² *n* taureau *m* ‖ mâle *m* (of large animals) ‖ FIN. haussier *m* ‖ ~'*s eye*, centre, mille *m* (of target) ; œil-de-bœuf *m* (window) ‖ ~*dog* *n* bouledogue *m* ‖ ~*dozer* [ˈbul- dəuzə] *n* bulldozer *m*.

bullet [ˈbulit] *n* balle *f* ‖ ~-*proof*, à l'épreuve des balles ; pare-balles ; blindé (car).

bulletin [ˈbulitin] *n* MIL. bulletin, communiqué *m* ‖ ~-*board*, tableau *m* d'affichage.

bullfight [ˈbulfait] *n* course *f* de taureaux, corrida *f*.

bullfinch [ˈbulfinʃ] *n* bouvreuil *m*.

bullion [ˈbuljən] *n* FIN. or (ou argent) *m* en barre.

bullock [ˈbulək] *n* bouvillon *m*.

bullring [ˈbulriŋ] *n* arène *f*.

bullshit [ˈ-ʃit] *n* SL. [taboo] conneries *fpl* (arg.).

bully [ˈbuli] *n* tyranneau *m* ; [school] petite brute ● *vt* brutaliser, tyranniser, persécuter ‖ ~-*beef* *n* corned-beef *m*.

bulwark [ˈbulwək] *n* rempart *m*.

bum¹ [bʌm] *n* COLL. derrière *m*.

bum² *n* SL., U.S. clochard *n* ; clodot *m* (arg.) ● *adj* COLL. de mauvaise qualité, moche ● *vi* vivre aux crochets des autres.

bumble-bee [ˈbʌmblbiː] *n* ZOOL. bourdon *m*.

bump [bʌmp] *n* coup, choc *m* ‖ bosse *f* (swelling) ‖ AUT. cassis *m* (on the road) ‖ AV. cahot *m* ● *vt* heurter, tamponner — *vi* [vehicles] ~ *along*, brimballer ; ~ *into*, buter dans, tomber sur ‖ ~-*er* *n* pare-chocs *m*.

bump|kin [ˈbʌmkin] *n* POP. péquenot *m* ‖ ~-*tious* [-ʃəs] *adj* suffisant, outrecuidant.

bumpy [ˈbʌmpi] *adj* bosselé ; cahoteux, défoncé (road).

bun [bʌn] *n* CULIN. brioche *f* aux raisins ; petit pain au lait ‖ [hair] chignon *m*.

bunch [bʌnʃ] *n* bouquet *m* (of

flowers) ; grappe *f* (of grapes) ; botte *f* (of carrots) ; touffe *f* (of grass) ; régime *m* (of bananas) ‖ trousseau *m* (of keys) ‖ *Pl* [hair] couettes *fpl* • *vt* grouper, mettre en bouquet, botteler.

bundle ['bʌndl] *n* paquet *m* (of clothes) ; liasse *f* (of papers) ; fagot *m* (of firewood) • *vt* ~ **in**, entasser ‖ ~ **off**, expédier, renvoyer ‖ ~ **up**, empaqueter, botteler.

bung [bʌŋ] *n* bonde *f* (cork) ; ~**-hole**, bonde (hole).

bungalow ['bʌŋgələu] *n* bungalow *m* ‖ (petit) pavillon.

bungl|e ['bʌŋgl] *vt* bâcler, saboter • *n* gâchis *m* ‖ ~**ing** maladresse *f*.

bunk¹ [bʌŋk] *n* RAIL., NAUT. couchette *f* ; ~ *beds*, lits superposés.

bunk² *vi* SL. filer, décamper.

bunk³ *n* = BUNKUM.

bunker ['bʌŋkə] *n* NAUT. soute *f* ‖ MIL. casemate *f*.

bunkum ['bʌŋkəm] *n* SL. balivernes, foutaises *fpl*.

bunny ['bʌni] *n* COLL. ~ *(rabbit)*, Jeannot lapin *m*.

bunsen ['bʌnsn] *n* ~ *burner*, bec *m* Bunsen.

bunting ['bʌntiŋ] *n* étamine *f* (cloth) ‖ drapeaux *mpl*.

buoy [bɔi] *n* bouée *f* • *vt* ~ *up*, soutenir (on water) ‖ ~**ancy** [-ənsi] *n* flottabilité *f* ‖ entrain *m*, gaieté *f* ‖ FIN. fermeté *f* (of prices) ‖ ~**ant** *adj* qui peut flotter ‖ FIN. ferme, soutenu ‖ FIG. allègre, gai.

burden ['bə:dn] *n* fardeau *m*, charge *f* (lit. and fig.) ; *beast of* ~, bête *f* de somme ‖ NAUT. tonnage *m* ‖ MUS. refrain *m* ‖ ~**some** [-səm] *adj* lourd, pesant ‖ FIG. ennuyeux.

bureau ['bjurəu] *n* bureau *m* (writing-desk) ‖ U.S. commode *f* ‖ service *m* (office) ‖ *travel* ~, agence *f* de voyages ‖ ~**cracy** [bju'rɔkrəsi] *n* bureaucratie *f*.

burgl|ar ['bə:glə] *n* cambrioleur *n* ‖ ~**arize** [-əraiz] *vt* U.S. = ~ E ‖ ~**ary**

[-ri] *n* cambriolage *m* ‖ ~ **e** [-gl] *vt* cambrioler.

Burgundy ['bə:gndi] *n* Bourgogne *f* (province).

burgundy *n* bourgogne (wine).

burial ['beriəl] *n* enterrement *m* ; ~ *place*, sépulture *f*.

burlesque [bə:'lesk] *adj* burlesque • *n* parodie *f*.

burly ['bə:li] *adj* corpulent.

Burm|a ['bə:mə] *n* Birmanie *f* ‖ ~**ese** [bə:'mi:z] *adj/n* Birman.

burn [bə:n] *n* brûlure *f* • *vi/vt* (burnt [-t] *or* burned [-d]) brûler ; ~ *to ashes*, réduire en cendres ‖ CULIN. ~ *to a cinder*, carboniser ‖ ~ *away*, flamber, se consumer ; ~ *down* (vt), incendier ; ~ *up* (vt), brûler, carboniser ‖ ~**er** *n* brûleur *m* ‖ bec *m* (gasburner) ‖ ~**ing** *n* CULIN. brûlé *m* ; smell of ~, odeur *f* de brûlé • *adj* enflammé, en flammes ‖ FIG. brûlant, ardent.

burnish ['bə:niʃ] *vt* brunir, polir.

burnt → BURN.

burp [bə:p] *vi* roter — *vt* ~ *a baby*, faire faire son rot à un bébé • *n* renvoi, rot *m*.

burrow ['bʌrəu] *n* terrier *m* (of rabbits) • *vi/vt* creuser (a burrow).

bursar ['bə:sə] *n* économe *n* (treasurer) ‖ boursier *n* (student).

burst [bə:st] *vi* (burst) [bomb] éclater, exploser ; ~ *to pieces*, voler en éclats ‖ [cloud, bubble] crever ‖ MED. [abscess] percer ‖ BOT. s'ouvrir, percer ; ~ *into bloom*, s'épanouir ‖ ~ *in*, faire irruption (on, chez) ‖ ~ *into tears*, fondre en larmes ‖ ~ *out laughing*, éclater de rire, s'esclaffer — *vt* crever ‖ rompre (banks) • *n* explosion *f* ; jaillissement *m* (of flames) ‖ MIL. rafale *f* (of fire) ‖ FIG. explosion *f* ; débordement *m* (of joy) ; tonnerre *m* (of applause) ; crise *f* (of crying).

Burund|i [bu'rundi] *n* Burundi *m* ‖ ~**ian** *n/adj* Burundien.

bury ['beri] *vt* enterrer, ensevelir,

inhumer || emmurer, ensevelir (by accident) || enfouir (conceal) || FIG. enfoncer, plonger ; ~ *oneself*, se plonger (*in*, dans).

bus [bʌs] *n* autobus (in town) ; (auto)car *m* (between localities) ; ~ *lane*, couloir *m* d'autobus ; ~ *shelter*, Abribus *m* (T.N.) ; ~-*station*, gare routière ; ~-*stop*, arrêt *m* d'autobus.

bush [buʃ] *n* broussailles *fpl* [brushwood) ; buisson *m* (shrub) ; fourré *m* (thicket) ; brousse *f* (in Africa, Australia) ; *take to the* ~, prendre le maquis (in Corsica).

bushel ['buʃl] *n* boisseau *m*.

bushy ['buʃi] *adj* broussailleux, touffu, épais || fourni (beard).

business ['biznis] *n (inv)* affaire *f* ; rôle *m* ; *it is his* ~ *to see to it*, c'est à lui d'y veiller ; *mind your own* ~, occupez-vous de vos affaires ; *that's no* ~ *of yours*, ça ne vous regarde pas ; *send sb about his* ~, envoyer promener qqn || affaire *f*, objet *m* (matter) ; *have* ~ *with sb*, avoir affaire à qqn ; *get/come down to* ~, en venir au sujet || métier *m*, profession *f* ; *what is his (line of)* ~ ?, quel est son métier ? ; *follow a* ~, exercer une profession || travail *m* the ~ *of the day*, l'ordre du jour || COMM. affaires *fpl* ; *on* ~, pour affaires ; *set up in* ~, s'établir ; *be in* ~, être dans les affaires ; *do* ~ *with sb*, faire des affaires avec qqn || *Pl* (~*es* [-iz]) [shop] (fonds *m* de) commerce *m* ; ~ *address*, adresse commerciale ; ~ *lunch*, déjeuner *m* d'affaires ; ~ *hours*, heures *fpl* d'ouverture || TH. jeu *m* (of an actor) || PEJ. affaire *f* (louche) || COLL. *mean* ~, parler sérieusement || ~ *is* ~, en affaires on ne fait pas de sentiment, les affaires sont les affaires || ~-*like adj* capable, efficace (person) ; régulier, sérieux (transaction) || ~-*man n* homme *m* d'affaires || ~-*woman n* femme *f* d'affaires.

busk [bʌsk] *vi* COLL. faire la manche (pop.).

bus|man ['bʌsmən] *n* conducteur *m* d'autobus || ~**sing** *n* U.S. ramassage *m* scolaire.

bust[1] [bʌst] *n* buste *m*, poitrine *f* (of a woman).

bust[2] *vi/vt* (SL. = BURST) casser ; bousiller (fam.) || éclater || crever ● *n* TH. faillite *f* || TH. fiasco, four *m* || *have a* ~, faire la bringue || ~-*up*, engueulade *f* (fam.). ● *adj* cassé, foutu, bousillé (fam.) || *go* ~, faire faillite || ~**ed** *adj* = BUST.

bust[3] *vt* SL. [police] arrêter ; *get* ~*ed*, se faire pincer (fam.) || faire une rafle ● *n* rafle *f*.

bustle ['bʌsl] *vi* s'affairer ● *n* affairement, remue-ménage *m*.

busy ['bizi] *adj* occupé (*at*, à) || actif (person) || passante (street) || pleine d'animation (town) || chargé (day) || TEL., U.S. occupé || COMM. commerçant (quarter) ● *vt* ~ *oneself with*, s'occuper de || se mêler de || ~-*body*, mouche *f* du coche.

but [bʌt] *conj/adv/prep* [coordinating] mais ; [subordinating] que, si ce n'est que ; sans que ; *never a month passes* ~ *he writes to us*, il ne se passe jamais de mois (sans) qu'il ne nous écrive || seulement ; *she left* ~ *an hour ago*, elle est partie il y a seulement une heure ; *she is* ~ *ten*, elle n'a que 10 ans || sauf, excepté ; *all* ~ *he/him*, tous sauf lui ; *the last* ~ *one*, l'avant-dernier || ~ *for*, sans ; ~ *for me*, sans moi, si je n'avais pas été là || (~) *that*, que ... (ne) ; *I don't doubt* (~) *that he will answer*, je ne doute pas qu'il (ne) réponde || *not* ~ *that*, ce n'est pas que || *all* ~, presque ; *he all* ~ *fell*, il a failli tomber ● *rel pron* qui ne ; *there is not one of us* ~ *remembers him*, il n'est personne qui ne se souvienne de lui.

butane ['bju:tein] *n* butane *m*.

butcher ['butʃə] *n* boucher *m* ; ~*'s (shop)*, boucherie *f* ● *vt* massacrer || MED., COLL. charcuter || ~**y** [-ri] *n* FIG. boucherie *f*.

butler [ˈbʌtlə] n maître m d'hôtel ; ~'s pantry, office m/f.

butt[1] [bʌt] n MIL. cible f ; Pl champ m de tir ‖ FIG. cible.

butt[2] n coup m de corne/de tête ● vt frapper (à coups de tête) ; buter (against, contre) ‖ ~ **in**, SL. mettre son grain de sel ; ~ **into**, s'immiscer dans (conversation).

butt[3] n ~(-end), gros bout ‖ mégot m (cigarette) ‖ crosse f (rifle).

butter [ˈbʌtə] n beurre m ; ~-dish, beurrier m ‖ ~-scotch, caramel m au beurre ● vt beurrer.

buttercup [ˈbʌtəkʌp] n BOT. bouton-d'or m.

butterfly [ˈbʌtəflai] n ZOOL. papillon m ; ~-net, filet m à papillons ‖ ~-stroke n SP. brasse f papillon.

buttock [ˈbʌtək] n fesse f ; Pl derrière m (of a person) ; croupe f (of an animal).

button [ˈbʌtn] n bouton m ● vt boutonner ‖ ~ed up, réservé ; coincé (fam.) [person] ; terminé ; bouclé (fam.) [job] — vi se boutonner ‖ ~hole n boutonnière f ● vt FIG. accrocher (fam.) ‖ ~-link n bouton m de manchette.

buttress [ˈbʌtris] n arc-boutant m ● vt arc-bouter, soutenir, étayer.

buxom [ˈbʌksəm] adj dodu, potelé.

buy [bai] vt (bought [bɔːt], bought [bɔːt]) acheter, acquérir ‖ ~ **back**, racheter ‖ ~ **off**, acheter, soudoyer, corrompre ‖ ~ **out**, désintéresser, acheter les droits de ‖ ~ **up**, acheter en bloc ● n a good ~, une (bonne) affaire ‖ ~er n acheteur m.

buzz [bʌz] n bourdonnement m ‖ TECHN., U.S. ~ saw, scie f mécanique ‖ TEL. give sb a ~, passer un coup de fil à qqn ‖ SL. get a ~, prendre son pied (arg.) ; it gives you a ~, c'est le pied ! ● vi [insects] bourdonner ‖ [motor] vrombir ‖ [ears] bourdonner

‖ COLL. téléphoner à — vt répandre (rumours) ‖ AV. frôler ‖ SL. ~ off !, filez ! ‖ ~er n vibreur m ‖ interphone m.

by [bai] prep [agency] par, de ‖ [means] par ; ~ **boat**, par bateau ; [method] par ; ~ **heart**, par cœur ‖ [circumstances] par, de ; ~ **chance**, par hasard ; ~ **mistake**, par erreur ‖ [manner] à, de, selon ; ~ **your watch**, à votre montre ; ~ **name**, de nom ; ~ **sight**, de vue ‖ ~ **oneself**, seul ‖ [direction] par ; ~ **Dover**, via Douvres ‖ [space] près de ; I have no money ~ me, je n'ai pas d'argent sur moi ; **stand** ~ **sb**, soutenir, défendre qqn ‖ [measure] à, de, sur ; ~ **far**, de beaucoup ; ~ **the pound**, à la livre ; 10 feet ~ 20 feet, 10 pieds sur 20 ; taller ~ a head, plus grand d'une tête ; day ~ day, de jour en jour ‖ [time] pendant ; ~ **night**, de nuit ; avant ; ~ **now**, déjà ; ~ **then**, avant ce moment-là ; ~ **the end of the week**, avant la fin de la semaine ● adv près ; near ~, tout près ; **go** ~, passer devant ‖ de côté ; put some money ~, mettre de l'argent de côté ● loc ~-and-~, bientôt, un peu plus tard ‖ ~ **and large**, dans l'ensemble ‖ ~ **the way**, à propos.

bye-bye ! interj au revoir !

bye-byes [ˈbaibaiz] n go to ~, aller au dodo.

by|-election [ˈbai-] n élection partielle ‖ ~**gone** adj passé, ancien ● n let ~s be ~s, oublions le passé ‖ ~**law** n arrêté municipal ‖ ~**pass** n déviation, rocade f ‖ INF. dérivation f ● vt contourner ‖ ~-**product** n sous-produit, dérivé m ‖ ~-**road** n route écartée ‖ ~**stander** n spectateur, curieux m.

byte [bait] n octet m.

byword [ˈbaiwəːd] n proverbe m ‖ FIG. [person's name] synonyme (for, de).

C

c [si:] c *m* ‖ Mus. *C,* do, ut *m*.

cab [kæb] *n* fiacre *m* (horse-drawn) ‖ Aut., U.S. taxi *m ;* ~ **driver,** chauffeur *m* de taxi ‖ [bus, lorry] cabine *f* (driver's place).

cabbage [ˈkæbidʒ] *n* chou *m*.

cabin [ˈkæbin] *n* cabane *f* (shed) ; case *f* (hut) ‖ Naut. cabine *f* ‖ Av. carlingue *f* ‖ ~-**cruiser** *n* yacht *m* (à moteur).

cabinet [ˈkæbinit] *n* meuble *m* à tiroirs ; *filing-*~, classeur, fichier *m ; medicine* ~, armoire *f* à pharmacie ‖ Pol. cabinet *m ; form a* ~, former un cabinet ‖ ~-**maker** *n* ébéniste *m*.

cable [ˈkeibl] *n* câble *m* (rope) ‖ Naut. chaîne *f* d'ancre ‖ Tel. câble *m* ‖ ~-**car** *n* téléférique *m*, télébenne *f* ‖ ~**railway** *n* funiculaire *m* ‖ ~**T.V.** *n* télédistribution *f*, télévision *f* par câble.

cabman [ˈkæbmən] *n* cocher *m* de fiacre ‖ chauffeur *m* de taxi.

caboose [kəˈbuːs] *n* Naut. cuisine *f* ‖ Rail., U.S. fourgon *m*.

cab|-rank [ˈkæbrænk], ~**-stand** *n* station *f* de taxis.

ca'canny [kɑːˈkæni] *adj* Coll. ~ *strike,* grève perlée.

cackle [ˈkækl] *n* caquet *m* ● *vi* [hen] caqueter ‖ [person] glousser.

cactus, es/-ti [ˈkæktəs, -iz/-tai] *n* cactus *m*.

cad [kæd] *n* mufle *m* (boor) ; canaille *f* (scoundrel).

caddie [ˈkædi] *n* Sp. caddie *m*.

caddish [ˈkædiʃ] *adj* ~ *trick,* muflerie *f* ‖ ~**ness** *n* muflerie *f*.

caddy [ˈkædi] *n* boîte *f* à thé.

cadence [ˈkeidns] *n* cadence *f*.

cadet [kəˈdet] *n* élève-officier *m*.

cadge [kædʒ] *vt/vi* Coll. quémander ; se faire payer (*sth,* qqch).

cæsarean [siˈzeəriən] *n* ~ (*section*), césarienne *f*.

cæsura [siˈzjurə] *n* césure *f*.

café [ˈkæfei] *n* G.B. snack *m*.

cafeteria [ˌkæfiˈtiəriə] *n* cafétéria *f*, libre-service *m*.

caffeine [ˈkæfiːn] *n* caféine *f*.

cage [keidʒ] *n* cage *f* ● *vt* mettre en cage.

cagey [ˈkeidʒi] *adj* Coll. prudent (careful) ‖ dissimulé (secretive) ; peu communicatif (unwilling to talk).

cahoots [kəˈhuːts] *n* U.S., Sl. *in* ~ *with,* de mèche avec (fam.).

Cairo [ˈkajərəu/U.S. ˈkeərəu] *n* Le Caire.

cajole [kəˈdʒəul] *vt* cajoler.

cake [keik] *n* gâteau *m ; fruit-*~, cake *m* ‖ *sell like hot* ~*s,* se vendre comme des petits pains ‖ [soap] savonnette *f* ● *vi* [blood] se coaguler ‖ [mud] former une croûte.

calamity [kəˈlæmiti] *n* calamité *f*.

calcium [ˈkælsiəm] *n* calcium *m*.

calcul|ate [ˈkælkjuleit] *vt/vi* calculer ; **~ating-machine** *n* machine f à calculer ‖ **~ation** [ˌkælkjuˈleiʃn] *n* calcul *m* ‖ **~ator** [-eitə] *n* calculatrice *f* ; calculette *f* (fam.) ‖ **~us** [-əs] *n* MATH., MED. calcul *m*.

caldron [ˈkɔːldrn] *n* chaudron *m*.

calendar [ˈkælində] *n* calendrier *m*.

calf¹, **-lves** [kɑːf, -ɑːvz] *n* ZOOL. veau *m* ; petit *m* (of deer, whale, etc.).

calf² *n* ANAT. mollet *m* (of the leg).

calib|rate [ˈkælibreit] *vt* calibrer ‖ **~re** [-ə] *n* TECHN., FIG. calibre *m*.

calico [ˈkælikəu] *n* calicot *m*.

calipers *n* U.S. = CALLIPERS.

call [kɔːl] *vt* appeler ; crier (shout) ‖ appeler, nommer (sb, sth) ; ~ *sb names,* traiter qqn de tous les noms, insulter qqn ‖ [bridge] annoncer ‖ évoquer ; ~ *to mind,* se remémorer ‖ appeler, demander ; ~ *a meeting,* réunir une assemblée ; ~ *the roll,* faire l'appel ‖ ordonner ; ~ *a strike,* déclencher une grève ; ~ *attention to,* attirer l'attention sur ; ~ *sth in question,* mettre qqch en doute ; ~ *sb to account,* demander des comptes à qqn ; ~ *sb to order,* rappeler qqn à l'ordre ‖ JUR. convoquer (Parliament) ‖ ~ *back,* rappeler ‖ ~ *down,* faire descendre, appeler ; U.S., COLL. engueulander ‖ ~ *forth,* susciter (emotions) ; révéler (qualities) ‖ ~ *in,* faire entrer ; faire venir (a doctor) ; ~ *off,* rappeler (a dog) ; rompre, résilier ; *the strike was ~ed off,* l'ordre de grève fut annulé/rapporté ‖ ~ *out,* appeler (workers, des ouvriers) à la grève ‖ ~ *over,* faire l'appel ‖ ~ *up,* téléphoner à ; rappeler, évoquer (idea, memory, spirit) ; MIL. mobiliser.

— *vi* appeler, crier ‖ s'arrêter ; ~ *at,* passer chez ; *has the milkman ~ed ?,* le laitier est-il passé ? ; NAUT. faire escale ‖ ~ *for,* appeler (sb) ; passer prendre (sb) ; commander (sth) ; exiger, réclamer ‖ ~ *on sb,* passer voir qqn ‖ ~ *out,* pousser des cris ; appeler ‖ ~ *(up)on,* invoquer ; faire appel à ; rendre visite à ; ~ *(up)on sb for sth,* demander qqch à qqn.
● *n* cri, appel *m* ; *within* ~, à portée de voix ; *telephone* ~, appel *m* téléphonique, coup *m* de fil ‖ *courte visite* (at, chez) ‖ [cards] annonce *f* ‖ [doctor] *on* ~, de garde ‖ TH. rappel *m* ‖ MIL. appel *m* ‖ NAUT. escale *f* ‖ REL. vocation *f* ‖ **~-box** *n* cabine *f* téléphonique ‖ **~er** *n* visiteur *n* ‖ TEL. demandeur *n* ‖ **~ing** *n* vocation *f* ‖ métier *m*, profession *f*.

callipers [ˈkælipəz] *npl* compas *m* d'épaisseur ; pied *m* à coulisse.

call-over *n* appel *m*.

callous [ˈkæləs] *adj* calleux ‖ FIG. endurci, sans pitié.

callow [ˈkæləu] *adj* sans plumes (bird) ‖ FIG., PEJ. jeune, inexpérimenté.

call sign *n* RAD. indicatif *m* d'appel.

call-up *m* MIL. appel *m*, mobilisation *f*.

calm [kɑːm] *vt* calmer — *vi* ~ *down,* se calmer, s'apaiser ● *adj/n* calme (m) ‖ NAUT. calme *m* ; *dead* ~, calme plat ‖ **~ly** *adv* avec calme, calmement.

calorie [ˈkæləri] *n* calorie *f*.

column|iate [kəˈlʌmnieit] *vt* calomnier ‖ **~y** [ˈkæləmni] *n* calomnie *f*.

calvary [ˈkælvəri] *n* calvaire *m*.

calves → CALF.

calyx [ˈkeiliks] *n* calice *m*.

cam [kæm] *n* came *f* ; **~-shaft,** arbre *m* à cames.

camcorder [ˈkæmˌkɔːdə] *n* CIN. camescope *m*.

came → COME.

camel [ˈkæml] *n* chameau *m*.

camera [ˈkæmrə] *n* appareil-photo *m* ‖ [cine-camera] caméra *f* ‖ **~man** [-mən] *n* cadreur, cameraman *m*.

Cameroon [ˈkæmruːn] n Cameroun m ‖ ~**ian** adj/n camerounais.

camouflage [ˈkæmuflɑːʒ] n camouflage m • vt camoufler.

camp¹ [kæmp] adj efféminé (person) ‖ désuet, kitsch (thing).

camp² n camp, campement m ; pitch a ~, établir un camp ; strike/break up ~, lever le camp • vi — (out), camper ; go ~ing, faire du camping.

campaign [kæmˈpein] n MIL., POL. campagne f • vi faire campagne.

camp|bed n lit m de camp ‖ ~er n campeur n ‖ camping-car m ‖ ~fire n feu m de camp ‖ ~ing n camping m ; ~ site, (terrain m de) camping m ; ~ space, emplacement m de camping ; ~ stove, réchaud m de camping.

can¹ [kæn] n bidon m (of milk, oil) ‖ U.S. boîte f de conserve ; boîte métallique (for drink) ‖ ~-opener, ouvre-boîtes m • vt mettre en conserve ; canned goods, conserves fpl.

can² mod aux (p.t. could [kud] ; neg. cannot [ˈkænɔt], can't [kɑːnt] ; couldn't [ˈkudnt]) pouvoir, être capable de ; ~ you lift this box ?, pouvez-vous soulever cette caisse ? ‖ savoir ; ~ you swim ?, savez-vous nager ? ‖ pouvoir, avoir la permission de ; you ~ go now, vous pouvez partir maintenant.

Canad|a [ˈkænədə] n Canada m ‖ ~**ian** [kəˈneidjən] adj/n canadien.

canal [kəˈnæl] n canal m.

canard [kæˈnɑːd] n rumeur f ; canard, bobard m (fam.).

canary [kəˈneəri] n canari, serin m.

cancel [ˈkænsl] vt biffer, barrer (a word) ‖ oblitérer (postage stamp) ‖ annuler (an order) ; décommander (an invitation) ‖ JUR. résilier ‖ ~**lation** [ˌkænseˈleiʃn] n annulation f.

Cancer¹ [ˈkænsə] n ASTR. Cancer m.

cancer² [ˈkænsə] n cancer m ‖ ~**ous** [ˈkænsrəs] adj cancéreux.

candid [ˈkændid] adj franc ‖ invisible (camera).

candid|acy [ˈkændidəsi] n U.S. candidature f ‖ ~**ate** [ˈkændidit] n candidat n ‖ ~**ature** [-itʃə] n candidature f.

candied [ˈkændid] adj confit.

candle [kændl] n (wax-) ~, bougie f ; (tallow-) ~, chandelle f ‖ [church] cierge m ‖ ~-**end** n lumignon m ‖ ~**stick** n bougeoir m.

cando(u)r [ˈkændə] n franchise f.

candy [ˈkændi] n sucre m candi ‖ U.S. bonbon m ; ~-store, confiserie f.

cane [kein] n canne f (walking stick) ‖ BOT. canne f, jonc, rotin m (sugar-) ~, canne f à sucre ; ~ sugar, sucre m de canne • vt fouetter ‖ canner (a chair).

canine [ˈkeinain] adj canin ‖ ~ tooth, canine f.

caning [keiniŋ] n G.B. châtiment corporel.

canister [ˈkænistə] n boîte f (métallique) ‖ bombe f (of shaving-cream) ‖ ~ of tear-gas, bombe f lacrymogène.

canker [ˈkæŋkə] n chancre m.

cannabis [ˈkænəbis] n chanvre indien ; marijuana f.

cannery [ˈkænəri] n fabrique f de conserves.

cannon [ˈkænən] n [arch.] canon m ‖ ~**ade** [ˌkænəˈneid] n canonnade f ‖ ~**eer** [ˌkænəˈniə] n canonnier m ‖ ~-**fodder** n chair f à canon.

cannot → CAN².

canny [ˈkæni] adj prudent, rusé.

canoe [kəˈnuː] n canoë m.

canon [ˈkænən] n MUS. canon m ‖ REL. chanoine m ‖ ~**ize** [-aiz] vt canoniser.

canopy [ˈkænəpi] n dais m.

can't → CAN².

cant [kænt] n argot m de métier,

jargon *m* (special talk) ‖ langage *m* hypocrite, tartuferie *f*

cantankerous [kən'tæŋkrəs] *adj* acariâtre, revêche, hargneux.

canteen [kæn'ti:n] *n* cantine *f* ‖ MIL. bidon *m*.

canter ['kæntə] *n* petit galop • *vi* aller au petit galop.

canvas ['kænvəs] *n* toile *f* (for tents, sails, oil-paintings) ‖ *under ~,* sous la tente.

canvass ['kænvəs] *n* campagne électorale ‖ COMM. tournée *f* • *vt* faire une tournée électorale ‖ COMM. faire du porte à porte ; prospecter (a town) ‖ *~er n* ‖ COMM. agent électoral ‖ COMM. démarcheur *n* ‖ *~ing n* démarchage électoral.

canyon ['kænjən] *n* cañon *m*.

cap [kæp] *n* toque *f* (of a judge, professor) ; coiffe *f* (of a nurse, servant) ; béret *m* (sailor's) ; casquette *f* (peaked) ‖ [bottle] capsule *f* ‖ [radiator] bouchon *m* ‖ [contraceptive] (Dutch) *~,* diaphragme *m* • *vt* coiffer ‖ FIG. surpasser, couronner.

capability [keipə'biliti] *n* capacité, aptitude *f*.

capable ['keipəbl] *adj* capable (*of,* de) ; compétent, susceptible de.

cap|acious [kə'peiʃəs] *adj* ample, vaste ‖ *~acity* [kə'pæsiti] *n* capacité, contenance *f* ‖ FIG. capacité, aptitude *f* (talent) ; qualité *f*, titre *m* (position).

cape¹ [keip] *n* cape, pèlerine *f*.

cape² *n* cap, promontoire *m*.

caper ['keipə] *n* cabriole *f* • *vi* faire des cabrioles.

capital ['kæpitl] *adj* capital, principal, primordial, essentiel ‖ COLL. excellent, parfait • *n* capitale *f* (city) ‖ majuscule (letter) ‖ FIN. capital *m*, capitaux *mpl* (money) ‖ ARCH. chapiteau *m* ‖ JUR. *~ punishment,* peine capitale ‖ NAUT. *~ ship,* bâtiment *m* de ligne ‖ *~ism* ['kæpitəlizm] *n* capitalisme *m* ‖ *~ist* ['kæpitəlist] *n/adj* capitaliste ‖ *~ize* [kə'pitəlaiz]

vt capitaliser ‖ FIG. tourner à son profit ‖ écrire en majuscules.

capitul|ate [kə'pitjuleit] *vi* capituler ‖ *~ation* [kə,pitju'leiʃn] *n* capitulation *f*.

capric|e [kə'pri:s] *n* caprice *m* ‖ *~ious* [kə'priʃəs] *adj* capricieux.

Capricorn ['kæprikɔ:n] *n* ASTR. Capricorne *m*.

capsize [kæp'saiz] *vi* chavirer — *vt* faire chavirer.

capstan ['kæpstən] *n* cabestan *m*.

capsule ['kæpsju:l] *n* capsule *f* ‖ MED. gélule *f*.

captain ['kæptin] *n* capitaine *m* ‖ NAUT. commandant *m*.

caption ['kæpʃn] *n* titre, en-tête *m* (of an article) ; légende *f* (of a drawing, etc.) ‖ CIN. sous-titre *m*.

capt|ivate ['kæptiveit] *vt* captiver, fasciner ‖ *~ive adj/n* captif ‖ *~ivity* [kæp'tiviti] *n* captivité *f* ‖ *~ure* ['kæptʃə] *n* capture, prise *f* (booty) • *vt* capturer.

car [kɑ:] *n* auto, voiture *f*; *~ bomb,* voiture piégée ; *~ -ferry,* ferry-boat *m*; *~ park,* parking *m*; *~-phone,* radiotéléphone *m* (de voiture); *~-radio,* auto-radio *m*; *~ rental,* location *f* de voitures ‖ RAIL., U.S. wagon *m*, voiture *f* ‖ TECHN. nacelle *f* (of a balloon) ; cabine *f* d'ascenseur.

caravan ['kærəvæn] *n* caravane *f* (across desert) ; roulotte *f* (gipsies') ‖ AUT. caravane *f*.

carbine ['kɑ:bain] *n* mousqueton *m*, carabine *f*.

carbolic [kɑ:'bɔlik] *adj* phénique (acid) ; *~ acid,* phénol *m*.

carbon ['kɑ:bən] *n* carbone *m*; *~ dioxide,* acide *m* carbonique ; *~ monoxide,* oxyde *m* de carbone ; *~(-paper),* papier *m* carbone ; *~ (copy),* double *m* ‖ *~ate* [-it] *n* carbonate *m*.

carburettor [,kɑ:bju'retə] *n* carburateur *m*.

carcass ['kɑ:kəs] *n* carcasse *f*.

card [kɑ:d] n [general] carte f ‖ (index) ~, fiche f ‖ (playing) ~, carte f à jouer ; play ~s, jouer aux cartes ; have a game of ~s, faire une partie de cartes ‖ ~-**board** n carton m ‖ ~-**case** n porte-carte m ‖ ~-**index** n fichier m ‖ ~-**sharper** n tricheur n ‖ ~-**table** n table f de jeu ‖ ~ **trick** n tour m de cartes.

cardiac [ˈkɑ:diæk] adj cardiaque.

cardigan [ˈkɑ:digən] n cardigan m, gilet m (de laine).

cardinal [ˈkɑ:dinl] adj cardinal ● n REL. cardinal m.

care [kɛə] n attention f ‖ **take** ~, faire attention, prendre garde ‖ soin m, précaution f ; "with care", « fragile » ; **take** ~ **of**, prendre soin de ; COLL.. s'occuper de ‖ charge, responsabilité f ; ~ **of** (abbr. c/o), aux bons soins de, chez (letter) ‖ souci m, inquiétude f (anxiety) ● vi se soucier de ; I don't ~, cela m'est égal ; not to ~ about what people say, se moquer du qu'en-dira-t-on ; I couldn't ~ less, je m'en fiche pas mal ‖ aimer ; would you ~ (to go) for a walk ?, aimeriez-vous faire une promenade ? ; if you ~ to, vous en avez envie ; would you ~ for a cup of tea ? aimeriez-vous (prendre) une tasse de thé ? ; I don't ~ for him, il ne me plaît pas ‖ ~ **for**, s'occuper de (sb) ; soigner (an invalid).

careen [kəˈri:n] vt caréner — vi donner de la bande.

career [kəˈriə] n carrière f ‖ course f ; in full ~, à toute vitesse.

care|-**free** [ˈkɛəfri:] adj sans souci ‖ ~**ful** adj soigneux ; be ~ (that), faire attention (à ce que) ‖ prudent, circonspect ‖ attentif, approfondi ‖ ~**fully** adv soigneusement, prudemment, attentivement ‖ ~**less** adj insouciant, inattentif ; ~ mistake, faute f d'inattention ‖ négligent ‖ ~**lessly** adv avec insouciance, négligemment ‖ ~**lessness** n négligence f, laisser-aller m ; insouciance f ; incurie f ‖ ~-**taker** n gardien, concierge n.

caress [kəˈres] n caresse f ● vt caresser ‖ ~**ing** adj caressant, câlin.

cargo [ˈkɑ:gəu] n cargaison f ; fret m ‖ ~-**boat** n cargo m ‖ ~-**plane** n avion-cargo m.

caricature [ˈkærikəˈtjuə] n caricature f ● vt caricaturer.

caries [ˈkɛərii:z] n (sing) carie f.

carnal [ˈkɑ:nl] adj charnel.

carnation [kɑ:ˈneiʃn] n BOT. œillet m ‖ incarnat m (colour).

carni|**val** [ˈkɑ:nivl] n carnaval m ‖ ~**vorous** [kɑ:ˈnivrəs] adj carnivore.

carol [ˈkærl] n chant joyeux ‖ LIT. [birds] ramage m.

carouse [kəˈrauz] n beuverie f ● vi bambocher.

carousel [ˌkærəˈsel] n AV. tapis roulant, carrousel m.

carp[1] [kɑ:p] n ZOOL. carpe f.

carp[2] vi ~ at, critiquer.

carpent|**er** [ˈkɑ:pintə] n charpentier m ; U.S. menuisier m ‖ ~**ry** [-ri] n charpenterie f.

carpet [ˈkɑ:pit] n tapis m ; (fitted) ~, moquette f ; bedside ~, descente f de lit ● vt recouvrir d'un tapis ‖ ~-**sweeper** n balai m mécanique.

carriage [ˈkæridʒ] n transport m ; ~ forward, port dû ; ~ free, franco (de port) ; ~ paid, port payé ‖ voiture f (vehicle) ‖ [typewriter] chariot m ‖ RAIL. voiture f, wagon m ‖ FIG. maintien m (bearing) ‖ ~-**way** n chaussée f ; dual ~, route f à quatre voies.

carrier [ˈkæriə] n transporteur, camionneur m ‖ porte-bagages m (on a bicycle) ‖ MED. porteur n de bacilles ‖ MIL. (troop-)~, transport m de troupes (ship, aircraft) ; Bren ~, chenillette f ‖ NAUT. (aircraft-)~, porte-avions m ‖ ~-**pigeon** n pigeon voyageur.

carrion [ˈkæriən] n charogne f.

carrot [ˈkærət] n carotte f.

carry [ˈkæri] vt porter (a package,

etc.) ‖ porter sur soi (money, a watch, etc.) ‖ supporter (support) ‖ transporter (a load) ‖ FIG. entraîner ‖ MIL. enlever (a position) ; ~ *the day,* gagner la partie, l'emporter ‖ TECHN. amener, conduire (water, etc.) ‖ ~ *away,* emporter ; FIG. transporter, ravir ‖ ~ *back,* FIG. ramener en arrière, faire remonter à ‖ ~ *forward,* MATH. reporter ‖ ~ *off,* emporter ; *be carried off one's course,* être déporté ; FIG. remporter (prize) ; COLL. ~ *it off,* réussir ‖ ~ *on,* continuer (with, de) ; COLL. faire des histoires/(tout) un cirque ‖ ~ *on with,* COLL. avoir une liaison avec ‖ ~ *out,* réaliser, exécuter (a plan) ; mener à bonne fin (an undertaking) ‖ ~ *through,* tirer d'une difficulté, aider ‖ réaliser — *vi* [sound, voice] porter.

carry|all [ˈkæriɔːl] *n* fourre-tout *m* ‖ ~ **cot** *n* moïse, porte-bébé *m* ‖ ~ **-on** *n* bagage *m* à main.

car|-sickness *n* mal *m* de la route ‖ ~ **-sleeper** *n* RAIL. train *m* auto-couchettes.

cart [kaːt] *n* charrette *f; apple* ~, voiture *f* des quatre-saisons ‖ FIG. *put the* ~ *before the horse,* mettre la charrue avant les bœufs ● *vt* charrier, transporter ‖ ~ **age** [-idʒ] *n* transport, camionnage *m* ‖ ~ **er** *n* charretier *m* ‖ transporteur *m* (carrier) ‖ ~ **-horse** *n* cheval *m* de trait ‖ ~ **-load** *n* charretée *f.*

carton [ˈkaːtən] *n* boîte *f* en carton ; cartouche *f* (for cigarettes).

cartoon [kaːˈtuːn] *n* dessin *m* humoristique ‖ CIN. *(animated)* ~,, dessin animé ‖ ~ **ist** *n* caricaturiste *n,* dessinateur *n* humoristique.

cartridge [ˈkaːtridʒ] *n* [gun] cartouche *f* ‖ [record player] cellule *f* ‖ [tape] cassette *f;* [film] chargeur *m* ‖ [ink] cartouche *f* ‖ ~ **-case** *n* douille *f* (of gun).

carv|e [kaːv] *vt* sculpter (a statue) ; graver (an inscription) ‖ CULIN. découper ‖ ~ **er** *n* ARTS sculpteur *m;*

graveur *m* ‖ ~ **ing** *n* ARTS sculpture *f;* gravure *f* ‖ CULIN. découpage *m ;* ~ **-knife,** couteau *m* à découper.

cascade [kæsˈkeid] *n* cascade *f.*

case¹ [keis] *n* caisse *f* (box) ; écrin *m* (casket) ; étui *m* (for cigarettes) ; fourreau *m* (for an umbrella) ; trousse *f* (bag) *; (suit-)*~, valise *f; pack one's* ~, faire sa valise ‖ COMM. vitrine *f* ‖ AUT. carter *m* ‖ ~ **-hardened,** cémenté (steel) ; FIG. endurci (person).

case² *n* cas *m; in* ~, au cas où ; *just in* ~, à tout hasard ; *in any* ~, en tout cas ; *in no* ~, en aucun cas ; *as the* ~ *may be,* selon le cas ; *in most* ~*s,* dans la plupart des cas ; *individual* ~, cas d'espèce ; ~ *in point,* exemple pertinent ; *that's the* ~ *in point,* c'est précisément le cas ; *win the* ~, avoir gain de cause ‖ JUR. cause, affaire *f,* procès *m* ‖ GRAMM. cas *m* ‖ ~ **-history** *n* MED. antécédents *mpl,* évolution *f* de la maladie ‖ ~ **-law** *n* JUR. jurisprudence *f.*

casement [ˈkeismənt] *n* fenêtre *f* (opening outwards) ; croisée *f* (poetical).

cash [kæʃ] *n* argent *m* liquide ; espèces *fpl* (money) *; pay* ~ *down,* payer comptant ; ~ *on delivery,* envoi *m* contre remboursement ● *vt* toucher, encaisser (cheque) ‖ ~ **-box** *n* caisse *f* ‖ ~ **-desk** *n* caisse *f* ‖ ~ **dispenser** *n* distributeur *m* automatique de billets, billetterie *f* ‖ ~ **ier** [kæˈʃiə] *n* caissier *n* ‖ ~ **point** *n* → ~ DISPENSER ‖ ~ **-price** *n* prix *m* au comptant ‖ ~ **-register** *n,* caisse enregistreuse ‖ ~ **-voucher** *n* bon *m* de caisse.

casing [ˈkeisiŋ] *n* [tyre] enveloppe *f* ‖ PHOT. boîtier *m.*

cask [kaːsk] *n* tonneau *m,* barrique *f,* fût *m.*

casket [ˈkaːskit] *n* coffret *m* (for jewels) ‖ U.S. cercueil *m* (coffin).

casserole [ˈkæsərəul] *n* CULIN. cassoulet *m;* ragoût *m* en daube.

cassette [ˈkæset] n PHOT. chargeur m ‖ RAD. cassette f ‖ **~-deck** n magnéto-cassette m ‖ **~-player** n lecteur m de cassette ‖ **~-recorder** n magnétophone m à cassette.

cassock [ˈkæsək] n soutane f.

cast [kɑːst] vt (cast) jeter, lancer ‖ projeter (a shadow, etc.) ‖ perdre (leaves) ‖ couler (metal) ‖ **~ lots**, tirer au sort ; **~ one's vote**, voter ‖ NAUT. **~ anchor**, jeter l'ancre ‖ TH. distribuer les rôles ‖ **~ away**, rejeter ‖ **~ back**, FIG. revenir en arrière ‖ **~ down**, baisser les yeux ; FIG. be **~ down**, être abattu ‖ **~ off**, jeter, mettre au rebut ; NAUT. larguer ; FIG. se détacher, s'affranchir ; **~-off** (adj) de rebut — vi **~ about**, se mettre en quête (for, de) ; chercher le moyen (how to, de) ● n jet, lancement m (of stones) ‖ coup m (of the dice, of net) ‖ moulage m (of a statue) ‖ MED. plâtre m ‖ TH. distribution f ‖ FIG. **~ of features**, expression f ; **~ of mind**, tournure f d'esprit ● adj fondu ; **~-iron**, fonte f.

castanets [ˌkæstəˈnets] npl castagnettes fpl.

castaway [ˈkɑːstəwei] n naufragé n

caste [kɑːst] n caste f.

caster [ˈkɑːstə] n saupoudreuse f ; **~-sugar**, sucre m en poudre.

casting [ˈkɑːstiŋ] adj prépondérant (voice) ; **give the ~ vote**, départager les voix ● n lancer m (throwing) ‖ TECHN. fonte f ‖ TH. distribution f ‖ CIN. casting m.

castl|e [kɑːsl] n château fort ‖ [chess] tour f ● vi [chess] roquer ‖ **~ing** n [chess] roque m.

castor [ˈkɑːstə] n roulette f (of arm-chair) ‖ = CASTER.

castor-oil [ˈkɑːstərɔil] n huile f de ricin.

casual [ˈkæʒjuəl] adj fortuit, accidentel ‖ à bâtons rompus (conversation) ‖ temporaire, saisonnier (labourer) ‖ intermittent (work) ‖ insouciant (careless) ‖ cavalier, dé-

sinvolte, sans-gêne (manners, person) ‖ **clothes for ~ wear**, vêtements sport ‖ **~ly** adv fortuitement, par hasard ‖ négligemment, avec désinvolture ‖ **~ty** [-ti] n accident m ‖ MED. accidenté n ‖ Pl pertes fpl, morts et blessés mpl, victimes fpl.

cat [kæt] n chat m ‖ FIG. **let the ~ out of the bag**, vendre la mèche.

cataclysm [ˈkætəklizm] n cataclysme m.

catacombs [ˈkætəkəumz] npl catacombes fpl.

catalog(ue) [ˈkætəlɔg] n catalogue m, liste f ● vt cataloguer.

catamaran [ˌkætəməˈræn] n catamaran m.

catapult [ˈkætəpʌlt] n lance-pierres m inv ‖ NAUT., AV. catapulte f.

cataract [ˈkætərekt] n cataracte f.

catarrh [kəˈtɑː] n catarrhe m.

catastroph|e [kəˈtæstrəfi] n catastrophe f ‖ **~ic** [ˌkætəˈstrɔfik] adj catastrophique.

catcall [ˈkætkɔːl] n TH. coup m de sifflet ● vt siffler.

catch [kætʃ] vt (caught [kɔːt]) attraper, saisir, prendre (seize) ‖ capturer (trap) ‖ **~ hold of**, saisir ‖ surprendre (sb) ‖ accrocher (sb) ; **~ one's foot**, se prendre le pied (in, dans) ‖ **~ fire**, prendre feu ‖ retenir (one's breath) ‖ prendre le train (a train) ‖ saisir (a sound) ; comprendre (the meaning) ‖ **~ sb's eye**, attirer l'attention de qqn ‖ **~ sight of**, apercevoir ; **~ sb a blow**, porter un coup à qqn ‖ MED. attraper (a disease) ‖ FIG. **~ out**, SP. mettre hors jeu ; FIG. surprendre (sb) ‖ **~ up**, ramasser promptement (sth) ; couper la parole à qqn ‖ **~ sb up**, (**~ up with sb**), rattraper qqn (overtake) — vi se prendre, s'accrocher (in, dans) ‖ [fire] prendre ‖ CULIN. attacher ‖ **~ on**, prendre (become popular) ● n prise, capture f ‖ [door] loquet m ; [box] fermeture f ‖ MUS. canon m ‖ FIG. **it's ~ 22**, on tourne en rond.

catching adj contagieux.

catch|**-phrase** *n* scie, rengaine *f* ‖ slogan *m* ‖ **~-question** *n* colle *f* (fam.) ‖ **~word** *n* slogan *m* ‖ mot-vedette *m* ‖ **~y** *adj* facile à retenir.

catechism [ˈkætikizm] *n* caté-chisme *m*.

categ|**orical** [ˌkætiˈɡɔrikl] *adj* caté-gorique ‖ **~ory** [ˈkætiɡəri] *n* caté-gorie *f*.

cater [ˈkeitə] *vi* ~ **for,** approvision-ner, pourvoir aux besoins de ‖ **~er** [-rə] *n* fournisseur *m* ; traiteur *m*.

caterpillar [ˈkætəpilə] *n* ZOOL., TECHN. chenille *f*.

cathedral [kəˈθiːdrl] *n* cathédrale *f*.

cathode [ˈkæθəud] *n* cathode *f*.

cathol|**ic** [ˈkæθəlik] *adj* éclectique ; universel (mind) ‖ REL. catholique ● *n* REL. catholique *n* ‖ **~icism** [kəˈθɔlisizm] *n* catholicisme *m*.

cat|**-nap,** **~-sleep** [ˈkætˈnæp, ˈsliːp], *n* petit somme (in chair) ‖ **~'s eye** *n* catadioptre *m* ; Cataphote *m* ‖ **~-walk** *n* coursive *f*.

cattle [ˈkætl] *n* bétail *m* ; bestiaux, bovins *mpl*.

caucus [ˈkɔːkəs] *n* U.S. comité élec-toral.

caught → CATCH.

cauliflower [ˈkɔliflauə] *n* chou-fleur *m* ; ~ *cheese,* chou-fleur au gratin.

cauldron [ˈkɔːldrn] *n* chaudron *m*.

cause [kɔːz] *n* cause *f,* motif *m,* raison *f; have* ~ *for,* avoir lieu de ; *make common* ~ *with,* faire cause commune avec ‖ JUR. cause *f,* procès *m* ● *vt* causer, provoquer, occasion-ner, produire ‖ faire ; ~ *sb to do sth,* faire faire qqch à qqn.

causeway [ˈkɔːzwei] *n* chaussée *f*.

caustic [ˈkɔːstik] *adj* caustique.

caution [ˈkɔːʃn] *n* précaution, pru-dence *f* (wariness) ‖ avertissement *m,* mise *f* en garde (warning) ‖ JUR. *money,* cautionnement *m* ● *vt* avertir, mettre qqn en garde.

cautious [ˈkɔːʃəs] *adj* prudent, cir-conspect ‖ **~ly** *adv* avec circonspec-tion, prudemment.

caval|**cade** [ˌkævlˈkeid] *n* cavalcade *f* ‖ **~ry** [ˈkævlri] *n* cavalerie *f*.

cave [keiv] *n* caverne *f;* grotte *f* ● *vi* ~ *in,* s'effondrer.

caviar(e) [ˈkæviɑː] *n* caviar *m*.

cavil [ˈkævil] *vi* ergoter, chicaner (*at, sur*) ‖ **~ler** *n* chicaneur *m*.

caving [ˈkeiviŋ] *n* spéléologie *f*.

cavity [ˈkæviti] *n* cavité *f*.

cavort [kəˈvɔːt] *vi* U.S., COLL. cara-coler, faire des cabrioles.

caw [kɔː] *n* croassement *m* ● *vi* croasser.

cayenne [keiˈen], ~ **pepper** [ˈkeienˈpepə] *n* poivre *m* de Cayenne.

CD [ˌsiːˈdiː] *n* = COMPACT DISC.

cease [siːs] *vi* cesser (*from,* de) — *vt* cesser ● *n without* ~, sans cesse ‖ **~-fire** *n* cessez-le-feu *m* ‖ **~less** *adj* incessant, ininterrompu ‖ **~lessly** *adv* sans cesse.

cedar [ˈsiːdə] *n* cèdre *m*.

cede [siːd] *vt* céder, concéder.

ceiling [ˈsiːliŋ] *n* ARCH., AV. plafond *m* ‖ **~-light** *n* plafonnier *m*.

celebr|**ate** [ˈselibreit] *vt* célébrer, fêter ‖ **~ated** [-eitid] *adj* célèbre ‖ **~ation** [ˌseliˈbreiʃn] *n* fête *f* ‖ **~ity** [siˈlebriti] *n* célébrité *f* (fame, person).

celeriac [səˈleriæk] *n* céleri-rave *m*.

celerity [siˈleriti] *n* célérité *f*.

celery [ˈseləri] *n* céleri *m*.

celestial [siˈlestjəl] *adj* céleste.

celibacy [ˈselibəsi] *n* célibat *m*.

cell [sel] *n* ZOOL., MED., JUR., POL. cellule *f* ‖ MED. *white blood* ~, globule blanc ‖ ELECTR. élément *m* ; *photo-electric* ~, cellule *f* photo-électrique ; *dry* ~, pile sèche ; *fuel* ~, pile *f* à combustible.

cellar [ˈselə] *n* cave *f,* cellier *m* ‖ **~-window** *n* soupirail *m*.

cell|**ist** [ˈtʃelist] *n* violoncelliste *n* ‖ **~o** [-əu] *n* violoncelle *m*.

cellophane [´seləfein] n T.N. Cellophane f.

cellphone [´selfəun] n → CELLULAR (TELE)PHONE.

cellular [´seljulə] adj ANAT. cellulaire ‖ TEL., AUT. ~ *(tele)phone,* radiotéléphone m.

Celsius [´selsiəs] n = CENTIGRADE.

cement [si´ment] n ciment m ● vt cimenter.

cemetery [´semitri] n cimetière m.

censer [´sensə] n encensoir m.

cens|or [´sensə] n censeur m ● vt censurer ‖ ~**orious** [sen´sɔ:riəs] adj pointilleux, dénigreur ‖ ~**ure** [´senʃə] n censure f ● vt blâmer, critiquer.

census [´sensəs] n recensement m.

cent [sent] n *per* ~, pour cent.

centen|arian [¸senti´neəriən] n centenaire n ‖ ~**ary** [sen´ti:nəri] adj/n centenaire (m).

center [´sentə] n U.S. centre m.

cent|esimal [sen´tesiml] adj centésimal ‖ ~**igrade** [´sentigreid] adj centigrade ‖ ~**imetre** [´senti¸mi:tə] n centimètre m.

centr|al [´sentrl] adj central ; ~ *heating,* chauffage central ‖ FIG. important, principal ● n U.S. central m téléphonique ‖ ~**alize** [´sentrəlaiz] vt centraliser.

centre [´sentə] n centre m ; *off* ~, décentré ; ~ *of gravity,* centre de gravité ; ~ *of attraction,* point m de mire ‖ *shopping* ~, centre commercial ● vt centrer ‖ PHOT. cadrer ‖ FIG. concentrer ‖ ~**-board** n NAUT. dérive f ‖ ~**-forward** n SP. avant m centre.

century [´sentʃəri] n siècle m.

ceramic [si´ræmik] adj céramique ‖ ~**s** [-s] n céramique f.

cereal [´siəriəl] n céréale f.

cerebral [´seribrl] adj cérébral.

ceremon|ial [¸seri´məunjəl] n cérémonial m ‖ ~**ious** [-´məunjəs] adj cérémonieux ‖ ~**y** [´serim);ni] n cérémonie f ; *without* ~, sans façon.

cert [sə:t] n SL. certitude f ; *it's a dead* ~, ça ne fait pas un pli, c'est couru, c'est du tout cuit (fam.).

certain [´sə:tn] adj certain (sure) ; *for* ~, avec certitude, à coup sûr ; *make* ~, vérifier ; s'assurer de ‖ (reliable) ‖ certain, quelconque (undetermined) ‖ ~**ly** adv certainement, sûrement, indiscutablement ; ~ *not !,* sûrement pas ! ‖ ~**ty** n certitude, assurance f ; *for a* ~, à coup sûr.

certificate [sə´tifikit] n certificat m ; *medical* ~, certificat médical ‖ [school] diplôme m.

cert|ify [´sə:tifai] vt certifier, déclarer ‖ JUR. légaliser ‖ COMM. garantir ‖ FIN. *certified cheque,* chèque certifié ‖ ~**itude** [-itju:d] n certitude f.

cessation [se´seiʃn] n cessation f.

cesspool [´sespu:l] n fosse f d'aisance.

Chad [tʃæd] n Tchad m ‖ ~**ian** adj/n tchadien.

chafe [tʃeif] vt frictionner ‖ frotter contre, irriter –vi s'irriter ‖ FIG. s'impatienter.

chaff[1] [tʃɑ:f] n AGR. balle f.

chaff[2] n COLL. (teasing) taquinerie f ● vt taquiner ; blaguer (fam.) (sb, qqn).

chaffinch [´tʃæfinʃ] n ZOOL. pinson m.

chafing-dish [´tʃeifiŋdiʃ] n chauffe-plats m inv.

chagrin [´ʃægrin] n contrariété f.

chain [tʃein] n chaîne f ‖ *pull the* ~, tirer la chasse d'eau ‖ *Pl* entraves fpl ● vt enchaîner ‖ ~**-reaction** n réaction f en chaîne ‖ ~**-saw** n tronçonneuse f ‖ ~**-smoke** vi fumer cigarette sur cigarette ‖ ~**-store** n magasin m à succursales multiples.

chair [tʃeə] n chaise f, siège m ; *(arm-)* ~, fauteuil m ‖ fauteuil présidentiel ; *take the* ~, prendre la présidence ; *leave the* ~, lever la séance || [University] chaire *f* ● *vt* présider.

chair lift *n* télésiège *m*.

chair|man ['-mən] *n* président *m* || **~manship** *n* présidence *f* || **~woman** *n* présidente *f*.

chalet ['ʃælei] *n* chalet *m* (in the mountain) ; bungalow *m* (in a camp).

chalk [tʃɔːk] *n* craie *f* || calcaire *m* (limestone) ● *vt* marquer à la craie || ~ **out**, FIG. tracer || ~ **up**, inscrire ; ~ *it up* !, mettez-le sur mon compte ! || **~y** *adj* crayeux, calcaire.

challeng|e ['tʃælinʒ] *n* défi *m*, provocation *f* ; *take up the* ~, relever le défi || MIL. sommation *f* ● *vt* défier, provoquer || contester, mettre en doute, remettre en question (question) || MIL. faire une sommation à || JUR. récuser (a juror) || **~er** *n* provocateur *m* || SP. challenger *m* || **~ing** *adj* stimulant, intéressant || fascinant.

chamber ['tʃeimbə] *n* [arch.] chambre *f* (bedroom) ; salle *f* (room) || POL., U.S. chambre *f* (parliament) || JUR. ~ *of commerce*, chambre *f* de commerce || *Pl* logement *m* ; JUR. cabinet *m* de magistrat || **~maid** *n* femme *f* de chambre || **~-music** *n* musique *f* de chambre || **~-pot** *n* pot *m* de chambre.

chamois ['ʃæmwɑː] *n* chamois *m* ; ~ *leather*, peau *f* de chamois.

champ [tʃæmp] *vi* mâcher ; ~ *(at) the bit*, ronger son frein.

champagne [ʃæm'pein] *n* champagne *m*.

champion ['tʃæmpjən] *n* champion *m* ● *vt* défendre, soutenir || **~ship** *n* championnat *m*.

chance [tʃɑːns] *n* hasard *m* ; *by* ~, par hasard ; *take one's* ~, courir sa chance || possibilité *f* || occasion *f* (off) ~ *of*, au cas où || occasion *f* ; *the* ~*s are that...*, il y a des chances que... ; *stand a* ~ *of*, avoir des chances de || risque *m* ; *take* ~*s*, courir des risques ; *take no* ~*s*, jouer serré ● *adj*

fortuit, accidentel, aléatoire ● *vt* risquer — *vi* arriver par hasard ; *it* ~*d that*, il se trouva que || ~ **upon**, rencontrer par hasard.

chancel ['tʃɑːnsəl] *n* chœur *m* (part of a church).

chancellor ['tʃɑːnsələ] *n* chancelier *m* (in courts, universities).

chancy ['tʃænsi] *adj* COLL. hasardeux, risqué.

chandelier [ʃændi'liə] *n* lustre *m*.

chandler ['tʃɑːndlə] *n* marchand *n* de couleurs, droguiste *n* ; *ship's* ~, shipchandler, marchand *m* de fournitures pour bateaux.

change [tʃeinʒ] *n* changement *m* ; *make a* ~, apporter un changement ; *for a* ~, pour changer || linge *m* de rechange (of clothes) || FIN. monnaie *f* ; *small* ~, petite monnaie ; **get (some)** ~, faire de la monnaie ; **give** ~ *for £ 10*, rendre la monnaie sur 10 livres ; *no* ~ *given*, on est tenu de faire l'appoint || MED. ~ *of life*, retour *m* d'âge || TH. ~ *of scene*, changement de décor || FIG. changement d'air ● *vt* changer de (clothes, sides, places) ; ~ *one's mind*, changer d'avis || transformer (in, en) ; ~ *for the better*, s'améliorer || RAIL. changer de train ; *all* ~ !, tout le monde descend ! || MIL. relever (the guard) — *vi* changer, se modifier || se changer (change one's clothes) || AUT. ~ **down**, rétrograder ; ~ **up**, monter les vitesses || **~ability** [-ə'biliti] *n* inégalité *f* d'humeur || **~able** *adj* variable (weather) || changeant, versatile (temper) || **~less** *adj* immuable.

changing ['tʃeinʒiŋ] *n* MIL. ~ *of the guard*, relève *f* de la garde || **~-room** *n* vestiaire *m*.

channel ['tʃænl] *n* [river] chenal *m* || [sea] bras *m* de mer || GEOGR. **the (English) Channel**, la Manche ; *the Channel Islands*, les îles Anglo-Normandes || RAD., T.V. canal *m*, chaîne *f* || FIG. voie *f* (hiérarchique) ; *go through the usual* ~*s*, suivre la filière

‖ **-hop** vi T.V. zapper, faire du zapping.

chant [tʃɑːnt] n mélopée f ● vt psalmodier.

chanty ['tʃɑːnti] n chanson f de marins.

chao|s ['keiɔs] n chaos m ‖ COLL. pagaille f (fam.) ‖ **~tic** [keˈɔtik] adj chaotique.

chap¹ [tʃæp] n gerçure, crevasse f ● vt/vi (se) gercer, (se) crevasser.

chap² n individu m ‖ COLL. type, garçon m ; old ~, mon vieux.

chap³ n (or chop) Pl babines fpl (of an animal) ‖ bajoues fpl (of cheeks).

chapel ['tʃæpl] n chapelle f.

chaperon ['ʃæpərəun] n chaperon m ● vt chaperonner.

chaplain ['tʃæplin] n aumônier m.

chaplet ['tʃæplit] n guirlande f (of leaves) ‖ REL. chapelet m.

chapter ['tʃæptə] n chapitre m ‖ REL. chapitre m.

char¹ [tʃɑː] vt/vi (se) carboniser.

char² vt faire des ménages ● n COLL. = CHARWOMAN.

character ['kærɪktə] n caractère m, nature f ‖ force morale, volonté f (fortitude) ‖ réputation f ; good/bad ~, bonne/mauvaise réputation ‖ certificat m, attestation f (reference) ‖ personnalité f, personnage m (in a novel) ‖ TECHN. caractère m, lettre f ‖ COLL. type, individu m ‖ **~istic** [ˌkærɪktəˈristik] adj caractéristique ● n caractéristique f ; trait m ‖ **~ize** ['kærɪktəraiz] vt caractériser.

charcoal ['tʃɑːkəul] n charbon m de bois ‖ ARTS fusain m.

charg|e [tʃɑːdʒ] n charge, responsabilité, fonction f ; in ~ of, aux soins de ; the man in ~, le responsable ; take ~ of, se charger de ; be in ~ of, avoir la responsabilité de ; avoir la garde de, s'occuper de (child, etc.) ‖ [person] personne f dont on a la charge : malade, élève n, etc. ‖ COMM., FIN. prix m ; free of ~,

gratuit ; bank ~s, agios mpl ‖ JUR. accusation f ‖ ELECTR. charge f ‖ [explosive] charge f ‖ MIL. attaque f ● vt charger (with, de) [entrust] ‖ ELECTR. charger ‖ JUR. accuser (sb) ‖ FIN. porter au compte de, imputer ; prélever (une commission) ; COMM. facturer ; prendre, faire payer ‖ MIL. charger — vi se précipiter ; foncer (fam.) [on, sur] ‖ ELECTR. se charger ‖ **~eable** adj [expenses] be ~ to, être à la charge de (sb, qqn) ‖ be ~ with, être responsable de, être accusé de ‖ **~er** n TECHN. chargeur m (of battery).

char|itable ['tʃærɪtəbl] adj charitable ‖ de bienfaisance (institution) ‖ **~ity** n charité f ; acte m de charité ‖ charité, générosité f (alms) ‖ œuvre f de bienfaisance (society).

charlatan ['ʃɑːlətn] n charlatan m.

charm [tʃɑːm] n charme m, séduction f ‖ charme m (magic) ● vt charmer, ensorceler ‖ **~ing** adj charmant, ravissant, enchanteur.

chart [tʃɑːt] n NAUT. carte marine ‖ TECHN. graphique m ; diagramme m ‖ Pl the ~s, le palmarès/hit parade ● vt porter sur une carte ; établir un graphique de.

charter ['tʃɑːtə] n charte f ‖ AV. ~ flight, charter m ● vt AV. affréter.

chartered accountant [-təd] n expert comptable m.

charwoman ['tʃɑːˌwumən] n femme f de ménage.

chary ['tʃɛəri] adj prudent, circonspect (cautious) ; be ~ of, hésiter à ‖ avare, chiche (stingy).

chase [tʃeis] vt chasser, pourchasser ● n chasse, poursuite f ; give ~, donner la chasse ‖ SP. chasse f (hunting) ; gibier chassé (game) ; butterfly ~, chasse aux papillons.

chasm ['kæzm] n crevasse f ; abîme, gouffre m.

chassis ['ʃæsi] n châssis m.

chast|e [tʃeist] adj chaste, pur ‖ dépouillé (style) ‖ **~en** [tʃeisn] vt

châtier, corriger ‖ ~**ise** [tʃæs'taiz] vt
châtier ‖ ~**isement** ['tʃæstizmənt] n
châtiment m ‖ ~**ity** ['tʃæstiti] n
chasteté f.

chat [tʃæt] n causette f ‖ COLL. have
a ~, faire un brin de causette ● vi
causer, bavarder — vt COLL. ~ **up**,
baratiner (a girl).

chatter ['tʃætə] n bavardage m ● vi
[birds] jacasser ‖ [persons] papoter ‖
[teeth] claquer.

chauffeur ['ʃəufə] n AUT. chauffeur
m (de maître).

chauvin ['ʃəuvinist] n chauvin n
‖ **male** ~, phallocrate m.

cheap [tʃi:p] adj bon marché ; à prix
réduit (ticket) ; on the ~, au rabais ;
dirt ~, à vil prix ; ~**er**, meilleur
marché ; de qualité médiocre ; ~
goods, camelote f ‖ FIG. **hold sth** ~,
faire peu de cas de ; **make oneself** ~,
se déprécier ‖ COLL. **feel** ~, ne pas
être dans son assiette (ill) ; se sentir
honteux (ashamed) ‖ ~**en** vt diminuer la valeur de ‖ FIG. déprécier,
amoindrir ‖ ~**ly** adv (à) bon marché,
à bas prix ‖ FIG. à peu de frais ‖
~**ness** n bon marché ‖ FIG. médio-
crité f.

cheat [tʃi:t] vt escroquer (swindle) ;
tromper (deceive) ‖ tricher (at cards)
‖ frauder (the customs) ● n escroquerie f (fraud) ; escroc m (person) ‖
[cards] tricherie f ; tricheur n (person)
‖ [school] copieur n.

check[1] [tʃek] vt faire échec à (in
chess) ; mettre en échec ‖ refouler
(tears) ‖ réfréner (passion) ‖ contenir
(enemy) ‖ arrêter (an attack) ‖ vérifier
(an account) ‖ AUT. ~ **the air**, vérifier
les pressions ‖ U.S. mettre au vestiaire (in cloakroom) ‖ RAIL. faire
enregistrer (luggage) ; mettre à la
consigne (left luggage) ‖ ~ **off**,
pointer ‖ ~ **up**, contrôler — vi ~ **in**,
arriver à (hotel) ‖ AV. se présenter à
l'enregistrement ‖ ~ **out**, quitter
(hotel), régler sa note ● n échec,
revers m ‖ échec m (in chess) ‖
contrôle m, vérification f ‖ marque f

de contrôle ‖ ticket, jeton m ‖ U.S.
[restaurant] addition f ‖ TH. contre-
marque f ‖ RAIL. bulletin m de
consigne ‖ FIG. frein, obstacle m,
restriction f ; **hold in** ~, tenir en
échec ‖ ~**-list** n liste f de pointage
‖ ~**-mate** n [chess] échec et mat
● vt faire échec et mat à ‖ ~**-point**
n contrôle m ‖ ~**-room** n U.S.
vestiaire m ; RAIL. consigne f ‖
~**-taking** n TH. contrôle m ‖ ~**-up**
n contrôle m ‖ MED. bilan m de santé.

check[2] n FIN., U.S. chèque m ‖
~**ing account** n U.S. compte courant.

check[3] n [pattern] damier m ‖ tissu
m à carreaux.

checker ['tʃekə] n vérificateur n ‖
U.S. = CHEQUER ‖ Pl U.S. jeu m de
dames ; U.S. ~**board**, damier m.

check|-in n AV. enregistrement m ‖
~**out** n [supermarket] caisse f.

cheek [tʃi:k] n joue f ‖ FIG. toupet,
culot m ; **what** a ~ !, quel culot !
‖ ~**-bone** n pommette f ‖ ~**y** adj
effronté, culotté (fam.).

cheer [tʃiə] n gaieté f, bonne humeur
‖ **good** ~, bonne chère (food) ‖ Pl
acclamations fpl, vivats mpl ‖ COLL.
~**s** ! santé !, à la vôtre ! ● vt ~ (**up**),
réconforter, encourager, acclamer —
vi pousser des vivats ; ~ **up**, se
réjouir ; reprendre courage ‖ ~**ful**
adj gai, de bonne humeur (person) ;
riant, attrayant (thing) ‖ ~**fully** adv
gaiement, allégrement, de bon cœur
‖ ~**fulness** n, gaieté, allégresse f ‖
~**io** ['tʃiəri'əu] exclam ~ !, au revoir !
‖ ~**less** adj abattu, morne (person),
triste, déprimant (thing).

cheese [tʃi:z] n fromage m ; cottage
~, fromage blanc ; cream ~, petit-
suisse ; goat's milk ~, fromage de
chèvre ‖ U.S. Swiss ~, gruyère m ●
vt SL. be ~d off, en avoir marre (fam.)
‖ ~**-paring** n économie f de bouts
de chandelle.

cheetah ['tʃi:tə] n guépard m.

chem|ical ['kemikl] adj chimique ●

n produit *m* chimique ‖ **~ically** [-ikli] *adv* chimiquement ‖ **~ist** *n* chimiste *n* ‖ MED. pharmacien *n*; **~'s shop,** pharmacie *f* ‖ **~istry** [-istri] *n* chimie *f*; *inorganic ~,* chimie minérale.

cheque [tʃek] *n* chèque *m*; *a ~ for 50 £,* un chèque de 50 livres; *write a ~,* faire un chèque; *crossed ~,* chèque barré ‖ **~-book** *n* carnet *m* de chèques, chéquier *m*.

chequer ['tʃekə] *n* quadrillage, damier *m* ● *vt* quadriller ‖ **~ed** [-d] *adj* quadrillé, à carreaux ‖ FIG. varié; mouvementé (life).

cherish ['tʃeriʃ] *vt* chérir, veiller sur ‖ FIG. entretenir (feelings); nourrir (hope).

cherry ['tʃeri] *n* cerise *f* ‖ **~-tree** *n* cerisier *m*.

chervil ['tʃə:vil] *n* cerfeuil *m*.

chess [tʃes] *n* échecs *mpl*; *play ~,* jouer aux échecs ‖ **~-board** *n* échiquier *m* ‖ **~-man** *n* pièce *f*; pion *m* ‖ **~-set** *n* jeu *m* d'échecs.

chest [tʃest] *n* poitrine *f*; coffre *m* ‖ **~ of drawers** commode *f*.

chestnut ['tʃesnʌt] *n* marron *m*; châtaigne *f*; *horse ~,* marron d'Inde ● *adj* châtain (hair) ‖ alezan (horse) ‖ **~-tree** *n* châtaignier *m*.

chew [tʃu:] *vt* mâcher (food) ‖ chiquer (tobacco) ‖ ZOOL. *~ the cud,* ruminer ‖ COLL. *~ over/upon,* ruminer; gamberger (fam.) ‖ SL. *~ in the rag,* râler (fam.) ‖ **~ing** *n* mastication *f*; **~-gum,** chewing-gum *m*.

chic [ʃik] *adj* chic.

chick [tʃik] *n* poussin *m* ‖ **~en** [-in] *n* poulet *m* ‖ MED. **~-pox,** varicelle *f* ‖ FIG. **~-hearted,** froussard *n*, poule mouillée.

chicory ['tʃikəri] *n* chicorée *f* (in coffee) ‖ endive *f* (salad).

chid → CHIDE.

chide [tʃaid] *vt* (chid [tʃid], chidden [tʃidn] *or* chid; *also regular*) gronder, réprimander (scold).

chief [tʃi:f] *n* chef *m* ● *adj* principal, essentiel ‖ **~ly** *adv* principalement ‖ **~tain** [-tən] *n* chef (of a clan).

chilblain ['tʃilblein] *n* engelure *f*.

child, ren [tʃaild, 'tʃildrən] *n* enfant *m/f*; **~'s play,** jeu *m* d'enfant, enfance *f* de l'art ‖ **~-bearing** *n* maternité *f* ‖ **~birth** *n* accouchement *m* ‖ **~hood** *n* enfance *f* ‖ **~ish** *adj* enfantin, puéril ‖ **~like** *adj* d'enfant, pur.

children → CHILD.

Chile ['tʃili] *n* Chili *m* ‖ **~an** *adj/n* chilien.

chill [tʃil] *n* froid *m*; *take the ~ off,* faire tiédir; chambrer ‖ MED. refroidissement *m*; *catch a ~,* prendre froid ‖ FIG. *cast a ~,* jeter un froid ● *adj* froid ● *vi/vt* refroidir, rafraîchir; *~ed to the bone,* transi, glacé, frigorifié ‖ **~y** *adj* froid, frisquet ‖ frileux (person) ‖ FIG. glacial.

chil(l)i [tʃili] *n* piment *m*.

chime [tʃaim] *n* carillon *m*; *ring the ~s,* carillonner ● *vt* faire sonner (bells) — *vi* carillonner ‖ **~ in,** faire chorus ‖ **~ in with,** s'accorder, s'harmoniser avec.

chimerical [kai'merikl] *adj* chimérique, fabuleux.

chimney ['tʃimni] *n* cheminée *f* ‖ **~-piece** *n* manteau *m* de cheminée ‖ **~-stack** *n* cheminée *f* d'usine ‖ **~-sweep** *n* ramoneur *m*; fumiste *m*.

chimpanzee [tʃimpən'zi:] *n* chimpanzé *m*.

chin [tʃin] *n* menton *m*; **~-strap,** jugulaire *f*.

china ['tʃainə] *n* porcelaine *f*.

Chin|a *n* Chine *f* ‖ **~ese** [tʃai'ni:z] *adj* chinois ● *n* (*pl inv*) Chinois (person) ‖ chinois *m* (language).

chink¹ [tʃiŋk] *n* fente, lézarde *f*.

chink² *vt/vi* (faire) tinter ● *n* tintement *m*.

chintz [tʃints] *n* chintz *m*.

chip [tʃip] *n* fragment *m,* ébréchure

f ‖ [wood] copeau *m* ; [glass] éclat *m* ‖ jeton *m* de poker ‖ INF. puce *f* (électronique) ‖ *Pl* frites *fpl* ; U.S. chips *fpl* ● *vt* ébrécher ‖ **~-board** *n* TECHN. aggloméré *m* ‖ **~ping** *n* gravillon *m* ; [roadsign] "*loose ~s*", « attention gravillons ».

chiro|podist [ki'rɔpədist] *n* pédicure *n* ‖ **~practor** [ˌkairə'præktə] *n* chiropracteur *n*.

chirp [tʃəːp] *vi* gazouiller, pépier ● *n* pépiement, gazouillis *m*.

chisel ['tʃizl] *n* ciseau *m* ; *cold ~*, burin *m* ● *vt* ciseler ‖ COLL. extorquer, soutirer.

chivalrous ['ʃivlrəs] *adj* chevaleresque, courtois.

chive(s) [tʃaiv(z)] *n* ciboulette *f*.

chlor|ate ['klɔːrit] *n* chlorate *m* ‖ **~ide** [-aid] *n* chlorure *m* ‖ **~inate** [-ineit] *vt* javelliser ‖ **~ine** [-iːn] *n* chlore *m* ‖ **~oform** ['klɔrəfɔːm] *n* chloroforme *m* ‖ **~ophyl(l)** ['klɔrəfil] *n* chlorophylle *f*.

choc-ice ['tʃɔkais] *n* Esquimau *m* (N.D.).

chock [tʃɔk] *n* cale *f* ● *vt* caler ‖ COLL. **~ed up,** bondé, plein, bourré ‖ **~-full** *n* = CHOCKED UP.

chocolate ['tʃɔklit] *n* chocolat *m* ; *a ~*, une crotte de chocolat.

choice [tʃɔis] *n* choix *m* ‖ *by ~*, par goût ; *for ~*, de préférence ; *take one's ~*, faire son choix ‖ COMM. variété *f*, choix *m* ● *adj* de choix, de qualité ‖ **~st**, de premier choix.

choir [kwaiə] *n* ARCH. chœur *m* ‖ MUS. chœur *m*, chorale, maîtrise *f* ; *~ master*, chef *m* de chœur ; *~ boy*, petit chanteur.

choke [tʃəuk] *vt* étouffer, étrangler (sb) ‖ obstruer, engorger (sth) — *vi* suffoquer ; s'obstruer ‖ *choked up,* engorgé (pipe) ● *n* AUT. starter *m* ; *pull out the ~*, mettre le starter.

choler|a ['kɔlərə] *n* choléra *m* ‖ **~ic** *adj* rageur.

choose [tʃuːz] *vt* (chose [tʃəuz],

chosen ['tʃəuzn]) choisir ; *as you ~*, à votre gré ; *I cannot ~ but*, je ne peux faire autrement que.

choosy ['tʃuːzi] *adj* COLL. difficile.

chop¹ [tʃɔp] → CHAP³.

chop² *vt* couper, trancher (with an axe) ; *~ off*, trancher ; *~ up*, hacher en morceaux ● *n* coup *m* (de hache) ‖ CULIN. côtelette *f* (pork, mutton) ‖ **~-house** *n* gargote *f*.

chopp|er ['tʃɔpə] *n* hachoir *m* ‖ AV., COLL. hélico *m* (fam.) ‖ **~y** *adj* agité, clapoteux (sea).

chopsticks ['tʃɔpstiks] *npl* baguettes *fpl* (for eating).

choral ['kɔːrl] *adj* *~ society*, chorale *f*.

chord [kɔːd] *n* accord *m*.

chore [tʃɔː] *n* besogne quotidienne ‖ corvée *f* (unpleasant) ‖ *Pl* travaux *mpl* du ménage.

chorister ['kɔristə] *n* choriste *n*.

chorus ['kɔːrəs] *n* chœur *m* ; *in ~*, en chœur ‖ refrain *m* ● *vi* chanter en chœur ‖ **~-girl** *n* girl *f*.

chose, chosen → CHOOSE.

chow [tʃau] *n* MIL., SL. soupe *f*.

Christ [kraist] *n* Christ *m*.

christen ['krisn] *vt* baptiser ‖ COLL. étrenner (thing).

Christendom [-dəm] *n* chrétienté *f*.

christening *n* baptême *m*.

Christian ['kristjən] *adj* chrétien ‖ *~ name*, prénom *m* ‖ **~ity** [ˌkristi-'æniti] *n* christianisme *m*.

Christmas ['krisməs] *n* Noël *m* ; *~ box*, étrennes *fpl* ; *~ present*, cadeau *m* de Noël ; *~ tree*, arbre *m* de Noël.

chrome [krəum] *n* chrome *m* ‖ **~-plated,** chromé.

chronic ['krɔnik] *adj* chronique.

chronicl|e ['krɔnikl] *n* chronique *f* ● *vt* relater, enregistrer ‖ **~er** *n* chroniqueur *n*.

chrono|logical [ˌkrɔnə'lɔdʒikl] *adj* chronologique ‖ **~logy** [krə'nɔlədʒi] *n* chronologie *f* || ~**meter** [krə'nɔ-mitə] *n* chronomètre *m*.

chrysanthemum [kri'sænθəməm] *n* chrysanthème *m*.

chubby ['tʃʌbi] *adj* potelé || ~**-faced** [-'feisd] *adj* joufflu.

chuck [tʃʌk] *vt ~ (away),* COLL. jeter || ~ *out,* flanquer dehors.

chuckle ['tʃʌkl] *vi* glousser, rire sous cape ● *n* ricanement, gloussement *m*.

chum [tʃʌm] *n* COLL. copain *m*, copine *f*; pote *m* (fam.).

chump [tʃʌmp] *n* bloc *m* de bois || SL. imbécile *m*.

chunk [tʃʌŋk] *n* quignon, croûton *m* (of bread) || gros morceau || bloc *m* (of wood).

church [tʃəːtʃ] *n* église *f* || ~**-goer** *n* pratiquant *n* || ~**man** *n* ecclésiastique *m* || ~**tower** *n* clocher *m* || ~**yard** *n* cimetière *m*.

churlish ['tʃəːliʃ] *adj* ronchon, grincheux (grumpy).

churn [tʃəːn] *n* baratte *f* ● *vt* baratter || battre, fouetter, brasser.

chute [ʃuːt] *n* glissière *f* || *(refuse)*, vide-ordures *m inv* || *(river)* rapide *m*.

cicada [si'kɑːdə] *n* cigale *f*.

cider ['saidə] *n* cidre *m* ; ~**-press** *n* pressoir *m*.

cigar [si'gɑː] *n* cigare *m* ; U.S. ~ *store,* bureau *m* de tabac || ~**ette** [sigə'ret] *n* cigarette *f* ; ~**-case,** étui *m* à cigarettes ; ~**-holder,** fume-cigarette *m inv*.

cinch [sintʃ] *n* COLL. *that's a* ~, c'est du tout cuit (sure) [fam.] ; c'est l'enfance de l'art (easy) [fam.].

cinder ['sində] *n* cendre *f* || *burnt to a* ~, brûlé, carbonisé (cake) || ~**-track** *n* piste cendrée.

cine|-camera ['sini'kæmrə] *n* caméra *f* || ~**-film** *n* film *m* || ~**-projector** *n* projecteur *m* de cinéma .

cinema ['sinəmə] *n* cinéma (art, theatre) || ~**-goer** *n* cinéphile *n*.

cinnamon ['sinəmən] *n* cannelle *f*.

cipher ['saifə] *n* chiffre *m* || zéro *m* || code secret, chiffre *m* ; *in* ~, chiffré ● *vt* chiffrer.

circle ['səːkl] *n* cercle *m* || TH. balcon *m*, galerie *f* || *vicious* ~, cercle vicieux || FIG. milieu, groupe *m* ● *vt* encercler — *vi* tournoyer *(about,* autour de).

circuit ['səːkit] *n* circuit *m* ; parcours, tour *m* || TH. tournée *f* || [electronics] *printed* ~, circuit imprimé || ELECTR. *short* ~, court-circuit *m* || ~**-breaker** *n* disjoncteur *m*.

circul|ar ['səːkjulə] *adj* circulaire || ~**ate** [-eit] *vt/vi* (faire) circuler ; *circulating library,* bibliothèque *f* de prêt || ~**ation** [-səːkju'leiʃn] *n* [movement] circulation *f* || [newspaper] tirage *m*.

circum|ference [sə'kʌmfrəns] *n* circonférence *f* || ~**flex** ['səːkəmfleks] *adj* circonflexe (accent) || ~**locution** [-səːkəmlə'kjuʃn] *n* circonlocution *f* || ~**scribe** ['səːkəmskraib] *vt* circonscrire || ~**spect** ['səːkəmspekt] *adj* circonspect, méfiant || ~**spection** [-səːkəm'spekʃn] *n* circonspection, méfiance *f* || ~**stance** ['səːkəmstəns] *n* circonstance *f*, détail *m* || situation financière || *Pl* moyens *mpl* ; *in bad/easy* ~*s,* gêné/à l'aise ; *in no* ~*s,* en aucun cas ; *under these* ~*s,* dans ces conditions || ~**stantial** [-səːkəm'stænʃl] *adj* détaillé || accessoire (incidental) || indirect (evidence) || ~**vent** [-səːkəm'vent] *vt* circonvenir || tourner (law).

circus ['səːkəs] *n* cirque *m* || rond-point *m* (place).

cistern ['sistən] *n* réservoir *m* ; *underground* ~, citerne *f*.

citadel ['sitədl] *n* citadelle *f*.

citation [sai'teiʃn] *n* MIL., JUR. citation *f*.

cite [sait] *vt* citer.

citizen ['sitizn] *n* JUR. ressortissant, citoyen *m* || citadin *m* (townsman) || ~**ship** *n* nationalité, citoyenneté *f*.

city ['siti] *n* (grande) ville, cité *f* ||

~-dweller *n* citadin *m* ‖ **~-hall** *n* hôtel *m* de ville.

civic [´sivik] *adj* civique ‖ **~s** [-s] *npl* instruction *f* civique.

civil [´sivil] *adj* civil, civique (rights) ; **~ defence,** défense passive ; **~ service,** fonction publique ; **~ servant,** fonctionnaire *n* ‖ FIG. courtois, poli ‖ **~ian** [si´viljən] *adj/n* civil ‖ **~ity** [si´viliti] *n* civilité, courtoisie *f* ‖ **~ization** [,sivilai´zeiʃn] *n* civilisation *f* ‖ **~ize** [´sivilaiz] *vt* civiliser.

clad → CLOTHE.

claim [kleim] *n* revendication *f,* titre, droit *m* (to, à) ; **lay ~ to,** prétendre à ‖ **put in a ~,** faire une réclamation (*with,* auprès de) ‖ [insurance] demande *f* d'indemnisation ‖ [mining] concession *f* ● *vt* réclamer, revendiquer ; **~ damages,** réclamer des dommages et intérêts ‖ affirmer, prétendre ‖ **~ant** *n* JUR. prétendant, requérant *n*.

clam [klæm] *n* palourde *f,* clam *m*.

clamber [´klæmbə] *vi* **~ up,** gravir (péniblement) ‖ **~ over,** escalader.

clammy [´klæmi] *adj* humide, moite.

clam|orous [´klæmrəs] *adj* bruyant ‖ **~o(u)r** *n* clameur *f* ● *vi* vociférer ; **~ for,** réclamer à grands cris/à cor et à cri.

clamp [klæmp] *n* crampon *m ;* agrafe *f* ● *vt* fixer, cramponner.

clan [klæn] *n* clan *m*.

clandestine [klæn´destin] *adj* clandestin.

clang [klæŋ] *vi* retentir, résonner ● *n* bruit *m* métallique.

clank [klæŋk] *vi* cliqueter ● *n* cliquetis *m ;* choc *m ;* son fêlé.

clap [klæp] *n* claquement *m* ‖ **~ of thunder,** coup *m* de tonnerre ● *vt* claquer, applaudir — *vi* claquer, se refermer bruyamment ‖ **~trap** *n* boniment, bobard *m*.

claret [´klærət] *n* bordeaux *m*.

clarify [´klærifai] *vt* clarifier ‖ FIG. élucider.

clarinet [,klæri´net] *n* clarinette *f*.

clarity [´klæriti] *n* clarté *f*.

clash [klæʃ] *vi* se heurter, s'entrechoquer ‖ [colours] jurer ‖ [events] **~ with,** tomber le même jour que ● *n* choc, bruit *m* (métallique) ‖ MIL. accrochage *m* ‖ FIG. conflit *m,* opposition *f*.

clasp [klɑːsp] *n* agrafe *f,* fermoir *m* (fastener) ‖ étreinte *f* (embrace) ● *vt* agrafer ‖ étreindre.

class [klɑːs] *n* classe *f* ‖ RAIL. classe *f* ‖ [school] classe *f,* cours *m ; attend a ~,* suivre un cours ‖ *vt* classer ‖ **~ic** [´klæsik] *adj/n* classique (*m*) ‖ **~ical** [-ikl] *adj* classique ‖ **~ification** [,klæsifi´keiʃn] *n* classification ; *f* **~ mark,** cote *f* ‖ **~ify** [´klæsifai] *vt* classer, classifier ‖ **~-mate** *n* camarade *n* de classe ‖ **~-room** *n* salle *f* de classe ‖ **~-struggle** *n* lutte *f* des classes ‖ **~y** *adj* SL. chic, de luxe ; superchic (fam.).

clatter [´klætə] *n* fracas, vacarme *m* ● *vi* s'entrechoquer.

clause [klɔːz] *n* JUR. clause *f* ‖ GRAMM. proposition *f*.

clavicle [´klævikl] *n* clavicule *f*.

claw [klɔː] *n* [tiger] griffe *f* ‖ [bird of prey] serre *f* ‖ [crab] pince *f* ● *vt* griffer (scratch).

clay [klei] *n* argile, glaise *f* ‖ **~ pigeon** *n* pigeon d'argile.

clean [kliːn] *adj* propre, net ; **~ copy,** texte *m* au net ‖ FIG. pur ● *adv* totalement ; **~-shaven,** rasé de près ● *vt* nettoyer ‖ brosser (teeth) ‖ cirer (shoes) ‖ CULIN. éplucher (vegetables) ‖ AGR. désherber ‖ **~ out,** nettoyer à fond, lessiver ; FIG. mettre à sec ‖ **~ up,** nettoyer (à fond) [room] ‖ **~-cut** *adj* net, clair ‖ bien propre, net (person) ‖ **~er** *n* laveur *n* ‖ détachant *m* (product) ‖ teinturier *n* (person) ; **~'s** teinturerie *f*.

cleaning n nettoyage m ‖ ~ **woman** n femme f de ménage.

cleanliness [ˈklenlinis] n propreté f.

cleanly¹ [kliːnli] adv proprement.

cleanly² [ˈklenli] adj propre.

cleanse [klenz] vt nettoyer (skin) ; désinfecter (wound).

clear [kliə] adj clair, lumineux (bright) ‖ clair (audible) ; sonore (resonant) ‖ clair, évident (obvious) ‖ sûr (certain) ‖ clair, compréhensible (easily understood) ; **make sth ~**, faire comprendre qqch ; am I ~ ?, est-ce que je me fais bien comprendre ? ‖ lucide (mind) ‖ libre, dégagé (way) ‖ MIL. all ~, fin f d'alerte ‖ délivré ; libre (from debt, etc.) ‖ sûr, certain (confident) ‖ entier, complet ; for two ~ days, pendant deux journées entières ‖ FIN. net (profit) ● adv clair, net ; clairement ‖ à l'écart ; **stand ~**, se tenir à distance (of, de) ; **keep ~ of**, éviter ● vt débarrasser ‖ ~ **the table**, débarrasser la table ‖ dégager, déblayer (way) ‖ faire évacuer (room) ‖ franchir (leap over) ‖ liquider (goods) ‖ ~ (through customs) dédouaner ‖ compenser (cheque) ; solder (account) ‖ COMM. liquider (goods) ‖ INF. effacer ‖ JUR. disculper ‖ ~ **away**, enlever ; débarrasser (table) ‖ ~ **off**, décamper, filer (fam.) ‖ ~ **out**, nettoyer à fond ; se débarrasser de ‖ ~ **up**, ranger, mettre en ordre ; FIG. élucider — vi (sky) se dégager ; (weather) se lever ‖ COLL. ~ **out**, filer, décamper.

clear-cut adj net (outline) ‖ précis, nettement défini (plans).

clearance [ˈkliərns] n dégagement m, espace m libre ‖ [customs] dédouanement m ‖ [cheque] compensation f ‖ COMM. ~ **sale**, soldes mpl, braderie f.

clearing [ˈkliəriŋ] n [weather] éclaircie f ‖ [way] dégagement, déblaiement m ‖ AGR. défrichement m (of a field) ‖ clairière f (in a forest) ‖ NAUT. dédouanement m ‖ COMM. liquidation f ; compensation f (of a cheque) ; ~ **house**, chambre f de compensation.

clear|ly [ˈkliəli] adv clairement, distinctement ‖ ~**ness** n clarté f (brightness) ‖ netteté f (of outlines) ‖ limpidité f (of water) ‖ FIG. lucidité f (of mind) ‖ ~**-sighted** adj clairvoyant.

clearway [ˈkliəwei] n G.B. route f à stationnement interdit.

cleavage [ˈkliːvidʒ] n clivage m ‖ FIG. scission f.

cleav|e¹ [kliːv] vi/vt (p.t. clove [kləuv], cleft [kleft] or cleaved [kliːvd] ; p.p. cleft or cloven [ˈkləuvn] (se) fendre ‖ ~**er** [-ə] n couperet m.

cleave² vi (regular) [arch.] adhérer, s'attacher (to, à).

clef [klef] n MUS. clef f.

cleft [kleft] → CLEAVE ● adj fendu, fourchu ‖ COLL. in a ~ **stick**, dans une impasse ● n fente, crevasse, fissure f.

clem|ency [ˈklemənsi] n clémence f ‖ ~**ent** adj clément.

clench [klenʃ] vt serrer (one's fists) ‖ empoigner (sth).

clergy [ˈkləːdʒi] n clergé m ‖ ~**man** n ecclésiastique m ‖ pasteur m.

clerical [ˈklerikl] adj clérical ; de copiste ; ~ **error**, erreur matérielle ; ~ **work**, travail m de bureau.

clerk [klɑːk] n employé n, commis m ‖ U.S. vendeur m ‖ **town-**~, secrétaire m de mairie.

clever [ˈklevə] adj intelligent, astucieux, doué (person) ‖ habile, ingénieux (action) ‖ ~**ly** adv habilement, intelligemment ‖ ~**ness** n habileté, adresse, ingéniosité f.

clew [kluː] → CLUE.

cliché [ˈkliːʃei] n cliché, poncif m.

click [klik] n bruit m de déclic ‖ TECHN. cliquet m ● vi cliqueter ‖ COLL. réussir ; ~ **with**, taper dans l'œil à (sexually).

client [ˈklaiənt] n client n (of a lawyer).

cliff [klif] *n* falaise *f ;* rocher *m* à pic ‖ ~**hanger** *n* RAD., T.V. feuilleton *m* à suspense ‖ FIG. suspense *m* ‖ ~**road** *n* (route *f* en) corniche *f*.

climate [ˈklaimit] *n* climat *m*.

climax [ˈklaimæks] *n* point culminant ‖ comble, sommet, apogée *m* ‖ [sexual] orgasme *m,* jouissance *f.*

climb [klaim] *vt* monter (stairs) ; gravir (slope) ; escalader ; faire l'ascension de (a mountain) ‖ *vi* grimper ‖ Av. prendre de la hauteur ‖ ~ *down,* descendre ‖ COLL. se dégonfler ● *n* ascension, montée *f* ‖ ~**er** *n* alpiniste *n* ‖ BOT. plante grimpante ‖ COLL. arriviste *n* ‖ ~**ing** *n* ascension, escalade *f.*

clinch [klinʃ] *vt* TECHN. river ‖ FIG. conclure (a bargain) ; clore (an argument) — *vi* [boxing] s'accrocher ● *n* [boxing] accrochage *m.*

cling [kliŋ] *vi* (clung [klʌŋ]) s'accrocher, se cramponner (to, à) ‖ FIG. rester attaché à.

clinic [ˈklinik] *n* clinique *f ;* dispensaire *m.*

clink [kliŋk] *n* cliquetis *m* ‖ tintement *m* ● *vi* tinter — *vt* ~ *glasses,* trinquer ‖ ~**er** *n* mâchefer *m.*

clip¹ [klip] pince, attache *f* ‖ clip *m* (jewel) ‖ [gun] chargeur *m.*

clip² *vt* couper (hair) ; tailler (hedge) ; tondre (dog) ‖ poinçonner (ticket) ‖ ~**pers** *npl* tondeuse *f* ‖ ~**ping** *n* tonte *f* (of sheep) ‖ taille *f* (of hair) ‖ U.S. coupure *f* de presse ‖ *Pl* rognures *fpl.*

clique [kliːk] *n* clique, coterie *f.*

cloak [kləuk] *n* cape *f* ‖ FIG. voile, masque *m* ● *vt* recouvrir, voiler, masquer ‖ ~**room** *n* vestiaire *m* ‖ RAIL. consigne *f.*

clock [klɔk] *n* horloge, pendule *f* ‖ *round the* ~, 24 heures sur 24 ‖ AUT. compteur *m* ‖ ~ *in/out,* pointer à l'arrivée/à la sortie ‖ ~**radio** n radio-réveil *m* ‖ ~**wise** *adv* dans le sens des aiguilles d'une montre ; *counter-*~, dans le

sens contraire... ‖ ~**work** *n* mouvement *m* d'horlogerie ● *adj* mécanique (toy).

clod [klɔd] *n* motte *f* (de terre).

clog¹ [klɔg] *vt* boucher, engorger, obstruer (pipe) ‖ FIG. encombrer.

clog² *n* galoche *f ;* sabot *m* (shoe).

cloister [ˈklɔistə] *n* cloître *m.*

close¹ [kləuz] *vt* fermer, clore ‖ RAD. ~*d circuit T.V.,* télévision *f* en circuit fermé ‖ FIG. terminer, conclure (end) ; serrer (the ranks) ‖ [road sign] ~*d to,* interdit à ‖ ~ *down,* fermer définitivement (factory) — *vi* ~ *down,* RAD. terminer l'émission ‖ ~ *in,* [days] raccourcir ; [night] tomber ; MIL. cerner (on *sb,* qqn) ‖ ~ *up,* [persons] se serrer ● *n* clôture *f* ‖ conclusion, fin *f; draw to a* ~, se terminer, prendre fin.

close² [kləus] *adj* clos, fermé (shut) ‖ renfermé (air) ‖ lourd (weather) ‖ étroit (space, relations, examination) ‖ serré (writing, order) ‖ MIL. rapproché (combat) ‖ SP. ~ *season,* période *f* de fermeture de la chasse/pêche ‖ FIG. fermé (club) ; intime (friend) ; rapproché (interval) ; fidèle (resemblance) ; étroit (attention) ; minutieux (examination) ; serré (reasoning, translation) ; secret (person) ; *keep* ~, se cacher ● *adv* étroitement, de près (tightly) ‖ ~ *by/to,* tout près de ‖ ~ *upon sixty,* friser la soixantaine ● *n* enclos *m* ‖ ~**-cropped** [-krɔpt] *adj* ras (hair) ‖ ~**-fitting** *adj* ajusté, près du corps ‖ ~**ly** *adv* étroitement, de près, attentivement ‖ ~**ness** *n* proximité *f* ‖ intimité *f* (friendship) ‖ fidélité *f* (of translation) ‖ ~**-up** *n* PHOT. gros plan.

closet [ˈklɔzit] *n* U.S. placard *m,* penderie *f.*

closure [ˈkləuʒə] *n* JUR. clôture *f.*

clot [klɔt] *n* caillot *m* (blood) ● *vi* [blood] se coaguler ‖ [milk] se cailler.

cloth [klɔθ] *n* drap *m* (linen) ‖ toile, étoffe *f* (fabric) ; tissu *m* (woollen) ‖

torchon *m* (for cleaning) ‖ (*table-~*) nappe *f*; **lay the ~**, mettre la nappe/le couvert ‖ REL. soutane *f*; FIG. clergé *m*.

clothe [kləuð] *vt* (clothed [kləuðd]; [arch.] clad [klæd]) habiller, vêtir.

clothes [kləuðz] *npl* habits *mpl*; vêtements *mpl* ‖ *in plain ~*, en civil ‖ *put on one's ~*, s'habiller ‖ *take off one's ~*, se déshabiller ‖ **~-basket** *n* corbeille *f* à linge ‖ **~-brush** *n* brosse *f* à habits ‖ **~-line** *n* corde *f* à linge ‖ **~-peg**/U.S. **-pin** *n* pince *f* à linge.

cloth|ier [ˈkləuðiə] *n* COMM. drapier *m*; marchand *n* de vêtements de confection ‖ **~ing** *n* habillement *m*; vêtement(s) *m(pl)*.

cloud [klaud] *n* nuage *m*, nuée *f* ‖ buée *f* (on a mirror) ‖ FIG. nuée ‖ COLL. *in the ~*, dans les nuages ‖ FIG. *under a ~*, en disgrâce ● *vt* couvrir (de nuages), voiler, assombrir ‖ troubler (liquid) — *vi* [liquid] se troubler; [sky] **~ (over)**, se couvrir (de nuages) ‖ **~-burst** *n* averse *f* ‖ **~less** *adj* sans nuages, serein ‖ **~y** *adj* nuageux, couvert ‖ FIG. nébuleux; *make ~*, troubler (wine).

clout [klaut] *n* SL. coup *m* de poing ‖ (*dish-*)**~**, torchon *m*.

clove¹ [kləuv] *n* clou *m* de girofle.

clove² *n* gousse *f* (of garlic).

clove, cloven → CLEAVE ‖ **cloven** (*adj*), fendu (hoof); fourchu (of the devil).

clover [ˈkləuvə] *n* trèfle *m* ‖ *be in ~*, être comme un coq en pâte ‖ **~-leaf** *n* AUT. croisement *m* en trèfle, échangeur *m*.

clown [klaun] *n* [circus] clown *m*.

cloy [klɔi] *vt* rassasier.

club¹ [klʌb] *n* [cards] trèfle *m*; *the ace of ~s*, l'as de trèfle.

club² *n* cercle, club *m* (society) ● *vi* s'associer, se réunir; *~ together*, se ~er.

massue, matraque *f*; gourdin

m ‖ (*golf*)**~**, club *m* (stick) ● *vt* matraquer ‖ **~-foot** *n* pied-bot *m*.

cluck [klʌk] *vi* glousser ● *n* gloussement *m*.

clue [klu:] *n* fil conducteur; piste *f*, indice *m* ‖ [crosswords] définition(s) *f(pl)*.

clump¹ [klʌmp] *n* massif *m*; touffe *f* (flowers); bouquet *m* (trees).

clump² *vi* marcher d'un pas lourd.

clums|ily [ˈklʌmzili] *adv* gauchement ‖ **~iness** [-inis] *n* gaucherie *f* ‖ **~y** *adj* gauche, maladroit; empoté (fam.).

clung → CLING.

cluster [ˈklʌstə] *n* bouquet *m* (flowers) ‖ grappe *f* (fruit) ‖ régime *m* (bananas) ● *vi* se grouper.

clutch¹ [klʌtʃ] *n* prise, étreinte *f* ‖ AUT. embrayage *m*; *let in/out the ~*, embrayer/débrayer ● *vt* empoigner; étreindre.

clutch² *n* [chickens] couvée *f*.

clutter [ˈklʌtə] *vt* **~ (up)**, encombrer (with, de).

Co. [kəu] *abbrev* = COMPANY.

coach [kəutʃ] *n* [arch.] carrosse *m*; (*stage-*)**~**, diligence *f* ‖ RAIL. wagon *m*, voiture *f* ‖ AUT. autocar *m* ‖ SP. entraîneur *m* ‖ COLL. [school] répétiteur *m* ● *vt* SP. entraîner ‖ [school] donner des leçons particulières ‖ **~-builder** *n* carrossier *m* ‖ **~ing** *n* répétitions *fpl* ‖ **~-man** *n* cocher *m* ‖ **~-work** *n* AUT. carrosserie *f*.

coagulate [kəˈægjuleit] *vt/vi* (se) coaguler.

coal [kəul] *n* charbon *m*, houille *f* ‖ morceau *m* de charbon; *live ~s*, charbons ardents, braise *f* ‖ *white ~*, houille blanche ● *vt/vi* (s')approvisionner en charbon ‖ NAUT. charbonner ‖ **~-cellar** *n* cave *f* à charbon ‖ **~-dust** *n* poussier *m* ‖ **~-field** *n* bassin *m* houiller ‖ **~-man** *n* charbonnier *m* ‖ **~-mine/pit** *n* mine *f* de charbon, houillère *f* ‖ **~-scuttle** *n* seau *m* à charbon.

coalesce [ˌkəuəˈles] *vi* s'unir.

coalition [ˌkəuəˈliʃn] *n* coalition *f*.

coarse [kɔːs] *adj* grossier, rude (rough) ‖ gros (salt) ‖ grossier, vulgaire (crude) ‖ **~-grained** *adj* à gros grain ‖ **~ness** *n* grossièreté *f* ; rudesse *f* (of cloth).

coast [kəust] *n* côte *f*, littoral, rivage *m* ● *vi* caboter ‖ [cyclist] descendre en roue libre ‖ **~al** *adj* côtier ‖ **~er** *n* caboteur *m* ‖ **~-guard** *n* garde-côte *m*.

coat [kəut] *n* pardessus *m* ; manteau *m* (overcoat) ‖ MIL. capote *f* ‖ [paint] couche *f* ‖ ZOOL. pelage *m*, robe *f* (horse) ‖ COLL. turn one's ~, retourner sa veste ● *vt* couvrir, enduire ‖ **~-hanger** *n* cintre *m* ‖ **~ing** *n* couche *f*, enduit *m* ‖ **~-rack** *n* portemanteau *m*.

coax [kəuks] *vt* cajoler, amadouer.

co-axial [ˈkəuˈæksiəl] *adj* ~ cable, câble coaxial.

cob [kɔb] *n* (corn) ~, épi *m* de maïs.

cobalt [ˈkəubɔːlt] *n* cobalt *m*.

cobble [ˈkɔbl] *n* ~(-stone), pavé rond ● *vt* paver.

cobbler [ˈkɔblə] *n* cordonnier *m*.

cobra [ˈkəubrə] *n* cobra *m*.

cobweb [ˈkɔbweb] *n* toile *f* d'araignée.

cocaine [kəˈkein] *n* cocaïne *f* ; **~-addict**, cocaïnomane *n*.

cock [kɔk] *n* coq *m* ‖ mâle *m* (in compounds) ‖ TECHN. robinet *m* ‖ AGR. meulon *m* (of hay) ‖ TECHN. chien *m* (of gun) ● *vt* armer (a gun) ‖ dresser (ears) ‖ ~ one's eyes, lancer une œillade ‖ mettre sur l'oreille (hat) ‖ **~ade** [-eid] *n* cocarde *f* ‖ **~-a-doodledo** [-ədu:dlˈdu:] *n* cocorico *m* ‖ **~-eyed** *adj* qui louche, bigle ‖ **~-crow** *n* FIG. aube *f* ‖ **~-fighting** *n* combats *mpl* de coqs.

cockle [ˈkɔkl] *n* ZOOL. coque *f*.

cockney [ˈkɔkni] *adj/n* cockney *m* ‖ [dialect] cockney *m*.

cockpit [ˈkɔkpit] *n* AV. poste *m* de pilotage ‖ NAUT. cockpit *m*.

cockroach [ˈkɔkrəutʃ] *n* blatte *f*, cafard *m*.

cockscomb [ˈkɔkskəum] *n* crête *f* de coq.

cock-sure [ˈkɔkˈʃuə] *adj* trop sûr de soi ; outrecuidant, suffisant (cocky).

cocktail [ˈkɔkteil] *n* cocktail *m*.

cocky [ˈkɔki] *adj* outrecuidant, suffisant.

coco [ˈkəukəu] *n* ~(-palm), cocotier *m* ; **~-nut**, noix *f* de coco.

cocoa [ˈkəukəu] *n* cacao *m*.

cocoon [kəˈkuːn] *n* cocon *m*.

cod [kɔd] *n* morue *f* ‖ **~-liver oil**, huile *f* de foie de morue.

coddle [ˈkɔdl] *vt* dorloter.

cod|e [kəud] *n* code *m* ‖ MIL. chiffre *m* ; ~ message, message chiffré ‖ **~ing** *n* chiffrage *m* ‖ INF. programmation *f*.

codify [ˈkɔdifai] *vt* codifier.

coed [ˌkəuˈed] *abbrev* = COEDUCATIONAL ● *n* U.S. étudiante *f*.

coeducational [ˌkəuedʒuˈkeiʃnl] *adj* mixte (school).

coefficient [ˌkəuiˈfiʃnt] *n* coefficient *m*.

coerc|e [kəuˈəːs] *vt* contraindre ‖ **~ion** [kəuˈəːʃn] *n* coercition, contrainte *f*.

coeval [kəuˈiːvəl] *adj* contemporain (with, de) ; du même âge (with, que).

coexist [ˌkəuigˈzist] *vi* coexister ‖ **~ence** [-əns] *n* coexistence *f*.

coffee [ˈkɔfi] *n* café *m* ; black ~, café noir ; white ~, café crème ‖ **~-bean** *n* grain *m* de café ‖ ~ break *n* pause-café *f* ‖ **~-grinder/-mill** *n* moulin *m* à café ‖ **~-pot** *n* cafetière *f*.

coffer [ˈkɔfə] *n* coffre *m* (for money).

coffin [ˈkɔfin] *n* cercueil *m*.

cog [kɔg] *n* dent *f* (d'engrenage) || ~**-wheel**, roue dentée.

cog|ency [ˈkəudʒnsi] *n* force *f* de persuasion || ~**ent** *adj* puissant, convaincant (arguments).

cogitate [ˈkɔdʒiteit] *vi* méditer.

cohabit [kəˈhæbit] *vi* cohabiter.

coh|erent [kəˈhiərnt] *adj* adhérent *f*, FIG. cohérent ; logique || ~**esion** [kəˈhiːʒn] *n* cohésion *f*.

coil [kɔil] *n* rouleau *m* (rope) || torsade *f* (hair) || tourbillon *m* (smoke) || ELECTR. bobine *f* || MED. stérilet *m* ● *vt* enrouler, torsader — *vi* serpenter ; s'enrouler (*around*, autour) || ~ *up*, [snake] se lover.

coin [kɔin] *n* pièce *f* de monnaie ● *vt* frapper (coins) || FIG. inventer (word) || COLL. ~ *money*, faire des affaires d'or || ~**age** [-idʒ] *n* frappe *f* (act) ; monnaie *f* (coins) || FIG. invention *f*.

coincid|e [kəinˈsaid] *vi* coïncider || ~**ence** [kəuˈinsidns] *n* coïncidence *f*.

coke [kəuk] *n* coke *m*.

colander [ˈkʌləndə] *n* passoire *f*.

cold [kəuld] *adj* froid ; *it is ~*, il fait froid || *get ~*, se refroidir ; *I am ~*, j'ai froid ; *my feet are ~*, j'ai froid aux pieds || FIG. *in ~ blood*, de sang-froid ● *n* froid *m* || rhume *m* ; *catch (a) ~*, s'enrhumer ; prendre froid || MED. ~ *in the head/on the chest*, rhume *m* de cerveau/de poitrine || ~**-blooded** *adj* à sang froid || FIG. insensible || ~**ly** *adv* froidement || ~**ness** *n* froideur *f*.

collabor|ate [kəˈlæbəreit] *vi* collaborer (*on*, à ; *with*, avec) || ~**ation** [kəˌlæbəˈreiʃn] *n* collaboration *f*.

collaps|e [kəˈlæps] *vi* s'effondrer, s'écrouler || FIG. s'effondrer ● *n* effondrement, écroulement *m* || ~**ible** *adj* pliant.

collar [ˈkɔlə] *n* col *m* (of shirt) || [dog] collier *m* || *seize by the ~*, prendre au collet || ~**-bone** *n*

clavicule *f* || ~**-stud** *n* bouton *m* de col.

colleague [ˈkɔliːg] *n* collègue *n*, confrère *m* ; *(lady) ~*, consœur *f*.

collect [kəˈlekt] *vt* rassembler ; réunir (gather) ; ramasser (pick up) || collectionner (stamps) || *call for* aller chercher, passer prendre (sb/sth) || FIN. percevoir, recouvrer (taxes) ; recueillir (money) || RAIL. prendre à domicile (luggage) || ramasser (tickets) || FIG. ~ *one's thoughts*, se recueillir ; ~ *oneself*, se ressaisir ● *adj/adv* TEL. ~ *call*, appel *m* en PCV ; *call ~*, appeler en PCV.

collect|ion [kəˈlekʃn] *n* collection *f* || [mail] levée *f* || [fashion] collection *f* || [church] quête *f* || FIN. recouvrement *m* ; encaissement *m* ; perception *f* (of taxes) || ~**ive** [kəˈlektiv] *adj* collectif || ~**or** *n* collectionneur *n* ; percepteur *m* (of taxes) || RAIL. *ticket-~*, contrôleur *m*.

colleg|e [ˈkɔlidʒ] *n* collège *m* universitaire || *naval ~*, école navale ; *teacher training ~*, école normale || ~**iate** [kəˈliːdʒiit] *adj* collégial, universitaire.

collide [kəˈlaid] *vi/vt* (se) heurter/ tamponner, entrer en collision (*with*, avec).

coll|ier [ˈkɔliə] *n* mineur (man) *m* || NAUT. charbonnier *m* || ~**iery** [-jəri] *n* houillère *f*.

collision [kəˈliʒn] *n* collision *f*.

collocutor [ˌkɔləˈkjuːtə] *n* interlocuteur *n*.

colloquial [kəˈləukwiəl] *adj* familier, de la conversation.

colloquy [ˈkɔləkwi] *n* colloque, entretien *m*.

colon¹ [ˈkəulən] *n* MED. côlon *m*.

colon² *n* GRAMM. deux-points *mpl* ; *semi-~*, point-virgule *m*.

colonel [ˈkəːnl] *n* colonel *m*.

colon|ial [kəˈləunjəl] *adj* colonial || ~**ist** [ˈkɔlənist] *n* colon *m* || ~**ization** [ˌkɔlənaiˈzeiʃn] *n* colonisation f || ~**ize** [ˈkɔlənaiz] vt coloniser || ~**y** [ˈkɔləni] n colonie f.

colossal [kəˈlɔsl] adj colossal.

colour [ˈkʌlə] n couleur, teinte f || teint m; lose ~, pâlir || be off ~, ne pas être dans son assiette, être mal fichu || Pl MIL. couleurs fpl, drapeau, pavillon m (flag); with the ~s, sous les drapeaux || FIG. **under** ~ **of**, sous prétexte/couleur de ● vt colorer; colorier (paint) || FIG. colorer (one's style); dénaturer (fact, truth) || ~**-bar** n discrimination raciale || ~**-blind** adj daltonien || ~**ed** [-d] adj cream-~, couleur crème || ~ **people**, gens mpl de couleur || ~**ful** adj coloré || FIG. pittoresque; truculent (language) || ~**ing** [-riŋ] n coloration f; coloriage m || ~**less** adj incolore, terne || ~**-scheme** n combinaison f de(s) couleurs (in a design).

colt [kəult] n poulain m.

column [ˈkɔləm] n ARCH., MIL. colonne f || MED. spinal ~, colonne vertébrale || [newspaper] colonne, chronique f || FIG. gerbe f (of water) || ~**ist** [-nist] n chroniqueur, journaliste n.

coma [ˈkəumə] n coma m; in.a ~, dans le coma.

comb [kəum] n peigne m; run a ~ through one's hair, se donner un coup de peigne || rayon m de miel || crête f de coq ● vt peigner; ~ **one's hair**, se peigner || FIG. passer au peigne fin, ratisser || ~ **out**, démêler (hair) || FIG. éliminer.

combat [ˈkɔmbət] n combat m ● vt combattre — vi se battre (with, contre) || ~**ant** adj/n combattant (m).

combie van [ˈkɔmbi-] n fourgonnette f.

combination [ˌkɔmbiˈneiʃn] n combinaison f || association f.

combine [kəmˈbain] vt combiner, unir — vi se combiner, s'unir, s'allier (with, à) ● [ˈkɔmbain] n JUR. corporation f || COMM. trust m || AGR. ~**(-harvester)**, moissonneuse-batteuse f.

combust|ible [kəmˈbʌstəbl] adj/n combustible (m) || ~**ion** [-ʃn] n combustion f.

come [kʌm] vi (came [keim], come) venir, arriver; ~ **and go**, aller et venir || aboutir, arriver; COLL. how ~ that... ?, comment se fait-il que... ? || survenir (happen); whatever may ~, quoi qu'il arrive; ~ **what may**, advienne que pourra || FIN. s'élever, se monter à || MATH. ~ **right**, tomber juste || FIG. ~ **to nothing**, ne pas aboutir à grand-chose || ~ **to one** 's senses/to oneself, reprendre connaissance, recouvrer sa raison; ~ **to light**, se révéler, se révéler || in the years to ~, dans les années à venir || [sex] SL. jouir || ~ **about**, arriver, se produire || ~ **across**, rencontrer par hasard || ~ **along**, venir, suivre, accompagner (sb); faire des progrès (improve); [health] aller mieux; ~ **along !**, allons (voyons) ! || ~ **at**, atteindre, accéder à; attaquer (sb) || COLL. ~**-at-able** (adj), accessible || ~ **away**, se détacher, tomber || ~ **back**, revenir, retourner; ~**-back** (n), retour m || ~ **by**, obtenir, trouver (job, money, etc.); passer || ~ **down**, descendre || FIG. déchoir || COLL. donner de l'argent; ~ **down handsomely**, faire un don généreux || ~ **down to**, se réduire à; it ~s down to the same thing, cela revient au même || ~ **down upon**, s'en prendre à, tomber sur || ~ **forward**, se présenter (as a candidate) || ~ **in**, entrer, rentrer; COLL. intervenir; [tide] monter; [season] commencer; SP. [horse] arriver; JUR. arriver au pouvoir || ~ **in for**, recevoir en partage, hériter de || ~ **off**, [button] se détacher; [stain] s'en aller; tomber de (fall); descendre de (get down); [events] avoir lieu, se produire; [plans] se réaliser, réussir; COLL. s'en tirer || ~ **on**, suivre, venir; faire des progrès; [night, rain] arriver, tomber; [storm] éclater; ~ **on !** = COME ALONG || ~ **out**, [sun] paraître, apparaître || [flowers] pousser, sortir; [news, truth] paraître, se faire jour;

[book] être publié ; [workmen] débrayer, se mettre en grève, faire grève ; [stains] partir, disparaître ; PHOT. *he always ~s out well*, il est photogénique ; FIN. s'élever, se monter (*at*, à) ‖ ~ *over*, venir de loin ; [feelings] envahir ; COLL. *what's ~ over you ?*, qu'est-ce qui te prend ? ‖ ~ *round*, faire un détour ; passer voir (sb) ; [feast] revenir périodiquement ; MED. reprendre connaissance, se ranimer ‖ ~ *through*, avoir vécu (an event) ‖ ~ *to*, MED. =~ ROUND ‖ ~ *under*, être classé dans/sous ; subir (an influence) ‖ ~ *up*, [plant] pousser, pointer ; [problem, question] être soulevé, posé ‖ ~ *up against*, se heurter contre, buter contre ‖ ~ *up to*, s'élever à, atteindre ‖ ~ *up with*, fournir, trouver (idea) ‖ ~ *upon*, rencontrer/trouver par hasard.

comedian [kə'mi:djən] *n* comédien *n* ‖ [variety] comique *m* ‖ FIG. pitre, clown *m*.

comedy ['kɔmidi] *n* comédie *f* (play) ; *musical ~*, comédie musicale ‖ comique *m* (art).

come|liness ['kʌmlinis] *n* beauté *f*, charme *m* ‖ ~ *ly* *adj* beau, charmant.

com|er ['kʌmə] *n* arrivant *n* ‖ ~ *ing* *adj* à venir, futur ; ~ *from*, originaire de • *n* arrivée, venue *f*.

comet ['kɔmit] *n* comète *f*.

comfort ['kʌmfət] *n* confort *m*, aises *fpl* ‖ FIG. réconfort *m* ; consolation *f* • *vt* réconforter.

comfort|able ['kʌmftəbl] *adj* confortable ; commode ‖ à l'aise (person) ; *I'm quite ~*, je suis très bien ici ; *make oneself ~*, se mettre à son aise, faire comme chez soi ‖ ~ *ably* [-əbli] *adv* confortablement, à l'aise ‖ ~ *er* *n* consolateur *n* ‖ cachenez *m* (scarf) ‖ ~ *ing* *adj* réconfortant, consolant ‖ ~ *less* *adj* incommode, sans confort ‖ ~ *-station* *n* U.S. toilettes (publiques).

comic ['kɔmik] *adj* comique ; ~

opera, opéra *m* comique ; ~ *strip*, bande dessinée • *n* TH. comique *m* (comedian) ‖ *Pl* = ~ STRIPS ‖ ~ *al* *adj* drôle ; marrant (fam.).

comma ['kɔmə] *n* virgule *f* ; *inverted ~s*, guillemets *mpl*.

command [kə'mɑ:nd] *n* commandement, ordre *m* ‖ FIG. maîtrise *f* (mastery) • *vt* commander ; ordonner (order) ‖ ~ *er* *n* MIL. commandant *m* ‖ NAUT. capitaine *m* ‖ ~ *ing* *adj* imposant (air) ; dominant (position) ‖ ~ *ment* [kə'mɑ:nmənt] *n* REL. commandement *m* ‖ ~ *o* [-əu] *n* commando *m*.

commemor|ate [kə'meməreit] *vt* commémorer, célébrer ‖ ~ *ation* [kə,memə'reiʃn] *n* commémoration *f*.

commence [kə'mens] *vt/vi* commencer ‖ ~ *ment* *n* commencement *m* ‖ U.S. remise *f* des diplômes (ceremony).

commend [kə'mend] *vt* recommander, louer, confier ‖ ~ *able* *adj* louable, recommandable ‖ ~ *ation* [kɔmen'deiʃn] *n* louange *f*, éloge(s) *m(pl)*.

comment ['kɔment] *n* commentaire *m* ‖ observation *f* (remark) • *vt* commenter — *vi* ~ *on*, faire des observations sur ‖ ~ *ary* [-ri] *n* commentaire *m* ‖ T.V. *running ~*, commentaire sur image ‖ RAD. reportage *m* ‖ ~ *ator* [-eitə] *n* commentateur *n* ‖ RAD. reporter *m*.

commerc|e ['kɔmə:s] *n* commerce *m* ‖ ~ *ial* [kə'mə : ʃl] *adj* commercial ; commerçant (street) ; ~ *traveller*, voyageur *m* de commerce • *n* T.V. spot *m* publicitaire.

commiserate [kə'mizəreit] *vt* avoir de la commisération pour.

commission [kə'miʃn] *n* commission *f* (committee) ‖ JUR. délégation *f* de pouvoirs (action) ; mandat *m* (authority) ‖ MIL. brevet *m* d'officier ‖ COMM. commission, guelte *f* ‖ JUR. perpétration *f* (of crime) ‖ commission *f* (committee) • *vt* donner pouvoir/mission à ‖ passer une commande à (an artist) ‖ **~ed** [-d] *adj* autorisé ‖ MIL. *non ~ed officer,* sous-officier *m* ‖ **~er** *n* membre *m* d'une commission.

commit [kə'mit] *vt* confier (*to,* à) [entrust] ‖ **~ to memory,** apprendre par cœur ‖ commettre (crime) ‖ ~ *suicide,* se suicider ‖ JUR. écrouer, incarcérer ‖ **~ oneself,** se compromettre, s'engager ; **~ted** *literature,* littérature engagée ‖ **~ment** *n* engagement financier ‖ JUR. mandat *m* de dépôt ‖ POL. engagement *m*.

committee [kə'miti] *n* comité *m,* commission *f.*

commodious [kə'məudjəs] *adj* spacieux (house).

commodity [kə'mɔditi] *n* marchandise *f,* produit *m.*

commodore ['kɔmədɔ:] *n* commodore *m.*

common ['kɔmən] *adj* commun ; *Common Market,* Marché commun ‖ général, répandu, courant (usual) ‖ commun, ordinaire (things, people) ‖ habituel, usuel ‖ vulgaire (low) ‖ ~ *people,* peuple *m ;* ~ *sense,* bon sens ‖ [school] ~ *room,* salle *f* des professeurs ‖ JUR. municipal (council) ‖ coutumier (law) ‖ GRAMM., MATH. commun ● *n* terrain communal ‖ *in ~,* en commun ; *out of the ~,* peu ordinaire, hors du commun ‖ Pl peuple *m ; House of Commons,* Chambre *f* des Communes ‖ **~ly** *adv* habituellement, ordinairement ‖ **~place** *n* lieu commun, banalité *f* ● *adj* banal, ordinaire .

Commonwealth ['kɔmənwelθ] *n* Commonwealth *m.*

commotion [kə'məuʃn] *n* remue-ménage, tumulte *m* ‖ émoi, trouble *m ;* remous *m ;* ébranlement *m.*

communal ['kɔmjunl] *adj* communal.

commune ['kɔmju:n] *vi* communier (*with,* avec) ● *n* [hippies] communauté *f.*

communic|able [kə'mju:nikəbl] *adj* transmissible, communicable ‖ **~ant** *n* REL. communiant *n* ‖ **~ate** [-eit] *vi/vt* communiquer (*with,* avec) ‖ REL. communier ‖ **~ation** [kə,mju:ni'keiʃn] *n* communication *f* ‖ RAIL. ~ *cord,* signal *m* d'alarme ‖ **~ative** [kə'mju:nikətiv] *adj* communicatif, expansif.

communion [kə'mju:njən] *n* communion *f.*

commun|ism ['kɔmjunizm] *n* communisme *m* ‖ **~ist** *adj/n* communiste *f* ‖ **~ity** [kə'mju:niti] *n* communauté, collectivité *f.*

commutation [,kɔmju'teiʃn] *n* commutation *f.*

commut|e [kə'mju:t] *vt* commuer — *vi* RAIL. faire la navette (*from,* de ; *to,* à) ‖ **~er** *n* RAIL. voyageur *n* de banlieue, banlieusard *n.*

compact[1] ['kɔmpækt] *n* contrat, pacte *m,* convention *f.*

compact[2] [kəm'pæk] *adj* compact, serré ‖ ~ *disc,* disque compact ; ~ *disc player,* lecteur *m* de disque compact ● *vt* serrer, tasser.

compact[3] ['kɔmpækt] *n* poudrier *m.*

companion[1] [kəm'pænjən] *n* ~ *(-ladder),* NAUT. échelle *f* ‖ **~way** *n* descente *f,* escalier *m* des cabines.

companion[2] *n* compagnon *m,* compagne *f,* camarade *n* ‖ pendant *m* (of a pair) ‖ **~ship** *n* compagnie, camaraderie *f.*

company ['kʌmpni] *n* compagnie *f ; in ~ of,* en compagnie de ; *keep sb ~,* tenir compagnie à qqn ; *part ~ with,* se séparer de ‖ invités *mpl* (guests) ‖ fréquentation *f* (good/bad) ‖ COMM. société, compagnie *f* ‖ TH. troupe *f* ‖ MIL. compagnie *f* ‖ NAUT. *ship's ~,* équipage *m.*

compar|able ['kɔmprəbl] *adj* comparable ‖ **~ative** [kəm'pærətiv] *adj* GRAMM. comparatif ; comparé (study).

compare [kəm'pɛə] *vt* comparer (*to,* à ; *with,* avec) — *vi* se comparer (*with,* à) ; être comparable (*with*, à) ● **comparaison** *f* ; *beyond* ~, sans comparaison.

comparison [kəm´pærisn] *n* comparaison *f* ; *by/in* ~ *with*, par/en comparaison de, par rapport à

compartment [kəm´pɑːtmənt] *n* Rail. compartiment *m*.

compass [´kʌmpəs] *n* Naut. boussole *f*, compas *m* ; ~-*card*, rose *f* des vents ‖ *(pair of)* ~*es*, compas *m* ‖ Mus. registre *m* ‖ Fig. portée, étendue *f* ● *vt* faire le tour de ; entourer ‖ Fig. embrasser, comprendre.

compassion [kəm´pæʃən] *n* compassion *f* ‖ ~**ate** [-it] *adj* compatissant.

compatible [kəm´pætəbl] *adj* compatible.

compatriot [kəm´pætriət] *n* compatriote *n*.

compel [kəm´pel] *vt* contraindre, forcer, obliger ; imposer (respect) ‖ ~**ling** *adj* astreignant ‖ irrésistible.

compens|ate [´kɔmpenseit] *vt* compenser ‖ dédommager, indemniser (indemnify) ‖ ~**ation** [ˌkɔmpen´seiʃn] *n* compensation ‖ indemnité *f*.

compère [´kɔmpɛə] *n* Rad., Th. animateur *n*, meneur *n* de jeu ● *vt* Rad., Th. animer, présenter.

compete [kəm´piːt] *vi* concourir, rivaliser (*with*, avec) ‖ rivaliser, faire concurrence (*with*, à).

compet|ence [´kɔmpitns], ~**ency** *n* compétence, capacité *f* ‖ Fin. aisance *f*, revenus suffisants ‖ ~**ent** *adj* compétent ; suffisant (sufficient).

compet|ition [ˌkɔmpi´tiʃn] *n* concurrence, rivalité *f* ‖ concours *m* ; Sp. compétition *f* ‖ ~**itive** [kəm´petitiv] *adj* ~ *examination*, concours *m* ‖ Comm. concurrentiel ; compétitif (prices) ‖ ~**itor** [kəm´petitə] *n* concurrent *n* ‖ Sp. compétiteur *n*.

compile [kəm´pail] *vt* compiler.

complacent [kəm´pleisnt] *adj* content de soi (self-satisfied) ‖ complaisant, affable.

compl|ain [kəm´plein] *vi* se plaindre (*about*, de) ‖ ~**aint** [-eint] *n* plainte, réclamation *f* ; *lodge a* ~ *against*, porter plainte contre ‖ Med. maladie, affection *f*.

complaisant [kəm´pleiznt] *adj* obligeant, serviable.

complement [´kɔmplimənt] *n* complément ‖ [staff] personnel tout entier ; *with full* ~, au grand complet ‖ Naut. effectif complet ‖ Gramm. attribut *m*.

complete [kəm´pliːt] *adj* complet, entier ; achevé, terminé (finished) ‖ parfait (thorough) ● *vt* terminer, achever (finish) ‖ accomplir, parfaire (make perfect) ‖ compléter, remplir (form) ‖ ~**ly** *adv* complètement ‖ ~**ness** plénitude *f*.

completion [kəm´pliːʃn] *n* achèvement *m* ; *nearing* ~, en voie d'achèvement ‖ perfection *f*.

complex [´kɔmpleks] *adj/n* complexe (*m*).

complexion [kəm´plekʃn] *n* teint *m* ‖ Fig. caractère, aspect *m*.

complexity [kəm´pleksiti] *n* complexité, complication *f*.

compl|iance [kəm´plaiəns] *n* acquiescement *m* ; conformité *f* ; *in* ~ *with*, conformément à ‖ Pej. soumission *f* ‖ ~**iant** [-aiənt] *adj* accommodant, docile, obéissant.

complicat|e [´kɔmplikeit] *vt* compliquer ‖ ~**ion** [ˌkɔmpli´keiʃn] *n* complication *f*.

compliment [´kɔmplimənt] *n* compliment *m* ‖ *Pl* hommages *mpl* ● *vt* complimenter ‖ ~**ary** [ˌkɔmpli´mentri] *adj* élogieux ‖ gracieux ; ~ *ticket*, billet *m* de faveur.

comply [kəm´plai] *vi* obéir, accéder, se soumettre (*with*, à) ‖ ~ *with*, observer ; se soumettre à ; obéir à ; respecter (clause) ; remplir (formality) ; se mettre en règle avec.

component [kəmˈpəunənt] *n* constituant *m* ‖ (stereo system) élément *m* ‖ ELECTR. composant *m* ‖ TECHN. pièce *f* ● *adj* constituant.

compose [kəmˈpəuz] *vt* composer, constituer ; *be* ~*d of*, se composer de ‖ FIG. apaiser ; ~ *yourself !*, calmez-vous !

composed [kəmˈpəuzd] *adj* calme, posé ‖ ~**ly** *adv* calmement, avec assurance.

compos|er [kəmˈpəuzə] *n* MUS. compositeur *n* ‖ ~**ite** [ˈkɔmpəzit] *adj* composé ‖ ARCH. composite ‖ ~**ition** [ˌkɔmpəˈziʃn] *n* mélange *m* ; composition *f* (mixture) ‖ [school] rédaction *f* ‖ MUS. composition *f* ‖ JUR. arrangement *m* (settlement) ‖ ~**itor** [-ˈpɔzitə] *n* TECHN. metteur *m* en page, compositeur *n* ‖ ~**ure** [kəmˈpəuʒə] *n* sang-froid *m*, calme *m*.

compound [ˈkɔmpaund] *n/adj* composé *(m)* ‖ MED. ouvert (fracture) ‖ FIN. composé (interest) ‖ GRAMM. (mot *m*) composé *m* ● [kəmˈpaund] *vt* composer, mêler ‖ JUR. régler à l'amiable — *vi* transiger, s'arranger *(with,* avec*).*

comprehend [ˌkɔmpriˈhend] *vt* comprendre (understand, include).

comprehen|sible [ˌkɔmpriˈensəbl] *adj* compréhensible ‖ ~**sion** [-ʃn] *n* compréhension, intelligence *f* ‖ acception *f* (of a word) ‖ portée, étendue *f* ‖ ~**sive** [-siv] *adj* étendu, vaste ‖ ~ *school*, collège *m* d'enseignement général ‖ [insurance] tous-risques (policy) ● *n* = ~ SCHOOL ‖ ~**sively** [-sivli] *adv* dans un sens très large ‖ ~**siveness** [-sivnis] *n* étendue, portée *f*.

compress [kəmˈpres] *vt* comprimer ‖ FIG. condenser ● [ˈkɔmpres] *n* MED. compresse *f* ‖ ~**ion** [kəmˈpreʃn] *n* compression *f*.

comprise [kəmˈpraiz] *vt* comprendre (include).

compromise [ˈkɔmprəmaiz] *n* compromis *m*, transaction *f* ● *vt* régler par un compromis ‖ compromettre, risquer (imperil) — *vi* transiger.

comptroller [kənˈtrəulə] *n* = CONTROLLER.

compul|sion [kəmˈpʌlʃn] *n* contrainte *f* ‖ ~**sive** *adj* invétéré (smoker, etc.) ; captivant (reading) ‖ ~**sory** [-sri] *adj* obligatoire.

comput|ation [ˌkɔmpjuˈteiʃn] *n* calcul *m*, estimation *f* ‖ ~**e** [ˈpjuːt] calculer, estimer.

computer [kəmˈpjuːtə] *n* ordinateur *m* ; ~**aided**, assisté par ordinateur ; ~ *game*, jeu *m* électronique ; ~ *language*, langage-machine *m* ; ~ *science*, informatique *f* ; ~ *scientist*, informaticien *n* ‖ ~**ize** [-raiz] *vt* informatiser, mettre sur ordinateur.

comrade [ˈkɔmrid] *n* camarade *n*.

con[1] [kɔn] *adv/n* contre *(m)* ; → PRO.

con[2] *n* COLL. = CONFIDENCE TRICK ‖ ~ *man*, escroc *m* ● *vt* COLL. voler, escroquer.

concatenation [kɔnˌkætiˈneiʃn] *n* enchaînement *m* ; série *f*.

concave [ˈkɔnˈkeiv] *adj* concave.

conceal [kənˈsiːl] *vt* cacher, dissimuler *(sth from sb,* qqch à qqn) ‖ ~**ment** *n* dissimulation *f* (act) ‖ retraite, cachette *f* (place).

concede [kənˈsiːd] *vt* admettre (acknowledge) ‖ concéder (grant).

conceit [kənˈsiːt] *n* vanité *f* ‖ imagination *f* ‖ trait *m* d'esprit ‖ ~**ed** [-id] *adj* vaniteux, suffisant.

conceivable [kənˈsiːvəbl] *adj* concevable.

conceive [kənˈsiːv] *vt* concevoir — *vi* se faire une idée de.

concentr|ate [ˈkɔnsentreit] *vt/vi* (se) concentrer ‖ ~**ation** [ˌkɔnsenˈtreiʃn] *n* concentration *f*.

concentric [kɔnˈsentrik] *adj* concentrique.

concept [ˈkɔnsept] *n* concept *m* ‖ ~**ion** [kənˈsepʃn] *n* conception, idée *f*.

concern [kən'sə:n] *n* rapport *m* ‖ relation *f* ‖ affaire *f*; *it's no ~ of mine,* cela ne me concerne pas ‖ intérêt, souci *m*, inquiétude *f* ‖ Comm. affaire, maison, entreprise *f* ● *vt* concerner; *as ~s,* en ce qui concerne ; *as far as I am ~ed,* en ce qui me concerne ; *the persons ~ed,* les intéressés ‖ inquiéter ; *to be ~ed about,* se faire du souci à propos de ; se préoccuper de ‖ *~ed* [-d] *adj* impliqué (*in,* dans) ‖ soucieux, préoccupé (worried) ‖ *~ing prep* concernant, au sujet de, à propos de.

concert ['kɔnsət] *n* concert *m*; *~-hall,* salle *f* de concert ‖ Fig. accord *m*, harmonie *f*; *in ~ with,* de concert avec, d'accord avec ● [kən'sə:t] *vt/vi* (se) concerter.

concession [kən'seʃn] *n* Jur., Fig. concession *f*; *make ~s,* faire des concessions.

conciliat|e [kən'silieit] *vt* concilier ‖ *~ion* [ˌsili'eiʃn] *n* conciliation *f*.

concise [kən'sais] *adj* concis ‖ *~ly adv* avec concision ‖ *~ness n* concision *f*.

conclu|de [kən'klu:d] *vt* conclure (affaires) ; conclure, aboutir à (an agreement) ‖ conclure, achever (end) — *vi* se terminer (*with,* par) ‖ *~sion* [-ʒn] *n* conclusion, fin *f*; *in ~,* en conclusion ; *draw a ~,* tirer une conclusion ; *it was a foregone ~,* c'était prévu d'avance ‖ *~sive* [-siv] *adj* concluant, décisif, définitif.

concoc|t [kən'kɔkt] *vt* Culin. confectionner ‖ Fig. combiner, inventer ‖ *~tion n* mélange *m*, combinaison *f*.

concomitant [kən'kɔmitənt] *adj* concomitant.

concord ['kɔŋkɔ:d] *n* concorde, harmonie, entente *f*.

concourse ['kɔŋkɔ:s] *n* concours *m* ‖ affluence *f* ‖ U.S., Rail. salle *f* des pas perdus.

concrete ['kɔŋkri:t] *adj* concret ‖ Jur. *~ case,* cas *m* d'espèce ● *n* béton *m* ; *reinforced ~,* béton armé ; *~ mixer,* bétonnière *f*.

concubinage [kɔn'kju:binidʒ] *n* concubinage *m*.

concubine ['kɔŋkjubain] *n* concubine *f*.

concur [kən'kə:] *vi* être d'accord (*with,* avec) ‖ concourir, contribuer (*to,* à) ‖ coïncider ‖ *~rence* [kən'kʌrns] *n* coïncidence, rencontre *f* ‖ assentiment, accord *m* (agreement) ‖ coopération, contribution *f* (of persons) ‖ concours *m* (of circumstances) ‖ *~rent* [kən'kʌrnt] *adj* harmonieux, concordant (in agreement) ‖ concomitant, simultané ‖ *~rently* [kən'kʌrəntli] *adv* simultanément.

concussion [kən'kʌʃn] *n* commotion, secousse *f*, choc *m*.

condemn [kən'dem] *vt* condamner (*to,* à) ‖ *~ation* [ˌkɔndem'neiʃn] *n* condamnation *f*.

condensation [ˌkɔnden'seiʃn] *n* condensation *f*.

condens|e [kən'dens] *vt* condenser, concentrer ; *~d milk,* lait condensé ‖ Fig. condenser, abréger — *vi* se condenser ‖ *~er n* condensateur *m*.

condescen|d [ˌkɔndi'send] *vi* condescendre (*to,* à) ‖ *~sion* [-ʃn] *n* condescendance *f*.

condiment ['kɔndimənt] *n* condiment *m*.

condition [kən'diʃn] *n* condition *f* (stipulation) ; *on ~ that,* à condition que ‖ condition (circumstances) ‖ rang *m*, condition *f* (position) ‖ état *m* (state) ‖ forme *f* (fitness) ; *out of ~,* en mauvaise forme ● *vt* stipuler, conditionner, déterminer ‖ Sp. mettre en forme ‖ *~al adj* conditionnel ● *n* conditionnel *m* ‖ *~ed* [-d] *adj* conditionné ; *air-~,* climatisé ; *~ reflex,* réflexe conditionné ‖ *~ing n* Comm. conditionnement *m*.

condo ['kɔndəu] *n* U.S., Coll. = CONDOMINIUM.

condol|e [kən'dəul] *vi* exprimer sa

sympathie, offrir ses condoléances ||
~ence [-əns] n condoléance f.

condom ['kɔndəm] n préservatif m.

condominium [ˌkɔndə'miniəm] n
U.S. immeuble/appartement m en
copropriété.

condone [kən'dəun] vt pardonner,
fermer les yeux sur.

conduc|e [kən'dju:s] vt contribue
(to, à) || **~ive** [-iv] adj contribuant,
favorable, propice (to, à).

conduct ['kɔndʌkt] n conduite f
(behaviour) || direction f (manage-
ment) ● [kən'dʌkt] vt conduire (lead)
|| gérer (manage) || diriger (orchestra)
|| **~or** ['--] n directeur m || chef m
d'orchestre || RAIL. receveur m (on a
bus) ; U.S. chef m de train || ELECTR.
conducteur m.

conduit ['kɔndit] n conduit m, ca-
nalisation f.

cone [kəun] n cône m || BOT. pomme
f de pin.

coney ['kəuni] n lapin m.

confection [kən'fekʃn] n sucrerie f ;
friandise f ; pâtisserie f (cake) || **~er**
n confiseur n || **~ery** [-əri] n
confiserie f.

confeder|acy [kən'fedrəsi] n confé-
dération f || **~ate** [-drit] adj/n
confédéré n PEJ. complice ●
[kən'fedəreit] vi/vt (se) confédérer ||
~ation [kənˌfedə'reiʃn] n confédé-
ration f.

confer [kən'fə:] vt conférer (on, à) —
vi conférer, s'entretenir || **~ence**
['kɔnfrəns] n conférence f ; entretien
m (talk) ; press ~, conférence de
presse || **~ment** [kən'fə:mənt] n
collation f (of a degree) ; octroi m (of
a favour).

confess — [kən'fes] vt confesser,
avouer — vi faire des aveux ; avouer
(to sth, qqch ; to having done, d'avoir
fait) || REL. se confesser || **~ion** n
aveu m || REL. confession f || **~ional**
[kən'feʃənl] n confessional m || **~or**
n confesseur m.

confidant, e [ˌkɔnfi'dænt] n
confident n.

confid|e [kən'faid] vt confier (en-
trust) — vi se confier (in, à) || **~ence**
['kɔnfidns] n confiance f (secret) ||
confiance f (trust) || **~-man,** escroc
m || **~-trick,** escroquerie f.

confident ['kɔnfidənt] adj assuré,
sûr de soi || **~ial** [ˌkɔnfi'denʃl] adj
confidentiel de confiance.

confine [kən'fain] vt limiter (to, à)
|| enfermer, confiner, consigner ||
MED. be ~d, être en couches.

confinement n détention f, empri-
sonnement m || MED. accouche-
ment m (lying-in).

confirm [kən'fə:m] vt confirmer ;
corroborer ; ratifier (treaty) || af-
fermir, assurer (strengthen) ||
~ation [ˌkɔnfə'meiʃn] n JUR., REL.,
confirmation || **~ed** [-d] adj endurci
(bachelor).

confiscate ['kɔnfiskeit] vt confisquer, saisir.

conflagration [ˌkɔnflə'greiʃn] n incendie m.

conflict ['kɔnflikt] n conflit, désaccord m ● [kən'flikt] vi ~ with, entrer
en conflit avec, être en contradiction
avec, s'opposer à.

conform [kən'fɔ:m] vt/vi (se)
conformer (to, à) ; (s')adapter (to, à)
|| **~able** adj conforme (to, à) || docile
(submissive) || **~ation** [ˌkɔnfɔ:-
'meiʃn] n conformation f || **~ist** n
REL. conformiste n || **~ity** [-iti] n
conformité f (with, to, à) || soumission
f (to, à) || in ~ with, confor-
mément à.

confound [kən'faund] vt confondre,
brouiller (mingle) || confondre (with,
avec) [confuse] || confondre (abash)
|| **~ed** [-id] adj COLL. satané, sacré.

confront [kən'frʌnt] vt confronter,
mettre en présence (with, de) ||
affronter, faire face à (face).

confus|e [kən'fju:z] vt embrouiller,
mêler (mingle) || déconcerter, confon-
dre, embarrasser (puzzle) || tromper

(the enemy) ‖ **~ sth with sth,** confondre qqch avec qqch ‖ **~ed** [-d] *adj* confus, embrouillé (muddled) ; hétéroclite (mass) ‖ déconcerté, embarrassé ; troublé, perturbé ; paumé [arg.] (person) ‖ **~edly** [-dli] *adv* confusément ‖ **~ing** *adj* peu clair ; déroutant, déconcertant ‖ **~ion** [kən'fju:ʒn] *n* confusion *f*, désordre *m* (disorder) ; méprise *f* (mistake) ‖ embarras, désarroi *m* (bewilderment).

congeal [kən'dʒi:l] *vt* congeler — *vi* [blood] (se) coaguler ; [oil] (se) figer.

congen|ial [kən'dʒi:njəl] *adj* approprié, convenable (thing) ; agréable, sympathique (person) ‖ **~ to/with,** en accord/sympathie avec ‖ **~ital** ['dʒenitl] *adj* congénital.

congereel ['kɔŋgəri:l] *n* congre *m*.

congest [kən'dʒest] *vt* congestionner ‖ **~ed** [-id] *adj* encombré (street) ‖ MED. engorgé ; congestionné ‖ **~ion** [-n] *n* congestion *f* ‖ MED. **~ of the lungs,** congestion *f* pulmonaire ‖ FIG. encombrement *m* (of streets).

conglomerate [kən'glɔməreit] *vt* conglomérer ● [kən'glɔmərit] *n* conglomérat *m*.

Congo ['kɔŋgəu] *n* Congo *m* ‖ **~lese** [ˌkɔŋgə'li:z] *adj/n* congolais.

congratul|ate [kən'grætjuleit] *vt* féliciter ‖ **~ations** [kənˌgrætju'leiʃnz] *mpl* félicitations *fpl*.

congreg|ate ['kɔŋgrigeit] *vt* rassembler, réunir — *vi* s'assembler, se réunir ‖ **~ation** [ˌkɔŋgri'geiʃn] *n* assemblée *f* ‖ REL. fidèles *mpl*, assistance *f*.

congress ['kɔŋgres] *n* congrès *m* ‖ **~man** *n* U.S. député *m*.

congru|ent ['kɔŋgruənt] *adj* conforme, en conformité (with, à) ‖ **~ous** *adj* convenable, approprié (with, à).

conic(al) ['kɔnik(l)] *adj* conique.

conifer ['kəunifə] *n* conifère *m*.

conjecture [kən'dʒektʃə] *n* conjecture *f* ● *vt* conjecturer.

conjugal ['kɔndʒugl] *adj* conjugal.

conjug|ate ['kɔndʒugeit] *vt* conjuguer ‖ **~ation** [ˌkɔndʒu'geiʃn] *n* conjugaison *f*.

conjunction [kən'dʒʌŋʃn] *n* conjonction *f*.

conjure[1] [kən'dʒuə] *vt* conjurer, supplier.

conjur|e[2] ['kʌndʒə] *vt* faire apparaître (comme par enchantement) ‖ **~ away,** faire disparaître ‖ **~ up,** évoquer (spirit, memory) ‖ **~ing** [-riŋ] *n* prestidigitation *f* ; **~ trick,** tour *m* de prestidigitation.

conjur|er, ~or ['kʌndʒərə] *n* prestidigitateur, illusionniste *n*.

connect [kə'nekt] *vt* réunir, relier, joindre (to, à) ‖ raccorder ‖ ELECTR. brancher, connecter ‖ RAIL. assurer la correspondance (with, avec) ; desservir ‖ **~ing flight** *n* Av. correspondance *f* ‖ **~ing rod** *n* bielle *f*.

conne|ction, ~xion [kə'nekʃn] *n* union, liaison *f* ; parenté *f* (relationship) ‖ parent *m* (relative) ‖ relations *fpl*, rapports *mpl* (intercourse) ‖ TECHN. raccord *m*, connexion *f*, montage *m* ‖ TEL. communication *f* ; **wrong ~,** faux numéro ‖ Av., RAIL. correspondance *f* ‖ COMM. clientèle *f* ; relations *fpl* d'affaires ‖ Av. **air ~,** liaison aérienne ‖ FIG. suite *f* ; enchaînement *m* (of ideas).

conning-tower ['kɔniŋˌtauə] *n* NAUT. [submarine] kiosque *m*.

connive [kə'naiv] *vi* fermer les yeux (at, sur) ; être de connivence (with, avec).

connoisseur [ˌkɔnə'sə:] *n* connaisseur *n*.

connotation [ˌkɔnə'teiʃn] *n* implication, connotation *f*.

conquer ['kɔŋkə] *vt* vaincre (enemy) ; conquérir (territory) ; dompter (passions) ‖ **~ing** [-riŋ] *adj* conquérant, victorieux || ~**or** [-rə] *n* conquérant *n*, vainqueur *m*.

conquest [ˈkɔŋkwest] *n* conquête *f*.

conscience [ˈkɔnʃns] *n* conscience *f*; *in all* ~, en conscience; *for* ~' *sake*, par acquit de conscience.

conscientious [ˌkɔnʃiˈenʃəs] *adj* consciencieux; ~ *objector*, objecteur *m* de conscience || ~**ness** *n* conscience, droiture, honnêteté *f*.

conscious [ˈkɔnʃəs] *adj* conscient; *become* ~, prendre conscience (*of*, de); MED. revenir à soi || ~**ness** *n* conscience, perception *f*, sentiment *m* (awareness) || MED. *lose/regain* ~, perdre/reprendre connaissance || PHIL. conscience *f*.

conscript [kənˈskript] *vt* appeler sous les drapeaux ● [ˈkɔnskript] *n* conscrit *m*, recrue *f* || ~**ion** [kənˈskripʃn] *n* service *m* militaire obligatoire, conscription *f*.

consecr|ate [ˈkɔnsikreit] *vt* consacrer (a church); sacrer (a bishop); || ~**ation** [ˌkɔnsiˈkreiʃn] *n* sacre *m* || REL. consécration *f*.

consecutive [kənˈsekjutiv] *adj* consécutif.

consent [kənˈsent] *vi* consentir, donner son accord ● *n* consentement, assentiment, accord *m*; *with one* ~, à l'unanimité; *by mutual* ~, d'un commun accord || JUR. *age of* ~, âge *m* nubile.

consequ|ence [ˈkɔnsikwəns] *n* conséquence *f*, effet, résultat *m*; *in* ~ *of*, par suite de || importance *f* || ~**ent** *adj* ~ *upon*, consécutif à, résultant (*to*, de) || ~**ential** [ˌkɔnsiˈkwenʃl] *adj* PEJ. suffisant, important (person) || ~**ently** [ˈkɔnsikwəntli] *adv* par conséquent.

conserv|ation [ˌkɔnsəˈveiʃn] *n* conservation *f*; préservation *f* (of forests, etc.) || défense *f* de l'environnement || ~**ative** [kənˈsɜːvtiv] *adj/n* conservateur || traditionnel || modeste (style) || prudent, modéré (estimate) || ~**atory** [kənˈsɜːvtri] *n* MUS.

conservatoire *m* || AGR. serre *f* (greenhouse).

conserve [kənˈsɜːv] *vt* conserver.

consider [kənˈsidə] *vt* considérer, examiner, réfléchir à (think about) || considérer, regarder, tenir pour (regard) || prendre en considération, tenir compte de (take into account); *all things* ~*ed*, tout bien considéré || ~**able** [kənˈsidrəbl] *adj* considérable, important || ~**ate** [kənˈsidrit] *adj* prévenant, attentionné || ~**ateness** [kənˈsidritnis] *n* attentions, prévenances *fpl* || ~**ation** [kənˌsidəˈreiʃn] *n* considération *f* (esteem); *out of* ~ *for*, par égard pour || réflexion *f*, examen *m*; *leave sth out of* ~, négliger qqch; *take sth into* ~, tenir compte de qqch; *in* ~ *of which*, moyennant quoi || dédommagement *m*; rétribution, rémunération *f*; *for a* ~, moyennant finance || ~**ing** [-riŋ] *prep* étant donné, eu égard à.

consign [kənˈsain] *vt* confier (*to*, à) || COMM. expédier || ~**ee** [ˌkɔnsaiˈniː] *n* destinataire *n* || ~**er** [kənˈsainə] *n* expéditeur *n* || ~**ment** [kənˈsainmənt] *n* COMM. envoi *m*, expédition *f*, arrivage *m* (of goods).

consist [kənˈsist] *vi* ~ *of*, consister en, se composer de || ~ *in*, consister en || ~**ence**, ~**ency** *n* consistance *f* (thickness) || FIG. cohérence *f*; suite *f* logique; esprit *m* de suite; *lack* ~, manquer de suite dans les idées || ~**ent** *adj* en accord (*with*, avec); compatible (*with*, avec) || logique, conséquent (reasoning) || ~**ently** *adv* régulièrement (unfailingly).

consolation [ˌkɔnsəˈleiʃn] *n* consolation *f*; ~ *prize*, prix *m* de consolation.

console¹ [kənˈsəul] *vt* consoler.

console² [ˈkɔnsəul] *n* console *f* || MUS. console *f* (organ) || INF. pupitre *m*.

consolidate [kənˈsɔlideit] *vt* consolider || FIN. consolider || COMM.

réunir, amalgamer — *vi* se consolider.

consonant [´kɔnsənənt] *adj* consonant ‖ Fig. en harmonie (*with,* avec) ● *n* consonne *f.*

consort [´kɔnsɔ:t] *adj* consort (prince) ● *n* Naut. *in* ~, de conserve ● [kən´sɔ:t] *vi* s'associer (*with,* à) ; frayer (*with,* avec) ; s'accorder (*with,* avec).

consortium [kən´sɔ:tjəm] *n* consortium *m.*

conspicuous [kən´spikjuəs] *adj* en évidence, visible ‖ Fig. remarquable ‖ *make oneself* ~, se faire remarquer ‖ ~**ly** *adv* bien en évidence, visiblement.

conspir|acy [kən´spirəsi] *n* conspiration *f* ‖ ~**ator** [-ətə] *n* conspirateur *n ;* conjuré *n.*

conspire [kən´spaiə] *vt* conspirer (*against,* contre).

const|able [´kʌnstəbl] *n* agent *m* de police, gardien *m* de la paix ; *chief* ~, commissaire *m* de police ; *rural* ~, garde *m* champêtre ‖ ~**abulary** [kən´stæbjuləri] *n* police *f.*

const|ancy [´kɔnstənsi] *n* constance *f* (steadfastness) ; fidélité *f* (truth) ‖ ~**ant** *adj* constant (steadfast) ; stable (unchanging) ‖ ~**antly** *adv* constamment.

constellation [ˌkɔnstə´leiʃn] *n* constellation *f.*

consternation [ˌkɔnstə´neiʃn] *n* consternation *f.*

constip|ate [´kɔnstipeit] *vt* constiper ‖ ~**ation** [ˌkɔnsti´peiʃn] *n* constipation *f.*

constit|uency [kən´stitjuənsi] *n* circonscription électorale ; électeurs *mpl* ‖ ~**uent** [-uənt] *adj* constituant ● *n* élément, composant *m* ‖ Pol. électeur *n.*

constitut|e [´kɔnstitju:t] *vt* constituer ; composer (make up) ‖ instituer, établir (establish) ; désigner (appoint) ‖ ~**ion** [ˌkɔnsti´tju:ʃn] *n* constitution,

composition *f* ‖ Med. constitution *f,* tempérament *m* ‖ Pol. constitution *f* ‖ ~**ional** [ˌkɔnsti´tju:ʃənl] *adj* constitutionnel ● *n* Coll. promenade *f* hygiénique.

constrain [kən´strein] *vt* contraindre, réprimer (restrain) ‖ ~**ed** [-d] *adj* contraint, forcé, peu naturel.

constraint [kən´streint] *n* contrainte *f* (compulsion) ‖ gêne *f* (uneasiness) ‖ retenue *f* (reserve).

constrict [kən´strikt] *vt* resserrer, contracter.

construc|t [kən´strʌkt] *vt* construire, édifier ‖ ~**tion** *n* construction *f* (act) ‖ Arch. édifice *m,* construction *f* (building) ‖ Gramm. construction *f* (of a sentence) ; interprétation *f* (of a statement) ‖ ~**tive** [-tiv] *adj* constructif, pratique.

construe [kən´stru:] *vt* faire l'analyse grammaticale ‖ Fig. interpréter, expliquer.

consul [´kɔnsl] *n* consul *m* ‖ ~**ate** [´kɔnsjulit] *n* consulat *m.*

consult [kən´sʌlt] *vt* consulter — *vi* ~ *with,* consulter ; s'entretenir avec ‖ ~**ant** *n* médecin consultant ‖ ~**ation** [ˌkɔnsəl´teiʃn] *n* consultation *f* ‖ ~**ative** [kən´sʌltətiv] *adj* consultatif ‖ ~**ing** *adj* Med. ~ *room,* cabinet *m* (de consultation) ‖ Techn. ~ *engineer,* ingénieur-conseil *m.*

consum|e [kən´sju:m] *vt* consommer (food) ‖ consumer (burn up) ‖ gaspiller — *vi* ~ *(away),* Fig. se consumer ‖ ~**er** *n* consommateur *n ;* ~ *goods,* biens *mpl* de consommation ; ~ *society,* société *f* de consommation ‖ ~**erism** *n* défense *f* du consommateur, consommateur *m.*

consummat|e [´kɔnsəmeit] *vt* parfaire ‖ consommer (marriage) ● [kən´sʌmit] *adj* consommé (complete) ‖ parfait, accompli (perfect) ‖ ~**ion** [ˌkɔnsʌ´meiʃn] *n* consommation *f* (crime, marriage) ‖ achèvement *m* (completing) ‖ perfection (of an art).

consump|tion [kənˈsʌmʃn] *n* consommation *f* (food, fuel).

contact [ˈkɔntækt] *n* contact *m* (touch) ; ~ **lenses,** lentilles *fpl* de contact ‖ ELECTR. **make/break** ~, établir/couper le contact | RAD. **make** ~, établir la liaison ‖ FIG. [person] relation *f*, correspondant *n ; get into* ~ *with sb* se mettre en rapport avec qqn ● [kənˈtækt] *vt* entrer/se mettre en rapport/relation avec ; contacter, toucher (*sb by phone,* qqn par téléphone).

contag|ion [kənˈteidʒn] *n* contagion *f* ‖ ~**ious** [-əs] *adj* contagieux.

contain [kənˈtein] *vt* contenir, renfermer ‖ FIG. contenir, maîtriser (one's emotions) ‖ ~**er** *n* récipient *m* ‖ TECHN. conteneur *m.*

contamin|ate [kənˈtæmineit] *vt* contaminer, infecter ‖ ~**ation** [kənˌtæmiˈneiʃn] *n* contamination *f.*

contempl|ate [ˈkɔntempleit] *vt* contempler (look at) ‖ méditer (think about) ‖ projeter, envisager (intend) ‖ ~**ation** [ˌkɔntemˈpleiʃn] *n* contemplation, méditation *f* ‖ projet *m* (intention) ; prévision *f* (expectation).

contemporary [kənˈtemprəri] *adj* contemporain (with, de) ● *n* contemporain *n.*

contempt [kənˈtemt] *n* mépris, dédain *m ; in* ~ *of,* au mépris de ‖ JUR. ~ *of court,* outrage *m* à magistrat ‖ ~**ible** *adj* méprisable ‖ ~**uous** [-juəs] *adj* méprisant, dédaigneux.

contend [kənˈtend] *vi* lutter (for, pour ; with, contre) ; ~ *with sb for sth,* disputer qqch à qqn ‖ concourir (contest) — *vt* prétendre, soutenir (argue) (that, que) ‖ ~**er** *n* SP. concurrent, compétiteur *n.*

content[1] [ˈkɔntent] *n* contenance, capacité *f* (capacity) ‖ teneur *f,* fond *m* (of a book) ‖ *Pl* contenu *m ; table of* ~*s,* table *f* des matières.

content[2] [kənˈtent] *adj* content, satisfait (with, de) ; *be* ~ *with,* se contenter de ● *n* contentement *m,* satisfaction *f* ● *vt* contenter, satisfaire ‖ ~**ed** [-id] *adj* satisfait.

content|ion [kənˈtenʃn] *n* contestation, dispute *f,* démêlé *m* (strife) ‖ affirmation, assertion *f ; my* ~ *is that,* je soutiens/prétends que ‖ ~**ious** [-əs] *adj* querelleur (person) ; litigieux (case).

contentment [kənˈtentmənt] *n* contentement *m,* satisfaction *f.*

contest [ˈkɔntest] *n* lutte *f,* combat *m ; beauty* ~, concours *m* de beauté ‖ SP. épreuve *f ;* [boxing] combat *m,* rencontre *f* ● [kənˈtest] *vt* contester ‖ POL. disputer (a seat) — *vi* lutter ; se disputer ‖ SP. rivaliser (for, pour).

context [ˈkɔntekst] *n* contexte *m.*

contigu|ity [ˌkɔntiˈgjuiti] *n* contiguïté *f* ‖ ~**ous** [kənˈtigjuəs] *adj* contigu (to, à).

contin|ence [ˈkɔntinəns] *n* continence *f* ‖ ~**ent[1]** *adj* continent.

contin|ent[2] *n* continent *m* ‖ ~**ental** *adj* continental.

conting|ency [kənˈtindʒənsi] *n* éventualité *f* ‖ ~**ent** *adj* contingent, aléatoire, éventuel ‖ dépendant (on, de) ● *n* MIL. contingent *m.*

continu|al [kənˈtinjuəl] *adj* continuel ‖ ~**ally** *adv* continuellement, sans arrêt ‖ ~**ance** *n* continuation *f* (of an action) ; prolongation *f* (of a state) ‖ ~**ation** [kənˌtinjuˈeiʃn] *n* continuation, suite *f* (of a story).

continu|e [kənˈtinju:] *adj* continuer, poursuivre (go on with) ‖ reprendre (resume) ; *to be* ~*d,* à suivre ‖ prolonger (extend) ‖ maintenir (retain) — *vi* continuer, durer (last) ‖ ~**ity** [ˌkɔntiˈnjuiti] *n* continuité *f* ‖ CIN. script *m ;* ~ *girl,* scripte *f ;* ~ *shot* raccord *m* ‖ ~**ous** [kənˈtinjuəs] *adj* continu ‖ [university] ~ *assessment,* contrôle continu ‖ ~**ously** [-li] *adv* sans cesse/arrêt.

contortion [kənˈtɔːʃn] *n* contorsion *f.*

contour [ˈkɔntuə] *n* contours *m* (of

a figure) ; profil *m* (of ground) ‖ GEOGR. ~ *line,* courbe *f* de niveau.

contra [ˈkɔntrə] *n* contre-révolutionnaire *n.*

contraband [ˈkɔntrəbænd] *n* contrebande *f.*

contracept|ion [ˌkɔntrəˈsepʃn] *n* contraception *f* ‖ **~ive** *adj/n* contraceptif *(m).*

contract[1] [kənˈtrækt] *vt* contracter, raccourcir (restrict) — *vi* se contracter, se rétrécir (shrink).

contract[2] [ˈkɔntrækt] *n* contrat *m* ; ~ *bridge,* bridge *m* contrat ‖ convention *f* (agreement) ‖ adjudication *f* ; *on* ~, à forfait ● [kənˈtrækt] *vt* traiter, passer un contrat ‖ contracter (illness) ‖ ~ *out,* sous-traiter.

contraction [kənˈtrækʃn] *n* contraction *f.*

contrac|tor [kənˈtræktə] *n* adjudicataire, entrepreneur *n* ‖ **~tual** [-tjuəl] *adj* contractuel, forfaitaire.

contradic|t [ˌkɔntrəˈdikt] *vt* contredire (sb) ; démentir (the words of sb) ‖ ~**tion** *n* contradiction *f,* démenti *m* ‖ ~**tory** *adj* contradictoire.

contra-indicate [ˌkɔntrəˈindikeit] *vt* MED. contre-indiquer.

contraption [kənˈtræpʃn] *n* truc, bidule *m* (fam.) [device].

contrariety [ˌkɔntrəˈraiəti] *n* opposition *f.*

contrar|ily [kənˈtreərili] *adv* contrairement (to, à) ‖ ~**iness** [-inis] *n* esprit *m* de contradiction ‖ ~**iwise** [-iwaiz] *adv* en sens opposé ‖ par contre.

contrary [ˈkɔntrəri] *adj* contraire, opposé (to, à) ● *adv* contrairement (to, à) ; à l'encontre (to, de) ● *n* contraire, opposé *m* ; *on the* ~, au contraire ; *unless you hear to the* ~, à moins d'avis contraire, sauf contrordre ; *until we get proof to the* ~, jusqu'à preuve du contraire ● *by contraries,* à contretemps ● [kənˈtreəri] *adj* contrariant, entêté.

contrast [ˈkɔntrɑːst] *n* contraste *m*

● [kənˈtrɑːst] *vt* faire contraster, opposer — *vi* contraster.

contravene [ˌkɔntrəˈviːn] *vt* s'opposer à, aller à l'encontre de (go against) ‖ contredire (a statement) ‖ JUR. contrevenir à.

contretemps [ˈkɔntrətɑ̃] *n* contretemps *m.*

contribut|e [kənˈtribjuːt] *vt* donner (money, food, etc.) [*to,* à] ‖ envoyer des articles (*to a newspaper,* à un journal) — *vi* contribuer (have a share) [*to,* à] ‖ ~**ion** [ˌkɔntriˈbjuːʃn] *n* contribution, participation *f* ‖ article *m* (in a newspaper) ‖ JUR. apport *m* ‖ ~**or** *n* collaborateur *m* (to a periodical) ‖ FIN. souscripteur *m.*

con trick [ˈkɔnˌtrik] *n* SL. = CONFIDENCE TRICK.

contr|ite [ˈkɔntrait] *adj* contrit ‖ ~**ition** [kənˈtriʃn] *n* contrition *f.*

contrivance [kənˈtraivns] *n* ingéniosité *f* (capacity) ‖ invention *f* (device) ‖ plan *m* (project) ‖ combinaison *f* (act) ‖ PEJ. combine, manigance *f.*

contrive [kənˈtraiv] *vt* inventer, imaginer — *vi* trouver moyen (to do, de faire) ; s'arranger (to do, pour faire) ‖ [housewife] y arriver (financièrement).

control [kənˈtroul] *n* autorité *f,* contrôle *m* ; ~ *of the seas,* maîtrise *f* des mers ‖ contrainte *f* (restraint) ; *under* ~, maîtrisé ; *out of* ~, désemparé ; *his car went out of* ~, il a perdu le contrôle de sa voiture ‖ contrôle *m,* vérification *f* ; surveillance *f* (check) ‖ [pest] élimination *f* ‖ AV. ~ *column,* manche *m* à balai ‖ ~ *tower,* tour *f* de contrôle ‖ TECHN. *remote* ~, télécommande *f* ; ‖ Pl commandes *fpl* ; RAD. boutons *mpl* de contrôle ● *vt* dominer, commander ; maîtriser ; ~ *oneself,* se maîtriser ‖ contrôler (check) ‖ ~**led** [-d] *adj* dirigé (economy) ; taxé (prices) ‖ ~**ler** *n* contrôleur, vérificateur *n.*

controvers|ial [ˌkɔntrəˈvəːʃl] : *adj* discutable ‖ **~y** [ˈkɔntrəvəːsi, kənˈtrɔvəsi] *n* controverse *f*.

contu|se [kənˈtjuːz] *vt* contusionner ‖ **~sion** [-ʒn] contusion *f*.

conundrum [kəˈnʌndrəm] *n* devinette *f*.

conurbation [ˌkɔnəːˈbeiʃn] *n* conurbation *f*.

convalesc|e [ˌkɔnvəˈles] *vi* être en convalescence ‖ **~ence** *n* convalescence *f* ‖ **~ent** *adj/n* convalescent.

convection [kənˈvekʃn] *n* convection *f*.

convene [kənˈviːn] *vt* convoquer, réunir — *vi* se réunir, s'assembler.

conven|ience [kənˈviːnjəns] *n* convenance *f* ; *at your ~*, quand vous le pourrez ‖ commodité, utilité *f* ; objet *m* de confort ; *modern ~s*, confort *m* moderne ‖ **~ food**, aliments prêts à l'emploi ‖ *public ~(s)*, w.-c. publics ‖ *Pl* aises *fpl* ‖ Comm. *at your earliest ~*, dans les meilleurs délais ‖ **~ient** [-jənt] *adj* commode, pratique.

convent [ˈkɔnvnt] *n* couvent *m*.

convention [kənˈvenʃn] *n* convention *f* (contract) ‖ règle *f* (standard) ‖ assemblée *f*, congrès *m* (meeting) ‖ *Pl* convenances *fpl*, usages *mpl* ‖ **~al** *adj* conventionnel (customary) ; classique, conventionnel (weapons).

converge [kənˈvəːdʒ] *vi* converger.

conversant [kənˈvəːsnt] *adj* *be ~ with*, s'y connaître en.

conversation [ˌkɔnvəˈseiʃn] *n* conversation *f*, entretien *m* ; *engage sb in ~*, *enter into ~ with sb*, engager la conversation avec qqn ; *have a ~ with*, s'entretenir avec ‖ **~al** *adj* de la conversation.

converse¹ [kənˈvəːs] *vi* converser, s'entretenir.

converse² [ˈkɔnvəːs] *adj/n* inverse, contraire (*m*) ; réciproque (*f*) ‖ **~ly** [kənˈvəːsli] *adv* réciproquement.

conversion [kənˈvəːʃn] *n* conversion *f* ‖ [rugby] transformation *f*.

convert [kənˈvəːt] *vt* convertir, transformer (*into*, en) ‖ [rugby] transformer un essai ‖ Rel. convertir ● [ˈkɔnvəːt] *n* converti *n* ‖ **~ible** *adj* convertissable ‖ Fin. convertible ● *n* (voiture *f*) décapotable *f*.

convex [ˈkɔnveks] *adj* convexe.

convey [kənˈvei] *vt* transporter (carry) ‖ transmettre (transmit) ‖ exprimer, traduire (express) ‖ Jur. transférer, céder ‖ **~ance** *n* transport *m* (act) ‖ moyen *m* de transport, véhicule *m* (vehicle) ‖ Jur. transfert *m*, cession *f* ‖ **~or** *n* transporteur, convoyeur *m* ; tapis roulant.

convict [ˈkɔnvikt] *n* condamné *n*, forçat, bagnard ● [kənˈvikt] *vt* déclarer/reconnaître coupable.

conviction [kənˈvikʃn] *n* Jur. condamnation *f* ‖ Fig. conviction *f* (belief).

convinc|e [kənˈvins] *vt* convaincre, persuader (*of*, de) ‖ **~ing** *adj* convaincant, persuasif.

convivial [kənˈviviəl] *adj* jovial et qui aime la bonne chère ; *~ evening*, soirée passée à banqueter.

convocation [ˌkɔnvəˈkeiʃn] *n* convocation *f* ‖ Rel. synode *m*.

convoke [kənˈvəuk] *vt* convoquer.

convoy [ˈkɔnvɔi] *n* convoi *m*, escorte *f* ● *vt* convoyer, escorter.

convulsion [kənˈvʌlʃn] *n* convulsion *f* ‖ Coll. *be in ~s*, se tordre de rire.

cony [ˈkəuni] *n* lapin *m*.

coo [kuː] *vt* roucouler.

cook [kuk] *n* cuisinier *n* ● *vt* (faire) cuire ; *~ (the) dinner*, préparer le dîner — *vi* faire la cuisine, cuisiner ‖ **~ book** *n* U.S. = COOKERY BOOK. ‖ **~er** *n* (*gas*) cuisinière *f* (stove) à gaz ‖ Culin. pomme *f* à cuire ‖ **~ery** [-əri] *n* art *m* culinaire ; *~-book*, livre *m* de cuisine ‖ **~ie** [-i] *n* [Scotland] brioche *f* ; U.S. gâteau sec ‖ ~ing n cuisson f; do the ~, faire la cuisine ; ~-pot, faitout m.

cool [ku:l] adj frais ; get ~, fraîchir ‖ have a ~ drink, boire frais ; enjoy the ~ air, prendre le frais ; keep in a ~ place, tenir au frais ‖ Fig. calme ; décontracté (fam.) ; keep ~, garder son sang-froid ‖ froid (reception) ‖ Coll. sans gêne ; culotté (fam.) ● n fraîcheur f, frais m ● vi (se) rafraîchir, refroidir ‖ ~ down/off, se calmer ‖ ~er n U.S. glacière f (box) ‖ cellier (room) ‖ ~ing adj rafraîchissant ‖ ~ness n frais m, fraîcheur f ‖ Fig. flegme, sang-froid m (composure) ‖ froideur f (chilliness).

coon [ku:n] n U.S. = RACCOON.

coop [ku:p] n cage f à poule, mue ‖ ● vt ~ up, mettre en cage, enfermer.

co-op [kə´ɔp] n Coll. coopé f.

cooper [´ku:pə] n tonnelier m.

co-oper|ate [kəu´ɔpəreit] vi coopérer, contribuer (to, à) ‖ ~ative [kəu´ɔprətiv] adj coopératif, serviable ● n (consumers') ~, coopérative f.

co-opt [kəu´ɔpt] vt coopter.

co-ordinat|e [kəu´ɔːdineit] vt coordonner ● [kəu´ɔːdinit] adj Gramm. coordonné ● n Math. coordonnée f ‖ ~ion [kə,ɔːdi´neiʃn] n coordination f.

cop [kɔp] n Sl. flic m.

copartner [´kəu´pɑːtnə] n coassocié n.

cope [kəup] vi s'en tirer, se débrouiller, faire face (with, à).

coping [´kəupiŋ] n Arch. chaperon m (of a wall) ‖ ~-stone, Arch., Fig. couronnement m.

copious [´kəupjəs] adj copieux.

copper[1] [´kɔpə] n cuivre m (rouge) ‖ lessiveuse f ‖ Pl petite monnaie f ; coll. sous mpl ‖ ~smith n chaudronnier m.

copper[2] n Sl. flic m.

coppice [´kɔpis] n taillis m.

copra [´kɔprə] n copra m.

copse [kɔps] n = COPPICE.

copter [´kɔptə] n U.S., Coll. = HELICOPTER ; hélico m (fam.).

copulate [´kɔpjuleit] vt copuler.

copy [´kɔpi] n copie f; imitation, reproduction f; rough ~, brouillon m; fair ~, copie f au net ; carbon ~, copie carbone, double (exemplaire) m ‖ numéro m (paper) ‖ exemplaire m (book) ● vt copier ‖ ~ out, recopier ‖ ~book n cahier m ‖ ~cat n Coll. copieur n ‖ ~right n propriété f littéraire.

coqu|etry [´kəukitri] n coquetterie f; flirt m ‖ ~ette [kɔ´ket] n coquette f ‖ ~ettish [kɔ´ketiʃ] adj coquette, provocante, aguichante (f) [woman].

coral [´kɔrl] n corail m.

cord [kɔːd] n corde f ‖ Electr. fil m ‖ Med. spinal ~, moelle épinière ; vocal ~s, cordes vocales ● vt lier, encorder.

cordial [´kɔːdjəl] adj cordial.

cordon [´kɔːdn] n barrage, cordon m (police) ; sanitary ~, cordon sanitaire ‖ [decoration] cordon m ● vt ~ (off), établir un barrage (de police, etc.).

cords [kɔːdz] n Coll. pantalon m de velours côtelé ; → CORDUROY.

corduroy [´kɔːdərɔi] n velours côtelé ‖ Pl pantalon m de velours.

core [kɔː] n cœur m (of a mass) ‖ trognon m (of an apple) ‖ Electr. noyau m ‖ Fig. cœur, fond m ; get to the ~ of, approfondir ● vt ~ (out), évider (a fruit).

cork [kɔːk] n liège m ‖ bouchon m (of a bottle) ● vt ~ (up), boucher ‖ ~-oak n chêne-liège m ‖ ~-screw n tire-bouchon m ‖ ~-tipped [-ˌtipt] adj à bout de liège.

cormorant [´kɔːmərnt] n cormoran m.

corn[1] [kɔːn] n Med. cor m ; ~-plaster, coricide m.

corn[2] n grain m (cereals) ‖ U.S. (Indian) ~, maïs m ; G.B. blé m (wheat) ‖ grain m (of pepper) ‖

~-chandler *n* grainetier *m* ‖ **~ cob** *n* épis *m* de maïs.

cornea [ˈkɔːniə] *n* cornée *f.*

corneal lenses *npl* lentilles cornéennes/de contact.

corned [kɔːnd] *adj* salé (meat) ; **~** *beef,* bœuf *m* en boîte.

corner [ˈkɔːnə] *n* coin, angle *m* ‖ *turn down the ~ of,* écorner, corner (a book, a page) ‖ RAIL. **~-seat,** place *f* de coin ‖ AUT. tournant *m ; cut off a ~,* prendre un raccourci ‖ [football] **~ (kick),** corner *m* ‖ FIG. *turn the ~,* sortir d'une impasse ; *drive sb into a ~,* pousser qqn dans ses retranchements ● *vt* COMM. accaparer ‖ FIN. monopoliser ‖ FIG. acculer ; coincer (fam.) ‖ **~-stone** *n* pierre *f* angulaire.

cornet [ˈkɔːnit] *n* MUS. cornet *m* à pistons ‖ [ice-cream] cornet *m.*

cornflower *n* bleuet *m.*

cornice [ˈkɔːnis] *n* corniche *f.*

Cornish [ˈkɔːniʃ] *adj* cornouaillais.

cornucopia [ˈkɔːnjuˈkəupjə] *n* corne *f* d'abondance.

Cornwall   [ˈkɔːnwl]   *n*   Cornouailles *f.*

corny [ˈkɔːni] *adj* banal, rebattu (joke) ; vieux-jeu ; ringard (arg.) [old-fashioned].

corolla [kəˈrɔlə] *n* corolle *f.*

corollary [kəˈrɔləri] *n* corollaire *m.*

coronary [ˈkɔrənəri] *adj* coronaire ; **~ (thrombosis),** infarctus *m,* crise *f* cardiaque.

coronation [ˌkɔrəˈneiʃn] *n* couronnement *m.*

coroner [ˈkɔrənə] *n* coroner *m,* juge d'instruction.

coronet [ˈkɔrənit] *n* diadème *m* (for women) ; petite couronne (of an earl).

corporal[1] [ˈkɔːprl] *adj* corporel.

corporal[2] *n* MIL. caporal *m.*

corporate [ˈkɔːprit] *adj* JUR. organisé, constitué ; **~** *body, body* **~,** corps constitué ; **~** *name,* raison sociale.

corporation [ˌkɔːpɔˈreiʃn] *n* conseil municipal ‖ société commerciale, entreprise *f* ‖ COLL. brioche *f* (fam.).

corps [kɔː] *n* MIL. service *m* (technical) ‖ corps *m* (formation).

corpse [kɔːps] *n* cadavre, corps *m.*

corpul|ence [ˈkɔːpjuləns] *n* corpulence *f* ‖ **~ent** *adj* corpulent.

corpuscle [ˈkɔːpʌsl] *n* ANAT. globule *m* (in the blood).

corral [kɔːˈrɑːl] *n* U.S. corral, enclos, parc *m* à bestiaux.

correct [kəˈrekt] *vt* corriger (amend) ‖ rectifier (rectify) ‖ châtier, corriger (beat) ● *adj* correct, exact, juste ‖ [school] **~** *answer(s)/version,* corrigé *m* ‖ correct, convenable (behaviour) ‖ juste (weight) ‖ **~ion** [kəˈrekʃn] *n* correction, rectification *f ; under ~,* sauf erreur ‖ correction *f ;* châtiment *m* (punishment) ‖ **~ly** *adv* correctement ‖ **~ness** *n* correction, bienséance *f* (of behaviour) ‖ exactitude, justesse *f* ‖ **~or** *n* correcteur *n.*

correl|ate [ˈkɔrileit] *vt* mettre en corrélation — *vi* être en corrélation ‖ **~ation** [ˌkɔriˈleiʃn] *n* corrélation *f,* rapport *m* ‖ **~ative** [kɔˈrelativ] *adj* corrélatif.

correspond [ˌkɔrisˈpɔnd] *vi* correspondre (*with,* à) [agree] ‖ correspondre (*with,* avec) [write] ‖ **~ence** *n* correspondance *f,* courrier *m* (mail) ‖ accord *m* (*with,* avec) [agreement] ‖ **~ing** *adj* correspondant (*to/with,* à) ‖ **~ent** *n* correspondant *n ; special ~,* envoyé spécial ‖ **~ing** *adj* correspondant (*to,* à).

corridor [ˈkɔridɔː] *n* couloir *m.*

corroborate [kəˈrɔbəreit] *vt* corroborer.

corro|de [kəˈrəud] *vt* corroder ‖ **~sive** [-siv] *adj/n* corrosif (*m*).

corrugate [ˈkɔrugeit] *vi* onduler ; se plisser — *vt* plisser ; gaufrer (paper) ; **~d iron,** tôle ondulée.

corrup|t [kə´rʌpt] *vt/vi* (se) corrompre • *adj* corrompu ‖ ~**ting** *adj* corrupteur ‖ ~**tion** *n* corruption *f.*

corsage [kɔː´saːʒ] *n* corsage *m* ‖ boutonnière *f* (flowers).

corset [´kɔːsit] *n* corset *m.*

Corsic|a [´kɔːsikə] *n* Corse *f* ‖ ~**an** *adj/n* corse.

cosh [kɔʃ] *n* matraque *f.*

cosily [´kəuzili] *adv* douillettement, à l'aise.

cosmetics [kɔz´metiks] *npl* produits *mpl* de beauté.

cosmic [´kɔzmik] *adj* cosmique.

cosmonaut [´kɔzmənɔːt] *n* astronaute, cosmonaute *m.*

cosmopolitan [kɔzmə´pɔlitn] *adj* cosmopolite.

cosset [´kɔsit] *vt* dorloter ; câliner.

cost [kɔst] *n* coût *m* ; ~ **price,** prix *m* de revient ; *at* ~ **price,** au prix coûtant ; *at little* ~, à peu de frais ; ~ *of living,* coût de la vie ‖ frais *mpl* ; ~ *free,* sans frais ‖ *Pl* JUR. dépens *mpl* ‖ FIG. count the ~s, évaluer les risques ‖ **to your** ~**s,** à vos dépens ; *at the* ~ *of,* au prix de ; *at all* ~**s, at any** ~, à tout prix, coûte que coûte • *vi* (cost) coûter — *vt* (pret. costed) évaluer (le coût de).

coster(monger) [´kɔstə(´mʌŋgə)] *n* marchand *(n)* des quatre-saisons.

costly [´kɔstli] *adj* coûteux ; précieux ; de grande valeur, de luxe.

costume [´kɔstjuːm] *n* costume *m* ‖ costume-tailleur *m* (woman's) ; *bathing* ~, costume de bain • *vt* costumer.

cosy [´kəuzi] *adj* douillet, confortable ; *it's* ~ *here,* on se sent bien ici • *n* couvre-théière *m* (tea-cosy).

cot¹ [kɔt] *n* lit *m* d'enfant.

cot² *n* abri *m* (shelter).

cote [kəut] *n* abri *m* ‖ → DOVE.

cottag|e [´kɔtidʒ] *n* maisonnette *f* (in the country) ; *thatched* ~, chaumière *f* ‖ villa *f* (at a summer resort) ‖ ~ *cheese,* fromage blanc ‖ ~**er** *n* paysan, villageois *n.*

cotton [´kɔtn] *n* coton *m* ; *absorbent* ~, coton hydrophile ‖ *printed* ~, indienne *f* • *vi* COLL. sympathiser (with, avec) ‖ ~ *wool* *n* ouate *f.*

couch [kautʃ] *n* sofa, canapé *m* • *vt* rédiger — *vi* [animal] se tapir ; s'embusquer (crouch).

cough [kɔf] *n* toux *f* • *vi* tousser ‖ ~*-drop/-lozenge,* pastille *f* contre la toux.

could, couldn't → CAN ‖ *couldn't-care-less attitude,* je-m'en-fichisme *m* (fam.).

council [´kaunsl] *n* conseil *m* ; *town* ~, conseil municipal ; ~ *flat/house,* FR. = H.L.M. *m/f* ‖ REL. concile *m* ‖ ~**lor** *n* conseiller *m.*

counsel [´kaunsl] *n* conseil, avis *m* ; *hold* ~ *with sb,* consulter qqn ‖ projet, dessein *m* ; *keep one's own* ~, ne pas dévoiler ses intentions ‖ JUR. avocat *n* • *vt* conseiller ‖ ~**lor** *n* conseiller *m.*

count¹ [kaunt] *n* comte *m* (foreign title).

count² *n* compte, calcul *m* (reckoning) ‖ [boxing] go down for the ~, aller au tapis ‖ JUR. chef *m* d'accusation • *vt* compter, dénombrer ‖ FIG. considérer comme ‖ ~ *out,* compter un à un ; JUR. ajourner (the House) ; SP. éliminer ‖ ~ *up,* totaliser — *vi* compter (up to, jusqu'à) ‖ compter, être inclus dans ; figurer (among, au nombre de) ‖ FIG. compter, avoir de l'importance ; *that doesn't* ~, cela ne compte pas ; ~ *as three,* compter pour trois ; ~ *on sb,* compter sur qqn ‖ ~ *down,* compter à rebours ; ~*down (n),* compte *m* à rebours ‖ ~ *out,* [boxing] be ~ed out, être mis K.-O.

countenance [´kauntinəns] *n* air *m,* mine *f* ; *keep one's* ~, garder son sérieux ; *put sb out of* ~, déconcerter, embarrasser qqn ‖ expression *f*; sad ~, triste mine ‖ appui, soutien *m* (support) ● *vt* appuyer, soutenir, approuver.

counter¹ [ˈkauntə] *n* COMM. comptoir *m*.

counter² *n* jeton *m* (token) ‖ TECHN. compteur *m* ‖ AUT. *revolution* ~, compte-tours *m*.

counter³ *adj* contraire, opposé ● *adv* ~ to, à l'opposé, en sens inverse (direction) ; à l'encontre de (against) ; contrairement à (contrary to) ● *vt* s'opposer à — *vi* contre-attaquer, riposter.

counter⁴ *pref* contre... ‖ ~attack (n), contre-attaque *f*; (vt) contre-attaquer ‖ ~balance (n), contrepoids *m*; (vt) contrebalancer ‖ ~check (vt), revérifier ; (n) contre-épreuve *f* ‖ ~clockwise, U.S. dans le sens inverse des aiguilles d'une montre ‖ ~-culture, contre-culture *f* ‖ ~current, contre-courant *m* ‖ ~espionnage/-intelligence, contre-espionnage *m* ‖ ~feit [-fiːt] *adj* faux ; (n) contrefaçon *f*; (vt) contrefaire ‖ ~foil, talon *m*, souche *f* ‖ ~mand [-mɑːnd] annuler ‖ ~pane, couvre-lit *m* ‖ ~part, contrepartie *f*; homologue *n* ‖ ~plan, contre-projet *m* ‖ ~point, contrepoint *m* ‖ ~poise (n), contrepoids *m*; (vt) faire contrepoids à, compenser ‖ ~proposal, contre-proposition *f* ‖ ~sign (n), mot *m* de passe ; (vt) contresigner ‖ ~weight, contrepoids *m*.

countess [ˈkauntis] *n* comtesse *f*.

countless *adj* innombrable.

countrified [ˈkʌntrifaid] *adj* campagnard, provincial.

country [ˈkʌntri] *n* pays *m* ; région, contrée *f* ‖ pays natal, patrie *f* ‖ campagne (rural districts) ; *in the open* ~, en pleine campagne ‖ ~-dancing *n* danses *fpl* folkloriques ‖ ~house *n* manoir *m* ‖ ~man *n* campagnard *m* (peasant) ; compatriote *m* ‖ ~-seat *n* manoir *m* ‖

~side *n* campagne *f* ‖ ~woman *n* campagnarde *f*; compatriote *f*.

county [ˈkaunti] *n* comté *m*.

coup [kuː] *n* beau coup (stratagem) ‖ ~ de grâce, coup *m* de grâce ‖ ~ (d'état), coup *m* d'État.

coupé [ˈkupei] *n* AUT. coupé *m*.

coupl|e [ˈkʌpl] *n* [animals, persons] couple *m* ; *married* ~, ménage *m* ‖ [things] paire *f*; *a* ~ *of days*, deux ou trois, quelques jours ● *vt* TECHN. (ac)coupler ‖ ~ing *n* accouplement *m* ‖ RAIL. attelage *m*.

coupon [ˈkuːpɔn] *n* coupon *m* ; *international reply* ~, coupon-réponse international.

courage [ˈkʌridʒ] *n* courage *m* ‖ ~ous [kəˈreidʒəs] *adj* courageux.

courier [ˈkuriə] *n* guide, accompagnateur *n*.

course [kɔːs] *n* [time] cours *m* ; *in the* ~ *of*, au cours de ; *in due* ~, en temps utile ; *in* ~ *of time*, à la longue ; *run/take one's* ~, suivre son cours ‖ série *f* (of lectures) ‖ [river] cours *m* ‖ [school] cours *m* ‖ MED. *a* ~ *of medicine*, un traitement ‖ SP. champ *m* de course (racecourse) ; parcours *m*, distance *f* (in golf) ‖ FIN. cours *m*, cote *f* ‖ NAUT. route *f*; *set a* ~ *for*, mettre le cap sur ‖ CULIN. plat *m*; *first* ~, entrée *f*; *main* ~, plat principal/de résistance ‖ FIG. ~ *of action*, ligne *f* de conduite ‖ *of* ~, naturellement, bien sûr ● *vt* faire courir (greyhounds, horse) — *vi* circuler, couler (blood, water).

court [kɔːt] *n* cour *f* (yard) ‖ impasse *f* (blind alley) ‖ ARCH. manoir *m* ‖ cour *f* (of a sovereign) ‖ SP. terrain *m* ; court *m* (for tennis) ‖ JUR. tribunal *m* ; *police* ~, tribunal de simple police ‖ FIG. cour *f* (wooing) ; *pay* ~ *to*, faire la cour à ● *vt* courtiser (woman) ‖ FIG. aller au-devant de (a disaster) ‖ ~-card *n* figure *f* (in cards).

court|eous [ˈkɔːtjəs] *adj* courtois ‖ ~esy [ˈkɔːtisi] *n* courtoisie *f* ‖ ~ier [ˈkɔːtjə] *n* courtisan *n*.

court|-martial [ˈkɔːtmɑːʃl] *n* conseil *m* de guerre ● *vt* faire passer en conseil de guerre ‖ **~-room** *n* JUR. salle *f* d'audience, prétoire *m* ‖ **~ shoe** *n* escarpin *m* ‖ **~yard** *n* ARCH. cour *f.*

cousin [ˈkʌzn] *n* cousin *n ; first ~,* cousin germain.

cove [kəuv] *n* anse, crique *f.*

covenant [ˈkʌvənənt] *n* convention *f,* pacte *m.*

cover [ˈkʌvə] *n* couverture *f* (of bed, book) ‖ couvercle *m* (lid) ‖ [umbrella] fourreau *m* ‖ enveloppe *f* (of letter) ; bande *f* (of newspaper) ; *under separate ~,* sous pli séparé ‖ abri *m ; take ~,* se mettre à l'abri ‖ FIN. couverture *f; without ~,* à découvert ‖ MIL. couvert *m ; take ~,* s'embusquer ‖ SP. gîte *m* (of game) ‖ CULIN. [table] couvert *m ;* [restaurant] **~ charge,** couvert *m* ‖ FIG. *under ~ of,* sous couvert de ● *vt* couvrir, recouvrir ‖ parcourir (distance) ‖ MIL. couvrir, protéger ‖ FIN. couvrir (expenses) ‖ [press], RAD., T.V. couvrir, faire le reportage de ‖ FIG. embrasser ‖ **~ up,** dissimuler, cacher ; étouffer (scandal) ‖ **~-age** [-ridʒ] *n* [press], RAD., T.V. reportage *m,* couverture *f* ‖ JUR. risques *mpl* couverts, garantie *f* (assurance) ‖ **~ing** [-riŋ] *n* ZOOL. saillie *f.*

covert [ˈkʌvət] *adj* couvert, abrité ‖ FIG. caché, voilé ● [ˈkʌvə] *n* couvert, fourré *m* (thicket) ‖ gîte *m* (of game) ‖ **~ly** *adv* à mots couverts.

covet [ˈkʌvit] *vt* convoiter ‖ **~ous** *adj,* avide, cupide.

covey [ˈkʌvi] *n* compagnie *f* (of partridges).

cow[1] [kau] *n* vache *f ; milch ~,* (vache) laitière *f* ‖ femelle *f* (of elephant, whale) ‖ **~-boy** *n* U.S. cowboy *m* ‖ COLL., PEJ. charlot *m* (pop.). ● *adj* peu sérieux.

cow[2] *vt* intimider.

coward [ˈkauəd] *n/adj* lâche, poltron ; froussard (fam.) ‖ **~ice** [-is] *n*

couardise, lâcheté *f* ‖ **~ly** *adj* lâche ; *in a ~ way,* lâchement.

cower [ˈkauə] *vi* se blottir, se tapir.

cow|-herd [ˈkauhəːd] *n* vacher, bouvier *n* ‖ **~-house** *n* étable *f.*

cowl [kaul] *n* [monk] capuchon *m ;* [penitent] cagoule *f.*

cow|-lick [ˈkaulik] *n* épi *m* (in hair) ‖ **~-shed** *n* étable *f.*

cowslip [ˈkauslip] *n* coucou *m.*

coxswain [ˈkɔksn] *n* SP. barreur *n* ‖ NAUT. patron *n* de barque.

coy [kɔi] *adj* timide ‖ [woman] mijaurée (demure).

coyote [kɔiˈəut] *n* coyote *m.*

cozen [ˈkʌzn] *vt ~ sb into doing sth,* entraîner/amener qqn (par la ruse) à faire qqch ; *~ sb out of sth,* escroquer qqch à qqn.

cozy [kəuzi] *adj* U.S. = COSY.

crab[1] [kræb] *n* ZOOL. crabe *m* ‖ MED. *~-louse,* morpion *m* (fam.).

crab[2] *n ~-(-apple),* pomme *f* sauvage.

crabb|ed [ˈkræbid] *adj* acariâtre, revêche ‖ *~ handwriting,* pattes *fpl* de mouches ‖ **~y** *adj* U.S. hargneux, grincheux.

crack [kræk] *n* fêlure, craquelure *f* (in glass) ; fissure, fente *f* (in ice, etc.) ‖ crevasse *f* (in the skin) ‖ craquement *m* (sharp noise) ; détonation *f* (of a fire arm) ‖ COLL. bon mot (joke) ‖ SL. tentative *f* (try) ● *adj* de premier ordre ; d'élite (regiment) ● *vt* fendre, fêler (glass) ‖ casser (a nut) ‖ faire claquer (a whip, fingers) ‖ décrypter (code) ‖ MED. crevasser (skin) ; casser (voice) ‖ COLL. vider une bouteille ‖ TECHN. distiller, raffiner (petroleum) ‖ FIG. lancer (jokes) ‖ **~ down on,** prendre des mesures énergiques contre ; serrer la vis à (fam.) — *vi* [glass] se fêler ; [earth] se fendiller ‖ [skin] se gercer ‖ [voice] muer ‖ COLL. *get ~ing,* se mettre au boulot (en vitesse) [fam.] ‖ **~ up,** s'effondrer ; flancher, craquer (fam.).

crackdown n mesures draconiennes (*on*, contre).

crack|ed [-t] adj fendu, crevassé ; fêlé, lézardé ‖ COLL. timbré, toqué (person) ‖ ~**er** n gâteau sec ; U.S. biscuit m ‖ pétard m (firework) ‖ ~**ing** n CHIM. cracking m ‖ ~ **plant,** raffinerie f.

crackl|e [krækl] vi pétiller, crépiter ● n crépitement m (of fire, machinegun) ‖ TEL. friture f ‖ TECHN. craquelure f (china) ‖ ~**ing** n = CRACKLE ‖ CULIN. Pl fritons, gratons mpl.

cradle [ˈkreidl] n berceau m ‖ MED. gouttière f (splint) ‖ ~**-song** n berceuse f.

craft¹ [krɑːft] n (pl unchanged) NAUT. embarcation, barque f ‖ Av. (air)~, avion m.

craft² n habileté, dextérité f (skill) ; ruse, astuce f (guile) ‖ métier m (trade) ‖ corporation f ‖ ~**sman** [-smən] n artisan, ouvrier m ‖ ~**y** adj rusé, astucieux.

crag [kræg] n rocher escarpé.

cram [kræm] vt bourrer, bonder ‖ FIG. gaver (with food) — vi se bourrer ; se gaver, se gorger (*with*, de) ‖ ~**-full** adj bourré ; comble (room, etc.) ‖ ~**ming** n FIG. bourrage, bachotage m (fam.).

cramp [kræmp] n crampe f ● vt gêner, entraver (person) ‖ MED. donner des crampes ‖ TECHN. cramponner ‖ FIG. ~ *sb's style,* priver qqn de ses moyens ● n ~ (*-iron*), crampon m ‖ ~**ed** [-t] adj comprimé ; *be* ~ *for room,* être à l'étroit ‖ serré, indéchiffrable (writing) ‖ ~**-fish** n poisson-torpille m.

cranberry [ˈkrænbri] n airelle f.

crane [krein] n ZOOL., TECHN. grue f ● vt ~ *one's neck,* tendre le cou.

crank¹ [kræŋk] n manivelle f ‖ AUT. ~**-case,** carter m ‖ ~**-shaft,** vilebrequin m ● vt faire partir à la manivelle.

crank² n excentrique, maniaque n ‖ ~**y** adj farfelu (odd) ‖ branlant (shaky).

cranny [ˈkræni] n fente, lézarde f (in a wall).

crape [kreip] n crêpe m (black).

craps [kræps] npl U.S., SL. jeu m de dés.

crash [kræʃ] n fracas m ‖ Av. accident m ‖ FIN. krach m ● vi [vehicles] s'écraser ; entrer en collision ; (se) heurter violemment ; ~ *into,* emboutir ‖ Av. s'écraser (au sol) — vt fracasser ; jeter (*into,* contre) ‖ ~ **barrier** n glissière f de sécurité ‖ ~ **course** n cours intensif ‖ ~**-helmet** n casque m de motocycliste ‖ ~**-landing** n Av. atterrissage m forcé/en catastrophe.

crass [kræs] adj ~ *ignorance,* ignorance crasse.

crate [kreit] n cageot m.

crater [ˈkreitə] n cratère m ‖ MIL. entonnoir m.

crav|e [kreiv] vi désirer intensément ; soupirer (*after/for,* après) — vt implorer ‖ ~**ing** n désir m intense ; soif f (*for,* de).

crawfish n = CRAYFISH.

crawl [krɔːl] vi ramper, se traîner (on hands and knees) ‖ grouiller (swarm) ‖ [car] ~ *along,* avancer au pas ● n [car] allure très lente ‖ COLL. *go on a pub* ~, faire la tournée des pubs/bistros ‖ SP. crawl m ; *do the* ~, nager le crawl ‖ ~**ers** npl barboteuse f ‖ ~**ing** adj grouillant ● n reptation f.

crayfish [ˈkreifiʃ] n [fresh water] écrevisse f ‖ [saltwater] langouste f ; langoustine f (small).

crayon [ˈkreiən] n pastel m ● vt dessiner au pastel.

craz|e [kreiz] n engouement m, manie, toquade f ‖ ~**ed** [-d] pp craquelé ‖ dérangé, détraqué (fam.) ‖ ~**y** adj fou ; cinglé, dingue (fam.) ‖ *be* ~ *about,* être fou de ‖ branlant (chair) ‖ ~ *pavement,* opus incertum *m,* pas *mpl* japonais.

creak [kri:k] *vi* [hinge] grincer ; [shoes] craquer ● *n* grincement, craquement *m.*

cream [kri:m] *m* crème *f; whipped* ~, crème fouettée ; ~ *cheese,* fromage *m* à la crème, petit-suisse *m* ‖ crème *f* de beauté ‖ FIG. crème, fleur, élite *f* ● *vt* écrémer — *vi* mousser ‖ ~**er** *n* écrémeuse *f* ‖ ~**ery** [′kri:-mǝri] *n* laiterie *f* ‖ ~**y** *adj* crémeux.

crease [kri:s] *n* faux pli ; pli *m* du pantalon ; ~*-resisting,* infroissable ● *vi/vt* froisser, (se) chiffonner ; (se) plisser ; ~ *the trousers,* faire le pli du pantalon.

creat|e [kri′eit] *vt* créer ‖ TH. créer (a part) ‖ FIG. faire, causer, produire (impression) ; lancer (fashion) ‖ ~**ion** [kri′eiʃn] *n* création *f* (act) ; œuvre *f* (product) ‖ ~**ive** *adj* créateur ‖ ~**or** *n* créateur *n.*

creature [′kri:tʃǝ] *n* créature *f,* être vivant, animal *m* ‖ FIG. créature *f,* instrument *m* ‖ ~ *comforts,* confort matériel, aises *fpl.*

credence [′kri:dns] *n* créance, foi *f.*

credentials [kri′denʃlz] *npl* pièces *fpl* d'identité ‖ références *fpl.*

credibl|e [′kredǝbl] *adj* croyable (story) ; digne de foi (person) ‖ ~**y** *adv* plausiblement ; *we are ~ informed that,* nous savons de bonne source que.

credit [′kredit] *n* créance, croyance *f* (credence) ‖ crédit *m* (confidence) ‖ honneur, mérite *m,* réputation *f* (good name) ; *do sb ~, do ~ to sb,* faire honneur à qqn ‖ CIN. ~*-titles,* générique *m* ‖ COMM. crédit ; *on ~,* à crédit ‖ [bank] ~ *balance,* solde créditeur ; ~ *card,* carte *f* de crédit ‖ FIN. crédit *m; letter of* ~, lettre *f* de crédit ; ~ *side,* avoir *m ; on the* ~ *side,* à l'actif ; ~ *balance,* solde créditeur ; ~ *squeeze,* encadrement *m* du crédit ‖ [university] U.S. unité *f* de valeur ; U.V. (fam.) ‖ *Pl* CIN. ~*s,*

générique *m* ● *vt* ajouter foi à ‖ attribuer, prêter (quality) ‖ COMM. créditer (an account) ‖ ~**able** *adj* estimable ; honorable ‖ ~**or** *n* créancier *n.*

credul|ity [kri′dju:liti] *f* crédulité *f* ‖ ~**ous** [′kredjulǝs] *adj* crédule.

creed [kri:d] *n* credo *m* ‖ FIG. profession *f* de foi.

creek [kri:k] *n* GEOGR. crique, anse *f* ‖ U.S. rivière *f.*

creel [kri:l] *n* panier *m* de pêche.

creep [kri:p] *vi* (crept [krept]) ramper (crawl) ‖ avancer furtivement, se glisser ‖ [plant] grimper ‖ [flesh] se hérisser ; *make sb's flesh* ~, donner la chair de poule à qqn ‖ FIG. ~ *in,* s'insinuer ; ~ *over,* [feeling] gagner ● *npl* COLL. *give sb the* ~*s,* donner la chair de poule à qqn ‖ ~**er** *n* plante grimpante *f* ‖ ~**y** *adj* qui donne la chair de poule ‖ ~**y-crawly** *n* COLL. bestiole *f.*

crematorium [͵kremǝ′tɔ:riǝm] *n* crématorium *m.*

crepe [kreip] *n* crêpe *m* (cloth) ‖ ~ *bandage,* bande *f* Velpeau ; ~ *rubber,* crêpe *m* (for shoes).

crept [krept] → CREEP.

crescent [′kresnt] *n* croissant *m* (moon) ‖ rue *f* en demi-lune.

cress [kres] *n* cresson *m.*

crest [krest] *n* crête *f* (comb) ‖ huppe *f* (tuft) ‖ BLAS. armoiries *fpl,* cimier *m* ‖ ~**-fallen** *adj* l'oreille basse, penaud, abattu.

cretonne [kre′tɔn] *n* cretonne *f.*

crevasse [kri′væs] *n* crevasse *f.*

crevice [′krevis] *n* [rock] fissure, fente *f* ‖ [wall] lézarde *f;*

crew[1] → CROW.

crew[2] [kru:] *n* NAUT., AV., équipage *m* ‖ SP. équipe *f; member of a* ~, équipier *n* ‖ ~**-cut** *n* coupe *f* de cheveux en brosse ‖ ~**-neck** *n* pull *m* ras du cou.

crib[1] [krib] *n* berceau *m* (cradle) ‖

mangeoire f (manger) ; râtelier m (rack) ‖ REL. crèche f ● vt confiner (shut up).

crib² n plagiat m ‖ [school] traduction f (juxtalinéaire) ‖ COLL. [school] antisèche f (fam.) ● vt copier ; pomper (fam.).

crick [krik] n ~ *in the back,* tour m de reins ; ~ *in the neck,* torticolis m.

cricket¹ ['krikit] n SP. cricket m ; *that's not* ~, ce n'est pas de jeu.

cricket² n ZOOL. grillon m.

crim|e [kraim] n crime m (murder) ‖ JUR. délit m (offence) ‖ ~**inal** ['kriminl] n/adj criminel.

crimp [krimp] vt gaufrer (cloth) ‖ crêpeler (hair).

crimson [krimzn] n/adj pourpre (m) ; *tinge with* ~, empourprer.

cring|e [krinʒ] vi reculer, se dérober ‖ FIG. ramper, s'aplatir (fawn) ‖ ~**ing** adj servile.

crinkle ['krinkl] vi onduler — vt froisser, plisser.

cripple ['kripl] n infirme n, estropié n, boiteux n ● vt estropier ‖ NAUT. désemparer ‖ FIG. paralyser ‖ ~**d** [-d] adj infirme ; impotent.

crisis, crises ['kraisis, -aisi:z] n crise f ; *oil* ~, choc pétrolier.

crisp [krisp] adj crépu (hair) ‖ cassant (brittle) ‖ sec, vif (air) ‖ croquant, croustillant (food) ‖ craquant (snow) ‖ FIG. net, précis ‖ alerte (style) ● npl croustilles ~, (pommes *fpl*) chips *fpl*.

criss-cross ['kriskrɔs] adj en croix ; entrecroisé ● vi/vt (s') entrecroiser, quadriller.

criterion, -ria [krai'təriən,-riə] n critère m.

crit|ic ['kritik] n critique n (person) ‖ ~**ical** adj critique (moment) ‖ MED. *in a* ~ *condition,* dans un état grave ‖ ~**ically** [-ikli] adv d'une manière critique ‖ gravement, dangereusement (ill) ‖ ~**icism** ['kritisizm] n critique f ; blâme m (censure) ‖

~icize ['kritisaiz] vt critiquer, blâmer ‖ ~**ique** [kri'ti:k] n critique f (review).

croak [krəuk] n [frog] coassement m ‖ [raven] croassement m ● vi [frog] coasser ‖ [raven] croasser.

crochet ['krəuʃei] n crochet m (knitting) ● vi faire du crochet ‖ ~**-hook** n crochet m.

crock¹ [krɔk] n ZOOL., COLL. carne, rosse f (horse) ‖ AUT. vieux tacot, guimbarde f ● vt claquer (a horse) — vi ~ *up,* SP. se claquer.

crock² n cruche f, pot m (de terre) ‖ tesson m (broken piece) ‖ ~**ery** [-əri] n faïence f.

crocodile ['krɔkədail] n crocodile m.

croft [krɔft] n AGR. clos m.

crony ['krəuni] n COLL. copain m, copine f.

crook [kruk] n COLL. escroc, filou m (swindler) ‖ coude m (curve) ● vt recourber ‖ ~**-backed** [-t] adj bossu ‖ ~**ed** [-id] adj crochu (nose) ; ~ *legs,* jambes torses ; difforme (body) ‖ de travers (not straight) ‖ FIG. malhonnête ‖ ~**edness** [-idnis] n malhonnêteté f.

croon [kru:n] vi fredonner ‖ ~**er** n COLL. chanteur m de charme.

crop [krɔp] n AGR. moisson, récolte f ; *standing* ~, récolte sur pied ‖ *second* ~, regain m ‖ coupe f (of hair) ‖ ZOOL. jabot m (of a bird) ‖ FIG. foule f (of suggestions) ‖ [sheep] brouter — vi AGR. produire, donner une récolte ‖ ~ *out,* GEOGR. affleurer ‖ ~ *up,* survenir, surgir, se présenter = ~ *out* ‖ ~**per** n plante productrice (plant) ‖ COLL. *come a* ~, ramasser une pelle (fall) ; se faire recaler (in an exam) ; se planter (fail) [arg.].

crosier ['krəuʒə] n REL. crosse f.

cross¹ [krɔs] adj fâché, en colère (with sb, contre qqn) ‖ transversal (across).

cross² n croix f ‖ biais m (in a fabric)

|| MED. croisement *m* (of races) • *vi* [letters] se croiser || ~ **over,** traverser — *vt* traverser || croiser (one's legs) || croiser (meet) || ~ **one's mind,** venir à l'esprit || barrer (one's t's) || FIN. barrer (a cheque) || MED., BOT. croiser, métisser (breeds) || REL. ~ **oneself,** se signer || FIG. contrarier, contrecarrer || ~ **off/out,** rayer, biffer || ~**-armed** [-ɑːmd] *adj* les bras croisés || ~**-bar** *n* barre (transversale) ; barreau *m* (of a chair) || ~**beam** *n* TECHN. traverse *f* || ~**bow** *n* arbalète *f* || ~**bred** *adj* métis || ~ **breed** *n* hybride *m* ; métis *m* || ~**check** *n* contre-épreuve *f*, recoupement *m* • *vt* vérifier (par recoupement) || ~**-country** *adj/adv* à travers champs ; ~ **skiing,** ski *m* de fond ; (*n*) ~ (*race*), cross-country *m* || ~**-cut** *n* chemin de traverse || ~**-examination** *n* contre-interrogatoire *m* || ~**-eyed** *adj* bigle || ~**-fire** *n* feu croisé || ~**ing** *n* croisement *m* (of races) || NAUT. traversée *f* || ~**-legged** *adj* en tailleur || ~**-purposes** *npl* be at ~, être en désaccord || ~ **reference** *n* renvoi *m* || ~**-road** *n* chemin de traverse || *Pl* (sing. v.) carrefour, croisement *m* || ~**-section** *n* coupe transversale ; échantillon *m* (of population) || ~**walk** *n* U.S. passage *m* (pour) piétons || ~**wise** *adv* en croix, en travers || ~**word (puzzle)** *n* mots croisés.

crotchet ['krɔtʃit] *n* MUS. noire *f*; ~**-rest,** soupir *m* || COLL. toquade *f* || ~**y** *adj* fantasque, capricieux, excentrique.

crouch [krautʃ] *vi* [dog] s'accroupir ; se tapir || COLL. ramper, s'aplatir (fawn).

crow¹ [krəu] *n* corneille *f*; **as the** ~ **flies,** à vol d'oiseau || ~**'s-feet** *npl* pattes-d'oie *fpl* (wrinkles) || ~**'s-nest** *n* NAUT. nid-de-pie *m*.

crow² [krəu] *vi* (p.t. crowed [-d] *or* crew [kruː] ; p.p. crowed) [cock] chanter || [baby] gazouiller.

crowd [kraud] *n* foule, multitude *f*

• *vi* s'assembler, s'attrouper — *vt* rassembler (people) ; entasser (cram) ; remplir (room) || ~**ed** [-id] *adj* bondé, encombré.

crown [kraun] *n* couronne *f* || fond *m* (of a hat) || milieu *m* (of a road) || MED. couronne *f* (of a tooth) • *vt* couronner, sacrer || FIG. récompenser (reward) ; couronner (a hill) ; *to* ~ *it all,* pour couronner le tout, pour comble de malheur/de bonheur.

crucial ['kruːʃəl] *adj* crucial, critique, décisif.

crucible ['kruːsibl] *n* creuset *m*.

crucif|ix ['kruːsifiks] *n* REL. crucifix *m* || ~**ixion** [ˌkruːsi'fikʃn] *n* crucifixion *f* || ~**y** ['kruːsifai] *vt* crucifier.

crude [kruːd] *adj* TECHN. brut ; ~ *oil,* pétrole brut || vert (fruit) || cru, vif (light) || rudimentaire, sommaire (work) || FIG. grossier (manners) || ~**ly** *adv* crûment, grossièrement || ~**ness,** crudity ['kruːditi] *n* crudité *f* || FIG. état *m* rudimentaire.

cruel [kruəl] *adj* cruel (to, envers) || ~**ly** *adv* cruellement || ~**ty** [-ti] *n* cruauté *f*.

cruet ['kruːit] *n* ~ (*stand*), huilier *f*, vinaigrier *m* || REL. burette *f*.

cruis|e [kruːz] *n* croisière *f* • *vi* [ship] croiser ; [car] rouler ; [plane] voler ; [taxi] marauder || ~**er** *n* NAUT. croiseur *m* || ~**ing** *adj* ~ *speed,* vitesse *f* de croisière || en maraude (taxi).

crumb [krʌm] *n* miette *f* (bit) ; mie *f* (soft part of bread) || FIG. brin *m*; *Pl* bribes, miettes *fpl*.

crumbl|e ['krʌmbl] *vt* émietter, effriter — *vi* [bread] s'émietter ; [stone] s'effriter ; tomber en poussière || [building] s'écrouler, tomber en ruine || ~**y** *adj* friable.

crumple ['krʌmpl] *vi/vt* ~ (*up*), (se) froisser, (se) friper.

crunch [krʌnʃ] *vt* croquer, broyer, écraser — *vi* [snow] crisser, craquer

● *n* craquement *m* ; crissement *m* (of snow).

crupper [ˈkrʌpə] *n* croupe *f* (of a horse).

crusad|e [kruːˈseid] *n* croisade *f* ● *vi* faire une croisade ‖ **~er** *n* Hist. croisé *m* ‖ Fig. champion *n*.

crush [krʌʃ] *vt* écraser (press) ; ~ (up), comprimer ‖ broyer (pound) ‖ tasser (cram) ‖ froisser (crumple) ‖ Fig. réprimer (a revolt) ‖ ~ **out**, extraire, exprimer (juice) ● *n* écrasement *m* ‖ cohue, bousculade *f* (crowd) ‖ jus *m* de fruit ; orange ~, orange pressée ‖ Coll. have a~ on **sb**, avoir le béguin pour qqn ‖ ~**ing** *adj* écrasant (defeat).

crust [krʌst] *n* croûte *f* (of bread) ‖ couche *f* (of rust, etc.) ● *vi* se couvrir d'une croûte — *vt* (re)couvrir d'une croûte.

crustacean [krʌsˈteijjən] *n* crustacé *m*.

crusty [ˈkrʌsti] *adj* croustillant ‖ Fig. bourru (person).

crutch [krʌtʃ] *n* béquille *f*.

crux [rʌks] *n* point crucial, cœur, nœud *m*.

cry [krai] *n* cri *m*, clameur *f* ; utter a~, pousser un cri ‖ ~it's a far ~ from, cela n'a aucun rapport avec ; **within ~**, à portée de voix ‖ have a good ~, pleurer un bon coup ● *vi* pleurer ‖ ~ (out), crier, s'écrier (exclaim) ‖ ~ **off**, se décommander, abandonner (withdraw) ; se dédire, se rétracter (from promise) ‖ ~ **down**, décrier, déprécier ‖ ~**-baby** *n* pleurnichard, pleurnicheur *n* ‖ ~**ing** *adj* criant.

crystal [ˈkristl] *n* cristal, verre *m* ‖ ~**line** [ˈkristəlain] *adj* cristallin ‖ ~**lize** [ˈkristəlaiz] *vt/vi* (se) cristalliser.

cub [kʌb] *n* [animal] petit *m* ‖ [scout] ~ (scout), louveteau *m*.

cub|e [kjuːb] *n* cube *m* ; ~ **root**, racine *f* cubique ● *vt* Math. élever au

cube ‖ ~**ic** [-ik] *adj* cubique ‖ ~**ism** *n* Arts cubisme *m*.

cubicle [ˈkjuːbikl] *n* box *m* ‖ [swimming pool] cabine *f* ‖ [shop] cabine *f* (d'essayage).

cuckold [ˈkʌkəld] *n* cocu *m* ● *vt* cocufier.

cuckoo [ˈkuːkuː] *n* coucou *m* ‖ ~**-clock** *n* coucou *m*.

cucumber [ˈkjuːkəmbə] *n* concombre *m*.

cud [kʌd] *n* chew the ~, ruminer ‖ Fig. réfléchir.

cuddl|e [ˈkʌdl] *vt* serrer dans ses bras ‖ câliner (child) — *vi* s'enlacer, se blottir (l'un contre l'autre) ● *n* étreinte *f* ‖ [child] have a~, faire un câlin ‖ ~**y** *adj* caressant, câlin.

cudgel [ˈkʌdʒəl] *n* gourdin *m*, trique *f* ● *vt* bâtonner, rouer de coups ‖ Fig. ~ **one's brains**, se creuser la cervelle/ tête.

cue[1] [kjuː] *n* queue *f* de billard.

cue[2] *n* Th. fin *f* de tirade ; give sb his ~, donner la réplique à qqn ‖ Fig. take one's ~ from, prendre modèle sur.

cuff [kʌf] *n* manchette *f*, poignet *m* (of a shirt) ‖ U.S. revers *m* de pantalon ‖ Coll. off the ~, impromptu et officieusement ‖ ~**-links** *npl* boutons *mpl* de manchettes.

cul-de-sac [ˈkuldəˈsæk] *n* impasse *f*.

culinary [ˈkʌlinəri] *adj* culinaire.

cull [kʌl] *vt* cueillir (choose) ‖ éliminer, tuer (kill).

culminate [ˈkʌlmineit] *vi* culminer.

culottes [kjuːˈlɔts] *npl* jupe-culotte *f*.

culprit [ˈkʌlprit] *n* coupable *n*.

cult [kʌlt] *n* culte *m*.

cultivat|e [ˈkʌltiveit] *vt* Agr. cultiver ‖ Fig. cultiver, pratiquer (an art) ‖ ~**ed** [-id] *adj* Fig. cultivé, éduqué ‖ ~**ion** [ˌkʌltiˈveiʃn] *n* Agr. culture *f* ‖ ~**or** *n* cultivateur *n* (person) ‖ motoculteur *m* (machine).

cultur|al [ˈkʌltʃərəl] *adj* culturel ‖

~e [ˈkʌltʃə] n culture, civilisation f ‖ **~ed** [-əd] adj cultivé, raffiné.

culvert [ˈkʌlvət] n conduit souterrain (under road) ; *open* **~**, cassis m (across road).

cumber [ˈkʌmbə] vt encombrer (*with*, de) ‖ surcharger (burden) ‖ **~some** [-səm] adj encombrant, embarrassant.

cumbrous [ˈkʌmbrəs] adj encombrant, embarrassant.

cumin [ˈkʌmin] n cumin m.

cumulative [ˈkjuːmjulətiv] adj Fin. composé (interest).

cunning [ˈkʌniŋ] n finesse, pénétration f (keenness) ‖ habileté, adresse f (skill) ‖ ruse, astuce, fourberie f (slyness) ● adj fin, habile (clever) ‖ malin, astucieux (shrewd) ‖ rusé, fourbe (sly).

cup [kʌp] n tasse f ; *tea* **~**, tasse à thé ; *a* **~** *of tea*, une tasse de thé ; COLL. *that's not my* **~** *of tea*, ce n'est pas mon genre/truc (fam.) ‖ *paper* **~**, gobelet m (en papier) ‖ Sp. coupe f ; **~-final**, finale f ; **~-tie** match m de coupe ● vt mettre (ses mains) en forme de coupe ‖ MED. poser des ventouses à ‖ **~ping-glass** n ventouse f.

cupboard [ˈkʌbəd] n placard m.

cupidity [kjuˈpiditi] n cupidité f.

cupola [ˈkjuːpələ] n coupole f.

cuppa [ˈkʌpə] n COLL. = CUP OF TEA.

cur [kəː] n [dog] corniaud m ‖ [person] malotru m.

curable [ˈkjuərəbl] adj curable.

curate [ˈkjuərit] n vicaire m.

curator [kjuˈreitə] n [museum] conservateur m.

curb [kəːb] n gourmette f (harness) ‖ FIG. frein m ‖ U.S. = KERB ● vt brider ‖ FIG. contraindre (constrain) ; réprimer, refréner (control) ; réduire, modérer (expenditure).

curd [kəːd] n caillé, caillebotte f ‖

~le [-l] vt cailler — vi [milk] se cailler ‖ FIG. [blood] se figer, se glacer.

cure [kjuə] n guérison f (recovery) ‖ remède m (drug) ‖ traitement m ; *take a* **~**, suivre un traitement, faire une cure ● vt guérir (disease, patient) ‖ saler (fish) ; fumer (smoke) ; traiter (skin) ; sécher (tobacco) ‖ **~-all** n panacée f.

curfew [ˈkəːfjuː] n couvre-feu m.

cur|io [ˈkjuəriəu] n bibelot, objet m rare, curiosité f ‖ **~iosity** [ˌkjuəriˈositi] n curiosité f ‖ **~ious** [ˈkjuəriəs] adj curieux (eager, inquisitive) ; étrange (things) ‖ **~iously** adv avec curiosité ‖ curieusement (oddly).

curl [kəːl] n boucle f (of hair) ; *out of* **~**, défrisé ‖ volute f (of smoke) ● vt boucler, friser — vi friser, boucler ; **~ up**, [person] se pelotonner ; [dog] se coucher en rond ; [cat] se mettre en boule ‖ **~er** n bigoudi m ‖ **~ing-tongs** npl fer m à friser ‖ **~-paper** m papillote f ‖ **~y** adj bouclé, frisé.

currant [ˈkʌrnt] n (red) **~**, groseille f ‖ *black* **~**, cassis m ‖ **~** (bush), groseillier m ‖ *Pl* raisins mpl de Corinthe.

currency [ˈkʌrnsi] n circulation f, cours m (of money) ‖ monnaie, devise f ; *foreign* **~**, devise étrangère ; *hard* **~**, monnaie forte.

current [ˈkʌrnt] n courant m ‖ ELECTR. *alternating* **~**, courant alternatif ; *direct* **~**, courant continu ; *three-phase* **~**, courant triphasé ‖ cours m d'eau (stream) ● adj courant, commun (usual) ‖ admis, reçu (accepted) ‖ actuel, en cours (of the present time) ; **~** *affairs*, questions fpl d'actualité ; **~** *events*, actualité f ; **~** *issue*, dernier numéro m (of a newspaper) ‖ Fin. courant (expenses) ; **~** *account*, compte courant ‖ **~ly** adv actuellement.

curriculum [kəˈrikjuləm] n programme m scolaire.

curry¹ [ˈkʌri] vt étriller (a horse) ‖ **~-comb** n étrille f.

curry² n Culin. curry, cari m ● vt épicer au curry.

curs|e [kə:s] n malédiction f || juron m (swear-word) || Fig. fléau m, calamité f ● vt maudire — vi blasphémer, jurer || ~ed [-id] adj maudit || Coll. sacré, maudit, satané.

cursory [ˈkə:sri] adj rapide, superficiel.

curt [kə:t] adj bref, sec, cassant.

curtail [kə:ˈteil] vt écourter, raccourcir, tronquer (a text) || réduire (expenses) || Fig. priver (of, de).

curtain [ˈkə:tn] n rideau m || Th. ~-call, rappel m ; ~-raiser, lever m de rideau ● vt garnir d'un rideau.

curts(e)y [ˈkə:tsi] n révérence f ● vi faire la révérence.

curve [kə:v] n courbe f || Pl Coll. rondeurs fpl, galbe m || Aut. virage, tournant m || Math. courbe f ● vt courber — vi se courber, décrire une courbe.

cushion [ˈku(n] n coussin m || pelote f (for pins) || billiard-table) bande f ● vt garnir d'un coussin ; matelasser || amortir (a shock).

cushy [ˈkuʃi] adj Coll. a ~ job, un (petit) boulot (bien) tranquille, une (bonne) planque (pop.).

cuspidor [ˈkʌspidɔ:] n U.S. crachoir m.

cuss [kʌs] n Sl. juron m (curse) || ~ed [-id] adj Coll. entêté, contrariant.

custard [ˈkʌstəd] n crème anglaise.

custod|ian [kʌsˈtəudjən] n gardien n || conservateur n (of a museum) || ~y [ˈkʌstədi] n garde, surveillance f ; in safe ~, sous bonne garde, en lieu sûr || détention f ; take sb into ~, mettre en prison, écrouer qqn.

custom [ˈkʌstəm] n coutume f, usage m || Comm. clientèle f || Jur. droit coutumier || ~ary [-ri] adj coutumier, habituel || ~er n client n || Coll. type, individu m ; a queer ~,

un drôle de type || ~-made adj (fait) sur mesures.

customs [-z] npl ~ (duty) droits mpl de douane || the Customs, la douane || ~-house, douane f ; ~-officer, douanier m.

cut [kʌt] vt (cut) couper, trancher ; ~ one's nails, se couper les ongles || couper (slash) ; ~ one's finger, se couper le doigt || couper, croiser (cross) || couper, réduire, abréger (shorten) || tailler (diamond) || couper (a coat) || couper (cards) || réduire, diminuer (prices, taxes) || Sp. couper (a ball) || Culin. découper (meat) || [gramophone record] graver || Arts graver || Aut. ~ a corner close, prendre un tournant à la corde || Fin. réduire (wages) || Comm. ~ **prices,** vendre à bas prix ; ~ **price store,** magasin m à prix réduits || Coll. sécher (a class) || Fig. couper, interrompre (sb) ; affecter de ne pas voir, snober (sb) ; ~ a figure, faire bonne figure ; ~ it fine, compter trop juste ; ~ and dried opinions, opinions toutes faites || ~ **away,** élaguer (tree) || ~ **back,** diminuer, réduire || ~ **down,** raccourcir (a dress) ; abattre (a tree) ; diminuer (expenses) || ~ **off,** couper, isoler (from, de) || Med. amputer ; Mil. couper la retraite de ; Tel. couper || ~ **out,** émonder (a tree) ; Med. supprimer, renoncer à (drinking) ; ~ **out one's losses,** limiter les dégâts ; || ~ **up,** découper (carve) ; dépecer (an animal) ; défoncer, raviner (road) ; Fig. éreinter (a book) ; Fig. bouleverser, démoraliser.
— vi couper, tailler || se couper (be cut) || ~ **away,** Coll. détaler || ~ **in,** intervenir (in conversation) ; Aut. ~ **in** (on sb's car), faire une queue de poisson (à qqn) || ~**out,** Aut. déboîter || ~ **up,** Aut. = ~ **in.**
● n coupe, coupure f (cutting) || entaille f (notch) || coup m (of sword) || **short** ~, raccourci m ; take a short ~, prendre au plus court || coupure f (in a film) || coupon m (of cloth) || coupe f (of clothes, hair) || draw ~s, tirer à la courte paille || Electr. power

~, coupure *f* de courant ‖ RAIL. tranchée *f* ‖ CULIN. tranche *f* (of meat) ‖ TECHN. taille *f* ‖ FIN. réduction *f* (in prices, wages) ‖ COLL. *a ~ above*, un degré au-dessus ‖ FIG. remarque mordante (sarcasm) ; affront *m* (snub) ‖ ARTS gravure *f*.

cutback *n* réduction *f*.

cute [kju:t] *adj* futé, malin ‖ U.S. mignon, joli.

cut-in-scene *n* CIN. plan *m* de coupe.

cutler ['kʌtlə] *n* coutelier *m* ‖ ~**y** [-ri] *n* couverts *mpl* (couteaux, fourchettes, cuillers) ‖ COMM. coutellerie *f*.

cutlet ['kʌtlit] *n* [mutton, veal, from the ribs] côtelette *f* ‖ [veal, from the leg] escalope *f*.

cut|-out *n* coupe-circuit *m* ‖ ~**-price** *adj* à prix réduit.

cut|ter ['kʌtə] *n* coupeur *m* (person) ; *film ~*, CIN. monteur *m* ; *stone ~*, tailleur *m* de pierre ‖ NAUT. cotre *m* ‖ ~**-throat** *n* assassin *m* ● *adj* acharné, sans merci ‖ ~**ting** *n* coupe *f* (action) ; abattage *m* (of trees) ‖ coupon *m* (of cloth) ‖ coupure *f* (from a newspaper) ‖ AGR. taille *f* (of rose-trees) ; bouture *f* (slip) ‖ RAIL. tranchée *f* ‖ AUT. route encaissée ‖ CIN. montage *m* (editing) ● *adj* coupant (knife) ‖ FIG. cinglant (wind) ; blessant (words).

cuttle-fish ['kʌtlfiʃ] *n* seiche *f*.

CV ['si:'vi:] *n* C.V. *m*.

cybernetics [ˌsaibə:'netiks] *n* cybernétique *f*.

cycl|e ['saikl] *n* cycle *m* ‖ bicyclette *f* (bicycle) ; ~**-path**, piste *f* cyclable ● *vi* aller à bicyclette ‖ ~**ing** *n* cyclisme *m* ‖ ~**ist** *n* cycliste *n* ‖ ~**ostyle** ['saikləstail] *n* duplicateur *m* ● *vt* polycopier.

cyclone ['saikləun] *n* cyclone *m*.

cyclotron ['saiklətrɔn] *n* cyclotron *m*.

cylinder ['silində] *n* cylindre *m* ‖ AUT. ~*-block*, bloc-moteur *m* ; ~*-head*, culasse *f*.

cygnet ['signit] *n* jeune cygne *m*.

cymbal ['simbl] *n* cymbale *f*.

cynic ['sinik] *n* PHIL. cynique *n* ‖ sceptique *n* ‖ ~**al** *adj* sceptique, désabusé (disillusioned) ‖ caustique (sarcastic) ‖ ~**ism** ['sinisizm] scepticisme *m* ‖ causticité *f*.

cynosure ['sinəzjuə] *n* point *m* de mire ; centre *m* d'attraction.

cypher = CIPHER.

cypress ['saipris] *n* cyprès *m*.

Cypr|iot ['sipriɔt] *adj/n* cypriote, chypriote ‖ ~**us** ['saiprəs] *n* Chypre.

czar [za:] *n* tsar *m*.

Czech [tʃek] *adj* tchèque ● *n* Tchèque *n* (person) ‖ tchèque *m* (language) ‖ ~**oslovak** ['tʃekə'sləuvæk] *n/adj* tchécoslovaque ‖ ~**oslovakia** ['tʃekəslə'vækiə] *n* Tchécoslovaquie *f*.

D

d [di:] *n* d *m* ‖ Mus. D, ré *m* ‖ *D-day,* jour *m* J.

dab¹ [dæb] *vt* tapoter ● *n* tape *f,* tapotement *m* ‖ touche *f* (of paint) ‖ soupçon *m* (bit).

dab² *n* Zool. limande *f.*

dabble [ˈdæbl] *vi* barboter ‖ Fig. ~ *in,* se mêler de ; faire un peu de (politics, etc.).

dachshund [ˈdækshund] *n* teckel *m.*

dad [dæd], **daddy** [ˈdædi] *n* Coll. papa *m.*

daffodil [ˈdæfədil] *n* Bot. [white] narcisse *m* ; [yellow] jonquille *f.*

daft [dɑːft] *adj* idiot ; dingue, cinglé (fam.) [person] ; stupide (thing).

dagger [ˈdægə] *n* poignard *m* ‖ Fig. *at* ~*s drawn,* à couteaux tirés ‖ *look* ~*s,* foudroyer du regard (*at sb,* qqn).

dago [ˈdeigəu] *n* Coll. métèque *n.*

daily [ˈdeili] *adj* quotidien ● *adv* tous les jours, journellement ● *n* quotidien *m* (newspaper) ‖ Coll. femme *f* de ménage.

daintiness [ˈdeintinis] *n* délicatesse *f,* raffinement *m.*

dainty [ˈdeinti] *adj* délicat, raffiné (taste) ‖ élégant, soigné (person) ● *n* Culin. friandise *f.*

dairy [ˈdɛəri] *n* laiterie *f* ; crémerie *f* (shop) ‖ ~**-cattle** *n* vaches laitières ‖ ~**maid** *n* laitière *f* ‖ ~**man** *n* crémier, laitier *m* ‖ ~**woman** *n* crémière *f.*

dais [ˈdeiis] *n* estrade *f.*

daisy [ˈdeizi] *n* marguerite, pâquerette *f.*

dally [ˈdæli] *vi* lambiner, traînasser ‖ ~ *with an idea,* caresser une idée.

dam [dæm] *n* barrage *m* (of lake) ; digue *f* (of channel) ● *vt* construire un barrage ‖ endiguer.

damage [ˈdæmidʒ] *n* dommage *m,* dégâts *mpl* ‖ Naut. avarie *f* ‖ Fig. tort, préjudice *m* ; *make good the* ~, réparer les dégâts ‖ Jur. sinistre *m* ; *Pl* dommages-intérêts *mpl* ● *vt* endommager, détériorer, abîmer ‖ Fig. faire tort à, nuire à, léser.

damask [ˈdæməsk] *n* damas *m* ● *adj* damassé (fabric) ; damasquiné (steel).

Dame [deim] *n* Jur. Dame *f.*

damn [dæm] *vt* maudire (curse) ‖ Rel. damner ‖ Fig. condamner, éreinter (criticize) ● *n* Coll. *I don't give a* ~, je m'en fiche (pas mal) ● *adj* Sl. fichu, sacré (fam.) ● *adv* vachement ● *exclam* ~ *it !,* merde ! (fam.).

damp [dæmp] *adj* humide, moite (skin) ● *n* humidité *f* (weather) ‖ grisou *m* (fire-damp) ‖ Fig. froid *m* ● *vt* humecter (cloth) ‖ étouffer, amortir (a sound) ‖ ~ *(down),* couvrir (fire) ‖ Fig. refroidir (enthusiasm) ‖ ~**en** *vt* humecter ‖ Fig. refroidir, décourager ‖ ~**er** n clef f (of a stove) ‖ Aut. amortisseur m ‖ Mus. étouffoir m.

danc|e [dɑːns] vi/vt danser ● n danse f; bal m (party) ‖ ~**er** n danseur m.

dandelion ['dændilaiən] n pissenlit m.

dandruff ['dændrəf] n pellicules fpl (in hair).

Dane [dein] n Danois n (person).

danger ['deinʒə] n danger m ‖ ~**ous** [-rəs] adj dangereux ‖ ~**ously** adv dangereusement.

dangle ['dæŋgl] vi pendiller.

Danish ['deiniʃ] adj/n danois (m) [language].

dank [dæŋk] adj humide.

dapper ['dæpə] adj pimpant (neat).

dare [dɛə] (dared [-d]) vt oser ; he did not ~ (to) go, il n'a pas osé y aller ‖ défier ; he ~d me to do it, il m'a défié de le faire ; I ~ you !, chiche ! ‖ braver, affronter — mod aux (p.t. dared [dɛəd] ; neg. daren't [dɛənt]) he ~ not come, il n'ose/n'osa(it) pas venir ; how ~ you!, vous avez du culot ! ‖ I ~ say : I ~ say he'll come, il viendra sans doute ‖ ~**devil** n casse-cou, risque-tout m.

daring ['dɛəriŋ] adj audacieux, hardi, osé [bold] ● n audace, hardiesse f.

dark [dɑːk] adj sombre, obscur ; grow ~, s'assombrir ; it's getting ~, la nuit tombe ; it is ~, il fait nuit ‖ foncé (colour) ; bronzé (complexion) ; brun (hair) ‖ ~ **room,** chambre noire ‖ Sp. ~ **horse,** outsider m ‖ sombre, triste, ténébreux (person) ‖ Fig. ténébreux, mystérieux, obscur ● n obscurité f, ténèbres fpl ; before ~, avant la nuit ‖ after ~, à la nuit tombée ‖ Fig. ignorance f (about, de) ‖ ~**en** vt obscurcir, assombrir ‖ foncer (a colour) ; brunir (the complexion) ‖ Fig. rembrunir — vi s'obscurcir ‖ [sky] s'assombrir ‖ [skin] bronze, brunir ‖ [colour] fon-

cer ‖ ~**ness** n obscurité f ‖ ~**y** n Pej. moricaud n ; négro m.

darling ['dɑːliŋ] adj chéri, bien-aimé ● n favori n, idole f.

darn¹ [dɑːn] vt repriser, raccommoder ● n reprise f ● interj → DAMN.

darn² euphemism for DAMN.

dart [dɑːt] n javelot m ‖ Zool. dard m ‖ Pl fléchettes fpl (game) ‖ Fig. make a ~, bondir, s'élancer (at, sur) ● vt lancer, décocher (an arrow) — vi s'élancer, foncer (at, sur) ‖ ~ off, partir comme une flèche.

dash¹ [dæʃ] n tiret m (mark).

dash² n ruée f, élan m ; make a ~, s'élancer (at, sur) ‖ choc, heurt m ‖ clapotement m (plash) ‖ Culin. goutte, larme f (of liquid) ; pointe f (of salt) ; filet m (of vinegar) ‖ [printing] tiret m ‖ Sp. course f, sprint m ‖ Fig. fougue f, entrain, dynamisme m ; cut a ~, faire de l'effet ● vt lancer (violemment) ; ~ to pieces, fracasser ‖ Fig. anéantir (hopes) ‖ ~ off, bâcler, écrire en vitesse (a letter) ‖ Coll. ~ it !, zut ! — vi se précipiter ; ~ in, entrer en coup de vent ‖ se briser (against, contre) ‖ ~**-board** n Aut. tableau m de bord ‖ ~**ing** adj plein d'allant, dynamique ‖ fringant, plein de panache.

data ['deitə] npl données fpl, éléments mpl d'information ‖ ~ **bank/ base,** banque/base f de données ; ~ **processing,** traitement m de l'information, informatique f.

date¹ [deit] n date f ; fix a ~ for, prendre date pour ‖ quantième m ; what ~ is it ?, quelle date sommes-nous ? ‖ époque f ; make a ~, faire date ; to ~, à ce jour ; up to ~, moderne, à la page ; bring up to ~, mettre à jour ; out of ~, périmé (no longer in use) ; démodé (old-fashioned) ‖ Fin., Comm. échéance f ; at two months' ~, à deux mois d'échéance ‖ Coll. rendez-vous m ; make a ~, fixer un rendez-vous ‖ Coll. petit(e) ami(e) ● vt dater ; U.S.,

COLL. sortir avec — *vi* ~ *back from,* dater de ; ~ *back to,* remonter à.

date² *n* datte *f* ; ~-*palm,* dattier *m*.

daub [dɔ:b] *vt* enduire ‖ PEJ. barbouiller (smear) ● *n* enduit *m* ‖ PEJ. barbouillage *m* ‖ ARCH. torchis *m*.

daughter [ˈdɔ:tə] *n* fille *f* ‖ ~-*in-law,* belle-fille, bru *f*.

daunt [dɔ:nt] *vt* décourager, intimider ‖ ~**less** *adj* intrépide.

davenport [ˈdævnpɔ:t] *n* secrétaire *m* (furniture) ‖ U.S. canapé-lit *m*.

davit [ˈdævit] *n* bossoir *m*.

dawdl|e [ˈdɔ:dl] *vi* flâner, lambiner ‖ ~**er** *n* flâneur, lambin *m*.

dawn [dɔ:n] *n* aube, aurore *f* ‖ FIG. aube *f*, éveil *m* ● *vi* poindre, se lever ‖ FIG. naître, se faire jour.

day [dei] *n* jour *m* ; *the ~ after/ before,* le lendemain/la veille ; *the ~ after tomorrow,* après-demain ; *the ~ before yesterday,* avant-hier ; *from ~ to ~,* de jour en jour (gradually) ; au jour le jour (from one day to the next) ; ~ *by ~,* jour après jour ; *the other ~,* l'autre jour ; *one ~,* un jour (past or future) ; *some ~,* un jour (future) ; *this ~ week/fortnight,* d'aujourd'hui en huit/en quinze ; *to a ~,* jour pour jour ; *what ~ is it today ?,* quel jour sommes-nous aujourd'hui ? ‖ ~ *after ~,* jour après jour ; ~ *in,* ~ *out,* tous les jours ‖ [working hours] journée *f* (daytime) ; *paid by the ~,* payé à la journée ; *all ~ (long),* toute la journée ‖ temps *m*, époque *f* ; *in those* ~s, en ce temps-là ; *these* ~s, de nos jours ‖ [daylight] jour *m*, FIG. ~, de jour ; *it is broad ~,* il fait grand jour ‖ MIL. *carry the ~,* remporter la victoire ‖ COLL. *call it a* ~, terminer la journée de travail ; *let's call it a* ~, ça suffit pour aujourd'hui ‖ ~**-boarder** *n* demi-pensionnaire *n* ‖ ~**-boy** *n* externe *n* (pupil) ‖ ~**break** *n* point *m* du jour, aube *f* ‖ ~**-dream** *n* rêverie *f* ● *vi* rêver, rêvasser ‖ ~**-girl** *n* externe *f* ‖ ~**-labourer** *n* journalier *n*.

daylight *n* lumière *f* du jour ; *in broad* ~, en plein jour ‖ U.S. ~-*saving time,* heure *f* d'été.

day-nursery *n* crèche, garderie *f*.

day-off *n* jour *n* libre/de congé.

day-school *n* externat *m*.

day-time *n* journée *f* ; *in the* ~, pendant la journée.

daze [deiz] *vt* stupéfier, hébéter ‖ étourdir (stun) ● *n* étourdissement *m* ; *in a* ~, hébété.

dazzl|e [ˈdæzl] *vt* éblouir ● *n* lumière aveuglante ; éclat *m* ‖ ~**ing** *adj* éblouissant.

deacon [ˈdi:kn] *n* diacre *m*.

dead [ded] *adj* mort, décédé ; ~ *or alive,* mort ou vif ‖ éteint (fire) ‖ mort (wood) ‖ assourdi (sound) ‖ plat (calm) ‖ tombé au rebut (letter) ‖ *come to a ~ stop,* s'arrêter net ‖ ~ *loss,* perte sèche ‖ [race] ~ *heat,* arrivée *f* ex-aequo ‖ FIN. improductif ‖ FIG. ~ *to,* insensible à ● *adv* complètement ; *stop* ~, s'arrêter pile ; ~ *drunk,* ivre mort ‖ COLL. ~-*beat,* claqué, crevé (fam.) ● *n* the ~, les morts ‖ FIG. *at ~ of/in the ~ of night,* au cœur de/au plus profond de la nuit.

deaden [ˈdedn] *vt* amortir (blow) ‖ assourdir (sound).

dead|-end *n* impasse *f* ‖ ~-*line* *n* date/heure *f* limite ; dernier délai ‖ ~**lock** *n* impasse *f* ; point mort ‖ ~**ly** *adj* mortel ● *adv* mortellement ‖ ~-*reckoning* *n* NAUT. estime *f* ‖ ~-*weight* *n* poids mort.

deaf [def] *adj* sourd ‖ ~-*aid* *n* appareil *m* de prothèse auditive ‖ ~-*and-dumb* *adj* sourd-muet ‖ ~**en** *vt* assourdir ‖ ~**ening** *adj* assourdissant ‖ ~-*mute* *n* sourd-muet *n* ‖ ~**ness** surdité *f*.

deal¹ [di:l] *n* bois blanc.

deal² *vt* (dealt [delt]) ~ *(out),* distribuer ; ~ *a blow,* donner un coup ‖ donner, distribuer (cards) — *vi* ~ *well by sb,* bien traiter qqn ‖ ~ *in,* faire le commerce de ‖ **~ with,** avoir affaire à ; se fournir chez (do business) ; s'occuper de, se charger de, s'y prendre avec (manage) ; [book] traiter de ● *n* quantité *f* ; *a great ~ of,* beaucoup de ‖ [cards] donne, distribution *f* ; *it's your ~,* à vous de donner/faire ‖ **~er** *n* [cards] donneur *m* ‖ **~ing** *n* distribution *f.*

deal³ *n* affaire, transaction *f* ; *make a ~,* faire un marché ‖ **~er** *n* marchand *m,* négociant *m* ‖ fournisseur *m* (en gros) ‖ **~ings** *npl* COMM. transactions *fpl* ‖ FIG. relations *fpl,* rapports *mpl.*

dealt → DEAL².

dean [di:n] *n* doyen *m.*

dear [diə] *adj* cher (person) ; *hold ~,* chérir ‖ cher (price) ; *get ~(er),* augmenter, (r)enchérir ● *n* cher *m* ● *interj* oh ~ ! , oh ! la la ! ‖ **~ly** *adv* tendrement.

dearth [də:θ] *n* disette, pénurie *f.*

death [deθ] *n* mort *f* ; *put to ~,* mettre à mort ; **~ penalty,** peine *f* de mort ‖ JUR. décès *m* ‖ FIG. ruine *f* ‖ **~-bed** *n* lit *m* de mort ‖ **~-duties** *npl* droits *mpl* de succession ‖ **~'s-head** *n* tête *f* de mort ‖ **~-rate** *n* (taux *m* de) mortalité *f* ‖ **~-rattle** *n* râle *m* ‖ **~-trap** *n* [building] véritable souricière *f* (en cas d'incendie) ; [crossroads] carrefour dangereux ; [vehicle] cercueil ambulant.

deb [deb] *abbrev* = DÉBUTANTE.

debar [di'ba:] *vt* exclure ; interdire (*from,* de).

debase [di'beis] *vt* abaisser, avilir ; *~ oneself,* s'avilir, se dégrader ‖ FIN. déprécier.

debatable [di'beitəbl] *adj* discutable, contestable.

debate [di'beit] *n* débat *m,* discussion *f* ● *vi* discuter, délibérer (*with,* avec ; *on,* de ; *about,* sur).

debauch [di'bɔ:tʃ] *n* débauche *f* ● *vt* débaucher ‖ **~ee** [,debɔ:'tʃi:] *n* dé-

bauché *m* ‖ **~ery** [di'bɔ:tʃri] *n* débauche *f.*

debenture [di'benʃə] *n* FIN. obligation *f.*

debilit|ate [di'biliteit] *vt* débiliter ‖ **~y** *n* débilité *f.*

debit ['debit] *n* FIN. débit *m* ‖ *~ (-side),* côté *m* débit ; *~ balance,* solde débiteur ● *vt* débiter, porter au débit de ; *~ sb's account with £ 10,* débiter le compte de qqn de 10 livres.

debris ['debri:] *n* décombres, gravats *mpl.*

debt [det] *n* dette *f* ; *get run into ~,* s'endetter ; *in ~,* endetté ‖ FIG. obligation *f,* dettes *fpl* ‖ **~or** *n* débiteur *n* ‖ FIN. ~ *account,* compte débiteur.

debunk ['di:'bʌŋk] *vt* COLL. déboulonner (fam.).

debut ['deibu:] *n* début *m* ; *make one's ~,* faire ses débuts.

débutante ['debjutɑ:nt] *n* débutante *f.*

decade ['dekeid] *n* décennie *f.*

decad|ence ['dekədns] *n* décadence *f* ‖ **~ent** *adj* décadent.

decaffeinated [,di:'kæfi:neitid] *adj* décaféiné.

decamp [di'kæmp] *vi* COLL. décamper, ficher le camp (fam.).

decant [di'kænt] *vt* décanter, transvaser ‖ **~er** *n* carafe *f.*

decapitate [di'kæpiteit] *vt* décapiter.

decay [di'kei] *vi* pourrir, se décomposer ‖ [fruit] se gâter ‖ [tooth] se carier ‖ [building] se délabrer, tomber en ruine ‖ [flower] se faner ; [plant] dépérir ‖ [beauty] se flétrir ‖[health] décliner ● *n* pourriture *f* ‖ [tooth] carie *f* ‖ [building] délabrement *m* ‖ [plant] dépérissement *m* ‖ [health] déclin *m* ‖ ARCH. délabrement *m,* décrépitude *f* ‖ FIG. déclin *m,* décadence *f.*

deceas|e [di'si:s] *vi* décéder ● *n*

décès ‖ **~ed** [-t] *adj* décédé, défunt ● *n* the **~**, le/la défunt(e).

deceit [di'si:t] *n* tromperie *f* (cheating) ‖ supercherie *f* (trick) ‖ fourberie *f* (double-dealing) ‖ **~ful** *adj* trompeur (cheating) ‖ fourbe (two-faced) ‖ mensonger (action).

deceive [di'si:v] *vt* tromper, duper, leurrer, induire en erreur ; **~** *oneself,* se faire des illusions.

December [di'sembə] *n* décembre *m* ; **in ~,** en décembre.

decency ['di:sni] *adj n* décence *f* (modesty) ; *(sense of)* **~,** pudeur *f* ‖ bienséance *f* (propriety).

decent ['di:snt] *adj* convenable (suitable) ‖ décent (modest) ‖ bienséant (decorous) ‖ comme il faut (respectable) ‖ brave, chic (person) ‖ **~ly** *adv* décemment ‖ convenablement.

decentralize [di':sentrəlaiz] *vt* décentraliser.

decept|ion [di'sepʃn] *n* tromperie, duperie, supercherie *f* (trick) ‖ **~ive** [di'septiv] *adj* trompeur.

decibel ['desibel] *n* décibel *m*.

decid|e [di'said] *vt* décider — *vi* (se) décider ; **~** *against sb,* donner tort à qqn ; **~** *between,* départager ‖ **~ed** [-id] *adj* décidé, résolu (person) ‖ net, marqué (difference) ‖ catégorique (refusal) ‖ **~edly** *adv* résolument, catégoriquement ‖ **~er** *n* [games] **the ~,** la belle.

deciduous [di'sidjuəs] *adj* à feuilles caduques (tree).

decimal ['desiml] *adj* décimal.

decimate ['desimeit] *vt* décimer.

decipher [di'saifə] *vt* déchiffrer.

dec|ision [di'siʒn] *n* décision *f* (deciding) ; *come to a* **~,** se décider, prendre parti ‖ **~ maker,** décideur *m* ‖ résolution *f* (quality) ‖ JUR. décision *f,* jugement, arrêt *m* ‖ **~isive** [di'saisiv] *adj* décisif (action) ‖ catégorique (answer).

deck¹ [dek] *vt* **~** *(out),* orner,

decorer ; **~ed out,** en grande tenue, sur son trente-et-un.

deck² *n* NAUT. pont *m* ; *lower* **~,** premier pont ; *main* **~,** pont supérieur ‖ NAUT. impériale *f* (of bus) ‖ U.S. jeu *m* de cartes ‖ [tape recorder] platine *f* ‖ **~-chair** *n* chaise longue, transat *m* ‖ **~-house** *n* rouf *m*.

declaim [di'kleim] *vi* déclamer.

declamation [deklə'meiʃn] *n* déclamation *f.*

declaration [deklə'reiʃn] *n* déclaration, proclamation *f.*

declar|e [di'kleə] *vt* déclarer, faire connaître (disclose), annoncer, proclamer (make public) ; **~** *war,* déclarer la guerre (*on,* à) — *vi* se déclarer (*for, against, pour ; against, contre*) ‖ **~edly** [di'kleridli] *adv* ouvertement.

decline [di'klain] *vt* décliner, refuser (invitation) — *vi* [health] décliner ‖ FIN. [prices] baisser ‖ FIG. décliner ● *n* déclin *m* (of life/the day) ‖ FIN. baisse (of prices) ‖ FIG. déclin *m,* décadence *f* ‖ dépérir ‖ FIG. déclin *m,* décadence *f.*

declivity [di'kliviti] *n* déclivité *f.*

declutch ['di:klʌtʃ] *vi* débrayer.

decode ['di:kəud] *vt* déchiffrer, décoder.

decompose [di:kəm'pəuz] *vt/vi* (se) décomposer.

decorat|e ['dekəreit] *vt* décorer ‖ **~ion** [dekə'reiʃn] *n* décoration *f* (ornament, medal) ‖ **~ive** ['dekrətiv] *adj* décoratif.

decorous ['dekərəs] *adj* bienséant, convenable.

decorum [di'kɔ:rəm] *n* décorum *m,* étiquette, bienséance *f.*

decoy [di'kɔi] *n* leurre, appeau *m* ‖ FIG. compère *m* ● *vt* leurrer (birds) ‖ FIG. attirer dans un piège.

decrease [di'kri:s] *vt* diminuer, réduire — *vi* diminuer, décroître ● ['di:kri:s] *n* diminution *f* ; *on the* **~,** en baisse.

decree [di'kri:] *n* décret *m* ; *issue a* **~,** publier un décret ‖ JUR. jugement, arrêt *m* ● *vt* décréter, ordonner ; statuer.

decrepit [di'krepit] *adj* décrépit ‖ ~**ude** [-ju:d] *n* décrépitude *f*.

decry [di'krai] *vt* décrier, dénigrer.

dedic|ate ['dedikeit] *vt* consacrer, vouer (one's life) ‖ dédier (a book) ‖ REL. dédier, consacrer (a church) ‖ ~**ation** [ˌdediˈkeiʃn] *n* [book] dédicace *f* ‖ [church] consécration *f* ‖ dévouement *m* (to a cause, etc.).

deduce [di'dju:s] *vt* déduire, conclure (*from*, de).

deduc|t [di'dʌkt] *vt* COMM. déduire, défalquer (*from*, de) ‖ ~**tion** *n* déduction *f*.

deed [di:d] *n* action *f* ; a good ~, une bonne action ‖ exploit *m* (brave act) ‖ JUR. contrat *m* ; acte notarié (document).

deem [di:m] *vt* juger ; estimer.

deep [di:p] *adj* profond ; 3 feet ~, un mètre de profondeur ; how ~ is... ?, quelle est la profondeur de... ? ‖ enfoncé (*in*, dans) ‖ foncé (colour) ; noir (night) ‖ grave (voice, sound) ‖ FIG. profond (feelings, etc.) ‖ ~ *in*, absorbé par (study) ; plongé dans (thought) ● *adv* profondément ; sleep ~, dormir profondément ● *n* in the ~ of, en plein/au cœur de (night, winter) ‖ LITT. the ~, l'océan *m* ‖ ~**en** [-n] *vt* approfondir ‖ foncer (colour) ‖ FIG. augmenter — *vi* s'approfondir ‖ [colour] foncer ‖ ~**freeze** *n* congélateur *m* ● *vt* surgeler ‖ ~**frozen** *adj* surgelé, congelé ‖ ~**fryer** *n* friteuse *f* ‖ ~**ly** *adv* profondément ‖ ~**ness** *n* profondeur *f* ‖ ~**rooted** *adj* enraciné, invétéré.

deer [diə] *n* cerf *m* ; fallow ~, daim *m* ‖ ~**skin** *n* daim *m* (leather).

deface [di'feis] *vt* dégrader (a monument) ; mutiler (a statue).

defalcation [ˌdi:fælˈkeiʃn] *n* détournement *m* de fonds.

defam|ation [ˌdefəˈmeiʃn] *n* diffamation *f* ‖ ~**atory** [diˈfæmətri]

adj diffamatoire ‖ ~**e** [di'feim] *vt* diffamer.

default [di'fɔ:lt] *n* défaut *m* ; in ~ of, à défaut de ‖ JUR. by ~, par défaut ‖ SP. forfait *m* ● *vi* faire défaut ‖ ~**er** *n* MIL. insoumis *m* ‖ ~**ing** *adj* défaillant, en défaut.

defeat [di'fi:t] *n* échec *m*, défaite *f* ● *vt* vaincre, défaire ‖ JUR. mettre en minorité, renverser (the Government) ‖ FIG. faire échec à, déjouer (a plot) ‖ ~**ism** *n* défaitisme *m* ‖ ~**ist** *n* défaitiste *n*.

defect [di'fekt] *n* défaut *m*, imperfection *f* ‖ ~**ive** *adj* défectueux ‖ GRAMM. défectif ‖ MED. mentally ~, débile ● *n* débile *n* ‖ ~**or** *n* transfuge *n*.

defence [di'fens] *n* défense *f* ‖ MIL. ouvrages défensifs ‖ ~**less** *adj* sans défense.

defend [di'fend] *vt* défendre, protéger (*against*, contre) ‖ soutenir, défendre (support) ‖ JUR. défendre ‖ ~**ant** [-ənt] *n* JUR. défendeur, prévenu *n*.

defens|e [di'fens] *n* U.S. = DEFENCE ‖ ~**ive** *adj* défensif ● *n* défensive *f*.

defer[1] [di'fə:] *vi* déférer (yield) (*to*, à].

defer[2] *vt* différer, remettre, ajourner (put off) ; ~**red** payment, paiement différé.

defer|ence ['defrəns] *n* déférence *f* ; in ~ to, par déférence pour ‖ ~**ential** [ˌdefəˈrenʃl] *adj* déférent, plein d'égards (*to*, envers).

deferment [di'fə:mənt] *n* ajournement, renvoi, report *m* ‖ MIL. sursis *m*.

defiance [di'faiəns] *n* défi *m* ; in ~ of, au mépris de ; set at ~, défier.

defiant [di'faiənt] *adj* provocant.

defic|iency [di'fiʃnsi] *n* déficience, insuffisance *f*, défaut *m* (of, de) ‖ FIN. déficit *m* ‖ COMM. découvert *m* ‖ ~**ient** [-nt] *adj* déficient, insuffisant ; mentally ~ person, débile mental.

deficit [´defisit] *n* déficit *m*.

defile¹ [´di:fail] *n* défilé *m* (gorge) ● [´-´] *vi* [troops] défiler.

defile² [di´fail] *vt* souiller, polluer ‖ ~ **ment** *n* souillure *f*.

defin|e [di´fain] *vt* définir, préciser ‖ ~ **ite** [´definit] *adj* déterminé, précis ; certain ‖ GRAMM. défini ‖ ~ **itely** *adv* nettement ; certainement ‖ catégoriquement.

definition [.defi´niʃn] *n* définition *f* ‖ PHOT. netteté *f*.

definitive [di´finitiv] *adj* définitif ‖ décisif (victory).

defla|te [di´fleit] *vt* dégonfler ‖ ~ **tion** *n* dégonflement *m* ‖ FIN. déflation *f*.

deflect [di´flekt] *vt* détourner, faire dévier — *vi* se détourner, dévier.

deflower [di:´flauə] *vt* déflorer.

deforest [di:´fɔrest] *vt* = DISFOREST.

deform [di´fɔ:m] *vt* déformer, enlaidir ‖ ~ **ed** [-d] *adj* difforme ‖ ~ **ity** *n* difformité *f*.

defraud [di´frɔ:d] *vt* frauder (swindle) ; ~ *sb of sth,* escroquer qqch à qqn.

defray [di´frei] *vt* couvrir (the cost) ; payer (the expenses) ; défrayer (sb).

defrost [.di:´frɔst] *vt* dégivrer (windshield, refrigerator) ‖ décongeler (food) ‖ ~ **er** *n* dégivreur *m* (device).

deft [deft] *adj* adroit ; habile (nimble).

defunct [di´fʌŋkt] *adj* défunt.

defuse, defuze [.di´fju:z] *vt* désamorcer (a bomb, a crisis).

defy [di´fai] *vi* défier, mettre au défi ; braver.

degenerate [di´dʒenrit] *adj/n* dégénéré ● [di´dʒenəreit] *vi* dégénérer.

degradation [.degrə´deiʃn] *n* dégradation *f,* avilissement *m.*

degrade [di´greid] *vt* dégrader ‖ FIG. avilir ‖ MIL. dégrader, casser.

degree [di´gri:] *n* degré *m* (step) ; to

a high ~, au plus haut point ; *by* ~*s,* graduellement ‖ diplôme, grade *m* universitaire.

dehydrate [di:´haidreit] *vt* déshydrater.

de-icer [´di:´aisə] *n* dégivreur *m.*

deign [dein] *vi* daigner.

deity [´di:iti] *n* divinité *f.*

dejec|ted [di´dʒektid] *adj* abattu, découragé, déprimé ‖ ~ **tion** *n* abattement, découragement *m.*

delay [di´lei] *n* délai, retard *m* (waiting) ● *vt* différer, retarder ; ~*ed action mine,* mine *f* à retardement — *vi* tarder, s'attarder.

delectable [di´lektəbl] *adj* délectable.

delegat|e [´deligeit] *vt* déléguer ● [´deligit] *n* délégué *n* ‖ ~ **ion** [.deli´geiʃn] *n* délégation *f.*

dele|te [di´li:t] *vt* biffer, rayer (words) ‖ INF. effacer ‖ ~ **tion** [-ʃn] *n* rature *f;* suppression *f.*

deliberate¹ [di´libereit] *vi* délibérer (*on,* sur) ; se consulter.

deliberat|e² [di´librit] *adj* délibéré, voulu (intentional) ‖ circonspect (cautious) ‖ lent, réfléchi (slow) ‖ ~ **ly** *adv* délibérément (voluntarily) ‖ posément, avec mesure (slowly) ‖ ~ **ion** [di.libə´reiʃn] *n* délibération, réflexion *f* ‖ débat *m* (debate) ‖ circonspection *f* ‖ lenteur *f* (slowness).

delicacy [´delikəsi] *n* délicatesse *f* ‖ CULIN. mets délicat ; friandise *f* (sweet).

delicate [´delikit] *adj* délicat, fin (material, skin, colour) ‖ MED. fragile, délicat (health) ‖ TECHN. sensible (instrument) ‖ CULIN. fin (food) ‖ FIG. délicat (question, situation) ; pudique (modest) ; délicat, plein de tact (tactful) ‖ ~ **ly** *adv* délicatement.

delicatessen [.delikə´tesn] *n* plats cuisinés (food) ‖ traiteur *m,* épicerie fine (shop).

delicious [di´liʃəs] *adj* délicieux.

delight [di´lait] *n* délice, plaisir *m*, joie *f*; *take* ~, prendre plaisir, se délecter, se complaire (*in*, à) ‖ *sensual* ~, volupté *f* ● *vi* réjouir; charmer, ravir; *be* ~*ed to*, être ravi/enchanté de — *vi* se délecter; prendre plaisir (*in doing/to do*, à faire) ‖ ~**ful** *adj* charmant, ravissant; enchanteur.

delimit(ate) [di:´limit(eit)] *vt* délimiter.

delineate [di´linieit] *vt* esquisser ‖ Fig. décrire.

delinqu|ency [di´liŋkwənsi] *n* délinquance *f* ‖ Jur. délit *m* (fault) ‖ ~**ent** *n/adj* délinquant.

delir|ious [di´liriəs] *adj* délirant; *be* ~, avoir le délire ‖ ~**ium** [-iəm] *n* Med. délire *m*.

deliver [di´livə] *vt* distribuer (the mail); porter (a message) ‖ Comm. livrer (goods); *to be* ~*ed*, livrable à domicile; *we* ~, livraison *f* à domicile ‖ Med. donner naissance à, mettre au monde (a child); *be* ~*ed of*, accoucher de ‖ Fig. prononcer (a speech); délivrer, libérer (free) ‖ ~ *over*, transmettre, céder (*to*, à) ‖ ~**ance** [-rns] *n* délivrance *f* ‖ Jur. déclaration *f* ‖ ~**y** [-ri] *n* distribution *f* (of letters); *poste restante*, poste restante ‖ U.S. *general* ~, poste restante ‖ Comm. livraison *f* (of goods); ~ *note*, bulletin *m* de livraison; ~**man**, livreur *m*; ~**van**, voiture *f* de livraison ‖ Med. accouchement *m* ‖ Fig. élocution, diction *f*.

dell [del] *n* vallon *m*.

delouse [´di:´laus] *vt* épouiller.

delta [´deltə] *n* delta *m*.

delude [di´lu:d] *vt* tromper, duper ‖ ~ *oneself*, se faire des illusions, se leurrer.

deluge [´delju:dʒ] *n* déluge *m*.

delu|sion [di´lu:ʒn] *n* illusion, erreur *f*; *be under the* ~ *that*, se mettre dans la tête que, s'imaginer que ‖ ~**sive** [-siv] *adj* trompeur; illusoire.

delve [delv] *vt* creuser; fouiller (*into*, dans).

demagnetize [´di:´mægnitaiz] *vt* désaimanter.

demag|ogue [´deməgɔg] *n* démagogue *n* ‖ ~**ogy** [-ɔgi] *n* démagogie *f*.

demand [di´ma:nd] *vt* exiger, réclamer ● *n* exigence, revendication *f* ‖ Comm. demande *f*; *on* ~, à la demande; *supply and* ~, l'offre et la demande; *in great* ~, très recherché ‖ ~**ing** *adj* exigeant.

demarcat|e [´di:ma:keit] *vt* délimiter ‖ ~**ion** [di:ma:´keiʃn] *n* démarcation *f*; *line of* ~, ligne *f* de démarcation.

demean [di´mi:n] *vi* ~ *oneself*, s'abaisser, s'avilir ‖ ~**our** [-ə] *n* comportement *m*.

demented [di´mentid] *adj* dément.

demerara [deməˈrɛərə] *n* cassonade *f*.

demerit [di:´merit] *n* faute *f*; démérite *m*; défaut *m* (failing).

demesne [di´mein] *n* domaine *m* (lit. and fig.).

demijohn [´demidʒɔn] *n* dame-jeanne, bonbonne *f*.

demilitarize [´di:´militəraiz] *vt* démilitariser.

demineralise [di´minərəlaiz] *vt* déminéraliser.

demise [di´maiz] *n* Fig. mort, fin *f*.

demist [di:´mist] *vt* enlever la buée de ‖ ~**er** *n* Aut. (système *m* de) désembuage *m*.

demo [´deməu] *n* Coll. manif *f* (fam.).

demobil|ization [´di:məubilai´zeiʃn] *n* démobilisation *f* ‖ ~**ize** [di:´məubilaiz] *vt* démobiliser.

democr|acy [di´mɔkrəsi] *n* démocratie *f* ‖ ~**at** [ˌdeməkræt] *n* démocrate *n* ‖ ~**atic** [ˌdemə´krætik] *adj* démocratique.

demography [di´mɔgrəfi] *n* démographie *f*.

demol|ish [di´mɔliʃ] *vt* démolir,

détruire ‖ ~**ition** [ˌdeməˈliʃn] n démolition f.

demon [ˈdiːmən] n démon m ‖ Fɪɢ. a ~ for work, un bourreau de travail ‖ ~**iac** [diˈməuniæk] adj démoniaque.

demonstrat|e [ˈdemənstreit] vt démontrer — vi Pᴏʟ. manifester ‖ ~**ion** [ˌdemənsˈtreiʃn] n démonstration f ‖ Pᴏʟ. manifestation f ‖ Pl Fɪɢ. effusions fpl ‖ ~**ive** [diˈmɔnstrətiv] adj démonstratif ‖ ~**or** n Pᴏʟ. manifestant n.

demoraliz|ation [diˌmɔrəlaiˈzeiʃn] n démoralisation f ‖ ~**e** [diˈmɔrəlaiz] vt démoraliser (dishearten).

demote [diˈməut] vt rétrograder.

demur [diˈməː] vi hésiter (at, devant) ; faire des objections ● n without ~, sans hésiter.

demure [diˈmjuə] adj réservé (sober) ‖ d'une modestie affectée, aux airs de sainte nitouche.

den [den] n [animal] antre m, tanière f ; [thieves] repaire m ‖ U.S. (salle f de) séjour m ‖ Cᴏʟʟ. piaule, turne f (fam.).

denationalize [diːˈnæʃnəlaiz] vt dénationaliser.

denatured [diːˈneitʃəd] adj Cʜ. dénaturé.

deniable [diˈnaiəbl] adj niable.

denial [diˈnaiəl] n dénégation f, démenti m (negation) ‖ refus (refusal) ‖ Jᴜʀ. ~ of justice, déni m de justice.

denicotinize [diːˈnikətinaiz] vt dénicotiniser.

denigrate [ˈdenigreit] vt dénigrer.

denim [ˈdenim] n coutil m.

Denmark [ˈdenmaːk] n Danemark m.

denomination [diˌnɔmiˈneiʃn] n dénomination f ‖ Rᴇʟ. culte, secte m, confession f ‖ ~**al** adj confessionnel ; ~ school, école religieuse.

denominator [diˈnɔmineitə] n dénominateur m.

denote [diˈnəut] vt dénoter, indiquer.

denounc|e [diˈnauns] vt dénoncer (sb, treaty) ‖ Fɪɢ. s'élever contre ‖ ~**er** n dénonciateur m.

dens|e [dens] adj dense, épais, compact ‖ Fɪɢ. stupide ‖ ~**ity** n densité f ; épaisseur f.

dent [dent] vt bosseler, cabosser (metal) ● n bosselure f.

dent|al [ˈdentl] adj Mᴇᴅ. dentaire ; ~ mechanic/surgeon, mécanicien/chirurgien m dentiste ‖ ~**ifrice** [-ifris] n pâte f dentifrice, dentifrice m ‖ ~**ist** n dentiste n ‖ ~**ure** [ˈdentʃə] n prothèse f dentaire, dentier m.

denude [diˈnjuːd] vt dénuder ‖ Fɪɢ. dépouiller.

denunciation [diˌnʌnsiˈeiʃn] n dénonciation f.

deny [diˈnai] vt nier (negate) ‖ there is no ~ing that..., on ne saurait nier que ‖ démentir (disown) ; renier (one's signature) ‖ refuser ; ~ oneself sth, se priver de qqch.

deodor|ant [diːˈəudərnt] n déodorant, désodorisant m ‖ ~**ise** vt désodoriser.

depart [diˈpaːt] vi partir (for, pour ; from, de) ‖ s'écarter (from, de) [diverge].

department [diˈpaːtmənt] n [administration] service m ‖ [Government] ministère m ‖ [university] section f ; institut m ‖ Cᴏᴍᴍ. rayon m ; ~ store, grand magasin.

departure [diˈpaːtʃə] n départ m ‖ Aᴠ. ~ lounge, salle f d'embarquement ‖ Fɪɢ. déviation f, abandon m (from, de) ‖ new ~, nouvelle orientation/tendance.

depend [diˈpend] vi dépendre ; that ~s, it all ~s, cela dépend ‖ ~ (up)on, dépendre de (rely on) ; se fier à (trust) ‖ [results] être fonction de ‖ ~**able** adj digne de confiance

|| **~ant** *adj* = **~ENT** || **~ence** *n* dépendance (*on, envers*) || **~ency** *n* dépendance *f* || **~ent** *adj* dépendant (*on, de*) ; à la charge (*on, de*) || *be ~ on,* relever de || GRAMM. **~ clause,** proposition subordonnée ● *n* personne *f* à charge.

depict [di´pikt] *vt* ARTS peindre || FIG. dépeindre, décrire.

depila|te [´depileit] *vt* épiler || **~tion** *n* épilation *f* || **~tory** [di´pilətri] *adj/n* dépilatoire (*m*).

deplane [´di:´plein] *vi* MIL. débarquer, descendre (d'avion).

deple|te [di´pli:t] *vt* épuiser (exhaust) || vider (empty out) || **~tion** *n* épuisement *m*.

deplorable [di´plɔ:rəbl] *adj* déplorable, regrettable ; lamentable.

deplore [di´plɔ:] *vt* déplorer, se lamenter sur.

deploy [di´plɔi] *vt/vi* MIL. (se) déployer || **~ment** [-mənt] *n* MIL. déploiement *m* (of forces).

depopulate [di:´pɔpjuleit] *vi/vt* (se) dépeupler.

deport [di´pɔ:t] *vt* déporter, expulser || **~ oneself,** se conduire, se comporter || **~ation** [.di:pɔ:´teiʃn] *n* déportation ; expulsion *f* || **~ee** [-i:] *n* déporté *n* || **~ment** *n* comportement *m*, tenue *f* ; maintien *m*.

depose [di´pəuz] *vt* POL. destituer ; déposer (a king) — *vi* JUR. faire une déposition, témoigner.

deposit [di´pɔzit] acompte, dépôt *m* ; **~ account,** compte *m* de dépôt || JUR. cautionnement *m* || GEOL. dépôt, gisement *m* || CH. dépôt *m* ● *vt* déposer, poser (put down) || FIN. déposer, placer (money) || **~ion** [.depɔ´ziʃn] *n* déposition, destitution *f* (of a king) || dépôt *m* (sediment) || REL. descente *f* de croix || JUR. témoignage *m* || **~or** *n* déposant *m*.

depot [´depəu] *n* COMM., MIL. entrepôt *m* || [´di:pəu] U.S. gare *f*.

deprav|e [di´preiv] *vt* dépraver ||

~ed [-d] *adj* dépravé || **~ity** [di´præviti] *n*dépravation *f*.

deprecat|e [´deprikeit] *vt* désapprouver || **~ion** [.depri´keiʃn] *n* désapprobation *f*.

depreciat|e [di´pri:ʃieit] *vt* déprécier, dévaloriser — *vi* se déprécier, diminuer de valeur || **~ion** [di.pri:ʃi´eiʃn] *n* dépréciation *f*.

depress [di´pres] *vt* baisser, abaisser ; appuyer sur (press down) || FIN. faire baisser (prices) ; réduire, diminuer (profits) || FIG. déprimer ; *be ~ed,* être déprimé ; flipper (fam.).

depression [di´preʃn] *n* dépression *f* (hollow place) || [weather] dépression || FIN. crise, dépression *f* (économique) || FIG. découragement, abattement *m*.

deprive [di´praiv] *vt* priver, déposséder (*of, de*).

depth [depθ] *n* profondeur *f* ; *in ~,* de profondeur ; *at a ~ of 30 feet,* par 10 mètres de fond ; *get out of one's ~,* perdre pied || PHOT. **~ of field,** profondeur *f* de champ || FIG. fond *m* ; cœur *m* ; *in the ~s of,* au fin fond de || **~-charge** *n* grenade sous-marine.

deput|ation [.depju´teiʃn] *n* députation, délégation *f* || **~ize** [´depjutaiz] *vi* **~ for,** remplacer, assurer l'intérim de || TH. servir de doublure à || **~y** [´depjuti] *n* POL. député *m* || JUR. délégué *n* ; suppléant, adjoint *n* || **~-chairman** *n* vice-président *m* ; **~-mayor,** adjoint *m* au maire, maire adjoint.

derail [di´reil] *vt* faire dérailler ; *be ~ed,* dérailler || **~ment** [-mənt] *n* déraillement *m*.

derange [di´reinʒ] *vt* déranger, bouleverser (disorder) || déranger, incommoder (disturb) || MED. *mentally ~d,* détraqué.

deratize [di:´rætai´zeiʃn] *n* dératisation *f*.

derelict [´derilikt] *adj* abandonné (ship) || FIG. négligent (of one's duty)

● *n* épave *f* ‖ **~ion** [ˌderiˈlikʃn] *n* abandon *m* ‖ Fig. négligence *f*.

der|ide [diˈraid] *vt* tourner en dérision, ridiculiser ‖ **~ision** [diˈriʒn] *n* moquerie, dérision *f* ‖ objet de dérision (laughing-stock) ; *be held in* ~, être la risée de ‖ **~isive** [diˈraisiv] *adj* moqueur, narquois (mocking). ‖ **~isory** [diˈraisəri] *adj* dérisoire, ridicule.

derive [diˈraiv] *vt* retirer ; faire provenir (*from,* de) ‖ dériver, tirer (*from,* de) — *vi* découler, provenir, dériver (*from,* de).

dermatolog|ist [ˌdəːməˈtɔlədʒist] *n* dermatologue *n* ‖ **~y** *n* dermatologie *f.*

derogat|e [ˈderəgeit] *vi* porter atteinte (*from,* à) ; déroger (*from,* à) ‖ **~ion** [ˌderəˈgeiʃn] *n* atteinte *f* ‖ Fig. abaissement *m* ‖ **~ory** [diˈrɔgətri] *adj* désobligeant.

derrick [ˈderik] *n* Naut. mât *m* de charge ‖ Techn. derrick *m.*

desalin|ate [diˈsælineit] *vt* dessaler ‖ **~ation** [diːˌsæliˈneiʃn] *n* — *plant,* usine *f* de dessalement de l'eau de mer ‖ **~ize** [-ˈsælinaiz] *vt* = DESALINATE.

descend [diˈsend] *vi* descendre (*from,* de) ‖ Fig. tomber (*upon, sur*) ‖ Jur. (person) être issu de ‖ [property] passer, se transmettre (*to,* à) ‖ Fig. ~ *to particulars,* entrer dans les détails ‖ **~ant** *n* descendant *n.*

descent [diˈsent] *n* descente *f* (action, slope) ‖ descendance *f* (lineage) ; *of French* ~, d'origine française ‖ descente *f* (attack) ‖ Jur. transmission *f.*

describe [disˈkraib] *vt* décrire, dépeindre ‖ qualifier (*as,* de) ‖ présenter (*as,* comme) ‖ Math. tracer, décrire.

descrip|tion [disˈkripʃn] *n* description ; *beyond* ~, indescriptible ‖ Jur. signalement *m* ‖ Coll. genre *m,* sorte *f* ‖ **~tive** [-tiv] *adj* descriptif.

descry [disˈkrai] *vt* discerner, apercevoir.

desecrate [ˈdesikreit] *vt* profaner.

desert[1] [diˈzəːt] *n* (usually *pl*) mérite *m* ; *get one's just* ~s, recevoir ce qu'on mérite.

desert[2] [ˈdezət] *adj* désert (not inhabited) ; désertique (barren) ● *n* désert *m.*

desert[3] [diˈzəːt] *vt* abandonner, délaisser ‖ Mil. déserter ‖ *vi* Mil. déserter (place) ‖ **~er** *n* Mil. déserteur *m* ‖ **~ion** [diˈzəːʃn] *n* désertion *f,* abandon *m,* défection *f.*

deserv|e [diˈzəːv] *vt* mériter ‖ **~ed** [-d] *adj* bien mérité ‖ **~edly** [-idli] *adv* à juste titre ; justement ‖ **~ing** *adj* méritant (person) ‖ méritoire (action).

desiccate [ˈdesikeit] *vt* dessécher.

design [diˈzain] *n* dessein, projet *m* (purpose) ; intention *f,* but *m* (intent) ‖ Techn. plan, projet *m,* conception *f* (scheme) ‖ modèle *m* (for a dress) ; style *m* (in furniture, etc.) ‖ Arts dessin, motif *m* (pattern) ; esquisse *f* (in painting) ; *fashion* ~, dessin *m* de mode ‖ Comm. [industry] design *m* ‖ Arch. plan *m* ● *vt* projeter (intend) ‖ concevoir, imaginer (contrive) ‖ destiner (*for,* à) ‖ dessiner (a plan, a model) ‖ Arts esquisser, faire le plan de.

designat|e [ˈdezigneit] *vt* désigner, nommer ● [ˈdezignit] *adj* nommé ‖ **~ion** [ˌdezigˈneiʃn] *n* désignation *f.*

designedly [diˈzainidli] *adv* à dessein, intentionnellement.

design|er [diˈzainə] *n* dessinateur, styliste, créateur *n* ; concepteur *n* ; *interior* ~, ensemblier *m* ‖ [fashion] styliste *n* ‖ Cin., Th. décorateur *n* ‖ **~ing** *adj* intrigant (scheming) ● *vt* dessin *m.*

desirable [diˈzaiərəbl] *adj* désirable (woman) ‖ souhaitable (action).

desir|e [diˈzaiə] *n* désir *m* (longing) ; souhait *m* (wish) ‖ désir *m* (carnal) ● *vt* désirer, demander (*to,* à) ; *it leaves much to be* ~*d,* cela laisse beaucoup à désirer ‖ prier (*to*, à) ‖ **~ous** [-rəs] *adj* désireux.

desist [di'zist] *vi* cesser (*from*, de) [stop] ‖ renoncer (*from*, à) [give up].

desk [desk] *n* [school] pupitre ‖ [office] bureau *m* ; ~ **blotter**, sous-main *m* ; ~ **lamp**, lampe *f* de bureau ; ~ **pad**, bloc-notes *m* ‖ COMM. caisse *f*.

desolat|e ['desəlit] *adj* ravagé, désolé (waste) ‖ désert, inhabité (barren, unlived in) ‖ affligé (sad) ; délaissé (friendless) ● ['desəleit] *vt* ravager (devastate) ‖ affliger (person) ‖ **~ion** [desə'leiʃn] *n* désolation *f*; ravage *m* ‖ ruine, solitude *f*.

despair [dis'pɛə] *n* désespoir *m* ; in ~, au désespoir ; drive (*sb*) to ~, désespérer (qqn), réduire (qqn) au désespoir ● *vi* désespérer (*of*, de) ‖ **~ing** [-riŋ] *adj* désespéré ‖ **~ingly** *adv* désespérément.

despatch = DISPATCH.

desperado [despə'rɑːdəu] *n* desperado, hors-la-loi *m*.

desperate ['desprit] *adj* désespéré (filled with despair) ‖ furieux, acharné (violent) ‖ éperdu (hopeless) ‖ capable de tout (reckless) ‖ très grave (condition) ‖ héroïque (remedies) ‖ **~ly** *adv* désespérément, à corps perdu ‖ avec acharnement (violently) ‖ éperdument (in love).

desperation [despə'reiʃn] *n* désespoir *m*.

despicable ['despikəbl] *adj* méprisable.

desp|ise [dis'paiz] *vt* mépriser ‖ **~ite** [-ait] *prep* en dépit de ● *n* dépit *m* ; in ~ of, en dépit de.

despoil [dis'pɔil] *vt* dépouiller, spolier (qqn) [*of*, de] ‖ piller (qqch).

despond [dis'pɔnd] *vi* perdre courage, se laisser abattre ‖ **~ency** [-ənsi] *n* découragement, désespoir *m* ‖ **~ent** *adj* découragé, déprimé.

despot ['despɔt] *n* despote, tyran *m*

‖ **~ic** [des'pɔtik] *adj* despotique ‖ **~ism** ['despətizm] *n* despotisme *m*.

dessert [di'zəːt] *n* dessert *m* ; **~-apple**, pomme *f* à couteau ; **~-plate/-spoon**, assiette/cuiller *f* à dessert.

destination [desti'neiʃn] *n* destination *f*.

destin|e ['destin] *vt* destiner (*to, for*, à) ‖ **~y** *n* destin *m*, destinée *f*.

destitut|e ['destitjuːt] *adj* [lacking] dépourvu, dénué (*of*, de) ‖ indigent, sans ressources (poor) ● *n the* ~, les indigents *mpl* ‖ **~ion** [desti'tjuːʃn] *n* dénuement *m*, indigence, misère *f*.

destroy [dis'trɔi] *vt* détruire, démolir (demolish) ‖ tuer (kill) ‖ FIG. détruire, ruiner ‖ **~er** *n* [person] destructeur *m* ‖ NAUT. destroyer, contre-torpilleur *m*.

destruc|tion [dis'trʌkʃn] *n* destruction *f* ‖ **~tive** *adj* destructif (influence) ; destructeur (effect ; agent).

desultory ['desltri] *adj* à bâtons rompus (conversation) ‖ sans méthode (work) ‖ fait au hasard (reading) ‖ décousu (thought).

detach [di'tætʃ] *vt* détacher, séparer (*from*, de) ‖ MIL. détacher ‖ **~able** *adj* détachable, amovible ; ~ **collar**, faux-col ‖ **~ed** [-t] *adj* détaché, séparé ‖ ~ **house**, pavillon *m* ; villa *f* ‖ **~ment** *n* détachement *m* ‖ MIL. détachement *m* ‖ MED. décollement *m* (of the retina) ‖ FIG. indifférence *f*, détachement *f*.

detail ['diːteil] *n* détail *m*, particularité *f*; go into ~s, entrer dans les détails ‖ MIL. détachement *m* ● *vt* décrire en détail, détailler ‖ MIL. détacher, affecter ‖ **~ed** [-d] *adj* détaillé, circonstancié.

detain [di'tein] *vt* détenir (keep) ‖ retenir, retarder (delay) ‖ *be* **~ed** *in hospital*, être gardé en observation à l'hôpital ‖ JUR. détenir (in prison).

detec|t [di'tekt] *vt* détecter, découvrir, déceler ‖ FIG. discerner, percevoir ‖ **~tion** *n* découverte *f*; RAD.

repérage m ‖ Jur., Med. dépistage m ‖ ~**tive** n détective m ; ~ story, roman policier.

detention [di'tenʃn] n détention f ‖ [school] retenue, consigne f.

deter [di'tə:] vt détourner, dissuader, décourager (from, de).

detergent [di'tə:dʒnt] adj/n détersif, détergent (m).

deteriorat|e [di'tiəriəreit] vt détériorer — vi dégénérer, empirer ‖ [health] se détériorer ‖ [situation] se dégrader ‖ ~**ion** [di‚tiəriə'reiʃn] n détérioration f.

determinat|e [di'tə:minit] adj déterminé ‖ ~**ion** [di‚tə:mi'neiʃn] n détermination f ‖ évaluation f (calculation) ‖ décision f (resolve) ‖ fermeté, résolution f (firmness).

determin|e [di'tə:min] vt déterminer, fixer (a date, etc.) ‖ décider, déterminer (cause to decide) ‖ causer, produire (an accident) — vi décider (on, de) ‖ se résoudre (on, à) ‖ ~**ed** [-d] adj déterminé (settled) ‖ résolu (resolute).

deterrent [di'ternt] adj dissuasif, préventif ● adj nuclear ~, force f de dissuasion nucléaire.

detest [di'test] vt détester ‖ ~**able** adj détestable.

dethrone [di'θrəun] vt détrôner.

detonat|e [detəneit] vi détoner — vt faire détoner ‖ ~**or** n détonateur m.

detour ['di:tuə] n déviation f ; make a ~, faire un détour.

detoxic|ate [di'tɔksi‚keit] vt désintoxiquer ‖ ~**ation** [di‚tɔksi'keiʃn] n désintoxication f.

detrac|t [di'trækt] vi ~ from, diminuer ; ~ from sb's merit, rabaisser/dénigrer qqn ‖ ~**tion** n dénigrement m ‖ ~**tor** n détracteur m.

detrain [di:'trein] vt/vi Mil. débarquer.

detriment ['detrimənt] n détriment, préjudice m ; to the ~ of, au détriment

de. ‖ ~**al** [‚detri'mentl] adj nuisible, préjudiciable (to, à).

deuce¹ [dju:s] n (cards, dice) deux ‖ [tennis] égalité f.

deuce² n Coll. diable m ● interj diantre !

devalu|e ['di:'vælju:] vt dévaluer ‖ ~**ation** [‚di:vælju'eiʃn] n Fin. dévaluation f.

devastat|e ['devəsteit] vt dévaster, saccager, ravager ‖ ~**ion** [‚devəs'teiʃn] n dévastation f.

develop [di'veləp] vt développer ; amplifier, fortifier (strengthen) ‖ exploiter, mettre en valeur, aménager (a region) ‖ Phot. développer ‖ Techn. concevoir ; ~ a process, mettre au point un procédé ‖ Med. manifester, présenter (symptoms) ‖ Fig. contracter (a habit) ; faire preuve de, manifester (a talent) — vi se développer (grow) ‖ évoluer (evolve) ‖ progresser (expand) ‖ [illness] se manifester, se déclarer (become apparent) ‖ ~**er** n Phot. révélateur m ‖ (property) ~, promoteur (immobilier) ‖ ~**ing** adj ~ country, pays m en voie de développement ‖ ~**ment** n évolution f ; progrès m ‖ Comm. extension f ‖ Phot. développement m ‖ [region] mise f en valeur, exploitation f, aménagement m ‖ [town planning] lotissement m ‖ Fig. événement m ; new ~, fait nouveau, rebondissement m ‖ Fig. déroulement m ; progrès m.

deviat|e ['di:vieit] vi dévier, s'écarter (from, de) — vt détourner (a river) ‖ ~**ion** [‚di:vi'eiʃn] n déviation f, écart m ‖ ~**ionist** n Pol. déviationniste n.

device [di'vais] n mécanisme, dispositif, système, appareil m ‖ Coll. truc, stratagème m (trick) ‖ Pl Coll. leave sb to his own ~s, laisser qqn se débrouiller seul.

devil ['devl] n diable, démon m ‖ nègre m (writer's) ‖ Coll. poor ~ !, pauvre diable ! ; a ~ of a row, un vacarme infernal ‖ ~**ish** *adj* diabolique, infernal.

devious [´di:vjəs] *adj* détourné (road); tortueux (path) ‖ FIG. détourné (ways).

devise [di´vaiz] *vt* inventer, concevoir ‖ PEJ. tramer, combiner.

devitalize [di:´vaitəlaiz] *vt* dévitaliser ‖ affaiblir (weaken).

devoid [di´vɔid] *adj* dénué, dépourvu (*of*, de).

devolve [di´vɔlv] *vt* transmettre, déléguer — *vi* incomber, échoir (*on*, à).

devot|e [di´vəut] *vt* consacrer, vouer (*to*, à); ~ *oneself to*, s'adonner à ‖ ~**ed** [-id] *adj* dévoué ‖ consacré (dedicated) [*to*, à] ‖ passionné (player) ‖ ~**ee** [¸devə´ti:] *n* fervent, adepte *n* ‖ REL. dévot *n* ‖ ~**ion** [di´vəuʃn] *n* dévouement *m* (to a friend) ‖ REL. dévotion, piété *f*.

devour [di´vauə] *vt* dévorer.

devout [di´vaut] *adj* REL. dévot ‖ FIG. fervent.

dew [dju:] *n* rosée *f*; ~-*drop*, goutte *f* de rosée ‖ ~**y** *adj* couvert de rosée.

dext|erity [deks´teriti] *n* adresse, dextérité, habileté *f* ‖ ~**(e)rous** [´dekstrəs] *adj* adroit, habile.

diabet|es [¸daiə´bi:ti:z] *n* MED. diabète *m* ‖ ~**ic** [¸daiə´betik] *adj/n* diabétique.

diabolic [¸daiə´bɔlik] *adj* diabolique.

diadem [´daiədem] *n* diadème *m*.

diaeresis [dai´irisis] *n* tréma *m*.

diagnos|e [´daiəgnəuz] *vt* diagnostiquer ‖ ~**is, -oses** [¸daiəg´nəusis, -i:z] *n* diagnostic *m* ‖ ~**tic** [¸daiəg´nɔstik] *adj* diagnostique.

diagonal [dai´ægənl] *adj* diagonal ● *n* diagonale *f* ‖ ~**ly** *adv* en diagonale.

diagram [´daiəgræm] *n* diagramme, schéma, graphique *m*.

dial [´daiəl] *n* (clock) cadran *m* ‖ TEL. cadran *m* d'appel ● *vt* TEL. composer, faire (a number), appeler.

dialect [´daiəlekt] *n* dialecte *m* ‖ ~**al** [¸daiə´lektl] *adj* dialectal.

dialectic [¸daiə´lektik] *adj/n* dialectique *(f)* ‖ ~**s** *n sing.* dialectique *f* ‖ ~**ian** [¸daiəlek´tiʃn] *n* dialecticien *n*.

dialling|code *n* TEL. indicatif *m* ‖ ~**tone** *n* tonalité *f*.

dialogue [´daiəlɔg] *n* dialogue *m*.

diamet|er [dai´æmitə] *n* diamètre *m* ‖ ~**rical** [¸daiə´metrikl] *adj* FIG. total, absolu.

diamond [´daiəmənd] *n* (jewel) diamant *m*; ~-**merchant**, diamantaire *n* ‖ (cards) carreau *m* ‖ MATH. losange *m* ‖ TECHN. diamant *m* ‖ SP. terrain *m* de base-ball.

diaper [´daiəpə] *n* nid *m* d'abeilles (linen) ‖ U.S. couche *f* (for a baby).

diaphragm [´daiəfræm] *n* ANAT., MED. diaphragme *m*.

diarrh(o)ea [¸daiə´ri:ə] *n* diarrhée, colique *f*.

diary [´daiəri] *n* journal *m* (intime) ‖ (engagements) agenda *m*.

diatonic [¸daiə´tɔnik] *adj* diatonique.

dibble [´dibl] *n* plantoir *m*.

dice [dais] *npl* (→ DIE¹) dés *mpl* / play ~, jouer aux dés ● *vt* couper en dés (vegetables).

dickens [´dikinz] *n* COLL. = DEUCE ².

dicker [´dikə] *vi* marchander.

Dictaphone [´diktəfəun] *n* T.N. Dictaphone *m*.

dicta|te [dik´teit] *vt* dicter ‖ donner des ordres, ordonner; imposer (terms) ‖ ~**tion** *n* dictée *f* ‖ ~**tor** *n* dictateur *m* ‖ ~**torship** [dik´teitəʃip] *n* dictature *f*.

diction [´dikʃn] *n* style *m* (of an orator) ‖ diction, élocution *f* ‖ ~**ary** [-ri] dictionnaire *m*.

did → DO.

diddle [´didl] *vt* COLL. empiler, rouler, filouter (fam.).

didn't [´didənt] → DO.

die¹, dice [dai, -s] *n* → DICE ‖ dé *m ; the ~ is cast,* le sort en est jeté.

die² *vi* (p.t. et p.p. died [daid] ; pr. p. dying) [person] mourir ‖ [animal] crever ‖ COLL.. *with laughter,* mourir de rire ; *be dying to,* mourir d'envie de ‖ FIG. s'éteindre ‖ ~ *away,* FIG. mourir, s'évanouir ; s'éteindre ‖ ~ *down,* [noise] diminuer ; [wind] s'apaiser, tomber ‖ ~ *out,* [custom] s'éteindre, disparaître.

diehard [ˈdaihɑːd] *n* conservateur *n ;* dur à cuire *n* (fam.) ‖ [politician] jusqu'au-boutiste *n.*

diesel [ˈdiːzl] *n* ~ *electric,* diesel-électrique ; ~ *engine,* moteur *m* Diesel ; ~ *oil,* fuel, gas-oil *m.*

diet [ˈdaiət] *n* alimentation *f* ‖ MED. régime *m ; go on a ~,* se mettre au régime ; *low/short* ~, diète *f ; put sb on a low* ~, mettre qqn à la diète ; *starvation* ~, diète absolue ● *vi* suivre un régime — *vt* mettre au régime ‖ ~**ary** [-ri] *adj* de régime ‖ ~**etic** [ˌdaiəˈtetik] *adj* diététique ; ~**etics** *n* diététique *f* ‖ ~**ician** [ˌdaiəˈtiʃn] *n* diététicien *n.*

differ [ˈdifə] *vi* différer, être différent (*from,* de) [be unlike] ‖ être en désaccord (disagree) ‖ ~**ence** [ˈdifrəns] *n* différence *f ; that makes no* ~, cela n'a pas d'importance ; *split the* ~, couper la poire en deux ‖ divergence *f* (of opinion) ‖ différend *m,* contestation *f* (disagreement) ‖ ~**ent** [ˈdifrnt] *adj* différent (*from,* de) [dissimilar] ‖ différent, divers (various) ‖ ~**ential** [ˌdifəˈrenʃl] *adj/n* MATH., TECHN. différentiel (*m*) ‖ ~**entiate** [ˌdifəˈrenʃieit] *vt* différencier ‖ ~**ently** [ˈdifrntli] *adv* différemment.

difficult [ˈdifiklt] *adj* difficile, malaisé ‖ COLL. difficile, peu commode ‖ ~**y** *n* difficulté *f ; with* ~, difficilement ; *make no* ~, ne faire aucune difficulté.

diffid|ence [ˈdifidns] *n* manque *m* d'assurance ‖ ~**ent** *adj* qui manque d'assurance.

diffu|se [diˈfjuːz] *vt* diffuser ● *adj* diffus ‖ ~**sion** [-ʒn] *n* diffusion *f.*

dig [dig] *vt* (dug [dʌg]) creuser (a hole) ‖ AGR. bêcher (with a spade) ; piocher (with a pick) ‖ arracher (potatoes) ‖ enfoncer (nails, spurs) ‖ ~ *out,* extraire ‖ ~ *up,* déraciner — *vi* faire un trou (hole, dans) ‖ [archeology] faire des fouilles (*for,* pour) ‖ G.B., SL.. loger (en garni) ‖ U.S., SL. piger ● *n* bourrade *f* (poke) ‖ COLL. coup *m* de patte ; *that was a* ~ *at me,* c'était une pierre dans mon jardin ‖ POP. have a ~ *at sth,* essayer qqch ‖ Pl. COLL. meublé, garni *m.*

digest [daiˈdʒest] *vt* digérer ‖ condenser (reduce) ; assimiler (understand) ● *n* [ˈdaidʒest] sommaire, abrégé *m.*

digest|ible [diˈdʒestəbl] *adj* digestible ‖ ~**ion** [-ʃn] *n* digestion *f* ‖ ~**ive** [-iv] *adj* digestif.

digg|er [ˈdigə] *n* [machine] excavateur *m,* -trice *f* ‖ [person] *(gold)* ~, chercheur *n* d'or ‖ ~**ing** *n* creusage *m* (of a hole) ‖ bêchage *m* (in the garden) ‖ terrassement *m,* fouille *f* (excavation) ‖ Pl [archeology] fouilles *fpl ;* [goldmine] placer *m ;* COLL. = DIGS.

digit [ˈdidʒit] *n* MATH. chiffre *m* ‖ ~**al** *adj* digital ‖ à affichage numérique (watch) ‖ numérique (computer) ‖ ~**ized** [-aizd] *adj* numérique.

digni|fied [ˈdignifaid] *adj* solennel, grave ‖ ~**fy** [-fai] *vt* donner de la dignité à ‖ ~**tary** [-tri] *n* dignitaire *m* ‖ ~**ty** *n* dignité *f* ‖ haut rang *m.*

digre|ss [daiˈgres] *vi* faire une digression ; s'écarter du sujet ‖ ~**ssion** [-ʃn] *n* digression *f.*

digs [digz] *npl* COLL. logement *m.*

dike¹ [daik] *n* fossé *m* (ditch) ‖ digue *f* (dam).

dike² *n* SL. gouine (pop.) (lesbian).

dilapidated [diˈlæpideitid] *adj* délabré.

dilat|ation [dailə'teiʃn] n dilatation f ‖ ~e [dai'leit] vi/vt (se) dilater.

dilatory ['dilətri] adj lent ‖ JUR. dilatoire.

dilemma [di'lemə] n dilemme m.

dilettante [dili'tænti] n dilettante n.

dilig|ence ['dilidʒns] n application, diligence f ‖ persévérance, assiduité f ‖ ~ent adj travailleur, appliqué, diligent ‖ assidu.

dill [dil] n fenouil m.

dilly-dally ['dilidæli] vi lanterner, lambiner (loiter).

dilute [dai'lju:t] vt diluer (liquid) ‖ couper (wine).

dim [dim] adv faible, vague (light) ‖ indistinct (outline) ‖ sombre, obscur (room) ‖ terne (colour) ‖ brouillé, voilé (eyes) ‖ trouble (sight) ‖ FIG. vague, imprécis ‖ ~ view, sombre pronostic m ; take a ~ view of sth, voir qqch d'un mauvais œil ● vt obscurcir (a room) ‖ baisser (a light) ‖ voiler (sight) ‖ ternir (a colour) ‖ assourdir (sound).
— vi [light] baisser, s'éteindre ‖ [eyes] s'obscurcir ‖ [outline] s'estomper ‖ [sight] se troubler ‖ [colour] se ternir ‖ FIG. [memory] s'effacer.

dime [daim] n U.S. pièce f de 10 cents.

dimension [di'menʃn] n dimension f ‖ ~al adj CIN. three-~, en relief.

dimin|ish [di'miniʃ] vt diminuer, réduire ‖ ~ution [dimi'nju:ʃn] n diminution, réduction f ‖ ~utive [di'minjutiv] adj minuscule ● n diminutif m.

dim|ly ['dimli] adv vaguement, obscurément, confusément ‖ ~ness n [light, sight] faiblesse f ‖ [memory] vague m, imprécision f.

dimple ['dimpl] n fossette f (on cheek) ‖ ride f (on water).

din [din] n vacarme, tapage m ● vt seriner ; ~ sth into sb' ears, rebattre les oreilles de qqn avec qqch.

din|e [dain] vi dîner ; ~ off, faire son repas de ; ~ out, dîner en ville — vt traiter, recevoir à dîner (sb) ‖ ~er n [person] dîneur n ‖ RAIL., U.S. voiture-restaurant f.

dinghy, dingey ['diŋgi] n canot, youyou m.

dingy ['dinʒi] adj minable.

dining|-car ['dainiŋ'ka:] n wagon-restaurant m ‖ ~-hall n réfectoire m ‖ ~-room n salle f à manger.

dinner ['dinə] n dîner m ; have ~, dîner ‖ ~-jacket n smoking m ‖ ~-set n service m de table.

dint [dint] n by ~ of, à force de.

diocese ['daiəsis] n diocèse m.

dip [dip] vt plonger, tremper ‖ AUT. ~ the headlights, se mettre en code — vi baisser ‖ puiser [road] descendre ● n plongeon m, immersion f ; ~-stick, jauge f ‖ baignade f (rapide) ; have a ~, faire trempette ‖ quantité puisée ; ~-net, épuisette f ‖ PHYS., ASTR. inclinaison f.

diphtheria [dif'θiəriə] n diphtérie f.

diphthong ['difθɔŋ] n diphtongue f.

diploma [di'pləumə] n, diplôme m.

diplom|acy [di'pləuməsi] n diplomatie f ‖ ~at ['dipləmæt] n diplomate m ‖ ~atic [diplə'mætik] adj diplomatique ; ~ bag, valise f diplomatique ‖ ~atist [di'pləumətist] n FIG. diplomate n.

dipper ['dipə] n louche f ‖ ASTR., U.S. Big Dipper, la Grande Ourse.

dire [daiə] adj horrible, affreux ; ~ poverty, misère noire.

direct [di'rekt] adj droit (straight) ; direct (road) ‖ direct (contact, hit, descendant) ‖ immédiat ‖ ELECTR. ~ current, courant continu ‖ JUR. direct (tax) ‖ GRAMM. direct ‖ FIG. direct, franc (straightforward) ● adv directement, tout droit ● vt indiquer le chemin à ‖ adresser (a letter) ; mettre l'adresse sur (an envelope) ‖ adresser (a remark) [to, à] ‖ diriger (one's attention, one's steps) ‖ MIL. ordonner, donner l'ordre à ‖ TH.

mettre en scène — *vi* commander ; diriger.

direction [di'rekʃn] *n* direction *f,* sens *m* (way) ; *which — are you going ?,* de quel côté allez-vous ? ; *in all —s,* de tous côtés ; *sense of —,* sens *m* de l'orientation ‖ direction *f*(management) ‖ (often *Pl*) adresse *f* (on a letter) ‖ *Pl* instructions ; *—s for use,* mode *m* d'emploi ‖ Cin., Th. mise *f* en scène ‖ **—-finder** *n* Rad. radiogoniomètre *m* ‖ **—-indicator** *n* Aut. clignotant *m.*

direct|ive [di'rektiv] *n* directive *f* ‖ **—ly** *adv* directement, tout droit ‖ immédiatement ‖ sans détour (frankly) ● *conj* Coll. dès que ‖ **—ness** *n* Fig. franchise *f* ‖ **—or** *n* Comm. directeur *n* ; administrateur *n* ‖ Cin. réalisateur *n,* metteur *m* en scène ‖ **—ory** [di'rektri] *n* Tel. annuaire *m* ‖ *business —,* Bottin *m.*

dirigible ['diridʒəbl] *adj/n* Av. dirigeable *(m).*

dirt [də:t] *n* boue, fange *f* (mud) ‖ saleté, crasse *f* (filth) ‖ U.S. terre battue ; *— road,* chemin *m* de terre ‖ **—-track,** piste cendrée ‖ Fig. obscénités *fpl* (words) ; *fling — at sb,* traîner qqn dans la boue ; *eat —,* avaler les couleuvres ; **—-cheap,** pour trois fois rien, à vil prix ‖ **—iness** [-inis] *n* malpropreté *f* ‖ **—y** *adj* sale, boueux, crotté (muddy) ‖ sale, crasseux, malpropre (unclean) ‖ salissant (work) ‖ *make —,* salir ‖ Fig. ordurier (talk) ; sale (weather) ; malhonnête (business) *play a — trick on sb,* jouer un sale tour à qqn ● *vt* salir, souiller.

dis|ability [ˌdisə'biliti] *n* incapacité *f* ‖ Med. invalidité, incapacité, infirmité *f* ‖ **—able** [dis'eibl] *vt* estropier, rendre invalide ‖ Mil. mettre hors de combat ‖ Naut. avarier ; désemparer.

disabled [-d] *adj* infirme, handicapé ‖ Mil. *— ex-service men,* invalides/mutilés *mpl* de guerre ● *npl the —,* les handicapés.

disadvantage [disəd'vɑ:ntidʒ] *n* désavantage *m ; be at a —,* être désavantagé/handicapé ‖ Comm. *sell at a —,* vendre à perte ‖ **—ous** [ˌdisædvɑ:n'teidʒəs] *adj* désavantageux.

disaffected [ˌdisə'fektid] *adj* mal disposé (*to,* envers) ‖ Pol. déloyal.

disagree [ˌdisə'gri:] *vi* [person] être en désaccord (*with,* avec) ; différer d'opinion ; [climate, food] ne pas convenir, être contraire (*with,* à) ‖ **—able** [ˌdisə'griəbl] *adj* désagréable ‖ **—ment** *n* désaccord *m* ; différend *m* ; mésentente *f* ‖ Coll. fâcherie, brouille *f.*

disallow ['disə'lau] *vt* rejeter, refuser.

disappear [ˌdisə'piə] *vi* disparaître ‖ **—ance** [-rns] *n* disparition *f.*

disappoint [ˌdisə'point] *vt* décevoir (hope, sb) ; désappointer (sb) ; tromper (expectation) ‖ faire échouer, contrecarrer (plans) ‖ **—ed** [-id] *adj* déçu ; contrarié ; *agreeably —,* agréablement surpris ‖ **—ing** *adj* décevant ‖ **—ment** *n* déception *f,* désappointement *m* ‖ contretemps *m,* déboires *mpl.*

disapprobation [ˌdisæprə'beiʃn] *n* désapprobation *f.*

disapprov|al [ˌdisə'pru:vl] *n* désapprobation *f* ‖ **—e** *vt* désapprouver — *vi — of,* trouver à redire à ; être contre ‖ **—ing** *adj* désapprobateur.

disarm [dis'ɑ:m] *vt* Mil., Fig. désarmer ‖ **—ament** [-əmənt] *n* désarmement *m.*

dis|arrange ['disə'reinʒ] *vt* déranger ‖ **—array** [-ə'rei] *n* confusion *f,* désarroi *n* ; désordre *m.*

disast|er [di'zɑ:stə] *n* désastre *m,* catastrophe *f,* sinistre *m* ‖ **—rous** [-rəs] *adj* désastreux, catastrophique.

disavow ['disə'vau] *vt* désavouer, renier.

disband [dis'bænd] *vt* disperser ‖ Mil. licencier — *vi* se séparer (disperse) ‖ Mil. se débander.

dis|belief ['disbi'li:f] *n* incrédulité *f* ‖ **~believe** [-bi'li:v] *vt* ne pas croire — *vi* refuser de croire (*in*, à).

disburden [dis'bə:dn] *vt* décharger ; **~ one's heart,** ouvrir son cœur (*to*, à).

disc [disk] *n* disque *m* (record) ‖ [computer] *floppy* **~,** disque souple ; **~ drive,** lecteur *m* de disquettes ‖ RAD. **~-jockey,** animateur, disc-jockey *n* ‖ AUT. **~-brake,** frein *m* à disque ‖ MED. *slipped* **~,** hernie discale.

discard [dis'ka:d] *vt* écarter ; se défausser de (a card) ‖ mettre de côté ‖ FIG. rejeter ● *n* [cards] défausse *f* ‖ *Pl* écart *m*.

discern [di'sə:n] *vt* discerner, distinguer ‖ **~ing** *adj* judicieux, pénétrant ‖ **~ment** *n* discernement *m*.

discharge [dis'tʃa:dʒ] *vt* décharger (cargo, a gun) ‖ renvoyer, congédier (a servant) ‖ MIL. décharger (fire) ; libérer, démobiliser (a soldier) ‖ ELECTR. décharger (battery) ‖ FIN. payer (a bill) ; régler (a debt) ‖ JUR. réhabiliter (a bankrupt) ; acquitter (a defendant) ; relaxer, libérer (a prisoner) ‖ MED. *be* **~***d from hospital*, être autorisé à quitter l'hôpital ‖ [wound] suppurer ‖ FIG. s'acquitter de, accomplir (a duty) ; libérer, décharger (sb) [*from*, de] — *vi* [colour] déteindre ‖ [water] se déverser (*into*, dans) ‖ ELECTR. se décharger ● *n* renvoi, congé *m* (dismissal) ; mise *f* en liberté (of a prisoner) ‖ MIL. démobilisation *f,* licenciement *m* (of troops) ‖ NAUT. déchargement *m* ‖ TECHN. débit *m* ‖ ELECTR. décharge *f* ‖ JUR. réhabilitation *f* (of a bankrupt) ; acquittement *m* (of a defendant) ‖ FIN. apurement *m* (of an account) ; paiement *m* (of a bill) ; règlement *m* (of a debt) ‖ MED. écoulement *m,* suppuration *f* ‖ FIG. exercice *m* (of duties) ; accomplissement *m* (of a vow).

disciple [di'saipl] *n* disciple *m*.

disciplinary ['disiplinəri] *adj* disciplinaire.

discipline ['disiplin] *n* discipline *f* ‖ [branch of learning] discipline *f* ● *vt* discipliner (control) ‖ punir, sanctionner (punish).

disclaim [dis'kleim] *vt* dénier ; décliner (responsibility) ‖ JUR. renoncer à (one's rights) ‖ **~er** *n* rejet *m,* dénégation *f* ‖ JUR. désistement *m*.

disclos|e [dis'kləuz] *vt* dévoiler, divulguer, révéler ‖ **~ure** [-ʒə] *n* révélation, divulgation *f.*

disco ['diskəu] *abbrev/n* COLL. = DISCOTHEQUE ‖ **~** *(music),* (musique *f*) disco *m.*

discolour [dis'kʌlə] *vt* décolorer.

discomfit [dis'kʌmfit] *vt* déconcerter, dérouter (confuse) ‖ décevoir (disappoint).

discomfort [dis'kʌmfət] *n* incommodité *f,* malaise *m,* manque *m* de confort ● *vt* incommoder.

discompo|se [diskəm'pəuz] *vt* troubler ‖ **~sure** [-ʒə] *n* trouble *m,* perturbation *f.*

disconcert [diskən'sə:t] *vt* déconcerter, embarrasser.

disconnect ['diskə'nekt] *vt* séparer ‖ ELECTR. couper, débrancher ‖ TECHN. débrayer ‖ **~ed** [-id] *adj* décousu, incohérent (speech).

disconsolate [dis'kɔnslit] *adj* inconsolable, désolé.

discontent ['diskən'tent] *n* mécontentement *m* ● *vt* mécontenter ‖ **~ed** [-id] *adj* mécontent.

discontinu|ance [ˌdiskən'tinjuəns] *n* interruption, cessation *f* ‖ **~e** ['diskən'tinju] *vi* interrompre, suspendre ‖ **~ity** [ˌdiskɔnti'njuiti] *n* discontinuité *f* ‖ **~ous** ['diskən'tinjuəs] *adj* discontinu.

discord ['diskɔ:d] *n* discorde, désunion *f* (dissension) ‖ désaccord *m* (disagreement) ‖ MUS. dissonance *f* ‖ **~ant** [dis'kɔ:dnt] *adj* (en) désaccord (*from*, avec) ‖ MUS. dissonant.

discotheque ['diskɔtek] *n* discothèque *f.*

discount [´diskaunt] n COMM. rabais m, réduction, remise f; 10 % ~, 10 % de remise; ~ **store,** magasin m à prix réduit ‖ FIN. escompte m ‖ FIG. at a~, en défaveur • [dis´kaunt] vt COMM. faire une remise de ‖ FIN. escompter ‖ FIG. ne pas tenir compte de, faire peu de cas de.

discourage [dis´kʌridʒ] vt décourager (dishearten) ‖ dissuader (try to prevent) ‖ déconseiller (advise against) ‖ ~**ment** n découragement, abattement m.

discourse [dis´kɔ:s] n discours m; traité m (written) • vi discourir, disserter (upon, sur).

discourt|eous [dis´kə:tjəs] adj discourtois ‖ ~**esy** [-isi] n impolitesse f, manque m de courtoisie.

discover [dis´kʌvə] vt découvrir ‖ ~**er** [-rə] n découvreur, inventeur m ‖ ~**y** [-ri] n découverte f.

discredit [dis´kredit] n discrédit m • vt discréditer, mettre en doute.

discreet [dis´kri:t] adj discret (silent) ‖ prudent, avisé (cautious) ‖ ~**ly** adv discrètement.

discrepancy [dis´krepnsi] n désaccord m, contradiction, divergence f.

discrete [dis´kri:t] adj distinct.

discretion [dis´kreʃn] n discrétion f (freedom); have full ~, avoir toute latitude (to, pour) ‖ réserve, circonspection f (prudence) ‖ raison f, discernement m (wisdom); years of ~, âge m de raison.

discriminat|e [dis´krimineit] vt discriminer, distinguer (from, de); faire une distinction (between, entre) ‖ ~**ing** adj judicieux ‖ ~**ion** [dis,krimi´neiʃn] n discernement m (judgment) ‖ distinction f ‖ racial ~, discrimination raciale.

discursive [dis´kə:siv] adj décousu, sans suite, incohérent.

discus [´diskəs] n SP. disque m; ~-thrower, lanceur n de disque; HIST. discobole m.

discu|ss [dis´kʌs] vt discuter, débattre ‖ ~**ssion** [-ʃn] n discussion f, débat m.

disdain [dis´dein] n dédain m • vt dédaigner ‖ ~**ful** adj dédaigneux.

diseas|e [di´zi:z] n maladie f ‖ ~**ed** [-d] adj malade ‖ FIG. morbide.

disembark [´disim´ba:k] vt/vi débarquer (from, de) ‖ ~**ation** [,disemba:´keiʃn] n débarquement m.

disembody [´disim´bɔdi] vt désincarner.

disembroil [,disim´brɔil] vt débrouiller; ~ oneself from, se sortir de.

disenchant [´disin´tʃa:nt] vt désenchanter ‖ ~**ment** n désenchantement m.

disencumber [´disin´kʌmbə] vt désencombrer.

disengag|e [´disin´geidʒ] vt dégager; ~ oneself, se libérer (of an obligation) ‖ MIL. ~ one's troops, effectuer un décrochage ‖ AUT. ~ the clutch, débrayer ‖ ~**ed** [-d] adj libre, inoccupé.

disentangle [´disin´tæŋgl] vt démêler, débrouiller.

disfavour [´dis´feivə] n défaveur, disgrâce f (disgrace) ‖ désapprobation f (disapproval).

disfigure [dis´figə] vt défigurer ‖ FIG. enlaidir, gâter.

disforest [dis´fɔrist] vt déboiser.

disfranchise [´dis´frænʃaiz] vt priver des droits civiques.

disgorge [dis´gɔ:dʒ] vt dégorger, vomir ‖ (river) déverser — vi COLL. rendre gorge.

disgrace [dis´greis] n honte f; déshonneur m ‖ [shame] it's a ~!, quelle honte! • vt déshonorer, faire honte à; disgracier (disfavour) ‖ ~**ful** adj honteux, déshonorant.

disgruntled [dis´grʌntld] adj maussade, contrarié, mécontent.

disguise [dis´gaiz] n déguisement, travesti m; in the ~ of, déguisé en

|| FIG. déguisement, travestissement m (of facts) ; faux-semblant m (pretense) ● vt déguiser (as, en) ; ~ oneself, se déguiser, se travestir || FIG. farder (facts) ; dissimuler (one's intentions).

disgust [dis'gʌst] n dégoût m, répugnance f || FIG. écœurement m ● vt dégoûter, écœurer, faire horreur à (sicken) || ~ed [-id] adj dégoûté, écœuré, écœuré || ~ing adj dégoûtant, écœurant (food) ; ignoble, révoltant (behaviour).

dish [diʃ] n plat m (container) || mets m (food) ; favourite ~, régal m || Pl (~es [-iz]) vaisselle f ; do the ~es, faire la vaisselle ● vt ~ (up), accommoder, apprêter, servir (a meal) || ~-cloth, torchon m || ~-mop/-rag, lavette f || ~-warmer, chauffe-plats m || ~-washer, plongeur n (person) ; lave-vaisselle m (machine) || ~-water, eau f de vaisselle || FIG., COLL. lavasse f || ~ aerial n antenne f parabolique.

dishabille [ˌdisæ'bi:l] n peignoir m ; in ~, en négligé.

dishearten [dis'hɑ:tn] vt décourager, démoraliser.

dishevelled [di'ʃevld] adj échevelé, ébouriffé.

dishonest [dis'ɔnist] adj malhonnête || ~y n malhonnêteté f.

dishonour [dis'ɔnə] n déshonneur m ● vt déshonorer || ~ed cheque, chèque impayé || ~able [dis'ɔnrəbl] adj déshonorant, honteux.

disillusion [ˌdisi'lu:ʒn] n désillusion f ● vt désillusionner, désabuser.

disinclination [ˌdisinkli'neiʃn] n manque m d'empressement ; répugnance f (for, pour).

disincline [ˌdisin'klain] vt mal disposer (for, pour) || détourner qqn (for, de).

disinfect [ˌdisin'fekt] vt désinfecter || ~ant n désinfectant m.

disinherit [ˌdisin'herit] vt déshériter.

disintegrat|e [dis'intigreit] vt désintégrer || FIG. désagréger — vi se désintégrer || ~ion [dis,inti'greiʃn] n désintégration f.

disinterested [dis'intristid] adj désintéressé, indifférent.

disjoint [dis'dʒɔint] vt disloquer.

disk [disk] n U.S. disque m || INF. hard ~, disque dur || ~ette [dis'ket] n disquette f.

dislike [dis'laik] n antipathie f (for, envers) ; aversion f (for, pour) ; take a ~ to sb, prendre qqn en grippe || dégoût m (for food) ● vt ne pas aimer.

dislocate ['disləkeit] vt disloquer (bone) ; luxer, démettre (limb) || désorganiser (business).

dislodge [dis'lɔdʒ] vt déloger.

disloyal ['dis'lɔiəl] adj déloyal, infidèle (to, à) || ~ty [-ti] n || déloyauté f ?

dismal ['dizməl] adj sinistre, morne (dreary) ; sombre (gloomy).

dismantl|e [dis'mæntl] vt MIL. démanteler || NAUT. désarmer || TECHN. démonter || ~ing n TECHN. démontage m.

dismast [dis'mɑ:st] vt démâter.

dismay [dis'mei] n effroi m, consternation f, désespoir m ● vt atterrer, consterner, abattre.

dismember [dis'membə] vt démembrer.

dismiss [dis'mis] vt congédier, renvoyer (a servant) ; licencier (a clerk) ; révoquer (an official) ; éconduire (a caller) || JUR. acquitter (an accused) ; rejeter (an appeal) ; dissoudre (an assembly) || MIL. ~ !, rompez ! || FIG. écarter, bannir (thought) || ~al n renvoi, congédiement m (of a servant) ; révocation f (of an official) || JUR. acquittement m (of the accused) ; rejet m of an appeal).

dismount [dis'maunt] vi [bicycle, horse] descendre (from, de), mettre pied à terre — vt désarçonner, démonter (a rider) ‖ Techn. démonter.

disobed|ience [ˌdisəˈbiːdjəns] n désobéissance f ‖ ~ient [-jənt] adj désobéissant.

disobey [ˈdisəˈbei] vt/vi désobéir à.

disoblige [ˈdisəˈblaidʒ] vt désobliger.

disorder [disˈɔːdə] n désordre m (confusion) ‖ émeutes fpl, troubles mpl, désordres mpl (riots) ‖ Med. dérangement m ● vt mettre en désordre ‖ Med. déranger ‖ Fig. troubler ‖ ~ly adj en désordre (untidy) ‖ tumultueux (mob) ‖ déréglé (life) ‖ Jur. ~ house, maison f de jeu/de débauche.

disorganiz|ation [disˌɔːgənaiˈzeiʃn] n désorganisation f ‖ ~e [disˈɔːgənaiz] vt désorganiser.

disorientate [disˈɔːrienteit] vt désorienter.

disown [disˈəun] vt nier (a fact) ‖ renier (one's signature) ‖ désavouer (one's offspring).

disparag|e [disˈpæridʒ] vt discréditer, dénigrer, ravaler ‖ ~ement n dénigrement m ‖ ~ing adj désobligeant.

dispar|ate [ˈdispərit] adj très différent ● npl disparate(s) f(pl) ‖ ~ity [disˈpæriti] n disparité f.

dispassionate [disˈpæʃnit] adj sans passion, placide.

dispatch [disˈpætʃ] n envoi m (of a messenger) ; expédition f (of a letter) ‖ dépêche f (message) ‖ promptitude, diligence f (speed) ● vt dépêcher (messenger) ; expédier (letter) ‖ Coll. expédier (business, dinner) ; tuer (animal).

dispel [disˈpel] vt dissiper.

dispensable [disˈpensəbl] adj dont on peut se passer, peu important.

dispensary [disˈpensri] n dispensaire m.

dispensation [ˌdispenˈseiʃn] n dis-

tribution f ‖ Rel. dispense f (exemption).

dispens|e [disˈpens] vt dispenser, distribuer ‖ préparer, exécuter (a prescription) ; ~ing chemist, pharmacien n — vi ~ with, se passer de ‖ ~er n distributeur m (automatique).

dispersal [disˈpəːsl] n dispersion f.

disper|se [disˈpəːs] vt disperser, éparpiller (scatter) ‖ répandre, propager (propagate) ‖ ~sion [-ʃn] n = DISPERSAL.

dispirit [diˈspirit] vt décourager, déprimer ‖ ~ed [-id] adj abattu, déprimé.

displace [disˈpleis] vt déplacer ‖ ~d person, personne déplacée ‖ remplacer (substitute) ‖ Med. déboiter ‖ Jur. destituer.

displacement [-mənt] n remplacement m (by, par) ‖ Jur. destitution f ‖ Naut., Phys. déplacement m ‖ Aut. cylindrée f.

display [disˈplei] vt étaler, exposer (spread out) ‖ manifester, révéler, montrer (give proof of) ‖ faire étalage de (show off) ‖ Inf. afficher, visualiser ● n étalage m, exposition f ; fashion ~, présentation f de collection ‖ manifestation, révélation f ‖ étalement, déploiement m ‖ Fig. étalage m, parade, ostentation f ‖ Comm. étalage m, exposition f ; on ~, exposé ; window ~, art m de l'étalage ‖ Inf. visuel, affichage m.

displeas|e [disˈpliːz] vt déplaire à, mécontenter, contrarier ‖ ~ed [-d] adj mécontent ‖ ~ure [-ˈpleʒə] n mécontentement, déplaisir, ennui m.

disport [disˈpɔːt] vt ~ oneself, s'ébattre, se divertir.

dispos|able [disˈpəuzəbl] adj disponible ‖ jetable ; à usage unique (syringe) ; perdu (wrapping) ‖ ~al n disposition f ; at one's ~, à sa disposition ‖ destruction f (of radioactive waste) ‖ Comm. vente, cession f.

dispose [dis′pəuz] vt disposer, arranger (place) || disposer, décider (sb) ; *well/ill ~d*, bien/mal intentionné — vi ~ *of*, se débarrasser de || Comm. écouler, vendre || Fig. expédier ; liquider (fam.) [kill].

disposition [dispə′ziʃn] n disposition f, arrangement m (order) || tempérament, caractère m (temper) || inclination f.

dispossess [′dispə′zes] vt déposséder || Jur. exproprier.

disproof [′dis′pru:f] n réfutation f.

disproportion [′disprə′pɔ:ʃn] n disproportion f || ~ate [-it] adj disproportionné.

disprove [dis′pru:v] vt réfuter.

dispute [dis′pju:t] n discussion f, débat m (debate) ; *beyond ~*, incontestable(ment) ; *without ~*, sans contredit || dispute f (quarreling) ; *industrial ~*, conflit social/du travail || Jur. litige m ; *under ~*, en litige ● vt discuter (debate) ; contester (oppose) ; disputer (contend).

disqualify [dis′kwɔlifai] vt rendre inapte (for, à) || Jur. retirer le permis de conduire || Sp. disqualifier.

disquiet [dis′kwaiət] vt inquiéter ● n inquiétude f || ~ing adj inquiétant.

disregard [′disri′gɑ:d] vt ne pas tenir compte de, passer outre à ; négliger ● n insouciance f (for, envers), négligence f (neglect) || indifférence f (indifference) || mépris m (of danger).

disrelish [dis′reliʃ] n répugnance f.

disrepair [′disri′pɛə] n délabrement m ; *fall into ~*, tomber en ruines.

disreput|able [dis′repjutəbl] adj déshonorant (action) || mal famé (place) || peu honorable, de mauvaise réputation (person) || ~e [′disri′pju:t] n discrédit m ; *fall into ~*, tomber en discrédit.

disrespect [′disris′pekt] n irrespect m || ~ful adj irrespectueux ; *be ~ to*, manquer de respect à.

disrupt [dis′rʌpt] vt interrompre, perturber (communications).

disruption [dis′rʌpʃn] n interruption, perturbation f.

dissatisf|action [′dis‚sætis′fækʃn] n mécontentement m || ~y [′dis′sætisfai] vt mécontenter.

dissec|t [di′sekt] vt disséquer || ~tion n dissection f.

dissembl|e [di′sembl] vt/vi dissimuler (one's feelings, etc.) || ~er n dissimulateur n.

disseminate [di′semineit] vt disséminer, répandre, propager.

dissension [di′senʃn] n dissension, division f.

dissent [di′sent] vi être en désaccord (from, avec) ; être d'avis contraire ; différer d'opinion || Rel. être dissident ● n désaccord m, divergence f || ~er n dissident n.

dissertation [disə′teiʃn] n [oral] discours m || [written] dissertation f ; thèse f.

disservice [′dis′se:vis] n mauvais service ; *do sb a ~*, porter préjudice à qqn ; *be of ~*, être préjudiciable (à, to).

dissid|ence [′disidns] n dissidence f || ~ent adj/n dissident.

dissimilar [′di′similə] adj dissemblable (to, de).

dissimulation [di‚simju′leiʃn] n dissimulation f.

dissipat|e [′disipeit] vt dissiper || ~ion [‚disi′peiʃn] n dissipation f.

dissociate [di′səuʃieit] vt dissocier ; séparer ; ~ *oneself*, se désolidariser (from, de).

dissolut|e [′disəlu:t] adj dissolu, débauché || ~ion [‚disə′lu:ʃn] n dissolution f || Fig., Jur. dissolution f (of a society).

dissolve [di′zɔlv] vt dissoudre, faire fondre || Jur. dissoudre (a society, parliament) || Fig. dissiper, disperser — vi se dissoudre ● n Cin. fondu m.

disson|ance [ˈdisənəns] n dissonance f ‖ ~**ant** adj dissonant.

dissuade [diˈsweid] vt dissuader.

distaff [ˈdistɑ:f] n quenouille f ‖ FIG. on the ~ side, du côté maternel.

dist|ance [ˈdistns] n distance f; from a ~, de loin ; in the ~, au loin ‖ MUS. intervalle m ‖ SP. go the ~, tenir la distance ‖ FIG. keep one's ~s, garder ses distances ; keep sb at a ~, tenir qqn à distance ‖ ~**ant** adj éloigné (period) ; lointain (place) ‖ FIG. éloigné (cousin) ; distant (person).

distaste [ˈdisˈteist] n dégoût m, aversion f (for, pour) ‖ ~**ful** adj répugnant, déplaisant.

distemper[1] [disˈtempə] n peinture f à l'eau.

distemper[2] n MED. [dogs] maladie f de Carré.

distend [disˈtend] vt distendre ‖ MED. dilater.

distil [disˈtil] vt distiller — vi sécréter, couler goutte à goutte ‖ ~**lation** [ˌdistiˈleiʃn] n distillation f ‖ ~**lery** [disˈtiləri] n distillerie f.

distinc|t [disˈtiŋt] adj distinct, différent (from, de) ‖ net (memory) ‖ clair (sound) ‖ intelligible (voice) ‖ précis, net (tendency) ‖ ~**tion** n distinction f; make a ~, faire une distinction (between, entre) ‖ valeur f (quality) ‖ distinction f (reward) ‖ [University] mention f très bien.

distinct|ive [disˈtiŋtiv] adj distinctif ‖ ~**ly** adv distinctement ; clairement ; nettement.

distinguish [disˈtiŋgwiʃ] vt distinguer, discerner (discern) ‖ distinguer, caractériser (define) ‖ distinguer, différencier (from, de) ; faire la différence (from, de) ‖ ~ oneself, se distinguer, se faire remarquer — vi distinguer, faire une distinction (between, entre) ‖ ~**ed** [-t] adj distingué, éminent.

distor|t [disˈtɔ:t] vt tordre, convulser ‖ FIG. déformer, dénaturer (truth) ‖ ~**tion** n distorsion f ‖ FIG. déformation f.

distrac|t [disˈtrækt] vt distraire ‖ ~**ed** [-tid] adj fou, éperdu, affolé ‖ ~**tion** n distraction, inattention f ‖ divertissement m (amusement) ‖ confusion, perplexité f; he loves her to ~, il l'aime à la folie.

distrain [disˈtrein] vi JUR. ~ upon, saisir.

distraught [disˈtrɔ:t] adj fou, éperdu, affolé.

distress [disˈtres] n (grande) douleur f (mind or body) ‖ affliction f ‖ détresse, misère f (poverty) ‖ péril m, détresse f (danger) ‖ NAUT. in ~, en perdition ; ~ signal, signal m de détresse ● vt affliger, peiner, navrer ‖ ~**ing** adj affligeant, pénible, navrant.

distribut|e [disˈtribjut] vt distribuer, répartir (allot) ‖ disposer, agencer (classify) ‖ ~**ion** [ˌdistriˈbjuːʃn] n distribution, répartition f (act) ‖ disposition f, agencement m (result) ‖ ~**ive** adj COMM. de distribution ‖ GRAMM. distributif ‖ ~**or** n COMM. distributeur, concessionnaire m ‖ AUT. allumeur m, Delco m.

district [ˈdistrikt] n région f, district m ‖ JUR. secteur (postal) ; circonscription (électorale) ; canton m ; arrondissement m (in France) ; quartier m (in town).

distrust [disˈtrʌst] n méfiance, défiance f ● vi se méfier de ‖ ~**ful** adj méfiant.

disturb [disˈtə:b] vt troubler (break the peace) ‖ inquiéter (disquiet) ‖ déranger (trouble) ‖ ~**ance** n dérangement m (trouble) ‖ troubles, désordres mpl (riot) ‖ vacarme, tapage m (noise) ‖ inquiétude f (anguish) ‖ ~**ing** adj inquiétant.

dis|union [ˈdisˈjuːnjən] n désunion f ‖ ~**unite** [ˈdisjuːˈnait] vt désunir.

disuse [ˈdisˈjuːs] n désuétude f; fall into ~, tomber en désuétude ‖ ~**d** [ˌdisˈjuːzd] adj abandonné, désaffecté (mine, well, etc.).

ditch [ditʃ] *n* fossé *m* ● *vt* SL. abandonner (car) ; plaquer (fam.) [friend] ; faire capoter (car) [drive into ditch] ; ~ *one's plane,* faire un amerrissage forcé.

dither [diðə] *vt* trembler ‖ COLL. hésiter ● *n* tremblement *m.*

ditto [ditəu] *adv* idem.

ditty [diti] *n* chansonnette *f.*

divan [di'væn] *n* divan *m ; ~ -bed,* canapé-lit *m.*

dive¹ [daiv] *n* U.S. boîte *f* louche ; *low ~,* bouge *m.*

div|e² [daiv] *vi* plonger ‖ NAUT. faire une plongée ‖ AV. piquer ‖ FIG. se plonger (*into,* dans) ● *n* SP. plongeon *m* ‖ NAUT. plongée *f* ‖ AV. piqué *m. ; ~-bomb (vt),* bombarder en piqué ; *go into a ~,* descendre en piqué ‖ **~er** *n (skin)* ~, plongeur *f* ‖ scaphandrier *m* ‖ → WATCH.

diverg|e [dai'və:dʒ] *vi* diverger ‖ **~ence** [-ns] *n* divergence *f.*

divers ['daivəz] *adj* divers, plusieurs (several).

diver|se [dai'və:s] *adj* différent, varié ‖ **~sion** [-ʃn] *n* diversion *f* (*from,* à) ; *create a ~,* faire diversion ‖ AUT. déviation *f* ‖ MIL. diversion *f* ‖ **~sify** [-sifai] *vt* diversifier, varier ‖ **~sity** [-siti] *n* diversité *f.*

divert [dai'və:t] *vt* détourner, dévier (*from,* de) ‖ distraire (*from,* de) [the attention] ‖ divertir, amuser ‖ AV., NAUT. détourner.

divest [dai'vest] *vt* dépouiller (*of,* de) ‖ FIG. déposséder, priver (*of,* de) ‖ ~ *oneself of,* se dépouiller de.

divid|e [di'vaid] *vt* séparer (separate) ‖ diviser (*into,* en) ‖ partager (*among,* entre) ‖ répartir (distribute) ‖ MATH. diviser ‖ FIG. diviser — *vi* [British parliament] voter ‖ **~end** ['dividend] *n* dividende *m* ‖ **~ers** [di'vaidəz] *npl* compas *m* à pointes sèches.

divin|e¹ [di'vain] *vt* deviner, conjecturer ‖ **~er** *n* devin *n ;* sourcier *m.*

divine² *adj* divin ● *n* théologien *m.*

diving ['daivin] *n* SP. [from ~-board] plongeon *m ;* [underwater] plongée ; *free ~,* plongée en apnée ‖ **~-bell** *n* cloche *f* à plongeur ‖ **~board** *n* plongeoir *m* ‖ **~-suit** *n* scaphandre *m.*

divinity [di'viniti] *n* divinité *f.*

divis|ible [di'vizəbl] *adj* divisible ‖ **~ion** [di'viʒn] *n* division, séparation *f* ‖ partage *m,* répartition *f* (sharing) ‖ séparation, cloison *f* (partition) ‖ MATH., MIL. division *f* ‖ [Parliament] vote *m* ‖ FIG. désunion, mésentente *f* ‖ **~or** [di'vaizə] *n* diviseur *m.*

divorce [di'vo:s] *n* divorce *m ; get a ~,* divorcer ; *start ~ proceedings,* demander le divorce ; *obtain a ~,* obtenir le divorce ; *waiting for a ~,* en instance de divorce ‖ FIG. séparation *f* ● *vt* ~ *one's husband,* divorcer d'avec son mari ; *they ~d (each other),* ils ont divorcé ‖ **~e** [di,vo:'si:] *n* divorcé *n.*

divulge [dai'vʌldʒ] *vt* divulguer, révéler (a secret).

dixie ['diksi] *n* MIL. gamelle *f* ‖ GEOGR., U.S. *Dixie (Land),* les États du Sud.

D.I.Y. *abbrev* = DO-IT-YOURSELF.

dizziness ['dizinis] *n* étourdissement, vertige *m ; have fits of ~,* avoir des étourdissements.

dizzy ['dizi] *adj* étourdi, pris de vertige (person) ; *feel ~,* avoir le vertige ; *have a ~ fit,* avoir un étourdissement ‖ vertigineux (heights).

do [du:] *vt* (did [did], done [dʌn]) faire ; ~ *what you like,* faites ce que vous voulez ‖ accomplir ; ~ *one's duty,* faire son devoir ; ~ *one's best,* faire de son mieux ; ~ *business,* faire des affaires ; ~ *good,* faire le bien ; ~ *justice/a service,* rendre justice/un service ; *what can I ~ for you ?,* en quoi puis-je vous être utile ? ‖ travailler ; ~ *nothing,* ne rien faire ‖ [perfect tense] finir ; *have you done*

eating ?, avez-vous fini de manger ? ‖
parcourir, couvrir (cover distance) ‖
visiter, faire (a country) ‖ arranger
(tidy up) ; *~ one's hair,* se coiffer ;
~ one's nails, se faire les ongles ‖
nettoyer (clean) ; *~ the bedroom,* faire
la chambre ; *~ one's shoes,* faire ses
chaussures ‖ TH., COLL. jouer (a
part) ‖ monter (a play) ‖ AUT. *~ 60
miles an hour,* faire du 100 à l'heure
‖ CULIN. [p.p.] *well done,* bien cuit ;
done to a turn, cuit à point ; →
UNDERDONE ‖ COLL. *have nothing to
~ with,* n'avoir rien à voir avec ; *I
am done,* je n'en peux plus ; *you've been
done,* on vous a eu ; *done for,* fichu
(fam.) ‖ *~ again,* refaire ‖ *~ away
with,* abolir, supprimer ‖ *~ by,*
traiter (qqn) ‖ *~ in,* SL. buter (pop.)
[kill] ; *done in,* éreinté, claqué (fam.)
‖ *~ out,* nettoyer ‖ *~ over,* refaire
(redecorate) ‖ SL. tabasser, passer à
tabac (fam.) ‖ *~ up,* refaire, remettre
à neuf/en état (*sth,* qqch) ; *~ up one's
face,* se refaire une beauté, se ma-
quiller ; emballer (a parcel) ; boutonner (a dress) ; COLL. [passive] *done up,*
éreinté, fourbu (exhausted).
— *vi* agir ; *he did right,* il a bien fait ;
~ better, faire mieux de ; *~ badly/
well,* mal/bien se défendre (fam.) ‖
procéder, s'y prendre ; *how shall
I ~ ?,* comment faire ? ‖ convenir,
faire l'affaire, aller ; *that will ~,* ça ira
‖ aller, se porter ; *he is doing well,* il
se porte bien ; *how ~ you ~ ?,*
[greeting] enchanté de faire votre
connaissance ‖ COLL. [answer] *nothing doing !,* pas question ! ‖ *~ with,*
se contenter de (be content with) ;
avoir affaire à (deal with) ; désirer,
avoir besoin ; *I could ~ with a cup of
tea,* je prendrais bien une tasse de thé
‖ *~ without,* se passer de.
— *aux v* [interr.] *~ you understand ?,*
comprenez-vous ? ‖ [neg.] *I don't
know,* je ne sais pas ‖ [emphatic] *he
did come,* il est réellement venu ;
~ come and see me !, venez donc me
voir ! — *v substitute* [translations
according to context] *~ you want it ?
– I ~/I don't,* vous le voulez ? —
oui/non ; *please ~ !,* faites !

doc [dɔk] *n* COLL. toubib *m.*

docil|e [ˈdəusail] *adj* docile ‖ **~ity**
[dɔˈsiliti] *n* docilité *f.*

dock¹ [dɔk] *n* JUR. box/banc *m* des
accusés.

dock² *n* NAUT. bassin *m* (harbour) ;
dry ~, cale sèche ; *graving ~,* bassin
m de radoub ‖ *Pl* port *m* ‖ U.S. quai
m • *vi/(vt)* [faire] entrer (un navire)
au bassin ; arriver à quai ‖ ASTR.
[space craft] s'arrimer, s'amarrer ‖
~er *n* docker, débardeur *m* ‖ **~yard**
n chantier naval.

dock³ *vt* diminuer, réduire ‖ écourter, couper (animal's tail).

docket [ˈdɔkit] *m* fiche *f.*

doctor [ˈdɔktə] *n* JUR. docteur *m* ;
Doctor of Law, docteur en droit ‖ MED.
médecin, docteur *m* ; *woman ~,*
femme *f* médecin, doctoresse *f* • *vt*
soigner.

doctorate [ˈdɔktrit] *n* doctorat *m.*

doctrine [ˈdɔktrin] *n* doctrine *f.*

document [ˈdɔkjumənt] *n* document *m,* pièce *f* ; *~ case,* porte-
documents *m inv* • *vt* documenter ‖
~ary [ˌdɔkjuˈmentri] *adj/n* documentaire *(m)* ‖ CIN. *~ film,* (film
m) documentaire *m.*

dodderer [ˈdɔdərə] *n* COLL. gâteux
n ; vieux gaga (fam.).

dodge [dɔdʒ] *vt* esquiver (a blow)
‖ FIG. éluder (a difficulty) ; tourner
(laws) ; se dérober à (military service)
— *vi* se jeter de côté ‖ FIG. biaiser,
user de détours, resquiller • *n* COLL.
combine *f,* truc *m* (fam.).

dodgems [ˈdɔdʒəmz] *npl* autos tam-
ponneuses.

dodger *n* tire-au-flanc *n.*

doe [dəu] *n* biche *f* (deer) ‖ lapine
f (rabbit) ‖ hase *f* (hare) ‖ *~ skin,*
daim *m.*

does [dʌz], **doesn't** [ˈdʌzənt] → DO.

doff [dɔf] *vt* ôter, enlever (a garment).

dog [dɔg] *n* chien *m* ‖ COLL. type *m* ;

gay ~, bon vivant ‖ COLL. *be top* ~, avoir le dessus ; *be under* ~, avoir le dessous ‖ FIG. *go to the* ~s, courir à sa perte ● *vt* suivre qqn de près ; ~ *(sb's footsteps),* marcher sur les talons de qqn ‖ ~-**days** *n* canicule *f* ‖ ~-**eared** [-'iəd]] *adj* écorné ‖ ~-**eat-dog world** *n* panier *m* de crabes ‖ ~-**flight** *n* MIL. combat aérien ‖ [people] bagarre *f*.

dogged ['dɔgid] *adj* tenace, obstiné ; opiniâtre ‖ ~**ly** *adv* obstinément.

dog-house *n* niche *f* (à chien).

dogma ['dɔgmə] *n* dogme *m* ‖ ~**tic** [dɔg'mætik] *adj* dogmatique.

dog-tired ['dɔg'taiəd] *adj* fourbu.

doily ['dɔili] *n* napperon *m*.

doings ['duiŋz] *npl* agissements *mpl* ; faits et gestes *mpl,* conduite *f*.

do-it-yourself *adj* de bricolage ‖ ~**er** *n* bricoleur *n*.

doldrums ['dɔldrəmz] *npl* NAUT. calme plat ‖ COLL. cafard *m* (blues).

dole [dəul] *n* charités *fpl* ‖ JUR. allocation *f* de chômage ; *go on the* ~, s'inscrire au chômage ● *vt* ~ *out,* distribuer parcimonieusement.

doleful ['dəulfl] *adj* morne (appearance) ‖ triste (news).

doll [dɔl] *n* poupée *f* ; *play with* ~s, jouer à la poupée ● *vt* ~ *oneself up,* se mettre sur son trente-et-un.

dollar ['dɔlə] *n* dollar *m*.

dolly ['dɔli] *n* poupée *f* ‖ CIN. chariot *m* (for camera) ; ~ *shot,* travelling *m* ● *vi* CIN. faire un travelling.

dolly (bird) *n* COLL. nana *f* (à la mode).

dolphin ['dɔlfin] *n* dauphin *m*.

dolt [dəult] *n* imbécile *n,* cruche *f*.

domain [də'mein] *n* domaine *m*.

dome [dəum] *n* dôme *m,* coupole *f*.

domestic [də'mestik] *adj* domestique, de la maison ; ~ *workers,* gens *mpl* de maison ‖ ménager (science) ‖ national (production) ‖ intérieur (flight, market) ‖ COLL. casanier,

pantouflard (person) ‖ ~**ate** [-eit] *vt* domestiquer, apprivoiser (animal) ‖ ~**ated** [-eitid] *adj* qui aime son intérieur ; pantouflard (fam., péj.).

domicile ['dɔmisail] *n* domicile *m* ‖ FIN., JUR. domicile *m* ● *vt* COMM. domicilier (a bill).

domin|ant ['dɔminənt] *adj* dominant ‖ ~**ate** [eit] *vt* dominer ‖ ~**ation** [,dɔmi'neiʃn] *n* domination *f* ‖ ~**eer** [,dɔmi'niə] *vt* tyranniser, opprimer.

dominion [də'minjən] *n* souveraineté *f,* empire *m*.

domino ['dɔminəu] *n* domino *m* (game) ; *play* ~es, jouer aux dominos.

don[1] [dɔn] *vt* revêtir (a garment).

don[2] *n* professeur *m* d'université.

dona|te [də'neit] *vt* faire don à (to a charity) ‖ ~**tion** *n* donation *f*.

done [dʌn] → DO.

donkey ['dɔŋki] *n* âne, baudet *m* ; *ride a* ~, aller à dos d'âne ‖ COLL. *for* ~'s *years,* il y a une éternité.

donor ['dəunə] *n* JUR. donateur *n* ‖ MED. *blood* ~, donneur *n* de sang.

doom [du:m] *n* destin *m* tragique ‖ mort *f* ● *vt* destiner, condamner, vouer à l'échec.

Doomsday [-zdei] *n* jour *m* du jugement dernier.

door [dɔ:] *n* porte *f* ; *front* ~, porte d'entrée ; *back* ~, porte de service ; *double* ~, porte à deux battants ; *folding* ~, porte accordéon ‖ *next* ~ *(adj/adv),* voisin ; *out of* ~s, au-dehors ; *within* ~, dedans, chez soi ‖ AUT., RAIL. portière *f* ‖ JUR. *behind closed* ~s, à huis clos ‖ ~-**bell** sonnette *f* ‖ ~-**chain** *n* entrebâilleur *m* de porte ‖ ~-**keeper** *n* gardien, concierge *n* ‖ ~-**man** *n* portier *m* ‖ ~-**mat** *n* paillasson *m* ‖ ~-**step** *n* pas *m* de porte ‖ ~-**stop(per)** *n* butoir *m* de porte ‖ ~-**to-** ~ **salesman** *n* démarcheur *n* ‖

~**way** n (embrasure f de) porte f || porche m.

dope [dəup] || SL. drogue f; dopant m (for athletes); SL. [horse-racing] tuyau m; [ski] fart m • vt SP. doper.

dormant [ˈdɔːmənt] adj en sommeil (volcano) || latent (faculties); *lie* ~, rester en sommeil.

dormer [ˈdɔːmə] n ARCH. (~ *window*), lucarne f.

dormitory [ˈdɔːmitri] n dortoir m.

dormouse, -mice [ˈdɔːmaus, -ais] n loir m.

dory [ˈdɔːri] n NAUT. doris m.

dos|age [ˈdəusidʒ] n MED. dose f (amount); posologie f (determination) || ~**e** [dəus] n dose f • vt administrer (medicine); ~ *oneself*, se bourrer de médicaments.

doss-house [ˈdɔshaus] n asile m de nuit.

dot [dɔt] n point m || COLL. *on the* ~, (à l'heure) pile • vt mettre un point (over, sur) || pointiller; ~*ted line*, ligne f en pointillés || parsemer (with, de) || FIG. ~ *one's i's*, mettre les points sur les i.

dot|age [ˈdəutidʒ] n gâtisme m; *fall into one's* ~, retomber en enfance || ~**ard** [-əd] n gâteux n; gaga n (fam.) || ~**e** vi radoter; ~ *upon sb*, être fou de, raffoler de qqn.

dotty [ˈdɔti] adj pointillé, moucheté || COLL. toqué, timbré.

double [ˈdʌbl] adj double || FIN. ~ *entry*, en partie double • adv double • n double m || ~ *or quits*, quitte ou double || sosie m (person) || pendant m (things) || contre m (at bridge) || SP. double m || MIL. *at the* ~, au pas de gymnastique • vt doubler || [cards] contrer || NAUT. doubler (a cape) || ~ *up*, plier en deux — vi se doubler || contrer (at bridge) || ~ *back*, revenir sur ses pas || ~ *up*, se plier en deux || ~~-**barrelled** adj à deux coups (gun) || FIG. à double tranchant (compliments) || ~~-**bass** n contrebasse f ||

~~-**bed** n lit m pour deux personnes || ~~-**bedded** adj à deux lits or à un lit pour deux personnes (room) || ~~-**blind** adj/adv (en) double aveugle || ~~-**breasted** adj croisé (coat) || ~~-**cross** vt U.S., COLL. tromper, duper, doubler (betray) || ~~-**dealing** n fourberie, tromperie f || ~~-**decker** n AV. deux-ponts m || AUT. autobus m à deux étages || double sandwich m || ~~-**dutch** n charabia m (fam.) || ~~-**dyed** adj FIG. bon teint || ~~-**edged** adj à double tranchant || ~~-**fault** n SP. double faute f || ~~-**glazing** n double vitrage m || ~~-**lock** vt fermer à double tour || ~ **meaning** (with a) adv à double sens || ~~-**park** vi stationner/se garer en double file || ~~-**quick** adv au pas de gymnastique || ~~-**talk** n paroles ambiguës.

doubt [daut] n doute m; *in* ~, dans le doute; || *beyond* (all) ~, *without* (a) ~, sans aucun doute; *no* ~, certainement || COLL. très probablement || *have one's* ~s, avoir des doutes • vt douter, mettre en doute; *I* ~ *it*, j'en doute; *I* ~ *whether he will come*, je doute qu'il vienne — vi douter, hésiter || ~**ful** adj plein de doutes, indécis, hésitant (feeling doubt) || douteux, incertain (causing doubt) || PEJ. suspect, louche || ~**less** adv indubitablement || COLL. très probablement.

dough [dəu] n pâte f || SL. fric, pognon m || ~**boy** n U.S., COLL. fantassin m || ~**nut** n beignet m.

dour [ˈduə] adj sévère, austère (stern) || buté (obstinate).

douse [daus] vt tremper, arroser.

dove [dʌv] n colombe f; ~~-**colour** (adj), gorge-de-pigeon || ~**cot(e)** [-ˈkɔt (-kaut)], n colombier m || ~**tail** n TECHN. queue f d'aronde • vt assembler à queue d'aronde — vi se raccorder || FIG. concorder.

dowager [ˈdauədʒə] n douairière f.

dowdy [ˈdaudi] adj mal fagoté (fam.).

down[1] [daun] *n* duvet *m* (feathers).

down[2] *n* colline *f* (hill); dune *f* (sand-dune).

down[3] *adv* vers le bas, en bas; *go ~*, descendre ‖ COLL. *~ under*, aux antipodes (= en Australie, en Nouvelle-Zélande) ‖ FIG. *come ~ from London*, venir de Londres; *up and ~*, de haut en bas, de long en large ‖ [cards] *be two (tricks) ~*, faire deux (plis) de chute ‖ COLL. *~ and out*, à bout de ressources, dans la misère; [boxing] être hors de combat ● *adj* descendant; *~ train*, train descendant (from London) ‖ COMM. *~ payment*, paiement comptant ‖ MED. alité ‖ FIG. déprimé; *~ in the mouth*, abattu ● *interj ~ with X!*, à bas X! ‖ [to a dog] *~ !*, couché! ● *prep* au bas de; *~ the hill*, au pied de la colline ‖ *~ to*, jusqu'à (a later time) ● *vt* COLL. terrasser (opponent); vider (a glass); [workers] *~ tools*, se mettre en grève, débrayer.

down|-and-out *n* clochard *n* ‖ *~-at-heel* *adj* miteux (person); éculé (shoes) ‖ *~-cast* *adj* abattu, découragé ‖ *~-fall* *n* forte chute, précipitation *f* (of rain, snow) ‖ FIG. ruine, déchéance *f* ‖ *~-hearted* *adj* découragé ‖ *~-market* *adj* bas de gamme ‖ *~-pour* *n* pluie battante ‖ *~-right* *adj* franc, véritable ● *adv* vraiment, absolument ‖ *~-stairs* *adj* du bas ● *adv* en bas; *go ~*, descendre l'escalier ‖ *~-to-earth* *adj* terre à terre, réaliste, pratique ‖ *~-town* *adj* en ville, dans le centre ville ● *adv* en ville ‖ *~-ward* [-wəd] *adj* descendant ‖ *~-wards* [-wədz] *adv* vers le bas, en bas.

downy [´dauni] *adj* duveteux.

dowry [´dauəri] *n* dot *f*.

dowse [daus] = DOUSE.

dows|er [´dauzə] *n* sourcier *m*, radiesthésiste *n* ‖ *~ing* *n* radiesthésie *f*; *~ rod*, baguette *f* de sourcier.

doze [dəuz] *n* assoupissement *m* ● *vi* sommeiller ‖ *~ off*, s'assoupir.

dozen [´dʌzn] *n* douzaine *f*; *two ~ eggs*, deux douzaines d'œufs; *half a ~*, une demi-douzaine; *~s of*, des douzaines/dizaines de.

drab [dræb] *adj* gris-brun (colour); *olive ~*, kaki ‖ FIG. terne, monotone.

draft [drɑ:ft] *n* brouillon *m*, premier jet ‖ FIN. traite *f* (bill); *discount/draw a ~*, escompter/tirer une traite ‖ MIL. U.S. détachement, contingent *m* ‖ U.S. =DRAUGHT ● *vt* faire un brouillon, esquisser ‖ MIL. U.S. appeler (sous les drapeaux), incorporer; détacher (detail) ‖ *~ee* [´tiː] *n*, U.S. appelé, conscrit *m*, recrue *f*.

draftsman [´drɑ:ftsmən] *n* U.S. dessinateur *n* (industriel).

drag [dræg] *vt* traîner, tirer; *~ one's feet*, traîner les pieds ‖ TECHN. draguer (a river) — *vi* traîner ‖ *~ behind*, se traîner (lag behind) ‖ *~ along*, (se) traîner ‖ *~ on*, traîner en longueur, s'éterniser ● *n* TECHN. drague *f* ‖ FIG. entrave *f*, boulet *m* ‖ SL. raseur *n* (fam.) [person]; corvée/chose (bore); *what a ~ !*, quelle barbe/corvée ! ‖ bouffée *f* de cigarette ‖ travesti (féminin); *~ queen*, travesti *m*; folle *f* (arg.) [person].

drag-lift *n* remonte-pente *m*.

dragon [´drægn] *n* dragon *m* (lit. and fig.) ‖ *~-fly* *n* libellule *f*.

dragoon [drə´gu:n] *n* MIL. dragon *m*.

drain [drein] *vt* vider entièrement (cup, etc.) ‖ drainer (a field), assécher (a marsh) ‖ TECHN. vidanger ‖ FIG. épuiser (ressources, etc.) — *vi ~ (off, away)*, s'écouler ‖ [dishes] (s')égoutter ● *n ~ (pipe)*, tuyau *m* d'écoulement ‖ [street] (grille *f* d')égout *m* ‖ *~-cock* *n* TECHN. purgeur *m* ‖ *~ing-board* *n* égouttoir *m* ‖ *~-pipe* *n* [house] tuyau *m* de descente.

drake [dreik] *n* canard *m*.

drama [´drɑ:mə] *n* drame *m* (play) ‖ art *m* dramatique ‖ *~tic* [drə´mætik] *adj* dramatique ‖ FIG. théâtrale (gesture); impressionnant, spectaculaire; radical, complet (radical) ‖

~**tist** [ˈdræmətist] *n* auteur *m* dramatique || ~**tize** [ˈdræmətaiz] *vt* adapter pour la scène.

drank → DRINK.

drap|e [dreip] *vt* draper || ~**er** *n* marchand *m* de nouveautés || ~**ery** [-ri] *n* draperie *f* || COMM. magasin *m* de nouveautés *fpl*.

drastic [ˈdræstik] *adj* énergique (remedy) ; draconien, sévère (measures).

draught [drɑːft] *n* [air] tirage *m* (in a chimney) ; courant *m* d'air (in a room) || [liquid] *beer on* ~, bière *f* à la pression ; gorgée *f* ; *at a* ~, d'un trait ; *in long* ~*s*, à longs traits || [of animals] traction *f* ; ~ *horse*, cheval *m* de trait || [fishing] coup *m* de filet || NAUT. tirant *m* d'eau || *Pl* dames *fpl* (game) || ~**-board** *n* damier *m* || ~**sman** [-smən] *n* [game of draughts] pion *m* || ARTS dessinateur *n* || TECHN. dessinateur industriel.

draw [drɔː] *vt* (drew [druː], drawn [drɔːn]) tirer, traîner (a vehicle) ; tirer (a curtain) || baisser (the blind) || puiser (water) ; tirer (wine) || aspirer (air) || ARTS dessiner ; tirer (a line) || CULIN. vider (a fowl) || faire infuser (tea) || NAUT. jauger, caler || MIL. toucher (rations) || FIN. tirer (a cheque) ; retirer (money) || FIG. tirer au sort ; ~ *lots for sth*, tirer qqch au sort || FIG. attirer (attention) ; entraîner (people) || ~ *away*, détourner || ~ *in*, [cat] rentrer (claws) || ~ *out*, FIG. prolonger || ~ *up*, remonter (a blind) ; FIG. dresser, établir (a plan) || ~ *vi* [chimney] tirer || [tea] infuser || se mouvoir ; ~ *near*, s'approcher || TH. *the play is* ~*ing well*, la pièce fait recette || SP. faire match nul (*with*, avec) || ~ *in*, [train] entrer en gare ; [car] s'arrêter le long du trottoir ; [days] raccourcir ; ~ *out*, [train] partir ; [days] rallonger || FIG. ~ *to an end*, tirer à sa fin || ~ *up*, [car] s'arrêter, stopper ● *n* [games] match nul, partie nulle || [lottery] tirage *m* (au sort).

draw|back [ˈdrɔːbæk] *n* inconvénient, désavantage *m* || ~**bridge** *n* ARCH. pont-levis *m* (of a castle) ; pont basculant (modern).

draw|ee [drɔːˈiː] *n* FIN. bénéficiaire *m* || ~**er** [ˈdrɔːə] *n* ARTS dessinateur *n* || FIN. tireur *m* || [furniture] tiroir *m* ; *chest of* ~*s*, commode *f* || U.S. [men] caleçon *m*.

drawing [ˈdrɔːiŋ] *n* ARTS dessin *m* ; *out of* ~, mal dessiné ; *rough* ~, ébauche *f* || [lottery] tirage *m* (of lots) || ~**-board** *n* planche *f* à dessin || ~**-pen** *n* tire-ligne *m* || ~**-pin** *n* punaise *f* à dessin || ~**-portfolio** *n* carton *m* à dessin || ~**-room** *n* salon *m* || ~**-table** *n* table *f* à dessin.

drawl [drɔːl] *vi* parler d'une voix traînante ● *n* voix traînante.

drawn [drɔːn] → DRAW || ~ *out*, interminable ● *adj* SP. ~ *game*, match nul.

dread [dred] *n* terreur, épouvante *f* ; *be in* ~ *of*, redouter ● *vt* redouter, craindre || ~**ful** *adj* redoutable (weapon) ; affreux (sight).

dream [driːm] *n* rêve, songe *m* ; *have a* ~, faire un rêve || rêverie *f* (day-dream) ● *vi/vt* (dreamt [dremt] or dreamed [driːmd]) rêver (*about/of*, de) || ~ *up*, imaginer, concevoir || ~**er** *n* rêveur *n* || FIG. songe-creux *m inv* (woolgatherer) || ~**y** *adj* rêveur (person) ; vague (recollection).

dreary [ˈdriəri] *adj* morne, lugubre.

dredg|e [dredʒ] *vt* draguer || ~**er** *n* dragueur *m* (ship) || drague *f* (machine).

dregs [dregz] *npl* lie *f* (lit. and fig.).

drench [drenʃ] *vt* mouiller, tremper ; ~*ed to the skin*, trempé jusqu'aux os || ~**ing** *n* COLL. saucée *f* (pop.) ; ~ *rain*, pluie battante.

dress [dres] *vt* habiller ; ~ *oneself*, s'habiller || ~ *one's hair*, se coiffer || CULIN. apprêter, accommoder (food) ; assaisonner (salad) || TECHN. préparer || COMM. ~ *the window*, faire l'étalage || NAUT. pavoiser || MED.

panser (a wound) ‖ Sp. panser (a horse) ‖ ~ *down*, Coll. attraper, passer un savon à (sb) — *vi* (~ *up*) s'habiller ● *n* habillement *m* ; habits, vêtements *mpl* ; tenue *f* ; *in full* ~, [man] en grande tenue ; [woman] en robe du soir ‖ toilette, parure *f* ; *be fond of* ~, être coquette ‖ [woman's] robe *f* ; *evening-*~, robe du soir ‖ ~-**circle** *n* Th. premier balcon *m* ‖ ~-**coat** *n* [man's] habit *m* ‖ ~-**designer** *n* modéliste *n* ‖ ~ *n* Med. assistant *m* en chirurgie ‖ Th. habilleuse *f* ‖ [furniture] buffet *m* de cuisine ‖ U.S. coiffeuse *f* (dressing-table).

dressing ['dresiŋ] *n* habillement *m* ‖ Med. pansement *m* ‖ Culin. assaisonnement *m* ‖ Techn. apprêt *m* (for cloth) ‖ ~-**case** *n* nécessaire *m*/trousse *f* de toilette ‖ ~-**down** *n* Coll. *give sb a good* ~, passer un savon à qqn ‖ ~-**gown** *n* robe *f* de chambre ‖ ~-**room** *n* vestiaire *m* ; Th. loge *f* (artist's) ‖ ~-**station** *n* Mil. poste *m* de secours ‖ ~-**table** *n* coiffeuse *f*.

dress|maker ['dres,meikə] *n* couturière *f* ‖ ~**making** *n* couture *f* ‖ ~ **rehearsal** *n* Th. (répétition *f*) générale *f* ‖ ~**y** *adj* Coll. chic, élégant (person) ; (très) habillé (garment).

drew → DRAW.

dribble ['dribl] *vi* baver (slaver) ‖ Sp. dribbler.

dri|ed [draid] *adj* séché, déshydraté ; (fruit) ; en poudre (milk) ‖ ~**er** *n* séchoir *m* (device) ; siccatif *m* (substance).

drift [drift] *n* poussée *f* ‖ [clouds] traînée *f* ‖ [sand] amoncellement *m* ; [snow] congère *f* ‖ Naut., Av. dérive *f* ‖ Fig. tendance générale, tournure *f* (of events) ; portée *f* (meaning) ● *vi* aller à la dérive (on the water) ‖ être poussé/chassé (by the wind) ‖ [sand, snow] s'entasser, s'amonceler ‖ Naut., Av. dériver ‖ Fig. se laisser aller, aller à la dérive ‖ ~-**anchor**

n ancre flottante ‖ ~-**ice** *n* glaces flottantes ; glaçons *mpl* ‖ ~-**wood** *n* bois flotté.

drill¹ [dril] *n* Techn. foret *m*, mèche *f* (bit) ; foreuse, perforatrice *f* (machine) ; *pneumatic* ~ marteau-piqueur *m* ‖ Med. *dentist's* ~, fraise *f* de dentiste ; roulette *f* (fam.) ● *vt* percer, forer (a hole) ‖ ~**ing** *n* forage *m* ; ~ *machine*, perceuse *f* ‖ [oil] ~ *rig*, derrick *m*.

drill² *n* exercice, entraînement *m* (of troops) ‖ instruction *f* (training) ‖ Gramm. exercice *m* ● *vt/vi* (faire) faire l'exercice à, instruire ; ~ *ground*, terrain *m* d'exercice ‖ Fig. former, exercer (train).

drill³ *n* Agr. sillon *m* (furrow) ‖ semoir *m* (machine).

drill⁴ *n* coutil, treillis *m* (fabric).

drily ['draili] *adv* sèchement.

drink [driŋk] *vt* (drank [dræŋk], drunk [drʌŋk]) boire ; ~ *out of a glass/from the bottle*, boire dans un verre/à la bouteille ; ~ *to*, boire à la santé de, porter un toast en l'honneur de ; ~ *sb's health*, ~ *success to sb*, boire à la santé/au succès de qqn ‖ Fig. absorber (liquid) ; ~ *down*, boire d'un trait ‖ ~ *in*, absorber, boire ; fig. avaler ‖ ~ *up* vider son verre — *vi* boire, s'adonner à la boisson (liquor) ● *n* boisson *f* ; *have a* ~, prendre un verre (in a pub) ; *a long* ~, une fine à l'eau ; *in* ~, *the worse for* ~, en état d'ivresse/ébriété ; *take to* ~, se livrer à la boisson ‖ *Pl* rafraîchissements *mpl* ‖ *strong* ~s, alcools *mpl* ‖ ~-**able** *adj* buvable, potable (water) ‖ ~-**er** *n* buveur *m* ‖ ~**ing** *n* boire *m* (act) ‖ boisson *f*, alcoolisme *m*, ivrognerie *f* ; *take to* ~, se mettre à boire ; ~ *bout*, beuverie *f* ; ~ *song*, chanson *f* à boire ‖ ~**ing water** *n* eau *f* potable.

drip [drip] *n* goutte *f* ● *vi* tomber goutte à goutte, goutter ; [trees] s'égoutter — *vt* faire égoutter ‖ ~-**dry** *adj* qui ne nécessite aucun repassage ‖ ~-**feed** *n* Med. perfusion *f*; *be on a* ~, être sous perfusion ‖ ~**ping** *n* égouttage *m* ‖ CULIN. graisse *f* de rôti ‖ ~**ping wet** *adj* ruisselant, trempé.

drive [draiv] *vt* (drove [drəuv], driven ['drivn]) pousser devant soi (push forward) ‖ chasser (*from*, de) ‖ conduire (a car, a horse) ‖ conduire, transporter (sb) ‖ TECHN. actionner (a machine) ‖ percer (a tunnel) ; forer (a well) ; enfoncer (a nail) ; serrer (a nut) ‖ SP. renvoyer (the ball) ‖ COMM. conclure (a bargain) ‖ FIG. pousser, amener (induce) ; ~ *sb mad*, rendre qqn fou ; obliger, contraindre (force) — *vi* [rain] être poussé, battre ‖ AUT. [driver] conduire ; [car] rouler ‖ SP. driver (in tennis) ‖ FIG. tendre (intend) ; *what are you driving at ?*, où voulez-vous en venir ? ● *n* promenade *f* (en voiture) ; trajet *m* (trip) ; *go for a* ~, faire une promenade en voiture ; conduite *f*; *left hand* ~, conduite à gauche ; **front wheel** ~, traction *f* avant ‖ TECHN. transmission *f* ‖ [tennis] coup droit, drive *m* ; [bridge] tournoi *m* ‖ [private road] allée, avenue *f* ‖ FIG. énergie *f*, dynamisme, allant *m* (energy) ; pulsion *f* (sexual) ‖ POL. campagne *f*; propagande *f* ‖ ~-*in*, U.S. [cinema, restaurant] drive-in *m inv.*

drivel ['drivl] *vi* baver (slaver) ‖ FIG. radoter ● *n* FIG. radotage *m*.

driven → DRIVE.

driver ['draivə] *n* [car] chauffeur *n*; [bus] conducteur *n*.

driving ['draiviŋ] *n* AUT. conduite *f* ‖ ~-*licence*, permis *m* de conduire ; ~ *mirror*, rétroviseur *m* ; ~-*school*, auto-école *f*; ~-*test*, examen *m* pour le permis de conduire ‖ TECHN. ~ *wheel*, roue motrice.

drizzl|e ['drizl] *vi* bruiner ● *n* bruine *f*, crachin *m* ‖ ~**y** *adj* bruineux.

droll [drəul] *adj* comique, drôle, amusant, cocasse.

dromedary ['drʌmədri] *n* dromadaire *m*.

drone [drəun] *n* bourdonnement *m* (of a bee) ‖ vrombissement *m* (of a plane) ‖ ZOOL. faux bourdon (male bee) ● *vi* bourdonner.

drool [dru:l] *vi* U.S. baver.

droop [dru:p] *vi* [head] pencher ; [person] se voûter ; [flowers] s'affaisser ‖ FIG. décliner, s'affaiblir — *vt* pencher (head) ; baisser (eyes) ● *n* inclinaison *f*, abaissement *m* ‖ FIG. abattement *m* ‖ ~**ing** *adj* FIG. languissant.

drop [drɔp] *n* goutte *f*; ~ *by* ~, *in* ~*s*, goutte à goutte ‖ larme *f* (of wine) ‖ pastille *f* (sweet) ‖ dénivellation *f* (in the ground) ; chute, baisse *f* (in prices, temperature) ‖ FIG. *at the* ~ *of a hat*, au signal, sans délai ● *vi* tomber goutte à goutte (dribble) ‖ tomber, s'écrouler (fall) ; *be ready to* ~, ne plus tenir debout ; *be ready to* ~ *with sleep*, tomber de sommeil ‖ [wind] baisser ‖ FIN. [prices] baisser ‖ FIG. tomber, cesser (stop) ‖ ~ *behind,* se laisser distancer ‖ ~**in,** entrer en passant ; *drop in on sb,* passer voir qqn ‖ ~ *off,* diminuer (en nombre) ; piquer un somme (fall asleep) ‖ ~ *out,* renoncer, abandonner — *vt* verser goutte à goutte ‖ laisser tomber (thing) ‖ laisser échapper (a word) [utter casually] ‖ omettre (a word) ‖ écrire à la hâte ‖ NAUT. mouiller/jeter (anchor) ‖ AV. larguer, parachuter ‖ AUT. ~ *(off),* déposer (passenger) ‖ SP. [rugby] marquer un drop ‖ ZOOL. mettre bas ‖ FIG. abandonner ; renoncer à (habit) ; laisser tomber, rompre avec (friend) ; ~ *a curtsy,* faire une révérence ; ~ *sb a line,* écrire un mot à qqn ‖ COLL. ~ *a brick,* faire une gaffe ‖ ~**let** *n* gouttelette *f* ‖ ~**-out** *n* étudiant *n* qui abandonne ses études ‖ marginal *n* ; paumé *n* (fam.).

dropper *n* compte-gouttes *m inv.*

dropping zone *n* AV. zone *f* de largage.

droppings [-z] *npl* crottes *fpl* ‖ [birds] fiente *f*.

dropsy ['drɔpsi] n hydropisie f.

dross [drɔs] n scories fpl.

drought [draut] n sécheresse f.

drove¹ → DRIVE.

drov|e² [drəuv] n troupeau m en marche/Fr. en transhumance ‖ ~**er** n conducteur/marchand n de bestiaux.

drown [draun] vi se noyer — vt noyer, inonder, submerger (flood) ‖ étouffer, couvrir (a sound) ‖ ~**ing** n noyade f.

drows|e [drauz] vi somnoler ‖ ~**iness** n somnolence f ‖ ~**y** adj somnolent ; grow ~, s'assoupir.

drudge [drʌdʒ] n FIG. bête f de somme ● vi trimer ‖ ~**ry** [-ri] n corvée f, travail fastidieux.

drug [drʌg] n, drogue f, produit m pharmaceutique ‖ drogue f, stupéfiant m ; take ~s, se droguer ● vt droguer ‖ ~**addict** n toxicomane, drogué n ‖ ~**addiction** n toxicomane f ‖ ~**gist** n U.S. pharmacien n. ‖ ~**pusher** n trafiquant/revendeur n de drogue ‖ ~**store** n drugstore m.

drum [drʌm] n MUS. tambour m ; Pl batterie f ‖ bidon, baril (container) m ● vt tambouriner, battre du tambour ‖ ~**brake** n frein m à tambour ‖ ~ **majorette** [ˌmeidʒə'ret] n majorette f ‖ ~**mer** n tambour m (player) ; [jazz] batteur m ‖ U.S., SL. voyageur m de commerce ‖ ~**stick** n CULIN. (fowl) pilon m.

drunk [drʌŋk] adj (→ DRINK) ivre ; COLL. saoul ; get ~, s'enivrer ● n ivrogne, soûlard n ‖ ~**ard** [-əd] n ivrogne n ‖ ~**en** adj ivre ; ~ driving, conduite f en état d'ivresse ‖ ~**enness** n ivresse f (temporary) ; ivrognerie f (habitual).

dry [drai] adj sec ‖ aride (country) ‖ tari (well) ‖ à sec (river) ; sans pluie (day) ; sec (weather) ; run ~, [spring] se tarir ; [river] s'assécher ; [car] avoir une panne d'essence ‖ [champagne] extra ~, brut ‖ NAUT. à sec, échoué

(ship) ; → DOCK ‖ COMM. ~ **goods,** U.S. tissus mpl ; articles mpl de nouveautés ‖ FIG. sec, froid (answer) ; sans intérêt (lecture) ; aride (subject) ● vt faire sécher, dessécher ‖ ~ **up,** essuyer (dishes) ‖ assécher (a marsh) ; tarir (a well) — vi ~ **up,** se dessécher, s'assécher ; FIG. rester court ‖ ~**clean** vt nettoyer à sec ‖ ~**cleaner's** n teinturerie f ‖ ~**cleaning** n nettoyage m à sec ‖ ~**er** n séchoir m ‖ ~**freeze** vt lyophiliser.

drying n séchage m.

dryness n [climate] sécheresse f ‖ FIG. causticité f.

dry-salter [-ˌsɔːltə] n marchand n de salaisons ‖ droguiste n.

dry|-shave vi se raser au rasoir électrique ‖ ~**shod** adj/adv à pied sec.

dual ['djuəl] adj double ‖ ~**ism** n dualisme m.

dub [dʌb] vt surnommer (nickname) ‖ CIN. doubler, postsynchroniser ‖ ~**bing** n doublage m.

dub|ious ['djuːbjəs] adj [person] sceptique (feeling doubt) ; douteux, suspect (causing doubt) ‖ [thing] douteux, vague, ambigu, équivoque ‖ ~**itative** [-itətiv] adj dubitatif.

duchess ['dʌtʃis] n duchesse f.

duck¹ [dʌk] vi plonger rapidement (dive) ‖ baisser vivement (one's head) — vt faire faire un plongeon à qqn ‖ COLL. esquiver (a blow) ● n brusque plongeon m ‖ SP. esquive f.

duck² n canard m ‖ [female] cane f (drake) ‖ COLL. chou, trésor m (darling) ‖ **play ~s and drakes,** faire des ricochets sur l'eau ; play ~s and drakes with one's money, jeter son argent par les fenêtres ‖ ~**ing** n bain forcé ‖ ~**ling** n caneton m.

duct [dʌkt] n conduite, cheminée f ‖ ~**ile** [-ail] adj souple ‖ FIG. malléable, souple.

dud [dʌd] n MIL. obus non explosé ‖ COLL. raté (person).

dudgeon [ˈdʌdʒn] n in high ~, furieux et offensé.

due [djuː] adj dû, convenable (suitable) ; **in ~ course**, en temps utile ; **in ~ form**, en bonne et due forme ; **in ~ time**, en temps voulu ‖ dû, juste (merited) ‖ ● **to**, à cause de ; **what is it ~ to ?**, à quoi cela tient-il ? ‖ Fin. échu, dû ‖ **fall/become** ~, venir à échéance, échoir ‖ Rail., Av. ~ **(to arrive)**, attendu, prévu ‖ ~ **to**, en raison de, du fait de ● adv ~ **north**, en plein nord ● n dû m ; **give sb his** ~, rendre justice à qqn ‖ Pl [club] cotisation f ; [harbour] droits mpl.

duel [ˈdjuəl] n duel m ; **challenge sb to a ~**, provoquer qqn en duel ; **fight a ~**, se battre en duel — vi se battre en duel.

duet [djuˈet] n Mus. duo m ; **play a piano ~**, jouer du piano à quatre mains ‖ ~**tist** n duettiste f.

duffel, duffle [ˈdʌfl] n molleton m ; ~**-coat**, duffel-coat m.

dug → Dig ‖ ~**-out** n Mil. abri m ‖ Naut. pirogue f.

duke [djuːk] n duc m.

dull [dʌl] adj terne, mat (colour) ‖ sourd (sound) ‖ gris, maussade (weather) ‖ épais, obtus (mind) ‖ terne, insipide, ennuyeux (speech) ‖ émoussé (knife) ‖ Fin. inactif (market) ● vt émousser (the edge) ‖ assourdir (sound) ‖ ternir (colour) ‖ Med. atténuer (pain) ‖ ~**ness** n manque m d'éclat, matité f (of colour, sound) ‖ lourdeur f d'esprit ‖ tristesse f, aspect m morne (cheerlessness) ‖ monotonie f, caractère ennuyeux (tediousness).

duly [ˈdjuːli] adv dûment (properly) ‖ à temps (on time) ‖ ~ **received**, bien reçu.

dumb [dʌm] adj muet (unable to speak) ; silencieux (temporarily) ‖ U.S. bête (silly) ‖ ~**-bell** n haltère m ‖ ~**founded** adj stupéfait, ébahi, médusé (fam.) ‖ ~**ness** n mutisme, silence m ‖ ~**-show** n

pantomime f ‖ ~**waiter** n table roulante ‖ U.S. monte-plats m.

dummy [ˈdʌmi] n objet m factice ‖ tétine f (baby's) ‖ [bridge] mort m ‖ Comm. mannequin m (in a shop-window) ‖ Techn. maquette f ‖ Fin., Pol. prête-nom m ; homme m de paille.

dump [dʌmp] n dépotoir m ‖ Mil. dépôt m ● vt décharger (throw down) ‖ Comm. faire du dumping ‖ ~**ing-ground** n décharge f publique, dépotoir m.

dumps [dʌmps] n be in the ~, avoir le cafard.

dumpy [ˈdʌmpi] adj courtaud, trapu.

dun¹ [dʌn] n gris foncé.

dun² vt réclamer de l'argent à, relancer (a debtor) ● n créancier importun ‖ demande pressante (de remboursement).

dunce [dʌns] n Coll. sot n, âne, cancre m ; ~**'s cap**, bonnet m d'âne.

dune [djuːn] n dune f ; ~ **buggy**, buggy m.

dung [dʌŋ] n fumier m (manure) ; [cattle] bouse f ; [horse] crottin m.

dungaree [dʌŋgəˈriː] n treillis m ‖ Pl bleu m, salopette f.

dungeon [ˈdʌndʒn] n oubliettes fpl.

dunghill [ˈdʌnhil] n tas m de fumier.

dunk [dʌŋk] vt tremper (bread in one's coffee).

dupe [djuːp] n dupe f ● vt duper ‖ ~**ry** [-ri] n duperie f.

duplex [ˈdjuːpleks] adj double ● n U.S. [apartment] duplex m.

duplicat|e [ˈdjuːplikit] adj double, de rechange ● n double, duplicata m ; **in ~**, en double exemplaire ● [ˈdjuːplikeit] vt reproduire en double ; polycopier ‖ ~**or** n duplicateur m, machine f à polycopier.

duplicity [djuˈplisiti] n duplicité f.

dur|able [ˈdjuərəbl] adj durable,

solide, inusable ‖ **~ation** [dju´reiʃn] n durée f.

Duralumin [djuə´ræljumin] n T.N. Duralumin m.

during [´djuəriŋ] prep durant, pendant.

dusk [dʌsk] n crépuscule m, brune f; **at ~**, à la tombée de la nuit ‖ **~y** adj sombre, obscur (gloomy) ‖ hâlé, brun (swarthy).

dust [dʌst] n poussière f (dirt); saw ~, sciure f de bois ‖ FIG. throw ~ in sb's eyes, jeter de la poudre aux yeux ● vt épousseter ‖ **~ bag** n sac m à ordures ‖ **~bin** n poubelle f, boîte f à ordures ‖ **~-cart** n benne f à ordures ‖ **~er** n chiffon m (à meubles).

dust|-jacket n jaquette f (de livre); pochette f (de disque) ‖ **~man** éboueur m; boueux m (fam.) ‖ **~pan** n pelle f à ordures ‖ **~y** adj poussiéreux.

Dutch [dʌtʃ] adj hollandais, néerlandais ‖ CULIN. ~ cheese, hollande m ● n hollandais, néerlandais m (language) ‖ COLL. go ~, partager les frais; double ~, charabia m ‖ **~man**, **~woman** n Hollandais m, -aise f.

dut|iable [´dju:tjəbl] adj taxable; soumis aux droits de douane ‖ **~iful** [-ifl] adj obéissant, respectueux, déférent.

duty [´dju:ti] n devoir m, obligation f; for ~'s sake, par devoir ‖ fonction f; **do ~ for**, faire office de; take up one's duties, entrer en fonctions ‖ MIL. service; **on ~**, de service; [doctor, etc.] de garde; off ~, libre ‖ droit m de douane ‖ **~-free** adj en franchise (de douane), détaxé, hors-taxe.

dwarf [dwɔ:f] adj/n nain ● vt empêcher de croître.

dwell [dwel] vi (dwelt [dwelt]) demeurer, résider ‖ FIG. s'appesantir, mettre l'accent (on, sur) ‖ **~er** n habitant n ‖ **~ing** n habitation, demeure f; **~-place**, lieu m de résidence.

dwelt → DWELL.

dwindle [´dwindl] vi diminuer.

dye [dai] vt (dyed [-d], dyeing [-iŋ]) teindre; have a dress ~d blue, faire teindre une robe en bleu; ~ one's hair, se teindre (les cheveux) ‖ **~d-in-the-wool**, bon teint, invétéré — vi supporter la teinture.

dye|r [´daiə] n teinturier n; take a dress to the ~'s, porter une robe chez le teinturier ‖ **~stuff** n teinture f (substance).

dying [´daiiŋ] adj mourant, moribond; ~ person, mourant m.

dyke [daik] n = DIKE I, II.

dynam|ic [dai´næmik] adj dynamique, énergique ‖ **~ics** [-iks] npl PHYS. dynamique f ‖ **~ite** [´dainəmait] n dynamite ● vt dynamiter.

dynamo [´dainəməu] n dynamo f.

dynasty [´dinəsti] n dynastie f.

dysentery [´disntri] n dysenterie f.

dyslex|ia [dis´leksiə] n dyslexie f ‖ **~ic** adj dyslexique.

dyspep|sia [dis´pepsiə] n dyspepsie f ‖ **~tic** [-tik] adj dyspepsique.

E

e [i:] *n* e *m* ‖ Mus. mi *m*.

each [i:tʃ] *adj* chaque ● *pron* chacun ; ~ *other*, l'un(e) l'autre, les un(e)s les autres.

eager [ˈi:gə] *adj* désireux, avide, impatient (*for*, de) ; *be* ~ *for*, désirer vivement ; *be* ~ *to do*, avoir très envie/brûler de faire ; *be* ~ *that*, tenir beaucoup à [+ inf.]/à ce que [+ subj.] ‖ passionné, ardent (lover, supporter) ‖ ~**ly** *adv* avidement ; avec impatience ; ardemment ‖ ~**ness** *n* impatience, ardeur *f*, enthousiasme *m*, avidité *f*, empressement *m*.

eagl|e [ˈi:gl] *n* aigle *m* ‖ ~**et** [-it] *n* aiglon *m*.

ear¹ [iə] *n* Bot. épi *m*.

ear² *n* oreille *f* ; *have quick/sharp* ~*s*, avoir l'oreille fine ; *give* ~ *to*, prêter l'oreille à ; *be all* ~*s*, être tout oreilles ; *turn a deaf* ~, faire la sourde oreille (*to*, à) ‖ ~**-ache** *n* mal d'oreilles ‖ ~**-drop** *n* pendant *m* d'oreille ‖ ~**-drum** *n* tympan *m* ‖ ~, **nose and throat specialist** *n* oto-rhino-laryngologiste ; oto-rhino *m* (fam.).

earl [ə:l] *n* comte *m* ‖ ~**dom** [-dəm] *n* comté *m*.

earl|ier, ~**iest**. → EARLY.

early [ˈə:li] *adv* de bonne heure, tôt ‖ *as* ~ *as...*, dès... ; *as* ~ *as possible*, aussitôt que possible ‖ *earlier than*, avant... ● *adj in* ~ *spring*, au début du printemps ; *he is an* ~ *riser*, il est matinal ; *in the* ~ *morning*, de bon matin ‖ prochain ; *at an* ~ *date*, prochainement ‖ *at the earliest*, au plus tôt ; *from my earliest childhood*, dès ma plus tendre enfance ‖ Agr. hâtif, précoce (plant).

earmark [ˈiəmɑ:k] *n* Agr. marque *f* ‖ Fig. signe distinctif ; caractéristique *f* ● *vt* Agr. marquer ‖ Fig. marquer, identifier ‖ affecter, réserver (*for*, à).

earn [ə:n] *vt* gagner (salary, one's life) ‖ Fin. rapporter (interest) ‖ Fig. mériter.

earnest¹ [ˈə:nist] *n* Fin. arrhes *fpl* ‖ Fig. gage *m*.

earnest² *adj* sérieux (serious) ‖ convaincu (zealous) ‖ ardent, fervent (eager) ● *n* sérieux *m* ; *in* ~, sérieusement, pour de bon ‖ ~**ly** *adv* avec ardeur ; avec conviction ‖ ~**ness** *n* ardeur *f*, sérieux *m* ; conviction *f*.

earnings [ˈə:niŋz] *npl* gain *m* ‖ Fin. bénéfices *mpl*.

ear|-piece *n* écouteur *m* ‖ ~**-plug** *n* boule *f* Quiès ‖ ~**-ring** *n* boucle *f* d'oreille ‖ ~**-shot** *n within* ~, à portée de voix ‖ ~**-splitting** *adj* assourdissant, fracassant.

earth [ə:θ] *n* terre *f*, monde *m* (world) ‖ terre *f* (land) ‖ sol *m* (soil) ‖ terrier *m* (of a fox) ‖ Electr. masse *f* || COLL. *why on ~ ?,* mais pourquoi donc ? ● *vt* ELECTR. mettre à la terre.

earthen [ə:θn] *adj* de/en terre || ~**ware** *n* poterie *f;* faïence *f.*

earth|ly *adj* terrestre, de ce monde || FIG. possible || ~**quake** *n* tremblement *m* de terre, séisme *m* || ~**worm** *n* ver *m* de terre || ~**y** *adj* terreux || FIG. terre-à-terre.

ease [i:z] *n* aise *f,* bien-être *m; at ~,* l'aise (comfort) ; *set sb's mind at ~,* rassurer qqn || aises *fpl,* confort *m; take one's ~,* prendre ses aises || facilité, aisance *f* (without difficulty) || MIL. *at ~ !,* repos ! ● *vt* calmer, soulager, atténuer (anxiety, pain) || desserrer, relâcher (loosen) || modérer (pressure) — *vi* diminuer, se calmer ; ~ *off,* [situation] se détendre.

easel [´i:zl] *n* chevalet *m.*

easily [´i:zili] *adv* aisément, facilement ; avec calme.

east [i:st] *n* est, orient *m; Near East,* Proche-Orient ; *Middle East,* Moyen-Orient ; *Far East,* Extrême-Orient ● *adj* à/de l'est ● *adv* à/vers l'est (*of,* de).

Easter [´i:stə] *n* Pâques *m* || ~ *eggs,* œufs *mpl* de Pâques || REL. *do one's ~ duty,* faire ses Pâques.

east|erly [´i:stəli] *adj/adv* d'est || ~**ern** [-ən] *adj* de l'est, oriental || ~**ward** [-wəd] *adj/adv* vers l'est.

easy [´i:zi] *adj* facile, aisé (not difficult) || *that's ~ !,* (c'est) sans problème ! || tranquille, paisible ; confortable ; ~ *chair,* fauteuil *m* || indolent, nonchalant (idle) || *of ~ virtue,* facile (woman) || FIN. calme (market) ; ~ *terms,* conditions *fpl* de paiement ● *adv* aisément, facilement ; COLL. *take it ~ !,* ne vous en faites pas ! (don't worry) ; ne vous fatiguez pas (relax) ; ne vous pressez pas ! (go slow) ; ~ *!,* doucement ! || ~-**going** *adj* insouciant, facile à vivre ; décontracté ; cool (fam.).

eat [i:t] *vt* (ate [et], eaten [´i:tn]) manger (food) ; ~ *from a plate,*

manger dans une assiette || FIG. ~ *one's words,* se rétracter || ~ *up,* dévorer — *vi* (se) manger || ~ *into,* [acid] ronger, attaquer, corroder || ~**able** *adj* mangeable, comestible ● *npl* comestibles *mpl;* victuailles *fpl* || ~**er** *n* mangeur *n* || [fruit] pomme *f* à couteau || ~**ing** *n* nourriture *f;* ~-**house,** restaurant *m* || ~**s** *npl* COLL. bouffe (pop.).

eaves [i:vz] *npl* avant-toit *m* || ~-**drop** *vt* écouter aux portes || ~-**dropper** *n* indiscret *n.*

ebb [eb] *n* reflux *m ; the ~ and flow,* le flux et le reflux ; *the tide is on the ~,* la marée descend || FIG. déclin *m* ● *vi* [tide] descendre, refluer || FIG. baisser, décliner || ~ *tide n* marée descendante ; reflux, jusant *m.*

ebony [´ebəni] *n* ébène *f.*

ebullient [i´bʌljənt] *adj* bouillonnant || FIG. exubérant.

eccentr|ic [ik´sentrik] *n/adj* excentrique || original *(m)* [person] || ~**icity** [ˌeksen´trisiti] *n* excentricité *f.*

ecclesiastic [iˌkli:zi´æstik] *n* ecclésiastique *m* || ~**al** *adj* ecclésiastique.

echo [´ekəu] *n* écho *m* ● *vt* répéter, se faire l'écho de — *vi* faire écho, résonner.

eclectic [ek´lektik] *adj* éclectique.

eclipse [i´klips] *n* éclipse *f* ● *vt* éclipser.

ecolog|ical [ˌikə´bdʒikl] *adj* écologique || ~**ist** [i´kɔlədʒist] *n* écologiste *n* || ~**y** [i´kɔlədʒi] *n* écologie *f.*

econom|ic [ˌi:kə´nɔmik] *adj* économique || ~**ical** *adj* économe (thrifty) || ~**ics** [-iks] *n sing* science *f* économique, économie *f* politique || FIN. situation *f* économique ; ~**ist** [i´kɔnəmist] *n* économiste *n* || ~**ize** [i´kɔnəmaiz] *vt* économiser, épargner || ~**y** [i´kɔnəmi] *n* économie *f* || système *m* économique ; *political ~,* économie *f* politique ; *state controlled ~,* économie dirigée ; épargne, économie *f* (of money, time, etc.) || AV. ~ *class,* classe *f* touriste.

ecstasy [ˈekstəsi] *n* extase *f* || Fig. ravissement, transport *m; go into ecstasies over,* s'extasier sur.

ecumenical = ŒCUMENICAL.

eczema [ˈeksimə] *n* eczéma *m.*

eddy [ˈedi] *n* remous, tourbillon *m* ● *vi* tourbillonner.

edge [edʒ] *n* tranchant, fil *m* (of a blade) ; *take the ~ off,* émousser || bord *m* (border) ; lisière *f* (skirt) || GÉOGR. rebord *m,* saillie *f* || SP. carre *f* (of skis) || FIG. **on ~,** agacé, énervé ● *vt* aiguiser, affûter — *vi* se glisser, se faufiler || **~ways/~wise** *adv* de biais, de côté.

edgy *adj* énervé, crispé, à cran.

edible [ˈedibl] *adj* comestible ● *npl* comestibles *mpl.*

edict [ˈiːdikt] *n* édit *m.*

edif|ice [ˈedifis] *n* édifice *m* || **~y** [-ai] *vt* FIG. édifier.

edit [ˈedit] *vt* préparer la publication de (a manuscript) || diriger (a newspaper) || CIN. monter (a film) || **~ing** *n* CIN. montage *m* || **~ion** [iˈdiʃn] *n* édition *f* || **~or** [ˈeditə] *n* [newspaper] rédacteur *n* en chef ; [magazine] directeur *n* ; [text] annotateur, éditeur *n* || CIN. *film ~,* monteur *n* || **~orial** [ˌediˈtɔːriəl] *adj* rédactionnel ; de rédaction ● *n* éditorial *m.*

educat|e [ˈedjukeit] *vt* éduquer, instruire ; *be well ~ed,* avoir reçu une bonne instruction || **~ion** [ˌedjuˈkeiʃn] *n* éducation, formation *f* (bringing up) || enseignement *m* (schooling) ; instruction *f* || U.S. pédagogie *f* || **~ional** [ˌedjuˈkeiʃnl] *adj* éducatif (games) ; pédagogique (method) || **~ive** [ˈedjukətiv] *adj* éducateur, éducatif || **~or** *n* éducateur *n.*

eel [iːl] *n* anguille *f.*

eerie [ˈiəri] *adj* étrange, angoissant, sinistre.

efface [iˈfeis] *vt* effacer ; *~ oneself,* s'effacer.

effect [iˈfekt] *n* effet, résultat *m* (result) ; action, influence *f; have an ~,* produire un effet ; *of no ~,* en vain, sans résultat || accomplissement *m ; carry into ~,* réaliser, mettre en œuvre ; *take ~,* entrer en vigueur || fait *m; in ~,* en fait, en pratique || impression *f,* effet *m; to that ~,* à cet effet, dans ce sens || effets, biens *mpl* (belongings) || CIN. *sound ~s,* bruitage *m* || JUR. *take ~,* prendre effet ● *vt* effectuer, accomplir || **~ive** [-iv] *adj* efficace (efficacious) || effectif, réel, en vigueur (actual) || saisissant, frappant (impressive) || **~ively** *adv* effectivement (in reality) ; efficacement (efficiently) ; de façon frappante (strikingly) || **~ual** [-juəl] *adj* efficace || **~ually** *adv* efficacement || **~uate** [iˈfektjueit] *vt* accomplir.

effeminate [iˈfeminit] *adj* efféminé.

effervescent [ˌefəˈvesnt] *adj* effervescent || bouillonnant (person).

effete [eˈfiːt] *adj* mou, épuisé (person) || décadent (civilization) == EFFEMINATE.

effic|acious [ˌefiˈkeiʃəs] *adj* efficace (thing) || **~acy** [ˈefikəsi] *n* efficacité *f.*

effic|iency [iˈfiʃnsi] *n* efficacité *f* || [machine] bon rendement || [person] compétence, valeur *f* || méthode *f* (organization) ; *~ expert,* expert *m* en organisation || **~ient** [-nt] *adj* compétent, capable, expérimenté, efficace (person) || performant (machine) || **~iently** *adv* efficacement ; avec compétence.

effigy [ˈefidʒi] *n* effigie *f.*

effort [ˈefət] *n* effort *m* || **~less** *adj* facile, aisé.

effrontery [eˈfrʌntəri] *n* effronterie *f.*

effulgence [eˈfʌldʒns] *n* éclat *m,* splendeur *f.*

effu|sion [iˈfjuːʒn] *n* effusion *f* || **~sive** [-siv] *adj* débordant || FIG. exubérant.

egg[1] [eg] *n* œuf *m* || **~-beater** *n* fouet, batteur *m* || **~-cup** *n* coquetier

‖ ~-**head** *n* SL. intellectuel *n* ; grosse tête (arg.) ‖ ~-**plant** *n* U.S. aubergine *f* ‖ ~-**shaped** [-ʃeipt] *adj* ovoïde ‖ ~-**shell** *n* coquille *f* d'œuf ‖ ~-**timer** *n* CULIN. sablier *m* ‖ ~-**whisk** *n* CULIN. fouet *m* ‖ ~**white** *n* blanc *m* d'œuf ‖ ~-**yolk** [-jəuk] *n* jaune *m* d'œuf.

egg² *vt* ~ **on**, pousser, inciter.

ego|ism [´egəizm] *n* égoïsme *m* ‖ ~**ist** *n* égoïste *n*.

egret [´i:gret] *n* aigrette *f*.

Egypt [´i:dʒipt] *n* Égypte *f* ‖ ~**ian** [i´dʒipʃn] *adj/n* égyptien.

eh ? [ei] *interj* hein ?

eider [´aidə] *n* eider *m* ‖ ~-**down** *n* édredon *m*.

eigh|t [eit] *adj/n* huit *(m)* ‖ ~**teen** [-´ti:n] *adj/n* dix-huit *(m)* ‖ ~**teenth** [-´ti:nθ] *adj* dix-huitième ‖ ~**th** [-tθ] *adj* huitième ‖ ~**ty** [-ti] *adj/n* quatre-vingts *(m)*.

either [´aiðə, U.S. ´i:ðə] *adj/pron* l'un(e) ou l'autre (one or the other) ● *conj* ~ ... **or**..., ou bien... ou bien..., soit... soit... ● *adv* not ~, non plus.

ejec|t [i´dʒekt] *vt* lancer, émettre (smoke) ; éjecter (steam, water) ; expulser (sb) ‖ ~**tion** *n* éjection *f* (of steam) ‖ expulsion *f* (of a person).

eke [i:k] *vt* ~ **out**, augmenter (by adding) ; faire durer, économiser (by saving) ; ~ **out a living**, subsister.

elaborate [i´læbrət] *adj* élaboré ; minutieux, soigné ; détaillé ● [i´læbəreit] *vt* élaborer — *vi* donner des détails, préciser.

elapse [i´læps] *vi* s'écouler, passer.

elast|ic [i´læstik] *adj* élastique ; ~ **band**, élastique, caoutchouc *m* ‖ FIG. souple ● *n* élastique *m* ‖ ~**icity** [ˌelæs´tisiti] *n* élasticité, souplesse *f*.

Elastoplast [i´læstəplɑ:st] *n* T.N. pansement *m* adhésif.

ela|te [i´leit] *vt* ravir, enthousiasmer ‖ ~**tion** *n* allégresse *f*.

elbow [´elbəu] *n* coude *m* ; **lean one's ~s**, s'accouder (**on**, à, sur) ‖

FIG. coude, tournant *m* (of a river) ‖ COLL. **at one's ~**, à portée de la main ● *vi* jouer des coudes — *vt* ~ **one's way through**, se frayer un passage à travers ‖ ~-**grease** *n* huile *f* de coude ‖ ~-**room** *n* espace *m* ; **have ~**, avoir ses coudées franches.

elder¹ [´eldə] *n* BOT. sureau *m*.

eld|er² *adj* plus âgé (de deux personnes) ; aîné (older) ‖ plus ancien (senior) ● *n* aîné *n* ; **he is my ~ by 3 years**, il est mon aîné de 3 ans ‖ ~**erly** *adj* d'un certain âge ; ~ **people**, personnes âgées ‖ ~**est** [-ist] *adj* aîné ; **my ~ son**, mon fils aîné.

elec|t [i´lekt] *vt* élire ‖ FIG. décider de ● *adj* élu ; **the ~**, les élus *mpl* ‖ ~**tion** *n* élection *f* ; **by-~**, élection partielle ; **general ~**, élections législatives ‖ ~**tor** *n* électeur *n* ‖ ~**toral** [-trəl] *adj* électoral ; ~**register/roll**, liste électorale.

electr|ic(al) [i´lektrik(l)] *adj* électrique ‖ ~**ically** *adv* électriquement, à l'électricité ‖ ~**ician** [ilek´triʃn] *n* électricien *m* ‖ ~**icity** [ilek´trisiti] *n* électricité *f* ‖ ~**ify** [i´lektrifai] *vt* électriser (a body) ‖ RAIL. électrifier.

electro|cardiogram [i´lektrə´kɑ:diəgræm] *n* électrocardiogramme *m* ‖ ~**cute** [i´lektrəkju:t] *vt* électrocuter.

electrode [i´lektrəud] *n* électrode *f*.

electro|lysis [ilek´trɔlisis] *n* électrolyse *f* ‖ ~**magnet** [i´lektrə´mægnit] *n* électroaimant *m*.

electron [i´lektrɔn] *n* électron *m* ‖ ~**ic** [ilek´trɔnik] *adj* électronique ‖ ~**ics** [-iks] *n sing* électronique *f*.

electro|shock [i´lektrəʃɔk] *n* électrochoc *m* ‖ ~**static** [-´stætik] *adj* électrostatique.

eleg|ance [´eligəns] *n* élégance *f* ‖ ~**ant** *adj* élégant.

element [´elimənt] *n* élément *m* ‖ FIG. milieu *m* ; élément *m* ‖ ~**al** [ˌeli´mentl] *adj* élémentaire, fondamental ● ~**ary** [ˌeli´mentri] *adj* élémentaire (basic) ; primaire (school).

elephant [´elifənt] *n* éléphant *m* ; *young ~*, éléphanteau *m.*

elevat|e [´eliveit] *vt* élever ‖ Fig. exalter ‖ **~ed** [-id] *adj* élevé ● *n* U.S. métro aérien ‖ **~ion** [ˌeli´veiʃn] *n* élévation *f* ‖ Geogr. altitude *f* ‖ Fig. élévation *f* (de pensée) ; noblesse *f* (loftiness) ‖ **~or** *n* monte-charge *m* ‖ U.S. ascenseur *m* ‖ Techn. élévateur *m.*

eleven [i´levn] *adj/n* onze *(m)* ‖ [school] *~ plus (n)*, examen *m* d'entrée en sixième ‖ **~ses** [-siz] *npl* Coll. collation *f* de onze heures ‖ **~th** [-θ] *adj* onzième.

elicit [i´lisit] *vt* susciter, provoquer, faire naître (draw out) ‖ mettre au jour, découvrir (truth).

elide [i´laid] *vt* élider.

eligible [´elidʒəbl] *adj* éligible ; qualifié pour.

eliminat|e [i´limineit] *vt* éliminer ‖ **~ion** [iˌlimi´neiʃn] *n* élimination *f.*

elision [i´liʒn] *n* élision *f.*

elixir [i´liksə] *n* élixir *m.*

elk [elk] *n* Zool. élan *m.*

ellip|se [i´lips] *n* Math. ellipse *f* ‖ **~sis, -ses** [i´lipsis, -si:z] *n* Gramm. ellipse *f* ‖ **~tic(al)** [-tik(l)] *adj* elliptique.

elm [elm] *n* orme *m.*

elocution [ˌelə´kju:ʃn] *n* élocution *f.*

elope [i´ləup] *vi* [wife] s'enfuir ; se faire enlever.

eloqu|ence [´eləkwəns] *n* éloquence *f* ‖ **~ent** *adj* éloquent.

else [els] *adv* [other] autre ; *somebody ~*, qqn d'autre ; *nothing ~*, rien d'autre ; *what ~ ?*, quoi d'autre ? ; [shop] *anything ~ ?*, et avec ça ? ; [otherwise] *somewhere ~*, autre part ; *nowhere ~*, nulle part ailleurs ‖ *or ~*, ou bien, sinon ‖ **~where** [-´-] *adv* autre part, ailleurs.

elucidat|e [i´lu:sideit] *vt* élucider ‖ **~ion** [iˌlu:si´deiʃn] *n* élucidation *f* ; éclaircissement *m.*

elu|de [i´lu:d] *vt* éluder, éviter (a question) ‖ esquiver (a blow) ‖ **~sive** [-siv] *adj* fuyant, insaisissable.

emaciated [i´meiʃieitid] *adj* émacié, décharné.

emanat|e [´eməneit] *vi* émaner ‖ **~ion** [ˌemə´neiʃn] *n* émanation *f.*

emancipat|e [i´mænsipeit] *vt* Jur. émanciper ‖ **~ion** [iˌmænsi´peiʃn] *n* émancipation *f.*

embalm [im´ba:m] *vt* embaumer.

embankment [im´bæŋkmənt] *n* [road] remblai *m* ‖ [river] digue *f*, quai *m.*

embargo [im´ba:gəu] *n* embargo *m* ; *lay/raise an ~ on*, mettre/lever l'embargo sur ● *vt* mettre l'embargo sur.

embark [im´ba:k] *vt/vi* (s') embarquer ‖ Fig. se lancer (*on*, dans) ‖ **~ation** [ˌembɑ:´keiʃn] *n* embarquement *m.*

embarrass [im´bærəs] *vt* gêner, entraver (impede) ‖ embarrasser, troubler (abash).

embassy [´embəsi] *n* ambassade *f.*

embed [im´bed] *vt* encastrer.

embellish [im´beliʃ] *vt* embellir, orner (*with*, de) ‖ Fig. enjoliver.

ember [´embə] *n* tison *m* ‖ *Pl* braise *f.*

embezzle [im´bezl] *vt* détourner (money) ‖ **~ment** *n* détournement *m* de fonds, malversation *f.*

embitter [im´bitə] *vt* envenimer (a quarrel) ‖ aigrir (sb).

emblem [´embləm] *n* emblème, symbole *m.*

embod|iment [im´bɔdimənt] *n* incarnation *f* ‖ **~y** *vt* incarner (incarnate) ‖ inclure, incorporer, englober (include).

embolden [im´bəuldn] *vt* enhardir.

emboss [im´bɔs] *vt* bosseler (metal) ‖ graver en relief ‖ gaufrer (paper).

embrace [im´breis] *vt* étreindre, enlacer (hug) ‖ Fig. embrasser (career) ‖ adopter (an opinion) ‖ saisir (an opportunity) || inclure (include) || embrasser, englober (contain) — *vi* s'embrasser ● *n* embrassement *m*, étreinte *f*.

embrocation [͵embrə'keiʃn] *n* embrocation *f*.

embroid|er [im'brɔidə] *vt* broder || **~ery** [-ri] *n* broderie *f*.

embryo ['embriəu] *n* embryon *m*.

emend [i'mend] *vt* émonder (a text).

emerald ['emərəld] *n* émeraude *f*.

emerge [i'mə:dʒ] *vi* émerger || Fig. apparaître, surgir ; se faire jour.

emergency [i'mə:dʒnsi] *n* situation *f* critique ; *in an ~*, en cas d'urgence ; *~ exit*, sortie *f* de secours ; *~ rations*, vivres *mpl* de réserve || Av. *~ landing*, atterrissage forcé.

emergent [i'mə:dʒənt] *adj ~ countries*, pays *mpl* en voie de développement.

emery ['eməri] *n* émeri *m* || **~-board** *n* lime *f* à ongles en carton || **~-cloth** *n* toile *f* émeri || **~-paper** *n* papier *m* de verre.

emigr|ant ['emigrənt] *adj/n* émigrant || **~ate** [-eit] *vi* émigrer || **~ation** [͵emi'greiʃn] *n* émigration *f*.

emin|ence ['eminəns] *n* GEOGR., REL., Fig. éminence *f* || **~ent** *adj* éminent.

emirate [e'miərit] *n* émirat *m*.

emissary ['emisri] *n* émissaire *m*.

emission [i'miʃn] *n* émission *f*, dégagement *m* (of heat, etc.).

emit [i'mit] *vt* émettre, dégager (fumes, heat) ; exhaler (an odour).

emotion [i'məuʃn] *n* émotion *f* || **~al** *adj* émotif, sensible (person) ; affectif, émotionnel (reaction).

emotive [i'məutiv] *adj* émotif || empreint d'émotion, émouvant (letter).

emperor ['emprə] *n* empereur *m*.

empha|sis ['emfəsis] *n* GRAMM. accent *m* (stress) || Fig. mise *f* en relief ; insistance *f* || **~size** [-saiz] *vt*

mettre l'accent sur, insister sur ; souligner, faire ressortir || **~tic** [im'fætik] *adj* accentué || Fig. énergique, formel || **~tically** [-tikli] *adv* énergiquement, formellement.

empire ['empaiə] *n* empire *m*.

empir|ic [em'pirik] *adj* empirique || **~icism** [-risizm] *n* empirisme *m*.

emplacement [em'pleismənt] *n* MIL. emplacement *m* (of a gun).

employ [im'plɔi] *vt* employer (give work to) || utiliser, employer, faire usage de (use) ● *n* service *m* || **~ee** [͵emplɔi'i:] *n* employé *n* || **~er** *n* patron *n* ; employeur *n* || **~ment** *n* emploi *m*, situation *f* ; *full ~*, plein(-) emploi ; *out of ~*, sans travail ; *~ agency*, agence *f* pour l'emploi.

emporium [em'pɔ:riəm] *n* centre commercial (market).

empress ['empris] *n* impératrice *f*.

emptiness ['emtinis] *n* vacuité *f*, vide *m* || Fig. vanité *f*.

empty ['emti] *adj* vide, inoccupé (room) || inhabité, désert (country) || *come home with an ~-bag*, revenir bredouille ; **~-handed**, les mains vides || MED. *on an ~ stomach*, à jeun || Fig. vain (meaningless) ; **~-headed**, écervelé ● *npl (empties)* emballages *mpl* vides, consignes *fpl* ● *vt* vider *(into, dans)* — *vi* se vider || [river] se jeter.

emulat|e ['emjuleit] *vt* tenter d'égaler, rivaliser avec || **~ion** [͵emju'leiʃn] *n* émulation *f* ; *in ~ of each other*, à qui mieux mieux ; **~ously** *adv* à l'envi.

emulsion [i'mʌlʃn] *n* émulsion *f*.

enable [i'neibl] *vt* rendre capable || *~ sb to do*, permettre à qqn de faire.

enact [i'nækt] *vt* JUR. décréter, promulguer || TH. représenter, jouer.

enamel [i'næml] *n* émail *m* ● *vt* émailler (metal) ; vernir (pottery).

enamour [i'næmə] *vt be ~ed of*, s'éprendre de.

encamp [in'kæmp] *vt* camper ‖ ~**ment** *n* MIL. campement *m*.

enchain [in't∫ein] *vt* enchaîner.

enchant [in't∫a:nt] *vt* enchanter, charmer ‖ ~**ment** *n* enchantement *m*, ravissement *m*.

encircle [in'sə:kl] *vt* encercler.

enclave ['enkleiv] *n* enclave *f*.

enclos|e [in'kləuz] *vt* enclore, clôturer (shut in) ‖ contenir, renfermer (contain) ‖ inclure, joindre (insert) ‖ ~**ed** [-d] *adj* ~ herewith, ci-joint ‖ ~**ure** [-ʒə] *n* clôture *f* (fence) ‖ enclos *m* (land) ‖ enceinte *f* (precinct) ‖ pièce jointe (document).

encod|e [in'kəud] *vt* INF. coder ‖ ~**ing** *n* codage *m*.

encompass [in'kʌmpəs] *vt* entourer ‖ FIG. embrasser.

encore [ɔŋ'kɔ:] *n* TH. bis *m* ● *vt* bisser.

encounter [in'kauntə] *n* rencontre (inattendue) ‖ MIL. accrochage *m*, rencontre *f* ● *vt* rencontrer par hasard ‖ MIL. affronter.

encourage [in'kʌridʒ] *vt* encourager (give courage/hope) ‖ soutenir (support) ‖ inciter, stimuler (spur on) ‖ ~**ment** *n* encouragement *m* (*from*, de la part de ; *to*, à).

encroach [in'krəut∫] *vi* ~ on, empiéter sur (sb's rights) ; abuser de (sb's time) ‖ ~**ing** *adj* envahissant ‖ ~**ment** *n* empiètement *m*.

encumb|er [in'kʌmbə] *vt* encombrer, embarrasser (hinder) ; obstruer (obstruct) ‖ ~**rance** [-rəns] *n* embarras *m* ‖ JUR. charge *f*.

encyclopaedia [en,saiklə'pi:djə] *n* encyclopédie *f*.

end [end] *n* limite, fin *f* (boundary) ‖ bout *m*, extrémité *f* (farthest part) ; ~ *on*, de front ; ~ *to* ~, bout à bout ; *on* ~, debout (egg) ; [hair] *stand on* ~, se hérisser ‖ [time] *work for six hours on* ~, travailler six heures d'affilée ‖ bout, morceau *m* (remnant) ; *make (both)* ~s *meet*, joindre

les deux bouts ; *odds and* ~s, bribes *fpl* ‖ fin *f* ; terme *m* ; *at an* ~, terminé, épuisé ; *in the* ~, à la longue ; *no* ~ *of*, une infinité de ; *without* ~, sans fin ; *bring to an* ~, achever, terminer ; *come to an* ~, s'achever, se terminer ; *come to a bad* ~, finir mal ; *put an* ~ *to*, en finir avec ‖ fin *f*, but *m* (aim) ; intention *f* (purpose) ‖ conséquence *f*, résultat *m* (result) ‖ fin, mort *f* (death) ‖ SP. *change* ~s, changer de camp ‖ COLL. *be at a loose* ~, ne pas savoir quoi faire ● *vt* finir ‖ ~ *(off)*, achever, terminer — *vi* finir ; ~ *up*, finir (*by*, par) ; aboutir (*in*, à) ‖ ~-**all** *n* → BE-ALL AND END-ALL.

endanger [in'deindʒə] *vt* mettre en danger, exposer.

endear [in'diə] *vt* rendre cher ‖ ~**ing** [-riŋ] *adj* attirant, attachant ‖ ~**ment** *n* affection, tendresse *f*.

endeavour [in'devə] *n* effort *m*, tentative *f* ● *vi* s'efforcer (*to*, de).

endemic [en'demik] *adj* endémique.

ending ['endiŋ] *n* fin *f* ‖ GRAMM. terminaison, désinence *f*.

endive ['endiv] *n* chicorée frisée, scarole *f*.

end|-leaf ['end'li:f] *n* feuille *f* de garde ‖ ~**less** *adj* sans fin, interminable ‖ TECHN. sans fin (belt) ‖ ~**lessly** *adv* continuellement.

endorse [in'dɔ:s] *vt* endosser (a cheque) ‖ FIG. approuver, soutenir ‖ ~**ment** *n* FIN. endos(sement) *m* ‖ FIG. approbation *f*, soutien *m*.

endow [in'dau] *vt* faire une dotation à ‖ FIG. douer (*with*, de) ‖ ~**ment** *n* dotation *f* ‖ JUR. *family* ~s, prestations familiales ‖ FIG. don, talent *m*.

endue [in'dju:] *vt* douer (*with*, de).

endurance [in'djuərəns] *n* endurance *f* (to pain) ; résistance *f* (to fatigue).

endur|e [in'djuə] *vi* durer (last) ‖ résister, tenir (hold out) — *vt* supporter (undergo) ; endurer (bear) ; tolérer (tolerate) || **~ing** [-riŋ] *adj* durable (lasting).

enema [´enimə] *n* lavement *m*.

enemy [´enimi] *n/adj* ennemi (*n*).

energ|etic [ˌenəˈdʒetik] *adj* énergique || dynamique || **~ize** [´enədʒaiz] *vt* stimuler || **~y** [´enədʒi] énergie, vigueur *f*.

enervate [´enəːveit] *vt* affaiblir.

enfeeble [inˈfiːbl] *vt* affaiblir.

enfilade [ˌenfiˈleid] *vt* MIL. prendre en enfilade.

enfold [inˈfəuld] *vt* enrouler, envelopper (wrap up) || embrasser, enlacer (clasp).

enforce [inˈfɔːs] *vt* mettre en application (law) ; imposer (discipline) ; soutenir (argument) ● *n* mise *f* en application ; soutien *m*.

enfranchise [inˈfrænʃaiz] *vt* donner le droit de vote.

engag|e [inˈgeidʒ] *vt* engager ; **~** *oneself*, s'engager (*to*, à) || **become ~d**, se fiancer (*to*, à) || embaucher (employ) || entraîner (involve) ; **~** *sb in conversation*, engager la conversation avec qqn || séduire, attirer (attract) || MIL. engager le combat contre || TECHN. embrayer || FIN. engager (pledge) || TEL. **~d**, occupé || [taxi] occupé, pas libre — *vi* s'engager (*to*, à) || **~** *sb in conversation*, engager la conversation avec qqn || **~ement** *n* engagement *m* (promise) || fiançailles *fpl* (betrothal) || rendez-vous *m* (appointment) || TECHN. embrayage *m* || MIL. engagement *m* (skirmish) || **~ing** *adj* attrayant, attirant.

engender [inˈdʒendə] *vt* engendrer, créer.

engine [´enʒin] *n* NAUT. machine *f* ; **~-room,** chambre *f* des machines || RAIL. locomotive *f* ; **~-driver,** mécanicien *n* || AUT. moteur *m* ; **~-failure** panne *f* de moteur.

engineer [ˌenʒiˈniə] *n* ingénieur *m*

(technician) ; *chemical* **~**, ingénieur chimiste ; *consulting* **~**, ingénieur-conseil ; *woman* **~**, femme *f* ingénieur || mécanicien *m* (workman) || MIL. soldat *m* du génie ; *the Engineers,* le génie || RAD. **sound ~**, ingénieur *m* du son ● *vt* construire ; faire les plans de || FIG., COLL. manigancer || **~ing** [-riŋ] *n* technique *f* || ingénierie *f*, engineering *m* ; *civil* **~**, travaux publics ; *electrical* **~**, électrotechnique *f* || *marine* **~**, construction navale || *mechanical* **~**, construction *f* mécanique ; **~** *factory*, atelier *m* de construction mécanique.

England [´iŋglənd] *n* Angleterre *f*.

English [´iŋgliʃ] *adj* anglais ● *n* anglais *m* (language) || *Pl the* **~**, les Anglais *mpl* || **~-speaker**, anglophone *n* ; **~-speaking**, anglophone || **~man** [´--] *n* Anglais *m* || **~woman** *n* Anglaise *f*.

engraft [inˈgrɑːft] *vt* greffer || FIG. implanter.

engrav|e [inˈgreiv] *vt* graver || **~er** *n* graveur *m* || **~ing** *n* gravure *f*.

engross [inˈgrəus] *vt* accaparer, absorber (sb's attention).

engulf [inˈgʌlf] *vt* engouffrer, engloutir.

enhance [inˈhɑːns] *vt* rehausser, relever, augmenter (the value).

enigma [iˈnigmə] *n* énigme *f* || **~tic** [ˌenigˈmætik] *adj* énigmatique.

enjoin [inˈdʒɔin] *vt* enjoindre, ordonner (command) || imposer, prescrire (prescribe).

enjoy [inˈdʒɔi] *vt* prendre plaisir à, aimer ; **~** *oneself*, s'amuser, se divertir || jouir de, goûter || posséder (good health) || **~able** *adj* agréable, divertissant || **~ment** *n* plaisir *m* || JUR. jouissance *f*.

enkindle [inˈkindl] *vt* allumer || FIG. enflammer.

enlarge [inˈlɑːdʒ] *vt* agrandir, développer || agrandir (photo) — *vi* **~** *(up)on*, développer, s'étendre sur || **~r** *n* agrandisseur *m* || **~ment** *n*

agrandissement *m* ‖ FIG. accroissement *m*.

enlighten [in'laitn] *vt* FIG. éclairer, illuminer ‖ **~ment** *n* éclaircissements *mpl*, lumières *fpl*.

enlist [in'list] *vt* MIL. enrôler, engager — *vi* MIL. s'engager, s'enrôler ; **~** *before the usual age*, devancer l'appel ‖ **~ment** *n* enrôlement, engagement *m*.

enliven [in'laivn] *vt* animer, égayer (a conversation).

enmity ['enmiti] *n* inimitié *f*.

ennoble [i'nəubl] *vt* anoblir.

enormous [i'nɔ:məs] *adj* énorme ‖ **~ly** *adv* énormément.

enough [i'nʌf] *adj* assez, suffisant ; **be ~**, suffire (*to*, pour) ● *adv* assez, suffisamment ‖ **oddly ~**, chose curieuse ; **quite ~**, bien assez.

enquire = INQUIRE.

enrage [in'reidʒ] *vt* faire enrager, mettre en fureur.

enrapture [in'ræptʃə] *vt* transporter, ravir.

enrich [in'ritʃ] *vt* enrichir ‖ AGR. fertiliser.

enrol(l) [in'rəul] *vt* embaucher (workers) ; inscrire (students) — *vi* [student] s'inscrire ‖ MIL. s'engager ‖ **~ment** *n* embauchage *m* ; inscription *f* ‖ [school] effectif *m*.

ensconce [in'skɔns] *vt* **~ oneself**, s'installer confortablement (*in*, dans).

enshroud [in'ʃraud] *vt* recouvrir, envelopper, ensevelir.

ensign ['ensain] *n* NAUT. marque *f* (flag) ‖ U.S. enseigne *m* de vaisseau.

enslave [in'sleiv] *vt* réduire en esclavage, asservir.

ensnare [in'snɛə] *vt* prendre au piège.

ensue [in'sju:] *vi* s'ensuivre, résulter (*from*, de).

ensure [in'ʃuə] *vt* assurer.

entail [in'teil] *vt* occasionner, entraîner.

entangle [in'tængl] *vt* emmêler, enchevêtrer, embrouiller ‖ **~ment** *n* enchevêtrement *m* ‖ *Pl* MIL. réseaux *mpl* de barbelés.

enter ['entə] *vt* entrer, pénétrer dans (room) ; s'engager dans (way) ‖ inscrire (a name) ; s'inscrire à (a school, a club) ; **~** *oneself/one's name for an examination*, se faire inscrire à un examen ‖ enregistrer, inscrire ‖ COMM. **~** *an item in the ledger*, porter un article au grand livre — *vi* entrer, pénétrer (*into*, dans) ‖ **~** *into*, entamer (negociations) ; prendre part à (conversation) ‖ **~** *(up)on*, entreprendre, commencer ‖ prendre possession de (inheritance).

enterpris|e ['entəpraiz] *n* esprit *m* d'entreprise ; *spirit of* **~**, esprit *m* d'initiative ‖ **~ing** *adj* entreprenant, hardi.

entertain [entə'tein] *vt* divertir, amuser, distraire ‖ recevoir (guests) ‖ FIG. prendre en considération (a proposal) ; entretenir (hope) ; nourrir (doubts) ‖ **~er** *n* TH. artiste *n* (de music-hall, de cabaret) ; amuseur, fantaisiste *n* ‖ **~ing** *adj* amusant, divertissant ‖ **~ment** *n* divertissement, amusement *m* ‖ réception *f*, accueil *m* ‖ TH. spectacle *m*.

enthral(l) [in'θrɔ:l] *vt* captiver ‖ FIG. rendre esclave.

enthus|e [in'θju:z] *vi* COLL. être emballé (fam.) [*over*, par] ‖ **~iasm** [-iæzm] *n* enthousiasme *m* ‖ **~iast** [-iæst] *n* enthousiaste *n*, partisan *m*, amateur passionné *n* ‖ **~iastic** [in-θju:zi'æstik] *adj* fervent, enthousiaste, passionné.

entice [in'tais] *vt* attirer, séduire (allure) ‖ entraîner, pousser (persuade) ‖ **~ment** *n* tentation, séduction *f*.

entire [in'taiə] *adj* entier, complet ‖ intégral (text) ‖ **~ly** *adv* entièrement, complètement ‖ **~ty** *n* totalité, intégralité *f*.

entitle [in'taitl] vt intituler (book) ‖ autoriser ; ~ *sb to do*, donner à qqn le droit de faire ; *be ~d to sth*, avoir droit à qqch.

entity ['entiti] n entité f.

entomb [in'tu:m] vt mettre au tombeau ‖ ensevelir, emmurer (accidently).

entrails ['entreilz] npl MED. intestins mpl ‖ entrailles fpl.

entrance¹ [in'trɑ:ns] vt FIG. transporter (enrapture).

entr|ance² ['entrəns] n entrée f (door) ; accès m (passage) ; *tradesmen's ~*, entrée de service ‖ *tube ~*, bouche f de/du métro ‖ admission f (*to a school*, à/dans une école) ; ~**fee**, droits mpl d'entrée ; ~ *examination*, examen m d'entrée ‖ ~**ant** n participant n ; [race] concurrent n ; [exam] candidat n ‖ [profession] débutant n.

entrap [in'træp] vt prendre au piège.

entreat [in'tri:t] vt supplier, implorer ‖ ~**y** n supplication, prière f.

entrée ['ɔntrei] n CULIN. entrée f.

entrench [in'trenʃ] vt retrancher ; ~ *oneself*, se retrancher ‖ ~**ment** n retranchement m.

entrust [in'trʌst] vt charger (*with*, de) ‖ confier (*to*, à).

entry ['entri] n entrée f (entering, way in) ; *no ~*, [door] entrée interdite ; [street] sens interdit ‖ U.S. entrée f (hall) ‖ FIN. inscription f ; *author ~*, fiche f auteur ; *subject ~*, fiche f sujet ; [dictionary] entrée f ‖ [club] admission f ‖ FIN. inscription f ; *by double ~*, en partie double ‖ SP. participant n (person) ; participation f (list).

entwine [in'twain] vt entrelacer, entortiller.

enumerate [e'nju:məreit] vt énumérer.

enunciate [i'nʌnsieit] vt énoncer.

envelop [in'veləp] vt envelopper.

envelope ['envələup] n enveloppe f.

env|iable ['enviəbl] adj enviable ‖ ~**ious** [-iəs] adj envieux, jaloux (*of*, de).

environment [in'vairənmənt] n milieu, cadre m ‖ [ecology] environnement m ‖ ~**al** adj du milieu ‖ ~**alist** n écologiste n.

envisage [in'vizidʒ] vt envisager, faire face à.

envoy ['envoi] n émissaire m.

envy ['envi] n envie f ; *be the ~ of*, faire envie à ● vt envier ; ~ *sb sth*, envier qqch à qqn.

ephemeral [i'femərl] adj éphémère.

epic ['epik] adj épique ● n épopée f.

epicure ['epikjuə] n gourmet m.

epidemic [epi'demik] n épidémie f ● adj épidémique.

epilep|sy ['epilepsi] n épilepsie f ‖ ~**tic** [epi'leptik] adj/n épileptique ; ~ *fit*, crise f d'épilepsie.

episod|e [episəud] n épisode m ‖ ~**ic** [epi'sɔdik] adj épisodique.

epithet ['epiθet] n épithète f.

epoch ['i:pɔk] n époque f.

equal ['i:kwəl] adj égal, équivalent (*to*, à) ; *on ~ terms*, sur un pied d'égalité ‖ à la hauteur (*to*, de) ; de force (*to*, à) ● n égal n (person) ● vt égaler, être l'égal de ‖ ~**ity** [i:'kwɔliti] n égalité f ‖ ~**ize** vt égaliser.

equanimity [i:kwə'nimiti] n égalité f d'âme.

equa|te [i'kweit] vt MATH. mettre en équation ‖ FIG. assimiler (*with*, à) ‖ ~**tion** n équation f.

equator [i'kweitə] n équateur m ‖ ~**ial** [ekwə'tɔriəl] adj équatorial.

equestrian [i'kwestriən] adj équestre.

equilateral ['i:kwi'lætrl] adj équilatéral.

equilibrium [ekwi'libriəm] n équilibre m ; *mental ~*, équilibre mental.

equine ['i:kwain] adj chevalin.

equinox ['i:kwinɔks] *n* équinoxe *m*.

equip [i'kwip] *vt* équiper, doter (*with*, de) ‖ **~ment** *n* équipement *m* ‖ matériel *m*; appareillage *m*, appareils *mpl*.

equit|able ['ekwitəbl] *adj* équitable ‖ **~y** *n* équité *f*.

equival|ence [i'kwivələns] *n* équivalence *f* ‖ **~ent** *adj/n* équivalent (*m*) [*to*, à].

equivoc|al [i'kwivəkl] *adj* équivoque ‖ **~ate** [-eit] *vi* jouer sur les mots ‖ **~ation** [-ˌ-'--] *n* paroles *fpl* équivoques, faux-fuyants *mpl*.

era ['iərə] *n* ère *f*.

eradicate [i'rædikeit] *vt* déraciner, extirper.

erase [i'reiz] *vt* effacer, gratter ‖ INF. effacer ‖ [tape recorder] **~ head**, tête *f* d'effacement.

eras|er [i'reizə] *n* gomme *f* (rubber) ‖ **~ure** [i'reiʒə] *n* grattage *m*; rature *f*.

erect [i'rekt] *vt* dresser, mettre debout (set upright) ‖ ériger, élever (a monument).

ermine ['ə:min] *n* hermine *f*.

ero|de [i'rəud] *vt* éroder (rock), corroder (metal) ‖ **~sion** [-ʒn] *n* érosion *f*.

erotic [i'rɔtik] *adj* érotique.

eroticism [i'rɔtisizm] *n* érotisme *m*.

err [ə:] *vi* se tromper (be mistaken) ‖ FIG. pécher (*on the side of*, par excès de).

errand ['erənd] *n* course, commission *f*; *go on/run ~s*, faire des courses ‖ message, objet *m* (d'une course) ‖ **~-boy** *n* garçon *m* de courses.

errant ['erənt] *adj* errant, nomade.

erratic [i'rætik] *adj* irrégulier (person, thing) ‖ excentrique (queer) ‖ inégal (work).

erroneous [i'rəunjəs] *adj* erroné.

error ['erə] *n* erreur *f* (mistake); *clerical ~*, erreur matérielle; *printer's ~*, coquille *f*; *make/commit an ~*,

faire/commettre une erreur; *~ in taste*, faute *f* de goût ‖ erreur, méprise, confusion *f* (condition); *in ~*, par erreur; *lead sb into ~*, induire qqn en erreur.

erstwhile ['ə:stwail] *adj* LIT. d'antan ● *adv* jadis.

erudit|e ['erudait] *adj* érudit ‖ **~ion** [ˌeru'diʃn] *n* érudition *f*.

erup|t [i'rʌpt] *vi* (volcano) entrer en éruption; (geyser) jaillir ‖ **~tion** *n* éruption *f* ‖ MED. éruption *f* (on the skin).

escalat|ion [ˌeskə'leiʃn] *n* [prices, war] escalade *f* ‖ **~or** [-'tə] *n* escalier mécanique, escalator.

escap|ade [eskə'peid] *n* équipée *f*; fredaine *f* ‖ **~e** [is'keip] *vi* s'évader, s'échapper, s'enfuir (*from*, de) ‖ [gas] s'échapper, fuir — *vt* échapper à; *~ observation*, passer inaperçu ● *n* fuite, évasion *f*; *have a narrow ~*, l'échapper belle ‖ **~ee** [iskei'pi:] *n* évadé *n* ‖ **~ement** [is'keipmənt] *n* TECHN. échappement *m* ‖ **~ism** [-'--] *n* FIG. évasion *f*.

escort ['eskɔ:t] *n* escorte *f* ‖ cavalier *m* (to a lady) ‖ [sightseeing] hôtesse *f* ‖ NAUT. escorteur *m* ● [is'kɔ:t] *vt* escorter.

Eskimo ['eskiməu] *n/adj* esquimau.

especially [is'peʃli] *adv* spécialement, particulièrement, surtout.

espionage [ˌespiə'nɑ:ʒ] *n* espionnage *m*.

Esquire [is'kwaiə] (abbr. *Esq.*) *n* monsieur *m* (in the address).

essay ['esei] *n* tentative *f* ‖ [school] dissertation *f*, essai *m* ● [e'sei] *vt* essayer, tenter.

essence ['esəns] *n* essentiel *m* ‖ PHIL., CH. essence *f*.

essential [i'senʃl] *adj* essentiel; *~ oil*, huile essentielle ● *n* élément fondamental ‖ *Pl the ~s*, l'essentiel *m*, les rudiments *mpl*; *the bare ~s*, le strict nécessaire.

establish [is'tæbliʃ] *vt* établir, fonder, instituer ‖ Fɪɢ. établir, asseoir (custom) ; établir, prouver (a fact) ‖ ~**ment** n établissement m, fondation f (act) ‖ établissement m, institution f (house) ‖ train m de vie (style of living) ‖ Rᴇʟ. église établie ‖ Mɪʟ. war ~, effectifs mpl de guerre ‖ Fɪɢ. établissement, constatation f (of fact) ‖ the Establishment, les classes dirigeantes/pouvoirs établis, establishment m.

estate [isˈteit] n domaine m, propriété f ; terres fpl ; **housing** ~, lotissement m ; **real** ~, biens immobiliers ‖ ~-**agent**, agent immobilier ‖ Fɪɴ. biens mpl ‖ Jᴜʀ. état m ‖ Aᴜᴛ. ~-**car**, break m.

esteem [isˈti:m] vt estimer (respect) ‖ considérer, estimer (regard) ● n estime f.

estimable [ˈestiməbl] adj estimable.

estimat|e [ˈestimit] n évaluation f, calcul m (appraisal) ; at a rough ~, grosso modo, à vue de nez ‖ Tᴇᴄʜɴ. devis m ‖ Fɪɢ. opinion, appréciation f (judgment) ● [ˈestimeit] vt estimer, évaluer ‖ Fɪɢ. juger, apprécier ‖ ~**ion** [ˌestiˈmeiʃn] n estimation f (action) ‖ Fɪɢ. jugement m, opinion f (judgment) ; estime f (regard).

estrange [isˈtreinʒ] vt éloigner, détacher, aliéner ; be estranged from one's wife, être séparé de sa femme.

estuary [ˈestjuəri] n estuaire m.

etch [etʃ] graver à l'eau-forte ‖ ~**ing** n eau-forte f.

etern|al [iˈtə:nl] adj éternel ‖ ~**ity** n éternité f.

ether [ˈi:θə] n éther m.

ethic [ˈeθik] n morale f ‖ ~**s** [-s] n morale, éthique f.

ethnic [ˈeθnik] adj ethnique ‖ exotique (clothes, food, etc.).

ethnolog|ist [eθˈnɔlədʒist] n ethnologue n ‖ ~**y** n ethnologie f.

etiquette [ˌetiˈket] n étiquette f, protocole m ; bon usage.

etymology [ˌetiˈmɔlədʒi] n étymologie f.

eucalyptus [ˌju:kəˈliptəs] n eucalyptus m.

eulog|istic [ˌju:lɔˈdʒistik] adj laudatif, élogieux ‖ ~**ize** [ˈju:lədʒaiz] vt faire l'éloge de ‖ ~**y** [ˈju:lədʒi] n panégyrique m.

euphemism [ˈju:fimizm] n euphémisme m.

Eura|sia [ju:ˈreiʃə] n Eurasie f ‖ ~**sian** [-ʒən] adj/n eurasien.

Europe [ˈjuərəp] n Europe f ‖ ~**an** [ˌjuərəˈpiən] adj/n européen.

euthanasia [ˌju:θəˈneizjə] n euthanasie f.

evacuat|e [iˈvækjueit] vt Mɪʟ., Mᴇᴅ., Fɪɢ. évacuer ‖ ~**ion** [iˌvækjuˈeiʃn] n évacuation f.

evade [iˈveid] vt échapper à ‖ esquiver, éviter (a blow) ‖ éviter (obligation) ; éluder (question) ‖ ~ taxation, frauder le fisc.

evaluate [iˈvæljueit] vt évaluer.

evaporat|e [iˈvæpəreit] vt faire évaporer ; ~ed milk, lait concentré — vi s'évaporer ‖ Fɪɢ. se volatiliser ‖ ~**ion** [iˌvæpəˈreiʃn] n évaporation f.

eva|sion [iˈveiʒn] n échappatoire f, faux-fuyant m (excuse) ‖ dérobade (of, devant) ‖ **tax** ~, fraude fiscale ‖ ~**sive** [-siv] adj évasif.

eve [i:v] n veille f ; on the ~, (à) la veille de ‖ Rᴇʟ. vigile f.

even [ˈi:vn] adv même ; not ~, même pas, pas même ; ~ as, à l'instant précis où ; ~ if/though, même si ; ~ so, malgré tout, quand même ‖ ~ better, encore mieux ● adj plat, uni ; de niveau avec, à ras de ; make ~, unifier, aplanir ‖ uniforme, égal, régulier (unchanging) ‖ égal, à égalité avec ; be ~ with sb, être quitte avec qqn ; ~ odds, chances égales ‖ break ~, équilibrer les gains et les pertes, couvrir ses frais ‖ égal, tranquille (temper) ‖ Mᴀᴛʜ.

pair (number) ● *vt* ~ *(up)*, niveler, égaliser.

evening ['i:vnin] *n* soir *m* ; *in the* ~, le soir, dans la soirée ; *good* ~ *!,* bonsoir ! ; *the* ~ *before,* la veille au soir ; *tomorrow* ~, demain soir ; *yesterday* ~, hier (au) soir ‖ ~*-dress n* [man's] tenue *f* de soirée ; [woman's] robe *f* du soir ‖ ~*-gown,* robe *f* du soir.

even|ly ['i:vnli] *adv* uniformément, régulièrement ‖ ~*ness* [-nis] *n* égalité *f*.

evensong ['i:vnsɔŋ] n vêpres *fpl*.

event [i'vent] *n* événement *m* ; *current* ~*s,* actualité *f* ‖ cas *m* ; *in the* ~ *of,* au cas où, en cas de ; *at all* ~*s,* en tout cas, quoi qu'il arrive ; *in that* ~, à cette occasion ‖ SP. compétition, épreuve *f* ‖ ~*ful adj* mouvementé ‖ ~*ual* [-juəl] *adj* qui s'ensuit, final (resulting) ‖ éventuel (possible) ‖ ~*uality* [i,ventju'æliti] *n* éventualité *f* ‖ ~*ually* [i'ventjuəli] *adv* finalement, en fin de compte.

ever ['evə] *adv* toujours (always) ; *for* ~, pour toujours, à jamais ; ~ *since,* depuis ; *yours* ~, bien cordialement vôtre ‖ (at any time) ; *hardly* ~, presque jamais ; *if you* ~ *go there,* si jamais vous y allez ‖ [intensifier] *so,* infiniment ; ~ *so little,* tant soit peu ; *where* ~ *can he be ?,* où peut-il bien être ? ‖ ~*-green* ['evəgri:n] *adj* toujours vert ● *n* arbre *m* à feuillage persistant ‖ ~*lasting* [,evə'la:stiŋ] *adj* éternel, perpétuel.

every ['evri] *adj* chaque, chacun de, tout ; ~ *day,* tous les jours ; ~*other day,* tous les deux jours ; ~ *third/ three day(s),* tous les trois jours ; ~ *now and then,* ~ *so often,* de temps en temps, de temps à autre ; ~*one of them,* tous sans exception ; ~ *man for himself,* chacun pour soi, [in danger] sauve qui peut ‖ ~*body pron* chacun, tout le monde ‖ ~*day adj* de tous les jours ‖ ~*one pron =* ~*BODY* ‖ ~*thing pron* tout ‖ ~*where adv* partout, de tous côtés.

evic|t [i'vikt] *vt* expulser ‖ ~*tion n* expulsion *f*.

evid|ence ['evidns] *n* preuve certaine (proof) ‖ JUR. déposition *f* ; *give* ~, déposer, témoigner ‖ *in* ~, en évidence, visible (conspicuous) ● *vt* mettre en évidence, révéler ‖ JUR. attester ‖ ~*ent adj* évident ‖ ~*ently adv* de toute évidence, manifestement.

evil ['i:vl] *adj* mauvais, dépravé (immoral) ‖ mauvais, méchant (wicked) ‖ néfaste (baleful) ; nuisible (harmful) ● *n* mal *m* (depravity) ‖ méchanceté *f* (wickedness) ‖ malheur *m* (misfortune) ; *wish sb* ~, souhaiter du mal à qqn.

evince [i'vins] *vt* montrer (a quality) ‖ manifester (a feeling).

evocat|ion [,evə'keiʃn] *n* évocation *f* ‖ ~*ive* [i'vɔkətiv] *adj* évocateur.

evoke [i'vəuk] *vt* évoquer (memories, spirits).

evolution [,i:və'lu:ʃn] *n* évolution *f*, développement *m*.

evolve [i'vɔlv] *vt* développer (an argument) ; dégager (a conclusion) ; élaborer (a plan, a theory).

ewe [ju:] *n* brebis *f*.

ex- [eks] *pref* ancien, ex-.

exacerbate [ig'zæsəbeit] *vt* exacerber (pain) ‖ exaspérer (sb).

exact¹ [ig'zækt] *adj* exact, juste (correct) ‖ précis (accurate).

exact² *vt* exiger ‖ extorquer, imposer (taxes) ‖ ~*ing adj* exigeant, difficile (person) ; épuisant (work) ‖ ~*itude* [-itju:d] *n* exactitude, précision *f* (accuracy) ‖ ponctualité *f* (punctuality) ‖ ~*ly adv* exactement ‖ précisément (just) ‖ ~*ness n* exactitude *f* ; rigueur *f*.

exaggerat|e [ig'zædʒəreit] *vt* exagérer ‖ ~*ed* [-id] *adj* exagéré, outré ‖ ~*ion* [ig,zædʒə'reiʃn] *n* exagération *f*.

exalt [ig'zɔ:lt] *vt* exalter, transporter (elate) ‖ intensifier (colours) ‖ exalter, porter aux nues (extol) ‖ **~ation** [ˌegzɔːlˈteiʃn] n exaltation f, transport m (rapture) ‖ renforcement m, augmentation f (strengthening).

exam [igˈzæm] n COLL. examen m ‖ **~ination** [igzæmiˈneiʃn] n examen m, épreuve f; *sit for/take an ~*, se présenter à un examen ; *end-of-year ~*, examen de passage ; *~ paper*, composition, épreuve f ‖ [Customs] visite, fouille f ‖ MED. *medical ~*, examen/visite médical(e) ‖ JUR. interrogatoire m ; audition f (of witnesses).

examin|e [igˈzæmin] vt examiner, inspecter ‖ [school] interroger, faire passer l'examen à ‖ [customs] visiter, contrôler ‖ JUR. interroger (a witness) ‖ MED. examiner (a patient) ; *have one's teeth ~d*, se faire examiner les dents ‖ **~ee** [igzæmiˈniː] n candidat n ‖ **~er** n examinateur n ; interrogateur n.

example [igˈzɑːmpl] n exemple m ; *after the ~ of*, à l'exemple de ; *for ~*, par exemple ; *set a bad/good ~*, donner le mauvais/bon exemple (*to*, à).

exasperat|e [igˈzɑːspreit] vt exaspérer ; taper sur les nerfs de (fam.) ‖ **~ing** adj exaspérant, énervant, horripilant ‖ **~ion** [igzɑːspəˈreiʃn] n exaspération f.

excavat|e [ˈekskəveit] vt creuser (dig) ‖ déterrer (unearth) ‖ faire des fouilles (in a site) ‖ **~ion** [ekskəˈveiʃn] n fouille f ‖ **~or** n excavateur m, excavatrice f (machine).

exceed [ikˈsiːd] vt dépasser, outrepasser (a limit) ‖ excéder (quantity) ‖ dépasser (expectations) ‖ surpasser (hopes) ‖ outrepasser (one's rights) ‖ **~ingly** adv extrêmement.

excel [ikˈsel] vt dépasser, surpasser ; *~ oneself*, se surpasser — vi exceller, briller (*in*, en).

excell|ence [ˈeksələns] n excellence f, mérite m ‖ **~ency** n [title] Your Excellency, Excellence ‖ **~ent** adj excellent.

except [ikˈsept] prep excepté, sauf, en dehors de ; hormis ; *~ for*, à l'exception de, à part ; *~ that*, sauf que ● vt excepter (*from*, de) ‖ **~ing** prep à l'exception de.

exception [ikˈsepʃn] n exception f ; [passive] *be an ~ to*, faire exception à ; [active] *make an ~ to*, faire une exception à ‖ *objection f ; take ~ to*, trouver à redire à, se formaliser de ‖ **~al** adj exceptionnel.

excerpt [ˈeksəːpt] n extrait m.

excess [ikˈses] n excès m ; *to ~*, à l'excès ‖ excédent m ; *in ~ of*, en plus de ‖ [insurance] franchise f ‖ Pl FIG. excès, abus mpl ● adj excédentaire ; RAIL. *~ fare*, supplément m ; *~ luggage*, excédent m de bagages ; *~ postage*, surtaxe f ‖ **~ive** adj excessif, démesuré ‖ **~ively** adv excessivement, démesurément.

exchange [iksˈtʃeinʒ] vt/vi échanger (*for*, contre) ; *~ seats*, changer de place ● n échange, troc m (*for*, contre) ; *in ~ for*, en échange de, moyennant ‖ objet m d'échange (thing) ‖ FIN. change m ; *foreign ~*, change m ‖ TEL. central m téléphonique.

Exchequer [iksˈtʃekə] n ministère m des Finances ; *Chancellor of the ~*, ministre m des Finances.

excise [ˈeksaiz] n taxe f, impôt indirect.

excit|ability [ikˌsaitəˈbiliti] n nervosité f ‖ **~able** [ˈ--] adj excitable, nerveux.

excit|e [ikˈsait] vt émouvoir, impressionner (move) ‖ exciter, agiter (agitate) ‖ inciter, pousser à (urge) ‖ susciter (provoke) ‖ stimuler (stimulate) ‖ **~ed** [-id] adj énervé, agité ; ému ; *get ~*, s'énerver ‖ **~ement** n excitation f, agitation f, énervement m ; émoi m ‖ **~ing** adj passionnant, captivant (story).

excl|aim [iksˈkleim] vi s'écrier, s'exclamer || protester (*against*, contre) || **~amation** [eksklə'meiʃn] *n* exclamation *f* || GRAMM. **~** *mark*, point *m* d'exclamation.

exclude [iks'klu:d] *vt* exclure (*from*, de) ; rejeter, écarter (*from*, de).

exclusion [iks'klu:ʒn] *n* exclusion, expulsion *f*, renvoi *m* (*from*, de) ; *to the* **~** *of*, à l'exclusion de.

exclusive [iks'klu:siv] *adj* exclusif *f* || incompatible || fermé, sélect (club) || COMM. exclusif (article) ; **~** *rights*, droits réservés, exclusivité *f* || **~** *of*, non compris || **~ly** *adv* exclusivement.

excommunicat|e [ekskə'mju:-nikeit] *vt* excommunier || **~ion** [ekskə̣mju:n'keiʃn] *n* excommunication *f*.

excrement ['ekskrimənt] *n* excrément *m*.

excruciating [iks'kru:ʃieitiŋ] *adj* atroce, insupportable.

excursion [iks'kə:ʃn] *n* excursion *f* ; *go on an* **~**, partir en excursion ; *go on* **~s**, excursionner.

excuse [iks'kju:s] *n* excuse *f* ; *without* **~**, sans excuse ; *make* **~s**, s'excuser ● [iks'kju:z] *vt* excuser ; **~** *sb sth*, pardonner qqch à qqn || dispenser, exempter (*from*, de).

execr|able ['eksikrəbl] *adj* exécrable || **~ate** [-eit] *vt* exécrer.

execute ['eksikju:t] *vt* exécuter, accomplir (carry on) || JUR. exécuter (put to death) || MUS. exécuter.

execut|ion [ˌeksi'kju:ʃn] *n* exécution *f*, accomplissement *m* ; *put/carry a plan into* **~**, mettre un plan à exécution || exécution *f* (of criminal) || **~er** *n* bourreau *m*.

execut|ive [ig'zekjutiv] *adj* exécutif ● *n* [business] administrateur *n* ; cadre *m* ; *senior/top* **~**, cadre supérieur || [Government] exécutif *m* || **~or** [ig'zekjutə] *n* JUR. exécuteur *m* testamentaire.

exempl|ary [ig'zempləri] *adj* exem-

plaire || **~ify** [-ifai] *vt* illustrer, servir d'exemple.

exemp|t [ig'zemt] *vt* exempter ● *adj* **~** *from*, exempt de (tax) ; exempté de (service) || **~tion** *n* exemption, dispense *f* (*from*, de).

exercise ['eksəsaiz] *n* [school], MIL., SP., MUS., exercice *m* ; *take some* **~**, faire de l'exercice || *Pl* U.S. cérémonie *f* ● *vt* exercer ; **~** *oneself*, s'exercer || MIL. faire l'exercice à, entraîner || FIG. exercer (profession, authority) — *vi* prendre de l'exercice.

exer|t [ig'zə:t] *vt* déployer (influence, power) || **~** *oneself*, se dépenser, se donner du mal (*for*, pour) || **~tion** *n* effort *m* || exercice *m* (of power).

exhalation [ˌeksə'leiʃn] *n* exhalaison, évaporation *f* (act) ; exhalaison, émanation *f* (result).

exhale [eks'heil] *vt* exhaler — *vi* s'exhaler.

exhaust [ig'zɔ:st] *vt* épuiser (a subject) || épuiser, exténuer (sb) ● *n* échappement *m* || AUT. **~-pipe**, tuyau/pot *m* d'échappement ; **~** *(fumes)*, gaz *mpl* d'échappement || **~ion** [-[n] *n* épuisement *m* || **~ive** *adj* complet, exhaustif.

exhibit [ig'zibit] *vt* ARTS exposer || JUR. exhiber, produire (documents, passport) || FIG. faire preuve de, manifester ● *n* ARTS objet exposé, envoi *m* || JUR. document *m* || **~ion**, [ˌeksi'biʃn] *n* exposition *f* ; *on* **~**, exposé || FIG. étalage *m* ; *make an* **~** *of oneself*, se donner en spectacle.

exhilarating [ig'ziləreitiŋ] *adj* vivifiant (air) ; stimulant (work) ; grisant (music).

exhort [ig'zɔ:t] *vt* exhorter, pousser, inciter (*to*, à) || **~ation** [ˌegzɔ:'teiʃn] *n* exhortation *f*.

exhume [eks'hju:m] *vt* exhumer.

exig|ence ['eksidʒəns], **~ency** ['-- i *or* ig'zidʒənsi] *n* urgence *f*, situation *f* critique (emergency) ||

~ **ent** adj urgent (pressing) ‖ exigeant (exacting).

exiguous [eg´zigjuəs] adj exigu.

exile [´eksail] n exil m ‖ exilé m (person) ● vt exiler (from, de).

exist [ig´zist] vi exister, être (to be) ‖ vivre, subsister (live) ‖ ~ **ence** n existence, vie f ‖ ~ **ent** adj existant.

existentialism [ɛgzis´tenʃəlizm] n PHIL. existentialisme m.

exit [´eksit] n sortie f (way out) ● vi TH. ~ X, X sort.

exodus [´eksədəs] n exode m.

exonerate [ig´zɔnəreit] vt dispenser, exempter ‖ JUR. disculper.

exorbitant [ig´zɔːbitənt] adj extravagant (demand) ; exorbitant (price).

exorcize [´eksɔːsaiz] vt exorciser.

exotic [eg´zɔtik] adj exotique.

expand [iks´pænd] vt déployer, étendre (spread out) ‖ élargir (enlarge) ‖ CH. dilater ‖ FIG. développer (a topic) — vi CH. se dilater, s'élargir ‖ FIG. se développer.

expan|se [iks´pæns] n étendue f ‖ ~ **sion** [-n] n expansion, extension f ‖ CH. dilatation f ‖ ~ **sive** [-siv] adj étendu, large ‖ CH. dilatable ‖ FIG. démonstratif.

expatiate [eks´peiʃieit] vi discourir, s'étendre (on, sur).

expatriate [eks´pætrieit] vt ~ one-self, s'expatrier.

expect [iks´pekt] vt attendre (await) ‖ compter sur (rely) ; I ~ **to see you tomorrow**, je compte vous voir demain ‖ s'attendre à ; I ~ **ed as much**, je m'y attendais ‖ exiger ; **you ~ too much from me**, vous me demandez trop ‖ COLL. supposer ‖ **to be ~ing**, attendre un bébé ‖ ~ **ancy** n attente f ; **life ~**, espérance f de vie ‖ ~ **ant** adj qui attend ; ~ **mother**, future mère ‖ ~ **ation** [ˌekspek´teiʃn] n attente f ; espérance f ‖ **in ~ of**, en prévision de ‖ ~ **of life**, espérance f de vie ‖ ~ **ed** [-id] adj **as ~**, comme prévu.

expectorate [eks´pektəreit] vt/vi expectorer.

expedi|ency [iks´piːdjənsi] n convenance f, intérêt personnel, opportunisme m ‖ ~ **ent** adj avantageux, utile (useful) ● n expédient m.

exped|ite [´ekspidait] vt expédier, hâter (business) ‖ ~ **ition** [ˌekspe´diʃn] n expédition f (journey) ‖ promptitude f (speed) ‖ ~ **itionary** [ˌekspe´diʃnri] adj MIL. expéditionnaire ‖ ~ **itious** [-´diʃəs] adj expéditif, prompt.

expel [iks´pel] vt expulser, déloger ; exclure ‖ [school] renvoyer.

expend [iks´pend] vt dépenser (one's money) ‖ épuiser ‖ ~ **iture** [-itʃə] n dépense f.

expense [iks´pens] n FIN. dépense f ; **go to the ~ of**, faire la dépense de ‖ ~ **account**, note f de frais ‖ Pl frais mpl ; **general/sundry ~s**, frais généraux/divers ; **incidental ~s**, faux frais ; **petty ~s**, menus frais ‖ FIG. **at the ~ of**, aux dépens de.

expensive [iks´pensiv] adj coûteux, cher ‖ ~ **ly** adv à grands frais.

experienc|e [iks´piəriəns] n expérience f (knowledge) ‖ pratique, expérience f ‖ incident m, aventure f ● vt faire l'expérience de, connaître, goûter de ‖ éprouver, ressentir (feel) ‖ rencontrer (meet with) ‖ ~ **ed** [-t] adj expérimenté (in, en) ; exercé, averti ; rompu (in, à).

experiment [iks´periment] n CH., PHYS. expérience f ; **carry out an ~ in**, faire une expérience de ● vt expérimenter ; faire une expérience ‖ ~ **al** [eksˌperi´mentl] adj expérimental ‖ **pilote** (adj) [undertaking].

expert [´ekspɑːt] n expert m, spécialiste n ; **~'s report**, expertise f ● adj expert ‖ ~ **ise** [ˌekspɑː´iːz] n compétence f ‖ expertise f (expert's report) ‖ ~ **ly** adv habilement, de façon experte ‖ ~ **ness** n habileté, maîtrise f.

expiate [´ekspieit] vt expier.

expiration [ˌekspai'reiʃn] *n* expiration *f.*

expire [iks'paiə] *vi* arriver à expiration ; ~ *d,* périmé (ticket, etc.).

explain [iks'plein] *vt* expliquer ‖ ~ *away,* justifier.

explan|ation [ˌeksplə'neiʃn] *n* explication *f* ‖ ~ **atory** [iks'plænətri] *adj* explicatif.

explicit [iks'plisit] *adj* explicite.

explode [iks'pləud] *vt* faire exploser ‖ FIG. discréditer, réduire à néant (a theory) — *vi* exploser (lit. and fig.).

exploit [iks'plɔit] *n* exploit, haut fait ● *vt* exploiter (lit. and fig.) ‖ ~ **ation** [eksplɔi'teiʃn] *n* exploitation *f* ‖ ~ **er** *n* FIG. exploiteur *n.*

explor|ation [ˌeksplɔː'reiʃn] *n* exploration *f* ‖ MED. sondage *m.* ~ [iks'plɔː] *vt* explorer ‖ ~ **er** [iks'plɔrə] *n* explorateur *n.*

explo|sion [iks'pləuʒn] *n* explosion *f* (lit. and fig.) ‖ ~ **sive** [-siv] *adj* explosif, détonant ● *n* explosif *m.*

exponent [eks'pəunənt] *n* MATH. exposant *n* ‖ FIG. représentant *n* ‖ interprète *n* (of a theory).

export [eks'pɔːt] *vt* exporter ● *n* exportation *f* ‖ ~ **er** *n* exportateur *n.*

expose [iks'pəuz] *vt* exposer (to the weather) ‖ COMM. exposer (in shop-windows) ‖ PHOT. exposer ‖ FIG. dévoiler, dénoncer ; ~ *oneself to,* s'exposer à, donner prise à.

expos|é [eks'pəuzei] *n* exposé *m* (account) ‖ ~ **ition** [ˌekspə'ziʃn] *n* exposition *f.*

expostulat|e [iks'pɔstjuleit] *vi* ~ *with,* faire des remontrances à ‖ ~ **ion** [iks.pɔstju'leiʃn] *n* remontrance *f.*

exposure [iks'pəuʒə] *n* exposition *f* (to the weather) ; *die of* ~, mourir de froid/de déshydratation ‖ orientation *f* (of a house) ‖ PHOT. exposition *f* ; pose *f* ; *double* ~, surimpression *f* ; ~ *meter,* posemètre *m* ‖ FIG. révélation, dénonciation *f.*

expound [iks'paund] *vt* expliquer, analyser.

express¹ [iks'pres] *vt* exprimer, émettre (an opinion) ‖ ~ *oneself,* s'exprimer ‖ formuler (a wish) ‖ extraire, exprimer (juice).

express² *adj* exprès, formel ‖ exact (image) ‖ rapide ; *letter,* lettre exprès ; ~ *way,* U.S. autoroute *f* (à péage) ● RAIL. rapide *m.*

express|ion [iks'preʃn] *n* expression *f* (opinion, phrase) ‖ ~ **ive** *adj* expressif ‖ ~ **ly** *adv* expressément (definitely) ‖ exprès (on purpose).

expropriat|e [eks'prəuprieit] *vt* exproprier ‖ FIG. déposséder qqn ‖ ~ **ion** [eks.prəupri'eiʃn] *n* expropriation *f.*

expulsion [iks'pʌlʃn] *n* expulsion *f,* renvoi *m* (from school).

expunge [iks'pʌnʒ] *vt* effacer, supprimer (words, etc.).

expurgate ['ekspə:geit] *vt* expurger.

exquisite ['ekskwizit] *adj* parfait (elaborate) ‖ exquis (delicate) ‖ vif (pleasure) ; aigu (pain) ‖ ~ **ness** *n* perfection *f,* raffinement *m* ‖ MED. acuité *f.*

ex-serviceman ['eks'sə:vismən] *n* MIL. ancien combattant.

extant [eks'tænt] *adj* JUR. encore existant, encore vivant.

extempor|e [eks'tempəri] *adv* impromptu ‖ rapide ‖ ~ **ize** *vi/vt* improviser.

extend [iks'tend] *vt* étendre, allonger (one's arm) ; tendre (one's hand) ‖ tendre (a cable) ‖ [space, time] prolonger ‖ FIG. manifester (sympathy) ; apporter (help) ; offrir (hospitality) ; présenter (congratulations) — *vi* s'étendre.

extension [iks'tenʃn] *n* [space] extension, prolongation *f,* prolongement *m* ‖ [time] prolongation, prorogation *f* ; délai *m* (reprieve) ‖ [house] agrandissement *m,* aile *f* ‖ [table] rallonge *f* ‖ TEL. poste *m* ‖ ELECTR. ~ *cord,* prolongateur *m.*

extensive [iks'tensiv] *adj* vaste, étendu (spacious) ‖ AGR. extensif ‖ FIG. considérable, d'une grande portée ‖ ~**ly** *adv* largement, considérablement.

extent [iks'tent] *n* étendue *f* ‖ FIG. portée ; importance ; *to a certain* ~, dans une certaine mesure ; *to such an* ~ *that,* à tel point que.

extenuat|e [eks'tenjueit] *vt* diminuer, minimiser (a fault) ‖ ~**ing** ~ *circumstance,* circonstance atténuante.

exterior [eks'tiəriə] *adj/n* extérieur *(m).*

exterminat|e [eks'tə:mineit] *vt* exterminer ‖ ~**ion** [eks̩tə:mi'neiʃn] *n* extermination *f.*

external [eks'tə:nl] *adj* extérieur, externe (superficial) ‖ étranger (foreign) ‖ MED. *for* ~ *use,* usage *m* externe.

extinc|t [iks'tiŋt] *adj* éteint (fire, volcano) ‖ FIG. disparu (race) ‖ ~**tion** *n* extinction *f.*

extinguish [iks'tiŋgwiʃ] *vt* éteindre (put out) ‖ FIN. éteindre (a debt) ‖ FIG. anéantir (hope).

extirpate [ˈekstə:peit] *vt* extirper.

extol [iks'tɔl] *vt* exalter, porter aux nues.

extor|t [iks'tɔ:t] *vt* extorquer, soutirer (*from,* à) ‖ ~**tion** *n* extorsion *f.*

extra[1] [ˈekstrə] *adj* supplémentaire, en supplément ; ~ *charge,* supplément *m* ‖ JUR. ~ *marital,* extraconjugal ‖ SP. ~ *time,* prolongation *f ; play* ~ *time,* jouer les prolongations ● *n* supplément *m* ‖ [newspaper] édition spéciale ‖ CIN. figurant *n ; play* ~*s,* faire de la figuration ‖ AUT. option *f.*

extra[2] *pref* extra- (outside) ‖ ~ *curricular,* extrascolaire.

extract [ˈekstrækt] *n* extrait *m* (of a book) ‖ CULIN. concentré, extrait *m*

● [iks'trækt] *vt* extraire (*from,* de) ‖ FIG. extorquer, soutirer ‖ ~**ion** [iks'trækʃn] *n* extraction *f.*

extradite [ˈekstrədait] *vt* extrader.

extraneous [eks'treinjəs] *adj* étranger (*to,* à).

extraordinary [iks'trɔ:dnri] *adj* extraordinaire, remarquable.

extraterrestrial [ˌekstrətəˈrestriəl] *adj/n* extraterrestre.

extravag|ance [iks'trævigəns] *n* prodigalité *f,* gaspillage *m* (in spending) ‖ extravagance *f* (in conduct) ‖ ~**ant** *adj* dépensier, prodigue (wasteful) ‖ exorbitant, prohibitif (price) ‖ extravagant (conduct).

extrem|e [iks'tri:m] *adj* extrême, dernier (farthest) ‖ extrême (utmost) ‖ intense (deep) ‖ abusif (exaggerated) ‖ rigoureux (drastic) ‖ POL. extrémiste ‖ REL. ~ *unction,* extrême-onction *f* ● *n* extrême *m ; in the* ~, à l'extrême, au plus haut degré ; *carry to* ~*s,* pousser à l'extrême ; *go to* ~*s,* se porter aux extrêmes ‖ ~**ely** *adv* extrêmement ‖ ~**ity** [iks'tremiti] *n* extrémité *f,* bout *m* (end) ‖ FIG. extrême degré *m* (last degree) ; *Pl* mesures *fpl* extrêmes.

extricate [ˈekstrikeit] *vt* libérer (set free) ; ~ *oneself,* se tirer de (from a difficulty).

exuber|ance [ig'zju:brns] *n* exubérance *f* ‖ ~**ant** *adj* exubérant (person) ‖ luxuriant (vegetation) ‖ débordant (joy).

exult [ig'zʌlt] *vi* exulter, jubiler ‖ ~**ation** [ˌegzʌl'teiʃn] *n* exultation *f ;* triomphe *m.*

eye [ai] *n* œil *m ; keep an* ~ *on sb,* surveiller qqn ; *catch sb's* ~, attirer l'attention de qqn ; *have a keen* ~, être très observateur ‖ COLL. *sleep with an* ~ *open,* ne dormir que d'un œil ‖ TECHN. œillet *m* (of a boot) ; chas *m* (of a needle) ‖ FIG. vue, vision *f,* regard *m* ‖ FIG. estimation *f ;* ***have a good* ~ *for,*** avoir le coup d'œil pour ‖ FIG. opinion *f ; in the* ~*s of,* aux yeux de ; *be in the public* ~, être très en vue ● *vt* dévisager, toiser ‖ **~ball** *n* globe *m* oculaire ‖ **~-bath** *n* œillère *f* ‖ **~brow** *n* sourcil *m* ‖ **~-cup** *n* U.S. = **~-BATH** ‖ **~dropper** *n* compte-gouttes *m inv* ‖ **~drops** *npl* collyre *m* ‖ **~glass** *n* monocle *m* ‖ **~lash** *n* cil *m* ‖ **~let** *n* TECHN. œillet *m* ‖ **~lid** *n* paupière *f* ‖ **~-opener** *n* révélation, surprise *f* ‖ **~-piece** *n* oculaire *m* ‖ **~shade** *n* visière *f* ‖ **~sight** *n* vue *f* ‖ **~(-)socket** *n* orbite *f* ‖ **~sore** *n* horreur ‖ **~ test** *n* examen *m* de la vue ‖ **~-tooth** *n* canine *f* ‖ **~-wash** *n* MED. collyre *m* ‖ COLL. poudre *f* aux yeux, *m*, bourrage *m* de crâne, frime *f* (fam.) ‖ **~-witness** *n* témoin *m* oculaire.

F

f [ef] *n* f *m* ‖ MUS. F, fa *m*.

fable [´feibl] *n* fable *f*, mythe *m*.

fabric [´fæbrik] *n* tissu *m*, étoffe *f* (cloth) ‖ structure, charpente *f* (framework) ‖ **~ate** [-eit] *vt* falsifier (forge) ‖ FIG. inventer (excuses) ‖ **~ation** [´fæbri´keiʃn] *n* fabrication *f* ‖ JUR. contrefaçon *f* ‖ FIG. invention *f*.

fabulous [´fæbjuləs] *adj* fabuleux, extraordinaire ‖ formidable (wonderful) ‖ **~ly** *adv* extraordinairement, incroyablement.

face [feis] *n* figure *f*, visage *m* ; **~ to ~**, nez à nez ; *wash one's ~*, se débarbouiller ‖ air *m*, mine *f* (expression) ; *put a good ~ on sth*, faire contre mauvaise fortune bon cœur ‖ grimace *f* ; **make ~s**, faire des grimaces (*at*, à) ‖ ARCH. façade *f* ‖ FIG. face, apparence *f* ; *on the ~ of it*, à première vue ‖ FIG. recto *m* (of a document) ‖ FIG. prestige *m* ; *lose ~*, perdre la face ; *save face ~*, sauver la face ● *vt* affronter ; faire face à — *vi* [house] être exposé/orienté à ‖ **~ up to**, faire face à ‖ **~-card** *n* figure *f* (playing-card) ‖ **~-cloth** *n* U.S., **~-flannel** *n* gant *m* de toilette ‖ **~-lift** *n* MED. lifting *m* ‖ **~-powder** *n* poudre *f* de riz ‖ **~ value** *n* [coin, stamp] valeur nominale ‖ FIG. apparences *fpl*.

facet [´fæsit] *n* facette *f*.

facetious [fə´siːʃəs] *adj* facétieux.

facial [´feiʃəl] *adj* facial ‖ **~ tissue,** serviette *f* à démaquiller.

facilit|ate [fə´siliteit] *vt* faciliter ‖ **~y** *n* facilité, aisance *f* ‖ Pl TECHN. installations *fpl*, équipement *m*.

facing [´feisiŋ] *n* revers *m* (of a coat) ‖ ARCH. revêtement *m*.

facsimile [fæk´simili] *n* fac-similé *m* ; **~ machine,** télécopieur *m* ; → FAX.

fact [fækt] *n* fait *m* ; *accomplished ~*, fait accompli ‖ réalité *f* ; *in ~*, de fait ; *the ~ is that...*, le fait est que ; *as a matter of ~*, en réalité ; *the ~ remains that*, toujours est-il que.

faction [´fækʃn] *n* faction *f*.

factor ['fæktə] *n* MATH., FIG. facteur *m* ; *determining* ~, facteur décisif.

factory ['fæktri] *n* usine, fabrique *f*.

factual ['fæktjuəl] *adj* réel ; basé sur des faits.

faculty ['fæklti] *n* [power] faculté *f* ‖ [University] faculté *f*.

fad [fæd] *n* manie, toquade *f*.

fad|e [feid] *vi* [colour] passer, pâlir ‖ [flower] se faner, se flétrir ‖ [material] se décolorer ‖ FIG. s'évanouir, disparaître ‖ RAD., CIN. ~ *in/out*, apparaître/disparaître en fondu ; se fondre ; **~-in/-out** (n), CIN. ouverture/fermeture *f* en fondu — *vt* décolorer ‖ **~ing** *n* RAD. fading, évanouissement *m*.

fag [fæg] *vi* COLL. s'éreinter ● *n* corvée *f* (drudgery) ‖ [public school] jeune élève au service d'un grand ‖ U.S., COLL. homo, pédé *m* (fam.) ‖ SL. sèche *f* (arg.) [cigarette] ‖ ~ **end** *n* mégot *m* (fam.).

fail [feil] *vi* échouer ‖ être insuffisant ‖ [eyesight] baisser ‖ [health] se délabrer ‖ [business] faire faillite ‖ TECHN. tomber en panne ‖ [pump] se désamorcer — *vt* manquer à (disappoint) ‖ ~ *sb*, laisser tomber qqn ‖ [examiner] ajourner, recaler (fam.) [candidate]‖ [candidate] échouer à ; être collé à (fam.) ‖ négliger (*to do*, de faire) ; *don't* ~ *to*, ne manquez pas de ‖ *I* ~ *to understand*, je n'arrive pas à comprendre ● *n without* ~, sans faute ‖ **~ing** *n* défaut *m*, imperfection *f* ● *prep* à défaut de.

failure ['feiljə] *n* échec, insuccès *m* (lack of success) ‖ raté *m* (person) ‖ manquement *m* (neglect) ‖ TECHN. panne *f* ‖ MED. *heart* ~, crise *f* cardiaque ‖ COMM. faillite *f*.

faint [feint] *adj* faible (weak) ‖ défaillant (person) ; *feel* ~, se trouver mal ‖ vague (dim) ‖ *I haven't the* ~*est idea*, je n'en ai pas la moindre idée ● *vi* s'évanouir, se trouver mal ; **~ing fit**, évanouissement *m* ● *n* évanouissement *m* ;

défaillance *f* ; *fall down in a* ~, tomber évanoui ‖ **~ly** *adv* faiblement, vaguement ‖ **~ness** *n* faiblesse *f*.

fair¹ [feə] *n* foire *f* ; ~ *ground*, champ *m* de foire ; parc *m* d'attractions (modern).

fair² *adj* moyen, passable (average) ; respectable (number) ‖ beau, clair (weather) ; *set* ~, beau fixe ‖ clair (complexion) ; blond (hair) ‖ net, propre (copy) ; *make a* ~ *copy of*, recopier au propre ‖ juste, loyal, équitable (honest) ; ~ *play*, jeu ● *adv* loyalement ; *play* ~, jouer franc jeu ‖ en plein jour (*on*, sur) ‖ bien, convenablement ; *bid* ~ *to*, avoir des chances de ‖ **~-haired** *adj* (aux cheveux) blond(s).

fairly *adv* équitablement ; selon les règles ; loyalement ‖ assez (rather) ‖ complètement (utterly).

fairness *n* [hair] blondeur *f* ‖ [skin] blancheur *f* ‖ honnêteté *f*.

fairway ['feəwei] *n* chenal *m*.

fairy ['feəri] *n* fée *f* ‖ SL. pédé *m*, pédale, tante *f* (pop.) ; tapette *f* (arg.) ● *adj* de fée ; féerique.

faith [feiθ] *n* foi *f* ; confiance *f* ; *bad* ~, mauvaise foi ; *in good* ~, de bonne foi ‖ promesse *f* ; *keep* ~, tenir ses promesses ; *break* ~, manquer à sa parole (*with sb*, envers qqn) ‖ foi, croyance, religion *f* ‖ **~ful** *adj* loyal, fidèle ● *n* the ~, les fidèles *mpl* ‖ **~fully** *adv* fidèlement, loyalement ‖ ~ *less adj* infidèle, déloyal ‖ REL. sans foi, incroyant ‖ **~lessness** *n* infidélité *f* ; déloyauté, perfidie *f*.

fake [feik] *vt* faire un faux ; falsifier, contrefaire, truquer ● *n* faux *m*, imitation, contrefaçon *f* ● *adj* faux ; truqué.

falcon ['fɔːlkən] *n* faucon *m*.

fall¹ [fɔːl] *n* chute *f* ; *have a* ~, faire une chute ‖ baisse *f* (of temperature) ‖ dénivellation *f* (of ground) ‖ *Pl* chute *f* d'eau, cascade *f* ‖ U.S. automne *m* ‖ FIN. baisse *f* ‖ AV. *free* ~, chute *f* libre ‖ FIG. défaite *f* ; chute, déchéance *f*.

fall² *vi* (fell [fel], fallen ['fɔːln]) tomber (*from*, de) ; ~ *again*, retomber ; *let* ~, laisser tomber ; [tree] tomber, s'abattre ; [temperature, barometer] baisser ‖ [wind] s'apaiser, se calmer ‖ devenir ; ~ *asleep*, s'endormir ; ~ *ill*, tomber malade ; ~ *in love*, tomber amoureux ; ~ *silent*, se taire ‖ [darkness] tomber ‖ [ground] descendre, être en pente ‖ [river] se jeter (*into*, dans) ‖ [date] tomber ; [event] avoir lieu ‖ MIL. [soldier] tomber ; [town] capituler (*to*, aux mains de) ‖ FIG. se jeter (*on*, sur) ; ~ *flat*, manquer son effet, tomber à plat ; ~ *on hard times*, tomber dans la misère ; ~ *short of*, ne pas atteindre, rester au-dessous de ‖ ~ *away*, [ground] descendre en pente ; FIG. se dissiper ‖ ~ *back*, MIL. se replier ‖ ~ *back on*, se rabattre sur ‖ ~ *backwards*, tomber à la renverse ‖ ~ *behind*, prendre du retard, se laisser distancer ‖ ~ *for*, COLL. se laisser prendre à ; tomber amoureux de ; ~ *for it*, donner dans le panneau (fam.) ‖ ~ *in*, [building] s'effondrer ; MIL. former les rangs ; JUR. [lease] expirer ‖ ~ *in with*, accepter, se conformer à (an opinion) ; rencontrer (meet) ‖ ~ *off*, tomber, décliner ; diminuer (speed) ralentir ‖ ~ *out*, MIL. rompre les rangs ; FIG. advenir, arriver (happen) ; se brouiller (with, avec) ; ~*out* (n), retombées radioactives ‖ ~ *through*, [scheme] échouer, tomber à l'eau ‖ ~ *to*, commencer, se mettre à (doing, faire) ; se mettre à table.

fallacy ['fæləsi] *n* opinion erronée, erreur *f.*

fallen → FALL.

fallible ['fæləbl] *adj* faillible.

fall-in *n* MIL. rassemblement *m.*

falling ['fɔːliŋ] *adj* AV. ~-*leaf*, descente *f* en feuille morte.

fallow ['fæləu] *adj* en friche ; *lie* ~, rester en jachère ● *n* jachère *f.*

false [fɔːls] *adj* faux, erroné ; ~ *report*, fausse nouvelle ; ~ *step*, faux pas ‖ trompeur (deceitful) ‖ artificiel, faux, factice (counter-feit) ● *adv play sb* ~, trahir, tromper qqn ‖ ~**hood** *n* fausseté *f*, mensonge *m* (lie) ‖ ~**ness** *n* fausseté *f.*

fals|ification [ˌfɔːlsifi'keiʃn] *n* falsification *f* ‖ ~**ify** ['fɔːlsifai] *vt* falsifier, dénaturer.

falter ['fɔːltə] *vi* vaciller, chanceler (stumble) ‖ hésiter ‖ balbutier (stammer).

fam|e [feim] *n* renommée *f*, renom *m* (glory) ‖ réputation *f* (repute) ; *win* ~, se faire un nom ‖ ~**ed** [-d] *adj* fameux, réputé ; *ill* ~, malfamé.

familiar [fə'miljə] *adj* familier, amical (friendly) ‖ intime (intimate) ; *be* ~ *with*, connaître ; *become* ~ *with*, se familiariser avec ‖ ~**ity** [fəˌmili'æriti] *n* familiarité *f* ‖ ~**ize** [fə'miljəraiz] *vt* familiariser (*with*, avec).

family ['fæmili] *n* famille *f* ; ~ *circle*, milieu familial ; ~ *name*, nom *m* de famille ‖ JUR. ~ *allowance*, allocation familiale ; ~ *tree*, arbre *m* généalogique ‖ MED. ~ *planning*, planning familial ‖ COLL. *in the* ~ *way*, attendre un bébé.

famine ['fæmin] *n* famine *f* (starvation) ‖ pénurie (scarcity).

famous ['feiməs] *adj* célèbre, renommé ‖ COLL. fameux.

fan¹ [fæn] *n* éventail *m* ‖ (electric) ~, ventilateur *m* ‖ AUT. ~ *belt*, courroie *f* de ventilateur ‖ ZOOL. ~*tail (pigeon)*, pigeon-paon *m* ● *vt* éventer ‖ attiser (fire) ‖ MIL. ~ *out*, se déployer.

fan² *n* COLL. fervent, passionné *n* (of sports, etc.) ‖ admirateur *n* ‖ ~**atic** [fə'nætik] *n/adj* fanatique ‖ ~**aticism** [fə'nætisizm] *n* fanatisme *m.*

fancier ['fænsiə] *n* amateur *m.*

fanc|iful ['fænsifl] *adj* fantaisiste, capricieux (whimsical) ‖ imaginaire, chimérique (unreal).

fancy ['fænsi] *n* imagination, fantaisie *f* ‖ caprice *m* (whim) ‖ chimère *f* (illusion) ‖ goût *m* (liking) ; *take*

a ~ to, s'éprendre de (sb) ; se mettre à aimer (sth) ; *take/catch sb's ~,* plaire à qqn ; **passing ~,** lubie, toquade f ● *adj* de fantaisie ; *~-dress ball,* bal costumé ‖ COMM. ~ *goods,* nouveautés *fpl* ; U.S. de luxe (goods) ● *vt* imaginer ; s'imaginer (imagine) ; croire, penser (think, believe) ‖ avoir envie de, aimer (be fond of) ‖ ~ **oneself,** être content de soi ; se prendre pour qqn.

fang [fæŋ] *n* croc m (of dogs) ‖ crochet m (of snake).

fant|astic [fæn'tæstik] *adj* fantastique ‖ extravagant, fantasque, bizarre (odd) ‖ formidable, extraordinaire (wonderful, large) ‖ ~**asy** ['fæntəsi] *n* fantaisie, imagination f ‖ [sexual] fantasme m.

far [fɑː] *adv* loin (in space, time) ; *as ~ as,* jusque ; *how ~ ?,* à quelle distance ? ; *how ~ did you go ?,* jusqu'où êtes-vous allé ? ; *as ~ as the eye can reach,* à perte de vue ; ~ **away/off,** au loin ‖ *as ~ back,* dès (in time) ‖ *by ~,* de loin, de beaucoup ‖ *so ~,* jusqu'ici ; *the story so ~,* résumé m des chapitres précédents ‖ *in so ~ as,* dans la mesure où, pour autant que ‖ ~ **from,** loin de ; ~ *from it,* loin de là, tant s'en faut ‖ *go ~ to/towards,* contribuer à ‖ *as ~ as,* autant que ; *as ~ as I can,* dans la mesure de mes possibilités ‖ beaucoup ; ~ *better,* beaucoup mieux ‖ ~-*away (adj),* lointain, éloigné ‖ ~-**off** *(adj)* = ~ - AWAY ‖ ~ **and wide,** partout ● *adj* lointain ; *the Far East,* l'Extrême-Orient ‖ *(farther)* plus éloigné ; *at the ~ end of the street/of the bay,* à l'autre bout de la rue/au fond de la baie.

farce [fɑːs] *n* TH., CULIN. farce f.

fare¹ [fɛə] *n* prix m de la place (in a bus) ; prix de la course (in a taxi) ; *full ~,* plein tarif ; *reduced ~,* tarif réduit ‖ client m (in a taxi) ‖ CULIN. nourriture f ; *bill of ~,* menu m, carte f (du jour).

fare² *vi* aller, se porter (get on) ; *how*

did you ~ during your journey ?, comment s'est passé votre voyage ?

farewell ['fɛə'wel] *n* adieu m ‖ congé m ; *make one's ~,* prendre congé *(of,* de).

far-fetched ['fɑː'fetʃt] *adj* forcé, tiré par les cheveux (fam.).

farm [fɑːm] *n* ferme f (land) ● *vt* cultiver, exploiter ‖ ~ **out,** affermer ‖ ~**er** *n* fermier m ‖ ~**er's wife** *n* fermière f ‖ ~-**hand** *n* valet m de ferme ‖ ~-**house** *n* ferme f (house) ‖ ~**ing** *n* culture, exploitation f ‖ ~-**labourer** *n* ouvrier m agricole ‖ ~-**stead** *n* = ~-HOUSE ‖ ~-**worker** = ~-LABOURER ‖ ~-**yard** *n* cour f de ferme, basse-cour f.

far-reaching ['fɑː'riːtʃiŋ] *adj* d'une grande portée.

farrier ['færiə] *n* maréchal-ferrant m.

far-sighted ['fɑː'saitid] *adj* U.S. = LONGSIGHTED ‖ FIG. clairvoyant, prévoyant ‖ ~**ness** *n* U.S. = LONGSIGHTEDNESS ‖ FIG. clairvoyance f.

fart [fɑːt] *n* pet m ● *vi* péter.

farth|er ['fɑːðə] *adj* (comp. of *far*) plus éloigné ‖ additionnel ● *adv* plus loin, au-delà ; ~**est** [-ist] *adj* (sup. of *far*) le plus éloigné ● *adv/v* le plus loin.

fascinat|e ['fæsineit] *vt* fasciner ‖ FIG. ensorceler, séduire ‖ ~**ing** *adj* fascinant ‖ FIG. enchanteur, captivant ‖ ~**ion** [,fæsi'neiʃn] *n* fascination f ‖ FIG. attrait m.

fasc|ism ['fæʃizm] *n* fascisme m ‖ ~**ist** *adj/n* fasciste.

fashion ['fæʃn] *n* façon, manière f ; *after the ~ of,* à la manière de ; *after a ~,* tant bien que mal ‖ [clothes, etc.] mode, vogue f ; *in ~,* à la mode ; *out of ~,* démodé ; *go out of ~,* se démoder ; ~ **designer,** grand couturier ; modéliste, styliste n ; ~-**show** présentation f de collection ‖ coutume f (habit) ● *vt* façonner ‖ confectionner (a dress) ‖ ~**able** *adj* à la mode.

fast¹ [fɑːst] *adj* solide, ferme ‖ *make*

~, fixer, amarrer || *hard and* ~ *rules,* règles strictes || résistant ; ~ *colour,* couleur *f* solide, grand teint || fidèle, loyal *(friend)* ● *adv* ferme ; *hold* ~, tenir bon ; *stand* ~, tenir tête *(against,* à).

fast² *adj* rapide / *my watch is five minutes* ~, ma montre avance de cinq minutes || ~ *food,* restauration *f* rapide ; restaurant-minute *m.*

fast³ *n* jeûne *m ; ~ day,* jour *m* maigre/de jeûne ● *vi* jeûner.

fasten ['fɑ:sn] *vt* attacher, fixer, agrafer ; ~ *one's belt,* mettre/boucler sa ceinture || Fig. fixer *(one's eyes on)* — *vi* se fermer || s'attacher || ~**er** *n* agrafe *f* || Techn. fermeture *f.*

fastidious [fæs'tidiəs] *adj* difficile, exigeant *(hard to please)* || méticuleux.

fastness ['fɑ:stnis] *n* fermeté, rapidité *f.*

fat [fæt] *adj* gros *(large)* || gros *(greasy) ; grow* ~, engraisser || Agr. riche, fertile *(soil)* ● *n* graisse *f* || Pl matières grasses.

fatal ['feitl] *adj* mortel *(mortal)* || fatal *(inevitable)* || ~**ity** [fə'tæliti] *n* fatalité *f* || accident mortel ; mort *m,* victime *f* (person).

fate [feit] *n* destin, sort *m,* fin *f (death)* || *Pl the Fates,* les Parques || ~**d** [-id] *adj* condamné, voué, destiné à || ~**ful** *adj* fatal, décisif ; fatidique.

father ['fɑ:ðə] *n* père *m* || Rel. père *m (monk)* ; abbé *m (priest) ; Father Christmas,* le Père Noël || ~**hood** *n* paternité *f* || ~**-in-law** *n* beau-père *m* || ~**land** *n* patrie *f* || ~**less** *adj* orphelin (de père) || ~**ly** *adj* paternel.

fathom ['fæðəm] *n* brasse *f* ● *vt* sonder || ~**less** *adj* Fig. insondable.

fatigue [fə'ti:g] *n* fatigue *f* || Mil. ~**(-party),** corvée *f ; on* ~, de corvée ; ~ *dress,* tenue *f* de corvée ● *vt* fatiguer.

fat|ness ['fætnis] *n* embonpoint *m* || Fig. fertilité *f* || ~**ten** [-n] *vt/vi* engraisser || ~**ty** *adj* gras, adipeux.

fatuous ['fætjuəs] *adj* sot.

faucet ['fɔ:sit] *n* U.S. robinet *m.*

fault [fɔ:lt] *n* défaut *m ;* imperfection *f* || faute *f; at* ~, en défaut, fautif ; *find* ~ *with,* trouver à redire à, critiquer ; *it's your* ~, c'est (de) votre faute || Geol. faille *f* || ~**less** *adj* sans défaut, irréprochable, impeccable || ~**y** *adj* défectueux, imparfait.

fauna ['fɔ:nə] *n* Zool. faune *f.*

faux-pas [ˌfəu'pɑ:] *n commit a* ~, faire une gaffe (fam.).

favour ['feivə] *n* faveur *f; be in sb's* ~, être dans les bonnes grâces de qqn || aide *f (help) ; do sb a* ~, rendre (un) service à qqn || bénéfice *m (behalf) ; decide in sb's* ~, donner gain de cause à qqn ; *in* ~ *of,* au profit de ; *in your* ~, à votre avantage ● *vt* favoriser, montrer une préférence pour || ~**able** ['feivrəbl] *adj* favorable || ~**ite** ['feivrit] *adj/n* favori, préféré ● *n* Sp. favori *n* || ~**itism** ['feivritizm] *n* favoritisme *m.*

fawn¹ [fɔ:n] *n* faon *m* ● *adj [colour]* fauve.

fawn² [fɔ:n] *vi [dog]* faire fête *(on,* à) || *[person]* flatter (bassement) || ~**ing** *adj* servile.

fax [fæks] *n* ~ *(machine),* télécopieur *m.*

fear [fiə] *n* peur, crainte *f; for* ~ *of/that,* de peur de/que || Coll. *no* ~ *!,* pas de danger ! ; soyez sans crainte ! ● *vt* craindre, redouter ; avoir peur de *(be afraid of)* || ~**ful** *adj* effrayant, affreux ; épouvantable *(causing fear)* || craintif, peureux *(timid)* || ~**less** *adj* intrépide, sans peur || ~**lessness** *n* intrépidité *f.*

feasible ['fi:zəbl] *adj* faisable, réalisable.

feast [fi:st] *n* banquet, festin *m* ● *vt* régaler ; ~ *one's eyes on,* repaître ses yeux de — *vi* banqueter, festoyer ; ~ *on,* se régaler de.

feat [fi:t] *n* exploit *m,* prouesse *f ; ~ of strength,* tour *m* de force.

feather ['feðə] n plume f ‖ Fig. humeur f ; in high ~, plein d'entrain ● vt emplumer ‖ empenner (arrow) ‖ **~-duster** n plumeau m ‖ **~-weight** n Sp. poids m plume ‖ **~y** adj duveteux.

feature ['fi:tʃə] n trait m (of the face) ‖ Pl visage m, physionomie f ‖ [newspaper] article m de fond ‖ Cin. long métrage ‖ Fig. caractéristique f ● vt monter, représenter (depict) ‖ mettre en vedette ; Cin. avoir pour vedette ; *featuring X*, avec X.

February ['februəri] n février m.

fed¹ → FEED.

fed² n U.S., Coll. agent fédéral.

feder|al ['fedərl] adj fédéral ‖ **~ate** [-it] adj/n fédéré (m) ● vt fédérer ‖ **~ation** [,fedə'reiʃn] n fédération f.

fee [fi:] n honoraires mpl (of a doctor, lawyer, etc.) ; émoluments mpl (for professional services) ; cachet m (of an artist) ; pige f (of a journalist) ‖ droits mpl ; tuition ~(s), frais mpl de scolarité ‖ Av. airmail ~, surtaxe aérienne ‖ **~-simple** n Jur. pleine propriété.

feeble ['fi:bl] adj faible, débile ; grow ~, s'affaiblir ‖ **~ness** n débilité f.

feed [fi:d] vt (fed [fed]) nourrir (persons) ; donner à manger à (animals) ‖ alimenter (a stove) ‖ introduire (coin, material) [into, dans] ‖ Inf. entrer, introduire ‖ ~ *up*, suralimenter (give extra food) ; rassasier (satiate) ; Sl. *be fed up*, en avoir assez/marre (with, de) — vi manger ; se nourrir (on, de) ● n [baby] biberon, repas m ; [animal] pâtée f ‖ Agr. fourrage m (fodder) ‖ **~back** n [cybernetics] rétroaction f, feed-back m ‖ **~er** n mangeur n ‖ [baby] bavoir m ; Electr. câble m d'alimentation ‖ **~ing** n Techn. alimentation f ‖ **~ing bottle** n biberon m.

feel [fi:l] n toucher m (sense) ; sensation f (feeling) ● vt (felt [felt]) toucher, tâter, palper ; ~ *one's way*, aller à tâtons ‖ sentir (be aware of) ‖ éprouver (experience) ‖ ressentir (emotion) ‖ être sensible à (be sensitive to) ; ~ *the cold*, être frileux — vi tâtonner ; ~ *for*, chercher à tâtons ‖ se sentir ; how do you ~ ?, comment vous sentez-vous ? ; ~ *tired*, se sentir fatigué ; ~ *cold*, avoir froid ‖ ~ *as if/though*, avoir l'impression de ‖ ~ *like*, [person] avoir envie de ; [thing] donner la sensation de, faire l'effet de ‖ ~ *equal to/~ up to*, se sentir capable de ‖ être ému ‖ ~ *for/with sb in his sorrow*, prendre part à la douleur de qqn ‖ penser, trouver ‖ **~er** n Zool. antenne f ‖ Fig. ballon m d'essai ‖ **~ing** n toucher m, sensation f (physical) ‖ sentiment m (mental) ‖ goût m ; have a ~ for music, être sensible à la musique ‖ sensibilité, susceptibilité f ; hurt sb's ~s, froisser qqn ; have no ~s, n'avoir point de cœur ‖ impression f ; I have a ~ that, j'ai le sentiment/pressentiment que... ‖ *strong* ~(s), émotion f ; trouble m, agitation, réaction f ‖ good ~, sympathie f ‖ *ill* ~, ressentiment m ‖ no *hard* ~s !, sans rancune ! ‖ atmosphère, impression f (things).

feet npl → FOOT.

feign [fein] vt feindre, simuler, contrefaire, affecter de.

feint [feint] n feinte f.

felicitate [fi'lisiteit] vt féliciter.

feline ['fi:lain] adj/n félin (m).

fell¹ → FALL.

fell² [fel] vt abattre (tree).

fell³ n peau f (of animals).

felloe ['feləu] n jante f.

fellow ['feləu] n individu m ‖ Coll. type m ; poor ~ !, pauvre garçon ! m ‖ membre n (of a society) ‖ semblable m, pareil m (peer) ‖ pendant m (one of a pair) ‖ Pl camarades mpl ‖ **~-citizen** n concitoyen n ‖ **~-countryman/woman** n compatriote n ‖ **~-feeling** n sympathie f ‖ **~ship** n camaraderie f ‖ association f ‖ bourse f de recherches ‖ **~-student** n condisciple n ‖ **~-traveller** n compagnon m/compagne f de voyage ‖ POL. communiste n.

felon ['felən] n JUR. criminel n ● adj vil, criminel ‖ **~y** n crime grave m.

felt¹ = FEEL.

felt² [felt] n feutre m ; **~-tip pen,** (crayon m) feutre m.

fem|ale ['fi:meil] adj féminin (person), femelle (animals) ; ~ *worker,* ouvrière f ● PEJ. fille f ‖ **~inine** ['feminin] adj féminin.

fen [fen] n marais m (marshland).

fence¹ [fens] n clôture f (enclosure) ‖ palissade f (paling) ‖ SP. haie f ‖ FIG. *sit on the* ~, ne pas prendre parti, ménager la chèvre et le chou ● vt **~ in,** clôturer ‖ **~ season** [hunting] période f de fermeture.

fenc|e² vi faire de l'escrime ‖ **~ing** n escrime f.

fend [fend] vt ~ *off,* parer — vi ~ *for oneself,* se débrouiller ‖ **~er** n garde-feu m inv (fire-screen) ‖ AUT., U.S. pare-chocs m inv ‖ NAUT. défense f.

fennel ['fenl] n fenouil m.

feral ['fiərəl] adj ~ *cat,* chat devenu sauvage.

ferment ['fə:ment] n ferment m (substance) ‖ fermentation f (process) ‖ FIG. effervescence f ● [·'·] vi fermenter ‖ **~ation** [ˌfə:men'teiʃn] n fermentation f.

fern [fə:n] n fougère f.

feroc|ious [fə'rəuʃəs] adj féroce ‖ **~ity** [fə'rɔsiti] n férocité f.

ferret ['ferit] n furet m ● vt fureter ; ~ *out,* dénicher.

Ferris wheel ['feriswi:l] n [funfair] Grande Roue.

ferrous ['ferəs] adj ferreux.

ferrule ['feru:l] n bout ferré (cap) ; virole f (ring).

ferry ['feri] n ~*(-boat),* bac, ferry m ; [place] port m (d'embarquement) ● vt

~ *(over),* faire passer (par bac/ferry) ‖ FIG. transporter ‖ **~man** n passeur m.

fertil|e ['fə:tail] adj fertile ‖ **~ity** [fə:'tiliti] n fertilité f ; ~ **ization** [ˌfə:tilai'zeiʃn] n fertilisation f ‖ MED. *in vitro* ~, fécondation in vitro ‖ **~ize** ['fə:tilaiz] vt fertiliser ‖ MED. féconder ‖ **~izer** ['fə:tilaizə] n engrais m.

ferv|ent ['fə:vnt] adj brûlant ‖ FIG. fervent, ardent ‖ **~our** n ferveur f.

fester ['festə] vi suppurer.

festiv|al ['festəvl] n festival m ‖ REL. fête f ‖ **~e** ['festiv] adj de fête ‖ **~ity** [fes'tiviti] n fête f ‖ Pl réjouissances fpl.

festoon [fes'tu:n] n feston m ● vt festonner (*with,* de).

fetch [fetʃ] vt aller chercher ; ~ *one's breath,* reprendre haleine ‖ FIN. atteindre (a price) ‖ MED. ~ *up,* vomir ‖ COLL. ~ *a blow,* flanquer un coup — vi ~ *and carry for,* être la/le domestique de.

fête [feit] n fête f ; ~*-day,* jour m de fête ● vt fêter.

fetid ['fetid] adj fétide.

fetish ['fi:tiʃ] n fétiche m.

fetter ['fetə] n (usu pl) **~s,** fers mpl, entrave f (for persons) ● vt FIG. entraver.

fettle ['fetl] n *in fine* ~, en (bonne) forme.

feud [fju:d] n haine f héréditaire, querelle f ‖ **~al** adj féodal.

fever ['fi:və] n fièvre f, scarlet ~, scarlatine f ; yellow ~, fièvre f jaune ‖ **~ish** adj fiévreux ; be ~, avoir la fièvre.

few [fju:] adj peu de ‖ *a* ~, quelques ; *one too* ~, un(e) de moins ● pron peu (de), quelques-uns ‖ *quite a* ~, pas mal ‖ **~er** adj moins de.

fiancé(e) [fi'ɑ:sei] n fiancé(e) m (f).

fib [fib] n petit mensonge ● vi mentir ‖ **~ber** n menteur n.

fibre [ˈfaibə] n fibre f || ~**board** n aggloméré m || ~**-glass** n fibre f de verre.

fibrous [ˈfaibrəs] adj fibreux.

fickle [ˈfikl] adj inconstant, volage || ~**ness** n inconstance f.

fic|tion [ˈfikʃn] n fiction f || littérature f d'imagination || ~**titious** [fikˈtiʃəs] adj fictif, imaginaire.

fiddl|e [ˈfidl] n COLL. violon m || FIG. second ~, sous-fifre m || SL. combine f ● vi ~ **about**, traîner (à ne rien faire) ; ~ **about with**, tripoter.

fiddle-faddle [ˈ-ˈfædl] n COLL. niaiseries fpl.

fidelity [fiˈdeliti] n fidélité f.

fidget [ˈfidʒit] vi s'agiter ; gigoter (fam.) ; ~ **about**, se trémousser || ~**y** adj agité, nerveux.

field [fiːld] n champ m ; terrain m ; coal ~, bassin houiller || MIL. campagne f ; (battlefield) champ m de bataille || SP. terrain m || FIG. domaine m ● vi [cricket] tenir le champ || ~**-artillery** n artillerie f de campagne || ~**-glasses** npl jumelles fpl || ~ **hockey** n hockey m || ~**-mouse** n mulot m || ~ **work** n enquête f sur le terrain.

fiend [fiːnd] n diable m || FIG. démon m || ~**ish** adj diabolique.

fierce [fiəs] adj féroce (animal) || cruel (person) ; ardent (desire) ; violent (storm) || ~**ly** adv férocement || violemment || ~**ness** n férocité f || violence f.

fiery [ˈfaiəri] adj flamboyant (eyes) || ardent, fougueux (person) ; violent (temper).

fifteen [ˈfifˈtiːn] adj quinze ; about ~, une quinzaine || ~**th** [-θ] adj quinzième.

fif|th [fifθ] adj cinquième || ~**tieth** [ˈfiftiiθ] adj cinquantième || ~**ty** adj cinquante ; go ~-~, partager moitié-moitié.

fig [fig] n figue f || figuier m.

fight [fait] n combat m, lutte, bataille

f ● vi (fought [fɔːt]) se battre (against, contre), combattre ; be ~ing against, être aux prises avec || ~ **shy of**, COLL. éviter de — vt se battre contre || ~ a battle, livrer bataille || ~**er** n MIL. combattant n || AV. avion m de chasse ; ~ **pilot**, pilote m de chasse.

figurative [ˈfigjurətiv] adj figuratif || ~**ly** adv au figuré.

figure [ˈfigə] n forme, silhouette f || ligne f (of a woman) ; keep one's ~, garder la ligne || apparence f; cut a fine/poor ~, faire belle/piètre figure || MATH. chiffre m || LIT. ~ of speech, figure f de rhétorique ● vt figurer, représenter || ~ **out**, U.S. (arriver à) comprendre || ~**-head** n FIG. prête-nom m.

filament [ˈfiləmənt] n filament m.

file¹ [fail] n TECHN. lime f ● vt limer.

file² n file f ; in Indian ~, en file indienne, à la queue leu leu.

file³ n classeur m (device) ; card-index ~, fichier m ; on ~, classé || dossier m (papers) ● vt ~ **(away)**, classer || JUR. déposer (a claim).

filial [ˈfiljəl] adj filial.

filibuster [ˈfilibʌstə] n POL., U.S. obstructionniste n ; manœuvrier n ● vi POL., U.S. faire de l'obstruction || ~**er** [filiˈbʌstərə] n obstructionniste n.

filing cabinet n classeur m.

filings [ˈfailiŋz] npl limaille f.

fill [fil] vt remplir (with, de) || garnir (with, de) || occuper (post) || plomber (tooth) || ~ **in**, remplir (a form) || ~ **up**, remplir complètement || ~ her up, please !, le plein, S.V.P. ! — vi s'emplir, se remplir ● n plein m, suffisance f ; eat one's ~, manger à sa faim ; drink one's ~, boire tout son content || COLL. I've had my ~, j'en ai ras le bol (pop.).

fillet [ˈfilit] n bandeau m (around the head) || filet m (of beef).

filling [ˈfiliŋ] n (r)emplissage m ||

MED. plombage *m* ‖ AUT. ~ **station,** poste *m* d'essence.

filly ['fili] *n* pouliche *f.*

film [film] *n* couche *f* ‖ [mist] voile *m* ‖ PHOT. pellicule *f* ‖ CIN. film *m* ● *vt* filmer ‖ ~ **camera** caméra *f* ‖ ~-**editor** *n* monteur *n* ‖ ~-**fan** ['‑‑] *n* cinéphile *n* ‖ ~-**library** *n* cinémathèque *f* ‖ ~ **society** *n* ciné-club *m* ‖ ~-**star** *n* vedette *f* de cinéma, star *f* ‖ ~-**strip** *n* film *m* fixe.

filter ['filtə] *n* filtre *m* ● *vt* filtrer — *vi* filtrer ‖ AUT. [traffic] G.B. ~ *to the left,* tourner à la flèche ‖ ~-**tip** *n* bout *m* filtre ‖ ~-**tipped** *adj* à bout filtre.

filth [filθ] *n* crasse *f* (dirt) ‖ FIG. saleté(s) *f(pl)* ‖ ~-**y** *adj* sale, crasseux ‖ FIG. ordurier, obscène (language) ; pourri (weather).

filtrate ['filtreit] *vt* filtrer.

fin [fin] *n* [fish] nageoire *f* ‖ [swimmer] *Pl.* palmes *fpl.*

final ['fainl] *adj* final ; définitif (answer) ‖ COLL. dernière *f* (edition of newspaper) ● *npl* Sp. finale *f* ‖ ~**ist** ['fainəlist] *n* finaliste *n* ‖ ~**ly** *adv* finalement.

finan|ce [fai'næns] *n* finance *f* ● *vt* financer ‖ ~**cial** [‑ʃl] *adj* financier.

finch [finʃ] *n* pinson *m.*

find [faind] *vt* (found [faund]) trouver ‖ ~ *again,* retrouver ; *not to be found,* introuvable ‖ découvrir, constater (become aware of) ; ~ *out,* découvrir ‖ JUR. déclarer, reconnaître (guilty) ● *n* trouvaille *f* ‖ ~**er** *n* PHOT. viseur *m* ‖ ~**ing** *n* découverte *f* ‖ *Pl* JUR. résultats *mpl* ; conclusions *fpl.*

fine¹ [fain] *n* amende *f* ● *vt* infliger une amende *f.*

fine² *adj* beau (beautiful) ‖ fin (thin) ‖ mince, ténu (thread) ‖ FIG. délicat ‖ très bien (healthy) ● *adv* bien ‖ finement ‖ ~**ly** *adv* finement ‖ magnifiquement ‖ ~**ness** *n* finesse *f* ‖ beauté *f* ‖ titre *m* (gold).

finery ['fainəri] *n* atours *mpl.*

finesse [fi'nes] *n* [skill] finesse *f* ‖

[cards] impasse *f ; make a ~,* faire une impasse.

finger ['fingə] *n* doigt *m ; first ~,* index *m ; middle ~,* majeur *m ; ring ~,* annulaire *m ; little ~,* auriculaire *m,* petit doigt ‖ *keep one's ~s crossed,* espérer que tout ira pour le mieux ; croiser les doigts (fam.) ‖ FIG. *have a ~ in the pie,* y être pour quelque chose ● *vt* manier, palper ‖ ~-**alphabet** *n* alphabet *m* des sourds-muets ‖ ~-**bowl** *n* rince-doigts *m* ‖ ~**ing** [‑riŋ] *n* Mus. doigté *m* ‖ ~-**post** *n* poteau *m* indicateur ‖ ~-**print** *n* empreinte digitale ‖ ~-**tip** *n* bout *m* du doigt ; *to the ~,* jusqu'au bout des ongles.

finic|al ['finikl], ~**ky** *adj* pointilleux, tatillon (person) ; difficile (about one's food) ‖ minutieux (job).

finish ['finiʃ] *vt* finir, achever, terminer ; parachever (polish) ‖ TECHN. usiner ‖ ~ *off/up,* manger tout — *vi* finir, se terminer ● *n* fin *f* ‖ Sp. arrivée *f ;* [hunting] mise *f* à mort ‖ [workmanship] finition *f* ‖ ~**ing** *n* finition *f* ● *adj* ~ *touch,* dernière touche.

Finland ['finlənd] *n* Finlande *f.*

Finn [fin] *n* Finlandais, Finnois *n* ‖ ~**ish** *adj* finlandais ● *n* finnois *m* (language).

fir [fə:] *n* sapin *m ; ~-cone,* pomme *f* de pin.

fire [faiə] *vt* mettre le feu à ‖ TECHN. cuire (pottery) ; chauffer ‖ MIL. tirer (a bullet) ; décharger (a gun) ; ~ *a gun at,* tirer un coup de fusil sur ; *firing squad,* peloton *m* d'exécution ‖ COLL. renvoyer, saquer (sb) ‖ FIG. enflammer — *vi* [shot] partir ‖ ~ *up,* COLL. s'emporter, s'emballer ● *n* feu *m ; on ~,* en feu ; *catch/take ~,* prendre feu, s'enflammer ; *set sth on ~, set ~ to sth,* mettre le feu à qqch ; *make a ~,* faire du feu ‖ incendie *m* (destructive) ; ~ *!,* au feu ! ‖ CULIN. *on a gentle/brisk ~,* à feu doux/vif ‖ MIL. tir *m ; open/cease ~,* ouvrir/cesser le feu ‖ FIG. flamme, ardeur f || ~**-alarm** n avertisseur m d'incendie || ~**-arm** n arme f à feu || ~ **boat** n bateau-pompe m || ~**-bomb** n bombe f incendiaire || ~**-brand** n tison, brandon m || ~**-brigade** n sapeurs-pompiers mpl || ~**cracker** n U.S. = ~ **screen** || ~**-damp** n coup m de grisou || ~**-dog** n chenet m || ~**-engine** n pompe f à incendie || ~**-escape** n escalier m de secours ; échelle f de sauvetage || ~**-extinguisher** n extincteur m || ~**-fly** n luciole f || ~**guard** n pare-étincelles m || ~**hydrant** n bouche f d'incendie || ~**-irons** npl garniture f de foyer || ~**-insurance** n assurance f contre l'incendie || ~**-man** n pompier m || ~**-place** n cheminée f || ~**-proof** adj incombustible, ignifugé || ~**raiser** n incendiaire, pyromane n || ~ **screen** = ~GUARD || ~**side** n coin m du feu || ~**-station** n poste m/caserne f de(s) pompiers || ~**-wood** n bois m de chauffage || ~**work** n feu m d'artifice.

firm[1] [fə:m] n maison f de commerce, firme f, entreprise f.

firm[2] adj ferme, solide ; fixe || FIG. résolu ● adv = FIRMLY ; **stand** ~, tenir bon || ~**ly** adv fermement || ~**ness** n fermeté f.

first [fə:st] adj premier || use/wear for the ~ time, étrenner ● adv premièrement || ~ of all, tout d'abord ● n premier m ; at ~, d'abord || be the ~ to use, avoir l'étrenne de || ~**aid** n premiers secours, soins mpl d'urgence ; [study] secourisme m || ~**-class** adj de première classe || ~**-night** n TH. première f || ~**-rate** adj de premier ordre, excellent || COLL. ~ !, extra (fam.).

firth [fə:θ] n [Scotland] estuaire m.

fiscal [fiskl] adj fiscal.

fish [fiʃ] n poisson m ; freshwater ~, poisson d'eau douce ; salt-water ~, poisson de mer ; gold ~, poisson rouge || COLL. a queer ~, un drôle de type ● vi/vt ~ for, pêcher || ~ out,

repêcher || ~**bone** n arête f || ~**cake** n croquette f de poisson || ~**erman** [fiʃəmən] n pêcheur m || ~**ery** [-əri] n pêcherie f || ~**-hook** n hameçon m || ~**ing** n pêche f || ~**ing-boat** n bateau m de pêche || ~**ing-rod** n canne f à pêche || ~**monger** [fiʃˌmʌŋgə] n poissonnier m || ~**-trap** n nasse f || ~**y** adj de poisson (odour, taste) ; vitreux (eye) ; FIG. louche.

fiss|ile [fisail] adj fissile || ~**ion** [fiʃn] n fission f || ~**ure** [fiʃə] n fissure f.

fist [fist] n poing m ; clench one's ~s, serrer les poings.

fit[1] [fit] adj approprié, convenable ; ~ to eat, mangeable ; ~ for, qualifié pour (job) || think ~ to do, trouver bon de faire || apte, bon, propre (for, à) ; capable (for, de) ; prêt (to, à) || [health] en forme, valide ; keep ~, se maintenir en forme || MIL. ~ for service, bon pour le service || ~**ness** n [health] santé, forme f (physique).

fit[2] n MED. accès m, attaque f ; ~ of coughing, quinte f de toux ; have a ~, faire une attaque || FIG. crise f, accès m ; go into ~s of laughter, avoir le fou rire ; COLL. throw a ~, piquer une crise (fam.) ; by ~s and starts, par à-coups/saccades || ~**ful** adj intermittent ; capricieux (wind) ; agité (sleep).

fit[3] vt [clothes] aller à, être à la taille de, s'adapter à ; ~ like a glove, aller comme un gant || ajuster, adapter ; ~**ted carpet**, moquette f || TECHN. équiper, garnir, munir (with, de) || FIG. s'adapter, s'accorder || ~ **in**, faire entrer (thing) ; FIG. faire concorder || ~ **on**, essayer (clothes) || ~ **out**, équiper (with, de) || ~ **up**, aménager (a house) — vi [clothes] aller(bien)|| s'ajuster, s'adapter || TECHN. ~ **in**, entrer, s'emboîter || FIG. s'accorder, cadrer (with, avec) || ~**ness** n convenance, aptitude f || [health] santé f ; (bonne) forme f || ~**ter** n TECHN. ajusteur m, monteur n ; [dress] essayeur n || ~**ting** adj approprié, à propos ;

ajusté (garment) ● *n* ajustage *m* ; [clothes] essayage *m* ‖ *Pl* équipement *m*, aménagements *mpl*, installations *fpl* (of a house) ; garniture *f* ‖ TECHN. montage *m*.

five [faiv] *adj* cinq ‖ **~fold** *adj* quintuple.

fix [fiks] *vt* fixer, attacher ‖ U.S. arranger ; préparer (a meal) ; réparer (repair) ; dépanner (TV set) ; ~ *one's hair*, se donner un coup de peigne ‖ PHOT. fixer (a film) ‖ ~ *(up)*, arranger (put in order) ; organiser ; installer (provide for) ‖ COMM. ~ *a price*, fixer un prix ‖ FIG. fixer, décider (a date) ; choisir *(on sth)* ‖ ~ *up*, arranger, combiner ‖ pourvoir (with, de) ; ~ *sb up with*, trouver (qqch) à qqn (job, etc.) ● *n* embarras *m* ; mauvais pas ; *in a* ~, dans une mauvaise passe ‖ SL. piquouse *f* (arg.) ; *give oneself a* ~, se shooter (arg.) ‖ **~ed** [-t] *adj* fixe, imposé ‖ *sell at* ~ *prices*, vendre à prix fixe.

fixture [ˈfikstʃə] *n* appareil *m* fixe ; accessoire incorporé.

fizz [fiz] *vi* pétiller ; ~ *water*, eau gazeuse ‖ **~le** [-l] *vi* pétiller ‖ ~ *out*, échouer, rater ‖ **~y** *adj* gazeux.

flabbergasted [ˈflæbəgɑːstid] *adj* ébahi, éberlué, bouche bée, sidéré.

flabb|iness [ˈflæbinis] *n* mollesse *f* ‖ **~y** *adj* flasque, mou ‖ FIG. veule.

flaccid [ˈflæksid] *adj* = FLABBY.

flag[1] [flæg] *n* drapeau *m* ‖ NAUT. pavillon *m* ; ~ *at half-mast*, drapeau *m* en berne ; ~ *of convenience*, pavillon de complaisance ; **~ship**, vaisseau *m* amiral ● *vt* pavoiser (street) ‖ ~ *(down)*, faire signe à (taxi).

flag[2] *vi* pendre mollement ‖ FIG. [interest] faiblir ; [health] s'affaiblir ‖ [conversation] languir.

flag[3] *n* ~ *(stone)*, dalle *f*.

flagrant [ˈfleigrnt] *adj* flagrant.

flair [flɛə] *n* don *m*, aptitude *f* ; *have a* ~ *for languages*, avoir des dispositions pour les langues.

flak|e [fleik] *n* flocon *m* (of snow) ‖ écaille *f* (of rust, etc.) ‖ paillette *f* (of soap) ‖ CULIN. [cereal] flocon *m* ; [butter] *a coquille* ● *vi* ~ *(away/off)*, s'écailler, s'effriter ‖ **~y** *adj* friable ; feuilleté (pastry).

flame [fleim] *n* flamme *f* ‖ FIG. passion *f* ● *vi* flamber ; ~ *up*, s'enflammer ‖ FIG. s'empourprer ‖ **~-thrower** *n* MIL. lance-flammes *m*.

flaming [ˈfleimiŋ] *adj* flamboyant ‖ FIG. enflammé.

flamingo [fləˈmiŋgəu] *n* ZOOL. flamant *m*.

flammable [ˈflæməbl] *adj* U.S. = INFLAMMABLE.

flan [flæn] *n* tarte *f*.

Flanders [ˈflɑːndəz] *n* Flandre *f*.

flank [flæŋk] *n* flanc *m* (of body) ‖ MIL. flanc *m* ‖ ARCH. côté *m* ● *vt* flanquer ‖ MIL. prendre de flanc.

flannel [ˈflænl] *n* flanelle *f* ‖ *(face)* ~, gant *m* de toilette.

flap [flæp] *vi* [flag, sails] claquer ; [wings] battre — *vt* taper (slap) ● *n* tape *f* (slap) ‖ claquement *m* (of a flag) ‖ pan *m* (of coat) ; patte *f* (of pocket) ; rabat *m* (of an envelope).

flare [flɛə] *n* éclat vif ; lueur intermittente ● *vi* briller, étinceler ‖ ~ *up*, flamboyer, s'embraser ‖ FIG. s'emporter, s'enflammer.

flash [flæʃ] *n* éclair, éclat *m* ‖ ~ *of lightning*, éclair *m* ‖ [journalism] *(news-)* ~, flash *m* ‖ FIG. éclair *m* (of genius) ; *in a* ~, en une seconde ● *vi* jeter des éclairs ‖ [jewels] étinceler ‖ FIG. aller comme un éclair ; ~ *into/through one's mind*, venir soudain à l'esprit — *vt* projeter (a light) ‖ AUT. ~ *one's headlights*, faire un appel de phares ‖ FIG. décocher (a smile) ‖ **~-back** *n* CIN. retour *m* en arrière ‖ **~ cube** *n* cube-flash *m* ‖ **~er** *n* AUT. clignotant *m* ‖ **~light** *n* lampe *f* électrique ‖ PHOT. flash *m* ‖ **~y** *adj* voyant, tape-à-l'œil.

flask [flɑːsk] *n* flacon *m* ; gourde *f* ; *(vacuum)* ~, (bouteille *f*) Thermos *f*.

flat¹ [flæt] *n* appartement *m*.

flat² *adj* plat (land) ; *lay sth ~,* poser qqch à plat ǁ épaté, camus (nose) ǁ *fall ~ on one's face,* tomber à plat ventre ǁ *Sp.* plat (racing) ǁ NAUT. plat (calm) ǁ AUT. à plat, crevé (tyre) ǁ CULIN. fade ; insipide ; — *beer,* bière éventée ǁ ARTS mat (colour) ǁ MUS. bémol (note) ; *A ~,* « la » bémol ; [voice] *sing ~,* chanter faux ǁ U.S., SL. décavé ǁ FIG. terne, monotone (life, style) ; net, catégorique (refusal) ; *fall ~,* tomber à plat ● *adv* FIG. catégoriquement ǁ *~ out,* COLL. à toute vitesse, (à) pleins gaz ● *n* plateau *m* (land) ǁ AUT. crevaison *f* ǁ MUS. bémol *m* ǁ **~ly** *adv* carrément, nettement ǁ **~ten** [-n] *vt* aplatir ; écraser ǁ aplanir — *vi* s'aplatir ǁ *~ out,* AV. redresser.

flatter ['flætə] *vt* flatter, encenser ǁ **~er** [-rə] *n* flatteur *n* ǁ **~ing** [-rɪŋ] *adj* flatteur ǁ **~y** [-rɪ] *n* flatterie.

flaunt [flɔ:nt] *n* étalage *m*, ostentation *f* ● *vi* se pavaner, s'afficher — *vt* faire étalage de (one's wealth) ; afficher (one's opinions).

flautist ['flɔ:tɪst] *n* flûtiste *n*.

flavour ['fleɪvə] *n* saveur *f* ; arôme *m* ; bouquet *m* (of wine) ; parfum *m* (of ice-cream) ● *vt* CULIN. assaisonner ǁ **~ing** [-rɪŋ] *n* assaisonnement ; parfum *m* ǁ **~less** *adj* insipide, sans saveur.

flaw [flɔ:] *n* défaut *m*, imperfection *f* (crack) ǁ FIG. défaut *m* ǁ **~less** *adj* sans défaut, impeccable.

flax [flæks] *n* lin *m* ǁ **~en** [-n] *adj* blond.

flay [fleɪ] *vt* écorcher ǁ FIG. s'acharner sur.

flea [fli:] *n* puce *f* ǁ COMM. *~ market,* marché *m* aux puces.

fleck [flek] *vt* moucheter.

fled → FLEE.

flee [fli:] *vi* (fled [fled], fled) fuir, s'enfuir — *vt* s'enfuir de ǁ FIG. fuir (a danger).

fleec|e [fli:s] *n* toison *f* ● *vt* tondre (sheep) ǁ FIG., COLL. estamper (overcharge) ; voler, escroquer (swindle) ; rançonner (taxpayer) ǁ **~y** *adj* laineux (hair) ; moutonneux (clouds).

fleet¹ [fli:t] *n* NAUT., AV. flotte *f* ǁ parc *m* (of vehicles).

fleet² *adj* rapide ǁ **~ing** *adj* fugitif ; fugace.

Flem|ing ['flemɪŋ] *n* Flamand *n* ǁ **~ish** *adj/n* flamand.

flesh [fleʃ] *n* chair *f ; make sb's ~ creep,* donner la chair de poule à qqn ǁ embonpoint *m ; lose/put on ~,* maigrir/grossir ǁ viande *f* ǁ REL. *eat ~,* faire gras ǁ **~less** *adj* décharné ǁ **~y** *adj* charnu.

flew → FLY.

flex¹ [fleks] *n* fil *m* électrique (souple).

flex² *vt* MED. fléchir, plier ǁ **~ibility** [‚fleksə'bɪlɪtɪ] *n* flexibilité *f* ǁ FIG. souplesse *f* ǁ **~ible** *adj* flexible, souple ǁ FIG. ~ *rostering/working hours,* horaire(s) *m(pl)* de travail flexible(s)/à la carte ǁ **~itime** ['‚-‚-] *n* = FLEXIBLE ROSTERING ; *work ~,* avoir des horaires souples.

flick [flɪk] *n* petit coup ; pichenette *f* (with finger) ● *vt* donner un petit coup/une pichenette ǁ — *vi* [flame] vaciller ; [light] clignoter ; [bird] battre des ailes ● *n* vacillement *m ;* lueur vacillante.

flicks [-s] *npl* COLL. ciné *m* (fam.) ; cinoche *m* (arg.).

flier → FLYER.

flies [flaɪz] *npl* COLL. braguette *f.*

flight¹ [flaɪt] *n* [bird] vol *m ; take one's ~,* s'envoler, prendre son vol ǁ AV. vol *m ; domestic ~,* vol intérieur ; *scheduled ~,* vol régulier ; *non-stop ~,* vol sans escale ; *first ~,* baptême *m* de l'air ǁ MIL. escadrille *f* (formation) ; [missile] trajectoire *f* ǁ ARCH. ~ *of stairs,* volée *f* d'escalier ǁ **~-deck** *n* NAUT. pont *m* d'envol ǁ ~ **plan** *n* plan *m* de vol ǁ **~y** *adj* léger, frivole.

flight[2] [n] fuite *f* (fleeing) ; *put to ~,* mettre en fuite ; *take (to) ~,* prendre la fuite, s'enfuir.

flimsy ['flimzi] *adj* léger (material) || fragile (easily injured) || FIG. pauvre (excuse) ● *n* papier *m* pelure.

flinch [flinʃ] *vi* reculer (draw back) || *without ~ing,* sans broncher.

fling [fliŋ] *vt* (flung [flʌŋ]) lancer, jeter ; *~ the door open,* ouvrir brusquement la porte || FIG. décocher (abuse) || *~ out,* COLL. flanquer dehors ● *n* jet *m* (of a stone, etc.) || FIG. tentative *f ;* COLL. *have a~ at,* essayer (pour voir) || COLL. bon temps ; *have one's ~,* s'en payer.

flint [flint] *n* silex *m,* pierre *f* à briquet (for lighter).

flip [flip] *n* chiquenaude *f* ● *vt* donner une chiquenaude — *vi* SL. perdre la raison || *~ side n* [record] deuxième face *f.*

flipp|ancy ['flipənsi] *n* désinvolture *f* || *~ant adj* désinvolte, cavalier.

flipper [flipə] *n* aileron *m* (of shark) || palme *f* (for swimming).

flirt [flə:t] *vi* flirter ● *n* coureuse *f* (girl) || *~ation* [flə:'teiʃn] *n* flirt *m* || *~atious* [-'teiʃəs] *adj* flirteur ; coquette (girl).

flit [flit] *vi* se mouvoir rapidement || [bird] voleter, voltiger.

float [fləut] *vi* flotter || SP. faire la planche || FIG. circuler, courir — *vt* faire flotter || NAUT. renflouer || COMM. lancer (a company, a loan) ● *n* flotteur, bouchon *m* (fishing) || [carnival] char *m* || *~ing adj* flottant || MIL. *~ bridge,* pont *m* de bateaux || FIN. flottant (debt) || CULIN. *~ islands,* œufs *mpl* à la neige || FIG. fluctuant, instable ; flottant (vote) ● *n* flottement *m* || flottage *m* (of wood) || NAUT. mise *f* à flot.

flock[1] [flɔk] *n* troupeau *m* (of sheep) || foule *f* (crowd) || REL. ouailles *fpl* ● *vi* affluer ; *~ together,* s'attrouper, s'assembler.

flock[2] [flɔk] *n* flocon *m* (of wool).

floe [fləu] *n* glace flottante.

flog [flɔg] *vt* fouetter || *~ging* [-iŋ] *n* [school] châtiment corporel.

flood [flʌd] *vi* [river] déborder || [sunlight] *~ in,* entrer à flots — *vt* inonder, submerger || noyer (carburettor) ● *n* (*often pl*) inondation, crue *f ; in ~,* en crue || [sea] flot, flux *m,* marée montante || REL. *the Flood,* le Déluge *m* || FIG. flot *m* (of light) || torrent *m* (of tears) || déluge *m* (of letters) || *~ing chamber n* sas *m* || *~light vt* illuminer (a building) ● *n* projecteur *m.*

floor [flɔ:] *n* plancher, parquet *m ; on the ~,* par terre || étage *m ; first ~,* G.B. premier étage, U.S. (= GROUND-~) rez-de-chaussée *m* || FIG. droit *m* à la parole ; *take the ~,* prendre la parole ● *vt* planchéier, carreler || SP. terrasser, [boxing] envoyer au tapis || FIG. réduire au silence ; stupéfier || FIG. coller (fam.) [a candidate) || *~-cloth n* toile *f* à laver, serpillière *f* || *~-lamp n* torchère *f* || *~-polisher n* cireuse *f* || *~-space n* encombrement *m* || *~-walker n* chef *m* de rayon (in a large store).

flop [flɔp] *vi* s'affaler || FIG., COLL. échouer ; TH. faire un four ● *n* bruit mat (sound) || FIG., TH. four, fiasco *m ;* bide *m* (fam.) || *~py adj* flasque ● *n* INF., COLL. disquette *f.*

flor|a [flɔ:rə] *n* flore *f* || *~al* [-l] *adj* floral || *~id* [-ɔrid] *adj* coloré (complexion) ; fleuri (ornate) || *~ist* [-ɔrist] *n* fleuriste *n.*

flotilla [flə'tilə] *n* NAUT. flottille *f.*

flotsam ['flɔtsəm] *n* épave flottante.

flounce[1] [flauns] *n* volant *m* (of a dress).

flounce[2] [flauns] *vi* FIG. *~ in,* entrer brusquement || sursauter.

flounder ['flaundə] *vi* patauger (in water) || FIG. s'embarrasser, patauger (in a speech).

flour ['flauə] *n* farine *f.*

flourish ['flʌriʃ] *n* grand geste (of

arms) || moulinet *m* (of stick) || ornement *m* (decoration) || parafe *m* (of signature) || Mus. fanfare *f* ● *vi* être florissant, prospérer (thrive) — *vt* brandir (a stick, etc.) || Fig. orner de fioritures ; embellir (style).

floury [ˈflauəri] *adj* farineux || enfariné (face).

flout [flaut] *n* moquerie *f* ● *vt* narguer, se moquer de.

flow [fləu] *n* écoulement *m* || flux *m* (of tide) || Techn. débit *m* (of a pump) || Fig. flot *m* ● *vi* (stream) couler ; s'écouler || (river) se jeter (into, dans) || [hair, flag] flotter || (tide) monter || ~ *away*, s'écouler || ~ *back*, refluer || ~ *out*, s'écouler || ~ *over*, déborder.

flowchart *n* organigramme *m*.

flower [ˈflauə] *n* fleur *f*; in ~, en fleur ; *decorate with* ~*s*, fleurir ; *lay* ~*s on a tomb*, fleurir une tombe ; *wild* ~, fleur des champs || Fig. fleur, élite *f* ● *vi* fleurir || ~**-bed** *n* plate-bande *f* || ~**-garden** *n* jardin *m* d'agrément || ~**-girl** *n* bouquetière *f* || ~**ing** [-riŋ] *n* (time), floraison *f* || ~**-market** *n* marché *m* aux fleurs || ~**-pot** *n* pot *m* à fleurs || ~**-shop** *n* boutique *f* de fleuriste || ~**-show** *n* floralies *fpl* || ~**y** [-ri] *adj* fleuri (lit. and fig.).

flowing [ˈfləuiŋ] *adj* coulant (liquid, style) || flottant (drapery).

flown → FLY.

flu [flu:] *n* Med., Coll. grippe *f*.

fluctuate [ˈflʌktjueit] *vt* [prices] fluctuer, varier || Fig. flotter || ~**ion** [ˌflʌktjuˈeiʃn] *n* fluctuation, variation *f* (of prices).

flue [flu:] *n* conduit *m* de cheminée.

fluency [ˈfluənsi] *n* facilité *f* (d'élocution) || ~**ent** *adj* coulant (style) ; *speak* ~ *English*, parler couramment l'anglais ; *be a* ~ *speaker*, avoir la parole facile || ~**ently** *adv* couramment.

fluff [flʌf] *n* peluche *f* (of cloth) || duvet *m* (down) || moutons *mpl* (of

dust) || ~**y** *adj* duveteux || bouffant (hair) || floconneux (clouds).

fluid [ˈfluid] *adj/n* fluide, liquide (m).

fluke [flu:k] *n* coup *m* de chance.

flung → FLING.

flunk [flʌŋk] *vt* U.S., Coll. échouer à ; être recalé à (fam.) [an exam] ; coller, recaler (fam.) [candidate].

flunkey [ˈflʌŋki] *n* larbin *m*.

fluorescent [fluəˈresnt] *adj* fluorescent || ~ *strip*, tube *m* fluorescent/au néon.

flurry [ˈflʌri] *n* rafale *f* || Fig. agitation *f*, émoi *m* ● *vt* Fig. agiter, mettre en émoi.

flush¹ [flʌʃ] *adj* plein à déborder, abondant ; ~ *with money*, plein d'argent || affleurant ; ~ *with*, au ras de, au niveau de ● *adv* à ras, de niveau.

flush² *n* rougeur *f*, afflux *m* de sang || éclat *m* (of colour) || Fig. éclat *m* (of beauty) ; transport *m* (of joy) ● *vt* nettoyer à grande eau ; ~ *the lavatory*, tirer la chasse d'eau || (faire) rougir — *vi* jaillir à flots || rougir.

flush³ *n* flush *m* (in poker).

flush⁴ [flʌʃ] *vt/vi* Sp. (faire) se lever (birds) — *n* envolée *f* (of birds).

fluster [ˈflʌstə] *vt* troubler ; énerver ; *get* ~*ed*, s'énerver ● *n* trouble *m* ; *in a* ~, en émoi || agitation *f*.

flute¹ [flu:t] *n* Arch. cannelure *f* || ~**ed** *adj* cannelé.

flute² *n* flûte *f* ● *vi* jouer de la flûte || ~**ist** *n* U.S. flûtiste *n*.

flutter [ˈflʌtə] *vt* agiter, secouer ; battre (wings) || Fig. agiter, troubler — *vi* battre des ailes, s'agiter || [heart] palpiter ● *n* battement *m* d'ailes || Fig. émoi *m*, agitation *f*.

flux [flʌks] *n* flux *m* ● Fig. flot *m* (of ideas) || instabilité *f*.

fly¹ [flai] *n* mouche *f* || ~**-weight** *n* Sp. poids *m* mouche || ~**-spray** *n* (bombe *f*) d'insecticide *m*.

fly² *vi* (flew [flu:], flown [fləun]) voler ; ~ *away*, s'envoler || courir, se précipiter, s'élancer (*at*, sur) [rush] || fuir (flee) || passer rapidement ; *how time flies !*, comme le temps passe ! || Av. prendre l'avion, voyager par avion ; ~ *across the Atlantic*, traverser l'Atlantique en avion ; ~ *over*, survoler || Fig. ~ *into a passion*, s'emporter ; ~ *into pieces*, voler en éclats ; *let* ~ *at*, s'en prendre à — *vt* Av. piloter (a plane) || survoler (the sea) || transporter en avion || faire voler (a kite) || fuir, éviter (avoid) || Naut. ~ *the British flag*, battre pavillon britannique.

fly³ [trousers] braguette *f* || [tent] auvent *m*.

flyer [flaiə] *n* aviateur *n*, pilote *m*.

flying [flaiŋ] *adj* volant (fish) || Av. ~*-boat*, hydravion à coque || ~ *personnel*, personnel navigant || Zool. ~ *fish*, poisson volant || Sp. ~ *jump*, saut *m* avec élan || Fig. ~ *visit*, visite *f* éclair • *n* vol *m* ; aviation *f* ; ~ *club*, aéroclub *m* ; *night* ~, vol de nuit ; *blind/instrument* ~, pilotage *m* sans visibilité.

fly|-leaf *n* feuille *f* de garde || ~*over* *n* viaduc autoroutier, toboggan *m* || ~*past* *n* Av. défilé aérien || ~*wheel* *n* Techn. volant *m*.

FM [ef'em] *abbrev* Rad. = frequency modulation.

foal [fəul] *n* poulain *m*, pouliche *f* || ânon *m* (donkey).

foam [fəum] *n* écume *f* • *vi* [wave] écumer || [beer] mousser || ~*-rubber* *n* caoutchouc *m* Mousse || ~*y* *adj* écumeux ; mousseux (beer).

fob [fɔb] *vt* ~ *off sth on sb*, refiler qqch à qqn.

foc|al [ˈfəukl] *adj* focal || ~*us* [-əs] *n* foyer *m* ; *in* ~, au point ; *out of* ~, flou ; *bring into* ~, mettre au point || Fig. point *m* de mire, centre *m* d'intérêt • *vt* faire converger (rays) || Phot. mettre au point — *vi* converger.

fodder [ˈfɔdə] *n* fourrage *m*.

foe [fəu] *n* ennemi *n*.

fœtus [ˈfiːtəs] *n* fœtus *m*.

fog [fɔg] *n* brouillard *m* || ~*-horn*, corne *f* de brume || ~*-bank*, banc *m* de brume || ~*-bound*, perdu dans le brouillard || ~*-lamp/light*, Aut. phare *m* antibrouillard || Phot. voile *m* • *vt* embrumer || Phot. voiler || Fig. embrumer, obscurcir — *vi* Phot. [film] se voiler || ~*gy* *adj* brumeux || Fig. confus ; *I haven't the foggiest idea*, je n'en ai pas la moindre idée.

foible [ˈfɔibl] *n* marotte, manie *f*.

foil¹ [fɔil] *n* feuille *f* (of metal) || tain *m* (in a mirror) || *(kitchen)* ~, papier *m* d'aluminium || Fig. repoussoir, faire-valoir *m* • *vt* déjouer, faire échouer.

foil² [fɔil] *n* Sp. fleuret *m*.

foist [fɔist] *vt* ~ *sth (off) on sb*, refiler qqch à qqn.

fold¹ [fəuld] *n* bergerie *f*.

fold² *n* pli *m* • *vt* plier ; ~ *in half*, plier en deux ; ~ *one's arms*, se croiser les bras || ~ *up*, replier || ~*er* *n* chemise *f*, dossier *m* (for papers) || dépliant, prospectus *m* || ~*ing* *adj* pliant (chair, table) ; ~ *seat/stool*, pliant *m* || *(~) screen*, paravent *m*.

fold-out *n* dépliant *m*.

foliage [ˈfəuliidʒ] *n* feuillage *m*.

folio [ˈfəuliəu] *n* in-folio *m*.

folk [fəuk] *npl* gens *mpl* ; *country* ~, campagnards *mpl* || *Pl* U.S., Coll. parents *mpl* • *adj* populaire || ~*-dance* *n* danse *f* folklorique || ~*lore* [-lɔ] *n* folklore *m* || ~*sy* [-si] *adj* sans façon, bon enfant.

follow [ˈfɔləu] *vt* suivre (go/come after) || suivre, comprendre (understand) || suivre, se conformer à ; ~ *sb's advice*, suivre le conseil de qqn || ~ *suit*, [cards] fournir (in spades, à pique) ; fig. faire de même || exercer (a profession) ; poursuivre (a career) || ~ *up*, suivre de près ; donner suite (a letter) ; exploiter (a success) || ~ *-up* *(n)*, Comm. relance *f* — *vi* suivre ; s'ensuivre, résulter ; *as* ~*s*, comme suit ‖ ~**er** n partisan, disciple m ‖ ~**ing** adj suivant, à la suite de ● n POL. partisans, supporters mpl.

folly [ˈfɔli] n sottise, bêtise f.

foment [fəˈment] vt fomenter.

fond [fɔnd] adj tendre, affectueux (loving) ; **be ~ of,** aimer ; trop indulgent, faible (doting) ‖ ~ **of,** friand, gourmand de (chocolate) ‖ amateur (of music) ‖ ~ hope, espérance f illusoire ‖ ~**le** [-l] vt caresser, choyer ‖ ~**ly** adv tendrement (lovingly) ; naïvement (foolishly) ‖ ~**ness** n tendresse, affection f ; indulgence f.

font [fɔnt] n fonts baptismaux ; bénitier m (for holy water).

food [fuːd] n nourriture f, aliments mpl ; take ~, s'alimenter ‖ tinned/ U.S. canned ~, conserves fpl ‖ ~**-industry** n (industrie f) agroalimentaire m ‖ ~**-poisoning** n intoxication f alimentaire ‖ ~**-processor** n robot m de cuisine ‖ ~**-stuff** n denrées fpl alimentaires.

fool [fuːl] n sot, imbécile n ; play the ~, faire l'idiot n ‖ dupe f ; **make a ~ of sb,** se payer la tête de qqn ● vt berner, duper — vi bêtifier, faire l'idiot n ; ~ around, baguenauder, traîner ‖ ~**hardy** adj téméraire ‖ ~**ish** adj sot ; insensé ‖ ~**ishness** n sottise, bêtise f ‖ ~**-proof** adj indétraquable, indéréglable (mechanism) ‖ ~**scap** n G.B. papier m à lettres (env. 43 × 34 cm).

foot, feet [fut, fiːt] n [person] pied m ; on ~, à pied ; fall on one's feet, retomber sur ses pieds ‖ [animal] patte f ‖ [things] pied m ‖ [page] bas m ‖ [table] bout m ‖ [measure] pied m ‖ [poetry] pied m ‖ FIG. position f ‖ on ~, sur pied, en cours ; COLL. **put one's ~ in it,** mettre les pieds dans le plat (fam.) ‖ **set on ~,** mettre sur pied ● vt ~ **it,** y aller à pied (walk) ‖ COLL. ~ **the bill,** payer la note ; casquer (fam.) ‖ ~ **up,** faire le total de (an account) ‖ ~**age** n

CIN. métrage m ‖ ~**-and-mouth disease** n fièvre aphteuse ‖ ~**ball** n ballon m de football ; [game] football m ; play ~, jouer au football ; ~ **player,** footballeur n ‖ ~**-bridge** n passerelle f ‖ ~**-fall** n bruit m de pas ‖ ~**-fault** n [tennis] faute f de pied ‖ ~**hills** npl contreforts mpl ‖ ~**hold** n prise f ‖ FIG. point m d'appui ; get a ~, prendre pied ‖ ~**ing** n (= ~HOLD) lose one's ~, perdre pied/l'équilibre ‖ FIG. position f ; on an equal ~ with, sur un pied d'égalité avec ‖ ~**lights** npl TH. rampe f ‖ ~**man** n valet m de pied ‖ ~**-note** n note f en bas de page ‖ ~**path** n sentier m ‖ ~**print** n empreinte f de pied ‖ ~**sie** [-si] F. COLL. play ~ with sb, faire du pied à qqn ‖ ~**-soldier** n fantassin m ‖ ~**step** n pas m ; follow in sb's ~s, marcher sur ᐧles traces de qqn ‖ ~**wear** n COMM. chaussure(s) f(pl).

for [fɔː] prep pour, à destination de ; the train ~ Paris, le train de Paris ‖ pour, destiné à ; this is ~ you, c'est pour vous ‖ pour, dans le but de ; go ~ a walk, aller se promener ; what ~ ?, pourquoi ? ‖ à la recherche de ; send ~ the doctor, faire venir le médecin ‖ pour, en vue de ; dress ~ dinner, s'habiller pour le dîner ‖ pour, à la place de ; do it ~ me, faites-le pour moi ‖ pour, en faveur de ; are you ~ or against ?, êtes-vous pour ou contre ? ‖ à cause de ; cry ~ joy, pleurer de joie ‖ en dépit de, malgré ; ~ all his wealth, malgré toute sa fortune ; ~ **all that,** malgré tout ‖ pour, en échange de ; a cheque ~ £ 5, un chèque de 5 livres ‖ sur une distance de ; we walked ~ 3 miles, nous fîmes 5 km (à pied) ‖ pour, pendant ; ~ a few days, pour quelques jours ; ~ **ever,** pour toujours ‖ depuis, il y a ; I have been here ~ two weeks, je suis ici depuis deux semaines, il y a deux semaines que je suis ici ‖ pour... que ; it is ~ you to decide, c'est à vous de décider ● conj car.

forage [ˈfɔridʒ] n fourrage m ‖ MIL. ~ cap, calot ; bonnet m de police.

foray [ˈfɔrei] *n* incursion, razzia *f* ● *vt* faire une incursion.

forbade → FORBID.

forbear[1] [ˈfɔːbeə] *n* ancêtre *m*.

forbear[2] [fɔːˈbeə] *vt/vi* (-bore [-bɔː], -borne [-bɔːn]) s'abstenir de, supporter patiemment.

forbid [fəˈbid] *vt* (-bad [-bæd] *or* -bade [-bæd], -bidden [-bidn]) défendre, interdire ‖ **~ding** *adj* menaçant (threatening) ‖ rébarbatif, revêche (appearance).

forbore, forborne → FORBEAR[2].

forc|e [fɔːs] *n* force *f*; *by sheer ~,* à force de ; *join ~s,* unir ses efforts ‖ violence *f*; *by main ~,* de vive force ‖ TECHN. *live ~,* force vive ‖ influence *f* ‖ *Pl* MIL. forces, troupes *fpl* ‖ FIG. *come into ~,* entrer en vigueur ● *vt* forcer, obliger, contraindre ; *~ sb into doing,* forcer qqn à faire qqch ; *~ (open) a door,* enfoncer une porte ; *~ one's way into,* entrer de force dans ‖ extorquer (*from,* à) ‖ **~ back,** refouler ‖ **~ed** [-t] *adj* forcé (labour, landing, march, smile) ‖ **~e-feed** *vt* gaver (une oie).

forc|eful [ˈfɔːsfl] *adj* puissant, énergique ‖ **~ible** *adj* de force, forcé ‖ FIG. énergique ; persuasif (speaker) ‖ **~ibly** *adv* de force (by force) ; énergiquement (forcefully).

ford [fɔːd] *n* gué *m* ● *vt* passer à gué.

fore [fɔː] *adj* antérieur, de devant ‖ NAUT. d'avant ● *adv* à l'avant ● *n* NAUT. avant *m* ‖ FIG. *come to the ~,* venir au premier plan, devenir connu.

forearm[1] [ˈfɔːrɑːm] *n* avant-bras *m*.

fore|arm[2] [fɔːˈrɑːm] *vt* prémunir ‖ **~bode** [-ˈbəud] *vt* pressentir (anticipate) ; présager (predict) ‖ **~boding** *n* pressentiment *m* ‖ **~cast** [ˈfɔːkɑːst] *vt* (cast *or* -ed [-id]) prédire, pronostiquer ● *n* prévision *f*; pronostic *m* ‖ **~castle** [ˈfəuksl] *n* NAUT. gaillard *m* d'avant ‖ **~court** *n* RAIL. (avant-)cour *f* ‖ [filling station] *~ attendant,* pompiste *n* ‖ **~fathers** *npl* ancêtres, aïeux *mpl* ‖

~finger [ˈ·-·] *n* index *m* ‖ **~foot** [ˈ·-·] *n* patte *f* de devant ‖ **~going** [ˈ·-·] *adj* précédent ‖ **~gone** [ˈ·-·] *adj* décidé d'avance, prévu ; *~ conclusion,* issue *f* inévitable ‖ **~ground** [ˈ·-·] *n* premier plan.

forehead [ˈfɔrid] *n* front *m*.

foreign [ˈfɔrin] *adj* étranger ; *Foreign Office,* ministère *m* des Affaires étrangères ‖ **~er** *n* étranger *n.*

foreleg [ˈfɔːleg] *n* patte *f* de devant.

fore|man [ˈfɔːmən] *n* contremaître *m* ‖ **~mast** *n* mât *m* de misaine ‖ **~most** *adj* principal ● *adv* first and *~,* avant tout ‖ **~quarters** *n* ZOOL. train *m* de devant ‖ **~runner** *n* précurseur *m* ‖ **~see** [ˈ·-·] *vt* (-saw [ˈ·sɔː], -seen [ˈsiːn]) prévoir ‖ **~seeable** *adj* prévisible ‖ **~shadow** [ˈ·-·] *vt* faire pressentir, annoncer ; préfigurer ‖ **~sight** *n* prévoyance *f* (forethought).

forest [ˈfɔrist] *n* forêt *f.*

forestall [fɔːˈstɔːl] *vt* prévenir, devancer.

forest|er [ˈfɔristə] *n* garde *m* forestier ‖ **~ry** [-ri] *n* sylviculture *f.*

foretaste [ˈfɔːteist] *n* avant-goût *m.*

fore|tell [fɔːˈtel] *vt* (-told [ˈ-təuld]) prédire, présager ‖ **~thought** [ˈ·-·] *n* prévoyance *f* ‖ **~tooth** [ˈ·-·] *n* dent *f* de devant.

forever [fəˈrevə] *adv* pour toujours, à jamais.

fore|warn [fɔːˈwɔːn] *vt* prévenir, avertir ‖ **~word** [ˈ·-·] *n* avant-propos *m*; préface *f.*

forfeit [ˈfɔːfit] *n* pénalité, amende *f* (fine) ‖ gage *m* (in games) ‖ JUR. dédit *m* ● *vt* perdre, être déchu de (a right) ‖ **~ure** [-ʃə] *n* perte, confiscation *f* (of a property) ‖ déchéance *f* (of rights).

forgave → FORGIVE.

forg|e [fɔːdʒ] *n* TECHN. forge *f* ● *vt* TECHN. forger ‖ JUR. falsifier, contrefaire ‖ FIG. inventer — *vi ~ ahead* prendre de l'avance ; NAUT.

continue to ~ ahead, courir sur son erre ‖ **~er** *n* faussaire *m* ‖ **~ery** [-ri] *n* falsification *f* (of documents) ‖ contrefaçon *f* (of money) ‖ faux *m* (document).

forget [fə'get] *vt* (-got [-'gɔt], -gotten ['gɔtn]) oublier ‖ COLL. *let's ~ it !*, n'en parlons plus ! — *vi* oublier ‖ **~ful** *adj* qui oublie facilement, qui a très mauvaise mémoire ; oublieux ‖ distrait, étourdi, négligent (heedless) ‖ **~fulness** *n* manque *m* de mémoire, négligence *f* ‖ **~-me-not** *n* myosotis *m*.

forgive [fə'giv] *vt* (-gave [-'geiv], -given [-'givn]) pardonner (an offence) ; pardonner à (offender) ‖ **~ness** *n* pardon *m*.

forgo [fɔ:'gəu] *vt* (-went [-'went], -gone [-'gɔ:n]) renoncer à, s'abstenir de.

forgot, forgotten → FORGET.

fork [fɔ:k] *n* fourchette *f* (for food) ‖ bifurcation *f* (of roads) ; [routing a driver] *left ~ !*, prenez la route de gauche ‖ AGR. fourche *f* ‖ MUS. *tuning ~*, diapason *m* ● *vt* AGR. remuer à la fourche — *vi* [road] bifurquer ‖ **~ed** [-t] *adj* fourchu ‖ **~-lift** *n* chariot élévateur.

forlorn [fə'lɔ:n] *adj* malheureux (miserable) ; abandonné (deserted) ; désespéré (desperate).

form [fɔ:m] *n* forme *f* (shape) ; *in the ~ of*, sous forme de ; *take ~*, prendre forme ‖ [school] banc *m* (bench) ; classe *f* (class) ‖ formule *f*, formulaire *m* ‖ formalité *f* ‖ convenance *f* ; *for ~'s sake*, pour la forme ‖ étiquette *f* ; *good ~*, savoir-vivre *m*, bon ton ‖ forme, règle *f* ; *in due ~*, en bonne et due forme ‖ forme, santé *f* (kind) ‖ [literature] *~ and matter*, la forme et le fond ‖ gîte *m* (of a hare) ‖ SP. forme, condition *f* ; *be in/out of ~*, être/ne pas être en forme ● *vt* former, façonner (shape) ‖ organiser, disposer ‖ JUR. former (a cabinet) ‖ GRAMM. construire (sentences) ‖ FIG. former ; se faire (an

idea, opinion) ; contracter (habits) — *vi* prendre forme, se former ‖ **~al** *adj* formel ‖ de cérémonie ; cérémonieux ; guindé (stiff) ‖ régulier ; *~ garden*, jardin *m* à la française ‖ **~alist** *adj/n* formaliste ‖ **~ality** [fɔ:'mæliti] *n* formalité *f*; *comply with a ~*, remplir une formalité ‖ **~ally** ['fɔ:məli] *adv* formellement, selon les règles, cérémonieusement ‖ **~ation** [fɔ:'meiʃn] MIL., FIG. formation *f.*

former ['fɔ:mə] *adj* antérieur, précédent, ancien ● *pron the ~*, celui-là *m*, celle-là *f*, ceux-là *mpl*, celles-là *fpl* ; *the ~... the latter*, celui-là... celui-ci, le premier... le second (etc.) ‖ **~ly** *adv* autrefois, jadis, anciennement.

formidable ['fɔ:midəbl] *adj* redoutable (dreadful) ‖ énorme (enormous).

formless ['fɔ:mləs] *adj* informe.

formul|a, s or **-lae** ['fɔ:mjulə, əz or -i:] *n* formule *f* ‖ **~ate** [-eit] *vt* formuler.

for|sake [fə'seik] *vt* (-sook [-'suk], -saken [-'seikn]) abandonner, délaisser (sb) ‖ renoncer à (sth).

for|swear [fɔ:'swɛə] *vt* (-swore [-'swɔ:], -sworn [-'swɔ:n]) abjurer, renier qqch (deny) ‖ renoncer à (renounce) ‖ *~ oneself* se parjurer.

fort [fɔ:t] *n* MIL. fort *m.*

forte [fɔ:ti] *n it is not my ~*, ce n'est pas mon fort.

forth [fɔ:θ] *adv* dehors, en avant ; *back and ~*, de long en large ; *and so ~*, et ainsi de suite ‖ **~coming** ['·'··] *adj* à venir ; prêt à paraître (book) ‖ **~right** ['·'·] *adj* direct, franc ● *adv* carrément ‖ **~with** ['fɔ:θ'wiθ] *adv* immédiatement, sur-le-champ, séance tenante.

fortieth ['fɔ:tiiθ] *adj* quarantième.

fort|ification [fɔ:tifi'keiʃn] *n* fortification *f* ‖ **~ify** ['fɔ:tifai] *vt* MIL., FIG. fortifier ‖ **~itude** ['fɔ:titju:d] *n* force *f* morale ; courage *m*.

fortnight ['fɔ:tnait] *n* quinzaine *f* (de jours) ; *a ~ today*, d'aujourd'hui

fortress [ˈfɔ:tris] *n* forteresse *f*.

fortuitous [fɔ:ˈtjuitəs] *adj* fortuit.

fortunate [ˈfɔ:tʃnit] *adj* chanceux, heureux (lucky) ‖ **~ly** *adv* heureusement, par bonheur.

fortune [ˈfɔ:tʃn] *n* fortune *f*, destin, sort *m* (fate) ‖ fortune, chance *f* (luck) ; *tell sb's ~*, dire la bonne aventure à qqn ; tirer les cartes ‖ fortune, richesse *f* ; *make a ~*, faire fortune ‖ **~-teller** *n* diseuse *f* de bonne aventure ; tireuse *f* de cartes.

forty [ˈfɔ:ti] *adj* quarante ; *about ~*, quarantaine *f* ‖ ~ *winks*, COLL. roupillon *m* ; COLL. *snatch ~ winks*, piquer un roupillon ‖ ~ *five n a 45*, un 45-tours (record).

forward [ˈfɔ:wəd] *adj* en avant ‖ FIG. précoce, en avance (child) ; audacieux, entreprenant (bold) ● (also ~s [-z]) *adv* en avant ; *go ~*, avancer ● *n* SP. avant *m* ● *vt* expédier ; *please ~*, prière de faire suivre ; *~ing address*, adresse *f* de réexpédition ‖ FIG. favoriser.

fossil [ˈfɔsl] *n/adj* fossile (*m*).

foster [ˈfɔstə] *vt* nourrir ‖ FIG. favoriser, encourager ‖ **~-brother** *n* frère *m* de lait ‖ **~-father** *n* père adoptif.

fought → FIGHT.

foul [faul] *adj* nauséabond, fétide, infect (smell) ‖ infect (weather) ‖ répugnant, dégoûtant, immonde (sight) ‖ ordurier (language) ‖ SP. bas (blow) ; ~ *play*, jeu déloyal ‖ NAUT. engagé (anchor) ; *fall ~ of*, entrer en collision avec ● *n* SP. coup interdit ; [boxing] coup bas ● *vt* souiller, polluer ‖ NAUT. engager (anchor) ‖ SP. violer la règle ‖ **~-mouthed** *adj* mal embouché ‖ **~-up** *n* COLL. bavure (policière, etc.) [fam.].

found¹ → FIND ‖ *all ~*, logé nourri.

found² [faund] *vt* TECHN. fondre.

found³ *vt* fonder, créer ‖ **~ation** [faunˈdeiʃn] *n* ARCH. fondation *f* ; *lay the ~-stone*, poser la première pierre ‖ [cosmetics] fond *m* de teint ‖ FIG. fondation (act) ; fondement *m*, base *f* (basis) ‖ **~-garment** *n* gaine *f*.

founder¹ [ˈfaundə] *n* fondateur *n*.

founder² *n* TECHN. fondeur *n*.

founder³ *vi* NAUT. sombrer.

foundling [ˈfaundliŋ] *n* enfant trouvé(e).

foundry [ˈfaundri] *n* fonderie *f*.

fountain [ˈfauntin] *n* fontaine *f*, jet *m* d'eau ‖ FIG. source *f* ‖ **~-pen** *n* stylo *m*.

four [fɔ:] *adj* quatre ; *on all ~*, à quatre pattes ‖ **~-engined** [ˌ-ˈrenʒind] *adj* quadrimoteur ‖ **~-fold** *adj* quadruple ‖ **~-footed** *adj* quadrupède ‖ **~-handed** *adj* quadrumane ‖ **~-letter word** *n* mot *m* obscène ‖ **~-poster** *n* lit *m* à colonnes ‖ **~teen** [ˈ-ˈti:n] *adj* quatorze ‖ **~teenth** [ˈ-ˈti:nθ] *adj* quatorzième ‖ **~th** [-θ] *adj* quatrième ● *n* quart *m*.

fowl [faul] *n* volaille *f* (poultry).

fox [fɔks] *n* renard *m* ; **~-cub**, renardeau *m* ‖ **~y** *adj* rusé, malin ‖ U.S. sexy.

frac|tion [ˈfrækʃn] *n* fraction *f* ‖ **~ture** [-tʃə] *n* MED. fracture *f* ● *vt* MED. fracturer.

fragile [ˈfrædʒail] *adj* fragile.

fragment [ˈfrægmənt] *n* fragment *m*.

fragr|ance [ˈfreigrns] *n* parfum *m* ; *give out a ~*, embaumer ‖ **~ant** *adj* parfumé.

frail [freil] *adj* frêle (body) ; délicat, fragile (health) ‖ **~ty** [-ti] *n* fragilité *f*.

frame [freim] *n* structure, charpente *f* ‖ cadre *m* (of picture, bicycle) ‖ châssis *m* (of window, car) ‖ monture *f* (of glasses) ‖ stature *f* (of person) ‖ TECHN. bâti *m* ‖ AGR. châssis *m* ‖ CIN. image *f* ; ~ *counter*, compteur *m* d'images ‖ FIG. ~ *of mind*, disposition *f* d'esprit • *vt* former, façonner (shape) || encadrer (a picture) || ~ *(up) sb,* monter un coup contre qqn || ~**-house** *n* maison *f* à colombage || ~**-up** *n* COLL. coup monté || ~**work** *n* charpente *f* || ARCH. gros œuvre || FIG. structure, ossature *f.*

franc [fræŋk] *n* franc *m.*

France [frɑ:ns] *n* France *f.*

franchise [ˈfrænʃaiz] *n* POL. droit *m* de vote || COMM., U.S. concession *f,* droit *m ;* licence exclusive.

frank[1] [fræŋk] *adj* franc || ~**ly** *adv* franchement ; *quite* ~, en toute franchise.

frank[2] *vt* envoyer en franchise postale || affranchir (a letter) || ~**ing-machine** *n* machine *f* à affranchir.

frantic [ˈfræntik] *adj* éperdu, frénétique ; ~ *with,* fou de || effréné (rush) || ~**ally** [-li] *adv* frénétiquement, avec frénésie.

fratern|al [frəˈtə:nl] *adj* fraternel || ~**ity** *n* fraternité *f;* confrérie *f* || U.S. club *m* d'étudiants || ~**ize** [ˈfrætənaiz] *vi* fraterniser.

fraud [frɔ:d] *n* fraude, supercherie *f* (act) || imposteur *m* (person) || ~**ulent** [-julənt] *adj* frauduleux.

fraught [frɔ:t] *adj* chargé (*whit,* de) || FIG. lourd (*with,* de).

fray[1] [frei] *n* bagarre *f.*

fray[2] *vi/vt* (s')effilocher.

freak [fri:k] *n* ~ ***(of nature),*** phénomène, monstre *m* (animal, plant) || phénomène naturel || idée *f* fantasque/extravagante ; lubie *f* || COLL. excentrique, original, marginal *n* (person) || SL. fan(a) *n* (fam.) [follower, etc.] ; hippie *n ;* drogué *n* • *adj* anormal • *vi* ~ ***out,*** COLL. [drugs] planer (pop.) ; se défoncer (fam.) || devenir hippie || ~**ish** *adj* anormal, insolite (behaviour).

freckle [ˈfrekl] *n* tache *f* de rousseur.

free [fri:] *adj* libre ; ***set*** ~, libérer, mettre en liberté || ~ ***from,*** exempt de || ~ *and easy,* sans façon/cérémonie || libéral, généreux (person) || copieux (supply) || COMM. gratuit ; ~ *of charge,* sans frais || COLL. ***for*** ~, gratuitement ; pour rien (fam.) || FIN. exempt || SP. ~ *kick,* coup franc || FIG. désinvolte • *adv* gratis, franco • *vt* libérer, affranchir (a slave) || délivrer, dégager || ~**dom** [-dəm] *n* liberté *f* || aisance *f* (of manner) || exemption *f* || ~**-fall** *n* descente *f* en chute libre • *vi* descendre en chute libre || ~**-for-all** *n* mêlée générale|| ~**lance** *adj* indépendant (journalist) || ~**ly** *adv* librement ; franchement (frankly) || libéralement (generously) || volontairement (willingly) || ~**mason** [-meisn] *n* franc-maçon *m* || ~**masonry** *n* franc-maçonnerie *f* || ~ **port** *n* port franc || ~**stone** *n* pierre *f* de taille || ~**-thinker** *n* libre-penseur *n* || ~**-trade** *n* libre-échange *m* || ~**way** *n* U.S. autoroute gratuite || ~**-wheel** *vi* aller en roue libre || ~**will** *n* libre arbitre *m ; of one's own* ~, de son plein gré • *adj* volontaire (gift).

freez|e [fri:z] *vt* (froze [frəuz], frozen [ˈfrəuzn]) geler, glacer || CULIN. congeler || FIN. geler, bloquer (prices, salaries) || PHYS. ~ ***ing point,*** point *m* de congélation — *vi* geler || ~**e-dry** *vt* lyophiliser || ~**er** *n* congélateur *m* || ~**ing** *adj* glacial • *n* congélation *f* || ~**ing compartment** *n* conservateur, freezer *m.*

freight [freit] *n* fret *m,* cargaison *f* (cargo) || transport *m* || fret *m* || U.S. ~*car/train,* wagon/train *m* de marchandises || ~**er** *n* NAUT. cargo *m* || AV. avion-cargo *m.*

French [frenʃ] *adj* français ; ~ *beans,* haricots *mpl* (verts) || CULIN. ~ *dressing,* vinaigrette *f* || ~ ***fried***/U.S. ***fries,*** (pommes de terre) frites *fpl ;* ~ ***toast,*** pain perdu || ~ ***horn,*** cor *m* d'harmonie || ***take*** ~ ***leave,*** filer à l'anglaise || ~ *letter,* POP. capote anglaise (pop.) || ~ *roll,* petit pain || ~***-speaker*** *(n),* francophone *n ;* ~***-speaking*** *(adj),* francophone *adj* ||

~ **window,** porte-fenêtre f • n français m (language) ‖ Pl : the ~, les Français mpl ‖ ~ **man** n Français m ‖ ~ **woman** n Française f.

frenz|ied ['frenzid] adj frénétique, furieux ; effréné, forcené ‖ ~**y** n frénésie, fureur f.

frequ|ency ['fri:kwənsi] n fréquence f ‖ RAD. ~ **modulation,** modulation f de fréquence ‖ ~**ent** vt fréquenter • adj fréquent ‖ ~**ently** adv fréquemment.

fresco [freskəu] n fresque f.

fresh [freʃ] adj frais (new) ‖ ~ **paint,** peinture fraîche ‖ put on ~ **clothes,** se changer ‖ CULIN. frais (butter, fish, etc.) ‖ ~ **water,** eau douce ‖ COLL. trop familier ; culotté (fam.) ; be ~ **with,** se montrer trop entreprenant auprès de (the opposite sex).

freshen vi [wind] fraîchir ‖ ~ **up,** faire un brin de toilette.

fresher n [school] SL. bizuth m.

fresh|ly adv récemment ‖ ~ **man** n étudiant m de première année ‖ ~**ness** n fraîcheur f ; nouveauté f ; éclat (of youth).

fret¹ [fret] n irritation f • vt ronger (corrode) ‖ FIG. tracasser (worry) — vi se tracasser ; se faire de la bile (fam.).

fret² n [pattern] (Greek) ~, grecque f • vt découper (wood) ‖ ~-**saw** scie f à découper ‖ ~**work** n travail ajouré.

friar ['fraiə] n moine, religieux m.

friction ['frikʃn] n frottement m, friction f ‖ ~ **glove,** gant m de crin ‖ ~ **tape,** chatterton m.

Friday ['fraidi] n vendredi m ; Good ~, vendredi saint.

fridge [fridʒ] n COLL. frigo m (fam.).

fried → FRY.

friend [frend] n ami n ; make ~s **with,** se lier avec (qqn) ‖ ~**liness** n bienveillance f ‖ ~**ly** adj amical ; aimable, accueillant ‖ ~**ship** n amitié f.

frieze [fri:z] n ARCH. frise f.

frig(e) n = FRIDGE.

frigate ['frigit] n frégate f.

fright [frait] n frayeur f, effroi m ; take ~, prendre peur ‖ COLL. épouvantail m, horreur f (person) ‖ ~**en** vt effrayer, faire peur à ‖ ~**fully** adv effroyablement, affreusement.

frigid ['fridʒid] adj froid, glacial ‖ MED. frigide ‖ FIG. glacé.

frill [fril] n ruche f, jabot m ‖ Pl FIG. chichis, embarras mpl (fuss).

fringe [frindʒ] n frange f (trimming) ‖ bord m (border) ‖ lisière f (of a forest) ‖ FIG. marge f (of society) ‖ ~ **benefits,** avantages mpl (en nature), à-côtés mpl • vt franger ‖ FIG. border (a road).

frippery ['fripəri] n pacotille f (in dress) ‖ fanfreluches fpl (finery).

frisk [frisk] vi s'ébattre, gambader — vt COLL. fouiller (person) ‖ ~**y** adj fringant (person).

fritter¹ ['fritə] n beignet m.

fritter² vt effriter ‖ FIG. ~ **away,** gaspiller (one's time).

frivol|ity [fri'vɔliti] n frivolité f ‖ ~**ous** ['frivələs] adj frivole (person) ; futile (remark).

frizzle ['frizl] vt faire frire, griller — vi grésiller.

frizzy ['frizi] adj crépu, frisé.

fro [frəu] adv → TO.

frock [frɔk] n robe f ‖ REL. froc m ‖ ~-**coat** n redingote f.

frog [frɔg] n grenouille f ‖ ~**man** n homme-grenouille m.

frolic ['frɔlik] n ébats mpl ‖ espièglerie f (prank) • vi ~ (about), folâtrer, gambader (frisk).

from [frɔm] prep [place] de ; come ~, venir de ; where are you ~ ?, d'où êtes-vous ? ‖ [sender] expéditeur (on letter) ‖ [source] ~ Shakespeare, tiré de Shakespeare ; tell him ~ me that, dites-lui de ma part que ‖ [time] depuis ; (as) ~ the first of May, à partir du 1ᵉʳ mai ; *a month ~ now*, dans un mois ‖ [prices] à partir de, depuis ‖ [model] ~ *nature*, d'après nature ‖ [material] *made ~ milk*, fait avec du lait ‖ [separation] de, à ; *tell ~*, distinguer de ‖ [cause] *die ~ fatigue*, mourir de fatigue ‖ [shelter] *shelter ~ the rain*, s'abriter de la pluie ‖ MATH. *2 ~ 5 is 3*, 5 moins 2 égale 3.

front [frʌnt] *n* devant, avant *m* ; *in ~ of*, en face de ; *(sea-)~*, bord *m* de (la) mer ‖ ARCH. façade *f* ‖ MIL., POL. front *m* ‖ FIG. toupet *m*, effronterie *f* ● *adj* (en) avant, de devant ; *~ page*, première page ; *the ~ page*, la une (fam.) ; *~ view*, vue *f* de face ‖ AUT. *~ wheel drive*, traction *f* avant ● *vt* donner sur ; *hotel ~ing the sea*, hôtel face à la mer ‖ **~age** [-idʒ] *n* exposition *f* (exposure) ‖ **~ier** [-jə] *n* frontière *f* ● *adj* frontalier.

frost [frɔst] *n* gel *m*, gelée *f* ; *glazed/black ~*, verglas *m* ; *white/hoar ~*, gelée blanche ; *ten degrees of ~*, 10 degrés au-dessous de zéro ● *vt* geler (freeze) ‖ givrer (rime) ‖ CULIN. glacer ‖ TECHN. *~ed glass*, verre dépoli ‖ **~-bitten** *adj* gelé (feet ; vegetables) ‖ **~ed** *adj* dépoli (glass) ‖ **~y** *adj* glacial ; gelé, couvert de givre.

froth [frɔθ] *n* mousse *f* (on beer, soap).

frown [fraun] *n* regard *m* sévère ; froncement *m* de sourcils ● *vi* froncer les sourcils ‖ *~ upon*, désapprouver.

froze|e, **~en** [frəuz, -n] → FREEZE ‖ **~en** *adj* gelé, glacé (person) ‖ *~ food*, produits surgelés, aliments congelés.

fructify [′frʌktifai] *vt* féconder — *vi* fructifier.

frugal [′fru:gl] *adj* frugal (meal) ‖ économe (person) ‖ **~ly** *adv* frugalement.

fruit [fru:t] *n* fruit *m* ; *some ~*, des fruits ; *a piece of ~*, un fruit ‖ FIG. fruit *m* ; *bear ~*, porter ses fruits ‖ *~cake* *n* cake *m* ‖ *~ juice* *n* jus *m* de fruit ‖ *~y* *adj* fruité.

fruiterer [·rə] *n* fruitier *n*, marchand *n* de fruits.

fruit|-farmer *n* arboriculteur *n* ‖ **~ful** *adj* fertile, fécond, fructueux ‖ **~less** *adj* vain, infructueux (efforts) ‖ **~-machine** *n* machine *f* à sous ‖ **~-salad** *n* salade *f* de fruits ‖ **~-tree** *n* arbre fruitier.

frustra|te [frʌs′treit] *vt* contrecarrer (efforts) ‖ faire échouer (a plan) ‖ frustrer (hopes) ‖ **~tion** *n* déception, déconvenue *f* ‖ frustration *f* (of hopes).

fry¹ [frai] *n* alevin *m* ‖ FIG. *small ~*, menu fretin.

fry² *vt/vi* (faire) frire ‖ **~ing-pan** *n* poêle *f* à frire.

fuck [fʌk] *vt* (taboo) baiser (pop.).

fuddled [′fʌdld] *adj* embrouillé (ideas) ‖ éméché, pompette (fam.) [tipsy].

fuel [fjuəl] *n* combustible *m* ‖ *~ cell,* pile *f* à combustible ‖ AUT. carburant *m* ; *~-injection engine*, moteur *m* à injection ‖ *~-oil* *n* mazout, fuel *m*.

fugitive [′fju:dʒitiv] *n/adj* fugitif.

fugue [fju:g] *n* MUS. fugue *f*.

fulfil [ful′fil] *vt* accomplir, s'acquitter de (a duty) ‖ remplir (an obligation) ‖ exaucer (a wish) ‖ achever (an undertaking) ‖ **~ment** *n* accomplissement *m*.

full [ful] *adj* plein, rempli ; *~ of,* plein de ; *a ~ hour*, une bonne heure ‖ *~ up !*, complet ! ‖ ample, large (clothes) ‖ complet, entier ; intégral (text) ; *~ particulars,* détails complets ; *at ~ speed,* à toute vitesse ‖ *fall ~ length,* tomber de tout son long ‖ plein (face) ‖ TH. *~ house,* salle *f* comble ‖ ASTR. *~ moon,* pleine lune ‖ RAIL. *~ fare,* plein tarif ● *adv* totalement ; *~ in the face,* en pleine figure ● *n* plein *m* ; *in ~,* intégralement ; en toutes lettres (name) ‖ **~-back** *n* [football, rugby, etc.] arrière *m* ‖ **~-bodied** *adj* corsé (wine) ‖ **~-dress** *n* grande tenue ● *adj* de cérémonie ‖ **~em-**

ployment n plein-emploi m ‖ ~ **(y)-grown** adj adulte ‖ ~-**length** adj en pied (portrait) ‖ CIN. ~ **film** long métrage ‖ ~ **member** n membre m à part entière ‖ ~ **moon** n pleine lune ‖ ~**ness** n plénitude f ‖ ~**-scale** adj grandeur nature inv ‖ ~**stop** n point m ‖ ~**-time** adj à temps plein, à plein temps ‖ ~**y** adv pleinement.

fulminate ['fʌlmineit] vi fulminer (against, contre).

fumble ['fʌmbl] vi tâtonner ; ~ **for**, chercher à tâtons, fouiller.

fume [fju:m] n (usu pl) vapeur, émanation f ● vi émettre des vapeurs, fumer ‖ COLL. rager.

fumigat|e ['fju:migeit] vt désinfecter par fumigation ‖ ~**ion** [ˌfju:mi'geiʃn] n fumigation f.

fun [fʌn] n amusement ; have a lot of ~, s'amuser follement ; **for/in** ~, pour rire ; **make** ~ **of sb**, se moquer de qqn ; it's not much ~, ça n'est pas très drôle ‖ ~ **fair**, fête foraine ; parc m d'attractions (modern).

function ['fʌnʃn] n fonction f (activity) ‖ réception f (party) ● vi fonctionner.

fund [fʌnd] n fonds m ; caisse f ‖ FIN. Pl rentes fpl sur l'État ; **public** ~s, deniers publics ; **no** ~s, défaut m de provision.

fundamental [ˌfʌndə'mentl] adj fondamental ; foncier ‖ ~**ist** n REL. intégriste n.

funeral ['fju:nrəl] n funérailles, obsèques fpl ● adj funèbre, funéraire.

fungus, -gi ['fʌŋgəs], -dʒai] n champignon m.

funicular [fju'nikjulə] adj/n funiculaire (m).

funk [fʌŋk] n COLL. frousse f (fear) ‖ froussard n (person).

funnel ['fʌnl] n entonnoir m (utensil) ‖ TECHN. cheminée f (of a ship).

funnies ['fʌniz] npl U.S. bandes dessinées.

funny ['fʌni] adj drôle, amusant ; bizarre (strange) ‖ COLL. [elbow] ~ **bone**, petit juif (fam.).

fur [fə:] n fourrure f, pelage m ‖ ~ **coat**, manteau m de fourrure ; ~-**lined**, fourré ‖ [[kettles] tartre m.

furbish ['fə:biʃ] vt fourbir.

furious ['fjuəriəs] adj furieux, violent.

furl [fə:l] vt replier, rouler (umbrella) ‖ NAUT. ferler (a sail).

furlough ['fə:ləu] n MIL. permission f.

furnace ['fə:nis] [central heating] chaudière f ‖ TECHN. four m.

furnish ['fə:niʃ] vt meubler ; ~**ed flat**, (appartement) meublé m ‖ ~**ings** npl équipement m (fixtures).

furniture ['fə:nitʃə] n ameublement m, meubles mpl ; **a piece of** ~, un meuble ; **set of** ~, mobilier m ‖ ~-**remover** n déménageur m ‖ ~-**warehouse** n garde-meuble m.

furrier ['fʌriə] n fourreur m.

furrow ['fʌrəu] n sillon m ‖ ride f (wrinkle) ● vt sillonner ‖ rider (wrinkle) ‖ raviner (a road).

further ['fə:ðə] (comp. of far) adj plus éloigné ‖ supplémentaire, autre ; until ~ notice, jusqu'à nouvel ordre ● adv davantage ● vt favoriser, servir ‖ ~**ance** [-rns] n avancement m, progrès m ‖ ~**more** adv de plus ; en outre ‖ ~**most** adv le plus éloigné.

furthest → FARTHEST.

furtive ['fə:tiv] adj furtif ; ~ **glance**, regard m à la dérobée.

fury ['fjuəri] n furie, fureur f ; violence f.

fuse [fju:z] vi/vt fondre ‖ ELECTR. ~ **the lights**, faire fondre les plombs ● fusible, plomb m ; a ~ **has blown**, un plomb a sauté ‖ [bomb] mèche f (string) ; détonateur m (device).

fuselage ['fju:zila:ʒ] n AV. fuselage m.

fusion [ˈfjuːʒn] *n* fonte, fusion *f ;* nuclear ~, fusion nucléaire.

fuss [fʌs] *n* agitation *f ;* embarras *m,* histoires *fpl ;* **make a** ~, s'énerver ; faire des histoires ; without ~, sans façons ● *vi* ~ *(about),* s'agiter, s'énerver (become nervous) ; s'af-fairer (bustle about) — *vt* ennuyer ; embêter (fam.) ‖ ~**y** *adj* tatillon, difficile, méticuleux.

fusty [ˈfʌsti] *adj* qui sent le renfermé ‖ Fig. vieux jeu.

futile [ˈfjuːtail] *adj* futile (vain) ‖ puéril (childish).

future [ˈfjuːtʃə] *n* avenir, futur *m ; in (the)* ~, à l'avenir ‖ Gramm. futur *m* ● *adj* futur, à venir.

fuze U.S. = fuse.

fuzz [fʌz] *n* Sl. flic *m* (arg.) ; *the* ~, les flics.

fuzzy [ˈfʌzi] *adj* crêpu (hair) ‖ flou (picture).

G

g [dʒiː] *n* g *m* ‖ *G string,* cache-sexe *m inv* ‖ Mus. G, sol *m.*

gab [gæb] *n* Coll. bagout ; *have the gift of the* ~, avoir la langue bien pendue, avoir la parole facile.

gabardine [ˈgæbədiːn] *n* gabar-dine *f.*

gabble [ˈgæbl] *n* bavardage, caque-tage *m* ● *vi* bredouiller (jabber).

gable [ˈgeibl] *n* Arch. pignon *m.*

Gabon [ˈgæbən] *n* Gabon *m* ‖ ~**ese** [ˌ-ˈiːz] *adj/n* gabonais.

gad [gæd] *vi* ~ *about,* Coll. se balader, vadrouiller (fam.).

gadfly [ˈgædflai] *n* taon *m.*

gadget [ˈgædʒit] *n* truc, machin, bidule, gadget *m* (fam.).

gaff [gæf] *n* Naut. gaffe *f.*

gag [gæg] *n* bâillon *m* ‖ Th. gag *m* ● *vt* bâillonner.

gaga [ˈgɑːgɑː] *adj* Coll. gaga (fam.).

gage [geidʒ] = gauge.

gaiety [ˈgeiəti] *n* gaieté *f* ‖ *Pl* réjouissances *fpl.*

gaily [ˈgeili] *adv* gaiement.

gain [gein] *n* gain, profit *m* ‖ Fin. bénéfice *m* ● *vt* gagner (money) ‖ acquérir (experience, sb's esteem) ‖ obtenir (information) ‖ prendre (weight) ‖ atteindre (a place) ‖ gagner (ground, time) — *vi* gagner ‖ [clock] avancer ‖ ~ *on sb,* distancer qqn ; rattraper qqn.

gainsay [geinˈsei] *vt* contredire ‖ nier, mettre en question.

gait [geit] *n* allure, démarche *f.*

gaiter [ˈgeitə] *n* guêtre *f.*

gala [ˈgɑːlə] *n* gala *m ; in* ~ *dress,* en tenue de gala.

galaxy [ˈgæləksi] *n* galaxie, constel-lation *f.*

gale [geil] n coup m de vent, tempête f; blow a~, souffler en tempête.

gall[1] [gɔ:l] n [person] bile f; [animal] fiel m; ~-bladder, vésicule f biliaire ‖ Fig. amertume f.

gall[2] n écorchure f ● vt Med. écorcher ‖ Fig. blesser (offend).

gallant[1] [gə'lænt] adj galant (attentive to women).

gallant[2] ['gælənt] adj vaillant (brave); beau, superbe, splendide (fine) ‖ ~ry n vaillance f (bravery) ‖ galanterie f (attention to women).

gallery ['gæləri] n Arts galerie f, musée m ‖ Th. dernier balcon.

galley ['gæli] n Naut. cuisine f (ship's kitchen) ‖ Hist. galère f; ~ slave, galérien m.

Gallic ['gælik] adj gaulois ‖ [french] français; ~ charm, le charme latin.

gallicism ['gælisizm] n gallicisme m.

gallon ['gælən] n gallon m (measure).

gallop ['gæləp] n galop m ● vi galoper — vt faire galoper.

gallows ['gæləuz] npl (+ sing. v.) potence f.

Gallup poll ['gæləp'pəul] n sondage m d'opinion.

galore [gə'lɔ:] adj en pagaille, à gogo, en veux-tu en voilà (fam.).

galoshes [gə'lɒʃiz] npl caoutchoucs mpl (overshoes).

gambit ['gæmbit] n gambit m.

gambl|e ['gæmbl] vi jouer (de l'argent) [on, sur] ‖ Fig. miser (on, sur) — vt ~ away, perdre au jeu ● n Fig. entreprise risquée ‖ ~er n joueur n ‖ ~ing n jeu(x) m(pl) d'argent; ~-den, tripot m.

gambol ['gæmbl] n gambade f; ébats mpl ● vi gambader, cabrioler.

game[1] [geim] n jeu m ‖ card ~, jeu de cartes; play a good ~, bien jouer; have a ~ of whist, faire une partie de whist ‖ ~ of chance, jeu m de hasard ‖ Sp. match m; partie f; a ~ of tennis,

une partie de tennis ‖ Fig. play the ~, jouer franc jeu ‖ Fig. manège m, manigance f; make ~ of, tourner en dérision.

game[2] n gibier m; big ~ fishing, pêche f au gros ‖ ~-bag n gibecière, carnassière f ‖ ~keeper n garde-chasse m.

game[3] adj courageux, résolu, décidé; capable (de); are you ~ ?, chiche ?

game[4] adj Coll. estropié; have a~ leg, être boiteux.

gamut ['gæmət] n Mus. gamme f.

gander ['gændə] n jars m.

gang [gæŋ] n bande, clique f ‖ Techn. équipe f (of workers) ● vi ~ up, se liguer (against, contre) ‖ ~plank n passerelle f ‖ ~ster [-stə] n bandit, gangster m ‖ ~way n passerelle f ‖ Aut. couloir m (in a bus) ‖ Th. allée f.

gaol [dʒeil] n = JAIL.

gap [gæp] n brèche f (in a wall) ‖ trou m (hole) ‖ solution f de continuité ‖ Fig. lacune f; abîme m; bridge the ~, combler une lacune.

gap|e [geip] vi bâiller, rester bouche bée (at, devant) ‖ ~ing adj bouche bée (person); béant (thing).

garage ['gærɑːdʒ] n garage m; ~-man, garagiste m ● vt mettre au garage.

garbage ['gɑːbidʒ] n ordures fpl, détritus mpl; ~ can, U.S. poubelle, boîte à ordures; ~ collector, éboueur m; ~ disposal unit, broyeur m d'ordures.

garble ['gɑːbl] vt amputer, mutiler (a text) ‖ Fig. fausser (an account); dénaturer (facts).

garden ['gɑːdn] n jardin m ‖ Pl espaces verts; parc m ● vi jardiner ‖ ~er n jardinier n ‖ ~ing n jardinage m.

gargle ['gɑːgl] vt/vi (se) gargariser ● n gargarisme m.

gargoyle ['gɑːgɔil] n gargouille f.

garish ['gɛəriʃ] *adj* éblouissant (glaring) ‖ voyant, criard (colour).

garland ['gɑːlənd] *n* guirlande *f*.

garlic ['gɑːlik] *n* ail *m*; clove of ~, gousse *f* d'ail.

garment ['gɑːmənt] *n* vêtement *m* ‖ ~-**bag** *n* housse *f* à habits.

garnet ['gɑːnit] *n* grenat *m*; ~-**red**, grenat (colour).

garnish ['gɑːniʃ] *vt* garnir.

garret ['gærət] *n* mansarde *f* (room); grenier *m* (attic).

garrison ['gærisn] *n* garnison *f* ● *vt* mettre en garnison.

garter ['gɑːtə] *n* jarretière *f*; U.S. jarretelle *f*.

gas [gæs] *n* gaz *m* ‖ ~-**cooker**, cuisinière *f* à gaz ‖ ~ **fire**, radiateur *m* à gaz ‖ ~-**lighter**, allume-gaz *m inv* ‖ ~-**mask**, masque *m* à gaz ‖ ~-**meter**, compteur *m* de gaz ‖ ~-**oil**, gas-oil *m* ‖ ~-**range**, fourneau *m* à gaz ‖ ~-**ring**, brûleur *m* ‖ ~-**works**, usine *f* à gaz ‖ U.S., AUT. (= GASOLENE) essence *f*; COLL. step on the ~, appuyer sur le champignon (fam.).

gash [gæʃ] *n* entaille *f* (slash) ‖ balafre *f* (scar).

gasify ['gæsifai] *vt* gazéifier.

gasket ['gæskit] *n* AUT. joint *m* de culasse.

gasolene, gasoline ['gæsəliːn] *n* U.S. essence *f*.

gasp [gɑːsp] *vi* haleter; ~ for breath, suffoquer ● *n* halètement *m* ‖ FIG. murmure *m*.

gate [geit] *n* porte *f* (of castle, town) ‖ grille *f* (of garden) ‖ RAIL. barrière *f* ‖ ~-**crash** *vi* entrer en fraude, resquiller ‖ ~-**crasher** *n* resquilleur *n* ‖ ~-**keeper** *n* RAIL. garde-barrière *n* ‖ ~-**way** *n* entrée *f*, portail *m*.

gather ['gæðə] *vt* assembler, réunir; ~ together, rassembler ‖ amasser, accumuler (money) ‖ prendre, retrouver; ~ breath, reprendre haleine ‖ froncer (material) ‖ ~ speed,

prendre de la vitesse ‖ AGR. cueillir (fruit); rentrer (the harvest); ~ the grapes, vendanger ‖ ZOOL. ~ honey, butiner ‖ FIG. comprendre, déduire — *vi* se rassembler, se réunir ‖ ~**ing** [-riŋ] *n* assemblée, réunion *f* ‖ AGR. récolte *f* (of crops); cueillette *f* (of fruit).

gaudy ['gɔːdi] *adj* voyant, criard.

gauge [geidʒ] *n* mesure *f* ‖ TECHN. jauge *f*, calibre *m*; gabarit *m* ‖ AUT. petrol ~, jauge *f* d'essence; oil ~, niveau *m* d'huile ‖ AV. height ~, altimètre *m* ‖ RAIL. écartement *m*; narrow ~, (à) voie étroite ● *vt* jauger, mesurer, calibrer ‖ FIG. juger, estimer.

gaunt [gɔːnt] *adj* émacié, décharné.

gauze [gɔːz] *n* gaze *f*; wire ~, toile *f* métallique.

gave → GIVE.

gavel ['gævəl] *n* marteau *m* (de commissaire-priseur).

gawky ['gɔːki] *adj* godiche (fam.).

gay [gei] *adj* gai, joyeux ‖ vif (colour) ‖ COLL. homosexuel ; homo (fam.) ● *n* homosexuel *n*.

gaze [geiz] *vi* regarder (longuement) ‖ contempler ● *n* regard *m* (fixe).

gear [giə] *n* habillement *m* (clothing) ‖ équipement, matériel *m* ‖ ustensiles, appareils *mpl* ‖ TECHN. engrenage *m*, roue *f* dentée; throw into ~, enclencher, engrener ‖ AUT. vitesse *f*; (in) low/second/top ~, (en) première/deuxième/prise ‖ reverse ~, marche *f* arrière; neutral ~, point mort; change ~s, changer de vitesse ‖ ~-**box**, boîte *f* de vitesses ; ~ change, changement *m* de vitesse ; ~ lever/ U.S. shift, levier *m* des vitesses ‖ TECHN. mécanisme, dispositif *m* ‖ AV. landing ~, train *m* d'atterrissage ● *vt* ~ down, démultiplier.

geese [giːs] *n* → GOOSE.

gel [dʒel] *n* [cosmetics] gel *m*.

gelatin|e [dʒelə'tiːn] *n* gélatine *f* ‖ ~**ous** [dʒi'lætinəs] *adj* gélatineux.

gem [dʒem] *n* pierre précieuse ‖ Fig. perle *f*.

Gemini [ˈdʒeminai] *npl* Astr. Gémeaux *mpl*.

gender [ˈdʒendə] *n* Gramm. genre *m*.

general [ˈdʒenrəl] *adj* général (election, strike) ‖ *General Post Office*, poste centrale ● *n* Mil. général *m* ‖ ~**ly** *adv* généralement, en général ‖ ~**ity** [ˌdʒenəˈræliti] *n* généralité *f* ‖ ~**ise, ize** [ˈdʒenrəlaiz] *vi* généraliser.

generat|e [ˈdʒenəreit] *vt* engendrer, produire de l'électricité ‖ ~**ion** [ˌdʒenəˈreiʃn] *n* production *f* (generating) ‖ génération *f* (period, people) ; ~ *gap*, fossé *m* des générations ‖ ~**or** [ˈdʒenəreitə] *n* Electr. génératrice *f*.

gener|osity [ˌdʒenəˈrɔsiti] *n* générosité *f* ‖ ~**ous** [ˈdʒenrəs] *adj* généreux ‖ ~**ously** *adv* généreusement, grassement.

gen|esis [ˈdʒenisis] *n* genèse *f* ‖ ~**etic** [dʒiˈnetik] *adj* génétique ‖ ~**etics** *n* génétique *f*.

Genev|a [dʒiˈniːvə] *n* Genève *f* ‖ ~**an** *adj* genevois ● *n* Genevois *n*.

genial [ˈdʒiːnjəl] *adj* doux (climate) ‖ affable, cordial (person).

genital [ˈdʒenitl] *adj* génital ‖ ~**s** *npl* organes génitaux.

genius [ˈdʒiːnjəs] *n* génie *m* (person) ; *of* ~, génial, de génie ‖ génie, talent *m* (ability) ; *have a* ~ *for maths*, avoir le génie des maths.

Genoa [ˈdʒenəuə] *n* Gênes *f*.

genocide [ˈdʒenəsaid] *n* génocide *m*.

genteel [dʒenˈtiːl] *adj* distingué.

gentle [ˈdʒentl] *adj* doux (voice, look, disposition) ‖ léger (tap, breeze, slope) ‖ faible (sex) ‖ *of* ~ *birth*, noble, bien né ‖ ~**man, -men** *n* homme distingué/bien élevé ‖ [polite] monsieur *m* ‖ [form of address] *Pl* ~ *!*, messieurs ‖ ~**ness** *n* douceur *f*.

gently [ˈdʒentli] *adv* doucement.

gentry [ˈdʒentri] *n* petite noblesse.

Gents [dʒents] *n* w.-c. *mpl* (pour hommes).

genufl|ect [ˈdʒenjuflekt] *vi* faire une génuflexion ‖ ~**exion** [ˌdʒenjuˈflekʃn] *n* génuflexion *f*.

genuine [ˈdʒenjuin] *adj* authentique, véritable ‖ Fig. sincère.

geode [dʒiːˈəud] *n* géode *f*.

geograph|ical [dʒiəˈgræfikl] *adj* géographique ‖ ~**y** [dʒiˈɔgrəfi] *n* géographie *f*.

geolog|ical [dʒiəˈlɔdʒikl] *adj* géologique ‖ ~**ist** [dʒiˈɔlədʒist] *n* géologue *n* ‖ ~**y** [dʒiˈɔlədʒi] *n* géologie *f*.

geometr|ical [dʒiəˈmetrikl] *adj* géométrique ‖ ~**y** [dʒiˈɔmitri] *n* géométrie *f*.

geophysics [dʒiəˈfiziks] *n* géophysique *f*.

germ [dʒəːm] *n* germe *m* ‖ Med. microbe *m* ; ~-*warfare*, guerre *f* bactériologique.

German [ˈdʒəːmən] *adj* allemand ● *n* allemand *m* (language) ‖ Allemand *n* (person).

Germany *n* Allemagne *f*.

germinate [ˈdʒəːmineit] *vi*/*vt* (faire) germer.

gerrymander [ˈdʒerimændə] *vt* falsifier (facts) ; truquer (election) ‖ ~**ing** [-riŋ] *n* trucage *m* (of elections).

gerund [ˈdʒerənd] *n* gérondif *m*.

gesticulat|e [dʒesˈtikjuleit] *vi* gesticuler ‖ ~**ion** [dʒesˌtikjuˈleiʃn] *n* gesticulation *f*.

gesture [ˈdʒestʃə] *n* geste *m* ● *vi* faire signe (*to do*, de faire) ; ~ *with one's hand*, faire un geste de la main.

get [get] *vt* (got [gɔt] ; U.S. p.p. gotten [ˈgɔtn]) obtenir, se procurer, acquérir (obtain) ‖ recevoir (receive) ‖ attraper (catch) ‖ (aller) chercher (fetch) ‖ préparer ‖ faire ; ~ *one's hair cut*, se faire couper les cheveux ‖

COLL. comprendre (understand) ||
~ **across**, faire traverser ; FIG. faire
comprendre || ~ **back**, récupérer,
recouvrer || ~ **down**, noter (record) ;
descendre (sth) ; COLL. déprimer, dé-
moraliser || ~ **in**, faire entrer ||
~ **off**, enlever, ôter || ~ **on**, mettre,
enfiler (clothes) || ~ **out**, extraire,
arracher || ~ **over**, franchir, en finir
(with, avec) ; faire comprendre (to, à)
|| ~ **round**, FIG. tourner (a law) ;
~ **through**, faire passer ; ~ sth
through the customs faire passer qqch
en douane ; TEL. ~ sb through to,
donner à qqn la communication
avec, passer qqn à || ~ **together**,
rassembler || ~ **up**, faire monter ;
faire lever (from bed) ; monter (a
play) ; ~ **oneself up as**, se déguiser
en.

— vi devenir ; ~ old, vieillir ; ~
dressed, s'habiller ; it is ~ting late, il se
fait tard || arriver (come) ; commen-
cer (begin) ; ~ doing sth, se mettre
à faire qqch ; ~ to work, se mettre
au travail || ~ **about**, se déplacer,
aller et venir ; voyager (travel) ;
[news] circuler ; [ill person] se lever
|| ~ **across**, traverser ; ~ across to,
se faire comprendre de ; TH. ~ across
to the audience, passer la rampe ||
~ **ahead**, réussir, progresser ||
~ **along**, s'en aller ; [work] avancer,
aller ; [person] se débrouiller (manage) ; [relationship] s'entendre
(with, avec) || ~ **at**, atteindre (reach) ;
s'en prendre à, attaquer ; FIG. what are
you ~ting at ?, où voulez-vous en
venir ? || ~ **away**, [criminal] s'en-
fuir ; fuite, évasion f ; ~ **away with**,
réussir à ; s'en tirer avec || ~ **back**,
retourner, revenir ; reculer || ~ **by**,
passer ; [work] être tout juste passable ; se débrouiller ; s'en sortir, s'en
tirer (fam.) || ~ **down to**, se mettre
à (doing, faire) ; s'atteler à (a task) ||
~ **in**, entrer ; [train] arriver || ~ **into**,
monter dans (car, etc.) || ~ **off**,
partir ; [car] démarrer ; [passenger]
descendre de (bicycle, bus, horse,
etc.) ; FIG. s'en tirer (fam.) [escape] ||
~ **on**, avancer, progresser ; réus-

sir (succeed) ; continuer (continue) ;
s'entendre, s'accorder (agree) ; monter à (bicycle)/sur (horse)/dans (bus,
plane, train) || ~ **onto**, se mettre en
relation avec || ~ **on with**, continuer
|| ~ **out (of)**, sortir ; descendre de
(the train) || ~ **over**, escalader,
franchir ; se remettre ; guérir (recover) ; surmonter (a difficulty) ; en
finir (with, avec) ; faire comprendre
(to, à) || ~ **through**, finir, termi-
ner ; [candidate] réussir (exam) ||
~ **together**, se réunir || ~ **up**, se
mettre debout (stand up) ; se lever
(get out of bed).

get|**-away** n fuite, évasion f ||
-together n petite réunion ||
~-up n accoutrement, déguisement m.

geyser ['giːzə] n [spring] geyser m ||
[heater] chauffe-eau m (à gaz).

ghastly ['gɑːstli] adj horrible, affreux
(frightening) ; blême, livide (pale) ||
blafard (light) ; [very bad] épouvantable.

gherkin ['gəːkin] n cornichon m.

ghost [gəust] n spectre, fantôme,
revenant m || esprit m, âme f ; give up
the ~, rendre l'âme || Holy Ghost,
Saint-Esprit || FIG. soupçon m (hint)
|| ~**ly** adj spectral || **-writer** n
nègre m.

giant ['dʒaiənt] n/adj géant (m) ||
~**ess** n géante f.

gibberish ['dʒibəriʃ] n charabia m
(fam.).

gibbous ['gibəs] adj ~ (moon),
troisième/dernier quartier m.

gibe [dʒaib] n sarcasme, quolibet m • vi ~ **at**, railler, se moquer de.

gidd|**iness** ['gidinis] n vertige m ||
~**y** adj étourdi, pris de vertige ; I feel
~, j'ai la tête qui tourne ; make ~,
étourdir.

gift [gift] n don m ; make a ~ of, faire
don de ; cadeau m (present) ; give sth
as a ~, faire cadeau de qqch || FIG.
talent m (for, de), don m || have
a ~ for, être doué pour || ~**ed** [-id]

181   **gig — gla**

adj doué ‖ ~ **token/voucher** *n* chèque-cadeau *m*.

gigantic [dʒaiˈgæntik] *adj* gigantesque.

giggle [ˈgigl] *vi* rire sottement, glousser, ricaner.

gild [gild] *vt* (gilded *or* gilt) dorer.

gills [gilz] *npl* ouïes, branchies *fpl*.

gilt [gilt] → GILD ● *n* dorure *f* ‖ ~-**edged** *adj* doré sur tranche ‖ FIN. ~ *securities,* valeurs sûres ‖

gimlet [ˈgimlit] *n* vrille *f*.

gimmick [ˈgimik] *n* truc, gadget *m*.

ginger [ˈdʒindʒə] *n* gingembre *m* ‖ ~-**ale** *n* boisson gazeuse au gingembre ‖ ~**bread** *n* pain *m* d'épice.

gingerly [ˈdʒindʒəli] *adv* légèrement, avec précaution.

gipsy [ˈdʒipsi] *n* gitan, romanichel, bohémien, Tsigane *n*.

giraffe [dʒiˈrɑːf] *n* girafe *f*.

gird [gəːd] *vt* (girt *or* girded [-id] ceindre ‖ FIG. ceinturer, encercler ‖ ~**er** *n* poutre *f* ‖ ~**le** [-l] *n* ceinture *f* (belt) ; gaine *f* (garment) ‖ FIG. ceinture *f* ● *vt* ceinturer, entourer.

girl [gəːl] *n* jeune fille *f* ; *little* ~, fillette *f* ‖ bonne *f* (servant) ‖ employée *f* (in an office) ‖ vendeuse *f* (in a shop) ‖ COLL. ~ *(friend),* petite amie ‖ *Girl Guide,* éclaireuse, guide *f* ‖ ~**hood** *n* jeunesse *f* ‖ ~**ish** *adj* de jeune fille.

Giro [ˈdʒairəu] *n* G.B. *National* ~, Comptes Chèques Postaux ; ~ *account,* compte chèque postal ; ~ *cheque,* chèque postal.

girt [gəːt] → GIRD.

girth [gəːθ] *n* [waist] tour *m* de taille ‖ [tree] circonférence *f* ‖ [saddle] sangle *f* ● *vt* sangler.

gist [dʒist] *n* essentiel *m*.

give [giv] *vt* (gave [geiv], given [ˈgivn]) donner, offrir ; ~ *sb sth,* ~ *sth to sb,* donner qqch à qqn ‖ remettre, fournir ; occasionner ‖ ~ *rise,* donner lieu (to, à) ‖ pousser

(a cry, a sigh) ‖ présenter (a suggestion) ‖ concéder ; ~ *way,* fléchir ; se dérober ; ~ *ground,* céder du terrain ‖ ~ *a lecture,* faire une conférence ‖ JUR. ~ *evidence,* déposer ‖ ~ *away,* distribuer, faire cadeau de ; dénoncer, trahir (betray) ; ~ *oneself away,* se trahir ‖ ~ *back,* rendre, restituer ‖ ~ *forth,* publier (news) ; faire entendre, émettre (a sound) ‖ ~ *in,* remettre, donner (hand in) ‖ ~ *off,* émettre, dégager (heat, smell) ‖ ~ *out,* distribuer ; divulguer (make public) ; ~ *oneself out,* se faire passer pour ‖ ~ *over,* consacrer, affecter (to, à) ; ~ *up,* abandonner, renoncer à ; ~ *oneself up,* se rendre (surrender) ; renoncer (a habit) ; abandonner (work) — *vi* ~ *in,* abandonner, renoncer, céder (yield) ‖ ~ *over/up,* abandonner, se rendre ● *n* [cloth] élasticité, souplesse *f* ; [rope] mou *m* ‖ ~ *and take* *n* concessions mutuelles, compromis *m*.

given [ˈgivn] *p.p.* déterminé, donné ‖ MATH. étant donné.

gizzard [ˈgizəd] *n* gésier *m*.

glacier [ˈglæsjə] *n* GEOGR. glacier *m*.

glad [glæd] *adj* content, heureux (of, de) ; *I am only too* ~ *to,* je ne demande pas mieux que de ‖ ~**den** [-ən] *vt* réjouir, égayer.

glade [gleid] *n* clairière *f*.

gladiolus, -li [glædiˈəuləs, lai] *n* glaïeul *m*.

glad|ly [ˈglædli] *adv* de bon cœur, volontiers ‖ ~**ness** *n* joie *f*.

glam|orous [ˈglæmərəs] *adj* séduisant, fascinant, ensorcelant (person) ; superbe (dress) ; prestigieux (job) ‖ ~**our** [-ə] *n* séduction, fascination *f* ; prestige, éclat *m*.

glance [glɑːns] *n* coup *m* d'œil ; *at a* ~, d'un coup d'œil ; *at first* ~, à première vue ‖ éclat *m* (of steel) ● *vi* jeter un coup d'œil (at, sur) ; ~ *over,* parcourir des yeux ; ~ *through a book,* feuilleter un livre

|| MIL. ~ off [projectile] ricocher sur ; [sword] dévier.

gland [glænd] n glande f.

glar|e [gleə] n lumière crue ; éclat m || réverbération f || regard furieux ● vi briller (vivement) || jeter un regard furieux (at, à) || ~**ing** [-riŋ] adj éblouissant || FIG. flagrant ; grossier (mistake).

glass [glɑːs] n verre m (substance) ; cut ~, cristal taillé || vitre f (pane) || verre m (vessel) || (looking-)~, glace f ; miroir m || (weather-)~, baromètre m || (hour-)~, sablier m || PHYS. (magnifying-)~, loupe f || longue-vue f (telescope) || Pl lunettes fpl (spectacles) ; sun ~es, lunettes de soleil || ~-**blower** n verrier, souffleur m de verre || ~-**cutter** n TECHN. diamant m || ~-**eye** n œil m de verre || ~-**house** n serre f || ~-**paper** n papier m de verre || ~-**porch** n marquise f || ~-**roof** n verrière f || ~-**ware** n verrerie f || ~-**wool** n laine f de verre || ~-**works** n verrerie f (factory) || ~-**y** adj transparent, limpide || vitreux (eye) || d'huile (sea).

glaze [gleiz] vt vitrer (a window) || vernisser (pottery) || lustrer (material) ● n vernis m.

glazier [ˈgleizjə] n vitrier m.

gleam [gliːm] n lueur (intermittente) || rayon m (sunshine) || FIG. a ~ of hope, une lueur d'espoir ● vi luire, reluire, briller.

glee [gliː] n allégresse ; joie f || MUS. chant choral à plusieurs parties || ~**ful** adj allègre.

glib [glib] adj délié (tongue) ; qui a la parole facile, volubile (speaker) || FIG. facile (excuse).

glid|e [glaid] vi glisser || Av. planer ● n glissement m || Av. vol m plané || ~**er** n Av. planeur m || ~**ing** n vol m à voile.

glimmer [ˈglimə] vi luire d'une lueur tremblotante || [water] miroiter ● n lueur f, miroitement m || FIG. lueur (of hope).

glimpse [glims] n aperçu m, coup m d'œil ; catch a ~ of, entrevoir ● vt entrevoir.

glint [glint] n reflet m (of metal) || lueur f ● vi luire.

glisten [ˈglisn] vi [water, wet surface] miroiter || [tear-filled eyes] briller.

glitter [ˈglitə] vi briller, scintiller, chatoyer ● n scintillement m || FIG. éclat m || ~**ing** [-riŋ] adj scintillant, étincelant.

glitz [glits] n U.S. éclat m.

GLM [ˌdʒieˈem] abbrev = GRADUATED LENGTH METHOD.

gloat [gləut] vi ~ over, dévorer des yeux ; se repaître de.

global [ˈgləubl] adj global || mondial (world-wide).

globe [gləub] n globe m, sphère f || globe m (terrestre).

globule [ˈglɔbjuːl] n gouttelette f.

gloom [gluːm] n obscurité f || FIG. humeur f sombre, mélancolie f || ~**y** adj sombre || FIG. mélancolique.

glor|ify [ˈglɔːrifai] vt glorifier || ~**ious** [-iəs] adj glorieux, illustre (person) || resplendissant (sky, day) ; magnifique (weather) || ~**iously** adv glorieusement, magnifiquement.

glory [ˈglɔːri] n gloire, célébrité f (fame) || splendeur f ● vi se glorifier (in, de) ; se réjouir (in, de).

gloss[1] [glɔs] n lustre, brillant m ● vt lustrer || FIG. ~ over, édulcorer, farder (facts, truth) ~**y** adj lustré, luisant || PHOT. glacé.

gloss[2] n glose f, commentaire m ● vi gloser || ~**ary** [-əri] n glossaire, lexique m.

glottis [ˈglɔtis] n glotte f.

glove [glʌv] n gant m ; rubber ~s, gants de caoutchouc || U.S. préservatif m ; capote f (fam.).

glow [gləu] n rougeoiement m ; lueur f || FIG. éclat, feu m ● vi rougeoyer, être incandescent || [com-

plexion) rayonner ‖ Fɪɢ. s'empourprer, rougir ‖ ~**ing** *adj* rougeoyant,
incandescent ‖ Fɪɢ. enthousiaste ‖
~-**worm** *n* ver luisant.

glucose [ˈgluːkəus] *n* glucose *m*.

glu|e [gluː] *n* colle *f* ● *vt* coller ‖ Fɪɢ.
be glued to the box, être planté devant
la télé ‖ ~**ey** [-i] *adj* gluant, collant,
poisseux.

glum [glʌm] *adj* morose, maussade.

glut [glʌt] *n* surabondance *f* ● *vt*
gaver ‖ Cᴏᴍᴍ. inonder (market) ‖
~**ton** [-n] *n* glouton *n* ‖ ~**tonous**
[-nəs] *adj* glouton, goulu ‖ ~**tony**
[-tni] *n* gloutonnerie *f*.

glycerin(e) [glisəˈriːn] *n* glycérine *f*.

gnarled [nɑːld] *adj* noueux (wood,
fingers).

gnash [næʃ] *vt* ~ *one's teeth,* grincer
des dents.

gnat [næt] *n* moustique *m*.

gnaw [nɔː] *vt* ronger ‖ Fɪɢ. [hunger]
tenailler.

go [gəu] *vi* (went [went], gone [gɔn])
aller, partir, s'en aller ; ~ *for a walk,*
aller se promener ; ~ *shooting,* aller
à la chasse ; ~ *to sleep,* s'endormir
‖ Tᴇᴄʜɴ. marcher, aller, fonctionner
‖ Mɪʟ. *who goes there ?,* qui vive ? ‖
Fɪɢ. ~ *under the name of,* être connu
sous le nom de ‖ ~ *mad,* devenir ;
devenir fou ‖ ~ *to pieces,* se briser ‖
sonner (ring) ‖ *be* ~**ing to,** aller
(immediate future) ‖ *keep sb going :*
he earns just enough to keep him ~, il
gagne tout juste de quoi tenir le coup
‖ Cᴏʟʟ. *how* ~*es it ?,* ça gaze ? (fam.)
‖ ~ *about,* aller de-ci de-là ; vaquer
à (be busy at) ; se mettre à (task) ;
s'y prendre (set about) ‖ ~ *after,*
Cᴏʟʟ. courir après ‖ ~ *against,* aller
à l'encontre de, contrarier ‖
~ *ahead,* avancer ; continuer, poursuivre son chemin ‖ ~ *along,*
avancer ; *as we* ~ *along,* en cours de
route ; ~ *along with,* accompagner ‖
Fɪɢ. être d'accord avec ‖ ~ *at,*
attaquer, se jeter sur ‖ ~ *away,* s'en
aller ‖ ~ *back,* revenir, retourner ;

[family] remonter (*to,* à) ; ~ *back on*
one's word, revenir sur sa parole ‖
~ *by,* [person] passer ; [time] passer,
s'écouler ; Fɪɢ. se régler sur, suivre,
juger d'après ‖ ~ *down,* descendre ;
[sun] se coucher ; [sea] baisser ;
[ship] couler ; [bridge] chuter ; [stu-
dent] quitter l'université ; plaire
(*with,* à) ‖ ~ *for,* aller chercher,
rechercher ; attaquer, sauter sur ; s'en
prendre à (with words) ; s'enticher
de (person) ‖ ~ *forward,* avancer ‖
~ *in,* entrer ‖ ~ *in for,* se présenter
à (exam) ; prendre part à (race) ;
pratiquer, s'adonner à ; ~ *in for sport,*
faire du sport ‖ ~ *off,* partir
(depart) ; [rifle] partir ; [bomb] exploser ; [meat] s'avarier, se gâter ;
[milk] tourner ; [butter] rancir ‖
~ *on,* continuer, persévérer ; se
passer (happen) ; *what's* ~*ing on ?,*
que se passe-t-il ? ; ~ *on to,* en venir
à ‖ ~ *out,* sortir ; partir (*to,* pour) ;
[sea] descendre, se retirer ; [fire]
s'éteindre ; [fashion] passer de mode ; Fɪɢ. disparaître ‖ ~ *over,* parcourir (a text) ; réviser, repasser (a
lesson) ‖ ~ *round,* faire le tour de ;
~ *round to see sb,* passer voir qqn ; *[be enough] there*
aren't enough chairs to ~ *round,* il n'y
a pas assez de chaises (pour tout le
monde) ‖ ~ *through,* traverser ‖ Fɪɢ.
examiner soigneusement ; fouiller ; subir (undergo) ; [bill] passer ;
~ *through a red light,* brûler un feu
rouge ; ~ *through with,* achever,
mener à bien ‖ ~ *under,* [swimmer]
couler ; Fɪɢ. succomber, être vaincu ; disparaître (become bankrupt) ‖
~ *up,* monter ‖ ~ *up for an exam,*
se présenter à un examen ‖ ~ *with,*
accompagner ; Fɪɢ. aller (match) ‖
~ *without,* se passer de ● *n* entrain,
allant *m* ; *full of* ~, plein d'énergie ‖
aller *m* (act) ‖ mouvement *m* ; *be*
always on the ~, être toujours sur la
brèche ; Cᴏʟʟ. *it's no* ~ !, ça ne prend
pas ! ‖ essai *m*, tentative *f* ; *have a*
~ *at sth,* essayer de faire qqch ; *at*
one ~, d'un seul coup ‖ Fɪɢ. vogue
f ; *it's all the* ~, cela fait fureur ‖
Cᴏʟʟ. *no* ~ !, rien à faire !

goad [gəʊd] *n* aiguillon *m* • *vt* aiguillonner.

go-ahead ['gəʊəˌhəd] *adj* entreprenant, dynamique • *n give the* ~, donner le feu vert.

goal [gəʊl] *n* Sp., Fig. but ; *score a* ~, marquer un but ǁ ~**-keeper** *n* gardien *m* de but ; goal *m* (fam.).

goat [gəʊt] *n* chèvre *f* (she-goat) ; *he-*~, bouc *m* ǁ ~'*s milk cheese*, fromage *m* de chèvre ǁ ~**ee** [gəʊ'ti:] *n* barbiche *f*, bouc *m* ǁ ~**-herd** *n* chevrier *n*.

gobble ['gɒbl] *vt* engloutir (one's food) — *vi* [turkey] glouglouter • *n* glouglou *m* (of a turkey) ǁ ~**dygook** ['-diguk] *n* Sl. charabia *m*.

go-between ['gəʊbiˌtwi:n] *n* intermédiaire *n*.

goblet ['gɒblit] *n* verre *m* à pied.

go-cart *n* poussette *f* (push-chair) ǁ Sp. kart *m*.

God¹ [gɒd] *n* Dieu *m*.

god² *n* dieu *m* ǁ ~**daughter** *n* filleule *f* ǁ ~**dess** ['-əs] *n* déesse *f*. ǁ ~**father** *n* parrain *m* ǁ ~**forsaken** *adj* perdu (place) ǁ ~**like** *adj* divin ǁ ~**mother** *n* marraine *f* ǁ ~**send** *n* aubaine *f* ǁ ~**son** *n* filleul *m*.

go-getter ['gəʊˌgetə] *n* fonceur *n* ; battant *m* (fam.) ǁ Pej. arriviste *n*.

goggle ['gɒgl] *vi* rouler de gros yeux ǁ ~**s** [-z] *npl* lunettes *fpl* de motocycliste ; *diving-*~, lunettes de plongée sous-marine.

going ['gəʊiŋ] *adj* qui marche bien • *n* allure, marche *f* (speed) ǁ état *m* du terrain ; *rough* ~, mauvais (road).

going-over *n* vérification *f* ǁ Aut. révision *f*.

goings-on *npl* activité *f* ǁ Pej. agissements *mpl* ; manigances *fpl* (péj.).

goitre ['gɔitə] *n* goitre *m*.

go-kart ['gəʊkɑ:t] *n* Aut. kart *m*.

gold [gəʊld] *n* or *m* ǁ *as good as* ~, sage comme une image ǁ ~**en** *adj*

doré ǁ ~**finch** *n* Zool. chardonneret *m* ǁ ~**fish** *n* poisson *m* rouge ǁ ~ **plated** *adj* plaqué or ǁ ~**smith** *n* orfèvre *n* ǁ ~**-standard** *n* étalon-or *m*.

golf [gɒlf] *n* golf *m* ǁ ~ **course** *n* terrain *m* de golf ǁ ~**er** *n* joueur *n* de golf ǁ ~ **links** *npl* = ~ course.

gondol|a ['gɒndələ] *n* gondole *f* ǁ [balloon] nacelle *f* ǁ [cableway] ~ *cable car*, télécabine *f* ǁ ~**ier** [gɒndə'liə] *n* gondolier *m*.

gone → GO.

gong [gɒŋ] *n* gong *m*.

gonna ['gɒnə] *v* U.S., Coll. = going to.

good [gʊd] *adj* (better, best) bon ; *be as* ~ *as the other*, se valoir ǁ *is it any* ~ *?*, est-ce que cela vaut quelque chose ? ; *it's no* ~ *trying*, ça ne sert à rien d'essayer ǁ gentil, aimable, bienveillant, brave (kind) ǁ sage (child) ǁ bon, favorable (beneficial) ǁ joli ; ~ *looks*, belle apparence ǁ agréable ; ~ *news*, bonnes nouvelles ǁ bon (efficient) ǁ juste (ear) ǁ bien (satisfactory) ǁ bon, expert (competent) ; *he is very* ~ *at*, il s'y entend à/pour ǁ [emphatic] *a* ~ *deal/many*, beaucoup de, pas mal de ǁ ~ *and hot*, bien chaud ǁ [greetings] ~ *afternoon !*, bonjour ! ; ~ *bye !*, au revoir ! ; ~ *evening !*, bonsoir ! ; ~ *morning !*, bonjour ! ; ~ *night !*, bonne nuit ! ǁ Rel. *Good Friday*, vendredi saint ǁ *make* ~, réussir, prospérer ; compenser (expenses) ; réparer (damages) ; dédommager, rembourser (qqn) ; accomplir (one's purpose) ; démontrer (a statement) • *n* bien *m* ; *do* ~, faire le bien ǁ avantage *m* ; *what's the* ~ *of running ?*, à quoi bon courir ? ; *it's no* ~, cela ne sert à rien ; *for* ~, pour de bon ; *as* ~ *as new*, comme neuf.

good|-for-nothing *n* vaurien *n* ǁ ~**-humoured** ['-'hju:məd] *adj* de bonne humeur ǁ ~**-looking** *adj* beau, joli ǁ ~**ly** *adj* considérable, large (large) ǁ ~**-natured** [-'neitʃəd] *adj* d'un bon naturel, gentil, bon enfant ‖ **~ness** *n* bonté *f; for ~ sake !,* pour l'amour de Dieu !, par pitié !

goods [-z] *npl* COMM. marchandises *fpl,* articles *mpl* ‖ RAIL. *~ station,* gare *f* des marchandises ; *~ train,* train *m* de marchandises.

good-tempered [-'tempəd] *adj* qui a bon caractère, d'humeur égale, aimable.

goodwill [ˌgud'wil] *n* bonne volonté *f* ‖ COMM. clientèle *f.*

goody *n* CULIN. friandise *f* ‖ *Pl* bonnes choses, agréments *mpl* (de la vie).

goose, geese [gu:s, -i:s] *n* oie *f* ‖ **~berry** ['guzbri] *n* groseille *f* à maquereau ‖ **~flesh** *n* chair *f* de poule.

gore [gɔ:] *n* sang coagulé ● *vt* [bull] blesser d'un coup de corne.

gorge [gɔ:dʒ] *n* GEOGR., ANAT. gorge *f* ‖ FIG. *make one's ~ rise,* soulever le cœur ● *vt* engloutir ; *~ oneself,* se gaver, se gorger (*with,* de).

gorgeous ['gɔ:dʒəs] *adj* magnifique, somptueux ‖ FIG. splendide (weather).

gorilla [gə'rilə] *n* gorille *m.*

gorse [gɔ:s] *n* genêt épineux.

go-slow ['gəu'sləu] *n* grève *f* perlée.

gospel ['gɔspəl] *n* évangile *m ; ~ truth,* parole *f* d'évangile.

gossamer ['gɔsəmə] *n* fil *m* de la Vierge.

gossip ['gɔsip] *n* bavardage *m* (idle talk) ; commérage *m* (ill-natured) ; potins *mpl* (stories) ‖ commère *f* (person) ● *vi* bavarder, cancaner.

got → GET.

gothic ['gɔθik] *adj/n* gothique *(m).*

gotta ['gɔtə] *v* U.S., COLL. = got to.

gotten U.S. → GET.

gouge [gaudʒ] *n* gouge *f.*

gout [gaut] *n* MED. goutte *f.*

govern ['gʌvn] *vt* gouverner (a country) ‖ administrer, diriger (affairs) ‖ **~ment** *n* gouvernement *m* ‖ **~or** ['gʌvənə] *n* gouverneur *m.*

gown [gaun] *n* robe *f* (woman's) ‖ toge *f* (academic).

GP ['dʒi:'pi:] *abbrev* = GENERAL PRACTITIONER.

grab [græb] *vt* empoigner ; saisir.

grace [greis] *n* grâce *f* (beauty) ‖ grâce, merci *f* clemency ‖ répit, pardon *m* (forgiveness) ‖ REL. grâce *f ; say ~,* dire le bénédicité/les grâces (before/after meal) ‖ FIG *do sth with bad/good ~,* faire qqch de mauvaise/bonne grâce ‖ **~ful** *adj* gracieux, élégant ‖ **~fulness** *n* grâce *f.*

gracious ['greiʃəs] *adj* courtois, bienveillant ‖ *good ~ !,* bonté divine !

gradation [grə'deiʃn] *n* gradation *f.*

grade [greid] *n* degré, rang *m,* qualité *f* ‖ RAIL. rampe *f* (gradient) ‖ U.S. [school] classe *f* (form) ‖ FIG. *make the ~,* atteindre le niveau requis ; y arriver ● *vt* classer ‖ calibrer (eggs) ‖ niveler (ground) ‖ *~ crossing n* U.S. passage *m* à niveau.

gradient ['greidjənt] *n* pente *f* (of a road).

gradual ['grædjuəl] *adj* graduel, progressif ‖ *~ ly adv* graduellement, peu à peu.

gradua|te ['grædjueit] *vt* graduer (mark) ‖ U.S. [school] décerner un diplôme — *vi* obtenir son diplôme (*from,* à) ● ['grædjuit] *n* diplômé, licencié *n.*

Graduated Length Method *n* (GLM) ski progressif/évolutif.

graduation [ˌ--'eiʃn] *n* TECHN. graduation *f* ‖ [University] remise *f* des diplômes.

graft¹ [gra:ft] *n* AGR. greffe *f* ● *vt* greffer.

graft² *n* U.S. corruption *f* (act) ; pot-de-vin *m* (money).

grain [grein] *n* grain *m* (of salt, sand) ‖ AGR. grain *m,* céréales *fpl* ‖ [weight]

grain m ‖ TECHN. fil m, veines fpl (of wood) ‖ *against the ~,* à rebrousse-poil ; FIG. à contre-cœur ‖ ~**ed** [-d] adj grenu (skin, leather).

grammar [ˈgræmə] n grammaire f ‖ ~**-school** n collège, lycée m.

grammatical [grəˈmætikl] adj grammatical.

gramophone [ˈgræməfəun] n électrophone m.

gran [græn] n COLL. = GRANDMOTHER.

granary [ˈgrænəri] n grenier m.

grand [grænd] adj important ; splendide, magnifique ‖ [ˈgræn-] ~ *piano,* piano m à queue ‖ [ˈgræn-] ~*-daughter,* petite-fille f ‖ ~*father,* grand-père m ‖ ~ *ma* [ˈ-maː], COLL. mémé, grand-maman f ‖ ~*mother,* grand-mère f ‖ ~*pa* [-paː], COLL. pépé, grand-papa m ‖ ~*parents,* grands-parents mpl ‖ ~*son,* petit-fils.

grand-stand [ˈgrændstænd] n SP. tribune f.

grandeur [ˈgrænʒə] n grandeur, magnificence f.

grandiloqu|ence [grænˈdiləkwəns] n grandiloquence f ‖ ~**ent** adj grandiloquent.

grandly [ˈgrændli] adv grandement, généreusement.

grange [greinʒ] n manoir m.

granite [ˈgrænit] n granit(e) m.

granny [ˈgræni] n COLL. mémé, grand-maman f.

grant [graːnt] vt accorder, concéder, octroyer ; *take sb for ~ed,* trouver normal ce qu'il/elle fait pour vous ; *take sth for ~ed,* admettre par principe, tolérer, considérer comme allant de soi ● n octroi m (permission) ‖ [land] concession f ‖ [money] subvention f ‖ [school] bourse f.

granul|ar [ˈgrænjulə] adj grumeleux ‖ ~**e** [-juːl] n granule m ‖ ~**ous** adj granuleux.

grape [greip] n grain m de raisin ‖

Pl raisin m ‖ ~**fruit** n pamplemousse m ‖ ~**-gathering** n vendange f.

graph [græf] n graphique m, courbe f ‖ ~**ic** [-ik] adj graphique ‖ FIG. pittoresque.

graphology [græˈfɔlədʒi] n graphologie f.

grapnel [ˈgræpnl] n grappin m.

grappl|e [ˈgræpl] vt/vi (s')agripper ‖ FIG. s'attaquer (with, à) ‖ ~**ing iron/hook** n grappin m.

grasp [graːsp] vt saisir, empoigner ‖ FIG. saisir, comprendre — vi — at, tenter de s'emparer ● n étreinte, prise f; lose one's ~, lâcher prise ‖ FIG. compréhension f ‖ ~**ing** adj cupide, âpre au gain.

grass [graːs] n herbe f ‖ SL. indicateur m (informer) ; [drug] herbe f ● vi SL. moucharder (on) ‖ ~**hopper** n sauterelle f ‖ ~**land** n prairie f ‖ ~ **roots** npl des ordinaires mpl ‖ POL. the ~, la base ‖ ~**-snake** n couleuvre f ‖ ~**y** adj herbeux.

grate[1] [greit] n grille f ‖ foyer m.

grat|e[2] vi grincer — vt râper (cheese) ‖ ~ one's teeth, grincer des dents ‖ ~**er** n râpe f.

grateful [ˈgreitfl] adj reconnaissant.

gratification [ˌgrætifiˈkeiʃn] n satisfaction f.

gratify [ˈgrætifai] vt faire plaisir à, satisfaire, contenter (sb) ‖ FIG. satisfaire (a whim) ‖ ~**ing** adj agréable, exaltant, passionnant (job).

grating[1] [ˈgreitiŋ] n grillage m.

grating[2] adj grinçant ● n grincement m.

gratis [ˈgreitis] adv gratis.

gratitude [ˈgrætitjuːd] n gratitude, reconnaissance f.

gratuit|ous [grəˈtjuitəs] adj gratuit (free) ‖ arbitraire (without reason) ‖ ~**y** n pourboire m ; gratification f.

grave[1] [greiv] adj grave, sérieux (serious) ‖ grave (ominous).

grave² *n* tombe *f* ; **~-digger,** fossoyeur *m* ; **~-yard,** cimetière *m*.

gravel ['grævl] *n* gravier *m* ; gravillon *m* (fine).

graving-dock ['greiviŋdɔk] *n* NAUT. bassin *m* de radoub.

gravit|ate ['græviteit] *vi* graviter ‖ **~ation** [‑'teiʃn] *n* gravitation, pesanteur *f* ‖ **~y** ['græviti] *n* PHYS., FIG. gravité *f*.

gravy ['greivi] *n* jus *m*, sauce *f* ‖ **~-boat** *n* saucière *f*.

gray *adj/n* U.S. = GREY.

graz|e¹ [greiz] *vi* brouter, paître — *vt* brouter (grass) ‖ faire paître ‖ **~ing-land** *n* pâturage, herbage *m*.

graze² *vt* frôler, raser, effleurer ‖ écorcher, érafler (scrape) ● *n* écorchure *f*.

greas|e [gri:s] *n* graisse *f* ● *vt* graisser ‖ **~y** *adj* graisseux, gras.

great [greit] *adj* grand (size, quantity) ‖ FIG. grand ; important ‖ COLL. magnifique, terrible, génial, chouette (fam.) ‖ **~-grandfather** *n* arrière-grand-père *m* ‖ **~-grandson** *n* arrière-petit-fils *m* ‖ **~-ly** *adv* grandement ‖ **~ness** *n* grandeur *f*.

Grecian ['gri:ʃn] *adj* ARTS grec.

Greece ['gri:s] *n* Grèce *f*.

greed [gri:d] *n* avidité *f* (for money) ‖ gourmandise *f* (for food) ‖ **~ily** *adv* avidement ‖ **~iness** *n* = GREED ‖ **~y** *adj* avide, vorace, gourmand (food) ‖ FIG. cupide.

Greek [gri:k] *adj* grec ● *n* grec *m* (language) ‖ Grec *n* (person).

green [gri:n] *adj* vert ; *grow/turn* ~, verdir ‖ FIG. naïf ; inexpérimenté ; *have* ~ *fingers,* avoir les doigts verts (good at gardening) ● *n* vert *m* ‖ *(village)* ~, pelouse *f* (communale) ‖ *Pl* CULIN. légumes verts ‖ **~back** *n* U.S., COLL. dollar *m* ‖ **~ery** [‑əri] *n* verdure *f* ‖ **~gage** [‑geidʒ] *n* reine-claude *f* ‖ **~grocer** *n* marchand *m* de fruits et légumes ‖ **~horn** *n* naïf *n* ; novice *n* (beginner) ‖ blanc-bec *n*

(péj.) ‖ **~house** *n* serre *f* ‖ **~ish** *adj* verdâtre.

Greenland ['gri:nlənd] *n* Groenland *m* ‖ **~er** *n* Groenlandais *n*.

green|ness [gri:nnis] *n* verdure *f* ‖ COLL. verdeur, vitalité *f* ‖ **~room** *n* TH. foyer *m* des artistes.

Greenwich Mean Time [grinidʒ'mi:ntaim] *n* temps universel, heure *f* de Greenwich.

greet [gri:t] *vt* saluer, accueillir ‖ **~ing** *n* salutation *f* ‖ accueil *m* (welcome) ‖ *Pl* compliments *mpl*/salutations *fpl* ‖ vœux, souhaits *mpl*.

gregarious [gri'gɛəriəs] *adj* grégaire (animal) ; sociable (person).

grenade [gri'neid] *n* MIL. (hand) ~, grenade *f*.

grew [gru:] → GROW.

grey [grei] *adj/n* gris *(m)* ; *turn* ~, grisonner ● *vi/vt* [hair] grisonner ‖ **~hound** *n* lévrier *m* ‖ **~ish** *adj* grisâtre.

grid [grid] *n* grille *f*, grillage *m* ‖ AUT. galerie *f*.

griddle ['gridl] *n* plaque chauffante.

gridiron ['gridaiən] *n* gril *m*.

grief [gri:f] *n* chagrin *m*, affliction, douleur *f* ‖ *come to* ~, [plans] échouer, tourner mal ; [person] avoir des ennuis ; [car] avoir un accident.

grievance ['gri:vns] *n* grief *m* (ground for complaint).

griev|e [gri:v] *vt* peiner, chagriner ; affliger (stronger) — *vi* s'affliger ; ~ *for sb,* pleurer qqn ‖ **~ous** *adj* douloureux (cry) ; cruel (loss) ; affreux (news) ; atroce (crime) ‖ **~ously** *adv* douloureusement, cruellement ; ~ *wounded,* grièvement blessé.

grill [gril] *n* gril *m* (gridiron) ‖ ~ *(room),* grill-room *m* ● *vt* (faire) griller.

grille [gril] *n* AUT. (radiator) ~, calandre *f*.

grim [grim] *adj* lugubre, sinistre

(ghastly) ; menaçant (threatening) ‖ sévère, rébarbatif (face) ‖ COLL. désagréable.

grimac|e [gri'meis] *n* grimace *f* • *vi* grimacer ‖ ~**ing** *adj* grimaçant.

grim|e [graim] *n* crasse, saleté *f* ‖ ~**y** *adj* crasseux, sale.

grin [grin] *n* large sourire *m* (smile) ‖ grimace *f*, rictus *m* (wry face) • *vi* rire à belles dents (in joy) ‖ grimacer un sourire (in pain) ‖ ricaner (in scorn).

grind [graind] *vt* (ground) [graund] broyer, piler (crush) ; moudre (into flour) ‖ TECHN. meuler, aiguiser (a knife) ‖ grincer ; ~ *one's teeth*, grincer des dents ‖ COLL. bûcher (for an exam) ‖ AUT. roder (les soupapes) • *n* COLL. corvée *f* ‖ ~**er** *n* TECHN. [person] rémouleur *n* ‖ [machine] broyeur *m* ‖ ~**stone** *n* meule *f*.

grip [grip] *n* étreinte, prise *f* ; *lose one's* ~, lâcher prise ‖ poignée *f* (handle) ‖ U.S. valise *f* ‖ *Pl come to* ~*s*, en venir aux mains ‖ ~**ping** *adj* captivant, passionnant.

gripes [graips] *npl* MED. coliques *fpl*.

grisly ['grizli] *adj* horrible, lugubre, macabre.

grist [grist] *n* grain *m* à moudre.

gristle ['grisl] *n* cartilage *m*.

grit [grit] *n* gravillon *m* (gravel) ‖ FIG. courage, cran *m* • *vt* sabler, répandre du gravillon sur (a road) ‖ FIG. ~ *one's teeth*, serrer les dents.

grizzle ['grizl] *vi* pleurnicher.

grizzled [-d] *adj* grisonnant.

grizzling ['grizliŋ] *adj* pleurnichard.

grizzly *adj* grisonnant • *n* ~ (*bear*), ours *m* gris.

groan [grəun] *vi* gémir, geindre ; grogner (in disapproval) • *n* gémissement *m* ; grognement *m*.

grocer ['grəusə] *n* épicier *n* ; *at the* ~*'s*, à l'épicerie, chez l'épicier ‖ ~**y** [-ri] *n* [shop, trade] épicerie *f* ‖ *Pl* épicerie (goods).

grog [grɔg] *n* grog *m*.

groggy ['grɔgi] *adj* mal fichu, à plat ; sonné, groggy (fam.).

groin [grɔin] *n* ANAT. aine *f*.

groom [grum] *n* valet *m* d'écurie • *vt* panser (a horse).

groove [gru:v] *n* rainure *f*, sillon *m* (in a record) ‖ FIG. routine *f* • *vt* faire une rainure.

grope [grəup] *vt* tâtonner ; ~ *for*, chercher à tâtons ; ~ *one's way along*, avancer à tâtons.

gross [grəus] *adj* grossier (language, food) ‖ flagrant, criant (injustice) ‖ brut, total (weight) • *vt* faire un chiffre d'affaires de ‖ ~**ly** *adv* grossièrement.

grotty ['grɔti] *adj* SL. minable.

grouch [grautʃ] *vi* COLL. rouspéter, ronchonner (fam.). ‖ ~**y** *adj* grognon.

ground¹ → GRIND.

ground² [graund] *n* sol *m*, terre *f* (soil) ; *fall on the* ~, tomber par terre ‖ terrain *m* (tract of land) ‖ *break fresh* ~, défricher (lit. and fig.) ‖ SP. terrain ‖ ELECTR. terre *f* ‖ ARTS fond *m* ‖ FIG. position *f* ; *break fresh/new* ~, innover, faire œuvre de pionnier ; *stand one's* ~, tenir bon/ferme ; *give* ~, lâcher pied ‖ FIG. (Pl) raison *f*, motif *m* ; *on the* ~(*s*) *that*, sous prétexte que ; *there is* ~ *for*, il y a lieu de ‖ *Pl* parc *m* (of a mansion) ‖ CULIN. *Pl* marc *m* de café • *vi* NAUT. s'échouer ‖ AV. atterrir — *vt* NAUT. (faire) échouer ‖ AV. empêcher de prendre l'air/de décoller, retenir au sol ‖ ELECTR. mettre à la terre ‖ MIL. reposer (rifles) ‖ FIG. donner de solides connaissances de (teach) ‖ ~-**crew** *n* AV. personnel *m* au sol ‖ ~-**floor** *n* rez-de-chaussée *m* ‖ ~-**game** *n* gibier *m* à poil ‖ ~ **staff** *n* AV. personnel *m* au sol.

grounding *n* connaissances fondamentales ; fond *m*.

ground|less *adj* sans fondement,

injustifié ‖ ~**sheet** *n* [tent] tapis *m* de sol ‖ ~**-swell** *n* lame *f* de fond.

group [gru:p] *n* groupe *m* ● *vi/vt* (se) grouper.

grouse¹ [graus] *n inv* grouse *m*.

grous|e² [graus] *vi* COLL. râler, rouspéter (fam.) ‖ ~**er** *n* rouspéteur *n*.

grove [grəuv] *n* bosquet *m*.

grow [grəu] *vi* (grew [gru:], grown [grəun]) croître ‖ [plants] pousser ‖ [seeds] germer ‖ [person] grandir ‖ devenir, augmenter, croître (increase) ; ~ *old*, vieillir ; ~ *dark*, s'obscurcir ‖ ~ *in* [nail] s'incarner ‖ ~ *out of*, devenir trop grand pour (one's clothes) ; FIG. perdre en grandissant (a habit) ‖ ~ *up*, atteindre la maturité ‖ ~ *upon*, s'imposer à ; *it* ~s *upon you*, cela devient une habitude — *vt* cultiver, faire pousser ‖ laisser pousser (one's beard) ‖ ~**er** *n* cultivateur *n* ‖ ~**ing** *n* croissance *f* ‖ AGR. culture *f* ● *adj* croissant, grandissant.

growl [graul] *vi* grogner, gronder.

grown [grəun] → GROW ‖ ~**-up** *adj/n* adulte.

growth [grəuθ] *n* croissance *f*, développement *m* ‖ MED. grosseur, excroissance, tumeur *f* ‖ FIG. augmentation *f*, accroissement *m* (increase).

grub¹ [grʌb] *vi/vt* fouiller.

grub² *n* larve *f* (larva) ‖ SL. bouffe *f* (fam.) ‖ ~**by** *adj* sale ; crasseux.

grudg|e [grʌdʒ] *vt* donner à contre-cœur ● *n* rancune *f* ; *bear sb a* ~, *have a* ~ *against sb*, en vouloir à qqn ‖ ~**ing** *adj* réticent (reluctant) ‖ mesquin (mean) ‖ ~**ingly** *adv* à contre-cœur, à regret.

gruelling ['gruəliŋ] *adj* épuisant.

gruesome ['gru:səm] *adj* horrible, épouvantable.

gruff [grʌf] *adj* brusque, bourru.

grumble ['grʌmbl] *vi* [animal] grogner ; [person] grommeler ; ronchon-

ner, rouspéter (fam.) [grouch] ● *n* grognement *m*.

grumpy ['grʌmpi] *adj* grincheux, maussade, grognon.

grunt [grʌnt] *vi* grogner ● *n* grognement *m*.

Guade|loupe ['gwa:d'lu:p] *n* Guadeloupe *f* ‖ ~**lupian** [-'lu:piən] *adj/n* guadeloupéen.

guarant|ee ['gærən'ti:] *n* garantie, caution *f* ‖ garant, répondant *n* (person) ● *vt* garantir, cautionner ‖ ~**or** *n* JUR. garant *m* ‖ ~**y** *n* = GUARANTEE.

guard [ga:d] *n* garde *f* ‖ [boxing] *lower one's* ~, se découvrir ‖ MIL. garde *f* ; *on* ~, de garde ; *mount* ~, monter la garde ‖ RAIL. chef *m* de train ‖ FIG. *be on one's* ~, être sur ses gardes ; *be caught off one's* ~, être pris au dépourvu ● *vt* garder, protéger (*against*, contre) — *vi* ~ *against*, se garder de ‖ ~ *dog* *n* chien *m* de garde ‖ ~**edly** [-idli] *adv* avec circonspection ‖ ~**ian** [-jən] *n* gardien *n* ‖ JUR. tuteur *n* (of a minor) ‖ ~**sman** [-zmən] *n* garde *m*.

gudgeon ['gʌdʒn] *n* goujon *m*.

guerilla [gə'rilə] *n* guérillero *m* ; ~ *warfare*, guérilla *f*.

guess [ges] *vi/vt* deviner ‖ U.S. penser, croire ● *n* conjecture, supposition *f* ; *at a* ~, au jugé ; *it's anybody's* ~, personne n'en sait rien au juste, devine qui pourra ‖ ~**work** *n* conjecture, hypothèse *f*.

guest [gest] *n* invité, hôte, convive *n* ; *paying* ~, pensionnaire *n* ‖ client *n* (in a hotel) ‖ ~**-house** *n* pension *f* de famille ‖ ~**-room** *n* chambre *f* d'amis ‖ ~ *worker* *n* travailleur immigré.

guffaw [gʌ'fɔ:] *n* gros rire *m* ● *vi* rire bruyamment, pouffer.

Guian|a [gai'ænə] *n* Guyane *f* ‖ ~**ese** ['-'i:z] *adj/n* guyanais.

guidance ['gaidns] *n* conduite, direction *f*.

guide [gaid] *n* guide *m* (person) ‖ ~ *(book)*, guide *m* ● *vt* guider, conduire ‖ Mil. ~**d missile**, projectile *m* téléguidé ‖ ~ **dog** *n* chien *m* d'aveugle ‖ ~**-lines** *npl* directives *fpl*.

guild [gild] *n* guilde, corporation *f*.

guile [gail] *n* ruse, astuce *f*.

guilt [gilt] *n* culpabilité *f* ; ~ *complex*, complexe *m* de culpabilité ‖ ~**less** *adj* innocent ‖ ~**y** *adj* coupable ; *plead* ~, plaider coupable.

Guin|ea [ˈgini] *n* Geogr. Guinée *f* ‖ ~**ean** *adj/n* guinéen.

guinea [ˈgini] *n* Fin. guinée *f* ‖ ~**-fowl/-hen** *n* pintade *f* ‖ ~**-pig** *n* cobaye *m*.

guise [gaiz] *n* apparence *f* ; aspect *m* ; *in the* ~ *of*, déguisé en.

guitar [giˈtɑ:] *n* guitare *f* ; *acoustic/electric* ~, guitare sèche/électrique ‖

gulch [gʌlʃ] *n* U.S. ravin *m*.

gulf [gʌlf] *n* golfe *m* (sea) ; gouffre *m* (abyss) ‖ Fig. abîme *m*.

gull[1] [gʌl] *n* mouette *f*, goéland *m*.

gull[2] *vt* duper.

gullet [ˈgʌlit] *n* Anat. œsophage *m* ; coll. gosier *m*.

gullible [ˈgʌləbl] *adj* crédule, naïf.

gully [ˈgʌli] *n* rigole *f*, ruisseau *m*.

gulp [gʌlp] *vt* avaler ; ~ *down*, engloutir ‖ Fig. ~ *back*, ravaler ● *n* bouchée *f* food) ; gorgée *f* (drink) ; *at one* ~, d'un trait.

gum[1] [gʌm] *n* gencive *f*.

gum[2] *n* gomme *f* (glue) ‖ caoutchouc *m* (rubber) ‖ ~**boot** *n* botte *f* en caoutchouc.

gumption [ˈgʌmʃn] *n* Coll. jugeotte *f* (fam.).

gun [gʌn] *n* canon *m* (artillery) ; fusil *m* (rifle) ; pistolet *m* (pistol) ‖ ~**-boat** *n* canonnière *f* ‖ ~**-fire** *n* fusillade *f* ; [cannons] tir *m* d'artillerie ‖

~**man** *n* bandit, gangster *m* ‖ ~**ner** *n* artilleur, canonnier *m* ‖ ~**powder** *n* poudre *f* (à canon) ‖ ~**-running** *n* contrebande *f* d'armes ‖ ~**shot** *n* coup *m* de feu ‖ ~**smith** *n* armurier *m*.

gunwale [gʌnl] *n* Naut. plat-bord *m*.

gurgle [ˈgɔ:gl] *vi* gargouiller ● *n* gargouillement, glouglou *m*.

gush [gʌʃ] *vi* bouillonner, jaillir ; ~ *forth*, couler à flots.

gust [gʌst] *n* coup *m* de vent, rafale *f* ‖ Fig. accès *m* (of rage, etc.).

gustat|ive [ˈgʌstətiv], ~**ory** [-tri] *adj* gustatif.

gusto [ˈgʌstəu] *n*, plaisir, enthousiasme, entrain *m*.

gut [gʌt] *n* boyau, intestin *m* ‖ Mus. (corde *f* de) boyau *m* ‖ *Pl* Coll. cran *m* ● *vt* vider (fish) ‖ Fig. ne laisser que les quatre murs.

gutter [ˈgʌtə] *n* ruisseau, caniveau *m* (along a road) ‖ gouttière *f* (under a roof) ‖ Fig. ~ *press*, presse *f* à scandales.

guttural [ˈgʌtrl]) *adj* guttural.

guy[1] [gai] *n* ~ *(rope)*, tendeur *m*.

guy[2] *n* G.B. épouvantail *m* ‖ U.S. Pop. type, gars *m* ; mec *m* (pop.).

guzzle [ˈgʌzl] *vi* s'empiffrer, se goinfrer (fam.) ; bouffer (pop.) ● *vt* avaler gloutonnement/goulûment.

gym [dʒim] *n* gym *f* (fam.) ; ~ *shoes*, tennis *mpl* (fam.) ‖ [gymnasium] gymnase *m*, salle *f* de gym ‖ ~**nasium** [dʒimˈneizjəm] *n* gymnase *m* ‖ ~**nast** [-næst] *n* gymnase *n* ‖ ~**nastics** [dʒimˈnæstiks] *n* gymnastique *f* ; *do* ~, faire de la gymnastique.

gynaecolog|ist [ˌgainiˈkɔlədʒist] *n* gynécologue *n* ‖ ~**y** gynécologie *f*.

gypsy [ˈdʒipsi] *n* = gipsy.

gyro|compass [ˈdʒaiərəˌkʌmpəs] *n* gyrocompas *m* ‖ ~**scope** [-skəup] *n* gyroscope *m*.

H

h [eitʃ] *n* h *m* ‖ *H-bomb,* bombe *f* H.

haberdasher [ˈhæbədæʃə] *n* mercier *n,* U.S. chemisier *n* ‖ **~y** [-ri] *n* mercerie *f,* U.S. lingerie *f* (pour hommes).

habit [ˈhæbit] *n* habitude *f; get into/out of the ~ of,* prendre/perdre l'habitude de ‖ habit *m* (religious) ‖ **~ual** [həˈbitjuəl] *adj* habituel, assidu ‖ **~uate** [həˈbitjueit] *vt* habituer ‖ **~ué** [həˈbitʃuei] *n* TH. habitué *n.*

hack [hæk] *vt* tailler à coups de hache ‖ **~-saw,** scie *f* à métaux ● *vt* INF. pirater ‖ **~er** *n* INF. pirate *m.*

hackneyed [ˈhæknid] *adj* banal, rebattu.

had → HAVE.

haddock [ˈhædək] *n* aiglefin *m.*

hæmo|philiac [ˌhiːməˈfiliək] *adj* hémophile ‖ **~rrhage** [ˈheməridʒ] *n* hémorragie *f.*

haft [hɑːft] *n* manche *m* (of a knife) ; poignée *f* (of a sword).

hag [hæg] *n (old)* ~, COLL. vieille sorcière (fam.) ‖ chameau *m* (fam.) [unpleasant woman].

haggard [ˈhægəd] *adj* hâve, défait ‖ égaré (look).

haggle [ˈhægl] *vi* marchander.

hail¹ [heil] *vt* faire signe à, appeler, héler (taxi) ‖ saluer (greet) ● *n* appel *m* (call) ; *within ~,* à portée de voix.

hail² [heil] *n* grêle *f* ● *vi* grêler ‖ **~stone** *n* grêlon *m.*

hair¹, s [hɛə, -z] *n* poil *m* (of animals, on human body) ; *remove the ~(s) from,* épiler ‖ crin *m* (of horse) ‖ FIG. *split ~s,* couper les cheveux en quatre.

hair² *n sing* cheveux *mpl* ; chevelure *f; do one's ~,* se coiffer ; *comb one's ~,* se peigner ‖ **~('s) breadth** *n by a~,* d'un cheveu, tout juste ; *be within a~ of,* être à deux doigts de, frôler ‖ **~brush** *n* brosse *f* à cheveux ‖ **~-curler** *n* bigoudi *m* ‖ **~cut** *n* coupe *f* de cheveux ; *have/get a ~,* se faire couper les cheveux ‖ **~-do** *n* coiffure *f* ‖ **~dresser** *n* coiffeur *m* pour dames ‖ **~dressing salon** *n* salon *m* de coiffure ‖ **~-dryer** *n (electric) ~,* séchoir *m* (électrique) ‖ **~-dye** *n* teinture *f* (pour cheveux ‖ **~lacquer** *n* laque *f* (capillaire) ‖ **~oil** *n* brillantine *f* ‖ **~net** *n* résille *f* ‖ **~piece** *n* perruque *f* ‖ **~pin** *n* épingle *f* à cheveux ‖ AUT. ~ *bend,* lacet *m,* virage *m* en épingle à cheveux ‖ **~remover** *n* crème *f* épilatoire ‖ **~spray** *n* laque *f* (en bombe) ‖ **~style** *n* coiffure *f* ‖ **~stylist** *n* coiffeur *n* pour dame ‖ **~y** *adj* poilu, velu ‖ chevelu.

Hait|i [ˈheiti] *n* Haïti ‖ **~ian** [ˈheiʃjən] *adj/n* haïtien.

hake [heik] *n* colin *m.*

hale [heil] *adj* robuste, gaillard ; *be ~ and hearty,* être en pleine santé, se porter comme un charme.

half, -lves¹ [hɑːf, -vz] *n* moitié *f;*

by ~, de moitié ; *cut in halves,* couper en deux ; *fold in ~,* doubler ; *go halves,* partager de moitié ‖ demie *f* ; *~ a dozen,* une demi-douzaine ; *~ an hour,* une demi-heure ; *~ past two,* deux heures et demie ; *two and a ~,* deux et demi ‖ Sp. mi-temps *f* ● *adj* demi ‖ *~-and-~ adj/adv* en parties égales ; moitié moitié ‖ *~-back n* Sp. demi *m* ‖ *~-board n* demi-pension *f* ‖ *~-breed n* [person] métis *n* ‖ *~-brother n* demi-frère *m* ‖ *~-fare n* demi-tarif *m* ‖ *~-hour n a ~,* une demi-heure ; *on the ~,* à la demie ● *adv* à demi-tarif ‖ *~-light n* demi-jour *m* ‖ *~-mast n at ~,* en berne (flag) ‖ *~-moon n* demi-lune *f* ‖ *~ note n* Mus., U.S., blanche *f* ‖ *~-open adj* entrouvert ; entrebâillé ‖ *~-penny* ['heipni] *n* demi-penny *m* ‖ *~-price n at ~,* à moitié prix ‖ *~-size n* demi-pointure *f* ‖ *~-time n* mi-temps *f* ‖ *~-track n* Aut. autochenille *f* ‖ *~-turn n* demi-tour *m* ‖ *~-way adv* à mi-chemin ; *~ up/down (the hill),* à mi-côte/pente ; *meet sb ~,* aller à la rencontre de qqn ; Fig. couper la poire en deux ‖ *~-witted adj* faible d'esprit ‖ *~-year n* semestre *m.*

half² *adv* à demi ; *~-heartedly,* sans enthousiasme ; *~-left : bear ~-left,* obliquez à gauche.

halibut ['hælibət] *n* flétan *m.*

hall [hɔ:l] *n* hall *m* (in a hotel) ; vestibule *m* (in a house) ‖ grande salle *f* (in a public building) ‖ réfectoire *m* (in a college) ‖ château *m* (mansion) ‖ *~-mark n* poinçon *m* de garantie ‖ Fig. sceau *m,* marque *f.*

hallo ! [hə'ləu] *excl* hé ! ‖ [greeting] salut ! ‖ Tel. allô !

hallow ['hæləu] *n* saint *m* ; *All Hallows,* Toussaint (1ᵉʳ November) ‖ *~ed* [-d] *adj* béni, consacré.

hallucina|te [hə,lu:si'neit] *vi* halluciner ‖ *~tion* [-ʃn] *n* hallucination.

halo ['heiləu] *n* halo *m* ‖ Rel., Fig. auréole *f.*

halt¹ [hɔ:lt] *n* halte, pause *f* ; *come to a ~,* s'arrêter ● *vi* faire halte — *vt* faire arrêter.

halt² *vi* hésiter ‖ [arch.] boiter ‖ *~ing adj* hésitant (voice) ‖ boiteux (verse).

halve [ha:v] *vt* partager en deux.

ham¹ [ham] *n* jambon *m.*

ham² *n* Th. cabotin *m.*

ham³ *n* Rad. *(radio) ~,* radio *m* amateur.

hamburger ['hæmbə:gə] *n* hamburger *m.*

hamlet ['hæmlit] *n* hameau *m.*

hammer ['hæmə] *n* marteau *m* ● *vt* marteler, enfoncer à coups de marteau *(into,* dans) ‖ *~ing* [-riŋ] *n* martelage *m* (act) ; martèlement *m* (noise).

hammock ['hæmək] *n* hamac *m.*

hamper¹ ['hæmpə] *n,* panier *m* d'osier ‖ bourriche *f* (for oysters).

hamper² *vt* gêner, entraver.

hand [hænd] *n* main *f* ; *~ in ~,* la main dans la main ‖ *lay ~s on,* mettre la main sur ; arrêter (a thief) ‖ *shake sb's ~/shake ~s with sb,* serrer la main/donner une poignée de main à qqn ‖ [cards] jeu *m* ; *play a good ~,* bien jouer ‖ Techn. *(done) by ~,* (fait) à la main ‖ Techn. ouvrier, manœuvre *m* ‖ Naut. marin *m* ‖ [marriage] *he asked for her ~,* il a demandé sa main ‖ Fig. côté *m* ; *on the left ~ side,* à (main) gauche ; *on the one ~..., on the other,* d'une part, d'autre part ‖ Fig. écriture *f* ; *write a good ~,* avoir une belle écriture ‖ Fig. aide *f* ; *give/lend sb a ~,* donner un coup de main à/épauler qqn ‖ *give sb a free ~,* donner carte blanche à qqn ‖ *at ~,* à portée de la main ; tout proche ; *to ~,* sous la main ; *in ~,* en réserve (money) ; *on ~,* en main ; en cours/question ‖ Fig. *be ~ in glove with sb,* être de mèche avec qqn ‖ *live from ~ to mouth,* vivre au jour le jour ‖ Fig. *have/get the upper ~,* avoir/prendre le dessus/l'avantage ‖ Fɪɢ. *off* ~, impromptu ‖ Fɪɢ. *wash one's* ~*s of sth*, s'en laver les mains ‖ *Pl* ~*s*, ~*s up !* haut les mains ! ● *vt* passer, donner ‖ remettre ‖ ~ *down*, léguer ‖ ~ *in*, remettre ‖ ~ *on*, transmettre, passer ‖ ~ *out*, distribuer ; ~*out (n)*, prospectus *m* ‖ ~ *over*, remettre ; transmettre ; céder (property) ‖ ~ *round*, faire circuler.

hand|-bag *n* sac *m* à main ‖ ~**bill** *n* prospectus *m* ‖ ~**book** *n* manuel *m* ‖ ~**-brake** *n* frein *m* à main ‖ ~**cart** *n* voiture *f* à bras ‖ ~**cuff** *vt* passer les menottes (*on*, à) ● *npl* menottes *fpl* ‖ ~**ful** *n* poignée *f.*

handicap [ˈhændikep] *n* handicap *m* ● *vt* handicaper ; ~*ped person*, handicapé *n* ; *visually* ~*ped*, malvoyant *n.*

handi|craft [ˈhændikrɑːft] *n* artisanat *m* (work) ‖ habileté manuelle (skill) ‖ ~**work** *n* travail manuel ‖ Fɪɢ. ouvrage *m*, œuvre *f.*

handkerchief [ˈhæŋkətʃif] *n* mouchoir *m ;* foulard *m* (round the neck).

handl|e [ˈhændl] *n* poignée *f* (of a door) ‖ anse *f* (of a basket) ‖ manche *m* (of a broom) ‖ queue *f* (of a frying-pan) ‖ Aᴜᴛ. manivelle *f* ● *vt* manipuler, manier ‖ Cᴏᴍᴍ. faire le commerce de ‖ Fɪɢ. conduire, diriger, manœuvrer (direct) ‖ ~**e-bar(s)** *n(pl)* guidon *m* (of a bicycle) ‖ ~**er** *n (dog)* ~, dresseur *n* (de chiens) ‖ ~**ing** *n* maniement *m*, manœuvre *f* ‖ [industry] manutention *f* ‖ Fɪɢ. traitement *m.*

hand-made [ˈhænd meid] *adj* fait à la main ‖ ~**-out** *n* prospectus *m* ‖ [donation] subvention *f ;* [alms] aumône *f* ‖ ~**rail** *n* [escalier] rampe *f ;* main courante *f* ‖ ~**-saw** *n* scie égoïne *f* ‖ ~**-sewn** [ˈ-səun] *adj* cousu main ‖ ~**shake** *n* poignée *f* de main.

handsome [ˈhænsəm] *adj* beau, bel *(m)* [of men] ‖ Fɪɢ. considérable, généreux *g* ‖ ~**ly** *adv* élégamment ‖ Fɪɢ. généreusement.

handwriting [ˈhænd raitiŋ] *n* écriture *f.*

handy [ˈhændi] *adj* adroit, habile (person) ; maniable (tool) ‖ prêt, à portée de la main, sous la main (close at hand) ‖ *it may come in* ~, cela peut se révéler utile ‖ ~**man** *n* homme *m* à tout faire, bricoleur *m.*

hang [hæŋ] *vt* (p.t. hanged) pendre (capital punishment) ‖ ~ *oneself*, se pendre ‖ (p.t. hung [hʌŋ]) pendre, accrocher (sth on a hook, etc.) ‖ tapisser, garnir (a wall) [with, de] ‖ Fɪɢ. *one's head*, baisser la tête ‖ ~ *out*, étendre (the washing) ‖ ~ *up*, suspendre, accrocher (one's hat, a picture) ; ᴛᴇʟ. raccrocher — *vi* (p.t. hung) pendre ; être suspendu ; être accroché (*from*, à) ‖ balancer (swing) ‖ [garment] ~ *loose*, flotter ‖ Fɪɢ. dépendre (*on*, de) ‖ ~ *about/around*, flâner, traîner, rôder ‖ ~ *back*, rester en arrière ‖ ~ *on*, tenir bon, s'accrocher ‖ ~ *out*, [shirt] dépasser, pendre ; sʟ. percher ‖ ~ *over*, surplomber ‖ ~ *round sb*, tourner autour de qqn (bother) ‖ ~ *together*, [persons] rester unis ; [statements] se tenir, concorder ● *n* Cᴏʟʟ. *get the* ~ *of*, attraper le coup de main, saisir le truc (*of doing*, pour faire).

hangar [ˈhæŋə] *n* Aᴠ. hangar *m.*

hanger [ˈhæŋə] *n* crochet *m* (hook) ‖ *(clothes)* ~, portemanteau *m* ‖ ~**-on**, Pᴇᴊ. parasite *m.*

hang-|glide *vi* faire du vol libre/du deltaplane ‖ ~**-glider** *n* aile volante, deltaplane *m* ‖ ~**-gliding** *n* vol *m* libre ; *go* ~, faire du vol libre/du deltaplane.

hang|ing *n* pendaison *f* ‖ *Pl* tentures *fpl* ‖ ~**man** *n* bourreau *m.*

hangnail [ˈhæŋneil] *n* envie *f.*

hang|over *n* Sʟ. gueule *f* de bois ‖ ~**-up** *n* complexe *m*, phobie *f*, blocage *m.*

hanker [ˈhæŋkə] *vt* soupirer (*after*, après).

hank|ie, ~**y** [ˈhæŋki] *n* Cᴏʟʟ. mouchoir *m.*

Hansard ['hænsəd] *n* G.B. journal officiel.

hap|hazard ['hæp'hæzəd] *adj* fortuit ‖ **~hazardly** *adv* au hasard, au petit bonheur ‖ **~less** *adj* malchanceux, infortuné.

happen ['hæpn] *vi* arriver, advenir, survenir (occur) ; *what has ~ed to him ?*, que lui est-il arrivé ? ‖ [chance] se trouver que ; *as it ~s*, comme par hasard, justement ; *how does it ~ that*, comment se fait-il que ; *it so ~ed that...*, il s'est trouvé que... ; *I ~ed to meet him*, je l'ai rencontré par hasard ‖ COLL. tomber (*on*, sur) ‖ **~ing** *n* événement, incident *m*.

happ|ily ['hæpili] *adv* heureusement, par bonheur (luckily) ‖ **~iness** *n* bonheur *m* ‖ **~y** *adj* heureux ; *~ birthday !*, bon anniversaire ! ; *~ New Year !*, bonne (et heureuse) année ! ‖ satisfait, content ‖ **~y-go-lucky** *adj* insouciant, sans souci ‖ à la va-comme-je-te-pousse.

harangue [hə'ræŋ] *n* harangue *f* ● *vt* haranguer.

harass ['hærəs] *vt* tourmenter (worry) ‖ harceler (harry).

harbour ['ha:bə] *n* port *m* ‖ FIG. havre, asile *m* ● *vt* héberger ‖ FIG. nourrir (hope, suspicious) ‖ garder (a grudge) ‖ **~-master** *n* capitaine *m* de port ‖ **~-station** *n* gare *f* maritime.

hard ['ha:d] *adj* dur (firm, solid) ; *sleep on the cold ~ ground*, coucher sur la dure ‖ rigoureux (winter) ‖ rude (climate, craft) ‖ dur (blow) ‖ alcoolisé (drink) ‖ dur (drug) ‖ calcaire (water) ‖ MED. *~ of hearing*, dur d'oreille ‖ FIN. *~ cash*, espèces *fpl* (ready money) ‖ COMM. *~ sell*, méthode *f* de vente agressive ‖ FIG. difficile (task) ; *~ lines/luck !*, pas de chance ! ‖ *~ labour*, travaux forcés ; *~ times*, temps difficiles, misère *f*; *be ~ put to it*, avoir beaucoup de mal à ● *adv* ferme (firmly) ‖ fort, ferme, dur (freezing, raining) ; *go ~ at it*, y aller fort ‖ avec peine,

rudement (treat) ‖ *try ~*, faire tous ses efforts pour ; *die ~*, avoir la vie dure ‖ *~ by*, tout contre, tout près ‖ *~ up* fauché (fam.) ‖ *be ~ put to it*, avoir beaucoup de mal (*to*, à) ‖ **~-and-fast** *adj* strict (rule) ‖ **~back** *adj/n* (livre) relié, cartonné ‖ **~-boiled** *adj* CULIN. *~ egg*, œuf dur ‖ **~-core** *adj* absolu, irréductible ‖ **~cover** = **~BACK** ‖ **~en** *vi/vt* (se) durcir ‖ TECHN. tremper ‖ FIG. (s')aguerrir ‖ **~ening** *n* durcissement *m* ‖ TECHN. trempe *f*.

hardly¹ ['ha:dli] *adv* durement.

hardly² *adv* [scarcely] à peine, ne... guère ; *~ ever*, presque jamais.

hard|ness ['ha:dnəs] dureté *f* (of a substance) ‖ rigueur *f* (of winter) ‖ FIG. difficulté *f* ‖ sévérité *f* ‖ **~ship** *n* épreuve, souffrance *f* (suffering) ‖ privation *f* (deprivation) ‖ **~-up** *adj* fauché, à court d'argent ‖ **~ware** *n* quincaillerie *f*; *~ dealer*, quincaillier *n* ‖ [computer] matériel *m* ‖ **~-wearing** *adj* résistant, solide (clothes) ‖ **~-working** *adj* travailleur, bûcheur (fam.) ‖ **~y** *adj* vigoureux, robuste (person) ‖ vivace (plant) ‖ FIG. hardi, intrépide.

hare [heə] *n* lièvre *m* ‖ **~-brained** *adj* écervelé, étourdi ‖ **~-lip** *n* MED. bec-de-lièvre *m*.

haricot ['hærikəu] *n* *~(-bean)*, haricot blanc.

harm [ha:m] *n* mal, tort, préjudice *m*; *do sb ~*, faire du mal/tort à qqn ● *vt* faire du mal/tort à, porter préjudice à ‖ **~ful** *adj* malfaisant, nuisible (person) ‖ nocif (thing) ‖ **~less** *adj* inoffensif (animal) ‖ sans méchanceté (person) ‖ innocent (pastime) ‖ anodin (medicine).

harmon|ic [ha:'mɔnik] *n/adj* harmonique *f* ‖ **~ica** [-ikə] *n* harmonica *m* ‖ **~ious** [ha:'məunjəs] *adj* harmonieux ‖ **~ize** ['ha:mənaiz] *vi/vt* (s')harmoniser ‖ **~y** ['ha:mni] *n* harmonie *f*.

harness ['ha:nis] *n* harnais *m* ‖ FIG.,

COLL. collier *m* • *vt* atteler ‖ TECHN. aménager, exploiter (a waterfall).

harp [hɑ:p] *n* harpe *f* • *vi* jouer de la harpe ‖ FIG. ~ *on*, rabâcher, ressasser ‖ ~**er**, ~**ist** *n* harpiste *m*.

harpoon [hɑ:'puːn] *n* harpon *m* • *vt* harponner.

harpsichord ['hɑːpsikɔːd] *n* clavecin *m*.

harrow ['hærəʊ] *n* herse *f* • *vt* herser ‖ FIG. torturer ‖ ~**ing** *adj* FIG. déchirant, poignant.

harry ['hæri] *vt* MIL. harceler (attack) ; ravager, dévaster, piller (plunder) ‖ FIG. harceler.

harsh [hɑːʃ] *adj* discordant (voice) ; âpre (taste) ‖ rêche, rugueux (touch) ‖ déplaisant, dur (sight) ‖ FIG. sévère, dur ‖ ~**ness** *n* [hearing] discordance *f* ‖ [touch] rudesse *f* ‖ [taste] âpreté *f* ‖ FIG. dureté, sévérité *f*.

harum-scarum ['hɛərəm'skɛərəm] *n* tête *f* de linotte/en l'air, étourdi, écervelé *n*.

harvest ['hɑːvist] *n* moisson, récolte *f* (crop) ‖ moisson *f* (season)) ‖ FIG. moisson *f* • *vt* AGR., FIG. moissonner, récolter ‖ ~**er** *n* moissonneur *n* (person) ‖ moissonneuse *f* (machine).

has-been *n* COLL. [person] homme/femme du passé, ringard *n* (fam.), has been *n inv* (fam.).

hash [hæʃ] *vt* hacher • *n* hachis *m* ‖ FIG. gâchis *m*.

hasp [hɑːsp] *n* fermoir *m*.

hassle ['hæsl] *n* U.S., COLL. querelle, dispute *f* ‖ FIG. problème *m*, difficulté *f* • *vt* [harass] tracasser ; enquiquiner (fam.).

haste [heist] *n* hâte, précipitation *f* ; *in* ~, à la/en hâte ; *make* ~, se hâter, se dépêcher.

hasten ['heisn] *vt* hâter, presser — *vi* se hâter, se dépêcher.

hast|ily ['heistili] *adv* précipitamment, à la hâte ‖ FIG. à la légère (rashly) ‖ ~**y** *adj* hâtif, rapide ; précipité (departure) ‖ FIG. irréfléchi,

inconsidéré (rash) ; emporté, vif (quick-tempered).

hat [hæt] *n* chapeau *m* ; *felt* ~, chapeau mou ; *put on/take off one's* ~, mettre/enlever son chapeau ‖ ~**-box** *n* carton *m* à chapeau ‖ ~**-peg** *n* patère *f*.

hatch[1] [hætʃ] *vt* ~ (*out*), faire éclore (eggs) ‖ FIG. tramer, ourdir (a plot) — *vi* ~ (*out*), [chick, egg] éclore.

hatch[2] *n* ~ (*way*), NAUT. écoutille *f* ‖ ~**back** *n* AUT. voiture *f* trois/cinq portes.

hatchet ['hætʃit] *n* hachette *f*.

hate [heit] *n* haine *f* • *vt* haïr (abhor) ; COLL. détester, avoir horreur de ‖ ~**ful** *adj* haïssable, odieux.

hatred ['heitrid] *n* haine *f*.

haught|iness ['hɔːtinis] *n* morgue *f* ‖ ~**y** *adj* hautain.

haul [hɔːl] *vt* haler, traîner, remorquer ‖ transporter (goods) ‖ ~ *up*, hisser • *n* remorquage *m* ‖ FIG. coup *m* de filet, butin *m* ‖ ~**age** [-idʒ] *n* halage *m* ‖ AUT. camionnage *m*, transport routier ‖ ~**ier** [-iə] *n* transporteur (routier).

haunch [hɔːnʃ] *n* hanche *f* ‖ CULIN. cuissot *m* ‖ *Pl* derrière *m*.

haunt [hɔːnt] *vt* hanter ‖ FIG. fréquenter ‖ [memory] obséder • *n* repaire *m*, lieu fréquenté (*of*, par) ‖ ~**ing** *adj* obsédant.

have [hæv] *vt* (had [hæd]) avoir, posséder ‖ accepter ; ~ *a cigar*, prenez un cigare ‖ absorber, prendre ; ~ *dinner*, dîner ; ~ *tea*, prendre le thé ; ~ *a drink*, boire un verre ‖ jouir de ; ~ *a good time*, passer un bon moment ; ~ *a swim/a walk*, se baigner/se promener ‖ [neg.] ne pas tolérer ‖ faire ; ~ *the luggage taken upstairs*, faites monter les bagages ; ~ *one's hair cut*, se faire couper les cheveux ; ~ *in*, faire entrer ; ~ *a tooth out*, se faire arracher une dent ‖ ~ *it* : *rumour has it that...*, le bruit court que... ; ~ *it out with sb*, s'expliquer avec qqn ; COLL. *he's had* it, son compte est bon ‖ **~ got**, posséder, avoir ‖ **~ (sth) left**, avoir (qqch) de reste ‖ *I* **~ only £ 2 left**, il ne me reste que 2 livres ‖ **~ on**, porter (clothes) ; faire marcher (fam.) [sb] ‖ **~ to**, devoir, être obligé de ‖ **~ just** (+ p.p.), venir de (+ infin.)

— *aux v* avoir ; **had better : I had better go**, je ferais mieux de partir ‖ **had rather/sooner** : *I had rather*, je préférerais ‖ **had I known**, si j'avais su.

haven [ˈheivn] *n* NAUT. havre *m* ‖ FIG. abri *m*.

haversack [ˈhævəsæk] *n* sac *m* à dos ‖ MIL. musette *f*.

havoc [ˈhævək] *n* ravages *mpl*, dégât *m* ; *play/make/wreak* **~**, faire/causer des ravages, ravager.

hawk[1] [hɔːk] *n* faucon *m* ; *sparrow* **~**, épervier *m*.

hawk[2] *vt* COMM. colporter ‖ **~er** *n* colporteur *m* ‖ [street] marchand *n* ambulant ; [door-to-door] démarcheur *n*.

hawthorn [ˈhɔːθɔːn] *n* aubépine *f*.

hay [hei] *n* foin *m* ; *make* **~**, faire les foins ‖ **~-fever** *n* rhume *m* des foins ‖ **~-loft** *n* grenier *m* à foin, fenil *m* ‖ **~-maker** *n* faneur *n* ‖ **~-making** *n* fenaison *f* ‖ FIG. **~rick**, **~stack** *n* meule *f* de foin ‖ **~ wire** *adj* COLL. *go* **~**, [plans] tourner mal ; [equipment] se détraquer.

hazard [ˈhæzəd] *n* risque *m*, aléa *m*, danger *m* ‖ AUT. **~** *warning lights*, feux de détresse ● *vt* risquer (risk) ; **~** *one's life*, mettre ses jours en danger ‖ hasarder (venture) ‖ **~ous** *adj* risqué, incertain ; hasardeux ; dangereux.

haze [heiz] *n* brume *f* (légère).

hazel [ˈheizl] *n* noisetier *m* ‖ **~-nut** *n* noisette *f*.

hazy [ˈheizi] *adj* brumeux ‖ FIG. confus ; vague, nébuleux.

he [hiː] *pron* il ; lui *m* ; *she is older than* **~** *(is)*, elle est plus âgée que lui ; *it is* **~**, c'est lui ‖ **~** *is my brother*,

c'est mon frère ; *here* **~** *is*, le voilà ; **~** *who*, celui qui ● *adj* mâle (animal) ; **~-goat**, bouc *m*.

head [hed] *n* tête *f* ‖ pointe *f* (of arrow) ‖ tête *f* (of nail) ‖ chevet *m* (of bed) ‖ bout *m* (of table, lake) ‖ haut *m* (of a page) ‖ tête *f* (of coin) ; **~s or tails ?**, pile ou face ? ; FIG. *be unable to make* **~** *or tail of*, ne rien comprendre à ‖ [celery, lettuce] pied *m* ‖ mousse *f*, faux-col *m* (on beer) ‖ TECHN. *(war)* **~**, ogive *f* ; [recorder] **erasing/playback** **~**, tête *f* d'effacement/de lecture ‖ NAUT. *wind*, vent *m* debout ‖ **come to a ~**, MED. mûrir ; FIG. atteindre un point critique ‖ FIG. tête *f* ; *at the* **~** *of*, à la tête de ; chef *m*, directeur *n* ‖ FIG. partie *f* (of a speech) ‖ FIG. intelligence, aptitude *f* ; *we put our* **~s** *together*, nous nous sommes consultés ‖ FIG. tête *f* (mind) ; *take sth into one's* **~**, se mettre qqch en tête ‖ *keep/lose one's* **~**, garder son sang-froid/ perdre la tête, s'affoler ● *vt* être à la tête de , conduire (procession) ‖ diriger (direct) ‖ diriger (*towards*, vers) ‖ intituler (chapter) ‖ **~ed note paper**, papier *m* à en-tête ‖ **~ off**, faire dévier, détourner ; FIG. parer, prévenir (prevent) ‖ être à la tête de ; intituler (a chapter) — *vi* **~ for**, se diriger vers ‖ NAUT. faire route vers ‖ **~ache** *n* mal *m* de tête, migraine *f* ; *have a* **~**, avoir mal à la tête ‖ **~ band** *n* bandeau *m* ‖ **~dress/ gear** *n* coiffure *f* ‖ **~er** *n* plongeon *m* (dive) ‖ **~ing** *n* en-tête *m* (of a letter) ; titre, intitulé *m* (of a chapter) ‖ **~light** *n* phare *m* (d'auto) ‖ **~line** *n* manchette *f*, titre *m* (in a newspaper) ‖ *Pl* RAD. résumé *m* des nouvelles ‖ **~long** *adv* *fall* **~**, tomber la tête la première ‖ FIG. précipité ; irréfléchi (person) ‖ **~master** [-ˈmɑːstə] *n* principal, directeur *m* (of a school) ‖ **~mistress** [-ˈmistris] *n* directrice *f* ‖ **~office** *n* siège social ‖ **~on** *adj/adv* de front, de plein fouet ‖ **~phones** *npl* RAD. écouteurs *mpl*, casque *m* ‖ **~quarters** [ˈ-ˈ-] *n* MIL. quartier

général ; *(staff)* ~, état-major m ‖
Comm. siège social ‖ **~rest/
restraint** n Aut. appui-tête m ‖
~shrinker n Coll. psy n (fam.) ‖
~strong adj entêté, obstiné ; volontaire ‖ **~waiter** n maître m d'hôtel
‖ **~way** n progrès m ; *make* ~,
avancer, progresser ‖ **~y** adj emporté
(person) ‖ capiteux (wine).

heal [hi:l] vt guérir (a disease, a
patient) ; guérir, cicatriser (a wound)
— vi ~ *(over/up)* [wound] se cicatriser ‖ **~er** n guérisseur n ‖ **~ing**
adj cicatrisant ‖ Fig. apaisant ● n
guérison f (of a disease) ; cicatrisation
f (of a wound).

health [helθ] n Med. santé f ; *be in
good/bad* (or) *poor* ~, bien/mal se
porter ‖ *Health Service doctor*, médecin conventionné ‖ *drink sb's* ~,
drink a ~ *to sb*, boire à la santé de
qqn ‖ Comm. ~ *food(s)*, produits mpl
diététiques ‖ **~ful** adj salubre (air) ;
sain (climate) ‖ Fig. salutaire ‖ **~y**
adj en bonne santé, bien portant ‖
salubre (air) ; sain (climate).

heap [hi:p] n tas, amas, monceau m
‖ Fig. **~s of**, des tas de ● vt **~ up**,
entasser, amasser.

hear [hiə] vt (heard [hə:d]) entendre
(sounds) ‖ assister à (lectures, mass)
‖ faire réciter (lessons) ‖ entendre
dire ; apprendre (news) — vi entendre ‖ ~ *from sb*, recevoir des
nouvelles de qqn ‖ ~ *about/of sth*,
entendre parler de qqch ● interj Hear !
hear !, très bien !, bravo ! ‖ **~er** [-rə]
n auditeur n ‖ **~ing** [-riŋ] n ouïe f ;
within ~, à portée de voix ; *out of* ~,
hors de portée de la voix ; *hard of* ~,
dur d'oreille ‖ Mus. audition f ‖ Med.
~-aid, prothèse auditive, audiophone m ‖ Jur. audience f ‖ **~say**
n ouï-dire m.

hearse [hə:s] n corbillard m.

heart [hɑ:t] n [organ] cœur m ‖
[centre of the emotions] cœur m ;
have a kind ~, avoir bon cœur ‖ *(Pl)*
[cards] cœur m ‖ courage m ‖
take/lose ~, prendre/perdre courage ‖ Fig. cœur, centre, fond m ; *in
my* ~ *of* ~s, dans mon for intérieur
‖ Fig. *by* ~, par cœur ‖ *cry one's* ~
out, pleurer à chaudes larmes ‖
~attack n crise f cardiaque, infarctus m ‖ **~beat** n battement m de
cœur ‖ **break** n crève-cœur m ;
douleur profonde ‖ **~breaking** adj
déchirant ‖ **~broken** adj au cœur
brisé ‖ **~burn** n brûlure f d'estomac
‖ ~ **condition** n maladie f de cœur
‖ **~en** vt encourager ‖ ~ **felt** adj
sincère.

hearth [hɑ:θ] n âtre m ‖ Fig. foyer
m (home).

heart|ily [ˈhɑ:tili] adv cordialement,
de bon cœur ‖ **~less** adj sans cœur ‖
~-rending adj déchirant, angoissant, à fendre l'âme ‖ **~-transplant**
n greffe f du cœur, transplantation f
cardiaque ‖ **~y** adj cordial, chaleureux ‖ vigoureux, robuste (strong) ‖
copieux (meal).

heat [hi:t] n chaleur f ‖ Fig. chaleur,
fièvre f ‖ Sp. (épreuve f) éliminatoire
f ; → deadheat ‖ Zool. chaleur f ;
on ~, en chaleur ● vt chauffer ‖
~ *up*, réchauffer — vi se réchauffer
‖ **~er** n appareil m de chauffage.

heath [hi:θ] n lande f.

heathen [ˈhi:ðn] n/adj païen.

heather [ˈheðə] n bruyère f.

heating [ˈhi:tiŋ] n chauffage m ;
central ~, chauffage central ; ~ *oil*,
gas-oil, gazole, fuel m.

heat|pump n pompe f à chaleur ‖
~stroke coup de chaleur f ‖
~wave n vague f de chaleur.

heave [hi:v] vt (heaved [hi:vd],
Naut. hove [həuv]) soulever (a
weight) ; ~ *oneself up*, se soulever ‖
Naut. lever (the anchor) ‖ Fig.
pousser (a sigh) — vi se soulever ‖
Naut. ~ *in sight*, paraître à l'horizon ; ~ *to*, mettre à la cape/en
panne.

heaven [ˈhevn] n ciel, paradis m ‖
Fig. Dieu m, Providence f ‖ *Pl*
firmament m ‖ **~ly** adj céleste, divin.

heav|ily [ˈhevili] *adv* lourdement || **~iness** *n* pesanteur, lourdeur *f* || FIG. abattement *m* || **~y** *adj* lourd, pesant || gros (rain, sea) || violent (blow) || copieux (meal) || lourd (sleep, weather) || dense (traffic) || TECHN. ~ *worker*, travailleur *n* de force || MIL. violent (fire) || PHYS. ~ *water*, eau lourde || TECHN. **~-duty**, à grand rendement, lourd (engine) || SP. **~-weight**, poids lourd.

Hebrew [ˈhiːbruː] *adj/n* hébreu ● *n* hébreu *m* (language).

hecatomb [ˈhekətəum] *n* hécatombe *f*.

heckle [ˈhekl] *vt* interrompre, interpeller (speaker).

hectic [ˈhektik] *adj* trépidant.

hector [ˈhektə] *vt* malmener, rudoyer.

hedge [hedʒ] *n* haie *f* ● *vt* clôturer ; ~ *(in)*, enclore || FIG. [racing] ~ *one's bets*, se couvrir — *vi* FIG. se dérober || **~hog** [-ɔg] *n* hérisson *m* || **~-hop** *vi* AV. faire du rase-mottes.

heed [hiːd] *n* attention *f* ; *take* ~, prendre garde ● *vi* faire attention à || **~ful** *adj* attentif, vigilant || **~less** *adj* inattentif, insouciant.

heel¹ [hiːl] *n* NAUT. gîte, bande *f* ● *vi* gîter, donner de la bande.

heel² *n* talon *m* || *take to one's ~s*, prendre ses jambes à son cou || *follow close on sb's ~s*, être sur les talons de qqn ; *tread on sb's ~s*, talonner qqn || *down at ~s*, éculé (shoes) ; POP. dans la dèche (person) || *have sb at one's ~s*, avoir qqn à ses trousses ; *cool one's ~s*, faire le pied de grue.

hefty [ˈhefti] *adj* COLL. costaud.

heifer [ˈhefə] *n* génisse *f*.

height [hait] *n* hauteur *f* ; *six feet in* ~, six pieds de haut || altitude *f* (of a mountain) || FIG. sommet, faîte, comble *m* ; *at the* ~ *of the season*, en pleine saison ; *be at its* ~, battre son plein || **~en** *vt* relever, rehausser, accroître || MED. aggraver || ~ **gauge** *n* toise *f*.

heinous [ˈheinəs] *adj* odieux, atroce.

heir [ɛə] *n* héritier *m* (to, de) || **~ess** [-ris] *n* héritière *f* || **~loom** *n* souvenir *m* de famille, héritage *m*.

heist [haist] *n* U.S., SL. casse *m* (arg.) ● *vt* voler.

held → HOLD.

heli|born [ˈhelibɔːn] *adj* héliporté || **~copter** [ˈhelikɔptə] *n* hélicoptère *m* || **~lift** *vt* héliporter || **~port** *n* héligare *f*, héliport *m*.

hell [hel] *n* REL. enfer *m* || SL. *a* ~ *of a noise*, un bruit infernal ; *give sb* ~, engueuler qqn ; *like* ~, comme un fou ● *exclam (bloody)* ~ !, merde ! (fam.) || **~ish** *adj* infernal.

hello ! [heˈləu] *interj* = HALLO !

helm [helm] *n* NAUT. barre *f*, gouvernail *m* ; **~sman**, timonier *m*, homme *m* de barre.

helmet [ˈhelmit] *n* casque *m*.

help [help] *n* aide, assistance *f*, secours *m* ; *mutual* ~, entraide *f* ; *come to sb's* ~, venir au secours de qqn, prêter assistance à qqn || aide *n* (person) || U.S. domestique *n* ● *vi/vt* aider, venir à l'aide de qqn, secourir ; ~ *sb to do*, aider qqn à faire ; ~ *sb across/down/up, etc.*, aider qqn à traverser/descendre/monter, etc. || ~ *her off/on with her boots !*, aidez-la à retirer/mettre ses bottes ! || servir ; ~ *sb to sth*, servir qqch à qqn ; ~ *oneself*, se servir || [shop] *can I* ~ *you ?*, vous désirez quelque chose ? || *can't* ~, ne pouvoir s'empêcher de ; *I can't* ~ *it*, c'est plus fort que moi ; *she couldn't* ~ *crying*, elle ne pouvait retenir ses larmes ; *you can't* ~ *it*, vous n'y pouvez rien ; *it can't be* ~*ed*, on n'y peut rien || ● *excl* ~ !, au secours ! || **~er** *n* aide, assistant *n* || **~ful** *adj* serviable ; utile (thing) || **~ing** *n* portion *f* (food) || **~less** *adj* désemparé, désarmé ; sans ressource ; impuissant.

helter-skelter [ˈheltəˈskeltə] *adv* à la débandade ● *n* débandade *f* || G.B. [fair ground] (sorte *f* de) toboggan *m*.

Helvetian [hel'vi:ʃjən] *adj* helvétique ● *n* Helvète *n*.

hem [hem] *n* bord *m* (border) ‖ ourlet *m* (of cloth) ; ~ *-line*, ourlet (of a skirt) ● *vi* border, ourler ‖ ~ *in*, encercler, cerner.

hemisphere ['hemisfiə] *n* hémisphère *m*.

hemlock ['hemlɔk] *n* ciguë *f*.

hemorrhage ['hemɔridʒ] *n* hémorragie *f*.

hemp [hemp] *n* chanvre *m*.

hen [hen] *n* poule *f* ‖ femelle *f* (of birds) ‖ ~ *-house*, poulailler *m*.

hence [hens] *adv* d'ici (from here) ‖ d'où, par conséquent (therefore) ‖ désormais (from now) ‖ ~ *forth adv* dorénavant, désormais.

henchman ['henʃmən] *n* partisan, séide ‖ PEJ. acolyte, suppôt *m* (péj.).

henpecked ['henpekt] *adj* mené par le bout du nez (husband).

hep [hep] *adj* = HIP.

hepatic [hi'pætik] *adj* hépatique.

her [hə:] *pers pron* [dir. obj.] la ; [indir. obj.] lui ; [after prep. *and than*] elle ● *poss adj* son, sa, ses (feminine possessor).

herald ['herəld] *n* messager *n* ● *vt* FIG. annoncer ‖ ~ *ry* [-ri] *n* héraldique *f*, blason *m*.

herb [hə:b] *n* herbe *f* vivace ‖ MED. *medicinal* ~ *s*, plantes médicinales ; ~ *tea*, infusion, tisane *f* ‖ CULIN. aromates *mpl* ‖ *sweet* ~ *s*, fines herbes ‖ ~ *alist* [-əlist] *n* herboriste *n*.

herculean [ˌhə:kju'liən] *adj* herculéen.

herd [hə:d] *n* troupeau *m* (of cattle) ‖ FIG. foule, populace *f* ● *vt* rassembler en troupeau ; mener, conduire (cattle) — *vi* s'attrouper ‖ ~ *sman* [-zmən] *n* gardien *m* de troupeau.

here [hiə] *adv* ici ; *around* ~, par ici ; ~ *and there*, çà et là ‖ voici ; ~ *he is*, le voici ; ~ *you are !*, tenez ! ‖ ~ *lies*, ci-gît ‖ FIG. ~ *below*, ici-bas

‖ *look* ~ *!*, écoutez ! ; ~ *goes !* (eh bien), allons-y !

here|abouts [ˌhiərə'bauts] *adv* dans les environs, par ici ‖ ~ *after* [-'-] *adv* plus tard (in the future) ; ci-après (following this) ‖ ~ *by* ['-'-] *adv* par ce moyen ‖ [letter] par la présente.

heredit|ary [hi'reditri] *adj* héréditaire ‖ ~ *y* *n* hérédité *f*.

herein ['hiər'in] *adv* sur ce point ; ci-inclus.

her|esy ['herəsi] *n* hérésie *f* ‖ ~ *etic* ['herətik] *n/adj* hérétique.

here|tofore ['hiə'tu:'fɔ:] *adv* jusqu'ici, jusque-là ‖ ~ *upon* ['hiərə'pɔn] *adv* là-dessus, sur ce ‖ ~ *with* ['hiə'wið] *adv* ci-joint.

heritage ['heritidʒ] *n* héritage *m*.

hermit ['hə:mit] *n* ermite *m*.

hernia ['hə:njə] *n* hernie *f*.

her|o ['hiərəu] *n* héros *m* ‖ ~ *oic* [hi'rəuik] *adj* héroïque ‖ ~ *oine* ['herəin] *n* héroïne *f* ‖ ~ *oism* ['herəizm] *n* héroïsme *m*.

heron ['hern] *n* héron *m*.

herring ['heriŋ] *n* hareng *m* ‖ *red* ~, hareng *m* saur ; FIG. diversion *f*.

hers [hə:z] *poss pron* le sien, la sienne ; les siens, les siennes.

herself [hə:'self] *reflex pron* se ● *emph pron* elle-même.

hesitat|e ['heziteit] *vi* hésiter ‖ ~ *ing* *adj* hésitant ‖ ~ *ion* [ˌhezi-'teiʃn] *n* hésitation *f*.

hew [hju:] *vt* (p. t. *ed* [-d] ; p. p. *ed* or *-n* [-n]) tailler (a stone) ‖ abattre (a tree) ‖ équarrir (timber).

hexagon ['heksəgən] *n* hexagone *m*.

heyday ['heidei] *n* apogée *m* ; [person] (la) force de l'âge ‖ [thing] âge *m* d'or.

hi ! [hai] *interj* U.S., COLL. salut !

hiatus [hai'eitəs] *n* hiatus *m*.

hibernate ['haibə:neit] *vi* hiberner.

hiccough, hiccup ['hikʌp] *n* hoquet *m ; have the* ~s, avoir le hoquet ● *vi* hoqueter.

hide[1] [haid] *vt* (hid [hid], hid(den) [ˈhidn]) cacher ; *play* ~*-and-seek,* jouer à cache-cache — *vi* se cacher (*from,* de), se dissimuler ‖ ~*-away (n) =* ~-OUT.

hide[2] [haid] *n* cuir *m,* peau *f* ; ~*bound adj* borné (person) ; rigide (view).

hideous [ˈhidiəs] *adj* hideux.

hide-out [ˈhaidaut] *n* cachette ; planque *f* (fam.).

hiding[1] [ˈhaidiŋ] *n* ~*-(place),* cachette *f ; go into* ~, se cacher.

hiding[2] *n* correction *f ;* volée ; raclée *f* (fam.).

hierarchy [ˈhaiərɑːki] *n* hiérarchie *f.*

hi-fi [ˈhaiˈfai] *n* (= HIGH FIDELITY) hi-fi *f* (fam.) ; haute fidélité ; ~ *system,* chaîne *f* (hi-fi) [fam.].

higgledy-piggledy [ˈhigldiˈpigldi] *adj/adv* pêle-mêle, n'importe comment.

high [hai] *adj* haut, grand (in general) ; *how* ~ *is... ?,* quelle est la hauteur de... ? ; *6 feet* ~, de 2 mètres de haut ‖ NAUT. ~ *tide,* marée haute ; *on the* ~ *seas,* en haute mer ‖ GEOGR. haut (latitude) ‖ CULIN. avancé (meat) ‖ ~ *tea,* goûter *m* dînatoire ‖ COLL. parti (fam.) [drunk] ; [drugs] *be* ~, planer ; *get* ~, se défoncer (pop.) ‖ FIG. élevé (price, temperature) ; violent (wind) ; haut (opinion) ; grand (speed) ; supérieur, noble ; ~ *life,* le grand monde ‖ ~ *and dry,* échoué (boat) ; FIG. abandonné ; en plan (fam.) ‖ [time] *it is* ~ *time,* il est grand temps ● *adv* haut ‖ FIG. *live* ~, vivre largement ; *play* ~, jouer gros jeu ; *run* ~, s'échauffer ‖ ~*-angle* CIN. ~ *shot,* plongée *f* ‖ ~*ball* *n* U.S. whisky à l'eau (gazeuse) ‖ ~*brow* *n* intellectuel *n* ‖ ~*-chair* chaise *f* d'enfant ‖ ~*-falutin(g)* [ˌ.fəˈluːtin(ŋ)] *adj* pompeux, prétentieux ‖ ~*-fidelity* *n* RAD. haute fidélité

‖ ~*-handed* *adj,* autoritaire, tyrannique ‖ ~*-jack =* HIJACK ‖ ~ *level* *n* POL. au sommet (meeting) ‖ ~*light* *vt* mettre en lumière/ vedette ● *n* (*usu pl*) PHOT. lumières *fpl* ‖ FIG. moments importants ; clou *m.*

highlighter *n* ~ (*pen*), surligneur *m.*

highly [ˈhaili] *adv* hautement, extrêmement, très ; très bien (paid) ‖ ~ *strung,* nerveux, tendu.

high|mass *n* grand-messe *f* ‖ ~*-necked* [ˈnekt] *adj* à col montant ‖ ~*ness* *n* hauteur *f* ‖ *His/Her Highness,* Son Altesse *f* ‖ ~*octane* *adj* fort indice d'octane ‖ ~*-rise* *adj* ~ *flats,* ARCH. tour *f* ‖ ~*-road* *n* route nationale ‖ ~*-school* *n* lycée *m* ‖ ~*-sounding* *adj* PEJ. grandiloquent ‖ ~*-spirited* *adj* plein d'entrain (person) ; fougueux (horse) ‖ ~*-spirits* *npl* entrain *m,* vivacité *f* ‖ ~*-strung* *adj =* HIGHLY-STRUNG ‖ ~*-tech(nology)* *n* technologie *f* de pointe ‖ ~*-up* *n* huile *f* (fam.) [person] ‖ ~*way* *n* route à grande circulation/nationale ‖ *Highway Code,* code *m* de la route.

hijack [ˈhaidʒæk] *vt* détourner (avion, bateau, etc.) ‖ ~*er* *n* pirate *n* de l'air, auteur *m* de détournement ‖ ~*ing* *n* détournement *m* (d'avion).

hik|e [haik] *vi* excursionner à pied ● *n* excursion *f* à pied, randonnée *f* ‖ U.S. augmentation, hausse *f* ‖ ~*er* *n* excursionniste, marcheur, randonneur *n.*

hilarious [hiˈlɛəriəs] *adj* désopilant, tordant ; d'une joie débordante (person).

hill [hil] *n* colline *f,* coteau *m* ‖ côte *f* (on a road) ‖ monticule *m* ‖ ~*ock* [ˈ.ək] *n* butte *f,* tertre *m* ‖ ~*-side* *n* flanc *m* de coteau ‖ ~*y* *adj* montagneux (country) ; accidenté (ground).

hilt [hilt] *n* garde *f* (of a sword).

him [him] *pers pron* [dir. obj.] le, l' ‖ [indir. obj., after prep. and *than*] lui

‖ ~**self** [´-´] *refl pron* se ● *emph pron* lui-même.

hind¹ [haind] *adj* postérieur, de derrière.

hind² [haind] *n* biche *f.*

hinder [´hində] *vt* gêner, empêcher, retarder.

hind|most [´hainməust] *adj* dernier, ultime ‖ ~**quarters** *npl* arrière-train *m.*

hindrance [´hindrəns] *n* obstacle *m ;* empêchement *m.*

hindsight [´haindsait] *n* réflexion *f* après coup.

Hindu [´hin´du:] *adj/n* hindou.

hinge [hinʒ] *n* gond *m* (of door) ; charnière *f* (of lid) ● *vi* pivoter (*on,* sur) ‖ ~ *on,* dépendre de.

hint [hint] *n* allusion, insinuation *f ; take a* ~*,* comprendre à demi-mot ; *give a* ~*,* insinuer ‖ FIG. suggestion *f,* conseil *m ; a* ~ *of,* un soupçon de ● *vt* insinuer, laisser entendre — *vi* faire allusion (*at,* à).

hip¹ [hip] *adj.* SL. à la page ; dans le vent (fam.).

hip² *n* hanche *f ;* ~*-hugger pants,* pantalon *m* taille basse/moulant ‖ ~*-pocket n* poche *f* revolver.

hippie [´hipi] *adj/n* hippie.

hippopotamus [ˌhipə´pɔtəməs] *n* hippopotame *m.*

hire [´haiə] *vt* louer (boat, car) ; ~*d,* à gages (killer) ‖ ~ *out,* louer, engager (sb) ● *n* location *f ; for* ~*,* à louer ; *on* ~*,* en location ‖ ~*-purchase n* location-vente *f ; buy on the* ~ *system,* acheter à tempérament.

hirsute [´hə:sju:t] *adj* hirsute.

his [hiz] *poss adj* son *m,* sa *f,* ses *pl* (masculine possessor) ● *poss pron* le sien, la sienne ; les siens, les siennes.

hiss [his] *vi* siffler ‖ TH. siffler, huer ● *n* sifflement *m* ‖ TH. sifflet *m.*

histor|ian [his´tɔ:riən] *n* historien *n* ‖ **ic(al)** [his´tɔrik(l)] *adj* historique ‖

~**y** [´histri] *n* histoire *f* ‖ MED. antécédents *mpl.*

hit [hit] *n* coup *m ;* choc *m* ‖ [tir] *score a* ~*,* faire mouche ‖ [fencing] touche *f* ‖ FIG. succès *m ;* chanson *f* à succès ; tube *m* (fam.) ‖ FIG. *that's a* ~ *at me,* c'est une pierre dans mon jardin ; *make a* ~ *with sb,* taper dans l'œil à qqn, faire une touche avec qqn (fam.) ● *vt* (hit) frapper, heurter ; ~ *one's head,* se cogner la tête ; atteindre (reach) ; ~ *the mark,* atteindre le but ‖ FIG. rencontrer, tomber sur ; toucher, blesser (affect) ; ~ *the road,* se mettre en route, partir ; ~ *it off,* s'entendre (bien) — *vi* se heurter, se cogner, frapper ‖ ~ *back,* riposter.

hit-and-run [ˌhitən´rʌn] *adj* ~ *driver,* chauffard *m.*

hitch [hitʃ] *n* secousse *f* ‖ FIG. difficulté *f* ‖ contretemps *m ;* anicroche *f* (fam.) [trouble] ● *vt* tirer d'un coup sec ‖ ~ *(up),* remonter (one's trousers) ‖ accrocher (fasten) ‖ ~**-hike** *vi* faire de l'auto-stop/du stop ‖ ~**-hiker** *n* auto-stoppeur *n* ‖ ~**-hiking** *n* (auto-)stop *m.*

hi-test [´haitest] *n* AUT., U.S. super *m* (fam.) [petrol].

hither [´hiðə] *adv* [arch.] par ici ‖ ~**to** [´-´tu:] *adv* jusqu'ici, jusqu'à maintenant.

hit-song *n* tube *m* (fam.).

hive [haiv] *n* ruche *f.*

hives [haivz] *npl* MED. urticaire *m.*

hoar [hɔ:] *adj* blanc (hair) ‖ ~*frost,* gelée blanche.

hoard [hɔ:d] *n* tas *m* ‖ trésor *m* (money) ● *vi/vt* ~ *(up),* amasser.

hoarding *n* palissade *f* ‖ panneau *m* d'affichage publicitaire.

hoarse [hɔ:s] *adj* enroué (person) ‖ rauque (voice) ‖ ~**ness** *n* enrouement *m.*

hoary [´hɔ:ri] *adj* blanc (with age) ; chenu (arch.) ‖ FIG. vieux.

hoax [həuks] *n* canular *m,* blague *f*

● vt faire/monter un canular ; *we've been ~ed*, on s'est fait avoir.

hob [hɔb] n plaque chauffante.

hobble [′hɔbl] vi clopiner, boitiller — vt entraver (horse).

hobby [′hɔbi] n passe-temps favori, violon m d'Ingres ‖ **~-horse** n [rocking horse] cheval m à bascule ; FIG dada m.

hobnailed [′hɔbneild] adj ferré (shoes).

hobnob [′hɔbnɔb] vi boire, trinquer (*with* : avec) ‖ fréquenter, frayer (*with*, avec).

hobo [′həubəu] n U.S. vagabond, clochard m.

Hobson [′hɔbsn] proper n : *that's a case of ~ 's choice*, il n'y a pas le choix.

hock [hɔk] 'n vin m du Rhin.

hockey [′hɔki] n (ice) ~, hockey m ; **~-stick**, crosse f de hockey.

hoe [həu] n houe f ● vt biner, sarcler.

hog [hɔg] n porc, pourceau m ‖ COLL. *go the whole ~*, y aller à fond, aller jusqu'au bout.

hoist [hɔist] vt hisser ● n TECHN. grue f ; monte-charge m.

hold[1] [həuld] n NAUT. cale f ‖ AV. soute f à bagages.

hold[2] n prise f (grasp) ; *catch/lay ~ of*, saisir, empoigner ; *lose one's ~*, lâcher prise ‖ point m d'appui ‖ SP. *(foot-)~*, prise f ● vt (held [held]) tenir, maintenir ‖ retenir (one's breath) ‖ *~ oneself upright*, se tenir droit ‖ soutenir (keep from falling) ‖ contenir (contain) ‖ occuper (an office) ; *~ one's ground/one's own*, résister, tenir bon ‖ tenir (a meeting) ‖ TEL. *~ the line !*, ne quittez pas ! ‖ FIG. considérer ; *~ sb responsible*, tenir qqn pour responsable ‖ *~ back*, retenir ; FIG. garder secret ‖ *~ forth* exposer ‖ *~ in*, retenir ; maîtriser ‖ *~ on*, maintenir ‖ *~ out* tendre (one's hand) ‖ *~ up*, retarder, retenir (delay) ; lever (raise) ; attaquer (à main armée) ; **~-up** (n),

hold-up m, attaque f à main armée ; [traffic] embouteillage, bouchon m — vi tenir, retenir ‖ FIG. durer, persister ; *~ forth*, pérorer, faire des discours ‖ *~ on*, attendre ; TEL. *~ on !*, ne quittez pas ! ‖ *~ on to*, se cramponner à ‖ *~ out*, tenir, résister (resist) ; [supplies] durer ‖ **~er** n [office] titulaire n ; [ticket] détenteur n ‖ FIN. porteur n ‖ AGR. exploitant n ‖ SP. détenteur n (of a record).

hole [həul] n trou m ; *dig a~*, creuser un trou ; *cut a~*, faire un trou ; *wear (one's socks) into ~s*, trouer (ses chaussettes) ; *wear a ~ in*, faire un trou à ; *make ~s*, trouer ‖ terrier m (of a rabbit) ‖ COLL. taudis m (hovel) ‖ FIG. *make a ~ in*, écorner (fortune).

holiday [′hɔlidi] n jour m de congé ; *on ~*, en congé ; *take a month's ~*, prendre un mois de vacances ; *stay on ~ in the country*, être en vacances à la campagne ‖ *public ~*, jour férié ‖ *~ camp*, colonie f de vacances ‖ jour férié ‖ Pl vacances fpl ‖ **~-maker** n estivant, vacancier n.

holiness [′həulinis] n sainteté f.

Holland [′hɔlənd] n Hollande f.

Hollands [′hɔləndz] npl genièvre m (drink).

hollow [′hɔləu] adj creux, enfoncé, cave (eyes) ‖ caverneux (sound, voice) ‖ FIG. faux (joy) ‖ vain (promise) ● n creux m.

holly [′hɔli] n houx m ‖ **~hock** n rose f trémière.

holocaust [′hɔləkɔ:st] n holocauste m.

hologram [′hɔləgræm] n hologramme m.

holster [′həulstə] n étui m de revolver.

holy [′həuli] adj saint ‖ *Holy Ghost/Spirit*, Saint-Esprit ‖ béni (bread) ; bénite (water).

homage [′hɔmidʒ] n hommage m ; *pay ~*, rendre hommage (*to*, à).

home [həum] *n* foyer, chez-soi, domicile *m* (house) ; *at ~*, chez soi, à la maison ; *away from ~*, absent ; *a ~ from ~*, un autre chez soi ; *feel at ~*, se sentir à l'aise ; *make oneself at ~*, faire comme chez soi ‖ *Ideal Home Exhibition*, salon *m* des arts ménagers ‖ pays natal, patrie *f* ‖ maison *f* de retraite ‖ [racing] arrivée *f* ‖ MED. *nursing ~*, clinique *f* ‖ BOT. habitat *m* ‖ SP. *~ match*, match *m* à domicile ● *adj* familial, domestique ‖ national, du pays ‖ intérieur (trade) ; *Home Office*, ministère *m* de l'Intérieur ; *Home Secretary*, ministre de l'Intérieur ; *~ rule*, autonomie *f* ‖ MIL. métropolitain ‖ RAIL. *~ journey*, voyage *m* de retour ‖ *~ address*, adresse personnelle ● *adv* à la maison ; *go ~*, rentrer (chez soi) ; *be ~*, être de retour ; *see sb ~*, raccompagner qqn (jusque) chez lui ; *write ~*, écrire à la maison ‖ au pays ; *send ~*, rapatrier ‖ SP. *play ~*, jouer sur son terrain ‖ TECHN. à fond, à bloc ; *drive ~*, enfoncer à fond ‖ FIG. au but, en plein ; *bring ~*, faire comprendre/sentir ; *go ~ to*, toucher au vif ● *vi* [pigeon] revenir au colombier ‖ *homing pigeon*, pigeon voyageur ‖ *~-bound* *adj* rentrant chez soi (traveller) ; sur le chemin du retour ‖ *~coming* *n* retour *m* au pays/foyer ‖ *~-from-~* *n* autre chez soi *m* ‖ *~ help* *n* aide ménagère ‖ *~less* *adj* sans abri, sinistré ‖ *~like* *adj* intime, accueillant ‖ *~ly* *adj* simple, sans façons ; accueillant ‖ U.S. sans charme, laid ‖ *~-made* *adj* fait à la maison.

homeopath/(ist) *n,* *~y* *n* U.S. = HOMŒOPATH/(IST), *~Y.*

home|sick ['həumsik] *adj* nostalgique ; *be ~*, avoir le mal du pays ‖ *~spun* *adj* filé à la maison ‖ *~stead* *n* ferme *f* ‖ *~ward* *adj/adv* vers la maison, sur le chemin du retour ‖ *~work* *n* devoirs faits à la maison ; *a piece of ~*, un devoir.

homicid|al [͵hɔmi'saidl] *adj* homicide ‖ *~e* ['hɔmisaid] *n* homicide *m*.

homœopath/(ist) ['həumiəpæθ-(ist)] *n* homéopathe *n* ‖ *~y* [͵haumi'ɔpəθi] *n* homéopathie *f.*

homogen|eous [sei'mɔ'dʒi:njəs] *adj* homogène ‖ *~ize* [hɔ'mɔdʒə-naiz] *vt* homogénéiser.

homonym ['hɔmənim] *n* homonyme *m.*

homosexual ['həumə'seksjuəl] *adj/n* homosexuel.

honest ['ɔnist] *adj* honnête, intègre ‖ *~ly* *adv* honnêtement ‖ *~y* *n* honnêteté *f.*

honey ['hʌni] *n* miel *m* ‖ U.S. *~ !*, chérie ! ‖ *~comb* *n* rayon *m* de miel ‖ *~ed* [-d] *adj* suave (words) ; doucereux (péj.) ‖ *~moon* *n* lune *f* de miel ; voyage *m* de noces (trip) ● *vi* passer sa lune de miel ‖ *~suckle* *n* chèvrefeuille *m.*

honk [hɔŋk] *vi* AUT. klaxonner.

honorary ['ɔnrəri] *adj* honoraire ; *~ president*, président *n* honoraire ‖ honorifique (unpaid).

hono(u)r ['ɔnə] *n* honneur *m* ; *do sb the ~ of*, faire à qqn l'honneur de ; *be an ~ to*, faire honneur à ; *~ bright !*, parole *f* d'honneur ! ‖ *Pl* honneurs *mpl* ; *do the ~s of*, faire les honneurs de ; [cards] honneurs *mpl* ‖ [University] *take ~s in French*, faire une licence de français ; *pass with ~s*, passer avec mention ; *first-class ~s*, mention *f* très bien ● *vt* honorer, faire honneur à ‖ FIN. honorer (cheque) ‖ *~able* ['ɔnrəbl] *adj* honorable.

hood [hud] *n* capuchon *m* ‖ AUT. capote *f*, U.S. capot *m* (bonnet) ‖ PHOT. pare-soleil *m.*

hoodlum ['hu:dləm] *n* SL. voyou *m* ; loubard *m* (pop.).

hoodwink *vt* tromper, abuser ; embobiner (fam.).

hoof, s *or* *-ves* [hu:f, -vz] *n* ZOOL. sabot *m.*

hook [huk] *n* crochet *m* ‖ agrafe *f* (on a dress) ; *clothes ~*, portemanteau *m* ‖ SP. [boxing] crochet *m* ;

[fishing] hameçon m ‖ AGR. faucille f ‖ TECHN. piton m à crochet ● vt accrocher ; agrafer (a dress) ‖ ferrer (a fish) — vi — up, s'agrafer.

hooked [-t] adj crochu (nose) ‖ COLL. mordu (fam.) ; dingue (fam.) [on, de] ; [drugs] camé (pop.).

hooligan [ˈhuːligən] n voyou m ; loubard m (fam.) ; vandale m (destroyer).

hoop [huːp] n cerceau m ● vt cercler.

hoot [huːt] n hululement m ‖ [siren] mugissement m ‖ huée f (jeer) ‖ AUT. coup m de Klaxon ● vi [owl] hululer — vt (down), huer, conspuer (jeer) ‖ AUT. klaxonner ‖ ~**er** n AUT. avertisseur, Klaxon m ‖ [factory] sirène f.

hoover [ˈhuːvə] n T.N., COLL. aspirateur m ● vt COLL. passer l'aspirateur dans (room).

hooves npl → HOOF.

hop¹ [hɔp] vi sauter à cloche-pied ; sauter (jump) ; [bird] sautiller ‖ SL. ~ it !, fiche le camp ! ● n saut m ‖ [bird] sautillement m ‖ AV. étape f ‖ ~**scotch** n marelle f.

hop² n houblon m.

hope [həup] n espoir m, espérance f ; in the ~ of, dans l'espoir de ; past ~, sans espoir ● vt espérer ; I ~ so, je l'espère ; I ~ not, j'espère que non ‖ ~**ful** adj plein d'espoir ; prometteur ‖ ~**less** adj sans espoir ; désespéré (person, situation) ; désespérant (weather) ; nul (person) ‖ ~ **lessly** adv sans espoir ‖ ~**lessness** n désespoir m.

horizon [həˈraizn] n horizon m ; on the ~, à l'horizon ‖ ~**tal** [ˌhɔriˈzɔntl] adj horizontal.

hormone [ˈhɔːməun] n hormone f.

horn [hɔːn] n corne f (of cattle, snail) ‖ bois m (of deer) ‖ corne f (substance) ; ~-**rimmed spectacles**, lunettes fpl à monture d'écaille ‖ antennes fpl (of insect) ‖ MUS. cor m ; French ~, cor d'harmonie ‖ AUT. avertisseur, Klaxon m (N.D.).

hornet [ˈhɔːnit] n frelon m.

horrendous [hɔˈrendəs] adj horrible.

horr|ible [ˈhɔrəbl] adj horrible, atroce ‖ ~**id** [-id] adj affreux ; désagréable, méchant (person) ‖ intolérable (thing) ‖ ~**ify** [-ifai] vt horrifier ; faire horreur ‖ ~**or** n horreur, épouvante f ‖ CIN. ~ film, film m d'épouvante.

horse [hɔːs] n cheval m ‖ MIL. cavalerie f ‖ SP. = VAULTING HORSE ; RACE-~, cheval de course ‖ ~**back** n on ~, à cheval ‖ ~-**chestnut** n marron m d'Inde ‖ ~-**fly** n taon m ‖ ~**hair** n crin m ‖ ~**man** n cavalier m ‖ ~**manship** n équitation f ; ~-**play** n chahut m ; jeux brutaux ‖ ~**power** n cheval-vapeur m ‖ ~-**radish** n raifort m ‖ ~**shoe** n fer m à cheval ‖ ~ **show** n concours m hippique ‖ ~**woman** n amazone, cavalière f.

horticultur|e [ˈhɔːtiˌkʌltʃə] n horticulture f ‖ ~**ist** [-rist] n horticulteur n.

hose¹ [həuz] n tuyau m d'arrosage ● vt arroser au jet.

hose² n COMM. bas m (stocking).

hosier [ˈhəuziə] n bonnetier n ‖ ~**y** [-ri] n bonneterie f.

hospit|able [ˈhɔspitəbl] adj hospitalier ‖ ~**al** n hôpital m ; in ~, hospitalisé ‖ ~**ality** [ˌhɔspiˈtæliti] n hospitalité f.

host¹ [həust] n hôte m (who entertains) ‖ hôtelier m.

host² n a ~ of, une foule de.

host³ n REL. hostie f.

hostage [ˈhɔstidʒ] n otage m ; take sb (as) ~, prendre qqn en otage.

host|el [ˈhɔstəl] n maison f universitaire, foyer m d'étudiants ; youth ~, auberge f de la jeunesse ‖ ~**ess** [ˈhoustis] n hôtesse f ; (air) ~, hôtesse de l'air ‖ hôtelière f.

hostil|e [ˈhɔstail] adj ennemi (army)

|| hostile (unfriendly) || ~ity [hɔs'-tiliti] n hostilité f || Pl Mil. hostilités.

hot [hɔt] adj très chaud ; it is ~, il fait très chaud ; boiling ~, bouillant ; burning ~, brûlant ; white ~, chauffé à blanc ; ~ **air balloon**, montgolfière f || **get** ~, s'échauffer ; [game] brûler || [spices] épicé, fort || [sex] excité ; sexy (girl) || Fig. ~ **news**, des nouvelles toutes fraîches || Fig. ardent, bouillant, violent (temper) || Coll. **make it** ~ **for sb**, en faire voir de dures à qqn.

hotchpotch ['hɔtʃpɔtʃ] n méli-mélo, fatras m.

hotel [həu'tel] n hôtel m ; at/in a ~, à l'hôtel || ~**ier** [-iə] n hôtelier n || ~**-thief** n rat m d'hôtel.

hot|line ['--] n Tel. ligne directe || Pol. téléphone m rouge || ~ **pants** npl minishort m || ~ **plate** n plaque chauffante || ~**-tempered** ['tempəd] adj coléreux || ~**-water bottle** n bouillotte f.

hound [haund] n chien courant || Pl meute f.

hour ['auə] n heure f ; half an ~, a half-~, une demi-heure ; on the ~, à l'heure juste ; every ~, toutes les heures ; **at all** ~**s**, à toute heure ; out of ~s, en dehors des heures d'ouverture ; **hire by the** ~, louer à l'heure || Pl moments mpl ; **keep late** ~**s**, veiller tard ; in the small ~s of the morning, au petit matin || ~**-glass** n sablier m || ~**ly** adj/adv toutes les heures.

house [haus] n maison f ; at/in my ~, chez moi ; **set up** ~, s'installer (in a house), se mettre en ménage ; **keep** ~, tenir la maison (for, de) ; keep open ~, tenir table ouverte || Jur. Chambre f (of Commons, Lords) || Th. salle f ; full ~, salle comble || Coll. on the ~, aux frais de la maison || Fig. maison, dynastie f ● vt loger, héberger || ~**-agent** n agent immobilier || ~**-breaking** n cambriolage m || ~ **doctor** n interne m || ~**-dog** n chien m de garde || ~**hold** [-əuld]

n ménage m, famille, maisonnée f ; ~ **word**, mot d'usage courant || ~**-holder** n maître m de maison ; chef m de famille.

house|keeper ['haus.ki:pə] n femme f de charge, gouvernante f || ~**keeping** n ménage m ; tenue f de la maison || ~**maid** n bonne f || ~**man** [-mən] n Med. interne m || ~**-trained** adj propre (animal) || ~**-warming** n pendaison f de crémaillère || ~**wife** n ménagère, maîtresse f de maison. || ~**work** n travaux mpl ménagers, ménage m ; do the ~, faire le ménage.

housing ['hauziŋ] n logement m ; ~ **estate/U.S. development**, lotissement m ; ~ **shortage**, crise f du logement.

hove → HEAVE.

hovel ['hɔvl] n masure f, taudis m.

hover ['hɔvə] vi [bird, helicopter] planer || [persons] rôder (about, autour de) || ~**craft** n aéroglisseur m.

how [hau] adv [interrogative] comment, de quelle manière ; ~ **are you ?**, comment allez-vous ? ; ~ **is it that ?**, comment se fait-il que ? ; ~ **about**, → ABOUT || ~ **far**, à quelle distance (place) ; jusqu'où (time) ; ~ **long**, de quelle longueur || ~ **much/many**, combien || ~ **old is he ?**, quel âge a-t-il ? || ~ **so ?**, comment cela ? || [exclamative] comme, combien ; ~ **kind of you !**, vous êtes bien aimable ! ; ~ **beautiful it is !**, que c'est beau !

however [hau'evə] conj cependant, toutefois ● adv de quelque manière que ; ~ **that may be**, quoi qu'il en soit || quelque/si... que ; ~ **little**, si peu que ce soit ; ~ **hard he tries...**, il a beau essayer...

howl [haul] vi [animal] hurler || [wind] mugir ● n hurlement, mugissement m || ~**er** n Coll. énormité f, grosse bourde.

HP [eitʃ'pi:] abbrev = HIRE PURCHASE ; on (the) ~, à tempérament.

hub [hʌb] *n* moyeu *m* ‖ FIG. pivot, centre *m*.

hubbub [ˈhʌbʌb] *n* tumulte, brouhaha, vacarme *m*.

huckster [ˈhʌkstə] *n* colporteur, camelot *m*. ‖ U.S. publiciste *m*.

huddle [ˈhʌdl] *vi* s'entasser, se presser ; ~ (*oneself*) *up*, se blottir, se recroqueviller ● *n* fouillis *m* ; foule *f*.

hue[1] [hju:] *n* teinte, nuance *f*.

hue[2] *n* with ~ *and cry*, à cor et à cri.

huff [hʌf] *n* accès *m* de colère ● *vi* haleter (*puff*) — *vt* souffler (at draughts).

hug [hʌg] *vt* serrer dans ses bras, étreindre ‖ FIG. tenir à, s'accrocher à (an opinion) ; ~ *oneself on/for*, se féliciter de ● *n* étreinte *f* ‖ SP. [wrestling] prise *f*.

huge [hju:dʒ] *adj* énorme, immense.

hulk [hʌlk] *n* NAUT. ponton *m* ; épave *f* (wreck).

hull [hʌl] *n* cosse, gousse *f* (of peas) ‖ NAUT. coque *f* ● *vt* écosser (peas).

hullabaloo [ˌhʌləbəˈlu:] *n* potin, raffut *m* ; *kick up a ~*, faire du chahut.

hullo ! [ˈhʌˈləu] *interj* ohé ! ; ~ *you* ! hé, là-bas ! ‖ [surprise] tiens ! ‖ TEL. allô !

hum [hʌm] *vi* [bee] bourdonner ‖ [plane] vrombir — *vt* fredonner (a tune) ● *n* bourdonnement *m* ‖ vrombissement *m*.

hum|an [ˈhju:mən] *adj* humain (being) ‖ ~**ane** [hju:ˈmein] *adj* humain (kind) ‖ ~**aneness** [hju:ˈmeinnis] *n* humanité *f*.

human|ism [ˈhju:mənizm] *n* humanisme *m* ‖ ~**ist** *n* humaniste *n* ‖ ~**itarian** [hju:ˌmæniˈtɛəriən] *adj* humanitaire *n* ‖ ~**ities** [hju:ˈmænitiz] *npl* humanités *fpl* (studies) ‖ ~**ity** [hju:ˈmæniti] *n* humanité *f*.

humble [ˈhʌmbl] *adj* humble ● *vt* humilier ; ~ *oneself*, s'humilier ‖ ~**ness** *n* humilité *f*.

humbly [ˈhʌmbli] *adv* humblement.

humbug [ˈhʌmbʌg] *n* duperie, fumisterie *f* ; blague *f* (hoax) ‖ charlatan, fumiste *m* (person).

humid [ˈhju:mid] *adj* humide ‖ ~**ifier** [hju:ˈmidifaiə] *n* humidificateur *m* ‖ ~**ify** *vt* humidifier ‖ ~**ity** [hju:ˈmiditi] *n* humidité *f*.

humil|iate [hju:ˈmilieit] *vt* humilier ‖ ~**iation** [hju:ˌmiliˈeiʃn] *n* humiliation *f* ‖ ~**ity** [hju:ˈmiliti] *n* humilité *f*.

hum|orist [ˈhju:mərist] *n* humoriste *n* ‖ ~**orous** [ˈhju:mrəs] *adj* humoristique ; drôle ‖ ~**o(u)r** *n* humour *m* ; drôlerie *f* ; *have a sense of ~*, avoir de l'humour ; *be lacking in ~*, manquer d'humour ; *sick ~*, humour noir ‖ humeur, disposition *f* ; *be in good/bad humour*, être de bonne/mauvaise humeur ● *vt* ne pas contrarier, ménager, faire plaisir à (person) ; se prêter à (whims).

hump [hʌmp] *n* bosse *f* (on the back) ● *vt* faire une bosse à ‖ [cat] ~ *one's back*, faire le gros dos ‖ ~**backed** [-bækt] *adj* bossu.

hunch [hʌnʃ] *n* quignon *m* (of bread) ‖ gros morceau (of cheese) ‖ FIG., COLL. idée, intuition *f*, pressentiment *m* ● *vt* arrondir, voûter ‖ ~**back** *n* bossu *n*.

hundred [ˈhʌndrəd] *adj* cent ; *about a ~*, une centaine ‖ ~**th** [-θ] *adj/n* centième (*m*) ‖ ~**weight** *n* quintal *m*.

hung → HANG ‖ ~ *up*, complexé ; obsédé (about/on, par).

Hungar|ian [hʌŋˈgɛəriən] *adj* hongrois ● *n* Hongrois *n* (person) ‖ hongrois *m* (language) ‖ ~**y** [ˈhaŋgəri] *n* Hongrie *f*.

hunger [ˈhʌŋgə] *n* faim *f* ; *die of ~*, mourir de faim ‖ *go on a ~ strike*, faire la grève de la faim.

hungr|ily [ˈhʌŋgrili] *adv* avidement ‖ ~**y** *adj* affamé ; *be ~*, avoir faim ‖ *be ~ work*, donner de l'appétit ; *go ~*, se passer de manger.

hunk [hʌŋk] *n* gros morceau.

hunt [hʌnt] *vi* chasser à courre ‖ *go ~ing*, aller à la chasse — *vt* faire la chasse à ; poursuivre, pourchasser (pursue) ‖ *~ down* traquer ‖ *~ out*, dénicher ● *n* chasse *f* ‖ *~er n* chasseur *m* (of wild animals) ‖ *~ing n* chasse *f* (à courre) ; *big-game ~*, chasse aux grands fauves ‖ *~sman* [-smən] *n* veneur, piqueur *m*.

hurdle [ˈhəːdl] *n* claie *f* ‖ Fɪɢ. obstacle *m* ‖ Sᴘ. *~-race*, course *f* de haies ● *vi* faire de la course de haies.

hurdy-gurdy [ˈhəːdiˌɡəːdi] *n* orgue *m* de Barbarie.

hurl [həːl] *vt* lancer (avec violence) ; *~ oneself at/on*, se jeter/précipiter sur.

hurly-burly [ˈhəːliˈbəːli] *n* tohu-bohu, tintamarre *m*.

hurrah ! [huˈraː], **hurray** [huˈrei] *interj* hourra ! ‖ *~ for the bride !*, vive la mariée !

hurricane [ˈhʌrikən] *n* ouragan, cyclone *m* ‖ *~ lamp*, lampe *f* tempête.

hurried [ˈhʌrid] *adj* précipité (departure) ‖ pressé, bousculé (person) ‖ *~ly adv* précipitamment, à la hâte.

hurry [ˈhʌri] *n* hâte, précipitation *f* ; *be in a ~*, être pressé ; *there is no ~*, rien ne presse ‖ impatience *f* ; *be in a ~ to*, avoir hâte de ● *vi* se hâter, se dépêcher ; *~ up !*, dépêchez-vous ; *don't ~*, prenez votre temps — *vt* hâter, bousculer (sb).

hurt [həːt] *vt* (hurt [həːt]) blesser, faire du mal à ; *~ one's leg*, se blesser la jambe ; *does it ~ ?*, cela (vous) fait-il mal ? ‖ Fɪɢ. faire de la peine ; froisser (sb's feelings) ‖ nuire à (harm) — *vi* faire mal, avoir mal ‖ *~ful adj* nocif, nuisible, préjudiciable (to, à).

hurtle [ˈhəːtl] *vi* [person] se précipiter ‖ *~ past*, passer en trombe ‖ *~ down*, dévaler, dégringoler (fam.).

husband [ˈhʌzbənd] *n* mari *m* ● *vt* ménager (one's strength, money) ‖ *~ry* [-ri] *n* agriculture *f* ‖ [management] gestion *f*.

hush [hʌʃ] *vt* faire taire, calmer ‖ Fɪɢ. *~ up*, étouffer — *vi* se taire ● *interj* chut ! ‖ *~-money n* Cᴏʟʟ. pot-de-vin *m*.

husk [hʌsk] *n* enveloppe *f* (of rice) ‖ balle *f* (of corn) ‖ bogue *f* (of chestnut) ‖ cosse *f* (of peas) ● *vt* écosser (peas) ‖ décortiquer (rice) ‖ *~y adj* enroué (voice) ; *become ~*, s'érailler ‖ Cᴏʟʟ. costaud.

hustle [ˈhʌsl] *vt* presser, bousculer — *vi* se dépêcher ● *n* bousculade *f*.

hut [hʌt] *n* hutte (primitive) ; cabane *f* (shed) ‖ (beach) *~*, cabine *f* (de bain) ‖ Mɪʟ. *Pl* baraquement *m*.

hutch [hʌtʃ] *n* cabane *f* à lapins, clapier *m*.

hyacinth [ˈhaiəsinθ] *n* Bᴏᴛ. jacinthe *f* ; *~ bulb*, bulbe *m* de jacinthe.

hybrid [ˈhaibrid] *adj/n* hybride (m).

hydr|ant [ˈhaidrənt] *n* prise *f* d'eau ‖ bouche *f* d'incendie ‖ *~aulic* [haiˈdrɔːlik] *adj* hydraulique.

hydro [ˈhaidrəu] *n* Cᴏʟʟ. établissement thermal ‖ *~electric* [-ᵎ-iˈlektrik] *adj* hydroélectrique ‖ *~electricity n* hydrolectricité *f* ‖ *~foil* [ˈhaidrəfɔil] *n* hydroptère, hydrofoil *m* ‖ *~gen* [ˈhaidrədʒən] *n* hydrogène *m* ‖ *~plane* [ˈhaidrəplein] *n* hydroglisseur *m* ‖ *~therapy* [ˈhaidrəˈθerəpi] *n* hydrothérapie *f*.

hyena [haiˈiːnə] *n* hyène *f*.

hygien|e [ˈhaidʒiːn] *n* hygiène *f* ‖ *~ic* [haiˈdʒiːnik] *adj* hygiénique.

hymn [him] *n* hymne *m* ‖ Rᴇʟ. cantique *m*.

hype [haip] *n* battage *m* (publicitaire).

hyperbola [haiˈpəːbələ] *n* Mᴀᴛʜ. hyperbole *f*.

hyper|market [ˈhaipəˌ--] *n* hyper-marché *m*, grande surface *f* ‖ *~tension* [-ˌ-ˈ--] *n* hypertension *f*.

hypertrophy [haiˈpəːtrəfi] *n* hyper-trophie *f*.

hyphen [ˈhaifn] *n* trait *m* d'union.

hypn|osis [hip'nəusis] *n* hypnose *f* ‖ ~**otic** [-'nɔtik] *adj* hypnotique ‖ ~**otism** ['hipnətizm] *n* hypnotisme *m* ‖ ~**otize** ['hipnətaiz] *vt* hypnotiser.

hypocr|isy [hi'pɔkrəsi] *n* hypocrisie *f* ‖ ~**ite** ['hipəkrit] *n* hypocrite *n* ‖ ~**itical** [ˌhipə'kritikl] *adj* hypocrite.

hypodermic [ˌhaipə'də:mik] *adj* hypodermique.

hypotenuse [hai'pɔtinju:z] *n* hypoténuse *f*.

hypo|thesis [hai'pɔθisis] *n* hypothèse *f* ‖ ~**thetic(al)** [ˌhaipə-'θetik(l)] *adj* hypothétique.

hyster|ia [his'tiəriə] *n* hystérie *f* ‖ ~**ical** [his'terikl] *adj* hystérique ‖ ~**ics** [his'teriks] *n* COLL. crise *f* de nerfs ; *go into* ~, piquer une crise de nerfs ‖ *be in* ~, rire aux larmes (*about sth,* de qqch).

I

i [ai] *n* i *m*.

I *pron* je, j' ; moi.

ice [ais] *n* glace *f* ‖ FIG. *break the* ~, briser la glace ‖ ~**-axe,** piolet *m* ‖ ~**berg** ['-bə:g], iceberg *m* ‖ ~**-bound,** NAUT. pris dans les glaces ‖ ~**-box,** glacière *f,* U.S. réfrigérateur *m* ‖ ~**-breaker,** NAUT. brise-glace *m inv* ‖ ~**-cap,** calotte *f* glaciaire ‖ ~**-cold,** glacé (drink, hands) ‖ ~**-cream,** glace *f,* crème glacée ‖ ~**-cube,** glaçon *m* ‖ ~**-floe,** banquise *f* ‖ ~**-hockey,** hockey *m* sur glace ‖ ~**-pack,** pack *m* ‖ ~**-pail,** seau *m* à glace ‖ ~**-tray,** bac *m* à glace ● *vt* congeler ‖ CULIN. glacer (a drink) ; frapper (champagne).

Iceland ['aislənd] *n* Islande *f* ‖ ~**er** *n* Islandais *n* ‖ ~**ic** [ais'lændik] *adj* islandais.

icicle ['aisikl] *n* glaçon *m* (from dripping water).

ic|ing ['aisiŋ] *n* AV. givrage, givre *m* ‖ ~**y** *adj* glacé (water) ; glacial (air) ; verglacé (road).

ID-card [ˌai'di:kɑ:d] *n* COLL. = IDENTITY CARD.

idea [ai'diə] *n* idée *f* ; *have an* ~ *that,* avoir l'impression que ; *get* ~*s into one's head,* se faire des idées ; *get some* ~ *of,* se faire une idée de.

ideal [ai'diəl] *adj/n* idéal (*m*) ‖ ~**ism** *n* idéalisme *m* ‖ ~**ist** *n* idéaliste *n* ‖ ~**istic** [ai,diə'listik] *adj* idéaliste ‖ ~**ize** *vt* idéaliser.

ident|ical [ai'dentikl] *adj* identique (*with,* à) ‖ ~**ification** [ai,dentifi'keiʃn] *n* identification *f* ‖ ~**ify** [-'ifai] *vt* identifier ‖ ~**ikit** [-'ikit] *n* portrait *m* robot ‖ ~**ity** *n* identité *f* ; ~ *card,* carte *f* d'identité ; ~ *check,* vérification *f* d'identité.

ideology [ˌaidi'ɔlədʒi] *n* idéologie *f.*

idiom ['idiəm] *n* idiome *m* (language) ; idiotisme *m* (phrase) ‖ ~**atic** [ˌidiə'mætik] *adj* idiomatique.

idiot ['idiət] *n* idiot, imbécile *n* ‖ ~**ic** [ˌidi'ɔtik] *adj* idiot.

idle ['aidl] *adj* [person] oisif, désœuvré (doing no work) ; paresseux (lazy) ‖ *in my* ~ *moments,* à mes moments perdus/de loisir ‖ [machine] au repos, arrêté ‖ FIN. improductif (money) ‖ FIG. futile, vain ; oiseux (talk) • *vi* [person] fainéanter ‖ [machine] tourner au ralenti/à vide ‖ ~ *about,* flâner — *vt* ~ *one's time away,* perdre son temps ‖ ~**ness** *n* oisiveté *f,* désœuvrement *m* (inaction) ‖ paresse *f* (laziness) ‖ futilité *f* (of acts, words).

idl|er ['aidlə] *n* oisif *n* (doing nothing) ‖ ~**y** *adv* sans travailler, dans l'oisiveté ‖ négligemment (without thought).

idol ['aidl] *n* idole *f* ‖ ~**atry** [ai'dɔlətri] *n* idolâtrie *f* ‖ ~**ize** ['aidəlaiz] *vt* idolâtrer.

if [if] *conj* si (condition, hypothesis) ; ~ *I were you,* si j'étais vous ; ~ *so,* dans ce cas ; ~ *not,* sinon ; *as* ~, comme si ; ~ *ever,* pour peu que ‖ [whether] si.

ign|ite [ig'nait] *vt* allumer — *vi* s'enflammer ‖ ~**ition** [-iʃn] *n* AUT. allumage *m* ; ~ *key,* clef *f* de contact ; *advanced* ~, avance *f* à l'allumage.

ignoble [ig'nəubl] *adj* ignoble, vil.

ignomin|ious [ˌignə'miniəs] *adj* ignominieux ‖ ~**y** ['ignəmini] *n* ignominie *f.*

ignor|ance ['ignərəns] *n* ignorance *f* ‖ ~**ant** *adj* ignorant ; *be* ~ *of,* ignorer.

ignore [ig'nɔ:] *vt* ne pas prêter attention à (sb) ‖ ne pas tenir compte de ; passer outre à (sth).

ilk [ilk] *n* of that ~, de ce genre ; du même tabac (fam.) ‖ [Scotland, humorous] de ce nom (name).

ill [il] *n* mal *m* ; *speak* ~ *of,* dire du mal de • *adj* (worse, worst) mauvais ‖ malade, souffrant (sick) • *adv*

mal ; *take sth* ~, prendre mal qqch ‖ ~**-advised,** peu judicieux (action) ; mal avisé (person) ‖ ~**-assorted,** disparate, hétéroclite ‖ ~**-at-ease,** mal à l'aise ‖ ~**-bred,** mal élevé ‖ ~**-fated,** fatal (day) ; infortuné, malheureux (person) ‖ ~**-founded,** mal fondé ‖ ~**-gotten,** mal acquis ‖ ~**-luck,** malchance *f* ‖ ~**-mannered,** mal élevé ‖ ~**-natured,** désagréable ; méchant (child) ‖ ~**-smelling,** malodorant ‖ ~**-temper,** hargne *f* ‖ ~**-timed,** intempestif, inopportun ‖ ~**-treat,** maltraiter ‖ ~ *will,* rancune *f* (grudge) ; malveillance *f* (malice) ; mauvaise volonté (unwillingness).

illegal [i'li:gl] *adj* illégal ‖ ~**ity** [ˌili'gæliti] *n* illégalité *f.*

illegible [i'ledʒəbl] *adj* illisible.

ill|egitimate [ˌili'dʒitimit] *adj* illégitime ‖ PEJ. bâtard ‖ ~**icit** [i'lisit] *adj* illicite.

illiter|acy [i'litrəsi] *n* analphabétisme *m* ‖ ~**ate** [-it] *n/adj* illettré ; analphabète.

illness ['ilnis] *n* maladie *f.*

illogical [i'lɔdʒikl] *adj* illogique.

illumina|te [i'lju:mineit] *vt* illuminer, éclairer ‖ ~**ting** *adj* FIG. lumineux ‖ ~**tion** [i,lju:mi'neiʃn] *n* illumination *f,* éclairage *m* ; embrasement *m.*

illu|sion [i'lu:ʒn] *n* illusion *f* ‖ *optical* ~, illusion *f* d'optique ‖ ~**sive** [-siv] *adj* illusoire, trompeur ‖ ~**sory** [-sri] *adj* illusoire.

illustra|te ['iləstreit] *vt* illustrer (lit. and fig.) ‖ ~**tion** [ˌiləs'treiʃn] *n* illustration *f* ‖ ~**tor** *n* illustrateur *n.*

image ['imidʒ] *n* ARTS, GRAMM. image *f* ‖ FIG. *(public)* ~, image *f* de marque.

imagin|able [i'mædʒnəbl] *adj* imaginable ‖ ~**ary** [i'mædʒinri] *adj* imaginaire ‖ ~**ation** [i,mædʒi'neiʃn] *n* imagination *f* ‖ ~**ative** ['imædʒnətiv] *adj* imaginatif.

imagine [i'mædʒin] *vt* imaginer, se figurer, concevoir ‖ ~ *things*, se faire des idées ; gamberger (pop.).

imbecile ['imbisi:l] *adj/n* imbécile.

imbibe [im'baib] *vi* absorber (a drink) ‖ FIG. s'imprégner de, assimiler (ideas).

imbroglio [im'brəuliəu] *n* imbroglio *m*.

imbue [im'bju:] *vt* FIG. imprégner, pénétrer ; ~*d with*, imbu de.

imitat|e ['imiteit] *vt* imiter ‖ ~**ion** [.imi'teiʃn] *n* imitation *f* ; *in* ~ *of*, à l'imitation de ; ~ *leather*, similicuir *m* ‖ ~**or** *n* imitateur *m*.

immaculate [i'mækjulit] *adj* immaculé (snow) ; [spotless, tidy] impeccable.

immaterial [.imə'tiəriəl] *adj* immatériel (incorporeal) ‖ insignifiant (unimportant).

immature [.imə'tjuə] *adj* pas mûr, vert (fruit) ‖ FIG. manquant de maturité.

immeasurable [i'meʒrəbl] *adj* incommensurable.

immediate [i'mi:djət] *adj* immédiat (space, time) ‖ urgent (need) ‖ ~**ly** *adv* immédiatement, tout de suite ; incessamment.

immemorial [.imi'mɔ:riəl] *adj* immémorial.

immens|e [i'mens] *adj* immense ‖ ~**ely** [-li] extrêmement ; immensément ‖ ~**ity** *n* immensité *f*.

immer|se [i'mə:s] *vt* immerger ‖ ~**sion** [-ʃn] *n* immersion *f*.

immigr|ant ['imigrənt] *n* immigrant *n* ‖ ~**ate** [-eit] *vi* immigrer ‖ ~**ation** [.imi'greiʃn] *n* immigration *f*.

imminent ['iminənt] *adj* imminent.

immobil|e [i'məubail] *adj* immobile ‖ ~**ity** [.imə'biliti] *n* immobilité *f* ‖ ~**ization** [-ilai'zeiʃn] *n* immobilisation *f* ‖ ~**ize** *vt* immobiliser.

immoderate [i'mɔdrit] *adj* immodéré.

immodest [i'mɔdist] *adj* immodeste, impudique ‖ ~**y** *n* indécence, impudeur *f*.

immolate ['iməleit] *vt* immoler.

immoral [i'mɔrl] *adj* immoral ‖ ~**ity** [.imə'ræliti] *n* immoralité *f*.

immortal [i'mɔ:tl] *n/adj* immortel ‖ ~**ity** [.imɔ:'tæliti] *n* immortalité *f*.

immovable [i'mu:vəbl] *adj* fixe ‖ FIG. inflexible ; inébranlable (steadfast) ● *npl* JUR. immeubles *mpl*.

immun|e [i'mju:n] *adj* MED. immunisé (*from*, contre) ‖ FIG. à l'abri, exempt (*from*, de) ‖ ~**ity** *n* immunité *f* ‖ JUR. exemption *f* ‖ ~**ize** ['imjunaiz] *vt* immuniser.

immutable [i'mju:təbl] *adj* immuable.

imp [imp] *n* lutin *m* ‖ [little rascal] petit diable.

impact ['impækt] *n* choc *m* ‖ TECHN. impact *m* ‖ FIG. effet, impact *m*.

impair [im'pɛə] *vt* endommager ‖ FIG. diminuer, altérer ‖ ~**ment** *n* détérioration *f*.

impart [im'pɑ:t] *vt* attribuer (grant) ‖ annoncer (news) ‖ communiquer, faire part de (make known).

impartial [im'pɑ:ʃl] *adj* impartial ‖ ~**ity** [im.pɑ:ʃi'æliti] *n* impartialité *f*.

impassable [im'pɑ:səbl] *adj* infranchissable (mountain pass) ; impraticable (road).

impassioned [im'pæʃənd] *adj* passionné.

impassive [im'pæsiv] *adj* impassible.

impa|tience [im'peiʃəns] *n* impatience *f* ‖ ~**tient** [-ʃnt] *adj* impatient ; *grow* ~, s'impatienter.

impeach [im'pi:tʃ] *vt* JUR. mettre en accusation (public official) ‖ ~**ment** *n* (mise *f* en) accusation *f*.

imped|e [im'pi:d] *vt* empêcher (hinder) ‖ ~**iment** [im'pedimənt] *n* gêne *f*, empêchement, obstacle *m* (hindrance).

impel [im'pel] vt pousser à, forcer à/de ; obliger à/de, inciter à ; ~led by, sous l'emprise de.

impending [im'pendiŋ] adj menaçant, imminent.

impenitent [im'penitənt] adj impénitent.

imperative [im'perətiv] adj impératif (order) || urgent (need) ● n GRAMM. impératif m.

imperceptible [ˌimpə'septəbl] adj imperceptible, insensible.

imperfect [im'pə:fikt] adj imparfait ● n GRAMM. imparfait m || ~ion [ˌimpə'fekʃn] n imperfection f || ~ly adv imparfaitement.

imperial [im'piəriəl] adj impérial || ~ism n impérialisme m || ~ist n impérialiste m.

imperil [im'peril] vt mettre en péril ; exposer.

imperious [im'piəriəs] adj impérieux.

impersonal [im'pə:snl] adj impersonnel.

impersonat|e [im'pə:səneit] vt se faire passer pour, usurper l'identité de || TH. imiter || ~ation n usurpation f d'identité || TH. imitation f.

impertin|ence [im'pə:tinəns] n impertinence f (impudence) || ~ent adj impertinent (impudent).

impervious [im'pə:vjəs] adj imperméable || FIG. fermé, inaccessible (to, à).

impetu|ous [im'petjuəs] adj impétueux || ~sity [im.petju'ɔsiti] n impétuosité, fougue f.

impetus ['impitəs] n élan m || FIG. impulsion f.

impinge [im'pinʒ] vi ~ on, affecter, toucher (have an effect).

impious ['impiəs] adj impie.

impish ['impiʃ] adj espiègle.

implant [im'pla:nt] vt implanter || FIG. inculquer, enraciner.

implement ['implimənt] n outil m

|| AGR. matériel m || CULIN. ustensile m ● vt FIG. mettre en œuvre, réaliser, exécuter.

implicat|e ['implikeit] vt impliquer || ~ion [ˌimpli'keiʃn] n implication f.

implicit [im'plisit] adj implicite.

implode [im'plaud] vt T.V. imploser.

implore [im'plɔ:] vt implorer.

imply [im'plai] vt impliquer, sous-entendre (implicate) || insinuer (hint).

impolite [ˌimpə'lait] adj impoli || ~ly adv impoliment || ~ness n impolitesse f.

imponderable [im'pɔndrəbl] adj impondérable.

import [im'pɔ:t] vt COMM. importer (goods) || FIG. signifier (mean) — vi avoir de l'importance (matter) ● ['-] n COMM. importation f || FIG. importance f || ~ance [-ns] n importance f || ~ant adj important ; it is ~ that, il importe que || ~er n importateur m.

import|unate [im'pɔ:tjunit] adj importun || ~une [-ju:n] vt importuner.

impos|e [im'pauz] vt imposer ; ~ oneself, s'imposer — vi ~ ~ on sb, tromper qqn, en faire accroire à qqn || abuser (on, de) || ~ing adj imposant, impressionnant || ~ition [ˌimpə'ziʃn] n [tax] imposition f || [school] devoir m supplémentaire || FIG. abus m.

imposs|ibility [im.pɔsə'biliti] n impossibilité f || ~ible [im'pɔsəbl] adj impossible.

impos|tor [im'pɔstə] n imposteur m || ~ture [-tʃə] n imposture f.

impot|ence ['impətəns] n impuissance f || ~ent adj impuissant ; impotent.

impound [im'paund] vt confisquer, saisir (goods) || mettre à la fourrière (car).

impoverish [im'pɔvriʃ] vt appauvrir.

impractic|al [im'præktikəl] *adj* qui n'a pas de sens pratique, irréaliste || **~able** *adj* irréalisable (plan) || impraticable (road).

impregn|able [im'pregnəbl] *adj* MIL. imprenable || FIG. inébranlable || **~ate** ['impregneit] *vt* imprégner (imbue) || MED. féconder || AGR. fertiliser.

impress [im'pres] *vt* imprimer || marquer || FIG. inculquer (an idea) || [affect] impressionner; épater (fam.); *I'm not ~ed,* ça ne m'impressionne pas beaucoup ● ['~] *n* impression (mark) || empreinte *f* (of fingers) || FIG. marque, empreinte *f,* sceau *m.*

impression [im'preʃn] *n* empreinte *f* (mark) || TECHN. impression *f* (printing) || FIG. impression *f; make a bad/good ~,* faire mauvaise/ bonne impression (on, sur); *be under the ~ that,* avoir l'impression que || **~able** *adj* impressionnable.

impressive [im'presiv] *adj* impressionnant, imposant.

imprint [im'print] *vt* imprimer, marquer (stamp) || FIG. graver ● ['~] *n* empreinte *f.*

imprison [im'prizn] *vt* emprisonner || **~ment** *n* emprisonnement *m.*

improba|ble [im'prɔbəbl] *adj* improbable ; invraisemblable || **~bility** [im‚prɔbə'biliti] *n* improbabilité *f.*

impromptu [im'prɔmtju:] *adj/n* impromptu (*m*).

improper [im'prɔpə] *adj* inadapté, impropre (not suited) || inconvenant, incongru, de mauvais goût (indecorous) || incorrect (incongruous) || **~ly** *adv* improprement; incorrectement.

impropriety [‚imprə'praiəti] *n* inconvenance *f* || impropriété *f.*

improve [im'pru:v] *vt* améliorer || TECHN. perfectionner || FIG. *~ the occasion,* profiter de l'occasion — *vi* s'améliorer, aller mieux || FIG. *~ on acquaintance,* gagner à être connu ||

~ upon sb's offer, enchérir sur qqn || **~ment** *n* amélioration *f* || MED. amélioration *f; a slight ~,* un léger mieux || AGR., TECHN. perfectionnement *m* || ARCH. agrandissement, embellissement *m.*

improvid|ence [im'prɔvidns] *n* imprévoyance *f* || **~ent** *adj* imprévoyant (heedless) || prodigue (wasteful).

improvis|ation [‚imprəvai'zeiʃn] *n* improvisation *f* || **~e** ['imprəvaiz] *vt/vi* improviser.

imprudent [im'pru:dnt] *adj* imprudent || **~ly** *adv* imprudemment.

impud|ence ['impjudns] *n* impudence *f;* insolence *f* || **~ent** *adj* impudent, effronté, insolent.

impugn [im'pju:n] *vt* attaquer, critiquer || mettre en doute (a statement).

impul|se ['impʌls] *n* impulsion, poussée *f* || **~sion** [im'pʌlʃn] *n* impulsion *f* || FIG. élan *m* || **~sive** [im'pʌlsiv] *adj* impulsif.

impunity [im'pju:niti] *n* impunité *f; with ~,* impunément.

impur|e [im'pjuə] *adj* impur || **~ity** [-riti] *n* impureté *f.*

impu|tation [‚impju'teiʃn] *n* imputation *f* || **~te** [im'pju:t] *vt* imputer (to, à).

in [in] *prep* [space] dans, à l'intérieur de, en ; *~ the house,* dans la maison ; [location] en, à ; *~ London,* à Londres ; *~ town,* en ville ; *~ bed,* au lit || [time] en ; *~ the evening,* le soir ; *~ the morning,* le matin, dans la matinée ; *~ time,* à temps ; *~ summer,* en été || [length of time] *he learnt French ~ one year,* il a appris le français en un an || [at the end of] *~ a week's time,* dans une semaine || [state, condition] en ; *~ good health,* en bonne santé || [circumstances] à, au, par ; *~ this heat,* par cette chaleur ; *~ the rain,* sous la pluie || [means] à ; *~ pencil,* au crayon || [degree, extent] dans ; *~ great num-*

bers, en grand nombre ; ~ *all,* en tout || [ratio] one ~ *five,* un sur cinq || [dress] en ; ~ *a black dress,* en robe noire || [measure] de ; *ten feet* ~ *height,* dix pieds de haut || ~ *that,* en ce que, puisque ● *adv walk* ~, entrer || *be* ~, être à la maison ; [fruit, oysters] être de saison ; FIG. être à la mode, être dans le vent || ~ *for, be* ~ *for an exam,* être inscrit à un examen ; *we are* ~ *for a storm,* nous allons avoir un orage ; *we are* ~ *for it,* nous n'y coupons pas || *be well* ~ *with sb* être bien avec qqn ● *adj* d'entrée (door) ; à l'arrivée (tray) || COLL. [fashionable] dans le vent ● *n the* ~*s and outs,* les coins et les recoins, les aîtres (of the house) ; FIG. les tenants et aboutissants (of a problem).

inability [ˌinəˈbiliti] *n* incapacité *f.*

inaccessible [ˌinækˈsesəbl] *adj* inaccessible.

inaccur|acy [inˈækjurəsi] *n* inexactitude *f* || ~**ate** [-it] *adj* inexact.

inac|tion [inˈækʃn] *n* inaction *f* || ~**tive** [-tiv] *adj* inactif || ~**tivity** [ˌinækˈtiviti] *n* inactivité *f.*

inadequate [inˈædikwit] *adj* inadéquat || insuffisant (insufficient).

inadmissible [ˌinədˈmisəbl] *adj* inadmissible.

inadvertently [ˌinədˈvəːtəntli] *adv* par inadvertance/mégarde.

inane [iˈnein] *adj* inepte (remark).

inanimate [inˈænimit] *adj* inanimé.

inanity [iˈnæniti] *f* inanité *f.*

inappropriate [ˌinəˈprəupriit] *adj* inapproprié.

inapt [inˈæpt] *adj* inapte || ~**itude** [-itjuːd] *n* inaptitude *f.*

inarticulate [ˌinaːˈtikjulit] *adj* inarticulé || qui s'exprime avec difficulté (person).

inartistic [ˌinaːˈtistik] *adj* inartistique.

inasmuch [inəzˈmʌtʃ] *conj* ~ *as,* étant donné que.

inatten|tion [ˌinəˈtenʃn] *n* inattention *f* || ~**tive** [-tiv] *adj* inattentif.

inaudible [inˈɔːdəbl] *adj* inaudible.

inaugu|ral [iˈnɔːgjurl] *adj* inaugural ● ~**rate** [-reit] *vt* inaugurer (a building) || installer (an official) || ~**ration** [iˌnɔːgjuˈreiʃn] *n* inauguration *f.*

in|born [ˈinˈbɔːn], ~**bred** [-ˈbred] *adj* inné.

incalculable [inˈkælkjuləbl] *adj* incalculable.

incapable [inˈkeipəbl] *adj* incapable.

incapaci|tate [ˌinkəˈpæsiteit] *vt* handicaper || Sᴘ. disqualifier || ~**ty** *n* incapacité *f.*

incarcerate [inˈkaːsəreit] *vt* incarcérer.

incarnat|e [inˈkaːnit] *adj* incarné ● *vt* incarner || ~**ion** [ˌinkaːˈneiʃn] *n* incarnation *f.*

incendiary [inˈsendjəri] *adj/n* incendiaire ; ~ *(bomb),* bombe *f* incendiaire.

incense¹ [ˈinsens] *n* encens *m.*

incense² [ˈ-ˈ] *vt* exaspérer.

incentive [inˈsentiv] *adj* encourageant, stimulant ● *n* stimulant, motif, encouragement *m,* motivation *f.*

inception [inˈsepʃn] *n* début *m.*

incessant [inˈsesnt] *adj* incessant, continuel || ~**ly** *adv* incessamment.

incest [ˈinsest] *n* inceste *m* || ~**uous** [inˈsestjuəs] *adj* incestueux.

inch [inʃ] *n* pouce *m* (measure) || FIG. *within an* ~ *of,* à deux doigts de ; ~ *by* ~, petit à petit ● *vi* avancer peu à peu.

incid|ence [ˈinsidəns] *n* incidence, portée *f* || ~**ent** *n* incident *m* ● *adj* ~ *to,* propre à, inhérent à || ~**ental** [ˌinsiˈdentl] *adj* fortuit (unplanned) || accessoire (not essential) || ~**entally** *adv* incidemment, accidentellement (by chance) || entre parenthèses (by the way).

incinerat|e [inˈsinəreit] *vt* incinérer || ~**or** *n* incinérateur *m.*

incipient [in'sipiənt] *adj* débutant, naissant.

inci|se [in'saiz] *vt* inciser ‖ **~sion** [in'siʒn] *n* incision *f* ‖ **~sive** [in'saisiv] *adj* incisif ‖ **~sor** [in'saizə] *n* incisive *f* (tooth).

incite [in'sait] *vt* inciter (*to*, à) ‖ **~ment** *n* incitation, instigation *f*.

inclination [ˌinkli'neiʃn] *n* inclinaison *f* (slant) ‖ Fig. inclination *f*; penchant *m* (liking).

incline [in'klain] *vt/vi* (s')incliner ‖ Fig. *if you feel ~d*, si vous en avez envie ● ['inklain] *n* inclinaison, pente *f* (slope).

includ|e [in'klu:d] *vt* inclure, comprendre ‖ **~ed** [-id] *adj*, **~ing** *prep* (y) compris.

inclusive [in'klu:siv] *adj* inclus, global ; *~ terms,* prix tout compris ‖ **~ly** *adv* inclusivement.

incognito [in'kɔgnitəu] *adv* incognito.

incoherent [ˌinkə'hiərənt] *adj* incohérent.

incom|e ['inkəm] *n* revenu *m ; **~-tax,** impôt sur le revenu ‖ **~ing** ['ˌˌ] *adj* arrivant, entrant ‖ NAUT. montant (tide).

incommensurate [ˌinkə'menʃrit] *adj* sans rapport (*with,* avec).

incomparable [in'kɔmprəbl] *adj* incomparable.

incompatible [ˌinkəm'pætəbl] *adj* incompatible (*with,* avec).

incompet|ence [in'kɔmpitns] *n* incompétence *f* ‖ **~ent** *adj* incompétent.

incomplete [ˌinkəm'pli:t] *adj* incomplet, inachevé.

incomprehensible [in,kɔmpri'hensəbl] *adj* incompréhensible.

inconceivable [ˌinkən'si:vəbl] *adj* inconcevable.

incongruous [in'kɔngruəs] *adj* incompatible, sans rapport (*with,* avec) ‖ incongru.

inconsiderate [ˌinkən'sidrit] *adj* inconsidéré (thoughtless) ‖ sans égards (lacking in regard) ‖ **~ly** *adv* à la légère.

inconsist|ency [ˌinkən'sistənsi] *n* incompatibilité, incohérence *f* ‖ **~ent** *adj* incompatible (at variance) ‖ en désaccord, en contradiction (*with,* avec).

inconspicuous [ˌinkən'spikjuəs] *adj* peu apparent, discret.

inconst|ancy [in'kɔnstnsi] *n* inconstance *f* ‖ **~ant** *adj* inconstant.

incontestable [ˌinkən'testəbl] *adj* incontestable.

inconven|ience [ˌinkən'vi:njəns] *n* inconvénient *m ;* ennui *m* (trouble) ‖ gêne *f* (hindrance) ‖ incommodité *f* (discomfort) ; *put sb to ~,* déranger qqn ● *vt* gêner, déranger, incommoder ‖ **~ient** *adj* gênant (person) ‖ inopportun (time) ‖ malcommode (house).

incorporate [in'kɔ:pəreit] *vt* incorporer.

incorrect [ˌinkə'rekt] *adj* incorrect (not proper) ‖ inexact (wrong).

incorrigible [in'kɔridʒəbl] *adj* incorrigible.

incorruptible [ˌinkə'rʌptəbl] *adj* incorruptible.

increas|e ['inkri:s] *n* augmentation *f,* accroissement *m ; on the ~,* en augmentation ; *~ in pay,* hausse *f* de salaire ● *vi/vt* [·'·] augmenter ‖ **~ing** *adj* croissant ‖ **~ingly** *adv* de plus en plus.

incred|ible [in'kredəbl] *adj* incroyable ‖ **~ulity** [ˌinkri'dju:liti] *n* incrédulité *f* ‖ **~ulous** [in'kredjuləs] *adj* incrédule.

increment ['inkrimənt] *n* augmentation *f.*

incriminate [in'krimineit] *vt* incriminer.

incrustation [ˌinkrʌs'teiʃn] *n* incrustation *f.*

incuba|te ['inkjubeit] *vt* couver,

incuber ‖ ~**tion** [ˌinkju'beiʃn] *n* incubation *f* ‖ ~**tor** ['inkjubeitə] *n* couveuse *f.*

inculcate ['inkʌlkeit] *vt* inculquer.

inculpate ['inkʌlpeit] *vt* inculper.

incumbent [in'kʌmbənt] *adj* be ~ *on,* incomber/appartenir à.

incur [in'kə:] *vt* contracter (debts) ‖ supporter (expenses) ‖ subir (loss) ‖ FIG. encourir, s'attirer (sb's blame); courir (danger) ‖ s'attirer (blame).

incurable [in'kjuərəbl] *adj/n* incurable.

incursion [in'kə:ʃn] *f* FIG. incursion *f* (*into,* dans).

incurve ['in'kə:v] *vt* incurver.

indebted [in'detid] *adj* endetté ‖ FIG. redevable (*to,* à ; *for,* de).

indec|ency [in'di:snsi] *n* indécence *f* ‖ ~**ent** [-snt] *adj* indécent (obscene) ; ~ *assault,* attentat *m* à la pudeur (*on,* sur) ; ~ *exposure,* outrage public à la pudeur ‖ inconvenant (unseemly).

inde|cision [ˌindi'siʒn] indécision *f* ‖ ~**cisive** [-'saisiv] *adj* indécis (person) ‖ peu concluant (evidence).

indecorous [in'dekərəs] *adj* incorrect (improper) ‖ malséant (in bad taste).

indeed [in'di:d] *adv* en effet ; vraiment ‖ *yes* ~ !, mais oui !

indefatigable [ˌindi'fætigəbl] *adj* infatigable.

indefensible [ˌindi'fensəbl] *adj* indéfendable ‖ FIG. insoutenable.

indefin|able [ˌindi'fainəbl] *adj* indéfinissable ‖ ~**ite** [in'definit] *adj* indéfini ; incertain ; indéterminé (period) ‖ ~**itely** [in'definitli] *adv* indéfiniment.

indelible [in'delibl] *adj* indélébile, ineffaçable.

indelic|acy [in'delikəsi] *n* indélicatesse *f* ; grossièreté *f* ‖ ~**ate** [in'delikit] *adj* indélicat (unrefined) ‖ grossier, sans tact (tactless).

indemn|ify [in'demnifai] *vt* indemniser, dédommager (*for,* de) ‖ ~**ity** *n* indemnité *f*, dédommagement *m.*

indent [in'dent] *vt* denteler ; échancrer ‖ COMM. ~ *(on sb) for sth,* passer commande de qqch (à qqn) ‖ [printing] rentrer (a line) ‖ ~**ation** [ˌinden'teiʃn] *n* dentelure, échancrure *f,* anfractuosité *f* (coastline) ‖ [printing] retrait *m* ‖ [mark] empreinte, impression *f* ; bosse *f* (in metal).

independ|ence [ˌindi'pendəns] *n* indépendance *f* ‖ ~**ent** *adj/n* indépendant ‖ ~**ently** *adv* indépendamment.

indescribable [ˌindis'kraibəbl] *adj* indescriptible.

indeterminate [ˌindi'tə:minit] *adj* indéterminé, vague.

index ['indeks] *n* (*Pl* es [-eksiz]) index *m* (list) ; ~ *card,* fiche *f* ; *card* ~, fichier *m* ‖ ~ *finger,* index *m* ‖ (*Pl* -**dices** [-isi:z]) indice *m* ; *prices* ~, indice des prix ‖ MATH. exposant *m* ● *vt* répertorier, cataloguer.

Indi|a ['indjə] *n* Inde *f* ‖ ~ *ink,* encre *f* de Chine ; ~ *paper,* papier *m* pelure ; ~ *rubber,* gomme *f* ‖ ~**an** [-ən] *adj/n* [America] Indien ; *Red Indian,* Peau-Rouge (*n*) ‖ [India] indien, hindou ‖ ~ *corn,* maïs *m* ; ~ *summer,* été *m* de la Saint-Martin ; ~ *wrestling,* bras *m* de force.

indicat|e ['indikeit] *vt* indiquer, signaler (point out) ‖ montrer, dénoter (show) ‖ ~**ion** [ˌindi'keiʃn] *n* indication *f* ; indice *m* ; *as an* ~, à titre indicatif ‖ ~**ive** [in'dikətiv] *adj/n* indicatif (*m*) ‖ GRAMM. indicatif *m* ‖ ~**or** ['indikeitə] *n* RAIL., TECHN. indicateur *m* ‖ AUT. clignotant *m* ‖ FIG. indice *m.*

indices → INDEX.

indict [in'dait] *vt* JUR. accuser, inculper (*on a charge of,* de) ‖ ~**ment** *n* inculpation, mise *f* en accusation.

Indies ['indiz] *npl* Indes *fpl* ‖ *West* ~, les Antilles *fpl.*

indiffer|ence [in'difrəns] *n* indifférence *f (to,* pour) ; *matter of ~,* fait *m* sans importance ‖ **~ent** *adj* indifférent *(to,* à) ‖ moyen, passable (average) ‖ **~ently** *adv* avec indifférence ; médiocrement.

indigence ['indidʒns] *n* indigence *f.*

indigenous [in'didʒinəs] *adj* indigène.

indigent ['indidʒnt] *adj* indigent.

indigest|ible [,indi'dʒestəbl] *adj* indigeste ‖ **~ion** [-ʃn] *n* indigestion *f ; have an attack of ~,* avoir une indigestion.

indign|ant [in'dignənt] *adj* indigné *(at,* de) ; *be/become ~,* s'indigner *(at/with,* de/contre) ‖ **~antly** *adv* avec indignation ‖ **~ation** [,indig'neiʃn] *n* indignation *f ; rouse to ~,* indigner ‖ *~ meeting,* réunion *f*/meeting *m* de protestation ‖ **~ity** [in'digniti] *n* indignité *f.*

indigo ['indigəu] *adj/n* indigo *(m).*

indirect [,indi'rekt] *adj* indirect.

indiscr|eet [,indis'kri:t] *adj* indiscret ‖ imprudent (not wary) ‖ **~etion** [,indis'kreʃn] *n* indiscrétion *f* ‖ imprudence *f.*

indiscriminately [,indis'kriminitli] *adv* au hasard ; sans discrimination ‖ indifféremment ‖ indistinctement.

indispensable [,indis'pensəbl] *adj* indispensable.

indispos|ed [,indis'pəuzd] *adj* indisposé, souffrant (unwell) ‖ prévenu *(towards,* contre) ‖ **~ition** [,indispə'ziʃn] *n* indisposition *f* (ill health) ‖ répugnance *f (to do,* à faire) [reluctance].

indisputably [,indis'pju:təbli] *adv* sans conteste.

indissoluble [,indi'sɔljubl] *adj* indissoluble.

indistinct [,indis'tiŋkt] *adj* indistinct, confus, vague ‖ **~ly** *adv* indistinctement ‖ **~ness** *n* imprécision, confusion *f.*

indistinguishable [,indis'tiŋgwiʃəbl] *adj* indiscernable.

individual [,indi'vidjuəl] *n* individu *m* ● *adj* individuel, particulier, personnel ‖ **~ism** *n* individualisme *m* ‖ **~ity** [,indi,vidju'æliti] *n* individualité, personnalité *f* ‖ **~ize** *vt* individualiser ‖ **~ly** *adv* individuellement, un à un, séparément.

indivisible [,indi'vizəbl] *adj* indivisible.

indoctrinate [in'dɔktrineit] *vt* endoctriner.

indol|ence ['indələns] *n* indolence *f* ‖ **~ent** *adj* indolent.

indomitable [in'dɔmitəbl] *adj* indomptable.

Indonesi|a [,ində'ni:zjə] *n* Indonésie *f* ‖ **~an** *adj/n* indonésien.

indoor ['indɔ:] *adj* d'intérieur (game) ; couvert (swimming pool, tennis) ‖ **~s** [-z] *adv* à l'intérieur, à la maison, à l'abri.

indorse [in'dɔ:s] *vt* = ENDORSE.

induce [in'dju:s] *vt* inciter, persuader ‖ provoquer, occasionner (cause) ‖ **~ment** *n* encouragement *m,* incitation *f.*

induction [in'dʌkʃn] *n* ELECTR. induction *f.*

indulg|e [in'dʌldʒ] *vt* gâter (spoil) ‖ céder à (desires) ; *~ sb's whims,* céder aux caprices de qqn ; *~ oneself,* ne rien se refuser — *vi* s'adonner (in, à) ; se permettre *(in a cigarette,* une cigarette) ‖ COLL. être porté sur la boisson ‖ **~ence** [-əns] *n* indulgence, complaisance *f* [tolerance] ‖ satisfaction *f* (desires) ‖ abus *m* de la boisson, alcoolisme *m* ‖ **~ent** *adj* indulgent, complaisant, accommodant.

industrial [in'dʌstriəl] *adj* industriel ‖ **~ist** *n* industriel *n.*

industrious [in'dʌstriəs] *adj* travailleur.

industry ['indəstri] *n* assiduité, application *f* ‖ TECHN. industrie *f.*

inedible [in'edəbl] *adj* immangeable.

ineffect|ive [ˌini'fektiv], **~ual** [-juəl] *adj* inefficace, sans effet.

ineffic|iency [ˌini'fiʃənsi] *n* inefficacité *f* || [person] incapacité *f* || **~ient** *adj* inefficace || [person] incapable.

inelegant [in'eligənt] *adj* inélégant.

ineligible [in'elidʒəbl] *adj* inacceptable || MIL. inapte (au service) || JUR. inéligible.

ineluctable [ˌini'lʌktəbl] *adj* inéluctable.

inept [i'nept] *adj* peu à propos (not suitable) || inepte, absurde (stupid) || **~itude** [-itjuːd] *n* ineptie *f*.

inequality [ˌini'kwɔliti] *n* inégalité *f*.

ineradicable [ˌini'rædikəbl] *adj* FIG. indéracinable.

iner|t [i'nəːt] *adj* inerte || **~tia** [-ʃə] *n* inertie *f* || AUT. **~ reel belt**, ceinture *f* à enrouleur.

inestimable [in'estiməbl] *adj* inestimable.

inevitabl|e [in'evitəbl] *adj* inévitable || **~y** *adv* inévitablement, immanquablement.

inexact [ˌinig'zækt] *adj* inexact.

inexcusable [ˌiniks'kjuːzəbl] *adj* inexcusable.

inexhaustible [ˌinig'zɔːstəbl] *adj* inépuisable ; intarissable.

inexorable [in'eksərəbl] *adj* inexorable.

inexpedient [ˌiniks'piːdjənt] *adj* inopportun.

inexpensive [ˌiniks'pensiv] *adj* bon marché, peu coûteux.

inexperience [ˌiniks'piəriəns] *n* inexpérience *f* || **~d** [-t] *adj* inexpérimenté.

inexplicable [in'eksplikəbl] *adj* inexplicable.

inexpressible [ˌiniks'presəbl] *adj* inexprimable, indicible.

infallible [in'fæləbl] *adj* infaillible.

infam|ous [ˈinfəməs] *adj* infâme || **~y** [ˈinfəmi] *n* infamie *f*.

inf|ancy [ˈinfənsi] *n* première/petite enfance || minorité *f* || **~ant** *n* petit enfant, bébé, nourrisson *m* ; **~ school**, école maternelle || **~ prodigy**, enfant *m/f* prodige || **~antile** [-əntail] *adj* enfantin || MED. infantile.

infantry [ˈinfəntri] *n* infanterie *f* || **~man** *n* fantassin *m*.

infatua|ted [in'fætjueitid] *adj* become **~ with sb**, s'enticher de qqn ; be **~ with**, avoir le béguin pour (fam.) || **~tion** [inˌfætjuˈeiʃn] *n* engouement *m* ; toquade *f*, béguin *m* (fam.).

infec|t [in'fekt] *vt* infecter, contaminer || FIG. corrompre || **~tion** *n* infection, contagion || **~tious** [-ʃəs] *adj* infectieux, contagieux || communicatif (laughter).

infer [in'fəː] *vt* déduire, inférer ; conclure || **~ence** [ˈinfrəns] *n* conclusion, déduction *f*.

inferior [in'fiəriə] *adj/n* inférieur || **~ity** [inˌfiəriˈɔriti] *n* infériorité *f* ; **~ complex**, complexe *m* d'infériorité.

infern|al [in'fəːnl] *adj* infernal || **~o** [-əu] *n* FIG. enfer *m*.

infest [in'fest] *vt* infester.

infidel [ˈinfidl] *adj/n* REL. infidèle || **~ity** [ˌinfiˈdeliti] *n* JUR. infidélité *f* || REL. incroyance *f*.

infiltrate [ˈinfiltreit] *vi* s'infiltrer *(into,* dans).

infinite [ˈinfnit] *adj* infini || **~ly** *adv* infiniment.

infinit|ive [in'finitiv] *n/adj* GRAMM. infinitif *(m)* || **~y** *n* infinité *f* || MATH. infini *m*.

infirm [in'fəːm] *adj* infirme || **~ary** [-əri] *n* hôpital || [school] infirmerie *f* || **~ity** *n* infirmité *f*.

inflam|e [in'fleim] *vt* FIG. enflammer || **~mable** [in'flæməbl] *adj* inflammable || **~mation** [ˌinfləˈmeiʃn] *n* MED. inflammation *f* || **~ed** [-d] *adj* MED. enflammé.

inflatable [in'fleitəbl] *adj* gonflable.

infla|te [in'fleit] *vt* gonfler (tyre) ‖ Fig. gonfler ‖ ~**tion** *n* gonflement *m*, enflure *f* ‖ Fin. inflation *f* ‖ ~**tor** *n* U.S. pompe *f*; gonfleur *m*.

inflection *n* = INFLEXION.

infle|xible [in'fleksəbl] *adj* inflexible ‖ ~**xion** [-ʃn] *n* inflexion *f*.

inflict [in'flikt] *vt* infliger (punishment, wound).

inflow ['infləu] *n* afflux, flot *m* ‖ Techn. admission, arrivée *f*.

influ|ence ['influəns] *n* influence *f*; under the ~ of drink, en état d'ébriété ● *vt* influencer, influer sur ‖ ~**ential** [-'enʃl] *adj* influent.

influenza [ˌinflu'enzə] *n* grippe *f*.

influx ['inflʌks] *n* afflux *m* (of water); affluence *f* (of people) ‖ Fig. afflux *m*.

info ['infəu] *n* Coll. *abbrev* = INFORMATION; tuyaux *mpl* (fam.).

inform [in'fɔːm] *vt* informer, avertir; renseigner (about, sur); ~ sb of sth, faire part de qqch à qqn; keep sb ~ed, tenir qqn au courant — *vi* Jur. ~ against, dénoncer.

informal [in'fɔːml] *adj* simple, familier, sans cérémonie; détendu, sans façon (relaxed) ‖ officieux, privé (visit) ‖ ~**ity** [ˌinfɔː'mæliti] *n* caractère *m* intime, simplicité *f*.

inform|ant [in'fɔːmənt] *n* informateur *n* ‖ ~**ation** [ˌinfə'meiʃn] *n* renseignements *mpl*; a piece of ~, un renseignement; ask for ~, se renseigner; ~ bureau, bureau *m* de renseignements; ~ science, informatique *f* ‖ Jur. dénonciation *f* (charge) ‖ ~**atics** [-'mætiks] *n* U.S. informatique *f* ‖ ~**ative** [in'fɔːmətiv] *adj* instructif; révélateur ‖ ~**er** *n* dénonciateur, délateur *n*, indicateur *m*.

infraction [in'frækʃn] *n* infraction *f*.

infra|-red ['infrəred] *adj* infrarouge ‖ ~**structure** *n* infrastructure *f*.

infrequent [in'friːkwənt] *adj* peu fréquent, rare.

infringe [in'frinʒ] *vt* contrevenir à (a law); violer, contrefaire (a patent) — *vi* empiéter (upon, sur) ‖ ~**ment** *n* infraction *f* (of, à).

infuriate [in'fjuərieit] *vt* mettre en fureur, rendre furieux, exaspérer.

infu|se [in'fjuːz] *vt* Culin. faire infuser ‖ Fig. inspirer (into, à) ‖ ~**sion** [-ʒn] *n* infusion *f*.

inge|nious [in'dʒiːnjəs] *adj* ingénieux ‖ ~**nuity** [ˌindʒi'njuiti] *n* ingéniosité *f*.

ingenuous [in'dʒenjuəs] *adj* ingénu, naïf ‖ ~**ness** *n* ingénuité, naïveté *f*.

ingest [in'dʒest] *vt* ingérer.

ingle-nook ['inglnuk] *n* coin *m* du feu.

ingot ['ingət] *n* lingot *m*.

ingrained ['in'greind] *adj* invétéré (habit); enraciné (prejudice); become ~, [habit] s'établir, s'ancrer.

ingratiate [in'greiʃieit] *vi* ~ oneself, se faire bien voir, gagner la confiance (with, de).

ingratitude [in'grætitjuːd] *n* ingratitude *f*.

ingredient [in'griːdjənt] *n* ingrédient *m*.

ingress ['ingres] *n* entrée *f* ‖ droit *m* d'entrée.

in|growing, ~**grown** [ˌin'grəuiŋ, -grəun] *adj* incarné (toe-nail).

inhabit [in'hæbit] *vt* habiter ‖ ~**ant** *n* habitant *n* ‖ ~**ed** [-id] *adj* habité.

inhale [in'heil] *vt* inhaler.

inherent [in'hiərnt] *adj* inhérent (to, à) ‖ Jur. propre.

inherit [in'herit] *vt* hériter (from, de); ~ a fortune, hériter d'une fortune ‖ ~**ance** *n* héritage *m*.

inhibit [in'hibit] *vt* interdire à; empêcher (from, de) ‖ Med. inhiber; refouler ‖ ~**ion** [ˌini'biʃn] *n* interdiction *f* ‖ Med. inhibition *f*.

inhospitable [in'hɔspitəbl] *adj* inhospitalier.

inhuman [in'hju:mən] *adj* inhumain ‖ ~**ity** [ˌinhju'mæniti] *n* inhumanité, cruauté *f.*

inimitable [i'nimitəbl] *adj* inimitable.

iniquit|ous [i'nikwitəs] *adj* inique ‖ ~**y** *n* iniquité *f.*

initial [i'niʃəl] *adj* initial ● *n* initiale *f* ● *vt* parafer ‖ ~**ly** *adv* initialement.

initiate[^1] [i'niʃiit] *adj/n* initié.

initia|te[^2] [i'niʃieit] *vt* entreprendre (work) ‖ instaurer, lancer (idea, plan, etc.) ‖ initier (*into,* à) ‖ ~**tion** [iˌniʃi'eiʃn] *n* inauguration *f,* début *m* ‖ initiation *f* (*into,* à) ‖ ~**tive** [i'niʃiətiv] *n* initiative *f; take the* ~, prendre l'initiative (*in doing,* de faire); *on one's own* ~, de sa propre initiative ‖ ~**tor** *n* initiateur *n.*

injec|t [in'dʒekt] *vt* injecter ‖ ~**tion** *n* MED. injection, piqûre *f; give sb an* ~, faire une piqûre à qqn ‖ AUT. injection *f.*

injunction [in'dʒʌŋʃn] *n* injonction, recommandation *f.*

injure [in'dʒə] *vt* nuire à, faire tort à (wrong) ‖ blesser (wound) ‖ **injured,** offensé (offended) ‖ blessé (wounded).

injur|ious [in'dʒuəriəs] *adj* nuisible, préjudiciable ‖ ~**y** [in'dʒəri] *n* tort, dommage, préjudice *m* ‖ MED. blessure *f; internal* ~**ies,** lésions *fpl* internes ‖ NAUT. avarie *f* (*to,* de).

injustice [in'dʒʌstis] *n* injustice *f.*

ink [iŋk] *n* encre *f; write in* ~, écrire à l'encre; *invisible* ~, encre sympathique ● *vt* encrer ‖ ~**y** *adj* taché d'encre.

inkling [iŋkliŋ] *n* soupçon *m* (idea); *give an* ~ *of,* donner une idée de; *have no* ~ *of/that,* ne pas avoir la moindre idée de/que.

ink|-pad [iŋkpæd] *n* tampon encreur ‖ ~**stand** *n* encrier *m* (de bureau) ‖ ~**y** *adj* taché d'encre (stained).

inlaid [in'leid] *adj* → INLAY ‖ incrusté (*with,* de).

inland [inlənd] *adj* intérieur (trade) ‖ FIN. ~ *revenue,* contributions *fpl;* fisc *m* (office) ● *adj* dans l'arrière-pays.

in-laws [inlɔ:z] *npl* beaux-parents *mpl.*

inlay [inlei] *vt* (-laid [-'leid]) incruster (*with,* de) ● *n* incrustation *f;* marqueterie *f.*

inlet [inlet] *n* GEOGR. bras *m* de mer, crique *f* ‖ TECHN. admission *f.*

inmate [inmeit] *n* pensionnaire *n* (of institution) ‖ occupant, résident *n* (of a house) ‖ détenu *n* (prisoner).

inmost [inməust] *adj* le plus profond/secret.

inn [in] *n* auberge *f* ‖ ~**keeper** *n* aubergiste *n.*

innate [i'neit] *adj* inné.

inner [inə] *adj* intérieur ‖ intime (thoughts) ‖ ~**most** *adj* = INMOST.

innoc|ence [inəsəns] *n* innocence *f* ‖ ~**ent** *adj* innocent.

innocuous [i'nɔkjuəs] *adj* inoffensif.

innovat|e [inəveit] *vi* innover ‖ ~**ion** [ˌinə'veiʃn] *n* innovation *f* ‖ ~**or** [inəveitə] *n* novateur *n.*

innuendo [ˌinju'endəu] *n* insinuation *f;* sous-entendu *m.*

innumerable [i'nju:mrəbl] *adj* innombrable.

inoculat|e [i'nɔkjuleit] *vt* inoculer ‖ ~**ion** [iˌnɔkju'leiʃn] *n* inoculation *f.*

in|offensive [ˌinə'fensiv] *adj* inoffensif ‖ ~**operative** [in'ɔprətiv] *adj* inopérant ‖ ~**opportune** [in'ɔpətju:n] *adj* inopportun ‖ ~**organic** [ˌinɔ:'gænik] *adj* inorganique.

in-patient [---] *n* malade *n* hospitalisé.

input [input] *n* INF. données *fpl,* entrée *f.*

inquest [inkwest] *n* enquête *f* judiciaire.

inquire [inˈkwaiə] *vi ~ about*, se renseigner sur, s'informer de, prendre des renseignements sur ‖ *~ after*, demander des nouvelles de ‖ *~ for*, demander (goods in a shop) ; demander à voir qqn ‖ *~ into*, JUR. faire une enquête/des investigations sur (investigate).

inquiring [inˈkwaiəriŋ] *adj* curieux (mind) ‖ *~ly adv* d'un air interrogateur.

inquiry [inˈkwaiəri] *n* enquête *f* ‖ JUR. instruction *f* ‖ *Inquiries*, (bureau *m* de) renseignements *mpl* ; *make inquiries*, se renseigner.

inquisit|ion [ˌinkwiˈziʃn] *n* enquête *f* ; perquisition *f* ‖ *~ive* [inˈkwizitiv] *adj* curieux ‖ PEJ. indiscret.

in|road [ˈinrəud] *n* MIL. incursion *f* ‖ FIG. empiétement *m* ‖ *~rush* *n* irruption *f* (people, water).

insan|e [inˈsein] *adj* insensé ; démentiel (project) ‖ MED. dément, aliéné ; *become ~*, perdre la raison ‖ *~ity* [inˈsæniti] *n* démence *f*, aliénation mentale.

insat|iable [inˈseifjəbl], *~iate* [-iit] *adj* insatiable.

inscr|ibe [inˈskraib] *vt* inscrire (name) ‖ dédier, dédicacer ‖ *~iption* [-ˈipʃn] *n* inscription *f*.

inscrutable [inˈskru:təbl] *adj* inscrutable.

insect [ˈinsekt] *n* insecte *m* ‖ *~-powder*, poudre *f* insecticide ; *~ spray*, bombe *f* d'insecticide.

insecticide [inˈsektisaid] *n* insecticide *m*.

insecure [ˌinsiˈkjuə] *adj* peu sûr, incertain (uncertain) ‖ anxieux (anxious) ‖ hasardeux (dangerous).

inseminate [inˈsemineit] *vt* inséminer.

insens|ible [inˈsensəbl] *adj* MED. inconscient, sans connaissance (unconscious) ‖ FIG. insensible (imperceptible) ; inconscient (unaware) ‖ *~ibly adv* insensiblement, imper-

ceptiblement ‖ *~itive adj* insensible (to touch).

inseparable [inˈseprəbl] *adj* inséparable.

inser|t [inˈsə:t] *vt* insérer ‖ introduire (coin) ‖ *~tion* *n* insertion *f*.

inside [inˈsaid] *adv* (à l') intérieur ● *prep* à l'intérieur de ● *n* dedans, intérieur *m* ‖ *~ out*, à l'envers ; FIG. complètement, à fond.

insidious [inˈsidiəs] *adj* insidieux.

insight [ˈinsait] *n* pénétration, perspicacité *f*.

insignificant [ˌinsigˈnifikənt] *adj* insignifiant, dénué d'importance.

insincere [ˌinsinˈsiə] *adj* hypocrite, faux.

insinuat|e [inˈsinjueit] *vt* insinuer ‖ *~ing adj* insinuant ‖ *~ion* [inˌsinjuˈeiʃn] *n* insinuation *f*.

insipiant [inˈsipiənt] *adj* naissant.

insipid [inˈsipid] *adj* insipide.

insist [inˈsist] *vi* insister (*on*, sur) ‖ tenir à ‖ JUR. *~ on one's rights*, faire valoir ses droits ‖ *~ence* *n* insistance *f* ‖ *~ent adj* persistant, obsédant ; pressant (pressing) ; instant (demand) ‖ *~ently adv* instamment.

insolation [ˌinsəˈleiʃn] *n* insolation *f*.

insol|ence [ˈinsləns] *n* insolence *f* ‖ *~ent adj* insolent.

insoluble [inˈsɔljubl] *adj* insoluble.

insolv|ency [inˈsɔlvənsi] *n* insolvabilité *f* ‖ JUR. faillite *f* ‖ *~ent adj* insolvable, en faillite (bankrupt).

insomnia [inˈsɔmniə] *n* insomnie *f*.

insomuch [ˌinsəˈmʌtʃ] *adv* au point, à tel point (*that*, que).

inspec|t [inˈspekt] *vt* inspecter, faire l'inspection (review) ‖ *~tion* *n* inspection *f* ‖ MIL. revue *f* (des troupes) ‖ *~tor* [-tə] *n* inspecteur *n* ‖ [bus] contrôleur *n*.

insp|iration [ˌinspəˈreiʃn] *n* inspiration *f* ‖ **~ire** [inˈspaiə] *vt* inspirer (*sb with*, qqn de) ‖ MÉD. inspirer.

inst. [inst] *abbrev* COMM. = INSTANT.

install [inˈstɔːl] *vt* installer (set) ; ~ *oneself*, s'installer ‖ **~ation** [ˌinstəˈleiʃn] *n* installation *f.*

instal(l)ment [inˈstɔːlmənt] *n* [story] épisode *m* ; fascicule *m* (book) ‖ COMM. acompte *m*, versement (partiel) ; *pay by/on* ~*s*, payer par traites/en plusieurs versements ; U.S. ~ *plan*, vente *f* à tempérament.

instance [ˈinstəns] *n* exemple, cas *m* ; *for* ~, par exemple ‖ *at the* ~ *of*, à la demande de ‖ JUR. instance *f.*

instant [ˈinstənt] *n* instant *m* ; *this* ~, immédiatement ● *adj* immédiat (at once) ‖ urgent, pressant (need) ; CULIN. soluble (coffee) ; ~ *coffee*, café *m* soluble ‖ COMM. *the 10th* ~, le 10 courant ‖ **~aneous** [ˌinstənˈteinjəs] *adj* instantané ‖ **~ane-ously** *adv* instantanément ‖ **~ly** *adv* immédiatement, sur-le-champ.

instead [inˈsted] *adv* à la place ‖ ~ *of*, au lieu de.

instep [ˈinstep] *n* cou-de-pied *m.*

instil(l) [inˈstil] *vt* instiller ‖ FIG. faire naître, inculquer.

instinct [ˈinstiŋt] *n* instinct *m* ; *by* ~, d'instinct ‖ **~ive** [inˈstiŋtiv] *adj* instinctif ‖ **~ively** *adj* instinctive-ment.

institut|e [ˈinstitjuːt] *n* institut *m* ● *vt* instituer, fonder ‖ **~ion** [ˌinstiˈtjuːʃn] *n* institution, fondation *f* ‖ **~ional** *adj* institutionnel.

instruct [inˈstrʌkt] *vt* enseigner, ins-truire ‖ **~ion** [inˈstrʌkʃn] *n* instruc-tion *f*, enseignement *m* ‖ *Pl* instruc-tions *fpl* (directions) ‖ **~ive** *adj* instructif ‖ **~or** *n* instructeur *m* ; [driving, ski] moniteur *n.*

instrument [ˈinstrumənt] *n* instru-ment *m* ‖ MUS. *musical* ~, instrument de musique ‖ AUT., U.S. ~ *panel*, tableau *m* de bord ‖ FIG. instrument *m* ‖ **~al** [ˌ-ˈmentl] *adj* instrumental

‖ FIG. *be* ~ *in*, contribuer à ‖ **~alist** [ˌ-ˈmentəlist] *n* instrumentiste *n.*

insubordin|ate [ˌinsəˈbɔːdnit] *adj* insubordonné ‖ **~ation** [ˈinsəˌbɔː-diˈneiʃn] *n* insubordination *f.*

insubstantial [ˌinsəbˈstænʃl] *adj* im-matériel ‖ FIG. imaginaire.

insufferable [inˈsʌfrəbl] *adj* insup-portable.

insufficiency [ˌinsəˈfiʃənsi] *n* insuffisance *f.*

insufficient [ˌinsəˈfiʃnt] *adj* insuf-fisant ‖ **~ly** *adv* insuffisamment.

insular [ˈinsjulə] *adj* insulaire.

insulat|e [ˈinsjuleit] *vt* isoler ; calo-rifuger (against cold) ‖ **~ion** [ˌinsjuˈleiʃn] *n* isolement *m* ; isolation *f* ‖ **~or** [ˈinsjuleitə] *n* isolateur *m.*

insulin [ˈinsjulin] *n* insuline *f.*

insult [ˈinsʌlt] *n* insulte, injure *f* ● [inˈsʌlt] *vt* insulter, injurier ‖ **~ing** [ˈ-ˈ-] *adj* injurieux, offensant.

insuperable [inˈsjuːprəbl] *adj* insur-montable.

insurance [inˈʃuərəns] *n* assurance *f* ; ~ *policy*, police *f* d'assurance ; *take out an* ~, s'assurer ; ~ *certificate*, attestation *f* d'assurance ; *burglary* ~, assurance contre le vol ; *car* ~, assurance automobile ; *fire* ~, assu-rance incendie ; *life* ~, assurance sur la vie ; *third-party* ~, assurance aux tiers.

insur|e [inˈʃuə] *vt* assurer (*against*, contre) ; *the* ~*d*, l'assuré *n* ‖ **~er** [-rə] *n* assureur *m.*

insurgent [inˈsəːdʒnt] *n/adj* insurgé, rebelle.

insurmountable [ˌinsəˈmauntəbl] *adj* infranchissable.

insurrection [ˌinsəˈrekʃn] *n* insur-rection *f.*

intact [inˈtækt] *adj* intact.

intake [ˈinteik] *n* TECHN. prise *f* ‖ FIG. admission *f* ; contingent *m* ‖ [food] consommation *f.*

intangible [in'tænʒəbl] *adj* intangible, impalpable ‖ FIG. impondérable.

integr|al ['intigrəl] *adj* intégral ‖ **~ate** [-eit] *vt* intégrer ; incorporer ‖ réinsérer (criminal into society) — *vi* s'intégrer, se joindre (*with*, à) ‖ **~ated circuit** *n* circuit intégré ‖ **~ation** [inti'greiʃn] *n* intégration *f* ‖ réinsertion *f* ‖ déségrégation (raciale).

integrity [in'tegriti] *n* intégrité *f*.

intellect ['intilekt] *n* intelligence *f* ‖ PHIL. intellect *m* ‖ **~ual** [inti'lektjuəl] *adj/n* intellectuel.

intellig|ence [in'telidʒəns] *n* intelligence *f* ; **~ quotient,** quotient intellectuel ‖ MIL. renseignements *mpl* ‖ **~ent** *adj* intelligent ‖ **~ible** *adj* intelligible.

intemper|ance [in'temprəns] *n* intempérance *f* ‖ alcoolisme *m* (drinking) ‖ **~ate** [-it] *adj* immodéré, excessif ‖ intempérant, alcoolique.

intend [in'tend] *vt* avoir l'intention, projeter (*to,* de) ‖ destiner (*for,* à) ‖ **~ed** [-id] *adj* projeté (planned) ‖ intentionnel (deliberate) ‖ futur (prospective) ● *n* [humorous] fiancé *n*.

intens|e [in'tens] *adj* intense ; vif (light, pain, feelings) ‖ **~ify** [-ifai] *vi/vt* (s')intensifier ‖ **~ity** *n* intensité *f* ‖ **~ive** *adj* intensif ‖ approfondi (study).

intent[1] [in'tent] *adj* attentif, absorbé (*on,* par) ‖ **~ly** *adv* très attentivement.

intent[2] *n* intention *f* ; *to all* **~***s and purposes,* pratiquement, en fait ; virtuellement ; essentiellement.

intention [in'tenʃn] *n* intention *f* ‖ **~al** *adj* intentionnel, voulu (deliberate) ‖ **~ally** *adv* intentionnellement ; délibérément.

inter [in'tə:] *vt* inhumer.

interact ['intərækt] *vi* agir l'un sur l'autre.

inter|cede [intə'si:d] *vi* intercéder

(*with,* auprès de) ‖ **~cept** [-'sept] *vt* intercepter ‖ RAD. capter ‖ **~cession** [-'seʃn] *n* intercession *f* (*for,* en faveur de).

inter|change ['intə'tʃeinʒ] *n* échange *m* ‖ AUT., U.S. échangeur *m* (cross-roads) ● [-'-'] *vt* échanger ‖ **~changeable** [intə'tʃeinʒəbl] *adj* interchangeable (parts) ‖ **~com** ['intəkəm] *n* interphone *m* ‖ **~course** ['intəkɔ:s] *n* relations *fpl,* rapports *mpl* ‖ (sexual) **~,** rapports sexuels.

interest ['intrist] *n* intérêt *m* ; *take an **~** in,* s'intéresser à ; *take no **~** in,* se désintéresser de ‖ intérêt *m* (advantage) ; *have an **~**,* avoir un intérêt (*in,* dans) ; *it is to your **~** to do it,* il est de votre intérêt de le faire ; *in the **~** of,* dans l'intérêt de ‖ FIN. charge *an **~**,* prendre un intérêt ; *back **~**,* arriérés *mpl* ; *compound **~**,* intérêts composés ‖ JUR. *vested **~**s,* droits acquis ● *vt* intéresser ; *be **~ed in**,* s'intéresser à ‖ **~ing** *adj* intéressant.

interface ['intəfeis] *n* INF. interface *f.*

interfer|e [intə'fiə] *vi* s'immiscer (*in,* dans) ‖ s'interposer (*in,* dans ; *between,* entre) ‖ contrecarrer (block) ‖ **~ence** [-rəns] *n* ingérence *f* (*in,* dans) ‖ RAD. interférence *f,* parasites *mpl.*

interim ['intərim] *n* intérim *m* ; *in the **~**,* entre-temps ● *adj* provisoire (report) ; intérimaire (person).

interior [in'tiəriə] *adj/n* intérieur (*m*).

interject [intə'dʒekt] *vt* lancer (questions) ; placer (a remark) ‖ **~ion** [intə'dʒekʃn] *n* interjection *f.*

inter|lace [intə'leis] *vt* entrelacer ‖ **~lock** *vi* s'entrecroiser ‖ **~locutor** [intə'lɔkjutə] *n* interlocuteur *n* ‖ **~loper** ['intələupə] *n* intrus *n* ‖ **~lude** ['intəlu:d] *n* intermède *m* ‖ MUS. interlude *m* ‖ **~mediary** [intə'mi:djəri] *adj/n* intermédiaire ‖ **~mediate** [intə'mi:djət] *adj* intermédiaire.

interment [in'tə:mənt] *n* enterrement *m*.

interminable [in'tə:mnəbl] *adj* interminable.

intermingle [ˌintə'miŋgl] *vt/vi* (s') entremêler.

inter|mission [ˌintə'miʃn] *n* interruption, pause *f* ‖ TH., U.S. entracte *m* ‖ ~**mittent** [ˌintə'mitənt] *adj* intermittent.

intern [in'tə:n] *vt* interner ● *n* U.S., MED. interne *n* ‖ ~**al** *adj* interne *m*.

international [ˌintə'næʃnl] *adj* international.

internment [in'tə:nmənt] *n* internement *m*.

interpolate [in'tə:pəleit] *vt* interpoler.

interpose [ˌintə'pəuz] *vt* intercaler ‖ opposer (veto) — *vi* s'interposer (*between*, entre).

interpret [in'tə:prit] *vt* interpréter ‖ ~**ation** [inˌtə:pri'teiʃn] *n* interprétation *f* ‖ ~**er** [in'tə:pritə] *n* interprète *n*.

interrogat|e [in'terəgeit] *vt* interroger ‖ ~**ion** [inˌterə'geiʃn] *n* interrogation *f;* ~ *mark,* point *m* d'interrogation ‖ JUR. interrogatoire *m* ‖ ~**ive** [ˌintə'rɔgətiv] *adj* interrogateur ‖ GRAMM. interrogatif.

interrup|t [ˌintə'rʌpt] *vt* interrompre ‖ ~**tion** *n* interruption *f*.

intersec|t [ˌintə'sekt] *vi/vt* (s')entrecouper ‖ ~**tion** *n* intersection *f* ‖ U.S. croisement *m*, carrefour *m*.

inter|sperse [ˌintə'spə:s] *vt* entremêler, parsemer ‖ ~**state** *n* U.S. = EXPRESSWAY. ‖ ~**twine** *vi/vt* (s')entrelacer ‖ ~**val** ['intəvl] *n* intervalle *m ; bright* ~*s,* éclaircies (weather) ‖ TH. entracte *m* ‖ ~**vene** [ˌintə'vi:n] *vi* [events] survenir, intervenir ‖ [person] intervenir, s'interposer ‖ [time] s'écouler ‖ ~**vention** [ˌintə'venʃn] *n* intervention *f* ‖ ~**view** ['intəvju:] *n* entrevue *f,* entretien *m* ‖

[journalism] interview *f* ● *vt* avoir un entretien avec, interviewer.

intestin|e [in'testin] *n* intestin *m ; small* ~, intestin grêle ‖ ~**al** *adj* intestinal.

intim|acy ['intiməsi] *n* intimité *f* ‖ ~**ate** [-it] *adj* intime ● [-it] *vt* faire savoir, suggérer (show clearly) ‖ ~**ately** [-itli] *adv* intimement ‖ ~**ation** [ˌinti'meiʃn] *n* annonce *f* (announcement) ‖ suggestion *f* (hint) ‖ signification *f* (notice).

intimidat|e [in'timideit] *vt* intimider ‖ ~**ion** [inˌtimi'deiʃn] *n* intimidation *f.*

into ['intu] *prep* [movement] en, dans ; *go* ~, entrer ‖ [change] dans, en ; *translate* ~ *French,* traduire en français ; *burst* ~ *tears,* fondre en larmes ‖ [time] *well* ~ *the night,* à une heure avancée de la nuit ‖ MATH. 4 ~ 8 *goes twice,* 8 divisé par 4 égale 2 ‖ SL. *be* ~, donner à fond dans (fam.) [be keen on].

intoler|able [in'tɔlərəbl] *adj* intolérable ‖ ~**ance** *n* intolérance *f* ‖ ~**ant** *adj* intolérant.

intonation [ˌintə'neiʃn] *n* intonation *f.*

intoxicat|e [in'tɔksikeit] *vt* enivrer ; *get* ~*d,* s'enivrer ‖ FIG. griser, enivrer ‖ ~**ing** *adj* enivrant ‖ ~**ion** [inˌtɔksi'keiʃn] *n* ivresse, ébriété *f* ‖ MED. intoxication *f.*

intra- [intrə] *pref* intra- ; ~**muscular,** intramusculaire ; ~**uterine device,** stérilet *m ;* ~**venous** [-'vi:nəs] intraveineux.

intractable [in'træktəbl] *adj* intraitable, indocile.

intransitive [in'trænsitiv] *adj* intransitif.

intrench [in'trenʃ] *vt* = ENTRENCH.

intrepid [in'trepid] *adj* intrépide ‖ ~**ity** [intri'piditi] *n* intrépidité *f.*

intric|acy ['intrikəsi] *n* complexité *f* ‖ FIG. dédale *m* ‖ ~**ate** [-it] *adj* compliqué ; complexe.

intrigue [in'tri:g] *n* intrigue *f* • *vt* intriguer.

intrinsic [in'trinsik] *adj* intrinsèque.

intro|duce [,intrə'dju:s] *vt* introduire, présenter (sb) || JUR. déposer (a bill) || ~**duction** [-'dʌkʃn] *n* introduction *f* ; présentation *f* (of sb) || ~**ductory** [-'dʌktri] *adj* préliminaire ; d'introduction (words).

introspection [,intrə'spekʃn] *n* introspection *f*.

intru|de [in'tru:d] *vi* être importun, s'imposer || ~ **on,** s'immiscer dans ; ~ *on sb's time,* abuser du temps de qqn || ~**der** *n* intrus *n* || ~**sion** [-ʒn] *n* intrusion, ingérence *f* || ~**sive** [-siv] *adj* importun, indiscret, gênant.

intui|tion [,intju'iʃn] *n* intuition *f* || ~**tive** [in'tjuitiv] *adj* intuitif || ~**tively** [-'—] *adv* intuitivement.

inundat|e ['inʌndeit] *vt* inonder || ~**ion** [,inʌn'deiʃn] *n* inondation *f*.

inure [i'njuə] *vt* accoutumer, aguerrir (*to,* à) ; *become* ~*d,* s'endurcir.

invad|e [in'veid] *vt* envahir, violer (sb's privacy) ; empiéter, sur (sb's rights) || ~**er** *n* envahisseur *m* || FIG. intrus *m* || ~**ing** *adj* envahissant • *n* envahissement *m*.

invalid[1] ['invəlid] *adj/n* invalide, infirme (disabled) ; malade (ill).

invalid[2] [in'vælid] *adj* JUR. non valide ; non valable, périmé (ticket) || ~**ate** [-eit] *vt* JUR. invalider.

invaluable [in'væljuəbl] *adj* inestimable, inappréciable.

invariable [in'veəriəbl] *adj* invariable.

invasion [in'veiʒn] *n* invasion *f*.

invective [in'vektiv] *n* invective *f*.

inveigh [in'vei] *vi* ~ *against,* vitupérer contre.

inveigle [in'vi:gl] *vt* attirer, entraîner (*into,* dans).

invent [in'vent] *vt* inventer || ~**ion** [in'venʃn] *n* invention *f* ; *of his own* ~, de son cru || ~**ive** *adj* inventif || ~**or** *n* inventeur *m* || ~**ory** [-ri] *n* COMM. inventaire *m* || JUR. ~ *of fixtures,* état *m* des lieux.

inv|erse ['in'və:s] *n/adj* inverse (*m*) || ~**ersion** [in'və:ʃn] *n* interversion *f* || GRAMM. inversion *f* || ~**ert** [in'və:t] *vt* inverser, intervertir.

invest [in'vest] *vt* FIN. investir, placer || JUR. investir (*with,* de).

investiga|te [in'vestigeit] *vt* examiner, étudier ; enquêter sur (a crime) || ~**tion** [in,vesti'geiʃn] *n* examen *m* ; investigation *f* || JUR. enquête, instruction *f* || ~**tor** *n* investigateur, enquêteur *n*.

invest|ment [in'vestmənt] *n* FIN. investissement, placement *m* || ~**or** *n* épargnant, actionnaire *n*.

inveterate [in'vetrit] *adj* invétéré.

invidious [in'vidiəs] *adj* désobligeant, blessant (offensive).

invigilat|e [in'vidʒileit] *vt* [school] surveiller || ~**or** *n* surveillant *n* de salle.

invigorat|e [in'vigəreit] *vt* fortifier ; revigorer || ~**ing** *adj* fortifiant, remontant || vivifiant (climate) || FIG. stimulant.

invincible [in'vinsəbl] *adj* invincible, imbattable.

invisible [in'vizəbl] *adj* invisible.

invitation [,invi'teiʃn] *n* invitation *f*.

invit|e [in'vait] *vt* inviter (*to,* à) || FIG. susciter, provoquer ; donner envie de || ~**ing** *adj* engageant, accueillant, tentant ; alléchant (food).

invocation [,invə'keiʃn] *n* invocation *f*.

invoice ['invɔis] *n* COMM. facture *f* • *vt* facturer.

invoke [in'vəuk] *vt* invoquer.

involuntar|ily [in'vɔləntrili] *adv* involontairement || ~**y** *adj* involontaire.

involv|e [in'vɔlv] *vt* inclure, englober (*in,* dans) || FIG. impliquer (imply) ; entraîner (sb) || ~**ed** [-d] *adj* impliqué, compromis (*in*, dans) ‖ mêlé (*in*, à) ; get ~, s'engager, se laisser entraîner ‖ compliqué, complexe (situation).

invulnerable [inˈvʌlnrəbl] *adj* invulnérable.

inward [ˈinwəd] *adj* interne, intérieur ‖ ~**ly** *adv* intérieurement ‖ ~**s** [-z] *adv* vers l'intérieur, en dedans.

iodin(e) [ˈaiədi:n] *n* iode *f* ; *tincture of ~,* teinture *f* d'iode.

IOU [ˈaiəuˈju:] *abbrev/n* (= I OWE YOU) *write out an ~,* signer une reconnaissance de dette.

IQ [ˌaiˈkju:] *abbrev* (= INTELLIGENCE QUOTIENT) Q.I. *m inv.*

Iran [iˈrɑ:n] *n* Iran *m* ‖ ~**ian** [iˈreinjən] *adj/n* iranien.

Iraq [iˈrɑ:k] *n* Irak *m* ‖ ~**i** [-i] *adj/n* irakien.

irascible [iˈræsibl] *adj* irascible.

irate [aiˈreit] *adj* courroucé, furieux.

Ireland [ˈaiələnd] *n* Irlande *f.*

iridescent [ˌiriˈdesnt] *adj* irisé, chatoyant.

iris, es [ˈaiəris, -iz] *n* BOT., MED. iris *m.*

Irish [ˈaiəriʃ] *adj* irlandais ● *n* irlandais *m* (language) ‖ *Pl the ~,* les Irlandais *mpl* ‖ ~**man** *n* Irlandais *m* ‖ ~**woman** *n* Irlandaise *f.*

irk [ə:k] *vt* ennuyer ; *it ~s me to,* il m'en coûte de ‖ ~**some** [-səm] *adj* fastidieux.

iron [ˈaiən] *n* (métal) fer *m* ; *cast ~,* fonte *f* ; *corrugated ~,* tôle ondulée ; *wrought ~,* fer forgé ‖ (tool) fer *m* à repasser (for smoothing clothes) ; *soldering ~,* fer *m* à souder ● *vt* repasser (linen) ‖ ~ *out,* FIG. aplanir (a difficulty) ‖ ~ **and steel industry** *n* sidérurgie *f.*

ironical [aiˈrɔnikl] *adj* ironique.

ironing [ˈaiəniŋ] *n* repassage *m* ‖ ~-*board,* planche *f* à repasser ‖ ~-*machine,* machine *f* à repasser.

iron|lung [ˈaiənˈlʌŋ] MED. poumon

m d'acier ‖ ~**monger** *n* quincaillier *n* ; ~'*s shop,* quincaillerie *f* ‖ ~**mongery** [-ˌmʌŋgri] *n* quincaillerie (hardware) ‖ ~**work** *n* ferrures *fpl* ; ferronnerie *f* ‖ *Pl* usine *f* sidérurgique.

irony [ˈairəni] *n* ironie *f.*

irradia|te [iˈreidieit] *vi/vt* (s')irradier ‖ ~**tion** [iˌreidiˈeiʃn] *n* irradiation *f.*

irrational [iˈræʃənl] *adj* déraisonnable ; irrationnel.

irreclaimable [ˌiriˈkleiməbl] *adj* AGR. inamendable ‖ FIG. incorrigible.

irreconcilable [iˌrekənˈsailəbl] *adj* irréconciliable.

irrecoverable [ˌiriˈkʌvrəbl] *adj* non récupérable.

irredeemable [ˌiriˈdi:məbl] *adj* irrémédiable, irréparable ‖ FIN. non remboursable.

irrefutable [iˈrefjutəbl] *adj* irréfutable.

irregular [iˈregjulə] *adj* irrégulier ● *n* MIL. franc-tireur *m* ‖ ~**ity** [iˌregjuˈlæriti] *n* irrégularité *f* ; entorse *f* au règlement.

irrelevant [iˈrelivənt] *adj* hors de propos (remarks) ; non pertinent ; sans rapport (*to,* avec).

irreligious [ˌiriˈlidʒəs] *adj* irréligieux.

irremediable [ˌiriˈmi:djəbl] *adj* irrémédiable.

irremovable [ˌiriˈmu:vəbl] *adj* inamovible.

irreparable [iˈrepərbl] *adj* irréparable.

irreplaceable [ˌiriˈpleisəbl] *adj* irremplaçable.

irreproachable [ˌiriˈprəutʃəbl] *adj* irréprochable.

irresistible [ˌiriˈzistəbl] *adj* irrésistible.

irresolute [iˈrezəlu:t] *adj* irrésolu.

irrespective [ˌirisˈpektiv] *adv* indépendamment, sans tenir compte (*of,* de).

irresponsible [‚iris'pɔnsəbl] *adj* irresponsable.

irretrievable [‚iri'tri:vəbl] *adj* irréparable ‖ introuvable (objet).

irreverent [i'revrnt] *adj* irrévérencieux.

irrevocable [i'revəkəbl] *adj* irrévocable.

irrigat|e ['irigeit] *vt* irriguer ‖ ~ion [‚iri'geiʃn] *n* irrigation *f*.

irrit|able ['iritəbl] *adj* irritable ‖ ~ant *adj/n* MED. irritant *(m)* ‖ ~ate [-eit] *vt* irriter, exaspérer ‖ ~ating [-eitiŋ] *adj* irritant, agaçant ‖ ~ation [‚iri'teiʃn] *n* irritation *f*.

is [iz] → BE.

Islam ['izlɑ:m] *n* Islam *m* ‖ ~ic [iz-'læmik] *adj* islamique ‖ ~ism ['izləmizm] *n* islamisme *m*.

isl|and ['ailənd] *n* île *f* ‖ *street* ~, refuge *m* ‖ ~ander [-əndə] *n* insulaire *n*.

isl|e [ail] *n* île *f*; *the* ~ *of Man*, l'île de Man ‖ ~et [-it] *n* îlot *m*.

isolat|e ['aisəleit] *vt* isoler ‖ ~ion [‚aisə'leiʃn] *n* isolement *m* ‖ ~or isolateur *m*.

isosceles [ai'sɔsili:z] *adj* isocèle.

isotope ['aisətəup] *n* isotope *m*.

Israel ['izreil] *n* Israël *m* ‖ ~i [iz'reili] *adj/n* israélien ‖ ~ite ['izriəlait] *n* israélite *n*.

issue ['isju:] *n* issue, sortie *f* (way out) ‖ édition *f* (of a book) ‖ numéro *m* (of a magazine) ‖ délivrance *f* (of a passport) ‖ [matter] problème *m*, question *f* ‖ *join* ~ *with sb*, discuter, polémiquer avec qqn; *be at* ~, être en désaccord *(over, sur)*; *at* ~, en question, en litige, contesté ‖ FIN. émission *f* ‖ MED. écoulement *m* ‖ FIG. issue, résultat (outcome) ● *vi* sortir, provenir *(from,* de) — *vt* publier (book, etc.) ‖ délivrer (passport) ‖ fournir (supply) ‖ émettre (banknotes, stamps).

isthmus ['isməs] *n* isthme *m*.

it [it] *pron* [subject] il, elle; ce, cela; ~ *is easy,* c'est facile; *who is* ~ *?,* qui est-ce ? ‖ [object] le, la, ça; *I need* ~, j'en ai besoin ‖ [indir. object] en; *I am afraid of* ~, j'en ai peur; y; *think of* ~, pensez-y ● *impers* ~ *is cold,* il fait froid ● *n* [children's game] *you're* ~ *!,* c'est toi le chat ! ‖ SL. *with* ~, dans le vent; branché (fam.) ● *abbrev* (= ITALIAN) gin and ~, vermouth plus gin.

Italian [i'tæljən] *adj* italien ● *n* Italien *n* (person) ‖ italien *m* (language).

ital|ics [i'tæliks] *npl* italiques *mpl* ‖ ~icize [-isaiz] *vt* mettre en italique.

Italy ['itəli] *n* Italie *f*.

itch [itʃ] *n* démangeaison *f* ● *vi* démanger.

item ['aitəm] *n* article *m* ‖ point *m*, question *f* (in a list) ‖ [catalogue] article *m* ‖ [programme] numéro *m* ‖ [newspaper, T.V.] *a news* ~, *an* ~ *of news,* une nouvelle/information ‖ ~ize *vt* détailler, spécifier.

itiner|ant [i'tinrnt] *adj* itinérant, ambulant; ~ *vendor,* marchand *n* ambulant ‖ ~ary [-əri] *n* itinéraire *m*.

its [its] *poss adj* son, sa, ses ● *poss pron* ~ *own,* le sien, la sienne; les siens, les siennes.

itself [it'self] *reflex pron* lui-même, elle-même, soi-même; se; *the dog stretched* ~, le chien s'étira ● *emph pron he is kindness* ~, il est la bonté même.

IUD [‚aiju:'di:] *abbrev* (= INTRA-UTERINE DEVICE) stérilet *m*.

ivory ['aivri] *n* ivoire *m*.

Ivor|y Coast *n* Côte *f* d'Ivoire ‖ ~ian [ai'vɔ:riən] *adj/n* ivoirien.

ivy ['aivi] *n* lierre *m*.

J

j [dʒei] *n* j *m.*

jab [dʒæb] *vt* piquer ; enfoncer (a knife, the elbow) ● *n* coup *m* ‖ COLL. piqûre *f.*

jabber [ˈdʒæbə] *vt/vi* bredouiller, bafouiller, baragouiner ● *n* bredouillage *m* (mumbling).

jack [dʒæk] *n* [cards] valet *m* ‖ [bowling] cochonnet *m* ‖ NAUT. pavillon *m* (flag) ‖ AUT. cric *m* ● *vt* ~ *up*, soulever avec un cric.

jackal [ˈdʒækɔ:l] *n* chacal *m.*

jack-of-all-trades *n* homme *m* à tout faire, bricoleur *m.*

jackass [ˈdʒækæs] *n* âne, baudet *m* ‖ FIG. crétin *m.*

jacket [ˈdʒækit] *n* veston *m* (men's) ; *leather* ~, blouson *m* de cuir ‖ jaquette *f* (for a book) ‖ MED. *strait* ~, camisole *f* de force ‖ NAUT. *life-*~, ceinture *f* de sauvetage ‖ CULIN. peau *f* ; *potatoes in their* ~*s,* ~ *potatoes,* pommes de terre *fpl* en robe des champs/de chambre.

jack-pot [ˈdʒækpɔt] *n* [cards] cagnotte *f,* pot *m* ; [lottery] gros lot.

jaded [ˈdʒeidid] *adj* éreinté, esquinté (worn out).

jag [dʒæg] *n* dent *f* (of a rock, a saw) ‖ ~**ged** [-id] *adj* dentelé, déchiqueté (rocks) ; ébréché (knife).

jaguar [ˈdʒægjuə] *n* jaguar *m.*

jail [dʒeil] *n* prison *f* ; *put sb in* ~,

mettre qqn en prison, incarcérer qqn ● *vt* emprisonner ‖ ~**bird** *n* récidiviste *n,* gibier *m* de potence.

jalopy [dʒəˈlɔpi] *n* U.S., SL. vieux tacot, bagnole *f* (pop.).

jam¹ [dʒæm] *n* confiture *f* ‖ ~**-jar,** pot *m* à confiture.

jam² *n* cohue, foule *f* (throng) ‖ *(traffic)* ~, embouteillage, bouchon *m* ‖ COLL. *be in a* ~, être dans le pétrin ● *vt* serrer, comprimer (crush) ‖ tasser (cram) ‖ encombrer, bloquer (a street) ; ~**-packed,** bondé ; plein à craquer (bus, etc.) ‖ TECHN. bloquer, coincer ‖ RAD. brouiller — *vi* TECHN. se gripper, s'enrayer, se bloquer ‖ ~**ming** *n* blocage *m* ‖ RAD. brouillage *m.*

jangle [ˈdʒæŋgl] *n* bruit discordant ‖ criaillerie(s) *f(pl)* [quarrel] ● *vt/vi* faire un bruit de ferraille ‖ [chains] cliqueter ‖ criailler (quarrel).

janitor [ˈdʒænitə] *n* portier *m* ‖ U.S. concierge, gardien *n.*

January [ˈdʒænjuəri] *n* janvier *m.*

japan [dʒəˈpæn] *n* laque *f* ● *vt* laquer.

Japan *n* Japon *m* ‖ ~**ese** [ˌdʒæpə'ni:z] *adj* japonais ● *n* *inv* Japonais *n* (person) ‖ japonais *m* (language).

jar¹ [dʒɑ:] *n* [earthenware] jarre *f,* pot *m* ; [glass] bocal *m* ; → JAM¹.

jar² *n* choc *m* ‖ son discordant

(sound) ‖ secousse *f* (jerk) ‖ Fig. querelle *f* ● *vi* [sound] grincer ‖ Mus. détonner ‖ Fig. ~ *on sb's nerves*, porter sur les nerfs de qqn ‖ Fig. être en discordance ; [colours] jurer (*with*, avec) ● *vt* choquer, ébranler ‖ ~**ring** [-riŋ] *adj* discordant.

jargon [ˈdʒɑːgən] *n* Techn. jargon *m* ‖ Coll. sabir, charabia *m*.

jasmin(e) [ˈdʒæsmin] *n* jasmin *m*.

jaundice [ˈdʒɔːndis] *n* jaunisse *f* ‖ Fig. jalousie *f*.

jaunt [dʒɔːnt] *n* excursion *f* ‖ balade (fam.) ‖ ~**ily** *adv* avec désinvolture ‖ ~**iness** *n* désinvolture, insouciance *f* ‖ ~**y** *adj* désinvolte (carefree) ; suffisant (swaggering).

javelin [ˈdʒævlin] *n* javelot *m*.

jaw [dʒɔː] *n* mâchoire *f* ‖ Coll. laïus *m* ● *vi/vt* Coll. laïusser ‖ ~-**bone** *n* maxillaire *m*.

jay [dʒei] *n* geai *m*.

jazz [dʒæz] *n* jazz *m* ‖ Sl. [meaningless talk] baratin *m* (fam.) ● *vt* jouer en jazz ‖ Coll. ~ *up*, animer ‖ ~**y** *adj* bariolé, tape-à-l'œil.

jealous [ˈdʒeləs] *adj* jaloux ‖ ~**y** *n* jalousie *f*.

jean [dʒiːn] *n* coutil *m* ‖ *Pl* bleus *mpl* (overalls) ‖ *blue* ~*s*, (blue-)jean *m* (trousers).

jeer [dʒiə] *n* raillerie *f*, sarcasme *m* ● *vi* — *at*, se moquer de, railler — *vt* huer (boo) ‖ ~**ing** [-riŋ] *adj* moqueur.

jejune [dʒiˈdʒuːn] *adj* ennuyeux, terne.

jelly [ˈdʒeli] *n* gelée *f* ‖ U.S. = JAM ; ~ *roll*, gâteau roulé ‖ ~-**fish** *n* méduse *f*.

jeopard|ize [ˈdʒepədaiz] *vt* mettre en danger, exposer ‖ compromettre ‖ ~**y** *n* danger, péril *m*.

jerk [dʒəːk] *n* saccade, secousse *f* ‖ *Pl* tics *mpl* ‖ Coll. *physical* ~*s*, exercices *mpl* ● *vt* donner une secousse — *vi* se mouvoir par saccades ‖ [muscle] se contracter ‖ ~**ily** *adv*

par saccades/à-coups ‖ ~**y** *adj* saccadé.

jerry|built [ˈdʒeribilt] *adj* mal construit avec des matériaux bon marché (house) ‖ ~-**can** *n* Mil. jerrycan, bidon *m*.

jersey [ˈdʒəːzi] *n* chandail *m*.

jessamine [ˈdʒesəmin] *n* = JASMINE.

jest [dʒest] *n* plaisanterie *f* ; *in* ~, pour rire ‖ risée *f*, objet *m* de risée (laughingstock) ● *vi* plaisanter ‖ ~**er** *n* Hist. fou, bouffon *m*.

jet¹ [dʒet] *n* jais *m* (colour, mineral) ; ~ *black*, noir de jais.

jet² *n* jet *m* (water, gas) ‖ Aut. gicleur *m* ; *slow running* ~, gicleur de ralenti ‖ Av. ~-(-*plane*), avion *m* à réaction, jet *m* ; ~ *engine*, réacteur *m* ; ~ *lag* : *suffer from* ~ *lag*, souffrir du décalage horaire ; ~-*propelled*, à réaction.

jetsam [ˈdʒetsəm] *n* Naut. marchandise jetée à la mer ‖ Jur. épaves *fpl*. (→ also FLOTSAM.)

jettison [ˈdʒetisn] *vt* Naut. délester ; jeter à la mer.

jetty [ˈdʒeti] *n* appontement *m* ; jetée *f* (breakwater).

Jew [dʒuː] *n* Juif *m* ‖ Mus. ~*'s harp*, guimbarde *f*.

jewel [ˈdʒuːəl] *n* bijou *m* ‖ *Pl* pierreries *fpl* ‖ [watch] rubis *m* ‖ ~ *case*, écrin *m* ‖ ~**ler** *n* bijoutier, joaillier *n* ; ~*'s (shop)*, bijouterie *f* ‖ ~**ry**, **lery** [-ri] *n* joaillerie, bijouterie *f* ; bijoux *mpl*.

Jew|ess [ˈdʒuːis] *n* Juive *f* ‖ ~**ish** *adj* juif.

jib¹ [dʒib] *n* Naut. foc *m*.

jib² *vi* [horse] se dérober ‖ [person] rechigner (*at*, à).

jibe [dʒaib] → GIBE.

jiffy [ˈdʒifi] *n in a* ~, en un clin d'œil.

jig [dʒig] *vi* sautiller ; ~ *up and down*, se trémousser ‖ ~-**saw** *n* scie *f* à découper ; ~ *puzzle*, puzzle *m*, jeu *m* de patience.

jilt [dʒilt] vt lâcher (a lover) ● n coquette, lâcheuse f.

jingle ['dʒiŋgl] n tintement m ‖ RAD. césure musicale ● vi [bell] tinter ; [chains] cliqueter.

jingo ['dʒiŋgəu] adj/n chauvin ‖ ~ism n chauvinisme m.

jitter|s ['dʒitəz] npl COLL. frousse f ; get/give the ~, avoir/flanquer la frousse ‖ ~y [-ri] adj froussard.

jive [dʒaiv] n rock (and roll) m ● vi danser le rock (and roll).

job [dʒɔb] n travail, emploi m ; boulot m (fam.) ‖ COLL. cushy ~, planque f (fam.) ‖ out of a ~, en chômage ‖ tâche f ; paid by the ~, payé à la pièce ; odd ~ **man**, homme m à tout faire ; **do odd** ~**s**, bricoler ; **make a good/bad** ~ **of it**, bien/mal travailler ‖ COLL. it's a good ~ (that), heureusement que, c'est une chance que ‖ tâche f difficile ; be quite a ~ doing sth, avoir du mal à faire qqch ‖ COMM. ~ **lot**, articles dépareillés ‖ SL. put-up ~, coup m monté ● vi bricoler ‖ FIN. agioter ‖ COLL., FIG. tripoter ‖ ~**ber** n tâcheron m ‖ [Stock Exchange] courtier m ‖ ~**less** adj sans emploi.

jockey ['dʒɔki] n jockey m ‖ RAD. disc ~, présentateur m de disques ● vt COLL. rouler (sb) — vi COLL. manigancer ; ~ for position, manœuvrer, intriguer.

jocular ['dʒɔkjulə] adj facétieux.

jog [dʒɔg] n secousse, saccade f (jerk) ‖ [carriage] cahot m ‖ ~ (trot), petit trot ● vt secouer ‖ pousser du coude — vi [carriage] cahoter ; [horse] aller au petit trot ‖ ~ **along**, cheminer ‖ FIG. aller son petit train, trottiner ‖ SP. **go** ~**ging**, faire du jogging ‖ ~**ging** n SP. jogging m.

john [dʒɔn] n U.S., SL. toilettes fpl, w.-c. mpl.

join [dʒɔin] vt joindre (things) ‖ unir (persons) ‖ relier (connect) ‖ devenir membre, adhérer à (club, party) ‖ entrer à, s'inscrire à (University) ‖

retrouver, rejoindre (meet) ‖ se joindre à, se mêler à (a group) ‖ TECHN. raccorder ‖ MIL. ~ the army, s'engager ; ~ **battle**, engager le combat ‖ GEOGR. [river] se jeter dans — vi se joindre, s'unir, se rencontrer ‖ ~ **in**, participer, se joindre à ; ~ **in** the conversation, se mêler à la conversation ‖ TECHN. ~ **up**, joindre, assembler ; MIL. s'engager, s'enrôler ‖ ELECTR. connecter ‖ ~**er** n menuisier m ; ~'s shop, menuiserie f ‖ ~**ery** [-əri] menuiserie f.

joint¹ [dʒɔint] n SL. [place] boîte f ; tripot m (gambling den) ; bistrot (mal famé) ; [drugs] joint m.

joint² n TECHN. joint m ; jointure f ‖ ANAT. articulation f ; out of ~, déboîté, démis ‖ CULIN. rôti m ● adj commun, réuni ; conjugué (efforts) ‖ ~ **account**, compte joint ; ~ **commission**, commission paritaire ; ~**-owner**, copropriétaire n ; ~**-stock company**, société f par actions ; ~ **venture**, entreprise f en association ● vt TECHN. joindre, articuler ‖ CULIN. découper ‖ ~**ly** adv conjointement.

jok|e [dʒəuk] n plaisanterie f, bon mot m ‖ blague f ; (practical) ~, farce, attrape f ; play a ~ on sb, jouer un tour, faire une farce à qqn — vi plaisanter ‖ ~**er** n farceur m ‖ [cards] joker m ‖ ~**ing** n plaisanterie f ; ~ **apart**, blague à part.

jolly ['dʒɔli] adj jovial, enjoué ; ~ **fellow**, gai luron, bon vivant ‖ NAUT. Jolly Roger, pavillon noir ● adv drôlement, rudement, vachement (fam.).

jolt [dʒəult] vt cahoter, secouer ● n secousse f, cahot m.

Jordan ['dʒɔːdn] n Jordanie f.

jostle ['dʒɔsl] vt bousculer qqn, jouer des coudes (elbow) ● n bousculade, cohue f.

jot [dʒɔt] vt ~ **down**, prendre (en) note ‖ ~**tings** npl notes fpl (rapides).

journal ['dʒəːnl] n journal m (dia-

ry) ; revue f (periodical) ‖ ~ese
[dʒɔːnəˈliːz] n jargon m journalistique ‖ ~ism [ˈdʒɔːnəlizm] n journalisme m ‖ ~ist n journaliste n.

journey [ˈdʒɔːni] n voyage, trajet,
parcours m ; **go on a ~**, partir en
voyage ‖ **make a ~**, faire un voyage ;
reach one's ~'s end, arriver à destination ‖ [taxi] course f ● vi voyager ‖ ~**man** n compagnon m (workman).

jovial [ˈdʒəuvjəl] adj jovial.

joy [dʒɔi] n joie f ; **with ~**, avec joie ;
for ~, de joie ‖ ~**ful** adj joyeux ‖
~**fully** adv joyeusement ‖ ~**-ride**
n virée f en voiture (volée) ‖ ~**stick**
n Av. manche m à balai.

Jr. abbrev = JUNIOR.

jubil|ant [ˈdʒuːbilənt] adj triom-
phant ; radieux, en liesse ‖ ~**ee** [-iː]
n jubilé m.

judg|e [dʒʌdʒ] n juge m ; arbitre m ;
be a good ~ of, s'y connaître en,
savoir juger ● vt juger (from, d'après)
‖ estimer (consider) — vi juger ‖
~(**e**)**ment** n jugement m ; **pass ~ on**,
prononcer un jugement ‖ FIG. avis m
(opinion) ‖ jugement m (faculty).

judic|ial [dʒuːˈdiʃl] adj judiciaire
(proceedings) ; ~ **separation**, séparation f de corps ‖ FIG. impartial ‖
~**ious** [-əs] adj judicieux.

judo [ˈdʒuːdəu] n judo m ‖ ~**ist**,
~**ka** [-kə] n judoka n.

jug [dʒʌg] n pot m (for milk) ; pichet
m (for cider) ; [earthenware] cruche
f ; [metal] broc m.

juggernaut [ˈdʒʌgənɔːt] n AUT.
poids lourd (de plus de 15 tonnes) ;
mastodonte m (fam.).

juggl|e [ˈdʒʌgl] vi jongler — vt
~ **away**, escamoter jonglerie f ‖ ~**er**
n jongleur n ; prestidigitateur n.

juic|e [dʒuːs] n jus m ; **fruit ~**, jus
de fruits ‖ MED. suc m ‖ COLL. jus
m (electricity) ; essence f (petrol) ; **run
out of ~**, tomber en panne sèche ‖
~**y** adj juteux, succulent ‖ FIG.
savoureux.

juke-box [ˈdʒuːkbɔks] n juke-box m.

July [dʒuˈlai] n juillet m.

jumble [ˈdʒʌmbl] n fouillis, fatras m
● vt ~ (**up**) mélanger, emmêler ‖
~**-sale** n vente f de charité.

jumbo [ˈdʒʌmbəu] adj ~(**-sized**),
géant ‖ Av. ~**-jet**, avion gros porteur.

jump [dʒʌmp] vi sauter, bondir ‖
FIN. [prices] faire un bond ‖ FIG.
~ **at**, sauter sur (an offer) ; ~ **to
conclusions**, conclure à la légère —
vt sauter, franchir (d'un bond) ‖ SP.
faire sauter (a horse) ‖ RAIL. ~ **the
rails**, dérailler ‖ COLL. ~ **the queue**,
resquiller, passer avant son tour ;
~ **the lights**, griller un feu rouge ●
n saut, bond m ; at one ~, d'un bond
‖ sursaut m ; **give sb a ~**, faire
sursauter qqn ‖ SP. **high ~**, saut en
hauteur ; **long ~**, saut en longueur ;
running ~, saut m avec élan ; **standing
~**, saut m à pieds joints ‖ INF.
branchement m ‖ ~**er** n sauteur n
‖ [garment] pull-over ; marinière f
(sailor's) ‖ ~**y** adj nerveux.

junct|ion [ˈdʒʌŋʃn] n jonction f ‖
[rivers] confluent m ‖ [roads] bifurcation f ; [crossroads] carrefour, croisement m ‖ RAIL. embranchement m
‖ MIL. jonction f ‖ ~**ure** [-tʃə] n
TECHN. jointure f ‖ FIG. conjoncture
f ; **at this ~**, en cette circonstance.

June [dʒuːn] n juin m.

jungle [ˈdʒʌŋgl] n jungle f.

junior [ˈdʒuːnjə] adj cadet ; Smith ~
(abbr. Jr.), Smith fils/junior ● n cadet
n ‖ ~ **high school**, U.S. collège m.

juniper [ˈdʒuːnipə] n genévrier m.

junk¹ [dʒʌŋk] n bric-à-brac m ‖ COLL.
matériaux mpl de rebut ; camelote f
(trash) ‖ ~ **dealer**, brocanteur n ‖
~ **yard**, U.S. dépotoir m ‖ SL. came
f (pop.) ‖ ~**ie** n drogué, camé n
(arg.).

junk² n NAUT. jonque f.

junket [ˈdʒʌŋkit] n CULIN. lait caillé.

juris|diction [dʒuərisˈdikʃn] n juridiction *f* ; compétence *f,* ressort *m* ; *be under the ~ of,* ressortir à ‖ **~prudence** [´dʒuəris´pru:dns] *n* jurisprudence *f.*

jur|or [´dʒuərə] *n* juré *m* ‖ **~y** *n* jury *m* ‖ **~yman** *n* juré *m.*

just [dʒʌst] *adj* juste : bien fondé (fair) ‖ juste, mérité (deserved) ‖ équitable (lawful) ● *adv* juste (exactly) ‖ *~ now,* à l'instant (même) ; *~ as,* à l'instant où ‖ *he has ~ gone,* il vient de sortir ; *I was ~ leaving,* je partais ‖ *~ give a ring,* vous n'avez qu'à téléphoner ‖ *~ out,* vient de paraître (book).

justice [´dʒʌstis] *n* justice *f* ; *do sb*

~, rendre justice à qqn ; *do ~ to a meal,* faire honneur à un repas ‖ juge *m* (judge) ; *Justice of the Peace,* juge *m* de paix.

justif|iable [´dʒʌstifaiəbl] *adj* justifiable ‖ **~ication** [-i´keiʃn] *n* justification *f* ‖ **~ied** [-aid] *adj* fondé ‖ **~y** [-ai] *vt* justifier.

justly [´dʒʌstli] *adv* justement ; à juste titre.

jut [dʒʌt] *vi ~ out,* faire saillie.

juvenile [´dʒu:vinail] *adj* juvénile ‖ *~ court,* tribunal *m* pour enfants.

juxtapose [´dʒʌkstəpəuz] *vt* juxtaposer.

K

k [kei] *n* k *m.*

kaleidoscope [kə´laidəskəup] *n* kaléidoscope *m.*

kangaroo [´kæŋgə´ru:] *n* kangourou *m.*

kaolin [´keiəlin] *n* kaolin *m.*

karate [kə´rɑ:ti] *n* karaté *m.*

kart [kɑ:t] *vi go ~ing,* faire du karting.

kayak [´kaiæk] *n* kayak *m.*

keel [ki:l] *n* NAUT. quille *f.*

keen [ki:n] *adj* aiguisé, affilé (sharp) ‖ FIG. vif (air) ; dévorant (appetite) ; pénétrant, perspicace (mind) ; vif (interest) ; perçant (eyesight) ‖ FIG. ardent, enthousiaste (person) ; *~ on,* passionné de ; COLL. *he's ~,* il en veut

(fam.) ‖ **~ly** *adv* vivement, ardemment ‖ **~ness** *n* tranchant *m* (of edge) ‖ âpreté *f* (of cold) ‖ finesse *f* (of hearing) ‖ acuité *f* (of pain, sight) ‖ pénétration *f* (of intelligence) ‖ ardeur *f,* empressement *m* (of sb).

keep [ki:p] *vt* (kept [kept]) garder, tenir (promise, secret) ‖ observer, célébrer (feast-day) ‖ entretenir ; *~ house,* tenir le ménage ; *~ open house,* tenir table ouverte ‖ [own] posséder ; *~ a shop,* tenir un commerce ‖ [look after] *~ hens,* élever des poules ‖ tenir (a diary) ‖ [support] entretenir, faire vivre (one's family) ‖ *~ servants,* avoir des domestiques ‖ [maintain] *~ warm,* tenir chaud ; *~ fit,* maintenir en forme ‖ [hold] retenir (sb) ; *~ sb*

waiting, faire attendre qqn ‖ [detain] garder (sth) ; détenir (prisoner) ‖ [prevent from] ~ *sb from doing,* empêcher qqn de faire ‖ ~ *me informed,* tenez-moi au courant ‖ *well kept,* bien tenu (house) ; bien entretenu (garden) ‖ *an eye on,* surveiller ‖ Aut. ~ *(to the) left,* garder sa gauche ; ~ *left !* serrez à gauche ‖ Comm. tenir (an article) ‖ Fin. ~ *the accounts,* tenir les comptes ‖ ~ *away,* écarter, tenir éloigné ‖ ~ *back,* retenir, détenir ; taire (secrets) ‖ ~ *down,* maîtriser ‖ ~ *from,* s'abstenir de *(doing,* faire) ‖ ~ *in,* entretenir (fire) ; réprimer (feelings) ; garder en retenue (a schoolboy) ‖ ~ *off,* tenir qqn à distance ‖ ~ *on,* garder (sur soi) ‖ ~ *out,* empêcher d'entrer ‖ ~ *under,* dominer (passions) ; mater (sb) ‖ ~ *up,* soutenir ; maintenir (traditions) ; empêcher de se coucher, faire veiller (sb) ; entretenir ; entretenir (a correspondence) ; soutenir (conversation) — *vi* demeurer, rester ; ~ *quiet,* se tenir tranquille ; ~ *fit,* se maintenir en forme ; ~ *smiling,* continuer à sourire ‖ s'empêcher *(from,* de), éviter *(from,* de) ‖ [meat] se conserver ‖ ~ *away,* se tenir à l'écart ‖ ~ *back,* rester en arrière ‖ ~ *in,* rester chez soi ‖ ~ *off,* ne pas s'approcher ‖ ~ *on,* continuer ; ~ *straight on,* continuez tout droit ‖ ~ *to,* tenir (promise) ; ~ *to the subject,* ne pas s'écarter du sujet ; ~ *to one's bed,* garder le lit ‖ ~ *under,* contenir, dominer ‖ ~ *up,* se maintenir ; ~ *up with,* rivaliser avec ● *n* vie, subsistance *f* ‖ Arch. donjon *m* ‖ Coll. *for ~s,* pour de bon ‖ ~**er** *n* gardien *m* ‖ ~**ing** *n* entretien *m* ; garde *f* ; *in ~ with,* en rapport avec ‖ ~**sake** [-seik] *n* souvenir *m* (object).

kennel [´kenl] *n* niche *f* ; chenil *m*.

kept → KEEP.

kerb [kə:b] *n* bord *m* de trottoir.

kernel [´kə:nl] *n* amande *f* (of a nut, fruit-stone).

kerosene [´kerəsi:n] *n* U.S. pétrole *m* (lampant) ‖ Av. kérosène *m*.

ketchup [´ketʃəp] *n* ketchup *m*.

kettle [´ketl] *n* bouilloire *f* ; *(fish)* ~, poissonnière *f* ‖ ~**drum** *n* Mus. timbale *f*.

key [ki:] *n* clef, clé *f* ‖ touche *f* (of a piano, typewriter) ‖ Mus. ton *m* ‖ Fig. clef, solution *f* (of a problem) ; livre *m* du maître, corrigé *m* (book) ‖ Mil. ~ *position,* position *f* stratégique ‖ Geogr. légende *f* (of a map) ● *vt* accorder (musical instrument) ‖ ~ *up,* surexciter ; *be ~ed* [ki:d] *up,* être tendu, nerveux ‖ ~**board** *n* clavier *m* (of piano, typewriter) ‖ ~**hole** *n* trou *m* de (la) serrure ‖ ~**-man** *n* spécialiste *m,* cheville ouvrière ‖ ~**money** *n* pas *m* de porte, reprise *f* ‖ ~**note** *n* Mus. tonique *f* ‖ Fig. dominante *f* ‖ ~**-ring** *n* (anneau *m*) porte-clefs *m* ‖ ~**stone** *n* clef *f* de voûte.

khaki [´kɑ:ki] *adj* kaki.

kick [kik] *n* coup *m* de pied ‖ ruade *f* (of a horse) ‖ recul *m* (of a gun) ‖ Fig., Coll. ressort *m* (resilience) ; plaisir *m* intense (thrill) ● *vt* donner un coup de pied à ‖ Fig. ~ *one's heels,* croquer le marmot (fam.) ; poireauter (fam.) ‖ ~ *back,* Coll. restituer ‖ ~ *up,* Fig. provoquer, lancer — *vi* donner des coups de pied ‖ [horse] ruer ‖ [gun] reculer ‖ Fig. regimber *(at,* contre) ; se rebiffer *(against,* contre) ‖ ~ *off,* donner le coup d'envoi (football) ; ~*-off (n),* coup *m* d'envoi ‖ ~ *up,* ; ~ *up a fuss/row,* faire du scandale/tout un cirque (fam.) ‖ ~**y** *adj* U.S. excitant.

kid [kid] *n* chevreau *m* ‖ ~ *gloves,* gants *mpl* de chevreau ‖ Fam. gosse *m* (fam.) ● *vt* Coll. taquiner, faire marcher (qqn) ; *no ~ding !,* blague à part, sans blague ! ‖ ~**dy** *n* gosse, gamin, mioche *m* (fam.) ‖ ~**nap** [-næp] *vt* enlever, kidnapper ‖ ~**napping** *n* enlèvement *m,* kidnapping *m.*

kidney [´kidni] *n* rein *m* ‖ Culin. rognon *m* ‖ ~ *bean* *n* haricot *m* rouge ‖ ~ *machine* *n* rein artificiel.

kill [kil] *vt* tuer (persons) ; abattre (animals) ● *n* mise *f* à mort ‖ proie *f* (animal killed) ‖ **~er** *n* tueur *m* ‖ **~ing** *adj* meurtrier ‖ COLL. marrant, crevant, tordant (fam.) ‖ **~-joy** *n* rabat-joie *m inv.*

kiln [kiln] *n* four *m* ; étuve *f*.

kilo [ˈkiːləu] *n* COLL. kilo *m*.

kilo|gram(me) [ˈkiləgræm] *n* kilo-(gramme) *m* ‖ **~metre** [ˈkiləˌmiːtə] *n* kilomètre *m* ‖ **~watt** [ˈkiləwɔt] *n* kilowatt *m*.

kilt [kilt] *n* kilt *m.*

kin [kin] *n* parents *mpl*, parenté *f ;* **next of ~**, le(s) plus proche(s) parent(s).

kind¹ [kaind] *n* espèce, catégorie, sorte *f*, genre *m* ; *of a ~*, de même nature ‖ FIN. *in ~*, en nature ‖ COLL. *~ of*, dans une certaine mesure, comme qui dirait ; pour ainsi dire ; presque.

kind² *adj* bon, bienveillant, aimable ; *be so ~ as to*, ayez l'obligeance/ l'amabilité de ; *it's ~ of you to*, c'est gentil à vous de.

kinda [ˈkaində] U.S., COLL. = KIND OF.

kindergarten [ˈkindəˌgɑːtn] *n* jardin *m* d'enfants.

kindl|e [ˈkindl] *vt* allumer, enflammer — *vi* s'enflammer ‖ **~ing** *n* petit bois, allume-feu *m.*

kind|ly [ˈkaindli] *adj* bon, bienveillant ● *adv* avec bonté/bienveillance ‖ **~ness** *n* bonté, obligeance *f; out of ~*, par bonté d'âme ‖ service rendu (favour) ; *do sb a ~*, rendre service à qqn.

kindred [ˈkindrid] *n* parenté *f* (kinship) ; famille *f* (kinsfolk) ● *adj* apparenté.

king [kin] *n* roi *m* ‖ [chess, cards] roi *m* ; [draughts] dame *f* ‖ FIG. roi *m* ; [advertising] **~-size**, grand format ‖ **~dom** [-dəm] *n* royaume *m* ‖ FIG. domaine *m* ; règne *m* ; the animal ~, le règne animal ‖ **~fisher** *n* martin-pêcheur *m* ‖ **~ly** *adj* royal.

kink [kink] *n* nœud *m* (in hair, wire) ‖ FIG. [mind] anomalie *f*; [sex] déviation *f* ● *vi/vt* (s')entortiller ‖ **~y** *adj* crépu (hair) ‖ bizarre, excentrique (person) ‖ [sexual] perverti, vicieux ; *~ boots*, cuissardes *fpl.*

kin|sfolk [ˈkinzfəuk] *n* famille *f*, parents *mpl* ‖ **~ship** *n* parenté *f* ‖ FIG. ressemblance *f* ‖ **~sman** [-ˈzmən], **~swoman** [-ˌzwumən] *n* parent *m.*

kiosk [ˈkiːɔsk] *n* kiosque *m* ‖ cabine *f* (téléphonique).

kipper [ˈkipə] *n* hareng salé et fumé.

kiss [kis] *n* baiser *m* ‖ MED. *give the ~ of life*, faire du bouche-à-bouche *m inv* ● *vt* donner un baiser, embrasser ‖ **~-curl** *n* accroche-cœur *m* ‖ **~-proof** *adj* indélébile (lipstick).

kit [kit] *n* MIL. équipement *m* ‖ TECHN. trousse *f* (for tools) ‖ SP. équipement *m* ; COLL. affaires *fpl* ‖ TECHN. [set] trousse *f*, nécessaire *m* ; [separate parts] kit *m* ‖ **~-bag** *n* sac *m* (de voyage, de marin, etc.).

kitchen [ˈkitʃin] *n* cuisine *f* ‖ **~ette** [ˌkitʃiˈnet] *n* kitchenette *f* ‖ **~-garden** *n* jardin potager ‖ **~ range** *n* cuisinière *f* ‖ **~-salt** *n* sel *m* de cuisine ‖ **~ unit** *n* élément *m* de cuisine ‖ **~ware** *n* ustensiles *mpl* de cuisine.

kite [kait] *n* cerf-volant *m* ; *fly a ~*, faire voler un cerf-volant ; FIG. lancer un ballon d'essai ‖ ZOOL. milan *m.*

kith [kiθ] *n* relations *fpl* ; *~ and kin*, amis et parents.

kitten [ˈkitn] *n* chaton *m.*

kitty [ˈkiti] *n* COLL. cagnotte *f* ; *let's go ~*, faisons une cagnotte, partageons les frais.

kleptoma|nia [ˌkleptəˈmeinjə] *n* kleptomanie *f* ‖ **~niac** [-niæk] *n* kleptomane *m.*

knack [næk] *n* tour *m* de main ‖ truc, chic *m* (*for*, pour).

knapsack [´næpsæk] n sac m à dos, havresac m.

knave [neiv] n coquin m, canaille f ‖ [cards] valet m.

knead [ni:d] vt pétrir (dough) ‖ MED. masser ‖ ~**ing machine** n pétrin m.

knee [ni:] n genou m; on one's ~s, à genoux; go down on one's ~s, se mettre à genoux ‖ down/up to the ~s, à mi-jambe ‖ ~**-cap** n rotule f ‖ ~**-deep** adj jusqu'aux genoux.

kneel [ni:l] vi (knelt [nelt]) ~ down, s'agenouiller, se mettre à genoux ‖ ~**ing** adj à genoux.

knell [nel] n glas m ● vt sonner le glas.

knelt → KNEEL.

knew → KNOW.

knick-knack [´niknæk] n COLL. babiole f, colifichet m.

knife, -ives [naif, -vz] n couteau m; flick ~, couteau à cran d'arrêt; jack ~, couteau de poche; kitchen ~, couteau de cuisine; pocket ~, couteau de poche ● vt poignarder.

knight [nait] n chevalier m ‖ [chess] cavalier m ● vt faire qqn chevalier ‖ ~**hood** n titre m de chevalier.

knit [nit] vt (knit or knitted [´nitid] tricoter ‖ FIG. contracter; ~ one's brows, froncer les sourcils — vi [bones] ~ together, se souder ‖ ~**ting** n tricot m (action); ~**-machine**, machine f à tricoter; ~**-needle**, aiguille f à tricoter ‖ ~**wear** n COMM. tricot m.

knives → KNIFE.

knob [nɔb] n bouton m (of door, drawer, radio set) ‖ petit morceau; ~ of butter, noix f de beurre.

knock [nɔk] n coup, heurt, choc m ● vt cogner, frapper, heurter; ~ one's head, se cogner la tête (against, contre) ‖ ~ down, renverser, faire tomber; adjuger (at an auction); démolir (destroy) ‖ COLL. faire baisser (a price) ‖ ~ in, enfoncer ‖ ~ off, faire tomber; COMM. déduire, rabattre (sth

from the price) ‖ ~ out, secouer, vider (a pipe); SP. mettre knock-out; ~ out senseless, assommer; éliminer (from competition) ‖ ~ up, réveiller en cognant (à la porte); faire/fabriquer à la va-vite (fam.); éreinter, épuiser.

— vi cogner, frapper ‖ se cogner (against, contre) ‖ AUT. cogner ‖ ~ at the door, frapper à la porte ‖ ~ about, vadrouiller, courir le monde, bourlinguer ‖ ~ off, débrayer, cesser le travail ‖ ~ up, [tennis] faire des balles; ~-up (n): have a ~-up, faire des balles ‖ ~er n marteau, heurtoir m (at door) ‖ ~**ing-down** n adjudication f.

knoll [nəul] n mamelon, tertre m.

knot [nɔt] n nœud m; running ~, nœud coulant ‖ tie/untie a ~, faire/défaire un nœud ‖ NAUT. nœud m; make 10 ~s, filer 10 nœuds ‖ FIG. difficulté f ● vt nouer ‖ ~**ty** [-ti] adj noueux ‖ FIG. difficile, épineux (problem).

know [nəu] vt (knew [nju:], known [nəun] savoir, connaître — **not to** ~, ignorer; ~ by heart, savoir par cœur; let sb ~, faire savoir à qqn; as far as I ~, for all I ~, autant que je sache; not that I ~ of, pas que je sache ‖ apprendre (learn) ‖ voir, entendre dire ‖ reconnaître; I didn't ~ you in your new dress, je ne vous ai pas reconnue dans votre nouvelle robe ‖ get to ~ sth, apprendre qqch ‖ be ~n to/as, être connu de/pour; make ~n, publier; make oneself ~n, se présenter — vi connaître; ~ about, être au courant de; s'y connaître en; savoir; ~ better, être assez avisé pour; ~ better than to, se bien garder de ● n in the ~, au courant ‖ ~**-how** n tour m de main, technique f, savoir-faire m ‖ ~**ing** adj au courant, informé, délibéré (purposeful) ‖ ~**ingly** adv sciemment (intentionally) ‖ d'un air entendu (showing knowledge of the facts) ‖ savamment (from experience) ‖ ~**ledge** [´nɔlidʒ] n connaissance,

science *f*, savoir *m* ‖ *without my ~,*
à mon insu ; *general ~,* culture générale ‖ *~ledgeable adj* bien informé ; *be ~ about,* s'y connaître en.

known → KNOW.

knuckle [ˈnʌkl] *n* MED. jointure,

Kore|a [kəˈriə] *n* Corée *f* ‖ *~an adj*
coréen ● *n* Coréen *n* (person) ‖
coréen *m* (language).

kudos [ˈkjuːdɔs] *n* COLL. gloire *f*.

L

l [el] *n* l *m*.

label [ˈleibl] *n* étiquette *f* ‖ [disc]
marque *f* ‖ [fashion designer] griffe
f ● *vt* étiqueter.

laboratory [ləˈbɔrətri] *n* labora-
toire *m*.

laborious [ləˈbɔːriəs] *adj* laborieux,
pénible (task).

labo(u)r [ˈleibə] *n* travail *m* ; *Labour
Day,* fête *f* du travail ; *Labour
Exchange,* Agence *f* pour l'emploi ‖
main-d'œuvre *f* (manpower) ‖ *hard
~,* travaux forcés ‖ main-d'œuvre *f*
‖ POL. *Labour Party,* parti *m* tra-
vailliste ‖ MED. travail *m* ; *~ pains,*
douleurs *fpl* de l'accouchement ● *vi*
travailler dur ‖ [engine] peiner ‖ *~er*
[-rə] *n* manœuvre *m* ‖ *~-saving adj
~ device,* appareil (électro)ménager.

labyrinth [ˈlæbərinθ] *n* labyrinthe *m*.

lace [leis] *n* lacet *m* (of boots) ‖
dentelle *f* (ornament) ‖ galon *m*
(braid) ● *vi/vt ~ (up),* [se] lacer —
vt renforcer, corser (*with,* de) [drink]
‖ *~maker n* dentellière *f*.

lacerate [ˈlæsəreit] *vt* lacérer.

lack [læk] *n* manque *m*, pénurie *f* (of,

de) ; *for ~ of,* par manque de, faute
de ; à défaut de ● *vt* manquer (de
qqch) — *vi* faire défaut ; *~ for,*
manquer de ; *~ for nothing,* ne
manquer de rien ; *be ~ing in,* manquer de (*sth,* qqch) ‖ *~adaisical*
[ˌlækəˈdeizikl] *adj* nonchalant, indolent (listless) ‖ fait à la va-comme-
je-te-pousse (work) ‖ *~ing adj* manquant ‖ *~lustre* [-ˈlʌstə] *adj* terne.

laconic [ləˈkɔnik] *adj* laconique.

lacquer [ˈlækə] *n* laque *f*.

lad [læd] *n* jeune homme, garçon *m* ;
gars *m* (fam.) ‖ SP. lad *m*.

ladder [ˈlædə] *n* échelle *f* ‖ [stoc-
king] maille filée ; *mend a ~ in,*
remmailler ● *vi* [stockings] filer ‖
~-proof adj indémaillable.

lad|e [leid] *vt* (p. p. laden [ˈleidn])
charger (ship) ‖ *~en* [-n] *adj* chargé.

la-di-da [ˌlɑːdiˈdɑː] *adj* prétentieux,
snob.

lading [ˈleidiŋ] *n* NAUT. chargement
m ; *bill of ~,* connaissement *m*.

ladle [ˈleidl] *n* louche *f*.

lady [ˈleidi] *n* dame *f* ; *young ~,*
demoiselle *f* ; *Ladies and Gentlemen,*

Mesdames, (Mesdemoiselles,) Messieurs ‖ **lady** f (title) ‖ ~ *of the manor,* châtelaine f ‖ Rel. *Our Lady,* Notre-Dame ‖ ~**bird** n coccinelle f ‖ ~**-doctor/-teacher** femme f médecin/professeur.

lag¹ [læg] vt calorifuger (pipes).

lag² vi rester en arrière, traîner ; ~ *behind,* être à la traîne ● n retard m ‖ → jet/time-lag.

lager ['lɑ:gə] n bière blonde.

laggard ['lægəd] n traînard m.

lagoon [lə'gu:n] n lagune f.

laid → lay³.

lain → lie².

lair [lɛə] n tanière f ‖ Fig. repaire m.

laity ['leiiti] n *the ~,* les laïques.

lake [leik] n lac m.

lamb [læm] n agneau m.

lame [leim] adj boiteux.

lament [lə'ment] vt déplorer — vi se lamenter sur ● n lamentation f.

laminate ['læmineit] vt laminer ; ~d *windscreen,* pare-brise m en verre feuilleté.

lamp [læmp] n lampe f ‖ ~**-post,** réverbère m ‖ ~**-shade,** abat-jour m ‖ ~**-stand,** lampadaire m.

lampoon [læm'pu:n] n pamphlet m.

lance [lɑ:ns] n lance f ‖ Mil. ~**-corporal,** soldat m de première classe ● vt Méd. ouvrir (an abscess).

lancet ['lɑ:nsit] n Méd. lancette f, bistouri m.

land [lænd] n terre f ; *dry ~,* terre ferme ‖ terre f, terrain m (property) ‖ pays m (country) ; *native ~,* patrie f ● vt décharger (cargo) ‖ débarquer (troops) — vi Av. atterrir (on the ground) ; amerrir (on the sea) ; ~ *on the moon,* alunir ‖ Naut. [passengers] débarquer, descendre à terre ‖ Fig. échouer ‖ ~**-agent** n régisseur m ‖ ~**ed** [-id] adj foncier (property) ‖ ~**-forces** n armée f de terre.

landing¹ ['lændiŋ] n [stairs] palier m.

landing² n Naut. débarquement m ; ~ *card,* carte f de débarquement ‖ Av. atterrissage m (on land) ; amerrissage m (on sea) ; *forced ~,* atterrissage forcé ‖ ~**-gear** n Av. train m d'atterrissage ‖ ~**-craft** n Mil. péniche f de débarquement ‖ ~**-net** n épuisette f ‖ ~**-stage** n débarcadère m ‖ ~**-strip** n piste f d'atterrissage.

land|lady ['læn,leidi] n propriétaire, logeuse f ‖ ~**lord** n propriétaire m ‖ [bar] patron m ‖ ~**-lubber** n terrien n ‖ ~**mark** n (point m de) repère m ‖ ~**owner** n propriétaire n (foncier) ‖ ~**-registry** n cadastre m ‖ ~**-rover** n T.N. voiture f tout terrain ‖ ~**scape** n paysage m ‖ ~**-gardener,** jardinier n paysagiste ; ~**-painter,** paysagiste n ‖ ~**slide** n glissement m de terrain, éboulement m ‖ Fig., Pol. raz m de marée ‖ ~**slip** n glissement m de terrain, éboulement m.

lane [lein] n [country] chemin m ‖ [town] ruelle f ‖ Aut. [road] voie f ; [traffic] file f ; *four-~ highway,* route f à quatre voies ‖ Av., Naut. route f.

language ['læŋgwidʒ] n langage m ‖ [particular system] langue f.

langu|id ['læŋgwid] adj languissant ; langoureux ‖ ~**ish** vi languir ‖ ~**or** ['læŋgə] n langueur f.

lank [læŋk] adj maigre, décharné (body) ‖ plat (hair) ‖ ~**y** adj grand et maigre, efflanqué.

lantern ['læntən] n lanterne f.

lap¹ [læp] vt ~ *up,* laper ● n gorgée f ‖ soupe f (for dogs) ‖ clapotis m.

lap² n pan m (of a garment) ‖ giron m ‖ genoux mpl (when sitting) ; *sit on sb's ~,* s'asseoir sur les genoux de qqn.

lap³ vt enrouler (*around,* autour de) ● n Sp. tour m (de piste) ‖ ~**-dissolve** n Cin. fondu enchaîné.

lapel [lə'pel] n revers m.

lapidary ['læpidəri] adj/n lapidaire (m).

lapse [læps] n [time] a ~ of time, un laps de temps ‖ [fault] légère faute, défaillance f; écart m (de conduite) ‖ ~ **of memory,** trou m de mémoire ● vi [behaviour] faire un écart de conduite ‖ JUR. tomber en désuétude ‖ FIG. déchoir; ~ **from favour,** tomber en disgrâce.

larceny ['lɑːsni] n JUR. vol m; petty ~, larcin m.

larch [lɑːtʃ] n mélèze m.

lard [lɑːd] n saindoux m ● vt CULIN. larder (with, de).

larder ['lɑːdə] n armoire f à provisions; cellier m, resserre f (storeroom).

large [lɑːdʒ] adj grand (spacious), volumineux, gros (big) ‖ FIG. at ~, en général; en liberté (prisoner); by and ~, dans l'ensemble ‖ ~**ly** adv en grande partie ‖ ~**ness** n grandeur, étendue f ‖ ~-**scale** adj de grande envergure, sur une grande échelle.

lark [lɑːk] n alouette f.

larva, -vae ['lɑːvə, -iː] n larve f.

larynx ['læriŋks] n larynx m.

lascivious [lə'siviəs] adj lascif.

laser ['leizə] n laser m ‖ INF. ~ **printer,** imprimante f à laser.

lash[1] [læʃ] n mèche f (of whip) ‖ coup m de fouet (stroke) ● vt fouetter, cingler (whip).

lash[2] vt attacher ‖ amarrer, arrimer (cargo).

lass [læs] n [Scotland] jeune fille f.

last[1] [lɑːst] adj dernier; ~ **but one,** avant-dernier; ~ **night,** hier soir; the evening before ~, avant-hier soir; this day ~ week, il y a aujourd'hui huit jours ‖ ~ **but not least,** le dernier mais non le moindre ● adv en dernier ● n fin f, dernier m; to the ~, jusqu'au bout; at ~, enfin.

last[2] vi durer; too good to ~ im, trop beau pour durer ‖ ~**ing** adj durable.

lastly ['lɑːstli] adv pour finir.

latch [lætʃ] n loquet m; off the ~, entrebâillé; on the ~, fermé au demi-tour ‖ ~-**key** n clef f de la porte d'entrée.

late [leit] adj en retard; the train is ten minutes ~, le train a dix minutes de retard; make sb ~, mettre qqn en retard ‖ tard; in the ~ afternoon, vers la fin de l'après-midi; it is getting ~, il se fait tard; at a ~ hour, à une heure avancée; keep ~ hours, se coucher tard ‖ tardif (frost, growth) ‖ récent, dernier (events); of ~, récemment ‖ défunt (deceased) ‖ ancien (former) ● adv tard, en retard, tardivement; sleep ~, faire la grasse matinée ‖ ~-**comer** n retardataire n ‖ ~**ly** adv dernièrement, depuis peu.

latent ['leitənt] adj latent.

later ['leitə] (comp.) adj → LATE ‖ plus tardif ● adv ~ (on), plus tard; sooner or ~, tôt ou tard ‖ COLL. see you ~, à tout à l'heure.

lateral ['lætrəl] adj latéral.

latest ['leitist] (sup.) adj → LATE ‖ le plus tard (in time) ‖ ~ news, dernières nouvelles ● n the ~, la dernière (nouvelle/etc.); at the ~, au plus tard.

lathe [leið] n TECHN. tour m.

lather ['lɑːðə] n mousse f (of soap) ● vt savonner.

latin ['lætin] adj latin; the Latin quarter, le Quartier latin.

latitude ['lætitjuːd] n latitude f.

latter ['lætə] adj dernier, récent; the ~, ce dernier, celui-ci (of two) ‖ → FORMER ‖ ~**ly** adv dernièrement, récemment.

lattice ['lætis] n treillage, treillis, grillage m; ~-**window,** fenêtre f à meneaux de plomb.

laudatory ['lɔːdətri] adj élogieux.

laugh [lɑːf] n rire m; give a forced ~, rire jaune ● vi rire; ~ till one cries, rire aux larmes ‖ se moquer (at, de) ‖ ~**able** adj risible, ridicule ‖ ~**ing**

adj rieur (person) ‖ risible (matter) ‖ ~**-gas,** gaz *m* hilarant ‖ ~**-stock,** (objet *m* de) risée *f* ‖ ~**ter** [-tə] *n* rire *m*.

launch [lɔ:nʃ] *n* vedette, chaloupe *f* ● *vt* lancer (product, satellite, ship) ‖ ~**ing** *n* lancement *m* ‖ NAUT. mise *f* à flot ‖ ASTR. ~ **pad/site,** plate-forme/aire *f* de lancement.

laund|er [lɔ:ndə] *vt* blanchir, laver (clothes) ‖ ~**erette** [lɔ:ndˈret] *n* laverie *f* automatique ‖ ~**ress** [lɔ:ndris] *n* blanchisseuse *f* ‖ ~**ry** *n* [place] blanchisserie *f* ‖ [clothes] linge *m* (sale) ; *do the* ~, faire la lessive ; *send to the* ~ , donner au blanchissage.

laurel [lɔrl] *n* laurier *m*.

lava [lɑːvə] *n* lave *f*.

lavatory [ˈlævətri] *n* lavabos *mpl*, toilettes *fpl* ‖ U.S. cabinet *m* de toilette.

lavender [ˈlævində] *n* lavande *f*.

lavish [ˈlæviʃ] *adj* généreux, prodigue (person) ‖ plantureux (meal) ‖ somptueux, luxueux (flat) ● *vt* prodiguer ‖ ~**ly** *adv* généreusement, sans compter ; à profusion ‖ ~**ness** *n* extravagance *f* (spending) ‖ prodigalité *f* luxe *m*.

law [lɔ:] *n* loi *f* ; ~ *and order,* ordre public ‖ [system] droit *m* ; *study* ~, faire son droit ; *common* ~, droit coutumier ; *case* ~ , jurisprudence *f* ; *statute* ~ , droit écrit ; *go to* ~, intenter un procès ‖ ~**-abiding** *adj* respectueux des lois ‖ ~**-court** *n* tribunal *m* ‖ ~**ful** *adj* légal, licite, légitime ‖ ~**fully** *adv* légalement ‖ ~**less** *adj* sans loi, anarchique ‖ ~**lessness** *n* anarchie *f* ‖ FIG. désordre *m* ‖ ~**-maker** *n* législateur *m* ‖ ~**-suit** *n* procès *m* ‖ ~**yer** [-jə] *n* homme *m* de loi, juriste *n* ‖ notaire *m* (notary) ‖ avocat *m* (barrister).

lawn [lɔ:n] *n* gazon *m*, pelouse *f* ‖ ~**-mower** *n* tondeuse *f* (à gazon) ‖ ~ **tennis** *n* tennis *m* sur gazon.

lax [læks] *adj* relâché, négligent ‖ *become* ~, se relâcher.

laxative [ˈlæksətiv] *adj/n* laxatif (*m*).

lay¹ [lei] *adj* laïque/laïc ; ~**man,** profane *m*.

lay² → LIE².

lay³ [lei] *vt* (laid [leid]) poser à plat, étendre, coucher ‖ poser, placer (an object) ‖ recouvrir (a surface) ; ~ *the table/cloth,* mettre la table ‖ préparer (a fire) ‖ mettre ; ~ *hands on,* mettre la main sur ‖ MIL. tendre (an ambush) ; pointer (a gun) ‖ SP. miser sur (a horse) ; parier (a sum) ‖ ZOOL. pondre (eggs) ‖ FIG. apaiser ; ~ *sb's fears,* dissiper les craintes de qqn ‖ FIG. mettre ; ~ *one's hopes on,* placer (tous) ses espoirs sur ; ~ *stress on,* insister sur ‖ SL. [sex] ~ *with,* baiser (pop.) ‖ ~ *aside/by,* mettre de côté ; ~*-by (n),* parking *m* (en bordure de route) ‖ ~ *down,* poser, déposer ; FIG. établir (a rule, a plan) ‖ ~ *in,* faire provision de (goods) ‖ ~ *off,* licencier, débaucher ; mettre en chômage (technique) ; ‖ ~ *on,* TECHN. installer (gas, water) ‖ FIN. imposer (taxes) ‖ ~ *out,* disposer ‖ CULIN. servir (meal) ; tracer (road) ; dessiner (a garden) ; TECHN. mettre en pages ; FIN. débourser de l'argent ‖ ~ *over vi* U.S. faire halte, s'arrêter ‖ ~ *up,* mettre de côté (*for,* pour) ; NAUT. désarmer (a ship) ‖ MED. [passive] *laid up,* alité ● *n* orientation, disposition *f* (of land).

layabout *n* fainéant *n*.

layby [ˈleibai] *n* [road] parking *m*, aire *f* de stationnement.

layer [ˈleiə] *n* [paint] couche *f*.

lay-figure [ˈleiˈfigə] *n* ARTS mannequin *n*.

layman [ˈleimən] *n* laïque/laïc *m* ‖ FIG. profane *m*.

lay|-off *n* licenciement *m* ‖ ~**out** *n* agencement (of a flat) ; mise *f* en page (of printed matter) ; configuration *f* (of the land) ‖ ~**-over** *n* halte *f*.

lazaret(to) [ˌlæzəˈret(əu)] *n* léproserie *f*.

laz|e [leiz] *vi* ~ *(about),* paresser ; traînasser (fam.) ‖ ~**ily** *adv* paresseusement, nonchalamment ‖ **~iness** [-inis] *n* paresse *f*; indolence *f* ‖ **~y** *adj* paresseux ; indolent ; **~-bones,** flemmard *n*.

lead¹ [led] *n* plomb *m* ‖ **~ed** [-id] *adj* plombé ‖ **~en** [-ən] de plomb ‖ lourd ‖ **~-free** *adj* sans plomb.

lead² [li:d] *vt* (led [led]) conduire, mener ; être en tête de, diriger, commander ; **~ the way,** montrer le chemin — *vi* conduire, mener ‖ [cards] jouer ‖ FIG. mener, porter ● *n* conduite, direction *f* ‖ [compétition] avance *f*; **take the ~,** prendre la tête ; *have a 2-minute ~ over,* avoir 2 minutes d'avance sur ‖ [cards] tour *m* (de jouer) ; *have the ~,* avoir la main ‖ [dog] laisse *f*; *keep a dog on a ~,* tenir un chien en laisse ‖ TH. rôle *m* principal ‖ FIG. indice *m*, conducteur, piste *f* ‖ **~ing** *adj* principal, important.

leader ['li:də] *n* meneur *n* d'hommes, guide *m* ‖ [riot] meneur *n* ‖ chef *m* (of a party) ‖ animateur *n* (of a group) ‖ [press] éditorial *m* ‖ [film] amorce *f* ‖ COMM. produit *m* d'appel ‖ **~ship** *n* direction *f*.

leading ['li:diŋ] *adj* principal, premier ; majeur.

leaf, leaves [li:f, -vz] *n* BOT. feuille *f* ‖ [book] page *f*, feuillet *m* ‖ [table] rallonge *f* ● *vt* **~ through,** feuilleter ‖ **~less** *adj* sans feuilles ‖ **~let** [-lit] *n* feuillet *m* (paper) ; prospectus *m* ‖ **~y** *adj* feuillu.

league [li:g] *n* ligue *f* ‖ [arch.] lieue *f* ‖ SP. *a ~ match,* un match de championnat.

leak [li:k] *n* fuite *f* ‖ NAUT. voie *f* d'eau ● *vi* fuir, couler ‖ NAUT. faire eau ‖ FIG. **~ out,** transpirer (news) ‖ **~age** [-idʒ] *n* fuite *f* ‖ **~y** *adj* qui fuit ; qui prend l'eau (shoes) ‖ qui fait eau (ship).

lean¹ [li:n] *adj* maigre ● *n* CU-LIN. maigre *m* ‖ **~ness** *n* maigreur *f*.

lean² [li:n] *vi* (~ed [-d] or ~t [lent]) **~ (over),** [wall] pencher ; [person] s'appuyer (*against,* sur) ‖ **~ out,** se pencher au-dehors ; *~ out of the window,* se pencher par la fenêtre — *vt* appuyer (ladder, etc.) [*against,* contre] ‖ **~ing** *n* tendance *f*, penchant *m* ‖ Pl POL. tendance *f*.

leant [lent] → LEAN².

lean-to ['li:ntu:] *n* appentis *m*.

leap [li:p] *vi* (~ed [-t] or ~t [lept]) sauter, bondir ● *n* saut, bond *m* ‖ **~-frog** *n* saute-mouton *m* ‖ **~-year** *n* année *f* bissextile.

learn [lə:n] *vi* (~ed [-d] or ~t [-t]) apprendre, s'instruire — *vt* apprendre, étudier ‖ **~ed** [-id] *adj* savant, érudit ‖ **~edly** *adv* savamment ‖ **~er** *n* débutant *n* ‖ **~ing** *n* savoir *m*, connaissance, érudition *f* ‖ étude *f*.

lease [li:s] *n* bail *m*; *on ~,* à bail ‖ FIG. *new ~ of life,* regain *m* de vie ● *vt* louer ; donner (or) prendre à bail ‖ affermer (land).

leash [li:ʃ] *n* laisse *f*.

least [li:st] *adj* le moindre (in importance) ; le plus petit (in size) ; *at ~,* au/du moins ● *adv* le moins ; *~ of all,* moins que quiconque.

leather ['leðə] *n* cuir *m*; **~bound,** relié cuir ; **~goods,** maroquinerie *f* ‖ **~y** [-ri] *adj* coriace (meat).

leave¹ [li:v] *n* permission, autorisation *f*; *with your ~,* avec votre permission ‖ congé *m* ; *take ~ of,* prendre congé de ‖ MIL. permission *f*; *on ~,* en permission ‖ *take French ~,* filer à l'anglaise.

leave² [li:v] *vt* (left (left)) laisser ; *~ sth with sb,* confier qqch à qqn ‖ *be left,* rester ; *if there's any bread left,* s'il reste du pain ‖ *~ him alone,* laissez-le tranquille ‖ quitter, abandonner (a wife) ‖ *~ about,* laisser traîner, ne pas ranger (sth) ‖ *~ behind,* oublier ; SP. distancer ‖ *~ off,* cesser ‖ *~ out,* omettre, exclure ‖ *~ over,* remettre à plus

tard, différer ; *be left over*, rester
— *vi* partir, sortir ; *be on the point of
leaving*, être sur le départ.

leaven ['levn] *n* levain *m* (lit. and
fig.) ● *vt* faire lever (dough).

Leban|on ['lebənən] *n* Liban *m*
‖ ~**ese** [-ni:z] *adj* libanais ● *n inv*
Libanais *n*.

lecher|ous ['letʃrəs] *adj* lubrique,
luxurieux ‖ ~**y** ['letʃəri] *n* luxure,
lubricité *f*.

lectur|e ['lektʃə] *n* cours *m*, confé-
rence *f* (*on*, sur) ‖ sermon *m* (talking-
to) ● *vi* donner une conférence, faire
un cours (*on*, sur) — *vt* Fig. sermon-
ner ‖ ~**er** [-rə] *n* conférencier *n*.

led → LEAD[2].

ledge [ledʒ] *n* rebord *m*, saillie *f*.

ledger ['ledʒə] *n* grand livre.

lee [li:] *n* abri *m* (against wind).

leech [li:tʃ] *n* sangsue *f*.

leek [li:k] *n* poireau *m*.

leer [liə] *n* regard sournois/
lubrique ● *vi* ~ *at*, lorgner, guigner.

lees [li:z] *npl* lie *f* (of wine).

leeward ['li:wəd] *adj/adv* NAUT.
sous le vent.

left[1] → LEAVE ‖ *have sth* ~, → HAVE
‖ ~**-luggage lockers** *n* consigne *f*
automatique ‖ ~**-luggage office** *n*
consigne *f* ‖ ~**-overs** *npl* restes *mpl*.

left[2] [left] *adj* gauche (de) ; *on your*
~ (*hand*), à votre gauche ● *adv* à
gauche ; *turn (to the)* ~, prenez à
gauche ‖ POL. *the Left (Wing)*, la
gauche ‖ ~**-hand** *adj* à/de gauche
‖ ~**-handed** *adj* gaucher ‖ ~**ist** *n*
POL. homme/femme *m/f* de gauche.

leg [leg] *n* [person] jambe *f* ; [animal]
patte *f* ; [furniture] pied *m* ‖ CULIN.
gigot *m* (of mutton) ‖ [journey] étape
f ‖ SP. *first* ~, match *m* aller ‖ COLL.
pull sb's ~, se moquer de qqn, faire
marcher qqn ‖ ~**-up** *n give sb a* ~,
faire la courte échelle à qqn.

legacy ['legəsi] *n* legs *m*.

legal ['li:gl] *adj* légal (lawful) ‖

juridique ‖ ~**ize** *vt* légaliser ‖ ~**ly**
adv légalement.

legate ['legit] *n* REL. légat *m*.

legatee [legə'ti:] *n* légataire *n*.

legend ['ledʒənd] *n* légende *f* ‖
~**ary** [-ri] *adj* légendaire.

legerdemain ['ledʒədə'mein] *n*
prestidigitation *f*.

leggings ['leginz] *npl* guêtres *fpl*.

legible ['ledʒəbl] *adj* lisible.

legion ['li:dʒn] *n* légion *f*.

legislat|e ['ledʒisleit] *vi* légiférer ‖
~**ion** [ledʒis'leiʃn] *n* législation *f* ‖
~**ive** ['ledʒislətiv] *adj* législatif ‖
~**or** *n* législateur *m* ‖ ~**ure** [-ʃə] *n*
législature *f*.

legitim|acy [li'dʒitiməsi] *n* légiti-
mité *f* ‖ ~**ate** [-it] *adj* légitime ● *vt*
légitimer ‖ ~**ize** *vt* légitimer.

leisure ['leʒə] *n* loisir *m* ; *at* ~, à
loisir ; ~ *centre*, centre *m* de loisirs
‖ ~**ly** *adj* lent, mesuré (slow) ‖ calme
● *adv* sans se presser.

lemon ['lemən] *n* citron *m* ‖ ~**ade**
[lemə'neid] *n* limonade *f* ‖ ~**-sole**
n limande *f* ‖ ~**-squash** *n* citron
pressé ‖ ~**-squeezer** *n* presse-citron
m ‖ ~**-tree** *n* citronnier *m*.

lend [lend] *vt* (lent [lent]) prêter ;
~ *a hand*, donner un coup de main
‖ ~ *oneself to*, se prêter à ‖ ~**er** *n*
prêteur *n* ‖ ~**ing** *n* prêt *m* ; ~*-library*,
bibliothèque *f* de prêts.

length [leŋθ] *n* longueur *f* ; *ten feet
in* ~, long de dix pieds ‖ durée,
étendue *f* (in time) ; *at* ~, longuement, en détail, finalement (finally) ;
at full ~, de tout son long ‖ SP. *by a*
~, d'une longueur ‖ ~**en**
vi/vt (s')allonger ‖ ~**ways** [-weiz],
~**wise** [-waiz] *adv* en longueur, dans
le sens de la longueur ‖ ~**y** *adj* long,
interminable.

len|iency ['li:njənsi] *n* douceur *f* ‖
clémence, indulgence *f* ‖ ~**ient**
[-jənt] *adj* doux (punishment) ‖ indulgent (person).

lens [lenz] *n* [glasses] verre *m* ‖

PHOT. lentille *f,* objectif *m.* || ANAT. cristallin *m.*

lent[1] → LEND.

lent[2] [lent] *n* REL. carême *m.*

lentil ['lentil] *n* BOT. lentille *f.*

Leo [liəu] *n* ASTR. Lion *m.*

leopard ['lepəd] *n* léopard *m.*

leotard ['li:ətɑːd] *n* justaucorps *m.*

leper ['lepə] *n* lépreux *m.*

lepr|osy ['leprəsi] *n* MED. lèpre *f* || ~**ous** *adj* lépreux.

lesion ['li:ʒn] *n* MED. lésion *f.*

less[1] [les] *adj/pron* (comp. of LITTLE) moindre, plus petit || moins de ; ~ *money,* moins d'argent ● *adv* moins ; *the* ~ *as,* d'autant moins que ; *no* ~, pas moins ; ~ *and* ~, de moins en moins ; *none the* ~, néanmoins || ~ moins.

...less[2] *suffix* sans.

less|en ['lesn] *vt* diminuer || ~**er** ['lesə] *adj* moindre.

lesson ['lesn] *n* leçon *f* ; *private* ~s, leçons particulières || *Pl* cours *m,* classe *f* ; *French* ~s, cours de français.

lest [lest] *conj* de peur que.

let[1] [let] *n* obstacle *m* || SP. [tennis] let ; « net » (impr.).

let[2] [let] *vt* (let) laisser ; ~ *fall,* laisser tomber ; ~ *go (of),* lâcher (sth) || ~ *sb know,* faire savoir à qqn ; ~ *oneself go,* se laisser aller || [hire out] louer ; *to* ~/*to be* ~, à louer || GRAMM. [imp.] ~'s *go !,* partons ! || ~ *down,* allonger (a dress) ; dénouer (hair) ; COLL. décevoir, faire faux bond ; ~-*down (n),* déception *f* || ~ *in,* laisser/faire entrer (sb) ; ~ *loose,* libérer ; FIG. donner libre cours à || ~ *off,* MIL. faire partir (a gun) ; TECHN. lâcher (steam) ; FIG. dispenser (*sb from,* qqn de) ; JUR. COLL. révéler (secret) ; [neg.] ne rien dire (*about,* de) || ~ *out,* laisser fuir (water, gas) ; élargir (a garment) ; JUR. louer (horses, etc.) || ~ *through,* laisser passer (sb) — *vi* ~ *out at,*

décocher un coup à || ~ *up,* [rain] diminuer.

lethal ['li:θl] *adj* mortel.

letharg|ic [le'θɑːdʒik] *adj* léthargique || ~**y** ['leθədʒi] *n* léthargie.

letter ['letə] *n* lettre *f* (of alphabet, missive) || ~-**balance** *n* pèse-lettre *m* || ~-**box** *n* boîte *f* aux lettres.

lettuce ['letis] *n* laitue *f* || salade *f.*

let-up ['letʌp] *n* COLL. ralentissement, arrêt *m* ; *without (a)* ~, sans relâche/répit.

leuk(a)emia [luˈkiːmiə] *n* leucémie *f* ; *person suffering from* ~, leucémique *n.*

level ['levl] *n* niveau *m* ; *on a* ~ *with,* au niveau de, de niveau avec ; *on the same* ~, de plain-pied, *at sea* ~, au niveau de la mer || ~ *pull* ~ *at,* égaliser à ● *adj* de niveau, uni, horizontal ● *vt* niveler, aplanir || braquer (a pistol) [*at,* sur] || ~**crossing** *n* passage *m* à niveau ; ~ *keeper,* garde-barrière *m* || ~-**headed** *adj* FIG. équilibré, calme, posé.

lever ['liːvə] *n* levier *f* ; manette *f* (smaller).

levity ['leviti] *n* légèreté *f.*

levy ['levi] *n* MIL. levée *f* ● *vt* lever (taxes, troops).

lewd [luːd] *adj* lubrique || ~**ness** *n* lubricité *f.*

liability [laiə'biliti] *n* JUR. responsabilité *f* || *Pl* dettes *fpl,* passif *m.*

liable ['laiəbl] *adj* JUR. responsable (*to,* de) || FIG. prédisposé, sujet (*to,* à).

liana [liˈɑːnə] *n* liane *f.*

liar ['laiə] *n* menteur *n.*

lib [lib] *abbrev* COLL. = LIBERATION.

libel ['laibəl] *n* diffamation *f* || pamphlet *m* ● *vt* diffamer || ~**lous** ['laibələs] *adj* diffamatoire.

liberal ['librəl] *adj* libéral, généreux (person) || libéral, large (mind) || POL. libéral || ~**ity** [libəˈræliti] *n* générosité, libéralité *f* || largeur *f* d'esprit.

liberat|e ['libəreit] *vt* JUR., MIL.

libérer ‖ **~ion** [libə´reiʃn] *n* libération *f* ‖ **~or** *n* libérateur *n*.

liberty ['libəti] liberté *f* ‖ *set at ~*, mettre en liberté ‖ *Pl* privilèges *mpl*.

Libra ['laibrə] *n* ASTR. Balance *f*.

libra|rian [lai´brɛəriən] *n* bibliothécaire *n* ‖ **~ry** ['laibrəri] *n* bibliothèque *f*; *public ~*, bibliothèque municipale; *record ~*, discothèque *f*.

lice [lais] *npl* → LOUSE.

licence, U.S. **license** ['laisns] *n* JUR. autorisation *f* ‖ AUT. permis *m*; *~ plate*, plaque *f* d'immatriculation.

licens|e ['laisns] *vt* autoriser ‖ [pub] *licensing hours,* heures *fpl* d'ouverture ‖ **~ed** [-t] *adj* COMM. patenté ‖ Av. breveté (pilot).

licentious [lai´senʃəs] *adj* licencieux ‖ **~ness** *n* dévergondage *m*.

lichen ['laikən] *n* BOT. lichen *m*.

lick [lik] *vt* lécher; *~ one's lips,* se pourlécher; *~ one's chops,* se (pour)lécher les babines ‖ *~ into shape,* dresser (sb in good manners); achever, finir (sth) ‖ COLL. battre (defeat); flanquer une correction (fam.) ‖ *~ up,* laper ‖ **~ing** COLL. raclée *f* (fam.).

lid [lid] *n* couvercle *m* ‖ MED. paupière *f*.

lie¹ [lai] *n* mensonge *m*; *tell ~s,* mentir; *give the ~,* démentir ● *vi* mentir.

lie² *vi* (lay [lei], lain [lein]) être couché; *~ awake,* rester éveillé; *~ asleep/dead,* être endormi/mort ‖ [coast] s'étendre ‖ [road] passer ‖ *~ low,* rester caché; se planquer (fam.) ‖ FIG. incomber (*with,* à) ‖ *~ about/around,* traîner ‖ MÉD. être en couches ‖ *~ down,* s'allonger, se coucher ‖ *~ in,* faire la grasse matinée ‖ *~ over,* [matter] être ajourné ‖ *~ to,* NAUT. être à la cape ● *n* configuration, orientation *f* (of the land) ‖ NAUT. gisement *m*.

lieutenant [lef´tenənt, U.S.[lu:´tenənt] *n* [Army] lieutenant *m*;

second ~, sous-lieutenant *m* ‖ [lə´tenənt] (Navy) lieutenant *m* de vaisseau.

lie-in [´-] *n* COLL. *have a ~,* faire la grasse matinée.

life, lives [laif, laivz] *n* vie, existence *f; come to ~,* reprendre conscience; *bring back to ~,* ranimer ‖ vie *f* (period) ‖ vie humaine (being); *run for your lives !,* sauve qui peut ! ‖ ARTS *from ~,* d'après nature; *still ~,* nature morte ‖ **~-belt** *n* ceinture *f* de sauvetage ‖ **~-boat** *n* canot *m* de sauvetage ‖ **~-buoy** *n* bouée *f* de sauvetage ‖ **~ expectancy** *n* espérance *f* de vie ‖ **~-guard** *n* surveillant *m* de plage ‖ garde *m* du corps (body-guard) ‖ **~ insurance** *n* assurance-vie *f* ‖ **~ jacket** *n* gilet *m* de sauvetage ‖ **~less** *adj* sans vie, inanimé ‖ **~like** *adj* vivant, ressemblant ‖ **~-size** *adj* grandeur nature ‖ **~time** *n* durée *f* de la vie.

lift [lift] *n* levée *f* ‖ TECHN. ascenseur *m* (for people); monte-charge *m* (for things) ‖ AUT. *give sb a ~,* prendre qqn dans sa voiture ● *vt* lever, soulever ‖ MED. remonter (sb's face) ‖ piquer (pop.), rafler ‖ FIG. *~ up,* élever; *~ from,* démarquer, plagier, piller (author, text) — *vi* se lever ‖ [fog] se dissiper ‖ **~back** *n* AUT. = HATCHBACK ‖ **~-boy** *n* liftier *m* ‖ **~-off** *n* ASTR. décollage *m*.

ligament ['ligəmənt] *n* MED. ligament *m*.

light¹ [lait] *adj* léger ‖ FIG. léger, frivole, insouciant; *make ~ of,* faire peu de cas de, se jouer de ● *adj* *~ travel ~,* voyager avec peu de bagages ‖ **~en** *vt* alléger ‖ **~er** NAUT. péniche, allège *f* ‖ **~-headed** *adj* étourdi ‖ **~-hearted** *adj* gai, enjoué ‖ **~ly** *adv* légèrement ‖ **~minded** *adj* frivole ‖ **~-weight** *adj* léger ● *n* SP. poids léger.

light² *n* lumière *f* ‖ jour *m* (daylight); *it is ~,* il fait jour; *against the ~,* à contre-jour ‖ [cigarette] *have you got a ~ ?,* avez-vous du feu ? ‖

NAUT. feu m ‖ FIG. lumières fpl,
connaissance f (enlightenment) ; *shed
~ on,* mettre en lumière ‖ FIG. *give
sb the green ~,* donner le feu vert à
qqn ● *adj* clair ; *~ blue,* bleu clair
● *vt* (lit [lit] or ~ed [laitid]) allumer,
éclairer — *vi* s'allumer ‖ *~ up,*
s'illuminer ; [face] s'épanouir ‖ **~en**
vt éclairer, illuminer ‖ **~er** n briquet
m ‖ **~house** n NAUT. phare m ‖
~ing n éclairage m ‖ AUT. ~-*up time,*
heure f d'allumage des phares ‖
~ meter n cellule f photoélectrique
‖ **~ning** n *(flash of)* éclair m,
foudre f ‖ **~ conductor/**U.S. **rod,**
paratonnerre m ‖ **~ pen** n INF.
crayon m optique.

lights-out ['laits'aut] n MIL. extinction f des feux.

light-year ['laitjiə] n ASTR. année-
lumière f.

likable ['laikəbl] *adj* sympathique,
agréable.

like¹ [laik] *vt* aimer ; *I ~ it,* ça me
plaît ; avoir de la sympathie pour
(sb) ; *~ better,* préférer ; *how do you
~ London ?,* comment trouvez-vous
Londres ? ‖ aimer, souhaiter ; *as you
~,* comme vous voudrez ● *npl ~s,*
goûts mpl, préférences fpl.

like² *adj* pareil, semblable, analogue
‖ *what is he ~ ?,* quel genre
d'homme est-ce ? ; *what is the weather
~ ?,* quel temps fait-il ? ‖ disposé à ;
feel ~, avoir envie de ● *conj* COLL.
comme ● *prep* comme ; *feel ~,* avoir
envie de ● n semblable m, pareil m
‖ **~lihood** [-lihud] n probabilité f ;
in all ~, selon toute vraisemblance
‖ **~ly** *adj* probable, vraisemblable ‖
susceptible de, de nature à ; *he is ~ to
succeed,* il a des chances de réussir ●
adv probablement.

liken ['laikn] *vt* comparer, assimiler
(*to,* à).

like|ness ['laiknis] n ressemblance
f ‖ PHOT. portrait m ‖ **~wise** *adv*
également, de même.

liking ['laikiŋ] n penchant m, pré-

férence f ‖ goût, attrait m, sympathie
f (*for,* pour).

lilac ['lailək] n BOT. lilas m.

lilt [lilt] n cadence f.

lily ['lili] n BOT. lis m ; *~ of the valley,*
muguet m.

limb [lim] n MED. membre m.

limber ['limbə] *adj* leste, agile,
souple ● *vt* assouplir — *vi ~ (oneself) up,* s'assouplir les muscles.

limbo ['limbəu] n REL. limbes mpl ‖
FIG. oubli m (condition of neglect).

lime¹ [laim] n BOT. lime, limette f
(lemon) ; tilleul m (linden) ; *~-tree,*
tilleul m.

lime² n glu f ‖ CH. chaux f; *quick
~,* chaux vive.

limelight ['laimlait] n TH. rampe f
‖ FIG. *in the ~,* en vedette.

limit ['limit] n limite f ‖ COLL. *you're
the ~ !,* tu dépasses les bornes ! ● *vt*
limiter, restreindre ‖ **~ation**
[limi'teiʃn] n restriction f ‖ **~ed** [-id]
adj limité ‖ COMM. anonyme ;
~ liability company, société à responsabilité limitée.

limp¹ [limp] *vi* boiter ● n claudication f ; *walk with a ~,* boiter.

limp² *adj* mou, flasque.

limpid ['limpid] *adj* limpide ‖ **~ity**
n limpidité f.

linden ['lindən] n tilleul m.

line¹ [lain] n ligne f, trait m (by a
pen) ; *dotted ~,* pointillé m ‖ ride f
(on the forehead) ‖ rangée, file f ; *in
~,* en rang; *fall into ~,* s'aligner ;
U.S. *stand in ~,* faire la queue ‖
[writing] ligne f ; *drop me a ~,*
écrivez-moi un mot ‖ [dictation] *new
~ !,* à la ligne ! ‖ [poem] vers m ‖
[cord] corde f ‖ [fishing] ligne f ‖ TEL.
ligne f; *hold the ~,* ne quittez pas ! ;
hot ~, ligne directe ‖ INF. *on/off ~,*
connecté/non connecté ‖ RAIL. ligne
f ‖ AUT. file f (of cars) ‖ NAUT.
shipping ~, compagnie f de navigation ‖ AV. *air ~,* ligne aérienne ‖ MIL.
ligne f ‖ FIG. affaires fpl, métier m ;

what's your ~ ?, que faites-vous ? ‖
→ TOE v ● vt régler, rayer ‖ border
(form rows) — vi ~ **up**, s'aligner,
se mettre en rang(s).

line² vt doubler (a coat) ; garnir.

lineage [ˈliniidʒ] n lignée f.

linen [ˈlinin] n toile f de lin (cloth) ;
linge m (clothes) ‖ all ~, pur fil ‖
~**-room** n lingerie f.

line printer n INF. imprimante f.

liner [ˈlainə] n NAUT. paquebot,
transatlantique m ‖ AV. (avion) long-
courrier m.

line-up n alignement m.

linger [ˈliŋgə] vi s'attarder.

lingo [ˈliŋgəu] n jargon m.

linguist [ˈliŋgwist] n linguiste n ‖
~**ics** [liŋˈgwistiks] n linguistique f.

lining [ˈlainin] n doublure f (of a
coat) ‖ AUT. garniture f (of clutch).

link [liŋk] n maillon, chaînon, anneau m ‖ Pl boutons mpl de manchette ‖ FIG. liaison f ; lien, rapport
m ‖ air/sea ~, liaison aérienne/ma-
ritime ● vt joindre, relier ‖ ~ **up**,
(re)lier (things, words) ‖ RAD., T.V.
assurer la liaison entre ‖ ASTR.
arrimer (spacecraft) — vi se rejoindre
‖ (firms) s'associer.

links [liŋks] npl terrain m de golf.

link-up n ASTR. jonction f ; RAD., T.V.
liaison f, relais m ; émission f en
duplex.

linoleum [liˈnəuljəm] n linoléum m.

linseed [ˈlinsiːd] n graine f de lin ;
~-**oil**, huile f de lin.

lint [lint] n pansement m, compresse f.

lintel [ˈlintl] n linteau m.

lion [ˈlaiən] n lion m ; ~ **cub**,
lionceau m ‖ ~**ess** [-is] n lionne f.

lip [lip] n lèvre f (of mouth) ‖
~-**service** n pay ~ to, payer de
paroles ‖ ~-**stick** n rouge m à lèvres ;
put on some ~, se mettre du rouge
à lèvres.

liquefy [ˈlikwifai] vt liquéfier.

liqueur [liˈkjuə] n liqueur f.

liquid [ˈlikwid] n/adj liquide (m) ‖
~**ate** [-eit] vt liquider, solder ‖
~**ation** [ˌlikwiˈdeiʃn] n liquidation f
‖ ~**izer** [-aizə] n mixer m.

liquor [ˈlikə] n alcool, spiritueux m ;
in ~, the worse for ~, pris de boisson
‖ U.S. hard ~, alcool fort.

liquorice [ˈlikəris] n réglisse f.

lisp [lisp] vi zézayer, balbutier ● n
zézaiement m.

list¹ [list] vi NAUT. donner de la
bande ; gîter.

list² n liste, série f ; ~ price, prix (de)
catalogue ; make a ~ of, dresser une
liste de, répertorier ‖ MIL. on the active
~, en activité ● vt dresser la liste
de, cataloguer ‖ ~ed building, monument classé.

listen [ˈlisn] vt écouter (to sb, qqn)
— vi écouter ; ~ **in (to)**, écouter la
radio ‖ ~**er** n auditeur n.

listless [ˈlistlis] adj apathique ‖
~**ness** n apathie, inertie f.

lit → LIGHT².

liter [ˈliːtə] n U.S. litre m.

literacy [ˈlitrəsi] n aptitude f à lire
et à écrire.

literal [ˈlitrəl] adj littéral ; propre
(sense) ‖ ~**ly** adv mot à mot, à la
lettre.

liter|ary [ˈlitrəri] adj littéraire ‖
~**ate** [ˈlitrərit] adj sachant lire et
écrire.

literature [ˈlitritʃə] n littérature f ‖
COMM. documentation f.

litre [ˈliːtə] n litre m.

litter [ˈlitə] n détritus mpl ; vieux
papiers ; ordures fpl (refuse) ‖ litière
f (straw) ‖ civière f (stretcher) ‖ ZOOL.
portée f ● vt couvrir, joncher, encombrer (with, de) — vi ZOOL. mettre
bas ‖ ~**bin** n corbeille f à papiers.

little [ˈlitl] adj [size] petit ‖ jeune ;
the ~ ones, les petits ‖ (comp. less,
sup. least) [quantity] peu ; a ~, un
peu de ● adv [scarcely] guère, à peine

|| [rarely] peu souvent, rarement || *a* ~, [slightly] un peu ● *n* peu *m*; **make** ~ **of**, faire peu de cas de; *wait a* ~, attendez quelques instants || ~ **by**, peu à peu.

liturgy ['litədʒi] *n* liturgie *f*.

live¹ [liv] *vi* vivre (be alive) || subsister; ~ **on**, vivre de (diet) || habiter, demeurer; ~ **together**, cohabiter; *learn to* ~ *with it*, prendre son mal en patience || [servants] ~ **in**, être logé et nourri; ~ **out**, ne pas être logé || ~ **through**, survivre à (a war) || ~ **up to**, vivre en accord avec, vivre selon (one's ideals); être fidèle à (one's promise) — *vt* vivre, passer (one's life).

live² [laiv] *adj* vivant, en vie || ELECTR. sous tension, en charge || RAD. en direct (broadcast) || ~**lihood** [-lihud] *n* moyens *mpl* d'existence; subsistance *f* || ~**liness** [-linis] *f* entrain *m* || ~**ly** *adj* vivant, plein de vie (vigorous) || animé, plein d'entrain (animated) || joyeux (cheerful) || vif (brisk) || ~**stock** *n* bétail *m*.

liven ['laivn] ~ (**up**), *vt* animer — *vi* s'animer.

liver ['livər] *n* foie *m*; ~ *complaint*, maladie *f* de foie.

livery ['livəri] *n* livrée *f*.

livid ['livid] *adj* livide.

living ['liviŋ] *adj* vivant, en vie ● *n* vie, existence *f*; *make a* ~, gagner sa vie; *work for a* ~, travailler pour vivre || *the* ~ *and the dead*, les vivants et les morts || ~**-room** *n* (salle *f* de) séjour *m* || ~**-space** *n* espace vital.

lizard ['lizəd] *n* lézard *m*.

load [ləud] *n* charge *f*, fardeau, chargement *m* || COLL. *a* ~ *of*, ~*s of*, un/des tas de (fam.) ● *vt* charger (camera, vehicle, etc.) || NAUT. charger, embarquer || FIG. combler, accabler (with).

loaded [-id] *adj* pipé (die) || COLL.

bourré de fric, plein aux as (fam.); bourré (fam.) [drunk].

loaf, loaves¹ [ləuf, -vz] *n* pain *m*, miche *f*.

loaf² *vi* ~ (**about**), traîner || ~**er** *n* flemmard *n*.

loam [ləum] *n* terreau *m*.

loan [ləun] *n* prêt *m* (money) || FIN. emprunt *m* ● *vt* U.S. prêter; ~ *on trust*, prêter sur l'honneur.

loath [ləuθ] *adj* peu enclin (to, à); *be* ~ *to do*, répugner à faire.

loath|e [ləuð] *vt* détester, avoir horreur de || ~**ing** ['ləuðiŋ] *n* répugnance *f* || ~**some** ['ləuðsəm] *adj* répugnant, dégoûtant.

lobby ['lɔbi] *n* hall *m* || POL. groupe *m* de pression, lobby *m* ● *vt* POL. faire pression sur (members of Parliament) || faire adopter par des intrigues de couloir (a bill) — *vi* manœuvrer (for, en vue de).

lobe [ləub] *n* lobe *m* (de l'oreille).

lobster ['lɔbstə] *n* homard *m*; *spiny* ~, langouste *f*.

local ['ləukl] *adj* local, régional ● *n* COLL. bistrot *m* du coin (f), ~**s**, les gens du pays/coin (fam.) || ~**ity** [lə'kæliti] *n* localité *f*, endroit *m*; *sense of* ~, sens m de l'orientation.

loca|te [lə'keit] *vt* localiser, repérer — *vi* U.S. s'installer || ~**tion** *n* situation *f*, emplacement *m* || CIN. extérieurs *mpl*; *on* ~, en extérieur.

lock¹ [lɔk] *n* boucle, mèche *f* (curl) || *Pl* chevelure *f* (hair).

lock² *n* NAUT. écluse *f*.

lock³ *n* serrure *f*; *under* ~ *and key*, sous clef || AUT. *steering (column)* ~, antivol *m* (antitheft device) || AUT. rayon *m* de braquage; *this car has a good* ~, cette voiture braque bien; butée *f*; *from* ~ *to* ~, d'une butée à l'autre; *hard over!*, braquez à fond! || SP. [wrestling] clé *f* ● *vt* fermer à clef || ~ *away*, mettre sous clef || ~ *in*, enfermer à clef; ~ *out*, mettre à la porte; ~**-out (n)**, lock-out *m* || ~ *up,* fermer, enfermer à clef ; ~**-up (garage),** box *m.*

locker *n* armoire, case *f* ; vestiaire (individuel).

locknut *n* contre-écrou *m.*

locksmith *n* serrurier *m.*

locomotive ['ləuk‿,məutiv] *n* RAIL. locomotive *f.*

locum ['ləukəm] *n* médecin remplaçant.

locust ['ləukəst] *n* sauterelle *f.*

lodg|e [lɔdʒ] *n* loge *f* (of a caretaker) || pavillon *m* (house) || loge *f* (of freemasons) ● *vi* habiter (at, chez) ; ~ *at a friend's house,* habiter chez un ami — *vt* loger, héberger || JUR. ~ *a complaint,* porter plainte (against, contre) || ~**er** *n* locataire, pensionnaire *n* || ~**ing** *n* logement, meublé *m* ; *with board and* ~, logé et nourri || *Pl* appartement meublé, garni *m.*

loft [lɔft] *n* grenier *m,* soupente *f* || ~**y** *adj* très haut || FIG. élevé (style) ; hautain (person) ; noble (sentiments).

log¹ [lɔg] *n* bûche *f,* rondin *m.*

log² *n* NAUT. loch *m* || ~**-book** *n* NAUT. journal *m* de bord || AV. livre *m* de vol || AUT. carte grise.

loggerheads (at) [ət'lɔgəhedz] *loc adv* be at ~ with, être en bisbille avec.

log|ic ['lɔdʒik] *n* logique *f* || ~**ical** *adj* logique || ~**istic** [-dʒistik] *adj* logistique || ~**istics** [-s] *n* logistique *f.*

loin [lɔin] *n* ANAT. rein *m* || CULIN. aloyau *m* (of beef) || longe *f* (of veal) || échine *f* (of pork) || ~**-cloth** *n* pagne *m.*

loiter ['lɔitə] *vi* flâner, faire le badaud, s'attarder.

loll [lɔl] *vi* se prélasser, se vautrer.

lollipop ['lɔlipɔp] *n* sucette *f* || [traffic] ~ *man/woman,* contractuel *n* (at school door).

lolly ['lɔli] *n* SL. fric, pognon *m*

(pop.) ; grisbi *m* (arg.) || COLL. = LOLLIPOP.

London ['lʌndən] *n* Londres *m/f* || ~**er** *n* Londonien *n.*

lone [ləun] *adj* seul, solitaire || U.S. *Lone Star State* = Texas *m* || ~**liness** [-linis] *n* solitude *f* || ~**ly** *adj* solitaire, isolé || ~**some** [-səm] *adj* solitaire, seul.

long¹ [lɔŋ] *vi* désirer ardemment (for sth, qqch) ; se languir (for sb, de qqn) || avoir hâte/très envie (to do, de faire).

long² *adj* [space] long ; *how* ~ *is...?,* quelle est la longueur de... ? || [time] long ; *how* ~ *is...?,* quelle est la durée de...? ; *a* ~ *time,* longtemps ; *be* ~ *in coming,* tarder/être long à venir ; *in the* ~ *run,* à la longue ● *adv* longtemps ; *how* ~, combien de temps ; *how* ~ *have you been here ?,* depuis combien de temps êtes-vous ici ? ; ~ *ago,* il y a longtemps ; *not* ~ *ago/since,* il n'y a pas longtemps || *as* ~ *as,* tant que || ~ *live the Queen !,* vive la reine ! || COLL. *so* ~ *!,* à bientôt ! ● *n before* ~, avant peu || ~**-distance** *adj* SP. de fond || TEL., U.S. interurbain || ~**er** *adv* plus long ; *make* ~, (r)allonger ● *adv* plus longtemps, encore ; *no...* ~, ne... plus ; *not any* ~, *no* ~, pas plus longtemps.

long-drink *n* boisson peu *ou* non alcoolisée.

longevity [lɔn'dʒeviti] *n* longévité *f.*

long-haired [,lɔŋ'hɛəd] *adj* aux cheveux longs, chevelu.

longing ['lɔŋiŋ] *n* [urge] envie (for sth, de qqch) || nostalgie *f.*

longitude ['lɔŋitjuːd] *n* longitude *f.*

long|-lived ['lɔŋ'livd] *adj* qui a longue vie || FIG. persistant || ~**-playing** *adj* ~ *record,* disque *m* microsillon/longue durée || ~**-range** *adj* à longue portée (gun) || TECHN. à grand rayon d'action || ~**shoreman** *n* U.S. docker *m* || ~**sighted** *adj* hypermétrope ; [old age) presbyte ‖ **~sightedness** *n* hypermétropie *f*; presbytie *f* ‖ **~-standing** *adj* de longue date ‖ **~-term** *adj* FIN. à long terme ‖ **~-wearing** *adj* inusable ‖ **~-winded** [´windid] *adj* interminable (story); verbeux (person).

loo [lu:] *n* COLL. waters *mpl*.

look [luk] *n* regard *m*; have a ~ at, jeter un coup d'œil à ‖ FIG. air, aspect *m*, allure *f* ‖ *Pl* apparences *fpl*; good ~s, beauté *f*.
● *vi/vt* regarder ‖ FIG. ~ *here!*, écoutez !, dites donc ! ; ~ *before you leap !*, réfléchissez-bien (avant d'agir) ! ‖ ~ *about*, regarder autour de soi ; ~ *about for*, chercher du regard ‖ ~ *after*, s'occuper de (child) ; soigner (patient) ‖ ~ *ahead*, regarder devant soi, envisager l'avenir ‖ ~ ,*at*, regarder ; examiner ; considérer ‖ ~ *away*, détourner les yeux (*from*, de) ‖ ~ *back*, regarder en arrière ; FIG. se souvenir ‖ ~ *down*, baisser les yeux ; ~ *down on*, regarder de haut (sb) ; mépriser (thing) ‖ ~ *for*, chercher ; ~ *for trouble*, chercher des ennuis ‖ ~ *forward to*, attendre avec impatience ‖ ~ *in*, entrer en passant (*at/on*, chez) ; regarder la télé(vision) ‖ ~ *into*, examiner, étudier ; se renseigner sur ‖ ~ *on*, être spectateur de, regarder ; *be ~ed on as*, faire figure de ‖ ~ *onto*, [room] donner sur ‖ ~ *out*, regarder dehors ; ~ *out of the window*, regarder par la fenêtre ; faire attention, prendre garde ; ~ *out !*, attention ! ‖ ~ *out on*, [house] donner sur ‖ ~ *over*, jeter un coup d'œil, parcourir (book) ; visiter (town) ‖ = ~ BACK ‖ ~ *through*, examiner ; réviser, repasser (lesson) ‖ ~ *to*, faire attention à ; s'occuper de (rely on) ‖ ~ *up*, lever les yeux ; chercher (a word in a list) ; ~ *sb up*, passer voir qqn ; ~ *up and down*, toiser ; ~ *up to*, FIG. considérer.
— [predicative] paraître, sembler, avoir l'air ; ~ *well*, avoir bonne mine ; ~ *one's best*, paraître à son

avantage ‖ ~ *like*, ressembler à ; *it ~s like rain*, on dirait qu'il va pleuvoir.

look|er *n* COLL. *she/he is a good* ~, c'est une jolie fille/un beau garçon ‖ **~-in** *n* COLL. chance *f* ; visite *f* éclair ‖ **~-ing-glass** *n* miroir *m*, glace *f* ‖ **~-out** *n* surveillance *f* ; *keep a* ~, *be on the* ~, faire le guet ‖ guetteur *m* ‖ NAUT. vigie *f* ‖ FIG. perspective *f* (d'avenir) ‖ COLL. *it's your own* ~, c'est votre affaire/problème.

loom¹ [lu:m] *n* TECHN. métier *m*.

loom² *vi* s'estomper, se dessiner, se dresser ‖ FIG. menacer ; *be ~ing ahead*, être imminent.

loony [´lu:ni] *adj* COLL. cinglé, dingue (pop.). ● *n* imbécile *n*.

loop [lu:p] *n* boucle *f* ‖ RAIL. voie *f* d'évitement ‖ MED. stérilet *m* ‖ INF. boucle *f* ‖ **~-hole** *n* ARCH. meurtrière *f* ‖ FIG. échappatoire *f*.

loose [lu:s] *adj* détaché, défait (knot) ‖ délié (lace) ‖ desserré (screw) ‖ détendu (rope) ‖ meuble (soil) ‖ large, ample (dress) ‖ échappé (animal) ; *let/set a dog* ~, lâcher un chien ; ~ *sheet*, feuille volante ‖ FIG. décousu (style) ‖ relâché (morals) ‖ débauché, dissolu (person) ‖ *come/work* ~, se desserrer, se détacher, prendre du jeu ‖ *get* ~, s'échapper ; [prisoner] *break* ~, s'évader ‖ *let* ~, lâcher (a dog), FIG. donner libre cours à (one's anger) ● *vt* délier, dénouer ‖ ~ *box* *n* [stable] box *m* ‖ **~-leaf** *adj* à feuillets mobiles ‖ **~ly** *adv* sans serrer (tie) ; approximativement (translate).

loosen [´lu:sn] *vt/vi* (se) relâcher, (se) desserrer ‖ FIG. délier (sb's tongue).

looseness [lu:snis] *n* relâchement *m* ‖ TECHN. jeu *m* ‖ MED. dérangement *m* (of bowels) ‖ FIG. vague *m*, imprécision *f*.

loot [lu:t] *n* butin *m* ● *vt* piller.

looting *n* pillage *m*.

lop¹ [lɔp] *vt* émonder, élaguer.

lop-eared [ˌlɔpˈiəd] *adj* aux oreilles tombantes.

loquacious [ləˈkweiʃəs] *adj* loquace.

lord [lɔːd] *n* seigneur *m* ‖ maître, chef *m* ‖ ~ *of the manor*, châtelain *m* ‖ Lord (title) ‖ *Pl the Lords* (= *House of Lords*), la Chambre des lords ‖ REL. *Our Lord*, Notre-Seigneur ; *the Lord's Prayer*, le Pater ● *vt* ~ *it over*, prendre des airs hautains ; traiter (*sb*, qqn) avec condescendance ‖ ~**ly** *adj* majestueux ; altier, noble ‖ ~**ship** *n* seigneurie.

lore [lɔː] *n* connaissance *f* ; tradition(s) *f(pl)*.

lorry [ˈlɔri] *n* camion *m* ; *articulated* ~, semi-remorque *m* ; ~ *driver*, camionneur *m* ; routier *m*.

lose [luːz] *vt* (lost [lɔst]) perdre, égarer ; ~ *sight of*, perdre de vue ; ~ *one's way*, s'égarer ‖ perdre (by death) ; ~ *one's life*, perdre la vie — *vi* [watch] retarder ‖ *get lost*, se perdre.

loser [ˈluːzə] *n* perdant *n* ; *bad/good* ~, mauvais/bon joueur.

loss [lɔs] *n* perte *f* ; *at a* ~, à perte ‖ COMM. ~ *leader*, article/produit *m* d'appel ‖ MED. ~*of voice*, extinction *f* de voix ‖ FIG. *be at a* ~, être bien embarrassé.

lost → LOSE ● *adj* perdu ; ~ *property office*, bureau *m* des objets trouvés ‖ FIG. plongé (*in*, dans).

lot¹ [lɔt] *n* COLL. ~*s/a* ~ *of*, beaucoup ‖ plein de, un tas de (fam.) ● *adv* ~*s/a* ~ *better*, beaucoup mieux.

lot² *n* [land] parcelle *f* ; lotissement *m* ; *parking* ~, parking *m* ‖ COMM. lot *m* ‖ FIG. sort *m* ; *by* ~, par tirage au sort ; *draw/cast* ~*s (for sth)*, tirer (qqch) au sort. ‖ COLL. *bad* ~, mauvais sujet.

loth [ləυθ] *adj* LOATH.

lotion [ˈləυʃn] *n* lotion *f*.

lottery [ˈlɔtəri] *n* loterie *f*.

loud [laud] *adj* grand (noise, cry) ‖ fort (radio) ; *in a* ~ *voice*, à haute voix ‖ vif (applause) ‖ criard (colour) ● *adv* fort, haut ‖ ~**ly** *adv* tout haut, bruyamment ‖ ~-**hailer** *n* portevoix, mégaphone *m* ‖ ~-**speaker** *n* RAD. haut-parleur *m* ; enceinte *f* (acoustique).

lounge [launʒ] *n* salon *m* ● *vi* être allongé paresseusement, se prélasser ; se vautrer (in chair) ‖ flâner (stroll) ‖ ~ *bar* *n* salle *f* de café ‖ ~ *suit* *n* complet *m* (veston).

lour [ˈlauə] *vi* se renfrogner ‖ [weather] menacer.

lous|e, lice [laus, lais] *n* pou *m* ‖ ~**y** [ˈlauzi] *adj* [lit.] pouilleux ‖ SL. moche ; dégueulasse (vulgar) ; *a* ~ *trick*, un tour de cochon ; insuffisant, minable, ridicule (mark, sum).

lout [laut] *n* rustre, malotru *m*.

lovable [ˈlʌvəbl] *adj* adorable, sympathique (likeable).

love [lʌv] *n* amour *m* ; *in* ~, amoureux (*with*, de) ; ~ *at first sight*, coup *m* de foudre ; *make* ~ *to*, faire la cour à ; ~-*affair*, liaison *f* ‖ tendresse, affection *f* ; [letter] *(with)* ~, affectueusement ‖ SP. [tennis] *thirty* ~, trente à zéro ‖ FIG. *for* ~, pour rien ● *vt* aimer, adorer ‖ ~**liness** [-linis] *n* beauté *f*, charme *m* ‖ ~-**lock** *n* accroche-cœur *m* ‖ ~**ly** *adj* beau, ravissant ; charmant ‖ ~**making** *n* relations sexuelles, ébats amoureux.

lov|er [ˈlʌvə] *n* amoureux, amant *m* ‖ FIG. amateur *m* (de) ‖ ~**ing** *adj* affectueux ‖ ~**ingly** *adv* tendrement.

low¹ [ləυ] *vi* meugler.

low² *adj* [height, price, sonority] bas ; *in a* ~ *voice*, à voix basse ‖ [quantity] petit ; ~**, [**provisions] baisser ‖ [dress] décolleté ‖ [quality] inférieur ‖ CULIN. ~-*fat*, maigre (cheese) ; demi-écrémé (milk) ‖ NAUT. bas (tide) ‖ MUS. grave (note) ‖ MED. ~ *diet*, diète *f* ‖ AUT. ~ *gear*, première *f* ‖ FIG. inférieur, pauvre, humble, modeste ‖ vulgaire, trivial (vulgar) ‖ FIG. abattu ; *feel ~*, se sentir déprimé ● *adv* bas ‖ **~er¹** *adj* inférieur ; *~ classes*, basses classes ● *vi* baisser — *vt* abaisser ‖ FIN. diminuer ‖ NAUT. mettre à l'eau.

lower² ['ləuə] *vi* U.S. = LOUR.

low|land ['ləulənd] *n* basse terre ‖ **~ly** *adj* bas (rank) ; humble (condition) ● *adv* humblement ‖ **~-necked** [-'nekt] *adj* décolleté ‖ **~ness** *n* FIG. condition *f* modeste ; bassesse, grossièreté *f* ‖ **~-priced** *adj* COMM. à bas prix ‖ **~ water** *n* basses eaux, étiage *m*.

loyal ['lɔiəl] *adj* loyal, fidèle, dévoué.

lozenge ['lɔzinʒ] *n* losange *m* ‖ MED. pastille *f*.

L.P. ['el'pi:] *n* MUS. *an ~*, un 33 tours.

lubric|ant ['lu:brikənt] *n* lubrifiant *m* ‖ **~ate** [-eit] *vt* lubrifier ‖ **~ation** [,lu:bri'keiʃn] *n* graissage *m*.

lucern(e) [lu:'sə:n] *n* luzerne *f*.

lucid ['lu:sid] *adj* clair, limpide ‖ FIG. lucide.

luck [lʌk] *n* hasard *m*, chance *f; good ~ !*, (bonne) chance ! ; *ill/bad ~*, malchance *f; as ill ~ would have it*, par malheur ; *bring bad ~ to*, porter malheur à ‖ *hard ~ !*, pas de chance ! ; manque de pot ! (fam.) ; *stroke of ~*, coup de veine ‖ **~ily** *adv* heureusement ‖ **~y** *adj* heureux ; *be ~*, avoir de la chance ; *~ strike*, coup *m* de chance ‖ COLL. *~ dog*, veinard *n*.

lucrative ['lu:krətiv] *adj* lucratif.

ludicrous ['lu:dikrəs] *adj* ridicule.

lug [lʌg] *vt* traîner (drag).

luggage ['lʌgidʒ] *n* bagages *mpl* ; **~-rack**, filet *m* à bagages ‖ **~-van**, RAIL. fourgon *m* (à bagages).

lugubrious [lu:'gju:briəs] *adj* lugubre.

lukewarm ['lu:kwɔ:m] *adj* tiède.

lull [lʌl] *n* accalmie *f* ● *vt* bercer ; *~ to sleep*, endormir (en berçant) —

vi s'apaiser ‖ **~aby** [-əbai] *n* MUS. berceuse *f*.

lumbago [lʌm'beigəu] *n* lumbago *m*.

lumber¹ ['lʌmbə] *vi* avancer d'un pas pesant.

lumber² *n* bric-à-brac *m* ; **~-room**, (cabinet *m* de) débarras *m* ‖ U.S. bois *m* de charpente ● *vt* encombrer (room) ; entasser, empiler (books) ‖ U.S. abattre (trees) ; débiter (timber) ‖ **~-jack** *n* U.S. bûcheron *m* ‖ **~ jacket** *n* U.S. blouson *m* ‖ **~man** *n* = ~-JACK ‖ **~yard** *n* U.S. chantier *m* (de scierie).

luminous ['lu:minəs] *adj* lumineux, brillant.

lump [lʌmp] *n* morceau *m* (of sugar) ‖ bloc *m* (of stone) ‖ motte *f* (of earth) ‖ COMM. *in the ~*, en bloc ; *~ sum*, somme globale, paiement *m* forfaitaire ‖ CULIN. grumeau *m* ‖ FIG. masse *f*, ensemble *m* ● *vt* réunir, entasser — *vi* CULIN. faire des grumeaux ‖ **~y** *adj* CULIN. grumeleux (sauce).

lunacy ['lu:nəsi] *n* démence *f*.

lunar ['lu:nə] *adj* lunaire.

lunatic ['lu:nətik] *adj* fou ● *n* fou *n* ; *~ asylum*, asile *m* d'aliénés.

lunch [lʌnʃ] *n* déjeuner *m* ● *vi* déjeuner ‖ **~eon** [-n] *n* = LUNCH ; *~ voucher*, Chèque-Restaurant *m*.

lung [lʌŋ] *n* poumon *m* ; *iron ~*, poumon d'acier.

lunge [lʌndʒ] *vi* [fencing] se fendre.

lurch¹ [lə:tʃ] *n* AUT. embardée *f* ‖ NAUT. coup *m* de roulis ● *vi* faire une embardée.

lurch² *n leave sb in the ~*, laisser qqn en plan.

lure [ljuə] *n* leurre *m* (decoy) ‖ FIG. attrait, charme *m* ● *vt* attirer par la ruse ; séduire.

lurid ['ljuərid] *adj* blafard (light) ‖ FIG. terrible ; sensationnel ; affreux, horrible (shocking).

lurk [lə:k] *vi* se cacher, se tapir.

luscious [ˈlʌʃəs] *adj* succulent, délicieux ‖ FIG. appétissant (girl).

lush [lʌʃ] *adj* luxuriant.

lust [lʌst] *n* luxure, convoitise *f* ‖ ~**ful** *adj* luxurieux, lascif.

lustre [ˈlʌstə] *n* lustre, brillant *m* (brightness) ‖ FIG. éclat *m*.

lusty [ˈlʌsti] *adj* fort, robuste.

lute [lu:t] *n* MUS. luth *m*.

Luxembourg [ˈlʌksəmbəːg] *n* Luxembourg *m* ; native of ~, Luxembourgeois *n* ● *adj* luxembourgeois.

luxur|iant [lʌgˈzjuəriənt] *adj* luxuriant ‖ ~**ious** [-iəs] *adj* luxueux, somptueux.

luxury [ˈlʌkʃri] *n* luxe *m* ‖ [attributive] de luxe.

lying¹ [ˈlaiiŋ] (→ LIE¹) *adj* menteur.

lying² (→ LIE²) *n* MED. ~-*in*, couches *fpl*.

lymph [limf] *n* lymphe *f* ‖ ~**atic** [limˈfætik] *adj* lymphatique.

lynch [linʃ] *vt* lyncher.

lynx [liŋks] *n* lynx *m* ‖ ~-*eyed*, aux yeux de lynx.

lyri|c [ˈlirik] *adj* lyrique ● *n* poème *m* lyrique ‖ *Pl* paroles *fpl* ‖ ~**cism** [-sizm] *n* lyrisme *m*.

M

m [em] *n* m *m*.

mac [mæk] *n* COLL. abbrev = MACKINTOSH ; imper (fam.) *m*.

macadam [məˈkædəm] *n* macadam *m*.

macaroon [ˌmækəˈruːn] *n* macaron *m*.

macerate [ˈmæsəreit] *vi* macérer.

Mach [mæk] *n* ~ (*number*), (nombre de) Mach *m* ; *fly at* ~ 2, voler à Mach 2.

machine [məˈʃiːn] *n* machine *f* ● *vt* fabriquer à la machine ; usiner ‖ ~-*gun* *n* mitrailleuse *f* ‖ ~-*made* *adj* fait à la machine ‖ ~**ry** [məˈʃiːnəri] *n* machinerie *f*; mécanisme *m* ‖ ~-*tool* *n* machine-outil *f*.

mackerel [ˈmækrl] *n* maquereau *m*.

mackintosh [ˈmækintəʃ] *n* imperméable *m* (raincoat).

mad [mæd] *adj* fou ; *go* ~, devenir fou ‖ FIG. passionné (*about,* de) ‖ U.S. furieux ; *get* ~ *at*, s'emporter contre ; *drive sb* ~, faire enrager qqn ‖ violent, effréné ; *like* ~, avec frénésie/acharnement.

madam [ˈmædəm] *n* madame *f*.

mad|cap [ˈmædkæp] *n* écervelé *n*, tête folle ‖ ~**den** [-n] *vt* rendre fou ‖ exaspérer ‖ ~**ly** *adv* follement ‖ ~**man** *n* fou, dément *m* ‖ ~**ness** *n* folie, démence *f* ‖ fureur *f*.

made [meid] → MAKE ● *adj* fabriqué ‖ ~-*to-measure*, fait sur mesure ‖ ~-*up*, maquillé.

madwoman [ˈmædwumən] *n* folle *f*.

mag [mæg] *n* COLL. magazine *m* (book).

magazine [ˌmægəˈziːn] *n* revue *f,* magazine *m* ‖ MIL. chargeur *m.*

maggot [ˈmægət] *n* asticot *m* ‖ ~**y** *adj* véreux.

magic [ˈmædʒik] *adj* magique ● *n* magie *f; as if by* ~, comme par enchantement ‖ FIG. charme *m* ‖ ~**ian** [məˈdʒiʃn] *n* magicien *m.*

magistr|acy [ˈmædʒistrəsi] *n* magistrature *f* ‖ ~**ate** [-it] *n* magistrat *m;* juge *m.*

magnanimous [mægˈnæniməs] *adj* magnanime.

magnate [ˈmægneit] *n* magnat *m.*

magnesia [mægˈniːʃə] *n* magnésie *f.*

magnet [ˈmægnit] *n* aimant *m* ‖ ~**ic** [mægˈnetik] *adj* magnétique, aimanté ‖ ~ *tape,* bande *f* magnétique ‖ ~**ism** [ˈmægnitizm] *n* magnétisme *m* ‖ ~**ize** [ˈmægnitaiz] *vt* aimanter, magnétiser.

magn|ification [ˌmægnifiˈkeiʃn] *n* PHYS. grossissement *m* ‖ ~**ificence** [mægˈnifisəns] *n* magnificence, splendeur *f* ‖ ~**ificent** [-ifisnt] *adj* magnifique, splendide ‖ ~**ify** [ˈmægnifai] *vt* amplifier ‖ PHYS. grossir ‖ ~**ifying-glass** *n* loupe *f.*

magnitude [ˈmægnitjuːd] *n* grandeur, magnitude *f.*

magpie [ˈmægpai] *n* pie *f.*

mahogany [məˈhɔgəni] *n* acajou *m.*

maid [meid] *n* jeune fille *f; old* ~, vieille fille *f;* ~*(-servant),* bonne *f* ‖ ~**en** [-n] *adj* de jeune fille ‖ FIG. premier ; inaugural (voyage).

mail [meil] *n* courrier *m* ● *vt* U.S. poster ‖ ~**ing-list,** fichier *m* d'adresses ‖ ~**box** *n* U.S. boîte *f* à/aux lettres ‖ ~**man** *n* U.S. facteur *m* ‖ ~**-order** *n* vente *f* par correspondance ‖ ~**-van** *n* wagon-poste *m.*

maim [meim] *vt* mutiler, estropier.

main [mein] *adj* principal ; *the* ~ *thing,* l'essentiel ‖ RAIL. ~ *lines,* grandes lignes ● *n* TECHN. conduite

principale (for water, gas) ‖ ELECTR. *Pl* secteur *m* ‖ FIG. force *f; with might and* ~, de toutes ses forces ‖ ~**land** [-lənd] *n* continent *m* ‖ ~**ly** *adv* surtout ‖ ~**mast** *n* grand mât ‖ ~**-sail** *n* grand-voile *f* ‖ ~**spring** *n* cheville ouvrière.

maintain [menˈtein] *vt* maintenir ‖ entretenir (keep up) ‖ faire vivre (support) ‖ affirmer, prétendre (assert) ‖ JUR. soutenir (a cause).

maintenance [ˈmeintinəns] *n* entretien *m* ‖ pension *f* alimentaire (alimony).

maître d. [ˈmeitədiː] *n* U.S. maître *m* d'hôtel.

maize [meiz] *n* maïs *m.*

majest|ic(al) [məˈdʒestik(l)] *adj* majestueux ‖ ~**y** [ˈmædʒisti] *n* majesté *f.*

major [ˈmeidʒə] *adj* majeur, important ● *n* JUR. majeur *m* ‖ MIL. commandant *m* ‖ U.S. [school] matière principale ● *vi* U.S. [school] se spécialiser (in, en) ‖ ~**ity** [məˈdʒɔriti] *n* majorité *f.*

make [meik] *vt* (made [meid]) fabriquer, faire ‖ ~ *bread,* faire du pain ; ~ *the bed,* faire le lit ‖ provoquer ; ~ *haste,* se hâter ; ~ *a noise,* faire du bruit ‖ rendre, faire ; ~ *oneself understood,* se faire comprendre ‖ obliger à, forcer à ‖ ~ *sth do,* ~ *do with sth,* s'arranger de, se contenter de qqch ‖ ~ *believe,* faire semblant ‖ ~ *sth go,* faire marcher qqch ‖ apprécier, évaluer (by calculation) ; *what time do you* ~ *it ?,* quelle heure avez-vous ? ‖ ~ *it,* réussir, y arriver ‖ ~ *much/little of,* faire grand/peu de cas de ‖ [cards] faire (a trick) ; gagner, réussir ; faire, battre (shuffle) ‖ MATH. s'élever à, faire (amount to) ‖ parcourir (distance) ; faire (speed) ‖ ~ *the best /most of sth,* tirer le meilleur parti de qqch ‖ ~ *after,* pourchasser, poursuivre ‖ ~ *out,* dresser, établir (a list) ; faire (a bill) ; ~ *out a cheque for £ 15,* établir un chèque de 15

livres ; distinguer (sth) ; déchiffrer (handwriting) ; comprendre (a problem) || ~ *over,* céder, transmettre, léguer (*to,* à) ; transformer, reprendre (a dress) || ~ *up,* inventer, fabriquer ; former, constituer, composer (a whole) ; confectionner (a dress) ; recharger (fire) ; dresser (a list) ; regagner (lost ground) ; faire (a parcel) ; TECHN. mettre en pages (a book) ; MED. préparer (a prescription) ; TH. maquiller, farder ; ~ (oneself) *up,* (se) maquiller ; FIG. combler (a difference) ; compléter (a sum) ; arranger ; inventer, forger (a story) || ~ *it up,* se réconcilier (*with sb,* avec qqn) || ~ *up for,* compenser (a loss) ; réparer (a fault) ; rattraper (lost time) ; suppléer à (sth wanting). — *vi* aller, faire route (*for,* vers) || ~ *away,* = ~ OFF || ~ *away with,* supprimer, détruire || ~ *off,* se sauver, décamper || ~ *up,* se réconcilier ; *he made it up with his son,* il s'est réconcilié avec son fils.
● *n* fabrication *f* (making) || COMM. marque *f* (brand).

make-believe [-'-'] *n* faux-semblant *m* (arch.) ; trompe-l'œil *m* || *that's all* ~, tout ça c'est du chiqué (fam.).

makeshift ['meikʃift] *n* expédient *m* ● *adj* de fortune.

make-up ['-] *n* [person] nature *f,* caractère *m* || [cosmetics] maquillage *m ;* ~ *girl,* maquilleuse *f ;* ~ *remover,* démaquillant *m.*

making ['meikiŋ] *n* TECHN. fabrication, façon *f* || FIG. *Pl have the* ~*s of,* avoir l'étoffe de.

maladjust|ed ['mælə'dʒʌstid] *adj* inadapté || ~**ment** *n* inadaptation *f.*

Malagasy [ˌmælə'gæsi] *adj/n* malgache.

malaise [mə'leiz] *n* malaise *m.*

malaria [mə'lɛəriə] *n* paludisme *m.*

Malay [mə'lei] *adj* malais ● *n* Malais *n* (person) || malais *m* (language) || ~**a** [mə'leiə] *n* Malaisie *f* || ~**an** [-n] *n* Malais *n.*

male [meil] *adj* mâle (animal) || masculin (person) || COLL. ~ *chauvinist pig,* phallocrate *m ;* macho (fam.) ● *n* mâle *m.*

malediction [ˌmæli'dikʃn] *n* malédiction *f.*

malevol|ence [mə'levələns] *n* malveillance *f* || ~**ent** *adj* malveillant.

malic|e ['mælis] *n* méchanceté *f ; bear sb* ~, en vouloir à qqn || ~**ious** [mə'liʃəs] *adj* méchant.

malign [mə'lain] *adj* malin ● *vt* calomnier || ~**ant** [mə'lignənt] *adj* méchant, malfaisant || MED. malin.

malinger [mə'liŋgə] *vi* tirer au flanc, faire le malade.

mall [mɔːl/mæl] *n* U.S. centre commercial.

mallard ['mæləd] *n* canard *m* sauvage.

malleable ['mæliəbl] *adj* malléable.

mallet ['mælit] *n* maillet *m.*

malnutrition ['mælnjuː'triʃn] *n* sous-alimentation *f.*

malpractice ['mæl'præktis] *n* faute professionnelle ; incurie *f* ; malversation *f* || [doctor] négligence *f,* faute professionnelle.

malt [mɔːlt] *n* malt *m.*

Malt|a ['mɔːltə] *n* Malte *f* || ~**ese** [-iːz] *adj/n* maltais ; ~ *cross,* croix *f* de Malte.

maltreat [mæl'triːt] *vt* maltraiter || ~**ment** *n* mauvais traitement *m.*

mammal ['mæml] *n* mammifère *m.*

mammoth ['mæməθ] *n* mammouth *m* ● *adj* FIG. colossal, géant.

mammy ['mæmi] *n* maman *f.*

man, men [mæn, men] *n* homme *m ; old* ~, vieillard *m* || *the* ~ *in the street,* l'homme de la rue || ~ *of straw,* homme de paille || humanité *f,* espèce humaine || domestique *m* || MIL. ordonnance *f/m* (orderly) ; pièce *f* (in chess) ; pion *m* (in draughts) || NAUT. navire *m* (ship) ● *vt* NAUT. équiper (a boat).

manacles [ˈmænəklz] *npl* menottes *fpl*.

manag|e [ˈmænidʒ] *vt* diriger, gérer (a shop) ‖ mener à bien (a piece of work) — *vi* arriver (*to do*, à faire) ‖ se débrouiller (financially) ‖ ~**ement** [-mənt] *n* gestion, administration *f* ‖ direction, gérance *f* ‖ [collective] cadres *mpl* ‖ ~**er** *n* directeur, gérant *m* ‖ THᵉᵃᵗʳᵉ. régisseur *m* ‖ ~**eress** [ˌ- ˈres] *n* directrice, gérante *f* ‖ ~**ing director** *n* directeur général, P.D.G. *m*.

mandarin [ˈmændərin] *n* mandarin *m* (lit. and fig.).

mandat|e [ˈmændeit] *n* ordre *m* ‖ JUʀ. mandat *m* ● *vt* placer sous mandat ‖ ~**ory** [ˈmændətri] *adj* obligatoire.

mandolin(e) [ˈmændəlin] *n* mandoline *f*.

mane [mein] *n* crinière *f*.

man-eater [ˈmænˌiːtə] *n* anthropophage, cannibale *n*.

maneuver [məˈnuːvə] *n/v* U.S. = MANŒUVRE.

mange [meindʒ] *n* gale *f* ‖ ~**y** *adj* galeux.

manger [ˈmeindʒə] *n* mangeoire *f* ‖ REʟ. crèche *f* (crib).

mangle [ˈmæŋgl] *vt* déchiqueter ‖ mutiler.

manhandle [ˈmænˌhændl] *vt* malmener.

manhole [ˈmænhəul] *n* bouche *f* d'égout.

manhood [ˈmænhud] *n* maturité *f* (state) ‖ virilité *f*.

man|ia [ˈmeinjə] *n* manie *f* ‖ penchant *m* morbide ‖ ~**iac** [-iæk] *adj/n* fou, dément *n* ; forcené *n*.

manicur|e [ˈmænikjuə] *vt* faire les ongles à ‖ ~**ist** *n* manucure *f*.

manifest [ˈmænifest] *vt* manifester, témoigner ‖ ~**ation** [ˌmænifesˈteiʃn] *n* manifestation *f* ‖ ~**o** [ˌmæniˈfestəu] *n* (*Pl* ~**es** [-z], U.S. ~**s** [-z]) manifeste *m*.

manifold [ˈmænifəuld] *adj* multiple.

manikin [ˈmænikin] *n* nabot, nain *m* ‖ Aʀᴛꜱ mannequin *m*.

Manil(l)a [məˈnilə] *n* GᴇᴏGʀ. Manille *f* ‖ ~ *paper*, papier *m* bulle.

manipulate [məˈnipjuleit] *vt* [lit. and fig.] manipuler, manœuvrer.

man|kind [mænˈkaind] *n* humanité *f*, genre humain ‖ ~**like** *adj* d'homme, digne d'un homme ‖ ~**ly** *adj* mâle, viril.

man-made [ˈmænˌmeid] *adj* artificiel.

manner [ˈmænə] *n* manière, façon *f* ; in the French ~, à la française ‖ air *m*, attitude *f* ‖ *all ~ of*, toutes sortes de ‖ *Pl* [social practices] manières *fpl* ; good ~s, bonnes manières, savoir-vivre *m* ‖ [ways of living] mœurs *fpl*.

mannish [ˈmæniʃ] *adj* hommasse.

manœuvre [məˈnuːvə] *n* Mɪʟ. manœuvre *f* ● *vt* (faire) manœuvrer ‖ Fɪɢ. manœuvrer (sb) — *vi* manœuvrer, louvoyer.

man-of-war [mænəˈwɔː] *n* navire *m* de guerre.

manor [ˈmænə] *n* ~-*house*, manoir *m*, gentilhommière *f*.

manpower [ˈmænpauə] *n* main-d'œuvre *f*.

manservant [ˈmænˌsɜːvənt] *n* serviteur *m*.

mansion [ˈmænʃn] *n* [town] hôtel particulier ; [country] château *m*.

manslaughter [ˈmænˌslɔːtə] *n* JUʀ. homicide *m* involontaire.

mantelpiece [ˈmæntlpiːs] *n* manteau *m* de cheminée.

mantis [ˈmæntis] *m* praying ~, mante religieuse.

mantle [ˈmæntl] *n* mante, cape *f* ‖ TᴇᴄʜN. (gas-) ~, manchon *m* (à incandescence).

man-trap [ˈmæntræp] *n* piège *m* à loup.

manual [ˈmænjuəl] *adj* manuel • *n* manuel *m* (book).

manufactur|e [ˌmænjuˈfæktʃə] *n* fabrication *f* • *vt* fabriquer ‖ ~**er** [-rə] *n* industriel, fabricant *m*.

manure [məˈnjuə] *n* fumier *m; liquid* ~, purin *m*.

manuscript [ˈmænjuskript] *n* manuscrit *m*.

Manx [mæŋks] *adj* de l'île de Man.

many [ˈmeni] *adj/pron* beaucoup (de), un grand nombre (de); *how* ~ ?, combien ? ; *as* ~ *as*, autant que, jusqu'à ; *not so* ~, pas autant ; *too* ~, trop ; *be one too* ~, être de trop ‖ ~ *a*, maint ‖ ~ MUCH • *n the* ~, la foule, la multitude *f* ‖ ~**-coloured** [ˈ-ˈkʌləd] *adj* multicolore, bariolé ‖ ~**-sided** [ˈ-ˈsaidid] *adj* complexe.

map [mæp] *n* carte *f* • *vt* dresser la/une carte de.

maple [ˈmeipl] *n* érable *m*.

mar [mɑː] *vt* FIG. gâter.

maraud [məˈrɔːd] *vt* piller, marauder ‖ ~**er** *n* pillard, maraudeur *n*.

marble [ˈmɑːbl] *n* marbre *m* ‖ bille *f* (ball); *play* ~*s*, jouer aux billes • *vt* marbrer.

March[1] [mɑːtʃ] *n* mars *m*.

march[2] *n* MIL. marche *f; ~ past,* défilé *m* ‖ MUS. *dead* ~, marche funèbre ‖ POL. *protest* ~, manifestation *f* ‖ FIG. progrès, déroulement *m; coll. steal a ~ on,* prendre de l'avance sur • *vi* avancer ‖ ~ *past,* défiler.

marchioness [ˈmɑːʃnis] *n* marquise *f*.

mare [mɛə] *n* jument *f*.

margarine [ˌmɑːdʒəˈriːn], COLL. **marge** [mɑːdʒ] *n* margarine *f*.

margin [ˈmɑːdʒin] *n* bord *m* ‖ [page]marge *f* ‖ [polling] fourchette *f* ‖ ~**al** *adj* marginal.

marigold [ˈmærigəuld] *n* BOT. souci *m*.

marijuana [ˌmæriˈwɑːnə] *n* marihuana, marijuana *f*.

marine [məˈriːn] *adj* marin, maritime • *n mercantile/merchant* ~, marine marchande ‖ U.S. fusilier *m* marin ; *the* ~*s,* l'infanterie *f* de marine.

marital [ˈmæritəl] *adj* conjugal.

mark [mɑːk] *n* marque *f,* signe *m* (on paper) ‖ tache, trace *f* (stain) ‖ [school] note *f;* point *m* ‖ TECHN. série *f* ‖ SP. cible *f,* but *m; hit/miss the* ~, atteindre/manquer le but ; [starting place] ligne *f* de départ ; *on your* ~*s !, get set !, go !,* à vos marques !, prêts !, partez ! ‖ FIG. niveau *m* (de qualité) ; [target] *wide of the* ~, à côté de la plaque (fam.) ; [health] *not up to the* ~, pas en forme • *vt* marquer ‖ tacher (stain) ‖ [school] corriger, noter ‖ COMM. ~ *down,* démarquer (goods) ‖ SP. marquer (opponent, score) ‖ MIL. ~ *time,* marquer le pas ; FIG. piétiner ‖ FIG. observer, faire attention à ; ~ *my words !,* écoutez-moi bien ! ‖ ~ *out,* délimiter, jalonner.

marker *n* [pen marqueur *m* ‖ [football] *shake off one's* ~, se démarquer.

market [ˈmɑːkit] *n* marché *m; go to* ~, aller au marché ; ~ *day,* jour de marché ; ~ *place,* place *f* du marché ‖ *put on the* ~, mettre en circulation ; mettre en vente (house) • *vt* vendre, commercialiser ‖ U.S. *go* ~*ing,* faire des achats/courses ‖ ~**able** *adj* vendable ‖ ~**gardener** *n* maraîcher *n* ‖ ~**gardening** *n* culture maraîchère ‖ ~**ing** *n* commercialisation *f* ‖ ~**survey** *n* étude *f* de marché ‖ ~**town** *n* bourg *m*.

marksman [ˈmɑːksmən] *n* tireur *m* d'élite.

marmalade [ˈmɑːməleid] *n* confiture *f* d'oranges.

maroon[1] [məˈruːn] *adj* bordeaux (colour).

maroon[2] *vt* [arch.] abandonner sur une île déserte ‖ FIG. abandonner.

marquee [ma'ki:] *n* grande tente.

marquis ['ma:kwis] *n* marquis *m*.

marriage ['mærid3] *n* mariage *m* ; *give/take in* ~, donner/prendre en mariage ; ~ *articles,* contrat de mariage ; ~ *of convenience,* mariage de raison ; ‖ ~**able** *adj* nubile.

married ['mærid] *adj* marié ; *get* ~, se marier ; ~ *couple,* couple (marié) ; *the newly* ~ *couple,* les nouveaux mariés ; ~ *life,* vie conjugale.

marrow ['mærəu] *n* moelle *f* ; ~ *bone,* os *m* à moelle ‖ BOT. *vegetable* ~, courge *f*.

marry ['mæri] *vt* épouser ‖ [parents] marier ; [priest] unir — *vi* se marier.

marsh [ma:ʃ] *n* marais, marécage *m* ‖ ~-**mallow** [' -'mæləu] *n* guimauve *f* ‖ ~**y** *adj* marécageux.

marshal ['ma:ʃl] *n* U.S. shérif *m*‖ MIL. maréchal *m* ● *vt* disposer, mettre en ordre ‖ MIL. ranger, disposer (forces) ‖ RAIL. ~**ling yard,** gare *f* de triage.

mart [ma:t] *n* centre commercial.

marten ['ma:tin] *n* martre *f*.

martial ['ma:ʃl] *adj* martial ; ~ *law,* loi martiale.

martin ['ma:tin] *n* ZOOL. martinet *m*.

martyr ['ma:tə] *n* martyr ● *vt* martyriser ‖ ~**dom** [-dəm] *n* martyre *m*.

marvel ['ma:vl] *n* merveille *f* ‖ miracle *m* ● *vi* s'émerveiller, s'étonner (*at,* de) ‖ ~**lous** ['ma:vləs] *adj* merveilleux, extraordinaire.

mascot ['mæskət] *n* mascotte *f*.

masculine ['mæ:skjulin] *adj* masculin, mâle ● *n* GRAMM. masculin *m*.

mash [mæʃ] *n* CULIN. purée *f* (de pommes de terre) ● *vt* écraser ; ~*ed potatoes,* purée de pommes de terre ‖ ~**er** *n* presse-purée *m*.

mask [ma:sk] *n* masque *m* ● *vt* masquer.

masoch|ism ['mæzəukizm] *n* masochisme *m* ‖ ~**ist** *n* masochiste *n*.

mason ['meisn] *n* maçon *m* ‖ JUR. franc-maçon *m* ‖ ~**ic** [mə'sɔnik] *adj* JUR. maçonnique ‖ ~**ry** ['meisnri] *n* ARCH. maçonnerie *f* ‖ JUR. franc-maçonnerie *f*.

masquerade [‚mæskə'reid] *n* mascarade *f,* bal masqué.

mass¹ [mæs] *n* masse, foule *f; in the* ~, en bloc ; ~ *meeting,* meeting monstre ; *the* ~*es,* les masses populaires ‖ ~ *media,* media *mpl* ‖ ~-*produce,* fabriquer en série ; ~-*production,* fabrication *f* en série ● *vi/vt* (se) masser.

Mass² *n* messe *f; attend/say* ~, assister à/dire la messe ; *high/low* ~, grand-messe/messe basse.

massacre ['mæsəkə] *n* massacre *m* ● *vt* massacrer.

massage ['mæsa:3] *n* massage *m; have a* ~, se faire masser ● *vt* masser.

masseur, euse [mæ'sə:, -ə:z] *n* masseur *n*.

massive ['mæsiv] *adj* massif.

mast¹ [ma:st] *n* BOT. gland *m*.

mast² *n* mât *m; at half* ~, en berne ; *main* ~, grand mât.

master ['ma:stə] *n* maître, patron *m* ‖ [secondary school] professeur *m* ; [primary school] instituteur *m* ‖ [university] *Master's degree,* maîtrise *m* ● *vt* maîtriser, dominer, surmonter (difficulty) ; posséder à fond (subject) ‖ ~-**key** *n* passe-partout *m* ‖ ~**ly** *adj* magistral ; *in a* ~ *way,* magistralement ‖ ~**mind** *n* COLL. esprit supérieur ; cerveau *m* (fam.) ● *vt* organiser ‖ ~**piece** *n* chef-d'œuvre *m* ‖ ~**y** ['ma:stəri] *n* maîtrise, connaissance approfondie ‖ domination *f* (control).

mastiff ['mæstif] *n* ZOOL. mastiff, dogue *m*.

mat [mæt] *n* natte *f,* tapis *m* ‖ dessous *m* de plat ● *vt* emmêler (hair).

match¹ [mætʃ] *n* allumette *f; strike*

a ~, frotter une allumette ; ~**box,** boîte *f* d'allumettes.

match² *n* égal, pareil *m* (person) ; *be a* ~ *for sb,* être de force à lutter avec qqn || mariage *m* || parti *m* (person) || Sp. match *m* ● *vt* égaler || assortir (colours) ● *vi* s'harmoniser, aller (*with,* avec) || ~ *up to,* être à la hauteur de || ~**ing** *n* assortiment *m* || ~**less** *adj* incomparable, sans pareil, hors pair.

mate¹ [meit] *n* mat *m* (checkmate) ● *vt* faire échec et mat.

mate² *n* camarade *n* || Zool. mâle *m* ; femelle *f* || Naut. (officier en) second *m* ● *vt* marier (*with,* à) || accoupler (birds) — *vi* [birds] s'unir, s'accoupler.

material [mə'tiəriəl] *adj* matériel || physique (comfort, etc.) || important (facts) || profond (change) || considérable (service) ● *n* matière *f* ; *raw* ~, matière première ; *building* ~*s,* matériaux *mpl* de construction ; tissu *m,* étoffe *f* (fabric) || ~**ism** *n* matérialisme *m* || ~**ize** *vi* [plans] se réaliser, aboutir.

matern|al [mə'tə:nl] *adj* maternel || ~**ity** [-iti] *n* maternité *f* ; ~ *home,* clinique *f* d'accouchement ; ~ *hospital,* maternité *f* ; ~ *leave,* congé *m* de maternité.

mathemat|ical [ˌmæθi'mætikl] *adj* mathématique || ~**ician** [ˌmæθimə'tiʃn] *n* mathématicien *n* || ~**ics** [ˌmæθi'mætiks] *n* mathématiques *fpl*.

maths [mæθs] *n* Coll. maths *fpl*.

mating ['meitiŋ] *n* union *f* ; accouplement *m*.

matriarchy ['meitriɑ:ki] *n* matriarcat *m*.

matricula|te [mə'trikjuleit] *vi/vt* (s')inscrire à une université || ~**tion** [məˌtrikju'leiʃn] *n* inscription *f* || immatriculation *f*.

matrimony ['mætrimni] *n* vie conjugale.

matrix, -ices ['meitriks, -isi:z] *n*

Med., Techn. matrice *f* || Geol. gangue *f* (substance).

matron ['meitrən] *n* [institution] directrice *f* || [hospital] infirmière *f* en chef.

matter ['mætə] *n* matière, substance *f* || documents *mpl* ; *printed* ~, imprimé *m* || affaire, question *f* ; *as* ~*s stand,* au point où en sont les choses ; *for that* ~, à cet égard || [trouble] *what's the* ~ *?,* qu'est-ce qu'il y a ? ; *what's the* ~ *with you ?,* qu'avez-vous ? ; *there's nothing the* ~, je n'ai rien || Fig. importance *f* ; *no* ~ *!,* peu importe ! ; *no* ~ *how,* n'importe comment ; *no* ~ *when,* à n'importe quel moment || *as a* ~ *of course,* normalement, tout naturellement, automatiquement ; *as a* ~ *of fact,* à vrai dire, en fait, en réalité ● *vi* importer ; *it doesn't* ~, ça ne fait rien, ça n'a pas d'importance || ~**-of-fact** *adj* prosaïque, terre à terre.

mattress ['mætris] *n* matelas *m*.

matur|e [mə'tjuə] *adj* mûr || [cheese] fait (à cœur) || Fin. échu ● *vi* mûrir || ~**ity** [-riti] *n* maturité *f* || Comm. échéance *f* ; *come to* ~, arriver à échéance.

maudlin ['mɔ:dlin] *adj* larmoyant.

maul [mɔ:l] *vt* malmener, brutaliser || lacérer (tear).

Mauritian [mə'riʃn] *adj/n* mauricien.

Mauritius [mə'riʃəs] *n* Geogr. île *f* Maurice.

mausoleum [ˌmɔ:sə'liəm] *n* mausolée *m*.

maverick ['mævrik] *n* Fig. franctireur *m* ; non-conformiste *n*.

mawkish ['mɔ:kiʃ] *adj* sottement sentimental ; à l'eau de rose (fam.).

maxi ['mæksi] *adj/n* Coll. [garment] maxi *(m)*.

maxim ['mæksim] *n* maxime *f*.

maximum ['mæksiməm] *adj/n* maximum *(m)*.

may [mei] *mod aux* (pret. might [mait]) pouvoir ‖ [probability] *he ~ come*, il se peut qu'il vienne, peut-être viendra-t-il ‖ [possibility] *that ~ be true*, cela peut être vrai ‖ [permission] *if I ~*, si vous le permettez ‖ [wish] *~ he be happy !*, puisse-t-il être heureux ! ‖ [concession] *try as he might*, il avait beau essayer ‖ [subjunctive] *(so) that you ~ know*, afin que vous sachiez ; *be that as it ~*, quoi qu'il en soit ‖ *~be (adv)*, peut-être.

May [mei] *n* mai *m* ; *~ Day*, le 1ᵉʳ mai.

may|-bug [ˈmeibʌg] *n* hanneton *m* ‖ *~day* *n* NAUT. S.O.S. *m*.

mayhem [ˈmeihəm] *n* chaos *m* ; ravages *mpl*.

mayn't [meint] = MAY NOT.

mayor [mɛə] *n* maire *m* ‖ *~ess* [-ris] *n* mairesse *f*.

maze [meiz] *n* labyrinthe, dédale *m*.

me [mi:] *pron* me, moi.

meadow [ˈmedəu] *n* prairie *f*, pré *m*.

meagre [ˈmi:gə] *adj* maigre.

meal¹ [mi:l] *n* repas *m* ; *~ tray*, plateau-repas *m*.

meal² *n* farine *f* ‖ *~y* [ˈmi:li] *adj* farineux ‖ FIG. *~-mouthed*, doucereux, mielleux.

mean¹ [mi:n] *adj* moyen (average) ‖ → GREENWICH ● *n* milieu *m* ; golden *~*, juste milieu ‖ MATH. moyenne *f*.

mean² *adj* misérable, pauvre, piètre (inferior) ‖ avare, mesquin, chiche, radin (fam.) [stingy] ‖ méchant (unkind) ‖ U.S. méchant, vicieux (dog, horse).

mean³ *vt* (meant [ment]) signifier, vouloir dire (signify) ‖ se proposer, avoir l'intention (intend) ; *what do you ~ to do ?*, que comptez-vous faire ? ‖ vouloir, avoir des intentions ; *I didn't ~ to (do it)*, je ne l'ai pas fait exprès ; *~ well by sb*, vouloir du bien à qqn ; *he ~s no harm*, il n'a pas de mauvaises intentions ; *I ~ it*, je

ne plaisante pas ‖ destiner (destine) [*for*, à].

meander [miˈændə] *n* méandre *m* ● *vi* serpenter.

meaning [ˈmi:niŋ] *n* intention *f* (thought) ‖ sens *m*, signification *f* (sense) ‖ *~ful adj* significatif ‖ *~less adj* dénué de sens, insensé.

meanness [ˈmi:nnis] *n* avarice, mesquinerie *f* (stinginess) ‖ méchanceté.

means [mi:nz] *npl* moyen(s) *m(pl)* ; *a ~ to*, un moyen de ; *by ~ of*, au moyen de ; *by no ~*, en aucun cas, nullement, absolument pas ; *by all ~*, certainement, je vous en prie ; *by fair ~ or foul*, par tous les moyens ‖ moyens *mpl* ; *~ of transport*, moyens de transport ‖ FIN. moyens *mpl*, ressources *fpl* ; *private ~*, fortune personnelle ; *slender ~*, ressources *fpl* (très) modestes.

meant → MEAN³.

mean|time [ˈmi:nˈtaim] *n in the ~*, dans l'intervalle, en attendant ‖ *~-while* [-ˈwail] *adv* en attendant, pendant ce temps.

measles [ˈmi:zlz] *n* rougeole *f*.

measurable [ˈmeʒrəbl] *adj* mesurable.

measure [ˈmeʒə] *n* mesure, dimension *f* ; *made to ~*, fait sur mesure ; *in some ~*, dans une certaine mesure ; *in a large ~*, en grande partie ; *beyond ~*, outre mesure, sans borne ● *vt* mesurer ; *with ~d steps*, à pas comptés ‖ FIG. *~ one's length*, s'étaler de tout son long, s'étaler (fam.) ; *~ out*, doser.

measuring [-riŋ] *n* mesurage *m* ‖ *~chain* *n* chaîne *f* d'arpenteur ‖ *~-out* *n* dosage *m* ‖ *~tape* *n* mètre *m* à ruban.

measurement *n* mesure *f* ; *waist ~*, tour *m* de taille ‖ *Pl* mensurations *fpl* (of sb) ‖ TECHN. arpentage *m*.

meat [mi:t] *n* viande *f* ; *~ball*, boulette *f* de viande.

mechanic [miˈkænik] *n* mécanicien *n* ‖ *~al adj* mécanique ; *~ drawing*, dessin industriel ‖ Fig. machinal ‖ ~**ally** *adv* mécaniquement ‖ machinalement ‖ ~**s** [-s] *n(pl)* mécanique *f.*

mechan|ism [´mekənizm] *n* mécanisme *m* ‖ ~**ize** *vt* mécaniser; motoriser (army).

medal [´medl] *n* médaille *f.*

meddl|e [´medl] *vi* — *in with,* se mêler de (ce qui ne vous regarde pas), s'occuper de ‖ ~**er** *n* touche-à-tout *m* ‖ ~**esome** [-səm] *adj* indiscret, touche-à-tout.

media [´mi:diə] *n(pl)* media *mpl.*

mediaeval [ˌmedi´i:vl] *adj* médiéval.

median [´mi:djən] *adj* médian.

media|te [´mi:dieit] *vt* s'entremettre, servir d'intermédiaire (act); obtenir par médiation (bring about) — *vi* s'entremettre ‖ ~**tion** [ˌmi:di´eiʃn] *n* médiation *f* ‖ ~**tor** *n* médiateur *n.*

medic [´medic], **medico** [´medikəu] *n* Coll. [student] carabin *m* (fam.); [doctor] toubib *m* (fam.).

medical [´medikl] *adj* médical; ~ *student,* étudiant *m* en médecine ‖ Mil. ~ *officer,* médecin *m* militaire ● *n* Coll. visite médicale.

medicine [´medsin] *n* médecine *f* ‖ médicament, remède *m* (drug).

mediocr|e [´mi:diəukə] *adj* médiocre ‖ ~**ity** [ˌmidi´ɔkriti] *n* médiocrité *f.*

meditat|e [´mediteit] *vi* méditer (on, sur) ‖ ~**ion** [ˌmedi´teiʃn] *n* méditation *f.*

Mediterranean [ˌmeditə´reinjən] *adj* méditerranéen ● *n* Méditerranée *f* (sea).

medium, media [´mi:djəm, -ə] *n* milieu *m* (mean); *the happy* ~, le juste milieu ‖ intermédiaire *m,* entremise *f* (agency) ‖ milieu *m* (surroundings) ‖ (*Pl* ~**s** [-z]) [spiritualism] médium *m* ● *adj* moyen; ~-*sized,* de taille moyenne ‖ Rad. ~ *waves,* ondes moyennes ‖ Culin. à point.

medlar [medlə] *n* nèfle *f* ‖ néflier *m.*

medley [´medli] *n* mélange *m* ‖ Mus. pot-pourri *m.*

meek [mi:k] *adj* doux, humble ‖ ~**ness** *n* douceur, humilité *f.*

meerschaum [´miəʃəm] *n* (pipe *f* en) écume *f* de mer.

meet [mi:t] *vt* (met [met]) rencontrer (come upon) ‖ rejoindre, aller audevant de; *go to* ~ *sb,* aller à la rencontre de qqn ‖ faire la connaissance de (become acquainted with) ‖ Fig. faire face à (expenses); honorer, payer (a cheque) ‖ Fig. affronter (a danger); faire face à (a difficulty) ‖ Fig. satisfaire (demands); satisfaire à, répondre à (requirements); ~ *the case,* convenir, faire l'affaire — *vi* se rencontrer (come together) ‖ faire connaissance (become acquainted) ‖ se réunir (be united) ‖ *make (both) ends* ~, joindre les deux bouts ‖ ~ *with,* subir, avoir (accident); rencontrer, trouver (by chance) ● *n* Sp. rendezvous *m* de chasse ‖ ~**ing** *n* rencontre, réunion *f;* meeting *m* (of people); ~ *place* (lieu *m* de) rendezvous *m.*

mega|lomania [ˌmegələ´meinjə] *n* mégalomanie *f* ‖ ~**phone** [-fəun] *n* porte-voix, mégaphone *m.*

melanchol|ic [ˌmelən´kɔlik] *adj* mélancolique ‖ ~**y** [´melənkəli] *n* mélancolie *f* ● *adj* mélancolique.

mellow [´meləu] *adj* doux, moelleux (wine) ● *vi* s'adoucir, se velouter ‖ Bot. mûrir.

melodious [mi´ləudjəs] *adj* mélodieux.

melodrama [ˌmelə´drɑmə] *n* mélodrame *m* ‖ ~**tic** [ˌmelədrə´mætik] *adj* mélodramatique.

melody [´melədi] *n* mélodie *f.*

melon [´melən] *n* melon *m.*

melt [melt] *vt* (faire) fondre — *vi* fondre, se dissoudre ‖ Fig. s'attendrir ‖ ~ *away,* se dissiper; [snow] fondre — *vt* (faire) fondre.

melting-point n point m de fusion ‖ ~-**pot** n creuset m.

member ['membə] n membre m ; be a ~ of, faire partie de ; Member of Parliament, député m ‖ ~**ship** n qualité f de membre ‖ nombre m de membres.

membrane ['membrein] n membrane f.

memento [mi'mentəu] n souvenir m (keepsake).

memo ['meməu] n → MEMORANDUM ‖ aide-mémoire m ‖ note f.

memoir ['memwɑ:] n notice f biographique ‖ mémoire m, étude f (essay) ‖ Pl Mémoires mpl (autobiography).

memor|able ['memrəbl] adj mémorable ‖ ~**andum**, s/-**anda** [memə-'rændəm, -z/də] m note f ‖ mémorandum, aide-mémoire m ‖ ~**ial** [mi'mɔ:riəl] adj commémoratif ● n monument commémoratif ‖ ~**ize** vt apprendre par cœur ‖ ~**y** ['meməri] n mémoire f (faculty) ; from ~, de mémoire ‖ souvenir m (remembrance) ; in ~ of, en souvenir de ; have a ~ for faces, être physionomiste.

men [men] npl → MAN ‖ "~ at work", « travaux ».

menace ['menəs] n menace f ‖ danger public, poison m (fam.) [person] ● vt menacer (with, de).

menagerie [mi'nædʒri] n ménagerie f.

mend [mend] n raccommodage m (repair) ; reprise f (darn) ‖ Fig. be on the ~, être en voie de guérison ● vt raccommoder (clothes) ; repriser (socks) ‖ Fig. arranger (matters) ; ~ one's ways, changer de conduite, s'amender — vi Coll. se remettre, se rétablir ‖ ~**able** [-əbl] adj réparable ‖ ~**er** n réparateur n ‖ ~**ing** n raccommodage m ; invisible ~, stoppage m.

menial ['mi:njəl] adj domestique ; ~ condition, domesticité f ‖ Fig. servile.

meningitis [ˌmenin'dʒaitis] n méningite f.

menses ['mensi:z] npl Med. menstrues fpl.

menstruate ['menstrueit] vi Med. avoir ses règles.

mensuration [ˌmensjuə'reiʃn] n mensuration f.

mental ['mentl] adj mental ; ~ arithmetic, calcul mental ‖ ~ home, clinique f psychiatrique ‖ ~ reservation, arrière-pensée f ‖ Coll. dingue, timbré ‖ ~**ity** [men'tæliti] n mentalité f.

menthol ['menθɔl] n menthol m ‖ ~**ated** [-eitid] adj mentholé.

mention ['menʃn] n mention f ● vt mentionner, signaler ‖ don't ~ it, il n'y a pas de quoi ; not to ~, sans parler de.

menu ['menju:] n menu m, carte f.

mercantile ['mə:kntail] adj commercial ‖ Naut. ~ marine, marine marchande.

mercenary ['mə:sinri] n Mil. mercenaire m ● adj intéressé ; mercantile, vénal.

merchandise ['mə:tʃəndaiz] n marchandise f.

merchant ['mə:tʃnt] n négociant n ‖ ~ marine/navy, marine marchande ‖ ~**man**, ~**ship** n navire m de commerce.

merci|ful ['mə:sifl] adj miséricordieux ‖ ~**less** adj impitoyable, sans pitié.

mercur|ial [mə:'kjuəriəl] adj Ch. mercuriel ‖ Fig. vif, éveillé (quickwitted) ; versatile, inconstant (changeable) ‖ ~**ochrome** [-ə‿krəum] n T.N. Mercurochrome m ‖ ~**y** ['mə:kjuri] n Ch. mercure m.

mercy ['mə:si] n pitié f ‖ Rel. miséricorde, grâce f ‖ ~ **killing** n euthanasie f.

mere adj simple, seul ‖ ~**ly** adv simplement, seulement, rien que ; he ~ smiled, il se contenta de sourire.

merg|e [mə:dʒ] vt se fondre, s'amalgamer || JUR. fusionner || **~er** n COMM., FIN. fusion f.

meridian [mə'ridiən] n méridien m || FIG. apogée m ● adj méridien.

merit ['merit] n mérite m ● vt mériter || **~orious** [ˌmeri'tɔ:riəs] adj méritant (person) ; méritoire (deed).

mermaid ['mə:meid] n sirène f.

merri|ly ['merili] adv gaiement || **~ment** n gaieté, joie f || Pl divertissements mpl.

merry ['meri] adj gai, joyeux ; make ~, s'amuser ; Merry Christmas !, joyeux Noël ! || **~-go-round** n manège m (de chevaux de bois) || **~-making** n réjouissances fpl.

mesh [meʃ] n maille f (of net) || TECHN. in ~, engrené ● vt prendre au filet — vi s'engrener.

mesmer|ism ['mezmərizm] n hypnotisme m || **~ize** vt hypnotiser, magnétiser.

mess¹ [mes] n désordre m, pagaille f ; fouillis, gâchis m (muddle) ; make a ~ of, gâcher, saccager (ruin) ; saleté f (dirt) ; the cat has made a ~, le chat a fait des saletés || FIG. be in a ~, être dans le pétrin/de beaux draps ● vt souiller, salir || **~ about**, flâner ; bricoler (work without plan) || **~ up**, gâcher, salir ; mettre en désordre, semer la pagaille dans (fam.) ; bouleverser (plans) ; ~up sb's hair, décoiffer qqn ; esquinter (fam.) [damage].

mess² n MIL. mess m ; popote f (fam.) || **~ tin**, gamelle f ● vi manger au mess ; ~ together, faire popote ensemble.

message ['mesidʒ] n message m (communication) ; telephone ~, message téléphonique || [Scotland] commission f (errand) ; go on a ~, faire une commission.

messenger ['mesindʒə] n messager n || commissionnaire n.

messy adj en désordre (untidy) || sale (dirty) || salissant (job).

met → MEET.

metabolism [mə'tæbəlizm] n métabolisme m.

metal ['metl] n métal m || RAIL. empierrement m ; [road] ballast m || **~lic** [mi'tælik] adj métallique || **~lurgist** [me'tælədʒist] n métallurgiste m || **~lurgy** [me'tælədʒi] n métallurgie f.

metamorphosis [ˌmetə'mɔ:fəsis] n métamorphose f.

metaphor ['metəfə] n métaphore f.

metaphys|ical [ˌmetə'fizikl] adj métaphysique || **~ics** [-iks] n métaphysique f.

mete [mi:t] vt ~ out, répartir.

meteor ['mi:tjə] n météore m || **~ite** [-rait] n météorite m/f || **~ological** [ˌmi:tjərə'lɔdʒikl] adj météorologique || **~ology** [ˌmi:tjə'rɔlədʒi] n météorologie f.

meter ['mi:tə] n compteur m (for gas, electricity) || U.S. mètre m || AUT. U.S. **~-maid**, contractuelle f.

method ['meθəd] n méthode f || **~ical** [mi'θɔdikl] adj méthodique.

methylated ['meθileitid] adj ~ spirit, alcool m à brûler.

meticulous [mi'tikjuləs] adj méticuleux.

metr|e ['mi:tə] n mètre m || **~ic** ['metrik] adj métrique || **~onome** ['metrənəum] n métronome m.

metrop|olis [mi'trɔpəlis] n métropole f || **~olitan** [ˌmetrə'pɔlitn] adj métropolitain, de la capitale.

mettle ['metl] n fougue, ardeur f.

mew¹ [mju:] n miaulement m ● vi miauler.

mew² n ZOOL. mouette f.

mew³ n mue ; volière f ● vt mettre en cage || **~s** [-z] n (+ sing. v.) écuries fpl (formerly) ; studio, appartement m (modern).

Mexic|an ['meksikən] adj/n mexicain || **~o** [-əu] n Mexique (country) ; ~ City, Mexico.

mezzanine ['mezəni:n] *n* mezzanine *f*; entresol *m*.

mica ['maikə] *n* mica *m*.

mice *npl* → MOUSE.

mickey ['miki] *n* SL. take the ~out of *sb*, se payer la tête de qqn.

micro ['maikrəu] *n* INF., COLL. micro (fam.).

microbe ['maikrəub] *n* microbe *m*.

micro|computer ['maikrəkəm-'pju:tə] *n* micro-ordinateur *m* ‖ ~**film** *n* microfilm *m* ‖ ~**groove** *n* TECHN. microsillon *m* ‖ ~**lite** [-lait] *n* AV. = U.L.M. *m* ‖ ~**phone** [-fəun] *n* microphone *m* ‖ ~**processor** *n* microprocesseur *m*.

microscop|e ['maikrəskəup] *n* microscope *m* ‖ ~**ic** [,maikrəs'kɔpik] *adj* microscopique.

microwave ['maikrəweiv] *n* micro-onde *f*; ~ (oven), (four *m* à) micro-ondes *m inv*.

mid [mid] *prep* LIT. = AMID(ST) ● *pref* au milieu de; mi-; *in* ~-*air*, en plein ciel; *in* ~-*June*, à la mi-juin; *in* ~ *ocean*, en plein océan.

midday [,mid'dei] *n* midi *m*.

middle ['midl] *adj* du milieu; intermédiaire (position) ‖ moyen (size); ~ *course*, moyen terme ‖ ~ *finger*, majeur *m* ‖ *Middle Ages*, Moyen Âge ‖ GEOGR. *Middle East*, Moyen-Orient ‖ SP. *middle* (weight) ● *n* milieu *m*; *in the* ~ *of*, au milieu de ‖ COLL. taille *f* (waist) ‖ ~-**age** ['·-'·] *n* un certain âge ‖ ~-**aged** ['·-'eidʒd] *adj* d'un certain âge, entre deux âges ‖ ~-**class** *n* classe moyenne, bourgeoisie *f* ‖ ~**man** *n* COMM. intermédiaire *m* ‖ ~-**of-the-road** *adj* modéré (policy).

middling ['midliŋ] *adj* passable, moyen ● *adv* assez.

middy ['midi] *n* COLL. aspirant *m* de marine; midship *m* (fam.).

midge [midʒ] *n* moucheron *m*.

midget ['midʒit] *adj* minuscule, nain, mini- ● *n* nain *n*.

mid|night ['midnait] *n* minuit *m* ‖ ~**riff** [-rif] *n* ANAT. diaphragme *m* ‖ ~**shipman** [-'ʃipmən] *n* NAUT. aspirant *m*.

midst [midst] *n* milieu *m* ● *adv* parmi.

midsummer ['mid,sʌmə] *n* solstice *m* d'été ‖ cœur *m* de l'été (middle of summer).

midway ['mid'wei] *adv* à mi-chemin.

midwife ['midwaif] *n* MED. sage-femme *f* ‖ ~**ry** ['midwifri] *n* obstétrique *f*.

midwinter ['mid'wintə] *n* solstice *m* d'hiver ‖ cœur *m* de l'hiver (middle of winter).

mien [mi:n] *n* mine, contenance *f*.

miffed [mift] *adj* COLL. fâché.

might¹ [mait] → MAY ‖ ~**n't** ['maitnt] = MIGHT NOT → MAY.

might² *n* puissance, force *f* ‖ ~-**have-been** *n* raté *n* (person) ‖ ~**y** *adj* puissant ● *adv* U.S. très; bougrement (fam.).

migr|ant ['maigrənt] *n* émigrant *n* (person) ‖ ~**ate** [-'greit] *vi* émigrer ‖ ~**ation** [-'greiʃn] *n* migration *f* ‖ ~**atory** [-ətri] *adj* migrateur.

mike [maik] *n* COLL. micro *m*.

milch [miltʃ] *adj* ~ *cow*, vache laitière.

mild [maild] *adj* doux (person, climate); *grow* ~*er*, se radoucir ‖ léger (beer) ‖ peu épicé (sauce) (not hot) ‖ MED. bénin (harmless) ‖ ~**ly** *adv* doucement; *that's putting it* ~ *!*, c'est un euphémisme !, c'est le moins qu'on puisse dire ! ‖ ~**ness** *n* douceur *f*.

mile [mail] *n* mile *m*; NAUT. mille *m* ‖ ~**age** ['mailidʒ] *n* FR. kilométrage *m* ‖ ~**ometer** [mai'lɔmitə] *n* AUT. = FR. compteur *m* (kilométrique) ‖ ~**stone** *n* borne *f* milliaire/kilométrique ‖ FIG. jalon *m*.

milit|ancy ['militənsi] *n* combativité *f* ‖ ~**ant** *n* militant *n* ● *adj* combatif, musclé (speech) ‖ **~arism** ['militərizm] n militarisme m ‖ **~ary** ['militri] adj militaire ‖ **~ate** [-eit] vi militer (for/against, pour/contre) ‖ **~ia** [mi'liʃə] n milice f; **~man,** milicien m.

milk [milk] n lait m; fresh/powdered **~,** lait frais/en poudre; **~ diet,** régime lacté ● vt traire ‖ **~can** n bidon m à lait ‖ **~maid** n laitière f ‖ **~man** n laitier m ‖ **~sop** n Pej. poule mouillée ‖ **~-tooth** n dent f de lait ‖ **~y** adj laiteux, lacté ‖ Astr. the Milky Way, la Voie lactée.

mill [mil] n moulin m ‖ usine, fabrique f ● vt moudre, broyer; **~ around** [cattle] tourner en rond ‖ [crowd] grouiller ‖ **~er** n meunier m; **~'s wife,** meunière f ‖ **~ing** n mouture f.

milliner ['milinə] n modiste f.

million ['miljən] n million m ‖ **~aire** [ˌmiljə'nεə] n millionnaire, milliardaire m.

millstone ['milstəun] n meule f ‖ Fig. boulet m.

mime [maim] n mime m ● vi/vt mimer.

mimeograph ['mimiəgrɑːf] vt U.S. polycopier ● n machine f à polycopier.

mimic ['mimik] vt imiter, singer ‖ adj imitateur ‖ ● n imitateur m, singe m ‖ **~ry** [-ri] n imitation f (art) ‖ Zool. mimétisme m.

mince [mins] vt hacher menu (meat); **mincing machine,** hachoir m ‖ Fig. **not to ~ matters/one's words,** ne pas mâcher ses mots — vi minauder ● n bifteck haché ‖ **~meat** n (sorte f de) fruits confits ‖ **~pie** n tourte f aux fruits confits ‖ **~r** [-ə] n = mincing machine.

mind [maind] n esprit m; frame of **~,** état d'esprit; presence of **~,** présence d'esprit; absence of **~,** distraction, absence f ‖ raison f; be out of one's **~,** avoir perdu la raison ‖ avis m, opinion f; speak one's **~,** dire ce qu'on pense; give sb a piece of one's **~,** dire son fait à qqn; **change one's ~,** changer d'avis; **make up one's ~,** se décider; be of one **~,** être d'accord; be of the same **~,** être du même avis; know one's **~,** savoir ce qu'on veut; to my **~,** à mon avis, à mon sens ‖ envie f; **I have a good/half a ~ to do it,** j'ai bien/presque envie de le faire ‖ idée f; to one's **~,** à son goût ‖ attention f; take one's **~ off,** détourner son attention de ‖ souvenir m, mémoire f; bear in **~,** se rappeler; keep sth. in **~,** se souvenir de ‖ Phil. esprit m ● vt faire attention à ‖ se soucier de, s'inquiéter de; **never ~ the price,** ne vous inquiétez pas du prix ‖ veiller sur, surveiller (a baby) ‖ [interr. et neg. sentences] trouver à redire; would you **~** if... ?, cela vous gênerait-il que... ?; would you **~ closing the door ?,** voulez-vous bien fermer la porte ?; if you don't **~,** si vous n'y voyez pas d'inconvénient, si cela ne vous fait rien; **I don't ~ the cold,** je ne crains pas le froid ‖ s'occuper de; **~ your own business,** occupez-vous de vos affaires; **~ you,** vous savez, remarquez ‖ **never ~ !,** ça ne fait rien ! tant pis ! (it doesn't matter); ne vous en faites pas ! (don't worry).

minder n garde f d'enfant ‖ [bodyguard] garde m du corps.

mine¹ [main] poss pron le mien m, la mienne f, les miens mpl, les miennes fpl; this is **~,** c'est à moi; a friend of **~,** un de mes amis.

mine² n Techn., Mil., Naut. mine f; **~-field,** bassin minier ‖ Naut. **~-layer,** mouilleur m de mines; **~-sweeper,** dragueur m de mines ● vt miner, creuser.

miner ['mainə] n mineur m.

mineral ['minrəl] n/adj minéral (m); **~ water** eau minérale ‖ Pl boissons gazeuses ‖ **~ogy** [ˌminə'rælədʒi] n minéralogie f.

mingle ['mingl] vi/vt (se) mêler, (se) mélanger.

mini ['mini] n = ~SKIRT.

miniature ['minjətʃə] n miniature f ● adj miniature, minuscule.

minim ['minim] n Mus. blanche f; ~-rest, demi-pause f ‖ ~**ize** vt minimiser, sous-estimer ‖ ~**um** [-əm] n/adj minimum (m); reduce to a ~, réduire au minimum ; ~ **wage**, salaire m minimum.

mining ['mainiŋ] adj minier.

miniskirt ['miniskə:t] n minijupe f.

minis|ter ['ministə] n ministre m ‖ REL. ministre, pasteur m ‖ ~**try** [-tri] n ministère m.

mink [miŋk] n vison m; ~ **coat**, manteau m de vison.

minor ['mainə] n JUR., MUS. mineur n ‖ U.S. [University] matière f secondaire ● adj mineur, secondaire ‖ ~**ity** [mai'nɔriti] n minorité f (number, age).

minstrel ['minstrəl] n HIST. ménestrel m.

mint[1] [mint] n menthe f.

mint[2] n G.B. Royal Mint, Monnaie f ‖ FIG. **in** ~ **condition**, à l'état de neuf ● vt frapper (coin) ‖ FIG. inventer (word) ‖ ~ **stamp** n timbre neuf.

minuet [‚minju'et] n MUS. menuet m.

minus ['mainəs] adj en moins ‖ moins m (sign) ● prep moins.

minute[1] ['minit] n [time] minute f ‖ [angle] minute f ‖ [record] procès-verbal, compte rendu f.

minute[2] [mai'nju:t] adj menu, minuscule ‖ minutieux, circonstancié (account) ‖ ~**ly** adv minutieusement, en détail.

mira|cle ['mirəkl] n miracle m ‖ ~**culous** [mi'rækjuləs] adj miraculeux.

mirage ['mira:ʒ] n mirage m.

mire ['maiə] n bourbier m, fondrière f (bog) ‖ fange, boue f (mud).

mirror ['mirə] n miroir m, glace f ● vt refléter.

mirth [mə:θ] n joie, gaieté f.

misadventure [‚misəd'ventʃə] n mésaventure f.

mis- [mis] pref = MAL-.

misanthrope ['mizn̩θrəup] n misanthrope n ‖ ~**ic** [‚mizn̩'θrɔpik] adj misanthrope, misanthropique.

mis|apply ['misə'plai] vt mal employer/appliquer ‖ détourner (funds) ‖ ~**behave** [‚-·'·] vi se conduire mal ‖ ~**belief** ['·-·'·] n croyance f erronée ‖ ~**believer** ['·-·'·] n mécréant n ‖ ~**carriage** [‚-·'·] n MED. fausse couche ‖ FIG. échec m ‖ ~**carry** ['·-'·] vi MED. faire une fausse couche, avorter ‖ (letters)] s'égarer ‖ FIG. échouer.

miscellaneous [‚misə'leinjəs] adj divers, varié.

mischance [‚-'·] n malchance, mésaventure f.

mis|chief ['mistʃif] n mal, tort m (injury) ‖ espièglerie f (roguishness) ‖ [child's wrongdoing] sottises ; get into ~, faire des bêtises ‖ ~**chievous** [-tʃivəs] adj malveillant (person) ‖ espiègle (child) ‖ ~**chievousness** n espièglerie f ‖ ~**conception** ['·-·'·] n conception erronée ‖ ~**conduct** [‚-'·] n inconduite f ‖ COMM. mauvaise gestion ‖ ~**deal** ['·-'] n [cards] maldonne f ‖ ~**deed** ['·-'] n méfait, délit m ‖ ~**demeanour** [‚-·'·] n JUR. délit m ‖ écart m de conduite.

miser ['maizə] n avare n.

miserable ['mizrəbl] adj misérable (condition) ‖ triste, malheureux (unhappy).

miser|liness ['maizəlinis] n avarice f ‖ ~**ly** adj avare ‖ ~**y** ['mizəri] n tristesse f (unhappiness) ‖ douleur f (suffering) ‖ misère f (wretchedness).

mis|fire ['mis'faiə] n AUT., MIL. raté m ● vi AUT. avoir des ratés ‖ MIL. faire long feu ‖ [plan] rater ‖ ~**fit** n habit manqué ‖ COMM. laissé-pour-compte m ‖ [person] inadapté n ‖ ~**fortune** [‚-'·] n infortune f, malheur m ‖ ~**giving** [‚-'·] n appréhension, inquiétude *f,* pressentiment *m* ‖ **~guide** ['--] *vt* mal orienter, fourvoyer ‖ **~hap** ['mishæp] *n* contretemps, accident *m,* mésaventure *f; without* ~ sans encombre ‖ **~inform** ['--] *vt* mal renseigner, fourvoyer ‖ **~lay** ['-] (→ LAY) égarer, perdre ‖ **~lead** ['-] *vt* (→ LEAD) induire en erreur, abuser, tromper, fourvoyer (misguide) ‖ **~leading** *adj* trompeur ‖ **~manage** ['--] *vt* mal gérer ‖ **~management** *n* mauvaise gestion ‖ **~nomer** ['mis'nəumə] *n* erreur *f* d'appellation ‖ GRAMM. emploi erroné d'un mot.

misogyn|ist [mi'sɔdʒinist] *n* misogyne *n* ‖ **~y** *n* misogynie *f.*

mis|place ['--] *vt* mal placer ; égarer ‖ **~print** ['-] *n* faute d'impression, coquille *f* ‖ **~pronounce** ['--] *vt* mal prononcer ‖ **~read** ['-] *vt* (→ READ) mal lire ‖ **~represent** ['--] *vt* dénaturer.

miss, es[1] [mis, iz] *n* demoiselle *f* ‖ *Miss Smith,* mademoiselle Smith.

miss[2] *vt* manquer, rater ; ~ *the target,* manquer la cible ‖ ~ *one's train,* manquer son train ‖ manquer (a lesson) ‖ *she (just)* ~*ed falling,* elle a failli tomber ‖ ressentir l'absence ; *I* ~ *you,* vous me manquez ; *do you* ~ *me ?,* est-ce que je vous manque ? ‖ FIG. ~ *the mark,* manquer son but, passer à côté ‖ **~ out,** omettre, sauter (a word) — *vi* **be ~ing,** faire défaut, manquer ● *n* coup manqué, échec *m ; it was a near/lucky* ~, on l'a échappé de peu/belle.

missile ['misail] *n* projectile *m* ‖ MIL. missile *m.*

missing ['misiŋ] *n/adj* disparu (person) ; manquant (thing).

mission ['miʃn] *n* mission *f* ‖ **~ary** [-əri] *n* missionnaire *n.*

misspell ['mis'spel] *vi/vt* (→ SPELL) mal orthographier ‖ **~ing** *n* faute *f* d'orthographe.

mist [mist] *n* brume *f* ● *vi* [mirror] se couvrir de buée, s'embuer ; [landscape] se couvrir de brume ‖ **~y** *adj* brumeux (weather) ; embué (mirror) ‖ FIG. nébuleux (idea).

mistak|e [mis'teik] *vi* (→ TAKE) se méprendre, se tromper — *vt* confondre, se tromper de ; ~ *Bill for Bob,* confondre Bill avec Bob, prendre Bill pour Bob ‖ se méprendre sur (sb) ; *be* **~en,** se tromper (about, sur) ; *if I am not* ~*n,* sauf erreur ● *n* erreur, méprise *f; make a* ~, se tromper, commettre une erreur ; *careless* ~, faute *f* d'étourderie ; *by* ~, par erreur ; *my* ~ *!,* autant pour moi ! ‖ GRAMM. faute *f* ‖ **~en** *adj* erroné, faux.

Mister ['mistə] *n* → MR.

mistletoe ['misltəu] *n* gui *m.*

mistook [mis'tuk] → MISTAKE *v.*

mistranslation [.-'--] *n* faux-sens, contresens *m.*

mistreat [mis'tri:t] *vt* maltraiter.

mistress ['mistris] *n* maîtresse *f* (all senses) ‖ → SCHOOLMISTRESS.

mis|trust ['--] *n* méfiance *f* ● *vt* se méfier de ‖ **~trustful** *adj* méfiant ‖ **~understand** ['---] *vt* (→ UNDERSTAND) mal comprendre ‖ FIG. mal interpréter, se méprendre sur ‖ **~understanding** *n* malentendu *m,* méprise *f* (mistake) ‖ désaccord *m,* mésentente *f* (dissension) ‖ **~use** ['mis'ju:s] *n* abus *m,* mauvais usage, emploi abusif ● ['-'ju:z] *vt* faire mauvais usage ‖ maltraiter *(sb,* qqn).

misuse [.mis'ju:z] *vt* faire (un) mauvais usage (de) ‖ employer improprement/abusivement (word) ● [.mis'ju:s] *n* [authority] abus *m* ‖ GRAMM. usage abusif.

mite [mait] *n* brin *m,* miette *f* ‖ petit *n* (small child).

mitigate ['mitigeit] *vt* tempérer, adoucir ‖ FIG. alléger.

mitre ['maitə] *n* REL. mitre *f.*

mitt [mit] *n* [baseball, kitchen] gant *m* ‖ → MITTEN.

mitten ['mitn] *n* mitaine *f ;* moufle *f.*

mix [miks] *vt* mélanger, mêler (*with*, à) ‖ ~ **up**, préparer (drink) ; FIG. confondre (*with*, avec) ; embrouiller — *vi* se mélanger ‖ [people] se mêler ‖ ~ **up**, fréquenter ‖ ~**ed** [-t] *adj* mélangé, mêlé ‖ mixte (school, marriage) ‖ [person] *be* ~ *up*, être mêlé (*in*, à) ‖ FIG. ~ *up*, désorienté, troublé, perplexe ‖ ~**er** *n* COLL. *be a good* ~, être sociable, se lier facilement ‖ TECHN. mélangeur, malaxeur *m* ‖ CULIN. mixe(u)r *m* ‖ CIN. ingénieur *m* du son ‖ ~**ing** *n* mélange *m* ‖ TECHN. malaxage *m* ‖ CIN. mixage *m* ‖ ~**ture** [-tʃə] *n* mélange *m,* mixture *f* ‖ ~-**up** *n* embrouillamini *m,* pagaille *f.*

mizzenmast ['miznmɑ:st] *n* mât *m* d'artimon.

moan [məun] *n* gémissement *m,* plainte *f* ● *vi* gémir, geindre ‖ ~**ing** *adj* geignard (fam.).

moat [məut] *n* fossé *m,* douve *f.*

mob [mɔb] *n* foule *f* (crowd) ‖ cohue *f* (disorderly crowd) ; populace *f* (masses) ‖ canaille, pègre *f* (rabble) ● *vi* s'attrouper autour de — *vt* molester.

mobil|e ['məubail] *adj* mobile ‖ ~**ization** [,məubilai'zeiʃn] *n* mobilisation *f* ‖ ~**ize** ['məubilaiz] *vt* MIL. mobiliser.

mobster *n* émeutier *m* ‖ gangster *m.*

mock [mɔk] *adj* faux, simulé, factice ‖ ~ *exam(ination)*, examen blanc ● *n* objet *m* de dérision (laughingstock) ● *vt/vi* se moquer (*at,* de) — *vt* tromper (deceive) ‖ contrefaire, singer, moquer, ridiculiser ‖ ~**ery** [-əri] *n* moquerie, raillerie *f* ‖ objet *m* de risée ‖ simulacre *m* ‖ ~**ing** *adj* moqueur ; narquois (smile).

mod [mɔd] *abbrev* = MODERN ‖ ~ *cons* [,-'kɔnz] = MODERN CONVENIENCES ; *with all* ~ *cons,* tout confort.

mode [məud] *n* genre *m* (manner) ‖ mode *f* (fashion) ‖ MUS. mode *m.*

model ['mɔdl] *n* modèle *m* (dummy)

‖ TECHN. (*scale*) ~, maquette *f,* modèle réduit ‖ [dressmaking] mannequin *m* (person) ‖ ARTS modèle *m* ‖ FIG. modèle *m ; take sb as a* ~, prendre modèle sur qqn ● *vt* modeler (*after/upon,* sur) ‖ ~**ling** *n* modelage *m* ‖ [fashion] métier *m* de mannequin.

moderate ['mɔdəreit] *vt* modérer ● *adj* ['mɔdrit] modéré, sobre ‖ moyen ‖ ~**ly** *adv* modérément ‖ ~**ness** *n* modération *f* ‖ FIG. mesure *f.*

modera|tion [,mɔdə'reiʃn] *n* modération *f* ‖ ~**tor** ['mɔdəreitə] *n* modérateur *m.*

modern ['mɔdən] *adj* moderne ; ~ *languages,* langues vivantes ‖ ~ *conveniences,* confort *m* moderne ‖ ~**ity** [mɔ'də:niti] *n* modernité *f* ‖ ~**ize** *vt* moderniser.

modest ['mɔdist] *adj* modeste ‖ pudique (chaste) ‖ ~**ly** *adv* modestement, pudiquement ‖ ~**y** *n* modestie, simplicité *f* (behaviour) ‖ pudeur, réserve *f* (sense of decency).

modi|fication [,mɔdifi'keiʃn] *n* modification *f* ‖ ~**fy** ['mɔdifai] *vt* modifier ‖ modérer (make less hard).

modulate ['mɔdjuleit] *vt* ajuster ‖ MUS., RAD. moduler.

moist [mɔist] *adj* humide, mouillé, moite (hand) ‖ ~**en** ['mɔisn] *vt/vi* (s')humecter ‖ ~**ness** *n* humidité, moiteur *f* ‖ ~**ure** ['mɔistʃə] *n* buée *f* (on mirror) ‖ ~**urizing** [-ʃə-raizin] *adj* hydratant (cream).

molar ['məulə] *n* molaire *f.*

molasses [mə'læsiz] *n sing* mélasse *f.*

mold [məuld] → MOULD[1], [2], [3].

mole[1] [məul] *n* MED. grain *m* de beauté.

mole[2] *n* NAUT. môle *m,* jetée *f.*

mole[3] *n* ZOOL. taupe *f ;* ~-*hill,* taupinière *f.*

molecule ['mɔlikju:l] *n* molécule *f.*

molest [mə'lest] *vt* agacer (annoy) ‖ attaquer, molester (attack).

mollify ['mɔlifai] vt adoucir.

mollusc ['mɔləsk] n mollusque m.

molten ['məultn] adj en fusion.

moment ['məumənt] n moment, instant m ; *at any* ~, d'un moment à l'autre ; *at the* ~, en ce moment ; *for the* ~, pour le moment ; *one* ~ !, un instant ! ; *the* ~ *I saw him*, dès que je l'aperçus || *at odd* ~s, à ses moments perdus || importance f ~**arily** [-rili] adj momentanément || ~**ary** [-ri] adj momentané || ~**ous** [mə'mentəs] adj important || ~**um** [mə'mentəm] n PHYS. moment m || FIG. élan m, vitesse acquise.

Monaco ['mɔnəkəu] n Monaco m.

monarch ['mɔnək] n monarque m || ~**y** n monarchie f.

monast|ery ['mɔnəstri] n monastère m || ~**ic** [mə'næstik] adj monastique ; monacal.

monaural ['mɔn'ɔːrəl] adj monaural.

Monday ['mʌndi] n lundi m.

Monegasque [mɔnə'gæsk] adj/n monégasque.

money ['mʌni] n argent m (coins, notes) || FIN. monnaie f ; *ready* ~, argent comptant/liquide ; *make* ~, s'enrichir ; *get one's* ~*'s worth*, en avoir pour son argent || ~-**box** n tirelire f || ~-**changer** n changeur m || ~-**lender** n prêteur n || ~-**making** adj lucratif, profitable || ~-**minded** adj intéressé || ~-**order** n mandat m.

monger ['mʌŋgə] n marchand m.

mongrel ['mʌŋgrəl] n métis m || ZOOL. bâtard m (dog) || BOT. hybride m.

monitor ['mɔnitə] n [school] chef m de classe || T.V. écran m de contrôle ● vt RAD. écouter || TECHN. contrôler, surveiller, suivre.

monk [mʌŋk] n REL. moine m.

monkey ['mʌŋki] n singe m ; *she-*~, guenon f || ~ **business** n combine f, affaire f louche || ~-**puzzle** n araucaria m || ~-**tricks** npl =

~ BUSINESS || ~-**wrench** n clef f à molette.

mono|gamy [mɔ'nɔgəmi] n monogamie f || ~**gram** ['mɔnəgræm] n monogramme m || ~**logue** ['mɔnəlɔg] n monologue m || ~**polize** [mə'nɔpəlaiz] vt monopoliser || ~**poly** [mə'nɔpəli] n monopole m || ~**tonous** [mə'nɔtnəs] adj monotone || ~**tony** [mə'nɔtni] n monotonie f.

monsoon [mɔn'suːn] n mousson f.

mons|ter ['mɔnstə] adj énorme ● n monstre m || ~**trosity** [mɔns'trɔsiti] n monstruosité f || ~**trous** ['mɔnstrəs] adj monstrueux, horrible.

month [mʌnθ] n mois m || ~**ly** adj mensuel ; ~ *instalment*, mensualité f (payment) || MÉD. ~ *period*, règles fpl ● n mensuel m (magazine).

monument ['mɔnjumənt] n monument m || ~**al** ['mɔnju'mentl] adj monumental.

moo [muː] vi meugler.

mood [muːd] n humeur, disposition f ; *be in a good/bad* ~, être de bonne/mauvaise humeur || GRAMM. mode m || ~**y** adj maussade, morose || d'humeur changeante (changeable).

moon [muːn] n lune f ; *new* ~, nouvelle lune ; *full* ~, pleine lune ● vi ~ *about*, musarder || ~-**light** n clair m de lune ● vi COLL. travailler au noir (fam.) || ~-**lighter** n travailleur n au noir || ~-**lighting** n travail m au noir || ~-**shine** n balivernes fpl.

moor[1] [muə] n lande f.

moor[2] vt NAUT. amarrer — vi mouiller || ~**ing** [-riŋ] n mouillage m ; ~ *buoy*, coffre m d'amarrage || Pl poste m d'amarrage ; amarres fpl (ropes).

Moor[3] n Maure m, -esque || ~**ish** adj maure, mauresque.

moose [muːs] n U.S. élan m.

moot [muːt] adj ~ *point*, point litigieux ● vt suggérer ; soulever (question).

mop [mɔp] *n* balai *m* à franges ‖ COLL. tignasse *f* (hair) ● *vt* ~ **up**, éponger, essuyer ‖ MIL. nettoyer ‖ FIG. achever.

mope [məup] *vi* se morfondre, broyer du noir.

moped ['məuped] *n* vélomoteur, cyclomoteur *m*, Mobylette *f* (N.D.).

moral ['mɔrl] *adj* moral ● *n* [story] morale ‖ [rules of behaviour] *Pl* moralité *f*; mœurs *fpl* ‖ ~**e** [mɔ-'rɑːl] *n* MIL. moral *m* ‖ ~**ist** *n* moraliste *n* ‖ ~**ity** [mə'ræliti] *n* moralité *f* ‖ ~**ize** *vt* moraliser ‖ ~**ly** *adv* moralement.

morbid ['mɔːbid] *adj* morbide.

more [mɔː] *adj* (comp. of MUCH/MANY) plus de, davantage de; ~ *money*, plus d'argent ‖ en plus; *one week* ~, encore une semaine ● *pron* plus, davantage ‖ *no* ~ *than*, pas plus de ● *adv* plus, davantage ‖ *more... than*, plus... que; *never* ~, jamais plus; ~ *and* ~, de plus en plus; ~ *or less*, plus ou moins; *(all) the* ~, d'autant plus *(as*, que).

moreover [mɔː'rəuvə] *adv* de plus, en outre (in addition to) ‖ d'ailleurs (besides).

Moresque [mɔ'resk] *adj* mauresque.

morgue [mɔːg] *n* U.S. morgue *f*.

morning ['mɔːniŋ] *n* matin *m*, matinée *f*; *this* ~, ce matin; *I'll do it in the* ~, je le ferai dans la matinée/demain matin (tomorrow) ‖ ~ **after** *n* COLL. lendemain *m* de cuite (fam.) ‖ MED. ~ *pill*, pilule *f* du lendemain ‖ ~ **coat** *n* jaquette *f* ‖ ~ **glory** *n* belle-de-jour *f*.

Morocc|an [mə'rɔkən] *adj/n* marocain *n* ‖ ~**o** [-əu] *n* Maroc *m*.

morocco *n* COMM. maroquin *m* (leather).

moron ['mɔːrɔn] *n* crétin *n*.

morose [mə'rəus] *adj* morose.

morph|ia, ~**ine** ['mɔːfjə, -fin] *n* MED. morphine *f*.

morrow ['mɔrəu] *n* lendemain *m*.

Morse [mɔːs] *n* ~ *(code)*, [alphabet] morse *m*.

morsel ['mɔːsl] *n* morceau *m*, bouchée *f*.

mort|al ['mɔːtl] *adj* mortel ● *n* mortel *m* ‖ ~**ality** [mɔː'tæliti] *n* mortalité *f* ‖ ~**ally** ['mɔːtəli] *adv* mortellement.

mortar ['mɔːtə] *n* mortier *m* ‖ MIL. mortier *m*.

mortgage ['mɔːgidʒ] *n* JUR. hypothèque *f* ● *vt* hypothéquer.

mort|ician [mɔː'tiʃn] *n* U.S. entrepreneur *m* de pompes funèbres ‖ ~**ification** [ˌmɔːtifi'keiʃn] *n* mortification *f* ‖ ~**ify** ['mɔːtifai] *vt* mortifier — *vi* MED. se gangrener ‖ ~**uary** ['mɔːtjuəri] *adj* mortuaire ● *n* morgue *f*.

mosaic [mə'zeiik] *n* mosaïque *f*.

Moscow ['mɔskəu] *n* Moscou *m*.

Moslem ['mɔzlem] *adj/n* musulman.

mosque [mɔsk] *n* mosquée *f*.

mosquito [məs'kiːtəu] *n* moustique *m* ‖ ~**bite** *n* piqûre *f* de moustique ‖ ~**net** *n* moustiquaire *f* ‖ ~**repellent** *n* lotion *f* antimoustiques.

moss [mɔs] *n* mousse *f* ‖ ~**y** *adj* mousseux.

most [məust] *adj/pron* [sup. of MUCH/MANY] *(the)* ~, le plus (de); la plupart (nearly all); *for the* ~ *part*, pour la plupart ● *adv* le plus ‖ très (very); ~ *likely*, très probablement ● *n the* ~, le plus; *at the very* ~, tout au plus, au grand maximum; *make the* ~ *of*, tirer le meilleur parti de.

mote [məut] *n* grain *m* de poussière.

motel [məu'tel] *n* motel *m*.

moth [mɔθ] *n* papillon *m* de nuit; *(clothes)* ~, mite *f* ‖ ~**balls**, boules *fpl* de naphtaline ‖ ~**eaten**, mité.

mother ['mʌðə] *n* mère *f*; *unmarried* ~, mère célibataire; ~**in-law**, bel-

le-mère ; ~**-to-be,** future mère ‖ FIG.
~ *country,* patrie *f;* ~ *tongue,* langue
maternelle ‖ ~**ly** *adj* maternel.

mother-of-pearl *n* nacre *f.*

motion [ˈməuʃn] *n* mouvement *m*
(act) ; **set in** ~, mettre en marche ‖
geste *m* (single movement) ‖ motion,
proposition *f* (suggestion) ‖ *Pl* MED.
selles *fpl* ‖ CIN. **quick/slow** ~,
accéléré/ralenti. ● *vi/vt* ~ (**to**) *sb,*
faire signe à qqn (**to, de**) ‖ ~**less** *adj*
immobile.

motion picture *n* film *m.*

mot|ivate [ˈməutiveit] *vt* motiver ;
inciter ‖ ~**ivation** [-ˈveiʃn] *n* mobile *m,* motivation *f* ‖ ~**ive** [ˈməutiv]
adj moteur ● *n* motif *m,* intention *f;*
mobile *m.*

motley [ˈmɔtli] *adj* bigarré (many
coloured) ‖ hétéroclite (of various
sorts).

motocross [ˈməutəukrɔs] *n* motocross *m.*

motor [ˈməutə] *n* moteur *m* ● *vi* aller
en voiture ‖ ~**bike** *n* COLL. moto *f*
(fam.) ‖ ~**-boat** *n* canot *m* automobile ‖ ~**-car** *n* automobile, voiture *f* ‖ ~**-coach** *n* autocar *m* ‖
~**-cycle** *n* motocyclette *f;* ~ *policeman,* motard *m* (fam.) ; *light* ~,
cyclomoteur *m* ‖ ~**cyclist** *n* motocycliste *n* ‖ ~**ing** [-riŋ] *n* tourisme
m automobile ‖ ~**ist** [-rist] *n* auto-
mobiliste *n* ‖ ~**ize** [-raiz] *vt* MIL.
motoriser ‖ ~**man** *n* wattman *m* ‖
~**-race** *n* course *f* d'autos ‖
~**scooter** *n* scooter *m* ‖ ~ **show**
n salon *m* de l'auto ‖ ~**way** *n*
autoroute *f.*

mottle [ˈmɔtl] *vt* marbrer, moucheter.

motto [ˈmɔtəu] *n* devise *f.*

mould¹ [məuld] *n* terreau *m* (earth).

mould² *n* moule *m* (container) ‖
TECHN. matrice *f* ● *vt* mouler ‖ ~**ing**
n ARCH. moulure *f.*

mould³ *n* moisissure *f* (furry
growth) ● *vi* moisir.

mould|er [ˈməuldə] *vi* tomber en
poussière ‖ ~**y** *adv* moisi.

moult [məult] *vi* muer ● *n* mue *f.*

mound [maund] *n* monticule *m*
(hill) ‖ tumulus *m* (grave).

mount [maunt] *n* mont *m* (mountain) ‖ monture *f* (horse, support) ●
vt monter (stairs) ; monter sur/à,
enfourcher (bicycle, horse) ‖ TECHN.
monter (a jewel) ; encadrer (a photo)
‖ MIL. monter (guard) ‖ TH. monter
(a play) ‖ SP. monter (a horse) — *vi*
monter (**on, sur**) [expenses] ~ *up
to,* s'élever à.

mountain [ˈmauntin] *n* montagne
f; ~ *dweller,* montagnard *n;* ~
sickness, mal *m* des montagnes ‖
~**eer** [ˌmauntiˈniə] *n* SP. alpiniste *n*
‖ ~**eering** *n* alpinisme *m* ‖ ~**ous**
adj montagneux.

mourn [mɔːn] *vi/vt* ~ (**for/over the
death of**), pleurer (la mort de) ‖ ~**ful**
adj affligé ; éploré ‖ ~**ing** *n* affliction
f; deuil *m; go into* ~, prendre le
deuil ; *in* ~, en deuil (**for** *sb,* de qqn).

mouse, mice [maus, mais] *n* souris
f; field ~, mulot *m* ● *vi* [cat] chasser
les souris ‖ ~**trap** *n* souricière *f.*

moustache [məsˈtɑːʃ] *n* moustache *f.*

mouth, s [mauθ, mauʒz] *n* [person,
horse] bouche *f;* [dog] gueule *f* ‖
[river] embouchure *f* ‖ [bottle] goulot
m ● [mau] *vt* dire, prononcer ;
proférer (curses) ‖ ~**ful** *n* bouchée
f ‖ ~**-organ** *n* harmonica *m* ‖
~**piece** *n* MUS. embouchure *f* ‖ FIG.
porte-parole *m* ‖ ~**wash** *n* bain *m*
de bouche.

movable [ˈmuːvəbl] *adj* mobile ● *npl*
mobilier *m* ‖ JUR. biens *mpl* meubles.

move [muːv] *vt* remuer, bouger,
déplacer (change the position of) ‖
passer (one's hand) [over, sur] ‖
provoquer, exciter (stir up) ‖ émouvoir, affecter (touch) ‖ soumettre,
proposer (a resolution) ‖ ~ *away,*
écarter, ôter ‖ ~ *back,* (faire) reculer

‖ ~ *in,* emménager (furniture) ;
~ *out,* déménager (furniture).
— *vi* remuer, bouger (change place) ;
aller, se déplacer (be in motion) ; agir
(be active) ‖ ~ *(house),* déménager ‖
[chess] jouer ‖ JUR. déposer une
motion ; ~ *that,* proposer que ‖
~ *about,* aller et venir ‖ ~ *back,*
reculer ‖ ~ *forward,* avancer ‖ ~ *in,*
emménager ‖ ~ *off,* s'éloigner ; AUT.,
RAIL. s'ébranler ‖ ~ *on,* avancer,
circuler ‖ ~ *out,* déménager ‖
~ *over !,* COLL. poussez-vous !
● *n* mouvement *m*; *on the* ~, en
mouvement ‖ FIG. par monts et par
vaux ‖ *make a* ~, s'en aller ‖ COLL.
get a ~ *on !,* grouille-toi ! (fam.) ‖
[change of house] déménagement *m*;
[chess] coup *m*; *it's your* ~, c'est à
vous de jouer ‖ FIG. action, démarche *f*.

mov|ement [ˈmuːvmənt] *n* mouve-
ment, geste *m* (gesture) ‖ MUS.
mouvement ‖ TECHN. mécanisme *m*
‖ FIG. mouvement *m* ‖ ~ **ie** [-i] *n* ciné
film *m*; ~ **-camera,** caméra *f*;
~ **goer,** cinéphile *n*; ~ **star,** star *f*
‖ *Pl* cinéma *m* ‖ ~ **ing** *adj* en mouvement, mobile ‖ ~ **picture,** U.S.
film *m* ‖ ~ **-staircase,** escalier *m* mécanique ‖ FIG. émouvant, pathétique.

mow [məu] *vt* (mowed [-d], mown
[-n]) faucher ; tondre (lawn) ‖ ~ **er**
n faucheur *n* ‖ *(lawn)*~, tondeuse *f*
(à gazon) ‖ ~ **ing machine** *n*
faucheuse *f*; tondeuse *f* à gazon.

MP [ˈemˈpiː] *abbrev* = MEMBER OF
PARLIAMENT.

Mr [ˈmistə] *abbrev* [Mister] monsieur.

Mrs [ˈmisiz] *n* madame *f*.

much, many [mʌtʃ, ˈmeni] *adj*
beaucoup de ; *as* ~, autant de ; *not*
so ~, pas autant de ; *too* ~, trop de
● *pron* beaucoup ; *make* ~ *of,* faire
grand cas de ● *adv as* ~, autant ;
twice as ~/*many,* deux fois plus ; *half*
as ~/*many,* deux fois moins ; *not* ~,
guère ; *I thought as* ~, je m'en
doutais ; *as* ~ *as,* autant que ; *how*

~ *?,* combien ? ; ~ *less/more,* beaucoup moins/plus ; *not so* ~ *as,* pas
autant que ; *so* ~, tant, tellement ;
so ~ *the better,* tant mieux ; *so* ~ *the*
more/less as, d'autant plus/moins
que ; *so* ~ *so that,* à tel point que.

muck [mʌk] *n* boue, gadoue *f* (mud)
‖ [manure] fumier *m* ‖ FIG. saleté *f*
● *vt* ~ *about,* perdre son temps,
traînasser.

mucous [ˈmjuːkəs] *adj* MED.
~ *membrane,* muqueuse *f*.

mud [mʌd] *n* boue *f* (on the road) ;
stuck in the ~, embourbé ‖ vase *f* (in
a river).

muddle [ˈmʌdl] *n* désordre *m*,
confusion *f*; pagaille *f* ● *vt* ~ *(up),*
embrouiller (things, ideas) — *vi*
~ *through,* se débrouiller, se tirer
d'affaire, s'en sortir ‖ ~ **-headed**
[-hedid] *adj* brouillon.

mud|dy [ˈmʌdi] *adj* boueux, crotté ;
make ~, troubler (water) ‖ ~ **guard**
n garde-boue *m*.

muff¹ [mʌf] *n* manchon *m*.

muff² *vt* COLL. louper, rater.

muffin [ˈmʌfin] *n* muffin *m*.

muffl|e [ˈmʌfl] *vt* emmitoufler ;
~ *oneself up,* s'emmitoufler ‖ amortir,
assourdir (a sound) ‖ ~ **er** *n* cache-
nez *m* ‖ AUT. U.S. silencieux *m* ‖ MUS.
étouffoir *m*.

mug [mʌg] *n* (grande) tasse ; chope
f (for beer) ; timbale *f* (metallic) ‖ SL.
binette, gueule *f* (face) ‖ [person] naïf
n; gogo, pigeon *m*, poire *f* (fam.) ●
vt agresser ‖ ~ **ger** *n* agresseur *m* ‖
~ **ging** *n* agression *f*.

muggy [ˈmʌgi] *adj* chaud et humide,
lourd (weather).

mulatto [mjuːˈlætəu] *n* mulâtre *n*.

mulberry [ˈmʌlbri] *n* mûre *f* (fruit) ;
~ *(tree),* mûrier *m* (bush).

mul|e [mjuːl] *n* mulet *m*; *(she-)*~,
mule *f* ‖ ~ **ish** *adj* têtu.

mull [mʌl] *vi* ~ *over sth,* ruminer ;
gamberger (fam.).

multi [ˈmʌlti-] *pref* multi- ‖ ~ **hull**

n NAUT. multicoque *m* ‖ ~**national** *adj/n* multinationale (*f*).

multipl|e ['mʌltipl] *adj/n* multiple (*m*) ; ~ *store*, magasin *m* à succursales multiples ‖ ~**ication** [,mʌltipli-'keiʃn] *n* multiplication *f* ‖ ~**y** ['mʌltiplai] *vt* multiplier — *vi* se multiplier.

multitude ['mʌltitjuːd] *n* multitude, foule *f* (crowd).

mum¹ [mʌm] *n* COLL. maman *f*.

mum² *adj* keep ~, ne pas souffler mot ‖ ~ 's the word !, motus (et bouche cousue) !

mumble ['mʌmbl] *vt/vi* marmotter.

mumbo-jumbo [,mʌmbəu'dʒʌm-bəu] *n* COLL. jargon *m* ; charabia *m* (fam.).

mummy¹ ['mʌmi] *n* momie *f*.

mummy² *n* COLL. maman *f*.

mumps [mʌmps] *n* oreillons *mpl*.

munch [mʌnʃ] *vi/vt* mastiquer ; mâcher (bruyamment).

mundane ['mʌndein] *adj* de ce monde, terrestre ‖ FIG. banal, terre à terre.

municipal [mjuːˈnisipl] *adj* municipal ‖ ~**ity** [mjuˌnisiˈpæliti] *n* municipalité *f*.

munitions [mjuːˈniʃnz] *npl* munitions *fpl*.

mural ['mjuərl] *adj* mural ● *n* peinture murale.

murder ['məːdə] *n* meurtre *m* ‖ [premeditated] assassinat *m* ; ~ *attempt*, attentat *m* ● *vt* assassiner ‖ FIG. massacrer ‖ ~**er** [-rə] *n* meurtrier *m* ‖ ~**ess** [-ris] *n* meurtrière *f* ‖ ~**ous** [-rəs] *adj* meurtrier.

murky ['məːki] *adj* ténébreux, obscur.

murmur ['məːmə] *n* murmure *m* ● *vt/vi* murmurer.

mus|cle ['mʌsl] *n* muscle *m* ‖ ~**cular** [-kjulə] *adj* musculaire ‖ musclé (body).

muse¹ [mjuːz] *n* muse *f*.

muse² *vi* rêver, être rêveur.

museum [mjuːˈziəm] *n* ARTS musée *m* ‖ [science] muséum *m*.

mush [mʌʃ] *n* bouillie *f*.

mushroom ['mʌʃrum] *n* champignon *m*.

mushy ['mʌʃi] *adj* en bouillie (food) ‖ spongieux, détrempé (ground) ‖ à l'eau de rose (novel, film, etc.).

music ['mjuːzik] *n* musique *f* ; set to ~, mettre en musique ; ~**-lover**, mélomane *n* ; ~**-stand**, pupitre *m* ; ~**-stool**, tabouret *m* (de piano) ; ~ *video*, clip *m* ‖ ~**al** *adj* musical, harmonieux ‖ musicien ; doué pour la musique ; amateur de musique ‖ ~**ian** [mjuːˈziʃn] *n* musicien *n*.

musk [mʌsk] *n* musc *m* ‖ ~**-rat** *n* rat musqué.

Muslim ['mʌzlim] *adj/n* musulman.

muslin ['mʌzlin] *n* mousseline *f*.

musn't ['mʌsnt] → MUST.

muss [mʌs] *vt* U.S., COLL. froisser, chiffonner ‖ décoiffer, dépeigner.

mussel ['mʌsl] *n* moule *f*.

must¹ [mʌst] *mod aux* [necessity, obligation] falloir ; *I* ~ *see him*, il faut que je le voie ‖ [compulsion] devoir, falloir ; *you* ~ *work*, vous devez travailler ‖ [negative = prohibition] *you* ~ *not do that*, il ne faut pas, vous ne devez pas faire cela ‖ [probability, deduction] devoir ; *he* ~ *be ill*, il doit être malade ; *he* ~ *have missed his train*, il a dû manquer son train ● *n* COLL. impératif *m*, nécessité absolue ; objet *m* indispensable ; curiosité *f* à voir absolument.

must² *n* [wine-making] moût *m*.

mustard ['mʌstəd] *n* moutarde *f* ‖ MIL. ~ *gas*, yperite *f*, gaz *m* moutarde.

muster ['mʌstə] *n* rassemblement *m* ‖ MIL. [roll-call] call the ~, faire l'appel ‖ FIG. *pass* ~, être acceptable ● *vi/vt* (se) rassembler ‖ FIG. ~ *up one's courage*, prendre son courage à deux mains.

musty [ˈmʌsti] *adj* moisi ; *smell ~,* sentir le moisi.

mutant [ˈmjuːtənt] *n* [genetics] mutant *m.*

mute [mjuːt] *adj* silencieux, muet ‖ Gramm. muet ● *n* muet *m* ‖ Mus. sourdine *f* ● *vt* mettre une sourdine à ‖ **~ness** *n* mutisme *m.*

mutilat|e [ˈmjuːtileit] *vt* mutiler, estropier ‖ **~ion** [ˌmjuːtiˈleiʃn] *n* mutilation *f.*

mutin|eer [ˌmjuːtiˈniə] *n* mutin *m* ‖ **~y** [ˈmjuːtini] *n* mutinerie *f* ● *vi* se mutiner.

mutter [ˈmʌtə] *vt/vi* marmonner (grumble) ; marmotter (mumble).

mutton [ˈmʌtn] *n* Culin. mouton *m ; leg of ~,* gigot *m.*

mutual [ˈmjuːtjuəl] *adj* mutuel (equally shared) ; *~ aid,* entraide *f* ‖ commun (friend).

Muzak [ˈmjuːzæk] *n* musique *f* d'ambiance.

muzzle [ˈmʌzl] *n* museau *m* (nose) ‖ muselière *f* (strap) ‖ gueule *f* (of a gun) ● *vt* museler.

my [mai] *poss adj* mon *m,* ma *f,* mes *m/fpl.*

myrtle [ˈməːtl] *n* myrte *m.*

myself [maiˈself] *pers pron* [emphatic] moi-même ; personnellement ; *by ~,* tout seul ‖ [reflexive] me ; Coll. *I am not feeling quite ~,* je ne me sens pas dans mon assiette.

myst|erious [misˈtiəriəs] *adj* mystérieux ‖ **~eriously** *adv* mystérieusement ‖ **~ery** [ˈmistri] *n* mystère *m* ‖ **~ic** [ˈmistik] *adj* occulte (hidden) ‖ Rel. mystique ● *n* mystique *n* (person) ‖ **~icism** [ˈmistisizm] *n* mysticisme *m* ‖ **~ification** [ˌmistifiˈkeiʃn] *n* mystification *f* ‖ **~ify** [ˈmistifai] *vt* troubler, déconcerter ; mystifier.

myth [miθ] *n* mythe *m* ‖ **~ic(al)** [-ik(l)] *adj* mythique ‖ **~ology** [miˈθɔlədʒi] *n* mythologie *f.*

N

n [en] *n* n *m*.

nab [næb] *vt* COLL. attraper ; pincer (fam.).

nag *n* querelle, chamaillerie *f* ● *vi* ~ *at sb*, harceler qqn de reproches/ remarques, reprendre tout le temps ‖ ~**ging** [-in] *adj* toujours à critiquer/faire des remarques, acariâtre, hargneux.

nail [neil] *n* ongle *m* ; *bite one's* ~*s*, se ronger les ongles ; *trim one's* ~*s*, se faire les ongles ‖ TECHN. clou *m* ● *vt* clouer ‖ ~-**brush** *n* brosse *f* à ongles ‖ ~-**clippers** *n* pince *f* à ongles ‖ ~-**file** *n* lime *f* à ongles ‖ ~-**polish**/-**varnish** *n* vernis *m* à ongles.

naïve [nɑ:´i:v] *adj* naïf.

naked [´neikid] *adj* nu ‖ dénudé (landscape) ; nu (wall, sword) ‖ FIG. nu (eye, truth) ‖ ~**ness** *n* nudité *f*.

name [neim] *n* nom *m* ; *christian/ U.S. first* ~, prénom *m* ; *family* ~, nom de famille ; *maiden* ~, nom de jeune fille ; *what's your* ~ ?, comment vous appelez-vous ? ; *in the* ~ *of*, au nom de ; *know by* ~, connaître de nom ‖ FIG. célébrité *f* ; *make a* ~ *for oneself*, se faire un nom ‖ *call sb* ~*s*, insulter, traiter qqn de tous les noms ● *vt* nommer ‖ COMM. *your price*, fixez votre prix ‖ ~-**day** *n* fête *f* (of sb) ‖ ~**sake** *n* homonyme *m*.

namely [´neimli] *adv* à savoir, c'est-à-dire.

nanny [´næni] *n* nurse, bonne *f* d'enfants.

nap[1] [næp] *n* petit somme ; *afternoon* ~, sieste *f* ; *take a* ~, faire un petit somme/la sieste.

nap[2] *n* [cloth] poil *m* ; *against the* ~, à rebrousse-poil.

napalm [´neipɑ:m] *n* napalm *m*.

nape [neip] *n* ~ *(of the neck)*, nuque *f*.

napkin [´næpkin] *n* serviette *f* (de table) ‖ *(baby's)* ~ = NAPPY ‖ ~-**ring** *n* rond *m* de serviette.

nappy [´næpi] *n* [baby's] couche *f*.

narcissism [nɑ:´sisizm] *n* narcissisme *m*.

narcotic [nɑ:´kɔtik] *adj/n* narcotique, stupéfiant *(m)*.

narra|te [næ´reit] *vt* raconter, narrer ‖ ~**tion** *n* narration *f* ‖ ~**tive** [´nærətiv] *n* récit *m* ● *adj* narratif ‖ ~**tor** [næ´reitə] *n* narrateur *n*.

narrow [´nærəu] *adj* étroit ; *get/ grow* ~*(er)*, se rétrécir ‖ FIG. limité, faible (majority) ; minutieux (inspection) ; *in* ~ *circumstances,* dans la gêne ‖ *have a* ~ *escape,* l'échapper belle ● *npl* [harbour] goulet *m*, passe *f* ● *vt/vi* (se) rétrécir, (se) resserrer ‖ ~ **gauge** *adj/n* (à) voie étroite ‖ ~**ly** *adv* étroitement, minutieusement ; *he* ~ *missed drowning*, il a failli se noyer ‖ ~-**minded** *adj* à l'esprit étroit.

nasal ['neizl] *adj* nasal.

nasty [nɑːsti] *adj* mauvais, nauséabond (smell) ; répugnant (taste) || sale, mauvais (trick, weather) || méchant (person) ; grossier, ordurier (language) || mauvais, dangereux (sea, corner).

natal ['neitl] *adj* de naissance.

nation ['neiʃn] *n* nation *f* || ~al ['næʃnl] *adj* national || G.B. *National Health Service,* Sécurité sociale ● *n* ressortissant *n* || ~alism ['næʃnəlizm] *n* nationalisme *m* || ~ality [ˌnæʃ'næliti] *n* nationalité *f* || ~alize ['næʃnəlaiz] *vt* nationaliser.

native ['neitiv] *adj* naturel (product) ; indigène (plant) || natal (land) ; ~ *of,* originaire de ● *n* indigène, autochtone *n*.

NATO ['neitəu] *abbrev* (= NORTH ATLANTIC TREATY ORGANIZATION) O.T.A.N. *m*.

natty ['næti] *adj* coquet, pimpant (dress) [smart].

natural ['nætʃrəl] *adj* naturel || JUR. naturel (child) || ZOOL. ~ *history,* histoire naturelle || FIG. simple, naturel ● *n* MUS. bécarre *m* || ~ist *n* naturaliste *n* || ~ize *vt* naturaliser || ~ly *adv* naturellement.

natur|e ['neitʃə] *n* nature *f; by* ~, de nature || ARTS *from* ~, d'après nature || ~ism ['neitʃərizm] *n* naturisme *m* || ~ist *n* naturiste *n*.

naught [nɔːt] *n* rien *m; come to* ~, échouer ; *bring to* ~, faire échouer || MATH. zéro *m* (sign).

naughty ['nɔːti] *adj* vilain, pas sage (child) || pas convenable, grivois (story).

naus|ea ['nɔːsjə] *n* nausée *f* || ~eate [-ieit] *vt* donner la nausée || FIG. écœurer || ~eating [-ieitiŋ] *adj* écœurant || ~eous [-jəs] *adj* nauséabond.

nautical ['nɔːtikl] *adj* nautique, marin.

naval ['neivl] *adj* naval ; ~ *base,* port *m* de guerre, base navale ; ~ *college,*

école navale ; ~ *officer,* officier *m* de marine.

nave [neiv] *n* nef *f*.

navel ['neivl] *n* nombril *m*.

navig|able ['nævigəbl] *adj* navigable || ~ate [-eit] *vi* naviguer — *vt* piloter (a plane) || gouverner (a ship) || ~ation [ˌnævi'geiʃn] *n* navigation *f* || ~ator [-eitə] *n* NAUT., AV. navigateur *n*.

navvy ['nævi] *n* terrassier *m*.

navy ['neivi] *n* marine (de guerre), flotte *f*; ~ *blue,* bleu *m* marine.

neap [niːp] *n* ~ *(tide),* morte-eau *f*.

near [niə] *adv* près, à proximité || *far and* ~, partout ; ~ *at hand,* à portée de la main ● *prep* ~ *(to)* [space], près de ● ~ *here,* près d'ici || [time] sur le point de ; ~ *to tears,* au bord des larmes ● *adj* intime (friend) ; proche (relative) || FIG. *it was a* ~ *thing,* il s'en est fallu de peu || AUT., G.B. gauche (wheel, lane) ; FR. droit || GEOGR. *the Near East,* le Proche-Orient ● *vi/vt* (s')approcher de, approcher (sb) || ~by *adj* proche ● *adv* tout près || ~ly *adv* presque ; *he (very)* ~ *died,* il a failli mourir || *not* ~, loin de || près, de près || ~ness *n* proximité *f* || FIG. intimité *f*.

neat [niːt] *adj* net, propre (work, writing) || coquet, pimpant (clothes) || joli, bien fait (leg) || fin (ankle) || bien tourné (speech) || pur, sec, sans eau, nature (drink) || ~ly *adv* avec ordre/soin.

nebul|a, lae ['nebjulə, -iː] *n* ASTR. nébuleuse *f* || ~ous *adj* nébuleux || FIG. vague ; fumeux (fam.).

necess|arily ['nesisrili] *adv* obligatoirement, inévitablement || ~ary [-ri] *adj* nécessaire ; *if* ~, s'il y a lieu, au besoin ● *n* COLL. *do the* ~, faire le nécessaire || ~ity [ni'sesiti] *n* nécessité *f; of* ~, inévitablement, forcément ; *in case of* ~, en cas de besoin || *case of absolute* ~, cas *m* de force majeure || besoin, dénuement *m* (poverty).

neck [nek] *n* cou *m* ; *break one's* ~, se casser le cou ; *stiff* ~, torticolis *m* ‖ [dress] encolure *f* ; *high* ~, col montant ; *low* ~, décolleté *m* ; ~*band*, col *m*, encolure *f* (of shirt) ‖ goulot *m* (of bottle) ‖ [guitar, violin] manche *m* ‖ GEOGR. langue *f* de terre ‖ SP. ~ *and* ~, à égalité ‖ ~**ing** *n* COLL. pelotage *m* (fam.) ‖ ~**lace** [-lis] *n* collier *m* ‖ ~**line** *n* décolleté *m* ‖ ~**tie** *n* U.S. cravate *f.*

need [ni:d] *vt* avoir besoin de — *mod aux* (pret. need) avoir besoin de, être obligé de ; *he* ~*n't do it*, il n'est pas obligé de le faire ; *you* ~*n't have done it*, ce n'était pas la peine de le faire ; ~ *I go ?*, faut-il que je parte ? ● *n* besoin *m* ; *in case of* ~, en cas de besoin ; *if* ~ *be*, au besoin est ; *be in* ~ *of*, avoir besoin de ‖ difficulté *f*, embarras *m* (trouble) ‖ dénuement *m*, gêne *f* (poverty) ‖ *Pl* besoins *mpl* (wants) ‖ ~**ful** *adj* nécessaire ‖ ~**less** *adj* inutile ‖ ~**lessly** *adv* inutilement, sans raison ‖ ~**lessness** *n* inutilité *f.*

needle [´ni:dl] *n* aiguille *f* ‖ ~**work** *n* travaux *mpl* d'aiguille.

needy [´ni:di] *adj* nécessiteux.

neg|ation [ni´geiʃn] *n* négation *f* ‖ ~**ative** [´negativ] *adj* négatif ● *n* négative *f* ‖ PHOT. négatif, cliché *m.*

neglect [ni´glekt] *n* négligence *f* ; abandon *m* ‖ manque de soin ‖ *out of* ~, faute de précautions ● *vt* négliger, oublier de ‖ ~**ed** [-id] *adj* négligé, mal tenu ‖ ~**ful** *adj* négligent.

negligee [´negliʒei] *n* déshabillé, négligé *m.*

neglig|ence [´neglidʒəns] *n* négligence *f* ; incurie *f* ‖ ~**ent** *adj* négligent ‖ ~**ible** *adj* négligeable.

negot|iable [ni´gəuʃjəbl] *adj* FIN. négociable ‖ FIG. praticable (road) ; franchissable (obstacle) ‖ ~**iate** [-ieit] *vt* FIN. négocier ‖ FIG. franchir (jump over) ; [car] ~ *a bend*, prendre un virage ‖ FIG. négocier, traiter ‖

~**iation** [-ˌʃi´eiʃn] *n* négociation *f* ‖ *Pl* pourparlers *mpl.*

Negress [´ni:gris] *n* Noire *f* ; négresse *f* (péj.).

negritude [´negritju:d] *n* négritude *f.*

Negro [´ni:grəu] *n* Noir *m* ; nègre *m* (péj.) ● *adj* noir, nègre.

neigh [nei] *vi* hennir ● *n* hennissement *m.*

neighbour [´neibə] *n* voisin *n* ‖ REL. prochain *m* ‖ ~**hood** *n* voisinage, quartier *m*, environs *mpl* (nearness) ; *in the* ~ *of*, aux alentours de ‖ FIG. *in the* ~ *of £ 500*, dans les 500 livres ‖ quartier *m* (district) ‖ ~**ing** [-riŋ] *adj* proche, voisin ‖ ~**ly** *adj* bon voisin, obligeant.

neither [´naiðə, U.S. ´ni:ðə] *adv/conj* ~ *... nor*, ni... ni ‖ non plus, pas davantage ; *I don't like it.* — ~ *do I*, je ne l'aime pas. — (Et) moi non plus ● *adj/pron* aucun(e) des deux, ni l'un(e) ni l'autre.

neologism [ni´ɔlədʒizm] *n* néologisme *m.*

neon [´ni:ən] *n* néon *m* ; ~ *sign/tube*, enseigne (lumineuse)/tube *m* au néon.

nephew [´nevju:] *n* neveu *m.*

nerv|e [nə:v] *n* MED. nerf *m* ; ~ *specialist*, neurologue *n* ‖ FIG. nerfs *mpl* ; nervosité *f* ; *it gets on my* ~*s*, cela me tape sur les nerfs (fam.) ‖ courage *m*, confiance *f* en soi ‖ [derog.] culot, toupet *m* ; *what a* ~ *!*, quel culot ! (fam.) ‖ ~**ous** *adj* MED. nerveux ; ~ *breakdown*, dépression nerveuse ‖ FIG. nerveux ; inquiet ; *be* ~, avoir peur ; *feel* ~, avoir le trac ‖ ~**ousness** *n* nervosité, émotion *f*, trac *m* ‖ ~**y** *adj* énervé, agacé (on edge) ‖ U.S. culotté (impudent).

nest [nest] *n* nid *m* ‖ FIG. série *f* ; ~ *of tables*, table *f* gigogne ● *vi* (se) nicher ; *go* ~*ing*, aller dénicher des oiseaux ‖ TECHN. s'encastrer ‖ ~**egg** *n* pécule *m.*

nestle [´nesl] *vi* se blottir, se nicher.

net¹ [net] *adj* net (price, weight) ● *vt* Comm. rapporter net.

net² *n* filet *m* ∥ *(fishing-)*, filet *m* de pêche ; ∼ *fishing*, pêche *f* au filet ∥ [tennis] *go up to the* ∼, monter au filet ● *vt* prendre au filet.

nether [´neðə] *adj* inférieur.

Netherlands [´neðələndz] *n* Pays-Bas *mpl* ; Hollande ∥.

netting [´netiŋ] *n* filets *mpl* ∥ [fence] treillis, grillage *m*.

nettle [´netl] *n* ortie *f* ● *vt* Fig. piquer, vexer ∥ ∼-**rash** *n* urticaire *f*.

network [´netwə:k] *n* Rail. réseau *m* ∥ Rad. chaîne *f*.

neuralgia [njuə´rældʒə] *n* névralgie *f*.

neurasthen|ia [ˌnjuərəs´θi:njə] *n* neurasthénie *f* ∥ ∼**ic** [ˌnjuərəs´θenik] *adj* neurasthénique.

neur|ologist [njuə´rɔlədʒist] *n* neurologue *n* ∥ ∼**ology** [-´rɔlədʒi] *n* neurologie *f* ∥ ∼**osis, -oses** [-´rəusis, -i:z] *n* névrose *f* ∥ ∼**otic** [-´rɔtik] *adj* névrosé.

neuter [´nju:tə] *n/adj* neutre (m).

neutral [´nju:trəl] *n/adj* neutre (m) ∥ Aut. point mort ∥ ∼**ity** [nju´træliti] *n* neutralité *f* ∥ ∼**ize** *vt* neutraliser.

neutron [´nju:trɔn] *n* neutron *m*.

never [´nevə] *adv* jamais ∥ ∼-*ending*, interminable, sans fin ; ∼ *more*, jamais plus ∥ Coll. absolument pas (emphatic) ; *well I* ∼ *!*, ça, par exemple ! ∥ Pop. *buy on the* ∼∼, acheter à crédit ∥ ∼**theless** [ˌnevəðə´les] *adv* néanmoins.

new [nju:] *adj* nouveau (not existing before) ; *what's* ∼ *?*, quoi de neuf ? ; *New Year's Day*, jour *m* de l'an ∥ neuf (recently finished) ; *(as good) as* ∼, comme neuf ; *brand* ∼, flambant neuf ∥ ∼-**born** *(adj)* nouveau-né ; [school] ∼ **boy/girl** nouveau *m*/nouvelle *f* ∥ ∼-**comer**, nouveau venu *n* ∥ ∼**fangled** [-´fæŋgld] Pej. ultra-moderne, nouveau genre ∥ ∼-**laid**, frais (eggs).

New Caledonia [´nju:ˌkæli´dəunjə] *n* Nouvelle-Calédonie ∥ ∼**n** *adj/n* néo-calédonien.

Newfoundland [ˌnju:faund´lænd] *n* Terre-Neuve *f* ∥ terre-neuve *m* (dog).

newly [´nju:li] *adv* nouvellement, récemment ∥ ∼-**weds** *npl* jeunes mariés *mpl*.

newness [´nju:nis] *n* nouveauté *f*.

news [nju:z] *n* nouvelles *fpl* ; *a piece of* ∼, une nouvelle ; *break the* ∼, annoncer la (mauvaise) nouvelle ; *any* ∼ *?*, quoi de neuf ? ; ∼ *item*, information ; *latest* ∼, dernières nouvelles ∥ ∼-**agency** *n* agence *f* de presse ∥ ∼-**agent** *n* marchand *m* de journaux ∥ ∼-**boy** *n* crieur *m* de journaux ∥ ∼**cast** *n* Rad. informations *fpl* ∥ T.V. journal télévisé ∥ ∼**man** *n* U.S. journaliste *m* ∥ ∼**paper** *n* journal *m* ∥ ∼-**print** *n* papier *m* journal ∥ ∼-**room** *n* salle *f* des journaux (in a library) ; salle de rédaction (in a newspaper office) ∥ ∼-**stall**/U.S. **-stand** *n* kiosque *m* à journaux ∥ ∼**worthy** *adj* qui présente un intérêt général.

New Zealand [nju:´zi:lənd] *n* Nouvelle-Zélande ● *adj* néozélandais ∥ ∼**er** *n* Néo-Zélandais *n*.

next [nekst] *adj* [place] voisin, le plus proche ; ∼ *to*, contigu à ∥ [time] prochain ; *the* ∼ *day*, le jour suivant, le lendemain ; *the* ∼ *day but one*, le surlendemain ∥ [order] suivant ; ∼ *!*, au suivant ! ; *the* ∼ *time*, la prochaine fois ● *adv* voisin, après ∥ ∼ **to** *prep* à côté de.

nib [nib] *n* bec *m* (of pen).

nibble [´nibl] *vt* mordiller, grignoter ● *n* grignotement *m* ∥ [fishing] touche *f*.

nice [nais] *adj* agréable ; ∼ *weather*, beau temps ; *a* ∼ *dinner*, un bon dîner ; *it is* ∼ *and warm by the fire*, il fait bon près du feu ∥ gentil, sympathique ; *it is* ∼ *of you*, c'est gentil de votre part ∥ délicat (point)

‖ subtil (distinction) ‖ méticuleux, scrupuleux (punctiliousness) ‖ **~-looking** adj beau ‖ **~ly** adv agréablement ; gentiment, aimablement ‖ délicatement ; minutieusement (carefully) ; exactement (exactly) ‖ **~ty** [-iti] n précision, exactitude f (accuracy).

nick [nik] n entaille, encoche f ‖ COLL. in the ~ of time, à point nommé, à pic • vt entailler, cocher.

nickel ['nikl] n nickel m (metal) ‖ U.S., [Canada] pièce f de 5 cents • vt nickeler.

nickname ['nikneim] n surnom m ; sobriquet m • vt surnommer.

nicotine ['nikəti:n] n nicotine f.

niece [ni:s] n nièce f.

Niger ['naidʒə] n Niger m ‖ **~ia** [nai'dʒiəriə] n Nigeria m ‖ **~ian** adj/n du Nigeria ; nigérian ‖ **~ien** [-iən] adj/n nigérien (adj).

niggard ['nigəd] n/adj avare ‖ **~ly** adj pingre, mesquin (mean) • adv chichement.

nigger ['nigə] n PEJ. nègre m.

night [nait] n nuit f, soir m ; at ~, à la nuit ; au soir ; by ~, de nuit ; in the ~, la nuit ; last ~, cette nuit ; hier (au) soir ; **the ~ before**, la veille au soir ; **good ~ !**, bonsoir !, bonne nuit ! ; **it is ~**, il fait nuit ‖ TH. first ~, première f ‖ CIN. late ~, séance f de nuit ‖ **~-bird** n ZOOL. oiseau m de nuit ‖ COLL. noctambule n ‖ **~cap** n dernier verre (avant le coucher) ‖ **~-club** n boîte f de nuit ‖ **~dress** n chemise f de nuit (for women) ‖ **~fall** n tombée f de la nuit ‖ **~ingale** [-ingeil] n rossignol m ‖ **~-light** n veilleuse f ‖ **~ly** adj TH. de tous les soirs • adv tous les soirs ; en nocturne ‖ **~mare** n cauchemar m ‖ **~-school** n cours m du soir ‖ **~-watch** ['⌐⌐] n garde f de nuit ‖ **~-watchman** ['⌐⌐] n veilleur m de nuit.

nihilism ['naiilizm] n nihilisme m.

nil [nil] n néant m ‖ SP. zéro m.

nimble ['nimbl] adj agile, leste ‖ prompt (mind).

nine [nain] adj/n neuf m ‖ ~ times out of ten, neuf fois sur dix ‖ MATH. cast out the ~s, faire la preuve par neuf ‖ **~teen** ['⌐'ti:n] adj/n dix-neuf (m) ‖ **~ty** adj/n quatre-vingt-dix (m).

ninth [nainθ] adj neuvième.

nip [nip] vt pincer, mordre ‖ [cold] geler, brûler ‖ FIG. ~ in the bud, tuer dans l'œuf • n pincement m, morsure f ‖ **~ple** [l] n ANAT. mamelon m, bout m de sein ‖ U.S. tétine f.

nippers [-əz] npl pince f ; tenaille(s) f(pl) ; cutting ~, pinces coupantes.

nippy adj alerte (person) ; cuisant, piquant (cold) ; vif (air) ; coupant (wind) ‖ nerveux (car).

nit [nit] COLL. = NITWIT.

nite [nait] n U.S. = NIGHT.

nitr|ate ['naitreit] n nitrate m ‖ **~ic** ['naitrik] adj nitrique ‖ **~ogen** [-ədʒən] n azote m.

nitwit ['nitwit] n COLL. nigaud n.

nix [niks] adv U.S., SL. non • vt refuser.

no [nəu] adj aucun, nul, pas de ‖ it's ~ good trying, ça ne sert à rien d'essayer ; there's ~ knowing/saying, impossible de savoir/dire ‖ SP. ~ ball, balle nulle • adv non ‖ ne... pas ; ~ more, plus de.

nobility [nə'biliti] n noblesse f.

noble ['nəubl] adj noble, généreux ‖ **~man** n noble m ‖ **~ness** n noblesse f.

nobody ['nəubədi] pron personne, nul • n nullité f (person).

nod [nɔd] n signe m de tête ‖ vi/vt faire un signe de tête ‖ dodeliner de la tête ‖ somnoler (doze).

noise [nɔiz] n bruit m ; make a ~, faire du bruit • vt ~ abroad, ébruiter ‖ **~less** adj silencieux ‖ **~lessly** adv sans bruit.

noisily ['nɔizili] *adv* bruyamment.

noisome ['nɔisəm] *adj* puant, fétide (smell) || répugnant (disgusting).

noisy ['nɔizi] *adj* bruyant.

nomad ['nɔməd] *n* nomade *n* || ~**ic** [nə'mædik] *adj* nomade.

nomin|al ['nɔminl] *adj* nominal || ~**ate** [-eit] *vt* présenter un candidat ; nommer à un poste (appoint) || ~**ation** [ˌnɔmi'neiʃn] *n* présentation ; nomination *f* || ~**ee** [ˌnɔmi'ni:] *n* candidat agréé (for a post).

non [nɔn] *pref* non- || ~**-aligned**, non-aligné (country) ; ~**-commissioned officer**, sous-officier *m ;* COLL. *non-com*, sous-off *m* || ~**-commital**, qui n'engage à rien, réservé, neutre || ~**-compliance**, refus *m* d'obéissance || ~**-conductor**, ELECTR. isolant *m* || ~**-conformist** *(adj/n)*, REL. non-conformiste || ~**-degradable**, non-dégradable ; ~**-descript**, ordinaire, quelconque, insignifiant || ~**-flammable**, ininflammable || ~**-observance**, inobservance *f* || ~**-plus**, déconcerter || ~**-profit making**, à but non lucratif || ~**-removable**, inamovible || ~**-returnable**, COMM. perdu (packing) || ~**-reversible**, CIN. irréversible (film) || ~**-sinkable**, NAUT. insubmersible || ~**-skid(ding)**, antidérapant || ~**-smoker**, non-fumeur *n* || ~**-stick**, qui n'attache pas (frying-pan) || ~**-stop** *(adj)*, ininterrompu, sans arrêt ; RAIL. direct ; AV. sans escale ; CIN. permanent ; *(adv)* sans arrêt/escale, d'une traite || ~**-unionist**, non-syndiqué *n*.

nonchalant ['nɔnʃlənt] *adj* indifférent || ~**ly** *adv* nonchalamment.

nondescript ['nɔndiskript] *adj* indéfinissable, quelconque (person) ; indescriptible (thing).

none [nʌn] *pron* aucun, personne ; ~ *at all*, pas un seul ; ~ *but you*, personne d'autre que vous, vous seul ● *adv* ~ *the* (+ comparative) pas... plus ; *he is* ~ *the worse for it*, il ne s'en porte pas plus mal ; *I'm* ~ *the*

wiser, je n'en suis pas plus avancé || ~ *too :* it's ~ *too good*, ce n'est pas tellement bon.

nonentity [nɔ'nentiti] *n* néant *m* || nullité *f* (person).

nonetheless [ˌnʌnðə'les] *adv* = NEVERTHELESS.

nonplus ['nɔn'plʌs] *vt* déconcerter, dérouter, embarrasser, interloquer.

nonsens|e ['nɔnsəns] *n* absurdité, sottise *f* || ~**ical** [nɔn'sensikl] *adj* absurde, inepte, aberrant.

noodle ['nu:dl] *n* nouille *f*.

nook [nuk] *n* coin *m ;* recoin *m*.

noon [nu:n] *n* ~ *(day)*, midi *m*.

no one ['nəuwʌn] *pron* = NOBODY.

noose [nu:s] *n* nœud coulant || [snare] collet *m*.

nor [nɔ:] *conj* ni ; ni... non plus || → NEITHER.

norm [nɔ:m] *n* norme *f* || ~**al** *adj* normal || ~**ally** *adv* normalement, ordinairement.

Norm|an ['nɔ:mən] *adj/n* normand || ~**andy** [-əndi] *n* Normandie *f*.

north [nɔ:θ] *n* nord *m* ● *adj* du nord, septentrional ● *adv* au nord, vers le nord || ~**erly** ['nɔ:ðəli] *adj* nord (latitude) ; du nord (wind) || ~**ern** ['nɔ:ðn] *adj* du nord, septentrional ; ~ *lights*, aurore boréale || ~**erner** ['nɔ:ðnə] *adj/n* nordique || ~**ward** [-wəd] *adj* au/du nord || ~**ward(s)** *adv* vers le nord || ~**-wester** ['-'westə] *n* noroît *m*.

Norw|ay ['nɔ:wei] *n* Norvège *f* || ~**egian** [nɔ:'wi:dʒn] *adj/n* norvégien.

nose [nəuz] *n* [person] nez *m ; blow one's* ~, se moucher ; *his* ~ *is bleeding*, il saigne du nez || [animal] nez *m* || FIG. odorat, flair *m* || COLL. *lead sb by the* ~, mener qqn par le bout du nez ; *turn up one's* ~ *at*, faire fi de ● *vt* flairer — *vi* ~ *around*, fureter || ~**-bleed** *n* saignement *m* de nez ‖ **~dive** n Av. piqué m ● vi descendre en piqué ‖ **~gay** n bouquet m.

nosey [´nəuzi] adj COLL. curieux, indiscret ; fouinard (fam.) ; *Nosey Parker,* fouinard n (fam.).

nosh [nɔʃ] n SL. bouffe f (pop.) ; **~-up,** gueuleton m (pop.) ● vi SL. bouffer (pop.).

no-show [´nəuʃəu] n Av., U.S. passager absent.

nostalg|ia [nɔs´tældʒiə] n nostalgie f ‖ **~ic** [-ik] adj nostalgique.

nostril [´nɔstrl] n [person] narine f ; [animal] naseau m.

nosy [´nəuzi] = NOSEY.

not [nɔt] adv ne... pas ‖ **~ a,** pas un(e) ‖ **~ at all,** pas du tout ‖ [clause substitute] *will it rain today ? — I hope* **~,** va-t-il pleuvoir aujourd'hui ? — j'espère que non.

notable [´nəutəbl] adj remarquable, notable ● n notable m.

notary [´nəutəri] n notaire m.

notation [nə´teiʃn] n notation f.

notch [nɔtʃ] n encoche, entaille f ● vt cocher, entailler ‖ échancrer.

note [nəut] n note f, mot m (short letter) ; *make a* **~** *of,* prendre note de ; *take* **~s,** prendre des notes ‖ FIN. billet m ; *big/small* **~,** grosse/petite coupure ‖ MUS. note f ‖ FIG. **~** *of,* de renom, éminent ● vt **~** *(down),* noter, inscrire ‖ remarquer ‖ **~book** n carnet m ; agenda m.

noted [´nəutid] adj éminent, remarquable.

note|pad n bloc-notes m ‖ **~-paper** [´nəut ˏpeipə] n papier m à lettres ‖ **~worthy** adj remarquable, digne d'attention.

nothing [´nʌθiŋ] pron rien ; **~** *but,* rien que ; **~** *else,* rien d'autre ; **~** *much,* pas grand-chose ; **~** *more,* rien de plus ; **~** *doing,* rien à faire ; *to say* **~** *of,* pour ne rien dire de ; *come to* **~,** ne pas aboutir, échouer, faire fiasco ; *for* **~,** pour rien ● adv

pas du tout ; **~** *less than,* rien moins que.

notice [´nəutis] n avis m, notification f ; *until further* **~,** jusqu'à nouvel ordre ; *without* **~,** sans préavis ; **~** *of assessment,* avis m d'imposition ‖ [employer] congé m ; *give* **~,** [landlord] donner congé ; [employee] démissionner ‖ attention f ; *attract* **~,** se faire remarquer ; *take* **~** *of,* tenir compte de ‖ annonce f ; *public* **~,** avis m au public ‖ [review] compte-rendu m, critique f ● vt remarquer, s'apercevoir de, constater ‖ **~able** adj perceptible, visible ; **~-board** n panneau m d'affichage ; pancarte f, écriteau m (sign).

notif|ication [ˏnəutifi´keiʃn] n avis m, notification f ; **~** *of death,* faire-part m de décès ‖ **~y** [´nəutifai] vt avertir, notifier ; informer, aviser, prévenir.

notion [´nəuʃn] n notion, idée f ; *have the* **~** *that,* avoir l'impression que ‖ Pl U.S. mercerie f.

notor|iety [ˏnəutə´raiəti] n réputation, notoriété f (repute) ‖ **~ious** [nə´tɔːriəs] adj notoire, insigne.

notwithstanding [ˏnɔtwiθ´stændiŋ] prep en dépit de ● adv malgré tout, quand même ● conj quoique.

nought [nɔːt] n → NAUGHT ‖ zéro m ; *play at* **~s and crosses,** jouer au morpion.

noun [naun] n GRAMM. nom m.

nourish [´nʌriʃ] vt nourrir, alimenter ‖ FIG. bercer ‖ **~ing** adj nourrissant ‖ **~ment** n nourriture f.

novel¹ [´nɔvəl] adj nouveau et original.

novel² n roman m ‖ **~ist** n romancier n ‖ **~ty** n nouveauté f ‖ innovation f (thing) ‖ Pl COMM. articles mpl de nouveautés.

November [nə´vembə] n novembre m.

novice [´nɔvis] n novice n.

now [nau] *adv* maintenant, à présent, actuellement ; *just ~*, en ce moment ; *right ~*, en ce moment, à l'instant même ; *until/up to ~*, jusqu'à présent, jusqu'ici ; *~ and then/again*, de temps en temps ; *now... now*, tantôt... tantôt ‖ [warning, etc.] bon (alors) ! ; *~ then !*, allons ! voyons ! ; *well ~ !*, eh bien ! ● *conj* maintenant que ‖ *or ~* ● *n* moment présent ; *from ~ on*, dès à présent, désormais ; *in a week from ~*, d'aujourd'hui en huit.

nowadays [ˈnauədeiz] *adv* aujourd'hui, de nos jours.

no way ! [.ˈ-] *SL.* pas question !

nowhere [ˈnəuweə] *adv* nulle part ‖ *~ near*, loin.

nowise [ˈnəuwaiz] *adv* nullement, en aucune façon.

noxious [ˈnɔkʃəs] *adj* nocif, malsain ‖ *~ness* *n* nocivité *f*.

nozzle [ˈnɔzl] *n* TECHN. ajutage *m*, lance *f*.

nub [nʌb] *n* petit morceau ‖ FIG. essentiel *m*.

nuclear [ˈnjuːkliə] *adj* nucléaire ; *~ reactor*, réacteur *m* nucléaire ‖ MIL. → DETERRENT.

nucleonics [nju:kliˈɔniks] *n* physique *f* nucléaire.

nucleus, -clei [ˈnjuːkliəs, -ai] *n* PHYS., FIG. noyau *m*.

nud|e [njuːd] *adj* nu ● *n* nudité *f* ‖ ARTS nu *m* ‖ *~ist* *n* nudiste *n*.

nudge [nʌdʒ] *n* coup *m* de coude ● *vt* pousser du coude.

nugget [ˈnʌgit] *n* pépite *f*.

nuisance [ˈnjuːsəns] *n* ennui, désagrément *m* ‖ JUR. acte *m* dommageable, nuisance *f* ‖ FIG. poison, fléau *m* ; *what a ~ !*, quelle barbe ! ; *she's a perfect ~*, c'est une petite peste ; *make a ~ of oneself*, emmerder le monde (fam.).

nuke [njuːk] *n* U.S., SL. arme *f* nucléaire.

null [nʌl] *adj* nul ; *~ and void*, nul et non avenu ‖ MATH. nul (set) ‖ *~ify* [-ifai] *vt* annuler.

numb [nʌm] *adj* engourdi ; *~ with cold*, engourdi (par le froid) ● *vt* engourdir ; *~ed with fear*, paralysé par la peur ‖ *~ness* *n* engourdissement *m*.

number [ˈnʌmbə] *n* nombre *m*, quantité *f* ; *ten in ~*, au nombre de dix ; *without ~*, innombrable ‖ [music hall, newspaper, room, telephone, etc.] numéro *m* ‖ MIL. matricule *m* ‖ GRAMM. nombre *m* ● *vt* compter, se monter à ‖ numéroter ‖ *~less* *adj* innombrable ‖ *~ plate* *n* plaque *f* minéralogique/d'immatriculation.

num|eral [ˈnjuːmrəl] *adj* numéral ● *n* chiffre *m* ‖ *~eration* [nju:məˈreiʃn] *n* numération *f* ‖ *~erical* [njuˈmerikl] *adj* numérique ‖ *~erator* [ˈnjuːməreitə] *n* numérateur *m* ‖ *~erous* [ˈ-rəs] *adj* nombreux.

nun [nʌn] *n* religieuse, sœur *f*.

nuncio [ˈnʌnʃiəu] *n* nonce *m*.

nuptial [ˈnʌpʃl] *adj* nuptial ● *npl* noces *fpl*.

nurse [nəːs] *n* (*wet*) nourrice *f* ; *at ~*, en nourrice ; *put (out) to ~*, mettre en nourrice ‖ *~(maid)*, bonne *f* d'enfants ‖ infirmière *f*, garde *n* malade ; *male ~*, infirmier *m* ● *vt* nourrir, allaiter (a baby) ‖ soigner (a sick person) ‖ soigner (plants) ‖ FIG. nourrir (a hope) ‖ *~ry* [-ri] *n* chambre *f* des enfants ; *day ~*, crèche, pouponnière *f* ‖ *~rhyme*, chanson *f* d'enfant ; comptine *f* ‖ *~school*, école maternelle, jardin *m* d'enfants ; *~ school teacher*, jardinière *f* d'enfants ‖ AGR. pépinière *f*.

nursing [ˈnəːsiŋ] *n* allaitement *m* ‖ MED. soins *mpl* ; *~-home*, clinique *f* ; maison *f* de santé.

nursling [ˈnəːsliŋ] *n* nourrisson *m*.

nurture [ˈnəːtʃə] *vt* nourrir, élever ● *n* éducation *f*.

nut [nʌt] *n* noix, noisette *f* (hazelnut)

‖ TECHN. écrou m ‖ SL. be ~s, être cinglé n ‖ ~case n dingue, toqué, cinglé ‖ ~-crackers npl casse-noisettes/noix m inv ‖ ~meg [-meg] n noix f muscade.

nutri|ment [ˈnjuːtrimənt] n éléments nutritifs ‖ ~tion [njuˈtriʃn] n nutrition f ‖ ~tious [njuˈtriʃəs] adj nourrissant ‖ ~tive [-tiv] adj nutritif.

nutshell [ˈnʌtʃel] n coquille f de noix ‖ FIG. in a ~, en un mot.

nutty [ˈnʌti] adj plein de noisettes ; à goût de noisette (taste) ‖ COLL. cinglé, toqué.

Nylon [ˈnailən] n T.N. Nylon m ‖ Pl bas mpl Nylon.

nymph [nimf] n nymphe f.

O

o [əu] n o m ‖ TEL. zéro m ; double ~, zéro deux fois.

o' [ə] = OF.

oaf [əuf] n lourdaud (awkward) n ; mufle m (ill-mannered) ‖ ~ish adj mufle.

oak [əuk] n chêne m ‖ ~en [-n] adj de/en chêne.

oar [ɔː] n rame f, aviron m ‖ ~sman [-zmən] n rameur m.

oasis, oases [əuˈeisis, -iːz] n oasis f ‖ FIG. havre m, oasis f.

oat [əut] n (usu. pl.) avoine f ; ~ meal, farine f d'avoine ‖ FIG. sow one's wild ~s, jeter sa gourme.

oath [əuθ] n serment m ; break one's ~, se parjurer ; take the ~, prêter serment ‖ [swearword] juron m.

obdurate [ˈɔbdjurit] adj obstiné, entêté (stubborn) ‖ invétéré (confirmed) ‖ endurci (hardened).

obed|ience [əˈbiːdjəns] n obéissance f ; compel ~ from, se faire obéir de ‖ ~ient adj obéissant.

obes|e [əˈbiːs] adj obèse ‖ ~ity n obésité f.

obey [əˈbei] vt/vi obéir à (sb, orders).

obituary [əˈbitjuəri] n nécrologie f ● adj nécrologique.

object [ˈɔbdʒikt] n objet m, chose f ; ~ lesson, leçon f de choses ‖ but, objet m ‖ no ~, sans importance ‖ GRAMM. complément, objet m ● [əbˈdʒekt] vi ~ to, trouver à redire à ; désapprouver, s'élever contre ; do you ~ to his coming ?, voyez-vous un inconvénient à ce qu'il vienne ? ‖ ~ion [əbˈdʒekʃn] n objection f ; raise ~s, faire des objections ; if he has no ~, s'il n'y voit pas d'inconvénient ‖ ~ionable [əbˈdʒekʃnəbl] adj répréhensible, choquant ‖ ~ive [əbˈdʒektiv] adv objectif ● n MIL. but, objectif m ‖ ~ivity [ˌɔbdʒekˈtiviti] n objectivité f ‖ ~or [əbˈdʒektə] n contradicteur m.

obliga|tion [ˌɔbliˈgeiʃn] n obligation f ‖ COMM. engagement m ; meet one's ~s, faire honneur à ses engagements ; *without* ~, sans engagement ‖ ~**tory** [ɔˈbliɡətri] *adj* obligatoire.

oblig|e [əˈblaidʒ] *vt* obliger, astreindre (force) ‖ obliger, rendre service (assist) ; ~ *sb with sth,* avoir l'obligeance de donner/prêter qqch à qqn ; *I am much* ~*ed to you,* je vous suis très reconnaissant ‖ ~**ing** *adj* obligeant, serviable.

oblique [əˈbliːk] *adj* oblique.

obliterat|e [əˈblitəreit] *vt* effacer, gratter ‖ ~**ion** [əˌblitəˈreiʃn] *n* grattage *m,* oblitération *f.*

obliv|ion [əˈbliviən] *n* oubli *m* ‖ ~**ious** [-iəs] *adj* oublieux (*of,* de).

oblong [ˈɔblɔŋ] *adj* oblong.

obnoxious [əbˈnɔkʃəs] *adj* exécrable, odieux, antipathique.

oboe [ˈəubəu] *n* hautbois *m.*

obscen|e [əbˈsiːn] *adj* obscène ‖ ~**ity** *n* obscénité *f.*

obscur|e [əbˈskjuə] *adj* obscur, sombre ● *vt* obscurcir ‖ ~**ity** [-riti] *n* obscurité *f.*

obsequious [əbˈsiːkwiəs] *adj* obséquieux.

observ|able [əbˈzəːvəbl] *adj* observable ‖ ~**ance** *n* observance *f* ‖ ~**ant** *adj* observateur (of rules) respectueux, attentif (of one's duties) ‖ ~**ation** [ˌɔbzəˈveiʃn] *n* observation *f* ; *under* ~, en observation (patient), sous surveillance (suspect) ‖ RAIL., U.S. ~ *car,* voiture *f* panoramique ‖ MIL. ~ *post,* poste *m* d'observation ‖ ~**atory** [əbˈzəːvətri] *n* observatoire *m.*

observ|e [əbˈzəːv] *vt* observer (watch) ‖ observer, suivre (rules) ‖ célébrer (festivals) ‖ dire (say) ‖ faire observer/remarquer (*that,* que) ‖ ~**er** *n* observateur *m.*

obsess [əbˈses] *vt* obséder (*with,* par) ‖ ~**ion** [əbˈseʃn] *n* obsession *f* ‖ ~**ive** *adj* obsédant.

obsolete [ˈɔbsəliːt] *adj* désuet, suranné (out of date) ‖ démodé (clothes, car).

obstacle [ˈɔbstəkl] *n* obstacle *m.*

obstetrics [əbˈstetriks] *n* obstétrique *f.*

obstin|acy [ˈɔbstinəsi] *adj* obstination *f,* entêtement *m* ‖ ~**ate** [-it] *adj* obstiné, entêté (stubborn) ‖ opiniâtre (persistent) ‖ ~**ately** [-itli] *adv* obstinément.

obstreperous [əbˈstrepərəs] *adj* bruyant (noisy) ; turbulent (unruly).

obstruc|t [əbˈstrʌkt] *vt* obstruer, boucher (a pipe) ; encombrer (a street) ; gêner (the traffic) ‖ POL. entraver ‖ ~**tion** obstruction *f,* [road] obstacle *m.*

obtain [əbˈtein] *vt* obtenir, se procurer — *vi* avoir cours, être en vigueur ‖ ~**able** *adj* qu'on peut se procurer, en vente (*from,* chez).

obtru|de [əbˈtruːd] *vt* imposer (one's opinions) — *vi* s'imposer (*on,* auprès de) ‖ ~**sive** [-siv] *adj* importun ; intrus.

obtuse [əbˈtjuːs] *adj* obtus.

obviate [ˈɔbvieit] *vt* obvier à.

obvious [ˈɔbviəs] *adj* évident, manifeste ‖ ~**ly** *adv* évidemment, manifestement, de toute évidence.

occasion [əˈkeiʒn] *n* occasion, circonstance *f* ; *on* ~, à l'occasion ; *on this* ~, à cette occasion ; *on another* ~, une autre fois ; *on several* ~s, à plusieurs reprises ; *take* ~, profiter de l'occasion (*to,* pour) ; *rise to the* ~, se montrer à la hauteur des circonstances ‖ occasion *f,* cas *m* ; *should the* ~ *arise,* le cas échéant cause *f,* motif *m,* raison *f* ; *give* ~ *to,* donner lieu à ; *he has no* ~ *to be alarmed,* il n'a pas lieu de s'inquiéter ● *vt* occasionner, provoquer ‖ ~**al** *adj* occasionnel, de temps à autre ; intermittent (rain) ‖ ~**ally** *adv* de temps à autre, parfois.

occident [ˈɔksidənt] *n* occident *m* ‖ ~**al** [ˌɔksiˈdentl] *adj* occidental.

occult [ɔˈkʌlt] *adj* occulte ‖ ~**ism** [ˈɔkəltizm] *n* occultisme *m.*

occup|ancy ['ɔkjupənsi] *n* occupation *f* ‖ ~**ant** *n* [house] habitant, occupant *n* ‖ [post] titulaire *n* ‖ ~**ation** [ɔkju'peiʃn] *n* occupation *f*, métier *m*, profession *f*, travail *m* ‖ [sparetime] occupation *f* ‖ MIL. occupation *f* ‖ ~**ational** *adj* qui a un rapport au métier/à la profession ; ~ *medicine*, médecine *f* du travail ‖ ~**y** ['-pai] *vt* occuper.

occur [ə'kəː] *vi* arriver, avoir lieu ; se produire (happen) ‖ venir à l'esprit ; *it* ~*red to him that*, l'idée lui vint que... ‖ se rencontrer, se trouver (be met with) ‖ ~**rence** [ə'kʌrəns] *n* occurrence *f*, événement, fait *m* (event).

ocean ['əuʃn] *n* océan *m* ‖ NAUT. ~*-going ship*, long-courrier *m*.

Oceania [əuʃi'einjə] *n* Océanie *f*.

oceanography [əuʃjə'nɔgrəfi] *n* océanographie *f*.

ochre ['əukə] *n* ocre *f*.

o'clock [ə'klɔk] *at 2* ~, à 2 heures.

octane ['ɔktein] *n* CH. octane *m* ; ~ *number*, indice *m* d'octane.

octave ['ɔktiv] *n* MUS. octave *f*.

October [ɔk'təubə] *n* octobre *m*.

octopus ['ɔktəpəs] *n* pieuvre *f*, poulpe *m*.

ocul|ar ['ɔkjulə] *adj/n* oculaire *(m)* ‖ ~**ist** *n* oculiste *n*.

odd [ɔd] *adj* impair (number) ‖ dépareillé (glove, etc.) ; ~ *man out*, personne/chose *f* inclassable, laissé-pour-compte *n* ‖ [bad mixer] inadapté, misanthrope *n* ; ours *m* (fam.) ‖ [with rather more] *30* ~, 30 et quelques ; *30* ~ *years*, une trentaine d'années ‖ occasionnel ; ~ *moments/times*, moments perdus ; ~ *jobs*, petits travaux, bricolage *m* ; ~ *job man*, homme à tout faire ‖ bizarre, étrange (strange) ‖ FIN. ~ *money*, appoint *m* ‖ COMM. ~ *size*, pointure *f* hors série ‖ ~**ity** *n* bizarrerie *f* ‖ ~**ly** *adv* bizarrement ; ~ *enough*, chose curieuse ‖ ~**ments** [-mənts] *npl* fins *fpl* de séries.

odds [ɔdz] *npl* chances *fpl* ; *the* ~ *are against us/in our favour*, les chances sont contre nous/pour nous ‖ [horse racing] *the* ~ *are 10 to 1 against*, la cote est à 10 contre 1 ; *lay* ~ *of 10 to 1*, parier à 10 contre 1‖ [games] *give* ~, donner des points d'avance ‖ FIG. *fight against great* ~, se battre contre des forces supérieures ; *it makes no* ~, ça n'a pas d'importance ; *be at* ~ *with*, être brouillé avec ‖ ~ *and ends*, petits bouts, restes *mpl*.

ode [əud] *n* ode *f*.

odious ['əudjəs] *adj* odieux.

odorous ['əudərəs] *adj* odorant, parfumé.

odo(u)r ['əudə] *n* odeur *f*.

œcumen|ic(al) [iːkjuˈmenik(l)] *adj* œcuménique ‖ ~**icity** ['-isiti] *n* œcuménisme *m*.

of [ɔv/əv] *prep* [possession, cause ; origin, measure, distance] de ; [time] *call on me* ~ *an evening*, venez me voir un soir ; ~ *late*, récemment ‖ [agency] de, par ; *beloved* ~ *all*, aimé de tous ‖ [characteristic] à, de ; *a man* ~ *genious*, un (homme de) génie ‖ [objective genitive] *the love* ~ *study*, l'amour de l'étude ; [subjective genitive] *the love* ~ *a mother*, l'amour d'une mère ‖ [material] de, en ; *a ring* ~ *gold*, un anneau d'or ‖ de (about) ; *hear* ~ *sb*, entendre parler de qqn.

off [ɔf] *adv* au loin (away) ; *two miles* ~, à deux milles de là ; *farther* ~, plus loin ; *keep* ~ *!*, n'approchez pas ! ‖ [departure] *be* ~, partir, s'en aller ‖ [removal] *take* ~, enlever, ôter ‖ [completion] *pay* ~, rembourser ‖ ~ *day*, jour de congé ; ~ *time*, moment de loisir ‖ *turn/switch* ~, fermer, couper (gas, radio) ‖ TH. à la cantonade ‖ CIN. hors champ, off (voice) ‖ NAUT. au large ‖ COMM. *10 %* ~, 10 % de remise/d'escompte ‖ FIG. annulé (cancelled) ‖ ~ *and on*, de temps à autre ‖ *straight* ~, immédiatement.

● *prep* de (away) ; *the book fell* ~ *the*

table, le livre tomba de la table ; *keep ~ the grass,* ne marchez pas (= défense de marcher) sur la pelouse ‖ *loin de* ; *a house ~ the main road,* une maison à l'écart de la grande route ; *a narrow lane ~ the main road,* un étroit chemin qui débouche sur la grande route ‖ NAUT. au large de ‖ *~-beat,* COLL. original, excentrique ‖ *~ colour,* patraque (fam.) ‖ *~ duty,* libre ‖ *~-hand[ed],* immédiat, impromptu (answer) ; sans façon, désinvolte (casual) ; *(adv)* à l'improviste ‖ *~-handedly,* sur-le-champ, immédiatement, cavalièrement, avec désinvolture ‖ *~ limits,* MIL., U.S. entrée interdite ‖ *~-peak hours,* heures creuses ‖ *~ piste* [ski] hors-piste(s) *m inv* ‖ *~-shore (adj),* de terre (breeze) ; *(adv)* au large ‖ *~ side,* SP. hors jeu *m* ‖ *~ stage (adj/adv),* dans les coulisses ‖ *~-street,* hors de la voie publique (parking) ‖ *~-the-cuff,* impromptu, au pied levé ‖ *~-the-peg,* prêt à porter ‖ *~ the point,* hors de propos/du sujet ‖ *~-the-record,* confidentiel ‖ *~ white (adj/n),* blanc cassé.
● *adj* extérieur ; *~ side,* verso *m* ‖ AUT. *~ front wheel,* G.B. la roue avant droite/FR. gauche ‖ [food] mauvais, avancé (meat) ; rance (butter) ; tourné (milk) ‖ ELECTR., TEL. coupé, interrompu ‖ *~ chance : on the ~ chance of,* au cas (improbable) où ‖ *~-day,* COLL. mauvais jour ; jour *m* de déveine (fam.) ‖ *~-licence,* magasin *m* de vins et spiritueux ‖ *~-sale,* U.S. débit *m* de boisson ‖ *~-season (n),* morte-saison *f* ; *(adj/adv)* hors saison ‖ *~-side,* G.B. côté droit/FR. gauche (of car, road).

offal [ɔfl] *n* CULIN. abats *mpl.*

offence [əˈfens] (= U.S. OFFENSE) *n* froissement *m,* blessure *f* ; *give ~,* blesser, froisser ; *take ~ at,* se vexer de, s'offusquer de ; *no ~ (meant !),* soit dit sans vous offenser ‖ JUR. infraction *f,* délit *m* ; *second ~,* récidive *f* ; *commit a second ~,* récidiver ‖ MIL. attaque *f.*

offend [əˈfend] *vt* froisser, choquer, scandaliser, offusquer — *vi ~ against,* enfreindre (a regulation) ‖ JUR. *~ against the law,* commettre un délit ‖ *~er* *n* délinquant *n* (lawbreaker) ; *second ~,* récidiviste *n* ‖ contrevenant *n* (against regulations).

offens|e [əˈfens] *n* U.S. = OFFENCE ‖ *~ive* *adj* blessant ‖ choquant (shocking) ‖ injurieux (insulting) ‖ nauséabond, répugnant (odour) ‖ désagréable (unpleasant) ‖ grossier (obscene) ‖ MIL. offensif ● *n* MIL. offensive *f.*

offer [ˈɔfə] *vt* offrir (*sb sth,* qqch. à qqn) ‖ faire mine de (attempt) — *vi* s'offrir ‖ COMM. mettre en vente ● *n* offre *f* ‖ *~ing* [-riŋ] *n* offre *f* ‖ REL. offrande *f.*

office [ˈɔfis] *n* [room] bureau *m* ; étude *f* (lawyer's) ‖ [building] service *m* ; *head ~,* COMM. siège social ; maison *f* mère ‖ administration *f* ; *Foreign Office,* ministère *m* des Affaires étrangères ‖ fonction, charge *f,* office *m* (duty) ‖ *Pl good ~s,* bons offices ‖ REL. office *m* ‖ *~-block* *n* immeuble *m* de bureaux ‖ *~-boy* *n* garçon *m* de bureau ‖ *~-worker* *n* employé *n* de bureau.

officer [ˈɔfisə] *n* fonctionnaire, administrateur *n* ‖ MIL. officier *m* ‖ NAUT. *naval ~,* officier *m* de marine ‖ [to policeman] *~ !,* monsieur l'agent ! ‖ → CUSTOMS, POLICE ‖ *~ing* [-riŋ] *n* encadrement *m.*

official [əˈfiʃl] *adj* officiel, administratif ● *n* fonctionnaire *n* ‖ responsable *n* ‖ *~-dom* [-dəm] bureaucratie *f* ‖ *~-ese* [əˌfiʃəˈliːz] *n* jargon administratif.

offic|iate [əˈfiʃieit] *vi* REL. officier ‖ *~ious* [-əs] *adj* trop empressé, zélé.

offing [ˈɔfiŋ] *n* NAUT. *in the ~,* au large.

offprint [ˈɔfprint] *n* tirage *m* à part.

off-putting [ˈɔfputiŋ] *adj* déroutant (disconcerting) ‖ rebutant (task) ; rébarbatif (manner).

off|set [ˈɔfset] *vt* (→ SET) TECHN. décaler, décentrer ‖ FIG. compenser, contrebalancer ● *n* (printing) offset *m* ‖ **~shoot** *n* BOT. rejeton *m* ‖ FIG. ramification *f* ‖ **~spring** *n* progéniture, descendance *f* ‖ FIG. résultat, fruit *m*.

often [ˈɔfn] *adv* souvent ; **how ~ ?,** combien de fois ?, tous les combien ? ; **as ~ as,** chaque fois que ; **as ~ as not, more ~ than not,** le plus souvent, la plupart du temps ; **every so ~,** par moments.

ogle [ˈəugl] *vt* lorgner ; reluquer (fam.).

oil [ɔil] *n* huile *f* ; **salad ~,** huile de table ‖ **hair ~,** brillantine *f* ‖ *(crude)* **~,** pétrole brut ‖ *(fuel)* **~,** mazout *m* ; **Diesel ~,** gas-oil ; **heating ~,** fuel *m* domestique *m* ‖ **parraffin ~,** pétrole lampant ‖ **paint in ~s,** faire de la peinture à l'huile ● *vt* huiler, graisser ‖ **~-can** *n* burette *f* ‖ **~cloth** *n* toile cirée ‖ **~-colours** *npl* couleurs *fpl* à l'huile ‖ **~ crisis,** choc pétrolier ‖ **~-cruet** *n* huilier *m* ‖ **~ers** *npl* U.S. ciré *m* ‖ **~-field** *n* gisement *m* pétrolifère ‖ **~-fired** *adj* chauffé au mazout ‖ **~ gauge** *n* indicateur *m* de niveau/pression d'huile ‖ **~-painting** *n* peinture *f* à l'huile ‖ **~-rig** *n* [land] derrick *m* ; [sea] plate-forme pétrolière ‖ **~skin** *n* ciré *m* ‖ **~ slick** *n* nappe *f* de mazout, marée noire *f* ‖ **~-well** *n* puits *m* de pétrole.

oily *adj* huileux ‖ graisseux (hands) ‖ FIG. mielleux.

O.K., okay [əuˈkei] *adj* très bien ‖ en règle, en ordre ‖ en bon état ● *excl* **~ !,** d'accord !, parfait ! ● *vt* approuver ● *n* COLL. give one's **~,** donner son accord.

old [əuld] *adj* vieux, âgé ; **~ age,** vieillesse *f* ; **~ maid,** vieille fille ; **~ man,** vieillard ; **~ woman,** femme âgée, vieille ; **grow/get ~,** vieillir ; **how ~ is he ?,** quel âge a-t-il ? ; **he is six years ~,** il a six ans ; **a ten-year-~ boy,** un garçon (âgé) de

dix ans ‖ ancien (former) ; **~ boy,** ancien élève ● **~ of ~,** de jadis ‖ **~-fashioned** *adj* démodé, vieillot, à l'ancienne mode, vieux jeu ‖ **~-hat** *adj* vieux jeu ‖ **~-time** *adj* d'autrefois, d'antan.

oleander [əuliˈændə] *n* laurier *m* rose.

oligarchy [ˈɔligɑ:ki] *n* oligarchie *f*.

olive [ˈɔliv] *n* olive *f* ; **~ oil,** huile *f* d'olive ● *adj* olivâtre ● *n* **~(-tree),** olivier *m* ‖ **~-grove** *n* oliveraie *f*.

Olympic [əˈlimpik] *adj* **~ Games,** jeux *mpl* Olympiques.

ombudsman [ˈɔmbudzmən] *n* POL., G.B. ombudsman *m* ; FR. médiateur *m*.

omelet(te) [ˈɔmlit] *n* omelette *f*.

omen [ˈəumen] *n* présage, augure *m* ● *vt* présager.

ominous [ˈɔminəs] *adj* inquiétant, de mauvais augure.

omission [əˈmiʃn] *n* omission *f*, oubli *m*.

omit [əˈmit] *vt* omettre (leave out) ‖ négliger de (neglect).

omnipotent [ɔmˈnipətnt] *adj* omnipotent.

on [ɔn] *prep* sur ‖ **~ board,** à bord ‖ de (out of) ; **live ~ one's income,** vivre de ses revenus ‖ [movement] en ; **~ a journey,** en voyage ‖ [occupation] pour ; **~ business,** pour affaires ; **~ holiday,** en vacances ; **~ an errand,** en course ‖ [position] à, sur ; **~ foot,** à pied ‖ [membership] **be ~ the phone,** avoir le téléphone ‖ sur (about) ; **a book ~ Shakespeare,** un livre sur Shakespeare ‖ [subordination] de, à ; **depend ~ sb,** dépendre de qqn ; **~ principle,** en principe ‖ [direction] vers ; **~ the right,** à droite ‖ [time] lors de ; **~ my arrival,** à mon arrivée ; **~ Sundays,** le dimanche ● *adv* sur ; **is the cloth ~ ?,** la nappe est-elle mise ? ; **the cat jumped ~ to the table,** le chat sauta sur la table ‖ vêtu ; **have nothing ~,** être complètement nu ; **help me ~ with my coat.**

aidez-moi à mettre mon manteau ; *put one's shoes* ~, mettre ses chaussures || *be* ~ : Th., Cin. *what's* ~ *tonight ?*, quelle pièce joue-t-on/quel film passe-t-on ce soir ? || [functioning, flowing] *is the gas* ~ *?*, le gaz est-il ouvert ? ; *the brake is* ~, le frein est mis ; [microphone] branché || [continuation] *go* ~, continuer ; *later* ~, plus tard ; *and* ~ *and off*, de temps à autre, par intermittence ; ~ *and* ~, sans arrêt ; *and so* ~, et ainsi de suite ; Tel. *hold* ~ *!*, ne quittez pas ! || Fig. [meeting] *I've nothing* ~ *tonight*, je ne suis pas pris ce soir.

once [wʌns] *adv* une fois ; ~ *a week*, tous les huit jours ; ~ *again/more*, encore une fois ; ~ *in a while*, de temps à autre ; ~ *and for all*, une fois pour toutes || autrefois (formerly) ; ~ *upon a time there was*, il était une fois || *at* ~, tout de suite, immédiatement (immediately) || en même temps, à la fois (at the same time) || *all at* ~, tout à coup.

oncoming [ˈɔnˌkʌmiŋ] *adj* qui approche || venant en sens inverse (traffic).

one [wʌn] *adj* un || seul, unique ; *she is the one person who*, elle est la seule (personne) qui || *it is all* ~ *to me*, cela m'est égal || *for* ~ *thing*, tout d'abord ● *indef adj* un ; ~ *Mr X*, un certain M. X ● *indef pron* un ; ~ *of us*, l'un de nous ; ~ *after the other*, l'un après l'autre ; *I for* ~, pour ma part || quelqu'un || on || ~ *another*, l'un l'autre ● *dem pron* the ~ *who*, celui/celle qui ● *noun subst* (not translated) *the large* ~, le/(la) grand(e).

one|-armed [ˈ-ˈɑːmd] *adj* manchot || ~**-armed bandit** *n* machine *f* à sous ; manchot *m* (arg.) || ~**-eyed** [ˈ-aid] *adj* borgne || ~**-legged** [ˈ-legd] *adj* unijambiste || ~**-off** *adj* exceptionnel || à usage unique || ~**-piece** *adj* d'une seule pièce ; ~ *swimsuit*, maillot *m* (d')une pièce.

one's [wʌnz] *poss adj* son, sa, ses.

oneself *reflex pron* se || soi ; *speak of* ~, parler de soi ● *emph pron* soimême.

one|time [ˈ- -] *adj* ancien, d'autrefois || ~**-up** *vt* surpasser || ~**-way** [ˌ-ˈ-] *adj* à/en sens unique.

onion [ˈʌnjən] *n* oignon *m* ; *spring* ~*s*, petits oignons || *~-skin paper*, papier *m* pelure.

onlooker [ˈɔnˌlukə] *n* spectateur *n* badaud *n*.

only [ˈəunli] *adj* seul, unique ; ~ *child*, enfant *m/f* unique ● *adv* seulement, ne... que ; *not* ~ *... but also*, non seulement... mais encore ; ~ *he*, lui seul ; *staff* ~, réservé au personnel || ~ *last week*, pas plus tard que la semaine dernière || *if* ~, si seulement, pour peu que || ~ *too*, très.

onomatopaeia [ˌɔnəmætəˈpiə] *n* onomatopée *f*.

on|rush [ˈɔnrʌʃ] *n* ruée *f* || ~**set** *n* assaut *m*, attaque *f* || ~**slaught** [-slɔːt] *n* assaut *m*, attaque, charge *f*.

onto [ˈɔntu] *prep* = on to [indicating contact + movement/direction] *he jumped* ~ *the horse*, il sauta à cheval ; *they came* ~ *the street*, ils débouchèrent dans la rue.

onus [ˈəunəs] *n* responsabilité, charge *f*.

onward(s) [ˈɔnwəd(z)] *adv* en avant ; *from today* ~, désormais.

ooz|e [uːz] *vi* suinter, sourdre || filtrer, s'infiltrer (*through*, dans) ● *n* vase *f*, limon *m* || suintement *m* || ~**y** *adj* vaseux, bourbeux.

opaque [əˈpeik] *adj* opaque.

open [ˈəupn] *adj* ouvert ; *wide* ~, grand ouvert || libre, sans limite ; *in the* ~ *(air)*, en plein air, à ciel ouvert || *in the* ~ *country*, en rase campagne ; *on the* ~ *sea*, en pleine mer || libre (vacant), accessible ; *keep* ~ *house*, tenir table ouverte || Aut. libre (road) ; ~ *car*, voiture découverte || Fin. non barré (cheque) || Bot. ouvert (flower) || Sp. ouvert (season) || Mil.

ouvert (city) ‖ Fig. libre, sans préjugés (mind) ‖ permis, loisible (free) ‖ en suspens, non réglé (unsolved) ‖ exposé ; *lay oneself ~ to*, s'exposer à, donner prise à.

● *n* = ~ AIR ; *sleep out in the ~*, coucher à la belle étoile.

● *vt* ouvrir ‖ écarter (one's legs) ‖ *~ up*, ouvrir ; frayer (a way) ‖ Comm. ouvrir (a shop) ‖ Fin. ouvrir (an account) ‖ Jur. inaugurer (an institution) ‖ Mil. ouvrir (fire) ‖ Fig. révéler, dévoiler ; ouvrir, épancher (one's heart) — *vi* (door, shop, flower) s'ouvrir ‖ (story) commencer ‖ ~**-air** *adj* de plein air ‖ ~**-cast** *adj* à ciel ouvert (mine) ‖ ~**-ended** *adj* sans limite de durée ‖ ~**-handed** *adj* généreux ‖ ~**-hearted** *adj* franc, ouvert, expansif ‖ ~**-heart operation** *n* opération *f* à cœur ouvert ‖ ~**ing** *n* ouverture *f* ‖ Comm. débouché *m* ‖ Th. ~ *night*, première *f* ‖ Fig. entrée *f* en matière ‖ ~**ly** *adv* ouvertement ‖ ~**-minded** *adj* à l'esprit ouvert ‖ ~**-mouthed** ['--mauðd] *adj* bouche bée ‖ ~**-work** *adj* ajouré ; à claire-voie ● *n* exploitation *f* à ciel ouvert.

opera ['ɔprə] *n* opéra *m* ; *light ~*, opérette *f* ‖ ~**-glasses** *npl* jumelles *fpl* de théâtre ‖ ~**-hat** *n* chapeau *m* haut de forme ‖ ~**-house** *n* opéra *m*.

operat|e ['ɔpəreit] *vt* actionner, manœuvrer, faire marcher (a machine) ‖ diriger, exploiter (manage) ‖ Med. opérer ; ~ *on sb for sth*, opérer qqn de qqch — *vi* Techn. marcher, fonctionner.

operatic [ɔpə'rætik] *adj* d'opéra.

operating theatre ['--,--] *n* salle *f* d'opération.

operation [ɔpə'reiʃn] *n* opération *f* ‖ fonctionnement *m* ; *in ~*, en marche ; *put into ~*, mettre en service ; *come into ~*, entrer en vigueur ‖ Med. opération *f* ; *undergo an ~*, subir une opération ‖ Math., Fin., Mil. opération *f* ‖ Fig. opération, action *f* ‖ ~**al** *adj* Mil. opé-

rationnel, des opérations ‖ Techn. en état de marche, opérationnel.

operat|ive ['ɔprətiv] *adj* Jur. *become ~*, entrer en vigueur ‖ ouvrier *n* ‖ ~**-or** ['ɔpəreitə] *n* opérateur *n* ‖ Rad. radio *m* ‖ Tel. standardiste *n*.

operetta [ɔpə'retə] *n* opérette *f*.

opinion [ə'pinjən] *n* opinion *f*, avis *m* ; *in my ~*, à mon avis ; *be of (the) ~ that*, être d'avis que ‖ ~ *poll*, sondage *m* (d'opinion) ‖ ~**ated** [-eitid] *adj* obstiné, entêté, aux idées bien arrêtées.

opium ['əupjəm] *n* opium *m* ; ~**-addict** opiomane *n* ; ~**-den**, fumerie *f* d'opium.

opossum [ə'pɔsəm] *n* opossum *m*.

opponent [ə'pəunənt] *n* adversaire, antagoniste *n*.

opportun|e [ə'pɔtjuːn] *adj* opportun, à propos ‖ ~**ist** [ɔpə'tjuːnist] *n* opportuniste *n* ‖ ~**ity** [ɔpə'tjuːniti] *n* occasion *f* ; *take an ~*, saisir une occasion.

oppos|e [ə'pəuz] *vt* opposer, combattre ; s'opposer (*to*, à) ‖ ~**ed** [-d] *adj* opposé (*to*, à) ‖ ~**ite** ['ɔpəzit] *adj* d'en face (house) ; opposé (direction) ; *in the ~ direction*, en sens inverse ‖ Fig. ~ *number*, homologue, pendant *m* ; *take the ~ view of*, prendre le contrepied de ● *adv* d'en face ; vis-à-vis ● *prep* ~ (*to*), en face de ● *n* opposé, contraire *m* ‖ ~**ition** [ɔpə'ziʃn] *n* opposition *f*.

oppress [ə'pres] *vt* opprimer (crush) ‖ oppresser (weigh down) ‖ ~**ion** [ə'preʃn] *n* oppression *f* ‖ ~**ive** *adj* tyrannique ‖ accablant, étouffant (weather) ‖ ~**or** *n* oppresseur *m*.

opt [ɔpt] *vi* opter (*for*, pour) ‖ ~ *out of*, décider de ne pas participer à, se retirer de, abandonner, se récuser.

optic ['ɔptik] *adj* optique ‖ ~**al** *adj* optique ‖ ~**ian** [ɔp'tiʃn] *n* opticien *n* ‖ ~**s** ['ɔptiks] *n sing.* optique *f*.

optim|ism ['ɔptimizm] *n* optimisme *m* ‖ ~**ist** *n* optimiste *n* ‖ ~**istic** [ɔpti'mistik] *adj* optimiste.

option [ˈɔpʃn] *n* option *f*, choix *m*, latitude *f* ‖ **~al** *adj* facultatif.

opul|ence [ˈɔpjuləns] *n* opulence *f* ‖ **~ent** *adj* opulent.

or [ɔː] *conj* ou, ou bien ; *either... ~*, soit... soit... ; → WHETHER ‖ **~ else**, ou bien, sinon ‖ [after neg. v.] ni ‖ **~ so**, environ.

oracle [ˈɔrəkl] *n* oracle *m*.

oral [ˈɔːrəl] *adj/n* oral (*m*) ‖ **~ly** *adv* oralement ‖ MED. par voie orale.

orange [ˈɔrindʒ] *n* [fruit] orange *f* ; **~ grove**, orangeraie *f* ; **~ squash**, jus *m* d'orange ; **~-tree**, oranger *m* ‖ [colour] orange ● *adj* orangé, orange ‖ **~ade** [ˈɔrinʒˈeid] *n* orangeade *f*.

orator [ˈɔrətə] *n* orateur *n* ‖ **~tory** [ˈɔrətri] *n* art *m* oratoire ‖ REL. oratoire *m*.

orb [ɔːb] *n* orbe, globe *m* ‖ **~it** [-it] *n* orbite *f* ; *in ~*, sur orbite ; *put into ~*, mettre sur orbite, satelliser ● *vi/vt* être en orbite (*round*, autour de) ; graviter autour de ‖ **~ital** [-itl] *adj* orbital.

orchard [ˈɔːtʃəd] *n* verger *m*.

orchestr|a [ˈɔːkistrə] *n* orchestre *m* ; *chamber/symphony ~*, orchestre de chambre/symphonique ; **~ pit**, fosse *f* d'orchestre ‖ **~ate** [-eit] *vt* orchestrer.

orchid [ˈɔːkid] *n* orchidée *f*.

ordain [ɔːˈdein] *vt* JUR. ordonner, décréter ‖ FIG. fixer, déterminer ‖ REL. ordonner.

ordeal [ɔːˈdiːl] *n* FIG. dure épreuve, supplice *m*.

order [ˈɔːdə] *n* ordre, rang *m* (rank) ; *in ~ of*, par ordre de (size, etc.) ; *in alphabetical ~*, par ordre alphabétique ‖ ordre *m*, disposition *f* (arrangement) ; *set in ~*, mettre en ordre ; *out of ~*, en désordre ‖ ordre *m*, règle *f* ; *in ~*, en règle ; *put in ~*, régulariser (passport) ‖ ordre *m*, discipline *f* ; *restore ~*, rétablir l'ordre ‖ avis *m* ; *until further ~*, jusqu'à nouvel avis ‖ ordre, commandement

m ; *by ~ of*, par ordre de ; *under the ~s of*, sous les ordres de ; *give ~s*, donner des ordres ; *obey ~s*, obéir aux ordres ‖ *in ~ that/to*, afin que/de ‖ COMM. commande *f* ; *on ~*, en commande ; *place an ~*, passer une commande ; *made to ~*, fait sur commande ‖ **~-book**, carnet *m* de commande ; **~-form**, bon *m* de commande ‖ FIN. *cheque to the ~ of*, chèque *m* à l'ordre de ; *postal ~ (for £1)*, mandat-poste *m* (d'une livre) ‖ TECHN. *in working ~*, en ordre de marche ; *out of ~*, en panne, hors de service ; *put out of ~*, dérégler ; [telephone] en dérangement ‖ ARCH., BOT. ordre *m* ‖ REL. *Pl* ordres *mpl* ; *take Holy Orders*, entrer dans les ordres ‖ MIL. ordre *m* ; *in battle ~*, en ordre de bataille ‖ FIG. **~ of the day**, ordre du jour.
● *vt* arranger, mettre en ordre ‖ organiser ‖ ordonner (give an order) ‖ COMM. commander ‖ MED. ordonner, prescrire ‖ **~ly** *adj* ordonné, méthodique, discipliné ● *n* MIL. ordonnance *m/f*.

ordin|al [ˈɔːdinl] *adj* ordinal ‖ **~ance** *n* ordonnance *f*, arrêté *m* ‖ **~arily** [ˈɔːdinrili] *adv* ordinairement, d'ordinaire ‖ **~ary** [ˈɔːdinri] *adj* ordinaire, courant, habituel ‖ PEJ. quelconque ● *n* ordinaire *m* ; *out of the ~*, peu commun.

ordination [ˌɔːdiˈneiʃn] *n* REL. ordination *f*.

ordnance [ˈɔːdnəns] *n* artillerie *f* ‖ matériel *m*.

Ordnance Survey map *n* carte *f* d'état-major.

ore [ɔː] *n* minerai *m*.

organ [ˈɔːgən] *n* MED., JUR. organe *m* ‖ MUS. orgue *m*, orgues *fpl* ; *theatre ~*, orgue de cinéma ; **~-stop**, jeu *m* d'orgue ‖ **~ic** [ɔːˈgænik] *adj* organique ‖ **~ism** *n* organisme *m* ‖ **~ist** *n* organiste *n* ‖ **~ization** [ˌɔːgənaiˈzeiʃn] *n* organisation *f* ‖ **~ chart**, organigramme *m* ‖ **~ize** *vt* organiser, arranger ‖ **~izer** *n* organisateur *n*.

orgasm [´ɔːgæzm] *n* orgasm *m*.

orgy [´ɔːdʒi] *n* orgie *f* ‖ FIG. *an* ~ *of,* une débauche de.

orient [´ɔːriənt] *n* orient *m* ● *vt* orienter ‖ ~**al** [ɔːri´entl] *adj* oriental ‖ ~**ate** [-eit] *vt* orienter ‖ ~**ation** [ɔːrien´teiʃn] *n* orientation *f*.

origin [´ɔridʒin] *n* origine *f* ‖ COMM. provenance *f* ‖ ~**al** [ə´ridʒənl] *adj* original (new) ‖ primitif (first) ● *n* original *n/m* (person/text) ‖ ~**ally** *adv* à l'origine ‖ d'une manière originale ‖ ~**ality** [ə,ridʒi´næliti] *n* originalité *f* ‖ ~**ate** [ə´ridʒineit] *vt* créer, instituer — *vi* prendre naissance, provenir ‖ ~**ator** [ə´ridʒineitə] *n* créateur *n* ‖ promoteur *n*.

ornament [´ɔːnəmənt] *n* ornement *m,* garniture *f* ● *vt* orner, agrémenter ‖ ~**al** [ɔːnə´mentl] *adj* ornemental, décoratif.

ornate [ɔː´neit] *adj* orné ; fleuri (style).

ornithology [ɔːni´θɔlədʒi] *n* ornithologie *f*.

orphan [´ɔːfn] *n/adj* orphelin ‖ ~**age** [´ɔːfənidʒ] *n* orphelinat *m*.

ortho|dox [´ɔːθədɔks] *adj* orthodoxe ‖ ~**graphy** [ɔː´θɔgrəfi] *n* orthographe *f* ‖ ~**paedic** [ɔːθə´piːdik] *adj* orthopédique.

oscillat|e [´ɔsileit] *vt* osciller ‖ ~**ion** [ɔsi´leiʃn] *n* oscillation *f*.

osier [´əuʒə] *n* osier *m*.

ostentat|ion [ɔsten´teiʃn] *n* ostentation *f* ‖ ~**tious** [-ʃəs] *adj* ostentatoire.

ostracize [´ɔstrəsaiz] *vt* frapper d'ostracisme.

ostrich [´ɔstritʃ] *n* autruche *f*.

other [´ʌðə] *adj* autre ; ~ *people,* autrui ; *every* ~ *day,* tous les deux jours ; *on the* ~ *hand,* d'autre part ; *the* ~ *day,* l'autre jour ; ~ *things being equal,* toutes choses égales ; *in* ~ *words,* autrement dit ● *pron* autre ; *some day or* ~, un jour ou l'autre ; *one after the* ~, l'un après l'autre ;

among ~*s,* entre autres ‖ ~**wise** *adv* autrement.

otiose [´əuʃiəus] *adj* vain, inutile.

otter [´ɔtə] *n* loutre *f*.

ought [ɔːt] *mod aux* [duty, obligation] devoir ; *you* ~ *to help him,* vous devriez l'aider ‖ [desirability] devoir ; *you* ~ *to do this,* vous devriez faire cela ; *you* ~ *to have seen that,* vous auriez dû voir cela ‖ [probability] devoir ; *he* ~ *to win the race,* il devrait gagner la course.

ounce [auns] *n* [measure] once *f*.

our [auə] *poss adj* notre ; nos.

ours [-z] *poss pron* le/la nôtre ; les nôtres.

ourselves [auə´selvz] *reflex pron* nous ● *emph pron* nous-mêmes.

oust [aust] *vt* évincer.

out [aut] *adv* dehors ; *go* ~, sortir ; *day* ~, jour *m* de sortie ‖ au-dehors ; *lean* ~, se pencher au-dehors ; *inside* ~, à l'envers ; sens dessus dessous ‖ éteint (fire, gas, light) ‖ achevé ; *before the day is* ~, avant la fin de la journée ‖ jusqu'au bout/à la fin ; *hear* ~, entendre jusqu'au bout ‖ [book] paru, sorti ; *just* ~, vient de paraître ‖ NAUT. bas (tide) ; — *at sea,* en mer ; *the voyage* ~, le voyage d'aller ‖ BOT., ZOOL. éclos ‖ FIG. dans l'erreur ; *I was not far* ~, je ne me trompais pas de beaucoup ‖ ~ *-and-* ~, de beaucoup ‖ ~*-and-*~, achevé ; fieffé (liar) ; *have it* ~ *with sb,* s'expliquer avec qqn ‖ ~ *of (prep),* hors de ‖ [origin] dans ; *drink* ~ *of a glass,* boire dans un verre ‖ [material] ~ *of wood,* en bois ‖ [cause] ~ *of ignorance,* par ignorance ‖ [without] *be* ~ *of,* manquer de ; ~ *of work,* sans emploi, en chômage ‖ [from among] *in nine cases* ~ *of ten,* neuf fois sur dix.

out|balance [-´-] *vt* contrebalancer ‖ ~**bid** [-´-] *vt* (→ BID) surenchérir ‖ FIG. renchérir sur.

out|board [´-] *adj* hors bord ; ~ *motor,* (moteur) hors-bord *m* ‖

~break *n* commencement *m* ‖ [fever] accès *m* ‖ [violence] éruption *f* ‖ [war] début, déclenchement *m* ‖ **~building** *n* dépendance *f* ‖ **~burst** *n* accès, déchaînement *m*, début *m* ‖ [fever] accès *m* ‖ [anger] explosion, flambée *f* ‖ **~cast** *adj* proscrit, banni ● *n* paria *m* ‖ **~class** ['⋅] *vt* surclasser ‖ **~come** *n* aboutissement *m* ‖ conséquence *f* ‖ **~cry** *n* huées, protestations *fpl*, tollé *m* (général) ‖ **~dated** ['⋅⋅] *adj* démodé (clothes) ; dépassé (theory) ; périmé (card) ‖ **~distance** ['⋅⋅] *vt* distancer ‖ **~do** ['⋅] *vt* (→ DO) surpasser, l'emporter sur ‖ **~door** *adj* de/en plein air ‖ **~doors** ['⋅⋅] *adv* audehors, en plein air, à la belle étoile.

outer ['autə] *adj* extérieur, externe ‖ **~most** [-məust] *adj* le plus en dehors, extrême.

outfit ['autfit] *n* équipement *m* ‖ [set of clothes] ensemble *m*, tenue *f* ‖ TECHN. matériel *m* ; attirail *m* ; trousse *f* à outils ● *vt* équiper.

out|flank [aut'flæŋk] *vt* MIL. déborder, tourner ‖ **~flow** *n* écoulement *m*, coulée *f* (of lava) ‖ **~going** *adj* sortant (president) ; en partance (boat) ; descendant (tide) ‖ **~grow** *vt* (→ GROW) dépasser en hauteur ‖ devenir trop grand pour (one's clothes) ‖ perdre en grandissant (a habit) ‖ **~growth** *n* excroissance *f* ‖ FIG. résultat, aboutissement *m* ‖ **~house** *n* appentis *m* ‖ *Pl* communs *mpl*, dépendances *fpl*..

outing ['autiŋ] *n* sortie, promenade *f* ; partie *f* de campagne ; *go for an ~*, faire une excursion.

out|landish [aut'lændiʃ] *adj* exotique ‖ PEJ. étrange ‖ **~last** ['⋅] *vt* survivre à.

out|law ['autlɔ:] *n* hors-la-loi *m* ● *vt* mettre hors la loi, proscrire ‖ **~lay** *n* COMM. frais *mpl*, dépense *f*, mise *f* de fond ‖ **~let** *n* sortie, issue *f* ‖ COMM. débouché *m*, point *m* de vente ‖ FIG. exutoire *m* ‖ **~line** *n* contour, profil *m* ; silhouette *f* ‖ FIG. esquisse

f ; main *~s*, grandes lignes ● *vt* dessiner le contour de ; *be ~d*, se profiler ‖ FIG. exposer sommairement, donner un aperçu de ; esquisser (sketch out) ‖ **~live** ['⋅] *vt* survivre à ‖ **~look** *n* point *m* de vue, perspective *f* ‖ FIG. point *m* de vue, conception *f*; attitude *f* ‖ **~lying** ['⋅⋅] *adj* écarté, isolé ; périphérique ‖ **~manœuvre** [⋅⋅'⋅⋅] *vt* déjouer ‖ **~match** ['⋅] *vt : be ~ed*, être défarorisé ‖ **~moded** ['⋅⋅] *adj* désuet ‖ **~number** ['⋅] *vt* surpasser en nombre ‖ **~of-date** ['⋅⋅⋅] *adj* suranné (custom) ; périmé (ticket) ‖ **~of-the-way** ['⋅⋅'⋅] *adj* isolé, écarté ‖ FIG. peu connu ‖ **~post** *n* avantposte *m* ‖ **~put** *n* rendement, débit *m*, production *f* ‖ INF. sortie *f*.

outrag|e ['autreidʒ] *n* outrage *m* ‖ acte *m* de violence ; *bomb ~*, attentat *m* à la bombe ‖ scandale *m* ● *vt* outrager, scandaliser, indigner ‖ attaquer avec violence ‖ **~ed** [-d] *adj* outragé (scandalized) ‖ outré (indignant) ‖ **~eous** [-əs] *adj* monstrueux, atroce (crime) ‖ scandaleux ‖ scabreux (joke).

out|ride [aut'raid] *vt* (→ RIDE) aller plus vite, dépasser ‖ **~right** ['⋅⋅] *adj* complet, absolu ‖ catégorique (refusal) ● [⋅'⋅] *adv* carrément ‖ surle-champ, sur le coup (immediately) ‖ **~run** ['⋅] *vt* (→ RUN) dépasser, distancer ‖ **~sell** *vt* se mieux se vendre que ‖ **~set** ['⋅] *n* commencement *m* ; *at/from the ~*, dès le début ‖ **~shine** ['⋅] *vt* (→ SHINE) éclipser, faire pâlir ‖ **~side** ['⋅] *adv* (au) dehors ● *prep* à l'extérieur de ‖ FIG. excédant, au-delà de ● *n* extérieur, dehors *m* ‖ FIG. *at the ~*, tout au plus ● *adj* extérieur, de plein air ‖ **~sider** *n* étranger *n* ‖ [horse racing] outsider *m* ‖ **~skirts** ['⋅] *npl* [town] faubourgs *mpl*, banlieue *f* ‖ [wood] lisière *f* ‖ **~spoken** ['⋅] *adj* franc ‖ **~spread** ['⋅] *adj* déployé ‖ **~standing** ['⋅⋅] *adj* marquant, frappant (fact) ‖ éminent, remarquable (person) ‖ FIG. en suspens, en souffrance (business) ; impayé (debt) ‖ **~stretched** [´-´] adj tendu (arm) ; ouvert (hand) ‖ **~strip** [´-´] vt distancer ; Fig. dépasser ‖ **~ward** [´-´] adj vers l'extérieur ; ~ journey, (voyage m d')aller m ‖ **~wardly** adv extérieurement ; en apparence ‖ **~wards** adv vers l'extérieur ; ~ bound, en partance (for, pour) ‖ **~wear** [´-´] vt (→ WEAR) durer plus longtemps que, faire plus d'usage que — vt user entièrement (wear out) ‖ **~weigh** [´-´] vt peser plus que ‖ Fig. l'emporter sur ‖ **~wit** [´-´] vt déjouer, dépister ‖ **~worn** [´-´] adj Fig. éculé ; périmé.

oval [´uvl] adj/n ovale (m).

ovary [´əuvari] n ovaire m.

ovation [ə´veiʃn] n ovation f.

oven [´ʌvn] n four m ; drying ~, étuve f ; place in the ~, enfourner ‖ **~-glove** n gant isolant ‖ **~proof** adj allant au four (dish).

over [´əuvə] prep [above] au-dessus de ; ~ the Alps, au-dessus des Alpes ‖ par-dessus ; the cat jumped ~ the wall, le chat sauta par-dessus le mur ‖ [on top of] sur ; spread a cloth ~ the table, étaler une nappe sur la table ‖ [everywhere] partout ; all ~ the world, dans le monde entier ; d'un bout à l'autre ; show sb ~ a house, faire visiter une maison à qqn ‖ [to the other side] par-dessus ; ~ the wall, par-dessus le mur ‖ [across] de l'autre côté ; ~ the street, de l'autre côté de la rue ‖ Fig. ~ an hour, plus d'une heure ; ~ and above, en plus de ; ~ the phone/radio, au téléphone/à la radio ; they talked ~ a glass of beer, ils ont bavardé (tout) en buvant de la bière ‖ [time] pendant ; sur ; ~ the years, au cours des années ● adv (par-)dessus ; planes flying ~, des avions passant dans le ciel ‖ [more] he is ~ sixty, il a plus de soixante ans ; children of 10 and ~, les enfants de 10 ans et plus ‖ [across] de l'autre côté de ; ~ there, là-bas ; ~ here, ici ; come ~ to France, venir en France ; ask him ~, dites-lui de

venir ‖ [shifting] turn ~, tourner, retourner ; knock glasses ~, renverser des verres ; fall ~, tomber par terre ‖ [everywhere] all ~, partout ; aching all ~, tout courbatu(ré) ‖ [thoroughly] à fond ; think it ~, réfléchissez-y bien ‖ [finished] it's all ~, c'est fini ; the rain is ~, la pluie a cessé ‖ [remaining] left ~, de reste ; is there anything (left) ~?, est-ce qu'il reste qqch ? ‖ [again] ~ again, encore une fois ; do it ~, refais-le ; ~ and ~ (again), maintes et maintes fois ‖ [too] don't be ~ anxious, ne soyez pas trop inquiet ‖ [radio signalling] ~ (to you)!, à vous ! ‖ **~all** [´əuvərɔ:l] adj total, d'ensemble, hors tout, global ● n [women] blouse f ‖ Pl [workers] salopette f, bleus mpl (de travail) ‖ **~balance** [ˌəuvə´bæləns] vt [person] perdre l'équilibre ; [thing] basculer, culbuter — vt l'emporter sur ‖ **~bearing** [´-´-] adj autoritaire, arrogant ; dominateur ‖ **~board** adv par-dessus bord ; man ~!, un homme à la mer ! ‖ **~cast** adj nuageux, couvert, sombre (sky) ‖ **~charge** n surcharge f ‖ COMM. majoration excessive ● vi/vt faire payer trop cher ‖ **~coat** n pardessus m ‖ MIL. capote f ‖ **~come** [´-´] vt (→ COME) vaincre, triompher de, surmonter ‖ FIG. maîtriser, dominer ; accabler (by, de) ‖ **~crowded** adj bondé (bus, etc.) ; comble (room) ; surchargé (class) ‖ **~crowding** n surpeuplement m, surpopulation f (town, prison) ‖ **~do** [´-´] vt (→ DO) exagérer ‖ **~done** pp/adj CULIN. trop cuit ‖ **~dose** n [drugs] surdose f ‖ **~draft** n FIN. découvert m ‖ **~draw** [´-´] vt (→ DRAW) FIN. tirer à découvert (one's account) ‖ **~drive** [´-´] vt (→ DRIVE) surmener (a horse) ● n AUT. surmultipliée f ‖ **~due** [´-´] adj FIN. échu, arriéré ‖ RAIL. en retard.

over∣eat [´əuvər´i:t] vt (→ EAT) vi se gaver ‖ **~estimate** [´-´-] vt surestimer ‖ **~expose** [´-´-] vt PHOT. surexposer ‖ **~-exposure** [´-´-] n surexposition f.

over|feed [ˈəuvəˈfiːd] vt (→ FEED) suralimenter ‖ **~feeding** n suralimentation f ‖ **~flow** n trop-plein, débordement m • [ˈ-ˈ] vi déborder — vt inonder ‖ **~grown** [ˈ-ˈ] adj envahi (with weeds) ; an ~ boy, un garçon qui a trop grandi ‖ **~growth** [ˈ-ˈ] n croissance excessive ‖ **~hang** [ˈ-ˈ] n surplomb m • vt (→ HANG²) surplomber, faire saillie sur ‖ FIG. planer sur, menacer ‖ **~haul** [ˈ-ˈ] n examen minutieux ‖ TECHN. révision f • [ˈ-ˈ] vt réviser ‖ NAUT. radouber ‖ **~head** [ˈ-ˈ] adj aérien (wires) ; AUT. ~ camshaft, arbre m à cames en tête ‖ COMM. **~expenses**, frais généraux • [ˈ-ˈ] adv au-dessus ; dans le ciel ‖ **~heads** [-z] npl frais généraux ‖ **~hear** [ˈ-ˈ] vt (→ HEAR) surprendre (conversation), entendre par hasard ‖ **~kill** n capacité f nucléaire d'anéantissement total ; anéantissement m, destruction f ‖ FIG. [attributive] foudroyant, monstrueux ‖ [excessive] abusif, exagéré ‖ **~land** [ˈ-ˈ] adj, [ˈ-ˈ] adv par voie de terre ‖ **~lap** [ˈ-ˈ] vi/vt ~ (each other), se chevaucher, empiéter sur • n chevauchement, empiétement m ‖ **~lay** [ˈ-ˈ] vt (→ LAY) recouvrir (with, de) • [ˈ-ˈ] n couche f ‖ **~leaf** [ˈ-ˈ] adv au verso ‖ **~load** [ˈ-ˈ] n surcharge f • [ˈ-ˈ] vt surcharger ‖ **~look** [ˈ-ˈ] vt [window] donner sur, avoir vue sur ‖ négliger, laisser échapper (neglect) ‖ fermer les yeux sur (wink at) ‖ surveiller (look after) ‖ **~ly** adv trop ‖ **~much** [ˈ-ˈ] adj trop de • adv à l'excès, outre mesure ‖ **~night** [ˈ-ˈ] adj de nuit ; d'une nuit (journey) ; ~ bag, nécessaire m de voyage • adv (pendant) la nuit ; du jour au lendemain (suddenly) ‖ **~pass** n U.S. pont autoroutier ‖ **~power** [ˈ-ˈ] vt subjuguer, dominer ‖ **~rate** [ˈ-ˈ] vt surestimer ‖ FIN. surtaxer ‖ **~reach** [ˈ-ˈ] vi ~ oneself, surestimer ses forces ‖ dépasser, distancer ‖ **~ride** [ˈ-ˈ] vt (→ RIDE) surmener (a horse) ‖ JUR. outrepasser ‖ FIG. passer

outre ‖ **~-ripe** [ˈ-ˈ] adj blet ‖ **~rule** [ˈ-ˈ] vt rejeter, annuler ‖ **~run** [ˈ-ˈ] vt (→ RUN) envahir ‖ inonder ‖ dépasser (limit) ‖ **~seas** [ˈ-ˈ] adj d'outre-mer ; étranger (visitor) • adv outre-mer ; à l'étranger (abroad) ‖ **~see** [ˈ-ˈ] vt (→ SEE) surveiller ‖ **~seer** [ˈ-siə] n surveillant n, contremaître m ‖ **~shadow** [ˈ-ˈ-ˈ] vt éclipser ‖ **~shoes** [ˈ-ˈ] npl caoutchoucs mpl ‖ **~sight** [ˈ-ˈ] n oubli m, omission f; through an ~, par mégarde ‖ surveillance f ‖ **~sleep** [ˈ-ˈ] vi (→ SLEEP) dormir au-delà de l'heure voulue ; he overslept himself, il ne s'est pas réveillé à temps ‖ **~spill** [ˈ-ˈ] n excédent m de population ‖ **~statement** [ˈ-ˈ-ˈ] n exagération, hyperbole f ‖ **~stay** [ˈ-ˈ] vi s'attarder — vt ~ one's welcome, abuser de l'hospitalité de qqn ‖ **~steer** [ˈ-ˈ] vi AUT.survirer ; a car which ~s, une voiture survireuse ‖ **~step** [ˈ-ˈ] vt dépasser, outrepasser ‖ FIG. ~ the mark, dépasser les bornes ; charrier (pop.) ‖ **~strain** [ˈ-ˈ] vt surmener ‖ **~strung** [ˈ-ˈ] adj surexcité (person) ‖ à cordes croisées (piano).

overt [ˈəuvəːt] adj manifeste.

over|take [əuvəˈteik] vt (→ TAKE) rattraper, rejoindre, dépasser ‖ AUT. doubler ‖ FIG. surprendre, frapper ‖ **~taking** n AUT. dépassement m ‖ **~throw** vt (→ THROW) renverser, abattre • n chute, ruine f ‖ **~time** [ˈ-ˈ] n heures fpl supplémentaires • adv work ~, faire des heures supplémentaires ‖ **~-tired** [ˈ-ˈ] adj exténué ‖ **~tone** [ˈ-ˈ] n MUS. harmonique m ‖ FIG. Pl implications fpl, sous-entendus, accents mpl; note f.

overture [ˈəuvətjuə] n ouverture f.

over|turn [əuvəˈtəːn] vt renverser, faire chavirer — vi se renverser ‖ NAUT. chavirer ‖ **~weening** [ˈ-ˈ] adj démesuré (pride) ; suffisant, outrecuidant (person) ‖ **~weight** [ˈ-ˈ] n excédent m de poids • adj trop lourd • [ˈ-ˈ] vt surcharger ‖ **~whelm** [əuvəˈwelm] vt submerger, écraser ‖ FIG. accabler (*with,* de) ‖ ~**whelming** *adj* accablant, écrasant ‖ ~**work** [´-´] *vt* surmener, surcharger de travail — *vi* se surmener ‖ ~**wrought** [´əuvə´rɔːt] *adj* hypernerveux, dans tous ses états, surexcité.

ow|e [əu] *vt* devoir (debt) ; *he ~s me £ 5,* il me doit 5 livres ‖ FIG. devoir, être redevable de ‖ ~**ing** *adj* dû ‖ COMM. restant à payer (sum) ‖ ~ **to** (*prep*), à cause de, en raison de.

owl [aul] *n* hibou *m,* chouette *f.*

own [əun] *vt* posséder ‖ reconnaître (acknowledge) ; avouer (confess) ● *adj* à soi, propre ; *my ~ brother,* mon propre frère ● *n* propre avoir *m ; make sth one's ~,* s'approprier qqch ; *hold one's ~,* maintenir ses positions ; se maintenir (patient) ;

come into one's ~, trouver sa raison d'être ; *of one's ~,* à soi ; *on one's ~,* de son propre chef, tout seul ‖ ~**er** *n* propriétaire *n,* possesseur *m* ‖ FIN. bénéficiaire *n,* porteur *m* (of a cheque) ‖ ~**ership** [´əunəʃip] *n* propriété, possession *f.*

ox, oxen [ɔks, ´ɔksn] *n* bœuf *m.*

Oxbridge [´ɔksbridʒ] *n* les universités d'Oxford et de Cambridge. (→ REDBRICK.)

ox|ide [´ɔksaid] *n* CH. oxyde *m* ‖ ~**idize** [´ɔksidaiz] *vt* oxyder.

Oxonian [ɔk´səunjən] *adj* d'Oxford.

oxygen [´ɔksidʒn] *n* oxygène *m.*

oyster [´ɔistə] *n* huître *f ; ~-dealer,* écailler *n ; ~-bed/-farm,* parc *m* à huîtres.

ozone [´əuzəun] *n* CH. ozone *m.*

P

p [piː] *n* p *m* ● *abbrev* = (NEW) PENNY/PENCE ‖ ~ **and** ~ = *parcel and post,* port *m* et emballage.

PA [´piːei] *abbrev* [= PUBLIC ADDRESS (SYSTEM)] sonorisation *f* ; sono (fam.).

pace [peis] *n* allure *f,* pas *m* (speed) ; *at a quick ~,* d'un pas rapide ; *at a walking ~,* au pas ; *quicken one's ~,* allonger le pas ‖ pas *m* (distance) ‖ *keep ~ with,* aller à la même allure que ; FIG. suivre ‖ *put sb through his ~s,* mettre qqn à l'épreuve ● *vi* aller au pas ; *~ up and down,* faire les cent pas — *vt* arpenter ‖ SP. régler

l'allure de ‖ ~**maker** *n* MED. stimulateur *m* cardiaque ‖ ~**setter** *n* SP. meneur *m* de train.

Pacific [pə´sifik] *n* GEOGR. (océan *m*) Pacifique *m.*

pacific *adj* pacifique ‖ ~**ation** [ˌpæsifi´keiʃn] *n* pacification *f.*

pacifier [´pæsifaiə] *n* U.S. tétine *f.*

pacif|y [´pæsifai] *vt* pacifier, apaiser ‖ ~**ist** *n* pacifiste *n.*

pack [pæk] *n* paquet, ballot *m* ‖ U.S. paquet *m* (of cigarettes) ‖ meute *f* (of hounds) ‖ bande (of wolves) ‖ jeu *m* (of cards) ‖ (ice-) ~, banquise *f* ‖ [cosmetics] *face* ~, masque *m* de beauté ‖ Sp. mêlée *f* (at rugby) ● *vt* ~ *(up)*, empaqueter, emballer, mettre dans une valise ; ~ed [-t] *lunch,* panier-repas *m ; ~ed room,* salle comble — *vi* ~ *(up)* faire ses valises ‖ Coll. *send sb* ~*ing,* envoyer promener qqn.

pack|age ['pækidʒ] *n* paquet, colis *m* ‖ Fig. ~ *deal,* contrat *m* forfaitaire ; ~ *tour,* voyage organisé ‖ ~er *n* emballeur *n* ‖ ~et [-it] *n* paquet *m ; ~-boat,* paquebot *n* ‖ ~ing *n* empaquetage, emballage *m ; ~-case,* caisse *f* d'emballage.

pact [pækt] *n* pacte *m.*

pad [pæd] *n* bourrelet, rembourrage *m* ‖ Sp. protection, jambière *f* ‖ *(desk)* ~, bloc *m* ● *vt* rembourrer, ouater, capitonner ‖ ~ding *n* rembourrage *m* ‖ Fig. remplissage *m.*

paddle ['pædl] *n* pagaie *f* ● *vi* pagayer (in a canoe) ‖ patauger, barboter (wade) ‖ ~-steamer *n* bateau *m* à roue/aubes.

paddling-pool *n* pataugeoire *f.*

paddock ['pædək] *n* enclos *m* (pasture) ‖ Sp. paddock *m.*

paddy ['pædi] *n* rizière *f.*

padlock ['pædlɔk] *n* cadenas *m* ● *vt* cadenasser.

padre ['pɑːdri] *n* Mil., Naut., Coll. aumônier *m.*

pagan ['peigən] *n/adj* païen ‖ ~ism *n* paganisme *m.*

page¹ [peidʒ] *n* page *f* ● *vt* paginer.

page² *n* ‖ Hist. page *m ;* [hotel] *(~-boy)* groom, chasseur *m* ● *vt* (faire) appeler (par un chasseur).

pageant ['pædʒənt] *n* spectacle-/cortège *m* historique ‖ déploiement fastueux ‖ ~ry [-ri] *n* pompe *f,* apparat *m.*

paid → PAY ‖ ~-off, éteint (debt).

pail [peil] *n* seau *m.*

pain [pein] *n* [mental] douleur, souffrance *f ;* [physical] douleur *f ; be*

in ~, souffrir ; *where's the* ~ *?,* d'où souffrez-vous ? ‖ Coll. casse-pieds *n inv ; she's a* ~ *in the neck,* ce qu'elle est casse-pieds ! ‖ Jur. peine *f ; under* ~ *of,* sous peine de ‖ *Pl* peine *f ; take* ~*s,* se donner du mal ● *vt* [physically] faire souffrir, faire mal à ; [mentally] faire de la peine à ‖ ~ful *adj* douloureux ‖ pénible ‖ ~killer *n* calmant *m* ‖ ~less *adj* indolore ; ~ *childbirth,* accouchement *m* sans douleur.

painstaking ['peinz,teikin] *adj* Fig. soigneux, appliqué (person) ‖ soigné (work).

paint [peint] *n* peinture *f* ‖ *Pl* couleurs *fpl* ● *vt* peindre ; ~ *over,* repeindre ‖ ~er¹ *n* Arts peintre *m* ‖ ~ing *n* Arts peinture *f ; ~ set,* boîte *f* de peintures ‖ ~-stripper *n* décapant *m.*

painter² ['peintə] *n* Naut. amarre *f.*

pair [pɛə] *n* paire *f ;* ~ *of trousers,* pantalon *m* ‖ couple *m* (man and wife).

pajamas [pəˈdʒɑːməz] *npl* U.S. pyjama *m.*

Pakistan [,pɑːkisˈtɑːn] *n* Pakistan *m* ‖ ~i [-i] *adj/n* pakistanais.

pal [pæl] *n* Coll. copain *m,* copine *f ;* pote *m* (fam.)

palace ['pælis] *n* palais *m.*

palat|able ['pælətəbl] *adj* savoureux ‖ ~e [pælit] *n* Anat. palais *m.*

palaver [pəˈlɑːvə] *n* palabre *f* ‖ Coll. histoire *f* (fuss) ● *vi* palabrer.

pale¹ [peil] *adj* pâle, blême ; ~ *blue,* bleu pâle ● *vi* pâlir ‖ ~ness *n* pâleur *f.*

pal|e² *n* pieu *m* ‖ Fig. *beyond the ~,* inconvenant, déplacé (improper) ‖ ~ing *n* palissade *f.*

Palestin|e ['pælistain] *n* Palestine *f* ‖ ~ian [,pæləsˈtiniən] *adj/n* palestinien.

pall¹ [pɔːl] *n* poêle *m* ‖ Fig. voile *m* (of smoke).

pall² vi devenir insipide, s'affadir ; *it ~s on one,* on s'en lasse.

palli|ate [ˈpælieit] vt pallier ‖ ~**ative** [-ətiv] adj/n palliatif (m).

pall|id [ˈpælid] adj pâle, blême, livide (face) ‖ blafard (light) ‖ ~**or** n pâleur f.

palm¹ [pɑːm] n palme f ; ~*(-tree),* n palmier m ; ~*-grove,* palmeraie f ‖ REL. **Palm Sunday,** dimanche m des Rameaux ‖ FIG. **bear the ~,** remporter la palme ‖ ~**y** adj FIG. heureux.

palm² [pɑːm] n paume f (of the hand) ; *grease sb's ~,* graisser la patte à qqn ● vt escamoter ; *~ off a bad coin,* refiler une fausse pièce ‖ ~**ist** n diseur n de bonne aventure, chiromancien n ‖ ~**istry** [-istri] n chiromancie f.

palpable [ˈpælpəbl] adj palpable ‖ FIG. évident, manifeste.

palpitat|e [ˈpælpiteit] vi palpiter ‖ ~**ion** [ˌpælpiˈtei∫n] n palpitation f.

palsy [ˈpɔːlzi] n paralysie f.

paltry [ˈpɔːltri] adj misérable, mesquin ‖ insignifiant (worthless) ‖ dérisoire (sum) ‖ piètre (excuse).

pamper [ˈpæmpə] vt choyer, gâter ; *~ oneself,* se dorloter.

pamphlet [ˈpæmflit] n brochure f.

pan¹ [pæn] n (sauce) ~, n casserole, poêlon m.

pan² vi CULIN. ~ *(round),* faire un panoramique ; ~ *shot (n),* panoramique m.

panacea [ˌpænəˈsiə] n panacée f.

pancake [ˈ-ˈ] n crêpe f.

panda car [ˈpændəkɑː] n voiture f pie.

pander [ˈpændə] vi ~ *to,* encourager, satisfaire (desires, vices, etc.) ; flatter bassement.

pane [pein] n carreau m, vitre f.

panel [ˈpænl] n panneau, lambris m (of a wall) ‖ MED. liste f des médecins conventionnés (N. H. S.) ; ~ *doctor,*

médecin conventionné ‖ RAD., T.V. groupe m de discussion ; table ronde ; invités mpl ; jury m ● vt lambrisser ‖ ~**ling** n boiserie f.

pang [pæŋ] n angoisse f ; ~ *of anguish,* serrement m de cœur.

panic [ˈpænik] n panique f ; ~*-stricken,* pris de panique ● vi s'affoler, être pris de panique ; paniquer (fam.) — vt semer la panique dans (crowd) ; affoler (person) ‖ ~**ky** adj qui s'affole facilement ; paniquard (fam.) ‖ alarmiste.

pannier [ˈpæniə] n sacoche f.

panoply [ˈpænəpli] n panoplie f.

panoram|a [ˌpænəˈrɑːmə] n panorama m ‖ ~**ic** [ˌpænəˈræmik] adj panoramique.

panpipe(s) [ˈpænpaip(s)] m(pl) flûte f de Pan.

pan-scraper [ˈ-ˈ-] n éponge f métallique.

pansy [ˈpænzi] n BOT. pensée f ‖ POP. tante f (pop.) ; tapette f (arg.).

pant [pænt] vi [person] haleter ; [heart] palpiter ‖ FIG. ~ *for,* aspirer à.

pantechnicon [pænˈteknikən] n voiture f de déménagement.

panther [ˈpænθə] n panthère f.

panties [ˈpæntiz] npl COLL. slip m (woman's).

panting [ˈpæntiŋ] adj haletant.

pantomime [ˈpæntəmaim] n pantomime f.

pantry [ˈpæntri] n office m.

pants [pænts] npl caleçon m ‖ (women's) culotte f, slip m (panties) ‖ U.S. pantalon m (trousers).

pant|skirt n U.S. jupe-culotte f ‖ ~**y hose** n U.S. collant m.

pap [pæp] n bouillie f (for children).

paper [ˈpeipə] n papier m ; *old ~s,* paperasse f ‖ journal m (newspaper) ‖ [school] épreuve (écrite) ; *examination ~,* interrogation écrite ; questions fpl ; [written answers] copie f

|| mémoire *m* (study) || [journalism] article, papier *m* || Pl papiers *mpl* (documents) || FIG. on ~, en théorie ● *vt* tapisser (room) || ~**back** *n* livre broché/de poche || ~ **chase** *n* rallye-paper *m* || ~ **clip** *n* agrafe *f*, trombone *m* || ~-**knife** *n* coupe-papier *m* || ~-**mill** *n* papeterie *f* (factory) || ~-**weight** *n* presse-papiers *m* || ~ **work** *n* paperasserie *f*.

par [pɑ:] *n* égalité *f* ; *be on a ~ with*, être l'égal de, aller de paire avec || FIN. *at ~*, au pair ; *above/below ~*, au-dessus/au-dessous du pair.

parable [ˈpærəbl] *n* parabole *f*.

parabola [pəˈræbələ] *n* MATH. parabole *f*.

parachut|e [ˈpærəʃuːt] *n* parachute *m* ; ~ *drop,* parachutage *m* || SP. ~ *jumping,* saut *m* en parachute ● *vi* sauter en parachute ; *go parachuting,* faire du parachutisme — *vt* parachuter || ~**ist** *n* parachutiste *n*.

parade [pəˈreid] *n* parade *f* || défilé *m* ● *vi* parader, défiler.

paradise [ˈpærədais] *n* paradis *m*.

paradox [ˈpærədɔks] paradoxe *m* || ~**ical** [ˌpærəˈdɔksikl] *adj* paradoxal.

paraffin [ˈpærəfin] *n* ~ *(oil)*, pétrole (lampant) ; ~*(-wax),* paraffine *f* ; *(liquid)* ~, huile *f* de paraffine.

paragraph [ˈpærəgrɑːf] *n* paragraphe *m* ; *new ~!,* à la ligne ! || entrefilet, écho *m* (in a newspaper).

parallel [ˈpærəlel] *adj* parallèle || SP. ~ *bars,* barres *fpl* parallèles ; *(ski)* ~ *turn,* christiania *m* ● *n* MATH. parallèle *f* || GEOGR. parallèle *m* || ELECTR. *in* ~, en parallèle || FIG. comparaison *f*.

paralys|e [ˈpærəlaiz] *vt* paralyser || ~**is** [pəˈrælisis] *n* paralysie *f*.

paralytic [ˌpærəˈlitik] *adj/n* paralytique.

paramount [ˈpærəmaunt] *adj* suprême (importance) || souverain (chief).

parapet [ˈpærəpit] *n* parapet, garde-fou *m*.

paraphernalia [ˌpærəfəˈneiljə] *npl* attirail *m* || COLL. bazar *m* (fam.).

paraphrase [ˈpærəfreiz] *n* paraphrase *f* ● *vt* paraphraser.

parasite [ˈpærəsait] *n* parasite *m*.

parasol [ˌpærəˈsɔl] *n* ombrelle *f*, parasol *m*.

paratroop|er [ˈpærətruːpə] *n* MIL. parachutiste *m*.

parcel [ˈpɑːsl] *n* colis, paquet *m* ; ~ *bomb,* colis piégé ; ~ *post,* service *m* des colis postaux || COMM. lot *m* || JUR. parcelle *f* (of land) ● *vt* ~ *out,* partager (share) || morceler (estate).

parch [pɑːtʃ] *vt* dessécher || griller légèrement.

parchment [ˈpɑːtʃmənt] *n* parchemin *m*.

pardon [ˈpɑːdn] *n* pardon *m* ; *I beg your ~ !,* je vous demande pardon ! ● *vt* pardonner || gracier.

pare [pɛə] *vt* rogner, couper (nails) || peler (apples).

parent [ˈpɛərənt] *n* père *m* (father) ; mère *f* (mother) || Pl parents *mpl* || ~**age** [-idʒ] *n* parenté, extraction *f* || ~**al** [pəˈrentl] *adj* parental.

parenthesis, theses [pəˈrenθisis, -iːz] *n* parenthèse *f*.

parish [ˈpæriʃ] *n* paroisse *f* || *(civil)* ~, commune *f* || ~**ioner** [pəˈriʃənə] *n* paroissien *n*.

Parisian [pəˈrizjən] *adj* parisien ● *n* Parisien *n*.

park [pɑːk] *n* parc *m* || *national* ~, parc national/naturel || MIL. parc *m* ● *vt* AUT. garer, parquer.

parking [ˈpɑːkiŋ] *n* stationnement *m* ; *no* ~, défense de stationner || ~ *disc n* disque *m* de stationnement || ~ *lot n* U.S. parking *m* || ~ *meter n* parcmètre *m* || ~ *space n* créneau *m* ; *reverse into a* ~, faire un créneau.

parley [ˈpɑːli] n pourparlers mpl ● vi parlementer.

parliament [ˈpɑːləmənt] n parlement m ; Houses of Parliament, les chambres ‖ ~**ary** adj parlementaire.

parlour [ˈpɑːlə] n [house] petit salon ‖ [convent] parloir m ‖ ~-**games** npl jeux mpl de société ‖ ~-**maid** n femme f de chambre.

parochial [pəˈrəukjəl] adj paroissial ‖ ~**ism** n esprit m de clocher.

parody [ˈpærədi] n parodie f ● vt parodier.

parole [pəˈrəul] n parole f (d'honneur) ‖ JUR. on ~, en liberté conditionnelle ● vt mettre en liberté conditionnelle.

paroxysm [ˈpærəksizm] n paroxysme m.

parricide [ˈpærisaid] n parricide n.

parrot [ˈpærət] n perroquet m.

parry [pæri] n parade f ● vt parer.

parse [pɑːz] vt faire l'analyse grammaticale de.

parsimonious [pɑːsiˈməunjəs] adj parcimonieux.

parsley [ˈpɑːsli] n persil m.

parson [ˈpɑːsn] n pasteur, curé m (priest) ‖ ~**age** [-idʒ] n presbytère m, cure f.

part [pɑːt] n partie (division) ; for the most ~, pour la plupart ; in ~, partiellement ; as a ~ of, dans le cadre de ‖ parti m (side) ; take sb's ~, prendre parti pour qqn ‖ Pl région f ; in these ~s, dans ces parages ‖ [share] participation f, rôle m ; **take** ~ in, prendre part à, participer à ; play a ~ in, jouer un rôle dans ‖ [behalf] for my ~, pour ma part, en ce qui me concerne ; on the ~ of, de la part de ‖ U.S. [hair] raie f ‖ TECHN. pièce f ; spare ~, pièce de rechange ‖ CULIN. mesure f ‖ GRAMM. ~ of speech, partie f du discours ‖ MUS. partie f ; voix f ‖ TH. rôle m ‖ FIG. part f, rôle m ● vt séparer ; ~ one's hair, se faire une raie ‖ ~ company,

se séparer (with, de) — vi ~ from, se séparer de, se quitter ‖ ~ with sth, se défaire de qqch.

partake [pɑːˈteik] vi (→ TAKE) prendre part, participer (in/of, à) ‖ partager (a meal).

partial [ˈpɑːʃl] adj partiel (in part) ‖ partial (biased) ; injuste (unjust) ‖ be ~ towards, avoir un faible pour ‖ ~**ity** [pɑːʃiˈæliti] n partialité f, penchant m ‖ ~**ly** [ˈpɑːʃəli] adv partiellement, en partie.

participat|e [pɑːˈtisipeit] vi participer, prendre part (in, à) ‖ ~**ion** [pɑːtisiˈpeiʃn] n participation f.

participle [ˈpɑːtsipl] n participe m.

particle [ˈpɑːtikl] n parcelle f (of dust) ‖ GRAMM., PHYS. particule f.

particular [pəˈtikjulə] adj particulier (special) ‖ difficile (fastidious) ● n détail m, particularité f ; in ~, en particulier ‖ Pl détails mpl ; full ~s, tous les renseignements ‖ ~**ly** adv particulièrement, en particulier.

parting [ˈpɑːtin] n séparation f ‖ [hair] raie f ● adj d'adieu (kiss, word).

partisan [pɑːtiˈzæn] adj partisan (m) ‖ MIL. partisan m.

partition [pɑːˈtiʃn] n partage m (of a country) ; morcellement m (of land) ‖ cloison f (wall) ● vt morceler, partager.

partly [ˈpɑːtli] adv partiellement.

partner [ˈpɑːtnə] n partenaire n ‖ [dance] cavalier n ‖ COMM. associé n ; sleeping ~, commandité m ‖ SP. coéquipier n.

partook → PARTAKE.

part-owner [ˈpɑːtˈəunə] n copropriétaire n.

partridge [ˈpɑːtridʒ] n perdrix f.

part-tim|e [ˈpɑːtˈtaim] adj à temps partiel ; à mi-temps ‖ ~**er** n travailleur n à temps partiel/mi-temps.

party [ˈpɑːti] n groupe m (political) ~, parti m ‖ réunion f ; réception f ; evening ~, soirée f ; tea ~, thé m ;

give a ~, donner une réception ; *throw a* ~, faire une fête ǁ [young people] boum *f* (fam.) ǁ MIL. détachement *m* ǁ JUR. partie *f* ; *third-* ~ *insurance,* assurance *f* aux tiers ǁ FIG. *be (a)* ~ *to,* être complice de ǁ ~-*wall* *n* mur mitoyen.

pass [pɑːs] *n* permis, laissez-passer *m* (document) ; *police* ~, coupe-file *m* ǁ RAIL. carte *f* d'abonnement ǁ GEOGR. col *m* ǁ NAUT. passe *f* ǁ SP. passe *f* ● *vt* passer ǁ franchir (cross over) ǁ (faire) passer (hand over) ǁ croiser (meet) ǁ [customs] passer ǁ [examiner] recevoir (candidates) ; [candidate] être reçu à ǁ AUT. dépasser, doubler (overtake) ǁ SP. passer (a ball) ǁ CULIN. ~ *through a sieve,* passer ǁ FIG. passer, voter (a resolution) ; passer, transmettre ; prononcer (a judgment) ; émettre (an opinion) ; passer (the time) ; *help sb* ~ *the time,* faire patienter qqn ǁ ~ *oneself off,* se faire passer (as, pour) ǁ ~ *on,* faire passer, transmettre ǁ ~ *over,* omettre ǁ ~ *up,* laisser passer, manquer.

— *vi* passer, circuler ǁ [coin] avoir cours ǁ [time] passer, s'écouler ǁ [person] être considéré (*for,* comme) ǁ [candidate] être reçu ǁ [card games] passer, renoncer ǁ se passer, avoir lieu ǁ ~ *along,* passer ǁ ~ *away,* disparaître, trépasser ǁ ~ *by,* passer devant/près de ǁ ~ *off,* passer, se passer (happen) ǁ ~ *out,* COLL. s'évanouir ǁ ~ *over,* franchir, traverser ǁ ~*able* *adj* passable, praticable (road) ; franchissable (river) ǁ passable (quality) ǁ ~*age* [ˈpæsidʒ] *n* passage *m* (of a book) ; *selected* ~, morceaux choisis ǁ ~*(way),* couloir *m* (hall) ǁ NAUT. traversée *f* ǁ JUR. adoption *f* (of a law).

passenger [ˈpæsnʒə] *n* RAIL. voyageur *n* ; ~ *train,* train *m* de voyageurs ǁ RAIL., AV. passager *n*.

passer-by [pɑːsəbai] *n* passant *n*.

passing [ˈpɑːsiŋ] *n* passage *m* ● *adj* passager, éphémère.

passion [ˈpæʃn] *n* passion, fureur *f*

ǁ REL. *Passion,* Passion *f* ; *Passion week,* semaine sainte ǁ ~*ate* [ˈpæʃənit] *adj* passionné, emporté.

passive [ˈpæsiv] *adj* passif ǁ ~*ness* *n* passivité *f*.

pass|key [ˈpɑːskiː] *n* passe-partout *m* ǁ ~-*mark* *n* moyenne *f* (at an exam) ǁ ~*port* [ˈpɑːspɔːt] *n* passeport *m* ǁ ~*word* [ˈpɑːswɜːd] *n* mot *m* de passe.

Passover [ˈpɑːsəuvə] *n* pâque juive.

past [pɑːst] *adj* passé ; *the* ~ *week,* la semaine dernière ǁ *be a* ~ *master,* être passé maître ǁ GRAMM. ~ *tense,* passé *m* ● *n* passé *m* ; *in the* ~, autrefois ● *prep* au-delà de ; *ten* ~ *two,* deux heures dix ǁ plus de (more than) ; *he is* ~ *forty,* il a plus de quarante ans ● *adv* *go* ~, passer devant.

pasta [ˈpæstə] *n* CULIN. pâtes *fpl*.

paste [peist] *n* colle *f* (glue) ǁ CULIN. pâte *f* ; pâté *m* (meat, fish) ● *vt* coller ǁ ~*board* *n* carton *m*.

pastel [pæsˈtel] *n* pastel *m*.

pasteurize [ˈpæstəraiz] *vt* pasteuriser.

pastime [ˈpɑːstaim] *n* passe-temps *m* *inv,* distraction *f*.

pastor [ˈpɑːstə] *n* pasteur *m*.

pastry [ˈpeistri] *n* pâtisserie *f* ; ~-*cook* *n* pâtissier *m* ǁ ~-*shop* *n* pâtisserie *f*.

pasture [ˈpɑːstʃə] *n* herbage, pâturage *m,* pâture *f* ● *vi/vt* (faire) paître.

pat[1] [pæt] *n* petite tape (tap) ǁ caresse *f* (on animal) ● *vt* taper, tapoter.

pat[2] *adj* à propos, tout prêt ● *adv* *answer* ~, répondre du tac au tac ; *stand* ~, ne pas en démordre.

patch [pætʃ] *n* plaque *f* ǁ pièce *f* (material) ǁ tache *f* (of colour) ǁ parcelle *f* (of land) ● *vt* rapiécer (clothes) ; réparer (tyres) ; ~ *up,* rafistoler ǁ ~*ing* *n* rapiéçage *m* ǁ ~*work* *n* patchwork *m* ǁ FIG. mosaïque *f*.

patent [´peitnt] *n* brevet *m* ‖ *~-leather shoes,* chaussures vernies ‖ *~ medicine,* spécialité *f* pharmaceutique ● *adj* manifeste, évident.

patern|al [pə´tə:nl] *adj* paternel ‖ *~ity n* paternité *f.*

path [pɑ:θ] *n* (country) sentier, chemin *m* ‖ [garden] allée *f.*

pathetic [pə´θetik] *adj* pitoyable.

pathfinder *n* pionnier *n.*

pathological [ˌpæθə´lɔdʒikl] *adj* pathologique.

pathos [´peiθɔs] *n* pathétique *m.*

patience [´peiʃns] *n* patience *f; out of ~,* à bout de patience ; *have ~,* prendre patience ‖ [cards] réussite *f; play ~,* faire des réussites.

patient [´peiʃnt] *adj* patient ; *be ~,* prendre patience ● *n* patient, malade *n* ‖ *~ly adv* patiemment ; *wait ~,* patienter.

patina [´pætinə] *n* patine *f.*

patio [´pætiəu] *n* terrasse *f.*

patrimony [´pætriməni] *n* patrimoine *m.*

patriot [´peitriət] *n* patriote *n* ‖ *~ic* [ˌpetri´ɔtik] *adj* patriotique ‖ *~ism* [´pætriətizm] *n* patriotisme *m.*

patrol [pə´trəul] *n* patrouille *f* ‖ U.S. *~ car,* voiture *f* de police ‖ Naut. *~ boat,* vedette *f* ● *vi* patrouiller, faire une ronde.

patron [´peitrən] *n* patron, protecteur *n* ‖ Comm. client *n* ‖ *~age* [´pætrənidʒ] *n* protection *f* ‖ Comm. clientèle *f* ‖ *~ize* [´pætrənaiz] *vt* protéger, patronner ‖ Comm. se fournir chez, être client de ‖ *~izing adj* protecteur, condescendant.

patter¹ [´pætə] *vi* [rain] fouetter, tambouriner, crépiter ● *n* léger bruit de pas ‖ crépitement *m* (of rain).

patter² *n* baratin (fam.), boniment *m* (péj.). ● *vt* jacasser.

pattern [´pætən] *n* modèle *m* (example) ‖ [dressmaking] patron *m*

‖ Arts dessin, motif *m* ‖ Comm. échantillon, modèle *m* (sample) ; *registered ~,* modèle déposé ● *vt* modeler (*on,* sur) ; *~oneself on,* prendre modèle sur.

paunch [´pɔ:nʃ] *n* panse *f* ‖ Pej. bide *m,* brioche *f* (pop.).

pauper [´pɔ:pə] *n* indigent *n* ‖ *~ize* [-raiz] *vt* réduire à l'indigence.

pause [pɔ:z] *n* pause *f,* silence *m* ‖ Mus. point *m* d'orgue ● *vi* faire une pause.

pave [peiv] *vt* paver ‖ *~ the way,* frayer/ouvrir la voie ‖ *~ment n* pavé, dallage *m* (flagstones) ‖ trottoir *m* (for pedestrians) ‖ U.S. chaussée *f* (roadway).

pavilion [pə´viljən] *n* pavillon *m* (building) ‖ tente *f* (tent).

paving [´peiviŋ] *n* pavage *m* ‖ *~-stone n* pavé *m.*

paw [pɔ:] *n* patte *f* ● *vi* [horse] piaffer — *vt* Coll. peloter (fam.).

pawn [pɔ:n] *n* gage *m; in ~,* en gage ; au clou (fam.) ‖ [chess] pion *m* ● *vt* mettre en gage ‖ *~ broker n* prêteur *n* sur gage ‖ *~shop n* mont-de-piété *m.*

pay [pei] *n* salaire *m; [workman´s]* paie/paye *f; [civil servant´s]* traitement *m; [servant´s]* gages *mpl* ‖ *holiday with ~,* congé payé ‖ Mil. [soldier's] prêt *m; [officer's]* solde *f* ● *vt* (paid [peid]) payer (sb, bill) ; *~ for sth,* payer qqch ‖ régler (a bill) ; *~ on the nail,* payer rubis sur l'ongle ‖ *~ back,* rendre (money) ; Fig. faire payer à (punish) ; *~ down,* verser ‖ *~ in(to),* verser (money) ; *~ off,* acquitter, rembourser (debt) ‖ *~ out,* payer, débourser ; Naut. laisser filer (cable) ‖ *~ up,* solder, régler — *vi* payer ‖ *~ off,* être rentable, rapporter.

pay|able [´peəbl] *adj* payable, dû ‖ *~day n* jour *m* de paie ; Fin. (jour *m* d')échéance *f* ‖ *~ee* [pe´i:] *n* bénéficiaire *n* ‖ *~ing adj* payant, rémunérateur ‖ *~ guest,* pensionnaire *n* ‖ ~**load** *n* ASTR. charge *f* utile ‖ ~**ment** *n* paiement, versement *m* ; rémunération *f* ; down ~, arrhes *fpl* (deposit)‖ ~ **phone** *n* U.S. téléphone public. ‖ ~**-rise** *n* augmentation *f* de salaire ‖ ~**scale** *f* des salaires ‖ ~**slip** *n* bulletin *m* de paie.

pea [pi:] *n* pois *m* ; green ~s, petits pois ; split ~s, pois cassés ‖ COLL. ~ **-souper,** purée *f* de pois (fog).

peace [pi:s] *n* paix, tranquillité, quiétude *f* ; **make** ~, faire la paix ‖ ~ **pipe,** calumet *m* de la paix ‖ ordre public ‖ calme *m*, tranquillité *f* ; hold one's ~, se taire ‖ ~**able** *adj* paisible, pacifique ‖ ~**ful** *adj* paisible, pacifique.

peach[1] [pi:tʃ] *vt* SL. ~ on/against, moucharder, cafarder (fam.).

peach[2] *n* pêche *f* ‖ ~ **tree** *n*, pêcher *m*.

peacock [ˈpi:kɔk] *n* paon *m*.

peak [pi:k] *n* pic *m*, cime *f* (of a mountain) ‖ visière *f* (of a cap) ‖ RAIL., ELECTR. ~ **hours,** heures *fpl* de pointe ‖ T.V. ~ **viewing time,** heure *f* de grande écoute ‖ FIG. apogée, sommet *m*.

peal [pi:l] *n* carillon *m* (of bells) ‖ fracas *m* (of thunder) ‖ éclat *m* (of laughter) • *vi* [bells] carillonner ‖ [thunder] gronder, retentir — *vt* faire retentir.

peanut [ˈpi:nʌt] *n* arachide, cacahouète *f*.

pear [pɛə] *n* poire *f* ; ~ **tree** *n*, poirier *m*.

pearl [pə:l] *n* perle *f* ; cultured ~, perle de culture ; ~ **diver,** pêcheur *n* de perles ‖ ~**y** *adj* nacré.

peasant [ˈpeznt] *n* paysan *m*.

pease-pudding [ˌpi:zˈpudiŋ] *n* purée *f* de pois cassés.

pea-shooter [ˈpi:ˌʃutə] *n* sarbacane *f*.

peat [pi:t] *n* tourbe *f* ‖ ~**-bog** *n* tourbière *f*.

pebbl|e [ˈpebl] *n* caillou *m* ‖ galet *m* (on beach) ‖ ~**y** *adj* de galets (beach).

peck [pek] *n* coup *m* de bec • *vt* becqueter, picorer — *vi* ~ **at,** [bird] donner des coups de bec à ; [person] ~ **at one's food,** manger du bout des dents ; chipoter (fam.) ‖ ~**ing order** *n* ordre *m* hiérarchique, hiérarchie *f*.

peculiar [piˈkju:ljə] *adj* particulier, singulier, propre ‖ ~**ity** [piˌkju:liˈæriti] *n* particularité, singularité *f* ‖ ~**ly** *adv* particulièrement, singulièrement.

pedag|ogue [ˈpedəgɔg] *n* pédagogue *n* ‖ ~**ogy** [-ɔgi] *n* pédagogie *f*.

pedal [ˈpedl] *n* pédale *f* • *vi* pédaler ‖ ~ **boat** *n* pédalo *m*.

pedant [ˈpednt] *n* pédant *m* ‖ ~**ic** [piˈdæntik] *adj* pédantesque.

pederast [ˈpedəræst] *n* pédéraste *m*.

pedestal [ˈpedistl] *n* piédestal *m* ‖ ~ **table,** guéridon *m*.

pedestrian [piˈdestriən] *n* piéton *m* ; ~ **precinct,** zone piétonne/piétonnière • *adj* pédestre ‖ FIG. prosaïque.

pediatrician [ˌpi:diəˈtriʃn] *n* MED. pédiatre *n*.

pedigree [ˈpedigri:] *n* généalogie, ascendance *f* ‖ [animal] pedigree *m* ; ~ **dog,** chien *m* de race.

pedlar [ˈpedlə] *n* colporteur *m*.

pee [pi:] *n* SL. have a ~, faire pipi (fam.) • *vi* pisser (arg.).

peek [pi:k] *vi* jeter un coup d'œil furtif (peep) • *n* coup *m* d'œil (furtif).

peel [pi:l] *n* pelure *f* (of fruit, vegetable) ; peau *f* (of peach) ; zeste *m* (of lemon) ; pelure, écorce *f* (of orange) • *vt* peler, éplucher — *vi* [paint] s'écailler ‖ [skin] ~ (away)/ off, peler, se desquamer ‖ ~**er** *n* éplucheur *m* ‖ ~**ing** *n* [face] peeling *m* ‖ *Pl* pelures, épluchures *fpl*.

peep [pi:p] *n* coup *m* d'œil furtif ; take a ~ at, jeter un coup d'œil (furtif) à • vi ~ at, regarder à la dérobée, guigner ‖ ~ing Tom n voyeur m.

peer¹ [piə] vi scruter (at, into sth, qqch) ; observer avec attention/ curiosité ; essayer de discerner.

peer² n pair, égal m ‖ ~less adj sans égal, incomparable.

peevish [ˈpiːviʃ] adj grincheux ; grognon (child).

peg [peg] n cheville f (pin) ‖ (hat-) ~, patère f ‖ piquet m (of tent) ‖ pince f à linge (for clothes) • vt cheviller ‖ FIN. stabiliser (prices) ‖ COLL. ~ away, bûcher, bosser (fam.).

pejorative [ˈpiːdʒrətiv or piˈdʒɔrətiv] adj péjoratif.

pelican [ˈpelikən] n pélican m.

pellet [ˈpelit] n boulette f (of bread) ‖ MED. pilule f.

pell-mell [ˈpelˈmel] adv pêle-mêle.

pelt¹ [pelt] n peau, fourrure f.

pelt² vt cribler (with, de) — vi tomber à verse ; ~ing rain, pluie battante.

pen¹ [pen] n [animals] enclos, parc m ‖ (play)~, parc m (d'enfant) • vt parquer (animals) ‖ enfermer (people).

pen² n plume f ; (fountain) ~, stylo m ; ~-friend, correspondant n ; ~-holder, porte-plume m ; ~-name, nom m de plume.

penal [ˈpiːnl] adj pénal ‖ ~ize [ˈpiːnəlaiz] vt infliger une pénalité à ‖ SP. pénaliser ‖ ~ty [ˈpenlti] n pénalité, pénalisation f ; under ~ of, sous peine de ‖ [football] ~ area box, surface f de réparation.

penance [ˈpenəns] n pénitence f.

pence npl → PENNY.

pencil [ˈpensl] n crayon m ; in ~, au crayon ; coloured ~, crayon de couleur • vt crayonner ‖ ~-box n plumier m ‖ ~-case n trousse f d'écolier ‖ ~-sharpener n taille-crayon m.

pendant [ˈpendənt] n pendentif m.

pend|ent [ˈpendənt] adj JUR. en suspens ‖ ~ing adj en instance.

pendulum [ˈpendjuləm] n pendule, balancier m.

penetrat|e [ˈpenitreit] vt/vi pénétrer ‖ ~ing adj pénétrant, perçant ‖ ~ion [ˌpeniˈtreiʃn] n pénétration f.

penguin [ˈpengwin] n pingouin m.

penicillin [ˌpeniˈsilin] n pénicilline f.

peninsula [piˈninsjulə] n péninsule, presqu'île f.

penis [ˈpiːnis] n pénis m.

penitent [ˈpenitnt] adj repentant • n pénitent n ‖ ~iary [ˌpeniˈtenʃəri] n U.S. prison f.

penknife [ˈpennaif] n canif m.

pennant [ˈpenənt] n banderole, flamme f.

penniless [ˈpenilis] adj sans le sou ; indigent.

penny, pence/pennies [ˈpeni, pens/ˈpeniz] n penny m ‖ COLL. spend a ~, aller au petit coin ; a ~ for your thoughts, à quoi penses-tu ?

pension [ˈpenʃn] n pension, retraite f • vt pensionner ‖ ~ off, mettre à la retraite ‖ ~er n pensionné, retraité n.

pensive [ˈpensiv] adj pensif, songeur ‖ ~ly adv d'un air pensif.

pent [pent] adj ~ up, enfermé ‖ FIG. refoulé (emotions).

pentagon [ˈpentəgən] n pentagone m.

penthouse [ˈpenthaus] n appentis m ‖ appartement m avec terrasse (on roof).

penurious [piˈnjuəriəs] adj indigent (poor) ‖ parcimonieux (stingy).

peony [ˈpiəni] n pivoine f.

people¹ [ˈpiːpl] npl gens mpl ; how many ~?, combien de personnes ? ‖ monde m (crowd) ; a lot of ~, beaucoup de monde || [family] famille *f*; parents *mpl*.

people² *n sing* peuple *m*; nation *f* ● *vt* peupler.

pep [pep] *n* COLL. allant *m*, vitalité *f*, dynamisme; *full of* ~, plein d'entrain/d'allant, dynamique; ~ *pill*, excitant *m* ● *vt* ~ *up*, ragaillardir; remonter le moral.

pepper ['pepə] *n* [spice] poivre *m*; *Cayenne/red* ~, poivre *m* de Cayenne || [vegetable] *(sweet)* ~, poivron *m* ● *vt* poivrer || ~-**and-salt** *adj* poivre et sel || ~**corn** *n* grain *m* de poivre || ~ **gas** *n* gaz *m* lacrymogène || ~-**mill** *n* moulin *m* à poivre || ~**mint** *n* [plant] menthe poivrée || [sweet] pastille *f* de menthe || ~**pot** *n* poivrière *f* || ~ **steak** *n* steak *m* au poivre || ~**y** *adj* poivré.

per [pə:] *prep* par, pour; ~ *cent*, pour cent; ~ *year*, par an; *9 F* ~ *pound*, 9 F la livre.

perceive [pə'si:v] *vt* percevoir, s'apercevoir de.

percentage [pə'sentidʒ] *n* pourcentage *m*.

percep|ible [pə'septəbl] *adj* perceptible || ~**tion** *n* perception *f* || ~**tive** [tiv] *adj* perceptif.

perch [pə:tʃ] *vi* se percher, jucher ● *n* perchoir *m*.

perchance [pə'tʃɑ:ns] *adv* par hasard; d'aventure.

percol|ate ['pə:kəleit] *vt/vi* passer, filtrer (coffee) || ~**ator** [-eitə] *n* filtre, percolateur *m*; *electric* ~, cafetière *f* électrique.

percussion [pə:'kʌʃn] *n* percussion *f*; ~ *cap*, capsule *f*.

peremptory [pə'remtri] *adj* péremptoire.

perennial [pə'renjəl] *adj* perpétuel, éternel || BOT. vivace.

perfect ['pə:fikt] *adj* parfait, achevé ● *n* GRAMM. parfait *m* ● [pə:'fekt] *vt* parfaire, perfectionner, mettre au point || ~**ion** [pə'fekʃn] *n* perfection

f; *to* ~, à la perfection, à souhait || ~**ly** *adv* parfaitement.

perfid|ious [pə:'fidiəs] *adj* perfide || ~**y** ['pə:fidi] *n* perfidie *f*.

perforate ['pə:fəreit] *vt* perforer, percer.

perform [pə'fɔ:m] *vt* accomplir (a duty, a task) || TH. représenter (a play) || MUS. exécuter (at the piano, on the violin) || ~**ance** *n* accomplissement *m* (of a task) || exploit *m* (deed) || TH. représentation *f*; "*no* ~ *today*", « relâche » *f*; [actor, musician] interprétation *f*; prestation *f* (fam.) || CIN. séance *f* || SP. performance *f* || ~**er** *n* TH. acteur *n*, comédien *n* || MUS. exécutant *n* || ~**ing** *adj* ~ *dog*, chien savant.

perfum|e ['pə:fju:m] *n* parfum *m*; ~-*burner*, brûle-parfum *m* ● [pə'fju:m] *vt* parfumer || ~**ier** [pə'fju:miə] *n* parfumeur *n* || ~**ery** [pə'fju:məri] *n* parfumerie *f*.

perfunctory [pə'fʌntri] *adj* superficiel, pour la forme.

perhaps [pə'hæps] *adv* peut-être.

peril ['peril] *n* péril, danger *m*; *at your* ~, à vos risques et périls || ~**ous** *adj* périlleux, dangereux.

perimeter [pə'rimitə] *n* périmètre *m*.

period ['piəriəd] *n* période, durée *f*; *bright* ~, éclaircie *f* || époque *f*; ~ *furniture*, mobilier *m* d'époque || [school] cours *m*, heure *f* || MED. *(Pl)* règles *fpl*; *have one's* ~ *(s)*, avoir ses règles || GRAMM. U.S. point *m* (full stop) || ~**ical** [piəri'ɔdikl] *adj* périodique ● *n* revue, publication *f*, périodique *m*.

peripher|al [pə'rifərəl] *adj* périphérique ● *n* [computer]) périphérique *m* || ~**y** *n* périphérie *f*.

periphrasis [pə'rifrəsis] *n* périphrase *f*.

periscope ['periskəup] *n* périscope *m*.

perish [periʃ] *vi* [person] périr,

mourir ‖ [substance] se détériorer — vt détériorer ‖ **~able** adj périssable ● npl COMM. denrées fpl périssables.

periwinkle [´peri,wiŋkl] n pervenche f.

perjur|e [´pə:dʒə] vt : **~** oneself, se parjurer ‖ **~er** [-rə] n parjure n ‖ **~y** [-ri] n parjure m, faux témoignage.

perk¹ [pə:k] n [usu pl.] COLL. avantage m accessoire, à-coté m ; Pl gratte f (fam.) ‖ → PERQUISITE.

perk² abbrev = PERCOLATE.

perk³ vt **~ up**, remonter, ragaillardir — vi **~ up**, se ragaillardir ; se retaper (fam.) [after illness] ‖ **~y** adj guilleret (gay) ‖ effronté (cheeky).

perm [pə:m] abbrev COLL. (= PERMANENT WAVE) permanente f; have a **~**, se faire faire une permanente ● vt have one's hair **~ed**, se faire faire une permanente.

perman|ence [´pə:mənəns] n permanence, stabilité f ‖ **~ent** adj permanent, stable ‖ [hair dressing] **~ wave**, permanente f ‖ **~ently** adv en permanence ‖ à titre définitif.

perme|able [´pə:mjəbl] adj perméable ‖ **~ate** [-ieit] vt imprégner.

perm|issible [pə´misəbl] adj permis, admissible ‖ **~ission** [pə´miʃn] n permission f; give sb **~**, donner la permission à qqn ‖ **~issive** [-´isiv] adj tolérant ‖ laxiste, permissif (society) ‖ **~issiveness** n tolérance f ; laxisme m.

permit [´pə:mit] n permis, laissez-passer m ; work **~**, permis de travail ‖ COMM., JUR. congé m ● [-´-] vt permettre (to, de).

pernicious [pə´niʃəs] adj pernicieux.

peroxide [pə´rɔksaid] n (hydrogen) **~**, eau f oxygénée ‖ **~ blonde**, blonde décolorée.

perpendicular [,pə:pn´dikjulə] adj perpendiculaire.

perpetrate [´pə:pitreit] vt perpétrer, commettre (a crime).

perpet|ual [pə´petjuəl] adj perpétuel ‖ **~uate** [-jueit] vt perpétuer ‖ **~uity** [-´tjuiti] n in **~**, à perpétuité.

perplex [pə´pleks] vt embarrasser ‖ **~ed** [-t] adj perplexe, embarrassé ‖ **~ity** n embarras m, perplexité f.

perquisite [´pə:kwizit] n avantage m ; gratification f.

persec|ute [´pə:sikju:t] vt persécuter ‖ **~ution** [,pə:si´kju:ʃn] n persécution f.

persev|erance [,pə:si´viərəns] n persévérance f ‖ **~ere** [-iə] vi persévérer, persister.

persist [pə´sist] vi persister ‖ s'obstiner (in, à) ‖ **~ence** n persistance, persévérance f ‖ **~ent** adj persistant ; continuel, répété ‖ obstiné (obstinate) ‖ persévérant (persevering).

person [´pə:sn] n personne f, individu m ‖ give it to him in **~**, remettez-le-lui en mains propres ‖ TEL. **~ to ~ call**, communication f avec préavis ‖ JUR. artificial **~**, personne morale ‖ **~age** n personnalité f (important person) ‖ **~al** adj personnel, individuel ‖ TEL. **~ call**, communication f avec préavis ‖ **~ality** [,pə:sə´næliti] n personnalité f ‖ Pl remarques désobligeantes ‖ **~ate** [´pə:səneit] vt jouer le rôle de ‖ **~ification** [pə,sɔnifi´keiʃn] n personnification f ‖ **~ify** [pə:´sɔnifai] vt personnifier.

personnel [,pə:sə´nel] n personnel m ; **~ manager**, chef m du personnel.

perspective [pə´spektiv] n perspective f.

Perspex [´pə:speks] n T.N. Plexiglas m.

perspi|cacity [,pə:spi´kæsiti] n perspicacité f ‖ **~cuity** [-´kju:iti] n clarté, netteté f ‖ **~cuous** [pə´spikjuəs] adj clair.

persp|iration [,pə:spə´reiʃn] n transpiration, sueur f ‖ **~ire** [pəs´paiə] vi transpirer.

persu|ade [pə'sweid] vt persuader ‖ **~asion** [-eiʒn] n persuasion, conviction f ‖ REL. religion, confession f ‖ **~asive** [-eisiv] adj persuasif, convaincant.

pert [pə:t] adj effronté.

pertain [pə:'tein] vi être du ressort (to, de) ‖ se rattacher (to, à).

pertinacious [‚pə:ti'neiʃəs] adj opiniâtre ‖ entêté (stubborn).

pertinent ['pə:tinənt] adj pertinent, à propos.

perturb [pə'tə:b] vt troubler, agiter ‖ **~ation** [pə:tə:'beiʃn] n perturbation f, trouble m.

Peru [pə'ru:] n Pérou m.

peruse [pə'ru:z] vt lire attentivement.

perva|de [pə:'veid] vt [smell] se répandre dans ‖ FIG. s'insinuer dans, envahir ‖ **~sive** [-'veisiv] adj envahissant.

pervers|e [pə'və:s] adj obstiné (person) ‖ contrariant (circumstances) ‖ pervers (wicked) ‖ **~ity** n, obstination f; caractère contrariant ‖ perversité f.

pervert [pə'və:t] vt pervertir, dépraver ● ['pə:və:t] n perverti n; sexual ~, perverti m sexuel.

pessim|ism ['pesimizm] n pessimisme m ‖ **~ist** n pessimiste n ‖ **~istic** [‚pesi'mistik] adj pessimiste.

pest [pest] n animal m nuisible; ~ control, dératisation f ‖ FIG. fléau m ‖ **~er** n importuner, harceler; tanner (fam.).

pestle ['pesl] n pilon m.

pet [pet] n animal m de compagnie; ~ food, aliments mpl pour animaux ‖ [school] chouchou n (fam.) ‖ ~ aversion, bête noire; ~ name, petit nom affectueux ● vt dorloter, chouchouter ‖ [sexual] peloter — vi se peloter.

petal ['petl] n pétale m.

peter ['pi:tə] vi ~ out, [supplies] s'épuiser, se tarir; [plan] avorter.

petition [pi'tiʃn] n pétition f ‖ JUR. requête f; ~ for divorce, demande f en divorce ● vt présenter une pétition/requête.

petrify ['petrifai] vt/vi (se) pétrifier.

petrol ['petrl] n essence f ‖ ~ bomb, cocktail m Molotov; ~ gauge, jauge f d'essence; ~ station, poste m d'essence; ~ tank, réservoir m d'essence.

petroleum [pi'trəuljəm] n CH. pétrole m.

petticoat ['petikəut] n jupon m.

petty ['peti] adj petit, insignifiant ‖ FIN. ~ expenses, menues dépenses ‖ NAUT. ~ officer, officier marinier ‖ FIG. mesquin (ungenerous).

petulant ['petjulənt] adj irritable.

pew [pju:] n banc m d'église.

pewter ['pju:tə] n étain m.

PG abbrev = PAYING GUEST.

phalanx, es/anges ['fælæŋks, -i:z/fə'lændʒi:z] phalange f.

pharmac|ist ['fɑ:məsist] n pharmacien n ‖ **~y** n pharmacie f.

phase [feiz] n phase f ● vt ~ down/out, réduire/éliminer progressivement.

pheasant ['feznt] n faisan m; hen ~, (poule) faisane f.

phenomen|al [fi'nɔminl] adj phénoménal ‖ **~on, -na** [-ən, -ə] n phénomène m.

phial ['faiəl] n fiole f ‖ [pharmacy] ampoule f.

philanthropy [fi'lænθrəpi] n philanthropie f.

philatel|ist [fi'lætəlist] n philatéliste n ‖ **~y** n philatélie f.

philo|logy [fi'lɔlədʒi] n philologie f ‖ **~sopher** [-səfə] n philosophe n ‖ **~sophical** [‚filə'sɔfikl] adj philosophique ‖ **~sophy** [fi'lɔsəfi] n philosophie f.

phlegm [flem] n flegme m ‖ **~atic** [fleg'mætik] adj flegmatique.

phobia [ˈfəubiə] *n* phobie *f.*

phone [fəun] *n* téléphone *m* ; *be on the ~,* avoir le téléphone ‖ *~* **book** *n* annuaire *m* ‖ *~* **call** *n* coup *m* de fil ‖ *~-***in** *n* RAD., T.V. émission interactive (téléphonique) ● *vt* téléphoner.

phon|eme [ˈfəuni:m] *n* phonème *m* ‖ *~***etics** [fəˈnetiks] *n* phonétique *f.*

phoney [ˈfəuni] *adj* COLL. faux, truqué.

phonograph [ˈfəunəgrɑːf] *n* U.S. électrophone *m.*

phos|phate [ˈfɔsfeit] *n* phosphate *m* ‖ *~***phorus** [-frəs] *n* phosphore *m.*

photo [ˈfəutəu] *n* COLL. photo *f* (fam.) ‖ *~***composition** [ˈ··ˌ···] *n* photocomposition *f* ‖ *~***copier** [ˈ··ˌkɔpiə] *n* photocopieur *m* ‖ *~***copy** [ˈ··ˌ··] *n* photocopie *f* ‖ *~***electric cell** *n* cellule *f* photoélectrique ‖ *~***finish** *n* [racing] photo-finish *f* ‖ *~***fit** *n* portrait-robot *m* ‖ *~***genic** [ˌ··ˈdʒenik] *adj* photogénique.

photograph [ˈfəutəgrɑːf] *n* photographie *f* ; *take a ~,* prendre une photo(graphie) ● *vt* photographier — *vi* **well,** être photogénique ‖ *~***er** [fəˈtɔgrəfə] *n* photographe *m* ‖ *~***ic** [ˌfəutəˈgræfik] *adj* photographique.

photography [fəˈtɔgrəfi] *n* ARTS photographie *f.*

Photostat [ˈfəutəstæt] *n* T.N. machine *f* à photocopier ‖ *~(copy),* photocopie *f.*

phrase [freiz] *n* expression, locution *f* ● *vt* exprimer (a thought) ‖ rédiger (a letter).

physical [ˈfizikəl] *adj* physique ‖ *~* **training,** éducation physique.

phys|ician [fiˈziʃn] *n* médecin *m* ‖ *~***icist** [ˈfizisist] *n* physicien *n* ‖ *~***ics** [ˈfiziks] *n* physique *f.*

physio|gnomy [ˌfiziˈɔnəmi] *n* physionomie *f* ‖ *~***logical** [ˌfiziəˈlɔdʒikl] *adj* physiologique ‖ *~***logy** [ˌfiziˈɔlədʒi] *n* physiologie *f* ‖

*~***therapy** [ˈfiziəuˈθerəpi] *n* physiothérapie *f.*

physique [fiˈzi:k] *n* constitution *f* (strength) ‖ physique *m* (appearance).

pian|ist [ˈpjænist] *n* pianiste *n* ‖ *~***o** [-əu] *n* piano *m* ; *play the ~,* jouer du piano ; *upright/grand ~,* piano droit/à queue ‖ *~***o tuner** *n* accordeur *m* de piano.

pick¹ [pik] *n* pioche *f,* pic *m.*

pick² *n* choix *m* ; *take one's ~,* faire son choix ● *vt* choisir (choose) ; *~ one's way,* marcher avec précaution ‖ crocheter (a lock) ‖ *~ one's nose,* se mettre les doigts dans le nez ‖ *~ pockets,* faire les poches ‖ *~ one's teeth,* se curer les dents ‖ ronger (a bone) ‖ cueillir (fruit, flowers) ‖ piocher (the ground) ‖ chercher (seek) ; *~ a quarrel with,* chercher querelle à ‖ *~ holes in,* trouver à redire à ‖ *~ off,* enlever, abattre (shoot) ‖ *~ on,* choisir ‖ *~ out,* choisir ; distinguer (in the crowd) ‖ *~ up,* ramasser ; prendre (collect. give a ride to) ; apprendre (learn) ; RAD. capter ; AUT. *~ up speed,* prendre de la vitesse ; COLL. draguer (girl) [fam.] — *vi* *~ and choose,* faire le difficile ; *~ at one's food,* manger du bout des dents ‖ *~ up,* s'améliorer ; [invalid] se rétablir, se remettre ‖ [car] prendre de la vitesse.

pick-a-back [ˈpikəbæk] *n give a child a ~,* prendre un enfant sur ses épaules.

pick(axe) [ˈpik(æks)] *n* pioche *f.*

picker [ˈpikə] *n* cueilleur *n.*

picket [ˈpikit] *n* piquet, pieu *m* ‖ [strike] piquet *m* de grève ● *vt* clôturer (fence in) ‖ mettre un piquet de grève.

picking *n* [fruit] cueillette *f* ‖ *Pl* restes *mpl* (left-overs) ‖ *Pl* FIG. gratte *f* (fam.) [pilfering].

pickle [ˈpikl] *n* saumure *f* (brine) ‖ *Pl* pickles *mpl* ● *vt* conserver dans du vinaigre.

pick-me-up [ˈpikmiʌp] *n* cordial, remontant *m.*

pickpocket ['pik,pɔkit] *n* pick-pocket *m* ; voleur *m* à la tire.

pickup ['pikʌp] *n* (record-player) pick-up *m* || [bus] passager *n* Aut. reprise *f* || Coll. partenaire *m* de rencontre, fille (draguée) || U.S. levée *f* (du courrier).

picnic ['piknik] *n* pique-nique *m* ; *go on a ~,* aller en pique-nique ● *vi* pique-niquer.

pictorial [pik'tɔːriəl] *adj* illustré, en images ● *n* illustré *m*.

picture ['piktʃə] *n* image *f* ; illustration *f* || Arts gravure *f* (engraving) ; tableau *m* (painting) || Phot. photo *f* || Cin. film *m* ; *Pl* cinéma *m* ; *go to the ~s,* aller au cinéma || Fig. description *f* || Fig. *she is the ~ of health,* elle respire la santé ; coll. *put sb in the ~,* mettre qqn au courant ● *vt* représenter, décrire, peindre || Fig. → *to oneself,* s'imaginer || ~-**card** *n* figure *f* (court card) || ~-**gallery** *n* galerie *f* de tableaux, musée *m* || ~-**goer** *n* cinéphile *n* || ~-**phone** *n* vidéophone *m* || ~ **postcard** *n* carte postale illustrée.

picturesque [,piktʃə'resk] *adj* pittoresque.

pidgin ['pidʒin] *n* sabir *m*, petit nègre ; ~ *(English),* pidgin *m*.

pie [pai] *n* [meat] pâté *m* en croûte || [fruit] tourte *f* ; Fr. tarte *f* || Fig. → FINGER.

piebald ['paibɔːld] *adj* pie (horse).

piece [piːs] *n* morceau, fragment *m* (bit) ; *in one ~,* d'un seul tenant ; *break in(to) ~s,* mettre en morceaux ; *pull to ~s,* déchirer || bout *m* (odd piece) || pièce, partie *f* ; *a ~ of furniture,* un meuble ; *take to ~s,* démonter || [job] *on ~ rate,* payé à la pièce || Fin. *a 5-F ~,* une pièce de 5 F || Mus. morceau *m* || Fig. *a ~ of advice/news,* un conseil/une nouvelle || *go to ~s,* perdre ses moyens, s'effondrer (collapse) ● *vt* joindre, assembler || ~ *together,* rassembler || Fig. reconstituer.

piece|meal ['piːsmiːl] *adv* petit à petit, par bribes || ~-**work** *n* travail *m* à la pièce/tâche ; *be on ~,* être aux pièces/à la tâche || ~-**worker** *n* ouvrier *n* payé à la pièce/tâche.

pied [paid] *adj* bigarré, bariolé.

pier [piə] *n* jetée *f* || appontement, embarcadère *m* (landing stage) || [bridge] pile *f* || U.S. quai *m*.

pierc|e [piəs] *vt* percer, transpercer || ~ *ing adj* perçant, aigu (sound, voice) || Fig pénétrant (cold).

piety ['paiəti] *n* piété *f*.

pig [pig] *n* cochon, porc *m* ; *sucking ~,* cochon de lait || Techn. gueuse *f* (of iron) || ~-**skin** *n* peau *f* de porc.

pigeon ['pidʒin] *n* pigeon *m* ; *homing ~,* pigeon voyageur || ~-**fancier** *n* colombophile *n* || ~-**hole** *n* case *f,* casier *m* || ~-**house/loft** *n* colombier *m* || ~-**shooting** *n* tir *m* aux pigeons.

piggish ['pigiʃ] *adj* goinfre (greedy).

pig-headed [pig'hedid] *adj* entêté, têtu ; ~ *fellow,* forte tête || ~-**iron** *n* Techn. gueuse *f* || ~-**let** [-lit] *n* porcelet *m*.

pigment ['pigmənt] *n* pigment *m*.

pigsty ['pigstai] *n* porcherie *f*.

pigtail ['pigteil] *n* natte *f*.

pike[1] [paik] *n* brochet *m*.

pike[2] *n* = TURNPIKE.

pile[1] [pail] *n* pile *f*, tas, monceau *m* ; *funeral ~,* bûcher *m* || Arch. édifice *m* || Mil. faisceau *m* || Electr. pile *f* ; *atomic ~,* pile atomique || *Pl* Med. hémorroïdes *fpl* ● *vt* ~ *(up),* empiler, entasser || Mil. ~ *arms,* former les faisceaux — *vi* ~ *up,* s'entasser || [cars] se caramboler.

pile[2] *n* pieu *m* (stake) || pilotis *m* || ~-**driver** *n* Techn. sonnette *f*.

pile-up *n* [cars] carambolage *m*.

pilfer ['pilfə] *vt* chaparder || ~ *ing* [-riŋ] *n* chapardage, larcin *m*.

pilgrim ['pilgrim] *n* pèlerin *m* ||

~**age** [-idʒ] n pèlerinage m ; go on a ~, aller en pèlerinage.

piling up [ˈ-ˌ-] n entassement m.

pill [pil] n MED. pilule f ; be on the ~, prendre la pilule ; morning after ~, pilule du lendemain.

pillar [ˈpilə] n pilier m, colonne f ‖ ~-**box** n boîte f aux lettres.

pillion [ˈpiljən] n siège arrière, tan-sad m (of a motorcycle) ; ride ~, monter en croupe.

pillow [ˈpiləu] n oreiller m ; ~-**case/slip** n taie f d'oreiller.

pilot [ˈpailət] n NAUT., AV. pilote m ‖ AV. second ~, copilote ; automatic ~, pilote automatique ‖ FIG. guide m ● adj expérimental, pilote (survey) ● vt piloter, guider ‖ ~-**boat** n bateau-pilote m ‖ ~-**burner** n veil-leuse f ‖ ~-**jet** n gicleur m de ralenti ‖ ~-**light** n lampe f témoin ; veil-leuse f.

pim|ento [piˈmentəu] n piment m ‖ ~**iento** [-jentəu] n piment doux, poivron m.

pimp [pimp] n entremetteur, sou-teneur m ; maquereau m (pop.).

pimple [ˈpimpl] n MED. bouton m, pustule f.

pin [pin] n épingle f ; ~-**cushion**, pelote f à épingles ; ~-**prick,** piqûre f d'épingle ‖ [bowling] quille f ‖ TECHN. goupille f ‖ ELECTR. fiche f ‖ FIG. I've got ~s and needles in my leg, j'ai des fourmis dans les jambes ● vt épingler ; punaiser ‖ FIG. mettre ; ~ sth on sb, mettre qqch sur le dos de qqn ‖ ~ **down,** fixer (avec une punaise) ‖ ~ **up,** fixer (au mur) avec une punaise ; épingler (hem) ‖ ~-**up (girl)** [n], pin-up f inv.

pinafore [ˈpinəfɔ:] n tablier m.

pin-ball (machine) n U.S. = PIN-TABLE.

pincers [ˈpinsəz] npl tenailles fpl.

pinch [pinʃ] n pinçon, pincement m ‖ ~-**mark,** pinçon m ‖ pincée f (of salt) ‖ prise f (de tabac) ‖ FIG. gêne f ; at a ~, au besoin, à la rigueur ● vt pincer ‖ [shoes] serrer, blesser ‖ COLL. faucher, piquer (fam.) ; chiper (fam.) ‖ COLL. pincer (fam.) [arrest].

pinchbeck [ˈpinʃbek] adj en toc.

pine[1] [pain] n BOT. pin m ; ~-**cone,** pomme f de pin ; ~-**grove/-wood,** pinède f ; ~-**needle,** aiguille f de pin.

pine[2] vi ~ **for,** soupirer après, se languir de ; ~ **away,** languir, dépérir.

pineapple [ˈpainæpl] n ananas m.

ping-pong [ˈpiŋpɔŋ] n ping-pong m ; ~ **player,** pongiste n.

pinion [ˈpinjən] n TECHN. pignon m.

pink[1] [piŋk] n BOT. œillet m ● adj rose (colour).

pink[2] vt AUT. [engine] cliqueter.

pinkie [ˈpiŋki] n U.S. petit doigt.

pin-money n argent m de poche.

pinnacle [ˈpinəkl] n ARCH. pinacle m ‖ FIG. apogée, faîte m.

pinpoint [ˈ-ˌ-] vt localiser avec pré-cision.

pint [paint] n pinte f.

pinta [ˈpaintə] n COLL. (= PINT OF MILK) demi-litre m de lait.

pintable [ˈpinteibl] n flipper m.

pioneer [ˌpaiəˈniə] n pionnier m.

pious [ˈpaiəs] adj pieux.

pip[1] [pip] n RAD. top, bip m.

pip[2] n BOT. pépin m.

pipe [paip] n tuyau m, conduite f (tube) ‖ pipe f (for smoking) ; ~-**cleaner,** cure-pipe m ‖ MUS. tuyau m d'orgue ● vt siffler (an order) ‖ ~-**line** n pipe-line, oléoduc m ; (gas) ~, gazoduc m.

piping [ˈpaipiŋ] n tuyauterie, cana-lisation f ● adv ~ **hot,** bouillant.

pippin [ˈpipin] n (pomme f) rei-nette f.

piquant [ˈpi:kənt] adj piquant (sauce) ‖ FIG. piquant, mordant.

pique [pi:k] n ressentiment, dépit m

● *vt* piquer, exciter (sb's curiosity) ‖ piquer, vexer (hurt).

pir|acy [´paiərəsi] *n* piraterie *f* ‖ Fig. plagiat *m* ‖ **~ate** [-it] *n* pirate *m* ‖ Fig. plagiaire — ● *vi* Fig. plagier — *vt* piller, contrefaire.

Pisces [´pisi:z] *n* Astr. Poissons *mpl*.

piss [pis] *vi/vt* Vulg. pisser ‖ ~ *off !,* fous le camp ! (pop.) ‖ *be ~ed,* être rond, bourré (pop.).

pistol [´pistl] *n* pistolet *m*.

piston [´pistən] *n* piston *m* ‖ ~ *ring n* segment *m* de piston.

pit¹ [pit] *n* fosse *f* (hole) ‖ *(coal-)~,* puits *m* (de mine) ; *~-head,* carreau *m* de mine ‖ carrière *f* (quarry) ‖ Anat. ~ *of the stomach,* creux *m* de l'estomac ‖ Th. *(orchestra)* ~, fauteuils *mpl* d'orchestre.

pit² *vt* Med. grêler (face) ‖ Fig. ~ *oneself against,* se mesurer à.

pit³ *n* U.S. [fruit] noyau *m* ● *vt* dénoyauter.

pitch¹ [pitʃ] *n* Fig. ~*-black/-dark,* noir comme dans un four (night).

pitch² *vi* tomber ‖ Naut. tanguer — *vt* établir (camp) ; dresser (tent) ‖ lancer, jeter (sth) ‖ ~ *sb out,* expulser/vider (fam.) qqn ● *n* place habituelle (of street trader) ‖ lancement, jet *m* (of a stone) ‖ Sp. terrain *m* de cricket ‖ Mus. ton *m* ; *(voice)* hauteur *f* ‖ Naut. tangage *m* ‖ Techn. [propeller] pas *m* ‖ Fig. degré, point *m* ‖ → queer.

pitcher¹ [´pitʃə] *n* pichet *m*, cruche *f* ; broc *m*.

pitcher² *n* Sp. lanceur *m* (at baseball).

pitchfork [´pitʃfɔ:k] *n* Agr. fourche *f* (à foin).

piteous [´pitiəs] *adj* piteux, pitoyable.

pitfall [´pitfɔ:l] *n* piège *m*, trappe *f* ‖ Fig. traquenard *m* ‖ *Pl* écueils *mpl*.

pith [piθ] *n* moelle *f* ‖ Fig. substance *f* (essence) ‖ vigueur *f* (force) ‖ ~**y**

adj Fig. substantiel ; concis ‖ Fig. savoureux (sayings).

piti|ful [´pitifl] *adj* compatissant (feeling pity) ‖ pitoyable (causing pity) ‖ ~**less** *adj* impitoyable.

piton [´pi:tɔn] *n* climbing *(rock)* ~, piton *m*.

pittance [pitns] *n* maigre rétribution *f*.

pity [´piti] *n* pitié, compassion *f*; *out of ~,* par pitié ; *for ~'s sake,* par pitié ; *have/take ~ on,* prendre pitié de ; *feel ~ for,* avoir pitié de ‖ *it's a ~!,* c'est bien dommage ! ● *vt* plaindre, avoir pitié de.

pivot [´pivət] *n* pivot, axe *m* ● *vt/vi* (faire) pivoter.

placard [´plæka:d] *n* écriteau *m*, pancarte *f*.

place [pleis] *n* endroit, lieu *m* (spot) ; *in ~s,* par endroits ‖ localité *f*; village *m* ‖ [street name] rue *f* ‖ Coll. maison *f*; *come over to my ~,* venez chez moi ‖ rang *m* (rank) ‖ place *f* (proper position) ; *make ~ for,* faire place à ‖ Coll. *go ~s,* voyager, voir du pays, faire du tourisme ‖ Sp. *back a horse to a ~,* jouer un cheval placé ‖ Fig. place, situation *f* (job) ; *in the first ~,* en premier lieu ; *in your ~,* à votre place ; *take ~,* avoir lieu ; *out of ~,* déplacé, hors de propos (remarks) ● *vt* placer, mettre ‖ Fig. se rappeler, remettre (sb) ‖ Comm. ~ *an order,* passer un ordre ‖ Fin. placer, investir ‖ ~**-mat** *n* set *m* de table.

placid [´plæsid] *adj* placide.

plagiar|ism [´pleidʒjərizm] *n* plagiat *m* ‖ ~**ize** *vt* plagier.

plague [pleig] *n* peste *f* ‖ Fig. fléau *m* (calamity) ● *vt* tourmenter, harceler ‖ ~**-stricken** *adj* pestiféré.

plaice [pleis] *n* carrelet *m*.

plaid [plæd] *n* tissu écossais/à carreaux ‖ plaid *m*.

plain¹ [plein] *n* plaine *f*.

plain² *adj* clair, évident ; *in ~*

language, en clair || simple, ordinaire ; *in ~ clothes*, en civil || franc (answer) || uni (fabric) || bourgeois, simple (cooking) || simple, naturel ; *~ chocolate*, chocolat à croquer || simple (easy) ; *it's ~ sailing*, ça va comme sur des roulettes || sans beauté ; *~ Jane*, laideron *m* || **~ly** *adv* clairement ; simplement ; carrément || **~-spoken** *adj* qui a son franc parler, sans équivoque, clair.

plaint [pleint] *n* JUR. plainte *f* || **~iff** [-if] *n the ~*, la partie civile || **~ive** *adj* plaintif (tone).

plait [plæt] *n* tresse, natte *f* (hair) ● *vt* tresser, natter.

plan [plæn] *n* plan, projet *m* ; *draw up a ~*, dresser un plan ● *vt* faire le plan de (a building) || FIG. projeter — *vi* faire des projets.

plane¹ [plein] *n ~ (tree)* platane *m*.

plane² *n* rabot *m* (tool) ● *vt* raboter.

plane³ *adj* plan, plat ● *n* MATH. plan *m* || AV. avion *m* || FIG. plan, niveau *m*.

planet [´plænit] *n* planète *f* || **~ary** [´plænitri] *adj* planétaire || **~arium** [‚plæni´tɛəriəm] *n* planétarium *m*.

plank [plæŋk] *n* (grosse) planche *f*.

plankton [´plæŋktɔn] *n* plancton *m*.

planning [´plæniŋ] *n* planification, organisation *f*.

plant [plɑ:nt] *n* BOT. plante *f* || TECHN. matériel *m* ; installation *f* (apparatus) || usine *f* (factory) ● *vt* planter || SL. cacher (bomb, stolen goods) || **~ation** [plɑ:n´teiʃn] *n* plantation *f*.

plash [plæʃ] *n* clapotis *m* (noise) ● *vt* clapoter.

plaster [´plɑ:stə] *n* plâtre *m* || MED. *(sticking) ~*, sparadrap *m* ● *vt* plâtrer || **~cast** *n* MED. plâtre *m*.

plastic [´plæstik] *adj* plastique || *~ surgery*, chirurgie *f* esthétique ● *n* (matière *f*) plastique *m*.

Plasticine [´plæstisi:n] *n* T.N. pâte *f* à modeler.

plate [pleit] *n* assiette *f; dinner/soup ~*, assiette plate/creuse || argenterie *f* (silver) || CULIN. *hot ~*, plaque chauffante || PHOT. plaque *f* || ARTS planche, gravure *f* (engraving) || AUT. *number ~*, plaque *f* d'immatriculation || TECHN. plaque *f* || MED. *(dental) ~*, prothèse ● *vt* plaquer (with gold, silver) || **~-glass** *n* vitre *f* || **~-rack** *n* égouttoir *m* || **~-warmer** *n* chauffe-assiettes *m inv.*

platform [´plætfɔ:m] *n* plate-forme, estrade *f* || terre-plein *m* || RAIL. quai *m; ~ ticket*, ticket *m* de quai || POL. programme électoral, plate-forme (électorale).

platinum [´plætinəm] *n* platine *m* || *~ blonde*, COLL. blonde platinée.

platitude [´plætitju:d] *n* platitude, banalité *f.*

platoon [plə´tu:n] *n* MIL. section *f.*

platter [´plætə] *n* U.S. plat *m.*

plausible [´plɔ:zəbl] *adj* plausible.

play [plei] *n* action, activité *f; bring/come into ~*, mettre/entrer en jeu || amusement, jeu *m; child's ~*, jeu d'enfant ; *~ on words*, jeu de mots || TH. pièce *f* || SP. *out of ~*, hors jeu || TECHN. jeu *m* (in a bearing) || FIG. *give free/full ~ to*, donner libre cours à ● *vi* jouer ; *~ at*, jouer à (cards, football, etc.) || FIG. *~ fair*, jouer franc jeu || *~ for time*, chercher à gagner du temps || *~ away*, [football] jouer en déplacement || *~ up to*, flatter — *vt* jouer ; *~ a trick on*, faire une farce à || *~ cards/chess*, jouer aux cartes/échecs || passer (records) || SP. *~ football/tennis*, jouer au football/tennis || MUS. *~ the piano*, jouer du piano || TH. jouer (a part) ; jouer, donner (a play) || FIG. *~ the fool*, faire l'imbécile ; *~ the game*, jouer le jeu ; *~ (it) safe*, ne pas prendre de risques || *~ back*, écouter, repasser (sth recorded) || *~ down*, minimiser || *~ off : ~ off one person against another*, monter qqn contre qqn d'autre || *~ out*, finir (a game or struggle) ; FIG. *be ~ed out*, être épuisé ‖ *~ up*, en faire voir à (cause trouble to) ; [newspapers] exploiter (event) ; *~ up to*, faire de la lèche à (fam.) ‖ *~er* n Sp. joueur n ; *football ~*, footballeur n ‖ Mus. exécutant n ‖ Th. acteur n ‖ **~ fellow** n → **~ MATE**. ‖ **~ ful** *adj* enjoué, folâtre ‖ **~ goer** [-ˌɡəʊə] n amateur m de théâtre ‖ **~ ground** n cour f de récréation ‖ **~ mate** n camarade n, copain m, copine f ‖ **~-off** n match m éliminatoire ‖ **~ pen** n parc m (d'enfant) ‖ **~ thing** n jouet m ‖ **~ time** n récréation f ‖ **~ wright** [-rait] n auteur m dramatique, dramaturge n.

plea [pliː] n appel m, demande instante, supplication f ‖ excuse f ; allégation f ; *on the ~ of*, en alléguant ‖ JUR. argument m ; plaidoyer m, défense f.

plead [pliːd] vt/vi *~ with sb to do*, supplier qqn de faire ‖ JUR. plaider (*for*, en faveur de).

pleasant [ˈpleznt] *adj* agréable, aimable ‖ **~ ly** *adv* agréablement.

pleas|e [pliːz] vt plaire, faire plaisir à ; contenter ; *~ oneself*, faire à sa guise — vi *(if you)* ~, s'il vous plaît ; *do as you* ~, faites comme bon vous semble ; *hard to* ~, difficile, exigeant ‖ **~ ed** [-d] *adj* content, satisfait (*with*, de).

pleasing *adj* agréable, sympathique.

pleasure [ˈpleʒə] n plaisir m ; *with ~*, volontiers ; *take ~ in*, se plaire à ‖ **~-loving** *adj* épicurien.

pleat [pliːt] n pli m ● vt plisser.

plebiscite [ˈplebisit] n plébiscite m.

pled [pled] U.S. past of PLEAD.

pledge [pledʒ] n gage m, garantie f ; *put sth in* ~, mettre en gage ; *take out of ~*, dégager ‖ promesse f, vœu m ● vt mettre en gage (pawn) ‖ *~ oneself to do*, promettre de faire ‖ *~ one's word*, donner sa parole ‖ boire à la santé de.

plenary [ˈpliːnəri] *adj* plénier (meeting) ; *~ session*, séance plénière.

plenipotentiary [ˌplenipəˈtenʃri] *adj* plénipotentiaire.

plentiful [ˈplentifl] *adj* abondant, copieux ‖ **~ ly** *adv* abondamment, copieusement, à foison.

plenty [ˈplenti] n abondance, profusion f ; *in ~*, à profusion ; *~ of*, (bien) assez de.

pleurisy [ˈpluərisi] n pleurésie f.

pli|able [ˈplaiəbl], **~ ant** *adj* flexible ‖ FIG. docile.

pliers [ˈplaiəz] *npl* pinces *fpl*.

plight [plait] n état m/situation f critique ; *in a sorry ~*, dans un triste état.

plimsoll [ˈplimsl] n espadrille f.

plod [plɔd] vi marcher lourdement ; *~ along*, avancer d'un pas lent ‖ FIG. *~ (away/through)*, peiner sur ; bûcher (fam.) ; bosser (arg.). ‖ **~ der** n bûcheur n.

plot¹ [plɔt] n lot m (de terrain) ; *building ~*, terrain m à bâtir.

plot² n complot m, conspiration f (conspiracy) ‖ plan m, intrigue f (of a novel) ● vi comploter, conspirer ‖ **~ ter** [-tə] n conspirateur n.

plough [plau] n charrue f ● vt labourer ‖ FIG. *~ one's way*, avancer péniblement ‖ **~ man** [-mən] n laboureur m ‖ **~ share** n soc m.

plow U.S. = PLOUGH.

ploy [plɔi] n COLL. stratagème m ; truc m (fam.).

pluck¹ [plʌk] vt arracher ; *~ one's eyebrows*, s'épiler les sourcils ‖ plumer (hen) ‖ Mus. pincer (strings) ‖ LIT. cueillir (flower).

pluck² n courage m ; cran m (fam.) ‖ **~ y** *adj* qui a du cran.

plug [plʌg] n tampon, bouchon m ; [bath] bonde, vidange f ‖ ELECTR. fiche f (pins) ; prise f (socket) ; *multiple ~*, prise multiple ‖ AUT. *(sparking)*, bougie f ● vt boucher ‖ COLL. [advertising] faire de la publicité ; *~ it*, matraquer ; *~ ging (it)*, matraquage m ‖ ELECTR. *~ in*, brancher — vi COLL. ~ *away*, bosser (fam.).

plum [plʌm] n prune f; *dried* ~, pruneau m || ~**-tree**, prunier m || ~ **pudding** n (plum-)pudding m.

plumage [´plu:midʒ] n plumage m.

plumb [plʌm] n plomb m || FIG. *be out of* ~, être en porte à faux • adj vertical, droit, d'aplomb • adv en plein, U.S., COLL. complètement • vt sonder (the depth) || ~**er** n plombier m || ~**ing** n plomberie, tuyauterie f || installation f sanitaire || ~**-line** n fil m à plomb.

plume [plu:m] n panache m • vt orner de plumes.

plummet [´plʌmit] n [fishing-line] plomb m • vi plonger; tomber à pic || FIG. s'effondrer.

plump[1] [plʌmp] adj potelé, dodu, grassouillet.

plump[2] vi tomber lourdement • adj catégorique, brutal • adv en plein, exactement || carrément (bluntly).

plunder [´plʌndə] vt piller • n pillage m (action) || butin (booty).

plunge [plʌnʒ] n plongeon m • vi plonger.

pluperfect [´plu:´pə:fikt] n plus-que-parfait m.

plural [´pluərəl] adj/n pluriel (m) || ~**ity** [pluə´ræliti] n majorité f || cumul m (of offices).

plus [plʌs] prep plus || MATH. plus || ~**-fours** n culotte f de golf • n plus m || FIG. atout, plus m.

plush [plʌʃ] n peluche f • adj COLL. somptueux, luxueux.

plutocrat [´plu:təkræt] n ploutocrate m.

plutonium [plu:´təunjəm] n plutonium m.

ply [plai] vi faire le service/la navette (*between*, entre) || (taxi) ~ *for hire*, aller en maraude.

plywood [´plaiwud] n contreplaqué m; ~ *door*, porte f en contreplaqué.

pneumatic [nju:´mætik] adj pneumatique, à air comprimé.

pneumonia [nju:´məunjə] n pneumonie f.

poach [pəutʃ] vt pocher (eggs) — vi braconner || ~**er** n braconnier m.

pocket [´pɔkit] n poche f • vt empocher || ~**-book** n calepin m (book) || portefeuille m (wallet) || ~**-knife** n couteau m de poche || ~**-money** n argent m de poche.

pock-marked [´pɔkma:kt] adj grêlé (face).

pod [pɔd] n cosse, gousse f • vt écosser.

poem [´pəuim] n poème m.

poet [´pəuit] n poète m || ~**ess** n poétesse f || ~**ic(al)** [pəu´etik(l)] adj poétique || ~**ry** [´pəuitri] n poésie f.

poignant [´pɔinənt] adj poignant, émouvant.

point[1] [pɔint] n pointe f (sharp end) || [land] pointe f, langue f de terre || [geometry] point m.

point[2] n point m; (*cardinal*) ~s, points cardinaux || MATH. (*decimal*) ~, virgule f || SP. point m || [time] point, instant m || AV. ~ *of no return*, point m de non-retour || PHYS. degré, point m || FIG. point m; *up to a* ~, jusqu'à un certain point; ~ *of view*, point m de vue; question f; *on that* ~, à cet égard; point essentiel, intérêt m; *come to the* ~, venir au fait/à l'essentiel; *make a* ~, faire remarquer; *to the* ~, à propos; *off the* ~, hors de propos; cas m (of conscience); *make a* ~ *of doing*, se faire un devoir de faire; trait m (of character); *that's not my strong* ~, ce n'est pas mon fort; *good* ~s, qualités fpl; *stretch a* ~, faire une exception • vt tailler en pointe aiguiser (a tool) || indiquer (the way) || pointer, braquer (a gun) [*at*, sur] ; ~ *out*, montrer, indiquer (du doigt) ; FIG. attirer l'attention sur, faire observer, signaler || ~ *up*, faire ressortir — vi ~ *at*, indiquer, montrer || ~ *to*, être dirigé vers ‖ ~-**blank** *adj/adv* à bout portant (fire) ; à brûle-pourpoint (question) ; catégorique(ment) [refusal] ‖ ~-**duty** *n* on ~, de service (policeman) ‖ ~**ed** *adj* FIG. mordant ‖ ~**er** *n* aiguille *f* (of dial) ; chien *m* d'arrêt ‖ ~**less** *adj* émoussé ‖ FIG. inutile, vain ; dénué de sens ‖ SP. nul (0-0) [match].

points [-s] *npl* RAIL. aiguilles *fpl*, aiguillage *m* ‖ ~**man** [mən] *n* aiguilleur *m*.

poise [pɔiz] *n* équilibre *m* ● *vt* tenir en équilibre.

poison [ˈpɔizn] *n* poison *m* ● *vt* empoisonner ‖ intoxiquer ‖ ~ **gas** *n* gaz asphyxiant ‖ ~**ous** *adj* toxique ; vénéneux (plant) ‖ venimeux (snake).

poke [pəuk] *vt* pousser ; fourrer (thrust) ‖ tisonner (fire) ‖ FIG. ~ *one's nose into,* fourrer son nez dans ; ~ *fun at sb,* se moquer de qqn ● *n* poussée *f*, coup *m*.

poker[1] [ˈpəukə] *n* tisonnier *m*.

poker[2] *n* [cards] poker *m* ‖ ~*face* visage *m* impassible.

Poland [ˈpəulənd] *n* Pologne *f*.

polar [ˈpəulə] *adj* polaire ; ~ *lights,* aurore boréale.

Pole [pəul] *n* Polonais *n*.

pole[1] [pəul] *n* poteau *m* ‖ (tent) mât *m* ‖ SP. perche *f* ; bâton *m* (ski-stick).

pole[2] *n* GEOGR. pôle *m* ; ~-*star,* étoile *f* Polaire ‖ ELECTR. pôle *m*.

pole-cat [ˈpəulkæt] *n* putois *m*.

polemic(al) [pɔˈlemik(l)] *n/adj* polémique *(f)*.

pole|vault [ˈpəulvɔ:t] *n* saut *m* à la perche ● *vi* sauter à la perche.

police [pəˈli:s] *n* police *f* ‖ ~**court** *n* tribunal *m* de simple police ‖ ~**dog** *n* chien policier ‖ ~**man, ** ~-**officer** *n* agent *m* de police ‖ ~-**station** *n* poste *m* de police, commissariat *m* ‖ ~**woman** *n* femme *f* agent.

policy[1] [ˈpɔlisi] *n* politique *f* ‖ ligne *f* de conduite.

policy[2] *n* police *f* d'assurance (insurance) ; *take out a ~,* souscrire à une police d'assurance.

polio (COLL.), ~**myelitis** [ˈpəuliəu, -ˈmaiəˈlaitis] *n* polio(myélite) *f*.

Polish [ˈpəuliʃ] *adj* polonais.

polish [ˈpɔliʃ] *n* poli, éclat, brillant *m* ‖ *(shoe)* cirage *m*, crème *f* à chaussures ‖ *(floor) ~,* cire, encaustique *f* ‖ *(nail-)~,* vernis *m* à ongles ‖ FIG. raffinement *m* ● *vt* polir, cirer (schoes, floor) ‖ vernir (nails) ‖ ~ *off,* expédier (work) ‖ ~ *up,* faire reluire ‖ fignoler (one's style).

polite [pəˈlait] *adj* poli, courtois (*to,* envers) ‖ ~**ly** *adv* poliment ‖ ~**ness** *n* politesse, courtoisie *f*.

polit|ic [ˈpɔlitik] *adj* politique, habile ‖ ~**ical** [pəˈlitik] *adj* politique ‖ ~**ician** [ˌpɔliˈtiʃn] *n* homme *m* politique ‖ politicien *n* (péj.) ‖ ~**ics** [ˈpɔlitiks] *n(pl)* politique *f* ; *be in ~,* faire de la politique ; *foreign ~,* politique étrangère.

polka dot [ˈpɔlkədɔt] *n* pois *m* ; ~ *tie,* cravate *f* à pois.

poll [pəul] *n* vote, scrutin *m* ; *go to the ~,* aller aux urnes ; *(public) opinion ~,* sondage *m* (d'opinion) ; ~ *rating,* cote *f* de popularité ● *vi* voter — *vt* obtenir (votes).

pollen [ˈpɔlin] *n* pollen *m*.

polling [ˈpəuliŋ] *n* élections *fpl* ‖ ~-**booth** *n* isoloir *m* ‖ ~-**station** *n* bureau *m* de vote.

pollu|te [pəˈlu:t] *vt* polluer ‖ ~**tion** [-ʃn] *n* pollution *f*.

polo [ˈpəuləu] *n* SP. polo *m* ‖ ~-**neck** *n* : ~ *(sweater),* pull *m* à col roulé.

poly|gamy [pəˈligəmi] *n* polygamie *f* ‖ ~**glot** [ˈpɔliglɔt] *n* polyglotte *n* ‖ ~**gon** [ˈpɔligən] *n* polygone *m*.

Polynesi|a [ˌpɔliˈni:zjə] *n* Polynésie *f* ‖ ~**an** *adj* polynésien.

pomegranate [ˈpɔmˌgrænit] *n* grenade *f*.

pomp [pɔmp] *n* pompe *f*, apparat *m*

‖ ~**ous** *adj* pompeux, solennel ‖ ampoulé, emphatique.

pond [pɔnd] *n* étang *m ;* mare *f* (smaller).

ponder [ˈpɔndə] *vt* peser, considérer ‖ ~**ous** [-rəs] *adj* pesant, massif.

pontif|f [ˈpɔntif] *n* pontife *m* ‖ ~**ical** [pɔnˈtifikl] *adj* pontifical.

pontoon [pɔnˈtuːn] *n* ponton *m ;* ~ **bridge,** pont *m* de bateaux.

pony [ˈpəuni] *n* poney *m.*

poodle [ˈpuːdl] *n* caniche *m.*

pool¹ [puːl] *n* flaque *f* d'eau (puddle) ‖ mare *f* (larger) ; étang *m* (pond) ‖ [river] plan *m* d'eau [artificial] bassin *m ; (swimming)* ~, piscine *f.*

pool² *n* fonds communs ‖ cagnotte *f* (kitty) ‖ [persons] groupe *m,* équipe *f* ‖ [cars] parc *m* ‖ *Pl* G.B. [betting] *(football)* ~*s,* paris *mpl* sur les résultats des matchs de football ● *vt* mettre en commun (funds) ‖ Fig. réunir, rassembler.

pool³ *n* U.S. billard américain. ‖ ~**room** *n* salle *f* de billard.

poop [puːp] *n* poupe *f.*

poor [puə] *adj* pauvre ; *the* ~, les pauvres ‖ Fig. médiocre, piètre, mauvais ‖ ~**box** *n* [church] tronc *m* (des pauvres) ‖ ~**ly** *adj* souffrant ; *look* ~, avoir mauvaise mine ● *adv* pauvrement (dressed) ‖ médiocrement (badly) ‖ ~ *off,* pauvre ‖ ~**ness** *n* Fig. pauvreté, insuffisance *f.*

pop¹ [pɔp] *adj* Coll. (= POPULAR) pop ● *n* (musique *f*) pop *m/f; be top of the* ~*s,* être en tête du hit-parade ‖ ~ *star,* vedette *f* de la chanson.

pop² *n* détonation *f,* bruit sec ‖ [drink] boisson gazeuse ● *vi* détoner ‖ [cork] sauter ‖ ~**-open umbrella** parapluie *m* à ouverture automatique ‖ ~ *in,* entrer en passant ‖ ~ *out,* sortir brusquement — *vt* faire sauter (a cork) ‖ ~ *the question,* faire une demande en mariage ‖ mettre au clou (fam.) [pawn].

pope [pəup] *n* pape *m* (Roman Catholic Church) ‖ pope *m* (Orthodox Church).

poplar [ˈpɔplə] *n* peuplier *m.*

poppy [ˈpɔpi] *n* coquelicot *m.*

popul|ace [ˈpɔpjuləs] *n* foule *f* ‖ Pej. populace *f* ‖ ~**ar** [-ə] *adj* populaire (for/of the people) ‖ en vogue, à la mode ‖ qui plaît beaucoup, sympathique ‖ ~**arity** [ˌpɔpjuˈlæriti] *n* popularité, vogue *f* ‖ ~**arize** [-raiz] *vt* vulgariser (science) ‖ ~**ate** [-eit] *vt* peupler ‖ ~**ation** [ˌ--ˈeiʃn] *n* population *f* ‖ ~**ous** [ˈpɔpjuləs] *adj* populeux.

porcelain [ˈpɔːslin] *n* porcelaine *f.*

porch [pɔːtʃ] *n* porche, portique *m* ‖ U.S. véranda *f* ‖ [hôtel] marquise *f.*

porcupine [ˈpɔːkjupain] *n* porcépic *m.*

pore¹ [pɔː] *n* pore *m* (in the skin).

pore² *vi* ~ *over,* étudier de près, être plongé (dans).

pork [pɔːk] *n* viande *f* de porc *m* ‖ ~**-butcher** *n* charcutier *m.*

porn [pɔːn] *n* Coll. porno *f* (fam.).

pornography [pɔːˈnɔgrəfi] *n* pornographie *f.*

porous [ˈpɔːrəs] *adj* poreux, perméable.

porpoise [ˈpɔːpəs] *n* marsouin *m.*

porridge [ˈpɔridʒ] *n* gruau *m,* bouillie *f* d'avoine.

port¹ [pɔːt] *n* port *m ;* ~ *of call,* port d'escale ; *home* ~, port d'attache ; *reach* ~, arriver à bon port ‖ Inf. point *m* d'accès.

port² *n* sabord *m* ‖ ~**hole** *n,* hublot *m.*

port³ *n* bâbord *m ; on the* ~ *side,* à bâbord.

port⁴ *n* porto *m* (wine).

portable [ˈpɔːtəbl] *adj* portatif.

portal [ˈpɔːtl] *n* portail *m.*

portend [pɔːˈtend] *vt* présager, augurer.

portent [ˈpɔːtent] *n* présage *m* ‖ **∼ous** *adj* de mauvais augure ‖ prodigieux (marvellous).

porter¹ [ˈpɔːtə] *n* concierge *n* ; portier *m* (hotel).

porter² *n* RAIL. porteur *m*.

porter³ *n* bière brune.

portfolio [pɔːtˈfəuljəu] *n* serviette *f* (brief case) ‖ POL. portefeuille *m*.

portion [ˈpɔːʃn] *n* portion, part *f* ‖ dot *f* (dowry) ● *vt* ∼ *out*, partager, répartir (share) ‖ doter (provide).

portly [ˈpɔːtli] *adj* corpulent, fort.

portmanteau [pɔːtˈmæntəu] *n* valise *f*.

portrait [ˈpɔːtrit] *n* portrait *m* ; paint sb's ∼, faire le portrait de qqn.

portray [pɔːˈtrei] *vt* dépeindre, décrire.

Portu|gal [ˈpɔːtjugl] *n* Portugal *m* ‖ **∼guese** [ˌpɔːtjuˈgiːz] *adj* portugais ● *n inv* Portugais *n* (person) ‖ portugais *m* (language).

pose [pəuz] *n* pose *f* ‖ FIG. affectation *f* ● *vi* ARTS poser, prendre une pose ‖ ∼ *as*, se faire passer pour, se poser en — *vt* poser (a question).

poser [ˈpəuzə] *n* COLL. question *f* difficile ; set sb a ∼, poser une colle à qqn (fam.) ‖ ARTS modèle *m*.

posh [pɔʃ] *adj* COLL. chic, distingué, sélect ‖ [pej] rupin (fam.) ; snob.

position [pəˈziʃn] *n* position *f* (posture) ‖ emplacement *m*, situation *f* (location) ‖ situation *f* ; poste *m* (post) ‖ rang social (rank) ‖ guichet *m* (at the post-office) ‖ MIL. position *f* ‖ FIG. état *m*, situation *f* ; be in a ∼ to, être en mesure/à même de ; straighten out one's ∼, se mettre en règle, régulariser sa situation ● *vt* mettre en place, disposer, situer.

positive [ˈpɔzətiv] *adj* certain, convaincu (convinced) ‖ positif, authentique (fact) ‖ formel (order) ‖

∼ly *adv* indéniablement ‖ positivement ‖ COLL. absolument.

posse [ˈpɔsi] *n* petit groupe ; détachement *m* (de police).

possess [pəˈzes] *vt* posséder ‖ **∼ion** [pəˈzeʃn] *n* possession *f* ‖ Pl affaires personnelles ‖ **∼ive** *adj* possessif ‖ **∼or** *n* possesseur *m*.

possibility [ˌpɔsəˈbiliti] *n* possibilité *f* ; éventualité *f*.

possib|le [ˈpɔsəbl] *adj* possible, éventuel ‖ **∼ly** *adv* peut-être, sans doute.

post¹ [pəust] *n* poteau *m* ; pieu *m* ‖ SP. *(winning-)*∼, poteau *m* d'arrivée ● *vt* afficher, placarder.

post² *n* poste *f*, courrier *m* ; by return of ∼, par retour (du courrier) ● *vt* poster, mettre à la poste.

post³ *n* poste *m* (job) ‖ MIL. poste *m* ● *vt* poster, placer (a sentry).

post⁴ *pref* post ‖ **∼-date** [ˈ-ˈ] *vt* postdater.

post|age [ˈpəustidʒ] *n* tarifs postaux ; affranchissement *m* ; ∼ *due*, port dû ; ∼ *paid*, franco ; **∼-stamp**, timbre-poste *m* ‖ **∼al** *adj* postal ; ∼ *order*, mandat *m* (for £ 2, de 2 livres).

post|card *n* carte postale ‖ **∼code** *n* code postal.

poster [ˈpəustə] *n* affiche *f* ; poster *m* (decorative).

poster|ior [pɔsˈtiəriə] *adj/n* postérieur (*m*) ‖ **∼ity** [pɔsˈteriti] *n* postérité *f*.

post-free [ˈ-ˈ] *adj* franco.

post-graduate *n* FR. étudiant *n* de 3ᵉ cycle.

posthaste [pəustˈheist] *adv* en toute hâte.

posthumous [ˈpɔstjuməs] *adj* posthume.

post|man [ˈpəustmən] *n* facteur, préposé *m* ‖ **∼mark** *n* cachet *m* de la poste ‖ **∼master** *n* receveur *m* des postes ‖ **∼mistress** *n* receveuse *f* des postes.

post-mortem *n* MED. autopsie *f*.

post|-office ['···] *n* (bureau *m* de) poste *f* || **~-paid** [·'·] *adj* franco.

postpone [pəus'pəun] *vt* remettre, différer, ajourner || **~ment** *n* ajournement, renvoi *m*.

postscript ['pəuskript] *n* postscriptum *m*.

postulate ['pɔstjuleit] *vt* postuler.

posture ['pɔstʃə] *n* posture, position *f* || FIG. attitude, position *f*.

post-war *adj* d'après-guerre ; **~ period,** après-guerre *m/f*.

pot [pɔt] *n* [flowers, jam] pot *m* || [cooking] marmite *f* ; casserole *f* (saucepan) || *(coffee-)~,* cafetière *f* ; *(tea-)~,* théière *f* || **~s and pans,** batterie *f* de cuisine || *take ~luck,* manger à la fortune du pot.

potash ['pɔtæʃ] *n* potasse *f*.

potassium [pə'tæsjəm] *n* potassium *m*.

potato [pə'teitəu] *n* pomme *f* de terre || *baked/mashed ~es,* pommes de terre au four/en purée ; *roast ~es,* pommes de terre sautées ; *sweet ~,* patate douce || **~-masher** [·mæʃə] *n* presse-purée *m*.

pot|ency ['pəutnsi] *n* puissance *f* || **~ent** *adj* puissant (person) || efficace (remedy) || **~ential** [pə'tenʃl] *adj* potentiel, en puissance ● *n* potentiel *m* || FIG. possibilités *fpl*.

pot|hole ['pɔthəul] *n* [underground] gouffre *m*, caverne *f* || [road] nid-de-poule *m* || **~holer** *n* spéléologue *n* || **~holing** *n* spéléologie *f*.

pot|hook *n* crémaillère *f*.

potter¹ ['pɔtə] *vi* travailler sans suite, traînasser, bricoler || *~ about,* bricoler.

potter² *n* potier *n* || **~y** [·ri] *n* poterie *f*.

pouch [pautʃ] *n* (tobacco) ~, blague *f* à tabac.

poulterer ['pəultrə] *n* marchand *n* de volaille.

poultry ['pəultri] *n* volaille(s) *f(pl)*.

pounce [pauns] *vi* se précipiter, fondre (*on,* sur).

pound¹ [paund] *n* [weight] livre *f* || [money] livre *f* (sterling).

pound² *n* fourrière *f* (for animals).

pound³ *vi* cogner, frapper ; piler (grind) ; marteler (hammer) — *vt* broyer, concasser || MIL. pilonner.

pour [pɔ:] *vt* verser || *~ out,* répandre — *vi* couler à flot, ruisseler ; pleuvoir à verse, *~ing rain,* pluie torrentielle.

pout [paut] *vi* faire la moue, bouder ● *n* moue *f*.

poverty ['pɔvəti] *n* pauvreté *f* || **~-stricken** *adj* indigent.

powder ['paudə] *n* poudre *f* ● *vt* pulvériser || saupoudrer (*with,* de) ; *~ one's face,* se poudrer || **~-magazine** *n* poudrière *f* || **~-puff** *n* houppette *f* || **~-room** *n* U.S. toilettes *fpl* pour dames.

power ['pauə] *n* pouvoir *m*, autorité *f* ; *in ~,* au pouvoir ; *come to ~,* arriver au pouvoir ; *have ~ over,* avoir autorité sur ; *the ~s that be,* les autorités ; *full ~s,* pleins pouvoirs || puissance *f* (strength) || faculté *f*, talent *m* (capacity) || puissance *f* (nation) || MATH. puissance *f* || TECHN. énergie *f* ; *~ crisis,* crise *f* de l'énergie || ELECTR. électricité *f* ; *~ cut,* coupure *f* de courant || MATH. puissance *f* ; *2 to the ~ of 3,* 2 puissance 3 || JUR. *~ of attorney,* procuration *f* || *~ brakes npl* AUT. freins assistés || *~-drill n* perceuse *f* électrique || **~ful** *adj* puissant || **~less** *adj* impuissant, inefficace || *~ plant n* U.S. centrale *f* électrique || *~ point n* prise *f* de courant || **~station** *n* centrale *f* électrique || *~ steering n* AUT. direction assistée.

practic|able ['præktikəbl] *adj* praticable, réalisable || praticable (road) || **~al** [-əl] *adj* pratique, commode || **~ally** [-əli] *adv* pratiquement.

practice, U.S. **practise** ['præktis] *n* pratique *f*, usage *m* (custom) ; *put* *into* ~, mettre en pratique || entraînement *m* ; *be out of* ~, manquer d'entraînement, être rouillé || MED. clientèle *f* ; exercice *m* (of medicine).

practise ['præktis] *vt* pratiquer ; exercer (a profession) || s'exercer à || MUS. travailler, étudier (tune) || REL. pratiquer — *vi* MUS. s'exercer || SP. s'entraîner.

practitioner [præk'tiʃnə] *n* MED. praticien *n* ; *general* ~, (médecin *m*) généraliste *n*.

prairie ['prɛəri] *n* U.S. prairie, savane *f*.

praise [preiz] *n* louange *f*, éloge *m* ; *in* ~ *of*, à la louange de ● *vt* louer, louanger, vanter.

pram [præm] *n* voiture *f* d'enfant.

prance [prɑːns] *vi* [horse] caracoler || COLL. [person] se pavaner.

prank [præŋk] *n* frasque *f* (escapade) || farce, niche *f* (joke).

prattle ['prætl] *vi* [child] babiller || [person] papoter.

prawn [prɔːn] *n* crevette *f* rose, bouquet *m* || *Dublin Bay* ~, langoustine *f*.

pray [prei] *vt/vi* prier || ~**er** *n* prière *f* ; *say a* ~, faire une prière ; ~ *book*, livre *m* de messe.

preach [priːtʃ] *vt* prêcher || ~**er** *n* prédicateur *m* || ~**ing** *n* prédication *f*, sermon *m*.

preamble [priː'æmbl] *n* préambule *m*.

precarious [pri'kɛəriəs] *adj* précaire.

precaution [pri'kɔːʃn] *n* précaution *f* ; *as a* ~, par précaution.

preced|e [pri'siːd] *vt* précéder (go before) || avoir la préséance sur (have precedence) || ~**ence** *n* préséance, priorité *f* ; *take* ~ *over*, avoir le pas sur || ~**ent** *n* précédent *m* || ~**ing** *adj* précédent.

precept ['priːsept] *n* précepte *m* || ~**or** *n* précepteur *m*.

precinct ['priːsiŋt] *n* enceinte *f*

(enclosure) || zone *f*, quartier *m* (in town) || *Pl* environs, alentours *mpl* ; *within the* ~*s of*, dans les limites de || U.S. circonscription *f*.

precious ['preʃəs] *adj* précieux ● *adv* COLL. ~ *few/little*, fort peu || ~**ly** *adv* précieusement.

precip|ice ['presipis] *n* précipice *m* || ~**itate** [pri'sipiteit] *n* CH. précipité *m* ● *vt* précipiter || FIG. hâter — *vi* se précipiter || ~**itous** [pri'sipitəs] *adj* escarpé, abrupt.

precis|e [pri'sais] *adj* précis, exact || ~**ion** [pri'siʒn] *n* précision, exactitude *f*.

preclude [pri'kluːd] *vt* prévenir (misunderstanding) ; écarter, dissiper (a doubt) ; exclure (an action) ; empêcher (prevent from).

precocious [pri'kəuʃəs] *adj* précoce.

preconception ['priːkən'sepʃn] *n* idée préconçue.

predecessor ['priːdisesə] *n* prédécesseur *m*.

predicament [pri'dikəmənt] *n* situation *f* difficile.

predicat|e ['predikit] *n* GRAMM. prédicat *m* ● ['predikeit] *vt* affirmer || ~**ive** [pri'dikətiv] *adj* GRAMM. attribut.

predict [pri'dikt] *vt* prédire || ~**ion** [pri'dikʃn] *n* prédiction *f*.

predilection [ˌpriːdi'lekʃn] *n* prédilection *f*.

predispose ['priːdis'pəuz] *vt* prédisposer.

predomin|ance [pri'dɔminəns] *n* prédominance *f* || ~**ant** *adj* prédominant || ~**ate** [-eit] *vi* prédominer.

preemie ['priːmi:] *n* U.S., SL. prématuré *n*.

pre-eminent [priː'eminənt] *adj* prééminent || ~**ly** *adv* par excellence.

preen [priːn] *vt* [bird] lisser (feathers).

prefab ['priː'fæb] *n* maison préfabriquée ‖ ~**ricate** [_´-rikeit] vt préfabriquer.

preface [´prefis] n préface f ● vt préfacer.

prefect [´pri:fekt] n chef m de classe ‖ Fr. préfet m.

prefer [pri´fə:] vt préférer (to, à).

prefer|able [´prefrəbl] adj préférable ‖ ~**ably** [-əbli] adv de préférence ‖ ~**ence** n préférence f.

prefix [´pri:fiks] n préfixe m ‖ Tel. indicatif m ● vt préfixer.

preggers [´pregəz] adj Sl. enceinte.

pregn|ancy [´pregnənsi] n Med. grossesse f; maternité f; phantom ~, grossesse nerveuse ; ~ test, test m de grossesse ‖ ~**ant** adj enceinte (woman) ; four months ~, enceinte de quatre mois ‖ pleine (animal).

prehistoric [´pri:is´tɔrik] adj préhistorique.

prejudic|e [´predʒudis] n préjugé m, parti pris ; to the ~ of, au détriment de ; without ~ to, sans préjudice de ● vt prévenir (against, contre) ; be ~d against sb, être prévenu contre qqn ‖ Jur. causer préjudice à ‖ ~**ial** [‚predʒu´diʃl] adj nuisible, préjudiciable (to, à).

prelate [´prelit] n prélat m.

preliminary [pri´limnəri] n/adj préliminaire (mpl).

prelude [´prelju:d] n prélude m ● vi préluder à.

prem [prem] n Coll. = ~ature [‚premə´tjuə] adj prématuré ; né avant terme (child) ; ~ baby, prématuré m.

premeditated [pri´mediteitid] adj prémédité.

premier [´premjə] n Premier ministre.

premises [´premisiz] npl locaux mpl ; établissement m ; on the ~, sur place, sur les lieux.

premium [´pri:mjəm] n Fin. prime, récompense f ‖ Fig. put a ~ on,

donner de l'importance à, valoriser ‖ U.S. [attributive] supérieur, de luxe.

premonition [‚pri:mə´niʃn] n prémonition f.

preoccup|ation [pri‚ɔkju´peiʃn] n préoccupation f, souci m ‖ ~**ied** [pri´ɔkjupaid] adj préoccupé, inquiet.

prep [prep] n devoirs mpl du soir ; ~-room, étude f ‖ école f préparatoire.

prepaid [´pri:´peid] adj payé d'avance.

prepar|ation [‚prepə´reiʃn] n préparation f ‖ Pl préparatifs mpl ‖ ~**atory** [pri´pærətri] adj préparatoire.

prepare [pri´pɛə] vt préparer ‖ [passive] be ~d, être disposé (to do, à faire) — vi se préparer (to, à).

preponderant [pri´pɔndrənt] adj prépondérant.

preposition [‚prepə´ziʃn] n préposition f.

prepossess|ed [‚pri:pə´zest] adj prévenu en faveur de ‖ ~**ing** adj aimable, avenant, sympathique, engageant.

preposterous [pri´pɔstrəs] adj absurde.

prerequisite [´pri:´rekwizit] n condition f préalable ● adj requis.

prerogative [pri´rɔgətiv] n prérogative f.

presage [´presidʒ] n présage m ● vt présager.

pre|scribe [pris´kraib] vt prescrire, ordonner ‖ ~**scription** [-´kripʃn] n Jur., Fig. prescription f ‖ Med. ordonnance f; on ~, sur ordonnance.

presence [´prezns] n présence f ‖ Fig. ~ of mind, présence d'esprit.

present¹ [´preznt] adj présent ‖ actuel (existing now); for the ~, pour le moment ; at ~, actuellement ; the ~ year, l'année en cours ; ~ day, contemporain ● n époque f actuelle, présent m ; for the ~, pour le moment ‖ GRAMM. présent *m* ‖ ~**ly** *adv* tout à l'heure, bientôt ‖ U.S. à présent, actuellement.

present² *n* cadeau, présent *m* ; *make sb a ~ of sth,* faire cadeau de qqch à qqn ● [pri′zent] *vt* présenter, offrir ; ~ *sb with sth,* offrir qqch à qqn ‖ présenter (introduce) ‖ ~**able** [-əbl] *adj* présentable ‖ ~**ation** [ˌprezen′teiʃn] *n* présentation *f* ‖ ~**er** *n* RAD., T.V. présentateur *n*.

presentiment [pri′zentimənt] *n* pressentiment *m*.

preserv|ation [ˌprezə′veiʃn] *n* conservation, conservation *f* ‖ ~**ative** [pri′zə:vətiv] *n* (agent *m*) conservateur *m*.

preserve [pri′zə:v] *n (game) ~,* réserve *f* (de chasse) ‖ *Pl* confitures *fpl* ● *vt* préserver *(from,* de) ‖ CULIN. conserver, mettre en conserve ; ~**d** *food,* conserves *fpl* ‖ FIG. garder, conserver.

presid|e [pri′zaid] *vi* présider ‖ ~**ency** [′prezidnsi] *n* présidence *f* ‖ ~**ent** [′prezidnt] *n* président *m* ‖ ~**ential** [ˌprezi′denʃl] *adj* présidentiel.

press¹ [pres] *n* [action] pression *f* ‖ [machine] presse *f*; pressoir *m* (for wine) ‖ armoire *f*, placard *m* (cupboard) ‖ presse *f* (newspapers) ‖ ~**-agency** *n* agence *f* de presse ‖ ~**-campaign** *n* campagne *f* de presse ‖ ~**-conference** *n* conférence *f* de presse ‖ ~**-clipping/-cutting** *n* coupure *f* de presse ‖ ~**-proof** *n* bonne feuille *f* ‖ ~ **release** *n* communiqué *m* de presse.

press² *vt* presser, appuyer sur *t* repasser (iron) ‖ FIG. harceler, presser (sb) ; *be* ~*ed for time,* être pressé ‖ TECHN. emboutir — *vi* [time] presser ‖ [crowd] se serrer ‖ ~**ing** *adj* pressant, urgent ● *n* repassage *m* (of clothes) *m* ‖ ~ **stud** *n* bouton-pression *m* ‖ ~**-up** *n* traction *f*; pompe *f* (fam.).

pressure [′preʃə] *n* PHYS., TECHN. pression *f* ‖ FIG. pression, poussée *f*;

under ~, sous la contrainte ; *under the ~ of,* sous l'empire de ; ~ **group,** groupe *m* de pression ‖ ~**-cooker** *n* autocuiseur *m,* Cocotte-Minute *f* ‖ ~**-gauge** *n* manomètre *m*.

pressurize [′preʃəraiz] *vt* pressuriser.

prestige [pres′ti:ʒ] *n* prestige *m*.

presumably [pri′zju:məbli] *adv* probablement, vraisemblablement.

presume [pri′zju:m] *vt* présumer, supposer ‖ se permettre (take liberty).

presump|tion [pri′zʌmʃn] *n* présomption, supposition *f* ‖ prétention *f* (pretentiousness) ‖ ~**tuous** [-tjuəs] *adj* présomptueux, prétentieux.

presuppose [ˌpri:sə′pəuz] *vt* présupposer.

pretence [pri′tens] (= U.S. **PRETENSE**) *n* simulation, feinte *f*; chiqué *m* (fam.) ; *make a ~ of,* faire semblant de ‖ prétexte *m,* prétention *f* (claim) ; *under the ~ of,* sous prétexte de.

preten|d [pri′tend] *vt* simuler, feindre, faire semblant de — *vi* prétendre *(to,* à) ; avoir la prétention *(to do,* de faire) ‖ jouer la comédie (sham). ‖ ~**der** *n* simulateur *n* ‖ prétendant *n* ‖ ~**se** *n* → PRETENCE ‖ ~**sion** [-ʃn] *n* prétention *f* (claim) ‖ ~**tious** [-ʃəs] *adj* prétentieux, présomptueux.

preterite [′pretrit] *n* prétérit *m*.

pretext [′pri:tekst] *n* prétexte *m*.

prett|ily [′pritili] *adv* joliment (finely) ; gentiment (nicely) ‖ ~**y** *adj* joli ‖ COLL. joli, coquet (sum) ● *adv* assez.

prevail [pri′veil] *vi* prévaloir *(against,* contre ; *over,* sur) ‖ l'emporter *(over,* sur) ‖ prédominer, régner ‖ décider, déterminer *(upon sb to,* qqn à) ‖ ~**ing** *adj* dominant, prédominant.

prevent [pri′vent] *vt* empêcher *(from,* de) ‖ prévenir (avert) ‖ ~**ion** [pri′venʃn] *n* prévention *f,* mesures préventives ; ~ *is better than cure,* mieux vaut prévenir que guérir ‖ **~ive** adj préventif.

preview [ˈpriːˈvjuː] n CIN. avant-première f ‖ ARTS vernissage m.

previous [ˈpriːvjəs] adj précédent, antérieur ‖ **~ly** adv précédemment, antérieurement.

prey [prei] n proie f; bird of ~, oiseau m de proie ‖ FIG. a ~ to, en proie à ● vi [animal] ~ upon, faire sa proie de; [person] vivre aux crochets de ‖ FIG. ronger, miner (one's mind).

price [prais] n prix m ● vt tarifer, évaluer ‖ **~-control** n contrôle m des prix ‖ **~-freeze** n blocage m des prix ‖ **~less** adj sans prix, inestimable ‖ **~-list** n tarif m ‖ **~ tag** n U.S. étiquette f.

prick [prik] n piqûre f ● vt piquer ‖ FIG. [dog] ~ up one's ears, dresser les oreilles ‖ **~ly** adj piquant, épineux.

prickle [ˈprikəl] n épine f, piquant m ● vt [skin] picoter.

prickly adj épineux ‖ feel ~, avoir des fourmillements.

pride [praid] n orgueil m (defect) ‖ fierté f (quality); take a ~ in, être fier de ● vt ~ oneself, s'enorgueillir (on, de).

priest [priːst] n prêtre m ‖ **~-worker**, prêtre-ouvrier m ‖ **~ess** [-is] n prêtresse f.

prig [prig] n poseur m ‖ **~gish** adj suffisant, content de soi.

prim [prim] adj compassé, guindé, collet monté.

primal [ˈpraiməl] adj [first in time] primitif ‖ [first in importance] primordial.

primar|ily [ˈpraimrili] adv primitivement (in the first place); principalement (essentially) ‖ **~y** adj primitif (earliest) ‖ primaire (school) ‖ FIG. principal, primordial ● n U.S. Pl élections fpl primaires.

prime [praim] adj principal, pre-

mier; ~ minister, Premier ministre ‖ RAD., T.V. ~ time, heures fpl de grande écoute ● n in one's ~/the ~ of life, dans la fleur de l'âge ‖ MATH. ~ (number), nombre premier ● vt amorcer (pump) ‖ FIG. mettre au courant/fait (person).

primer¹ [ˈpraimə] n abécédaire m (book).

primer² n [paint] sous-couche f ‖ [explosive] amorce, capsule f ‖ [bomb] détonateur m.

primeval [praiˈmiːvl] adj primitif ‖ ~ forest, forêt f vierge.

primitive [ˈprimitiv] adj/n primitif (n) ‖ **~ly** adv primitivement.

primordial [praiˈmɔːdiəl] adj primordial.

primrose [ˈprimrəuz] n primevère f.

princ|e [prins] n prince m ‖ **~ely** adj princier ‖ **~ess** [prinses] n princesse f.

principal [ˈprinsəpl] adj/n principal (m) [school director] ‖ **~ity** [ˌprinsiˈpæliti] n principauté f.

principle [ˈprinsəpl] n principe m; in ~, en principe; on ~, par principe.

print [print] n empreinte f (mark) ‖ impression f ‖ imprimé m (printed matter); out of ~, épuisé ‖ tirage m; blue~, bleu m (d'architecte) ; FIG. plan, projet m ‖ PHOT. épreuve f ‖ ARTS estampe f ‖ indienne f (cloth) ● vt imprimer; **~ed matter**, imprimés mpl ‖ [on form] écrire en caractères d'imprimerie ‖ PHOT. tirer (a negative) ‖ RAD. **~ed circuit**, circuit imprimé ‖ **~er** n imprimeur m ‖ **~ing** n impression f; ~ office, imprimerie f.

print-out n [computer] listing m, liste f.

prior¹ [ˈpraiə] n prieur m ‖ **~ess** n prieure f ‖ **~y** n prieuré m.

prior² adj antérieur (to, à) ● adv ~ to, antérieurement à ‖ **~ity**

[prai'ɔriti] *n* antériorité *f* ‖ priorité *f* (*over*, sur).

prise [praiz] *vt* = PRIZE².

prism ['prizm] *n* prisme *m*.

prison ['prizn] *n* prison *f*; *sent to* ~, incarcéré, écroué ● *vt* emprisonner, incarcérer ‖ ~**er** prisonnier, détenu *n* ‖ MIL. ~ *of war*, prisonnier de guerre.

pristine ['pristain] *adj* primitif *f* ‖ intact, pur, vierge, virginal.

priv|acy ['privəsi] *n* intimité *f*, vie privée, solitude *f* ‖ ~**ate** ['praivit] *adj* privé ‖ particulier ; personnel (one's own) ‖ isolé, retiré (place) ; secret, intime (intimate) ; ~ *parts*, parties sexuelles ‖ "~", [on door] « interdit au public » ; [on envelope] « personnelle » ‖ (unofficial) privé ; ~ *school*, école libre/privée ; ~ *person*, particulier *n* ‖ ~ *eye*, détective privé ● *n in* ~, en privé ‖ MIL. simple soldat *m* ‖ *Pl* SL. = PRIVATE PARTS ‖ ~**ately** *adv* en privé, dans l'intimité.

privation [prai'veiʃn] *n* privation *f*.

privet ['privit] *n* troène *m*.

privileg|e ['privilidʒ] *n* privilège *m* ‖ ~**ed** [-d] *adj* privilégié.

prize¹ [praiz] *n* prix *m* (reward) ; *award a* ~, décerner un prix ; *win a* ~, remporter un prix ‖ *first* ~, gros lot ‖ NAUT. prise, capture *f* ● *vt* priser, attacher beaucoup de prix à ‖ NAUT. capturer ‖ ~**-giving** *n* distribution *f* des prix ‖ ~**-list** *n* palmarès *m* ‖ ~**-winner** *n* lauréat, gagnant *n*.

prize² TECHN. point *m* d'appui ● *vt* ~ *open*, ouvrir avec un levier, forcer.

pro¹ [prəu] *adv* pour ● *n* pour *m*; *weigh the* ~ *s and cons*, peser le pour et le contre.

pro²,s [-z] *n* (*abbrev* = PROFESSIONAL) COLL. pro *n* (fam.) ‖ prostituée *f*.

prob|ability [ˌprɔbə'biliti] *n* probabilité *f*; *in all* ~, selon toute probabilité *f* ‖ ~**able** ['prɔbəbl] *adj*

probable ‖ ~**ably** [-əbli] *adv* probablement, sans doute.

probation [prə'beiʃn] *n* JUR. mise *f* à l'épreuve ; *on* ~, en sursis ; à l'essai (employee) ‖ ~**ary** [-ri] *adj* ~ *period*, stage *m* probatoire.

prob|e ['prəub] *n* MED. sonde *f* ‖ FIG. enquête *f* ● *vt* sonder, scruter (a problem) ‖ MED. sonder ‖ ~**ing** *n* MED. sondage *m*.

probity ['prəubiti] *n* probité *f*.

problem ['prɔbləm] *n* problème *m* ; *no* ~!, pas de/aucun problème ! ‖ ~ *child*, enfant caractériel ‖ ~**atic** [ˌprɔbli'mætik] *adj* problématique.

procedure [prə'siːdʒə] *n* procédé *m* ‖ JUR. procédure *f*.

proceed [prə'siːd] *vi* continuer ‖ ~ *with*, poursuivre, reprendre (go on) ‖ ~ *from*, découler/résulter de ‖ ~ *to*, se rendre à (place) ; passer à (next item) ‖ ~**ing** *n* procédé *m*, manière *f* d'agir ‖ *Pl* rapport *m*, compte rendu (record) ; JUR. mesures *fpl* ; poursuites *fpl*, procès *m* ‖ ~**s** *npl* recettes *fpl* (money gained).

process ['prəuses] *n* processus, procédé *m*, méthode *f* ‖ [progress] *in* ~ *of*, en cours de ‖ JUR. action *f* en justice, procès *m* ● *vt* traiter, transformer ‖ PHOT. développer (film) ‖ ~**ing** *n* traitement *m* ‖ PHOT. développement *m*.

procession [prə'seʃn] *n* procession *f*, cortège *m*.

proclaim [prə'kleim] *vt* proclamer, annoncer.

proclamation [ˌprɔklə'meiʃn] *n* proclamation, déclaration *f*.

procrastin|ate [prə'kræstineit] *vi* atermoyer, remettre au lendemain ‖ ~**ation** [prəˌkræsti'neiʃn] *n* tendance *f* à remettre au lendemain, procrastination *f*.

procur|e [prə'kjuə] *vt* procurer (*for*, à) ‖ *vi* se procurer, obtenir ‖ ~**er** [-rə] *n* JUR. proxénète *m*.

prod [prɔd] *n* (petit) coup *m* (avec

la pointe de) [poke] ● *vt/vi* pousser doucement ‖ Fig. aiguillonner.

prodigal [ˈprɔdigl] *adj* prodigue.

prod|igious [prəˈdidʒəs] *adj* prodigieux ‖ ~**igy** [ˈprɔdidʒi] *n* prodige *m* ‖ *(child)* ~, enfant *m* prodige.

produc|e [ˈprɔdjuːs] *n* [farming] produit *m*; Comm. denrées *fpl* ● [prəˈdjuːs] *vt* présenter, montrer ‖ faire sortir *(from,* de) ‖ produire, fabriquer ‖ Th. mettre en scène ‖ Cin. produire (a film) ‖ ~**er** [prəˈdjuːsə] *n* producteur *n* ‖ Rad., Cin. producteur *n* ‖ Rad. réalisateur *n,* metteur *m* en onde.

product [ˈprɔdəkt] *n* [industry, land] produit *m*; *finished* ~, produit manufacturé; *food* ~s, produits alimentaires, denrées *fpl* ‖ ~**ion** [prəˈdʌkʃn] *n* production, fabrication *f* ‖ Cin. production *f* ‖ Rad. mise *f* en onde, réalisation *f* ‖ Techn. ~ *line,* chaîne *f* de fabrication ‖ ~**ive** *adj* productif.

prof|anation [prɔfəˈneiʃn] profanation *f* ‖ ~**ane** [prəˈfein] *adj* profane ‖ qui exerce une profession libérale ‖ Rel. sacrilège ● *vt* profaner.

profess [prəˈfes] *vt* professer, déclarer ‖ ~**ion** [prəˈfeʃn] *n* profession libérale ‖ déclaration *f* (statement) ‖ ~**ional** [-ʃnəl] *adj/n* professionnel ‖ ~**or** *n* professeur *m* (d'université).

profic|iency [prəˈfiʃnsi] *n* compétence *f* ‖ ~**ient** [-nt] *adj* compétent, expert *(in,* en).

profile [ˈprəufail] *n* profil *m*; *in* ~, de profil ‖ silhouette *f* ‖ Fig. portrait, profil *m* ● *vt* profiler; *be* ~*d,* se profiler *(against,* sur).

profit [ˈprɔfit] *n* profit, avantage *m* ‖ Comm. bénéfice, gain *m*; plus-value *f*; ~*-making,* à but lucratif; *make a* ~ *on,* faire du bénéfice sur; ~ *margin,* marge *f* bénéficiaire ● *vt* profiter à — *vi* profiter *(by,* de) ‖ ~**able** [-əbl] *adj* rentable, profitable, avantageux, rémunérateur ‖ ~**eer** [prɔfiˈtiə] *n* profiteur *n*.

profligate [ˈprɔfligit] *adj/n* prodigue (extravagant).

profound [prəˈfaund] *adj* profond; approfondi (study).

profus|e [prəˈfjuːs] *adj* abondant (thing) ‖ prodigue (person) ‖ ~**ion** [prəˈfjuːʒn] *n* profusion, abondance, foison *f* (abundance) ‖ libéralité *f* (lavishness).

progeny [ˈprɔdʒini] *n* progéniture *f*; descendants *mpl.*

prognosis, -oses [prɔgˈnəusis, -siːz] *n* pronostic *m.*

prognost|ic [prɔgˈnɔstik] *n* présage *m* ‖ ~**icate** [-ikeit] *vt* présager, prédire; pronostiquer ‖ ~**ication** [prɔgnɔstiˈkeiʃn] *n* pronostic *m.*

program [ˈpreugræm] *n* U.S. = programme.

programm|e [ˈprəugræm] *n* programme *m* ‖ Rad. émission *f* ‖ T.V. chaîne *f* ● *vt* programmer ‖ ~*d learning,* enseignement programmé ‖ ~**er** *n* Inf programmeur *n* ‖ ~**ing** *n* Inf. programmation *f.*

progress [ˈprəugres] *n* avancement *m* ‖ cours *m* (development); *in* ~, en cours ‖ progrès *m*; *make* ~, faire des progrès ● *vi* avancer, progresser, faire des progrès ‖ ~**ion** [prəˈgreʃn] *n* progression *f* ‖ ~**ive** [prəˈgresiv] *adj* progressif ‖ Pol. progressiste.

prohibit [prəˈhibit] *vt* prohiber, interdire ‖ ~**ed** [-id] formellement interdit ‖ ~**ion** [prəuiˈbiʃn] *n* prohibition, interdiction *f* ‖ ~**ive** *adj* prohibitif, inabordable (price); hors de prix (goods).

project [ˈprɔdʒekt] *n* projet, dessein *m* ● [prəˈdʒekt] *vt* projeter (plan) ‖ lancer (throw) — *vi* faire saillie ‖ ~**ile** [ˈprɔdʒiktail] *n* projectile *m* ‖ ~**ion** [prəˈdʒekʃn] *n* projection *f* ‖ Cin. room, cabine *f* de projection ‖ Arch. saillie *f* ‖ ~**or** [prəˈdʒektə] *n* projecteur *m* ‖ Cin. appareil *m* de projection.

proletar|ian [ˌprəuliˈtɛəriən] *n* prolétaire *n* ‖ ~**iat** [-iət] *n* prolétariat *m.*

prolific [prə'lifik] *adj* prolifique.

prolong [prə'lɔŋ] *vt* prolonger ‖ ~**ation** [ˌprəulɔŋ'geiʃn] *n* prolongation *f.*

prom [prɔm] *n* abbrev = PROMENADE ‖ G.B., COLL. = PROMENADE CONCERT.

promenade [ˌprɔmi'nɑ:d] *n* [sea] promenade *f*, front *m* de mer ‖ ~ *concert,* concert *m* (promenade) ; ~ *deck,* pont *m* promenade ● *vi/vt* (se) promener.

promin|ence ['prɔminəns] *n* FIG. importance *f ; bring into* ~, faire ressortir ; *come into* ~, prendre de l'importance ‖ ~**ent** *adj* proéminent, saillant (protruding) ‖ FIG. important, bien en vue (person) ; marquant (features).

promiscuity [ˌprɔmis'kjuiti] *n* promiscuité *f.*

promiscuous [prə'miskjuəs] *adj* PEJ. de mœurs légères ; facile (girl) ; léger, immoral (conduct) ; dissolu (life) ‖ FIG. fait sans discernement, confus (heap) ‖ ~**ly** *adv* immoralement ‖ pêle-mêle.

promis|e ['prɔmis] *n* promesse *f* ‖ [-t] *adj* promis ; *the Promised Land,* la Terre Promise ● *vt/vi* promettre (*to,* de) ; s'engager (*to,* à) ‖ ~**ing** *adj* prometteur.

promissory ['prɔmisəri] *adj* ~ *note,* billet *m* à ordre.

promontory ['prɔməntri] *n* promontoire *m.*

promot|e [prə'məut] *vt* promouvoir (*to,* à) ; *be* ~*d,* être promu ‖ COMM. promouvoir, développer (sales) ; lancer (a new business) ‖ ~**er** *n* promoteur *m,* organisateur *n* ‖ COMM. lanceur *n* d'affaires ‖ ~**ion** [-ʃn] *n* avancement *m,* promotion *f* ‖ COMM. *sales* ~, promotion *f* des ventes.

prompt [prɔmpt] *adj* prompt, rapide ● *vt* inciter, suggérer ‖ TH. souffler ‖ ~**er** *n* TH. souffleur *m* ‖ ~**ly** *adv* promptement ‖ ~**ness** *n* promptitude *f,* empressement *m.*

promulgat|e ['prɔmlgeit] *vt* pro-mulguer, répandre (news) ‖ ~**ion** [ˌprɔml'geiʃn] *n* promulgation *f.*

prone [prəun] *adj* couché sur le ventre, prostré ‖ FIG. porté, enclin, prédisposé (*to,* à).

prong [prɔŋ] *n* dent *f* (of a fork).

pronoun ['prəunaun] *n* pronom *m.*

pronounce [prə'nauns] *vt* prononcer (word) ‖ déclarer (state).

pronunciation [prəˌnʌnsi'eiʃn] *n* prononciation *f.*

...proof¹ [pru:f] *adj* [ending] à l'épreuve de. → BULLET, FULLPROOF, WATERPROOF.

proof², s *n* preuve *f* ‖ [printing] épreuve *f* ‖[spirits] degré *m* d'alcool ● *adj* ~ *against,* à l'épreuve de ‖ ~**-read** *vi* réviser, corriger ‖ ~**-reader** *n* correcteur *n* d'épreuves ‖ ~**-reading** *n* correction *f* d'épreuves ‖ ~**-sheet** *n* épreuve *f.*

prop [prɔp] *n* support, étai, tuteur *m* (for plants) ‖ TH. accessoires *mpl* ● *vt* ~ (*up*), appuyer (ladder) [*against,* contre] ; étayer (wall) ; ~ *oneself up,* s'adosser, s'arc-bouter (*against,* contre).

propaganda [ˌprɔpə'gændə] *n* propagande *f.*

propagat|e ['prɔpəgeit] *vt* propager ‖ ~**ion** [ˌprɔpə'geiʃn] *n* propagation *f.*

propel [prə'pel] *vt* propulser ‖ ~**ler** *n* hélice *f.*

propensity [prə'pensiti] *n* tendance, propension, prédisposition *f* (*for/to,* à).

proper ['prɔpə] *adj* propre, particulier (peculiar) ‖ convenable (appropriate) ; *in* ~ *condition,* en bon état ‖ bon (order) ; exact, opportun ; *at the* ~ *time,* en temps voulu ‖ [after the noun] proprement dit ‖ GRAMM. propre (noun) ‖ ~**ly** *adv* convenablement ‖ ~ *speaking,* à proprement parler ‖ COLL. complètement.

property ['prɔpəti] *n* propriété *f* (right) ‖ biens *mpl* (possessions) ‖

domaine *m* (estate) ; real ~, biens immobiliers ‖ propriété *f* (house) ‖ qualité *f* (peculiar quality) ‖ Th. accessoire *m* ; ~-**man,** accessoiriste *m*.

proph|ecy [ˈprɒfisi] *n* prophétie *f* ‖ ~**esy** [ˈprɒfisai] *vt* prophétiser, prédire ‖ ~**et** [-it] *n* prophète *m* ‖ ~**etic** [prəˈfetik] *adj* prophétique.

propit|iate [prəˈpiʃieit] *vt* rendre propice (**to,** à) ‖ ~**ious** [-əs] *adj* propice (**to,** à).

proportion [prəˈpɔːʃn] *n* proportion *f* ; **in** ~ **as,** au fur et à mesure que ; **in** ~ **to,** en proportion de ; **out of** ~, disproportionné ● *vt* proportionner ‖ Fig. doser ‖ ~**al** *adj* proportionnel ‖ ~**ally** [-əli] *adv* proportionnellement.

proposal [prəˈpəuzl] *n* proposition *f* ‖ demande *f* en mariage.

propos|e [prəˈpəuz] *vt* proposer — *vi* faire une demande en mariage (**to,** à) ‖ ~**ition** [ˌprɒpəˈziʃn] *n* proposition *f* ‖ affaire *f*.

propriet|ary [prəˈpraiətri] *adj* de propriétaire ; possédant (class) ‖ de propriété (right) ; ~ **name,** nom déposé ‖ ~**or** *n* propriétaire *n* ‖ ~**y** *n* convenance, bienséance *f* (behaviour) ‖ opportunité *f* (of an action) ‖ Gramm. propriété *f* (of a word).

prorogation [ˌprəurəˈgeiʃn] *n* prorogation *f*.

prosaic [prəˈzeiik] *adj* prosaïque.

prose [prəuz] *n* prose *f* ‖ [school] thème *m*.

prosecut|e [ˈprɒsikjuːt] *vt* poursuivre (en justice) ‖ Fig. poursuivre (researches) ‖ ~**ion** [ˌprɒsiˈkjuːʃn] *n* Jur. accusation *f* ‖ poursuites *fpl* ‖ ~**or** *n* Jur. plaignant *m* ‖ *(public)* ~, procureur *m*.

prospect¹ [ˈprɒspekt] *n* perspective, vue *f* (vista) ‖ Fig. espoir *m* (expectation) ‖ [marriage] parti *m* ‖ *Pl* espérances *fpl*, avenir *m* ‖ Comm., U.S. client éventuel.

prospect² [prəsˈpekt] *vt* prospecter

‖ ~**ive** *adj* en perspective (future) ‖ éventuel (potential) ‖ ~**or** *n* prospecteur *n*.

prosper [ˈprɒspə] *vi* prospérer, réussir ‖ ~**ity** [prɒsˈperiti] *n* prospérité *f* ‖ ~**ous** [ˈprɒsprəs] *adj* prospère.

prostitute [ˈprɒstitjuːt] *n* prostituée *f* ● *vt* prostituer ; ~ **oneself,** se prostituer.

prostra|te [prɒsˈtreit] *vt* étendre ; ~ **oneself,** se prosterner ● *adj* prostré ‖ Fig. abattu ‖ ~**tion** *n* prosternement *m* ‖ Fig. accablement, effondrement *m* ‖ Med. prostration *f*.

protagonist [prəˈtægənist] *n* protagoniste *n*.

protec|t [prəˈtekt] *vt* protéger, défendre (**against,** contre) ‖ ~**tion** *n* protection, défense *f* ‖ [attributive] de protection ‖ ~**tive** [-tiv] *adj* protecteur ‖ ~**tor** [-tə] *n* protecteur *m* ‖ ~**torate** [-trit] *n* protectorat *m*.

protein [ˈprəutiːn] *n* protéine *f*.

protest [ˈprəutest] *n* protestation *f* ‖ Comm. protêt *m* ● [prəˈtest] *vi* protester ‖ [opposition] contester.

protestant [ˈprɒtistnt] *n* protestant *n*.

protestation [ˌprəutesˈteiʃn] *n* protestation *f*.

protester [prəˈtestə] *n* protestataire *n* ‖ [demonstration] manifestant *n*.

proton [ˈprəutɒn] *n* proton *m*.

prototype [ˈprəutətaip] *n* prototype *m*.

protract [prəˈtrækt] *vt* prolonger, faire durer *m* ‖ ~**or** *n* Math. rapporteur *m*.

protrude [prəˈtruːd] *vt* dépasser, faire saillie.

proud [praud] *adj* orgueilleux (defect) ‖ fier (quality) ; **as** ~ **as Punch,** fier comme Artaban ; **be** ~ **of,** s'enorgueillir de ‖ imposant (stately) ‖ ~**ly** *adv* orgueilleusement, fièrement.

prove [pruːv] *vt* (pp. ~**d** *or* ~**n** [-n])

prouver — *vi* se montrer, se révéler, s'avérer.

proverb [ˈprɔvəb] *n* proverbe *m* ‖ **~ial** [prəˈvə:bjəl] *adj* proverbial.

provid|e [prəˈvaid] *vt* fournir (*sb with sth*, qqch à qqn), munir, pourvoir (*with*, de) ‖ JUR. stipuler (*that*, que) — *vi* ~ *against*, se prémunir contre ; remédier à ‖ parer (*against*, à) ‖ ~ *for*, prévoir (an eventuality) ‖ pourvoir, subvenir (*for*, aux besoins de) ‖ ~**ed** [-id] *conj* pourvu que, à condition que.

provid|ence [ˈprɔvidns] *n* providence, prévoyance *f* ‖ ~**ent** *adj* prévoyant ‖ ~**ential** [ˌprɔviˈdenʃl] *adj* providentiel.

providing [prəˈvaidiŋ] *conj* = PROVIDED.

provin|ce [ˈprɔvins] *n* province *f* ‖ *Pl* **the** ~**s,** la province ‖ JUR. juridiction *f* ‖ FIG. compétence *f*; domaine *m* (sphere) ‖ ~**cial** [prəˈvinʃl] *adj* provincial.

provision [prəˈviʒn] *n* mesures prises (*against*, contre ; *for*, pour) ; *make* ~ *for*, pourvoir à ‖ JUR. clause *f* ‖ CULIN. *Pl* provisions *fpl* ● *vt* approvisionner ‖ ~**al** [prəˈviʒənl] *adj* provisoire.

provocation [ˌprɔvəˈkeiʃn] *n* provocation *f*.

provok|e [prəˈvəuk] *vt* pousser, inciter (*to*, à) ‖ provoquer, exciter (cause) ‖ irriter, agacer (annoy) ‖ ~**ing** *adj* contrariant, énervant ‖ fâcheux.

provost [ˈprɔvəst] *n* principal *m* (of a college).

prow [prau] *n* proue *f*.

prowess [ˈprauis] *n* prouesse *f*.

prowl [praul] *vi* ~ (*about*), rôder ● *n be on the* ~, rôder ‖ ~**er** *n* rôdeur *n*; maraudeur *n* (thief) ‖ ~**ing** *adj* en maraude (taxi).

proximity [prɔkˈsimiti] *n* proximité *f* (*of*, de).

proxy [ˈprɔksi] *n* mandataire *m*

(person) ‖ procuration *f* (document) ; *by* ~, par procuration.

prud|e [pru:d] *n* prude, mijaurée *f* ‖ ~**ence** *n* prudence, sagesse *f* ‖ ~**ent** *adj* prudent, sage ‖ ~**ery** [-ri] *n* pruderie *f* ‖ ~**ish** *adj* prude, pudibond.

prune¹ [pru:n] *n* pruneau *m*.

prun|e² [pru:n] *vt* tailler, élaguer ‖ ~**ing-scissors** *npl* sécateur *m*.

prur|ient [ˈpruəriənt] *adj* lascif ‖ ~**ience** *n* luxure *f*.

pry¹ [prai] *vt* soulever avec un levier ‖ U.S. = PRISE.

pry² [prai] *vi* s'occuper de ce qui ne vous regarde pas, fureter (*into*, dans) ‖ ~**ing** *adj* curieux, indiscret.

psalm [sɑ:m] *n* psaume *m*.

pseudo [ˈsju:dəu] *pref* pseudo ‖ ~**nym** [ˈsju:dənim] *n* pseudonyme *m*.

psychedelic [ˌsaikəˈdelik] *adj* psychédélique.

psychiatr|ist [saiˈkaiətrist] *n* psychiatre *n* ‖ ~**y** *n* psychiatrie *f*.

psychic [ˈsaikik] *adj* métapsychique ; médiumnique ‖ psychique (of the mind).

psycho|-analyse [ˌsaikəuˈænəlaiz] *vt* psychanalyser ‖ ~**-analysis** [-əˈnæləsis] *n* psychanalyse *f* ‖ ~**-analyst** [-ˈænəlist] *n* psychanalyste *n*.

psycholog|ical [ˌsaikəˈlɔdʒikl] *adj* psychologique ‖ ~**ist** [saiˈkɔlədʒist] *n* psychologue *n* ‖ ~**y** [saiˈkɔlədʒi] *n* psychologie *f*.

psycho|somatic [ˌsaikəusəˈmætik] *adj* psychosomatique ‖ ~**therapy** [-ˈθerəpi] *n* psychothérapie *f*.

psychotic [saiˈkɔtik] *adj/n* psychotique.

psych out [ˈsaik aut] *vt* COLL. déconcenancer ; faire perdre ses moyens à ‖ U.S., SL. avoir l'intuition de ; sentir (fam.).

pub [pʌb] *n* (= PUBLIC HOUSE) pub

m ; bistrot *m* (fam.) ; ~ *crawl*, COLL. tournée *f* des bistrots.

puberty ['pjuːbəːti] *n* puberté *f*.

public ['pʌblik] *n* public *m* ; *general* ~, grand public ● *adj* public ; ~ *house*, pub *m* || ~ *address system* *n* (installation *f* de) sonorisation *f* || ~**an** *n* gérant, patron *m* (of a pub) || ~**ation** [pʌbli'keiʃn] *n* publication, parution *f* || ~**ist** ['pʌblisist] *n* [advertising] publiciste, publicitaire *n* || [press] journaliste *n* || ~**ity** [pʌb'lisiti] *n* publicité *f* || ~**ize** ['pʌblisaiz] *vt* rendre public || faire de la publicité pour (advertise) || ~**ly** *adv* publiquement.

publish ['pʌbliʃ] *vt* publier, éditer || ~**er** *n* éditeur *m*, maison *f* d'édition || ~**ing** *adj* ~ *house*, maison *f* d'édition ● *n* publication *f*.

pucker ['pʌkə] *vt* plisser, froncer ; ~ *up one's brows*, froncer les sourcils.

pudding ['pudiŋ] *n* dessert *m* || *black* ~, boudin *m*.

puddle ['pʌdl] *n* flaque, mare *f* ● *vi* patauger, barboter.

puff [pʌf] *n* bouffée *f* (of smoke) || jet *m* (of steam) || *(powder)-* ~, houppette *f* ● *vt* lancer des bouffées (of smoke) || CULIN. faire gonfler (rice) — *vi* souffler (breathe) ; ~ *at one's pipe*, tirer sur sa pipe || ~*-pastry* *n* pâte feuilletée (pastry) || ~**y** *adj* boursouflé, bouffi (face) || poussif (person).

pug [pʌg] *n* carlin *m* (dog) ; ~*-nose*, nez camus.

pugnacious [pʌg'neiʃəs] *adj* batailleur.

pull [pul] *n* traction *f*, tirage *m* (act) ; *give a* ~, tirer (*on*, sur) || effort *m* || poignée *f* (of a drawer) || SP. coup *m* || COLL. piston *m* ● *vt* tirer ; traîner (drag) || manier (oar) || COLL. ~ *sb's leg*, se payer la tête de qqn || ~ *about*, tirailler || ~ *down*, baisser (the blinds) ; démolir (a house) || ~ *in*, réduire (one's expenses) ; AUT. se ranger et s'arrêter en bordure de route || ~ *off*, enlever, ôter (gloves) ;

FIG. réussir ; AUT. = PULL IN || ~ *over*, tirer sur ; AUT. se rabattre sur le côté de la route || ~ *round*, remettre en forme, ranimer || ~ *through*, tirer d'affaire (sb) || ~ *together*, FIG. remettre d'aplomb ; ~ *oneself together*, se ressaisir || ~ *up*, hisser (hoist) ; SP. arrêter (a horse) — *vi* tirer (*at*, sur) || SP. souquer, nager (row) || ~ *ahead*, SP. se détacher || ~ *in*, [train] entrer en gare ; [car] s'arrêter ; ~*-in* (*n*), AUT. parking *m* (en bordure de route) ; restauroute *m* ; routier *m* (fam.) [restaurant] || ~ *out*, AUT. déboîter || ~ *over*, AUT. se ranger || ~ *through*, s'en tirer/sortir || ~ *together*, coopérer, collaborer || ~ *up*, [car] s'arrêter.

pulley ['puli] *n* poulie *f*.

pull-in *n* AUT., COLL. parking *m* (lay-by) ; snack *m* (café) ; routier (restaurant).

pull | over *n* pull(over) *m* || ~*-up* *n* AUT. = PULL IN || SP. traction *f*.

pulmonary ['pʌlmənəri] *adj* pulmonaire.

pulp [pʌlp] *n* pulpe *f* || pâte *f* à papier.

pulpit ['pulpit] *n* REL. chaire *f*.

pulsa | te [pʌl'seit] *vi* [heart] battre, palpiter || ~**tion** [-ʃn] *n* pulsation *f*.

pulse [pʌls] *n* pouls *m* ; *feel sb's* ~, prendre le pouls de qqn.

pulverize ['pʌlvəraiz] *vt* pulvériser.

pumice ['pʌmis] *n* pierre *f* ponce.

pump [pʌmp] *n* pompe *f* ● *vt* pomper || AUT. ~ *up*, gonfler (tyre).

pumpkin ['pʌmkin] *n* citrouille *f*, potiron *m*.

pun [pʌn] *n* jeu de mots, calembour *m* ● *vi* faire des jeux de mots.

punch¹ [pʌnʃ] *n* poinçonneuse *f* ● *vt* poinçonner, perforer.

punch² *n* coup *m* de poing ● *vt* donner un coup de poing à, cogner sur.

punch³ *n* punch *m* (drink).

Punch *n* Polichinelle *m* ‖ ~ *and Judy show,* guignol *m.*

punctilious [pʌnˈtiliəs] *adj* pointilleux, formaliste.

punctual [ˈpʌŋtjuəl] *adj* ponctuel ‖ ~**ity** [ˌpʌŋtjuˈæliti] *n* ponctualité *f* ‖ ~**ly** *adv* ponctuellement.

punctuation [ˌpʌŋtjuˈeiʃn] *n* ponctuation *f* ; ~ *mark,* signe *m* de ponctuation.

puncture [ˈpʌŋktʃə] *vt* crever, perforer ● *n* perforation *f* ‖ Aut. crevaison *f* ; *I had a* ~, j'ai crevé ; ~-*patch,* Rustine *f* ; ~-*proof,* increvable.

pundit [ˈpʌndit] *n* Coll. ponte *m.*

pungent [ˈpʌndʒnt] *adj* piquant, âcre, relevé (taste) ‖ aigu (pain) ‖ déchirant (sorrow) ‖ caustique (remark).

punish [ˈpʌniʃ] *vt* punir, châtier ‖ ~**ment** *n* punition *f,* châtiment *m* ‖ Jur. peine, sanction *f.*

puny [ˈpjuːni] *adj* chétif, malingre.

pup [pʌp], **puppy** [ˈpʌpi] *n* chiot *m.*

pupil[1] [ˈpjuːpl] *n* élève *n.*

pupil[2] *n* (eye) pupille *f.*

puppet [ˈpʌpit] *n* marionnette *f ;* pantin *m* ‖ Fig. ~ *State,* État *m* fantoche ‖ ~-*show* *n* guignol *m.*

puppy *n* = PUP.

purchase [ˈpəːtʃəs] *n* achat *m,* acquisition *f* ; ~ *tax,* taxe *f* de luxe ‖ prise *f,* point *m* d'appui (hold) ● *vt* acheter, acquérir ‖ ~**er** *n* acquéreur *m,* acheteur *n* ‖ ~**ing power** *n* pouvoir *m* d'achat.

pure [pjuə] *adj* pur ‖ ~**ly** *adv* purement ‖ simplement.

purgat|ive [ˈpəːgətiv] *adj/n* purgatif *(m)* ‖ ~**ory** [-ri] *n* Rel. purgatoire *m.*

purge [pəːdʒ] *n* Med. purge *f* ‖ Pol. épuration *f* ● *vt* Med. purger ‖ Pol. épurer.

pur|ify [ˈpjuərifai] *vt* purifier ‖ Med. dépurer ‖ ~**itan** [-itn] *n* puritain *n* ‖ ~**ity** *n* pureté *f.*

purlieus [ˈpəːljuːz] *npl* abords, environs, alentours *mpl.*

purloin [pəːˈlɔin] *vt* subtiliser, dérober.

purple [ˈpəːpl] *n/adj* violet *(m).*

purport [ˈpəːpət] *n* teneur *f,* sens *m,* portée *f* ● [pəːˈpɔːt] *vt* ~ *to be,* prétendre être, se prétendre.

purpose [ˈpəːpəs] *n* but, objet *m ;* intention *f,* dessein *m ; on* ~, exprès ; *this will serve my* ~, cela fera mon affaire ; *for all practical* ~, pratiquement ; *to the* ~, à propos ‖ ~-**ful** *adj* résolu (determined) ‖ réfléchi, délibéré ‖ ~**ly** *adv* délibérément.

purr [pəː] *n* ronron *m* ● *vi* ronronner.

purs|e [pəːs] *n* porte-monnaie *m* ‖ bourse *f* ‖ U.S. sac *m* à main (handbag) ● *vt* pincer (one's lips) ‖ ~**er** *n* Naut. commissaire *m* du bord.

pursu|e [pəˈsjuː] *vt* poursuivre (one's studies) ‖ exercer (a profession) ‖ ~**er** *n* poursuivant *n.*

pursuit [pəˈsjuːt] *n* poursuite, recherche *f.*

purveyor [pəːˈveə] *n* fournisseur *m.*

pus [pʌs] *n* Med. pus *m.*

push [puʃ] *n* poussée *f* ‖ Coll. dynamisme *m* ● *vi* pousser ; bousculer (shove) ; *stop* ~*ing!,* ne poussez pas ! — *vt* pousser ; presser sur, appuyer sur (a button) ‖ Fig. pistonner (recommend) ; presser, harceler (urge on) ‖ ~-*bike* *n* vélo *m* ‖ ~-*chair* *n* poussette *f* ‖ ~**er** *n* [pej.] arriviste *n* ‖ [drug] revendeur *n,* dealer *m* (pop.) ‖ ~**ing** *adj* entreprenant.

puss [pus], ~**y** [ˈpusi] *n* minet *m ; Puss in Boots,* le Chat Botté.

put [put] *vt* (put) mettre, placer, poser ‖ soumettre ; ~ *sb through an examination,* faire subir un examen à qqn ; ~ *a question to sb,* poser une question à qqn ; ~ *to the test,* mettre à l'épreuve ‖ ~ *sb to death,* mettre à mort ‖ ~ *an end/a stop to sth,* faire cesser, mettre un terme à qqch ‖ SP. lancer (a weight) ‖ ~ *across,* faire comprendre ‖ ~ *aside,* mettre de côté ‖ ~ *away,* ranger, placer (place) ‖ [euphemism] *have a dog* ~ *away,* faire piquer un chien ‖ ~ *back,* replacer, remettre en place ; retarder (clock) ‖ ~ *by,* FIN. économiser, mettre de côté ‖ ~ *down,* poser, déposer ; noter, inscrire (write down) ; AUT. déposer (a passenger) ; FIG. réprimer, écraser (revolt) ; imputer, attribuer (*to,* à) ‖ ~ *forth,* proposer (express) ; déployer (strength) ; BOT. pousser (new leaves) ‖ ~ *forward,* avancer (theory, clock) ‖ ~ *in,* présenter (a claim) ; installer (telephone) ; COLL. placer (a good word) ‖ ~ *off,* enlever, ôter (clothes) ; FIG. troubler, dérouter (disconcert) ; ajourner, différer, remettre (postpone) ; détourner, éloigner (divert) ‖ ~ *on,* mettre, enfiler (clothes) ; simuler (feign) ; affecter (pretend) ; avancer (price, speed) ; avancer (clock) ; TH. monter (a play) ; CIN. passer, projeter (a film) ; mettre (a record) ; allumer (gas, light, radio) ; COLL. faire marcher (sb) ; ~ *it on,* COLL. faire l'important, poser ‖ ~ *out,* éteindre (extinguish) ; publier (issue) ; tendre (stretch out) ; ~ *out one's tongue,* tirer la langue ; MED. crever (an eye) ; démettre, luxer (one's shoulder) ; FIG. troubler, dérouter (disconcert) ; déranger (inconvenience) ; ~ *oneself out,* se donner beaucoup de mal (*for,* pour) ‖

~ *through* : TEL. ~ *through to,* mettre en communication avec, passer ‖ ~ *together,* réunir ; assembler ‖ ~ *up,* accrocher (hang up) ; dresser (a tent) ; loger, héberger (sb) ; FIN. augmenter (price) ; COLL. mettre au courant, tuyauter ; monter (a dirty trick).
— *vi* NAUT. ~ *to sea,* appareiller ‖ ~ *in,* NAUT. faire escale ‖ ~ *up,* [person] (se) loger ; ~ *up at a hotel,* descendre à l'hôtel ‖ ~ *up with,* s'accommoder de, s'arranger de ; supporter.

put-on *n* COLL. comédie, farce *f* ; [hoax] mystification *f* ; *a* ~ *job,* un coup monté ; un canular (arg.)

putrefy [ˈpjuːtrifai] *vi/vt* (se) putréfier, pourrir.

putt [pʌt] *n* SP. coup roulé ● *vt* putter (at golf).

putty [ˈpʌti] *n* mastic *m* ● *vt* mastiquer.

put-up job *n* COLL. coup monté.

puzzl|e [ˈpʌzl] *n* énigme *f,* mystère *m* ‖ [game] casse-tête *m* ● *vt* embarrasser, intriguer ‖ ~ *out,* déchiffrer ; résoudre (a problem) ‖ ~*ing adj* embarrassant.

pygmy [ˈpigmi] *n* pygmée *m.*

pyjamas [pəˈdʒɑːməz] *npl* pyjama *m.*

pylon [ˈpailən] *n* pylône *m.*

pyramid [ˈpirəmid] *n* pyramide *f.*

python [ˈpaiθn] *n* python *m.*

Q

q [kju:] *n* q *m*.

q t [ˌkju:ˈti:] *n* (= QUIET) *on the* ~, en douce.

quack [kwæk] *n* ~ *(doctor)*, charlatan *m*.

quad [kwɔd] *n* COLL. = QUADRUPLET.

quadr|angle [ˈkwɔˌdræŋgl] *n* quadrilatère *m* ‖ cour *f* (of a college) ‖ ~**atic** [kwɔˈdrætik] *adj* ~ *equation*, équation *f* du second degré ‖ ~**ilateral** [ˌkwɔdriˈlætrl] *adj/n* quadrilatère *(m)* ‖ ~**uped** [ˈkwɔdruped] *adj/n* quadrupède *(m)* ‖ ~**uple** [ˈkwɔdrupl] *adj/n* quadruple *(m)* ‖ ~**uplet** [ˈkwɔdruplit] *adj/n* quadruplé [born at a birth].

quail [kweil] *n* caille *f*.

quaint [kweint] *adj* pittoresque, curieux, bizarre ‖ au charme vieillot (village).

quake [kweik] *vi* trembler.

quali|fication [ˌkwɔlifiˈkeiʃn] *n* aptitude, compétence *f* ‖ conditions requises *f* ‖ formation *f* ‖ titres, diplômes *mpl* (degrees) ‖ réserve, restriction *f* (limitation) ‖ qualification *f* (description) ‖ ~**fied** [ˈkwɔlifaid] *adj* qualifié, apte à ‖ ~**fy** [ˈkwɔlifai] *vt* qualifier *(for, pour)* [entitle] ‖ atténuer (modify) ‖ nuancer (a statement) ‖ JUR. habiliter — *vi* obtenir les titres/la formation nécessaire(s) [*for,* pour] ‖ ~**tative** [ˈkwɔlitətiv] *adj* qualitatif ‖ ~**ty** [ˈkwɔliti] *n* qualité

f ; high/poor ~, (de) bonne/mauvaise qualité ‖ ~ *of life,* qualité *f* de la vie.

qualms [kwɔːmz] *npl* nausées *fpl* ‖ FIG. scrupules *mpl*.

quandary [ˈkwɔndəri] *n* embarras, dilemme *m*.

quantit|ative [ˈkwɔntitətiv] *adj* quantitatif ‖ ~**y** *n* quantité *f* ‖ MATH. *unknown* ~, inconnue *f*.

quarantine [ˈkwɔrntiːn] *n* NAUT. quarantaine *f* ● *vt* mettre en quarantaine.

quarrel [ˈkwɔrl] *n* querelle, dispute *f ; have a* ~ *with sb,* se disputer avec qqn ; *pick a* ~ *with sb,* chercher querelle à qqn ‖ sujet *m* de querelle ; *I have no* ~ *with him,* je n'ai rien à lui reprocher ● *vi* se quereller, se disputer *(with sb,* avec qqn) ‖ se plaindre, trouver à redire *(with,* à) [find fault] ‖ ~**some** [-səm] *adj* querelleur.

quarry¹ [ˈkwɔri] *n* [animal] proie *f*.

quarry² *n* TECHN. carrière *f* ● *vt* extraire ; exploiter une carrière.

quart [kwɔːt] *n* [measure] quart *m* de gallon.

quarter [ˈkwɔːtə] *n* quart *m ; a* ~ *of an hour,* un quart d'heure ; *a* ~ *to six,* six heures moins le quart ; *a* ~ *past six,* six heures et quart ‖ quart *m* (of a pound) ‖ trimestre *m* (of a year) ‖ quartier *m* (of a town) ‖ région *f*, endroit *m ; from all* ~*s,* de tous côtés

|| Astr. quartier *m* (of moon) || U.S. pièce *f* de 25 cents || *Pl* résidence *f* || Mil. quartier, cantonnement *m* ; *at close* ~s, corps à corps || Fig. quartier *m*, pitié *f* ● *vt* diviser en quatre || Mil. cantonner, loger || ~-**day** *n* jour *m* du terme || ~-**deck** *n* Naut. plage *f* arrière, dunette *f* ; Hist. gaillard *m* d'arrière || Sp. quart *m* de finale || ~-**ly** *adj* trimestriel ● *n* revue trimestrielle || ~-**note** *n* Mus., U. S. noire *f*.

quartet [kwɔːˈtet] *n* Mus. quatuor *m* ; [jazz] quartette *m*.

quartz [ˈkwɔts] *n* quartz *m* ; ~ *watch*, montre *f* à quartz.

quaver [ˈkweivə] *vi* [voice] chevroter ● *n* chevrotement *m* || Mus. croche *f* ; ~ *rest*, demi-soupir *m*.

quay [kiː] *n* Naut. quai *m*.

queasy [ˈkwiːzi] *adj* [food] écœurant || [person] sujet aux nausées ; *be* ~, avoir mal au cœur ; fig. éprouver de la répugnance || troublé (conscience).

queen [kwiːn] *n* reine *f* || [cards, chess] dame *f* || Sl. tante, folle *f* (pop.) [homosexual].

queer [kwiə] *adj* bizarre, étrange || Coll. *feel* ~, avoir un malaise (unwell) || louche, douteux (suspicious) ● *n* Coll. pédé *m*, tante, folle *f* (pop.) ● *vt* gâcher ; ~ *sb's pitch*, couper l'herbe sous le pied à qqn.

quell [kwel] *vt* réprimer, étouffer (a rebellion).

quench [kwenʃ] *vt* éteindre (fire) || Fig. ~ *one's thirst*, se désaltérer || Fig. réprimer (emotion).

querulous [ˈkwerʊləs] *adj* ronchonneur, bougon, râleur (fam.).

query [ˈkwiəri] *n* question *f* || doute *m* ● *vt* mettre en doute || ~ *if/whether*, chercher à savoir si.

quest [kwest] *n in* ~ *of...*, en quête de...

question [ˈkwestʃn] *n* question *f* ; *ask sb a* ~, poser une question à qqn || doute *m* ; *beyond* ~, hors de doute

|| *call sth in* ~, mettre qqch en question || affaire *f* ; *the* ~ *is to...*, *it's a* ~ *of*, il s'agit de... ; *out of the* ~, impossible ; *there is some/no* ~ *of doing*, il est/n'est pas question de faire ● *vt* questionner, interroger (interrogate) || mettre en doute/question (express doubt) || ~**able** *adj* discutable, contestable || ~-**mark** *n* point *m* d'interrogation || ~-**master** *n* meneur *m* de jeu || ~**naire** [ˌ.ˈnɛə] *n* questionnaire *m*.

queue [kjuː] *n* queue, file *f* d'attente ; *stand in a* ~, faire la queue ; *jump the* ~, resquiller, passer avant son tour ● *vi* ~ *up*, faire la queue.

quibble [ˈkwibl] *n* chicane *f* ● *vt* chicaner, ergoter.

quick [kwik] *adj* vif, rapide, prompt (reply) ; *be* ~ *about it!*, faites vite ! || Mil. cadencé (step) || Fig. vif, rapide (mind) ● *adv* vite, rapidement ● *n* vif *m* ; *cut/stung to the* ~, piqué au vif || *the* ~ *and the dead*, les vivants et les morts || ~**en** [-n] *vt* accélérer, hâter || Fig. exciter, stimuler || ~**ie** [-i] *n* Coll. chose vite faite ; [drink] pot *m* rapide/vite fait (fam.) || ~**lime** *n* chaux vive || ~**ly** *adv* vite, rapidement || ~**ness** *n* rapidité, promptitude *f* || acuité *f* (of sight) || Fig. vivacité *f* (of mind) || ~**sand** *n* sable mouvant || ~-**set** *adj* ~ *hedge*, haie vive || ~-**silver** *n* vif-argent *m* || ~-**tempered** *adj* emporté, coléreux ; soupe au lait (fam.) || ~-**witted** *adj* à l'esprit vif.

quid [kwid] *n inv* Coll. livre *f* (sterling).

quiet [ˈkwaiət] *adj* calme, tranquille (still) ; *be* ~!, silence !, taisez-vous ! || doux (gentle) ; paisible (peaceful) || tranquille (carefree) || doux, discret, sobre (colours) || caché, dissimulé ● *n* calme, silence *m* || paix, tranquillité *f* (peace) || Coll. *on the* ~, en douce (fam) || ~**en** [-n] *vi/vt* (se) calmer, (s')apaiser || ~**ly** *adv* tranquillement, calmement || ~**ness** *n* tranquillité *f*, calme *m*.

quilt [kwilt] *n* couvre-lit/-pieds *m*; *continental* ~, couette *f* • *vt* molletonner; capitonner (furniture).

quin [kwin] *n* COLL. = QUINTUPLETS.

quince [kwins] *n* coing *m*.

quinine [kwi'ni:n] *n* quinine *f*.

quin|tet(te) [kwin'tet] *n* MUS. quintette *m* || ~**tuplets** ['kwintjuplits] *npl* quintuplés *mpl*.

quip [kwip] *n* raillerie *f*, quolibet *m* • *vi* railler.

quirk [kwə:k] *n* caprice *m* (of fate) || bizarrerie, excentricité *f* (of behaviour).

quit¹ [kwit] *adj* ~ *of*, débarrassé de.

quit² [kwit] *vt* (quitted *or* quit) quitter, partir || U.S. cesser, s'arrêter de — *vi* abandonner (give up).

quite [kwait] *adv* tout à fait, complètement, entièrement (completely) || absolument, parfaitement (positively) || très (to the utmost extent); ~ *enough,* bien assez; ~*good,* très bon; ~ *a lot of,* un grand nombre de; ~ *(so),* d'accord; certainement, exactement || [moderately] assez, plutôt; ~ *good but,* pas mal mais.

quits [kwits] *adj be* ~ *with sb,* être quitte envers qqn.

quiver ['kwivə] *vi* frémir, frissonner || [voice] chevroter || [flame] vaciller • *n* tremblement, frisson, frémissement *m*.

quiz [kwiz] *n* test, questionnaire *m* || RAD. jeu-concours *m* radiophonique • *vt* poser des questions à; ~*master,* meneur *m* de jeu; T.V. animateur *n* || ~**zical** [-ikəl] *adj* moqueur, narquois, ironique.

quoit [kwɔit] *n* palet *m*.

quota ['kwəutə] *n* quote-part *f* || contingent, quota *m* (of goods).

quotation [kwə'teiʃn] *n* citation *f* || ~ *marks,* guillemets *mpl*; *enclose in* ~ *marks,* mettre entre guillemets || FIN. cote *f*.

quote [kwəut] *vi* citer (words from a book) || FIN. coter || COMM. ~ *a price,* faire/proposer un prix • *n* = QUOTATION • *adv* ~*!,* [speech] je cite; [dictation] ouvrir les guillemets. → UNQUOTE.

quotient ['kwəuʃnt] *n* quotient *m*.

R

r [ɑ:] *n* r *m*.

rabbi [ˈræbai] *n* rabbin *m*.

rabbit [ˈræbit] *n* lapin *m* ‖ *doe* ~, lapine *f*; *wild* ~, lapin de garenne ‖ ~**-hole** *n* terrier *m* de lapin.

rabble [ˈræbl] *n* populace, racaille *f*.

rabid [ˈræbid] *adj* enragé (dog) ‖ FIG. enragé, forcené.

rabies [ˈreibi:z] *n* rage *f*.

rac(c)oon [rəˈku:n] *n* raton laveur.

rac|e¹ [reis] *n* courant *m* (water) ‖ SP. course *f*; ~ *against time/the clock*, course contre la montre ‖ ~**-course,** hippodrome, champ *m* de courses; ~**-goer,** turfiste *n*; ~**-horse,** cheval *m* de course ‖ ~**-meeting,** courses *fpl* de chevaux; ~**-track,** U.S. champ *m* de courses ● *vi* courir à toute allure — *vt* faire la/une course avec ‖ faire courir (horse) ‖ emballer (engine) ‖ ~**er** [-ə] *n* cheval/bateau *m* de course ‖ [person] coureur *n* ‖ ~**ing** *n* courses *fpl* ● *adj* SP. de course; ~ *driver*, coureur *m* automobile, pilote *m* de course; ~**-car,** auto *f* de course; ~ *stable*, écurie *f* de course.

rac|e² [reis] *n* race *f*; *human* ~, genre humain ‖ lignée *f* (family) ‖ ~**ial** [ˈreiʃl] *adj* racial ‖ ~**ialism,** U.S. ~**ism** *n* racisme *m* ‖ ~**ist** *n* raciste *n*.

rack¹ [ræk] *n* go to ~ *and ruin,* [house] tomber en ruine; [person] aller à la dérive.

rack² *n* râtelier *m* (for fodder) ‖ claie *f* (for fruit) ‖ étagère *f* (for books) ‖ portemanteau *m* (hat-rack) ‖ égouttoir *m* (plate-rack) ‖ porte-serviette *m* (towel-rack) ‖ RAIL. filet, porte-bagages *m inv* ‖ AUT. galerie *f* ‖ TECHN. crémaillère *f*; ~**-railway,** chemin de fer à crémaillère ‖ FIG. *be on the* ~, être au supplice, COLL. sur le gril ● *vt* FIG. mettre à la torture; ~ *one's brains,* se creuser la cervelle.

racket¹ [ˈrækit] *n* SP. [tennis] raquette *f*.

racket² *n* vacarme, tapage *m*; *make a* ~, faire du tapage ‖ dissipation *f* ‖ combine *f*, truc *m* (dodge) ‖ racket, chantage *m*, escroquerie *f* (fraud); *drug* ~, trafic *m* des stupéfiants ● *vi* ~ *(around),* mener joyeuse vie; faire la bringue (fam.) ‖ ~**eer** [ˌrækiˈtiə] *n* racketteur *n*.

racy [ˈreisi] *adj* plein de verve ‖ savoureux (story).

radar [ˈreidə] *n* radar *m*; ~ *operator,* radariste *n*.

radial (tyre) [ˈreidiəl] *n* pneu *m* à carcasse radiale.

rad|iance [ˈreidiəns] *n* rayonnement *m* ‖ ~**iant** *adj* rayonnant, radieux (beauty) ‖ ~**iate** [-ieit] *vi* rayonner, dégager — *vt* émettre (rays) ‖ ~**iation** [ˌreidiˈeiʃn] *n* rayonnement *m* ‖ PHYS. radiation *f* ‖ ~**iator** [ˈreidieitə] *n* radiateur *m* ‖ AUT. radiateur *m*; ~ *grill,* calandre *f*.

radical [ˈrædikl] adj radical.

radio [ˈreidiəu] n radio f ; be on the ~, passer à la radio ; hear sth on the ~, entendre qqch à la radio ; talk over the ~, parler à la radio ● vt transmettre par radio ; appeler par radio — vi — for help, appeler au secours par radio ‖ ~**activity** n radioactivité f ‖ ~**beacon** n radiophare m ‖ ~**compass** n radiocompas m ‖ ~**controlled** adj téléguidé ‖ ~**graphy** [reidiˈɔgrəfi] n radiographie f ‖ ~**-ham** n radio m amateur ‖ ~**logist** [reidiˈɔlədʒist] n radiologue n ‖ ~**-operator** n radio (télégraphiste) m ‖ ~**-set** n poste m de radio ‖ ~**-station** n station f de radio ‖ ~**tape-player** n radiocassette f ‖ ~**-telephone** n radiotéléphone m ‖ ~**telescope** n radiotélescope m ‖ ~**therapy** [-ˈθerəpi] n radiothérapie f.

radish [ˈrædiʃ] n radis m.

radium [ˈreidjəm] n radium m.

rad|ius, -dii [ˈreidjəs, -diai] n rayon m (of a circle).

raffia [ˈræfiə] n raphia m.

raffle [ˈræfl] n loterie, tombola f ● vt mettre en loterie.

raft [rɑːft] n radeau m.

rafter [rɑːftə] n chevron m.

rag¹ [ræg] n lambeau m, loque f (old) ‖ chiffon m (for wiping) ‖ Pl haillons mpl ; guenilles fpl ; Comm., Coll. the ~ trade, la confection ‖ Pej. [newspaper] torchon m, feuille f de chou (fam.) ‖ ~ (-and-bone) man, ~**-picker** n chiffonnier m.

rag² vt taquiner, faire enrager (tease) ‖ brimer (a fellow-student) ‖ chahuter (be noisy) ● n chahut m (noise) ; farce f ; for a ~, pour s'amuser.

ragamuffin [ˈrægəmʌfin] n galopin m (fam.) ; va-nu-pieds m inv (dressed in rags).

rage [reidʒ] n rage, fureur f ; fly into a ~, piquer une colère, sortir de ses gonds ‖ Coll. toquade, vogue f ; be all the ~, faire fureur ● vi être en fureur ‖ Fig. faire rage ; [sea] être déchaîné.

ragged [ˈrægid] adj déguenillé, en haillons, loqueteux (person) ‖ déchiqueté (rocks) ‖ raboteux (ground).

raging [reidʒin] adj déchaîné ‖ ~ toothache, rage f de dents.

raid [reid] n razzia f (plunder) ‖ hold-up m (on a bank) ‖ Jur. descente, rafle f (police) ‖ Mil. raid m, incursion f ● vt [robber] razzier (ransack) ‖ [police] faire une rafle/descente ‖ [bandit] faire un hold-up dans ; braquer (arg.) [a bank] ‖ Mil. faire une incursion ‖ Av. bombarder.

rail¹ [reil] vi ~ at, vituperer contre.

rail² n rampe f (d'escalier) ‖ [balcony] balustrade f ‖ Pl grille, barrière f (fence) ‖ Rail. rail m ; go off/jump the ~s, dérailler ; send by ~, envoyer par chemin de fer ● vt ~ in, clôturer ‖ ~**-car** n autorail m ‖ ~**ing(s)**, grille f (fence) ; barreau m ; ~(s), grille f (fence) ; balustrade f (balcony) ‖ ~**road** n U.S. chemin m de fer ‖ ~**way** n G.B. chemin m de fer ‖ ~**wayman** [-wemən] n cheminot, employé m de chemin de fer.

rain [rein] n pluie f ; in the ~, sous la pluie ● vi pleuvoir ‖ ~**bow** [-bəu] n arc-en-ciel m ‖ ~**coat** n imperméable m ‖ ~**fall** n chute f de pluie ; précipitations fpl, quantité f d'eau tombée ‖ ~**forest** n forêt tropicale ‖ ~**-gauge** n pluviomètre m ‖ ~**proof** adj imperméable ‖ ~**y** adj pluvieux.

raise [reiz] n U.S. augmentation, hausse f (de salaire) ‖ [cards] relance f ● vt lever, relever (lift up) ‖ lever (glass, hat) ‖ hausser (voice) ‖ U.S. élever (animals, children) ; faire pousser, cultiver (wheat) ‖ [cards] relancer ; faire une annonce supérieure ‖ [increase] majorer (prices) ; augmenter (salary) ‖ Fin. ~ money, se procurer de l'argent ; ~ a loan, lancer un emprunt ; lever (taxes) ‖ Math. 2 ~d to the power of 3, 2 élevé à la puissance 3 ‖ Rel.

~ *from the dead,* ressusciter ‖ MIL. lever (the siege, an army) ‖ AGR. élever (livestock) ; cultiver (vegetables) ‖ ARCH. surélever ‖ FIG. provoquer (a disturbance, a laugh) ‖ COLL. ~ *Cain/hell,* faire une scène/ tout un cirque (fam.) ‖ FIG. formuler (objection) ; évoquer (ghost).

raisin [ˈreizn] *n* raisin sec.

rake¹ [reik] *n* râteau *m* • *vt* ratisser (a garden) ‖ MIL. [machine-gun] balayer.

rake² *n* pente, inclinaison *f* • *vi* être incliné/en pente.

rally [ˈræli] *n* rassemblement, ralliement *m* ‖ AUT. rallye *m* ; [tennis] échange *m* de balles • *vt* rassembler, rallier.

ram [ræm] *n* bélier *m* • *vt* heurter (violemment) ‖ ~ *down/in,* enfoncer.

Ramadan [ˈræmədæn] *n* ramadan *m*.

rambl|e [ˈræmbl] *vi* se promener (au hasard) [wander] ‖ faire une randonnée à pied ‖ FIG. divaguer ; radoter • *n* randonnée *f* ; balade *f* (fam.) ‖ *go for a* ~, faire une excursion (à pied) ‖ ~**er** *n* promeneur, randonneur *m* ‖ BOT. ~ *(rose),* rosier grimpant ‖ ~**ing** *adj* décousu (speech) ; vagabond (thought) ‖ BOT. grimpant (plant).

ramp [ræmp] *n* rampe *f* (slope) ‖ bretelle *f* (of motor-road) ‖ [garage] pont *m* de graissage.

rampage [ræmˈpeidʒ] *n on the* ~, déchaîné (mob) ‖ *go on the* ~, se déchaîner.

rampant [ˈræmpənt] *adj* [disease] *be* ~, sévir.

rampart [ˈræmpɑːt] *n* rempart *m*.

ramshackle [ˈræmˌʃækl] *adj* croulant, délabré.

ran → RUN.

ranch [rɑːnʃ] *n* U.S. ranch *m* ‖ ~**er** *n* propriétaire *n* de ranch ; cowboy *m*.

rancid [ˈrænsid] *adj* rance ; *grow* ~, rancir.

rancour [ˈræŋkə] *n* rancune, rancœur *f* ; ressentiment *m*.

random [ˈrændəm] *adj* fortuit ‖ INF. ~ *access,* accès *m* aléatoire • *n* hasard *m* ; *at* ~, au hasard.

rang → RING.

range [reindʒ] *n* rangée *f*, rang *m* ‖ [gun, telescope] portée *f* ; ~*-finder,* télémètre *m* ‖ AV. rayon *m* d'action, autonomie *f* ‖ GEOGR. région, zone *f* ; chaîne *f* (of mountains) ‖ MUS. étendue *f* ‖ CULIN. cuisinière *f* (stove) ‖ COMM. gamme *f* ‖ FIG. portée *f* (scope) ; *within* ~ *of,* à portée de ; étendue *f*, domaine *m* ; choix *m*, gamme, variété *f* ; [mind] envergure *f* • *vt* aligner ; ranger (set in order) ‖ ~ *over/through,* parcourir ; rôder dans — *vi* ~ *from... to,* aller de... à.

ranger [ˈreindʒə] *n* garde forestier ‖ *Pl* U.S. gendarme *m* à cheval ; MIL. commandos *mpl*.

rank¹ [ræŋk] *n* rang, ordre *m* ‖ MIL. grade *m* ; ~ *and file,* hommes *mpl* de troupe ‖ AUT. station *f* de taxis • *vt* ranger, classer ; mettre au rang de — *vi* se ranger, prendre rang, se classer ; ~ *above,* être supérieur à ; ~ *with,* aller de pair avec.

rank² *adj* dru, touffu (grass) ; luxuriant (vegetation) ; fétide, fort (odour).

rankle [ˈræŋkl] *vi* ~ *in sb's mind,* rester sur le cœur de qqn — *vt* ulcérer (sb).

ransack [ˈrænsæk] *vt* fouiller (de fond en comble) ‖ piller, saccager (plunder).

ransom [ˈrænsəm] *n* rançon *f* ; *hold sb to* ~, mettre qqn à la rançon, rançonner qqn • *vt* racheter (redeem).

rant [rænt] *vi* déclamer (declaim) ‖ ~ *and rave,* tempêter, fulminer (*against,* contre) • *n* divagation *f*.

rap [ræp] *n* tape *f*, petit coup sec (on

a door) || COLL. blâme *m* ● *vt* frapper, donner un coup sec.

rapacious [rə'peiʃəs] *adj* rapace (for money).

rape¹ [reip] *n* AGR. colza *m*.

rape² *n* viol *m* ● *vt* violer.

rapid ['ræpid] *adj* rapide ● *npl* rapides *mpl*.

rapist ['reipist] *n* violeur *m*.

rapping ['ræpiŋ] *adj* frappeur (spirit).

rapt [ræpt] *adj* ravi, transporté (person) ; profond (attention) ; ~ **in**, plongé dans.

rapture ['ræptʃə] *n* ravissement, transport *m ;* extase *f ; go into* ~s over, s'extasier sur.

rare¹ [rɛə] *adj* CULIN. saignant.

rar|e² *adj* rare || ~**efy** ['rɛərifai] *vi* se raréfier || ~**ely** [-li] *adv* rarement || ~**ity** [-riti] *n* rareté *f*.

rascal ['rɑːskl] *n* coquin, vaurien *n*.

rash¹ [ræʃ] *n* MED. éruption *f* || boutons *mpl* (spots).

rash² *adj* irréfléchi, inconsidéré (action) || téméraire, impétueux (person).

rasher *n* tranche *f* (of bacon).

rashness *n* irréflexion, impétuosité, témérité *f*.

rasp [rɑːsp] *n* raclement *m* || TECHN. râpe *f* ● *vt* râper || FIG. irriter ; écorcher (sb's ears).

raspberry ['rɑːzbri] *n* framboise *f ;* ~ *bush,* framboisier *m*.

rat [ræt] *n* rat *m ;* ~ *extermination,* dératisation *f* || COLL. salaud *m* (pop.) ; *he's a* ~, c'est un salaud || COLL. *smell a* ~, flairer quelque chose de louche ; ~ *poison,* mort-aux-rats *f* ● *vt* [dog] chasser les rats — *vi* COLL. ~ *on sb,* lâcher qqn (desert) ; moucharder qqn (fam.) [give away].

rate [reit] *n* proportion *f ; at the* ~ *of,* à raison de || *at any* ~, en tout cas || vitesse *f ; at a* ~ *of,* à une vitesse de || qualité *f ; first* ~, de premier

ordre || [payment] tarif *m* || FIN. taux *m ;* ~ *of exchange,* cours *m* du change || *Pl* impôts locaux ● *vt* évaluer, estimer || ~-**payer** *n* contribuable *n*.

rather ['rɑːðə] *adv* plutôt (than, que) ; *I had/would* ~ *(go),* je préférerais/j'aimerais mieux (partir) || assez (fairly) || légèrement (slightly).

ratif|y ['rætifai] *vt* ratifier || ~**ication** [ˌrætifi'keiʃn] *n* ratification *f*.

rating ['reitiŋ] *n* évaluation *f ;* classement *m* || SP. classe, catégorie *f* || NAUT. classe (of a boat) ; matelot *m* (sailor) || *(Pl)* RAD. indice *m* d'écoute.

ratio ['reiʃiəu] *n* proportion *f ; in direct/inverse* ~ *to,* en raison directe/inverse de.

ration ['ræʃn] *n* ration *f ; put on* ~s, rationner ● *vt* rationner.

rational ['ræʃənl] *adj* rationnel, raisonnable.

rationing ['ræʃniŋ] *n* rationnement *m*.

rattle ['rætl] *n* crécelle *f* (toy) || cliquetis *m ;* bruit *m* de ferraille (noise) ● *vi* [machinery] cliqueter || [rifle-fire] crépiter || [windows] vibrer || ~ *along,* brimbaler, brinquebaler — *vt* agiter, secouer || COLL. bouleverser ; retourner, démonter (fam.) [sb] || ~**snake** *n* serpent *m* à sonnette.

raucous ['rɔːkəs] *adj* rauque.

ravage ['rævidʒ] *n* ravage *m* ● *vt* ravager.

rave [reiv] *vi* [person] délirer, divaguer || s'extasier (about, sur) [speak enthusiastically] || [wind] souffler en tempête.

ravel ['rævl] *vi/vt* (s')embrouiller, (s')enchevêtrer.

raven ['reivn] *n* corbeau *m* || ~**ous** ['rævənəs] *adj* féroce (appetite) ; affamé (person) ; vorace (animal).

ravine [rə'viːn] *n* ravin *m*.

raving ['reiviŋ] *adj* délirant ● *adv*

~ *mad,* fou à lier ‖ ~**s** *npl* délire *m,* divagations *fpl.*

ravish [´ræviʃ] *vt* ravir, enlever ‖ Fig. charmer ‖ ~**ing** *adj* ravissant ‖ ~**ment** *n* Fig. ravissement.

raw [rɔ:] *adj* cru (food) ‖ brut (metal) ‖ grège (silk) ‖ ~ **materials,** matières premières ‖ Fig. vif (air) ; froid et humide (weather) ‖ novice (inexperienced) ‖ à vif (wound) ● *n* Coll. *in the* ~, à poil (fam.) ‖ Fig. *touch sb on the* ~, piquer qqn au vif.

ray[1] [rei] *n* rayon *m.*

ray[2] *n* Zool. raie *f.*

rayon [´reiɔn] *n* rayonne *f.*

raze [reiz] *vt* raser (destroy).

razor [´reizə] *n* rasoir *m* ‖ ~**-blade** *n* lame *f* de rasoir ‖ ~**-edge** *n* Fig. situation *f* critique.

re[1] [ri:] *prep* au sujet de, à propos de.

re-[2] *pref* de nouveau, re- (again).

reach [ri:tʃ] *n* atteinte, portée *f* ; *within* ~ *of,* à portée de ; *out of* ~, hors d'atteinte/de portée ● *vt* atteindre, parvenir à ‖ joindre (sb) ‖ [get and give] passer ; ~ *down,* descendre *(sth)* ‖ ~ *out,* tendre, étendre (arm, hand) — *vi* s'étendre ; *as far as the eye can* ~, à perte de vue.

reac|t [ri´ækt] *vi* réagir *(against,* contre ; *to,* à) ‖ ~ **tion** [-ʃn] *n* réaction *f* ‖ ~**tionary** [-ʃnəri] *n/adj* Pol. réactionnaire ‖ ~**tor** [-tə] *n* réacteur *m.*

read [ri:d] *vt* (read [red]) lire ‖ relever (a gas-meter) ‖ ~ *sb's cards,* tirer/faire les cartes à qqn ; ~ *sb's hand,* lire dans les lignes de la main de qqn ‖ [University] étudier (subject) ; ~ *law,* faire son droit ‖ ~ *a meter,* relever un compteur ‖ ~ *out,* lire à haute voix ; ~ *over,* relire ; ~ *through,* parcourir — *vi* [book] se lire ‖ [thermometer] indiquer, marquer ‖ ~**able** *adj* lisible ‖ ~**er** *n* lecteur *n* ‖ livre *m* de lecture (schoolbook).

read|ily [´redili] *adv* volontiers, sans

hésiter ‖ ~**iness** [-inis] *n* empressement *m,* bonne volonté ‖ *keep in* ~, tenir prêt.

reading [´ri:diŋ] *n* lecture *f* ‖ connaissances *fpl,* culture *f* ‖ interprétation, variante *f* (of a text) ‖ Pol. discussion *f* (of a bill) ‖ Techn. relevé (of an instrument) ‖ ~**-room** *n* salle *f* de lecture.

readjust [´ri:ə´dʒʌst] *vt* rajuster, remanier, retoucher ‖ ~**ment** *n* rajustement *m,* réadaptation *f.*

readout [´ri:daut] *n* Inf. affichage *m,* lecture *f.*

ready [´redi] *adj* prêt ‖ *get* ~, se préparer ; *make* ~, préparer ‖ vif, prompt (mind, reply) ‖ à portée (within reach) ‖ enclin (inclined) ; disposé à (willing) ; *be quite* ~ *to,* ne demander qu'à ‖ Fin. liquide (money) ‖ Sp. ~!, *steady !, go !,* à vos marques !, prêts !, partez ! ; ‖ ~**-made,** ~**-to-wear** *adj* tout fait ; de confection, prêt à porter (clothes).

reafforest [´ri:ə´fɔrist] *vt* reboiser ‖ ~**ation** [´ri:ə´fɔris´teiʃn] *n* reboisement *m.*

reagent [ri´eidʒnt] *n* réactif *m.*

real [riəl] *adj* réel, vrai, véritable (genuine) ‖ vécu (adventure) ‖ Inf. ~ *time,* temps réel ‖ Jur. ~ *estate,* biens immobiliers ● *n for* ~, pour de bon/vrai ‖ ~**ism** *n* réalisme *m* ‖ ~**ist** *n* réaliste *n* ‖ ~**istic** [riə´listik] *adj* réaliste ‖ ~**ity** [ri´æliti] *n* réalité *f* ; *in* ~, en réalité ‖ ~**ization** [´riəlai´zeiʃn] *n* prise *f* de conscience (experience) ‖ réalisation *f* (of a hope) ‖ ~**ize** *vt* se rendre compte ; comprendre (carry out) ‖ Fin. réaliser ‖ ~**ly** *adv* réellement, vraiment.

realm [relm] *n* royaume *m* ‖ Fig. domaine *m.*

realt|or [´ri:əltə] *n* U.S. agent immobilier ‖ ~**y** *n* = Real estate.

ream [ri:m] *n* rame *f* (of paper).

reap [ri:p] *vt* moissonner ‖ Fig. récolter ‖ ~**er** *n* [person] moisson-

neur *n* ; [machine] moissonneuse *f* ‖ ~**ing** *n* moisson *f* ; ~-**machine**, moissonneuse *f*.

reappear [ˌriːəˈpiə] *vi* réapparaître ‖ ~**ance** [-rəns] *n* réapparition *f*.

rear[1] [riə] *n* arrière, derrière *m* ; *bring up the* ~, fermer la marche ‖ Aut. ~ **axle**, pont *m* arrière ; ~ **light**, feu *m* arrière ; ~-**view mirror**, rétroviseur *m* ; ~ **window**, lunette *f* arrière ‖ ~-**admiral** *n* contre-amiral *m* ‖ ~**guard** *n* Mil. arrière-garde *f*.

rear[2] *vt* élever (animals ; family) — *vi* [horse] ~ (*up*), se cabrer.

rearm [ˌriːˈɑːm] *vi* réarmer ‖ ~**ament** [-əmənt] *n* réarmement *m*.

rearrange [ˌriːəˈreindʒ] *vt* remettre en ordre.

reason [ˈriːzn] *n* raison *f* ; *the* ~ *why...*, la raison pour laquelle... ; *it stands to* ~, cela va de soi ; *I have* ~ *to believe that*, j'ai lieu de croire ; *without good* ~, sans motif ● *vi* raisonner ‖ ~**able** *adj* raisonnable (sensible) ‖ abordable, modéré (price) ‖ ~**ing** *n* raisonnement *m*.

reassure [ˌriːəˈʃuə] *vt* rassurer, tranquilliser.

rebate [ˈriːbeit] *n* Comm. rabais, escompte *m*.

rebel [ˈrebl] *n* rebelle, insurgé, révolté *n* ● [riˈbel] *vi* se révolter, s'insurger, se soulever (*against*, contre) ‖ ~**lion** [riˈbeljən] *n* rébellion *f*, soulèvement *m* ‖ ~**lious** [riˈbeljəs] *adj* rebelle.

rebound [ˈriːbaund] *n* rebond *m* ● [riˈbaund] *vi* rebondir.

rebuff [riˈbʌf] *n* rebuffade *f* ● *vt* rabrouer (sb) ; repousser (offers).

rebuke [riˈbjuːk] *n* réprimande *f*, blâme *m* ● *vt* réprimander, blâmer ; ~ *sb for sth*, reprocher qqch à qqn.

rebus [ˈriːbəs] *n* rébus *m*.

recall [riˈkɔːl] *n* rappel *m* ; *beyond* ~, irrévocablement ● *vt* rappeler (remind) ; se rappeler (remember) ‖ rappeler (an ambassador).

recant [riˈkænt] *vi* se rétracter — *vt* réviser (an opinion) ‖ ~**ation** [ˌriːkænˈteifn] *n* rétractation *f*.

recapitula|te [ˌriːkəˈpitjuleit] *vt* récapituler ‖ ~**tion** *n* récapitulation *f*.

recapture [ˈriːˈkæptʃə] *vt* rattraper.

recast [ˈriːˈkɑːst] *vt* refondre.

reced|e [riˈsiːd] *vi* reculer, s'éloigner ‖ [tide] descendre ‖ Fin. baisser ‖ ~**ing** *adj* fuyant (chin).

receipt [riˈsiːt] *n* réception *f* (of a letter) ; *on* ~ *of*, au reçu de (ce ; *acknowledge* ~ *of*, accuser réception de ‖ Comm. reçu *m*, quittance *f* [supermarket] ticket de caisse ; *Pl* recettes, rentrées *fpl* ● *vt* Comm. acquitter.

receiv|e [riˈsiːv] *vt* recevoir (sb, sth) ; accueillir (welcome) ‖ Rad. capter ‖ Jur. receler (stolen goods) ‖ ~**er** *n* destinataire *n* (of a letter) ‖ Tel. combiné *m* ; *lift/replace the* ~, décrocher/raccrocher ‖ Rad. (poste *m*) récepteur *m* ‖ Jur. receleur *n* (of stolen property).

recent [ˈriːsnt] *adj* récent ‖ ~**ly** *adv* récemment, dernièrement.

reception [riˈsepʃn] *n* réception *f* ‖ accueil *m* (welcome) ‖ [hotel] ~ **desk**, réception *f*, bureau *m* ‖ Rad. réception *f* ‖ ~**ist** *n* réceptionniste *n*, hôtesse *f* (d'accueil).

recess [riˈses] *n* [school] récréation *f* ‖ Jur. vacances *fpl* ‖ Arch. renfoncement *m*, niche *f* ; recoin *m* (secret place).

recession [riˈseʃn] *n* recul *m* ‖ Fin. ralentissement *m* des affaires, récession *f*.

recidivist [riˈsidivist] *n* récidiviste *n*.

recipe [ˈresipi] *n* Culin. recette *f*.

recipro|cal [riˈsiprəkl] *adj* réciproque, mutuel ‖ ~**cate** [-keit] *vt* retourner (compliment) — *vi* rendre la pareille ‖ ~**city** [ˌresiˈprɔsiti] *n* réciprocité *f*.

recit|al [riˈsaitl] *n* récit *m*, narration *f* ‖ Mus. récital *m* ‖ ~**ation** [ˌresiˈteifn] *n* récitation *f* ‖ ~**e** [riˈsait] *vt* énumérer (details) ‖ (poem) réciter ‖ [school] répondre.

reckless [ˈreklis] *adj* insouciant (heedless) ‖ imprudent, téméraire (rash) — *vi* **~ly** *adv* imprudemment, témérairement ‖ **~ness** *n* insouciance *f*; témérité *f*.

reckon [ˈrekn] *vt* compter, calculer ‖ **~ up**, additionner, faire le compte de ‖ FIG. regarder, considérer (*as*, comme) — *vi* compter (*on*, sur; *with*, avec; *without*, sans); tenir compte de (take into account) ‖ **~ing** *n* calcul, compte *m*.

reclaim [riˈkleim] *vt* réformer, redresser ‖ **~ed drunkard**, ivrogne repenti ‖ AGR. amender, défricher (land) ‖ TECHN. récupérer.

reclin|e [riˈklain] *vt* appuyer, reposer (arm, head) — *vi* s'appuyer [*against*, contre]; être étendu, allongé (*on*, sur) ‖ **~ing seat** *n* AUT. siège *m* à dossier réglable.

recluse [riˈkluːs] *adj/n* reclus.

recogn|ition [ˌrekəgˈniʃn] *n* reconnaissance, identification *f* ‖ **~ize** [ˈrekəgnaiz] *vt* reconnaître, identifier (sb) ‖ SP. homologuer (a record).

recoil [riˈkɔil] *n* recul *m* (of a gun) ‖ FIG. répugnance, horreur *f* ● *vi* reculer, avoir un mouvement de recul (*from*, devant) ‖ [gun] reculer ‖ FIG. rejaillir, retomber (*on*, sur).

recollec|t [ˌrekəˈlekt] *vt* se rappeler ‖ **~tion** [ˌrekəˈlekʃn] *n* souvenir *m*.

recommend [ˌrekəˈmend] *vt* recommander, conseiller, indiquer ‖ **~ation** [ˌrekəmenˈdeiʃn] *n* recommandation *f*.

recompense [ˈrekəmpens] *n* récompense *f* (reward); dédommagement *m* (for damage) ● *vt* récompenser, dédommager.

reconcil|e [ˈrekənsail] *vt* réconcilier; régler (a dispute) ‖ **become ~d to**, se résigner à ‖ **~iation** [ˌrekənsiliˈeiʃn] *n* réconciliation *f*.

recondition [ˌriːkənˈdiʃn] *vt* remettre à neuf, réviser.

reconn|aissance [riˈkɔnisəns] *n* MIL. reconnaissance *f* ‖ **~oitre** [ˌrekəˈnɔitə] *vt* MIL. reconnaître.

reconstitute [ˈriːˈkɔnstitjuːt] *vt* reconstituer.

reconstruct [ˈriːkənsˈtrʌkt] *vt* reconstruire ‖ reconstituer (a crime).

reconversion [ˈriːkənˈvəːʃn] *n* reconversion *f*.

record [ˈrekɔːd] *n* enregistrement *m*; **keep a ~ of**, consigner par écrit ‖ procès-verbal, rapport *m* ‖ document *m* (historical) ‖ [person's past] dossier *m*; **have a good ~**, être bien noté ‖ **on ~**, établi (fact); **off the ~**, officieux (unofficial); confidentiel (privately) ‖ JUR. (criminal/police) **~**, casier *m* judiciaire ‖ *Pl.* archives *fpl* ‖ MUS. disque *m* ‖ SP. record *m*; **break the ~**, battre le record; **hold a ~**, détenir un record; **~ holder**, détenteur *n* du record ● [riˈkɔːd] *vt* enregistrer, prendre acte de; consigner (facts) ‖ RAD. enregistrer; **~ed**, transmis en différé.

record|changer *n* changeur *m* de disques automatique ‖ **~ dealer** *n* disquaire *m*.

recorder [riˈkɔːdə] *n* TECHN. (tape) **~**, magnétophone *m*; → VIDEO ‖ MUS. flûte *f* à bec ‖ JUR. greffier *m* (registrar); juge *m*.

recording [riˈkɔːdiŋ] *n* enregistrement *m* ‖ consignation *f* (of facts) ‖ **~ head** *n* [tape recorder] tête *f* enregistreuse.

record|library *n* discothèque *f* ‖ **~ player** *n* électrophone, tourne-disque *m*.

recount [ˈriːˈkaunt] *vt* retracer.

recoup [riˈkuːp] *vt* dédommager (reimburse); récupérer (losses) ‖ **~ oneself**, se dédommager, se rattraper, se refaire.

recourse [riˈkɔːs] *n* recours *m*; **have ~ to**, avoir recours à.

re-cover¹ [ˈriːˈkʌvə] *vt* recouvrir.

recover² [riˈkʌvə] *vt* recouvrer, récupérer — *vi* se rétablir, se remettre (from an illness) ‖ **~y** [ri′kʌvəri] *n* [health] guérison *f*, rétablissement *m* ‖ récupération *f* (of sth lost) ‖ FIN. recouvrement *m*; [economy] reprise *f*.

recreat|ion [ˌrekri′eiʃn] *n* récréation *f*, divertissement *m* ‖ **~ive** *adj* récréatif, divertissant.

recriminate [ri′krimineit] *vt* récriminer.

recrimination [riˌkrimi′neiʃn] *n* récrimination *f*.

recruit [ri′kru:t] *n* MIL., FIG. recrue *f* ● *vt* recruter ‖ **~ing board,** conseil *m* de révision.

rect|angle [′rekˌtæŋgl] *n* rectangle *m* ‖ **~angular** [rek′tæŋgulə] *adj* rectangulaire.

rectif|ier [′rektifaiə] *n* ELECTR. redresseur *m* ‖ **~y** [-ai] *vt* rectifier, corriger ‖ ELECTR. redresser.

recto [′rektəu] *n* recto *m*.

rector [′rektə] *n* recteur *m* (of a university) ‖ REL. (Anglican Church) curé *m* (of a parish) ‖ **~y** [-ri] *n* cure *f*, presbytère *m*.

recuperate [ri′kju:preit] *vt* recouvrer ses forces.

recur [ri′kə:] *vi* [event] revenir, se reproduire ‖ [thought] revenir (à l'esprit) ‖ [illness] réapparaître ‖ [opportunity] se représenter ‖ **~rence** [ri′kʌrəns] *n* retour *m*, réapparition *f* ‖ **~rent** [-rənt] *adj* périodique.

recycl|e [ri′saikl] *vt* recycler (waste) ‖ **~ing** *n* recyclage *m*.

red [red] *n* rouge *m* ‖ COLL. paint the town ~, faire la bringue (fam.) ‖ FIN. **in the ~,** à découvert ‖ FIG. **see ~,** voir rouge ● *adj* rouge; **turn ~,** rougir ‖ roux (hair) ‖ RAIL. U.S., **~cap,** porteur *m* ‖ AUT. **~ light,** feu *m* rouge ‖ CH. **~ lead,** minium *m* ‖ FIG. **~ tape,** paperasserie, bureaucratie *f* ‖ **~breast** *n* rouge-gorge *m*.

Red|brick [′redbrik] *n* ~ (univer-

sity), nouvelle université (as opposed to Oxbridge) ‖ **~ Cross** *n* Croix-Rouge *f*.

red|den [redn] *vi/vt* rougir ‖ **~dish** *adj* rougeâtre, roussâtre.

redecorate [′ri:′dekəreit] *vt* remettre à neuf, refaire (a room).

redeem [ri′di:m] *vt* racheter ‖ FIN. dégager, retirer (from pawn) ‖ REL., FIG. racheter.

Redeemer [ri′di:mə] *n* REL. Rédempteur *m*.

redemption [ri′demʃn] *n* rachat *m* ‖ FIN. dégagement *m* (from pawn) ‖ REL. rédemption *f*.

red|faced [′red′feist] *adj* rougeaud ‖ **~-haired** [-′hɛəd] *adj* roux, rouquin ‖ **~-handed** [-′hændid] *adj* be caught ~, être pris en flagrant délit/la main dans le sac ‖ **~head** *n* roux, rouquin *n* ‖ **Red Indian,** peau-rouge *n* ‖ **~ness** *n* rougeur *f*.

redo [′ri:du:] *vt* refaire; repeindre.

redouble [ri′dʌbl] *vt* redoubler ‖ [bridge] surcontrer.

redoubt [ri′daut] *n* MIL. redoute *f* ‖ **~able** *adj* redoutable.

redress [ri′dres] *n* redressement *m*, réparation *f*; seek ~, demander justice ● *vt* réparer (a wrong) ‖ rétablir (balance).

reduce [ri′dju:s] *vt* réduire, diminuer — *vi* maigrir.

reduction [ri′dʌkʃn] *n* réduction, diminution *f*.

redund|ance, ~ancy [ri′dʌndəns(i)] *n* [labour] licenciement *m*, mise *f* en chômage ‖ **~ant** *adj* redondant (word) ‖ en surnombre (person) ‖ mis au chômage, licencié (worker).

reed [ri:d] *n* roseau *m* ‖ MUS. anche *f* (of a wind-instrument) ‖ Pl instruments *mpl* à anche.

reef¹ [ri:f] *n* récif, écueil *m*.

reef² *n* NAUT. ris *m*; take in a ~, prendre un ris ‖ **~er** *n* NAUT. caban *m* (jacket) ‖ U.S., Pop. cigarette *f* à la marijuana ; joint *m* (pop.).

reek [ri:k] *n* fumée *f* ‖ relent *m* (bad smell) ● *vi* [sth burning] fumer ‖ ~ *of,* empester.

reel [ri:l] *n* bobine *f* (of thread) ‖ CIN. bobine *f* ‖ SP. moulinet *m* (of fishing-rod) ● *vt* bobiner (thread) ‖ ~ *off,* dévider (spindle) — *vi* tournoyer (whirl) ‖ tituber, chanceler (stagger) ‖ ~ **belt** *n* AUT. ceinture *f* à enrouleur.

ref [ref] *n* COLL. = REFEREE.

refec|tion [riˈfekʃn] *n* CULIN. collation *f* ‖ ~**tory** [-tri] *n* réfectoire *m.*

refer [riˈfə:] *vi* ~ *to,* se rapporter à ; se référer à, consulter (dictionary) ‖ faire allusion à, mentionner, parler de (allude) — *vt* soumettre (*to,* à).

referee [ˌrefəˈri:] *n* SP. arbitre *m* ● *vt* arbitrer.

reference [ˈrefrəns] *n* référence *f* ; ~ **mark,** (cross) ~, renvoi *m* ‖ mention *f* (direct) ; allusion *f* (indirect) ‖ *Pl* références *fpl* (testimonials).

refill [ˈri:fil] *n* [ballpoint] recharge *f* ‖ [fountain pen] cartouche *f* ‖ feuillets *mpl* de rechange (for note-book) ‖ pile *f* de rechange ● *vt* remplir de nouveau ; recharger.

refine [riˈfain] *vt* raffiner (sugar) ‖ FIG. raffiner, épurer — *vi* ~ *upon,* perfectionner ‖ ~**ment** *n* TECHN. raffinage *m* ‖ FIG. raffinement, perfectionnement *m* ‖ ~**ry** [-ri] *n* TECHN. raffinerie *f.*

refit [ˈri:fit] *vt* NAUT. radouber.

reflec|t [riˈflekt] *vt* PHYS. refléter, réfléchir ‖ FIG. refléter — *vi* réfléchir, méditer (*on,* sur) ‖ FIG. ~ *upon,* faire tort à ; ~ *upon sb's reputation,* nuire à la réputation de qqn ‖ ~**tion** *n* réflexion (reflecting) ‖ [mirror] reflet *m,* image *f* ‖ FIG. réflexion *f* ; *on* ~, réflexion faite ; *cast* ~ *s on,* faire des remarques désobligeantes sur ; *be a* ~ *on,* porter atteinte à ‖ ~**tor** [-tə] *n* réflecteur *m* ‖ [bicycle] catadioptre *m* ; Cataphote *m.*

reflex [ˈri:fleks] *adj/n* réflexe (*m*) ‖ PHOT. ~ ***camera,*** (appareil *m*) réflexe *m* ‖ ~**ion** = REFLECTION ‖ ~**ive** *adv* GRAMM. réfléchi.

refloat [ˈri:fləut] *vt* renflouer.

reform [riˈfɔ:m] *n* réforme *f* ● *vt* réformer ‖ ~**ation** [ˌrefəˈmeiʃn] *n* réforme *f* ‖ ~**atory** [riˈfɔ:mətri] *adj* réformateur ‖ ~**er** *n* réformateur *n.*

refraction [riˈfrækʃn] *n* PHYS. réfraction *f.*

refractory [riˈfræktri] *adj* réfractaire, rebelle ‖ MED. opiniâtre, rebelle.

refrain[1] [riˈfrein] *n* MUS. refrain *m.*

refrain[2] *vi* s'abstenir, se retenir (*from,* de).

refresh [riˈfreʃ] *vt* revigorer, ragaillardir, remettre en forme ; délasser ‖ ~ *oneself,* se rafraîchir (take sth to drink) ‖ FIG. rafraîchir (one's memory) ‖ ~**er** *n* rafraîchissement *m* (drink) ‖ ~ *course,* cours *m* de perfectionnement, recyclage *m* ; stage *m* ‖ ~**ing** *adj* rafraîchissant (drink) ‖ FIG. délassant (bath) ; réconfortant (news) ‖ ~**ment** *n* délassement *m* (rest) ‖ collation *f* (light meal) ; rafraîchissement *m* (drink) ; *take some* ~, se restaurer ‖ ~**room** *n* RAIL. buffet *m.*

refrigera|te [riˈfridʒəreit] *vt* réfrigérer ; frigorifier (food) ‖ ~**tion** [riˌfridʒəˈreiʃn] *n* réfrigération *f* ‖ ~**tor** [riˈfridʒəreitə] *n* réfrigérateur *m.*

refuel [ˈri:ˈfjuəl] *vi* se ravitailler en combustible ‖ AV. faire le plein de carburant.

refug|e [ˈrefju:dʒ] *n* refuge *m* ; asile *m* ; *take* ~, se réfugier (*in,* dans) ‖ ~**ee** [ˌrefju:ˈdʒi:] *n* réfugié *n.*

refund [ˈri:fʌnd] *n* remboursement *m* ‖ FIN. ristourne *f* ● [ri:ˈfʌnd] *vt* rembourser ‖ ~**able** *adj* remboursable.

refusal [riˈfju:zl] *n* refus *m.*

refuse[1] [riˈfju:z] *vt* refuser ‖ rejeter ; repousser (reject).

refuse² [ˈrefjuːs] n ordures fpl, détritus mpl, immondices fpl ; ~ **chute**, vide-ordures m inv ; ~ **dump**, dépôt m d'ordures.

refute [riˈfjuːt] vt réfuter.

regain [riˈgein] vt recouvrer, récupérer ‖ regagner, rejoindre (a place) ‖ recouvrer (one's strength).

regale [riˈgeil] vi/vt (se) régaler.

regard [riˈgɑːd] n attention, considération f (concern) ; égard, respect m (esteem) ; out of/without ~ for, par/sans égard pour ‖ rapport, sujet m ; **with** ~ **to**, en/pour ce qui concerne, quant à ‖ Pl respects mpl ; amitiés fpl ● vt considérer, estimer (consider) ; concerner (concern) ; as ~s, en ce qui concerne ‖ ~**ing** prep concernant, quant à, au sujet de ‖ ~**less** adj ~ of, indifférent à, inconscient de ‖ inattentif à, sans considération de.

regatta [riˈgætə] n régate f.

regency [ˈriːdʒənsi] n régence f.

regenera|te [riˈdʒenereit] vi/vt (se) régénérer ‖ ~**tion** n régénération f.

regent [ˈriːdʒənt] n régent n.

regime [reiˈʒiːm] n Jur. régime m ‖ régime m (diet).

regiment [ˈredʒmənt] n régiment m ‖ ~**als** [ˌredʒiˈmentlz] npl uniforme m.

region [ˈriːdʒn] n région f ‖ ~**al** adj régional.

register [ˈredʒistə] vt enregistrer, inscrire ‖ [Post] recommander ‖ Rail. enregistrer (luggage) ‖ Techn. [instrument] indiquer, marquer ‖ Fig. marquer, refléter (emotion) — vi se faire inscrire, s'inscrire (at a hotel, etc.) ● n registre m ; [school] cahier m d'appel ‖ [language] niveau m de langue ‖ Jur. electoral ~, liste électorale ; ~ office, bureau m de l'état civil.

registered [-təd] adj ~ letter, lettre recommandée ; ~ trademark, marque déposée.

registr|ar [ˌredʒisˈtrɑː] n archiviste n ‖ Jur. officier m de l'état civil ; greffier m (in court) ‖ ~**ation** [ˌredʒisˈtreiʃn] n enregistrement m ; inscription f ‖ recommandation f (of a letter) ‖ Aut. immatriculation f ‖ ~**y** n inscription f, enregistrement m ‖ Jur. ~ (office), bureau m de l'état civil ‖ Naut. port of ~, port m d'attache.

regression [riˈgreʃn] n régression f.

regret [riˈgret] n regret m ● vt regretter ‖ ~**able** adj regrettable.

regul|ar [ˈregjulə] adj régulier, normal, en règle (according to rule) ‖ Aut., U.S. ordinaire (gas) ‖ Comm. ~ customer, habitué n ‖ Coll. vrai, véritable ● n habitué n ; bon client n ‖ ~**arity** [ˌregjuˈlæriti] n régularité f ‖ ~**arly** adv régulièrement ‖ ~**ate** [-eit] vt Techn. régler, ajuster ‖ Fig. régler ‖ ~**ation** [ˌregjuˈleiʃn] n règlement m ‖ Pl statuts mpl ● adj réglementaire.

rehabilit|ate [ˌriːəˈbiliteit] vt réhabiliter (sb) ‖ restaurer (old building) ‖ rééduquer (disabled persons) ‖ ~**ation** [ˌriːəbiliˈteiʃn] n réhabilitation f ‖ reconstruction f ‖ Med. rééducation f ‖ Jur. réadaptation f, reclassement m.

rehearsal [riˈhəːsl] n Th. répétition f.

rehearse [riˈhəːs] vt Th. répéter.

rehouse [riˈhaus] vt reloger.

reign [rein] n règne m ● vi régner (over, sur).

reimburse [ˌriːimˈbəːs] vt rembourser ‖ ~**ment** n remboursement m.

rein [rein] n rêne f ‖ Fig. give ~ to, lâcher la bride à.

reincarnate [riːˈinkɑːneit] vt réincarner.

reindeer [ˈreindiə] n renne m.

reinforce [ˌriːinˈfɔːs] vt renforcer ‖ ~**ment** n renforcement m ‖ Pl Mil. renforts mpl.

reinstate [ˌriːinˈsteit] vt rétablir,

réintégrer (*in*, dans) ‖ ~**ment** n réintégration f; rétablissement m.

reiterate [riːˈitəreit] vt réitérer.

reject|t [riˈdʒekt] vt rejeter, refuser (a candidate) ● n rebut m ‖ Comm. article m de rebut ‖ ~**tion** n rejet m (of a bill); refus (of an offer) ‖ Med. rejet m.

rejoic|e [riˈdʒɔis] vt/vi (se) réjouir ‖ ~**ing** n réjouissance f ‖ Pl réjouissances fpl, fête f.

rejoin[1] [riˈdʒɔin] vt rejoindre (meet) ‖ réunir (things separated).

rejoin[2] [riˈdʒɔin] vi répliquer (retort) ‖ ~**der** [-də] n réplique, riposte, repartie f.

rejuvenate [riˈdʒuːvineit] vt rajeunir.

rekindle [ˈ-ˈ-] vt rallumer (fire) ‖ Fig. ranimer.

relapse [riˈlæps] n rechute f ● vi retomber ‖ [criminal] récidiver ‖ Med. faire une rechute.

relat|e [riˈleit] vt relater, raconter — vi se rapporter (to, à) ‖ ~**ed** [-id] adj apparenté ‖ lié ‖ ~**ing** adj relatif (to, à).

relation [riˈleiʃn] n [family] parent m (person); parenté f (between persons) ‖ [story] récit m ‖ Fig. rapport m, relation f; it bears no ~ to, cela n'a aucun rapport avec ‖ rapport m, relation f (business, social); public ~**s**, relations publiques ‖ ~**ship** n [connection] relation f, rapport m (with, avec); liens mpl de parenté.

relative [ˈrelətiv] adj relatif ‖ ~ **to**, relatif à ● n parent n ‖ ~**ly** adv relativement.

relativity [ˌreləˈtiviti] n relativité f.

relax [riˈlæks] vi se détendre, se délasser, se relaxer — vt détendre, relâcher ‖ desserrer (a hold) ‖ Fig. relâcher (discipline) ‖ ~**ation** [ˌriːlækˈseiʃn] n relaxation f, détente f, délassement m ‖ relâchement m (of discipline) ‖ ~**ed** [-t] adj Fig. détendu, reposé; décontracté (fam.)

[person]; ~**ing** adj reposant (climate); délassant (activity).

relay [ˈriːlei] n relais m ‖ relève f (of workmen) ‖ Sp. — **race**, course f de relais ‖ Rad. retransmission f; relais m ● vt relayer ‖ Rad. retransmettre, relayer.

release [riˈliːs] n libération f (from captivity) ‖ autorisation f de publier (news); **press ~**, communiqué m de presse ‖ Comm. mise f en vente ‖ sortie f (of a film, a record) ‖ Techn. déclenchement m ‖ Phot. (shutter) ~, déclencheur m; **cable ~**, déclencheur souple ‖ Phys. dégagement m (of heat) ‖ Jur. élargissement m, relaxe f (from custody) ● vt libérer, relâcher (set free) ‖ lâcher (balloon, bomb, pigeon) ‖ Aut. ~ **the clutch**, débrayer ‖ Phot. ~ **the shutter**, déclencher l'obturateur ‖ Jur. relaxer; ~ **on bail**, mettre en liberté provisoire ‖ Comm. rendre public ‖ faire paraître (book); sortir (record, film).

relegate [ˈreligeit] vi reléguer ‖ Sp. déclasser.

relent [riˈlent] vi [weather] se radoucir; [storm] s'apaiser; [person] se laisser attendrir ‖ ~**less** adj inflexible, implacable, impitoyable ‖ ~**lessly** adv impitoyablement, sans répit.

relev|ance [ˈreləvns], ~**ancy** [-nsi] n pertinence f, rapport m ‖ ~**ant** adj pertinent, à propos.

reliability [riˌlaiəˈbiliti] n sûreté f (of memory, person) ‖ Techn. fiabilité f.

reli|able [riˈlaiəbl] adj sérieux, digne de confiance, sûr (person); digne de foi (source of information) ‖ Techn. fiable ‖ ~**ance** [-ˈlaiəns] n confiance f (on, en).

relic [ˈrelik] n Rel. relique f ‖ Pl dépouille mortelle ‖ Fig. relique f (object, custom).

relief[1] [riˈliːf] n relief m; **bring out into ~**, mettre en relief ‖ Geogr. ~ **map**, carte f en relief.

relief[2] n secours m, aide, assistance

f ‖ de secours ; ~ *train*, train *m* supplémentaire ; ~ *road*, itinéraire *m* de délestage ‖ [pain] soulagement *m* ‖ MIL. relève *f* (guard).

relieve [-'li:v] *vt* soulager (pain) ‖ ~ *sb of sth*, décharger/débarrasser qqn de qqch ‖ aider, secourir (help) ‖ MIL. relever (a sentry).

relig|ion [ri'lidʒn] *n* religion *f* ‖ ~**ious** [-əs] *adj* religieux.

relinquish [ri'liŋkwiʃ] *vt* abandonner, renoncer à.

relish ['reliʃ] *n* CULIN. goût *m*, saveur *f* (of a dish) ; condiment, assaisonnement *m* (seasoning) ‖ FIG. goût *m* (*for*, pour) • *vt* goûter, apprécier.

reload ['ri:ləud] *vt* recharger (a gun).

reluct|ance [ri'lʌktəns] *n* répugnance *f* ‖ ~**ant** *adj* peu disposé, répugnant, hésitant (*to*, à) ; *be* ~ *to do sth*, faire qqch à contrecœur, avoir de la répugnance à faire qqch ‖ ~**antly** *adv* à regret, à contrecœur.

rely [ri'lai] *vi* faire confiance (*on sb*, à qqn) ; compter (*on*, sur).

remain [ri'mein] *n* reste *m* ‖ *Pl* restes, débris *mpl* ; ruines *fpl*, vestiges *mpl* ‖ mortal ~*s*, restes *mpl* • *vi* rester, demeurer ‖ ~**der** [-də] *n* reste, restant *m* ; reliquat *m* ‖ *Pl* COMM. invendus *mpl*.

remake ['ri:'meik] *vt* refaire ‖ CIN. nouvelle version, remake *m*.

remand [ri'mɑ:nd] *vt* JUR. renvoyer • *n* JUR. renvoi *m* ‖ ~ *home*, FR. maison *f* d'arrêt.

remark [ri'mɑ:k] *n* remarque, observation *f* • *vt* faire remarquer ‖ ~**able** *adj* remarquable.

remarr|iage ['ri:'mæridʒ] *n* remariage *m* ‖ ~**y** *vi*/*vt* se remarier (avec).

remedy ['remidi] *n* remède *m* • *vt* remédier.

remember [ri'membə] *vt* se rappeler, se souvenir de ; ~ *me to*, rappelez-moi au bon souvenir de ; ~ *to do*, n'oubliez pas de faire.

remembrance [ri'membrəns] *n*

souvenir *m*, mémoire *f*; *in* ~ *of*, en mémoire de ‖ *Remembrance Day*, jour de l'armistice (Nov. 11th).

remind [ri'maind] *vt* faire penser à qqch ; ~ *me to do it*, rappelez-moi de le faire ; ~ *sb of sth*, rappeler qqch à qqn ‖ rappeler, évoquer ; *he* ~*s me of his father*, il me rappelle son père ‖ COLL. *that* ~*s me...*, à propos... ‖ ~**er** *n* mémento, aide-mémoire *m* ‖ COMM. lettre *f* de rappel.

reminisc|ence [ˌremi'nisns] *n* réminiscence *f* ‖ ~**ent** *adj* qui se souvient ‖ ~ *of*, qui fait penser à, qui rappelle.

remiss [ri'mis] *adj* négligent.

remission [ri'miʃn] *n* REL., MED. rémission *f* ‖ JUR. remise *f*.

remit [ri'mit] *vt* remettre (payment of a debt) ‖ envoyer, faire parvenir (money by post) ‖ JUR. remettre (sentence) ‖ ~**tal** *n* remise *f* (of a debt) ‖ ~**tance** *n* COMM. envoi, versement *m* (of money).

remnant ['remnənt] *n* reste, résidu *m* ‖ *Pl* COMM. coupons *mpl* (of material) ; fin *f* de série.

remonstr|ance [ri'mɔnstrəns] *n* remontrance *f* ‖ protestation *f* ‖ ~**ate** [-eit] *vt* faire observer — *vi* protester (*against*, contre) ‖ faire des remontrances (*upon*, au sujet de).

remorse [ri'mɔ:s] *n* remords *m* ; *feel* ~, avoir des remords ‖ ~**less** *adj* sans remords, impitoyable.

remote [ri'məut] *adj* lointain, éloigné (distant) ‖ reculé (time) ‖ FIG. faible, vague, léger ; *I have not the* ~*st idea*, je n'en ai pas la moindre idée ‖ T.V. ~ *control*, télécommande *f* ‖ ~**ly** *adv* de loin ‖ FIG. vaguement.

removal [ri'mu:vl] *n* enlèvement *m* (taking away) ; déménagement *m* (of furniture) ‖ FIG. suppression *f*.

remov|e [ri'mu:v] *vt* enlever (object, etc.) ‖ enlever (stains) ‖ vi déménager (move out) ‖ ~**er** *n* déménageur *m* ‖ *(nail-varnish)* ~, dissolvant *m* ‖ *(stain)* ~, détachant *m* ‖ → HAIR.

remunerat|e [ri'mju:nəreit] vt rémunérer || ~**ion** [ri,mju:nə'reiʃn] n rémunération f.

renaissance [rə'neisns], **renascence** [ri'næsns] n renaissance f.

rend [rend] vi/vt (rent [rent]) (se) déchirer, (se) fendre (en deux) || FIG. déchirer.

render ['rendə] vt donner en retour (give in return) || rendre (a service) || traduire || MUS. interpréter || ~**ing** [-riŋ] n interprétation f; version f.

renegade ['renigeid] n renégat n.

renew [ri'nju:] vt renouveler ; ~ **one's subscription,** se réabonner || ~ **friendship with,** renouer avec qqn || remplacer (sth old) || MED. **to be** ~**ed** [-d], à renouveler (subscription) || ~**able** adj renouvelable || ~**al** n renouvellement m ; ~ **of subscription,** réabonnement m.

renounce [ri'nauns] vt renoncer || renier (a friend) || abandonner (a right).

renovate ['renəveit] vt rénover, restaurer, remettre à neuf.

renown [ri'naun] n renom m, renommée f || ~**ed** [-d] adj réputé, renommé.

rent¹ [rent] → REND.

rent² n [clothes] déchirure f, accroc m || [rock] fissure f || FIG. rupture f.

rent³ n loyer m ; U.S. **for** ~, à louer || T.V. (prix m de) location f • vt louer (a house) ; ~**-a-car service,** location f (de voitures) sans chauffeur || ~**al** n montant m du loyer || ~**er** n locataire n || CIN. distributeur n || ~**ing** n location f, louage m.

renunciation [ri,nʌnsi'eiʃn] n renonciation f (of, à).

reopen ['ri:'əupn] vt rouvrir || ~**ing** n réouverture f ; rentrée f (of schools).

rep [rep] n COLL. = REPRESENTATIVE.

repair¹ [ri'pɛə] vi [crowds] se rendre (to, à).

repair² n réparation f ; **under** ~, en réparation ; **beyond** ~, irréparable ||

état m (condition) ; **in bad** ~, en mauvais état ; **keep in good** ~, entretenir || • vt réparer, raccommoder.

repar|able ['reprəbl] adj réparable (loss) || ~**ation** [,repə'reiʃn] n réparation f.

repartee [,repɑ:'ti:] n repartie f.

repatriat|e [ri:'pætrieit] vi rapatrier || ~**ion** [ri:,pætri'eiʃn] n rapatriement m.

repay [ri'pei] vt rembourser || récompenser (reward) || ~**able** adj remboursable || ~**ment** n remboursement m || récompense f.

repeal [ri'pi:l] vt abroger (a law) ; révoquer (a decree) ; annuler (a sentence) • n abrogation, révocation, annulation f.

repeat [ri'pi:t] vt répéter || [school] redoubler (a year) || COMM. suivre (an article) ; renouveler (an order) — vi COLL. [food] **it** ~**s on me,** cela me donne des renvois • n répétition f || TH. bis m || RAD. rediffusion f || MUS. reprise f || MED. renouvellement m (d'ordonnance) || ~**edly** [-idli] adv à plusieurs reprises || ~**er** n arme f à répétition.

repel [ri'pel] vt repousser || FIG. réprimer (a desire) ; rebuter (discourage) || ~**lent** adj répugnant (person) • n **mosquito** ~, produit m antimoustiques.

repent [ri'pent] vi se repentir || ~**ance** n repentir m || ~**ant** adj repentant, repenti.

repercussion [,ri:pə:'kʌʃn] n répercussion f || FIG. répercussion f, contrecoup m.

repetition [,repi'tiʃn] n répétition f, redite f || récitation f.

replace [ri'pleis] vt remplacer (by, par) || replacer, remettre en place (put back) || ~**able** adj remplaçable || ~**ment** n remplacement m ; **temporary** ~, suppléance f || remplaçant, suppléant n (person).

replay [ri:'plei] vt SP. rejouer.

replenish [ri'pleniʃ] vt remplir.

replete [ri'pli:t] adj plein, gorgé (with, de).

replica ['replikə] n fac-similé m; copie f (of a document); réplique f (of a painting).

reply [ri'plai] n réponse f; ~ paid, réponse payée || réplique f (retort) || COMM. in ~ to, en réponse à || ~ coupon, coupon-réponse m ● vi/vt répondre (to, à).

report [ri'pɔ:t] vt rapporter, rendre compte || signaler, déclarer || GRAMM. ~ed speech, discours indirect — vi rapporter, faire un rapport (on, sur) || [Press, T.V.] faire un reportage (on, sur) || se présenter (for duty, at a place) || ~ sick, se faire porter malade || signaler (sb/sth to the police) ● n rapport, compte rendu, exposé m || weather ~, bulletin météorologique || [school] terminal ~, bulletin trimestriel || [explosion] détonation, explosion f || [press, RAD., T.V.] reportage m || FIG. bruit m, rumeur (rumour); réputation f (repute) || ~edly [-idli] adv selon la rumeur, à ce qu'on rapporte; dit-on || ~er n reporter m.

repose [ri'pəuz] vi se reposer (take rest) || FIG. être fondé (on, sur) ● n repos (rest); sommeil m (sleep) || FIG. tranquillité f, calme m.

reprehend [,repri'hend] vt réprimander || ~sible [-səbl] adj répréhensible || ~sion [-ʃn] n réprimande f.

represent [,repri'zent] vt représenter, figurer || ~ation [-eiʃn] n représentation f || ~ative [-ətiv] adj représentatif (typical) ● n représentant n.

repress [ri'pres] vt réprimer || FIG. refouler.

repression [ri'preʃn] n répression f || FIG. refoulement m.

reprieve [ri'pri:v] n JUR. grâce f, sursis m || FIG. délai, répit m (respite) ● vt JUR. surseoir à l'exécution de || FIG. accorder un sursis/délai à.

reprimand ['reprimɑ:nd] n réprimande f ● vt réprimander.

reprint ['ri:'print] n réimpression f ● vt réimprimer.

reprisals [ri'praizlz] npl représailles fpl.

reproach [ri'prəutʃ] vt faire des reproches à; blâmer; ~ sb with sth, reprocher qqch à qqn; ~ sb for doing sth, reprocher à qqn d'avoir fait qqch ● n reproche m; beyond ~, irréprochable || ~ful adj réprobateur.

reprobate ['reprəbeit] vt REL. réprouver ● n REL. réprouvé n || [humorous] dépravé n.

repro|duce [,ri:prə'dju:s] vi/vt (se) reproduire || ~duction [-'dʌkʃn] n reproduction, réplique f (copy).

reproof [ri'pru:f] n réprimande f.

reprov|e [ri'pru:v] vt blâmer || ~ing adj réprobateur.

reptile ['reptail] n reptile m.

republic [ri'pʌblik] n république f || ~an adj/n républicain.

repudiate [ri'pju:dieit] vt répudier (wife) || FIG. désavouer || JUR. refuser d'honorer (a debt).

repugn|ance [ri'pʌgnəns] n répugnance, aversion f || ~ant adj répugnant (to, à).

repuls|e [ri'pʌls] vt repousser, rejeter || FIG. repousser ● n échec m || refus m || ~ive adj repoussant.

reput|able ['repjutəbl] adj honorable, recommandable || ~ation [-'teiʃn] n réputation f.

repute [ri'pju:t] n réputation f; of ~, réputé; of ill ~, mal famé.

reputed [-id] adj réputé || ~ly adv d'après ce qu'on dit, selon la rumeur publique.

request [ri'kwest] n demande, requête f; on ~, sur demande || [bus] ~ stop, arrêt facultatif ● vt demander (sth from sb, qqch à qqn) [ask] || prier; inviter (invite).

require [ri'kwaiə] vt exiger

(demand) ; ~ *sb to do sth,* exiger de qqn qu'il fasse qqch ; ~ *sth of sb,* exiger qqch de qqn || avoir besoin de (need) ; *if* ~*d,* si besoin est, s'il le faut ; *when* ~*d,* au besoin || ~**d** [-d] *adj* exigé, requis || ~**ment** *n* exigence *f,* besoin *m* (need) || condition requise.

requisit|e [´rekwizit] *adj* nécessaire, indispensable, requis ● *n* chose *f* nécessaire (*for,* à) ; accessoire *m* (*for, de)* || ~**ion** [_-´ziʃn] *n* demande *f* || MIL. réquisition *f* ● *vt* réquisitionner.

requite [ri´kwait] *vt* récompenser, payer de retour.

reroute [´riː´ruːt] *vt* [coach, plane] dérouter, changer l'itinéraire de.

rescu|e [´reskjuː] *n* sauvetage *m* || ~ *party,* équipe *f* de sauvetage ; *go to the* ~ *of sb,* aller au secours de qqn ; *the* ~*d,* les rescapés ● *vt* secourir, porter secours || ~**er** *n* sauveteur *m.*

research [ri´səːtʃ] *n* recherche *f; do* ~ *work,* faire de la recherche ; ~ *worker,* chercheur *n* ● *vt* faire des recherches || ~**er** *n* chercheur *n.*

resell [´riː´sel] *vt* revendre.

resemble [ri´zembl] *vt* ressembler à.

resent [ri´zent] *vt* s'offenser de, s'offusquer de, se choquer de, être choqué par || ~**ful** *adj* plein de ressentiment, rancunier || ~**ment** *m,* rancune *f.*

reservation [_rezə´veiʃn] *n* réservation, location *f* || U.S. réserve *f* (park) || FIG. réserve, restriction *f* (mental).

reserv|e [ri´zəːv] *n* réserve, restriction *f* || MIL. réserve *f* || FIG. réserve, retenue *f* ● *vt* réserver, louer (a seat) ; retenir (a room) || ~**ist** *n* MIL. réserviste *m* || ~**oir** [´rezəvwaː] *n* réservoir *m* (artificial lake).

reset [´riː´set] *vt* (→ SET) remettre en place || MED. remettre (a limb) || TECHN. recomposer (reprint).

reshuffle [´riːʃʌfl] *n* POL. remaniement (ministériel) ● *vt* remanier (cabinet).

resid|e [ri´zaid] *vt* résider, demeurer || ~**ence** [´rezidns] *n* résidence *f;* domicile *m* || ~**ent** [´rezidnt] *n* résident, riverain *n* || ~**ential** [_rezi´denʃl] *adj* résidentiel.

residue [´rezidjuː] *n* résidu *m.*

resign [ri´zain] *vi* démissionner — *vt* se démettre de, abandonner (one's position) || FIG. ~ *oneself,* se résigner || ~**ation** [_rezig´neiʃn] *n* résignation *f* || démission *f* (from job) ; *hand in one's* ~, remettre sa démission.

resil|ience [ri´ziliəns] *n* élasticité *f* || FIG. ressort moral || ~**ient** [-iənt] *adj* FIG. énergique.

resin [´rezin] *n* résine *f.*

resist [ri´zist] *vi/vt* résister (à) || ~**ance** *n* résistance *f* || FIG. *line of least* ~, loi *f* du moindre effort || ~**ant** *adj* résistant.

resit [_ri´sit] *vt* repasser (an exam, un examen) ● *n* deuxième session *f* (d'examens).

resol|ute [´rezəluːt] *adj* résolu, décidé, ferme || ~**uteness** [-uːtnis] *n* résolution, fermeté *f* || ~**ution** [_rezə´luːʃn] *n* résolution, décision *f.*

resolve [ri´zɔlv] *vt* résoudre (a problem) || ~ *sth into,* réduire qqch en (break up) — *vi* (se) résoudre, (se) décider (to do/on doing, à faire) ; ~ *that,* décider que || ~ *upon sth,* se résoudre à qqch ● *n* résolution, décision *f.*

resonance [´reznəns] *n* résonance *f.*

resort [ri´zɔːt] *n* lieu *m* de séjour, station *f* (place) ; *seaside* ~, station *f* balnéaire || ressource *f,* recours *m* (recourse) ● *vi* ~ *to,* fréquenter, se rendre à ; FIG. avoir recours à, recourir à.

resound [ri´zaund] *vi* résonner, retentir.

resource [ri´sɔːs] *n* ressource *f* || ~**ful** *adj* plein de ressources, ingénieux, débrouillard.

respect [ris´pekt] *n* respect *m,* estime, considération *f* (esteem) ||

rapport *m* (reference); *with ~ to,* en ce qui concerne; *in this ~,* à cet égard; *in some ~s,* à certains égards; *in all ~s,* sous tous les rapports, à tous égards ‖ *Pl* pay one's *~s,* présenter ses hommages ● *vt* respecter ‖ *as ~s* = RESPECTING ‖ **~ability** [rispektə'biliti] respectabilité, honorabilité *f* ‖ **~able** [ris'pektəbl] *adj* respectable ‖ honnête, comme il faut (decent) ‖ important (great) ‖ **~ful** *adj* respectueux ‖ **~ing** *prep* en ce qui concerne, quant à ‖ **~ive** *adj* respectif ‖ **~ively** *adv* respectivement.

respiration [respə'reiʃn] *n* respiration *f*.

respite ['respait] *n* répit, relâche *m* ‖ JUR. sursis, délai *m*.

resplendent [ris'plendənt] *adj* resplendissant.

respond [ris'pɔnd] *vi* répondre (*to,* à) ‖ réagir (*to,* à).

respons|e [ris'pɔns] *n* réponse *f* ‖ **~ibility** [rispɔnsə'biliti] *n* responsabilité *f* ‖ **~ible** *adj* responsable (*for,* de; *to sb,* envers qqn).

rest¹ [rest] *vi* rester, demeurer ‖ FIG. *~ with,* incomber à ● *n* reste, restant *m* (remainder).

rest² *n* repos *m*; *at ~,* au repos; *set sb's mind at ~,* rassurer/tranquilliser qqn ‖ [ball] *come to ~,* s'immobiliser ‖ [motorway] *~ area,* aire *f* de repos ‖ [health] *~ cure,* cure *f* de repos ‖ U.S. *~-room,* toilettes *fpl* ‖ MUS. silence *m* ‖ TECHN. support *m* ● *vi/vt* (se) reposer; (s')appuyer (*on,* sur).

restaurant ['restrɔːŋ] *n* restaurant *m*.

restful ['restful] *adj* paisible, tranquille.

restitution [resti'tjuːʃn] *n* restitution *f*.

restive ['restiv] *adj* rétif.

restless ['restlis] *adj* agité, turbulent ‖ FIG. inquiet ‖ **~ness** *n* agitation, nervosité *f*.

restock ['riː'stɔk] *vt* réapprovisionner.

restoration [restə'reiʃn] *n* restitution *f* (of stolen property) ‖ ARCH., ARTS, HIST. restauration *f*.

restore [ris'tɔː] *vt* restituer, rendre (bring back) ‖ rétablir (health) ‖ ARCH., ARTS restaurer.

restr|ain [ris'trein] *vt* retenir; *~ sb from doing,* empêcher qqn de faire ‖ FIG. contenir, réprimer (anger, etc. ‖ **~aint** [-eint] *n* contrainte *f* (restriction) ‖ retenue *f* (moderation); *without ~,* librement; *lack of ~,* manque *m* de maîtrise de soi.

restric|t [ris'trikt] *vt* restreindre, limiter ‖ **~tion** [-ʃn] *n* restriction *f* ‖ **~tive** [-tiv] *adj* restrictif.

result [ri'zʌlt] *n* résultat *m,* conséquence *f*; *as a ~ of,* par suite de ● *vi* résulter (*from,* de) ‖ *~ in,* aboutir à, se solder par.

resume [ri'zjuːm] *vt* reprendre (work) ‖ renouer (a conversation).

résumé ['reizjuːmei] *n* U.S. curriculum vitae *m inv.*

resumption [ri'zʌmʃn] *n* reprise *f* (resuming).

resurrection [rezə'rekʃn] *n* résurrection *f*.

resuscitate [ri'sʌsiteit] *vi* ressusciter.

retail ['riːteil] *n* COMM. (vente *f* au) détail *m*; *~ price,* prix *m* de détail ● *adv* sell *~,* vendre au détail ● [riː'teil] *vt* détailler, vendre au détail ‖ **~er** *n* détaillant *n*; fournisseur *m*.

retain [ri'tein] *vt* retenir (hold back) ‖ conserver (keep) ‖ **~er** *n* JUR. provision *f*.

retaliat|e [ri'tælieit] *vi* rendre la pareille (*on,* à); user de représailles (*on,* envers); se venger (*against,* de); contre-attaquer, riposter (counterattack) ‖ **~ion** [ri,tæli'eiʃn] *n* représailles *fpl,* vengeance *f*.

retard [ri'tɑːd] *vt* retarder, entraver (development) ‖ **~ed** [-id] *adj* MED.

arriéré ‖ Aut. ~ *ignition,* retard *m* à l'allumage.

retch [riːtʃ] *vi* avoir des haut-le-cœur.

retentive [riˈtentiv] *adj* fidèle (memory).

retic|ence [ˈretisəns] *n* réticence *f* ‖ ~ent *adj* réticent.

retina [ˈretinə] *n* rétine *f*.

retinue [ˈretinjuː] *n* cortège *m*, suite *f*.

retire [riˈtaiə] *vi* prendre sa retraite, se retirer ‖ Mil. se replier ‖ ~d [-d] *adj* retraité, à la retraite; retiré des affaires.

retirement [riˈtaiəmənt] *n* retraite *f*; ~ *pension,* pension *f* de retraite ‖ isolement *m* (seclusion).

retiring [riˈtaiəriŋ] *adj* réservé (shy).

retort¹ [riˈtɔːt] *vi* répliquer, riposter, rétorquer • *n* riposte, réplique *f*.

retort² *n* Ch. cornue *f*.

retouch [ˈriːtʌtʃ] *vt* retoucher (a photograph).

retrace [riˈtreis] *vt* remonter à l'origine; ~ *one's step,* revenir sur ses pas.

retract [riˈtrækt] *vt* rentrer (claws) — *vi* se rétracter ‖ ~able *adj* Av. escamotable ‖ ~ion [riˈtrækʃn] *n* rétraction *f* ‖ Fig. rétractation *f*.

retrain [ˌriːˈtrein] *vt* recycler ‖ ~ing *n* recyclage *m*.

retread [riˈtred] *vt* rechaper (tyre).

retreat [riˈtriːt] *vi* se retirer ‖ Mil. battre en retraite • *n* retraite *f*.

retrench [riˈtrenʃ] *vt* réduire (expenses) ‖ ~ment *n* retranchement *m*, diminution, réduction *f*.

retribution [ˌretriˈbjuːʃn] *n* châtiment *m* ‖ Rel. rétribution *f*.

retriev|able [riˈtriːvəbl] *adj* récupérable ‖ ~e [riˈtriːv] *vt* récupérer, recouvrer ‖ [dog] rapporter ‖ Fig. rétablir; ~ *a loss,* réparer une perte ‖ ~er *n* chien *m* de chasse, retriever *m*.

retroactive [ˌretrəˈæktiv] *adj* rétroactif.

retrograde [ˈretrəgreid] *adj* rétrograde.

retrospect [ˈretrəspekt] *n* rétrospective *f* ‖ ~ive [ˌretrəˈspektiv] *adj* rétrospectif.

return [riˈtəːn] *vi* revenir (come back); retourner (go back); rentrer (home) — *vt* rapporter (bring back); rendre (give back) ‖ Comm. ~ed empties, consignes *fpl* (bottles, etc.) ‖ retourner (send back) ‖ Sp. relancer, renvoyer (the ball) ‖ Fin. ~ed cheque, chèque impayé ‖ Pol. élire (an M.P.) ‖ Jur. rendre (a verdict); déclarer (guilty) ‖ Fin. rapporter (profit); déclarer (income) ‖ Fig. rendre (a visit) • *n* retour *m*; on his ~, dès son retour ‖ many happy ~s !, joyeux anniversaire ! ‖ renvoi *m* (giving back); by ~, par retour (du courrier); in ~, en échange ‖ Pl invendus *mpl* ‖ Rail. ~ (ticket), (billet *m* d') aller et retour *m* ‖ Sp. renvoi *m* (of ball); ~ match, match *m* retour ‖ Techn. rendement *m* ‖ Comm. rapport *m*; (Pl) bénéfice, profit *m* ‖ Fin. ~ of income, déclaration *f* de revenus ‖ Pol. élection *f*; Pl proclamation *f* des résultats *m* ‖ ~able *adj* consigné, repris (bottle).

reun|ion [ˈriːˈjuːnjən] *n* réunion *f* ‖ ~ite [ˈriːjuːˈnait] *vi/vt* (se) réunir.

rev [rev] *abbrev* (= revolution) Aut. tour *m*; ~ counter, compte-tours *m* • *vt* ~ (up), Coll. emballer (engine).

revamp [riːˈvæmp] *vt* Coll. refaire, remanier, retaper (fam.).

reveal [riˈviːl] *vt* révéler, dévoiler ‖ ~ing *adj* révélateur.

reveille [riˈvæli] *n* Mil. sound the ~, sonner le réveil.

revel [ˈrevl] *vi* faire la fête, s'amuser ‖ ~ in, se délecter à (doing, faire) • ~s *npl* festivités *fpl*, divertissements *mpl*, réjouissances *fpl*.

revelation [ˌreviˈleiʃn] *n* révélation *f*.

reveller ['revlə] *n* fêtard, bambocheur *m.*

revenge [ri'venʒ] *n* vengeance *f ; take ~ on sb for sth,* se venger de qqch sur qqn ; *take one's ~ on,* prendre sa revanche sur ‖ Sp. revanche *f* ● *vt* venger ; *~ oneself, be ~d,* se venger (*on,* sur) ‖ **~ful** *adj* vindicatif (person) ‖ vengeur (act).

revenue ['revinju:] *n* revenu *m* ‖ Jur. fisc *m ; Public Revenue,* Trésor public.

reverberate [ri'və:breit] *vt* réfléchir (light) ; renvoyer (sound) — *vi* [heat, light] se réverbérer ; [sound] résonner.

revere [ri'viə] *vt* révérer.

rever|ence ['revrəns] *n* vénération *f* ‖ **~end** ['revrənd] *adj* Rel. révérend ; vénérable ‖ **~ent** *adj* respectueux (person).

revers|al [ri'və:sl] *n* renversement *m* ‖ Fig. revirement *m* (of opinion) ‖ **~e** [ri'və:s] *adj* contraire, opposé ; *in ~ order,* en ordre inverse ‖ [coin, medal] **~ side,** revers *m* ‖ Tel. **~ charge call,** communication *f* en P.C.V. ‖ Cin. **~ shot,** contrechamp *m* ● *n* contraire, opposé *m* (opposite) ‖ [medal] revers *m* ; verso *m* (of printed form) ‖ Aut. marche *f* arrière ● *vt* renverser, retourner ‖ Techn. **~ the engine,** faire machine arrière ‖ Aut. **~ the car,** faire marche arrière ‖ Tel. **~ the charge(s),** téléphoner en P.C.V. ‖ **~ible** *adj* réversible ‖ Phot. inversible (film).

reversing lights *npl* Aut. phares *mpl* de recul.

revert [ri'və:t] *vi* revenir.

review [ri'vju:] *n* revue *f* (of past events) ‖ critique *f,* compte rendu (of a book, film, etc.) ‖ revue *f* (periodical) ‖ Mil. inspection *f* ● *vt* revoir, passer en revue ‖ faire la critique de (book, film, etc.) ‖ Mil. passer en revue ‖ **~er** *n* critique *m.*

revile [ri'vail] *vt* injurier, insulter.

revise [ri'vaiz] *vt* réviser.

revision [ri'viʒn] *n* révision *f.*

revival [ri'vaivl] *n* Th. reprise *f* ‖ Fig. réveil, renouveau *m.*

revive [ri'vaiv] *vt* faire revivre (custom, memories) ‖ Med. ranimer — *vi* renaître ‖ Med. reprendre vie ‖ Arts renaître.

revocation [revə'keiʃn] *n* révocation *f.*

revoke [ri'vəuk] *vt* révoquer, abroger (a decree).

revolt [ri'vəult] *n* révolte *f* ● *vi* se révolter, se soulever — *vt* révolter ; dégoûter ‖ **~ing** *adj* révoltant ; dégoûtant.

revolution [revə'lu:ʃn] *n* Pol., Astr. révolution *f* ‖ Aut. **~-counter,** compte-tours *m* ‖ **~ary** [-əri] *adj* révolutionnaire.

revolv|e [ri'vɒlv] *vi* tourner, pivoter — *vt* faire tourner ‖ **~er** *n* revolver *m* ‖ **~ing-door** *n* porte *f* à tambour.

revulsion [ri'vʌlʃn] *n* répugnance *f* ‖ Fig. revirement *m.*

reward [ri'wɔ:d] *n* récompense *f ; as a ~ for,* en récompense de ● *vt* récompenser ‖ **~ing** *adj* rémunérateur.

rewind ['ri:'waind] *vt* Phot. rembobiner.

rewrite ['ri:'rait] *vt* (→ write) récrire, remanier.

rheostat ['ri:əstæt] *n* rhéostat *m.*

rhesus ['ri:səs] *n* **~ factor,** facteur *m* Rhésus.

rhetoric ['retərik] *n* rhétorique *f.*

rheumatism ['ru:mətizm] *n* rhumatisme *m.*

rhinoceros [rai'nɒsrəs] *n* rhinocéros *m.*

rhombus ['rɒmbəs] *n* losange *m.*

rhubarb ['ru:bɑ:b] *n* rhubarbe *f.*

rhyme [raim] *n* rime *f* ● *vt* rimer.

rhythm ['riðm] *n* rythme *m* ‖ **~ic(al)** *adj* rythmique.

rib [rib] *n* Anat. côte *f* ‖ Culin. côte (of beef) ‖ [umbrella] baleine *f.*

ribald [ˈribld] *adj* grivois, paillard.

ribbon [ˈribən] *n* ruban *m*.

rice [rais] *n* riz *m* ; ~ *field,* rizière *f* ‖ ~-**pudding** *n* riz *m* au lait.

rich [ritʃ] *adj* riche ; *grow* ~, s'enrichir ‖ fertile (soil) ‖ nutritif (food) ‖ généreux (wine) ‖ vif, chaud (colours) ‖ ~**es** [-iz] *npl* richesse(s) *f(pl)* ‖ ~**ly** *adv* richement ‖ ~**ness** *n* richesse *f* ‖ éclat *m* (of colours).

rick [rik] *n* AGR. meule *f.*

rick|ets [ˈrikits] *n(pl)* rachitisme *m* ‖ ~**ety** [-iti] *adj* boiteux, branlant (chair) ‖ MED. rachitique.

rickshaw [ˈrikʃɔ:] *n* pousse-pousse *m.*

ricochet [ˈrikəʃei] *n* ricochet *m* ● *vi* ricocher.

rid [rid] *vt* (rid *or* ridded) débarrasser (*of,* de) ; ~ *oneself of, get* ~ *of,* se débarrasser de ‖ ~**dance** [-ns] *n* débarras *m* ; *good* ~ *!,* bon débarras !

ridden *p.p. of* RIDE. ● *adj* ~ *by,* hanté, tourmenté par.

riddle¹ [ˈridl] *n* énigme *f* ; devinette *f.*

riddle² *n* crible *m* ● *vt* cribler ‖ FIG. ~ *with,* cribler de.

rid|e [raid] *vt* (rode [rəud], ridden [ˈridn]) ~ *a horse/bicycle,* monter à cheval/à bicyclette — *vi* monter à cheval, aller à cheval ‖ [car] rouler ‖ NAUT. ~ *at anchor,* être à l'ancre ‖ FIG. [skirt] ~ *up,* remonter ‖ ~ *out,* étaler (storm) ; FIG. surmonter (crisis) ● *n* [horse, vehicle] promenade *f,* tour *m* ; balade *f* (fam.) ; [train] voyage *m* ; [ferry] traversée *f* ; [bus] trajet *m* (distance covered) ‖ *give sb a* ~ *in one's car,* prendre qqn dans sa voiture ; *take sb for a* ~, emmener qqn en voiture ; FIG. emmener qqn en bateau, faire marcher qqn (fam.) ‖ ~**er** *n* cavalier *n* ‖ JUR. annexe *f* ; article additionnel.

ridge [ridʒ] *n* crête *f,* faîte *m* (of a roof) ‖ GEOGR. crête *f* (of mountains).

ridicu|le [ˈridikju:l] *n* raillerie, moquerie *f* ● *vt* ridiculiser ‖ ~**lous** [riˈdikjuləs] *adj* risible, ridicule.

riding [ˈraidin] *n* SP. équitation *f* ; *go in for* ~, monter à cheval ‖ ~-**school** *n* manège *m* ‖ ~-**whip** *n* cravache *f.*

rife [raif] *adj* répandu ; *be* ~, sévir, régner ; *be* ~ *with,* abonder en.

riff-raff [ˈrifræf] *n* canaille, pègre *f.*

rifle¹ [ˈraifl] *n* fusil *m,* carabine *f* ‖ ~-**man** *n* tirailleur *m* ‖ ~-**range** *n* stand *m* de tir.

rifle² *vt* vider, dévaliser.

rift [rift] *n* fente, crevasse *f.*

rig [rig] *n* NAUT. gréement *m* ‖ TECHN. équipement *m* ‖ COLL. accoutrement *m* ● *vt* NAUT. gréer, équiper ‖ ~ *out,* attifer, nipper ‖ ~**ging** *n* NAUT. gréement *m* ‖ POL. manipulations *fpl.*

right [rait] *adj* droit ; *on the* ~-*hand side,* à droite ‖ exact (statement) ‖ correct, juste, bon ; *the* ~ *time,* l'heure exacte ; *the* ~ *word,* le mot juste ; *you are* ~, vous avez raison ; *get sth* ~, bien comprendre (qqch) ‖ *put sth* ~, rétablir ; arranger ; remédier ; rectifier, corriger ‖ *all* ~ *!,* d'accord !, ça va ! ‖ COLL. ~ *oh !,* bon !, entendu ! ‖ MATH. droit (angle) ‖ MED. en bonne santé ● *n* droit *m* ; bien *m* ; ~ *and wrong,* le bien et le mal ‖ droit, privilège *m* ; *have a/the* ~ *to,* avoir le droit de ; *be in the* ~, être dans son droit ; *in one's own* ~, de plein droit ; ~ *of way,* droit *m* de passage ; AUT. priorité *f* ‖ raison, justice *f* ‖ droite *f* ; *on the* ~, à droite ; *turn to the* ~, tournez à droite ‖ *Pl* droits *mpl* ; *human* ~**s,** les droits de l'homme ; *women's* ~**s,** les droits de la femme ● *vt* réparer (an injustice) ; rendre justice à ‖ corriger (an error) ‖ redresser (car, ship) ; [ship] ~ *itself,* se redresser ● *adv* droit, directement, tout à fait ; ~ *against the wall,* tout contre le mur ; ~ *here,* ici même ; ~ *away/now,* tout de suite ; ~ *in the middle,* au beau milieu ‖ bien, juste ; *it serves him* ~, c'est bien fait pour lui ‖ **~-angled** adj rectangulaire ‖ **~eous** [-·ǝs] adj vertueux, juste ‖ **~ful** adj équitable (action); légitime (owner) ‖ **~-handed** adj droitier ‖ **~ly** adv bien (correctly) ‖ à juste titre (justly).

rigid [´ridʒid] adj raide ‖ FIG. strict ‖ **~ity** [ri´dʒiditi] n raideur f ‖ FIG. rigidité f.

rigmarole [´rigmǝrǝul] n galimatias m, balivernes fpl.

rig|orous [´rigrǝs] adj rigoureux ‖ **~our** [-ǝ] n rigueur, sévérité f ‖ Pl rigueurs fpl (of weather).

rile [rail] vt exaspérer, agacer.

rim [rim] n bord, rebord m ‖ TECHN. jante f (of a wheel); monture f (of spectacles).

rime [raim] n givre m.

rind [raind] n pelure f (of fruit); peau f (of banana); croûte f (of cheese); couenne f (of bacon).

ring¹ [riŋ] vt (rang [ræŋ], rung [rʌŋ]) (faire) sonner (bells) ‖ TEL. **~ up**, appeler — vi sonner, résonner, tinter ‖ TEL. **~ off**, raccrocher ● n sonnerie f, coup m de sonnette ‖ TEL. **give sb a~**, passer un coup de fil à qqn ‖ [voice] accent m, intonation f.

ring² [riŋ] n anneau m ‖ [finger] anneau m, bague f ‖ TECHN. [piston] segment m ‖ SP. ring m ‖ [circus] piste f ‖ COMM. groupe, cartel m ‖ FIG. [gangsters] gang m ● vt baguer (bird) ‖ **~ binder** n classeur m à anneaux ‖ **~ finger** n annulaire m ‖ **~ leader** n meneur n ‖ **~ road/way** n (boulevard m) périphérique m.

rink [riŋk] n patinoire f.

rinse [rins] vt rincer ● n rinçage m.

riot [´raiǝt] n émeute f; **~ police**, forces fpl de police antiémeutes ‖ Pl troubles mpl ● vi s'ameuter ‖ **~er** n émeutier n ‖ **~ous** adj séditieux, tumultueux.

rip [rip] n déchirure f ● vt déchirer, fendre; découdre (a seam) ‖ **~ away/off**, arracher ‖ **~ up**,

éventrer; découdre (a seam) — vi **~ (away)**, se déchirer ‖ AUT. **~ along**, foncer (à pleins gaz).

riparian [rai´pɛǝriǝn] adj/n riverain.

rip|e [raip] adj mûr ‖ **~en** vt/vi (faire) mûrir ‖ **~eness** [´raipnis] n maturité f.

ripple [´ripl] n ride f (on the water) ● vi [water] se rider.

ris|e [raiz] n ascension, montée f ‖ élévation, éminence f (hill) ‖ JUR. promotion f, avancement m ‖ FIN. hausse f (in prices); augmentation f (in salary) ‖ GEOGR. flux m (of the tide); [river] **take its ~**, prendre sa source ‖ FIG. origine f; **give ~ to**, provoquer, donner lieu à; **get a ~ out of sb**, faire marcher qqn ● vi (rose [rǝuz], risen [´rizn]) se lever; s'élever; monter ‖ se soulever (revolt) ‖ [river] prendre sa source ‖ [wind] se lever ‖ **~ above**, dépasser, dominer ‖ FIG. grandir ‖ **~er** n early riser; lève-tôt n inv ‖ **~ing** adj levant (sun) ● n hausse f ‖ soulèvement m, insurrection f (revolt).

risk [risk] n risque, péril m; **run a ~**, courir un risque; **at your own ~**, à vos risques et périls ● vt risquer, hasarder; **~ it**, risquer le coup ‖ **~y** adj risqué, plein de risques, hasardeux.

rite [rait] n rite m; cérémonie f.

ritual [´ritjuǝl] adj/n rituel (m).

ritzy [´ritsi] adj SL. luxueux.

rival [´raivl] adj/n rival ● vi rivaliser (with, avec) ‖ **~ry** [-ri] n rivalité f.

river [´rivǝ] n rivière f ‖ [flowing into the sea] fleuve m ‖ **~side** n bord m de l'eau.

rivet [´rivit] n rivet m ● vt river ‖ FIG. fixer (one's eyes).

Riviera [rivi´ɛrǝ] n the (French) **~**, la Côte d'Azur ‖ [Italy] Riviera f.

road [rǝud] n route f; high/main **~**, route à grande circulation ‖ [attributive] routier ‖ NAUT. (Pl) rade f ‖ **~ block** n barrage routier ‖ **~-hog**

n chauffard *m* ‖ ~**-holding** *n* tenue *f* de route ‖ ~**man** *n* cantonnier *m* ‖ ~**-map** *n* carte routière ‖ ~**mender** *n* cantonnier *m* ‖ ~ **safety** *n* sécurité routière ‖ ~**side** *n* bord *m* de la route, accotement *m* ‖ ~**sign** *n* panneau *m* de signalisation (routière) ‖ ~ **stead** *n* NAUT. rade *f* ‖ ~**way** *n* chaussée *f*.

roam [rəum] *vi* errer ; traîner (*about, dans*) — *vt* errer dans, parcourir ; ~ *the seas,* écumer les mers.

roar [rɔ:] *n* hurlement *m* ‖ [crowd] clameurs *fpl* ‖ [laughter] éclat *m* ‖ mugissement *m* (of a bull, of the wind) ; rugissement *m* (of a lion) ‖ grondement *m* (of thunder) ● *vi* hurler ; ~ *with laughter,* rire aux éclats/à gorge déployée ‖ [bull] mugir ; [lion] rugir ‖ [thunder] gronder — *vt* vociférer (an order) ‖ ~**ing** *adj* hurlant, rugissant ‖ GEOGR. *the* ~ **forties,** les quarantièmes rugissants ‖ FIG. monstre, fou (success).

roast [rəust] *adj* rôti ; ~ *beef,* rosbif *m* ● *n* rôti *m* ● *vt* (faire) rôtir ; torréfier, griller (coffee) ‖ ~**er** *n* rôtissoire *f*.

rob [rɔb] *vt* voler, dévaliser (sb, a bank) ‖ voler, dérober (*sb of sth, qqch à qqn*) ‖ ~**ber** *n* voleur *n* ‖ ~**bery** [-əri] *n* vol *m* ; *armed* ~, vol *m* à main armée.

robe [rəub] *n* robe *f* (of a baby) ‖ *(Pl)* robe *f*, toge *f* (of a magistrate).

robin [ˈrɔbin] *n* rouge-gorge *m*.

robot [ˈrəubɔt] *n* robot *m* ‖ AV. ~*-pilot,* pilote *m* automatique ‖ ~**ics** [rəˈbɔtiks] *n* robotique *f*.

robust [rəˈbʌst] *adj* robuste.

rock[1] [rɔk] *n* roc *m*, roche *f*, rocher *m* ‖ ~ *salt,* sel *m* gemme ‖ NAUT. écueil *m* ‖ COLL. **on the** ~**s,** à sec (penniless) ; [whisky] avec des glaçons ‖ U.S. caillou *m* ‖ ~**-bottom** *n* FIG. niveau *m* le plus bas ‖ ~**-climbing** *n* escalade, varappe *f*.

rock[2] *vt* faire osciller ; bercer (a child) — *vi* se bercer, se balancer ‖

vaciller (shake) ‖ ~**-and-roll** *n* rock (and roll) *m* ‖ ~**er** *n* AUT. culbuteur *m* ‖ U.S. rocking-chair *m*.

rocket [ˈrɔkit] *n* fusée, roquette *f* ; ~ *gun,* fusil *m* lance-roquettes ● *vi* [prices] monter en flèche.

rocking [ˈrɔkiŋ] *adj* ~*-chair,* fauteuil *m* à bascule.

rocky [ˈrɔki] *adj* rocheux (mountains) ; rocailleux (road).

rod [rɔd] *n* baguette, tige *f* ‖ [curtains] tringle *f* ‖ Sp. canne *f* à pêche ‖ TECHN. bielle *f*.

rode → RIDE.

rodent [ˈrəudnt] *n* ZOOL. rongeur *m* ‖ ~ *control,* dératisation *f*.

rogu|e [rəug] *n* coquin *m* ● *adj* solitaire *m* (animal).

roll [rəul] *n* rouleau *m* (of paper) ‖ roulement *m* (of thunder) ‖ liste *f* ; *call the* ~, faire l'appel ‖ [sea] houle *f* ; [ship] roulis *m* ‖ *(bread)* ~, petit pain *m* ● *vi* rouler ‖ se balancer (in walking) ‖ onduler ‖ [ship] rouler ‖ [thunder] gronder — *vt* rouler (a ball, one's eyes, one's r's) ‖ TECHN. rouler (a lawn) ; laminer (metal) ‖ ~ *on,* enfiler (a garment) ‖ ~ *over,* retourner (sth) ‖ ~ *up,* enrouler ; retrousser (sleeves).

roll-bar *n* AUT. arceau *m* de protection.

roller *n* rouleau *m* ‖ [hair] bigoudi *m* ‖ [sea] rouleau *m* ‖ ~**coaster** *n* U.S. montagnes *fpl* russes ‖ ~ **skate** *n* patin *m* à roulettes ● *vi* faire du patin à roulettes.

rolling *n adj* roulant ‖ ondulé (ground) ‖ ~ **mill** *n* laminoir *m* ‖ ~ **pin** *n* rouleau *m* (à pâtisserie) ‖ ~ **stock** *n* RAIL. matériel roulant.

roll-neck *adj* à col roulé.

Roman [ˈrəumən] *adj/n* romain.

romance [rəˈmæns] *n* histoire *f* romanesque (story) ‖ idylle *f* (love) ‖ FIG. charme *m*, poésie *f*.

Romanesque [ˌrəuməˈnesk] *adj* ARTS roman.

Romani|a [rəu´meiniə] *n* Roumanie *f* ‖ ~**an** *adj/n* roumain.

romant|ic [rə´mæntik] *adj* romantique ‖ romanesque (person, adventure) ‖ ~**icism** [-isizm] *n* romantisme *m* ‖ ~**icist** [-isist] *n* romantique *n*.

romp [rɔmp] *vi* [children] s'ébattre, s'en donner, faire les fous ● *n* ébats *mpl*, jeux bruyants ‖ ~**ers** [-əz] *npl* barboteuse *f*.

roof [ru:f] *n* toit *m*, toiture *f* ‖ ~**er** *n* couvreur *m* ‖ ~**-rack** *n* Aut. galerie *f*.

rook¹ [ruk] *n* corneille *f*.

rook² [ruk] *n* [chess] tour *f* ● *vt* roquer.

room [ru:m] *n* pièce, salle *f* ‖ place *f* (space) ; *make* ~ *for*, faire de la place à ‖ Fig. *there is no* ~ *for*, il n'y a pas lieu de ‖ ~**er** *n* U.S. locataire *n* ‖ ~**ette** [ru´met] *n* Rail., U.S. single *m* ‖ ~**-mate** *n* camarade *n* de chambre ‖ ~**y** *adj* spacieux.

roost [ru:st] *n* perchoir *m* ● *vi* [birds] se percher ‖ ~**er** *n* coq *m*.

root [ru:t] *n* racine *f*; *take* ~, prendre racine, s'implanter ‖ Math. racine *f*; *square/cubic* ~, racine carrée/cubique ‖ Fig. origine, source *f* ● *vi* s'enraciner, prendre racine ‖ ~ *out*, déraciner ; Fig. extirper ‖ ~**ed** [id] *adj* enraciné ‖ Fig. invétéré (habit).

rope [rəup] *n* corde *f* ‖ Naut. cordage, filin *m* ‖ Sp. cordée *f* ‖ Fig. *know the* ~*s*, connaître les ficelles (du métier)/son affaire ● *vt* Sp. encorder (mountaineers) — *vi* Sp. ~ *down*, faire une descente en rappel ‖ ~**-dancer** *n*, équilibriste, funambule *n* ‖ ~**-ladder** *n* échelle *f* de corde ‖ ~**way** *n* téléphérique *m*.

rosary [´rəuzəri] *n* Rel. chapelet *m* ; *say one's* ~, dire son chapelet.

rose¹ → Rise *v.*

rose² [rəuz] *n* rose *f* ‖ ~**-garden** *n* roseraie *f* ‖ ~**mary** [-mri] *n* romarin *m* ‖ ~**-tree** *n* rosier *m* ‖ ~**-water**

n eau *f* de rose ‖ ~**-window** *n* [church] rose, rosace *f*.

roster [´rɔstə] *n* tableau *m* de service.

rostrum [´rɔstrəm] *n* tribune *f*.

rot [rɔt] *n* pourriture, putréfaction *f* ‖ Coll. foutaises *fpl* ● *vi* pourrir, se décomposer ‖ Fig. dépérir — *vt* (faire) pourrir ; décomposer.

rota [´rəutə] *n* = Roster.

rot|ary [´rəutəri] *adj* rotatif ‖ Techn. ~ *press*, rotative *f* ‖ ~**ate** [rə´teit] *vi* tourner ; pivoter ‖ ~**ation** [rə´teiʃn] *n* rotation *f* ‖ roulement *m* ; *in* ~, à tour de rôle, par roulement.

rote [rəut] *n by* ~, par cœur.

rotor [´rəutə] *n* Techn. rotor *m*.

rotten [´rɔtn] *adj* pourri ‖ carié (teeth) ; gâté (fruit) ‖ Fig. corrompu, véreux ‖ Coll. sale ; moche (fam.) [bad] ; ~ *weather*, temps de chien.

rotting *adj* avarié (meat).

rotunda [rə´tʌndə] *n* Arch. rotonde *f*.

rouge [ru:ʒ] *n* fard, rouge *m* ● *vt* farder.

rough [rʌf] *adj* inégal (in general) ‖ accidenté (ground) ; raboteux (road) ‖ rugueux (surface) ; dépoli (glass) ‖ dur (voice) ‖ fruste, grossier (manners) ; violent, brutal (treatment) ‖ agité, gros (sea) ‖ Techn. brut (diamond) ‖ Fig. ébauché ; ~ *copy*, brouillon *m* ; ~ *paper*, papier *m* de brouillon ; ~ *sketch*, ébauche *f* ‖ ~ *and ready*, rudimentaire, de fortune ; *at a* ~ *estimate*, à vue d'œil ● *n* Techn. *in the* ~, à l'état brut ; Fig. approximativement ‖ voyou *m* (person) ● *vt* ~ *it*, manger de la vache enragée ; coucher sur la dure ‖ ~ *in*, esquisser ‖ ~ *out*, dégrossir, ébaucher ‖ ~**en** *vi/vt* devenir/rendre rugueux.

rough-hewn [.´-´] *adj* taillé grossièrement, dégrossi.

roughly *adv* brutalement (in a rough manner) ‖ grossièrement (made) ‖

Fig. approximativement, en gros, grosso modo.

roughneck *n* U.S., COLL. voyou *m* ; loubard *m* (pop.).

roughness [raund] *n* rugosité *f* ‖ [ground] inégalités *fpl* ‖ [sea] agitation *f* ‖ FIG. brutalité, brusquerie *f.*

round [raund] *n* rond, cercle *m* ‖ ronde, révolution *f ;* cycle *m* ‖ *do/make one's* ~, faire sa ronde ‖ [drinks] tournée *f* ‖ [boxing] reprise *f,* round *m* ‖ [shooting] coup *m,* cartouche *f* ‖ SP. manche *f* ‖ MUS. canon *m ;* [dancing] ronde *f ; TH. theatre in the* ~, théâtre *m* en rond ‖ FIG. *the daily* ~, la routine quotidienne ● *adj* rond *‖* ~ *trip,* voyage *m* circulaire ‖ voûté (shoulders) ‖ MATH. *in* ~ *figures,* en chiffres ronds ● *adv* autour, tout autour ; *for a mile* ~, à un mille à la ronde ; *all the year* ~, pendant toute l'année ‖ *ask sb* ~, inviter qqn ● *about,* aux alentours ; *(prep)* aux environs de ● *prep* autour de ; ~ *the corner,* au coin de la rue ● *vi* ~ *(out),* s'arrondir — *vt* arrondir ‖ NAUT. doubler (a cape) ‖ ~ *off,* arrondir ; ~ *up,* rassembler (cattle) ‖ COLL. [police] faire une rafle ; ~-*up (n),* rassemblement *m ;* rafle *f* ‖ ~*about adj* détourné ● *n* manège *m* (at afair) ‖ AUT. rond-point *m* (circus).

roundel ['raundl] *n* AV. cocarde *f.*

round|-hand ['raundhænd] *n* ronde *f* (writing) ‖ ~*ly adv* FIG. rondement, carrément ‖ ~-**shouldered** [-ʃouldəd] *adj be* ~, avoir le dos rond ‖ ~**-table** *adj/n* ~ *(conference),* table ronde, commission *f* paritaire ‖ ~-**the-clock** *adj* vingt-quatre heures sur vingt-quatre ‖ ~ *trip n* voyage *m* circulaire ‖ U.S. voyage aller et retour.

rous|e [rauz] *vt* (r)éveiller ‖ soulever (indignation) ; secouer (indifference) ; exciter (make angry) ; stimuler (feeling) ‖ ~*ing adj* frénétique (cheers) ; entraînant (music).

rout [raut] *n* MIL. déroute, débandade *f* ● *vt* mettre en déroute.

route [ru:t] *n* itinéraire *m* ‖ [bus] ligne *f,* parcours *m.*

routine [ru:ˈti:n] *n* travail courant ; *the daily* ~, le train-train quotidien ; ~-*minded,* routinier ; ~ *work,* affaires *fpl* courantes ‖ AUT. ~ *services,* révisions régulières ● *adj* réglementaire, normal, régulier.

rov|e [rəuv] *vi/vt* errer (dans) ‖ parcourir ‖ ~**er** *n* vagabond *n ;* rôdeur *n.*

row¹ [rəu] *n* rang *m,* rangée *f ; in a* ~, en rang ‖ AUT. file *f.*

row² *n* promenade *f* en barque ● *vi* ramer ‖ NAUT. nager ‖ ~**ing** *n* canotage *m* ‖ SP. aviron *m ;* ~*(ing)-boat,* bateau *m* à rames.

row³ [rau] *n* dispute, altercation *f ;* kick up/make a ~, faire du boucan/raffut (fam.).

rowdy ['raudi] *adj* tapageur.

rower ['rəuə] *n* rameur *n.*

royal ['rɔiəl] *adj* royal ‖ ~**ty** *n* royauté *f* ‖ membres *mpl* de la famille royale ‖ JUR. [often pl.] redevance *f,* droits *mpl* d'auteur.

rub [rʌb] *vi* se frotter ‖ ~ *along,* COLL. vivoter, se tirer d'affaire ; [two persons] faire bon ménage — *vt* frotter *(against,* contre *; on,* sur) ; ~ *one's hands,* se frotter les mains ‖ MED. frictionner ‖ COLL. ~ *sb the wrong way,* prendre qqn à rebrousse-poil ‖ ~ *down,* frictionner ; bouchonner (a horse) ; poncer (with sandpaper) ; ~*-down (n),* friction *f* ‖ ~ *in,* faire pénétrer en frottant ; FIG. *don't* ~ *it in !,* n'insistez pas ! ‖ ~ *out,* effacer, gommer ● *n* coup *m* de chiffon.

rubber¹ ['rʌbə] *n* [cards] robre *m.*

rubber² *n* caoutchouc *m ;* ~ *band,* élastique *m ;* ~ *boat,* canot *m* pneumatique ; ~ *solution,* dissolution *f* ‖ gomme *f* (eraser) ; ~ (condom) ; ~**s** *npl* U.S. caoutchoucs *mpl* (overshoes) ‖ ~-**stamp** *n* tampon *m* en caoutchouc.

rubbish ['rʌbiʃ] *n* détritus *mpl,*

ordures *fpl* (garbage) ‖ décombres, gravats *mpl* (rubble) ‖ Fig. sottises *fpl* ‖ ~**-chute** [ʃuːt] *n* vide-ordures *m inv* ‖ ~**-dump/-tip** *n* décharge publique, dépotoir *m*.

rubble [ˈrʌbl] *n* décombres *mpl* ; gravats *mpl*.

ruby [ˈruːbi] *n* rubis *m* ‖ [attributive] vermeil (lips).

rucksack [ˈruksæk] *n* sac *m* à dos.

ructions [ˈrʌkʃnz] *npl* there'll be ~, il y aura du grabuge.

rudder [ˈrʌdə] *n* gouvernail *m*.

ruddy [ˈrʌdi] *adj* coloré, rouge (complexion).

rude [ruːd] *adj* impoli, mal élevé (person) ; grossier (speech) ‖ rudimentaire, primitif (primitive) ‖ grossier (roughly made) ‖ rude, violent (shock, awakening) ‖ ~**ly** *adv* grossièrement ; brusquement ‖ ~**ness** *n* grossièreté, impolitesse *f* ‖ rudesse *f*.

rudiment [ˈruːdimənt] *n* rudiment *m* ‖ ~**ary** [ˌruːdiˈmentri] *adj* rudimentaire.

rueful [ˈruːful] *adj* lugubre, triste.

ruff [rʌf] *n* couper (avec un atout).

ruffle [ˈrʌfl] *vi* [feathers) se hérisser ; [hair) s'ébouriffer ; [water) se rider — *vt* ébouriffer ; ~ *sb's hair*, décoiffer/dépeigner qqn ‖ rider (water) ; froisser, chiffonner (one's dress) ‖ Fig. froisser ; irriter ; contrarier.

rug [rʌg] *n* tapis *m* ; *bedside* ~, descente *f* de lit ‖ couverture *f* de voyage.

rugby [ˈrʌgbi] *n* ~ *(football)* rugby *m* ; ~ *league*, jeu *m* à treize ; ~ *union*, rugby à quinze ; ~ *player*, rugbyman *m*.

rugged [ˈrʌgid] *adj* accidenté, rocailleux (ground), raboteux (path) ; rugueux (bark) ‖ Fig. rude, bourru (character).

rugger [ˈrʌgə] *n* Coll. rugby *m*.

ruin [ruin] *n* ruine *f* ; *fall into* ~*(s)*, tomber en ruine ‖ *Pl* décombres *mpl* (debris) ● *vt* ruiner, détruire ‖ Fig.

abîmer (clothes) ; gâter (event) ‖ ~**ous** *adj* délabré, tombant en ruine ‖ Fig. ruineux, désastreux.

rule [ruːl] *n* règle *f* ; *as a* ~, en règle générale, en principe ; *according to* ~, selon la règle ; *against the* ~, contraire(ment) à la règle ‖ [traffic] ~ *of the road*, règlement *m* de la circulation ‖ Math. ~ *of three*, règle *f* de trois ‖ Techn. règle graduée ‖ Fig. autorité *f*, empire *m* ; *golden* ~, règle *f* d'or ‖ *by* ~ *of thumb*, empiriquement ● *vt* gouverner (country) ‖ régler (paper) ‖ Jur. décider, déclarer ‖ ~ *out*, exclure, écarter — *vi* régner (over, sur).

rul|er [ˈruːlə] *n* [instrument] règle *f* ‖ [person] dirigeant, souverain *m* ‖ ~**ing** *adj* dominant (passion) ‖ dirigeant (classes) ; au pouvoir (party).

rum¹ [rʌm] *n* rhum *m*.

rum² *adj* Coll. drôle, bizarre ; biscornu (idea).

rumble [ˈrʌmbl] *n* grondement *m* (of thunder) ; roulement *m* (of a cart) ● *vi* [thunder] gronder ; [cart] rouler.

ruminate [ˈruːmineit] *vi/vt* ruminer (lit. and fig.).

rummage [ˈrʌmidʒ] *vi* fouiller, fureter ● *n* fouille *f* ‖ choses *fpl* de rebut (junk).

rumour [ˈruːmə] *n* rumeur *f*, bruit *m* ‖ ~ *has it that*, le bruit court que ● *vt* : *it is* ~*ed* [-d] *that*, on dit que, le bruit court que.

rump [rʌmp] *n* [horse] croupe *f* ; [fowl] croupion *m* ‖ Coll. postérieur *m*.

rumple [ˈrʌmpl] *vt* chiffonner, froisser.

rumpus [ˈrʌmpəs] *n* Coll. tapage, chahut *m* ; *kick up a* ~, faire un boucan de tous les diables.

run [rʌn] *vi* (ran [ræn], run) courir ‖ fuir ; ~ *for dear life*, se sauver à toutes jambes ‖ couler (flow) ‖ [colour] déteindre ‖ ~ *dry*, se tarir, être à sec, s'assécher ‖ [river, road] passer (*through*, à travers) ‖ [stocking] filer ‖ [engine] marcher ‖ [make-up, nose] couler ‖ RAIL. faire le service (between, entre) ; marcher ; [bus] passer ‖ NAUT. ~ *before the wind*, courir vent arrière ‖ TH. se jouer, tenir l'affiche ‖ CIN. se jouer, passer ‖ POL. se présenter ; ~ *for*, être candidat à ; ~ *against sb*, se présenter contre qqn ‖ ~ *away*, s'enfuir ; ~*-away* (n), fugitif n ‖ ~ *down*, [battery] se décharger ‖ ~ *out*, [store] s'épuiser ; [tide] baisser ‖ ~ *out of*, manquer de ; AUT. ~ *out of petrol*, avoir une panne d'essence.

— vt courir (a distance, the streets) ‖ conduire (car/sb in a car) ‖ ~ *a splinter into one's finger*, s'enfoncer une écharde dans le doigt ‖ passer en contrebande (smuggle) ‖ faire marcher (machine) ‖ administrer, diriger ; tenir, gérer (hotel) ‖ ~ *one's hand over*, passer la main sur ‖ ~ *a bath*, faire couler un bain ‖ SP. faire courir (horse) ; ~ *a race*, courir une course ‖ AUT. ~ *a big end*, couler une bielle ‖ FIG. ~ *a risk*, courir un risque ‖ ~ *down*, [car] renverser ; FIG. dénigrer ‖ ~ *in*, roder (engine) ‖ ~ *off*, tirer (print) ‖ ~ *over*, [car] écraser.

● *n* course *f* ; *break into a* ~, prendre le pas de course ‖ élan *m* ‖ période, succession, série *f* ; *in the long* ~, à la longue ‖ tendance *f* (tendency) ‖ excursion *f*, tour *m* ‖ U.S. maille filée, échelle *f* (ladder) ‖ [cards] suite *f* ‖ [printing] tirage *m* ‖ INF. passage *m* machine ‖ AUT. trajet, parcours *m* ‖ TH. carrière *f* ; *have a long* ~, tenir longtemps (l'affiche).

runaway [ˈrʌnəwei] *n* fugitif *n* ‖ MIL. fuyard *m*.

rundown *adj* fatigué, épuisé (person) ; délabré (thing).

rung[1] → RING[1].

rung[2] [rʌŋ] *n* échelon *m* (of a ladder) ; barreau *m* (of a chair).

runnel [ˈrʌnl] *n* rigole *f*.

runner [ˈrʌnə] *n* coureur *n* ‖ ~-*up* *n* SP. second *n*.

run|ning *n* écoulement *m* (of liquid) ‖ circulation *f* (of trains) ; marche *f*, fonctionnement *m* (of machine) ‖ SP. course *f* ● *adj* courant (water) ; coulant (knot) ‖ RAD. ~ *commentary*, (radio)reportage, commentaire *m* ‖ FIN. ~ *costs*, frais *mpl* d'exploitation ‖ TECHN. *in* ~ *order*, en état de marche ‖ SP. ~ *jump*, saut *m* avec élan ● *adv* 4 *times* ~, 4 fois de suite ‖ ~*ny* *adj* baveux (omelette) ; qui coule (nose).

run-off *n* SP. finale *f*.

run-of-the-mill *adj* ordinaire, banal, quelconque ; médiocre.

runt [rʌnt] *n* avorton *m*.

runway [ˈrʌnwei] *n* AV. piste *f* d'envol/d'atterrissage.

rupture [ˈrʌptʃə] *n* rupture *f* ‖ MED. hernie *f* ‖ FIG. brouille *f* ● *vi/vt* (se) rompre.

rural [ˈruərəl] *adj* rural, champêtre ; ~ *policeman*, garde *m* champêtre.

ruse [ruːz] *n* ruse *f*.

rush[1] [rʌʃ] *n* jonc *m*.

rush[2] *n* ruée *f*, course précipitée ; *be in a* ~, être très pressé ‖ ~ *hours*, heures *fpl* d'affluence ● *vt* pousser vivement ‖ transporter d'urgence ‖ MIL. prendre d'assaut (a position) — *vi* se précipiter, se ruer (at, sur) ‖ ~ *into*, faire irruption (dans) ‖ ~ *through*, lire à la hâte (a book) ; visiter au pas de course (a town) ; expédier (one's work) ‖ ~*ed* [-t] *adj* débordé (person) ‖ expédié, fait à la va-vite (thing) ‖ ~*ing* *adj* impétueux.

rusk [rʌsk] *n* biscotte *f*.

russet [ˈrʌsit] *adj* roussâtre.

Russ|ia [ˈrʌʃə] *n* Russie *f* ‖ ~*ian* [-n] *adj* russe ● *n* Russe *n* (person) ‖ russe *m* (language).

rust [rʌst] *n* rouille *f* ; ~ *stain*, tache *f* de rouille ● *vi* se rouiller.

rustic [ˈrʌstik] *adj* rustique ; campagnard ● *n* paysan *n*.

rustle [ˈrʌsl] *n* bruissement *m* (of leaves) ; frou-frou *m* (of a dress) ; froissement *m* (of paper) ● *vi* [leaves] bruire — *vt* faire bruire.

rust-proof *adj* inoxydable.

rusty [ˈrʌsti] *adj* rouillé ; *become ~*, se rouiller (lit. and fig.).

rut¹ [rʌt] *n* ornière *f* ‖ FIG. routine *f* ; *get into a ~*, s'encroûter.

rut² *n* ZOOL. rut *m*.

ruthless [ˈruːθlis] *adj* impitoyable ‖ **~ness** *n* cruauté *f*.

rye [rai] *n* seigle *m* ; *~ bread*, pain *m* de seigle ‖ U.S., [Canada] whisky *m*.

S

s [es] *n* s *m*.

sable [ˈseibl] *n* zibeline *f*.

sabotage [ˈsæbətɑːʒ] *n* sabotage *m* ● *vt* saboter.

sabre [ˈseibə] *n* sabre *m* ‖ **~-rattling** *n* bruit *m* de bottes ● *adj* va-t-en-guerre.

saccharin [ˈsækriːn] *n* saccharine *f*.

sack¹ [sek] *n* sac *m* ‖ COLL. *give sb the ~*, renvoyer qqn ; flanquer qqn à la porte (pop.) ● *vt* mettre en sac ; ensacher ‖ COLL. renvoyer ; sacquer (qqn) [fam.].

sack² *vt* MIL. saccager, mettre à sac ● *n* sac, pillage *m*.

sacrament [ˈsækrəmənt] *n* sacrement *m*.

sacred [ˈseikrid] *adj* sacré ‖ consacré (*to*, à) ‖ REL. saint (history).

sacrifice [ˈsækrifais] *n* sacrifice *m* ● *vt* sacrifier ‖ FIG. renoncer à ; *~ oneself*, se dévouer.

sacrileg|e [ˈsækrilidʒ] *n* sacrilège *m* ‖ **~ious** [ˌsækriˈlidʒəs] *adj* sacrilège.

sad [sæd] *adj* triste, malheureux ‖ lugubre (place) ‖ affligeant, désolant (news) ‖ cruel (loss) ‖ **~den** *vi/vt* (s')attrister.

saddl|e [ˈsædl] *n* selle *f* ; **~bag**, sacoche *f* ● *vt* seller ‖ FIG. charger (sb with a responsibility) ‖ **~er** *n* sellier *m*.

sad|ism [ˈsædizm] *n* sadisme *m* ‖ **~ist** *n* sadique *n* ‖ **~istic** [sæˈdistik] *adj* sadique.

sad|ly [ˈsædli] *adv* tristement ‖ malheureusement (unfortunately) ‖ COLL. drôlement ‖ **~ness** *n* tristesse *f*.

safe [seif] *n* coffre-fort *m* ● *adj* sain et sauf (unhurt) ‖ sûr (place) ; en lieu sûr, en sécurité (person) ‖ prudent, modéré (cautious) ; *to be on the ~ side*, pour plus de sécurité, par précaution ‖ FIN. sûr, sans risque ‖ **~-conduct** *n* sauf-conduit *m* ‖ **~guard** *n* sauvegarde *f* ● *vt* sauvegarder ‖ **~ly** *adv* sain et sauf, à bon port ‖ sans danger (without risk).

safety ['seifti] n sécurité, sûreté f ||
~**-belt** n ceinture f de sécurité ||
~**-catch** n cran m de sûreté ||
~**-match** n allumette f de sûreté ||
~**-pin** n épingle f de sûreté ||
~**-razor** n rasoir m de sûreté ||
~**-valve** n soupape f de sûreté.

saffron ['sæfrn] n CULIN. safran m.

sag [sæg] n affaissement m ● vi s'affaisser, fléchir.

sagacious [sə'geiʃəs] adj sagace ||
~**ity** [sə'gæsiti] n sagacité f.

sage[1] [seidʒ] adj sage, prudent ● n
sage m.

sage[2] n sauge f.

Sagittarius [ˌsædʒi'tɛəriəs] n ASTR.
Sagittaire m.

said → SAY ● adj JUR. dit, susdit.

sail [seil] n voile f; main ~,
grand-voile f; set ~, prendre la mer,
partir (for, pour); under ~, à la voile
|| tour m en bateau/mer || Pl voilure
f || [windmill] aile f ● vi [ship]
naviguer; ~ (away), partir; ~ into
harbour, entrer au port || SP. go ~ing,
faire de la voile — vt piloter,
manœuvrer (ship) || ~ the seas,
parcourir les mers || ~**-board** n
planche f à voile || ~**-boat** n U.S. =
SAILING BOAT.

sailing n navigation f; [journey] a
day's ~, une journée de mer || départ
(leaving) || SP. voile f || ~**-boat** n,
bateau m à voile || ~**-dingly** n
dériveur m || ~**-ship** n voilier m.

sailor n marin m || matelot m (not
an officer) || be a good ~, avoir le
pied marin.

sail-plane n AV. planeur m.

saint [seint] adj saint.

sake [seik] n for the ~ of, for...'s
~, pour, par égard pour, pour
l'amour de; for goodness' ~, pour
l'amour de Dieu; for pity's ~, par
pitié.

salad ['sæləd] n salade f; laitue f
(lettuce) || ~**-bowl** n saladier m ||
~**-dressing** n (sauce f) vinaigrette f

|| ~ **servers** npl couvert m à salade
|| ~**-shaker** n panier m à salade.

salary ['sæləri] n traitement m (of
civil servants); appointements mpl
(of employees); salaire m (of workers); draw a ~, toucher un traitement || ~ **range/scale** n éventail
m/échelle f des traitements/salaires.

sale [seil] n vente f; for ~, à vendre
|| **on** ~, en vente || SP. soldes mpl ||
cash/credit ~, vente au comptant/à
terme; white ~, exposition f de blanc
|| ~ **price** n prix m de solde ||
~**room** n salle f des ventes.

salesclerk ['seilzklɑ:k] n U.S.
commis, vendeur m || ~**-girl** n
vendeuse f || ~**-man** n vendeur m (in
a shop); représentant m (representative). || ~**-room** n = SALEROOM.

salient ['seiljənt] adj saillant, en
saillie (angle) || FIG. frappant (argument); saillant (feature).

saline [sə'lain] n saline f, marais
salant ● ['seilain] adj salin (solution).

saliva [sə'laivə] n salive f.

sallow ['sæləu] adj blême, blafard.

sally ['sæli] n MIL. sortie f || FIG.
boutade f ● vi ~ forth, MIL. faire une
sortie; [humour] faire un saut (into
town, en ville).

salmon ['sæmən] n saumon m.

saloon [sə'lu:n] n salon m (in a ship,
hotel); salle f (in a pub) || U.S. bar,
saloon m || AUT. conduite intérieure,
berline f.

salsify ['sælsifi] n salsifis m.

salt [sɔ:lt] n sel m; ~**-cellar**/U.S.
-shaker, salière f; ~ **free**, sans sel ||
PHOT. fixing ~, fixateur m || NAUT.
old ~, vieux loup de mer ● adj salé;
~ water, eau salée; ~**-water fish**,
poisson m de mer ● vt saler.

salt-marsh n marais salant, salin m.

saltpetre ['sɔ:lt.pi:tə] n salpêtre m.

salty ['sɔ:lti] adj salé; saumâtre.

salutary ['sæljutri] adj salutaire ||
~**ation** [ˌsælju'teiʃn] n salutation f ||
~**e** [sə'lu:t] n salut m ● vt saluer.

salv|age [ˈsælvidʒ] n sauvetage m (saving) ‖ récupération f (waste material) • vt sauver ‖ récupérer (material) ‖ **~ation** [sælˈveiʃn] n préservation f, salut m ‖ *Salvation Army*, Armée f du salut.

salve [sɑːv] n MED. pommade f, baume m ‖ FIG. baume, apaisement m • vt FIG. panser (wounded pride).

salver [ˈsælvə] n CULIN. plateau m.

salvo [ˈsælvəu] n salve f.

same [seim] adj même ; *the ~ as/that*, le/la/les même(s) que ; *at the ~ time*, en même temps ; *that amounts to the ~ thing*, cela revient au même • pron *the ~*, le/la/les même(s) ‖ *all the~*, tout de même, quand même ‖ *it's all the ~ to me*, ça m'est égal ‖ **~ness** n similitude, ressemblance f ‖ monotonie f.

sample [ˈsɑːmpl] n spécimen, échantillon m (fabric) ‖ **~-post**, échantillon m sans valeur ‖ TECHN. prélèvement m (of ore) • vt échantillonner ‖ TECHN. prélever ‖ CULIN. déguster, goûter à.

sanatorium, -ria [ˌsænəˈtɔːriəm, -riə] n sanatorium m.

sanct|ify [ˈsæŋktifai] vt/vi sanctifier ‖ **~imonious** [ˌsæŋktiˈməunjəs] adj bigot.

sanction [ˈsæŋʃn] n sanction, approbation (acceptance) ‖ JUR. sanction f (punishment) • vt sanctionner, approuver.

sanct|ity [ˈsæŋktiti] n sainteté f ‖ **~uary** [-juəri] n sanctuaire m ‖ FIG. asile, refuge m.

sand [sænd] n sable m.

sandal [ˈsændl] n sandale f.

sand|-glass [ˈsændglɑːs] n sablier m ‖ **~-paper** n papier m de verre • vt passer au papier de verre, poncer ‖ **~ pie** n pâté m de sable ‖ **~-pit** n bac m à sable (for children) ‖ **~-shoes** npl espadrilles fpl ‖ **~stone** n grès m.

sandwich [ˈsænwidʒ] n sandwich m

‖ FIG. *~ course*, recyclage, stage m • vt intercaler, coincer (*between*, entre) ‖ **~ loaf** n pain m de mie ‖ **~-man** n homme-sandwich m.

sandy [ˈsændi] adj sablonneux, de sable ‖ blond roux (hair).

sane [sein] adj sain d'esprit.

sang → SING.

sanguine [ˈsæŋgwin] adj sanguin (temperament) ; rubicond (complexion) ‖ FIG. confiant, optimiste.

sanit|arium [ˌsæniˈtɛəriəm] n U.S. sanatorium m ‖ **~ary** [ˈsænitri] adj sanitaire ; hygiénique ‖ périodique (tampon, towel) ‖ **~ation** [ˌsæniˈteiʃn] n installations fpl sanitaires ‖ U.S. hygiène f ‖ **~y** [ˈsæniti] n santé mentale ‖ FIG. rectitude f (of judgment).

sank → SINK.

Santa Claus [ˌsæntəˈklɔːz] n Saint Nicolas, Père Noël.

sap¹ [sæp] n sape f • vt MIL., FIG. saper, miner.

sap² n sève f ‖ **~ling** n jeune arbre m.

sapphire [ˈsæfaiə] n saphir m.

sarcas|m [ˈsɑːkæzm] n sarcasme m, raillerie f ‖ **~tic** [sɑːˈkæstik] adj sarcastique.

sardine [sɑːˈdiːn] n sardine f.

Sardinia [sɑːˈdinjə] n Sardaigne f.

sardonic [sɑːˈdɔnik] adj sardonique.

sash¹ [sæʃ] n large ceinture f.

sash² n châssis m ‖ *~ window* n fenêtre f à guillotine.

sat → SIT.

satchel [ˈsætʃl] n cartable m.

sate [seit] vt = SATIATE.

satiate [ˈseiʃieit] vt rassasier, assouvir ‖ FIG. blaser.

satin [ˈsætin] n satin m.

sat|ire [ˈsætaiə] n [literature] satire f ‖ FIG. ironie, raillerie f ‖ **~irical** [səˈtirikl] adj satirique ‖ **~irist**

['sætərist] *n* écrivain *m* satirique ; chansonnier *n* (in cabaret).

satisfac|tion [ˌsætis'fæk∫n] *n* satisfaction *f*, contentement *m* || dédommagement *m* (for damage) || **~tory** [-tri] *adj* satisfaisant ; *not to be ~,* laisser à désirer.

satisfy ['sætisfai] *vt* satisfaire, contenter (desire) ; satisfaire, apaiser (hunger) || satisfaire à, remplir (conditions) || *be satisfied that,* être persuadé/convaincu que || [candidate] *~ the examiners,* être reçu || *~ oneself that,* s'assurer que || COMM. payer, régler (a debt).

saturate ['sæt∫əreit] *vt* saturer ● *adj* saturé.

Saturday ['sætədi] *n* samedi *m*.

sauce [sɔ:s] *n* CULIN. sauce *f* || COLL. toupet, culot *m* (fam.) || **~-boat** *n* saucière *f* || **~pan** *n* casserole *f*.

saucer ['sɔ:sə] *n* soucoupe *f* || *flying ~,* soucoupe volante.

saucy ['sɔ:si] *adj* effronté.

sauerkraut ['sauəkraut] *n* choucroute *f*.

sauna ['saunə] *n* sauna *m*.

saunter ['sɔ:ntə] *vi* flâner, déambuler ● *n* flânerie *f* ; balade *f* (fam.).

sausage ['sɔsidʒ] *n* saucisse *f* ; saucisson *m* (dry).

savage ['sævidʒ] *adj* sauvage, de sauvage || féroce (animal) || brutal (blow) ● *n* sauvage *n* || **~ly** *adv* sauvagement ; brutalement ; furieusement || **~ness, ~ry** [-ri] *n* sauvagerie, brutalité, férocité *f*.

sav|e¹ [seiv] *vt* sauver (*from,* de) [rescue] || FIG. *~ sb doing,* éviter à qqn de faire, empêcher (*from,* de) || gagner (time) || **~ing¹** *n* sauvetage *m* (rescue).

sav|e² *vt* mettre de côté (money) ; garder (food) || [not spend] économiser, épargner ; *~ (up) money,* faire des économies ; *~ on petrol,* économiser l'essence || **~er** *n* épargnant *n* || **~ing²** *n* [money, time] économie

f || *Pl* économies *fpl* ; **~s-bank,** caisse *f* d'épargne

save³ *prep* sauf, excepté, à l'exception de ● *conj ~ that,* sauf que ; à moins que.

savour ['seivə] *n* saveur *f*, goût *m* || FIG. arrière-goût *m* ● *vt* [arch.] savourer — *vi ~ of,* avoir un bon goût de || **~y** [-ri] *adj* savoureux, succulent ● *n* CULIN. mets non sucré.

savvy ['sævi] *n* SL. jugeotte *f*.

saw¹ → SEE.

saw² [sɔ:] *vt* (~ed [-d], ~ed *or* ~n [-n]) scier ● *n* scie *f* ; *power ~,* scie mécanique || **~buck** *n* U.S., SL. billet *m* de 10 dollars || **~dust** *n* sciure || **~mill** *n* scierie *f*.

sawn → SAW².

saxophone ['sæksəfəun] *n* saxophone *m*.

say [sei] *vi/vt* (said [sed]) dire || *~ again,* répéter || *~ nothing,* se taire ; *to ~ nothing of,* sans parler de || affirmer || estimer (quantity) ; *let's ~...,* mettons... || *that is to ~,* c'est-à-dire ; *so to ~,* pour ainsi dire ; *that goes without ~ing,* cela va sans dire || *you don't ~ so!,* pas possible! ; *I ~!,* dites-donc! || [school] réciter (lesson) || REL. dire (a prayer) ● *n* mot *m* ; *have a ~ in the matter,* avoir son mot à dire || **~ing** *n* proverbe, adage *m*.

scab [skæb] *n* MED. croûte *f* || ZOOL. gale *f* || COLL. jaune, briseur de grève ● *vi* MED. former une croûte || COLL. trahir ses camarades || **~by** [-i] *adj* galeux || **~ies** ['skeibi:z] *n* gale *f*.

scabrous ['skeibrəs] *adj* rugueux (skin) || FIG. scabreux.

scaffold ['skæfld] *n* échafaud *m* || **~ing** *n* échafaudage *m*.

scald [skɔ:ld] *vt* ébouillanter, échauder || CULIN. blanchir.

scale¹ [skeil] *n* échelle *f* ; graduation *f* (of thermometer) || FIN. échelle *f*, barème *m* (of salaries) || GEOGR.

échelle (of map) || Mus. gamme *f ;*
practise one's ~*s,* faire ses gammes ||
Fig. échelle ; *on a large* ~, sur une
grande échelle ; *social* ~, échelle
sociale ● *vt* escalader, faire l'ascension
de || ~ **model** *n* modèle réduit.

scale² *n* [fish, snake] écaille *f* ||
[kettle, teeth] tartre *m* || *Pl* Fig. écailles
fpl ● *vt* écailler (fish) | détartrer (teeth)
— *vi* ~ (*off*), s'écailler.

scale³ *n* plateau *m* (de balance) || *Pl*
(a pair of) ~*s,* (une) balance ;
(bathroom) ~*s,* pèse-personne *m* ●
vt peser.

scallop [´skɔləp] *n* Zool. coquille *f*
Saint-Jacques || *Pl* festons *mpl.*

scalp [skælp] *n* cuir chevelu ● *vt*
scalper || ~**-massage** *n* friction *f.*

scamp [skæmp] *n* garnement *m* ●
vt bâcler.

scamper [´skæmpə] *vi* [mouse] trot-
tiner ; [children] galoper || ~ *away,*
détaler.

scampi [´skæmpi] *n* Culin. *fried* ~,
langoustines frites.

scan [skæn] *n* regard scrutateur ●
vt scruter, parcourir (des yeux) |
feuilleter (a book) || Lit. scander
(verse) || [radar] balayer, explorer ||
Med. explorer.

scandal [´skændl] *n* scandale *m ;*
cause a ~, causer un scandale ||
médisance *f* (gossip) || ~**ize** *vt*
scandaliser || ~**monger** *n* mauvaise
langue || ~**ous** *adj* scandaleux || Jur.
diffamatoire.

Scandinavian [´skændi´neivjən]
adj/n scandinave.

scant [skænt] *adj* insuffisant ; *pay*
~ *attention,* faire à peine attention ||
~**ily** *adv* insuffisamment ; sommai-
rement || ~**y** *adj* insuffisant ; minus-
cule (too small) ; réduit au minimum
(swimsuit) | rare (vegetation, hair) |
sommaire, maigre (meal).

scapegoat [´skeipgəut] *n* bouc *m*
émissaire.

scar [skɑ:] *n* cicatrice *f ;* balafre *f* (on

the face) ● *vt* laisser une cicatrice ;
balafrer.

scarce [skɛəs] *adj* rare, peu abon-
dant ; *grow* ~, se faire rare || ~**ly**
adv à peine, presque pas || ~ *ever,*
presque jamais, ne... guère ; *be* ~ *able*
to, avoir de la peine à.

scarcity [´skɛəsiti] *n* rareté, disette,
pénurie *f.*

scare [skɛə] *n* peur *f ; give sb a* ~,
faire peur à qqn ● *vt* faire peur à,
effrayer || ~ *away/off,* faire fuir,
effaroucher, chasser || ~**crow** *n*
épouvantail *m* || ~**-monger** *n* alar-
miste *n.*

scarf, s/scarves [skɑ:f] *n* écharpe
f, cache-col *m ;* foulard *m* (silk).

scarlet [´skɑ:lit] *adj* écarlate || Med.
~ *fever,* scarlatine *f.*

scathing [´skeiðiŋ] *adj* cinglant,
mordant (comment).

scatter [´skætə] *vt* disperser, éparpiller, disséminer — *vi* se disperser
|| ~**brained** *adj* étourdi, écervelé.

scavenger [´skævindʒə] *n* Zool. cha-
rognard *m* | éboueur, boueux *m ;*
chiffonnier *n* (ragman).

scenario [si´nɑ:riəu] *n* scénario *m ;*
~**-writer,** scénariste *n.*

scenarist [si´nɑ:rist] *n* scénariste *n.*

scene [si:n] *n* [place] lieu, endroit *m ;*
on the ~, sur les lieux ; *change of* ~,
changement d'air || [sight] vue *f,*
tableau, spectacle *m* || Th. scène *f,*
décor *m* (setting) ; *change of* ~,
changement de décor || Cin. scène,
séquence *f ; outdoor* ~, extérieur *m* ||
Coll. *make a* ~, faire une scène
(quarrel) || Fig. *behind the* ~*s,* dans
les coulisses.

scenery [-ri] *n* paysage *m,* vue *f* ||
Th. décor(s) *m(pl).*

scene-shifter *n* Th. machiniste *n.*

scenic [´si:nik] *adj* scénique, théâtral
|| Fig. spectaculaire ; ~ *road,* route *f*
touristique.

scent [sent] *n* [flowers] parfum *m,*
odeur *f* || [animal's track] piste, trace

f ; [animal's sense of smell] flair *m* ‖ [hunting] piste, trace *f* ; *throw sb off the ~*, dépister ‖ [liquid perfume] parfum *m* ● *vt* parfumer (the air) ‖ [dog] flairer.

scept|ic [ˈskeptik] *n* sceptique *n* ‖ ~**ical** *adj* sceptique ‖ ~**icism** [-isizm] *n* scepticisme *m*.

sceptre [ˈseptə] *n* sceptre *m*.

schedul|e [ˈʃedjuːl], U.S. [ˈskedʒul] *n* programme, plan, calendrier *m* ; *ahead of/on/behind ~*, en avance/ à l'heure/en retard (sur le programme) ‖ RAIL., U.S. horaire *m* ‖ RAD. grille *f* des programmes ‖ COMM. liste *f*, barème *m* (of prices) ● *vt* prévoir (plan) ‖ inscrire au programme, établir l'horaire de ‖ ~**ed** *adj* Av. régulier (flight) ‖ ARCH. classé (building).

schem|e [skiːm] *n* arrangement *m*, combinaison *f* ‖ plan, projet *m* ‖ système *m* ‖ *colour ~*, combinaison *f* de couleurs ‖ FIG. combine *f*, complot *m* ● *vi* comploter, intriguer — *vt* combiner, machiner, intriguer ‖ ~**er** *n* intrigant *n*.

schnorkel [ˈʃnɔːkəl] *n* = SNORKEL.

scholar [ˈskɔlə] *n* [school] boursier *n* ‖ disciple *m* (follower) ‖ universitaire, érudit *n* (learned person) ‖ ~**ly** *adj* savant, érudit ‖ ~**ship** *n* savoir *m*, érudition *f* ‖ bourse *f* (grant).

school¹ [skuːl] *n* [fish] banc *m*.

school² *n* école *f* ; *go to ~*, aller à l'école ‖ *public ~*, école secondaire privée ‖ *secondary*/U.S. *high ~*, lycée *m* ; *secondary ~boy/girl*, lycéen *n* ; *state ~*, école publique ; *summer ~*, cours *m* de vacances ‖ ~ **bag** *n* cartable *m* ‖ ~ **book** *n* livre *m* de classe ‖ ~**boy** *n* élève, écolier *m* ‖ ~ **bus service** *n* ramassage *m* scolaire ‖ ~**fellow** *n* camarade *m* de classe ‖ ~**girl** *n* élève, écolière *f* ‖ ~**ing** *n* enseignement *m* ; instruction *f* ‖ ~**master** *n* professeur *m* ‖ ~**mate** *n* = ~ FELLOW ‖ ~**mistress** *n* institutrice, maîtresse *f* d'école ‖ ~ **report** *n* bulletin *m*

(scolaire) ‖ ~-**teacher** *n* instituteur, maître *m* d'école ‖ ~ **year** *n* année *f* scolaire.

schooner [ˈskuːnə] *n* goélette *f*.

sciatica [saiˈætikə] *n* sciatique *f*.

science [ˈsaiəns] *n* science *f*, savoir *m*, connaissances *fpl* (knowledge) ‖ science *f* (branch of knowledge) ‖ *applied/exact/natural/occult/social ~s*, sciences appliquées/exactes/naturelles/occultes/sociales ‖ ~ **fiction** [-] *n* science-fiction *f*.

scien|tific [ˌsaiənˈtifik] *adj* scientifique ‖ ~**tist** [ˈsaiəntist] *n* scientifique *n* ; savant *n*.

sci-fi [ˈsaifai] *abbrev* COLL. = SCIENCE-FICTION.

scissors [ˈsizəz] *npl* ciseaux *mpl*.

scoff¹ [skɔf] *vi ~ at*, se moquer de.

scoff² *vi/vt* COLL. s'empiffrer, bouffer (arg.).

scold [skəuld] *vt* réprimander ; gronder (child) — *vi* rouspéter (fam.) ‖ ~**ing** *n* réprimande *f*.

sconce [skɔns] *n* applique *f* (on a wall).

scone [skɔn] *n* petit pain au lait.

scoop [skuːp] *n* pelle *f* à main ‖ louche *f* (ladle) ‖ coup *m* de pelle ‖ NAUT. écope *f* ‖ [press] reportage sensationnel (publié en exclusivité), scoop *m* ● *vt ~ out*, (se servir d'une pelle, etc., pour) vider ; ~ *water out of a boat*, écoper un bateau ; creuser (a hole) ‖ [press] devancer (en publiant en exclusivité).

scoot [skuːt] *vi* COLL. s'enfuir à toutes jambes ; filer (fam.) ‖ ~**er** *n* trottinette *f* (for children) ‖ *(motor) ~* scooter *m*.

scope [skəup] *n* étendue, portée *f* ; rayon *m* (of action) ‖ domaine *m* (of a branch of knowledge) ‖ compétence *f* (of sb) ‖ envergure *f* (of an undertaking) ‖ champ *m* (of activity) ; *give free ~ to*, donner libre cours à.

scorch [skɔːtʃ] *n* brûlure superficielle ● *vt* brûler ‖ ~**ing** *adj* torride, brûlant.

score [skɔ:] *n* [cut] entaille, coche *f* ‖ [debt] compte *m* ‖ [cards] marque *f* ; *keep (the)* ~, tenir la marque ‖ Sp. score *m* ; *a* ~, un point ; ~ *draw*, match nul (avec buts) ‖ ~*less draw*, match nul (0 à 0) ‖ Mus. partition *f* ‖ Fig. point *m*, sujet *m* ; *on the* ~ *of*, en raison de ; *on that* ~, à cet égard ‖ [number] vingt ; *a* ~ *of*, une vingtaine de ; *three* ~, soixante ‖ *Pl* ~*s of*, des quantités/tas (fam.) de ● *vt* entailler (cut) ‖ ~ *out*, barrer ‖ Sp. marquer (a goal) ; ~ *points*, marquer des points ‖ Mus. orchestrer — *vi* Sp. gagner (win) ; marquer ‖ ~**board** *n* tableau *m* d'affichage.

scorn [skɔ:n] *n* mépris, dédain *m* ● *vt* mépriser, dédaigner ‖ ~**ful** *adj* méprisant, dédaigneux.

Scorpio [ˈskɔ:piəu] *n* Astr. Scorpion *m*.

scorpion [ˈskɔ:piən] *n* Zool. scorpion *m*.

Scot *n* Écossais *n*.

Scotch [skɔtʃ] *adj* écossais, d'Écosse ‖ U.S. ~ *tape*, ruban adhésif ● *n the Scotch*, les Écossais ‖ ~ *(whisky)*, whisky *m* ‖ ~**man/woman** *n* Écossais *m*, -e *f*.

scot-free *adj* sans payer (free of charge) ‖ sans être puni (unpunished) ‖ indemne (unhurt).

Scotland [ˈskɔtlənd] *n* Écosse *f*.

Scots [skɔts] *n/adj* = Scotch ‖ ~**man** *n* = Scotchman.

Scottish [ˈskɔtiʃ] *adj* = Scotch.

scoundrel [ˈskaundrəl] *n* vaurien *m*, canaille *f*.

scour[1] [ˈskauə] *vt* nettoyer, récurer (pan) ; fourbir, décaper (metal) ● *n* nettoyage, récurage *m*.

scour[2] *vt* parcourir (en tous sens) [*after/for*, à la recherche de].

scourge [skə:dʒ] *n* fouet *m* ‖ Fig. fléau *m* ● *vt* flageller.

scout [skaut] *n* (*boy*) ~, scout,

éclaireur *m* ‖ Mil. éclaireur *m* ● *vi* aller en reconnaissance ‖ ~**ing** *n* reconnaissance *f*.

scowl [skaul] *n* air *m* maussade, mine renfrognée ● *vi* se renfrogner, faire grise mine ‖ ~ *at*, regarder de travers.

scraggy [ˈskrægi] *adj* émacié, décharné.

scram [skræm] *vi* Coll. décamper, filer ; ~ *!*, fiche le camp !

scramble [ˈskræmbl] *vi* ~ *(up)*, grimper, escalader ‖ ~ *for sth*, se disputer/bousculer pour avoir qqch — *vt* Culin. brouiller (eggs) ‖ Rad. brouiller (signal) ● *n* escalade *f* (climbing) ‖ bousculade, ruée *f* (struggle) ‖ Sp. motocross *m*.

scrap[1] [skræp] *n* Coll. dispute, bagarre *f* (brawl) ● *vi* Coll. se colleter.

scrap[2] *n* petit morceau, fragment *m* ; bout *m* (of paper) ; bribe *f* (of food) ‖ coupure *f* (of newspaper) ‖ *Pl* débris, déchets *mpl* ; restes, reliefs *mpl* (of a meal) ‖ = ~-iron : *sell a car for* ~, vendre une voiture à la casse ● *vt* envoyer à la ferraille ; mettre au rebut ; envoyer à la casse (car) ‖ Fig. abandonner ; mettre au rancart (fam.) ‖ ~-**book** *n* album *m* de coupures de presse ‖ ~-**dealer** *n* ferrailleur *m* ‖ ~-**heap** *n* tas *m* de ferraille ‖ ~-**iron** *n* ferraille *f* ; casse *f* (fam.) ‖ ~ **yard** *n* cimetière *m* de voitures.

scrap|e [skreip] *vi/vt* gratter, racler ; frotter (*against*, contre) ; érafler, égratigner (graze) ‖ frôler, raser (skim) ‖ ~ *along*, Fig. vivoter ‖ ~ *through*, passer de justesse (an examination) ‖ ~ *up*, amasser (péniblement) ● *n* grattage *m* ‖ [noise] grincement *m* ‖ Coll. *get into a* ~, se mettre dans une situation fâcheuse, s'attirer des ennuis ; *get out of a* ~, se tirer d'affaire ‖ ~**er** *n* grattoir *m* ‖ [doorstep] racloir ; décrottoir *m*. ‖ ~**ings** *npl* raclures *fpl*.

scratch [skrætʃ] *n* rayure, éraflure,

égratignure *f* (on skin) || rayure *f* ; grattement, grincement *m* || Sp. ligne *f* de départ || Fig., Coll. *be up to* ~, être à la hauteur ; *start from* ~, partir de zéro ● *vi/vt* rayer ; érafler ; égratigner (skin) ; [cat] griffer || ~ *(oneself),* se gratter || griffonner || ~ *off/out,* biffer, raturer || Sp. déclarer forfait (a horse) || Fig. annuler (cancel) ● *adj* hétéroclite ; improvisé, de fortune (hasty) || ~ **-pad** *n* U.S. bloc-notes *m*.

scrawl [skrɔːl] *vi/vt* griffonner, gribouiller ● *n* griffonnage, gribouillage *m*.

scrawny [ˈskrɔːni] *adj* décharné.

scream [skriːm] *n* cri perçant (of fright) ; hurlement *m* (of pain) ● *vi* pousser des cris perçants, hurler ; ~ *with laughter,* rire aux éclats, hurler de rire || ~ **ing** *adj* braillard (person) ; perçant (sound) || Fig. voyant (colour).

scree [skriː] *n* éboulis *m*.

screech [skriːtʃ] *vi* = SCREAM || ~ **-owl** *n* chat-huant *m*.

screen [skriːn] *n* écran *m* ; *(folding)* ~, paravent *m* || U.S. ~ *door,* moustiquaire *f* || Techn. crible *m* (sieve) || Aut. *(wind-)*~, pare-brise *m* ; ~ **washer,** lave-glace *m* ; ~ **-wiper,** essuie-glace *m* || T.V. ~ *box/inset,* incrustation *f* || Fig. masque *m* ● *vt* masquer, cacher || Techn. cribler (sieve) || Med. soumettre à un test de dépistage || Cin. projeter (film) ; porter à l'écran (book) || Fig. trier, sélectionner ; couvrir (protect from harm) || ~ **ing** *n* Med. dépistage *m* || Cin. projection *f* || ~ **play** *n* scénario *m*.

screw [skruː] *n* vis *f* ; tour *m* de vis || Naut., Av. hélice *f* || Coll. grigou *m* (miser) || Coll. *have a* ~ *loose,* être toqué ● *vt* visser || ~ *money out of,* extorquer de l'argent à || Sl. [taboo] baiser || ~ *on/off,* visser/dévisser ; ~ *up,* resserrer ; contracter (one's features) ; Fig. ~ *up one's courage,* rassembler son courage — *vi* se visser

|| ~ **-driver** *n* tournevis *m* || ~ **ed** [-d] *adj* Coll. [drunk] éméché (fam.) ; paf (pop.) || ~ **-ring** *n* piton *m* (à vis).

scribbl|e [ˈskribl] *vt* griffonner (hastily) ; gribouiller (carelessly) ● *n* gribouillage, gribouillis *m* || ~ **ing-block/-pad,** bloc-notes *m*.

scrimmage [ˈskrimidʒ] *n* bagarre *f* || Sp. = SCRUM.

script [skript] *n* écriture *f* (handwriting) || manuscrit *m* || Rad., Th. texte *m* || Cin. *(shooting)* ~, scénario, script *m* ; ~ *girl,* script-girl, scripte *f* ; ~ **-writer,** scénariste *n*.

Scripture [ˈskriptʃə] *n the Holy* ~ *s,* l'Écriture sainte.

scroll [skrəul] *n* rouleau *m*.

scrub [skrʌb] *n* brousse *f* ; broussailles *fpl* || nettoyage à la brosse ; récurage *m* ● *adj* rabougri ● *vt* frotter à la brosse ; (~ *out*) récurer (a pan) || ~ **bing-brush** *n* brosse *f* en chiendent || ~ **by** *adj* rabougri, chétif (stunted) || dru (beard) ; broussailleux (land).

scruff [skrʌf] *n take sb by the* ~ *of the neck,* prendre qqn par la peau du cou.

scruffy *adj* Coll. sale ; crado (arg.) || négligé (slovenly).

scrum [skrʌm] *n* Sp. mêlée *f* || ~ **half** *n* [rugby] demi *m* de mêlée.

scrup|le [ˈskruːpl] *n* scrupule *m* || [measure] scrupule *m* ● *vi* ~ *to,* se faire un scrupule de || ~ **ulous** [ˈskruːpjuləs] *adj* scrupuleux, minutieux.

scrutin|ize [ˈskruːtinaiz] *vt* scruter ; examiner à fond || pointer (votes) || ~ **y** *n* examen minutieux ; pointage *m*.

scuba [ˈskjuːbə] *n* scaphandre *m* autonome ; ~ *diving,* plongée *f* avec scaphandre autonome.

scuffle [ˈskʌfl] *n* mêlée, échauffourée *f* ● *vi* se bagarrer.

scull [skʌl] *n* aviron *m* ; godille *f* ● *vi* godiller.

scullery [ˈskʌləri] *n* arrière-cuisine *f*.

sculp|tor [ˈskʌlptə] *n* sculpteur *m* ‖ **~ture** [-tʃə] *n* sculpture *f* • *vt* sculpter.

scum [skʌm] *n* écume *f* ‖ TECHN. scories *fpl* ‖ FIG. lie *f*, rebut *m* (of society).

scurrilous [ˈskʌriləs] *adj* haineux, calomnieux ; grossier (language).

scurry [ˈskʌri] *vi* se précipiter ; ~ *away*, détaler • *n* galopade *f*.

scurvy [ˈskəːvi] *n* scorbut *m*.

scuttle¹ [ˈskʌtl] *n* NAUT. écoutille *f* ; sabord *m* (porthole) • *vt* NAUT. saborder.

scuttle² *vi* ~ *away*, déguerpir, détaler.

scuttle³ *n* (coal-)~, seau *m* à charbon.

scythe [saið] *n* AGR. faux *f*.

sea [siː] *n* mer *f* ; *the open* ~, le large ; *by the* ~, au bord de la mer ‖ [boat] *on the* ~, (out) at ~, en mer ; *put to* ~, prendre la mer ‖ [man] *go to* ~, se faire marin ‖ houle *f* ; *heavy* ~, grosse mer ; *ship a* ~, embarquer un paquet de mer ‖ COLL. *be all at* ~, s'y perdre, n'y rien comprendre ‖ ~ **air** *n* air marin ‖ ~-**bird** *n* oiseau de mer ‖ ~-**board** *n* U.S. littoral *m* ‖ ~-**change** *n* U.S. transformation profonde, changement radical ‖ ~-**faring** *adj* de marin (life) ‖ ~-**farming** *n* aquaculture *f*, cultures marines ‖ ~-**food** *n* fruits *mpl* de mer ‖ ~-**front** *n* bord/front de mer ‖ ~-**going** *adj* navigant (person) ; long-courrier (ship) ‖ ~-**gull** *n* mouette *f* ‖ ~ **horse** *n* hippocampe *m*.

seal¹ [siːl] *n* phoque *m*.

seal² *n* sceau *m* (on document) ; cachet *m* (on envelope) ‖ JUR. scellés *mpl* ; plomb *m* ‖ FIG. cachet *m* ; sceau *m* • *vt* sceller, apposer un sceau ; cacheter (envelope) ‖ JUR. plomber ‖ CULIN. saisir (steak) ‖ ~ *off*, [police] boucler (area) ‖ ~**ing-wax** *n* cire *f* à cacheter.

sea-lion [ˈsiːˌlaiən] *n* otarie *f*.

seam [siːm] *n* couture *f* ‖ TECHN. joint *m* ‖ GEOL. veine *f* (of coal) ; filon *m* (of ore) ‖ MED. balafre *f* (scar) • *vt* faire une couture ‖ MED. couturer.

seaman [ˈsiːmən] *n* matelot, marin *m* ; *leading* ~, quartier-maître.

seam|less [ˈsiːmlis] *adj* sans couture (stockings) ‖ ~**stress** [-stris] *n* couturière *f* ‖ ~**y** *adj* *the* ~ *side*, l'envers du décor.

sea|plane [ˈsiːplein] *n* AV. hydravion *m* ‖ ~**port** *n* port *m* de mer.

sear [siə] *vt* marquer au fer rouge (brand) ‖ MED. cautériser.

search [səːtʃ] *n* recherche *f* ‖ *in* ~ *of*, à la recherche de, en quête de ‖ [customs] fouille *f* ‖ JUR. perquisition *f* • *vt* fouiller (dans) [drawer, pocket, etc.] ; perquisitionner (a house) ‖ [customs] visiter (luggage) ‖ FIG. sonder, scruter (one's memory) ‖ ~ *after/for*, rechercher ‖ ~**ing** *adj* attentif, pénétrant (look) ‖ approfondi (inquiry) ‖ ~**light** *n* projecteur *m* ‖ ~-**warrant** *n* mandat de perquisition.

sea|shore [ˈsiːʃɔː] *n* bord *m* de la mer, rivage *m* ‖ ~**sick** *adj* *be* ~, avoir le mal de mer ‖ ~**sickness** *n* mal *m* de mer ‖ ~**side** *n* bord *m* de la mer ; ~ *resort*, station *f* balnéaire.

season [ˈsiːzn] *n* saison, époque *f* ; *late* ~, arrière-saison *f* ; *in* ~, de saison ; [animal] en chaleur ; *off* ~, basse saison ; *out of* ~, hors de saison ; FIG. déplacé (remark) ‖ ~*ticket*, carte *f* d'abonnement ; ~*ticket holder*, abonné *n* ‖ *open* ~, saison de la chasse/pêche • *vt* acclimater ‖ faire sécher [wood] ‖ CULIN. assaisonner (flavour) ; relever (a sauce) ‖ ~**able** *adj* de saison ‖ FIG. opportun ‖ ~**al** *adj* saisonnier ‖ ~**ing** *n* CULIN. assaisonnement *m* ; aromates *mpl*.

seat [siːt] *n* siège *m* ; *keep your* ~ *!*, restez assis ! ‖ [bus, train] banquette *f* ; [cycle] selle *f* ‖ [trousers] fond *m*

‖ RAIL., TH. place f ‖ JUR. siège m ● *vt* (faire) asseoir (child) ; placer (guest) ‖ ~ *oneself*, s'asseoir ‖ [room] avoir assez de sièges pour ‖ ~**-belt** *n* AUT., AV. ceinture f de sécurité.

sea|-urchin [ˈsiːˈəːtʃin] *n* oursin *m* ‖ ~**wall** *n* digue f ‖ ~**wards** [-wədz] *adv* vers le large ‖ ~**way** *n* sillage *m* (ship's progress) ; canal *m* (channel) ‖ ~**weed** *n* algue f ‖ ~**worthy** *adj* [ship] en état de naviguer ; *be* ~, tenir la mer.

secateurs [ˌsekəˈtəːz] *n* sécateur *m*.

secede [siˈsiːd] *vi* se séparer ‖ JUR. faire sécession.

secession [siˈseʃn] *n* sécession, scission f ‖ REL. dissidence f.

seclu|de [siˈkluːd] *vt* tenir éloigné du monde ; ~ *oneself*, s'enfermer (*in*, dans) ‖ ~**ded** [-did] *adj* retiré (existence) ; écarté (place) ; isolé (garden) ‖ ~**sion** [-ʒn] *n* retraite, solitude f.

second¹ [ˈseknd] *n* [time, angle] seconde f ; *just a/half a* ~ !, un instant ‖ [watch] ~ *hand* trotteuse f.

second² *adj/adv* second, deuxième ; *on the* ~ *floor*, au deuxième/U.S. premier étage ● *n* second, deuxième *m* ‖ COMM. *Pl* marchandise f de second choix ● *vt* soutenir (motion) ‖ ~**ary** *adj* secondaire ‖ ~**-best** *adj* de tous les jours (garment) ● *n* pis-aller *m* ‖ ~**-class** *adj/n* (de) seconde classe ‖ ~**-hand** *adj* d'occasion ; ~ *bookseller*, bouquiniste *n* ‖ ~**ly** *adv* deuxièmement ‖ ~**-rate** *adj* de second ordre.

secrecy [ˈsiːkrisi] *n* secret *m* ‖ discrétion f.

secret [ˈsiːkrit] *n* secret *m* ; confidence f ; *open* ~, secret de Polichinelle ● *adj* secret ; dérobé (stairs) ‖ ~**ly**, secrètement.

secretary [ˈsekrətri] *n* secrétaire *n* ‖ secrétaire *m* (desk) ‖ ~'*s office*, secrétariat *m*.

secretive [siˈkriːtiv] *adj* secret, dissimulé, cachottier.

sect [sekt] *n* secte f ‖ ~**arian** [sekˈteəriən] *adj/n* sectaire.

section [ˈsekʃn] *n* section, division, partie f ‖ [furniture] élément *m* ‖ [town] quartier *m* ‖ [cut] coupe f ● *vt* sectionner ‖ ~**al** *adj* [drawing] en coupe, en profil ‖ démontable (bookcase) ‖ FIG. d'un groupe.

sector [ˈsektə] *n* secteur *m*.

secular [ˈsekjulə] *adj* laïque (education) ‖ ARTS profane ‖ REL. séculier.

secur|e [siˈkjuə] *adj* tranquille, sans inquiétude ‖ ferme, solide (dependable) ‖ en sécurité ; ~ *from*, à l'abri (safe) ‖ FIG. assuré, certain ● *vt* se procurer (get) ‖ protéger, préserver (*against*, de) ‖ [make safe] ‖ fixer, attacher ‖ verrouiller (door) ; bien fermer (window) ‖ ~**ity** [siˈkjuəriti] *n* sécurité, sûreté f ‖ FIN. valeur f, titre *m* ‖ JUR. garantie, caution f (pledge) ; *stand* ~ *for sb*, se porter garant de/pour qqn ‖ *Security Council*, Conseil *m* de sécurité.

sedan [siˈdæn] *n* AUT., U.S. conduite intérieure, berline f.

sedat|e [siˈdeit] *adj* calme, discret ‖ ~**ive** [ˈsedətiv] *adj/n* sédatif (*m*).

sedentary [ˈsedəntri] *adj* sédentaire.

sediment [ˈsedimənt] *n* sédiment *m* ‖ lie f (of wine).

sedi|tion [siˈdiʃn] *n* sédition f ‖ ~**tious** [-ʃəs] *adj* séditieux.

seduc|e [siˈdjuːs] *vt* [sex] séduire ‖ FIG. ~ *sb from sth*, détourner qqn de qqch ‖ ~**er** *n* séducteur *n*.

seduc|tion [siˈdʌkʃn] *n* séduction f (of women) ‖ charme, attrait *m* (attractiveness) ‖ ~**tive** [-tiv] *adj* séduisant ‖ alléchant (offer).

sedulous [ˈsedjuləs] *adj* appliqué, assidu.

see¹ [siː] *vt* (saw [sɔː], seen [siːn]) voir, apercevoir ; ~ *again*, revoir ‖ visiter, voir ; *(I'll) be ~ing you !*, ~ *you !*, à bientôt ! ; ~ *you later !*, à tout à l'heure ! ; ~ *you soon !*, à bientôt ! ; ~ *you (on) Sunday !*, à dimanche ! ‖ apprendre (learn) ‖ comprendre, voir, concevoir (understand) ; saisir (the joke) ‖ connaître (experience) ‖ Fig. envisager, considérer ; *as I ~ it*, à ce qu'il me paraît ‖ accompagner ; ~ *sb home*, reconduire qqn chez lui ; ~ *sb across*, aider qqn à traverser ; ~ *sb off*, accompagner qqn à la gare, dire au revoir à qqn ‖ ~ *over*, examiner ; visiter (house) ‖ ~ *through*, mener à bien (sth) ; aider, soutenir (sb) ; voir clair dans le jeu de (sb) — *vi* voir ‖ comprendre ; *as far as I can ~*, autant que je puisse en juger ‖ *I ~ !*, je vois !, ah bon ! ‖ *let me ~*, voyons voir un peu ‖ ~ *about*, s'occuper de ; réfléchir à ; *I'll ~ about it*, je verrai ‖ ~ *after*, s'occuper de ‖ ~ *into*, examiner (claim) ‖ ~ *to*, s'occuper de ; ~ *to it that*, veiller à ce que.

see[2] *n* évêché *m* ; archevêché *m* ‖ *the Holy See*, le Saint-Siège *m*.

seed [si:d] *n* graine, semence(s) *f(pl)* ; pépin *m* (of a fruit) ‖ *go/run to ~*, [plant] monter en graine ; [person] se laisser aller, se négliger, s'avachir ; [business] péricliter ‖ Fig. cause *f*, principe *m* ● *vt* semer, ensemencer ‖ [tennis] ~*ed*, classé ‖ ~*ed player*, tête *f* de série — *vi* monter en graine ‖ ~*er* *n* semoir *m* ‖ ~*less* *adj* sans pépins (fruit) ‖ ~*ling* *n* semis *m*, jeune plant *m* ‖ ~*shop* *n* graineterie *f* ‖ ~*sman* [-zmən] *n* grainetier *m* ‖ ~*y* Coll. râpé, miteux (clothes) ‖ minable, miteux (hotel) ‖ mal fichu, patraque (fam.) [unwell].

seek [si:k] *vt* (sought [sɔ:t]) chercher (look for) ‖ rechercher, ambitionner (fame) — *vi* ~ *after/for*, rechercher, poursuivre ‖ ~ *through*, fouiller, explorer.

seem [si:m] *vi* sembler, paraître, avoir l'air ‖ avoir l'impression (feel as if) ; *so it ~s*, à ce qu'il paraît ; *it would ~ that*, on dirait que ‖ ~*ing* *adj* apparent ‖ ~*ingly* *adv* en apparence, apparemment.

seemly [ˈsi:mli] *adj* convenable (behaviour) ‖ décent (dress).

seen → SEE[1].

seep [si:p] *vi* filtrer, suinter ‖ ~*age* [-idʒ] *n* infiltration *f*, suintement *m* ; fuite *f* (leakage).

seer [ˈsiə] *n* prophète, voyant *n*.

seesaw [ˈsi:sɔ:] *n* balançoire *f*.

seeth|e [si:ð] *vi* bouillonner ‖ ~*ing* *adj* bouillonnant ‖ Fig. en ébullition, en effervescence.

see-through *adj* transparent.

segment [ˈsegmənt] *n* segment *m*.

segrega|te [ˈsegrigeit] *vt* isoler, séparer — *vi* se dissocier ‖ ~*tion* [ˌsegriˈgeiʃn] *n* ségrégation *f*.

seism|ic [ˈsaizmik] *adj* sismique ‖ ~*ograph* [-əgrɑ:f] *n* sismographe *m*.

seiz|e [si:z] *vt* saisir ‖ s'emparer de ‖ Jur. arrêter, appréhender (*sb*, qqn) ‖ Techn. (se) gripper ‖ Fig. prendre ‖ ~ *(up) on*, sauter sur (opportunity) ‖ ~*ing* *n* Inf. saisie *f* ‖ ~*ure* [ˈsi:ʒə] *n* prise, capture *f* ‖ Jur. arrestation (of a person) ; saisie *f* (of property) ‖ Med. attaque *f*.

seldom [ˈseldəm] *adv* rarement.

selec|t [siˈlekt] *vt* choisir (*from*, parmi) ‖ Comm., Sp. sélectionner ● *adj* choisi, de choix ‖ ~*tion* [-ʃn] *n* choix, recueil *m* ‖ ~*tive* [-tiv] *adj* sélectif.

self, selves [self], selvz] *n* individualité *f* ‖ Phil. moi *m* ‖ ~*-catering accomodation* *n* location meublée avec cuisine (et sans service) ‖ ~*-centred* [-ˈsentəd] *adj* égocentrique ‖ ~*-command* *n* maîtrise *f* de soi ‖ ~*-conceit* *n* vanité, suffisance *f* ‖ ~*-confidence* *n* confiance *f* en soi ‖ ~*-conscious* *adj* mal à l'aise, timide ‖ ~*-contained* *adj* indépendant ‖ ~*-control* *n* sang-froid *m* ‖ ~*-criticism* *n* autocritique *f* ‖ ~*-defence* *n* autodéfense *f* ; *in ~*, en état de légitime défense ‖ ~*-denial* *n* abnégation *f* ‖ ~*-drive* *adj* sans chauffeur (hired vehicle) ‖ ~*-educated* *adj* autodidacte ‖ ~*-esteem* *n* amour-propre *m* ‖ ~*-examination* *n* Rel. examen *m* de conscience ‖ **~-governing** adj autonome ‖ **~-government** n autonomie ‖ **~-ish** adj égoïste ‖ **~-ishness** n égoïsme m ‖ **~-management** n autogestion f ‖ **~-possessed** adj maître m de soi ‖ **~-possession** n assurance f, sang-froid m ‖ **~-preservation** n instinct m de conservation ‖ **~-propelled** adj automoteur ‖ **~-respect** n respect m de soi ‖ **~-righteous** adj satisfait de soi ‖ **~-same** adj identique ‖ **~-satisfied** adj content de soi ‖ **~-seeking** adj intéressé ‖ **~-service** n libre-service ‖ **~-starter** n AUT. démarreur m ‖ **~-steering** adj automatique (gear) ‖ **~-sticking** adj autocollant ‖ **~-styled** [-d] adj soi-disant ‖ **~-sufficient** adj suffisant, présomptueux ‖ indépendant économiquement ‖ **~-supporting** adj qui subvient à ses propres besoins, indépendant financièrement ‖ **~-taught** adj autodidacte ‖ **~-timer** n PHOT. retardateur m ‖ **~-will** n obstination f ‖ **~-winding** adj TECHN. à remontage automatique.

sell [sel] vt (sold [səuld]) vendre ; to be sold, à vendre ‖ [causative] faire vendre ‖ **~ off/out,** solder, brader ; liquider ; we're all sold out (of...), nous sommes en rupture de stock ‖ JUR. **~ up,** saisir ‖ COLL. tromper ; I've been sold !, je me suis fait avoir ! — vi [goods] se vendre ‖ FIG. **~ out on** sb, trahir qqn ● n COLL. déception f (disappointment) ; duperie f (deception) ; what a **~** !, ce qu'on s'est fait avoir ! ‖ COMM. **hard ~,** méthode f de vente agressive ‖ **~er** n vendeur, marchand n ; **~'s market,** marché m (favorable au) vendeur.

Sellotape ['seləteip] n T.N. ruban adhésif (transparent).

sell-out n COLL. trahison f.

selvage ['selvidʒ] n lisière f (of material).

semantics [si'mæntiks] n sémantique f.

semaphore ['seməfɔ:] n sémaphore m.

semblance ['sembləns] n apparence f.

semester [si'mestə] n U.S. [University] semestre m.

semi|-breve ['semibri:v] n MUS. ronde f ; **~ rest,** pause f ‖ **~-colon** [-'kəulən] n point-virgule m ‖ **~conductor** n semi-conducteur m ‖ **~-detached** [..-'tætʃt] adj **~ house,** maison jumelle ‖ **~-final** n SP. demi-finale f.

semin|ar ['seminɑː] adj séminaire m (of students) ‖ **~arist** [-ərist] n REL. séminariste m ‖ **~ary** [-əri] n REL. séminaire m.

semi|quaver ['semi‚kweivə]n MUS. double-croche f ; **~ rest,** quart m de soupir ‖ **~-tone** n demi-ton m/f ‖ **~ trailer** n U.S. semi-remorque m/f.

semolina [‚semə'li:nə] n semoule f.

sena|te ['senit] n sénat m ‖ **~tor** ['senətə] n sénateur m.

send [send] vt (sent [sent]) envoyer, expédier (a letter) ‖ **~ for a doctor,** envoyer chercher un médecin ‖ TECHN. lancer ‖ [cause] faire devenir : **~ sb mad,** rendre qqn fou ‖ **~ away,** congédier, chasser ; expédier (a parcel) ; **~ away for sth,** commander qqch par correspondance ‖ **~ down,** renvoyer (a student) ‖ **~ forth,** faire sortir ; émettre, exhaler (odour) ‖ **~ in,** faire entrer qqn ; remettre (a resignation) ‖ **~ off,** renvoyer, expédier ; accompagner à la gare, assister au départ ‖ **~ on,** faire suivre (mail) ‖ **~ up,** faire monter (sb, sth) ; COLL. parodier ; mettre en boîte (fam.) ‖ **~er** n expéditeur n.

send|off n fête f d'adieu ‖ **~-up** n parodie f ; mise f en boîte (fam.).

Senegal [‚seni'gɔ:l] n Sénégal m ‖ **~ese** ['senigə'li:z] adv sénégalais ● n inv Sénégalais.

sen|ile ['si:nail] adj sénile ‖ **~ility** [si'niliti] n sénilité f.

senior ['si:njə] adj aîné ‖ J. Smith

Senior, J. Smith père ‖ ~ **citizen,** personne *f* du 3ᵉ âge ● *n* aîné *m* ‖ ~**ity** [ˌsiːniˈɔriti] *n* aînesse *f* ‖ ancienneté *f* (rank).

sensation [senˈseiʃn] *n* sensation, impression *f*; *create a* ~, faire sensation ‖ ~**al** *adj* sensationnel.

sense [sens] *n* sens *m* (the five senses) ‖ sentiment *m,* conscience *f* (discernment); sens (of honour, humour) ‖ bon sens, jugement *m*; **common** ~, sens commun ‖ sens *m* (meaning); *it does not make* ~, cela ne veut rien dire; *in a* ~, dans un certain sens ‖ ~ *of direction,* sens de l'orientation ‖ MED. connaissance *f*; *lose one's* ~*s,* perdre connaissance; *come to one's* ~*s,* reprendre connaissance ● *vt* sentir intuitivement, pressentir ‖ ~**less** *adj* sans connaissance (unconscious) ‖ insensé (foolish).

sensibility [ˌsensiˈbiliti] *n* sensibilité *f.*

sensible [ˈsensəbl] *adj* sensé, raisonnable, sage (person, course) ‖ judicieux, sage (choice) ‖ appréciable, sensible (change).

sensitive [ˈsensitiv] *adj* [person] sensible, impressionnable; susceptible (easily offended) ‖ [instrument] sensible ‖ [film, tooth, etc.] sensible ‖ ~**ness** *n* sensibilité *f.*

sensual [ˈsensjuəl] *adj* sensuel, voluptueux ‖ ~**ity** [ˌsensjuˈæliti] *n* sensualité *f.*

sensuous [ˈsensjuəs] *adj* sensuel.

sent → SEND.

sentence [ˈsentəns] *n* phrase *f* ‖ JUR. sentence, condamnation *f*; *pass* ~ *on sb,* prononcer une condamnation contre qqn ● *vt* condamner.

sentiment [ˈsentimənt] *n* sentiment *m,* opinion *f,* avis *m* (opinion) ‖ ~**al** [ˌsentiˈmentl] *adj* sentimental ‖ ~**ality** [ˌsentimenˈtæliti] *n* sentimentalité *f.*

sentry [ˈsentri] *n* sentinelle *f*; *be on* ~ *duty,* être de faction ‖ ~**-box** *n* guérite *f* ‖ ~**-go** *n* faction *f.*

separable [ˈseprəbl] *adj* séparable.

separa|te [ˈseprit] *adj* séparé, distinct, à part; détaché (copy); isolé ● [ˈsepəreit] *vt* séparer — *vi* se séparer ‖ [husband and wife] se séparer/quitter ‖ ~**tely** [ˈsepritli] *adv* séparément, un par un ‖ ~**tion** [ˌsepəˈreiʃn] *n* séparation *f* ‖ ~**tism** [ˈsepratizm] *n* séparatisme *m* ‖ ~**tor** [-tə] *n* écrémeuse *f.*

September [sepˈtembə] *n* septembre *m.*

septic [ˈseptik] *adj* MED. septique; *become/go* ~, s'infecter ‖ ~ **tank,** fosse *f* septique.

sequel [ˈsiːkwəl] *n* continuation, suite *f* (to, de) ‖ conséquence *f.*

sequence [ˈsiːkwəns] *n* succession *f,* ordre, enchaînement *m* ‖ CIN. séquence *f* ‖ GRAMM. concordance *f* (of tenses).

seques|ter [siˈkwestə] *vt* isoler; ~ *oneself (from the world),* se retirer (du monde) ‖ JUR. séquestrer (a person); mettre sous séquestre (property) ‖ ~**tered** [-təd] *adj* retiré (life, spot) ‖ ~**tration** [ˌsiːkwesˈtreiʃn] *n* séquestre *m,* saisie *f* ‖ séquestration *f.*

serenade [ˌseriˈneid] *n* sérénade *f* ● *vt* donner une sérénade à.

seren|e [siˈriːn] *adj* paisible, serein ‖ clair, serein (sky) ‖ ~**ity** [siˈreniti] *n* sérénité, tranquillité *f,* calme *m.*

serfdom [ˈsəːfdəm] *n* servage *m.*

serge [səːdʒ] *n* serge *f.*

sergeant [ˈsaːdʒnt] *n* MIL. [infantry] sergent *m*; [cavalry] maréchal *m* des logis; [police] brigadier *m.*

serial [ˈsiəriəl] *adj* de série; ~ *number,* numéro *m* d'ordre ‖ ~ *story,* roman-feuilleton *m* ‖ ~**ize** [-aiz] *vt* publier en feuilleton ‖ ~**ly** *adv* en série ‖ en feuilleton (novel).

series [ˈsiəriːz] *n* (sing) série, suite *f*; *in* ~, en série.

serious [ˈsiəriəs] *adj* sérieux (earnest); grave (illness) ‖ ~**ly** *adv* sérieusement; gravement; *take* ~, prendre au sérieux ‖ **~ness** *n* sérieux *m*, gravité *f*.

sermon [ˈsəːmən] *n* sermon *m*.

serpent [ˈsəːpnt] *n* serpent *m*.

serrated [səˈreitid] *adj* en dents de scie, dentelé.

serum [ˈsiərəm] *n* sérum *m*.

servant [ˈsəːvnt] *n* domestique *n*, serviteur *m* ; **~-girl**, servante *f*.

serve [səːv] *vt* servir, être au service de ‖ servir (a meal) ‖ rendre service, être utile à (be of service) ; **~ the purpose**, servir, faire l'affaire ‖ traiter (sb) ‖ accomplir (a probationary period) ‖ [transport] desservir ‖ [gas] alimenter ‖ CULIN. accommoder (*with*, de) ‖ JUR. **~ a sentence**, purger une peine ; **~ two years in prison**, faire deux ans de prison ‖ MIL. **~ one's time**, faire son temps de service ‖ SP. servir ‖ COLL. **~s you right !** c'est bien fait ! — *vi* servir, être utile (be useful) ‖ **as/for**, servir de, tenir lieu de ‖ [servant] servir (*at table*, à table) ‖ [tennis] servir ‖ MIL. servir ● *n* SP. [tennis] service *m* ; *your* **~**, à vous de servir.

service [ˈsəːvis] *n* service *m* ‖ *civil* **~**, fonction publique ‖ service *m* (domestic) ; *go into* **~**, entrer en service ‖ assistance, aide *f* ; *to sb a* **~**, rendre un service à qqn ‖ utilité *f* ; *be of* **~**, être utile à ‖ disposition *f* ; *at your* **~**, à votre service ‖ [coffee/tea] **~**, service *m* (à café/thé) ‖ **~ industries**, secteur *m* tertiaire ‖ MIL. *the* **~s**, les trois armes *fpl* ‖ RAIL. service *m* ‖ COMM. **~** (charge), service *m* ‖ ZOOL. saillie *f* (of female) ‖ AUT. révision *f* ; **~ station**, station-service *f* ; [motorway] **~ area**, aire *f* de services ‖ SP. service *m* ‖ REL. service, office *m* ● *vt* AUT. entretenir, réparer ‖ **~able** *adj* utile, pratique (thing) ‖ solide, qui fait de l'usage (clothing) ‖ **~man** *n* militaire *m*.

servicing *n* AUT. entretien *m*, révision *f*.

serv|ile [ˈsəːvail] *adj* servile ‖ **~ility** [səːˈviliti] *n* servilité *f*.

servitude [ˈsəːvitjuːd] *n* servitude *f* ; *penal* **~**, travaux forcés.

session [ˈseʃn] *n* séance, session *f* (of Parliament) ; *be in* **~**, siéger ‖ U.S. [school] trimestre *m*.

set [set] *vt* (set) poser, placer, mettre (put) ; **~ apart**, mettre de côté ‖ mettre (the table) ‖ mettre en plis (hair) ‖ **~ fire to**, mettre le feu à ; **~ on fire**, incendier ‖ régler (a clock) ‖ serrer (one's teeth) ‖ attribuer ; **~ a price on sth**, fixer un prix à qqch ‖ proposer, exposer (a problem) ‖ diriger, lancer ; **~ the fashion**, lancer la mode ; **~ the pace**, régler l'allure ‖ faire prendre/durcir (cement) ‖ faire cailler (milk) ‖ fixer, immobiliser ‖ **~ free**, libérer ‖ **~ in order**, mettre en ordre ‖ **~ right**, détromper ; redresser ; ranger (things) ‖ **~ going**, mettre en marche ‖ **~ oneself against**, s'opposer résolument à ; **~ oneself to**, se mettre à, entreprendre ‖ MED. **~ a bone**, réduire une fracture ‖ TECHN. sertir (a diamond) ‖ NAUT. **~ sail**, mettre à la voile, lever l'ancre ‖ **~ about**, entreprendre, se mettre à (a task ; *doing*, faire) ‖ **~ back**, empêcher, gêner ; retarder (a clock) ‖ COLL. coûter (cost) ‖ **~ down**, noter ; attribuer ‖ AUT. déposer (sb) ‖ **~ forth**, exposer (a theory) ‖ faire savoir ‖ **~ off**, rehausser, mettre en valeur ‖ **~ on**, attaquer ‖ **~ out**, exposer (ideas) ; disposer (objects) ; exposer (goods) ‖ **~ up**, placer, installer, dresser (place in position) ; élever (a statue) ; installer (machine, etc.) ; [often passive] pourvoir, fournir (*sb with*, qqn en) ; établir, mettre sur pied, fonder (a business) ; **~ up house**, se mettre en ménage ; MÉD. retaper (fam.).

— *vi* commencer (begin) ; **~ to work**, se mettre au travail ‖ [cement, jelly] prendre ‖ ASTR. [sun] se coucher ‖ NAUT. [tide] **~ in/out**, monter/descendre ‖ MED. [bone] se souder ‖ SP. [dog] tomber en arrêt ‖ FIG. [character] s'affermir ‖ **~ forth**, partir ‖ **~ in** [rain, etc.] commencer, s'installer ‖ **~ off**, partir ‖ **~ out**, se mettre

en route, partir ‖ ~ **to,** s'y mettre ; se prendre de querelle ‖ ~ **up :** COMM. ~ **up in business,** s'établir ● *adj* fixé (date) ‖ fixe (weather) ‖ prescrit ; ~ **books,** livres *mpl* au programme ‖ prêt ; **all** ~, fin prêt ‖ figé (smile) ‖ FIG. bien arrêté (opinion).
● *n* [objects] série, collection *f,* assortiment, jeu *m ;* service *m ;* [tools] trousse *f* ‖ *chess* ~, jeu *m* d'échecs ‖[people] groupe, cercle *m ;* milieu, monde *m ;* PEJ. bande *f* ‖ [body] attitude *f,* port *m* ‖ [garment] découpe, forme *f (hair)* ~, mise *f* en plis ; **have a** ~, se faire faire une mise en plis ‖ ~ *of false teeth,* dentier *m* ‖ RAD. poste *m* ‖ CIN. plateau *m* ‖ TH. décor *m* ‖ SP. [tennis] manche *f,* set *m* ‖ MATH. ensemble *m.*

setback *n* contretemps *m* ‖ revers *m* (defeat) ‖ MED. rechute *f.*

setsquare *n* [drawing] équerre *f.*

settee [se'ti:] *n* canapé *m.*

sett|er ['setə] *n* ZOOL. setter *m* ‖ ~ **ing** *n* TECHN. pose *f,* montage *m ;* sertissage *m* (act) ; monture *f* (frame) ‖ TH. mise *f* en scène ‖ ASTR. coucher *m* (of the sun) ‖ FIG. cadre, milieu *m.*

settle ['setl] *vt* établir, installer (sb) ; *get* ~*d,* s'organiser ‖ décider, déterminer ‖ calmer (agitation) ‖ arrêter, fixer (a date) ‖ résoudre (a difficulty) ‖ régler (a dispute) ‖ conclure (a question) ‖ mettre en ordre (one's affairs) ‖ coloniser, s'établir dans (a territory) ‖ COMM. payer, régler (an account) — *vi* s'établir, s'installer, se fixer ‖ [bird] se poser ‖ [liquid] se clarifier, s'apaiser ‖ [wind] se calmer, s'apaiser ‖ [weather] se remettre au beau ‖ ~ *down,* s'installer (in armchair) ; s'habituer (get used to) ; s'assagir, se ranger (in a new way of life) ; ~ *down to a task,* s'atteler à une tâche ‖ ~ *in,* s'adapter, s'installer (in a new home) ‖ ~ *on,* opter pour, fixer son choix sur ‖ ~ *up,* régler (la note) [pay a bill] ‖ ~ **ment** *n* établissement *m,* colonie *f* ‖ règlement *m* (of a dispute) ‖ arrangement

m (for an argument) ‖ FIN. liquidation *f* (of a debt) ‖ JUR. rente, pension *f; marriage* ~, contrat *m* de mariage.

settler ['setlə] *n* colon *m.*

set|-to ['set'tu:] *n* bagarre *f;* prise *f* de bec ‖ ~**-up** *n* organisation, structure *f;* dispositif *m;* COLL. système *m.*

seven ['sevn] *adj/n* sept *(m)* ‖ ~ **teen** [-'ti:n] *adj/n* dix-sept *(m)* ‖ ~ **ty** [-ti] *adj/n* soixante-dix *(m)* ‖ ~ **ty-eight** *n a* 78, un 78-tours (record).

sever ['sevə] *vt* séparer ; détacher ‖ rompre (friendship) ‖ diviser ‖ JUR. disjoindre.

several ['sevrəl] *adj* plusieurs ‖ séparé (different) ● *pron* plusieurs ‖ ~**ly** *adv* séparément, individuellement.

sever|e [si'viə] *adj* sévère (criticism, person) ‖ rigoureux (sentence, climate) ‖ grave (illness) ‖ pénible, vif (pain) ‖ intense (heat) ‖ ~**ely** [-li] *adv* sévèrement ‖ MED. gravement (ill) ‖ ~**ity** [si'veriti] *n* sévérité *f* ‖ rigueur *f* (of punishment, climate) ‖ MED. gravité *f.*

sew [səu] *vt* (sewed [səud] ; sewed *or* sewn [səun]) coudre ‖ ~ *on a button,* coudre un bouton ‖ ~ *up,* (re)coudre (faire un point) — *vi* faire de la couture.

sew|age ['sju:idʒ] *n* eaux *fpl* d'égout ‖ ~**er** *n* égout *m.*

sewing ['səuiŋ] *n* couture *f* ‖ ~**-machine,** machine *f* à coudre.

sex [seks] *n* sexe *m; have* ~ *with,* avoir des rapports sexuels avec ; faire l'amour avec (fam.) ‖ ~**ism** *n* sexisme *m* ‖ ~**ist** *n* sexiste *m* ‖ ~ **maniac** *n* obsédé sexuel ‖ ~ **specialist** *n* sexologue *n.*

sex|tant ['sekstənt] *n* sextant *m* ‖ ~**tette** [seks'tet] *n* sextuor *m.*

sexton ['sekstən] *n* sacristain *m.*

sex|ual [-juəl] *adj* sexuel ‖ ~**y** *adj* excitant ; sexy (fam.).

shabby ['ʃæbi] *adj* râpé, élimé

(clothes) ; pauvrement vêtu, miteux (person) || délabré (house) || mesquin, chiche (mean).

shack [ʃæk] *n* cabane, hutte *f*.

shackle [ˈʃækl] *n* ~**s**, chaînes *fpl*, fers *mpl* ● *vt* mettre les fers à || FIG. entraver.

shade [ʃeid] *n* ombre *f* (portée), ombrage *m* ; *in the* ~, à l'ombre || *Pl* ombres, ténèbres *fpl* ; COLL. lunettes *fpl* de soleil || (*lamp-*)~, abat-jour *m* ; (*window*) ~, store *m* || [colour] nuance *f* || FIG. ~ *of meaning*, nuance *f* ● *vt* ombrager ; abriter du soleil — *vi* ~ *off*, se dégrader, se fondre (*into*, en).

shadow [ˈʃædəu] *n* ombre *f* (projetée) || silhouette *f* ; *cast a* ~, projeter une ombre || FIG. illusion *f* ; ombre *f* (semblance) ; *he is only a* ~ *of his former self*, il n'est plus que l'ombre de lui-même || *Pl* ~**s** *under the eyes*, cernes *mpl* sous les yeux ● *vt* obscurcir || [detective] filer, prendre en filature (sb) || ~**-cabinet** *n* POL., G.B. cabinet *m* fantôme || ~**y** *adj* ombragé (path) sombre (woods).

shady [ˈʃeidi] *adj* = SHADOWY || FIG. louche (dishonest).

shaft [ʃɑːft] *n*, rayon *m* (of light) || [cart] brancard *m* || TECHN. [mine] puits *m* ; [lift] cage *f*.

shaggy [ˈʃægi] *adj* hirsute (beard) || touffu (hedge) || à longs poils (animal) || ~ *dog story*, histoire *f* loufoque.

shake [ʃeik] *vt* (shook [ʃuk], shaken [ˈʃeikn]) secouer ; ~ *hands with*, serrer la main à, donner une poignée de main à ; ~ *one's head*, hocher la tête || agiter, secouer (bottle, thermometer) || FIG. ébranler, émouvoir, bouleverser || ~ *off*, secouer ; se débarrasser de (a habit, a cold) || ~ *up*, secouer énergiquement — *vi* trembler, chanceler || [voice] chevroter || ~ *down*, s'habituer à, se faire à ; ~**-down** (*n*), lit improvisé ● *n* secousse *f*.

shak|er [ˈʃeikə] *n* CULIN. shaker *m* || ~**y** *adj* tremblant, branlant || chevrotant (voice) || chancelant (health).

shall [ʃæl] *mod aux* (neg. shan't [ʃɑːnt]) ; pret. should [ʃud]) [future] *I* ~ *go*, j'irai || [promise] *you* ~ *have it*, vous l'aurez, c'est promis || [compulsion] *you* ~ *do it*, vous le ferez ; [neg.] *you shan't have it*, vous ne l'aurez pas || [interr.] ~ *I open the window ?* ; voulez-vous que j'ouvre la fenêtre ?, *let's go,* ~ *we ?,* partons, voulez-vous ?

shallot [ʃəˈlɔt] *n* échalote *f*.

shallow [ˈʃæləu] *adj* peu profond ; ~ *water*, haut-fond *m* || plat (dish) || FIG. superficiel, frivole.

sham [ʃæm] *n* [pretence] comédie *f* || imposteur *m* (person) || [jewel] faux *m*, imitation *f* ● *adj* feint, simulé (pretence) || faux ; en toc (fam.) [jewel] || [bluff] bidon (pop.) ● *vi/vt* feindre, simuler ; ~ *ill*, faire semblant d'être malade ; ~ *dead,* faire le mort.

shamble [ˈʃæmbl] *vi* marcher en traînant les pieds.

shambles [ˈʃæmblz] *n* [bloodshed] scène *f* de carnage || COLL. pagaille, pétaudière *f* (fam.) ; *a complete* ~, une pagaille monstre.

shame [ʃeim] *n* honte *f* ; *feel* ~ *at*, avoir honte de ; *put sb to* ~, faire honte à qqn ; ~ *on you !*, quelle honte ! || *what a* ~, quel dommage ● *vt* couvrir de honte, déshonorer (bring dishonour to) || faire honte à (make ashamed) || ~**-faced** [-feist] *adj* honteux, penaud || ~**ful** *adj* honteux, scandaleux (action) || ~**less** *adj* éhonté, effronté || ~**lessness** *n* impudeur, effronterie *f*.

shammy-leather [ˈʃæmileθə] *n* peau *f* de chamois.

shampoo [ʃæmˈpuː] *n* shampooing *m* ; *have a* ~, se faire faire un shampooing ● *vt* shampouiner ; *have one's hair* ~*ed* [-d] *and set*, se faire faire un shampooing et une mise en plis.

shamrock [ˈʃæmrɔk] *n* trèfle *m* (d'Irlande).

shandy [ˈʃændi] *n* panaché *m*.

shank [[æŋk] *n* ANAT. jambe *f*; tibia *m* (bone).

shan't [ʃɑːnt] = SHALL NOT.

shanty¹ [ˈʃænti] *n* chanson *f* de marins.

shanty² *n* cabane, baraque, bicoque *f* ∥ ~**-town** *n* bidonville *m*.

shape [ʃeip] *n* forme, figure *f*; *in the ~ of*, sous forme de ; *take ~*, prendre forme ; *get out of ~*, se déformer ∥ façon, coupe *f* (of a garment) ● *vt* former, façonner ∥ ~**less** *adj* informe ∥ ~**liness** *n* beauté *f*; galbe *m* ∥ ~**ly** *adj* beau, bien fait ; bien roulée (fam.) [woman].

share [[ɛə] *vt* ~ *(out)*, partager ∥ ~ *(in)*, partager, prendre part à ● *n* part, portion *f*; *go ~s with sb*, partager avec qqn ; *have a ~*, contribuer, prendre part à ∥ FIN. valeur, action *f* ∥ ~**holder** *n* actionnaire *m*.

shark [ʃɑːk] *n* requin *m* ∥ FIN. escroc *m* (swindler).

sharp [ʃɑːp] *adj* tranchant, affilé (knife), aigu, pointu (needle) ∥ net (outline) ∥ aigu (angle) ∥ piquant (sauce) ∥ âcre (odour) ∥ brusque (curve) ∥ perçant (eyesight) ∥ fin (ears) ∥ aigu (pain) ∥ vif (cold) ∥ perçant (cry) ∥ sec (noise) ∥ fort (fall, rise) ∥ mordant, cinglant (criticism) ∥ éveillé, vif (person) ∥ MUS. dièse ∥ COLL. rusé ; peu scrupuleux ● *n* MUS. dièse *m* ● *adv* exactement ; *at two o'clock ~*, à deux heures précises ∥ net (stopping) ∥ brusquement (turning) ∥ *look ~ !*, faites vite ! ∥ ~**en** *vt* aiguiser, affiler, repasser (a blade) ; tailler (a pencil) ∥ ~**ener** [-nə] *n (pencil) ~*, taille-crayon *m* ∥ ~**er** *n* escroc, tricheur *m* (at cards) ∥ ~**ly** *adv* nettement, vivement ∥ ~**ness** *n* finesse *f* (of a cutting edge) ∥ acuité

f (of eyesight) ∥ netteté *f* (on an outline) ∥ finesse *f* (of hearing) ∥ âcreté *f* (of an odour) ∥ vivacité *f* (of mind) ∥ ~**shooter** *n* tireur *m* d'élite.

shatter [ˈʃætə] *vt* fracasser, briser, FIG. ébranler (nerves) ; détraquer, délabrer (health) ∥ ~ **ed** [-d] COLL. crevé (fam.) [dead-beat] — *vi* se fracasser ∥ [glass] voler en éclats ∥ ~**ing** [-riŋ] *adj* fracassant ∥ bouleversant (news) ; accablant (defect) ∥ ~**proof glass** *n* verre *m* Securit.

shave [ʃeiv] *vt* raser ; *clean shaven*, rasé de près ∥ ~ *off*, raser (complètement) ∥ FIG. effleurer — *vi* se raser ● *have a ~*, se raser ; *get a ~*, se faire raser ∥ FIG. *have a close ~*, l'échapper belle.

shav|er [ˈʃeivə] *n* rasoir *m* électrique ∥ ~**ing** *n* rasage *m* ; ~**-brush**, blaireau *m* ; ~**-cream/foam**, crème/mousse *f* à raser ; ~**-soap**, savon *m* à barbe.

shawl [ʃɔːl] *n* châle, fichu *m*.

she [ʃiː] *pron* [subject] elle *f* ● *n* femelle *f* ∥ ~**-bear**, ourse *f*; ~**-cat**, chatte *f* ∥ ~**-monkey**, guenon *f*.

sheaf, sheaves [ʃiːf, ʃiːvz] *n* gerbe *f* (of corn) ; liasse *f* (of papers).

shear [ʃiə] *vt* (~**ed** [-d] ; ~**ed** *or* shorn [ʃɔːn]) tondre (animals) ● *npl* cisailles *fpl* ∥ ~**ing** [-riŋ] *n* tonte *f*.

sheath [ʃiːθ] *n* [sword] fourreau *m*; [scissors] étui *m* ∥ [dress] fourreau *m* ∥ [contraceptive] préservatif *m*.

sheaves [ʃiːvz] → SHEAF.

shed¹ [ʃed] *vt* (shed) répandre, verser (tears, blood) ∥ répandre, diffuser (light) ∥ [tree] perdre (leaves) ∥ enlever (clothes) ; se défaire de ; *the snake ~s its skin*, le serpent mue.

shed² *n* hangar *m* ∥ [smaller] remise, cabane *f*.

sheen [ʃiːn] *n* éclat, lustre, reflet.

sheep [ʃiːp] *n* mouton *m* ∥ FIG. *black ~*, brebis galeuse ∥ ~**-dog** *n* chien *m* de berger ∥ ~**-fold** *n* bercail *m*, bergerie f || ~**ish** adj penaud, niais || ~**skin** n basane f || U.S., Fam. peau f d'âne (diploma) || ~ **jacket**, canadienne f.

sheer [ʃiə] adj absolu, pur ; in ~ desperation, en désespoir de cause || transparent (fabric) ; extra-fin (stocking) || à pic (cliff).

sheet [ʃi:t] n drap m (bedlinen) || feuille f (of paper) || nappe f (of water) || [metal] plaque f; [iron] tôle f || Naut. écoute f.

shelf, shelves [ʃelf, ʃelvz] n rayon m (of library, cupboard) || Pl étagère f || [climbing] rebord m, corniche f (edge).

shell [ʃel] n [egg, nut, oyster, etc.] coquille f || [tortoise] écaille f || [lobster] carapace f; (sea) ~, coquillage m || [peas] cosse f || Arch. gros œuvre m (building) || Mil. obus m ● vt écailler (a fish) ; écosser (peas) ; décortiquer (nuts) || Mil. bombarder || ~**fish** n crustacé m (lobster); coquillages (molluscs).

shelter [ʃeltə] n abri, couvert m ; under ~, à l'abri ; **take** ~, se mettre à l'abri, s'abriter ● vi/vt (s') abriter (from, de).

shelv|e [ʃelv] vt ranger (on a shelf) || Fig. ajourner, abandonner (provisoirement) — vi ~ **(down)**, [land] descendre en pente douce || ~**ing** n rayonnages mpl.

shepherd [ʃepəd] n berger m || ~'s **pie**, hachis m Parmentier || ~**ess** n bergère f.

sherbet [ʃəːbət] n U.S. sorbet m.

sherry [ʃeri] n xérès m.

shew, shewn [ʃəu(n)] = SHOW, SHOWN.

shield [ʃi:ld] n bouclier m ● vt protéger (against, contre ; from, de).

shift [ʃift] n changement m ; saute f (of wind) ; renverse f (of current) || [industry] période f de travail, poste m, équipe f; work in ~s, se relayer ; the three-8-hours ~s, les trois huit || [expedient] **make** ~, trouver moyen

(to, de) ; s'arranger (with, de) ● vt changer, déplacer (transfer) || ~ gears, changer de vitesse — vi changer (de place), bouger || [wind] tourner || ~ **for oneself**, se débrouiller || ~**key** n [typewriter] touche f de majuscules (on) || ~**less** adj paresseux (lazy) || empoté (fam.) [clumsy].

shilly-shally [ʃili.ʃæli] vi Coll. tergiverser.

shimmer [ʃimə] vi chatoyer, miroiter ● n chatoiement m, reflet tremblant.

shimmy [ʃimi] n Aut. shimmy m, flottement m des roues avant.

shin [ʃin] n devant m du tibia ; ~**-bone**, tibia m ● vi ~ up a tree, grimper à un arbre.

shine [ʃain] vi (shone [ʃɔn]) [surface] luire, reluire || [sun] briller || Fig. resplendir — vt éclairer ; braquer (a torch) [on, sur] || (p. p. ~ d) faire briller/reluire, astiquer (shoes) ● n éclat, brillant m || rain or ~, par tous les temps.

shingle [ʃingl] [beach] galets mpl.

shingles [ʃinglz] npl Med. zona m.

shingly adj de galets (beach).

shiny [ʃaini] adj brillant, luisant.

ship [ʃip] n navire m || [war] vaisseau, bâtiment m || ~'s boy, mousse m || ~'s company, équipage m ● vt embarquer (a cargo) || Comm. expédier (by rail or sea) || ~**building** n construction navale || ~**chandler** n fournisseur m de la marine || ~**ment** n expédition f (of goods) ; cargaison f, fret m (goods shipped) || ~**owner** n armateur m || ~**per** n affréteur, expéditeur m || ~**ping** n navigation f || navires mpl (ships) || embarquement m (loading) || transport m maritime || ~**shape** adj bien arrangé, en ordre || ~**wreck** n naufrage m ● vt **be** ~**ed**, faire naufrage || ~**yard** n chantier naval.

shire [ʃaiə] n comté m ● [-ʃ(i)ə] suffix as in Yorkshire, etc.

shirk [ʃə:k] vt éviter, esquiver ‖ manquer (school) — vi se dérober à, se défiler ‖ MIL. tirer au flanc ‖ ~**er** n tire-au-flanc m inv.

shirt [ʃə:t] n chemise f (man's) ; chemisier m (woman's) ; in one's ~**sleeves**, en bras de chemise ‖ ~**front** n plastron m ‖ ~**maker** n COMM. chemisier n ‖ ~**waist(er)** n U.S. [woman's] chemisier m.

shit [ʃit] n [taboo] merde f (excrement) ● excl ~ !, merde ! (pop.) ‖ ~**ty** adj merdeux (vulg.).

shiver¹ [ˈʃivə] n éclat, fragment m ● vt/vi (se) briser en miettes, voler en éclats.

shiver² n frisson, tremblement m ● vi frissonner, trembler, grelotter.

shoal¹ [ʃəul] n haut-fond n (shallow) ; banc m de sable.

shoal² n banc m (of fish) ; bande f (of porpoises).

shock [ʃɔk] n choc m, collision f ‖ ELECTR. décharge f ‖ PHYS. ~ **wave**, onde f de choc ‖ MED. commotion f, choc m ‖ FIG. coup m, secousse f ● vt choquer, scandaliser ; retourner ‖ ~**absorber** n AUT. amortisseur m ‖ ~**ing** adj choquant, scandaleux ‖ affreux (spectacle) ‖ exécrable (weather) ‖ ~**proof** adj antichoc.

shod → SHOE.

shoddy [ˈʃɔdi] adj COMM. de mauvaise qualité, de pacotille.

shoe [ʃu:] n chaussure f, soulier m ; a pair of ~s, une paire de chaussures ; **wooden** ~s, sabots mpl ; **put on one's** ~s, se chausser ; **take off one's** ~s, se déchausser, ôter ses chaussures ‖ [cycle] patin m de frein ● vt (shod [ʃɔd]) chausser ‖ ferrer (a horse) ‖ ~**black** n cireur m de chaussures ‖ ~**horn** n chausse-pied m, corne f à chaussure ‖ ~**lace** n U.S. = ~-STRING ‖ ~**maker** n fabricant n de chaussures ; cordonnier n (cobbler) ‖ ~**polish** n cirage m ‖ ~**string** n lacet m de chaussure ‖ ~**tree** n embauchoir m.

shone → SHINE.

shook → SHAKE.

shoot [ʃu:t] n BOT. pousse f, rejeton m ‖ TECHN. plan incliné (chute) ‖ SP. chasse f (party) ; chasse f (area) ● vt (shot [ʃɔt]) [gun] lancer, tirer (a bullet) ; [bow] décocher (an arrow) ‖ fusiller (execute) ‖ [hunt] chasser au fusil (game) ‖ CIN. tourner (a film) ‖ ~ **down**, AV., SP. abattre (plane, game) — vi tirer ; go ~**ing**, aller à la chasse ‖ filer (move quickly) ‖ [flames] jaillir ‖ BOT. [bud] pousser ‖ [tree] bourgeonner ‖ MED. [pain] élancer ‖ SP. [football] shooter ‖ SL. [drug user] se piquer dans la veine ; se shooter (arg.) ‖ ~**er** n tireur n ‖ ~**ing** n chasse f au fusil ‖ ~**gallery**, stand m de tir ; ~**licence**, permis m de chasse ; ~**party**, partie f de chasse ‖ CIN. tournage m ; ~ **script**, découpage m ● adj ~ **star**, étoile filante ‖ lancinant ; ~ **pain**, élancement m.

shop [ʃɔp] n boutique f, magasin m ; **shut up** ~, fermer boutique ‖ [workshop] atelier m ‖ [unions] **closed** ~ **(policy)**, monopole syndical de l'embauche ‖ FIG. **talk** ~, parler boutique ● vi faire des achats, courir les magasins ; **go** ~**ping**, faire des courses ‖ ~**assistant** n vendeur n ‖ ~**girl** n vendeuse f ‖ ~**keeper** n commerçant, marchand n ‖ ~**lifting** n vol m à l'étalage ‖ ~**ping** n achats mpl ; **do the** ~, faire les courses ; ~ **bag/net**, sac/filet à provisions ; ~ **centre**, centre commercial ‖ ~**soiled** adj qui a fait l'étalage, défraîchi ‖ ~ **steward** n délégué syndical ‖ ~**walker** n chef m de rayon ‖ ~**window** n vitrine f ‖ ~ **worn** adj = ~-SOILED.

shore [ʃɔ:] n rivage, littoral m, côte f (of the sea) ; bord m (of a lake) ; rive f (of a river) ‖ **off** ~, au large ; **on** ~, à terre ‖ NAUT. **go on** ~, débarquer.

shorn → SHEAR.

short [ʃɔ:t] adj [space] court ; **take the** ~**est way**, prendre au plus court ‖

[person] petit || [time] bref || **grow ~er,** [days] raccourcir || incomplet, insuffisant ; **be ~ of,** être à court de || **make ~ work of,** expédier || to make a long story ~, pour abréger || **in ~,** bref || ~ **drinks,** de l'alcool m (pur) || BC is ~ for Before Christ, BC est l'abréviation de Before Christ (avant Jésus-Christ) ; Bob is ~ for Robert, Bob est le diminutif de Robert || brusque, vif (temper) ● adv brusquement ; stop ~, s'arrêter net/pile (fam.) || **fall ~ of,** ne pas atteindre || FIG. rester au-dessous de ; décevoir (expectations) || **be/go ~ of,** être à court de, manquer de ; I'm £5 ~, il me manque 5 livres ; **run ~ (of),** s'épuiser ; venir à manquer ● n **be ~ for,** être l'abréviation de ; **for ~,** par abréviation || Pl short m || Cin. court métrage || ~**age** [-idʒ] n manque m, pénurie f || ~**bread,** ~**-cake** n sablé m, gâteau sec || ~**-circuit** n court-circuit m || ~**comings** npl défauts mpl, imperfections fpl || ~ **cut** n raccourci m ; take a ~, raccourcir, écourter, abréger || ~**ening** [-niŋ] n Culin. matière grasse || ~**fall** n Fin. montant insuffisant || ~**-haired** [-ˈheəd] adj à poil ras (dog) || ~**hand** n sténographie ; take (down) in ~, sténographier ; ~**-typist,** sténo-dactylo f || ~**-handed** [-ˈhændid] adj à court de personnel/de main-d'œuvre || ~**-lived** [-ˈlivd] adj de courte durée, éphémère || ~**ly** adv brièvement (briefly) ; bientôt (soon) || ~**ness** n brièveté, concision f || insuffisance f || ~**-sighted** adj myope || FIG. à courte vue || ~ **staffed** [-ˈstɑːft] adj être ~, manquer de personnel || ~**-story** n nouvelle f ; ~ **writer,** nouvelliste n || ~**-tempered** adj coléreux, emporté || ~**-winded** adj poussif, à l'haleine courte.

shot¹ → SHOOT.

shot² [ʃɔt] n coup m de feu ; boulet m (of a cannon) || projectile m ; plombs mpl || [person] tireur m || Sp. coup m ; [football] shoot m || Phot.

photo f || Cin. prise f de vues ; plan m || Astr. tir m ; lancement m || Med. piqûre f || FIG. tentative f, essai m ; have a ~ at, essayer de (doing, faire) ● adj moiré (silk) || ~**-gun** n fusil m de chasse.

should [ʃud] mod aux → SHALL || [conditional] I ~ go, j'irais || [doubt] if he ~ come, s'il venait || [duty] you ~ do it, vous devr(i)ez le faire.

shoulder [ˈʃəuldə] n épaule f || breadth of ~s, carrure f || [road] bas-côté m ; soft ~, accotement m non stabilisé ; hard ~, [motorway] bande f d'arrêt d'urgence || FIG. give sb the cold ~, battre froid à qqn ● vt pousser de l'épaule || prendre sur les épaules || Mil. mettre sur l'épaule (gun) || ~**-blade** n omoplate f || ~**-strap** n [garment] bretelle f || [uniform] patte f d'épaule || [bag] bandoulière f.

shout [ʃaut] vi crier, pousser des cris — vt crier, vociférer || ~ **down,** huer ● n cri m || éclat m (of laughter) || Pl clameurs fpl.

shove [ʃʌv] vt pousser (push) || fourrer (into, dans) || bousculer (jostle) — vi ~ **off,** Naut. pousser au large ● n Coll. poussée f ; give it a good ~, pousse-la un bon coup.

shovel [ˈʃʌvl] n pelle f ● vt pelleter.

show [ʃəu] vt (~ed [-d], ~n [-n]) montrer, faire voir || passer (film) || exposer, révéler ; he doesn't ~ his age, il ne fait pas son âge || [clock] indiquer (time) || montrer (capacities) ; faire preuve de (courage) || témoigner (gratitude) || montrer, indiquer (the way) || diriger, conduire ; ~ **in/out,** faire entrer/reconduire (sb) || ~ **one's hand,** [cards] FIG. montrer son jeu || Cin. passer (film) || ~ **off,** faire valoir, mettre en valeur (sb's beauty) ; étaler, faire étalage de (one's wealth) || ~ **over/round,** faire visiter (sb) || ~ **up,** mettre en vue (a thing) ; démasquer, dénoncer (treachery).

— vi se montrer, paraître (be visible)

|| [slip] dépasser || révéler, prouver || ~ *off*, poser, frimer (fam.) || ~ *through*, transparaître || ~ *up*, se dessiner, ressortir (against a background) ; se présenter, faire acte de présence.

● *n* apparence *f*, simulacre *m* ; *make a* ~ *of*, faire semblant de || parade, ostentation *f* ; étalage *m* (display) ; *make a* ~ *of*, faire parade de, afficher || *take a* ~ *of hands*, voter à main levée || exposition *f* ; concours *m* ; *on* ~, exposé || COLL. *good* ~ *!*, bravo ! || TH. spectacle *m* ; représentation *f* (performance) || CIN. séance *f* || FIG. *put up a good* ~, faire bonne figure.

show-case *n* vitrine *f*.

show-down *n* épreuve *f* de force.

shower ['ʃauə] *n* ondée, averse *f* ; *April* ~, giboulée *f* de mars ; *sudden* ~, ondée *f* || ~*(-bath)* douche *f* ; ~ *stall*, cabine *f* de douche || FIG. pluie, grêle *f* ; déluge *m* ● *vt* déverser || FIG. faire pleuvoir — *vi* pleuvoir à verse.

show-girl *n* girl *f*.

showing *n* [exhibition] exposition *f* || CIN. projection *f* ; séance *f* || SP. score *m*.

showman ['ʃəumən] *n* forain *m*.

shown → SHOW.

show|**-off** *n* m'as-tu-vu *n inv*, frimeur *n* (fam.) || ~**-room** *n* salle *f* d'exposition.

showy ['ʃəui] *adj* voyant (colour) ; tape-à-l'œil (fam.).

shrank → SHRINK.

shrapnell ['ʃræpnl] *n* éclats *mpl* d'obus/de bombe.

shred [ʃred] *n* lambeau *m* || fragment *m* ● *vt* déchiqueter, mettre en lambeaux || CULIN. émincer.

shrew [ʃru:] *n* femme acariâtre, mégère *f*.

shrewd [ʃru:d] *adj* sagace, perspicace (clever) ; astucieux (astute) || ~**ness** *n* sagacité, perspicacité *f* || astuce, malice *f*.

shrewish ['ʃru:iʃ] *adj* acariâtre.

shriek [ʃri:k] *n* cri perçant, hurlement *m* ● *vi* pousser un cri perçant, hurler.

shrift [ʃrift] *n* *give sb short* ~, traiter qqn sans ménagement ; envoyer promener qqn (fam.).

shrill [ʃril] *adj* aigu, strident.

shrimp [ʃrimp] *n* crevette *f*.

shrine [ʃrain] *n* châsse *f* ; sanctuaire *m* (temple) ; lieu saint (place).

shrink [ʃriŋk] *vi* (shrank [ʃræŋk], shrunk [ʃrʌŋk]) rétrécir || ~ *back*, avoir un mouvement de recul, se dérober (*from*, à) ● *n* U.S., SL. psy *n* || ~**age** [-idʒ] *n* rétrécissement *m*.

shrivel ['ʃrivl] *vi* — *(up)*, se dessécher, se ratatiner — *vt* dessécher, ratatiner.

shroud [ʃraud] *n* linceul, suaire *m* || *Pl* NAUT. haubans *mpl* ● *vt* FIG. cacher, voiler.

Shrove [ʃrəuv] *n* : ~ *Tuesday*, mardi gras.

shrub [ʃrʌb] *n* arbuste, arbrisseau *m*.

shrug [ʃrʌg] *vt* ~ *(one's shoulders)*, hausser les épaules ● *n* haussement *m* d'épaules.

shrunk → SHRINK.

shudder ['ʃʌdə] *vi* frémir (with horror) ; frissonner (with cold) ● *n* frisson, frémissement *m*.

shuffle ['ʃʌfl] *vi* traîner les pieds || battre les cartes ● *n* démarche traînante || [cards] battage *m*.

shun [ʃʌn] *vt* éviter, fuir, esquiver.

shunt [ʃʌnt] *vt/vi* RAIL. garer, manœuvrer, aiguiller (a train) ; ~*ing yard*, gare *f* de triage || ELECTR. dériver ; shunter || FIG. détourner ● *n* RAIL. manœuvre *f* || ELECTR. dérivation *f*.

shut [ʃʌt] *vt* (shut) fermer (close) || SL. ~ *your trap !*, ta gueule ! (pop.) || ~ *away*, enfermer, mettre sous clef || ~ *down*, fermer (shop) || ~ *in*, enfermer || ~ *off*, couper (gas, steam) || ~ **to,** fermer à fond (a door) || ~ **up,** enfermer (sb) ● ~ **oneself up,** s'enfermer ; se cloîtrer — *vi* (se) fermer || ~ **up,** COLL. se taire ; ~ *up !,* tais-toi ! ; la ferme ! (fam.) || ~**er** *n* volet *m* || PHOT. obturateur *m.*

shuttle [ˈʃʌtl] *n* TECHN. navette *f* ● *vi* faire la navette || ~**cock** *n* [badminton] volant *m* || ~ **service** *n* RAIL. navette *f.*

shy[1] [ʃai] *vi* (horse) faire un écart ; se cabrer (*at,* devant) || [person] se dérober.

shy[2] *adj* timide, réservé (person) ; craintif (animal) ; ombrageux (horse) || **be** ~ **of,** se méfier de, avoir peur de || **fight** ~ **of,** tout faire pour éviter || ~**ness** *n* timidité, réserve *f.*

Siamese [ˌsaiəˈmiːz] *adj/n* siamois ; ~ *twins,* frères/sœurs siamois(es).

sibling [ˈsaibliŋ] *n* frère *m* ou sœur *f.*

Sicily [ˈsisili] *n* Sicile *f.*

sick [sik] *adj* malade ; *a* ~ *person,* un malade ; *fall* ~, tomber malade ; MIL. *report* ~, se faire porter malade || **be** ~, vomir, rendre ; *feel* ~, avoir mal au cœur, avoir envie de vomir ; *make* ~, donner la nausée || FIG. *be* ~ *at heart,* avoir le cœur serré ; *be* ~ *of,* en avoir assez de ● *n the* ~, les malades || NAUT. ~ **bay,** infirmerie *f* || ~**en** *vi* dépérir — *vt* rendre malade ; écœurer || ~**ening** [ˈsikniŋ] *adj* écœurant || FIG. répugnant.

sickle [ˈsikl] *n* faucille *f.*

sick-leave [ˈsikˈliːv] *n* congé *m* de maladie.

sick|ly [ˈsikli] *adj* maladif, souffreteux (person) || pâle (complexion) || FIG. écœurant (smell) || ~**ness** *n* maladie *f* || nausée *f.*

sick-room [ˈsikrum] *n* infirmerie *f.*

side [said] *n* côté *m* ; *left* ~, côté gauche ; *right/wrong* ~, endroit/envers *m* || *on/from all* ~*s,* de tous côtés || flanc *m* (of person, animal) || ~ *by* ~, côte à côte || bord, versant

m (of a hill) || SP. camp *m* || POL. parti *m* ; *take* ~*s,* prendre parti (*with,* pour) || COMM. *this* ~ *up,* haut ● *vi* prendre parti (*with,* pour ; *against,* contre) ● *adj* latéral, de côté || ~**-arm** *n* arme *f* blanche || ~**board** *n* buffet *m* ; desserte *f* || *Pl* favoris *mpl* || ~**-car** *n* side-car *m* || ~ **effect** *n* effet *m* secondaire || ~ **issue** *n* question *f* secondaire || ~**light** *n* NAUT. feu *m* de côté || AUT. feu *m* de position || ~ **line** *n* SP. (ligne *f* de) touche *f* || activité *f* secondaire || ~**long** *adj* oblique, de côté ● *adv* obliquement || ~**-saddle** *n* selle *f* de femme ● *adv* *ride* ~, monter en amazone || ~**-slip** *n* AUT. dérapage *m* ● *vi* déraper || ~**-splitting** *adj* COLL. tordant (fam.) || ~**step** *vi* faire un pas de côté || FIG. esquiver, éluder || ~**-stroke** *n* [swimming] (nage) indienne *f* || ~**-track** *n* voie *f* de garage || FIG. faire dévier de son sujet ● *vt* FIG. faire dévier de son sujet || ~**walk** *n* U.S. trottoir *m* || ~**ways** *adv* de côté, latéralement.

siding [ˈsaidiŋ] *n* RAIL. voie *f* de garage.

sidle [ˈsaidl] *vi* avancer de biais.

siege [siːdʒ] *n* siège *m* ; *lay* ~ *to,* assiéger.

sieve [siv] *n* crible *m* (coarse) ; tamis *m* (fine).

sift [sift] *vt* passer au crible, tamiser || FIG. examiner soigneusement.

sigh [sai] *n* soupir *m* ● *vi* soupirer.

sight [sait] *n* vue, vision *f* ; *have poor* ~, avoir mauvaise vue ; *short* ~, myopie *f* || *by* ~, de vue ; *at first* ~, à première vue ; *love at first* ~, coup *m* de foudre || *catch* ~ *of,* apercevoir ; *come into/out of* ~, apparaître/disparaître ; *lose* ~ *of,* perdre de vue ; *out of/within* ~, hors de/en vue || vue *f,* spectacle *m,* curiosités *fpl* || mire *f* (of a gun) ; *take* ~, viser || *Pl* curiosités *fpl* touristiques || COMM. *at* ~, à vue || ~**-read** *vt* MUS. déchiffrer || ~**-seeing** *n* visite *f* des curiosités ; *go* ~, faire du tourisme || ~**seer** [ˈ-ˌsiːə] *n* touriste *n.*

sign [sain] *n* [movement] signe *m* ; *make a ~ to,* faire signe à || [symbol] signe *m* ; MATH. *minus/plus ~,* signe moins/plus ; *~ of the Zodiac,* signe *m* du zodiaque || panneau *m* (notice) ; pancarte *f* (board) || *(traffic) ~,* panneau *m* de signalisation || COMM. enseigne *f* || REL. *make the ~ of the cross,* faire le signe de la croix || FIG. signe *m,* preuve *f* ● *vt* signer || REL. *~ oneself,* se signer || *~ on,* engager ; embaucher (an employee) — *vi* signer || *~ off,* RAD. terminer l'émission || *~ on,* se faire embaucher (as, comme) || s'inscrire (enrol) ; [worker] pointer (on arrival) || RAD. commencer l'émission || *~* **up** *(vi/vt)* = *~* ON.

signal [´signəl] *n* signal *m* || RAIL. signal *m* ; *~ box,* poste *m* d'aiguillage || TEL. *busy/engaged ~,* tonalité *f* d'occupation || MIL. *Pl* transmissions *fpl* ● *adj* remarquable, insigne ● *vi/vt* signaler ; faire signe (to, à) ; faire des signaux || **~ize** *vt* signaler || **~ling** *n* signalisation *f* || **~man** *n* aiguilleur *m*.

signature [´signitʃə] *n* signature *f* || RAD. *~ tune,* indicatif *m*.

signboard [´sainbɔ:d] *n* panneau *m* || COMM. enseigne *f*.

signet [´signit] *n* sceau *m* || **~-ring** *n* chevalière *f*.

signific|**ance** [sig´nifikəns] *n* importance *f* || signification *f* (meaning) || **~ant** *adj* significatif, important || **~ation** [ˌsignifi´keiʃn] *n* sens *m,* signification *f*.

signify [´signifai] *vi* signifier || avoir de l'importance.

signpost [´sainpəust] *n* poteau indicateur.

silenc|**e** [´sailəns] *n* silence *m* ● *vt* réduire au silence || amortir (a sound) || **~er** *n* AUT. silencieux *m*.

silent [´sailənt] *adj* silencieux ; *fall ~,* se taire ; *keep/remain ~,* garder le silence || taciturne (by nature) || CIN. muet (film) || COMM., U.S.

~ partner, commanditaire *m* || **~ly** *adv* silencieusement.

silhouette [ˌsilu´et] *n* silhouette *f* ● *vi be ~d against,* se profiler sur.

silk [silk] *n* soie *f* ; *~ goods,* soieries *fpl* || **~en** *adj* soyeux || **~-screen printing/process** *n* sérigraphie *f* || **~worm** *n* ver *m* à soie || **~y** *adj* soyeux.

sill [sil] *n* seuil *m* (of a door) ; rebord *m* (of a window).

sill|**iness** [´silinis] *n* stupidité *f* || **~y** *adj* sot, bête, idiot.

silo [´sailəu] *n* silo *m*.

silt [silt] *n* vase *f,* limon *m* ● *vi ~ up,* s'ensabler, s'envaser.

silver [´silvə] *n* argent *m* || *~ (plate),* argenterie *f* ● *vt* argenter || *~* **gilt** *n* vermeil *m* || **~ware** *n* argenterie *f* || **~ y** [-ri] *adj* argenté.

simil|**ar** [´similə] *adj* similaire, semblable, analogue || **~arity** [ˌsimi´læriti] *n* similitude, ressemblance *f*.

simil|**e** [´simili] *n* comparaison *f* || **~itude** [si´militju:d] *n* = **~**ARITY.

simmer [´simə] *vi* CULIN. mijoter.

simper [´simpə] *n* sourire affecté ● *vi* minauder.

simple [´simpl] *adj* simple || naturel (unaffected) || **~ness** *n* simplicité *f* || **~ton** [-tn] *n* nigaud, niais, simple *n* d'esprit.

simpl|**icity** [sim´plisiti] *n* simplicité *f* || **~ification** [ˌsimplifi´keiʃn] *n* simplification *f* || **~ify** [´simplifai] *vt* simplifier || **~y** [´--] *adv* simplement (plainly) ; purement et simplement (merely).

simul|**ate** [´simjuleit] *vt* simuler, feindre || **~ation** [ˌsimju´leiʃn] *n* simulation *f*.

simultaneous [ˌsiml´teinjəs] *adj* simultané || **~ly** *adv* simultanément.

sin [sin] *n* péché *m* ; *deadly ~,* péché mortel ; *commit a ~,* commettre un péché || FIG. *live in ~,* vivre en concubinage ● *vi* pécher.

since [sins] *adv* depuis ; *ever* ~, depuis lors ; *long* ~, depuis longtemps ● *prep* depuis ● *conj* depuis que (after) ‖ puisque (because).

sincere [sin'siə] *adj* sincère ‖ ~**ly** *adv* sincèrement ; *yours* ~, cordialement à vous.

sincerity [sin'seriti] *n* sincérité *f*.

sinecure ['sainikjuə] *n* sinécure *f*.

sinew ['sinju:] *n* MED. tendon *m* ‖ FIG. énergie *f*, nerf *m* ‖ ~**y** *adj* nerveux, énergique.

sinful ['sinful] *adj* coupable.

sing [siŋ] *vt* (sang [sæŋ], sung [sʌŋ]) chanter ‖ ~ *out*, crier (a command) — *vi* chanter ‖ COLL. ~ *small*, se faire tout petit, filer doux.

singe [sinʒ] *vt* roussir ‖ CULIN. flamber ‖ ~**ing** *n* brûlage *m* (of hair) ‖ CULIN. flambage *m*.

singer ['siŋə] *n* chanteur *n* ‖ cantatrice *f* (opera).

single ['siŋgl] *adj* seul, unique ‖ ~ *bed*, lit *m* d'une personne ; ~ *room*, chambre individuelle ‖ *in* ~ *file*, en file indienne ‖ célibataire (unmarried) ‖ RAIL. ~ *ticket*, aller *m* simple ● *n* [record] *a* ~, un 45 tours ‖ RAIL. = ~ TICKET ‖ *Pl* [tennis] simple *m* ; *ladies'* ~*s*, simple *m* dames ● *vt* ~ *out*, choisir, distinguer ‖ ~**-breasted** *adj* droit (coat) ‖ ~**-handed** *adj* seul ‖ NAUT. en solitaire (race) ‖ ~**-lane** *adj* à voie unique (road) ‖ ~**-minded** *adj* décidé, résolu ‖ ~**-track** *adj* RAIL. à voie unique.

singleton ['siŋgltn] *n* singleton *m* ; ~ *jack*, valet sec.

singly ['siŋgli] *adv* séparément, un à un ‖ (tout) seul (unaided).

singsong ['siŋsɔŋ] *n* rengaine *f* ● *adj* monotone.

singular ['siŋgjulə] *adj* surprenant, extraordinaire (unusual) ; bizarre, étrange (peculiar) ● *adj/n* GRAMM. singulier (*m*).

sinister ['sinistə] *adj* sinistre.

sink¹ [siŋk] *n* évier *m* ; bac *m*.

sink² *vi* (sank [sæŋk], sunk [sʌŋk]) s'enfoncer ‖ NAUT. [ship] sombrer, couler ‖ [earth] s'affaisser ‖ [heart] se serrer ‖ [strength] décliner, défaillir ‖ FIG. ~ *or swim*, s'en tirer seul — *vt* plonger, immerger (into the water) ‖ couler, faire sombrer (ship) ‖ enfoncer (a stake) ‖ creuser (a well) ; forer (oil-well) ‖ ~**er** *n* plomb *m* (for fishing).

sinner ['sinə] *n* pécheur *n*.

sinuous ['sinjuəs] *adj* sinueux.

sinus, es ['sainəs, i:z] *n* MED. sinus *m* ‖ ~**itis** [sainə'saitis] *n* sinusite *f*.

sip [sip] *vt* boire à petites gorgées, siroter ● *n* petite gorgée.

siphon ['saifn] *n* siphon *m* ● *vt* siphonner.

sir [sə:] *n* monsieur *m* ‖ MIL. (to superior officer) *yes* ~ *!*, oui mon lieutenant/capitaine, etc. ‖ [English title] sir *m* ‖ [to a king] sire *m* ‖ [in a letter] *Dear Sir/Sirs*, Monsieur/Messieurs.

sire ['saiə] *n* ZOOL. père *m* (horse).

siren ['saiərin] *n* ZOOL., TECHN. sirène *f* ‖ FIG. enjôleuse *f*.

sirloin ['sə:lɔin] *n* aloyau, faux-filet *m*.

sirup *n* = SYRUP.

sissy ['sisi] *adj* efféminé ● *n* poule mouillée.

sister ['sistə] *n* sœur *f* ‖ REL. sœur *f* ‖ MED. infirmière *f* en chef ‖ ~**-in-law** *n* belle-sœur *f*.

sit [sit] *vi* (sat [sæt]) être assis (be sitting) ‖ s'asseoir (sit down) ‖ [garment] aller, tomber (*well/badly*, bien/mal) ‖ [school] passer (exam) ‖ ZOOL. [bird] se percher ; [hen] couver (on eggs) ‖ JUR. [Parliament] siéger ; ~ *on the jury*, être du jury ‖ ARTS ~ *for a painter*, poser pour un peintre ‖ ~ *around*, COLL. ne rien faire ‖ ~ *back*, se renverser, bien s'installer (in one's chair) ‖ ~ *down*, s'asseoir ‖ ~ *for*, se présenter à (an examination) || ~ *in,* rester à la maison ; [workers] occuper ; FIG. ~ *in for,* remplacer || ~ *up,* se redresser ; FIG. ne pas se coucher, veiller tard — *vt* asseoir (a baby) || [candidate] ~ *an examination,* passer un examen || ~ *out,* rester jusqu'à la fin de (lecture, play).

sit|-down strike *n* grève *f* sur le tas || ~**-in** *n* = ~-DOWN STRIKE || POL. manifestation assise, sit-in *m.*

site [sait] *n* emplacement *m* || *(building)* ~, chantier *m* || [camping] terrain *m.*

sitter [´sitə] *n* ARTS modèle *n* || ZOOL. poule couveuse || BABY-SITTER.

sitting [´sitiŋ] *adj* assis ● *n* séance, session *f* || ARTS , PHOT. pose *f* || RAIL. [dining-car] service *m* || ~**-room** *n* salon *m.*

situat|ed [´sitjueitid] *adj* situé ~**ion** [.sitju´eifn] *n* situation *f,* emplacement *m* (site) || COMM. emploi *m,* place *f* (job) ; ~ *vacant/wanted,* offre/demande *f* d'emploi || FIG. situation *f ;* circonstances *fpl.*

six [siks] *adj/n* six *(m)* || ~**teen** [´ti:n] *adj/n* seize *(m)* || ~**teenth** [´ti:nθ] *adj/n* seizième || MUS., U.S. ~ *note,* double-croche *f* || ~**ty** [-ti] *adj/n* soixante *(m).*

size [saiz] *n* dimension ; grandeur *f* || COMM. pointure (of shoes) ; taille *f* (of garment) ; encolure *f* (of shirt-collar) ; *what* ~ *do you take ?,* quelle est votre pointure/taille/encolure ? || [book] format *m* ● *vt* classer, trier (par taille) || ~ *up,* juger ; mesurer || ~**-able** (also **sizable**) *adj* considérable, important.

sizzle [´sizl] *vi* grésiller.

skate¹ [skeit] *n* ZOOL. raie *f* (fish).

skat|e² *n* patin *m* ● *vi* patiner || ~**-board** *n* planche *f* à roulettes || ~**er** *n* patineur *n* || ~**ing** *n* patinage *m ;* ~ *rink,* patinoire *f.*

skeet [ski:t] *n* ~**(shooting),** tir *m* au pigeon d'argile.

skeleton [´skelitn] *n* squelette *m,*

ossature *f* || COLL. ~ *in the cupboard,* secret *m* de famille || ARCH. charpente *f* || ~**-key** *n* passe-partout, *m inv,* crochet *m.*

skeptic *adj* = SCEPTIC.

sketch [sketʃ] *n* esquisse *f,* croquis *m ;* ~*-book,* carnet *m* de croquis || TH. sketch *m* || FIG. aperçu, exposé *m* sommaire ● *vt* esquisser, faire le croquis de || ~ *out,* FIG. ébaucher — *vi* faire des croquis || ~**y** *adj* sommaire, peu détaillé.

skew [skju:] *adj* de travers || COLL. ~*-eyed* [´-aid], qui louche, bigle.

skewer [skjuə] *n* CULIN. brochette *f.*

ski [ski:] *n* ski *m ;* ~ *boots,* chaussures *fpl* de ski ; ~ *jump(ing),* saut *m* à skis ; ~*-lift,* remonte-pente, téléski *m ;* ~*-pole* = ~*-stick ;* ~ *resort,* station *f* de ski ; ~*-stick,* bâton *m* de ski ; ~ *suit,* combinaison *f* de ski ; ~*-tow,* tire-fesses *m inv* (fam.) ; ● *vi* skier ; *go* ~*ing,* faire du ski || ~**er** *n* skieur *n.*

skid [skid] *vi* [person] glisser || AUT. déraper ; ~ *right round,* faire un tête-à-queue || TECHN. patiner ● *n* AUT. dérapage *m* || TECHN. cale *f* (block) || ~**lid** *n* casque *m* (de motocycliste).

skidoo [´skidu:] *n* [Canada] moto-neige *f.*

skilful [´skilful] *adj* adroit, habile ; ingénieux.

skill [skil] *n* [physical] habileté, adresse, dextérité *f* || [mental] art, talent *m* || technique *f,* métier *m ; learn a new* ~, se recycler || ~**ed** [-d] *adj* habile, adroit || expert ; qualifié (worker).

skim [skim] *vt* écrémer (milk) ; ~*(med)-milk,* lait écrémé || écumer (stock) || FIG. effleurer (a subject) — *vi* ~ *along/over,* raser, effleurer (surface) || ~ *through,* parcourir (a book) || ~**mer** [-ə] *n* écumoire *f.*

skimp [skimp] *vi* lésiner (*on,* sur) || bâcler (work) || ~**y** *adj* maigre,

skin [skin] n peau f || pelure f (of fruit) ● vt écorcher — vi (~ over) [wound] se cicatriser || ~-**deep** adj superficiel || ~-**disease** n maladie f de peau || ~-**dive** vi faire de la plongée (sous-marine) || ~-**diver** n plongeur n (sous-marin) || ~-**diving** n plongée sous-marine (en apnée) || ~**flint** n grippe-sou m || ~**ny** adj maigrelet, maigrichon || ~-**tight** adj collant.

skip [skip] vt/vi sauter ; gambader ; sauter à la corde ; ~**ping-rope**, corde f à sauter || FIG. omettre, sauter (a passage) || ~**per** n NAUT. capitaine, patron m.

skirmish [´skə:miʃ] n escarmouche f.

skirt [skə:t] n jupe f (woman's) || pan m (of a coat) || lisière f (of a forest) || Pl abords mpl (of a town) ● vt border, longer || ~**ing-board** n plinthe f.

skit [skit] n sketch m satirique.

skittish [´skitiʃ] adj espiègle (child) ; frivole (woman).

skittle [´skitl] n jeu m de quilles (game) ; quille f (pin).

skiv|e [skaiv] vi COLL. tirer au flanc (fam.) || ~**er** n tire-au-flanc n (fam.).

skivvy [´skivi] n PEJ. bonniche f.

skulk [skʌlk] vi rôder furtivement ; se dissimuler.

skull [skʌl] n crâne m ; ~ **and cross-bones**, tête f de mort.

skunk [skʌŋk] n putois (d'Amérique), sconse m, moufette || COLL. salaud m.

sky [skai] n ciel m || FIG. climat m || ~-**dive** vi faire du saut en chute libre || ~-**diver** n homme volant || ~-**diving** n saut m en chute libre || ~-**jack** vt détourner (plane) || ~-**jacker** n pirate n de l'air || ~-**lark** n alouette f || ~-**light** n lucarne f || ~-**line** n ligne f d'horizon ; silhouette f (of a city) || ~-**rocket** vi [prices] monter en flèche || ~-**scraper** n gratte-ciel m inv || ~-**writing** n publicité aérienne.

slab [slæb] n [stone] bloc m ; plaque f (flat) CULIN. grosse tranche.

slack [slæk] adj mou, lâche (rope) || nonchalant, mou (person) || NAUT. étale (tide) || FIG. ~ **hours,** heures creuses ; ~ **season,** morte-saison f || TECHN. desserré ● n [rope] mou m ; [screw] jeu m || Pl pantalon m || FIG. temps mort ● vi être paresseux, ne pas faire grand-chose || ~ **off,** se relâcher (dans son travail, etc.) ; [trade] ralentir || ~**up,** ralentir || ~**en** vt/vi se relâcher || FIG. ~ **speed,** vi ralentir || ~**er** n COLL. flemmard n (fam.).

slag [slæg] n scories fpl || ~-**heap** n crassier m.

slain → SLAY.

slake [sleik] vt étancher (thirst).

slalom [´sleiləm] n SP. slalom m.

slam [slæm] vi/vt claquer (door) ● n claquement m || [cards] chelem m.

slander [´slɑ:ndə] n calomnie, médisance, diffamation f ● vt calomnier, diffamer || ~**er** [-rə] n calomniateur, diffamateur m || ~**ous** [-rəs] adj calomnieux, diffamatoire.

slang [slæŋ] n argot m ● vt POP. engueuler ; ~**ing match,** engueulade f.

slant [slɑ:nt] n inclinaison f ; on a ~, obliquement || FIG. point m de vue ● vt incliner || FIG. orienter (news) — vi pencher || ~**ing** adj incliné, en pente || ~**wise** adv obliquement, de biais.

slap [slæp] n gifle, claque f ● vt ~ sb on the face, gifler qqn || ~-**dash** adj bâclé, fait n'importe comment || ~-**stick** n grosse farce.

slash [slæʃ] vi taillader (gash) || cingler (a horse) || réduire ; écraser, casser (fam.) [price] ● n entaille, balafre f.

slate [sleit] *n* ardoise *f.*

slaughter [ˈslɔːtə] *n* abattage *m* (of animals for food) || FIG. tuerie *f*, massacre, carnage *m* • *vt* abattre (animals) ; massacrer (people) || ~-house *n* abattoir *m.*

slav|e [sleiv] *n* esclave *n ; ~ trade,* commerce *m* des esclaves ; traite *f* des Noirs • *vi* travailler comme un esclave ; trimer (fam.) || ~er¹ *n* marchand *m* d'esclaves || HIST. négrier *m* (ship) || ~ery *n* esclavage *m.*

slaver² [ˈslævə] *vi* baver • *n* bave *f.*

slaw [slɔː] *n* U.S. salade *f* de choux.

slay [slei] *vt* (slew [sluː], slain [slein]) tuer, massacrer || ~ing *n* massacre *m.*

sleazy [ˈsliːzi] *adj* miteux, minable (shabby).

sled [sled], **sledge** [sledʒ] *n* traîneau *m,* luge *f.*

sleek [sliːk] *adj* lisse, luisant || FIG. [appearance] (trop) soigné ; [manner] onctueux ; [car] aérodynamique • *vt ~ down,* lisser (one's hair).

sleep [sliːp] *vi* (slept [slept]) dormir ; ~ *lightly,* avoir le sommeil léger (usually) ; ~ *soundly,* dormir profondément ; ~ *like a log,* dormir à poings fermés ; ~ *late,* faire la grasse matinée ; ~ *round the clock,* faire le tour du cadran || coucher (*at sb's,* chez qqn) ; ~ *in,* faire la grasse matinée ; [servant] être logé (chez les patrons) || ~ *with,* coucher avec (fam.) — *vt* [hotel] recevoir, loger (so many guests) || ~ *off one's wine,* cuver son vin || ~ *out,* découcher • *n* sommeil *m* || *go to* ~, s'endormir ; *go back to* ~, se rendormir || *put to* ~, endormir (person) ; faire piquer (animal) || ~er *n* dormeur *n ; be a heavy/light* ~, avoir le sommeil profond/léger || RAIL. couchette *f* (berth) ; train *m* couchettes ; [track] traverse *f* || ~iness [-inis] *n* somnolence *f,* assoupissement *m* || ~ing *adj* endormi || ~-bag, sac *m* de couchage, duvet *m* || ~-car, voiture-

lit *m* || ~ *partner,* commanditaire *n* || ~-*pill,* somnifère *m* || ~-room *n* dortoir *m* || ~less *adj* sans sommeil ; ~ *night,* nuit blanche || ~lessness *n* insomnie *f* || ~-walk *vi* être somnambule || ~-walker *n* somnambule *n* || ~-walking *n* somnambulisme *m* || ~y *adj* somnolent ; *feel* ~, avoir sommeil/envie de dormir.

sleet [sliːt] *n* neige fondue, grésil *m.*

sleeve [sliːv] *n* manche *f; turn up one's* ~*s,* retrousser ses manches || [record] pochette *f* || ~less *adj* sans manches.

sleigh [slei] *n* traîneau *m.*

sleight [slait] *n* adresse, dextérité *f* || ~ *of hand,* prestidigitation *f,* tour *m* de passe-passe.

slender [ˈslendə] *adj* svelte (figure) ; mince, fluet (waist) ; *tall and* ~, élancé || FIG. faible (hope) ; maigre (means) || ~ness *n* sveltesse *f.*

slept → SLEEP.

sleuth [sluːθ] *n* COLL. limier, détective *m.*

slew¹ → SLAY.

slew² [sluː] *vt/vi* (faire) pivoter || AUT. ~ *right round,* faire un tête-à-queue.

slice [slais] *n* tranche *f; ~ of bread and butter,* tartine (beurrée) ; [lemon, sausage] rondelle *f* • *vt* couper en tranches.

slick [slik] *adj* glissant (road) || lisse (tyre) || FIG. qui a la parole facile (glib) ; astucieux, rusé (cunning) • *n* (oil) ~, nappe *f* de pétrole ; marée noire.

slid → SLIDE.

slide [slaid] *vt/vi* (slid [slid]) glisser (over, sur) || *n* glissade *f,* glissement *m* || PHOT. (colour) ~, diapositive *f;* diapo *f* (fam.) || ~-rule *n* règle *f* à calcul.

sliding| door [ˈslaidiŋdɔː] *n* porte coulissante || ~ *roof* *n* AUT. toit ouvrant ‖ **~ scale** *n* FIG. échelle *f* mobile ‖ **~ time** *n* U.S. = FLEXITIME.

slight¹ [slait] *n* manque *m* d'égards, humiliation *f* ● *vt* manquer d'égards envers ‖ offenser.

slight² *adj* mince, frêle ; fragile ‖ insignifiant (difference) ; léger (mistake) ‖ *the* **~est**, le/la/les moindre(s) ‖ **~ly** *adv* légèrement ‖ **~ness** *n* minceur, sveltesse *f*.

slim [slim] *adj* svelte, mince ● *vi* faire un régime (pour maigrir) ‖ **~ming** *n* amaigrissement *m*.

slim|e [slaim] *n* limon *m*, vase *f* ‖ **~y** *adj* vaseux ; gluant, visqueux.

sling [sliŋ] *n* courroie *f* (for carrying) ‖ [rifle] bretelle *f* ‖ [weapon] fronde *f* ‖ MED. écharpe *f* ● *vt* (slung [slʌŋ]) lancer, jeter ‖ suspendre ‖ mettre/porter en bandoulière/à la bretelle ‖ *slung over the shoulder*, à la bretelle ‖ **~shot** *n* U.S. lance-pierres *m*.

slink [sliŋk] *vi* (slunk [slʌŋk]) **~ away**, s'esquiver.

slip [slip] *vi* glisser (by accident), faire un faux pas ‖ se glisser ‖ glisser ‖ *let* **~**, laisser échapper ‖ **~ away**, s'éclipser ‖ [time] **~ by**, s'écouler — *vt* glisser (sth) ‖ échapper à ‖ **~ on/off**, passer/ôter (a dress) ● *n* glissade *f* (sliding) ‖ combinaison *f* (underwear) ‖ **~ of paper**, bout *m* de papier ‖ bordereau *m* ‖ FIG. erreur *f*; faux pas ‖ **~ of the tongue**, lapsus *m*; *give sb the* **~**, fausser compagnie à qqn, semer qqn ‖ **~cover** *n* housse *f* ‖ **~knot** *n* nœud coulant.

slipper ['slipǝ] *n* pantoufle *f*.

slippery ['slipri] *adj* glissant (road) ‖ FIG. insaisissable (elusive) ; douteux, sur qui on ne peut pas compter, peu scrupuleux (person).

slip|-road ['sliprǝud] *n* [motorway] bretelle *f* d'accès ‖ **~shod** *adj* négligé, bâclé.

slip-up *n* bévue *f*.

slit [slit] *vt* (slit [slit]) fendre ; inciser ‖ **~ open**, ouvrir (envelope) ; éven-

trer (sack) ● *n* fente *f* ‖ **~-eyed** ['-aid] *adj* aux yeux bridés.

slither ['sliðǝ] *vi* glisser ; déraper (on ice).

sliver ['slivǝ] *n* tranche *f* mince (slice) ; éclat *m* (splinter).

Sloane Ranger [ˌslaun'reindʒǝ] *n* FR. personne bon chic bon genre ; B.C.B.G. (fam.) [*n inv*].

slobber ['slɔbǝ] *vi* baver ‖ FIG. larmoyer ● *n* bave *f*.

sloe [slǝu] *n* BOT. prunelle *f*.

slog [slɔg] *n* travail pénible ● *vi* **~ (away)**, peiner ; trimer (fam.).

slogan ['slǝugǝn] *n* slogan *m*.

slop [slɔp] *n* **~s**, eau *f* sale ; [tea-cup] fond *m* de tasse ; **~ basin**, vide-tasse *m* ● *vt* répandre (spill) — *vi* **~ (over)**, déborder, se répandre.

slope [slǝup] *n* pente *f*; versant *m* (of a hill) ● *vi* [ground] être en pente ; **~ up/down**, monter/descendre (gently, en pente douce) — *vt* pencher, incliner.

sloppy ['slɔpi] *adj* inondé ; détrempé ‖ FIG. négligé, bâclé (work) ; larmoyant, sentimental.

slot [slɔt] *n* fente *f* ‖ **~-machine**, distributeur *m* automatique ; machine *f* à sous ‖ TECHN. rainure *f* ‖ RAD., T.V. créneau *m* ● *vt* emboîter (into, dans) ‖ FIG. **~ (in)**, inclure, insérer — *vi* s'emboîter.

sloth [slǝuθ] *n* paresse, indolence *f* ‖ **~ful** *adj* paresseux, indolent.

slouch [slautʃ] *vi* s'affaler ‖ **~ along**, aller d'un pas traînant ● *n* démarche lourde.

slough¹ [slau] *n* bourbier *m* fondrière *f*.

slough² [slʌf] *vt* [snake] **~ (off)**, se dépouiller de ; [snake] **~ (off) its skin**, muer ● *n* dépouille, mue *f* (of a snake).

sloven ['slʌvn] *n* souillon *f* ‖ **~ly** *adj* sale, négligé, sans soin ; débraillé (dress).

slow [slǝu] *adj* lent, lourd (mind) ‖

my watch is five minutes ~, ma montre retarde de cinq minutes ‖ AUT. **~-running jet**, gicleur *m* de ralenti ‖ CIN. ~ **motion**, ralenti ‖ RAIL. ~ **train**, omnibus *m* ● *adv* lentement ; **go** ~, faire la grève du zèle ● *vi* ~ *(down/up)*, ralentir ‖ **~ly** *adv* lentement ‖ **~ness** *n* lenteur *f*.

sludge [slʌdʒ] *n* vase *f*; boue, gadoue *f* ‖ TECHN. cambouis *m*.

slue [slu:] *vt/vi* U.S. = SLEW².

slug [slʌg] *n* limace *f* ‖ **~gard** [-əd] *n* fainéant *n* ‖ **~gish** [-iʃ] *adj* paresseux (liver, river).

sluice [slu:s] *n* écluse *f*; **~-gate**, vanne *f* ● *vt* rincer à grande eau.

slum [slʌm] *n* taudis *m* (house) ‖ *Pl* **the ~s**, les bas quartiers ‖ **~my** *adj* sordide, misérable.

slumber [ˈslʌmbə] *n* sommeil, assoupissement *m* ● *vi* sommeiller.

slump [slʌmp] *n* affaissement *m* ‖ FIN. effondrement *m* ‖ COMM. crise, dépression *f* ● *vi* s'affaisser, tomber lourdement ‖ [prices] s'effondrer.

slung → SLING².

slunk → SLINK.

slur¹ [slə:] *vt* bredouiller ; mal articuler (word) ‖ MUS. lier ‖ FIG. ~ *over*, passer sous silence ● *n* liaison *f*.

slur² *n* affront *m*, insulte *f* ● *vt* insulter.

slush [slʌʃ] *n* neige fondue ‖ **~y** *adj* couvert de neige fondante/fondue.

sly [slai] *adj* rusé, sournois ; **on the** ~, en douce, en catimini.

smack¹ [smæk] *n* claquement *m* (of a whip) ‖ gifle *f* (slap) ‖ gros baiser ● *vi* [kiss] retentir — *vt* gifler.

smack² *n* bateau *m* de pêche.

smack³ *vi* ~ *of*, avoir un léger goût de.

small [smɔ:l] *adj* petit (in size) ; ~ *letters*, minuscules *fpl* ‖ [time] *the* ~ *hours of the night*, les premières heures après minuit ‖ COMM. ~ *change*, petite monnaie ‖ FIG. peu

important, insignifiant ; *in a* ~ *way*, en petit, modestement ● *n the* ~ *of the back*, le creux des reins ‖ *Pl* COLL. sous-vêtements *mpl*, petit linge ‖ **~ish** *adj* assez petit ‖ **~ness** *n* petitesse *f* ; exiguïté *f* ‖ **~pox** *n* petite vérole, variole *f*.

smart¹ [smɑ:t] *vi* faire mal ; piquer ; brûler.

smart² *adj* alerte, éveillé, intelligent (clever) ; ~ *aleck*, bêcheur *m* ; *a* ~ *guy*, un malin ‖ U.S. astucieux (sharp) ‖ chic, élégant (stylish) ‖ cuisant (pain) ; cinglant (lash) ‖ alerte, vif (pace) ● *n* douleur *f* ‖ **~ly** *adv* élégamment, avec chic ‖ vivement, prestement (quickly) ‖ astucieusement (cleverly) ‖ **~ness** *n* élégance *f*, chic *m* ‖ intelligence, astuce, habileté *f*.

smash [smæʃ] *vt* fracasser, briser en morceaux ‖ SP. [tennis] smasher — *vi* se fracasser, s'écraser ‖ *n* choc *m* ; coup (violent) ‖ fracas *m* (noise) ‖ [tennis] smash *m* ‖ **~-up**, collision *f* ‖ FIN. débâcle *f*, krach *m* ‖ **~ing** *adj* COLL. terrible, du tonnerre, chouette (fam.).

smattering [ˈsmætriŋ] *n* notion, connaissance *f* superficielle.

smear [smiə] *n* salissure, traînée, tache *f* ● *vt* souiller, maculer.

smell [smel] *vt* (smelt [smelt]) sentir ‖ [dog] flairer — *vi* sentir mauvais ‖ ~ *good/sweet*, sentir bon ‖ ~ *of*, sentir ; ~ *of brandy*, sentir l'alcool ● *n* [odour] odeur *f* ‖ [sense] odorat *m* ; flair *m* (of a dog) ‖ **~y** *adj* malodorant.

smelt¹ [smelt] *vt* fondre (ore).

smelt² → SMELL.

smil|e [smail] *vi* sourire ● *n* sourire *m* ‖ **~ing** *adj* souriant.

smirch [smə:tʃ] *vt* souiller.

smirk [smə:k] *vi* sourire d'un air (niais et) satisfait ● *n* petit sourire satisfait.

smite [smait] *vt* (smote [sməut],

smitten (´smitn]) frapper (d'un grand coup).

smith [smiθ] *n* forgeron *m* || ~**y** [-ði] *n* forge *f.*

smitten → SMITE.

smock [smɔk] *n* [worker's] blouse *f* || [woman's] robe *f* de grossesse.

smog [smɔg] *n* brouillard *m* chargé de fumée, smog *m.*

smok|e [smɔuk] *n* fumée *f* || COLL. cigarette *f* ● *vi/vt* fumer || ~**er** *n* fumeur *m* || RAIL. compartiment *m* de fumeurs || ~**ing** *adj* fumant ● *n* no ~, défense de fumer || RAIL. fumeur (carriage) || ~**y** *adj* enfumé, rempli de fumée.

smooth [smu:ð] *adj* lisse, moelleux || doux ; ~ *sea*, mer *f* d'huile || TECHN. régulier || FIG. paisible (life) ; facile (temper) ; mielleux (voice) ● *vt* ~ (*down*), lisser, défroisser || ~ *over*, aplanir (lit. and fig.) || ~**ly** *adv* doucement, sans heurt || FIG. sans incident || ~**ness** *n* douceur *f* || [sea] calme *m* || ~-**shaven** *adj* rasé de près.

smote → SMITE.

smother [´smʌðə] *vt* étouffer || couvrir (a fire).

smoulder [´smɔuldə] *vi* [fire] couver.

smudge [smʌdʒ] *n* tache, bavure *f* ● *vt* tacher, barbouiller.

smug [smʌg] *adj* suffisant (self-satisfied).

smuggl|e [´smʌgl] *vt* passer en fraude — *vi* faire de la contrebande || ~**er** *n* contrebandier *n* || ~**ing** *n* contrebande *f.*

smut [smʌt] *n* grain *m*/tache *f* de suie || FIG. propos indécents ● *vt* tacher de suie, noircir || ~**ty** *adj* noirci, sale || FIG. indécent, obscène (stories).

snack [snæk] *n* casse-croûte, en-cas *m inv* ; *cold* ~, repas froid || *have a* ~, casser la croûte ; *have a quick* ~, manger sur le pouce || ~-**bar/counter** *n* snack-bar *m.*

snag [snæg] *n* FIG. obstacle, écueil (inattendu) ; problème *m* (fam.) ; *the* ~ *is that...*, le hic/l'ennui c'est que...

snail [sneil] *n* escargot *m.*

snake [sneik] *n* serpent *m ; ~-charmer*, charmeur *m* de serpents.

snap [snæp] *vi/vt* (se) casser net, (se) briser (avec un bruit sec) || happer, saisir || faire claquer (one's fingers) || PHOT. prendre un instantané de ● *n* bruit sec || *cold* ~, brusque vague *f* de froid || ~ *(fastener)*, bouton-pression *m* (on a dress) ● *adj* inopiné ; improvisé || ~**dragon** [-.drægən] *n* BOT. gueule-de-loup *f* || ~**py** *adj* animé (conversation) || ~**shot** *n* PHOT. instantané *m.*

snare [snɛə] *n* piège, collet *m* ● *vt* prendre au piège.

snarl[1] [sna:l] *vi* grogner || ~**ing** *adj* hargneux (dog).

snarl[2] *vt* emmêler, enchevêtrer ● [rope] nœud *m* || ~ *(up)*, [traffic] encombrement, bouchon *m.*

snatch [snætʃ] *n* geste *m* brusque ; *(bag)* ~, vol *m* à l'arraché || courte période || bribe *f* (of conversation) || *work in* ~*es*, travailler par à-coups ● *vt* saisir brusquement ; arracher || voler (a kiss).

sneak [sni:k] *vi* se glisser, se faufiler furtivement ; ~ *away*, s'esquiver || SL. [school] rapporter ; moucharder, cafarder (fam.) [*on sb*, qqn) — *vt* COLL. chiper, chaparder (fam.) ● *n* faux jeton (fam.) || [school] COLL. mouchard (fam.), rapporteur || ~**ers** [-əz] *npl* U.S. (chaussures *fpl* de) baskets *m/f pl* (fam.) || ~**y** *adj* sournois, dissimulé.

sneer [sniə] *vi* ricaner || ~ *at*, se moquer de ● *n* ricanement *m.*

sneeze [sni:z] *vi* éternuer ● *n* éternuement *m.*

snide [snaid] *adj* moqueur.

sniff [snif] *vi* renifler || ~ *at*, [dog] flairer.

sniffle [´snifl] *vi* renifler.

snigger [´snigə] *vi* ricaner ; pouffer de rire.

snip [snip] *n* coup *m* de ciseaux • *vt* découper.

snip|e [snaip] *n* ZOOL. bécassine *f* • *vt* MIL. canarder ‖ ~ **er** *n* MIL. tireur embusqué.

snivel [´snivl] *vi* FIG. pleurnicher, larmoyer.

snob [snɔb] *n* snob, poseur *n* ‖ ~ **bery** [-əri] *n* snobisme *m* ‖ ~ **bish** *adj* snob ‖ ~ **bishness** *n* = ~BERY.

snook [snu:k] *n* cock/make a ~, faire un pied de nez (*at*, à).

snooker [´snu:kə] *n* billard *m*.

snoop [snu:p] *vi* fureter ‖ se mêler des affaires des autres.

snooze [snu:z] *n* COLL. petit somme ; roupillon *m* (fam.) • *vi* sommeiller ; roupiller (fam.) ‖ [afternoon] faire la sieste.

snor|e [snɔ:] *vi* ronfler • *n* ronflement *m* ‖ ~ **er** *n* ronfleur *n*.

snorkel [´snɔ:kl] *n* [swimmer] tuba *m* ‖ NAUT. schnorchel *m* ‖ ~ **ing** *n* plongée *f* libre.

snort [snɔ:t] *n* [horse] ébrouement *m* ; [person] reniflement *m* • *vi/vt* [horse] s'ébrouer ‖ [person] grogner.

snout [snaut] *n* museau ; groin *m* (of a pig).

snow [snəu] *n* neige *f* • *vi* neiger — *vt* ~ **d up**, bloqué par la neige ‖ ~ **ball** *n* boule *f* de neige ‖ ~ **boot** *n* après-ski *m* ‖ ~ **bound** *adj* enneigé, bloqué par la neige ‖ ~ **capped/covered** [´-kæpt/ˈkʌvəd] *adj* enneigé ‖ ~ **drift** *n* congère *f* ‖ ~ **drop** *n* perce-neige *m inv* ‖ ~ **flake** *n* flocon *m* de neige ‖ ~ **man** *n* bonhomme *m* de neige ‖ ~ **mobile** *n* autoneige *f* ‖ ~ **plough**/U.S. **plow** *n* chasse-neige *m* ‖ ~ **report** *n* bulletin *m* d'enneigement ‖ ~ **shoe** *n* raquette *f* ‖ ~ **y** *adj* neigeux.

snub¹ [snʌb] *n* rebuffade *f* • *vt* traiter avec froideur, snober ; feindre de ne pas voir ‖ rabrouer ; rembarrer.

snub² *adj* camus, retroussé (nose) ; ~ **-nosed**, au nez camus.

snuff¹ [snʌf] *n* tabac *m* à priser ; *pinch of* ~, prise *f* ; ~ **-box**, tabatière *f* • *vi* priser.

snuffle [´snʌfl] *vi* = SNIFFLE.

snug [snʌg] *adj* douillet (bed) ; confortable (house).

snuggle [´snʌgl] *vt* serrer dans ses bras, dorloter — *vi* se blottir, se pelotonner.

so [səu] *adv* [thus] ainsi, de cette manière ; *is that* ~ ?, vraiment ? ; ~ *be it*, ainsi soit-il ; *why* ~ ?, pourquoi cela ? ; *quite* ~ !, parfaitement ! ; ~ *to say/speak*, pour ainsi dire ; *and* ~ *on*, et ainsi de suite ; *or* ~, environ ‖ [degree] si, tellement ; ~ *... that*, si... que ; ~ *much/many*, tant de ‖ ~ *... as to* (+ infin.), assez... pour (+ infin.) ‖ [comparison] *not* ~ *tall as*, pas aussi grand que ‖ [substitute] *I think* ~, je le pense ; *you speak English and* ~ *do I*, vous parlez anglais et moi aussi ‖ ~ *as to*, afin de ‖ ~ *far*, jusqu'à présent, jusqu'ici ‖ ~ *long !*, au revoir !, salut ! ‖ ~ *long as*, tant que ‖ ~ *that*, jusqu'à (in order that) ; si bien que (result) • *conj* donc, aussi, par conséquent • *pron* **Mr. So-and-so**, COLL. M. Untel • *adj/adv* **so-so**, ni bien ni mal, couci-couça.

soak [səuk] *vt* tremper (clothes) ‖ imbiber, saturer ; ~ *ed* [-t] *to the skin*, trempé jusqu'aux os — *vi* baigner, tremper (in a liquid) ‖ [liquid] s'infiltrer, pénétrer ‖ [rain] ~ *through*, traverser ‖ ~ **ing** *adj* détrempé ‖ trempé.

soap [səup] *n* savon *m* ; *soft* ~, savon noir ‖ COLL. = ~ **-OPERA** • *vt* savonner ‖ ~ **-box** *n* tribune improvisée ‖ ~ **-bubble** *n* bulle *f* de savon ; *blow* ~ *s*, faire des bulles de savon ‖ ~ **-opera** *n* RAD., T.V. feuilleton, mélo *m* ‖ ~ **suds** *n* mousse *f* de savon ‖ ~ **y** *adj* savonneux.

soar [sɔ:] *vi* s'élever (dans les airs) ;

prendre son essor ‖ planer (hover) ‖ [prices] monter.

sob [sɔb] n sanglot m ● vi sangloter.

sober [ˈsəubə] adj peu voyant, sobre (colours) ‖ à jeun, sobre (temperate) ‖ pas ivre (not drunk) ‖ Fig. sobre, modéré ‖ ~-(-minded), sérieux ● vi/i ~ down, (se) calmer, (s')assagir ; ~ up, (se) dégriser ‖ ~ly adv sobrement, modérément.

sobriety [səuˈbraiəti] n sobriété, modération f.

so-called [ˈsəuˈkɔ:ld] adj soi-disant, prétendu.

soccer [ˈsɔkə] n = ASSOCIATION FOOTBALL.

sociable [ˈsəuʃəbl] adj sociable, affable, liant.

social [ˈsəuʃl] adj social ; ~ security, sécurité sociale ; ~ worker, assistante sociale ‖ mondain (gathering) ; ~ events, mondanités fpl ‖ ~ism n socialisme m ‖ ~ist n socialiste n ‖ ~ite [-ait] n personnalité mondaine.

society [səˈsaiəti] n société f (community) ‖ association f (club) ‖ (haute) société, (grand) monde ; ~ man/woman, homme/femme du monde.

sociocultural [ˌsəusiəuˈkʌltʃrəl] adj socioculturel.

sociolog|ist [ˌsəusiˈɔlədʒist] n sociologue n ‖ ~y n sociologie f.

sock [sɔk] n chaussette f ; pair of ~s, paire f de chaussettes.

socket [ˈsɔkit] n ELECTR. douille, prise f (de courant) ‖ MED. orbite f (of the eye).

sod¹ [sɔd] n motte f de gazon.

sod² n SL. couillon m (fam.) ; [stronger] con n (pop.) ● vt SL. ~ it !, merde ! (vulg.).

soda [ˈsəudə] n CH. soude f ‖ CULIN. baking ~, bicarbonate m de soude ‖ U.S. soda m.

sodden [ˈsɔdn] adj détrempé.

sofa [ˈsəufə] n sofa, canapé m.

soft [sɔft] adj mou, molle (f) ; moelleux (bed) ‖ tendre (rock) ‖ doux, douce (f), lisse (to the touch) ‖ doux (colour, drug, music) ‖ doux, tiède (air, weather) ‖ mou (hat, collar) ‖ souple (leather) ‖ flou (hair) ‖ douce (water) ; non alcoolisé (drink) ‖ COMM. ~ goods, textiles mpl ‖ FIG. faible, mou (character) ; sot, niais ‖ FIG. ~ job, fromage, filon m (easy job) ‖ ~-boiled [ˈbɔild] adj ~ egg, œuf m à la coque.

soften [ˈsɔfn] vt adoucir, ramollir ‖ tamiser (the light) ‖ FIG. attendrir, amollir — vi mollir, s'attendrir ‖ FIG. se calmer, s'atténuer.

soft|ly [ˈsɔftli] adv doucement ‖ ~ness n douceur f ‖ FIG. mollesse f (of character) ‖ ~-pedal vt MUS. mettre la pédale douce ‖ FIG. minimiser.

software [ˈsɔftwɛə] n logiciel m ; ~ engineering, génie logiciel.

soggy [ˈsɔgi] adj détrempé.

soil¹ [sɔil] n sol m , terre f.

soil² vt salir, souiller ; easily ~ed, salissant — vi se tacher, se salir ● n souillure f.

sojourn [ˈsɔdʒə:n] n séjour m ● vi séjourner.

solace [ˈsɔləs] n consolation f, soulagement m ● vt consoler, soulager.

solar [ˈsəulə] adj solaire ‖ ~ battery, photopile f ; ~ panel, panneau solaire ‖ ~ium [səˈlɛəriəm] n solarium m.

sold → SELL.

solder [ˈsɔldə] n soudure f ● vt souder ‖ ~ing-iron, fer m à souder.

soldier [ˈsəuldʒə] n soldat m.

sole¹ [səul] n ZOOL. sole f.

sole² n semelle f (of a shoe) ‖ ANAT. plante f du pied ● vt ressemeler.

sole³ adj seul, unique, exclusif.

solemn [ˈsɔləm] adj solennel ; grave (look) ‖ ~ity [səˈlemniti] n solennité ; gravité f ‖ ~ly adv solennellement.

solfa [ˌsɔlˈfɑː] n solfège m.

solicit [səˈlisit] vt solliciter ‖ ~**ation** [səˌlisiˈteiʃn] n sollicitation f ‖ ~**or** n avoué m ‖ U.S., Comm. placier m, démarcheur n ‖ ~**ude** [-juːd] n sollicitude f.

solid [ˈsɔlid] adj solide ; become ~, se solidifier ‖ substantiel (food) ‖ massif, plein (not hollow) ; ~ line, trait plein ‖ solide, résistant, durable (strong) ‖ Fig. solide, sérieux (character) ; unanime (opinion, vote) ; sans interruption ; four ~ days, quatre jours d'affilée ; written ~, écrit en un seul mot.

solid|arity [ˌsɔliˈdæriti] n solidarité f ‖ ~**ify** [səˈlidifai] vi/vt se solidifier ‖ ~**ity** [səˈliditi] n solidité f ‖ ~**ly** adv solidement ‖ [people] massivement (all agreeing).

solit|ary [ˈsɔlitri] n/adj solitaire ‖ ~**ude** [-juːd] n solitude f.

solo [ˈsəuləu] n/adj solo (m) ‖ ~**ist** n soliste n.

solu|ble [ˈsɔljubl] adj soluble ‖ ~**tion** [səluːʃn] n solution f.

solve [sɔlv] vt résoudre (a problem, a difficulty).

solv|ency [ˈsɔlvnsi] n solvabilité f ‖ ~**ent** adj Fin. solvable ● n solvant, dissolvant m.

some [sʌm] adj quelque, certain ; ~ day, un (de ces) jour(s) ‖ du, de l', de la, des ; ~ tea, du thé ; ~ people, certains mpl, certaines personnes ● adv quelque ● pron une partie de, un peu de ; do you want ~ ?, en voulez-vous ? ‖ quelques-uns/-unes ; ~ of them, certains d'entre eux.

some|body [ˈsʌmbədi] pron quelqu'un ; ~ else, quelqu'un d'autre ‖ ~**how** adv d'une manière ou d'une autre ‖ pour une raison ou pour une autre ‖ ~**one** pron = ~BODY.

somersault [ˈsʌməsɔːlt] n saut périlleux ; turn a ~, faire la culbute ● vi faire la culbute ‖ Aut. faire un tonneau.

something [ˈsʌmθiŋ] pron quelque chose ; ~ else, autre chose ‖ ~ of, un peu de, un soupçon de ● adv un peu.

sometime [ˈsʌmtaim] adv [future] un jour (ou l'autre), un de ces jours ‖ [past] à un certain moment, à une certaine date ; ~ last month, au cours du mois dernier ‖ ~**s** [-z] adv quelquefois, parfois.

somewhat [ˈsʌmwɔt] adv quelque peu, un peu, assez ‖ ~ of, plutôt.

somewhere [ˈsʌmwɛə] adv quelque part ; ~ else, ailleurs.

son [sʌn] n fils m ; ~**-in-law**, gendre m ; [taboo] ~**-of-a-bitch**, salaud m (pop.) ‖ ~**ny** [-i] n Coll. fiston m.

sonata [səˈnɑːtə] n sonate f.

song [sɔŋ] n [singing] chant m ; [poem sung] chanson f ‖ Rel. cantique m ‖ Fig. for a ~, pour une bouchée de pain ‖ ~**-writer** n parolier m ; auteur-compositeur m.

sonic [ˈsɔnik] adj Phys. acoustique ; sonore ; ~ **barrier**, mur m du son ; ~ **bang/boom**, bang m supersonique.

son|orous [ˈsɔnərəs or səˈnɔːrəs] adj sonore ‖ ~**ority** [-ɔriti] n sonorité f.

soon [suːn] adv bientôt ; ~ **after**, peu après ‖ tôt ; **as ~ as**, aussitôt que, dès que ‖ ~er or later, tôt ou tard ; the ~er the better, le plus tôt sera le mieux ‖ I would ~er (= I would rather), j'aimerais mieux.

soot [sut] n suie f ‖ ~**ing-up** n Aut. encrassement m (of sparking-plug).

sooth|e [suːð] vt apaiser ‖ Med. calmer ‖ ~**ing** adj calmant.

soothsayer [ˈsuːθˌseiə] n devin n.

sooty [ˈsuti] adj couvert/noir de suie.

sop [sɔp] n pain trempé ● vt tremper (bread) ‖ ~ up, éponger.

soph|ism [ˈsɔfizm] n sophisme m ‖ ~**isticated** [səˈfistikeitid] adj artificiel, compliqué ‖ trop raffiné (taste) ‖ sophistiqué, perfectionné.

sophomore [ˈsɔfəmɔː] *n* U.S. [university] étudiant *m* deuxième année.

soporific [ˌsəupəˈrifik] *adj/n* soporifique *(m)*.

sopping [ˈsɔpiŋ] *adj* COLL. ~ *(wet)*, [clothes] à tordre ; [person] trempé.

soppy [ˈsɔpi] *adj* COLL. sentimental, à l'eau de rose.

sorbet [ˈsɔːbit] *n* sorbet *m*.

sorcer|er [ˈsɔːsrə] *n* sorcier *m* ǁ **~y** *n* sorcellerie *f*.

sordid [ˈsɔːdid] *adj* sordide.

sore [sɔː] *adj* douloureux, sensible, irrité, endolori ; *that's ~ !*, ça me fait mal ! ; *have a ~ throat*, avoir mal à la gorge ; *have ~ eyes*, avoir mal aux yeux ● *n* plaie *f* (infected) ǁ **~ly** *adv* grièvement, gravement (very) ; douloureusement (painfully).

sorority [səˈrɔriti] *n* U.S. club *m* d'étudiantes.

sorrel [ˈsɔrl] *n* BOT. oseille *f*.

sorrow [ˈsɔrəu] *n* chagrin *m*, peine, affliction *f* ǁ **~ful** *adj* triste, affligé (person) ; pénible, affligeant (news).

sorry [ˈsɔri] *adj* navré, désolé, fâché ; *I am ~*, je suis désolé, je regrette ; *~ !*, pardon ! ; *be ~ about*, regretter ; *feel ~ for sb*, plaindre (qqn) ǁ FIG. pauvre, piteux ; minable (fam.) ; *in a ~ plight*, dans une triste situation.

sort [sɔːt] *n* sorte, espèce *f* ; genre *m* ǁ *in/after a ~*, en quelque sorte ǁ PEJ. *of a ~*, *of ~s* : *coffee of a ~*, *of ~s*, qqch ressemblant à du café ǁ FAM. [person] *a good ~*, un(e) brave type/fille ǁ FIG. *be out of ~s*, n'être pas dans son assiette ● *vt ~ (out)*, classer, trier ǁ mettre de l'ordre dans (ideas) ; régler (problem) ; venir à bout de (difficulties) ; **~ing office**, centre *m* de tri.

sort of [ˈsɔːtəv] *adv* COLL. dans une certaine mesure, plus ou moins ; comme qui dirait (fam.) ; *I ~ thought that*, j'avais comme une idée que.

S.O.S. [esəuˈes] *n* S.O.S. *m*.

sot [sɔt] *n* alcoolique *n*.

sought → SEEK ǁ ~ **after** *adj* recherché.

soul [səul] *n* âme *f*.

sound¹ [saund] *n* GEOGR. détroit *m*.

sound² *adj* sain, bien portant (body) ; valide (person) ; robuste (health) ǁ profond (sleep) ǁ FIG. sain, solide (argument) ; juste (reasoning) ; vigoureux, magistral (thrashing) ǁ **~ly** *adv* sainement ǁ [sleep] profondément ǁ [argue] sainement ǁ **~ness** *n* bon état, bonne santé ; ~ *of mind*, équilibre mental ǁ FIG. solidité *f*.

sound³ *n* son, bruit *m* ● *vi* résonner, retentir, paraître, sembler — *vt* faire sonner/résonner ǁ MIL. sonner (the retreat) ǁ AUT. ~ *the horn*, klaxonner ǁ FIG. proclamer ǁ **~ barrier** *n* mur *m* du son ǁ **~-effects** *npl* bruitage *m* ǁ ~ **engineer** *n* ingénieur *m* du son ǁ **~ equipment** *n* sonorisation *f* ǁ **~-film** *n* film *m* sonore ǁ ~ **proof** *vt* insonoriser ● *adj* insonorisé ǁ **~-track** *n* piste/bande *f* sonore.

sound⁴ *n* sonde *f* ● *vt* sonder (depth) ǁ MED. ausculter ǁ FIG. ~ *(out)*, pressentir *(sb, qqn)* ǁ **~-balloon** *n* ballon-sonde *m* ǁ **~ing** *n* NAUT. sondage *m* ǁ **~proofing** *n* insonorisation *f*.

soup [suːp] *n* soupe *f*, potage *m* ; *clear ~*, consommé *m* ǁ ~ **kitchen**, soupe *f* populaire ǁ ~ **plate**, assiette creuse ● *vt ~ up*, gonfler (engine).

sour [ˈsauə] *adj* sur, aigre ; vert (grapes) ǁ *turn ~*, [milk] tourner ; [wine] se piquer ǁ FIG. acariâtre, revêche ● *vi* surir, s'aigrir ; [milk] tourner.

source [sɔːs] *n* source *f* ǁ FIG. source, origine *f*.

sour|ish [ˈsauəriʃ] *adj* aigrelet ǁ **~ness** *n* acidité *f* ǁ FIG. aigreur *f*.

south [sauθ] *n* sud *m* ǁ FR. midi *m* (of France) ● *adj* du sud, méridional ● *adv* au/vers le sud.

souther|ly [ˈsʌðəli] *adj* du sud ǁ **~n** [-n] *adj* du sud, méridional

|| ASTR. *Southern Cross,* Croix du Sud
f || ~**ner** [-nə] n habitant n du sud ;
FR. méridional n.

southwards [ˈsauθwədz] adv vers
le sud.

souvenir [ˈsuːvnıə] n souvenir m.

sovereign [ˈsɔvrın] adj souverain ||
~**ty** [ˈsɔvrınti] n souveraineté f.

Soviet [ˈsəuviet] n soviet m ● adj
soviétique ; ~ **Union,** Union f soviétique.

sow¹ [sau] n truie f.

sow² [səu] vt (sowed [səud], sowed
or sown [səun]) semer (seed) ; ense-
mencer (a field) || ~**er** n semeur n
|| ~**ing** n semailles fpl ; ~**-machine,**
semoir m.

soy(a) [ˈsɔı(ə)] n ~ *(bean),* soja, soya
m ; ~ *sauce,* sauce f au soja.

spa [spɑː] n ville f d'eaux, station
thermale.

space [speis] n espace m ; surface f ;
take up ~, prendre de la place ; *outer*
~, espace interplanétaire || [time]
~ *of time,* intervalle m || ~**-bar** n
barre f d'espacement || ~**-craft** n
vaisseau spatial, astronef m || ~**man**
n astronaute, cosmonaute m ||
~ *probe,* sonde spatiale || ~**ship**
n = ~CRAFT || ~**-shuttle** n navette
spatiale || ~**-station** n station spa-
tiale || ~**-suit** n combinaison spa-
tiale.

spac|ing [ˈspeisiŋ] n espacement m
(in typewriting) || ~**ious** [ˈspeiʃəs]
adj spacieux, vaste.

spade [speid] n AGR. bêche f ||
[cards] pique m ● vt bêcher.

spaghetti [spəˈgeti] n spaghetti mpl.

Spain [spein] n Espagne f.

span¹ → SPIN.

span² [spæn] n TECHN. travée,
portée f (of a bridge) || Av. envergure
f (of a plane) || FIG. durée f ● vt
[bridge] enjamber, franchir || mesu-
rer.

spangle [ˈspæŋgl] n paillette f ●
vt pailleter.

Spaniard [ˈspænjəd] n Espagnol n.

spaniel [ˈspænjəl] n épagneul m.

Spanish [ˈspæniʃ] adj espagnol ●
n espagnol m (language) || Pl the ~,
les Espagnols mpl.

spank [spæŋk] vt fesser, donner une
fessée — vi [horse, ship] ~ *along,*
aller à vive allure || ~**ing** n fessée
f ● adj COLL. fameux, épatant.

spanner [ˈspænə] n TECHN. clef,
clé f.

spar¹ [spɑː] n NAUT. espar m.

spar² vi se battre, s'entraîner à la
boxe.

spare [speə] vt épargner, écono-
miser ; ~ *oneself,* se ménager || se
passer de (sth) ; *have time to* ~, avoir
du temps devant soi ● adj disponible ;
~ *time,* moments perdus/de loisir
|| de réserve ; ~ *room,* chambre f
d'ami || maigre, sec (person) || frugal
(diet, meal) || TECHN. de rechange ||
AUT. ~ *parts,* pièces fpl de rechange ; ~ *wheel,* roue f de secours
|| ~**s** [-z] npl pièces fpl de rechange.

sparing [ˈspeəriŋ] adj économe, par-
cimonieux || chiche (person) || sobre
(of words, praise) || ~**ly** adv avec
modération ; *use* ~, ménager || [eat,
live] frugalement.

spark [spɑːk] n étincelle f || FIG.
lueur f (of intelligence) ● vt ~ *(off),*
déclencher, provoquer — vi jeter des
étincelles || ~**(ing)-plug** n AUT.
bougie f d'allumage.

sparkl|e [ˈspɑːkl] vi étinceler, scin-
tiller || [fire] pétiller ; [jewel] cha-
toyer ; [wine] mousser || ~**ing** adj
étincelant ; ~ *wine,* vin mousseux.

sparring-partner [ˈspɑːriŋpɑːtnə]
n SP. [boxing] partenaire m d'entraînement.

sparrow [ˈspærəu] n moineau m ||
~**-hawk,** épervier m.

sparse [spɑːs] adj clairsemé ; peu
dense (population).

spasm [ˈspæzm] n spasme m ||

~**odic** [spæz'mɔdik] *adj* spasmodique ‖ Fig. intermittent.

spastic ['spæstik] *n* handicapé *n* (moteur).

spat → SPIT².

spate [speit] *n in* ~, en crue (river).

spatter ['spætə] *n* éclaboussure *f* ● *vt* éclabousser.

spawn [spɔ:n] *n* ZOOL. frai *m*, œufs *mpl* (of fish) ‖ PEJ. progéniture *f* ● *vt* [fish] déposer (eggs) ‖ FIG. engendrer — *vi* [fish] frayer.

speak [spi:k] *vi* (spoke [spəuk], spoken ['spəukn]) parler (*to*, à); adresser la parole (*to*, à); s'entretenir (*with*, avec) ‖ ~ *ill of*, dire du mal de, médire de ‖ ~ *back*, riposter (*to*, à) ‖ ~ *for*, parler au nom de ‖ TEL. *who's* ~*ing ?*, qui est à l'appareil ? ‖ ~ *out*, parler franc — *vt* parler (a language) ‖ ~**er** *n* interlocuteur *n ;* [in public] orateur ‖ POL. président *n* (in Parliament) ‖ RAD. = LOUD-~ ‖ [language] *English* ~, anglophone *n ; French* ~, francophone *n*.

spear [spiə] *n* lance *f* ‖ SP. [fishing] harpon *m ;* [hunting] épieu *m* ‖ ~**-fishing** *n* pêche *f* au harpon ‖ ~**gun** *n* fusil sous-marin ‖ ~**-head** *n* fer *m* de lance ● *vt* MIL. mener (offensive). ‖ ~**mint** *n* menthe verte.

spec [spek] *n* COLL. *on* ~, à tout hasard.

special ['speʃəl] *adj* spécial ; particulier ; ~ *delivery letter*, lettre *f* exprès ● *n* [restaurant] *today's* ~, plat *m* du jour ‖ ~**ist** *n* spécialiste *n* ‖ ~**ity** [ˌspeʃi'æliti] spécialité *f* (all senses) ‖ ~**ize** *vt* se spécialiser ‖ ~**ly** *adv* spécialement ‖ ~**ty** *n* spécialité *f* (activity, product).

species ['spi:ʃi:z] *n inv* ZOOL. espèce *f* ‖ FIG. genre *m*, sorte *f*.

specific [spi'sifik] *adj* spécifique ‖ FIG. déterminé, précis (aim) ‖ distinct ‖ ~**ally** [-li] *adv* spécifiquement ‖ ~**ation** [ˌspesifi'keiʃn] spécification *f* ‖ *Pl* stipulations *fpl* (of a contract).

specify ['spesifai] *vt* spécifier, préciser, stipuler.

specimen ['spesimin] *n* spécimen *m ;* échantillon *m*.

speck [spek] *n* petite tache *f*, point *m* ‖ grain *m* (of dust) ● *vt* tacheter, moucheter.

speckle ['spekl] *n* petite tache, moucheture *f* ● *vt* tacheter, moucheter.

specs [speks] *npl* (abbrev = SPECTACLES) COLL. lunettes *fpl*.

spect|acle ['spektəkl] *n* spectacle *m* ‖ *Pl* lunettes *fpl* ‖ ~**acular** [spek-'tækjulə] *adj* spectaculaire ‖ ~**ator** [spek'teitə] *n* spectateur *n*.

spec|tre ['spektə] *n* spectre, fantôme *m* ‖ ~**trum** [-trəm] *n* PHYS. spectre *m*.

specul|ate ['spekjuleit] *vi* spéculer ‖ ~**ation** [ˌspekju'leiʃn] *n* spéculation *f* ‖ ~**ative** [-ətiv] *adj* spéculatif, conjectural ‖ ~**ator** [-eitə] *n* spéculateur *n*.

sped → SPEED *v.*

speech [spi:tʃ] *n* parole *f* (faculty) ‖ discours *m*, allocution *f* (in public) ‖ ~**less** *adj* sans parole, muet, interloqué (from surprise).

speed [spi:d] *n* vitesse *f ; at full* ~, à toute vitesse ‖ AUT. vitesse *f ; a 5-*~*gear*, une boîte à 5 vitesses ; ~ *limit*, limitation *f* de vitesse ‖ PHYS. ~ *of sound*, vitesse *f* du son ‖ PHOT. [film] rapidité *f* ‖ FIG. rapidité, promptitude *f* ● *vi* (sped [sped]) aller à toute vitesse ‖ AUT. (p.t. ~ ed) faire de la vitesse ; *be* ~**ing**, dépasser la vitesse permise — *vt* (p.t. ~ ed) ~ *up*, accélérer ‖ ~**boat** *n* canot *m* automobile ; hors-bord *m* ‖ ~**ing** *n* AUT. excès *m* de vitesse ‖ ~**ometer** [spi'dɔmitə] *n* compteur *m* de vitesse ‖ ~**-reading** *n* lecture *f* rapide ‖ ~**way** *n* SP. [racing] piste *f* ‖ U.S. voie *f* express (highway) ‖ ~**y** *adj* rapide, prompt.

speleolog|ist [ˌspi:li'ɔlədʒist] *n* spéléologue *n* ‖ ~**y** *n* spéléologie *f*.

spell¹ [spel] *n* période courte (of cold/heat).

spell² *n* sortilège, charme *m*, incantation *f*, maléfice *m* ; *cast a ~ over sb*, jeter un sort à qqn || *~bound*, ensorcelé ; envoûté.

spell³ *vt* (spelled *or* spelt [spelt]) épeler (orally) ; écrire, orthographier (in writing) || [letters] former (word) || FIG. signifier, entraîner, impliquer || *~ er n be a good ~*, savoir l'orthographe || [book] abécédaire *m* || *~ing n* orthographe *f* ; *~ mistake*, faute *f* d'orthographe.

spell⁴ *vt* relayer (sb).

spend [spend] *vt* (spent [spent]) dépenser (money) || FIG. consumer ; épuiser || COLL. *~ a penny*, aller au petit coin (fam.) || *~ing n* dépenses *fpl* ; *~ money*, argent *m* de poche || *~ thrift* [-θrift] *adj* dépensier, prodigue ● *n* dépensier *n*, panier percé.

sperm [spə:m] *n* sperme *m* || *~ -whale n* cachalot *m*.

spew [spju:] *vt/vi* vomir.

spher|e [sfiə] *n* sphère *f* || FIG. domaine, champ *m* (of activity) || *~ ical* [ˈsferikl] *adj* sphérique.

spice [spais] *n* épice *f* || FIG. sel *m* ● *vt* épicer || FIG. pimenter.

spick-and-span [ˌspikənˈspæn] *adj* COLL. tiré à quatre épingles (person) ; bien astiqué (neat).

spicy [ˈspaisi] *adj* épicé, relevé (food) || FIG. salé, pimenté, grivois (story).

spider [ˈspaidə] *n* araignée *f* ; *~ (ʼs) web*, toile *f* d'araignée.

spike [spaik] *n* pointe *f* || piquant *m* (of barbed wire) ; pointe *f* (on running shoes) || *~ d* [-t] hérissé (hair) ; U.S. fortement alcoolisé ; *~ d shoes*, chaussures *fpl* à pointes. || BOT. épi *m* ● *vt* garnir de pointes (shoes).

spiky [ˈspaiki] *adj* hérissé de pointes/de piquants.

spill [spil] *vt* (spilled [spild] *or* spilt [spilt]) renverser, répandre (a liquid) || désarçonner (a horseman) — *vi* [liquid] se répandre || *~ over*, déborder ● *n* chute *f* (from horse, cycle) || FIG. trop-plein *m* ; surplus *m* (of population) || *~ over* excédent, trop-plein *m* || FIG. retombées *f pl*.

spin [spin] *vt* (spun [spʌn]) filer (wool) || faire tourner (a top) ; faire pivoter (object) ; *~ a coin*, jouer à pile ou face || FIG. *~ a yarn*, raconter une histoire || *~ out*, faire passer (the time) ; faire durer (one's money) ; prolonger (a holiday) — *vi* tourner, pivoter || [coin] tournoyer || *~ (along)*, rouler à toute allure || *~ round*, AUT. faire un tête à queue ● *n* tournoiement *m* || SP. [ball] effet *m* || AV. chute *f* en vrille || AUT. *go into a ~*, faire un tête à queue || [short trip] balade *f*.

spinach [ˈspinidʒ] *n* épinards *mpl*.

spinal [ˈspainl] *adj* spinal ; *~ column*, colonne vertébrale.

spindle [ˈspindl] *n* fuseau *m* || TECHN. axe, pivot *m*.

spin|-dry *vt* essorer || *~ -dryer n* essoreuse *f* centrifuge.

spine [spain] *n* épine dorsale, colonne vertébrale || BOT., ZOOL. piquant *m* || *~ less adj* ZOOL. invertébré || FIG. mou, sans caractère.

spinnaker [ˈspinəkə] *n* spinnaker *m* ; spi (fam.).

spinn|er [ˈspinə] *n* fileur *m* || *~ ing n* filature *f* || tournoiement *m*, rotation *f* || SP. pêche *f* au lancer || *~ -mill*, filature *f* ; *~ reel*, moulinet *m* ; *~ -wheel*, rouet *m*.

spin-off [ˈspinɔf] *n* conséquence avantageuse, retombée *f* || sous-produit *m* (by-product).

spinster [ˈspinstə] *n* célibataire *f* ; vieille fille (péj.).

spiny [ˈspaini] *adj* épineux.

spiral [ˈspaiərəl] *n* spirale *f* ● *adj* en spirale ; hélicoïdal.

spire [ˈspaiə] *n* flèche *f* (of a church) || TECHN. spire *f*.

spirit [ˈspirit] *n* esprit *m*, âme *f* (soul)

|| esprit, revenant *m* (ghost) || esprit *m*, disposition *f* (state of mind) || courage ; caractère *m* (courage) || *Pl* humeur *f*; *in good* ~*s*, de bonne humeur ; *in high/low* ~*s*, plein d'entrain/déprimé || REL. *Holy Spirit,* Saint-Esprit *m* || CH. *(Pl)* alcool *m* • *vt* animer, encourager || ~ *away,* faire disparaître, escamoter || ~**ed** [-id] *adj* vif, animé, plein d'entrain ; fougueux (horse) || ~**lamp/-stove** *n* lampe *f*/réchaud *m* à alcool || ~**ual** [-juəl] *adj* spirituel, immatériel • *n* chant religieux ; *(Negro)* ~, negro spiritual *m* || ~**ualism** [-juəlizm] *n* [belief] spiritisme *m* || ~**ist** *n* spirite *n.*

spirt = SPURT.

spit[1] [spit] *n* CULIN. broche *f*; *roast on the* ~, cuire à la broche.

spit[2] *vi/vt* (spat [spæt]) cracher • *n* crachat *m.*

spite [spait] *n* rancune, malveillance *f*; *out of* ~, par méchanceté || *in* ~ *of,* en dépit de, malgré || ~**ful** *adj* rancunier, méchant ; malveillant (remark) || ~**fulness** *n* méchanceté, malveillance *f.*

spittle [ˈspitl] *n* salive *f*, crachat *m.*

spittoon [spiˈtuːn] *n* crachoir *m.*

splash [splæʃ] *n* éclaboussement *m* (act) ; éclaboussure *f* (stain) ; clapotis *m* (of waves) ; tache *f* (of colour) || FIG. *make a* ~, faire sensation • *vt* éclabousser — *vi* ~ *about,* patauger || ~ *down,* ASTR. amerrir ; ~**down** *(n),* amerrissage *m* || ~**y** *adj* U.S. tape-à-l'œil.

splay [splei] *vi/vt* ARCH. (s')évaser || ~**ed** [-d] *adj* évasé.

spleen [spliːn] *n* MED. rate *f* || FIG. mauvaise humeur.

splen|did [ˈsplendid] *adj* splendide || ~**do(u)r** *n* splendeur *f.*

splice [splais] *n* épissure *f* • *vt* épisser || CIN. coller (a film).

splint [splint] *n* MED. éclisse, attelle *f* • *vt* éclisser || ~**er** *n* éclat *m* (sliver) ; écharde *f* (of wood) ; esquille *f* (of bone) || ~**-proof glass,** vitre *f* de

sécurité • *vt/vi* briser, (faire) voler en éclats.

split [split] *vt* (split) fendre (wood) || diviser, couper en deux (an apple) ; déchirer (fabric) || partager (share) ; ~ *the difference,* partager la différence || diviser (into groups) || PHYS. désintégrer (atom) ; ~ *up,* décomposer (light) || POL. U.S. ~ *one's vote,* panacher || ~ *hairs,* couper les cheveux en quatre ; ~ *one's sides (laughing),* se tordre de rire — *vi* ~ *(up),* se fendre || se diviser, se séparer ; [friends] se séparer, rompre • *n* [garment] fente *f*; déchirure *f* (tear) || [rock] fissure, crevasse *f* || FIG. rupture, scission *f* (in a group) || *Pl do the* ~*s,* faire le grand écart.

split|-level *adj* à deux niveaux ; ~ *flat,* duplex *m* || ~ *peas npl* pois cassés || ~ **personality** *n* double personnalité *f* || ~ **skirt** *n* jupe fendue.

splurge [spləːdʒ] *vi* COLL. dépenser sans compter ; faire des folies (*on,* en achetant).

splutter [ˈsplʌtə] *vt* [person] bredouiller — *vi* crachoter (spit) || [fire] crépiter.

spoil [spoil] *vt* (spoilt [-t] *or* spoiled [-d]) gâter, altérer (food) || gâter (a child) || gâcher (a piece of work) || [arch.] dépouiller, spolier — *vi* [goods] se gâter, s'avarier, s'abîmer || ~**s** [-z] *npl* dépouilles *fpl,* butin *m*; POL., U.S. ~**s system,** système *m* des dépouilles || ~**-sport** *n* rabat-joie, trouble-fête *m inv.*

spoke[1] [spəuk] *n* rayon *m* (of a wheel).

spoke[2], **spoken** → SPEAK.

spokesman [ˈspəuksmən] *n* porteparole *m.*

sponge [spʌndʒ] *n* éponge *f* • *vt* éponger — *vi* ~ *on sb,* vivre aux crochets de qqn || ~**-bag** *n* sac *m* de toilette || ~**-cake** *n* biscuit *m* de Savoie || ~**-cloth** *n* tissu-éponge *m* || ~**-rubber** *n* caoutchouc *m* Mousse.

spongy *adj* spongieux.

sponsor [´spɔnsə] *n* répondant *n* ‖ [club] parrain *m* ‖ RAD., T.V. commanditaire, annonceur *m* ‖ SP. sponsor *m* • *vt* se porter garant de, répondre de/pour ‖ [club] parrainer ‖ RAD. parrainer, offrir (programme) ‖ ~**ship** *n* parrainage *m* ‖ patronage *m*.

spontan|eity [ˌspɔntə´niːiti] *n* spontanéité *f* ‖ ~**eous** [spɔn´teinjəs] *adj* spontané.

spoof [spuːf] *vt* COLL. faire marcher, mener en bateau (fam.) • *n* parodie *f* ; canular *m* (fam.).

spool [spuːl] *n* [camera, etc.] bobine *f* ‖ [sewing-machine] canette *f*.

spoon [spuːn] *n* cuiller, cuillère *f* ‖ ~**-fed** *adj* choyé (child) ‖ ~**ful** *n* cuillerée *f*.

sport [spɔːt] *n* sport ; jeu *m* de plein air ; *do* ~, faire du sport ; *fond of* ~*s*, sportif ‖ amusement *m* ; *in* ~, pour rire/s'amuser ; *make* ~ *of*, se moquer de ‖ COLL. chic type *m* (fam.) • *vt* arborer, exhiber ‖ ~**ing** *adj* sportif ‖ FIG. a ~ *chance of winning*, une (bonne) chance de gagner.

sports [-s] *adj* sportif, de sport ‖ ~ **car** *n* voiture *f* de sport ‖ ~ **ground** *n* terrain *m* de sport ‖ ~**man** *n* amateur *m* de sport, sportif *m* ‖ ~**manlike** *adj* sportif ‖ ~**wear** *n* COMM. vêtements *mpl* de sport ‖ ~**woman** *n* sportive *f*.

spot [spɔt] *n* tache *f* (dirty mark) ‖ endroit, lieu *m* (site) ; *on the* ~, sur les lieux, sur place ‖ ~ *fine*, amende *f* à payer sur-le-champ ‖ bouton *m* (pimple) ‖ [whisky] a ~ *of*, une goutte de ‖ RAD., T.V. message *m* publicitaire • *vt* tacher, souiller (stain) ‖ repérer (pick out) ‖ ~**less** *adj* immaculé, impeccable ‖ ~**lessness** *n* propreté *f* ‖ ~**light** *n* projecteur, spot *m* ‖ FIG. *put the* ~ *on*, mettre en vedette ‖ FIG. mettre en vedette ‖ ~**-remover** *n* détachant *m*.

spot|ted [´spɔtid] *adj* tacheté, moucheté (fur, plumage) ‖ ~**ter** *n* MIL. guetteur, observateur *m* ‖ [schoolboy] *train-*~, passionné *n* de locomotives ‖ ~**ty** *adj* tacheté (skin).

spouse [spauz] *n* JUR. conjoint *n*.

spout [spaut] *n* [teapot] bec *m* ‖ [liquid] jet *m* • *vi* [liquid] jaillir ‖ [whale] souffler.

sprain [sprein] *n* MED. foulure, entorse *f* • *vt* ~ *one's ankle*, se fouler la cheville.

sprang → SPRING.

sprawl [sprɔːl] *vi* se vautrer, être affalé (in a chair) ‖ s'étaler (fall) ‖ [town] s'étaler ; [plant] ramper (over, sur).

spray¹ [sprei] *n* branche *f*, rameau *m* ; [flowers] gerbe *f*.

spray² *n* embruns *mpl* [drops] ‖ pulvérisation *f*, aérosol *m* (dispersion) ‖ bombe *f* aérosol, pulvérisateur *m* (atomizer) ; *nasal* ~, nébuliseur *m* ; ~**-can**, bombe *f* • *vt* vaporiser, pulvériser ; peindre au pistolet ‖ ~**er** *n* pulvérisateur *m* ‖ ~**-gun** *n* pistolet *m* (for painting).

spread [spred] *vt* (spread) étendre, étaler (cloth, butter) ‖ [bird] déployer (wings) ‖ CULIN. tartiner ‖ FIG. propager, répandre (knowledge, disease) ; colporter (news) ‖ ~ *around,* ébruiter — *vi* s'étendre, s'étaler ; [news, epidemics] se propager ; se répandre ; ~ *like wild fire,* se répandre comme une traînée de poudre ‖ [smile] s'épanouir ‖ FIG. ~ *out,* se développer • *n* étendue *f* ‖ [wings] envergure *f* ‖ [bed] ~, couvre-lit *m* ‖ MED. propagation *f* (of a disease) ‖ CULIN. pâte *f* à tartiner ‖ FIG. embonpoint *m* ‖ ~**-eagled** [ˌ´iːgld] *adj* bras et jambes écartés.

spree [spriː] *n* fête *f* ; *have a* ~, faire la fête.

sprig [sprig] *n* brin *m*.

sprightly [´spraitli] *adj* alerte ‖ vif.

spring [sprin] *vi* (sprang [spræn], sprung [sprʌn]) bondir, sauter, s'élancer ; ~ *to one's feet*, se lever d'un bond || [liquid] jaillir ; [water] sourdre, jaillir ; [plants] pousser || ~ *open,* s'ouvrir brusquement || FIG. provenir *(from,* de) — *vt* sauter, franchir (a ditch) || TECHN. faire jouer (a lock) ● *n* bond, saut *m* ; source *f* (of water) || élasticité *f* (resilience) || [season] printemps *m* || TECHN. ressort *m* || AUT. ~s, suspension *f* || FIG. source, origine *f* || ~-**board** *n* tremplin *m* || ~ **tide** *n* NAUT. marée *f* de vive eau || ~**time** *n* printemps *m* || ~-**water** *n* eau *f* de source || ~**y** *adj* élastique.

sprinkl|e [ˈsprɪŋkl] *vt* asperger, arroser (with water) || saupoudrer (with salt, sugar) ● *n* pincée *f* (of salt) || ~**er** *n* TECHN. arroseur *m* || ~**ing** *n* arrosage *m* ; ~-**rose,** pomme *f* d'arrosoir || saupoudrage *m*.

sprint [sprɪnt] *n* course *f* de vitesse, sprint *m* ● *vi* faire une course de vitesse || ~**er** *n* sprinter *m*.

sprite [spraɪt] *n* lutin *m*.

sprout [spraʊt] *n* pousse *f* ; rejeton *m* ; *Brussels* ~s, choux *mpl* de Bruxelles ● *vi* pousser, germer, poindre.

spruce[1] [spruːs] *n* BOT. épicéa *m*.

spruce[2] *adj* pimpant, soigné ● *vi/vt* ~ *(oneself) up,* se pomponner, se faire beau/belle.

sprung → SPRING *v.*

spry [spraɪ] *adj* vif, alerte.

spun → SPIN *v.*

spur [spəː] *n* éperon *m* || FIG. aiguillon *m* ; stimulant *m* ; *on the* ~ *of the moment,* sous l'inspiration du moment ● *vt* ~ *(on),* éperonner (horse) || FIG. encourager, inciter, aiguillonner.

spurious [ˈspjʊərɪəs] *adj* faux.

spurn [spəːn] *vt* repousser avec mépris ; rejeter.

spurt [spəːt] *vi* ~ *(out)* ; [liquid] gicler || SP. foncer ; piquer un sprint (fam.) ● *n* giclée *f,* jet *m* || SP. rush, sprint *m* || FIG. coup *m* de collier (at work) ; accès *m* (of anger).

sputter [ˈspʌtə] *vi* [fire] grésiller,

pétiller, crachoter || [person] bafouiller, bredouiller.

spy [spaɪ] *n* espion *m* ; ~ *novel,* roman *m* d'espionnage ● *vt* apercevoir — *vi* ~ *(upon),* espionner, épier || ~-**glass** *n* longue-vue, lunette *f* d'approche || ~-**hole** *n* judas *m* || ~**ing** *n* espionnage *m*.

squabble [ˈskwɔbl] *vi* se chamailler ● *n* chamaillerie, querelle *f.*

squad [skwɔd] *n* MIL. peloton *m* ; U.S. [infantry] groupe *m* || TECHN. équipe *f.*

squadron [ˈskwɔdrn] *n* MIL. escadron *m* || NAUT. escadre *f* || AV. escadrille *f.*

squalid [ˈskwɔlɪd] *adj* misérable, sordide.

squall [skwɔːl] *n* braillement *m* (cry) || bourrasque, rafale *f* (wind) || NAUT. grain *m* ● *vi* [baby] hurler, brailler.

squalor [ˈskwɔlə] *n* saleté, crasse *f* ; misère noire.

squander [ˈskwɔndə] *vt* dilapider, gaspiller || ~**er** [-rə] *n* gaspilleur *n.*

square [skwɛə] *n* carré *m* || case *f* (of a chessboard) || TECHN. équerre *f* ; *out of* ~, de travers || COLL. bourgeois *n* ● *adj* carré ; d'équerre ; à angles droits || ~ *dance,* quadrille *m* || copieux (meal) || MATH. ~ *root,* racine carrée || FIG. net, catégorique (uncompromising) ; franc, loyal (honest) || COLL. vieux jeu (person) ● *vt* rendre carré || quadriller (paper) || équarrir (timber) || MATH. élever au carré || FIN. balancer, régler (accounts) || FIG. acheter (bribe) ; mettre en accord *(with,* avec) || ~ *up,* payer (debt) ; COLL. arranger — *vi* s'accorder, cadrer, correspondre *(with,* avec) || ~ *off,* [boxer] se mettre en garde || ~ *up,* régler ses comptes avec qqn ; [boxer] = ~ OFF *(to sb,* devant qqn) || ~**ly** *adv* carrément || honnêtement (honestly).

squash[1] [skwɔʃ] *vt* écraser, aplatir ● *n* cohue *f* (crowd) || SP. squash *m* ● *vt* écraser ; aplatir || FIG. étouffer — *vi* s'entasser, se serrer *(into,* dans).

squash² *n* U.S. courgette *f.*

squat [skwɔt] *vi* se tenir accroupi ; ~ *down*, s'accroupir ‖ ZOOL. se tapir ‖ JUR. occuper illégalement (a flat) ● *adj* trapu ‖ ~**ter** *n* squatter *m.*

squaw [skwɔ:] *n* femme *f* peau-rouge.

squawk [skwɔ:k] *vi* pousser un cri rauque ‖ [baby] brailler ‖ COLL. râler, gueuler (pop.) [complain].

squeak [skwi:k] *vi* [mouse] pousser un cri aigu ‖ [hinge] grincer ● *n* petit cri aigu ‖ grincement *m.*

squeal [skwi:l] *vi* [mouse] = SQUEAK ‖ [pig] hurler ‖ [tyres] crisser ‖ SL. vendre la mèche, moucharder (fam.) ; ~ *on*, dénoncer (sb) ● *n* cri aigu/perçant.

squeamish [ˈskwi:miʃ] *adj* sujet aux nausées (person) ; délicat (stomach).

squeez|e [skwi:z] *vt* presser (orange) ; ~ *out*, exprimer (juice) ‖ serrer (hand) ; étreindre (in arms) ‖ FIG., COLL. soutirer, extorquer (money) ● *n* étreinte (of arms) ; pression *f* (of hands) ; cohue *f* (crowd) ‖ POL. politique *f* d'austérité ‖ COLL. extorsion *f* (of money) ; gratte *f* (fam.) [money] ‖ ~**er** *n* presse-citron *m.*

squelch [skweltʃ] *vt* écraser ; faire gicler ‖ COLL. clore le bec à.

squid [skwid] *n* calmar, encornet *m.*

squint [skwint] *n* strabisme *m* ● *vi* loucher ‖ ~ *through*, regarder en clignant des yeux ‖ ~**-eyed**, qui louche.

squire [ˈskwaiə] *n* propriétaire terrien ; châtelain *m.*

squirm [skwə:m] *vi* se tortiller, se tordre.

squirrel [ˈskwirl] *n* écureuil *m.*

squirt [skwə:t] *n* jet *m*, giclée *f* (of liquid) ● *vt/vi* (faire) gicler.

Sri Lanka [ˌsri:ˈlæŋkə] *n* Sri Lanka *m* ‖ ~**n** *adj/n* sri-lankais.

stab [stæb] *vt* poignarder ● *n* coup *m* (de poignard, etc.).

stabil|ity [stəˈbiliti] *n* stabilité, solidité *f* ‖ ~**ization** [ˌsteibilaiˈzeiʃn] *n* stabilisation *f* ‖ ~**ize** [ˈsteibilaiz] *vt* stabiliser.

stable¹ [ˈsteibl] *adj* stable (ladder) ‖ FIG. solide, équilibré.

stable² *n* écurie *f* ● *vt* mettre à l'écurie ‖ ~ **lad** *n* lad *m.*

stack [stæk] *n* AGR. meule *f* (of hay, etc.) ‖ pile *f* (heap) ‖ MIL. faisceau *m* ‖ ARCH. souche *f* (de cheminée) ‖ NAUT., RAIL. cheminée *f* ‖ *Pl* rayons, rayonnages *mpl* (bookshelves) ● *vt* mettre en meule ‖ empiler (pile up) ‖ MIL. mettre en faisceaux.

stadium [ˈsteidjəm] *n* stade *m.*

staff¹ [stɑ:f] *n* bâton (stick) ; hampe *f* (of flag) ‖ [group of workers] personnel *m ;* [school] personnel enseignant ‖ MIL. état-major *m* ● *vt* pourvoir en personnel.

staff², staves [-, ˈsteivz] *n* MUS. portée *f.*

stag [stæg] *n* cerf *m* ‖ ~**-party**, réunion *f* entre hommes ; *give a* ~**-party**, enterrer sa vie de garçon.

stage [steidʒ] *n* échafaudage *m* ‖ TH. scène *f* (platform) ; théâtre *m* (art) ; *go on the* ~, faire du théâtre ‖ [rocket] étage *m* ‖ étape *f* (journey) ; relais *m* (place) ‖ AUT. [bus route] *fare* ~, section *f* ‖ FIG. phase, période *f*, point, stade, palier *m* (in development) ; scène *f* (of action) ● *vt* mettre en scène, monter (play) ‖ FIG. organiser, monter ‖ ~**-coach** *n* HIST. diligence *f* ‖ ~ **door** *n* entrée *f* des artistes ‖ ~ **fright** *n* trac *m* ‖ ~**-hand** *n* machiniste *m* ‖ ~ **manager** *n* régisseur *m* ‖ ~ **whisper** *n* aparté *m.*

stagger [ˈstægə] *vi* chanceler, tituber, flageoler ‖ FIG. fléchir — *vt* faire chanceler ‖ FIG. stupéfier ‖ FIG. échelonner (payments) ; étaler (holidays, etc.) ● *n* allure chancelante ‖ ~**ing** [-riŋ] *n* [payments] échelonnement ; [holidays] étalement *m* ● *adj* chancelant ‖ FIG. stupéfiant, renversant ; époustouflant (fam.).

staging [ˈsteidʒiŋ] *n* TH. mise *f* en scène ‖ ARCH. échafaudage *m*.

stagn|ant [ˈstægnənt] *adj* stagnant, FIG. inactif ‖ ~**ate** [-eit] *vi* [water] stagner, croupir ‖ FIG. stagner ‖ ~**ation** [-eiʃn] *n* marasme *m*.

staid [steid] *adj* posé, sérieux.

stain [stein] *n* tache *f* (mark) ; *get* ~*s on*, faire des taches sur ● *vt* tacher ‖ teindre (wood) ‖ ~*ed-glass window*, vitrail *m* ‖ FIG. tacher, ternir — *vi* [material] se tacher facilement ‖ ~**less** *adj* inoxydable (steel) ; ~ *steel*, acier *m* inoxydable, inox *m* ‖ ~ **remover** *n* détachant *m*.

stair [stɛə] *n* marche *f* (step) ‖ *Pl* escalier *m* ; *flight of* ~*s*, étage *m* ‖ ~**case**, ~**way** *n* escalier *m* ‖ ~**well** *n* cage *f* d'escalier.

stake [steik] *n* pieu, poteau *m* ‖ HIST. bûcher *m* ‖ AGR. tuteur *m* ‖ FIG. enjeu *m* (bet) ; *play for high* ~*s*, jouer gros jeu ‖ *at* ~, en jeu ● *vt* étayer à l'aide de pieux ‖ ~ *(off)*, délimiter avec des piquets, jalonner ‖ FIG. jouer, miser ‖ ~ **out**, jalonner.

stalactite [ˈstæləktait] *n* stalactite *f*.

stalagmite [ˈstæləgmait] *n* stalagmite *f*.

stale [steil] *adj* rassis (bread) ‖ éventé (beer) ‖ confiné (air) ‖ COMM. défraîchi (goods) ‖ FIN. prescrit, périmé (cheque) ‖ FIG. éculé (joke) ; périmé (news) ● *vi* CULIN. s'éventer ‖ FIG. s'émousser.

stalemate [ˈsteilˈmeit] *n* [chess] pat *m* ‖ FIG. impasse *f*.

stalk¹ [stɔːk] *n* tige *f* ; queue *f* (of flower) ; trognon *m* (of cabbage).

stalk² *vt* SP. traquer — *vi* marcher majestueusement à grands pas ‖ ~**ing-horse** *n* FIG. paravent, prétexte *m*.

stall [stɔːl] *n* [stable] stalle *f* ‖ [market] étal, étalage, éventaire *m* ; [exhibition] stand *m* ‖ TH. *Pl* (fauteuils *mpl* d')orchestre *m* ● *vt* mettre à l'écurie (animal) ‖ AUT. caler (the engine) ‖ AV. mettre en perte de vitesse (aircraft) — *vi* AUT. [engine] caler ‖ AV. se mettre en perte de vitesse ‖ FIG. — *for time*, chercher à gagner du temps — *vt* ~ *off*, retenir (sb) [pour gagner du temps] ; retarder (sth) ‖ ~**ing** *n* AV. perte *f* de vitesse.

stallion [ˈstæljən] *n* étalon *m*.

stalwart [ˈstɔːlwət] *adj* robuste, vigoureux, bien charpenté.

stamina [ˈstæminə] *n* endurance, résistance *f*.

stammer [ˈstæmə] *vi* bégayer ‖ FIG. bredouiller, balbutier ● *n* bégaiement, bredouillage *m* ‖ ~**er** [-rə] *n* bègue *n*.

stamp [stæmp] *n* timbre *m* ; *(postage)* ~, timbre(-poste) *m* ; *new/used* ~, timbre neuf/oblitéré ; ~*-book*, carnet *m* de timbres ; ~*-collector*, collectionneur *n* de timbres ; ~*-machine*, distributeur *m* de timbres-poste ‖ [instrument] tampon *m* ‖ empreinte *f* ‖ JUR. estampille *f*, visa *m* ‖ COMM. estampille *f* ‖ TECHN. coin, poinçon *m* ‖ FIG. marque *f* ; nature, trempe *f* ● *vt* ~ *one's foot*, frapper du pied, trépigner ‖ imprimer (a design, etc.) ‖ timbrer, affranchir (a letter) ‖ ~, viser, estampiller (a document) ‖ TECHN. estamper, emboutir ‖ ~ **out**, éteindre (a fire) ; FIG. écraser (a rebellion) — *vi* taper du pied ‖ [horse] piaffer.

stampede [stæmˈpiːd] *n* débandade, ruée *f*, sauve-qui-peut *m*.

stamping [ˈstæmpiŋ] *n* trépignement, piétinement *m* ‖ timbrage, affranchissement *m*.

stance [stæns] *n* position, attitude *f*.

stanch [stɑːnʃ] = STAUNCH¹.

stand [stænd] *vi* (stood [stud]) se tenir debout (on one's feet) ‖ rester immobile (stationary) ; ~ *still*, rester tranquille ‖ demeurer ; ~ *fast*, tenir bon ‖ se trouver, être ; ~ *first*, être au premier rang ‖ *as matters* ~, au point où en sont les choses ‖ dépendre ; *it* ~*s to reason that*, il va sans dire que ‖ remplir la fonction

de ‖ [liquid] reposer ‖ CULIN. [tea] infuser ‖ AUT. stationner ‖ MIL. ~ *guard,* monter la garde ‖ ~ *against,* résister ‖ ~ *back,* reculer, s'écarter ‖ ~ *by,* se tenir prêt ; FIG. rester fidèle à (a promise) ; prendre le parti de (sb) ‖ ~ *down,* POL. se désister ‖ ~ *for,* remplacer ; représenter ; soutenir ; POL. représenter ; ~ *for Parliament,* se présenter aux élections ‖ ~ *in,* CIN. remplacer, doubler (an actor) ‖ ~ *off,* se tenir à l'écart ‖ ~ *out,* se détacher ; se profiler ; FIG. s'opposer, résister ‖ ~ *over,* être différé ‖ ~ *to,* tenir (one's word) ; ne pas abandonner ‖ ~ *up,* se lever ; ~ *up straight,* se redresser ; FIG. résister, tenir tête (to, à).
— *vt* mettre, placer (debout) ‖ endurer, supporter (the cold) ‖ ~ *one's ground,* ne pas lâcher pied, ne pas reculer ‖ ~ *a (good) chance,* avoir de grandes chances (of, de) ‖ COLL. ~ *sb a drink,* offrir/payer un verre à qqn ; ~ *sb up,* faire faux bond à ; poser un lapin à qqn (fam.) ‖ JUR. ~ *trial,* être jugé (for, pour).
● *n* aplomb *m* ; *take a firm* ~, se camper sur ses jambes ‖ position *f* ; *take one's* ~, se poster ‖ support, socle *m* (of lamp) ‖ [furniture] étagère *f* ‖ COMM. étal, stand *m* ‖ SP. *Pl* tribune *f* d'honneur ‖ AUT. *(cab)* ~, station *f* de taxis ‖ FIG. position *f* ; *take one's* ~ *on,* se fonder sur ‖ FIG. résistance *f* ; *make/take a* ~ *against,* résister à (sb) ; s'élever contre.

standard ['stændəd] *n* étendard *m* (flag) ‖ FIN. étalon *m* ; titre *m* (of a silver coin) ‖ FIG. niveau, degré *m* (of excellence) ; ~ *of living,* niveau *m* de vie ‖ FIG. modèle, critère *m* ; point *m* de vue ● *adj* normalisé, de série, standard ; courant ; classique ; ~ *time,* heure officielle ‖ ~**ization** [ˌstændədaiˈzeiʃn] *n* standardisation *f* ‖ ~**ize** *vt* normaliser ‖ ~ *lamp* *n* lampadaire *m*.

stand|by ['stændbai] *n* remplaçant *n* ‖ AV. *be put on* ~, être mis en liste d'attente ● *adj* de réserve/ secours ‖ AV. sans réservation (pas-

senger) ‖ ~**-in** *n* remplaçant *n* ‖ CIN. doublure *f.*

standing ['stændiŋ] *n* durée *f* ; *a friend of long* ~, un ami de longue date ‖ position *f,* rang *m* ‖ importance, considération *f* ‖ *in good* ~, en règle ‖ AUT. *no* ~, défense de stationner ● *adj* debout ‖ ~ *room,* place *f* debout ‖ permanent ; [bank] ~ *order,* virement *m* automatique ‖ AUT. en stationnement ‖ SP. ~ *jump,* saut *m* sans élan ‖ MIL. permanent (army) ‖ FIN. ~ *expenses,* frais généraux.

stand|offish [ˌ-ˈɔfiʃ] *adj* distant, réservé ‖ ~**-point** ['stænpɔint] *n* point *m* de vue ‖ ~**still** ['stænstil] *n* arrêt *m* ; *come to a* ~, s'immobiliser ‖ COMM. stagnation *f.*

stand-up *adj* droit (collar) ‖ debout (lunch).

stank → STINK.

staple[1] [steipl] *adj* de base, principal (product) ● *n* produit *m* de base, matière première ‖ [food] base *f.*

stapl|e[2] [steipl] *n* crampon *m* (nail) ; agrafe *f* (wire) ● *vt* agrafer, brocher ‖ ~**er** *n* agrafeuse *f.*

star [stɑ:] *n* étoile *f,* astre *m* ‖ CIN. étoile, vedette, star *f* ; ~ *system,* vedettariat *m* ‖ [typography] astérisque *m* ‖ AUT. *two-*~ *(petrol),* [essence *f*] ordinaire *m* (fam.) ; *four-*~ *(petrol),* super *m* (fam.) ● *vt* étoiler, consteller ‖ *vt* CIN. être la vedette ; *(vt)* ~*ring X,* avec X.

starboard ['stɑ:bəd] *n* tribord *m.*

starch [stɑ:tʃ] *n* amidon *m* ‖ empois *m* (paste) ‖ CULIN. fécule *f* ● *vt* amidonner, empeser ‖ ~**y** *adj* féculent, farineux ; ~ *foods,* féculents *mpl* ‖ FIG. guindé.

stardom ['stɑ:dəm] *n* CIN. célébrité *f.*

stare [stɛə] *vt* regarder fixement ; ~ *sb in the face,* dévisager qqn ‖ FIG. *that* ~*s you in the face,* cela vous crève les yeux — *vi* ~ *at,* fixer du regard ● *n* regard *m* (fixe).

starfish ['stɑ:fiʃ] *n* étoile *f* de mer.

stark [stɑːk] *adj* raide, rigide ‖ pur, absolu (utter) ● *adv* ~ **mad/naked**, complètement fou/nu ‖ ~**ers** [-əz] *adj* COLL. à poil (fam.).

starling ['stɑːliŋ] *n* étourneau, sansonnet *m*.

starry ['stɑːri] *adj* étoilé.

start [stɑːt] *vi* ~ *(up)* ; sursauter, se lever brusquement ‖ partir (*for*, pour) ; ~ *on a journey*, partir en voyage ‖ ~ *(off)*, [car] démarrer ‖ ~ *out*, se mettre en route — *vt* commencer, se mettre à ; ~ *again*, recommencer ‖ ~ *(up)*, faire démarrer, mettre en marche, lancer (a machine) ‖ COMM. lancer (a business) ‖ SP. [hunting] lever (hare, etc.) ‖ FIG. entamer (a conversation) ; ~ *a family*, fonder une famille ● *n* tressaillement, sursaut *m* ; *by fits and* ~*s*, par à-coups ‖ départ, début *m* ‖ TECHN. démarrage *m* ‖ SP. avance *f*; *give sb 10 metres'* ~, donner 10 mètres d'avance à qqn ‖ ~**er** *n* AUT. démarreur *m* ‖ SP. starter *m* ‖ CULIN., COLL. hors-d'œuvre *m inv* ‖ FIG. initiateur *n* ‖ ~**ing** *n* démarrage *m* ‖ départ, début *m* ; ~-**point**, point *m* de départ.

startl|e ['stɑːtl] *vt* faire tressaillir, effrayer ‖ ~**ing** *adj* saisissant, sensationnel (news).

starv|ation [stɑːˈveiʃn] *n* famine, inanition *f* ‖ ~**e** [stɑːv] *vi* souffrir de la faim ; ~ *(to death)*, mourir de faim ; COLL. *I'm starving*, je meurs de faim — *vt* affamer ‖ ~**ing** *adj* famélique.

stash [stæʃ] *vt* COLL. ~ *(away)*, cacher ; planquer (fam.).

state [steit] *n* état *m* (condition) ‖ rang *m* (status) ‖ apparat *m*, pompe *f* (ceremony) ‖ JUR. État *m* (nation) ; *the United States*, les États-Unis *mpl* ‖ U.S. *State Department*, ministère *m* des Affaires étrangères ‖ ~ *visit*, visite officielle ‖ POL. ~ *of siege*, état *m* se siège ● *vt* déclarer (say) ‖ exposer, formuler (express) ‖ décliner (one's name) ‖ indiquer (mark) ‖

~-**controlled** *adj* étatisé ‖ ~**less** *adj* apatride ; ~ *person*, apatride *n*.

stately *adj* majestueux, imposant.

statement [ˌsteitmənt] *n* déclaration *f* ‖ exposition, formulation *f* (of facts) ‖ *(bank)* ~, relevé *m* (de compte) ‖ JUR. déposition *f* ‖ INF. instruction *f*.

state-owned ['-əund] *adj* étatisé, nationalisé.

stateroom *n* NAUT. cabine *f*.

statesman ['steitsmən] *n* homme *m* d'État.

static ['stætik] *adj* statique ‖ ~**s** [-s] *npl* RAD. parasites *mpl*.

station ['steiʃn] *n* poste *m*, place *f*; *take up one's* ~, prendre son poste ‖ RAD. station *f*, poste *m* ‖ RAIL. gare *f*, station *f*; ~-**master**, chef *m* de gare ‖ AUT., U.S. ~-**wagon**, break *m* ‖ REL. station *f* ‖ FIG. position *f*, rang *m* ; condition *f* (social) ● *vt* poster ‖ ~**ary** [-əri] *adj* stationnaire, fixe ; à l'arrêt.

stationer ['steiʃnə] *n* papetier *n* ; ~'*s shop*, papeterie *f* ‖ ~**y** [-ri] *n* fournitures *fpl* de bureau ‖ papier *m* à lettres.

statis|tical [stəˈtistikl] *adj* statistique ‖ ~**tician** [ˌstætisˈtiʃn] *n* statisticien *n* ‖ ~**tics** [stəˈtistiks] *n* statistique *f*.

statuary ['stætjuəri] *adj/n* statuaire (*f*).

statue ['stætjuː] *n* statue *f*.

stature ['stætʃə] *n* stature *f*.

status ['steitəs] *n* position sociale ‖ prestige *m* ; ~ *symbol*, marque *f* de standing ‖ JUR. statut *m* ; état civil.

status quo [ˌsteitəsˈkwəu] *n* statu quo *m*.

statute ['stætjuːt] *n* JUR. ~ *law*, loi *f* (écrite) ‖ *Pl* statuts *mpl* ‖ ~-**book** *n* code *m*.

staunch¹ [stɔːnʃ] *vt* contenir, arrêter (flow) ‖ étancher (blood).

staunch² *adj* ferme, solide.

stave [steiv] *n* MUS. portée *f* ● *vt*

~ **in,** défoncer ‖ ~ **off,** écarter (danger) ; éviter (disaster) ; tromper [hunger].

stay¹ [stei] n support m ‖ NAUT. hauban m ‖ FIG. soutien m ● vt étayer (support).

stay² n séjour m ‖ JUR. sursis m ● vi demeurer, habiter ; ~ **home,** rester à la maison ; ~ **at a hotel,** loger à l'hôtel ; **have sb ~ for/to dinner,** garder qqn à dîner ‖ FIG. tenir, persévérer — vt arrêter (progress) ; apaiser (hunger) ‖ JUR. différer ‖ ~**-at-home** **(adj/n),** casanier ‖ ~ **away,** être absent ; s'absenter ‖ ~ **in,** rester chez soi ; [school] être en retenue ‖ ~ **out,** rester dehors, ne pas rentrer ‖ ~ **put,** ne pas bouger ‖ ~ **up,** veiller, ne pas se coucher ‖ ~**er** n Sp. coureur m qui a de l'endurance ‖ ~**ing power** n endurance f.

STD n Tél. (= SUBSCRIBER TRUNK DIALLING) Fr. automatique m.

stead [sted] n in sb's ~, à la place de qqn ; **stand sb in good ~,** être très utile à qqn ‖ ~**fast** [-fɑːst] adj ferme, résolu ‖ ~**constant** ‖ ~**ily** adv fermement ; constamment ; régulièrement ‖ ~**iness** n fermeté, stabilité, régularité, persévérance f.

steady [ˈstedi] adj stable, fixe, ferme (object) ‖ régulier, continu, constant, ininterrompu (movement, etc.) ‖ régulier, persévérant (worker) ‖ attiré (friend) ● vi reprendre son aplomb (regain balance) ‖ FIG. s'assagir (become settled) — vt stabiliser ; ~ **oneself,** reprendre son aplomb ‖ caler (wedge) ‖ FIG. équilibrer ● adv **go ~ with,** sortir avec.

steak [steik] n Culin. bifteck m ; tranche f (of fish/meat) ‖ ~ **house,** rôtisserie f.

steal [stiːl] vt (stole [stəul], stolen [ˈstəuln]) voler ; dérober (sth) ‖ FIG. ~ **a glance,** regarder à la dérobée ‖ Coll. ~ **a march on sb,** prendre qqn de vitesse, devancer qqn — vi aller à pas de loup, se glisser furtivement.

stealth [stelθ] n **by ~,** à la dérobée

‖ ~**ily** adv furtivement, à pas de loup ‖ ~**y** adj furtif.

steam [stiːm] n vapeur f ‖ buée f (on window) ● vi dégager de la vapeur, fumer — vt passer à la vapeur, cuire à l'étuvée ; ~ **up,** couvrir de buée ‖ ~**boat** n = ~**ship** ‖ ~**-engine** n machine f à vapeur ; [locomotive] locomotive f à vapeur ‖ ~**er** n = ~**ship** ‖ ~**ship** n bateau m à vapeur, paquebot m.

steel [stiːl] n acier m ‖ Mil. **with cold ~,** à l'arme blanche ‖ Techn. fusil m (for sharpening knives) ● vt aciérer ‖ FIG. cuirasser ‖ ~ **wool** n paille f de fer ‖ ~**-works** n aciérie f ‖ ~**y** adj d'acier ‖ FIG. dur (comme l'acier) ; ~ **blue,** bleu acier ‖ ~**yard** n balance romaine.

steep¹ [stiːp] adj à pic ; escarpé ; raide ● n escarpement, à-pic m.

steep² vt tremper ; (faire) infuser ‖ FIG. plonger.

steeple [ˈstiːpl] n clocher m.

steer¹ [stiə] n bouvillon m.

steer² vt diriger, conduire (a vehicle) ‖ Naut. gouverner — vi [ship] se diriger ; ~ **for,** cingler vers ‖ FIG. ~ **clear of,** éviter ‖ ~**ing** [-riŋ] n manœuvre, conduite f ‖ Aut. ~**-lock,** antivol m ; ~**-wheel,** volant m ; Naut. roue f du gouvernail ‖ ~**sman** [-zmən] n timonier m.

stem¹ [stem] n tige f (of flower) ; queue f (of fruit) ‖ tuyau m (of tobacco pipe) ‖ pied m (of a glass) ‖ Naut. étrave f.

stem² vt arrêter, contenir (flow) ; endiguer (stream) ; aller contre (tide) — vi résulter, découler, provenir (from, de).

stench [stenʃ] n puanteur f.

stencil [ˈstensl] n pochoir m ‖ [typewriting] stencil m ● vt polycopier.

stenograph|er [steˈnɔgrəfə] n sténographe n ‖ ~**y** sténographie f.

stenotype [stenəˈtaip] sténotype f.

step¹ [step] *n* pas *m* ; ~ **by** ~, pas à pas ; *with measured* ~s, à pas comptés ; *be in/out of* ~, être/ne pas être au pas ; *keep/break* ~, marcher au/rompre le pas || marche *f* (of stairs) ; échelon *n* (of ladder) ; marchepied *m* (of a vehicle) || *Pl* escalier *m* ; *flight of* ~s, perron *m* ; escabeau *m* (step-ladder) || MIL. *quick* ~, pas accéléré || FIG. démarche *f*; *false* ~, pas de clerc || FIG. mesure *f*; *take* ~s, prendre des dispositions ● *vi* faire un pas ; marcher || ~ **aside**, s'écarter, se ranger ; ~ **back**, reculer || ~ **in**, entrer ; FIG. intervenir || ~ **on**, AUT., COLL. ~ *on the gas*, mettre les gaz ; ~ *on it !*, COLL. grouillez-vous ! || ~ **out**, allonger le pas (hurry) — *vt* ~ **out**, mesurer (en comptant les pas) || ~ **up**, activer (work) ; intensifier (efforts) ; augmenter (production) || ~-**ladder** *n* escabeau *m*.

step² *pref* ~**brother** [ˈstep, brʌlə] *n* demi-frère *m* || ~**daughter** *n* belle-fille *f* || ~**father** *n* beau-père *m* || ~**mother** *n* belle-mère *f* || ~**sister** *n* demi-sœur *f* || ~**son** *n* beau-fils *m*.

stereo [ˈstiəriəu] *abbrev* (= STEREO-PHONIC) ~ *system*, chaîne *f* stéréo || ~**phonic** [ˌstiəriəˈfɔnik] *adj* stéréophonique || ~**phony** [-ˈɔfəni] *n* stéréophonie *f*.

ster\|ile [ˈsterail] *adj* stérile || ~**ility** [steˈriliti] *n* stérilité *f* || ~**ilize** [ˈsterilaiz] *vt* stériliser.

sterling [ˈstəːliŋ] *adj* de bon aloi (gold, silver).

stern¹ [stəːn] *n* NAUT. arrière *m*.

stern² *adj* sévère, strict (person, face) || ~**ness** *n* sévérité *f*; dureté *f*.

stethoscope [ˈsteθəskəup] *n* stéthoscope *m*.

stevedore [ˈstiːvidɔː] *n* débardeur, docker *m*.

stew [stjuː] *n* CULIN. ragoût *m* || ~-**pan**, fait-tout *m*, cocotte *f* ● *vt* cuire à l'étouffée ; ~*ed fruit*, compote *f* de fruits.

steward [ˈstjuəd] *n* régisseur, inten-dant *m* || maître *m* d'hôtel (in a club) || AV. steward *m* || ~**ess** *n* AV. hôtesse *f*.

stick [stik] *vt* (stuck [stʌk]) enfoncer (a knife) ; piquer (a pin) || ficher, planter (on a spike) || coller (a stamp) || *get stuck*, se coincer || ~ **out**, tirer (one's tongue) || ~ **up**, afficher (a bill) ; COLL. ~ '*em up !*, haut les mains ! ; SL. ~ *up a bank*, braquer une banque (arg.) ; ~-**up** *(n)*, SL. braquage *m* (arg.) — *vi* [knife] s'enfoncer, se ficher || [stamp] se coller || CULIN. attacher || AUT. s'embourber, s'enliser || ~ **out**, dépasser, faire saillie || ~ **to**, s'accrocher à, ne pas démordre de ; ne pas en tenir à || ~ **up**, se dresser ● *n* petit rameau, branche *f* || brindille *f*, bois sec (for fuel) || *(walking)* ~, canne *f* || [hockey] cross *f* || ~**er** *n* autocollant *m* || ~**ing** *adj* collant ; ~-**plaster**, sparadrap *m* || ~-**in-the-mud** *adj* encroûté || ~**ler** [-lə] *n* partisan *m* farouche ; personne tatillonne ; ~-**on** *adj* autocollant, adhésif || ~**y** *adj* poisseux, ; gluant, collant (substance) || gommé ; ~ *tape*, ruban adhésif || COLL. délicat (situation) || peu accommodant (person).

stiff [stif] *adj* raide (joint, leg) ; ankylosé ; *get* ~, s'ankyloser ; ~ *neck*, torticolis *m* || dur (collar) ; rigide (body) ; ankylosé (joint) || difficile (task) || raide (slope) || fort (breeze, drink) || élevé (price) || CULIN. ferme (paste) || FIG. opiniâtre (resistance) ; guindé (manners) || ~**en** *vt* raidir, rendre rigide || raffermir (muscles) || empeser (a shirt-front) || CULIN. corser (a drink) ; lier (a sauce) — *vi* se raidir || ~-**necked** [-ˈnekt] *adj* entêté, opiniâtre || ~**ness** *n* raideur, rigidité *f* || FIG. obstination *f*.

stifl\|e [ˈstaifl] *vt* étouffer, réprimer (lit. and fig.) — *vi* suffoquer || ~**ing** *adj* étouffant (heat).

stiletto [stiˈletəu] *n* stylet *m* || ~-**heels**, talons *mpl* aiguilles.

still¹ [stil] *n* alambic *m*.

still² adv encore, toujours ● conj cependant, néanmoins.

still³ adj calme, immobile, tranquille ‖ silencieux (silent) ; ~ **life,** nature morte ‖ ~**-born,** mort-né ● n CIN.photographie f (de presse) ● vt calmer, apaiser ‖ ~**ness** n calme, silence m ‖ immobilité f.

stilt [stilt] n échasse f ‖ ~**ed** [-id] adj FIG. compassé.

stimul|ant [ˈstimjulənt] n/adj stimulant (m) ‖ ~**ate** [-eit] vt stimuler, aiguillonner ‖ ~**ation** [ˌstimjuˈleiʃn] n stimulation f ‖ ~**us** [-əs] n stimulus m.

sting [stiŋ] n ZOOL. aiguillon, dard m (organ) ; piqûre f (wound) ‖ [pain] douleur cuisante ‖ SL. arnaque f (arg.) ● vt (stung) [stʌŋ]) [insect] piquer ‖ FIG. piquer (au vif) [sb] ‖ COLL. rouler (fam.) ; arnaquer (arg.) — vi piquer, cuire.

sting|iness [ˈstinʒinis] n avarice, ladrerie f ‖ ~**y** adv ladre, pingre.

stink [stiŋk] vi (stank [stæŋk], stunk [stʌŋk]) puer ‖ ~**ing** adj puant ‖ SL. a ~ **cold,** un sale rhume ● adv SL. ~ **rich,** bourré de fric (fam.).

stint [stint] vt mesurer, rationner ‖ ~ **oneself,** se priver (of, de), se refuser (sth, qqch) ● n **without** ~, sans compter, largement ‖ tâche f ; part f de travail.

stipulat|e [ˈstipjuleit] vt/vi stipuler ‖ ~**ion** [ˌstipjuˈleiʃn] n stipulation, clause f.

stir [stə:] vt remuer, mouvoir (a limb) ‖ agiter (a liquid) ‖ attiser (the fire) ‖ FIG. exciter, troubler, émouvoir (opinion) ‖ ~ **up,** remuer, agiter ; FIG. provoquer (sth) ; secouer (sb) ; susciter, provoquer (sth) ● n mouvement m, agitation f ‖ FIG. sensation f (excitement) ‖ ~**ring** [-riŋ] adj remuant (person) ‖ FIG. émouvant (speech) ‖ passionnant (exciting).

stirrup [ˈstirəp] n étrier m.

stitch [stitʃ] n [sewing] point m ; [knitting] maille f ‖ [pain] point m de

côté ‖ MED. point m de suture ● vt piquer, coudre (sew) ‖ ~ (**up**), recoudre (mend) ; MED. suturer.

stoat [stəut] n hermine f (animal).

stock [stɔk] n souche ; bûche f (of a tree) ‖ BOT. girofiée f ‖ CULIN. consommé m ; ~ **cube,** bouillon m cube ‖ TECHN. manche m (of a tool) ‖ COMM. matière première (raw material) ; approvisionnement, stock m, réserve f (supply) ; ~**-in-trade,** marchandises fpl en stock ; **out of** ~, épuisé ; **take** ~, faire l'inventaire ‖ FIN. valeurs, actions fpl ; **Stock Exchange,** Bourse f des valeurs ‖ AGR. (live) ~, cheptel m ‖ NAUT. Pl chantier m, cale f (de construction) ‖ FIG. souche f (of a family) ● adj COMM. de série ; ~**size,** taille courante ‖ FIG. banal ; ~ **phrase,** cliché m ● vt fournir, approvisionner (a shop) ; stocker (goods) ; avoir en stock ‖ FIG. meubler (one's memory).

stockade [stɔˈkeid] n palissade f.

stock|-broker [ˈstɔkˌbrəukə] n agent m de change ‖ ~**-farm** n ferme f d'élevage ‖ ~**-holder** n U.S. = SHAREHOLDER.

stocking [ˈstɔkiŋ] n bas m ; a pair of ~s, une paire de bas.

stockpiling [ˈstɔkpailiŋ] n stockage m.

stock-still cloué sur place.

stocktaking n inventaire m.

stocky [ˈstɔki] adj trapu.

stockyard [ˈstɔkyɑːd] n parc m à bestiaux.

stodgy [ˈstɔdʒi] adj [food] pâteux ; bourratif (fam.) ‖ FIG. indigeste (book).

stoic [ˈstəuik] n/adj stoïque.

stok|e [stəuk] vt chauffer (a boiler) ; charger (furnace) ‖ ~**er** n RAIL., NAUT. chauffeur m.

stole, stolen → STEAL.

stolid [ˈstɔlid] adj flegmatique.

stomach [ˈstʌmək] n estomac m ; **on an empty** ~, à jeun ‖ COLL. ventre *m* (belly) ● *vt* digérer ‖ Fig. supporter ‖ **~-ache** *n* mal *m* d'estomac.

stone [stəun] *n* pierre *f*, caillou *m* (pebble) ; *loose ~s*, rocaille *f* ‖ *precious ~*, pierre précieuse ‖ [fruit] noyau *m* ‖ [hail] grêlon *m* ‖ [weight] → p XXIII. ‖ Med. calcul *m* ● *vt* lapider ‖ dénoyauter (fruit) ‖ **~d,** Sl. bourré (arg.) [drunk] ‖ **~-dead** *adj* raide mort ‖ **~-deaf** *adj* sourd comme un pot ‖ **~-pit** *n* carrière *f* de pierre ‖ **~ware** *n* grès *m* ‖ poterie *f* de grès ‖ **~work** *n* maçonnerie *f*.

stony ['stəuni] *adj* pierreux ‖ **~-broke** *adj* Coll. complètement fauché (fam.).

stood → STAND.

stooge [stu:dʒ] *n* Th. faire-valoir *m*.

stool [stu:l] *n* tabouret *m* ‖ Med. *go to ~*, aller à la selle ‖ **~-pigeon** *n* appeau *m* (decoy) ‖ Fig. indicateur, mouchard *n*.

stoop¹ [stu:p] *vi* se courber, se baisser ‖ Fig. s'abaisser (morally) ● *n* dos rond/voûté ‖ **~ing** *adj* voûté.

stoop² *n* U.S. porche *m*, véranda *f*.

stop [stɔp] *vt* arrêter, stopper (a movement) ; *~ thief !,* au voleur ! ‖ cesser (work) ‖ empêcher (*from,* de) ‖ boucher (hole) ; obstruer, combler (a gap) ; *~ up a leak,* aveugler une voie d'eau ‖ couper (gas, etc.) ‖ supprimer (allowance) ‖ Fin. suspendre (payment) ‖ Med. plomber (a tooth) — *vi* cesser (doing sth) ‖ [car, person, train] s'arrêter (*at,* à) ; *~ dead/short,* s'arrêter brusquement ‖ Phot. *~ down,* diaphragmer ‖ rester ; *~ at a hotel,* loger à l'hôtel ‖ *~ off,* s'arrêter (on journey) ‖ *~ over,* s'arrêter, faire escale, descendre (*at,* à) ‖ *~ up,* veiller (*late,* tard) ● *n* arrêt *m* (act) ; *come to a ~,* s'arrêter ‖ [bus] arrêt *m* ‖ Mus. [clarinet] clé *f* ; [organ] jeu *m* ‖ Fig. *pull out all the ~s,* faire tous ses efforts ; en mettre un coup (pop.) ‖ Gramm. point *m* ‖ Phot. diaphragme *m* ‖ Techn. butée *f* ‖ **~-gap** *n* Fig. bouche-trou *m*. ‖ **~-off** *n* courte

halte ‖ **~-over** *n* halte *f*; [long journey] escale *f* ‖ Av. voyageur *n* en transit.

stopp|age [-idʒ] *n* interruption *f*, arrêt *m* ; *~ of work,* arrêt du travail, débrayage *m* ‖ [pipe] engorgement *m* ‖ [firm] cessation *f* (of pay) ‖ **~per** *n* bouchon *m* ‖ [bath] bonde *f* ‖ **~ping** *n* [tooth] plombage *m* ‖ **~-press (news)** *n* (nouvelles *fpl* de) dernière heure ‖ **~-watch** *n* chronomètre *m*.

storage ['stɔ:ridʒ] *n* emmagasinage, entreposage *m* ‖ **~-space,** espace *m* de rangement ‖ [building] garde-meuble *m* ‖ Inf. (mise *f* en) mémoire *f* ‖ Electr. (*~*) *battery,* accumulateur *m* ; **~-heater,** radiateur *m* à accumulation.

store [stɔ:] *n* provision, réserve *f* ‖ [computer] mémoire *f* ‖ [building] entrepôt, magasin *m* (ware-house) ; *put in ~,* mettre au garde-meuble ‖ Comm., U.S. boutique *f*, magasin *m* (shop) ; G.B. *(department) ~,* (grand) magasin *f* ‖ Fig. *have (sth) in ~ for sb,* réserver qqch à qqn ‖ *set great ~ by,* faire grand cas de ● *vt* mettre en réserve ‖ emmagasiner ‖ approvisionner ‖ Inf. mémoriser ‖ **~-house** *n* magasin *m* ‖ **~-room** *n* réserve, resserre *f* ‖ Naut. cambuse *f* ‖ Av. soute *f*.

storey ['stɔ:ri] *n* étage *m* ‖ **~ed** [-d] *adj* a *six-~ building,* un immeuble à six étages.

stork [stɔ:k] *n* cigogne *f*.

storm [stɔ:m] *n* orage *m ;* tempête *f* (wind) ‖ Mil. assaut *m* ● *vt* Mil. emporter, prendre d'assaut — *vi* [wind, rain] faire rage ‖ Fig. tempêter ‖ Mil. [troops] monter à l'assaut ‖ **~-lantern** *n* lampe *f* tempête ‖ **~-window** *n* double fenêtre *f* ‖ **~y** *adj* orageux (weather) ; tempétueux, violent (wind) ; démonté, en furie (sea) ‖ Fig. orageux (meeting).

story¹ ['stɔ:ri] *n* U.S. = STOREY.

story² *n* histoire *f*, récit *m* ; *short ~,* nouvelle *f* ‖ Fig. rumeur *f ; as the*

~ *goes,* d'après ce qu'on raconte ‖ papier, article *m* (in a newspaper) ‖ ~**-teller** *n* conteur *n* ‖ Fig. menteur *n* (fibber).

stoup [stu:p] *n* bénitier *m.*

stout [staut] *adj* solide, fort (shoes, etc.) ‖ corpulent, gros (fat) ‖ Fig. vaillant, résolu (brave) ● *n* bière brune, stout *m* ‖ ~**ly** *adv* solidement ‖ résolument.

stove [stəuv] *n* poêle *m* (for heating) ; fourneau *m* (for cooking) ‖ [camping] réchaud *m* ‖ ~**-pipe** *n* tuyau *m* de poêle.

stow [stəu] *vt* ranger ‖ Naut. arrimer ‖ ~**age** *n* Naut. arrimage *m ;* frais *mpl* d'arrimage (charge) ‖ ~**away** [ˈstəuəwei] *n* passager clandestin.

straddle [ˈstrædl] *vt* enfourcher (a horse) ; chevaucher, être à califourchon (on a chair) ; enjamber (a ditch) ‖ Mil. encadrer (a target) ● *n* écartement, chevauchement *m.*

strafe [stra:f] *vt* mitrailler, bombarder.

straggl|e [ˈstrægl] *vi* traîner, rester en arrière ‖ se disperser, s'éparpiller ‖ ~**er** *n* traînard *n* ‖ ~**ing** *adj* disséminé, épars.

straight [streit] *adj* droit ; *in a ~ line,* en ligne droite ‖ d'aplomb (picture) ‖ en ordre (room) ‖ Fig. *put things ~,* arranger les choses ‖ loyal, honnête (person) ; franc (answer) ‖ sec (whisky) ● *adv* (tout) droit, en ligne droite, directement ‖ tout de suite ‖ ~ *ahead,* tout droit ‖ ~ *away,* sur-le-champ, tout de suite ‖ ~ *on,* tout droit ‖ ~ *out,* carrément ‖ ~**en** *vt* ~ *(out),* redresser ‖ Fig. mettre en ordre (a room) — *vi* ~ *(up),* se redresser ‖ ~**forward** *adj* direct, droit, franc, sans détour ‖ ~**ness** *n* franchise *f.*

strain [strein] *vt* tendre (a rope) ‖ serrer (sb) ‖ tendre (one's ears) ; forcer (one's voice) ‖ ~ *one's eyes,* s'abîmer les yeux ; ~ *oneself,* se surmener ‖ Sp. ~ *a muscle,* se

claquer un muscle ‖ Culin. passer (a liquid) ; (faire) égoutter (with a strainer) ‖ Fig. forcer (the meaning) ; abuser de (one's powers) — *vi* faire des efforts ; peiner ; ~ *at,* pousser/tirer de (toutes ses forces) ● *n* tension *f ;* effort *m* ‖ surmenage *m* (overwork) ; fatigue (nerveuse) [tiredness] ‖ Med. entorse, foulure *f* ‖ *Pl* Mus. accents *mpl* ‖ ~**ed** [-d] *adj* tendu (relations) ‖ fatigué (eyes, face) ‖ ~**er** *n* Culin. passoire *f.*

strait [streit] *n (Pl)* Geogr. détroit *m ; the Straits of Dover,* le pas de Calais ‖ *Pl* Fig. situation *f* difficile ‖ ~**ened** [-ənd] *adj in ~ circumstances,* dans la gêne.

strait-jacket *n* camisole *f* de force ‖ ~**-laced** [-ˈleist] *adj* collet monté.

strand [strænd] *n* grève *f* (beach) ● *vi/vt* (s')échouer ‖ Fig. *be ~ed,* être en panne.

strange [streinʒ] *adj* étrange, bizarre (queer) ‖ *truth is ~r than fiction,* la réalité dépasse la fiction ‖ *feel ~,* se sentir dépaysé ‖ étranger ; nouveau (to the world) ; inconnu (person) ‖ ~**ly** *adv* étrangement ‖ ~**ness** *n* étrangeté *f.*

stranger [ˈstreindʒə] *n* inconnu *n* ‖ [in a new place] *I'm a ~ here,* je ne suis pas d'ici.

strangle [ˈstrængl] *vt* étrangler.

strap [stræp] *n* courroie, lanière, sangle *f* ‖ ~ *beard,* collier *m* ● *vt* sangler.

strapping [ˈstræpiŋ] *adj* bien découplé/charpenté ; solide.

stratagem [ˈstrætidʒəm] *n* stratagème *m,* ruse *f.*

strateg|ic [strəˈti:dʒik] *adj* stratégique ‖ ~**y** [ˈstrætidʒi] *n* stratégie *f.*

stratosphere [ˈstrætəsfiə] *n* stratosphère *f.*

straw [strɔ:] *n* paille *f ; draw ~s,* tirer à la courte paille.

strawberry [ˈstrɔ:bri] *n* fraise *f ; wild*

~, fraise *f* des bois ‖ **~-plant** *(n)*, fraisier *m*.

stray [strei] *vi* s'égarer ● *adj* égaré, perdu, errant ; ~ *bullet*, balle perdue ● *n* animal errant ; enfant abandonné.

streak [stri:k] *n* rayure, raie *f* ; *a* ~ *of light*, un filet de lumière ‖ ~ *of lightning*, éclair *m* ‖ [hair] *Pl* mèches *fpl* ‖ Fig. tendance *f* (strain) ; période *f* (of luck) ● *vt* strier, zébrer, sillonner.

stream [stri:m] *n* ruisseau *m* (brook) ; courant *m* ; *against the* ~, à contre-courant ; *down/up* ~, en aval/amont ‖ Fig. flot *m* ; ~ *of cars*, file *f* de voitures ● *vi* couler, ruisseler ‖ [flag] flotter — *vt* [school] répartir selon le niveau ‖ **~er** *n* [flag] banderole *f* ‖ [paper] serpentin *m* ‖ **~line** [-lain] *vt* Fig. rationaliser ; réduire ; dégraisser (fam.) [workforce] ‖ **~lined** [-laind] *adj* Aut. aérodynamique ‖ [workforce] réduit ; dégraissé (fam.).

street [stri:t] *n* rue *f* ; *main* ~, grand-rue *f* ; ~ *door*, porte *f* d'entrée ‖ *the man in the* ~, le grand public, l'homme de la rue ‖ **~oar** *n* U.S. tramway *m* ‖ **~-fairy** *n* travesti *m* ‖ **~-island** *n* refuge *m* ‖ **~-lamp/ -light** *n* réverbère *m* ‖ **~-walker** *n* prostituée *f*.

strength [streŋθ] *n* force *f* ‖ Mil. effectif *m* ‖ Fig. *on the* ~ *of*, sur la foi de, en vertu de ‖ **~en** [-n] *vt* fortifier ‖ Mil. renforcer ‖ Techn. consolider — *vi* se fortifier ‖ Fig. se raffermir.

strenuous ['strenjuəs] *adj* intense (effort) ; acharné (supporter) ; actif (life) ; ardu (task) ; fatigant (exercise) ‖ **~ly** *adv* énergiquement, avec ardeur.

stress [stres] *n* pression, contrainte *f* ‖ [emphasis] insistance *f* ; *lay* ~ *on*, insister sur ‖ [word] accent *m* (tonique) ‖ Techn. charge *f*, effort *m* ‖ Med. tension, anxiété *f* ; *nervous* ~, tension nerveuse ● *vt* insister sur (emphasize) ; accentuer (word).

stretch [stretʃ] *vt* tendre (a rope) ‖

étendre (one's arm) ; déployer (one's wings) ; ~ *one's legs*, allonger/se dégourdir les jambes ‖ ~ *oneself*, s'étirer ‖ Fig. forcer (law, meaning) ; ~ *a point*, faire une exception ; ~ *one's powers*, donner son maximum (working) ; ~ *out*, tendre (la main) — *vi* (out), s'étendre, s'étirer ‖ [textile] se détendre, se prêter ● *n* allongement, étirage *m* (of wire) ‖ déploiement *m* ; envergure *f* (of wings) ; étirement *m* (of limbs) ; étendue *f* (of country) ‖ Fig. *at a* ~, d'affilée ‖ **~er** *n* forme *f* (for shoes) ‖ Med. civière *f*, brancard *m* ; **~-bearer**, brancardier *m*.

strew [stru:] *vt* (strewed) [-d], strewn [-n] *or* strewed) semer, éparpiller ; joncher.

stricken → STRIKE *v* ● *adj* blessé (wounded) ‖ éprouvé (person) ‖ dévasté (country) ‖ - ~ *adj* [ending] frappé de ; → PANIC.

strict [strikt] *adj* exact, précis (meaning) ‖ sévère (person, discipline) ‖ rigoureux, strict (rules) ; strict (orders) ‖ **~ly** *adv* strictement, sévèrement ; formellement, rigoureusement (prohibited) ‖ **~ness** *n* exactitude, rigueur, sévérité *f* ‖ **~ure** [-ʃə] *n* critique *f*, blâme *m*.

stridden → STRIDE *v*.

stride [straid] *n* foulée, enjambée *f* ‖ Fig. *take sth in one's* ~, faire qqch sans difficulté ‖ *Pl* progrès *mpl* ● *vi* (strode [straud], stridden ['stridn]) aller à grands pas ‖ ~ *along*, avancer à grands pas ; ~ *over*, enjamber.

strife [straif] *n* Fig. luttes *fpl*, conflit *m*, querelles *fpl*.

strik|e [straik] *n* coup *m* (blow) ‖ grève *f* (cessation of work) ; *call/ start a* ~, déclencher une grève ; *go on* ~, se mettre en grève ; ~ *notice*, préavis *m* de grève ‖ [mining] découverte *f* d'un gisement ‖ Mil. raid (aérien) ‖ Fig. coup *m* ; *lucky* ~, coup de veine ● *vt* (struck [strʌk], struck *or* stricken [strikn]) frapper, donner un coup à ‖ [bell, clock] sonner (the hour) ‖ frotter (a match) ‖ COMM. conclure (a bargain ‖ baisser (flag) ‖ TECHN. ~ *oil*, trouver du pétrole ; FIG. trouver le filon ‖ MIL. ~ *force*, force *f* de frappe ‖ NAUT. heurter ‖ SP. ferrer (a fish) ‖ MUS. ~ *a chord*, plaquer un accord ‖ FIG. frapper ‖ ~ *down*, abattre ‖ ~ *off*, effacer, biffer ; radier (sb) ‖ ~ *out*, rayer ‖ ~ *up*, MUS. attaquer — *vi* faire la grève ‖ ~**er** *n* gréviste *n* ‖ ~**ing** *adj* frappant, saisissant.

Strine [strain] *n* anglais *m* d'Australie.

string [striŋ] *n* ficelle *f* (twine) ; *(apron)* ~, cordon ; lacet *m* (lace) ‖ rang, collier *m* (of pearls) ; chapelet *m* (of onions) ‖ file *f* (of cars) ‖ MUS. corde *f* ; *the* ~*s*, les (instruments *mpl* à) cordes ‖ FIG. *pull the* ~*s*, tirer les ficelles ; *pull* ~*s*, faire jouer ses relations ● *vt* (strung [strʌŋ]) mettre une ficelle (*to*, à) ; ficeler (a parcel) ‖ enfiler (beads) ‖ MUS. mettre des cordes à (a violin) ‖ ~ *up*, suspendre à (une corde) — *vi* ~ *along*, aller à la file ; ~ *out*, s'espacer, s'égailler (along the road) ‖ ~**-band** *n* orchestre *m* à cordes ‖ ~**-bean** *n* haricot vert.

string|ency [ˈstrinʒənsi] *n* rigueur *f* ‖ ~**ent** [ˈstrinʒənt] *adj* rigoureux, strict (rules) ‖ FIN. tendu (market).

stringy [ˈstriŋi] *adj* visqueux ‖ CULIN. *become* ~, filer.

strip [strip] *n* bande *f* (of material) ‖ ruban *m* (of paper) ‖ bande *f*, bout *m* (of land) ‖ *(comic)* ~, bande dessinée ‖ SP. tenue *f* ‖ CIN. bande *f* ‖ MED. *(test)* ~, bandelette (réactive) ‖ AV. *landing* ~, piste *f* d'atterrissage ● *vt* déshabiller, dévêtir ‖ défaire (a bed) ‖ TECHN. dégarnir ; dénuder (a wire) — *vi* se déshabiller ‖ ~**-cartoon** *n* bande dessinée ‖ ~**-lighting** *n* éclairage fluorescent ‖ ~**per** *n* strip-teaseuse, effeuilleuse *f* ‖ ~**-tease**, ~ **show**, strip-tease *m*.

strip|e [straip] *n* raie, rayure, zébrure *f* ‖ tissu *m* à raies (material) ‖

MIL. chevron, galon *m* ● *vt* rayer, zébrer ; ~**ed** [-t] *adj* rayé, à rayures ‖ ZOOL. tigré.

stripling [ˈstripliŋ] *n* adolescent *m*.

strive [straiv] *vi* (strove [strəuv], striven [ˈstrivn]) s'efforcer (*to do*, de faire).

striven → STRIVE.

strode → STRIDE *v.*

stroke[1] [strəuk] *n* coup *m* (blow) ‖ coup *m* (of clock, bell) ‖ trait *m* (of the pen) ‖ MED. attaque *f* ; congestion cérébrale ‖ SP. coup *m* (blow) ; mouvement *m*, nage *f* ‖ TECHN. course *f* (of the piston) ‖ FIG. coup *m* ; *a* ~ *of luck*, un coup de chance.

stroke[2] *vt* caresser.

stroll [strəul] *vi* flâner, se promener ; déambuler ● *n* petite promenade ; *go for a* ~, aller faire un tour ‖ ~**er** *n* promeneur, flâneur *n* ‖ U.S. poussette *f* (push chair).

strong [strɔŋ] *adj* fort, vigoureux, robuste ‖ solide (thing) ‖ énergique (drastic) ‖ [number] *10 000* ~, au nombre de 10 000 ‖ *be getting* ~*er*, (re)prendre des forces ‖ ~**-arm** *adj* brutal, musclé ‖ FIG. vif (emotions) ‖ ~**-box** *n* coffre-fort *m* ‖ ~**-hold** *n* forteresse *f* ‖ FIG. bastion *m* ‖ ~**ly** *adv* énergiquement, fortement ‖ FIG. fermement ; *feel* ~, être ému, être sensible, ressentir, s'indigner ‖ ~ *man* *n* gros bras *m* (fam.) ‖ ~**-minded** [ˈ-ˈmaindid] *adj* résolu.

strop [strɔp] *n* cuir *m* à rasoir ● *vi* affûter, repasser (a razor).

strove → STRIVE.

struck → STRIKE *v.*

structur|al [ˈstrʌktʃərl] *adj* structural ‖ ~**alism** *n* structuralisme *m*.

structure [ˈstrʌktʃə] *n* structure *f* ‖ ARCH. construction *f*, édifice *m* ‖ GRAMM. construction *f*.

struggle [ˈstrʌgl] *n* lutte *f*, combat *m* ; ~ *for existence*, lutte pour la vie ● *vi* lutter, combattre ‖ ~ *along*, avancer péniblement.

strum [strʌm] *vi/vt* ~ *on the piano,* pianoter ; ~*(on) a guitar,* gratter de la guitare.

strung → STRING *v* ‖ ~ *up,* tendu, nerveux.

strut¹ [strʌt] *vi* se pavaner.

stub [stʌb] *n* mégot *m* (of cigarette) ‖ bout *m* (of pencil, etc.) ‖ FIN. souche *f,* talon *m* (of cheque) ● *vt* ~ *out,* écraser (cigarette).

stubble [ˈstʌbl] *n* chaume *m* ‖ FIG. barbe *f* de plusieurs jours.

stubborn [ˈstʌbən] *adj* têtu, entêté ‖ acharné (résistance) ‖ AGR. ingrat (soil) ‖ ~**ness** *n* entêtement *m,* obstination *f;* opiniâtreté *f.*

stubby [ˈstʌbi] *adj* FIG. trapu (person).

stucco [ˈstʌkəu] *n* stuc *m.*

stuck → STICK *v* ‖ ~**-up** *adj* COLL. prétentieux, imbu de soi-même, poseur.

stud¹ [stʌd] *n* clou *m* à grosse tête ‖ crampon *m* (on football boots) ‖ *(collar)* ~, bouton *m* de col ‖ *(press)* ~, bouton-pression *m* ● *vt* clouter ; ferrer (boots) ‖ FIG. parsemer, joncher ‖ ~**-hole** *n* boutonnière *f.*

stud² *n* écurie *f* de courses ; ~**-farm,** haras *m* ; ~**-horse,** étalon *m.*

student [ˈstju:dnt] *n* étudiant *n.*

studio [ˈstju:diəu] *n* atelier *m* (artist's) ‖ RAD., T.V. studio *m.*

studious [ˈstju:djəs] *adj* studieux ‖ ~**y** [ˈstʌdi] *n* étude *f* ‖ bureau, cabinet *m* de travail (room) ‖ FIG. *in a brown* ~, perdu dans ses rêveries ● *vt* étudier — *vi* faire des études ‖ ~ *for,* préparer (an examination) ‖ ~ *to be a doctor,* faire des études de médecine.

stuff [stʌf] *n* substance, chose *f* (matter) ‖ choses *fpl* (objects) ‖ affaires *fpl* (possessions) ‖ truc, machin *m* (fam.) [thing] ● *vt* bourrer (fill) ; rembourrer (a chair), empailler (animal) ‖ ~ *oneself,* se gaver, se bourrer (with, de) ‖ ~ *up,* boucher ‖

~*ed-up nose,* nez bouché ‖ CULIN. farcir ‖ ~**iness** *n* manque *m* d'air ‖ ~**ing** *n* rembourrage *m,* bourre *f* ‖ CULIN. farce *f* ‖ ~**y** *adj* confiné (air) ; mal aéré, qui sent le renfermé (room) ‖ bouché (nose) ‖ FIG. vieux-jeu, collet monté (person) ‖ ennuyeux (book).

stumbl|e [ˈstʌmbl] *vi* trébucher, faire un faux pas ; [horse] broncher ‖ se heurter (*against,* contre) ‖ bafouiller, hésiter (stammer) ‖ ~**ing-block** *n* FIG. pierre *f* d'achoppement.

stump [stʌmp] *n* souche *f* (of tree) ‖ mégot *m* (of cigarette) ‖ MED. moignon (of arm) ; chicot *m* (of tooth) ● *vi* marcher lourdement ‖ FIG. faire une tournée électorale ; [school] *be* ~*ed on,* sécher sur ‖ COLL. ~ *up,* casquer (pay) ‖ ~**er** *n* colle *f* (question) ‖ ~**y** *adj* trapu.

stun [stʌn] *vt* assommer, étourdir ‖ FIG. abasourdir, stupéfier ‖ ~**ned** [-d] *adj* stupéfait ‖ ~**ning** *adj* stupéfiant.

stung → STING *v.*

stunk → STINK.

stunning [ˈstʌniŋ] *adj* étourdissant, stupéfiant, renversant ; sensationnel.

stunt¹ [stʌnt] *n* tour *m* de force, acrobatie *f* ‖ ~ **flying** *n* acrobaties aériennes ‖ ~ **man** *n* CIN. doublure *f,* cascadeur *m* ‖ ~**-pilot** *n* pilote *m* acrobatique.

stunt² *vt* retarder/arrêter la croissance de ‖ ~**ed** [id] *adj* rabougri.

stupef|action [ˌstju:piˈfækʃn] *n* stupéfaction *f,* ahurissement *m* ‖ ~**y** [ˈstju:pifai] *vt* abrutir ; stupéfier, hébéter.

stupendous [stju:ˈpendəs] *adj* prodigieux, formidable.

stupid [ˈstju:pid] *adj* stupide, bête, idiot ‖ ~**ity** [stjuˈpiditi] *n* stupidité, bêtise, ânerie *f; damned* ~, connerie *f* (pop.).

stupor [ˈstju:pə] *n* stupeur, hébétude *f.*

sturdy [ˈstəːdi] *adj* robuste, vigoureux, solide.

sturgeon [ˈstəːdʒn] *n* esturgeon *m*.

stutter [ˈstʌtə] *vi* bégayer ‖ **~er** [-rə] *n* bègue *n* ‖ **~ing** [-riŋ] *n* bégaiement *m*.

sty(e) [stai] *n* MED. orgelet *m*.

styl|e [stail] *n* style *m*; manière *f*; **~ of living,** train *m* de vie ‖ [fashion] mode *f* ‖ FIG. distinction *f*, chic *m*; **have ~,** avoir du cachet/chic ● *vt* qualifier, nommer (*after,* d'après); **~ oneself,** se donner le titre de ‖ **~ish** *adj* élégant, chic ‖ **~ishness** *n* chic *m*, élégance *f* ‖ **~ist** *n* styliste *n* ‖ [fashion] modéliste *n* ‖ [hairdressing] coiffeur *n*.

stylus [ˈstailəs] *n* [record player] pointe *f* de lecture.

stymie [ˈstaimi] *vt* FIG. bloquer (plan); coincer (fam.).

styptic [ˈstiptik] *adj* **~ pencil,** bâton *m* hémostatique.

suave [swɑːv] *adj* suave ‖ affable (person) ‖ PEJ. doucereux.

sub [sʌb] *pref* sous ‖ COLL. Abbr. of SUBALTERN, SUBLIEUTENANT, SUBMARINE, SUBSCRIPTION, SUBSTITUTE.

subaltern [ˈsʌbltən] *n* MIL. sous-lieutenant; lieutenant *m*.

sub-committee [ˈsʌbkəˌmiti]] *n* sous-comité *m*.

subconscious [ˈsʌbˈkɔnʃəs] *n* subconscient *m* ‖ **~ly** *adv* inconsciemment ‖ **~ness** *n* subconscient *m*.

subcontractor [ˈsʌbkənˈtræktə] *n* sous-traitant *m*.

subdivide [ˈsʌbdiˈvaid] *vt* subdiviser.

subdue [səbˈdjuː] *vt* subjuguer; soumettre (people); conquérir (conquer) ‖ contenir, refréner (feelings) ‖ baisser (voice) ‖ atténuer (colour, light); **~d light,** demi-jour *m*.

subject [ˈsʌbdʒikt] *adj* assujetti, soumis (*to,* à) [submitted] ‖ sujet, enclin (*to,* à) [liable] ‖ **~ to,** sous réserve de ● *n* sujet *m* (of a king) ‖ sujet, motif

m (matter) ‖ **~ matter,** thème *m* ‖ [school] matière *f* ‖ GRAMM. sujet *m* ● [ˈsʌbdʒekt] *vt* soumettre, subjuguer; assujettir (country) ‖ soumettre, exposer (*to,* à).

subjection [səbˈdʒekʃn] *n* sujétion, soumission *f*.

subjective [səbˈdʒektiv] *adj* subjectif.

subjugate [ˈsʌbdʒugeit] *vt* subjuguer, asservir.

subjunctive [səbˈdʒʌŋtiv] *n* subjonctif *m*.

sublet [ˈsʌbˈlet] *vt* sous-louer.

sublieutenant [ˌsʌbləˈtenənt] *n* enseigne *m* de vaisseau de 2ᵉ classe.

sublimate [ˈsʌblimeit] *vt* CH. sublimer ‖ FIG. idéaliser ● [ˈsʌblimit] *adj* sublimé ‖ FIG. idéalisé.

sublime [səˈblaim] *adj* sublime.

subliminal [ˌsʌbˈliminl] *adj* subliminal.

submachine-gun [ˈsʌbməˈʃiːngʌn] *n* mitraillette *f*.

sub|marine [ˈsʌbməriːn] *n/adj* sous-marin (*m*) ‖ **~merge** [səbˈməːdʒ] *vt* submerger, immerger.

sub|mission [səbˈmiʃn] *n* soumission *f*; docilité *f* ‖ **~missive** [-ˈmisiv] *adj* soumis, docile ‖ **~mit** [-ˈmit] *vi/vt* (se) soumettre (*to,* à).

subnormal [ˈsʌbˈnɔːml] *adj* au-dessous de la normale.

subordinate [səˈbɔːdnit] *adj* subordonné, subalterne *n* ‖ subordonné ● [səˈbɔːdineit] *vt* subordonner (*to,* à) ‖ GRAMM. *subordinating conjunction,* conjonction *f* de subordination.

subscrib|e [səbˈskraib] *vt* apposer (*to,* au bas de) [one's name] ‖ souscrire, verser (a sum) — *vi* souscrire; donner son assentiment ‖ verser une cotisation (*to,* à) ‖ souscrire (*to,* à) [a book]; s'abonner (*to,* à) [a newspaper] ‖ **~er** *n* abonné *n* (to a newspaper).

subscription [səbˈskripʃn] *n* cotisation f (for membership) ; souscription f (to a book) ; abonnement m (to a newspaper).

subsequent [ˈsʌbsikwənt] adj subséquent, ultérieur ; postérieur (to, à).

subservient [sʌbˈsəːvjənt] adj servile (to, à) ; soumis, asservi (to, à) ∥ PEJ. obséquieux.

subsid|e [səbˈsaid] vi [flood] baisser, décroître ∥ [waters] se retirer ∥ [building, ground] s'affaisser ∥ [storm] se calmer ∥ FIG. [anger] s'apaiser ∥ ~ **ence** n baisse f; affaissement m ∥ FIG. apaisement m.

subsidiary [səbˈsidjəri] adj subsidiaire ∥ JUR. ~ *company*, filiale f ● n auxiliaire f.

subsid|ize [ˈsʌbsidaiz] vt subventionner ∥ ~**y** n subvention f.

sub|sist [səbˈsist] vi subsister ; persister (continue) ∥ vivre (live) ∥ ~**sistence** [ˈsistns] n subsistance f, moyens mpl d'existence.

subsonic [sʌbˈsɔnik] adj subsonique.

substan|ce [ˈsʌbstəns] n substance, matière f ∥ fond m (content) ∥ consistance, densité f (consistency) ∥ solidité f (firmness) ∥ essentiel m ∥ ~**tial** [səbˈstænʃl] adj substantiel, solide (firm) ∥ copieux (meal) ∥ considérable, important (ample) ∥ valable (noteworthy) ∥ réel (real) ∥ ~**tiate** [səbˈstænʃieit] vt établir (a charge) ∥ justifier (a claim) ∥ ~**tive** [ˈtiv] adj GRAMM. substantif m.

substitu|te [ˈsʌbstitjuːt] vt substituer ● n substitut, remplaçant, suppléant m ∥ succédané m (thing) ∥ ~**tion** [ˌsʌbstiˈtjuːʃn] n substitution f.

substructure [ˈsʌbˌstrʌktʃə] n TECHN. infrastructure f.

subtenant [ˈsʌbˈtenənt] n sous-locataire n.

subterfuge [ˈsʌbtəfjuːdʒ] n subterfuge m.

subtitle [ˈsʌbˌtaitl] n sous-titre m.

subtle [ˈsʌtl] adj subtil, délicat ∥ fin, pénétrant, subtil (mind) ∥ astucieux, ingénieux (plan) ∥ ~**ty** [-ti] n subtilité, délicatesse, finesse f ∥ perspicacité, subtilité f ∥ ingéniosité f.

subtrac|t [səbˈtrækt] vt soustraire, retrancher (from, de) ∥ ~**tion** n soustraction f.

suburb [ˈsʌbəːb] n faubourg m ∥ Pl banlieue f ∥ ~**an** [səˈbəːbn] adj suburbain, de banlieue ∥ ~**anite** [səˈbəːbəˌnait] n banlieusard n.

subvention [səbˈvenʃn] n subvention f.

subver|sion [sʌbˈvəːʃn] n subversion f ∥ ~**sive** [-siv] adj subversif.

subway [ˈsʌbwei] n passage souterrain ∥ U.S. métro m.

succeed [səkˈsiːd] vt succéder à — vi réussir (in, à) ; parvenir (to, à) ∥ ~ *to*, hériter de, accéder à ∥ ~**ing** adj suivant, consécutif, de suite.

success [səkˈses] n succès m ; *be a* ~, réussir ∥ ~**ful** adj couronné de succès (attempt) ; reçu (candidate) ; heureux (person) ∥ ~**fully** adv avec succès.

succession [səkˈseʃn] n succession, série f ∥ JUR. succession f; *in* ~ *to*, à la suite de.

success|ive [səkˈsesiv] adj successif, consécutif ∥ ~**or** n successeur m.

succour [ˈsʌkə] n secours m, aide f.

succulent [ˈsʌkjulənt] adj succulent ● n plante grasse.

succumb [səˈkʌm] vi succomber (to, à) ∥ mourir (to, de) [die] ∥ céder (yield).

such [sʌtʃ] adj/adv/pron tel ; ~ *a man*, un tel homme ∥ pareil ; semblable ; *I said no* ~ *thing*, je n'ai rien dit de pareil ∥ [so great] si, tellement ; ~ *a clever man*, un homme si habile ; ~ *courage*, un tel courage ∥ ~ *as*, comme, tel que ∥ ~ ... *as*, tel... que ; ~ *men as/men* ~ *as X and Y*, des hommes comme X et Y ∥ ~ *that*, tel que ; *the force of the explosion was*

~ *that*..., la force de l'explosion fut telle que/fut si grande que... || ~ *and* ~, tel et tel || **all** ~, tous ceux qui/que ; *as* ~, en tant que tel || ~ **...** *as* : *I'll send you* ~ *books as I have*, je vous enverrai les quelques livres que je possède || ~ **like** *adj* COLL. de ce genre ● *pron* **and** ~ **like**, et autres gens/animaux/choses de ce genre.

suck [sʌk] *vt* sucer || [infant] téter || gober (an egg) || ~ *in*, aspirer (air) ; assimiler (knowledge) ; [blotting paper] absorber || ~ *up*, absorber ; [machine] aspirer — *vi* COLL. ~ *up to*, faire de la lèche à ● *n* succion *f* || *give* ~ *to*, donner la tétée à || ~ *er n* ZOOL. ventouse *f* || TECHN. suçoir *m*, ventouse *f* || BOT. surgeon *m* || COLL. gogo *m*, poire *f* || ~ **ing-pig** *n* cochon *m* de lait.

suckl|e [ˈsʌkl] *vt* [mother] allaiter, donner le sein || ~ **ing** *n* nourrisson *m*.

suction [ˈsʌkʃn] *n* succion, aspiration *f* || ~ **-pump** *n* pompe aspirante.

sudden [ˈsʌdn] *adj* soudain, subit, brusque ; *all of a* ~, tout à coup || ~ **ly** *adv* soudainement || ~ **ness** *n* soudaineté *f*.

suds [sʌdz] *npl* (soap) ~, mousse *f* de savon.

sue [sjuː] *vt* JUR. poursuivre en justice, intenter un procès à ; ~ *sb for damages*, poursuivre qqn en dommages et intérêts — *vi* ~ *for (a) divorce*, demander le divorce.

suède [sweid] *n* [gloves] suède *m* ; [shoes] daim *m* || *imitation* ~, suédine *f*.

suet [sjuit] *n* graisse *f* de bœuf.

suffer [ˈsʌfə] *vt* subir (damage, loss, etc.) || ressentir, endurer (pain) || tolerate (allow) — *vi* souffrir (*from*, de) || ~ **ance** [-rəns] *n* tolérance *f* || ~ **er** [-rə] *n* MED. malade *n* || ~ **ing** [-riŋ] *n* souffrance *f*.

suffice [səˈfais] *vi/vt* suffire (à).

suffic|iency [səˈfiʃnsi] *n* quantité

suffisante || ~ **ient** *adj* suffisant || ~ **iently** *adv* suffisamment.

suffix [ˈsʌfiks] *n* suffixe *m*.

suffoca|te [ˈsʌfəkeit] *vt/vi* suffoquer, étouffer || ~ **tion** [sʌfəˈkeiʃn] *n* suffocation, asphyxie *f*.

suffrage [ˈsʌfridʒ] *n* suffrage, vote *m*.

suffuse [səˈfjuːz] *vt* [colour, light] se répandre sur ; ~*d with tears*, baigné de larmes.

sugar [ˈʃugə] *n* sucre *m* ; *brown* ~, sucre roux ● *vt* sucrer || ~ **-almond** *n* dragée *f* || ~ **-basin**/U.S. **-bowl** *n* sucrier *m* || ~ **-cane** *n* canne *f* à sucre || ~ **-refinery** *n* sucrerie *f* || ~ **-tongs** *npl* pince *f* à sucre || ~ **y** [-ri] *adj* sucré || FIG. doucereux.

suggest [səˈdʒest] *vt* suggérer (an idea) ; proposer (propose) || ~ **ion** [-ʃn] *n* suggestion, proposition *f* || ~ **ive** *adj* suggestif.

suicid|al [ˌsjuiˈsaidl] *adj* suicidaire || ~ **e** [ˈ-] *n* [act] suicide *m* ; *commit* ~, se suicider || [person] suicidé *n*.

suit [sjuːt] *n* tailleur *m* (woman's) ; complet *m* (man's) || *wet* ~, U.S. combinaison *f* de plongée || [card game] couleur *f* ; *follow* ~, jouer la couleur, fournir ; FIG. faire de même, emboîter le pas ● *vt* adapter, approprier ; ~ *oneself*, faire à sa guise — *vi* convenir, faire l'affaire || [dress, etc.] convenir, aller (*to*, à) || ~ **able** *adj* qui convient (food) ; propice (time) ; approprié (example) || ~ **-case** *n* valise *f*.

suite [swiːt] *n* suite, escorte *f* || suite *f* (rooms) || ~ *of furniture*, mobilier *m*.

suitor [ˈsjuːtə] *n* prétendant, soupirant *m* ● JUR. plaideur *m*.

sulfa... [ˈsʌlfə] U.S. = SULPHA...

sulk [sʌlk] *vi* bouder ● *n* *be in the* ~*s*, faire la tête || ~ **y** *adj* bouderie, maussade.

sullen [ˈsʌlən] *adj* maussade, morose, renfrogné (person) || lugubre (thing) || obstiné (silence) || **~ness** n humeur f sombre, morosité f; air renfrogné.

sulpha drug [´sʌlfədrʌg] n sulfamide m.

sulph|ate [´sʌlfeit] n sulfate m || **~ide** [-aid] n sulfure m || **~ur** [-ə] n soufre m || **~uric** [sʌl´fjuərik] adj sulfurique || **~urous** [´sʌlfərəs] adj sulfureux.

sultana [səl´tɑːnə] n raisin sec (de Smyrne/Malaga).

sultry [´sʌltri] adj étouffant (heat); lourd (air).

sum [sʌm] n somme f (of money) || MATH. total m; problème m (in arithmetic); [school] Pl calcul m || **~ total,** montant global; FIG. résultat m || FIG. **in ~,** en somme, somme toute ● vt additionner || **~ up,** récapituler; **to sum up,** en résumé.

summar|ize [´sʌməraiz] vt résumer || **~y** n sommaire, résumé m ● adj sommaire, succinct.

summer [´sʌmə] n été m ● adj estival, d'été; **~ holidays,** grandes vacances || **~ camp** n colonie f de vacances || **~-house** n pavillon m (in a garden) || **~-school** n cours mpl de vacances.

summing-up [`- ´·] n résumé m, récapitulation f.

summit [´sʌmit] n sommet m || FIG. faîte m.

summon [´sʌmən] vt faire venir, convoquer || JUR. **~ sb to appear,** citer/assigner qqn || MIL. sommer || FIG. **~ (up),** rassembler (one's courage) || **~s** [-z] npl JUR. citation, assignation f || MIL. sommation f.

sump [sʌmp] n puisard m || AUT. carter m.

sumpt|uary [´sʌmtjuəri] adj somptuaire || **~uous** [-juəs] adj somptueux.

sun [sʌn] n soleil m; **in the ~,** au soleil || **~-bath** n bain m de soleil

|| **~-bathe** vi prendre un bain de soleil || **~beam** n rayon m de soleil || **~burn** n [red skin] coup m de soleil; [dark skin] hâle m || **~burned/burnt** adj basané.

sundae [´sʌndei] n U.S. glace f aux fruits.

Sunday [´sʌndi] n dimanche m; **in one's ~ best,** tout endimanché || **~ school,** G.B. école f du dimanche = catéchisme.

sun|-dial [´sʌndaiəl] n cadran m solaire || **~down** n U.S. coucher m de soleil.

sundry [´sʌndri] adj divers.

sunflower [´sʌn‿flauə] n BOT. soleil, tournesol m.

sung → SING.

sun|-glasses [´sʌnglɑːsiz] npl lunettes fpl de soleil || **~-helmet** n casque colonial.

sunk → SINK[1].

sunken [´sʌŋkn] adj creux, encaissé (road) || creux, cave (eyes) || submergé (rock).

sun|-lamp [´sʌnlæmp] n lampe f à rayons ultraviolets || **~light** n lumière f du soleil || **~lit** adj ensoleillé || **~ny** adj ensoleillé || U.S. [fried eggs] **~ side up,** avec le jaune en dessus || **~rise** n lever m du soleil || **~ roof** n AUT. toit ouvrant || **~set** n coucher m du soleil || **~shade** n ombrelle f (carried); parasol m (for table) || **~shine** n (lumière f du) soleil || **~stroke** n insolation f || **~tan** n bronzage m; **get a ~,** se faire bronzer; **~ lotion,** lait m solaire || **~-up** n U.S. = SUNRISE || **~ visor** n visière f || AUT. pare-soleil m.

super [´suːpə] n TH., COLL. figurant m ● adj COLL. sensationnel, super; **~ !,** génial ! || **~annuated** [‚suːpə´rænjueitid] adj suranné (ideas) || à la retraite (person).

superb [su´pəːb] adj superbe.

super|charger [´suːpə‿tʃɑːdʒə] n AUT. compresseur m || **~cilious**

[..-ˈsiliəs] *adj* sourcilleux, dédaigneux || ~**ficial** [..-ˈfiʃl] *adj* superficiel || ~**fluity** [..-ˈfluːiti] *n* superflu *m* || ~**fluous** [suːˈpəːfluəs] *adj* superflu || ~**highway** [.-ˈ--] *n* U.S. autoroute *f* || ~**human** [.-ˈ--] *adj* surhumain || ~**impose** [ˈsjuːˈprimˈpəuz] superposer || ~**intend** [ˌsuːpərinˈtend] *vt* surveiller, diriger || ~**intendent** [ˌsuːpərinˈtendənt] *n* [police] commissaire *m*.

superior [suːˈpiəriə] *adj* supérieur ● *n* supérieur *m* || ~**ity** [suːˌpiəriˈɔriti] *n* supériorité *f*.

superlative [suːˈpəːlətiv] *n* superlatif *m* ● *adj* suprême || ~**ly** *adv* superlativement ; supérieurement.

super|man [ˈsuːpəmæn] *n* surhomme *m* || ~**market** *n* supermarché *m*, grande surface || ~**natural** [.-ˈnætʃrəl] *adj* surnaturel || ~**numerary** [.-ˈnjuːmrəri] *adj/n* surnuméraire *n* CIN. figurant *m* || ~**pose** [ˈ-ˈpəuz] *vt* superposer || ~**sede** [ˈ-ˈsiːd] *vt* remplacer, supplanter || ~**sonic** [ˈ-ˈsɔnik] *adj* supersonique || ~**sound** *n* ultrason *m*.

super|stition [ˌsuːpəˈstiʃn] *n* superstition *f* || ~**stitious** [ˈ-ˈstiʃəs] *adj* superstitieux.

superstore [ˌsuːpəˈstɔː] *n* grande surface.

super|structure [ˈsuːpəˌstrʌktʃə] *n* superstructure *f* || ~**tax** *n* surtaxe *f* || ~**vise** [-vaiz] *vt* contrôler, surveiller, diriger || ~**vision** [.-ˈviʒn] *n* contrôle *m*, surveillance *f* || ~**visor** *n* surveillant *n*.

supine [suːˈpain] *adj* couché sur le dos || FIG. indolent.

supper [ˈsʌpə] *n* dîner *m* ; *late* ~, souper *m*.

supplant [səˈplɑːnt] *vt* supplanter.

supple [ˈsʌpl] *adj* souple, flexible || FIG. conciliant ; obséquieux (péj.).

supplement [ˈsʌplimənt] *n* supplément *m* ● *vt* augmenter, arrondir (income) || ~**ary** [ˌsʌpliˈmentri] *adj* supplémentaire.

suppleness [ˈsʌplnis] *n* souplesse *f*.

supplication [ˌsʌpliˈkeiʃn] *n* supplication *f* || supplique *f* (petition).

suppl|ier [səˈplaiə] *n* fournisseur *m* || ~**y** [-ai] approvisionnement, ravitaillement *m* ; *replenish one's supplies,* se réapprovisionner || *Pl* provisions *fpl,* vivres *mpl* (food) || ~ (teacher), suppléant *n* ; *be on* ~, faire un remplacement || COMM. ~ **and demand,** l'offre et la demande ● *vt* fournir (goods) || approvisionner (with, en) || MIL. ravitailler || FIG. subvenir à (a need) ; compenser (a loss) ; fournir (proof) ; suppléer, occuper par intérim (sb's place).

support [səˈpɔːt] *vt* soutenir (a weight) || soutenir, entretenir, faire vivre (one's family) || CIN., TH. ~**ing actor,** second rôle *m* || FIG. soutenir (a theory, a motion) ; supporter (endure) ● *n* appui, support *m* || soutien *m* (of one's family) || ~**er** *n* partisan, défenseur *m* (of a cause) || SP. supporter *m*.

suppos|e [səˈpəuz] *vi/vt* supposer || ~ *we did... ?,* et si nous faisions... ? || croire, penser || [= OUGHT] *be* ~*ed to do,* être censé faire ; *you're not* ~*ed to...,* vous n'avez pas le droit de... || ~**ed** [-d] *adj* supposé, présumé || ~**ing** *conj* ~ (that), si ; à supposer que, en supposant que || ~**ition** [ˌsʌpəˈziʃn] *n* supposition *f* ; *on the* ~ *that,* à supposer que.

suppository [səˈpɔzitri] *n* suppositoire *m*.

suppress [səˈpres] *vt* supprimer, étouffer (a sob) || dissimuler (a fact) || interdire (a publication) || étouffer (scandal) || réprimer (revolt) || réprimer, contenir (one's feelings) || refouler (desire) || ~**ion** [səˈpreʃn] *n* suppression *f* || répression *f* (of revolt) || refoulement *m* (of emotion) || ~**or** *n* RAD. antiparasite *m*.

suprem|acy [suˈpreməsi] *n* suprématie *f* || ~**e** [səˈpriːm] *adj* suprême ; souverain.

supremo [suˈpriːməu] *n* grand patron, chef *m* ; cerveau *m* (fam.).

surcharge [ˈsəːtʃɑːdʒ] *n* surcharge *f* (load) ‖ surtaxe *f* (on a letter) ● *vt* surtaxer (a letter).

sure [ʃuə] *adj* sûr, certain, assuré (person) ‖ *make ~ of,* s'assurer de ; *be ~ to come,* venez sans faute, ne manquez pas de venir ‖ certain, indubitable (fact) ● *adv* sûrement ; *for ~,* certainement, sans aucun doute ; *~ enough,* effectivement ‖ U.S., COLL. pour sûr (fam.) ‖ **~ly** *adv* sûrement, certainement ‖ **~ty** *n* certitude *f* ‖ JUR. caution *f* ; *stand ~ for,* se porter garant de.

surf [səːf] *n* vagues déferlantes ; ressac *m* ● *vi* go *~ing,* faire du surf ; *~board,* planche *f* de surf ; *~boarder/~er* (n), surfeur *n* ; *~ride* (vi), pratiquer le surf.

surface [ˈsəːfis] *n* surface ; superficie *f* ‖ FIG. apparence *f* ; *on the ~,* superficiellement ● *vi* [submarine] faire surface.

surfeit [ˈsəːfit] *n* satiété *f* ; *have a ~ of,* être rassasié de ‖ dégoût *m* ● *vi* se repaître (*with,* de) — *vt* gorger, rassasier ; *be ~ed with,* être repu de.

surge [səːdʒ] *n* houle, lame *f* ‖ FIG. vague *f* ● *vi* [waves] se soulever ; *~ against,* déferler sur ‖ FIG. [anger] monter ; [crowd] déferler ; *~ back,* refluer.

surg|eon [ˈsəːdʒn] *n* chirurgien *m* ‖ MIL. médecin *m* militaire ‖ **~ery** [-ri] *n* MED. chirurgie *f* ; intervention chirurgicale ; *he needs ~,* il a besoin de se faire opérer ; cabinet *m* (consulting-room) ‖ **~ical** [-ikl] *adj* chirurgical ; *~ spirit,* alcool *m* à 90°.

surly [ˈsəːli] *adj* renfrogné, maussade, hargneux, revêche.

surmount [səˈmaunt] *vt* surmonter, vaincre.

surname [ˈsəːneim] *n* nom *m* de famille.

surpass [səˈpɑːs] *vt* surpasser ; l'emporter sur ‖ dépasser (expectations).

surplice [ˈsəːplis] *n* surplis *m.*

surplus [ˈsəːpləs] *n* surplus, excédent, surnombre *m.*

surpris|e [səˈpraiz] *n* surprise *f* ; *take sb by ~,* prendre qqn au dépourvu ; *much to my ~,* à mon grand étonnement ; *give sb a ~,* faire une surprise à qqn ● *vt* surprendre ; *~ sb in the act,* prendre qqn sur le fait ‖ étonner ; *be ~ed at,* s'étonner de ‖ **~ing** *adj* surprenant, étonnant.

surreal|ism [səˈriəlizm] *n* surréalisme *m* ‖ **~ist** *n* surréaliste *n.*

surrender [səˈrendə] *vt* MIL. rendre, livrer ; *~ oneself* ‖ FIG. céder (one's rights) — *vi* se rendre, capituler ‖ FIG. s'abandonner (to a habit, an emotion) ● *n* MIL. reddition, capitulation *f* ; *unconditional ~,* capitulation sans condition ‖ JUR. abandon *m* ; renoncement *m.*

surreptitious [ˌsʌrəpˈtiʃəs] *adj* clandestin (action) ; furtif (gesture) ‖ **~ly** *adv* furtivement ; sournoisement.

surrogate [ˈsʌrəgeit] *adj* de remplacement ; *~ mother,* mère porteuse/de substitution.

surround [səˈraund] *vt* entourer ‖ MIL. cerner ‖ **~ing** *adj* environnant ‖ **~ings** *npl* alentours, environs *mpl* (of a place) ‖ cadre, décor *m* ; environnement.

survey [ˈsəːvei] *n* [view] vue générale ‖ [study] étude, enquête *f* (*for,* sur) ‖ COMM. *market ~,* étude *f* de marché ‖ levé *m* (of land) ‖ inspection *f* ● [səˈvei] *vt* embrasser du regard (the landscape) ; examiner, enquêter sur (situation) ‖ arpenter (a field) ; faire le levé (of a country) ; *(land-)~ing,* arpentage *m,* topographie *f* ‖ **~or** [səˈveə] *n* arpenteur *m,* géomètre *m.*

survival [səˈvaivl] *n* survie *f* (state) ; survivance *f* (fact).

surviv|e [səˈvaiv] *vi* survivre ‖ **~or** *n* survivant, rescapé *n.*

suscepti|bility [səˌseptəˈbiliti] *n* susceptibilité *f* ‖ **~ble** [səˈseptəbl] *adj* susceptible (touchy) ‖ émotif, impressionnable ; facilement amoureux ‖ sensible (*to*, à) ; *be* ~ *to cold*, craindre le froid ‖ MED. prédisposé (*to*, à) ‖ ‖ capable, susceptible (*of*, de).

suspect ['sʌspekt] *adj* suspect ● *n* suspect *m* ● [səs'pekt] *vt* soupçonner (*that*, que) ‖ avoir le sentiment (*that*, que) ‖ soupçonner (believe to be guilty) ‖ COLL. supposer.

suspend [səs'pend] *vt* suspendre ‖ interrompre (an activity) ‖ JUR. surseoir à ; ~*ed sentence*, condamnation *f* avec sursis.

suspender [səs'pendə] *n* jarretelle *f* (for stocking) ‖ U.S. *Pl* bretelles *fpl* ‖ ~-**belt** *n* porte-jarretelles *m*.

suspen|se [səs'pens] *n* suspens *m*, incertitude, indécision *f* ‖ suspense *m* ; *keep in* ~, tenir en haleine ‖ ~**sion** [-ʃn] *n* suspension *f* ‖ TECHN. ~ *bridge*, pont suspendu ‖ GRAMM. ~ *points*, points *mpl* de suspension.

suspic|ion [səs'piʃn] *n* soupçon *m*, suspicion *f* ‖ ~**ious** [-əs] *adj* soupçonneux (suspecting) ‖ suspect, louche (suspect).

sustain [səs'tein] *vt* soutenir, supporter (a load) ‖ FIG. subir, éprouver.

swab [swɔb] *n* MED. tampon *m* d'ouate.

swaddl|e ['swɔdl] *vt* emmailloter ‖ ~**ing** *n* ~ *clothes*, langes *mpl*.

swagger ['swægə] *vi* plastronner, parader ‖ se vanter (*about*, de) [boast] ‖ ~**ing** [-riŋ] *adj* conquérant (look).

swallow¹ ['swɔləu] *n* hirondelle *f* ‖ Sp. ~ *dive*, saut *m* de l'ange.

swallow² *vt* avaler ; engloutir ‖ COLL. gober (fam.) [story].

swam → SWIM *v.*

swamp ['swɔmp] *n* marécage, marais *m* ● *vt* embourber (in mud) ‖ inonder, submerger (by water) ‖ FIG. *be* ~*ed with work*, être débordé de travail ‖ ~**y** *adj* marécageux.

swan [swɔn] *n* cygne *m* ‖ ~ *dive*, U.S. = SWALLOW DIVE ‖ ~*sdown*,

duvet *m* de cygne ; molleton *m* (fabric).

swank [swæŋk] *vi* faire de l'esbroufe/épate (fam.) ; frimer, crâner (fam.) ● *n* esbroufe *f* ; épate, frime *f* (fam.) ‖ m'as-tu-vu *m inv* (person) ● *adj* super(chic) ‖ ~**y** *adj* riche, chic ‖ rupin (fam.).

swap [swɔp] *vt* échanger ; troquer ● *n* échange, troc *m* ‖ ~**ping** *n* échange *m*.

swarm [swɔːm] *n* ZOOL. essaim *m* (of bees) ; nuée *f* (of locusts) ‖ FIG. ribambelle *f* (of children) ● *vi* [bees] essaimer ‖ [places] fourmiller, pulluler (*with*, de).

swarthy ['swɔːði] *adj* basané, bronzé.

swashbuckler ['swɔʃbʌklə] *n* fier-à-bras *m* ; gros bras *m* (fam.).

swat [swɔt] *vt* écraser (a fly).

sway [swei] *vi* se balancer, osciller ; chanceler — *vt* incliner (cause to lean) ‖ faire osciller (cause to swing) ‖ brandir (a cudgel) ‖ FIG. influencer ● *n* balancement *m*, oscillation *f* ‖ FIG. domination, influence *f* ; empire *m* (*over*, sur).

swear [swea] *vt* (swore [swɔː], sworn [swɔːn]) jurer, faire serment (*that*, que ; *to do*, de faire) ; ~ *an oath*, prêter serment ‖ ~ *in*, assermenter — *vi* jurer, prêter serment ‖ ~ *at*, injurier, maudire ‖ ~ *off*, COLL. jurer de renoncer à ‖ ~-**word** *n* gros mot, juron *m*.

sweat [swet] *n* sueur, transpiration *f* ; *be in a* ~, être en nage/sueur ‖ U.S., COLL. *no* ~ !, (y a) pas de problème ! (fam.) ● *vi* transpirer, suer, être en sueur — *vt* faire transpirer ‖ ~ *out* : MED. ~ *out one's flu*, faire passer sa grippe en transpirant ‖ FIG. exploiter (workers) ‖ ~**er** *n* tricot, pull-over *m* ‖ ~**ing** *n* transpiration, suée *f* ‖ ~**y** *adj* en sueur (body) ; moite (hand) ; plein de sueur (clothes) ‖ épuisant (work).

Swed|e [swiːd] *n* Suédois *n* (person)

|| ∼**en** [ˈswiːdn] n Suède f || ∼**ish** adj/n suédois (m).

sweep [swiːp] vt (swept [swept]) balayer (with a broom) || ramoner (a chimney) || passer (over, sur) [one's hand] || Naut. draguer (mines) || ∼ **along,** emporter — vi [plain] s'étendre || [wave] ∼ over, déferler || [person] se mouvoir majestueusement || [crowd] déferler || [vehicle] aller à toute vitesse ● n coup m de balai || mouvement m circulaire ; grand geste, coup m || courbe f (of hills, river, etc.) || étendue f (of land) || (chimney) ∼, ramoneur m || Fig. **make a clean** ∼ **of,** ratisser ; faire table rase de || ∼**er** n balayeur m || [football] libéro m || ∼**ing** n balayage m || Pl balayures, ordures fpl || adj large (gesture), circulaire (glance) || Fig. radical ; ∼ **statement,** généralisation f hâtive.

sweet [swiːt] adj [taste] doux, sucré || **have a** ∼ **tooth,** aimer les sucreries || [smell] parfumé ; **smell** ∼, sentir bon || Culin. frais (milk) ; douce (water) || Mus. mélodieux || Fig. doux, gentil ● n bonbon m (sugar) ; dessert m (dish) || Pl Fig. délices fpl, plaisirs mpl || ∼**bread** n ris m de veau || ∼**-briar** n églantier m || ∼**en** vt sucrer || Fig. adoucir || ∼**ener** [-nə] n édulcorant ; Sucrette f (N.D.) || ∼**heart** n amoureux m ; (petite) amie || ∼**ish** adj douceâtre || ∼**meat** n sucreries, friandises fpl ; fruits confits || ∼**ness** n douceur f ; charme m ; gentillesse f || ∼**pea** n pois m de senteur || ∼ **potato** n patate douce || ∼**-shop** n confiserie f || ∼ **smelling** adj parfumé.

swell [swel] n [sea] houle f || Mus. crescendo m ● adj U.S., Coll. sensationnel ; super (fam.) ● vi (swelled [sweld], swollen [ˈswəulən]) se gonfler || [river] grossir || [waves] se soulever || Med. enfler, se tuméfier — vt enfler, gonfler || ∼**ing** n ; gonflement m || Med. enflure f.

swelter [ˈsweltə] vi étouffer de chaleur || ∼**ing** [-riŋ] adj étouffant, oppressant (heat).

swept [ˈswept] → sweep || ∼**-back** adj Av. en flèche (wings).

swerve [swəːv] vi [driver] donner un coup de volant ; [car] faire une embardée || [horse] faire un écart ● n écart m || Aut. embardée f.

swift[1] [swift] n Zool. martinet m.

swift[2] adj rapide, prompt || ∼**ly** adv vite, rapidement || ∼**ness** n rapidité, promptitude f.

swig [swig] vt boire d'un seul trait ; lamper (fam.).

swill [swil] vt laver à grande eau.

swim [swim] vi (swam [swæm], swum [swʌm]) nager ; ∼ **across,** traverser à la nage — vt ∼ the crawl, nager le crawl || ∼ the Channel, traverser la Manche à la nage ● n nage f ; **go for a** ∼, aller se baigner || Fig. **be in the** ∼, être dans le vent || ∼**mer** n nageur m || ∼**ming** n natation, nage f ; ∼ **costume,** maillot m de bain ; ∼ **pool,** piscine f ; ∼ **trunks,** caleçon/slip m de bain || ∼**-suit** n maillot m de bain.

swindl|e [ˈswindl] n escroquerie f ● vt ∼ sb out of sth, escroquer qqch à qqn || ∼**er** n escroc m.

swine [swain] n Zool. porc m || Sl. salaud m (person).

swing [swiŋ] n balancement m, oscillation f (movement) || balançoire f (device) || Sp. swing m || Mus. swing m || Fig. essor m ; **be in full** ∼, battre son plein ● vi (swung [swʌŋ]) se balancer (sway) || pivoter (pivot) ; [door] ∼ open/shut, s'ouvrir/se fermer || marcher d'un pas rythmé (walk) || Naut. ∼ (round), virer, éviter || Aut. ∼ **out,** déboîter ; ∼ **right round,** faire un tête-à-queue || ∼ **round,** [vehicle] virer ; [person] se retourner (vivement), virevolter. — vt balancer, faire osciller (a pendulum) ; mettre en branle (bells) ; brandir (a sword) || faire pivoter || ∼**-bridge** n pont tournant ||

~**-door** *n* porte battante ‖ ~**ing** *adj* rythmé, entraînant, endiablé (music) ‖ dans le vent (modern and free) ‖ ~**-wing** *n* Av. à géométrie variable.

swipe [swaip] *vt/vi* Sp. frapper à toute volée ● *n* grand coup.

swirl [swə:l] *n* [water] remous *m ;* [dust] tourbillon *m* ● *vi* tournoyer, tourbillonner.

swish [swiʃ] *vi* [whip] siffler ‖ [water] bruire ‖ [skirt] froufrouter — *vt* fouetter (the air) ‖ faire siffler (whip) ● *n* [whip] sifflement *m* ‖ [silk] bruissement, froufrou *m.*

Swiss [swis] *adj* suisse ‖ U.S. ~ *cheese,* gruyère *m* ● *n* Suisse *m ;* Suissesse *f.*

switch [switʃ] *n* badine *f* ‖ Sp. *riding* ~, stick *m* ‖ Rail. aiguille *f* ‖ Electr. interrupteur *m,* bouton *m* (électrique) ‖ Aut. *start on the* ~, partir au quart de tour ● *vt* échanger (*for,* contre) [exchange] ‖ Rail. aiguiller (a train) ‖ Electr. ~ *off,* couper (the current) ; éteindre (the light) ‖ ~ *on,* allumer (the light) ; Rad. mettre (the radio) ; aut. mettre le contact ‖ Coll. *be* ~*ed on,* être dans le vent ; être branché (arg.) ‖ [drugs] Sl. planer (arg.) ‖ ~ *over,* Rad., T.V. changer de station/chaîne ‖ ~**back** *n* [funfair] montagnes *fpl* russes ‖ ~**board** *n* Electr. tableau *m* de distribution ‖ Tel. standard *m ;* ~ *operator,* standardiste *f* ‖ ~**man** *n* U.S. aiguilleur *m.*

Switzerland [ˈswitslənd] *n* Suisse *f.*

swivel [ˈswivl] *vt/vi* (faire) pivoter ● *n* pivot *m* ‖ Naut. émerillon *m.*

swollen → *pp* SWELL *v* ● *adj* enflé, gonflé.

swoon [swu:n] *n* évanouissement *m,* syncope *f* ● *vi* s'évanouir, perdre connaissance.

swoop [swu:p] *vi* s'abattre, fondre (*on,* sur) ● *n* attaque, descente *f.*

swop [swɔp] = SWAP ‖ ~**s** *npl* Coll. doubles *mpl* (stamps).

sword [sɔ:d] *n* épée *f,* sabre *m* ‖

~**-fish** *n* Zool. espadon *m* ‖ ~**-play** *n* duel *m* (in a film).

swore, sworn → SWEAR.

swot [swɔt] *vi/vt* Coll. ~ (*up*), bosser, bûcher, potasser (fam.) ; chiader (arg.) ● *n* bûcheur *n.*

swum → SWIM.

swung → SWING *v.*

syllable [ˈsiləbl] *n* syllabe *f.*

syllabus [ˈsiləbəs] *n* [school] programme *m.*

symbol [ˈsimbl] *n* symbole *m ;* signe *m* ‖ ~**ic** [simˈbɔlik] *adj* symbolique ‖ ~**ize** [ˈsimbəlaiz] *vt* symboliser.

symmetr|ical [siˈmetrikl] *adj* symétrique ‖ ~**y** [ˈsimitri] *n* symétrie *f.*

sympath|etic [ˌsimpəˈθetik] *adj* compatissant ; bien disposé (*towards,* envers) ; compréhensif ‖ ~**ize** [ˈsimpəθaiz] *vi* ~ *with,* partager la douleur de, compatir à ‖ comprendre ‖ ~**y** [ˈsimpəθi] *n* [pity] compassion *f* (*for,* pour) ; *my deepest* ~, mes sincères condoléances ‖ compréhension *f* (*between,* entre) ; indulgence *f* (*with,* pour) ; sympathie *f* (*towards,* pour).

symphony [ˈsimfəni] *n* symphonie *f* ● *adj* symphonique.

symptom [ˈsimtəm] *n* symptôme *m* ‖ Fig. indice *m* ‖ ~**atic** [simtəˈmætik] *adj* symptomatique.

synagogue [ˈsinəgɔg] *n* synagogue *f.*

synchron|ize [ˈsiŋkrənaiz] *vt/vi* synchroniser ‖ ~**ic** [siŋˈkrɔnik] *adj* synchronique ‖ ~**ous** *adj* synchrone.

synco|pate [ˈsiŋkəpeit] *vt* syncoper ‖ ~**pe** [-pi] *n* syncope *f.*

syndicate [ˈsindikit] *n* [journalism] agence *f* de presse ‖ Comm. consortium *m* ● [ˈsindikeit] *vt* vendre (un article) à plusieurs journaux.

synonym [ˈsinənim] *n* synonyme *m* ‖ ~**ous** [siˈnɔniməs] *adj* synonyme (*with,* de).

synop|sis, -opses [siˈnɔpsis, -i:z] *n*

résumé *m* || précis, aide-mémoire *m* || **syphon** [´saifn] = SIPHON.
|| synoptique ; ~ *table,* tableau *m*
synoptique.

Syri|a [´siriə] *n* Syrie *f* || ~**an** [-n]
adj/n syrien.

synt|actic [sin´tæktik] *adj* syntaxi-
que || ~**ax** [´sintæks] *n* syntaxe *f.*
synthe|sis, -theses [´sinθisis, -i:z]
n synthèse *f* || ~**size** [-saiz] *vt* synthé-
tiser || ~**sizer** *n* MUS. synthétiseur
m || ~**tic** [sin´θetik] *adj* synthétique.
syphil|is [´sifilis] *n* syphilis *f* || ~**itic**
[‚sifi´litik] *adj* syphilitique.

syringa [si´riŋgə] *n* seringa *m.*

syringe [´sirinʒ] *n* seringue *f.*

syrup [´sirəp] *n* sirop *m.*

system [´sistim] *n* système *m* || JUR.
régime *m* || RAIL. réseau *m* || ~**atic**
[‚sisti´mætik] *adj* systématique.

T

t [ti:] *n* t *m* || *T-shirt,* tee-shirt *m* ||
T-square, té *m* (for drawing).

ta [ta:] *interj* COLL. merci.

tab [tæb] *n* [shoelace] ferret *m* ||
[garment] patte *f* (loop) || étiquette *f*
(label) || COLL. *keep ~(s) on sb,*
surveiller, avoir qqn à l'œil.

tabby [´tæbi] *n* ~*(-cat),* chat(te)
tigré(e)/de gouttière.

table [´teibl] *n* table *f* ; *at ~,* à table ;
lay the ~, mettre le couvert ; *clear
the ~,* desservir || table *f,* tableau *m* ;
~ *of contents,* table des matières ||
GEOGR. plateau *m* ● *vt* G.B. présenter, mettre à l'ordre du jour (a
matter) ; U.S. ajourner, classer ||
~**-cloth** *n* nappe *f* || ~ *d'hôte*
[´ta:bl´dəut] *n* ~ *meal,* repas *m* à prix
fixe || ~**land** *n* GEOL. plateau *m* ||
~**mat** *n* napperon *m* || dessous-
de-plat *m* || ~**-spoon** *n* cuillère *f* de
service.

tablet [´tæblit] *n* plaque commémo-

rative || *a ~ of soap,* une savonnette
|| MED. comprimé *m* ; cachet *m* ; *throat
~,* pastille *f* pour la gorge.

table-tennis *n* tennis *m* de table ;
ping-pong *m* ; ~ *player,* pongiste *n,*
joueur *n* de ping-pong.

tabloid [´tæblɔid] *n* tabloïd, journal
m de petit format (à sensation) ||
MED. comprimé *m.*

taboo [tə´bu:] *n* tabou *m* ● *vt*
proscrire.

tabor [´teibə] *n* tambourin *m.*

tabul|ar [´tæbjulə] *adj* tabulaire ||
~**ate** [´tæbjuleit] *vt* disposer en
tableaux, classer || ~**ator** [-eitə] *n*
tabulateur *m.*

tacit [´tæsit] *adj* tacite || ~**urn** [-ə:n]
adj taciturne.

tack [tæk] *n* semence *f* (nail) || →
THUMB-~ || point *m* de bâti (stitch)
|| NAUT. amure *f* ; direction *f* ; *on the
port ~,* bâbord amures ; *make a ~,*

courir une bordée ● *vt* clouer (a carpet) || [sewing] bâtir — *vi* NAUT. ~ *(about),* virer de bord ; louvoyer || ~**ing** *n* bâti *m ;* ~ *stitch,* point *m* de bâti.

tackle [ˈtækl] *n* engins *mpl ; fishing* ~, matériel *m* de pêche || SP. plaquage *m* ● *vt* saisir || FIG. aborder, attaquer (problem) || SP. plaquer.

tact [tækt] *n* tact, doigté *m* || ~**ful** *adj* délicat.

tact|ical [ˈtæktikl] *adj* MIL. tactique || ~**ics** [-iks] *n* MIL. tactique *f* || FIG. manœuvre *f.*

tactless [ˈtæktlis] *adj* sans tact.

tadpole [ˈtædpəul] *n* têtard *m.*

taffeta [ˈtæfitə] *n* taffetas *m.*

taffy [ˈtæfi] *n* U.S. = TOFFEE.

tag [tæg] *n* ferret *m* (of shoelace) || étiquette *f* (label) || citation *f* banale, cliché *m* || [children] *play* ~, jouer à chat ● *vt* attacher (on, to, à) ; ~ *together,* lier || étiqueter (label) — *vi* ~ *along/behind,* suivre.

Tahi|ti [taːˈhiti] *n* Tahiti *m* || ~**tian** [-ʃn] *adj/n* tahitien.

tail [teil] *n* ZOOL., AV., ASTR. queue *f* || [hair] natte *f* || [coin] pile *f* || *Pl* tenue *f* de soirée → HEAD || AUT. [bus] plate-forme *f* ● *vt* [police] suivre, filer — *vi* ~ *away/off,* diminuer || ~**back** *n* [traffic] file *f* de voitures, bouchon *m* || ~**board** *n* AUT. hayon *m* || ~**coat** *n* habit *m* || ~**gate** *n* AUT., U.S. hayon *m* ● *vt* coller aux pare-chocs de || ~**light** *n* AUT. feu *m* arrière.

tailor [ˈteilə] *n* tailleur *m ;* ~**made** *suit,* (costume) tailleur *m.*

tail|-spin [ˈteilspin] *n* AV. vrille *f* || ~**wind** *n* vent *m* arrière.

taint [teint] *n* tache, souillure *f* || FIG. corruption *f* || trace *f* (of infection) || MED. tare *f* ● *vt* corrompre, souiller, infecter — *vi* se corrompre, se gâter.

take [teik] *vt* (took [tuk], taken [teikn]) prendre, saisir || capturer || contracter ; *be* ~*n ill,* tomber ma-

lade || profiter ; ~ *an opportunity,* saisir une occasion || apporter, emporter ; ~ *letters to the post,* porter des lettres à la poste || emmener ; ~ *a friend home,* reconduire un ami chez lui || ~ *food,* s'alimenter || absorber ; [medicine] *not to be* ~*n,* ne pas avaler || prendre (bus, taxi, train, etc.) || prendre (road) || ~ *a bath,* prendre un bain ; ~ *the air,* prendre l'air || accomplir ; ~ *a walk,* faire une promenade || recevoir, accepter ; ~ *a hint,* comprendre à demi-mot || prendre, enregistrer ; ~ *notes,* prendre des notes ; ~ *on tape,* enregistrer au magnétophone ; ~ *a photograph,* prendre une photo || prendre (a lesson) ; ~ *French,* faire du français || ~ *an examination,* passer un examen || prendre, demander ; ~ *time,* prendre/mettre du temps || ~ *place,* avoir lieu, se passer, arriver || considérer (for, comme) ; *be* ~*n for,* passer pour || *I* ~ *it that,* je suppose que || admettre, accepter ; *you may* ~ *it from me,* vous pouvez m'en croire || ~ *it easy,* ne pas s'en faire || ~ *medical advice,* consulter un médecin || MED. ~ *sb's temperature,* prendre la température de qqn || ~ *away,* emporter (sth) ; emmener (sb) || MATH retrancher, soustraire ; ~ *back,* reprendre, revenir sur (one's word) ; rapporter (sth) ; reconduire (sb) ; FIG. ramener (en arrière) ; rappeler (the past) || ~ *down,* noter, inscrire ; remettre (qqn) à sa place ; TECHN. démonter || ~ *in,* prendre, héberger (lodgers) ; être abonné à (a news-paper) ; rentrer (a seam) ; diminuer, reprendre (a garment) ; inclure, englober ; FIG. comprendre, saisir ; COLL. *be* ~*n in,* se faire avoir/rouler ; FIG. avaler, gober (a story) || NAUT. carguer (sails) || ~ *into,* mettre dans ; ~ *into account,* tenir compte de || ~ *off,* enlever, ôter (clothes) ; déduire, rabattre (a sum) ; emmener (sb) ; distraire ; ~ *sb's mind off sth,* détourner l'attention de qqn ; imiter, parodier (imitate) || ~ *on,* entreprendre, se charger de (a task); embaucher, engager (workers); prendre, revêtir (quality, appearance) || Sp. accepter (a challenge), jouer contre (sb) || ~ *out*, (faire) sortir, extraire; sortir (sb); souscrire (insurance) || ~ *out a subscription*, prendre un abonnement || RAIL. retirer (luggage); COLL. fatiguer; *it* ~*s it out of you*, cela vous épuise/met à plat || ~ *over*, transporter (carry); prendre la succession de (sb); reprendre (business) || ~ *to*, sympathiser avec (person); prendre goût à (action); *to drink*, se mettre à boire; *to one's bed*, s'aliter || ~ *up*, ramasser (raise); absorber (water); occuper, tenir (space); raccourcir (a dress); CIN., PHOT. enrouler (film); FIG. aborder (a question); se mettre à (hobby, business); embrasser (a career); reprendre (a conversation); COLL. reprendre, rabrouer || ~ *upon*, : ~ *it upon oneself to do sth*, se permettre de faire qqch.

— vi [fire] prendre || MED. [vaccination] prendre || PHOT. ~ *well*, être photogénique || ~ *after*, ressembler à, tenir de || ~ *from*, diminuer, nuire à || ~ *off*, prendre son élan; AV. décoller || ~ *on*, avoir du succès, prendre || ~ *to*, prendre goût à, s'adonner à (hobby, habit); avoir recours à, se mettre à; ~ *to flight*, prendre la fuite; ~ *to the woods/the bush*, prendre le maquis || ~ *up*, ramasser, lever (lift); faire monter (carry upstairs); occuper, tenir (space); absorber (liquid) || FIG. aborder (subject); se mettre à (start learning) || ~ *sb up sharp*, reprendre/corriger qqn || ~ *up with*, s'intéresser (vivement) à qqch; se lier avec (sb).

● n prise f || [sound recording] enregistrement m || CIN. prise f de vue.

take-away adj à emporter (food) ● n traiteur m.

take|-off n pastiche m, parodie f || Av. décollage m || ~-**out** n = ~-**AWAY** || ~ **over** n FIN. rachat m;

~ *bid*, offre publique d'achat, O.P.A. || ~-**up** adj PHOT., CIN. ~ *spool*, bobine réceptrice.

takings [-iŋz] npl COMM. recette(s) f(pl).

talcum [ˈtælkəm] n ~ *(powder)*, talc m.

tale [teil] n conte, récit m (story); *fairy* ~*s*, contes mpl de fées || raconter, ragot m (gossip); *tell* ~*s*, rapporter; cafarder (fam.).

talent [ˈtælənt] n aptitude f, talent m || ~**ed** [-id] adj doué, talentueux.

talisman [ˈtælizmən] n talisman m.

talk [tɔ:k] vt parler; ~ *English*, parler anglais || s'entretenir, causer de; ~ *shop*, parler affaires/boutique || ~ *over*, discuter de; persuader, convaincre || ~ *round*, persuader. — vi parler (*to*, à; *about*, de; *of*, de) || causer, s'entretenir (*with*, avec) || ~ *back*, répondre, répliquer ● n [gossip] propos mpl; *small* ~, menus propos; *it's the* ~ *of the town*, tout le monde en parle || entretien m, conversation f; *have a* ~ *with sb*, s'entretenir avec qqn || causerie f; *give a* ~ *on the radio*, parler à la radio || bruit m; dires mpl; *there is* ~ *of*, il est question de.

talk|ative [-ətiv] adj bavard || ~*er* n causeur f || ~**ing** adj parlant; ~ *book*, livre enregistré; ~ *point*, sujet m de conversation ● n propos mpl; ~-**to**, COLL. savon m, réprimande f.

talk-show n T.V. débat m.

tall [tɔ:l] adj haut, élevé (building); grand (person); *how* ~ *is he ?*, quelle est sa taille ?; *grow* ~*er*, grandir || COLL. extravagant; ~ *price*, prix exorbitant || COLL. invraisemblable; ~ *story*, histoire incroyable.

tallow [ˈtæləu] n suif m; ~ *candle*, chandelle f.

tally [ˈtæli] n compte m || SP. score m || étiquette f (tag) || FIG. contrepartie f ● vt compter (points) — vi concorder, correspondre, s'accorder ‖ ~ **sheet** *n* bordereau *m.*

talon ['tælən] *n* serre *f* (of a bird of prey).

tam|e [teim] *adj* apprivoisé ‖ Fig. insipide, terne (story) ● *vt* dresser, apprivoiser (an animal) ; dompter (a lion) ‖ Fig. brider, mater ‖ ~**er** *n* dompteur *n.*

Tamil ['tæmil] *n* Tamoul ● *adj* tamoul.

tam-o'-shanter [ˌtæmə'ʃæntə] *n* béret (écossais).

tamper ['tæmpə] *vi* ~ **with**, toucher, tripoter (sth).

tampon ['tæmpɔn] *n* Med. tampon *m* périodique.

tan [tæn] *adj* jaune (shoes) ; havane (gloves) ● *n* hâle *m* (on the skin) ● *vt* tanner (hide) ; hâler, bronzer (the skin) — *vi* se hâler ‖ ~**ned** [-d] *adj* hâlé, basané.

tang [tæŋ] *n* saveur *f* (of the sea air, etc.).

tangent ['tænʒənt] *adj* tangent ● *n* tangente *f.*

tangerine [ˌtænʒə'ri:n] *n* mandarine *f.*

tangible ['tænʒəbl] *adj* tangible, palpable.

tangle ['tæŋgl] *n* enchevêtrement, embrouillamini *m* ; get into a ~, s'embrouiller ● *vt/vi* (s')enchevêtrer ; (s')embrouiller ; (s')entortiller.

tank [tæŋk] *n* réservoir *m* ; aquarium *m* (for fish) ; citerne *f* (for rainwater) ; hot water ~, ballon *m* d'eau chaude ‖ Mil. char *m* de combat ‖ Rail. ~-**car**, wagon-citerne *m* ● *vt* Aut. ~ **up**, faire le plein.

tankard ['tæŋkəd] *n* chope *f.*

tanker ['tæŋkə] *n* Naut. bateau-citerne, pétrolier *m.*

tann|er *n* tanneur *m* ‖ ~**ery** [-ri] *n* tannerie *f* ‖ ~**in** [-in] *n* tanin *m* ‖ ~**ing** *n* tannage *m.*

tantaliz|e ['tæntəlaiz] *vt* allécher,

tenter ‖ Fig. tourmenter ‖ ~**ing** *adj* alléchant, tentant, provoquant.

tantamount ['tæntəmaunt] *adj* ~ *to,* équivalent à.

tantrum ['tæntrəm] *n* crise *f* de colère/rage ; get into ~s, piquer une colère.

tap¹ [tæp] *n* robinet *m ;* ~ *water,* eau *f* du robinet ‖ cannelle *f* (of a cask) ; on ~, en perce ; Fig. disponible ‖ Electr. branchement *m* ● *vt* mettre en perce (a cask) ; tirer (wine) ‖ Electr. brancher sur ‖ Tel. mettre sur table d'écoute ‖ *telephone* ~*ping,* écoutes *fpl* téléphoniques ‖ Fig. exploiter (resources) ; obtenir (information).

tap² *n* petit coup *m,* tape *f* ● *vi* frapper légèrement ; tapoter ‖ ~*-dancing,* claquettes *fpl.*

tape [teip] *n* ruban *m ; sticky* ~, ruban adhésif, Scotch (N.D.) ‖ ganse *f* (for garments) ‖ ~*line/* ~ *measure,* mètre-ruban *m* ‖ Electr. *(insulating)* ~, chatterton *m ; magnetic* ~, bande *f* magnétique ; ~ *deck,* platine *f* de magnétophone ; ~*-recorder,* magnétophone *m ;* ~*-recording,* enregistrement *m* magnétique ‖ Fig. *red* ~, paperasserie, bureaucratie *f* ● *vt* enregistrer.

taper ['teipə] *n* cierge *m* ● *vt* effiler — *vi* se terminer en pointe/fuseau ‖ ~**ing** [-riŋ] *adj* fuselé.

tapestry ['tæpistri] *n* tapisserie *f ;* ~*-weaver,* tapissier *n.*

tapeworm ['teipwə:m] *n* Med. ver *m* solitaire.

tappet ['tæpit] *n* taquet *m* ‖ Aut. culbuteur *m.*

taproom ['tæprum] *n* bar *m,* buvette *f.*

tar [tɑː] *n* goudron *m* ● *vt* goudronner.

tard|ily ['tɑːdili] *adv* sans empressement ‖ ~**y** *adj* lent, nonchalant ‖ tardif (belated).

tare¹ [tɛə] *n* ivraie *f.*

tare² *n* Comm. tare *f* ● *vt* tarer.

target ['tɑ:git] *n* cible *f* ‖ FIG. but, objectif *m*, cible *f*.

tariff ['tærif] *n* [customs] tarif douanier ‖ COMM. tarif *m*, prix *mpl*.

tarmac ['tɑ:mæk] *n* macadam *m* ‖ AV. piste *f* d'envol.

tarnish ['tɑ:niʃ] *vt* ternir ‖ FIG. flétrir — *vi* se ternir.

tarpaulin [tɑ:'pɔ:lin] *n* bâche goudronnée ‖ NAUT. prélart *m*.

tarragon ['tærəgən] *n* estragon *m*.

tarry ['tɑ:ri] *adj* couvert de goudron, goudronneux.

tart[1] [tɑ:t] *adj* âpre, aigrelet.

tart[2] CULIN. tarte *f*.

tart[3] *n* SL. grue *f* (fam.).

tartan ['tɑ:tn] *n* tartan *m* ● *adj* écossais *m* (fabric).

tartar ['tɑ:tə] *n* tartre *m*.

task [tɑ:sk] *n* tâche *f*, travail *m*, besogne *f*; *take sb to* ~, réprimander, prendre qqn à partie (*about/for*, pour) ● *vt* imposer une tâche à ‖ ~-**force** *n* MIL. détachement spécial.

tassel ['tæsl] *n* gland *m* (on curtain); pompon *m* (on cap).

taste [teist] *n* [flavour, sense] goût *m* ‖ FIG. *in good/bad* ~, de bon/mauvais goût. → LAPSE ● *vt* sentir, percevoir (a taste) ‖ goûter à (test) — *vi* avoir un goût (*of*, de); ~ *good/bad*, avoir bon/mauvais goût ‖ ~ *of*, avoir un goût de ‖ ~**less** *adj* fade, insipide.

tasty ['teisti] *adj* savoureux.

tata [tæ'tɑ:] *interj* COLL. au revoir.

tatter ['tætə] *n* lambeau, haillon *m* ‖ *Pl* loques, guenilles *fpl* ‖ ~**ed** [-d] *adj* en loques, déguenillé.

tattl|e ['tætl] *n* bavardage *m* (chatter) ‖ cancans *mpl* (gossip) ● *vi* cancaner, jaser ‖ ~**er** *n* commère *f*.

tattoo[1] [tə'tu:] *n* tatouage *m* ● *vt* tatouer.

tattoo[2] *n* MIL. [drums] retraite *f*; [show] parade *f* militaire ‖ *beat a*

~ *on the table*, tambouriner sur la table.

taught → TEACH.

taunt [tɔ:nt] *n* sarcasme *m*, raillerie *f* ● *vt* railler, persifler ‖ ~**ing** *adj* railleur, sarcastique.

Taurus ['tɔ:rəs] *n* ASTR. Taureau *m*.

taut [tɔ:t] *adj* tendu (rope) ‖ FIG. tendu (nerves); crispé (smile).

tavern ['tævən] *n* taverne *f*.

tawdry ['tɔ:dri] *adj* voyant, criard.

tawny ['tɔ:ni] *adj* fauve (colour).

tax [tæks] *n* FIN. impôt *m*; taxe *f* ● *vt* imposer, taxer ‖ FIG. éprouver, mettre à l'épreuve (patience) ‖ ~**able** *adj* imposable ‖ ~**ation** [tæk'seiʃn] *n* taxation, imposition *f* ‖ fiscalité *f* ‖ ~-**collector** *n* percepteur *m* ‖ ~ **disc** AUT. vignette *f* ‖ ~-**dodger**, ~ **evader** *n* fraudeur *n* (fiscal) ‖ ~ **evasion** *n* fraude fiscale ‖ ~-**free** *adj* exempt d'impôts, exonéré *f* ‖ ~ **haven** *n* paradis fiscal.

taxi ['tæksi] *n* ~-(*cab*), taxi *m*; *by* ~, en taxi ● *vi* [plane] rouler au sol ‖ ~-**driver** *n* chauffeur *m* de taxi ‖ ~-**rank** *n* station *f* de taxis.

tax|payer ['tæks,peə] *n* contribuable *n* ‖ ~ **return** *n* déclaration *f* de revenus.

tea [ti:] *n* thé *m* (plant, drink) ‖ *make* ~, faire du thé ‖ *(Pl)* 3 ~*s, please !*, 3 tasses de thé, s'il vous plaît ‖ [meal] thé *m*; goûter *m* (for children); *high* ~, goûter *m* dînatoire ‖ ~ *bag*, sachet *m* de thé; ~ *break*, pause *f* thé; ~ *caddy*, boîte *f* à thé; ~*cup*, tasse *f* à thé; ~ *cosy*, couvre-théière *m*; ~ *party*, thé *m*; ~*pot*, théière *f*; ~*room*, salon *m* de thé; ~ *set*, service *m* à thé; ~ *shop*, salon *m* de thé; ~*spoon*, petite cuillère; ~ *strainer*, passe-thé *m*; ~ *towel*, torchon *m* à vaisselle; ~ *trolley*, table roulante.

teach [ti:tʃ] *vt* (taught [tɔ:t]) instruire; ~ *sb sth*, ~ *sth to sb*, enseigner/apprendre qqch à qqn — *vi* enseigner, être professeur ‖ ~**er**

n [primary school] instituteur *n* ; [secondary school] professeur *m* ‖ **~ing** *n* enseignement *m* ‖ **the ~ profession,** l'enseignement *m,* le professorat ; [collectively] le corps enseignant, les enseignants *mpl.*

teak [ti:k] *n* teck *m.*

team [ti:m] *n* équipe *f; work in ~s,* travailler en équipes ‖ attelage *m* (horses) ● *vi ~ up,* faire équipe (*with,* avec) ‖ **~mate** *n* coéquipier *n* ‖ **~ member** *n* équipier *n* ‖ **~ spirit** *n* esprit *m* d'équipe ‖ **~ster** [-stə] *n* U.S. routier *m* ‖ **~-work** *n* travail *m* en équipe/groupe.

tear[1] [teə] *vt* (tore [tɔ:], torn [tɔ:n]) déchirer ‖ MED. *~ a muscle,* se déchirer un muscle ‖ *~ away,* arracher ‖ *~ down,* démolir (a building) ‖ *~ off* = **~** AWAY ‖ *~ up,* déchirer (a letter) — *vi* se déchirer ‖ *~ along,* filer, se précipiter ‖ *~ off,* partir en trombe ● *n* déchirure *f,* accroc *m.*

tear[2] [tiə] *n ~ (drop),* larme *f; in ~s,* en larmes ; *burst into ~s,* fondre en larmes ‖ **~ful** *adj* en larmes, éploré ; larmoyant (péj.) ‖ **~gas** *n* gaz *m* lacrymogène.

tear-proof *adj* indéchirable.

teas|e [ti:z] *vt* taquiner ‖ **~er** *n* question *f* difficile ; colle *f* (fam.) ‖ **~ing** *adj* taquin.

teat [ti:t] *n* [woman] mamelon, bout *m* de sein ; [cow] trayon *m* ‖ [bottle, dummy] tétine *f.*

technical ['teknikl] *adj* technique ; *~ college,* collège *m* technique ‖ **~ity** [͵tekniˈkæliti] *n* technicité *f* ‖ *Pl* subtilités *fpl.*

tech|nician [tekˈniʃn] *n* technicien *n* ‖ **~nique** [-ˈni:k] *n* technique *f;* métier *m.*

techno|crat ['teknəkræt] *n* technocrate *n* ‖ **~logical** [͵-ˈlɔdʒikl] *adj* technologique ‖ **~logy** [tekˈnɔlədʒi] *n* technologie *f; high ~,* COLL. **high-tech,** technologie de pointe.

tedder ['tedə] *n* AGR. faneuse *f* (machine).

teddybear ['tedibeə] *n* ours *m* en peluche.

tedious ['ti:djəs] *adj* pénible, ennuyeux, fastidieux ‖ **~ness** *n* ennui *m.*

tedium ['ti:djəm] *n* = TEDIOUSNESS.

teem [ti:m] *vi* fourmiller, grouiller ; *~ with,* abonder en, regorger de ‖ **~ing** *adj* grouillant (crowd) ; bondé (room).

teen|-age ['ti:neidʒ] *adj* [fashion] pour adolescents ‖ **~-ager** *n* jeune, adolescent *n* ‖ **~s** [ti:nz] *npl* adolescence *f* (de 13 à 19 ans) ; *she's still in her ~,* elle n'a pas encore vingt ans.

teeth → TOOTH.

teethe [ti:ð] *vi be teething,* faire ses dents.

teetotaller [ti:ˈtəutlə] *n* abstinent, buveur *n* d'eau.

tele|cast ['telikɑ:st] *n* émission télévisée ● *vt/vi* téléviser ‖ **~communications** *npl* télécommunications *fpl* ‖ **~gram** [-græm] *n* télégramme *m* ‖ **~graph** [-grɑ:f] *vt* télégraphier ● *n* télégraphe *m* ‖ *~ pole/post,* poteau *m* télégraphique ‖ **~graphese** [-grəˈfi:z] *n* style *m* télégraphique ‖ **~graphist** [tiˈlegrəfist] *n* télégraphiste *n* ‖ **~graphy** [tiˈlegrəfi] *n* télégraphie *f* ‖ **~meter** [teˈlimitə] *n* télémètre *m* ‖ **~pathy** [tiˈlepəθi] *n* télépathie *f* ‖ **~phone** ['telifəun] *n* téléphone *m; ~ booth/box,* cabine *f* téléphonique ; *~ directory,* annuaire *m* téléphonique ; *~ exchange,* central *m* téléphonique ● *vt* téléphoner à ‖ **~photo** [͵-ˈ-] *n* ~ *lens,* téléobjectif *m* ‖ **~printer** *n* téléscripteur *m* ‖ **~ processing** *n,* télétraitement *m* ‖ **~ prompter** *n* U.S. (T.N.) prompteur *m* ‖ **~scope** [-skəup] *n* longue-vue *f;* [astronomy] lunette *f* astronomique (refracting) ; télescope *m* (reflecting) ‖ **~scopic** [͵teliˈskɔpik] *adj* télescopique ‖ **~vise** ['-ˈvaiz] *vt* téléviser ‖ **~vision** ['-ˈviʒn] *n* télévision *f; on ~,* à la télévision ; *~ news,* journal télévisé ;

~ **set,** téléviseur, poste *m* de télévision.

telex ['tɛlɛks] *n* (service *m*) télex *m ;* ~ **(machine),** téléimprimeur *m* ‖ ~ **message** *m* transmis par télex ; télex (fam.) ● *vt* transmettre par télex ; télexer.

tell [tel] *vt* (told [tǝuld]) dire, faire connaître ; ~ *the truth,* dire la vérité ; ~ *sb about,* mettre qqn au courant de ‖ raconter (a story) ‖ discerner, distinguer ; *I can't* ~ *the difference,* je n'arrive pas à voir la différence ‖ ~ *fortunes,* tirer les cartes, dire la bonne aventure ‖ [arch.] compter ; **all told,** en tout ‖ révéler, dévoiler (secrets) ‖ SL. *you're* ~*ing me !,* à qui le dites-vous ! ‖ ~ **off,** MIL. affecter (select) ; COLL. attraper, enguirlander (fam.) — *vi* parler (*of,* de) ; ~ *sb about,* mettre qqn au courant de ‖ FIG. savoir ; *who can* ~ *?,* qui sait ?, *you never can* ~, on ne sait jamais ; se faire sentir (*on,* sur) [have an effect] ‖ ~ **against,** desservir, faire du tort à ‖ ~ *on,* COLL. [children] dénoncer ; cafarder (fam.) ‖ ~ **er** *n* [bank] payeur, caissier *n* ‖ POL. scrutateur *n* (of votes) ‖ ~ **ing** *adj* révélateur ‖ efficace, qui porte (argument) ; bien assené (blow) ‖ ~ **tale** *adj* révélateur ● *n* rapporteur *n ;* cafard (fam.).

telly ['teli] *n* COLL. télé *f* (fam.).

temerity [ti'meriti] *n* témérité *f.*

temp [temp] *vi* faire du travail intérimaire ● *n* intérimaire *n.*

temper ['tempǝ] *n* sang-froid, calme *m ;* **keep/lose one's** ~, garder/perdre son sang-froid, se mettre en colère ; **out of** ~, en colère ‖ humeur (temporary) ; *be in a bad/good* ~, être de mauvaise/bonne humeur ; *be in a* ~, être en colère ; *get/fly into a* ~, se mettre en colère ‖ caractère, tempérament *m* (habitual) ‖ TECHN. trempe *f* (of metal) ● *vt* tremper (steel) ‖ FIG. tempérer, atténuer, adoucir.

tempera ['tempǝrǝ] *n* détrempe *f.*

temperament ['temprǝmǝnt] *n*

tempérament *m* ‖ ~ **al** [tempǝ-'mǝntl] *adj* capricieux, instable ‖ MED. inné, naturel.

temper|ance ['tempǝrǝns] *n* tempérance, sobriété, modération *f* ‖ ~ **ate** [-it] *adj* tempéré ‖ sobre (person).

temperature ['tempritʃǝ] *n* température *f ; take sb's* ~, prendre la température de qqn ; **have/run a** ~, avoir de la température/de la fièvre.

tempest ['tempist] *n* tempête *f* ‖ ~ **uous** [tem'pestjuǝs] *adj* tempétueux.

temple¹ ['templ] *n* ARCH. temple *m.*

temple² *n* MED. tempe *f.*

temporal ['temprǝl] *adj* temporel.

tempor|arily ['temprǝrili] *adv* temporairement ‖ ~ **ary** [-ǝri] *adj* temporaire, provisoire ‖ ~ **ize** ['tempǝ-raiz] *vi* temporiser, atermoyer (delay).

tempt [temt] *vt* tenter, séduire ‖ ~ **ation** [tem'teiʃn] *n* tentation *f* ‖ ~ **ing** *adj* tentant, séduisant.

ten [ten] *n* dix *m.*

tenable ['tenǝbl] *adj* soutenable.

tenacious [ti'neiʃǝs] *adj* tenace, obstiné ; ~ *of,* attaché à.

tenacity [ti'næsiti] *n* ténacité *f.*

tenant ['tenǝnt] *n* locataire *n ; joint* ~, colocataire *n* ‖ AGR. ~ *-farmer,* fermier, métayer *m.*

tend¹ [tend] *vt* garder (sheep) ‖ prendre soin de (sb) ‖ U.S. ~ *store,* servir les clients ‖ s'occuper de, garder (shop) ‖ soigner (invalid).

tend² *vi* ~ *to,* tendre à, avoir tendance à.

tenden|cy ['tendǝnsi] *n* tendance *f* (*to,* à) ‖ ~ **tious** [ten'denʃǝs] *adj* tendancieux.

tender¹ ['tendǝ] *n* garde *m* ‖ RAIL. tender *m.*

tender² *n* offre *f* ‖ JUR. soumission *f* ‖ FIN. **legal** ~, cours légal ; *be legal* ~, avoir cours ● *vt* offrir (resignation) ‖ payer.

tender³ adj tendre (meat) ‖ sensible (painful) ‖ délicat (subject) ‖ tendre (heart) ‖ ~**foot** n nouveau venu ‖ FIG. novice m ‖ ~**loin** n CULIN. filet m ‖ ~**ly** adv tendrement ‖ ~**ness** n tendresse f (affection).

tendon ['tendən] n tendon m.

tendril ['tendril] n BOT. vrille f.

tenement ['tenimənt] n ~(-house), maison f de rapport, logements mpl.

tennis ['tenis] n tennis m ; play ~, jouer au tennis ‖ ~**-court** n court m de tennis ‖ ~**-shoe** n chaussure f de tennis ; Pl tennis mpl.

tenor¹ ['tenə] n MUS. ténor m.

tenpin ['ten,pin] n quille f; ~ **bowling**, bowling m.

tense¹ [tens] adj tendu.

tense² n GRAMM. temps m.

tension ['tenʃn] n TECHN., ELECTR. tension f ‖ FIG. tension f.

tent [tent] tente f; put up a ~, dresser/monter une tente ; ~**-peg**, piquet m de tente ● vi vivre sous la tente.

tentative ['tentətiv] adj expérimental ‖ timide, hésitant (person) ‖ ~**ly** adv à titre d'essai.

tenterhooks ['tentəhuks] npl : be on ~, être sur les charbons ardents.

tenth [tenθ] adj dixième.

tenuous ['tenjuəs] adj ténu, menu, mince.

tenure ['tenjuə] n (office) fonction f ‖ (land) bail m, jouissance f.

tepid ['tepid] adj tiède.

term [tə:m] n terme m, fin f (end) ; set a ~, mettre un terme (to, à) ‖ [school] trimestre m ‖ durée, période f; in the long ~, à long terme ‖ GRAMM. mot, terme m ‖ Pl in ~s of, en fonction de, sur le plan de ‖ FIN. terme m, échéance f; long ~ credit, crédit m à long terme ‖ COMM. conditions fpl, prix m ; clauses fpl (of a contract); easy ~s, facilités fpl de paiement ‖ Pl termes mpl (relationship); be on good/bad ~s, être en bons/mauvais termes ‖ Pl conditions fpl, arrangement m ; come to ~s, arriver à un accord, transiger.

termin|al ['tə:minl] adj terminal, final ‖ [school] trimestriel ● n terminus m ; air ~, aérogare f ‖ [computer] terminal m ‖ PHYS. borne f ‖ ~**ate** [-eit] vi/vt (se) terminer ‖ ~**ation** [-'neiʃn] n fin, conclusion f ‖ MED. ~ of pregnancy, interruption f de grossesse ; I.V.G. f ‖ ~**us** [-əs] n RAIL. terminus m.

terrace ['terəs] n terrasse f ‖ rangée f de maisons ‖ Pl SP. gradins mpl.

terrestrial [ti'restriəl] adj terrestre.

terrible ['terəbl] adj terrible.

terrier ['teriə] n ZOOL. terrier m.

terrif|ic [tə'rifik] adj terrifiant ‖ COLL. formidable, fantastique ‖ ~**y** ['terifai] vt terrifier.

territor|ial [,teri'tɔ:riəl] adj territorial ; ~ waters, eaux territoriales ‖ ~**y** ['teritri] n territoire m.

terror ['terə] n terreur f ‖ ~**ism** [-rizm] n terrorisme m ‖ ~**ist** [-rist] n terroriste n ‖ ~**ize** [-raiz] vt terroriser ‖ ~**-stricken** adj épouvanté.

terry(cloth) ['teri(klɔθ)] n tissu-éponge m.

terse [tə:s] adj concis, succinct ‖ ~**ly** adv succinctement.

tertiary ['tə:ʃəri] adj/n tertiaire (m).

test [test] n épreuve f (trial) ; driving ~, examen m du permis de conduire ‖ put to the ~, mettre à l'essai/ l'épreuve ‖ [school] interrogation f, test m ; give sb a ~, faire passer un test/examen à qqn ; take a ~, passer un test ; ~ **paper**, interrogation écrite, composition f ‖ CH., MED. analyse f; ~**-strip**, bandelette réactive ; ~**-tube**, éprouvette f ‖ Av. ~ **flight/pilot**, vol/pilote m d'essai ‖ SP. ~ **match**, match international ‖ T.V. ~ **card**, mire f de réglage ‖ TECHN., FIG. ~ **bench**, banc m d'essai

● *vt* essayer, mettre à l'essai ; expérimenter ‖ tester, faire passer des tests à ‖ FIG. éprouver, mettre à l'épreuve ; **~ing,** éprouvant (climate).

testament [ˈtestəmənt] *n* testament *m.*

testi|fy [ˈtestifai] *vt* JUR. déclarer, attester ‖ FIG. témoigner de ‖ **~monial** [ˌtestiˈmounjəl] *n* attestation *f,* certificat *m* ‖ **~mony** [-məni] *n* témoignage *m.*

testy [ˈtesti] *adj* grincheux, irritable.

tetanus [ˈtetənəs] *n* tétanos *m.*

tetchy [ˈtetʃi] *adj* irritable, grincheux.

tether [ˈteðə] *n* longe *f* ‖ FIG. **at the end of one's ~,** au bout de son rouleau.

text [tekst] *n* texte *m* ‖ **~book** *n* manuel *m ;* cours *m.*

textile [ˈtekstail] *adj/n* textile (*m*).

Thames [temz] *n* Tamise *f.*

than [ðæn] *conj* [comparison] que ; *rather ~,* plutôt que.

thank [θæŋk] *vt* remercier (*sb for sth,* qqn de qqch) ; *~ you,* (oui) merci ; *no, ~ you,* non, merci ‖ **~-you letter,** lettre *f* de remerciement ‖ **~ful** *adj* reconnaissant (*to,* à) ‖ **~less** *adj* ingrat.

thanks [-s] *npl* remerciements *mpl ;* *~s a lot !,* merci beaucoup ! ‖ *~ to,* grâce à.

Thanksgiving [ˈθæŋksˌgiviŋ] *n* U.S. *~ Day,* jour *m* d'actions de grâces.

that, those [ðæt, ðəuz] *dem adj* ce, cet *m,* cette *f ;* ces *pl ;* ce/cet/(te) ....là *m(f) ;* ces ....là *pl* ● *dem pron* [thing(s)] ce ; cela ; ça ; *~ is (to say),* c'est-à-dire ‖ [person(s)] *~ (one),* celui-là *m ;* celle-là *f ;* ceux-là *mpl ;* celles-là *fpl* ‖ *at ~,* en plus, et qui plus est ‖ *~'s ~,* et voilà ‖ *with ~,* sur ce ● *adv* aussi, si ; *~ high,* haut comme cela ‖ COLL. tellement ; *~ tired,* tellement fatigué ● *rel pron* qui, que ; lequel *m,* laquelle *f ;* lesquels *mpl,* lesquelles *fpl* ‖ où, que ; *the year ~ he died,* l'année

où il est mort ‖ [omitted] *the man I speak of,* l'homme dont je parle ● *conj* que [often omitted] ; *he said (~) he would come,* il a dit qu'il viendrait (= SO ~, IN ORDER ~) afin que.

thatch [θætʃ] *n* chaume *m* ● *vt* couvrir de chaume ; **~ed** [-t] *cottage,* chaumière *f.*

thaw [θɔː] *vi* fondre, dégeler — *vt* faire fondre ‖ CULIN. *~ out,* décongeler ● *n* dégel *m ;* fonte *f* (of snow) ‖ FIG., POL. détente *f.*

the [ðə ; ðiː before a vowel] *def art* le *m,* la *f,* les *m/fpl* ‖ ce *m,* cette *f,* ces *m/fpl ; he was absent at ~ time,* il était absent à cette époque ● *adv* plus, d'autant plus ; *~ sooner, ~ better,* le plus tôt sera le mieux.

theater *n* U.S. → THEATRE.

theatr|e [ˈθiətə] *n* théâtre *m* ‖ salle *f* de conférences ; [University] *(lecture) ~,* amphithéâtre *m* ‖ MIL., FIG. théâtre *m* ‖ **~ical** [θiˈætrikl] *adj* théâtral.

thee [ðiː] *pers pron* [arch.] te, toi, (→ THOU.)

theft [θeft] *n* vol *m* (robbery).

their [ðɛə] *poss adj* leur(s).

theirs [ðɛəs] *poss pron* le/la leur, les leurs ; à eux/elles.

them [ðem] *pers pron* les *m/fpl ; call ~,* appelez-les ‖ leur *m/fpl ; speak to ~,* parlez-leur ‖ eux *mpl,* elles *fpl ; to ~,* à eux/elles.

theme [θiːm] *n* thème, sujet *m* ‖ MUS. thème, motif *m* ‖ RAD. indicatif (musical).

themselves [ðmˈselvz] *pers pron* [intensive, emphatic] eux-mêmes *mpl,* elles-mêmes *fpl ;* [reflexive] se.

then [ðen] *adv* alors, à cette époque (at that time) ‖ ensuite, puis (next time) ‖ donc, par conséquent (in that case) ‖ *from ~ on,* dès lors ● *adj* d'alors, de cette époque.

theology [θiˈɔlədʒi] *n* théologie *f.*

theorem [ˈθiərəm] *n* théorème *m.*

theoretic|al [θiə´retikl] *adj* théorique ‖ **~ally** *adv* théoriquement.

theor|etician [ˌθiərə´tiʃn], **~ist** [´θiərist] *n* théoricien *n* ‖ **~y** [´θiəri] *n* théorie *f* ; *in* **~,** en théorie.

there [ðɛə] *adv* là, y, à cet endroit ; *I went* **~,** j'y suis allé ‖ **here and ~,** çà et là ; **~ and back,** aller et retour ; **~ and then,** sur-le-champ ‖ **~ is/are,** il y a ‖ **~** *he comes,* le voilà qui vient ! ‖ **down/over ~,** là-bas ‖ COLL. **~** *you are,* voilà ; *he is not all* **~,** il n'a pas toute sa tête ● *interj* **~ !** **~ !,** allons ! allons !

there|abouts [´ðɛərəbauts] *adv* [place] dans les environs, par là ‖ [time] environ ‖ **~after** [ðɛər´ɑ:ftə] *adv* par la suite ‖ **~by** [´ðɛə´bai] *adv* de cette façon ; par ce fait ; par ce moyen ‖ **~fore** [´ðɛəfɔ:] *adv* par conséquent, donc ‖ **~in** [ðɛər´in] *adv* FIG. à cet égard ‖ **~of** [ðɛər´ɔv] *adv* de cela, en ‖ **~on** [ðɛər´ɔn] *adv* sur ce, là-dessus ‖ **~upon** [´ðɛərə´pɔn] *adv* sur ce, là-dessus.

thermal [´θə:ml] *adj* thermal ; **~** *power-station,* centrale *f* thermique.

thermo|meter [θə´mɔmitə] *n* thermomètre *m* ‖ **~nuclear** [´θə:mau-´nju:kliə] *adj* thermonucléaire.

Thermos [´θə:mɔs] *n* (T.N.) **~** *(flask),* (bouteille *f*) Thermos *f.*

thermostat [´θə:məstæt] *n* thermostat *m.*

thesaurus [θi´sɔ:rəs] *n* dictionnaire *m* analogique.

these [ði:z] → THIS.

thesis, theses [´θi:sis, -i:z] *n* thèse *f.*

they [ðei] *pers pron* ils *mpl,* elles *fpl* ‖ **~** *who,* ceux/celles qui ‖ [people] on ; **~** *say that,* on dit que.

thick [θik] *adj* épais ; *two inches* **~,** deux pouces *mpl* d'épaisseur ‖ dense, épais (fog, liquid) ‖ touffu (eyebrow) ‖ fourni (hair) ‖ dru (beard) ‖ touffu (woods) ‖ pâteux (voice) ‖ COLL. intime, lié (*with,* avec) ‖ COLL. *it's a*

bit **~** *!,* c'est un peu raide ! ● *n* FIG. vif *m* (of a discussion) ; fort *m* (of the fight) ● *adv* dru, épais ; **~** *and fast,* dru (arrows, blows) ‖ **~en** *vi/vt* (s')épaissir ‖ CULIN. lier (sauce).

thicket [-it] *n* fourré *m.*

thick|-headed [ˌ´hedid] *adj* stupide, borné, obtus ‖ **~-leaf plant** *n* plante grasse ‖ **~ness** *n* épaisseur *f* (of board) ‖ densité *f* (of fog) ‖ consistance *f* (of a liquid) ‖ **~-set** *adj* trapu, râblé.

thief, thieves [θi:f, θi:vz] *n* voleur *n* ; *stop* **~** *!,* au voleur !

thigh [θai] *n* cuisse *f* ‖ **~-bone** *n* fémur *m.*

thimble [´θimbl] *n* dé *m* (à coudre).

thin [θin] *adj* mince ; maigre (person) ; *grow* **~,** maigrir ‖ mince, léger (cloth) ‖ ténu (thread) ‖ rare (hair, beard) ; *get* **~** *on top,* se dégarnir ‖ fluet (voice) ‖ clairsemé (population) ‖ CULIN. clair (soup) ● *vt* éclaircir (hair, forest) ‖ étendre, délayer, diluer (paint) ‖ allonger (sauce) — *vi* [fog] s'éclaircir ; [crowd] se disperser.

thine [ðain] *poss pron* [arch.] le tien, la tienne, les tiens/tiennes *m/fpl.*

thing [θiŋ] *n* chose *f* ; objet *m* ‖ *Pl* vêtements *mpl,* affaires *fpl* (clothes) ; ustensiles *mpl* (implements) ; *tea* **~s,** service *m* à thé ‖ FIG. *one* **~** *or the other,* de deux choses l'une ; *for one* **~,** tout d'abord, en premier lieu ; *for another* **~,** d'autre part ; *it would be a good* **~** *to,* il serait bon de ‖ *the main* **~** *is to,* l'essentiel est de ; *the* **~** *is to...,* le tout est de... ; *all* **~s** *considered,* tout compte fait.

thingummy [´θiŋəmi] *n* COLL. machin, truc, bidule, gadget *m* (fam.).

think [θiŋk] *vi* (thought [θɔ:t]) penser, réfléchir ; **~** *twice before...,* y regarder à deux fois avant de... ‖ penser, croire ; *I* **~** *so,* je le crois ; *I should* **~** *so !,* je pense bien ! ; *I thought as much,* je m'y attendais ‖ penser, trouver ; *I can't* **~** *why,* je me demande pourquoi || ~ *of/about*, penser à ; *when I come to* ~ *of it*, à la réflexion ; *what do you* ~ *of it ?*, qu'en pensez-vous ? || ~ *better of it*, se raviser — *vt* penser, croire || concevoir, juger ; *I* ~ *he is right*, je crois qu'il a raison ; *he thought it best to*, il jugea bon de || ~ *out*, réfléchir sérieusement à, étudier ; élaborer ; ~ *over*, réfléchir (à) || ~ *up*, inventer, combiner || ~**er** *n* penseur *n* || ~ **tank** *n* groupe *m* de réflexion.

thin|ly [ˈθinli] *adv* maigrement || ~**ness** *n* minceur (of paper) ; maigreur (of sb) ; légèreté *f* (of material).

third [θəːd] *adj* troisième || ~ *age*, troisième âge ; ~ *party insurance*, assurance *f* aux tiers || **Third World**, tiers monde *m* || COLL. ~ *degree*, passage *m* à tabac, tabassage *m* ● *n* tiers *m*.

thirst [θəːst] *n* soif *f* ● *vi* FIG. être assoiffé de || ~**y** *adj* assoiffé ; *be* ~, avoir soif.

thirt|een [ˈθəːˈtiːn] *adj* treize || ~**y** [ˈθəːti] *adj* trente.

this, these [ðis, ðiːz] *dem adj* ce...(-ci) *m*, cette...(-ci) *f* ; ces...(-ci) *m/fpl* || voici ; *these (last) ten years*, voilà dix ans que | *these days*, de nos jours || ~ *one*, celui-ci *m*, celle-ci *f* ; *Pl these*, ceux-/celles-ci ● *dem pron* ceci, ce ; *what is* ~ *?*, qu'est-ce que c'est ? || celui-ci *m*, celle-ci *f* ; *Pl these*, ceux-/celles-ci ● *dem adv* COLL. ~ *far*, jusqu'ici, jusqu'à présent ; ~ *high*, haut comme cela.

thistle [ˈθisl] *n* chardon *m*.

thong [θɒŋ] *n* courroie, sangle *f*.

thorn [θɔːn] *n* épine *f* || ~**y** *adj* épineux.

thorough [ˈθʌrə] *adj* parfait, entier, complet ; *be* ~ *in one's work*, travailler consciencieusement || ~**bred** *adj* (de) pur sang (horse) ; de race (dog) ● *n* animal *m* de race ; pur-sang *m* (horse) || ~**fare** *n* voie *f* publique ; *no* ~, passage interdit || ~**going** *adj* complet, approfondi || parfait (utter)

|| ~**ly** *adv* complètement ; à fond, minutieusement.

those → THAT.

thou [ðau] *pers pron* [Bible] tu.

though [ðəu] *conj* quoique, bien que || *even* ~, quand bien même, même si || *as* ~, comme si || *what* ~, qu'importe que, même si ● *adv* pourtant ; *I believe him* ~, je le crois tout de même.

thought¹ [θɔːt] → THINK.

thought² *n* pensée ; réflexion *f* ; *the mere* ~ *of it*, rien que d'y penser ; *on second* ~*s*, tout bien réfléchi, réflexion faite || dessein, projet *m* || ~**ful** *adj* pensif (thinking) || réfléchi ; attentif (heedful) || prévenant, plein de délicatesse (considerate) || ~**less** *adj* étourdi, irréfléchi || égoïste, qui se soucie peu des autres || ~**lessness** *n* étourderie *f* || manque *m* d'égards.

thousand [ˈθauznd] *adj* mille || ~**th** [-θ] *adj/n* millième *(m)*.

thrash [θræʃ] *vt* rosser, rouer de coups || FIG. ~ *out*, débattre de, démêler (problem) — *vi* ~ *about*, se débattre || ~**ing** *n* correction *f*.

thread [θred] *n* fil *m* (cotton, etc.) || TECHN. filet *m* (screw) ● *vt* enfiler (a needle) || ~**bare** *adj* élimé, râpé, usé jusqu'à la corde || ~**ing** *n* TECHN. filetage *m*.

threat [θret] *n* menace *f* || ~**en** *vt* menacer || ~**ening** [-niŋ] *adj* menaçant.

three [θriː] *adj* trois || ~**fold** [-fəuld] *adj* triple || ~**-laner** *n* route *f* à trois voies || ~**-phase** *adj* ELECTR. triphasé.

thresh [θreʃ] *vt* AGR. battre || ~**er** *n* AGR. batteuse *f* || ~**ing** *n* AGR. battage *m* ; ~**-machine**, batteuse *f*.

threshold [ˈθreʃəuld] *n* seuil *m*.

threw → THROW.

thrift [θrift] *n* économie *f* || ~**y** *adj* économe.

thrill [θril] *vi* frissonner — *vt* transporter (audience) ● *n* frisson *m*, émotion *f* ‖ **~er** *n* roman/film *m* à suspense, thriller *m* ‖ **~ing** *adj* palpitant (story) ; saisissant (news).

thrive [θraiv] *vi* (throve [θrəuv], thriven ['θrivn] ; *rarely* thrived) [person] se développer bien ‖ [plant] pousser, venir bien ‖ [business] réussir, prospérer.

thriven → THRIVE.

thriving ['θraiviŋ] *adj* florissant de santé ; robuste (plant) ; prospère (business).

throat [θrəut] *n* gorge *f* ; ~ **tablet,** pastille *f* pour la gorge ‖ *cut the* ~ *of,* égorger ‖ **~-wash** *n* gargarisme *m* ‖ **~y** *adj* guttural.

throb [θrɔb] *vi* [heart] palpiter ‖ [wound] élancer ‖ [engine] vrombir ● *n* battement *m*, palpitation *f* ‖ TECHN. vrombissement *m*.

throne [θrəun] *n* trône *m*.

throng [θrɔŋ] *n* foule, cohue *f* ● *vi* accourir en foule, affluer.

throttle ['θrɔtl] *n* gosier *m* ‖ TECHN. régulateur ; obturateur *m* ‖ AUT. commande *f* des gaz ; accélérateur *m* ● *vt* étrangler ‖ FIG. juguler.

through [θru:] *prep* [space] au travers de, à travers, par ; *go* ~ *the town,* traverser la ville ‖ FIG. *get* ~ *an exam,* réussir à un examen ‖ FIG. par l'intermédiaire de, grâce à ; ~ *the post,* par la poste ‖ [time] *all* ~ *the week,* pendant toute la semaine ; *Monday* ~ *Friday,* du lundi au vendredi inclus ● *adv* à travers ‖ *wet* ~, trempé jusqu'aux os ‖ *right* ~, de part en part ‖ jusqu'au bout ; *see* ~, assister/aider jusqu'au bout ; mener à bonne fin ‖ TEL. *you are* ~, vous avez la communication ● *adj* RAIL. direct, ~ *carriage,* voiture directe ‖ COLL. *be* ~ *with,* avoir terminé avec ; *be* ~ *with sb,* (se) quitter ; plaquer qqn ‖ **~out** [θru'aut] *adv* d'un bout à l'autre, entièrement ● *prep* d'un bout à l'autre de ‖ **~way** *n* → THRUWAY.

throve → THRIVE.

throw [θrəu] *vt* (threw [θru:], thrown [θrəun]) jeter, lancer (a ball, etc.) ‖ projeter (one's shadow) [*on to,* sur] ‖ COLL. embarrasser, désorienter ‖ ~ *a party,* donner une réception ‖ ~ *away,* jeter (a cigarette) ; gâcher ; gaspiller, perdre (waste) ‖ ~ *back,* renvoyer (a ball) ; réfléchir, refléter (an image) ‖ ~ *down,* abattre, démolir ‖ ~ *in,* placer (a word) ; COMM. ajouter par-dessus le marché/ en prime ‖ SP. remettre en jeu (the ball) ‖ ~ *off,* se débarrasser (of sb) ; quitter (one's clothes) ‖ ~ *on,* enfiler ‖ ~ *out,* rejeter, expulser (sb) ; bomber (one's chest) ; se défausser de (a card) ‖ ~ *over,* lâcher (friend) ‖ ~ *up,* jeter en l'air ; FIG. abandonner, renoncer ; SL. rendre, vomir ● *n* lancement *m* ‖ SP. jet *m* ; lancer *m*.

throw|away *adj* jetable, à usage unique ● *n* prospectus *m* ‖ ~ **er** *n* SP. lanceur *n* ‖ **~-in** *n* SP. remise *f* en jeu.

thru [θru:] U.S. → THROUGH.

thrush [θrʌʃ] *n* grive *f*.

thrust [θrʌst] *vt* (thrust) pousser violemment, enfoncer, fourrer ‖ ~ *one's way through the crowd,* se frayer un passage dans la foule ‖ FIG. imposer (*sth upon sb,* qqch à qqn) — *vi* pousser ‖ SP. [fencing] porter une botte ● *n* poussée *f* (push) ‖ coup *m* (stab) ‖ TECHN. poussée *f* ‖ SP. [fencing] botte *f*.

thruway ['θru:wei] *n* U.S. autoroute *f*.

thud [θʌd] *n* bruit sourd/mat.

thug [θʌg] *n* voyou *m* ; loubard *m* (pop.) ; casseur *m* ; gangster *m* ; truand *m*.

thumb [θʌm] *n* pouce *m* ‖ FIG. *by rule of* ~, empiriquement ● *vt* feuilleter (a book) ‖ COLL. ~ *a lift,* faire de l'auto-stop, trouver une voiture ; ~ *one's nose at,* faire un pied-de-nez ‖ **~-index** *n* onglet *m* (of book) ‖ **~-tack** *n* U.S. punaise *f* (drawing-pin).

thump [θʌmp] *n* grand coup ‖ bruit sourd (sound) ● *vt* assener un/des grand(s) coup(s) ‖ *vi* cogner (*on*, sur) ‖ ~**ing** *adj* COLL. énorme.

thunder [ˈθʌndə] *n* tonnerre *m ; clap of* ~, coup *m* de tonnerre ‖ ~**-bolt** *n* coup *m* de foudre ‖ ~**-clap** *n* coup *m* de tonnerre ‖ ~**-storm** *n* orage *m* ‖ FIG. tonnerre *m* (of applause).

Thursday [ˈθəːsdi] *n* jeudi *m*.

thus [ðʌs] *adv* ainsi, de cette façon ‖ donc, par conséquent.

thwart [θwɔːt] *vt* contrarier, contrecarrer, faire obstacle à.

thy [ðai] *adj* [arch.] ton, ta, tes.

thyme [taim] *n* thym *m*.

Tibet [tiˈbet] *n* Tibet *m* ‖ ~**an** *adj/n* tibétain.

tibia [ˈtibiə] *n* tibia *m*.

tic [tik] *n* tic *m* (nerveux).

tick¹ [tik] *n* COLL. *on* ~, à crédit.

tick² *n* tic-tac *m* (of a clock) ‖ coche *f* (mark) ‖ COLL. instant *m* (moment) ● *vt* ~ *off*, cocher (item) ‖ COLL. passer un savon à — *vi* [clock] faire tic-tac ‖ [engine] ~ *over*, tourner au ralenti ‖ ~**er** *n* télétype *m ;* ~ *tape*, bande *f ;* serpentin *m*.

ticket [ˈtikit] *n* RAIL. ticket, billet *m ;* ~ *counter/office*, guichet *m* des billets ‖ TH. billet *m* ‖ COMM. étiquette *f* ‖ POL. U.S. liste électorale ‖ AUT., COLL. P.V. (fam.) ‖ COLL. *that's the* ~ *!*, voilà ce qu'il nous faut ! ● *vt* étiqueter ‖ ~ **collector** *n* RAIL. contrôleur *m*.

tickl|e [ˈtikl] *vt/vi* chatouiller ● *n* chatouillement *m* ‖ ~**ish** *adj* chatouilleux ‖ FIG. [person] susceptible ; [subject] délicat.

tick-over [ˈ-ˌ-] *n* ralenti *m*.

tidal [ˈtaidl] *adj* de marée ; ~ *wave*, raz *m* de marée ; ~ *power*, énergie *f* marémotrice ; ~ *power-station*, usine marémotrice.

tide [taid] *n* marée *f ; at high/low* ~, à marée haute/basse ‖ FIG. courant ; cours *m* (of time) ● *vt* ~ *over*, venir à bout de (a difficulty) ; dépanner (sb).

tid|ily [ˈtaidili] *adv* soigneusement, proprement ‖ ~**iness** *n* ordre, soin *m ;* propreté *f* ‖ ~**y** *adj* propre, soigné (person) ; ordonné (character) ; bien tenu, en ordre (room) ‖ COLL. *a* ~ *sum of money*, une coquette somme — *vt* ~ *(up)*, ranger, mettre en ordre.

tie [tai] *n* lien, nœud *m* (neck)/~, cravate *f* ‖ SP. égalité (draw) ; match nul (drawn match) ‖ RAIL. U.S. traverse *f* ‖ FIG. lien *m* (of blood, marriage) ● *vt* lier, attacher ; ~ *a knot*, faire un nœud ‖ ~ *up*, attacher (parcel) ; ligoter (person) ‖ FIN. immobiliser (money) ‖ AUT. bloquer (traffic) ‖ COLL. *be* ~*d up*, être très occupé/pris — *vi* [competition] arriver/être ex-æquo ‖ SP. faire match nul (draw) ‖ ~**break(er)** *n* [competition] question *f* subsidiaire ‖ [tennis] tie-break *m* ‖ ~**-pin** *n* épingle *f* de cravate.

tier [tiə] *n* étage *m* ‖ gradin *m* (in an amphitheatre).

tie-up *n* lien *m ;* fusion *f* (merger).

tiff [tif] *n* COLL., chamaillerie, prise *f* de bec.

tig [tig] *n* chat perché *m* (tag).

tiger [ˈtaigə] *n* tigre *m*.

tight [tait] *adj* serré (knot) ; tendu (rope) ‖ étanche (compartment) ‖ étroit (clothes) ‖ bloqué (nut) ‖ SL. rond, bourré (pop.) [drunk] ‖ FIG. difficile (corner) ‖ FIN. rare (money) ● *adv* solidement ‖ hermétiquement ‖ à bloc (nut) ● *npl* [garment] collant *m* ‖ ~**en** *vt* tendre (a rope) ; resserrer (a screw) ‖ ~**-fisted** *adj* radin (stingy) ‖ ~**-fitting** *adj* collant (clothes) ‖ ~**ly** *adv* étroitement ‖ ~**rope** *n* corde *f* raide ; ~ *walker*, funambule *n*.

tigress [ˈtaigris] *n* tigresse *f*.

til|e [tail] *n* tuile *f* (for roof) ; carreau *m* (paving) ‖ *Pl* carrelage *m* ● *vt* couvrir de tuiles (a house) ; carreler (floor) ‖ ~**ing** *n* carrelage *m* (action, tiles).

till¹ [til] *prep* (= UNTIL) [time] jusqu'à ; ~ *now*, jusqu'ici/à présent ; ~ *then*, jusqu'alors ; *(goodbye)* ~ *tomorrow*, à demain ; *not* ~, pas avant ; *he didn't come* ~ *six*, il n'est arrivé qu'à six heures ● *conj* jusqu'à ce que ; *wait* ~ *the rain stops*, attendez qu'il ne pleuve plus ‖ *not* ~, pas avant que ; *he won't leave* ~ *you come back*, il ne partira pas tant que vous ne serez pas de retour.

till² *n* caisse *f* (enregistreuse).

till³ *vt* cultiver, labourer.

tiller [tilə] *n* NAUT. barre *f*.

tilt [tilt] *n* pente, inclinaison *f* ‖ CIN. ~ *shot*, contre-plongée *f* ‖ HIST. joute *f* ‖ FIG. *at full* ~, à fond de train ● *vt* pencher, incliner ; basculer — *vi* ~ *(over)*, pencher.

timber [timbə] *n* bois *m* de construction ‖ poutre *f*, madrier *m* (rafter) ‖ ● *vt* charpenter ‖ ~-**yard** *m* chantier, entrepôt *m* de bois.

time [taim] *n* temps *m* ‖ [epoch] moment *m ; for the* ~ *being*, pour le moment ; *at the present* ~, actuellement, en ce moment ; *when the* ~ *comes/came*, le moment venu ; *at the* ~ *of*, lors de ; *at all* ~*s*, de tout temps ; *from that* ~, dès lors ; *since* ~ *out of mind*, de temps immémorial ; *ahead of/behind the* ~*s*, en avance/retard sur son époque ; *have a good* ~, bien s'amuser ‖ [duration] temps *m*, durée *f; for some* ~, pendant quelque temps ; *for a long* ~, depuis longtemps ; *take a long* ~ *to do sth*, mettre du temps à faire qqch ; *in no* ~, en moins de rien ; *we've got plenty of* ~, nous avons tout le temps ‖ [point in time] heure *f*, moment *m; on* ~, à l'heure ; *in* ~, à temps ; *before/behind* ~, en avance/en retard ; *at any* ~, d'un moment à l'autre ; *all the* ~, tout le temps ; *from* ~ *to* ~, de temps en temps ; *at* ~*s*, de temps à autre ; *at the same* ~, en même temps (as, que) ; *it is* ~ *to...*, c'est l'heure/le moment de... ‖ heure *f; what* ~ *is it* ? quelle heure est-il ? ; *standard* ~, heure normale ‖ [occasion] fois *f; the first* ~, la première fois ; *this* ~, cette fois(-ci) ; *how many* ~*s* ?, combien de fois ? ; *several* ~*s*, à plusieurs reprises ; ~ *and again*, (mainte et) maintes fois ‖ MATH. 3 ~*s* 2 *is* 6, 3 fois 2(font) 6 ‖ MUS. mesure *f; beat* ~, battre la mesure ; *keep* ~, jouer en mesure ; *in* ~, en mesure ‖ MIL. *mark* ~, marquer le pas ● *vt* mesurer, calculer ‖ régler ‖ fixer l'heure de ‖ SP. chronométrer ‖ ~-**bomb** *n* bombe *f* à retardement ‖ ~ **difference** *n* décalage *m* horaire ‖ ~-**exposure** *n* PHOT. pose *f* ‖ ~-**lag** *n* décalage *m* horaire ‖ TECHN. temps *m* de réponse ‖ ~-**lapse** *n* CIN. accéléré *m* ‖ ~-**less** *adj* éternel, sans fin ‖ ~-**limit** *n* délai *m;* dernière limite ‖ ~-**ly** *adj* opportun, à propos.

timer [taimə] *n* chronométreur *m* (person) ‖ minuteur *m* (device).

time|sharing *n* INF. temps partagé ‖ ~ **signal** *n* signal *m* horaire ‖ ~ **switch** *n* minuterie *f* ‖ ~-**table** *n* [school] emploi *m* du temps ‖ RAIL. horaire, indicateur *m* ‖ ~-**worn** *adj* vétuste ‖ ~ **zone** *n* fuseau *m* horaire.

timid [timid] *adj* craintif (easily scared) ‖ timide (shy) ‖ ~-**ity** [ti'miditi] *n* timidité *f*.

timing [taimiŋ] *n* AUT. [distribution] réglage *m* ‖ SP. chronométrage *m* ‖ FIG. choix *m* du moment.

timorous [timərəs] *adj* timoré.

timpani [timpəni] *n* MUS. timbales *fpl*.

tin [tin] *n* étain *m* (metal) ‖ boîte *f* de conserve (container) ; ~-**opener**, ouvre-boîte *m; ~-***plate***, fer-blanc *m* ● *vt* étamer (tin-plate) ‖ mettre en boîte (pack in tins) ; ~*ned food*, conserves *fpl*.

tincture [tiŋtʃə] *n* couleur, teinte *f* ‖ MED. teinture *f* (of iodine).

tinder [tində] *n* amadou *m*.

tinfoil [tin'fɔil] *n* papier *m* d'aluminium.

tinge [tinʒ] *n* teinte, nuance *f* ● *vt* teinter, nuancer.

tingle [´tiŋgl] *vi* [limbs] fourmiller ; [ears] bourdonner, tinter ● *n* fourmillement *m* ‖ bourdonnement *m*.

tinker [´tiŋkə] *vi* ~ *(about),* bricoler.

tinkle [´tiŋkl] *vi* tinter ● *n* tintement *m*.

tinsel [´tinsl] *n* lamé *n* ; clinquant *m* ; paillettes *fpl*.

tint [tint] *n* teinte, nuance *f* ● *vt* teinter.

tiny [´taini] *adj* minuscule.

tip¹ [tip] *n* petit coup (tap) ‖ pourboire *m* (money) ‖ conseil *m* (piece of advice) ‖ *racing* tuyau *m* (fam.) ● *vt* effleurer (touch) ‖ donner un pourboire ‖ ~ *off,* renseigner, tuyauter (fam.) ‖ ~**ster** *n* [racing] pronostiqueur *n*.

tip² *n* bout *m* (of nose) ‖ pointe *f* (of toes) ‖ bout *m* (of cigarette) ; → FILTER.

tip³ *vt* incliner, pencher ‖ déverser (rubbish) ‖ ~ *out,* verser ‖ ~ *up,* faire basculer — *vi* **over/up,** pencher ; basculer ‖ ~-*up seat,* strapontin *m* ● *n* décharge *f,* dépotoir *m* ‖ monceau *m* ; [mining] crassier *m*.

tipsy [´tipsi] *adj* éméché, un peu parti, pompette (fam.) ; *get* ~, se griser.

tip|toe [´tiptəu] *n on* ~, sur la pointe des pieds ● *vi* marcher sur la pointe des pieds ‖ ~-**top** [´-´] *adj* super (fam.) ‖ ~-**truck** *n* wagonnet *m*.

tire¹ [taiə] *n* U.S. = TYRE.

tir|e² [taiə] *vi/vt* (se) fatiguer, lasser ; ~ *oneself doing,* se fatiguer à faire ; *get* ~*d,* se fatiguer ‖ FIG. se lasser de ‖ ~**ed** [-d] *adj* fatigué, las ‖ ~**ing** [-riŋ] *adj* fatigant ‖ ~**less** *adj* infatigable ‖ ~**some** [-səm] *adj* agaçant, ennuyeux (annoying) ; assommant (boring).

tiro [´taiərəu] = TYRO.

tissue [´tiʃu:] *n* tissu *m* ‖ [paper handkerchief] mouchoir *m* en papier, Kleenex *m* ‖ *facial* ~, serviette *f* à démaquiller ‖ ~ *paper,* papier *m* de soie.

tit¹ [tit] *n* SL. sein *m* ; nichon *m* (pop.) ‖ téton *m* (fam.) [nipple].

tit² *n give* ~ *for tat,* répondre du tac au tac.

tit³ *n* ZOOL. *(tom)* ~, mésange *f.*

titbit [´titbit] *n* friandise *f.*

titivate [´titiveit] *vi* se pomponner.

title [taitl] *n* titre *m* ● *vt* intituler.

titmouse, -mice [´titmaus, -mais] *n* mésange *f.*

titular [´titjulə] *adj/n* titulaire.

to [tu:] *prep* [direction] à, vers ; *he went* ~ *London,* il est allé à Londres ; *invite him* ~ *your house,* invitez-le chez vous ‖ "~ *the planes",* « accès aux avions » ‖ [time] *it is five* ~ *ten,* il est dix heures moins cinq ; jusque ; ~ *the end,* jusqu'à la fin ‖ contre ; *bet ten* ~ *one,* parier dix contre un ‖ sur ; *made* ~ *measure,* fait sur mesure ‖ [+ indir. obj.] à ; *write* ~ *sb,* écrire à qqn ; *give it* ~ *me,* donnez-le-moi ; pour ; *that's nothing* ~ *him,* ce n'est rien pour lui ‖ selon ; ~ *all appearances,* selon toute apparence ‖ à l'égard de ; *as* ~ *him,* quant à lui ‖ [+ infinitive] *glad* ~ *see you,* heureux de vous voir ‖ [substitute for the infinitive] *we didn't want to do it, but we had* ~, nous ne voulions pas le faire, mais il le fallait ● *adv push the door* ~, fermer la porte. ‖ *go* ~ *and fro,* aller et venir ; ~-*and-fro movement,* mouvement *m* de va-et-vient.

toad [təud] *n* crapaud *m* ‖ ~**stool** *n* champignon *m* (souvent vénéneux).

toady [´təudi] *adj* flagorneur ‖ ~**ing** *n* flagornerie *f.*

toast [təust] *n* rôtie *f* (bread) ; *a piece of* ~, un toast *m,* une tartine grillée, une rôtie ‖ toast *m* (drink) ; *drink a* ~ *to sb,* porter un toast à qqn ● *vt* faire rôtir/griller (bread) ; porter un toast (*to sb*, à qqn) ‖ ~**er** *n* grille-pain *m*.

tobacc|o [tə'bækəu] *n* tabac *m* ‖ ~**onist** [-ənist] *n* marchand *n* de tabac, buraliste *n* ; ~**'s**, bureau *m* de tabac.

-to-be [tə'bi:] (ending) futur ; *the bride* ~, la future mariée.

toboggan [tə'bɒgn] *m* toboggan *m* ‖ [child's] luge *f* (sledge).

today [tə'dei] *adv/n* aujourd'hui (this day) ; *what is* ~ *?*, quel jour sommes-nous ? ‖ de nos jours (nowadays).

toddle ['tɒdl] *vi* trottiner.

to-do [tə'du:] *n* COLL. agitation, perturbation *f*, tumulte, remue-ménage *m* (stir).

toe [təu] *n* orteil *m* ; *step on sb's* ~s, marcher sur le pied de qqn ‖ FIG. *on one's* ~s, sur le qui-vive ● *vt* ~ *the line*, se mettre au pas, s'aligner.

toffee ['tɒfi] *n* caramel *m*.

tog [tɒg] *n* (usu *pl*) COLL. fringues *fpl* (pop.) ● *vt* ~ *oneself up*, se mettre sur son trente-et-un, bien se fringuer (pop.).

together [tə'geðə] *adv* ensemble, à la fois ; *all* ~, tous ensemble.

Togo ['təugəu] *n* Togo *m* ‖ ~**lese** [-'li:z] *adj/n* togolais.

toil [tɒil] *n* labeur *m* ● *vi* peiner ; trimer (fam.).

toilet ['tɒilit] *n* toilette *f* (action) ‖ [lavatory] toilettes *fpl*, w.-c. *mpl* ‖ cuvette *f* (seat) ‖ ~ *bag/case*, trousse *f* de toilette ‖ ~**-paper/tissue** *n* papier *m* hygiénique ‖ ~ *water* *n* eau *f* de toilette.

token ['təukn] *n* témoignage *m* ‖ marque *f*, signe, gage *m* (evidence) ; *in* ~ *of*, en témoignage de ‖ souvenir *m* (keepsake) ‖ ~ *strike*, grève *f* d'avertissement ‖ TEL. jeton *m* ‖ FIN. ~ *payment*, versement *m* symbolique.

told → TELL.

toler|able ['tɒlərəbl] *adj* tolérable, supportable ‖ ~**ance** *n* tolérance, patience *f* ‖ ~**ant** *adj* tolérant,

patient ‖ ~**ate** [-eit] *vt* admettre, tolérer, supporter, souffrir ‖ ~**ation** [ˌtɒlə'reiʃn] *n* tolérance *f*.

toll[1] [təul] *vi* (bell) tinter ● *n* tintement *m* ‖ [burial] glas *m*.

toll[2] *n* péage *m* ; ~ *bridge*, pont de à péage ‖ ~ *booth*, guichet *m* de péage ‖ FIG. tribut *m* ; *the* ~ *of the roads*, les victimes de la route ; *the death* ~, le nombre des morts ‖ ~ *free adj* libre, gratuit.

tomahawk ['tɒməhɔ:k] *n* toma-hawk *m*, hache *f* de guerre.

tomato [tə'mɑ:təu] *n* tomate *f* ; ~ *sauce*, sauce *f* tomate.

tomb [tu:m] *n* tombe *f*, tombeau *m*.

tomboy ['tɒmbɔi] *n* garçon manqué.

tombstone ['tu:mstəun] *n* pierre tombale.

tomcat ['tɒm'kæt] *n* matou *m*.

tomorrow [tə'mɒrəu] *adv/n* de-main ; ~ *morning*, demain matin ; *the day after* ~, après-demain ‖ ~ *week*, (de) demain en huit.

ton [tʌn] *n* tonne *f* ‖ NAUT. ton-neau *m*.

tone [təun] *n* ton *m* (of voice) ; tonalité *f*, timbre *m* (of an instrument) ‖ GRAMM. accent, ton *m* ‖ ARTS tonalité *f* ; ton *m*, nuance *f* ‖ MUS. ton *m* ‖ MED. tonus *m* ‖ RAD. ~ *control*, bouton *m* de tonalité ‖ FIG. ton, caractère, esprit *m* ; expression, allure *f* (general spirit) ● *vi* ~ *(in)*, s'har-moniser (*with*, avec) — *vt* nuan-cer, harmoniser ‖ ~ *down*, atténuer ‖ ~ *up*, aviver, renforcer ; MED. tonifier.

tongs [tɒŋz] *npl* pincettes *fpl*.

tongue [tʌŋ] *n* langue *f* (organ, language) ‖ [shoe] languette *f*.

tonic ['tɒnik] *adj* tonique ● *n* MED. remontant, fortifiant *m* ‖ ~ *(water)*, eau gazeuse à la quinine ‖ MUS. tonique *f*.

tonight [tə'nait] *adv/n* ce soir ; cette nuit.

tonnage ['tʌnidʒ] *n* tonnage *m*.

tonsil [´tɒnsl] *n* amygdale *f* ‖ ~**itis** [ˌtɒnsi´laitis] *n* angine *f*.

too [tu:] *adv* trop ; ~ *far*, trop loin ‖ *one* ~ *many*, un de trop ‖ aussi, également ; COLL. *me* ~, moi aussi ‖ de plus, encore, en outre (more over).

took → TAKE.

tool [tu:l] *n* outil *m* ‖ *Pl* outillage *m* ‖ FIG. instrument *m* ● *vt* ouvrager ; ARTS ouvrager ; ciseler (silver) ; repousser (leather) ‖ ~**-bag** *n* trousse *f* à outils.

toot [tu:t] *vi* AUT. klaxonner ● *n* coup *m* de Klaxon.

tooth, teeth [tu:θ, ti:θ] *n* dent *f* ; *first teeth*, dents de lait ; *false teeth*, fausses dents ; *have a* ~ *out*, se faire arracher une dent ‖ FIG. *have a sweet* ~, aimer les sucreries ; *show one's teeth*, montrer les dents ‖ ~**ache** *n* mal *m*/rage *f* de dents ; *have* ~, avoir mal aux dents ‖ ~**brush** *n* brosse *f* à dents ‖ ~**-paste** *n* dentifrice *m* ‖ ~**pick** *n* cure-dent(s) *m*.

top[1] [tɒp] *n* toupie *f* ‖ FIG. *sleep like a* ~, dormir à poings fermés.

top[2] *n* haut *m* (in general) ; *at the* ~ *of*, au haut de ; *on (the)* ~, sur le dessus ‖ *from* ~ *to bottom*, de fond en comble ; *from* ~ *to toe*, de la tête aux pieds ‖ faîte *m* (of a roof) ‖ cime *f* (of a tree) ‖ couvercle *m* (of a box) ‖ dessus *m* (of a shoe) ‖ AUT. capote *f* ‖ NAUT. hune *f* ‖ FIG. *at the* ~ *of one's voice*, à tue-tête ; *on* ~ *of that*, en plus de cela ‖ *over the* ~, *O.T.T.*, excessif, choquant ; *that's over the* ~, trop c'est trop ; *blow one's* ~, COLL. piquer une colère ● *adj* supérieur, d'en haut, du dessus ; *at* ~ *speed*, à toute vitesse ‖ AUT. *in* ~ *gear*, en prise ‖ FIG. premier, meilleur ; ~ *of the class*, premier *n* de la classe ; ~ *forty*, hit-parade *m* des 45 tours ; ~ *of the line*, haut *m* de gamme ; ~ *of the pops*, premier *n* au palmarès de la chanson ; ~ *secret*, ultrasecret ● *vt* atteindre le sommet de ‖ surmonter (by/with, de) ‖ dépasser (exceed) ‖ couper les fanes de (vegetable) ‖ FIG. surpasser ; *to* ~ *it all*, pour couronner le tout ; ~ *the bill*, être en tête d'affiche ‖ ~ *off*, remplir (à ras bord) ; terminer, couronner (meal) ‖ ~ *up*, remplir (a partly empty container) ; rajouter, remettre (with, de) ‖ ~**coat** *n* pardessus *m* ‖ ~ *hat* *n* (chapeau *m*) haut-de-forme *m*).

topic [´tɒpik] *n* sujet *m* de conversation ‖ ~**al** *adj* d'actualité.

topless *adj* sans haut (garment) ; aux seins nus (girl) ; ~ *swimsuit*, monokini.

topography [tə´pɒgrəfi] *n* topographie *f*.

topple [´tɒpl] *vi*/*vt* culbuter, (faire) basculer, renverser.

top-ranking *adj* haut (placé).

topsy-turvy [´tɒpsi´tə:vi] *adv* sens dessus dessous.

torch [tɔ:tʃ] *n* torche *f* ‖ ELECTR. lampe *f* de poche, torche *f* électrique.

tore → TEAR.

torment [´tɔ:ment] *n* supplice *m*, torture *f* ● [-´-] *vt* torturer, tourmenter, martyriser.

torn [tɔ:n] → TEAR[1] ‖ ~ *muscle*, déchirure *f* musculaire.

tornado [tɔ:´neidəu] *n* tornade *f*.

torpedo [tɔ:´pi:dəu] *n* torpille *f* ● *vt* torpiller ‖ ~**-boat** *n* torpilleur *m* ; *motor* ~, vedette *f* lance-torpilles ‖ ~**-tube** *n* (tube *m*) lance-torpilles *m*.

torp|id [´tɔ:pid] *adj* [animal] engourdi ‖ [person] apathique, endormi ‖ ~**or** *n* torpeur *f*.

torque [tɔ:k] *n* PHYS., AUT. couple *m* ; ~ *converter*, convertisseur *m* de couple.

torrent [´tɒrnt] *n* torrent *m* ; *in* ~*s*, à flots ‖ ~**ial** [tɒ´renʃl] *adj* torrentiel.

torrid [´tɒrid] *adj* torride.

torsion [´tɔ:ʃn] *n* AUT. ~ *bar*, barre *f* de torsion.

tortoise [´tɔ:təs] *n* tortue *f* ‖ ~**-shell** *n* écaille *f*.

tortuous [ˈtɔːtjuəs] *adj* tortueux.

tortur|e [ˈtɔːtʃə] *n* torture *f*, supplice *m* ● *vt* torturer, supplicier ‖ ~**er** [-rə] *n* tortionnaire *m*.

Tory [ˈtɔːri] *n* POL. conservateur *m*.

toss [tɔs] *vt* lancer ; jeter (en l'air) ; faire sauter (pancake) ‖ ballotter, secouer (ship) — *vi* s'agiter (in one's sleep) ‖ [ship] tanguer ‖ ~ *(up) for sth*, jouer qqch à pile ou face.

tot¹ [tɔt] *n* bambin *m*.

tot² *vt* ~ *(up)*, additionner.

total [ˈtəutl] *n* total *m*, somme *f*, montant *m* ● *adj* total, entier ● *vi* s'élever à — *vt* faire le total de, additionner ‖ ~**ity** [təˈtæliti] *n* totalité *f* ‖ ~**izator** [ˈtəutəlaiˌzeitə] *n* totalisateur *m* ‖ ~**ize** [ˈtəutəlaiz] *vt* totaliser ‖ ~**ly** *adv* totalement, entièrement.

tote¹ [təut] *n* COLL. totalisateur *m* ‖ G.B. pari mutuel.

tote² *vt* COLL. ~ *(around)*, trimballer (a gun).

totter [ˈtɔtə] *vi* chanceler, tituber, flageoler ‖ ~**ing** [-riŋ] *adj* chancelant.

touch [tʌtʃ] *vt* toucher (à) ‖ FIG. toucher à, se rapporter à (concern) ; émouvoir, remuer, toucher (move emotionally) ‖ COLL. ~ *sb for £ 10*, taper qqn de 10 livres (fam.) ‖ ~ *off*, déclencher ‖ ~ *up*, PHOT. retoucher — *vi* se toucher ‖ NAUT. toucher, faire escale (*at*, à) ‖ FIG. ~ *on a subject*, effleurer un sujet ‖ ~ *down*, AV. atterrir ; amerrir (on sea) ; ASTR. alunir (on moon) ● *n* [sense] toucher *m* ‖ [act] toucher, contact *m* ‖ [painting] touche *f* ‖ [small amount] *a ~ of*, un tout petit peu de ‖ MED. léger accès (of fever) ‖ SP. touche *f* ‖ FIG. relation *f*; *keep in ~ with sb*, rester en relation avec qqn ; toucher, joindre, contacter (*sb by phone*, qqn par téléphone) ‖ *give sth the finishing ~*, mettre la dernière touche/main à qqch ‖ ~**-and-go** *adj* risqué, hasardeux ‖ ~**-down** *n* AV. atterrissage *m* (on land) ; amerrissage

m (on sea) ; alunissage *m* (on moon) ‖ ~**ing-up** *n* PHOT. retouche *f* ‖ ~**-line** *n* SP. ligne *f* de touche ‖ ~**stone** *n* pierre *f* de touche ‖ ~**y** *adv* susceptible, chatouilleux, ombrageux.

tough [tʌf] *adj* dur (thing) ; coriace (meat) ‖ tenace (person) ‖ difficile (task) ‖ COLL. ~ *luck*, déveine *f* ● *n* COLL. voyou *m* ; dur *m* (fam.) ‖ ~**en** *vi/vt* durcir, (s')endurcir.

tour [tuə] *n* voyage *m* ; *go on a ~*, faire un voyage ‖ *conducted* ~, visite guidée ‖ TH. *on* ~, en tournée ● *vt* visiter (country) — *vi* **go** ~**ing**, voyager, faire du tourisme ‖ ~**ing** [-riŋ], ~**ism** [-rizm] *n* tourisme *m* ‖ ~**ist** *n* touriste *n* ; ~ *agency*, agence *f* de tourisme ; ~ *class*, classe *f* touriste ; ~ *office*, syndicat *m* d'initiative ‖ ~ *operator* *n* organisateur *m* de voyages, voyagiste *m*.

tournament [ˈtuənəmənt] *n* tournoi *m*.

tourniquet [ˈtuənikei] *n* MED. garrot *m*.

tousle [ˈtauzl] *vt* ébouriffer, écheveler.

tout [taut] *n (ticket)* ~, revendeur *m* de billets (au marché noir) ● *vt* revendre (au marché noir).

tow [təu] *vt* remorquer (vehicle) ; haler (boat) ‖ ~ *away*, enlever (car) ; [police] mettre en fourrière ● *n* AUT. *give sb a* ~, prendre qqn en remorque.

toward(s) [təˈwɔːd(z)] *prep* [direction, time] vers ‖ FIG. envers, à l'égard de.

towel [ˈtauəl] *n* serviette *f* de toilette (for face) ; essuie-mains *m inv* (for hands) ‖ ~**ling** *n* tissu-éponge *m* ‖ ~**-rack/-rail** *n* porte-serviettes *m inv*.

tower [ˈtauə] *n* tour *f*; ~ *block*, tour *f* (d'habitation) ● *vi* s'élever au-dessus de ‖ ~ *above*, FIG. dominer ‖ ~**ing** [-riŋ] *adj* très haut, imposant (building).

tow [taun] *n* ville, cité *f* ‖ *market-* ~, bourg *m* ‖ ~**-cheque** *n* Fin. chèque *m* sur place ‖ ~ **clerk** *n* secrétaire *n* de mairie ‖ ~ **council** *n* conseil municipal *m* ‖ ~**-dweller** *n* citadin *n* ‖ ~ **hall** *n* mairie *f*, hôtel *m* de ville ‖ ~ **house** *n* hôtel particulier ‖ ~ **planning** *n* urbanisme *m* ‖ ~**ship** *n* commune *f* ‖ ~**sman** [-zmən] *n* citadin *m*.

tox|ic [ˈtɒksik] *n/adj* toxique *(m)* ‖ ~**in** [-in] *n* toxine *f*.

toy [tɒi] *n* jouet *m* ● *vi* jouer.

trace[1] [treis] *n* trait *m* (harness).

trac|e[2] *n* trace *f*, vestige *m* (remnant) ‖ ~ *element*, oligo-élément *m* ● *vt* tracer ‖ calquer (on transparent paper) ‖ suivre la trace de ‖ retrouver (trace de) [sb, sth) ‖ ~ *back*, faire remonter (*to*, à) ‖ ~ **er** *n* Mil. balle traçante ‖ ~**ing** *n* calque *m ;* ~*-paper*, papier-calque *m*.

track [træk] *n* trace, piste *f* (of an animal) ‖ traces *fpl* de pneu *‖ Pl* traces *fpl* (footprints) ‖ chemin, sentier *m*, piste *f* (path) ‖ [record] plage *f ;* [tape] piste *f* ‖ Sp. piste *f* ‖ Naut. sillage *m* ‖ Rail. voie *f* ‖ Aut. chenille *f* ‖ Fig. piste *f; on the right* ~, sur la bonne voie ‖ *be on the wrong* ~, faire fausse route ● *vt* suivre à la trace ‖ Astr. suivre la trajectoire de ‖ ~ *down*, dépister, capturer ; Fig. traquer — *vi* Cin. faire un travelling ; ~*ing shot*, travelling *m* ‖ ~ **shoe** *n* basket *m/f* (shoe) ‖ ~**suit** *n* survêtement *m*.

tract[1] [trækt] *n* étendue *f* (area).

tract[2] *n* tract *m* (leaflet).

tractable [ˈtræktəbl] *adj* souple (person) ; docile (animal).

tract|ion [ˈtrækʃn] *n* traction *f* ‖ ~**or** *n* tracteur *m*.

trad|e [treid] *n* métier *m* (craft) ; *by* ~, de métier/profession ‖ commerce *m* (business) ; ~*-mark,* marque *f* de fabrique ; ~ *name,* marque déposée ● *vi* commercer, faire le commerce (*in*, de) ‖ ~ *in*, faire l'échange, échanger (a used article)

— *vt* échanger, troquer (*sth for*, qqch contre) ‖ ~ *on*, exploiter (sb's good nature, etc.) ‖ ~**er** *n* commerçant, négociant *n* ‖ ~**esman** [-zmən] *n* commerçant *n*, fournisseur *m ;* ~ *entrance*, porte *f* de service.

trade-union *n* syndicat *m ;* ~ *member*, syndiqué *n ; join a* ~, se syndiquer ‖ ~**ism** *n* syndicalisme *m* ‖ ~**ist** *n* syndicaliste *n*.

trade-wind *n* (vent *m*) alizé.

tradition [trəˈdiʃn] *n* tradition *f* ‖ ~**al** *adj* traditionnel.

traduce [trəˈdjuːs] *vt* diffamer.

traffic [ˈtræfik] *n* Comm. négoce, commerce *m* ‖ Aut. circulation *f ;* ~ *jam,* embouteillage, bouchon *m* ‖ Av., Rail. trafic *m* ● *vi* trafiquer, faire trafic (*in*, de) ‖ ~**ator** [-eitə] *n* Aut. clignotant *m*.

trafficker *n* trafiquant *n*.

traffic|island *n* refuge *m* ‖ ~**lights** *npl* feux *mpl* tricolores/de signalisation ‖ ~ **sign** *n* panneau *m* de signalisation ‖ ~ **warden** *n* contractuel *n*.

trag|edy [ˈtrædʒidi] *n* tragédie *f* ‖ ~**ic** [-ik] *adj* tragique.

trail [treil] *n* trace, piste *f* (track) ‖ piste *f*, chemin *m* (path) ● *vt* suivre la piste de (follow) ‖ traîner (drag) — *vi* [skirt] traîner ‖ Bot. [plant] ramper ‖ ~**er** *n* Aut. remorque *f* (small cart) ; roulotte *f* (caravan) ; U.S. caravane *f* ‖ Cin. bande-annonce *f* ‖ Bot. plante grimpante.

train[1] [trein] *n* Rail. train *m ; slow* ~, omnibus *m ; fast* ~, rapide *m ; go by* ~, aller en chemin de fer ; *on the* ~, dans le train ‖ file, procession *f* (long line of vehicles, etc.) ‖ Fig. suite, série *f*.

train[2] *vt* instruire, exercer, former (pupils) ‖ dresser (an animal) ‖ braquer (gun, etc.) ‖ Sp. entraîner — *vi* recevoir une formation (*to be a teacher,* de professeur) ‖ Sp. s'entraîner ‖ ~**ee** [treiˈniː] *n* stagiaire *n* ‖ ~**er** *n* [animals] dresseur *n* ‖ Sp.

[person] entraîneur *n* ‖ *Pl* COLL. [shoes] baskets *m/fpl* ‖ **~ing** *n* instruction, formation *f*; **~ period**, stage *m*; *go on a ~ course*, faire un stage; *teacher ~ college*, école normale ‖ [animal] dressage *m* ‖ SP. entraînement *m*; *physical ~*, éducation *f* physique ‖ NAUT. **~-ship**, navire-école *m*.

traipse [treips] *vi* COLL. se traîner.

trait|or ['treitə] *n* traître *m* ‖ **~orous** [-rəs] *adj* traître ‖ **~ress** [-ris] *n* traîtresse *f*.

trajectory ['trædʒiktri] *n* trajectoire *f*.

tram [træm] *n* **~(-car)**, tramway *m*.

tramp [træmp] *vi* marcher lourdement ● *n* (bruit *m* de) pas lourds ‖ randonnée, excursion *f* ‖ [person] vagabond, clochard *m*.

trample ['træmpl] *vt* piétiner.

trampoline ['træmpəlin] *n* trampoline *m*.

trance [tɑːns] *n* transe *f* ‖ FIG. extase *f*.

tranny ['træni] *n* RAD., COLL. transistor *m* (set).

tranquil ['træŋkwil] *adj* tranquille ‖ **~lity** [træŋ'kwiliti] *n* tranquillité *f* ‖ **~lizer** [-aizə] *n* MED. tranquillisant *m*.

transac|t [træn'zækt] *vt/vi* traiter (business) ‖ **~tion** [-ʃn] *n* COMM. transaction *f* ‖ *Pl* actes *mpl* (of a society).

transatlantic ['trænzət'læntik] *adj* transatlantique.

tran|scend [træn'send] *vt* transcender, dépasser ‖ **~scribe** [træns-'kraib] *vt* transcrire ‖ **~script** ['trænskript] *n* procès-verbal *m*, copie *f* ‖ U.S. relevé *m* des notes ‖ **~scription** [træns'kripʃn] *n* transcription *f* ‖ RAD. enregistrement *m*; émission en différé.

transfer [træns'fəː] *vt* transférer (money, passenger, player) ‖ muter (employee) ‖ reporter (a drawing) ‖ TEL. *~ the charges*, téléphoner en PCV; *~ red charge call*, communication *f* en PCV — *vi* être transféré ● ['trænsfəː] *n* changement, transfert *m*; transmission *f* ‖ [picture] décalcomanie *f*; autocollant *m* (sticker) ‖ RAIL., G.B. billet *m* de correspondance ‖ FIN. virement *m*.

transform [træns'fɔːm] *vt* convertir, transformer ‖ **~ation** [ˌtrænsfə-'meiʃn] *n* conversion *f*; transformation *f* ‖ **~er** *n* ELECTR. transformateur *m*.

transfusion [træns'fjuːʒn] *n* MED. transfusion *f*.

transgress [træns'gres] *vt* transgresser, violer (law, limit) ‖ pécher (sin) ‖ **~ion** [-'greʃn] *n* transgression *f* ‖ JUR. violation *f*.

transient ['trænziənt] *adj* éphémère, passager.

transistor [træn'zistə] *n* RAD. transistor *m*; *~ (radio)*, transistor *m* ‖ **~ized** [-raizd] *adj* transistorisé, à transistors.

transit ['trænsit] *n* transit ; transport *m* ‖ COMM. *in ~*, en transit ; sous douane.

transition [træn'ziʃn] *n* transition *f*.

transitive ['trænsitiv] *adj* GRAMM. transitif.

transitory ['trænsitri] *adj* transitoire.

transla|te [træns'leit] *vt* traduire (*into*, en) ‖ **~tion** *n* traduction *f* ‖ **~tor** [-tə] *n* traducteur *m*.

translucent [trænz'luːsnt] *adj* translucide.

trans|mission [trænz'miʃn] *n* transmission *f* ‖ AUT. *~ shaft*, arbre *m* de transmission ‖ RAD., T.V. émission *f* ‖ **~mit** [-'mit] *vt* transmettre (*to*, à) ‖ RAD., T.V. transmettre, diffuser — *vi* RAD., T.V. émettre ‖ **~mitter** *n* RAD. émetteur *m*, station émettrice.

transmogrify [trænz'mɔgrifai] *vt* métamorphoser.

transmute [trænz'mju:t] vt transmuter.

transom ['trænsəm] n traverse f; ~ window, imposte f.

trans|parency [træns'pærənsi] n transparence f || PHOT. diapositive f || ~**parent** [træns'peərnt] adj transparent || ~**pire** [-'paiə] vi transpirer || FIG. s'ébruiter (become known) || se passer (happen) || ~**plant** vt BOT. transplanter || MED. greffer ● n MED. greffe f || ~**plantation** n transplantation f.

transport ['trænspɔ:t] n transport || moyen m de transport (means) || *public* ~, transports mpl en commun; *road/rail* ~, transport routier/par chemin de fer || ~ *café*, routier m (restaurant) || FIG. enthousiasme m ● vt [-'-] transporter || ~**ation** [,trænspɔ:'teiʃn] n transport m || ~**er** [-'--] n ~ *bridge*, pont transbordeur.

transpos|e [træns'pəuz] vt transposer || ~**ition** [,trænspə'ziʃn] n transposition f.

trans-ship [træn'ʃip] vt transborder.

transverse ['trænzvə:s] adj transversal.

transvestite [trænz'vestait] n travesti m.

trap [træp] n piège m; ~(-door), trappe f || [drain-pipe] siphon m || FIG. traquenard, piège m || VULG. shut your ~!, la ferme!; ta gueule! (vulg.) ● vt prendre au piège (animal) || bloquer (immobilize) || coincer (finger) || FIG. be ~ped, se faire piéger.

trapeze [trə'pi:z] n MATH., SP. trapèze m.

trapper ['træpə] n trappeur m.

trappings ['træpiŋz] n [horse] harnachement m || [dress] ornements mpl || FIG. signes extérieurs.

trapse [treips] → TRAIPSE.

trash [træʃ] n camelote f (worthless material) || ineptie f (idea) || U.S.

ordures fpl (rubbish); PEJ. racaille f (people) || ~**-bag** n sac-poubelle m || ~**y** adj de pacotille.

trauma ['trɔ:mə] n traumatisme m.

travel ['trævl] vi voyager; ~ *1st class/by train*, voyager en 1re classe/en chemin de fer ● n voyage(s) m(pl) || ~**-agency** n agence f de voyage || ~**ator** [-eitə] n trottoir roulant || ~**ler** [-lə] n voyageur n; ~'s cheque, chèque m de voyage || ~**ling** [-liŋ] adj ambulant (person); mobile (thing) || ~ *bag*, sac m de voyage ● n voyages mpl.

traverse ['trævə:s] vt traverser (a forest) || parcourir (a distance).

trawler ['trɔ:lə] n chalutier m.

tray [trei] n plateau m.

treacher|ous ['tretʃrəs] adj traître, perfide || ~**y** n traîtrise f.

treacle ['tri:kl] n mélasse f.

tread [tred] vt (trod [trɔd], trodden ['trɔdn]), parcourir (à pied) [path] || piétiner, écraser; fouler (crush) || ~ *water*, nager à la chien — vi marcher (on, sur) ● n pas m, démarche f || [sound] bruit m de pas || AUT. [tyre] chape f; sculptures fpl (fam.).

treason ['tri:zn] n trahison f.

treasur|e ['treʒə] n trésor m; ~ *hunt*, chasse f au trésor; ~**-trove**, trésor découvert par hasard ● vt conserver précieusement || ~**er** [-rə] n trésorier n.

Treasury ['treʒri] n FIN. Trésor public, ministère m des Finances.

treat [tri:t] vt traiter (sb as/like, en/comme); ~ *sb to sth*, payer qqch à qqn || MED. traiter (a patient, a disease) || TECHN. traiter (wood) — vi traiter (of, de) [discuss] || traiter, négocier (with, avec) ● n plaisir m, fête, joie f; this is to be my ~, c'est moi qui paie/régale (fam.) || ~**ment** m MED. traitement m.

treaty n traité m.

treble ['trebl] adj triple ● n MUS. soprano m ● vt tripler.

tree [tri:] *n* arbre *m* ; ~ *trunk,* tronc *m* d'arbre.

trek [trek] *n* long (et pénible) voyage ; randonnée, expédition *f* ● *vi* faire un long (et pénible) voyage ‖ avancer péniblement.

trellis ['trelis] *n* treillis, treillage *m*.

tremble ['trembl] *vi* trembler.

tremendous [tri'mendəs] *adj* formidable, terrible (explosion) ‖ énorme (size, etc.) ‖ formidable, sensationnel (wonderful) ‖ **~ly** *adv* terriblement.

trem|or ['tremə] *n* [earth] secousse *f* (sismique) ‖ [body] frisson *m* ‖ **~ulous** [-juləs] *adj* tremblant.

trench [trenʃ] *n* tranchée *f* ‖ AGR. rigole *f* ; fossé *m* ● *vt* creuser des tranchées dans — *vi* ~ *upon,* empiéter sur (encroach) ‖ **~er** *n* planche *f* à découper.

trend [trend] *n* tendance, direction *f* ‖ (nouvelle) mode ; *set the* ~, lancer la mode ● *vi* se diriger (*towards,* vers).

trendy *adj* à la dernière mode, dernier cri ; dans le vent (fam.) ● *n* jeune fille/homme dans le vent.

trepan [tri'pæn] *vt* trépaner.

trespass ['trespəs] *vi* entrer sans permission ; *no* **~ing,** propriété privée, entrée interdite ‖ FIG. ~ *upon,* empiéter sur ; abuser de (sb's time) ‖ **~er** *n* JUR. intrus *n* ; ~*s will be prosecuted,* défense d'entrer sous peine d'amende.

trestle ['tresl] *n* tréteau *m*.

trial ['traiəl] *n* essai *m* ; *on* ~, à l'essai ; ~ *period/run,* période *f*/ galop *m* d'essai ‖ [hardship] épreuve *f*, souci *m* ‖ JUR. procès *m* ; *stand* ~ *for,* passer en jugement pour.

triang|le ['traiæŋgl] *n* triangle *m* ‖ **~ular** [trai'æŋgulə] *adj* triangulaire.

tribe [traib] *n* tribu *f* ‖ ZOOL., BOT. famille *f*.

tribunal [trai'bju:nl] *n* tribunal *m*.

tributary ['tribjutri] *adj/n* tributaire ‖ GEOGR. affluent *m*.

tribute ['tribju:t] *n* tribut *m* ‖ FIG. *pay* ~ *to,* rendre hommage à.

trice [trais] *n* bref instant ; *in a* ~, en un clin d'œil.

trick [trik] *n* ruse, astuce *f* ‖ tour *m* ; *play a* ~ *on sb,* jouer un tour à qqn ; *underhand* ~, coup fourré (fam.)‖ tour de main, truc *m* ‖ [conjurer] tour *m* d'adresse ‖ [cards] *card* ~, tour *m* de cartes ; levée *f* (cards' won) ; *take a* ~, faire un pli ; → CARD ‖ PHOT. truquage *m* ● *vt* tromper, duper ; rouler (fam.) ‖ **~ery** [-əri] *n* supercherie *f*.

trickle ['trikl] *vi* couler goutte à goutte ‖ ~ *in,* s'infiltrer ● *n* filet *m* d'eau.

tricky ['triki] *adj* rusé, astucieux ‖ difficile, délicat (problem, task).

tried p.t./p.p. of TRY.

trifl|e ['traifl] *n* bagatelle, vétille *f* ‖ *a* ~, un peu ● *vt* ~ *away,* gaspiller — *vi* ~ *with,* traiter à la légère ‖ **~ing** *adj* dérisoire, insignifiant.

trigger ['trigə] *n* déclenchement, déclic *m* ‖ [gun] détente, gâchette *f* ● *vt* ~ (*off*), déclencher ; **~ing off,** déclenchement *m*.

trigonometry [ˌtrigə'nɔmitri] *n* trigonométrie *f*.

trill [tril] *n* trille *m*.

trim [trim] *vt* arranger, tailler (hedge) ; émonder (a tree) ‖ rafraîchir (hair) ‖ orner, garnir (a hat) ‖ équilibrer (boat, plane) ; orienter (sails) ● *n* ordre *m* ; *in good* ~, en bon état ‖ [haircut] *give just a* ~, rafraîchir ‖ NAUT. équilibrage *m* ; arrimage *m* ‖ AV. équilibrage *m* ‖ SP. forme *f* ● *adj* coquet, soigné ; bien tenu (garden).

trimaran ['traiməræn] *n* trimaran *m*.

trinket ['triŋkit] *n* colifichet *m* (jewel) ‖ babiole *f* (trifle).

trio ['tri:əu] *n* trio *m*.

trip¹ [trip] *n* trébucher (over, sur) ‖ SL. [drug user] flipper (fam.). — *vt* ~ (*up*), faire trébucher, faire un croc-en-jambe à (qqn) ● n faux pas, croc-en-jambe m.

trip² n excursion f ; voyage m ‖ **go on/take a ~,** voyager, faire un voyage (to, à) ; go on ~s, excursionner ‖ AUT. ~ **meter,** compteur journalier ‖ SL. [drugs] trip m (arg.) ● vi/vt ~ **(up),** (faire) trébucher, faire un faux pas ‖ SL. ~ **out,** flipper, planer (pop.) ‖ **~per** n excursionniste n.

tripe [traip] n tripes fpl.

tripl|e [ˈtripl] adj triple ● vt/vi tripler ‖ **~ets** [-its] npl triplets mpl.

tripod [ˈtraipɔd] n trépied m.

trite [trait] adj banal, rebattu.

triumph [ˈtraiəmf] n triomphe m ● vi triompher ‖ **~al** [traiˈʌmfl] adj triomphal ‖ ~ **arch,** arc m de triomphe ‖ **~ant** [traiˈʌmfənt] adj triomphant.

trivial [ˈtriviəl] adj insignifiant, sans valeur (of little worth) ‖ banal, ordinaire (commonplace).

trod, trodden → TREAD.

trolley [ˈtrɔli] n chariot m ; petite voiture ‖ **~(-table),** table roulante ‖ [supermarket] chariot, Caddie m (N.D.) ‖ U.S. tramway m ‖ TECHN. trolley m ; **~-bus,** trolley-bus m.

trollop [ˈtrɔləp] n souillon f (untidy woman) ‖ putain, pute f (pop.) [sexually immoral girl].

trombone [trɔmˈbəun] n MUS. trombone m.

troop [tru:p] n troupe, bande f ‖ MIL. troupe f ; Pl soldats mpl ● vi s'attrouper — vt faire la parade du drapeau ; **~ing the colours,** salut m au drapeau ‖ **~er** n MIL. soldat m de cavalerie.

trophy [ˈtrəufi] n trophée m.

tropic [ˈtrɔpik] n tropique m ‖ **~al** adj tropical.

trot [trɔt] vi trotter ● n trot m.

trouble [ˈtrʌbl] vt affliger, tourmenter (pain) ‖ inquiéter, préoccuper ; be ~d about, se tourmenter au sujet de

‖ déranger, gêner ; may I ~ you for the salt ?, puis-je vous demander le sel ? ‖ troubler (water) — vi se déranger ; s'inquiéter ; don't ~ !, ne vous donnez pas la peine (to, de) ● n peine f, dérangement m (bother) ; go to a lot of ~, se donner un mal fou ; put sb to a lot of ~, causer de l'embarras à qqn ; take ~, se donner du mal ; have ~ doing, avoir du mal à faire ; it's no ~ at all, ce n'est rien ‖ ennui m, difficulté f ; the ~ is that, l'ennui c'est que ; what's the ~ ?, qu'est-ce qui ne va pas ? ; **get into ~/out of ~,** s'attirer des ennuis/se tirer d'affaire ; ask/look for ~, chercher des ennuis ; get a girl into ~, mettre une fille enceinte ‖ MED. have heart ~, être malade du cœur ‖ AUT. motor ~, panne f de moteur ‖ Pl troubles, désordres mpl politiques ‖ **~maker** n fauteur n de troubles ‖ **~some** [-səm] adj ennuyeux, gênant, importun (person) ‖ fâcheux (event).

trough [trɔf] n [cattle] (drinking) ~, abreuvoir m ; (feeding) ~, auge f ‖ NAUT. ~ of the sea, creux m de la vague.

trounce [trauns] vt rouer de coups, rosser.

trousers [ˈtrauzəz] npl pantalon m.

trout [traut] n truite f.

trowel [ˈtrauəl] n truelle f.

tru|ancy [ˈtruənsi] n [school] absence non autorisée ‖ **~ant** [ˈtruənt] n play ~, faire l'école buissonnière.

truce [tru:s] n trêve f.

truck¹ [trʌk] n troc m ‖ U.S. (garden) ~, produits maraîchers.

truck² n RAIL. wagon plat ‖ AUT., U.S. camion m ; **~driver,** camionneur, routier m ● vt transporter par camion.

trudge [trʌdʒ] vi traîner la jambe.

true [tru:] adj vrai, exact ; come ~, se réaliser ‖ sincère, fidèle (person) ; ~ **to life,** réaliste ‖ conforme, authentique (genuine) ‖ TECHN.

centré ; droit ● *n* out of ~, pas d'aplomb (wall) ; voilé (wheel).

truffle ['trʌfl] *n* BOT., CULIN. truffe *f*.

truly ['truːli] *adv* vraiment, réellement ‖ franchement, loyalement (faithfully) ‖ sincèrement (sincerely) ‖ *yours* ~, veuillez agréer mes sincères salutations.

trump[1] [trʌmp] *n* [cards] atout *m* ; *no-*~*s*, sans atout ● *vt/vi* couper.

trump[2] *vt* ~ up, inventer, forger (an excuse).

trumpet ['trʌmpit] *n* trompette *f* (instrument) ; trompette *m* (musician) ● *vi* (elephant) barrir ‖ ~er *n* trompettiste *n*.

truncheon ['trʌnʃn] *n* matraque *f*.

trundle ['trʌndl] *vt* faire rouler (bruyamment).

trunk [trʌŋk] *n* tronc *m* (of a tree) ‖ [luggage] malle *f*; AUT., U.S. coffre *m* ‖ MED. tronc *m* ‖ ZOOL. trompe *f* ‖ ~call *n* TEL. communication *f* interurbaine *f* ‖ ~ line *n* TEL. inter *m* ‖ RAIL. grande ligne ‖ ~ road *n* G.B. (route) nationale *f*.

trunks [-s] *npl* slip *m* (de bain).

trust [trʌst] *n* confiance *f* ‖ espoir *m*, espérance *f* (hope) ‖ charge *f* (duty) ‖ dépôt *m* (thing held) ‖ COMM. crédit *m* ; *on* ~, à crédit ‖ FIN. trust *m* ● *vt* avoir confiance en, se fier à ‖ confier (*sb with sth*, qqch à qqn) ‖ [hope] espérer.

trustee [trʌs'tiː] *n* administrateur *n* ‖ ~ship [trʌs'tiːʃip] *n* POL. tutelle *f*.

trust|ful *adj* confiant ‖ ~worthy *adj* digne de confiance/foi ‖ ~y *adj* loyal, sûr.

truth [truːθ] *n* vérité *f*; *to tell the* ~, à vrai dire ‖ ~ful *adj* vrai, véridique (statement) ; qui dit la vérité (person) ‖ ~fulness *n* véracité *f*.

try [trai] *n* essai *m*, tentative *f*; *have a* ~ *at sth*, essayer qqch ; *first* ~, coup *m* d'essai ‖ SP. [rugby] essai *m* ● *vi* essayer, tâcher (*to*, de) ‖ chercher (*to*, à) ‖ ~ *for*, essayer d'obtenir —

vt essayer (attempt) ‖ éprouver, tester (test) ‖ JUR. juger ‖ ~ *on*, essayer (clothes) ‖ ~ *out*, mettre à l'essai ‖ ~ing *adj* pénible, fatigant (tiring) ; ennuyeux (tedious) ‖ ~-out *n* essai *m*.

tub [tʌb] *n* bac, baquet *m* ‖ (*bath*) ~, baignoire *f* ‖ NAUT., COLL. rafiot *m*.

tuba ['tjuːbə] *n* MUS. tuba *m*.

tube [tjuːb] *n* tube *m* (of toothpaste) ‖ tuyau *m* (pipe) ‖ AUT. *inner* ~, chambre *f* à air ‖ U.S., COLL. *the* ~, la télé (fam.) ‖ [London] métro *m*; ~ *entrance*, bouche *f* de métro ; ~ *station*, station *f* de métro ‖ ~less *adj* sans chambre à air.

tubercul|osis [tjuːbəːkjuˈləusis] *n* tuberculose *f* ‖ ~ous [tjuːbəːkjuːləs] *adj* tuberculeux.

tubular ['tjuːbjulə] *adj* tubulaire.

tuck [tʌk] *vt* plisser (a garment) ‖ ~*in*, rentrer (shirt) ; border (bedclothes) ‖ ~ *up*, retrousser (sleeves) ‖ ~-in *n* COLL. gueuleton *m* (pop.).

Tuesday ['tjuːzdi] *n* mardi *m*.

tuft [tʌft] *n* touffe *f* (of hair, grass) ‖ huppe *f* (of bird).

tug [tʌg] *vt/vi* tirer fort (*at*, sur) ‖ NAUT. remorquer ● *n* traction, saccade *f*; ~ *of war*, lutte *f* à la corde ‖ NAUT. ~ (*boat*), remorqueur *m*.

tuition [tjuː'iʃn] *n* enseignement *m*; cours *mpl*; *private* ~, leçons particulières ‖ frais *mpl* de scolarité (fees).

tulip ['tjuːlip] *n* tulipe *f*.

tumble ['tʌmbl] *n* tomber ‖ ~ (*down*), culbuter — *vt* bouleverser, mettre sens dessus dessous ‖ défaire (a bed) ● *n* chute *f* ‖ SP. culbute *f* ‖ ~-down *adj* croulant, délabré ‖ ~-dryer *n* sèche-linge *m* à tambour.

tumbler ['tʌmblə] *n* verre droit, gobelet *m* ‖ = TUMBLE-DRYER.

tumo(u)r ['tjuːmə] *n* tumeur *f*.

tumult ['tjuːmʌlt] *n* tumulte *m* ‖ FIG. émoi *m*, agitation *f* ‖ ~uous [tjuːˈmʌltjuəs] *adj* tumultueux.

tun [tʌn] *n* tonne *f*, tonneau *m*.

tuna [ˈtjuːnə] *n* ~ *(fish),* thon *m.*

tun|e [tjuːn] *n* Mus. air *m* (melody) ; *in* ~, juste ; *out of* ~, faux, désaccordé || Coll. humeur *f,* ton *m* ● *vt* Mus. accorder || Techn. ~ *(up),* régler (a motor) — *vi* Rad. ~ *in,* se mettre à l'écoute *(to,* de) || ~ *up,* Mus. s'accorder || ~ **er** *n* Mus. accordeur *m.*

tuneful *adj* harmonieux.

tungsten [ˈtʌŋstən] *n* tungstène *m.*

tunic [ˈtjuːnik] *n* blouse *f* || Mil. tunique, vareuse *f.*

tuning [ˈtjuːniŋ] *n* Rad. réglage *m* || Mus. ~ **fork,** diapason *m.*

Tunis|ia [tjuˈniːziə] Tunisie *f* || ~ **ian** [-iən] *adj/n* tunisien.

tunnel [ˈtʌnl] *n* tunnel *m* ● *vt* creuser/percer un tunnel.

tunny [ˈtʌni] *n* thon *m.*

turban [ˈtəːbən] *n* turban *m.*

turbid [ˈtəːbid] *adj* trouble.

turbine [ˈtəːbin] *n* turbine *f.*

turbo|charger [ˈtəːbəuˌtʃɑːdʒə] *n* turbocompresseur *m* || ~ **jet** [ˌtəːbəˈdʒɛt] *n* Av. ~ *engine,* turboréacteur *m.*

turbulent [ˈtəːbjulənt] *adj* agité, turbulent.

tureen [təˈriːn] *n* soupière *f.*

turf [təːf] *n* gazon *m,* motte *f* de gazon || Sp. turf *m* || ~ *accountant,* bookmaker *m.*

Turk [təːk] *n* Turc *n* || ~ **ey** [-i] Turquie *f* || ~ **ish** *n/adj* turc (*m*).

turkey [ˈtəːki] *n* dinde *f,* dindon *m* (fowl).

turmoil [ˈtəːmɔil] *n* agitation, effervescence *f* ; remous *m.*

turn [təːn] *n* tour *m* (of handle, key) || [road] coude, tournant *m* || [order] tour *m ; it's your* ~, c'est votre tour ; *whose* ~ *is it ?,* c'est à qui le tour ? ; *in* ~, *by* ~**s,** à tour de rôle ; *out of* ~, en dehors de son tour ; *take* ~**s,** se relayer || [action] *do sb a good* ~, rendre un service à qqn || Th.

numéro *m* || Fig. tendance, tournure *f ;* ~ *of mind,* tournure *f* d'esprit ; ~ *of the century,* début *m*/fin *f* du siècle || Coll. choc *m ; it gave me a* ~, ça m'a donné un coup.
● *vt* tourner (in general) || faire tourner (a wheel) ; ~ *one's back,* tourner le dos || tourner ; traduire *(into,* en) ; transformer *(into,* en) || Fig. détourner (conversation) || Fig. ~ *sb's head,* tourner la tête à qqn || dépasser (a certain age) || retourner (a coat) ; ~ *inside out,* retourner || ~ *a corner,* tourner au coin (d'une rue) || Techn. tourner (in a lathe) || Med. soulever (one's stomach) || ~ *about,* faire faire demi-tour || ~ *away,* congédier, renvoyer (sb) || ~ *down,* rabattre (a collar) ; baisser (gas, radio) ; refuser (offer) ; refuser, rejeter (candidate) || ~ *in,* rentrer (a hem) || ~ *off,* fermer (gas, radio) ; Aut. tourner ; Coll. rebuter, dégoûter || ~ *on,* allumer (gas, radio) ; Sl. exciter || ~ *out,* fermer, éteindre (gas) ; vider (drawer) ; retourner (pockets) ; [factory] produire ; [crowd] se rassembler || ~ *over,* tourner (page) ; retourner (card) ; [business] faire un chiffre d'affaires de || ~ *up,* relever (one's collar) ; retrousser (one's sleeves) ; retourner (the soil) ; déterrer (by digging).
— *vi* tourner || se changer, se transformer || devenir (pale, rich) || ~ *soldier,* se faire soldat || dépendre *(on,* de) || se tourner *(to,* vers) || [milk] tourner || [stomach] se soulever || ~ *about,* se retourner || ~ *aside,* se détourner || ~ *away,* se détourner || ~ *back,* rebrousser chemin, faire demi-tour || ~ *in,* Coll. aller se coucher || ~ *out,* [people] sortir, se présenter, se rassembler ; [things] tourner (bad, well) ; s'avérer, se révéler (finalement) ; Coll. sortir du lit || ~ *over,* [car] capoter || ~ *round,* se retourner *(on,* contre) || ~ *up,* [person] arriver, se présenter.

turnabout [ˈ---] *n* volte-face *f inv.*

turn|coat [ˈtəːnkəut] *n* transfuge *m* (traitor) || ~ **down** *n* refus *m* || ~ **ing**

n [road] embranchement ; *the next ~ on the left,* la première rue à gauche || Techn. tournage *m* || **~ing-circle** *n* Aut. rayon *m* de braquage || **~ing-point** *n* moment décisif, tournant *m*.

turnip ['tə:nip] *n* navet *m*.

turn|-out *n* [meeting] assistance *f* || [elections] participation *f* || [factory] production *f* || **~-over** *n* [business] chiffre *m* d'affaires || Culin. *(apple) ~,* chausson *m* (aux pommes).

turnpike ['tə:npaik] *n* U.S. autoroute *f* à péage.

turnstile ['tə:nstail] *n* portillon *m*.

turntable *n* [record-player] plateau *m ;* platine *f.*

turn-up *n* [trousers] revers *m.*

turpentine ['tə:pntain] *n* (essence *f* de) térébenthine *f.*

turret ['tʌrit] *n* Arch., Naut., Mil. tourelle *f.*

turtle ['tə:tl] *n* tortue *f* de mer || *turn ~,* chavirer || **~-dove** *n* tourterelle *f* || **~-neck** *n* U.S. col roulé (sweater) || **~-shell** *n* écaille *f* de tortue.

tusk [tʌsk] *n* défense *f* (d'éléphant, etc.).

tutor ['tju:tə] *n* précepteur *n ;* [University] assistant *n* || **~ial** [tju'tɔ:riəl] *n* travaux *mpl* pratiques/dirigés.

tuxedo [tʌk'si:dəu] *n* U.S. smoking *m.*

TV [,ti:'vi] *abbrev* = television ; *be on ~,* passer à la télé (fam.).

twaddle ['twɔdl] *n* niaiseries *fpl.*

twang [twæŋ] *vi* Mus. [strings] vibrer, résonner ● *n speak with a ~, nasal ~,* parler du nez ; *nasal ~,* ton nasillard.

tweed [twi:d] *n* tweed *m.*

tweezers ['twi:zəz] *npl* pince *f* à épiler.

twel|fth [twelfθ] *adj* douzième || *Twelfth Day/Night,* la fête des Rois || **~ve** [-v] *adj/n* douze *(m).*

twenty ['twenti] *adj/n* vingt *(m).*

twice [twais] *adv* deux fois || *~ as much/many,* deux fois plus.

twiddle ['twidl] *vt* tourner (entre ses doigts) ; *~ one's thumbs,* se tourner les pouces.

twig¹ [twig] *n* brindille *f.*

twig² *vt/vi* Sl. piger (pop.).

twilight ['twailait] *n* crépuscule *m.*

twin [twin] *adj/n* jumeau ● *vt* jumeler (two towns) || *~ beds,* lits jumeaux ; *~-engined,* bimoteur ; *~-engined jet,* biréacteur *m* ● *vt* jumeler ; *~ned towns,* villes jumelées.

twine [twain] *n* ficelle *f* ● *vt* enrouler || enlacer — *vi* s'enrouler.

twinge [twinʒ] *n* Med. élancement *m* || Fig. *~ of conscience,* remords *m* de conscience.

twinkl|e ['twiŋkl] *vi* scintiller, étinceler ● *n* scintillement *m* || **~ing** *n* clignotement *m ; in the ~ of an eye,* en un clin d'œil.

Twins [twinz] *npl* Astr. Gémeaux *mpl.*

twirl [twə:l] *vi* tournoyer ; *~ one's thumbs,* se tourner les pouces ● *n* tournoiement *m.*

twist [twist] *n* torsion *f* (action) || torsade *f* (thread) || [road] tournant *m* || Culin. *~ of lemon,* zeste *m* de citron || Med. entorse *f* || Sp. effet *m* (on the ball) || Fig. tournure (nouvelle), coup *m* de théâtre ● *vt* tordre, entortiller (wind) ; tresser (rope, etc.) [threads] || Fig. déformer (meaning, truth) || Coll. rouler (fam.) || *~ off,* dévisser (cap, lid) — *vi* s'enrouler, s'entrelacer || **~er** *n* Coll. escroc *m* (person) ; problème *m* difficile.

twitch [twitʃ] *n* saccade *f,* tic *m.*

twitter ['twitə] *vi* gazouiller ● *n* gazouillis *m* || Coll. agitation *f.*

two [tu:] *adj/n* deux *(m) ; in ~,* en deux || **~fold** [-fəuld] *adj* double || **~pence** ['tʌpəns] *npl* deux pence (sum) || **~penny** ['tʌpni] *adj* de deux pence || **~-piece** suit *n* [man's] costume *m* deux-pièces ; [woman's] tailleur *m* || ~**-stroke** *adj* ~ *engine,* moteur *m* à deux temps || ~**-way switch** *n* ELECTR. va-et-vient *m.*

tycoon [tai´ku:n] *n* magnat *m* (de la finance, de l'industrie, etc.).

tying → TIE.

type [taip] *n* type *m* (person, thing) || type, genre *m* (kind) || TECHN. caractère *m* d'imprimerie ● *vt* classer || taper à la machine || ~**setter** *n* typographe *m* || ~**write** *vt* dactylographier || ~**writer** *n* machine *f* à écrire || ~**writing** *n* dactylographie, frappe *f.*

typhoid [´taifɔid] *n* typhoïde *f.*

typhoon [tai´fu:n] *n* typhon *m.*

typhus [´taifəs] *n* typhus *m.*

typical [´tipikl] *adj* typique.

typing [´taipiŋ] *n* dactylographie *f* ; ~ *mistake,* faute *f* de frappe ; ~ *pool,* pool *m* des dactylos.

typist [´taipist] *n* dactylo *n* ; ~**-stenographer,** U.S. sténodactylo *f.*

tyrann|ical [ti´rænikl] *adj* tyrannique || ~**y** [´tirəni] *n* tyrannie *f.*

tyrant [´taiərnt] *n* tyran *m.*

tyre [taiə] *n* AUT. pneu *m.*

tyro [´tairəu] *n* novice, débutant *n.*

U

u [ju:] *n* u *m* || *U-boat,* sous-marin allemand || *U-turn,* AUT. demi-tour *m.*

udder [´ʌdə] *n* mamelle *f.*

UFO [´jufəu] *n* ovni *m.*

ugl|iness [´ʌglinis] *n* laideur *f* || ~**y** *adj* laid ; moche (fam.).

UK [ju´kei] *abbrev* = UNITED KINGDOM.

ulcer [´ʌlsə] *n* ulcère *m.*

ultimate [´ʌltimit] *adj* ultime || ~**ly** *adv* à la fin, finalement.

ultimatum [ˌʌlti´meitəm] *n* ultimatum *m.*

ultra... [´ʌltrə] *pref* ultra..., hyper... || ~**marine** [ˌ--´-] *adj/n* outremer *m* (colour) || ~**sonic** *adj* ultrasonique || ~**sound** *n* ultrason *m* || ~**violet** *adj* ultraviolet.

umbrage [´ʌmbridʒ] *n* take ~ at, prendre ombrage de.

umbrella [ʌm´brelə] *n* parapluie *m* ; ~**-stand,** porte-parapluies *m.*

umpire [´ʌmpaiə] *n* SP. arbitre *m.*

umpteen [´ʌmti:n] *adj* COLL. je ne sais combien de, trente-six (fam.) || ~**th** [-θ] *adj* énième.

un|able [ʌn´eibl] *adj* incapable (to, de) ; *be* ~ *to do,* ne pas pouvoir faire || ~**acceptable** [´-´--] *adj* inacceptable [´-´--] *adj* inexplicable || ~**accounted** [´-´--] *adj* ~ *for,* inexpliqué (phenomenon) || disparu, manquant (person) || MIL. porté disparu || ~**accustomed** [´-´--] *adj* inhabitué || ~**acknowledged** [´-´--] *adj* resté sans réponse (letter) || ~**acquainted** [´-´--] *adj* qui n'est pas au courant (*with,* de) || ~**affected** [-'-] *adj* naturel || ~ *by,* insensible à || ~**aided** ['-'-] *adj* sans aide || ~**alloyed** ['-'-] *adj* pur || FIG. sans mélange || ~**alterable** ['---] *adj* immuable || ~**altered** ['ʌn'ɔːltəd] *adj* inchangé.

unanim|ity [juːnə'nimiti] *n* unanimité *f* || ~**ous** [juˈnæniməs] *adj* unanime || ~**ously** ['---] *adv* à l'unanimité.

un|answerable [ʌnˈɑːnsrəbl] *adj* incontestable, irréfutable || ~**approachable** [-'---] *adj* inaccessible (place) ; inabordable (person) || ~**armed** ['-'-] *adj* sans armes || ~**asked** ['-'ɑːskt] *adj* sans y avoir été invité ; ~ *for,* spontané || ~**assuming** ['-'--] *adj* modeste ; sans prétention || ~**attainable** ['-'--] *adj* inaccessible || ~**attended** ['-'--] *adj* seul, sans escorte/surveillance || ~**authorized** ['-'--] *adj* sans autorisation, illicite, abusif || ~**available** [-'--] *adj* non disponible, indisponible || ~**availing** ['-'--] *adj* vain, inutile || ~**avoidable** [-'--] *adj* inévitable || ~**aware** ['-'-] *adj* be ~ *of,* ignorer ; *I am not* ~ *that,* je n'ignore pas que || ~**awares** ['ʌnə'weəz] *adv* à l'improviste, au dépourvu.

un|bearable [ʌnˈbeərəbl] *adj* insupportable, intolérable || ~**becoming** ['-'--] *adj* inconvenant, déplacé || ~**believable** [-'---] *adj* incroyable || ~**believing** ['-'--] *adj* REL. incrédule || ~**bend** ['-'-] *vt* redresser, détendre (relax) || FIG. ~ *one's mind,* se délasser l'esprit — *vi* se détendre, s'abandonner || ~**bending** ['-'--] *adj* inflexible, intransigeant || ~**biased** ['-'--] *adj* sans préjugé, impartial || ~**bleached** ['ʌn'bliːtʃt] *adj* écru || ~ **block** ['-'-] *vt* déboucher (sink, etc.) || ~**bounded** [ʌn'baundid] *adj* illimité, sans bornes || ~**breakable** ['-'--] *adj* incassable || ~**broken** ['-'--] *adj* indompté (horse) ; ininterrompu (sleep) || ~**burden** ['-'--] *vt* soulager (one's conscience) ; ~ *oneself,* s'épancher || ~**button** ['-'--] *vt* déboutonner.

un|called [ʌn'kɔːld] *adj* ~ *-for,* déplacé, injustifié (remark) ; gratuit (insult) || ~**canny** ['-'-] *adj* mystérieux, surnaturel || ~**ceasing** ['-'-] *adj* incessant || ~**ceasingly** ['-'-] *adv* sans cesse, sans arrêt || ~**certain** ['-'-] *adj* incertain, mal assuré || ~**certainty** ['-'-] *n* incertitude *f* || ~**chain** ['-'-] *vt* déchaîner || ~**challenged** *adj* incontesté || ~**changeable** ['-'--] *adj* immuable || ~**charted** ['-'-] *adj* inexploré ; non porté sur la carte || ~**checked** ['ʌn'tʃekt] *adj* sans opposition || ~**claimed** ['ʌn'kleimd] *adj* en souffrance (letters, etc.).

uncle ['ʌŋkl] *n* oncle *m.*

un|clean ['ʌn'kliːn] *adj* malpropre, sale || ~**comfortable** ['---] *adj* peu confortable, incommode (chair) || FIG. mal à l'aise, inquiet (person) || désagréable (sensation) || ~**committed** [-'--] *adj* libre, non engagé || ~**common** ['-'-] *adj* peu commun, extraordinaire || ~**completed** ['-'-] *adj* inachevé, incomplet || ~**compromising** ['-'--] *adj* intransigeant || ~**concerned** ['-'-] *adj* indifférent, impassible, insouciant, détaché || ~**conditional** ['-'--] *adj* sans condition || ~**conquered** ['ʌn'kɔŋkəd] *adj* invaincu || ~**conscious** [-'--] *adj* MED. inconscient, sans connaissance, inanimé ● *n* MED. inconscient *m* || ~**consciously** ['-'-] *adv* inconsciemment, sans s'en rendre compte || ~**consciousness** [-'-] *n* inconscience, ignorance *f* || MED. évanouissement *m* || ~**considered** ['ʌnkən'sidəd] *adj* irréfléchi (remark) || ~**controllable** [-'--] *adj* irrésistible || indiscipliné (child) || ~**conventional** ['-'--] *adj* original || ~**couth** [-'-] *adj* grossier (language) || fruste (behaviour) || ~**cover** [-'--] *vt* découvrir || déshabiller (undress).

unction ['ʌŋʃn] *n* onction *f* || REL. *extreme* ~, extrême-onction *f.*

un|cultivated ['-'--], ~**cultured** ['ʌn'kʌltʃəd] *adj* inculte (lit. and fig.).

un|damaged ['ʌn'dæmidʒd] *adj* indemne, intact ‖ **~daunted** [-´-] *adj* intrépide ‖ **~deceive** [-´-] *vt* détromper ; démystifier ‖ **~decided** [-´-] *adj* irrésolu, indécis ‖ **~deniable** [--´--] *adj* incontestable, irréfutable ‖ **~denominational** [--´--´-] *adj* laïque (school).

under [´ʌndə] *prep* sous, au-dessous de ; *children ~ ten (years of age)*, les enfants de moins de dix ans ; ~ *age*, mineur ; ~ *penalty of*, sous peine de ; ~ *repair*, en réparation ; ~ *the name of Smith*, sous le nom de Smith ● *adv* au-dessous, en dessous ‖ NAUT. *go ~*, sombrer.
● *pref* sous ‖ **~brush** *n* broussailles *fpl* ‖ U.S. sous-bois *m* ‖ **~carriage** *n* Av. train *m* d'atterrissage ‖ **~clothes** [´--], **~clothing** [´--] *n* sous-vêtements *mpl* ‖ **~developed** [´ʌndədivæləpt] *adj* sous-développé (country) ‖ **~done** [´--] *adj* saignant (meat) ; pas assez cuit (food) ‖ **~estimate** [-r´estimeit] *vt* sous-estimer ‖ **~exposed** [-riks´pəuzd] *adj* PHOT. sous-exposé ‖ **~fed** [´--] *adj* sous-alimenté ‖ **~go** [´--] *vt* subir (an operation) ; supporter, endurer (trials) ‖ **~graduate** [--´--] *n* étudiant non diplômé ‖ **~ground** [´--] *adj* souterrain ‖ clandestin (movement) ● *n* FR. *the ~*, la Résistance ‖ RAIL., G.B. *Underground*, métro *m* ‖ **~hand** *adj* fait en sous-main ‖ FIG. secret, sournois ● *adv* sournoisement ; par en dessous (fam.) ‖ **~line** *vt* souligner ‖ **~ling** *n* sous-ordre *m* ‖ **~lying** [´--] *adj* sous-jacent ‖ **~mine** [--´-] *vt* miner, saper ‖ **~neath** [-´-] *prep* sous ● *adv* (en) dessous, par-dessous ‖ **~pants** *npl* caleçon, slip *m* ‖ **~pass** *n* U.S. [road] passage souterrain ‖ **~pay** *vt* sous-payer ‖ **~privileged** [-´privilidʒd] *adj* économiquement faible ; déshérité ‖ **~prop** [-´-] *n* tasseau *m* ‖ **~rate** [-´-] *vt* sous-estimer ‖ **~sell** [´-´-] *vt* vendre moins cher que ‖ **~shirt** *n* maillot *m* de corps ‖ **~sized** [ʌndə´saizd] *adj* de taille insuffisante, rabougri.

under|stand [ʌndə´stænd] *vi* (→ STAND) comprendre (know the meaning) ‖ se rendre compte, conclure (infer) — *vt* comprendre ; *make oneself understood*, se faire comprendre ‖ apprendre (learn) ; se rendre compte (infer) ; *I ~ that*, je crois savoir que ; *I gave him to ~ that*, je lui ai donné à entendre que ‖ s'entendre à, être versé dans (know how to) ‖ GRAMM. sous-entendre ‖ **~standable** *adj* compréhensible, intelligible ‖ **~standing** *n* compréhension *f* (act) ‖ intelligence *f* (faculty) ; entente *f*, accord *m* ; *come to an ~ with*, s'entendre avec ; *reach an ~*, parvenir à un accord.

under|state [´ʌndə´steit] *vt* minimiser ‖ **~statement** *n* litote *f*, euphémisme *m* ‖ **~study** [´--] *n* TH. doublure *f* ● *vt* TH. doubler.

under|take [ʌndə´teik] *vt* (→ TAKE) entreprendre (a task) ‖ se charger ; promettre (*to, de*) [promise] ‖ **~taker** [´-,--] *n* entrepreneur *m* de pompes funèbres ‖ **~taking** *n* entreprise *f* (task) ‖ engagement *m*, promesse *f* (promise) ‖ **~tone** *n* in *an ~*, à mi-voix ‖ **~tow** *n* ressac *m* ‖ **~water** *adj* sous-marin ; ~ *fishing*, pêche sous-marine ● *adv* sous l'eau ‖ **~wear** *n* sous-vêtements *mpl* ; [women's] lingerie *f*, dessous *mpl* ‖ **~world** [´--] *n* bas-fonds *mpl* ‖ COLL. pègre *f*, milieu *m* ; ~ *write* [--] *vt* [insurance] garantir, assurer ‖ **~writer** *n* [insurance] assureur *m* (maritime).

un|deserved [´ʌndi´zəːvd] *adj* immérité ‖ **~deservedly** [-diˈzəːvidli] *adv* injustement ‖ **~desirable** [´--´-] *adj* indésirable ‖ **~determined** [´--´-] *adj* indéterminé, vague, irrésolu (person) ‖ **~developed** [´--´-] *adj* AGR. inexploité.

undies [´ʌndiz] *n* COLL. dessous *mpl* (féminins).

un|disputed [´ʌndis´pjuːtid] *adj* incontesté ‖ **~disturbed** [´--´-] *adj* tranquille, calme.

un|do [ʌn´duː] *vt* (→ DO) défaire,

dénouer (knots, etc.) ; dégrafer (a fastening) ; *come undone,* se défaire, se dénouer ; ~ *sb's hair,* décoiffer qqn || Fig. ruiner (arch.) || ~ **doing** *n* perte, ruine *f* || ~ **done** *adj* inachevé ; *leave nothing* ~, ne rien négliger (*to,* pour) || [knot] *come* ~, se défaire.

un|doubted [ʌn'dautid] *adj* indubitable, incontestable || ~ **doubtedly** *adv* sans aucun doute, incontestablement || ~ **dress** ['--] *vt/vi* (se) déshabiller ; *get* ~ *ed,* se déshabiller || ~ **due** ['--] *adj* indu, injustifié ; inutile.

undul|ate ['ʌndjuleit] *vi* onduler || ~ **ation** [ʌndju'leiʃn] *n* ondulation *f.*

unduly ['ʌn'dju:li] *adv* indûment, à tort, exagérément.

un|earth ['ʌn'ə:θ] *vt* déterrer ; Fig. mettre au jour || ~ **earthly** *adv* surnaturel, étrange || Coll. indu (hour) || ~ **ease** [-'-], ~ **easiness** [-'--] *n* malaise *m* || inquiétude *f* (worry) || ~ **easy** [-'-] *adj* mal à l'aise, inquiet (anxious) ; gêné (embarrassed) || ~ **eatable** ['--] *adj* immangeable || ~ **educated** ['---] *adj* ignorant, inculte || ~ **employed** ['--] *adj* inoccupé, en chômage ; *the* ~, les chômeurs || ~ **employment** ['---] *n* chômage *m* || ~ **ending** [-'-] *adj* interminable || ~ **equal** ['--] *adj* inégal || Fig. inférieur, pas à la hauteur (to a task) || ~ **equalled** ['--] *adj* sans égal || ~ **erring** ['--] *adj* sûr, infaillible || ~ **even** ['--] *adj* inégal ; accidenté (ground) || Math. impair || ~ **eventful** *adj* peu mouvementé, calme || ~ **expected** ['---] *adj* inattendu, imprévu || ~ **expectedly** *adv* inopinément, à l'improviste.

un|failing [ʌn'feiliŋ] *adj* intarissable, inépuisable || Fig. infaillible || ~ **fair** ['--] *adj* injuste, déloyal || ~ **fairness** *n* injustice *f* || déloyauté *f* || ~ **faithful** ['--] *adj* infidèle || ~ **faithfulness** *n* infidélité *f* || ~ **familiar** ['---] *adj* inaccoutumé, peu familier || ~ **fasten** ['--] *vt* défaire (knots) ; dégrafer (one's dress) ; ouvrir (a door) || ~ **fathomable** [-'---]

adj insondable || ~ **finished** ['--] *adj* inachevé, incomplet || ~ **fit** ['--] *adj* [thing] impropre || [person] inapte (*for,* à) || [condition] pas en forme ; souffrant (ill) || ~ **fitness** *n* inaptitude, incapacité *f* || mauvaise santé || ~ **fold** ['--] *vt* déplier, déployer (newspaper) ; dérouler, étaler (map) || Fig. révéler — [flower] s'ouvrir || Fig. se dévoiler, se révéler || ~ **foreseeable** ['---] *adj* imprévisible || ~ **foreseen** ['--] *adj* imprévu || ~ **forgettable** ['---] *adj* inoubliable || ~ **forgivable** ['---] *adj* impardonnable || ~ **forgiving** ['--] *adj* implacable || ~ **fortunate** ['--] *adj* malheureux (person) ; fâcheux, malencontreux (event) || ~ **fortunately** *adv* malheureusement || ~ **founded** ['--] *adj* non fondé, sans fondement || ~ **friendly** ['--] *adj* inamical, hostile || ~ **fulfilled** ['--'fild] *adj* irréalisé (prophecy) ; inachevé (task) ; inexaucé (wish) || ~ **furnished** ['--'fə:niʃt] *adj* non meublé.

un|gainly [ʌn'geinli] *adj* gauche, empoté || ~ **godly** *adj* impie || Fig. ~ *hour,* heure indue || ~ **gracious** *adj* peu aimable || ~ **grateful** *adj* ingrat || ~ **grudgingly** *adv* de bon cœur || ~ **guarded** *adj* irréfléchi, imprudent (remark) ; *in an* ~ *moment,* dans un moment d'inattention.

un|happily [ʌn'hæpili] *adv* malheureusement || ~ **happiness** *n* malheur *m* || ~ **happy** *adj* malheureux, triste (sad) || malencontreux (remark) || ~ **healthy** *adj* malsain, insalubre (climate) ; maladif (person) || ~ **heard-of** ['-'hə:dɔv] *adj* inouï, sans précédent || ~ **hesitating** *adj* sans hésiter/hésitation || ~ **hoped-for** [-'həuptfɔ:] *adj* inespéré || ~ **horse** *vt* désarçonner || ~ **hurt** ['--] *adj* sain et sauf, indemne.

uniform ['ju:nifɔ:m] *n* uniforme *m* ● *adj* uniforme || ~ **ity** [ju:ni-'fɔmiti] *n* uniformité *f* || ~ **ly** *adv* uniformément.

unify ['ju:nifai] *vt/vi* (s')unifier.

unilateral ['ju:ni'lætrəl] *adj* unilatéral.

un|imaginable [ˈʌniˈmædʒnəbl] *adj* inimaginable ‖ **~impaired** [ˈ-ˈ-] *adj* intact ‖ **~impeachable** *adj* irréprochable ; inattaquable ‖ **~important** [ˈ-ˈ--] *adj* peu important, sans importance ‖ **~informed** [ˈ-ˈ-] *adj* non averti ‖ **~inhabited** [ˈ-ˈ--] *adj* inhabité, désert ‖ **~intelligible** [ˈ-ˈ----] *adj* inintelligible, incompréhensible ‖ **~intentional** [ˈ-ˈ--] *adj* involontaire ‖ **~interested** [ˈ-ˈ----] *adj* indifférent ‖ **~interesting** *adj* sans intérêt ‖ **~interrupted** [ˈ-ˈ--] *adj* ininterrompu ‖ **~inviting** [ˈ-ˈ-] *adj* peu attrayant ; peu engageant ‖ CULIN. peu appétissant.

union [ˈjuːnjən] *n* union *f* ‖ **Union Jack,** le pavillon britannique ‖ **the Union,** les États-Unis d'Amérique ‖ mariage *m* ‖ *(trade-)~,* syndicat *m ;* **~** *ist* syndicaliste *n.*

unique [juːˈniːk] *adj* unique ‖ **~ly** *adv* exceptionnellement.

unisex [ˈjuːniseks] *adj* unisexe.

unit [ˈjuːnit] *n* unité *f* ‖ MIL. unité *f* ‖ TECHN. élément *m.*

unit|e [juːˈnait] *vt* unir, réunir — *vi* s'unir, s'associer ; faire bloc *(against,* contre) ‖ **~ed** [-id] *adj* uni ; *United Kingdom, ;* Royaume-Uni ; *United Nations,* Nations unies ; *United States,* États-Unis (d'Amérique).

unity [ˈjuːniti] *n* unité *f* ‖ FIG. concorde, harmonie *f.*

univers|al [juːniˈvəːsl] *adj* universel ‖ **~joint,** TECHN. (joint *m* de) cardan *m* ‖ **~ally** *adv* universellement.

univers|e [ˈjuːnivəːs] *n* univers *m* ‖ **~ity** *n* université *f* ● *adj* universitaire.

unjust [ˈʌnˈdʒʌst] *adj* injuste ‖ **~ifiable** [ˈ-ˈ---] *adj* injustifiable ‖ **~ified** [ˈ-ˈ-] *adj* injustifié.

unkempt [ˈʌnˈkempt] *adj* hirsute.

un|kind [ʌnˈkaind] *adj* peu aimable, désobligeant, méchant ‖ **~knowingly** [ˈ-ˈ--] *adv* inconsciemment, sans le savoir ‖ **~known** [ˈ-ˈ-] *adj* inconnu *(to,* de) ; à l'insu *(to,* de) ‖ MATH. **~** *quantity,* inconnue *f* ● *n* [person] inconnu *n* ‖ PHIL. *the ~,* l'inconnu.

un|lawful [ˈʌnˈlɔːfl] *adj* illégal, illicite ‖ **~leash** [ˈ-ˈ] *vt* détacher.

unleaded [ˈʌnˈledid] *adj* sans plomb.

unleavened [ʌnˈlevnd] *adj* sans levain ; **~bread,** pain *m* azyme.

unless [ənˈles] *conj* à moins que.

un|like [ˈʌnˈlaik] *adj* différent de, qui ne ressemble pas à ; *not ~,* assez semblable à ‖ à la différence de (sb) ‖ **~lik(e)able** *adj* peu sympathique ‖ **~likely** *adj* improbable ‖ invraisemblable (not likely to be true) ; *it is ~ that,* il y a peu de chance que.

un|limited [ʌnˈlimitid] *adj* illimité ‖ **~load** [ˈ-ˈ-] *vt* décharger (a ship) ‖ désarmer (a gun) ‖ se débarrasser de (get rid of) ‖ **~lock** [ˈ-ˈ] *vt* ouvrir (a door) ‖ **~looked-for** [ʌnˈlʊktfɔː] *adj* inespéré, imprévu ‖ **~lucky** *adj* malheureux, malchanceux ; *be ~,* ne pas avoir de chance.

un|manageable [ʌnˈmænidʒəbl] *adj* ingouvernable ‖ intraitable (person) ‖ peu maniable (thing) ‖ **~manned** [ˈ-ˈ-] *adj* Av. sans pilote ‖ **~marked** [ˈʌˈmaːkt] *adj* sans marque ‖ banalisé (police car) ‖ **~married** *adj* célibataire ‖ **~matched** [ʌnˈmætʃt] *adj* dépareillé ‖ FIG. sans pareil ‖ **~mendable** [ˈ-ˈ--] *adj* irréparable ‖ **~mentionable** [ˈ-ˈ-] *adj* dont il ne convient pas de parler ● *npl* [humorous] dessous *mpl* ‖ **~mindful** [ˈ-ˈ-] *adj* inattentif, négligent ‖ **~mistakable** [ˈ-ˈ--] *adj* sans équivoque, évident ‖ **~moved** [ˈ-ˈmuːvd] *adj* immobile ; impassible, insensible.

un|natural [ʌnˈnætʃrl] *adj* anormal, dénaturé ‖ **~necessary** *adj* inutile, superflu ‖ **~nerve** [ˈ-ˈ] *vt* faire perdre courage/son sang-froid à ‖ **~nerving,** *adj* déroutant, déconcertant ‖ **~noticed** [ˈ-ˈnəutist] *adj* inaperçu ; *pass ~,* passer inaperçu.

UNO [ˈjuːnəu] *abbrev* (= UNITED NATIONS ORGANIZATION) O.N.U. *f.*

un|obstrusive [ˈʌnəbˈtruːsiv] *adj* discret, réservé ‖ ~**occupied** [ˈ--ˈ--] *adj* inoccupé (person) ; inhabité (house) ; libre (chair) ‖ ~**official** [ˈ--ˈ--] *adj* officieux ‖ ~**opposed** [ˈ--ˈ--] *adj* sans opposition.

un|pack [ˈʌnˈpæk] *vt* défaire (suit-case) ; déballer (belongings) — *vi* défaire sa valise ; déballer ses affaires ‖ ~**paid** *adj* impayé (bill) ; non rétribué (work) ‖ ~**palatable** [ˈ----] *adj* désagréable (au goût) ‖ FIG. peu goûté ; difficile à avaler (fam.) ‖ ~**paralleled** [ˈpærəleld] *adj* incomparable ; sans égal, absolument unique ‖ ~**pardonable** [ˈ----] *adj* impardonnable, inexcusable ‖ ~**pleasant** [ˈ--] *adj* déplaisant, désagréable ‖ ~**popular** *adj* impopulaire ‖ ~**precedented** [ˈ--] *adj* sans précédent, inédit (fact) ‖ ~**predictable** *adj* imprévisible ‖ ~**prejudiced** [ˈpredʒudist] *adj* sans préjugé, impartial ‖ ~**pretentious** [ˈ--ˈ--] *adj* sans prétention ‖ ~**published** [ˈpʌbliʃt] *adj* inédit.

un|qualified [ˈʌnˈkwɔlifaid] *adj* non qualifié ‖ sans réserve (agreement) ‖ ~**questionable** [ˈ--] *adj* incontestable, indiscutable ‖ ~**quote** *vi* [imp. only] ~ !, [speech] fin de citation ; [dictation] fermez les guillemets !

un|ravel [ʌnˈrævl] *vt* démêler ‖ FIG. débrouiller ‖ ~**real** [ˈ--] *adj* irréel ‖ ~**reasonable** *adj* déraisonnable, indu (hour) ‖ ~**recognisable** [ˈ----] *adj* méconnaissable ‖ ~**recorded** [ˈ--] *adj* vierge ‖ ~**relenting** *adj* implacable (person) ; acharné (activity) ‖ ~**reliable** [ˈ--] *adj* qui n'inspire pas confiance, peu sûr (person) ; peu fiable (machine) ‖ ~**remitting** [ˈ--] *adj* incessant, soutenu ‖ ~**reservedly** [ˌ--ˈ--] *adv* sans réserve ‖ ~**rest** [ˈ--] *n* inquiétude *f*, troubles *mpl*, agitation *f* ‖ ~**restricted** [ˈ--] *adj* sans restriction ‖ ~**ripe** [ˈ--] *adj* vert, pas mûr ‖ ~**roll** [ˈ--]

vt/vi (se) dérouler ‖ ~**ruffled** [ˈ--] *adj* impertubable ‖ ~**ruly** [ʌnˈruːli] *adj* indiscipliné, turbulent, dissipé (child).

un|saddle [ʌnˈsædl] *vt* désarçonner ‖ ~**safe** [ˈ--] *adj* dangereux ‖ ~**said** [ˈ--] *adj* ; *leave* ~, passer sous silence ‖ ~**satisfactory** [ˈ--ˈ--] *adj* peu satisfaisant ‖ ~**satisfied** *adj* inassouvi (hunger) ‖ ~**savoury** *adj* peu ragoûtant (food) ; peu recommandable (person) ‖ ~**scathed** [ʌnˈskeiðd] *adj* indemne ‖ ~**screw** *vt* dévisser ‖ ~**scrupulous** [ˈ--] *adj* sans crupule(s) ‖ ~**seasonable** [ˈ--] *adj* intempestif ‖ ~**seat** *vt* désarçonner (a horseman) ‖ JUR. invalider (an M.P.) ‖ ~**seemly** [ˈ--] *adj* inconvenant, malséant ‖ ~**seen** [ʌnˈsiːn] *adj* inaperçu ‖ invisible ● *n* [school] version non préparée ‖ ~**selfish** *adj* dévoué, altruiste ‖ ~**settled** *adj* variable (weather) ; en suspens (question), indécis (person) ; troublé (mind) ‖ FIN. impayé ‖ ~**sightly** [ˈ--] *adj* laid ‖ ~**skilful** *adj* maladroit ‖ ~**skilled** [ˈskild] *adj* inexpert ‖ non qualifié (workman) ‖ ~**sociable** [ˈ--] *adj* insociable ‖ ~**sold** [ˈ--] *adj* invendu ‖ ~**sound** *adj* malsain, dérangé (mind) ‖ ~**sparing** [ˈ--] *adj* prodigue (*of*, de) ‖ ~**spoken** *adj* inexprimé.

un|stable [ʌnˈsteibl] *adj* instable ‖ ~**steady** *adj* chancelant (thing) ; tremblant (hand) ; vacillant (light) ; FIG. irrégulier, inconstant (affection) ‖ ~**stitch** *vt* découdre ‖ ~**stop** *vt* déboucher ‖ ~**stuck** [ˈ--] *adj come* ~, se décoller.

un|successful [ˈʌnsəkˈsesfl] *adj* qui n'a pas de succès, infructueux, vain ; refusé, malheureux (candidate) : *be* ~, échouer ‖ ~**suitable** *adj* impropre (thing), inapte (person) ; inopportun (moment) ‖ ~**suited** (for) *adj* impropre, inapte ‖ ~**suspected** [ˈ--] *adj* insoupçonné ‖ ~**suspecting** [ˈ--] *adj* confiant.

un|tam(e)able [ʌnˈteiməbl] *adj* indomptable ‖ ~**tamed** [ˈteimd] *adj* indompté, sauvage ‖ **~thinkable** ['-'-] *adj* impensable, inconcevable ‖ **~thinking** *adj* irréfléchi, étourdi ‖ **~tidy** ['-'-] *adj* en désordre (room) ; négligé (dress) ; désordonné, sans soin (person) ‖ **~tie** *vt* dénouer (string) ; défaire (knot, parcel) ; délier (hands).

until [ən'til] = TILL.

un|timely [ʌn'taimli] *adj* prématuré ; inopportun ‖ **~tiring** *adj* inlassable ‖ **~told** ['-'-] *adj* passé sous silence (story) ; incalculable (wealth) ‖ **~touched** ['-'tʌtʃt] *adj* intact ‖ **~trained** ['-'treind] *adj* inexpérimenté (person) ; non dressé (animals) ‖ **~translatable** *adj* intraduisible ‖ **~true** ['-'-] *adj* inexact, erroné, faux ‖ **~trustworthy** ['-'--] *adj* douteux, sujet à caution ‖ **~truth** ['-'-] *n* contre-vérité *f* (lie).

un|usable ['ʌn'juːzəbl] *adj* inutilisable ‖ **~used** [ʌn'juːzd] *adj* inutilisé ; inusité ‖ inaccoutumé, inhabitué (to, à) ‖ **~usual** ['-'-] *adj* inhabituel ‖ GRAMM. rare (word) ‖ **~utterable** ['-'-] *adj* inexprimable, indicible.

un|veil [ʌn'veil] *vt* dévoiler, inaugurer (a monument) ‖ **~verifiable** *adj* invérifiable.

un|wanted [ʌn'wɔntid] *adj* inutile, superflu ‖ non désiré (child) ‖ **~warranted** *adj* injustifié ‖ COMM. sans garantie ‖ **~wary** [-'-] *adj* imprudent, irréfléchi ‖ **~welcome** [-'-] *adj* fâcheux (news) ; importun (visitor) ‖ **~well** *adj* indisposé, souffrant ; *feel* **~**, se sentir mal ‖ **~wieldy** [-'-] *adj* peu maniable (tool) ‖ **~willing** *adj* peu disposé ‖ **~willingly** *adv* à contrecœur, de mauvaise grâce ‖ **~wind** [ʌn'waind] *vt/vi* (→ WIND²) [se] dérouler, (se) dévider ; débobiner ‖ **~wise** *adj* malavisé, imprudent ‖ **~wisely** *adv* imprudemment ‖ **~wittingly** ['-'-] *adv* sans le savoir/vouloir, inconsciemment ‖ **~worthy** ['-'-] *adj* indigne ‖ **~wrap** *vt* déballer, dépaqueter ‖ **~written** *adj* non écrit, oral (tradition) ; **~** *law*, droit coutumier.

unyielding [ʌn'jiːldiŋ] *adj* ferme, solide ‖ FIG. inébranlable, inflexible.

unzip [ʌn'zip] *vt* ouvrir (la fermeture Éclair de).

up [ʌp] *adv* vers le haut ; **~** *there*, là-haut ; **~** *north*, dans le nord ; *the tide is* **~**, la mer est haute ; vers un point (plus) important ; vers l'endroit en question ; *come* **~** *to sb*, s'approcher de qqn ‖ *be* **~**, être levé (out of bed) ; [convalescent] *be* **~** *and about*, être sur pied ‖ [intensifier] *speak* **~** *!*, parlez plus fort ! ‖ FIG. *be well* **~**, être calé/fort (in, en) ‖ FIG. en activité ; *sit* **~** *late*, veiller tard ; *what's* **~** *?*, qu'est-ce qui se passe ? ‖ FIG. complètement ; *fill* **~** *a glass*, remplir un verre ‖ FIG. achevé, terminé, expiré ; *time is* **~**, c'est l'heure ‖ *be* **~** *against*, se heurter à ‖ **~** *to* : [space] **~** *to the knees*, jusqu'aux genoux ; [time] **~** *to now*, jusqu'à maintenant ‖ FIG. *be* **~** *to sth*, être capable de qqch ‖ COLL. *what's he* **~** *to ?*, qu'est-ce qu'il fabrique ? ; *it's* **~** *to you*, c'est à vous de décider/voir ● *adj* RAIL. **~** *train*, train montant ● *prep* *walk* **~** *the street*, remonter la rue ● *n* **~s** *and downs*, hauts *mpl* et bas *mpl*, vicissitudes *fpl* ‖ **~-and-coming** *adj* plein d'avenir, qui monte.

up|beat ['ʌpbiːt] *n* MUS. temps *m* faible ‖ FIG. boom *m* ● *adj* optimiste ‖ animé ‖ **~braid** [ʌp'breid] *vt* réprimander ‖ **~bringing** ['ʌp'briŋiŋ] *n* éducation *f* ‖ **~coming** *adj* U.S. imminent.

up|date [-'-] *vt* mettre à jour ; moderniser ‖ **~grade** [-'-] *vt* promouvoir (employee).

up|heaval [ʌp'hiːvl] *n* soulèvement *m* ‖ FIG. bouleversement *m* ‖ **~hill** ['ʌp'hil] *adj* montant ‖ FIG. pénible ● *adv* *go* **~**, monter ‖ **~hold** [ʌp'həuld] *vt* soutenir (support) ‖ JUR. confirmer (decision).

upholster [ʌp'həulstə] *vt* capitonner, matelasser ‖ **~er** [-ə] *n* tapissier *n* ‖ **~y** [-ri] *n* tapisserie *f*.

upkeep [ˈʌpkiːp] *n* entretien *m*.

upland [ˈʌplənd] *n* hautes terres.

uplift [ʌpˈlift] *vt* FIG. soulever • [ˈ–] *n* FIG. élévation *f*.

upmarket [ʌpˈmɑːkit] *adj* haut de gamme (goods).

upon [əˈpɒn] *prep* = ON ‖ ~ *my word!*, ma parole! ‖ → ONCE.

upper [ˈʌpə] *adj* supérieur ; ~ *lip*, lèvre supérieure ‖ haut ; ~ *branches*, hautes branches ‖ FIG. *get the ~ hand of*, l'emporter sur ‖ ~**most** *adj* le/la plus haut(e) • *adv* en dessus ‖ FIG. au premier plan ‖ ~**s** *npl* U.S. stimulants *mpl*, amphétamines *fpl*.

upright [ˈʌprait] *adj* droit ; vertical, debout (person) ‖ FIG. droit, intègre • *adv* ~*(ly)*, droit, verticalement ‖ ~**ness** *n* FIG. rectitude, droiture, probité *f*.

uprising [ʌpˈraiziŋ] *n* soulèvement *m*, insurrection *f*.

uproar [ˈʌp rɔː] *n* tumulte, vacarme *m* ‖ ~**ious** [-riəs] *adj* tumultueux (meeting) ; bruyant (laughter).

uproot [ʌpˈruːt] *vt* déraciner.

upscale [ˈʌpskeil] *adj* haut de gamme.

upset [ʌpˈset] *vt* (→ SET) renverser, culbuter ‖ NAUT. faire chavirer ‖ FIG. bouleverser (plans) ; rendre malade (make ill) ; déranger, détraquer (stomach) ; bouleverser, émouvoir (distress) ; contrarier (annoy) ; vexer (offend) — *vi* [glass, milk] se renverser ‖ [boat] chavirer • *adj* contrarié ; *get* ~, se fâcher, se vexer (offended) ‖ indisposé (ill) ‖ dérangé (stomach) ‖ bouleversé (distraught) • [ˈʌpset] *n* bouleversement *m* (of plans) ; désordre *m* (upheaval) ‖ [stomach] indigestion *f* ‖ COLL. brouille *f* ‖ ~**ting** *adj* contrariant (annoying) ‖ bouleversant (moving).

upshot [ˈʌpʃɒt] *n* résultat *m*.

upside-down [ˈʌpsaidˈdaun] *adv* sens dessus dessous, à l'envers.

up|stairs [ˈʌpˈstɛəz] *adv* en haut, à

l'étage supérieur • *adj* d'en haut ‖ ~**standing** [ʌpˈstændiŋ] *adj* droit, bien campé, solide (person).

upstart [ˈʌpstɑːt] *n* parvenu, nouveau riche *m*.

upstream [ˈʌpˈstriːm] *adv* en amont • *adj* d'amont.

up|-to-date [ˈʌptəˈdeit] *adj* moderne ; à la page (person) ; dernier modèle (car) ‖ COMM. *bring sb ~*, mettre qqn au courant ; → DATE[1] ; *keep oneself* ~, se tenir au courant ‖ ~**-to-the-minute** [ˈʌptəðəˈminit] *adj* dernier cri (fashion) ‖ ~**town** *adj/n* U.S. (des) quartiers résidentiels.

upturn [ʌpˈtɜːn] *vt* lever ‖ retourner.

upward [ˈʌpwəd] *adj* vers le haut, montant ‖ ~**s** *adv* vers le haut, en montant ‖ ~ *of 10, 000*, 10 000 et plus.

uranium [juəˈreinjəm] *n* uranium *m*.

urban [ˈɜːbən] *adj* urbain ‖ ~**ize** *vt* urbaniser.

urchin [ˈɜːtʃin] *n* garnement, galopin *m*.

urg|e [ɜːdʒ] *vt* pousser, presser ‖ FIG. exhorter ; préconiser, conseiller vivement ; ~ *on*, pousser, presser ; FIG. encourager, inciter • *n* forte envie (*to do*, de faire) ‖ pulsion *f*.

urg|ency [ˈɜːdʒnsi] *n* urgence *f* ‖ ~**ent** *adj* urgent, pressant ‖ ~**ently** *adv* d'urgence ; instamment.

urin|ate [ˈjuərineit] *vi* uriner ‖ ~**e** [ˈjuərin] *n* urine *f*.

urn [ɜːn] *n* [funeral] urne *f* ‖ [canteen] *tea/coffee* ~, fontaine *f* à thé/café.

Ursa [ˈɜːsə] *n* ASTR. ~ *Major/ Minor*, la Grande/Petite Ourse.

us [ʌs] *pron* nous (obj. case).

us|able [ˈjuːzəbl] *adj* utilisable ‖ ~**age** [-idʒ] *n* usage *m*, coutume *f* ‖ traitement *m*.

use [juːs] *n* usage, emploi *m* ; *in common* ~, d'usage courant ; *in* ~, usité ; *be no longer in* ~, ne plus s'employer ; *out of* ~, inusité ; *make*

~ of, faire usage de ; *with* ~, à l'usage ; *fall out of* ~, tomber en désuétude ‖ utilisation *f,* emploi *m* ; *ready for* ~, prêt à l'emploi ; *make good* ~ *of,* bien employer, tirer parti de ‖ *of* ~ *for,* utile à ; *be of no* ~, être inutile, ne servir à rien ; *it's no* ~ *trying,* inutile d'essayer ; *what's the* ~ *of doing ?,* à quoi ça sert de faire ? ● [ju:z] *vt* se servir de, employer, utiliser ‖ *be* ~*d for,* servir de ‖ consommer (gas, power) ‖ ~ *up,* épuiser.

used[1] [ju:zd] *adj* d'occasion (car) ; oblitéré (stamp).

used[2] [ju:st] *adj* habitué (*to,* à) ; *get* ~ *to doing,* prendre l'habitude de faire.

used[3] **to, use(d)n't to** [ju:st, ju:sənt] *mod aux* [frequency in the past] *there* ~ *to be,* il y avait (autrefois) ‖ [translated by imperfect] *that's where I* ~ *to live,* c'est là que j'habitais.

use|ful [ˈjuːsfl] *adj* utile, pratique ‖ ~**fulness** *n* utilité *f* ‖ ~**less** *adj* inutile ‖ nul (hopeless) ‖ ~**lessness** *n* inutilité *f.*

user [ˈjuːzə] *n* utilisateur *n,* usager *m.*

usher [ˈʌʃə] *n* huissier *m* ● *vt* ~ *in,* introduire ‖ ~ *out,* reconduire ‖ ~**ette** [ˌʌʃəˈret] *n* Th., Cin. ouvreuse *f.*

USSR [ˌjuːesesˈɑː] *abbrev* U.R.S.S.

usual [ˈjuːʒʊəl] *adj* habituel ; *as* ~, comme d'habitude ‖ ~**ly** *adv* d'habitude, d'ordinaire, habituellement, généralement.

usurer [ˈjuːʒərə] *n* usurier *n.*

usurp [juːˈzəːp] *vt* usurper ‖ ~**ation** [ˌjuːzəˈpeiʃn] *n* usurpation *f* ‖ ~**er** *n* usurpateur *n.*

usury [ˈjuːʒuri] *n* usure *f.*

utensil [juˈtensl] *n* ustensile *m.*

uterine [ˈjuːtərain] *adj* utérin.

utili|tarian [ˌjuːtiliˈtɛəriən] *adj* utilitaire ‖ ~**ty** [juˈtiliti] *n* utilité *f* ‖ U.S. *(public)* ~, (entreprise *f* de) service public.

utilize [ˈjuːtilaiz] *vt* utiliser.

utmost [ˈʌtməust] *adj* extrême ; le plus grand ● *n* extrême *m* ; *at the* ~, tout au plus ; *do one's* ~, faire tout son possible.

utop|ia [juːˈtəupjə] *n* utopie *f* ‖ ~**ian** [-jən] *adj* utopique.

utter[1] [ˈʌtə] *adj* total, complet ‖ Pej. parfait ‖ ~**ly** *adv* totalement, complètement ; franchement (downright) ‖ ~**most** = utmost.

utter[2] *vt* pousser (a cry) ; prononcer (words) ‖ ~**ance** [ˈʌtrəns] énonciation *f* ‖ *give* ~ *to,* exprimer (one's feelings).

V

v [vi:] *n* v *m* ‖ [sweater] **V-neck,** col en V ‖ **give the V-sign,** faire le signe/V de la victoire.

vac [væk] *n* COLL. = VACATION.

vac|ancy [´veiknsi] *n* vide, espace *m* vide (gap) ‖ [job] poste vacant ‖ [hotel] chambre *f* libre ; *no vacancies,* complet ‖ vide mental ‖ **~ant** *adj* vacant, vide ‖ libre, inoccupé (room, seat) ‖ FIG. vide (mind) ; distrait (look).

vacate [və´keit] *vt* quitter (a post) ‖ libérer (seat) ‖ évacuer (a flat) ; *~ the premises,* vider les lieux.

vacation [və´keiʃn] *n* G.B. vacances *fpl* universitaires ‖ U.S. vacances *fpl; take a ~,* prendre des vacances ‖ **~ist** *n* vacancier *n,* estivant *n.*

vaccinat|e [´væksineit] *vt* vacciner ; *get ~d,* se faire vacciner ‖ **~ion** [-neiʃn] *n* vaccination *f.*

vaccine [´væksi:n] *n* vaccin *m.*

vacillate [´væsileit] *vi* vaciller.

vacuum, vacuums,|vacua [´vækjuəm, -z|-juə] *n* vide *m; make a ~,* faire le vide ● *vt* passer l'aspirateur dans ‖ **~ bottle** *n* bouteille isolante ‖ **~ cleaner** *n* aspirateur *m.*

vagary [´veigəri] *n* caprice *m,* fantaisie *f.*

vagr|ancy [´veigrənsi] *n* vagabondage *m* ‖ **~ant** *adj/n* vagabond.

vague [veig] *adj* vague ; *I haven't the ~st idea,* je n'en ai pas la moindre

idée ‖ **~ly** *adv* vaguement ‖ **~ness** *n* vague *m.*

vain [vein] *adj* vain, inutile ; *in ~,* en vain, vainement ‖ vaniteux (conceited) ‖ **~ly** *adv* en vain, vainement.

valet [´vælit] *n* valet *m* ● *vt* [hotel] nettoyer et repasser, entretenir (clothes).

valiant [´væljənt] *adj* vaillant, valeureux.

valid [´vælid] *adj* valable (excuse) ‖ valide (ticket, passport) ; *no longer ~,* périmé ‖ **~ate** [´-eit] *vt* valider ‖ RAIL., FR. composter, valider (ticket) ‖ **~ity** [və´liditi] *n* valeur, justesse *f* (of an argument) ‖ JUR. validité *f* (of a document).

valley [´væli] *n* vallée *f*; vallon *m* (small).

val|orous [´vælərəs] *adj* valeureux, vaillant ‖ **~o(u)r** *n* valeur *f*; vaillance *f.*

valuable [´væljuəbl] *adj* de valeur, précieux ‖ **~s** [-z] *npl* objets *mpl* de valeur.

value [´vælju:] *n* valeur *f,* prix *m* ; *be of ~,* avoir de la valeur ; *of no ~,* sans valeur ; *this article is good ~,* cet article est avantageux ; *set a ~ on,* estimer, évaluer ; *the best ~ for money,* le meilleur rapport qualité-prix ‖ FIN. valeur *f* ● *vt* évaluer, estimer ‖ FIG. apprécier.

Value Added Tax *n* taxe *f* à la valeur ajoutée.

valve [vælv] *n* TECHN. valve, soupape *f* ‖ RAD. lampe *f.*

vamp¹ [væmp] *vt/vi* MUS. improviser (un accompagnement).

vamp² [væmp] *n* vamp *f,* femme fatale ‖ ~**ire** [-'aiə] *n* vampire *m.*

van¹ [væn] *n* SP. [tennis] ~ *in/out,* avantage dedans/dehors.

van² *n* camionnette, fourgonnette ‖ *abbrev* of CARAVAN. ‖ RAIL. fourgon *m.*

vandal ['vændl] *n* vandale *m* ‖ ~**ism** ['vændəlizm] *n* vandalisme *m* ‖ ~**ize** *vt* saccager, ravager.

vane [vein] *n* girouette *f.*

vanguard ['vænɡɑ:d] *n* avant-garde *f.*

vanilla [və'nilə] *n* vanille *f.*

vanish ['væniʃ] *vi* disparaître ; ~ *into thin air,* se volatiliser ‖ ~**ing cream** *n* crème *f* de jour.

vanity ['væniti] *n* vanité *f;* ~-*case,* boîte *f* à maquillage.

vanquish ['væŋkwiʃ] *vt/vi* vaincre ‖ ~**ed** [-t] *adj* vaincu.

vantage ['vɑ:ntidʒ] *n* avantage *m* ‖ SP. [tennis] avantage *m.*

vapour ['veipə] *n* vapeur *f* ‖ ~ *bath,* bain *m* de vapeur.

variable ['vεəriəbl] *adj* variable, changeant.

vari|ance ['vεəriəns] *n* désaccord *m ;* *at* ~ *with,* en désaccord avec ‖ ~**ant** *n* variante *f* ‖ ~**ation** [ˌvεəri'eiʃn] *n* variation *f.*

varicose vein ['værikəusvein] *n* varice *f.*

varied ['vεərid] *adj* varié, divers.

variegated ['vεərigeitid] *adj* bigarré, multicolore.

variety [və'raiəti] *n* variété *f,* assortiment *m* (of samples) ‖ TH., T.V. ~ *show,* variétés *fpl.*

various ['vεəriəs] *adj* divers, différent ‖ ~**ly** *adv* diversement.

varnish ['vɑ:niʃ] *vt* vernir (furniture) ; vernisser (pottery) ; vernir, mettre du vernis sur (nails) ● *n* vernis *m ;* ~-*remover,* dissolvant *m.*

varsity ['vɑ:sti] *n* COLL. = UNIVERSITY.

vary ['vεəri] *vi* varier (change) ‖ différer, être en désaccord (disagree) — *vt* varier, diversifier.

vase [vɑ:z, U.S. veis] *n* vase *m.*

vaseline ['væsili:n] *n* vaseline *f.*

vast [vɑ:st] *adj* vaste, immense, énorme (huge) ‖ ~**ly** *adv* immensément, énormément ‖ ~**ness** *n* immensité *f.*

vat [væt] *n* cuve *f.*

VAT [ˌvi:ei'ti:] *n* (= VALUE ADDED TAX) FR. T.V.A. *f.*

Vatican ['vætikən] *n* Vatican *m.*

vaudeville ['vəudəvil] *n* U.S. spectacle *m* de variétés *fpl.*

vault¹ [vɔ:lt] *n* cellier *m* (for wine) ‖ caveau *m* (grave) ‖ chambre forte (of a bank) ‖ ARCH. voûte *f.*

vault² *n* SP. saut *m* ● *vt* sauter (à la perche, au cheval d'arçons) ; ~**ing horse,** cheval *m* d'arçons.

VD ['vi:ˌdi:] *n* = VENEREAL DISEASE.

veal [vi:l] *n* CULIN. veau *m.*

veg [vedʒ] *n* COLL. = VEGETABLE ; *meat and two* ~, viande *f* avec garniture.

veget|able ['vedʒtəbl] *n* légume *m ;* *baby* ~*s,* petits légumes ; *early* ~*s,* primeurs *fpl* ● *adj* végétal ; ~ *garden,* jardin potager ‖ ~**arian** [ˌvedʒi'tεəriən] *adj/n* végétarien ‖ ~**ation** [ˌvedʒi'teiʃn] *n* végétation *f.*

vehement ['vi:imənt] *adj* véhément.

vehicle ['vi:ikl] *n* véhicule *m.*

veil [veil] *n* voile *m ;* voilette *f* ‖ REL. *take the* ~, prendre le voile ● *vt* voiler ‖ FIG. dissimuler.

vein [vein] *n* veine *f.*

velocity [vi'lɒsiti] *n* vitesse *f.*

velvet [ˈvelvit] *n* velours *m* ‖ ~y *adj* velouté.

venal [ˈviːnl] *adj* vénal ‖ ~ity [viːˈnæliti] *n* vénalité *f.*

vend [vend] *vt* vendre ‖ ~ing machine, distributeur *m* automatique ‖ ~or [-ɔː] *n* marchand *m* ambulant.

veneer [viˈniə] *n* TECHN. (bois *m* de) placage *m* ‖ FIG. vernis *m* ● *vt* plaquer (wood).

vener|able [ˈvenrəbl] *adj* vénérable ‖ ~ation [ˌvenəˈreiʃn] *n* vénération *f.*

venereal [viˈniəriəl] *adj* vénérien ; ~ *disease*, maladie vénérienne.

venery [ˈvenəri] *n* SP. vénerie *f.*

Venetian [viˈniːʃn] *adj/n* vénitien ; ~ *blind*, store vénitien.

vengeance [ˈvendʒəns] *n* vengeance *f* ‖ *with a* ~ de plus belle ; tant et plus ; à outrance.

vengeful [ˈvendʒfl] *adj* vindicatif.

venial [ˈviːnjəl] *adj* REL. véniel.

Venice [ˈvenis] *n* Venise *f.*

venison [ˈvenisn] *n* venaison *f.*

venom [ˈvenəm] *n* venin *m* ‖ ~ous *adj* venimeux (animal).

vent [vent] *n* trou, orifice ; évent *m* ‖ FIG. issue *f ; give* ~ *to*, donner libre cours à (one's anger) ● *vt* donner libre cours à ; décharger (one's anger) ‖ ~ilate [-ileit] *vt* ventiler, aérer ‖ ~ilation [ˌventiˈleiʃn] *n* ventilation, aération *f.*

venture [ˈventʃə] *n* tentative, entreprise (risquée) ● *vt* hasarder, risquer — *vi* s'aventurer, se risquer à, essayer de ‖ ~some [-səm] *adj* aventureux, entreprenant (person) ; hasardeux, risqué (action).

venue [ˈvenjuː] *n* lieu, endroit *m* (for a meeting, etc.)

veranda [vəˈrændə] *n* véranda *f.*

verb [vəːb] *n* verbe *m* ‖ ~al *adj* verbal ‖ ~atim [vəːˈbeitim] *adj* textuel ● *adv* textuellement, mot pour

mot ‖ ~iage [ˈvəːbiidʒ] *n* verbiage *m* ‖ ~ose [vəːˈbəus] *adj* verbeux.

verdict [ˈvəːdikt] *n* verdict ; jugement *m ;* décision *f ; bring in a* ~ *(of guilty/not guilty),* rendre un verdict (de culpabilité/d'acquittement).

verdigris [ˈvəːdigris] *n* vert-de-gris *m.*

verge [vəːdʒ] *n* [road] bord, accotement *m* ‖ FIG. *on the* ~ *of,* au bord de, bien près de ● *vi* ~ *on,* toucher à, être au bord de, frôler, friser.

verif|ication [ˌverifiˈkeiʃn] *n* vérification *f* ‖ ~y [ˈverifai] *vt* vérifier (check).

verisimilitude [ˌverisiˈmilitjuːd] *n* vraisemblance *f.*

vermicelli [ˌvəːmiˈseli] *n* CULIN. vermicelle *m.*

vermifuge [ˈvəːmifjuːdʒ] *adj/n* vermifuge *(m).*

vermilion [vəˈmiljən] *adj/n* vermillon *(m).*

vermin [ˈvəːmin] *n* animaux *mpl* nuisibles ; [insects] vermine *f.*

vernacular [vəˈnækjulə] *adj* vernaculaire ● *n* langue *f* vernaculaire (native speech).

vernal [ˈvəːnl] *adj* LITT., TECHN. de printemps, printanier.

versatil|e [ˈvəːsətail] *adj* aux multiples talents (person) ; souple (mind) ; à usage multiple, polyvalent (machine, etc.) ‖ ~ity [ˌ-ˈtilitiy] *n* variété *f* de talents ; faculté *f* d'adaptation ; souplesse *f* (of the mind).

verse [vəːs] *n* LITT. poésie *f,* vers *mpl ; in* ~, en vers ‖ strophe *f,* couplet (stanza) ‖ [Bible, Koran] verset *m.*

versed [vəːst] *adj* versé (*in,* en) ; *be well* ~ *in,* s'y connaître en.

version [ˈvəːʃn] *n* version *f* (translation, variant).

verso, s [ˈvəːsəu, -z] *n* verso *m.*

versus [ˈvəːsəs] *prep* contre.

vertebra, -brae ['vɜ:tibrə, -bri] n vertèbre f.

vertical ['vɜ:tikl] adj vertical.

vertigo ['vɜ:tigəu] n vertige m.

verve [vɜəv] n verve f.

very ['veri] adv très ; the ~ first, le tout premier ; the ~ best, ce qu'il y a de mieux ● adj même ; seul ; exactement ; this ~ day, aujourd'hui même ; the ~ thought..., rien que d'y penser...

vessel ['vesl] ANAT. NAUT. vaisseau ‖ PHYS. communicating ~s, vases communicants.

vest¹ [vest] n maillot/tricot m de corps (undershirt) ; baby's ~, brassière f ‖ U.S. gilet m (waistcoat).

vest² vt attribuer, confier (in, à) ; ~ sb with sth, ~ sth in sb, investir qqn de qqch — vi — in, échoir à ‖ ~ed [-id] adj investi, dévolu ; ~ interests, droits mpl acquis.

vestibule ['vestibju:l] n vestibule m ‖ RAIL. soufflet m.

vestige ['vestidʒ] n vestige m.

vestments ['vesmənts] npl ornements sacerdotaux.

vestry ['vestri] n sacristie f.

Vesuvius [vi'su:vjəs] n Vésuve m.

vet¹ [vet] n abbrev of VETERINARY, vétérinaire n ● vt examiner minutieusement, contrôler, vérifier (sth) ; enquêter sur ; he was very thoroughly ~ ted, on s'était minutieusement renseigné à son sujet.

veteran ['vetrən] adj expérimenté, aguerri ● n ancien combattant ; ~ car, automobile f de la Belle Époque (prior to 1917).

veterinary ['vetrinri] adj ~ surgeon, vétérinaire n.

veto ['vi:təu] n veto m ● vt opposer son veto à, interdire.

vex [veks] vt contrarier, fâcher ‖ ~ed question, question controversée ‖ ~ation [vek'seiʃn] n contrariété f, tracas m.

VHF [,vi:eitʃ'ef] n (= VERY HIGH FREQUENCY) très haute fréquence.

via [vaiə] prep via, par ‖ ~duct [-dʌkt] n viaduc m.

vial ['vaiəl] n fiole f.

vibes [vaibz] npl COLL. = VIBRAPHONE.

vibr|ant ['vaibrənt] adj vibrant ‖ ~aphone [-əfəun] n vibraphone m ‖ ~ate [vai'breit] vi vibrer ‖ ~ation [vai'breiʃn] n vibration f.

vicar ['vikə] n curé m (Roman Catholic) ; pasteur m (Church of England) ‖ ~age [-ridʒ] n cure f ; presbytère m ‖ ~ious [vai'kɛəriəs] adj indirect (experience) ‖ ~iously adv indirectement.

vice¹ [vais] n vice m ‖ ~ squad n brigade f des mœurs.

vice² n TECHN. étau m.

vice-³ pref vice- ; ~-president, vice-président m.

vice versa ['vaisi'vɜ:sə] adv vice versa, réciproquement.

vicinity [vi'siniti] n proximité f (closeness) ‖ voisinage m, environs mpl (neighbourhood).

vicious ['viʃəs] adj méchant, malveillant (look) ‖ vicieux (horse) ‖ FIG. ~ circle, cercle vicieux.

vicissitudes [vi'sisitju:dz] npl vicissitudes fpl.

victim ['viktim] n victime f ‖ sinistré n (of a disaster) ‖ ~ization [,-ai'zeiʃn] n représailles fpl ‖ ~ize vt faire une victime de ; exercer des représailles sur.

victor ['viktə] n vainqueur m ‖ ~ious [vik'tɔ:riəs] adj victorieux ; vainqueur ‖ ~iously adv victorieusement ‖ ~y ['viktri] n victoire f ; gain/win a ~, remporter la victoire (over, sur).

video ['vidiəu] adj vidéo ; ~ film, film m vidéo ● n vidéo, télévision f ; music ~, clip m ; ~ cassette, vidéocassette f ; ~ (cassette) recorder, magnétoscope m ; ~ deck, platine f de magnétoscope; ~ *disc,* vidéodisque *m;* ~ *game,* jeu *m* vidéo; ~ *phone,* visiophone, vidéophone *m;* ~ *tape (n),* bande *f* de magnétoscope; *(vt)* enregistrer au magnétoscope, magnétoscoper ● *vt* = ~ TAPE.

vie [vai] *vi* rivaliser *(with,* avec).

Vietnam [ˈvjetˈnæm] *n* Viêt-nam *m* ‖ ~ **ese** [ˌvjetnəˈmiːz] *adj* vietnamien ● *n (pl inv)* Vietnamien *n* (person) vietnamien *m* (language).

view [vjuː] *n* vue *f; in* ~, en vue; *have a* ~ *of,* découvrir; *go out of* ~, disparaître ‖ perspective *f,* panorama *m* ‖ inspection *f,* examen *n; on* ~, exposé ‖ ARTS vue *f* (picture) ‖ FIG. opinion *f; point of* ~, point *m* de vue; *take a different* ~, être d'avis différent; *take a dim* ~ *of,* n'apprécier guère, voir d'un mauvais œil ‖ FIG. but *m,* intention *f; with a* ~ *to doing,* en vue de faire; *in* ~ *of,* eu égard à, étant donné, devant (faced with) ‖ FIG. vue *f; keep in* ~, ne pas perdre de vue ● *vt* visiter, inspecter (house) ‖ FIG. considérer ‖ ~ **er** *n* spectateur *n* ‖ T.V. téléspectateur *n* ‖ PHOT. visionneuse *f* ‖ ~ **-finder** *n* PHOT. viseur *m* ‖ ~ **point** *n* point *m* de vue.

vigil [ˈvidʒil] *n* veille *f* ‖ REL. vigile *f.*

vigil|ance [ˈvidʒiləns] *n* vigilance *f* ‖ ~ **ant** *adj* vigilant.

vigilante [ˌvidʒiˈlænti] *n* PEJ. membre *m* d'un groupe d'autodéfense.

vigorous [ˈvigrəs] *adj* vigoureux ‖ ~ **ly** *adv* vigoureusement.

vigo(u)r [ˈvigə] *n* vigueur *f.*

vile [vail] *adj* vil, ignoble (shameful) ‖ COLL. exécrable (weather); infect (smell).

villag|e [ˈvilidʒ] *n* village *m* ‖ ~ **er** *n* villageois *n.*

villain [ˈvilən] *n* scélérat *n;* bandit *m* ‖ TH. traître *m* ‖ COLL. coquin *n* ‖ ~ **ous** *adj* de scélérat; infâme ‖ ~ **y** *n* vilenie *f* (action); infamie *f* (of an action).

vim [vim] *n* COLL. énergie *f.*

vindica|te [ˈvindikeit] *vt* justifier; faire valoir (rights) ‖ ~ **tion** [ˌvindiˈkeiʃn] *n* justification *f.*

vindictive [vinˈdiktiv] *adj* vindicatif.

vine [vain] *n* vigne *f* (grape-vine); *climbing* ~, treille ‖ plante grimpante.

vine branch *n* pampre *m.*

vinegar [ˈvinigə] *n* vinaigre *m.*

vine|-grower [ˈvainˌgrəuə] *n* viticulteur, vigneron *m* ‖ ~ **-harvest** *n* vendange *f* ‖ ~ **shoot** *n* sarment *m* ‖ ~ **yard** [ˈvinjəd] *n* vignoble *m,* vigne *f.*

vintage [ˈvintidʒ] *n* vendange *f* (harvest); cru *m* (wine); millésime (year) ‖ FIG. ~ *car,* voiture *f* des années 20 (1917-1930).

vinyl [ˈvainil] *n* vinyle *m.*

viola [viˈəulə] *n* MUS. alto *m;* ~ *player,* altiste *n.*

viola|te [ˈvaiəleit] *vt* violer ‖ ~ **tion** [ˌvaiəˈleiʃn] *n* violation, infraction *f.*

viol|ence [ˈvaiələns] *n* violence *f;* *use* ~, recourir à la violence ‖ FIG. *do* ~ *to,* faire violence à ‖ ~ **ent** *adj* violent ‖ FIG. extrême, vif (character); aigu (pain); *die a* ~ *death,* mourir de mort violente ‖ ~ **ently** *adv* violemment.

violet [ˈvaiəlit] *n* BOT. violette *f* ● *adj/n* [colour] violet *(m).*

violin [ˌvaiəˈlin] *n* violon *m* ‖ ~ **ist** [ˈvaiəlinist] *n* violoniste *n.*

violist [viˈəulist] *n* HIST. violiste *n.*

violon|cellist [ˌvaiələnˈtʃelist] *n* violoncelliste *n* ‖ ~ **cello** [-ˈtʃeləu] *n* violoncelle *m.*

VIP [ˌviaiˈpiː] *n* = VERY IMPORTANT PERSON; personnalité *f,* V.I.P. *n* (fam.).

viper [ˈvaipə] *n* vipère *f.*

virgin [ˈvəːdʒin] *adj* vierge, virginal ● *n* vierge *f* ‖ REL. *the (Blessed) Virgin,* la (Sainte) Vierge ‖ ~ **ity** [vəːˈdʒiniti] *n* virginité *f.*

Virgo [ˈvəːgəu] *n* ASTR. Vierge *f.*

viril|e ['virail] *adj* viril ‖ **~ity** [vi'riliti] *n* virilité *f.*

virtual ['və:tjuəl] *adj* virtuel ‖ **~ly** *adv* en fait, virtuellement.

virtue ['və:tju:] *n* vertu *f; of easy ~,* de mœurs faciles ‖ Fɪɢ. mérite *m,* qualité *f; by ~ of,* en vertu de, en raison de.

virtuos|ity [,və:tju'ɔsiti] *n* virtuosité *f* ‖ **~o** [-'əuzəu] *n* virtuose *n.*

virtuous ['və:tjəs] *adj* vertueux.

virulent ['virulənt] *adj* virulent.

virus ['vaiərəs] *n* virus *m.*

visa [,vi:zə] *n* visa *m* ● *vt* viser (a passport).

viscous ['viskəs] *adj* visqueux.

visi|bility [,vizi'biliti] *n* visibilité *f* ‖ **~ble** ['vizəbl] *adj* visible ‖ **~bly** ['vizəbli] *adv* visiblement, de toute évidence.

vision ['viʒn] *n* vision, vue *f* (sight) ; *field of ~,* champ visuel ‖ vision, apparition *f* (ghost) ‖ Fɪɢ. vision, puissance *f* d'imagination ; [in dream, etc.] vision *f;* apparition *f* ‖ **~ary** [-əri] *adj/n* visionnaire.

visit ['vizit] *n* visite *f* (call) ; *pay a ~,* rendre visite (to, à) ‖ séjour *m* (stay) ; *a ~ to Rome,* un voyage à Rome ● *vt* visiter, aller voir, rendre visite à (sb) ‖ U.S. faire un séjour à/en, séjourner (in a country) ‖ inspecter — *vi* visiter ; *~ with,* U.S. passer voir ‖ [Bible] *~ upon,* punir ‖ **~ation** [,vizi'teiʃn] *n* tournée *f* d'inspection ‖ Fɪɢ., Rɛʟ. épreuve *f,* châtiment *m* ‖ **~ing card** *n* carte *f* de visite ‖ **~or** *n* visiteur *n* ‖ [hotel] client *n* ‖ touriste *n* ‖ **~'s tax,** taxe *f* de séjour.

visor ['vaizə] *n* visière *f* (peak) ‖ Aᴜᴛ. pare-soleil *m.*

visual ['vizjuəl] *adj* visuel, optique ‖ **~ize** [-aiz] *vt* se représenter (mentalement) qqch.

vista ['vistə] *n* panorama *m* ‖ Fɪɢ. perspective *f.*

vis viva [vis'vaivə] *n* force vive.

vital ['vaitl] *adj* vital, indispensable,

essentiel ‖ Coʟʟ. [woman's] *~ statistics,* mensurations *fpl* ● *npl* organes vitaux ‖ **~ity** [vai'tæliti] *n* vitalité *f.*

vitamin ['vitəmin] *n* vitamine *f.*

vitrify ['vitrifai] *vt* vitrifier.

vitro ['vitrəu] Mᴇᴅ. *in ~ fertilization,* fécondation *f* in vitro.

vituperate [vi'tju:pəreit] *vt* injurier, insulter.

vivac|ious [vi'veiʃəs] *adj* vif, animé ‖ **~ity** [vi'væsiti] *n* vivacité *f.*

viva voce ['vaivə'vəusi] *adj* oral ● *adv* de vive voix.

vivid ['vivid] *adj* vif (colour, light) ‖ vivant (description) ‖ net, précis, vif (recollection) ‖ **~ly** *adv* d'une manière frappante.

vivisection [,vivi'sekʃən] *n* vivisection *f.*

vixen ['viksn] *n* renarde *f.*

vocabulary [və'kæbjuləri] *n* vocabulaire *m.*

voc|al ['vəukl] *adj* vocal ‖ Fɪɢ. *get ~,* faire entendre sa voix, s'exprimer ‖ **~alist** *n* chanteur *n* (de groupe pop) ‖ **~als** *npl* chants *mpl.*

vocation [və'keiʃn] *n* vocation *f* ‖ **~al** *adj* professionnel ; *~ guidance,* orientation professionnelle.

vociferous [və'sifərəs] *adj* criard.

vogue [vəug] *n* vogue *f; in ~,* en vogue ; *be all the ~,* faire fureur.

voice [vɔis] *n* voix *f; in a loud/low ~,* à haute voix/à voix basse ; *with one ~,* à l'unanimité ‖ Cɪɴ. *~-over,* voix *f* hors champ/off ‖ Gʀᴀᴍᴍ. *active/passive ~,* voix active/passive ● *vt* exprimer ‖ **~less** *adj* sans voix, muet.

void [vɔid] *adj* vide ‖ Jᴜʀ. nul ‖ Fɪɢ. *~ of,* dénué de ● *n* vide *m* ● *vt* Jᴜʀ. annuler.

volatil|e ['vɔlətail] *adj* Cʜ. volatil ‖ Fɪɢ. vif (merry) ; d'humeur changeante, versatile (person) ; explosif (situation) ‖ **~ize** [vɔ'lætilaiz] *vi/vt* (se) volatiliser.

volcan|ic [vɔl'kænik] *adj* volcanique ‖ **~o** [vɔl'keinəu] *n* volcan *m ; active/ extinct ~,* volcan en activité/éteint.

volley ['vɔli] *n* volée, grêle *f* (of stones, etc.) ‖ Mɪʟ. salve *f* (salvo) ; rafale *f* (of machine-gun fire) ‖ [tennis] volée *f; on the ~,* à la volée ‖ *half-~,* demi-volée *f* ‖ Fɪɢ. [curses] bordée *f;* [applause] salve *f* • *vt* lancer une volée de ‖ [guns] tirer une salve de ‖ Sᴘ. rattraper/renvoyer à la volée ‖ **~-ball** *n* volley-ball ; **~ player,** volleyeur *n*.

volt [vault] *n* volt *m* ‖ **~age** [-idʒ] *n* voltage *m ; high/low ~,* haute/basse tension ‖ **~meter** *n* voltmètre *m*.

volub|le ['vɔljubl] *adj* volubile ‖ facile (speech) ‖ **~ility** [,vɔlju'biliti] *n* volubilité *f*.

volum|e ['vɔljum] *n* [book] volume *m ; ~ one/two,* tome premier/second ‖ [quantity] volume *m,* capacité *f* ‖ Rᴀᴅ. son *m* ‖ *Pl* tourbillons, nuages *mpl* (of smoke) ‖ **~inous** [və'lju:minəs] *adj* volumineux.

volunt|arily ['vɔləntrili] *adv* volontairement ‖ bénévolement (without payment) ‖ **~ary** [-ri] *adj* volontaire ‖ bénévole ‖ **~eer** [vɔlən'tiə] *n* volontaire, engagé volontaire *n* • *vi* être volontaire, s'offrir, se proposer *(for,* pour) ‖ Mɪʟ. s'engager.

voluptuous [və'lʌptjuəs] *adj* voluptueux.

vomit ['vɔmit] *vt/vi* vomir • *n*

vomissement *m* (act) ; vomi *m* (matter).

voracious [və'reiʃəs] *adj* vorace.

vote [vəut] *n* vote *m ; put sth to the ~,* mettre qqch aux voix ‖ [choice] voix *f,* suffrage *m ; count the ~,* dépouiller le scrutin ‖ droit *m* de vote (right) • *vt* voter ‖ proposer (suggest) ‖ **~ (in),** élire ‖ **~ down,** repousser, rejeter.

voter ['vəutə] *n* votant *m,* électeur *n*.

vouch [vautʃ] *vi* **~ for,** répondre de (sb) ; se porter garant de (sth) ‖ **~er** *n* [meals, petrol] bon *m* ‖ récépissé, reçu *m* (receipt) ‖ pièce justificative (proof) ‖ **~safe** [-'seif] *vt* accorder, octroyer.

vow [vau] *n* vœu *m* ‖ serment *m; make a ~,* faire un vœu ‖ *take one's ~s,* entrer en religion • *vt* vouer (dedicate) ‖ jurer (swear).

vowel ['vauəl] *n* voyelle *f*.

voyag|e ['vɔiidʒ] *n* Nᴀᴜᴛ. voyage *m* (par mer) ; traversée *f* ‖ **~er** ['vɔiədʒə] *n* passager *n*.

vulcanologist [,vʌlkə'nɔlədʒist] *n* volcanologue, vulcanologue *n*.

vulgar ['vʌlgə] *adj* vulgaire, grossier (unrefined) ‖ **~ity** [vʌl'gæriti] *n* vulgarité, grossièreté *f* ‖ **~ize** ['vʌlgəraiz] *vt* rendre vulgaire.

vulnerable ['vʌlnərəbl] *adj* vulnérable ‖ [bridge] vulnérable.

vulture ['vʌltʃə] *n* vautour *m*.

vying ['vaiiŋ] → ᴠɪᴇ.

W

w ['dʌblju] n w m.

wacky ['wæki] adj U.S., SL. extravagant ; farfelu (fam.).

wad [wɔd] n tampon m (of cotton, wool) ‖ liasse f (of banknotes) • vt ~ (up), boucher avec un tampon ‖ doubler d'ouate (a garment).

waddle ['wɔdl] vi se dandiner.

wad|e [weid] vi avancer péniblement (through weeds, etc.) ; patauger (in water) ‖ ~**er** n ZOOL. échassier m ‖ Pl bottes fpl de pêche.

wafer ['weifə] n CULIN. gaufrette f ‖ REL. hostie f.

waffle ['wɔfl] n gaufre f ; ~-iron, gaufrier m.

wag [wæg] vt agiter ; the dog ~s its tail, le chien remue la queue ‖ ~ one's head, hocher la tête — vi remuer, frétiller ‖ COLL. set tongues ~ging, faire marcher les langues.

wage¹ [weidʒ] vt ~ war against, faire la guerre contre.

wage² n (usu pl) salaire m ; [worker] paye f ; [servant] gages mpl ‖ **living** ~, salaire suffisant ; minimum ~, salaire n minimum ‖ ~ **claim**, demande f d'augmentation ‖ ~**-earner** n salarié n ‖ ~**-freeze** n blocage m des salaires.

wager ['weidʒə] n pari m • vt parier, gager.

wag(g)on ['wægən] n RAIL. (goods) ~, wagon m (de marchandises) ‖

[trolley] table roulante, chariot m ‖ COLL. be/go on the (water) ~, être/se mettre au régime sec.

wail [weil] vi gémir, se lamenter • n plainte, lamentation f ‖ **the Wailing Wall**, le mur des Lamentations.

wainscot ['weinskət] n lambris m.

waist [weist] n taille, ceinture f ; ~ measurement, tour m de taille ‖ SP. grip round the ~, saisir à bras-le-corps ‖ ~**coat** ['weiskəut] n gilet m ; ~-pocket, gousset m ‖ ~**-deep** adv à mi-corps ‖ ~**line** n taille f ‖ ~ **measurement** n tour m de taille ‖ ~**-size** n tour m de taille.

wait [weit] vi attendre (till, que) ; ~ **for sb**, attendre qqn ‖ **keep sb** ~**ing**, faire attendre qqn ‖ ~ **and see**, voir venir ‖ ~ **up (for)**, veiller, ne pas se coucher pour attendre qqn ‖ ~ (at table), servir à table, faire le service ‖ ~ **(up)on sb**, servir qqn — vt ~ **one's turn**, attendre son tour • n attente f ; lie in ~ for, guetter (le passage de), se tenir à l'affût de ; lie in ~ for game, chasser à l'affût ‖ ~**er** n serveur, garçon m de café ; ~ !, garçon ! ; head ~, maître m d'hôtel ‖ ~**ing** n attente f ‖ AUT. **no** ~, stationnement interdit ‖ ~**ing list** n liste f d'attente ‖ ~**ing room** n salle f d'attente ‖ ~**ress** [-ris] n serveuse f ; ~ !, mademoiselle !

wake¹ [weik] n NAUT., FIG. sillage m.

wake ² *vi* (woke [wəuk] *or* waked [weikt], waked *or* woken [´wəukn]) être éveillé ‖ ~ *up,* s'éveiller, se réveiller — *vt* ~ *up,* réveiller ‖ Fig. réveiller, ranimer ‖ ~*ful adj* éveillé (person) ‖ sans sommeil (hours) ; *a* ~ *night,* une nuit blanche ‖ ~*fulness n* insomnie *f.*

waken [´weikn] *vt* = WAKE ².

wakey wakey [ˌweiki´weiki] *interj* SL. allez, debout !, réveille-toi !

Wales [weilz] *n* pays m de Galles.

walk [wɔ:k] *n* marche *f* (act) ‖ démarche *f* (manner) ‖ promenade *f* (stroll) ; *go for a* ~, faire une promenade ‖ *take sb for a* ~, emmener qqn en promenade ‖ allée *f* (footpath) ‖ Fig. ~ *of life,* catégorie/condition sociale ● *vi* marcher ; aller à pied ; ~ *home,* rentrer chez soi à pied ‖ ~ *about,* se promener ‖ ~ *away with,* Coll. emporter (par erreur) ; piquer, faucher (fam.) ‖ ~ *in,* entrer ‖ ~ *off with,* Coll., = ~ AWAY WITH ‖ ~ *out,* sortir ; se mettre en grève ; débrayer (fam.) ‖ ~ *out on,* Coll. plaquer (fam.) [sb] ‖ ~ *over,* l'emporter haut la main. — *vt* faire à pied (distance) ‖ parcourir (the streets) ‖ [prostitute] ~ *the streets,* faire le trottoir ‖ ~ *a dog,* promener un chien ‖ Th. ~ *the boards,* faire du théâtre ‖ ~*er n* marcheur *n* ‖ ~*ing n* marche *f* à pied, promenade *f* ; *at a* ~ *pace,* au pas ‖ ~*ing stick n* canne *f* ‖ ~*-on n* Th. figurant *n* ; ~ *part,* rôle m de figurant ; *do* ~ *parts,* faire de la figuration *f* ‖ ~*-out n* grève *f* surprise, débrayage *m* (strike) ‖ ~*over n* Coll. victoire *f* facile.

wall [wɔ:l] *n* mur *m* (in a room) ‖ muraille *f* (of a castle) ‖ paroi *f* (of a cylinder) ● *vt* ~ *in,* entourer de murs ‖ ~ *up,* murer (a window).

wallet [´wɔlit] *n* portefeuille *m.*

wall-flower [´wɔ:lˌflauə] *n* Coll. *be a* ~, faire tapisserie (at a dance).

Walloon [wɔ´lu:n] *n* Wallon *n.*

wallop [´wɔləp] *n* SL. [fight] coup *m ;* gnon *m* (pop.) ‖ [punishment] beigne *f* (pop) ‖ SL. bière *f.*

wallow [´wɔləu] *vi* se vautrer ‖ Fig. ~ *in wealth,* nager dans l'opulence.

wallpaper [´wɔ:lˌpeipə] *n* papier peint.

wall-to-wall *adj* ~ *carpet,* moquette *f.*

walnut [´wɔ:lnʌt] *n* noix *f* (fruit) ; noyer *m* (tree).

walrus [´wɔ:lrəs] *n* Zool. morse *m.*

waltz [wɔ:ls] *n* valse *f.*

wan [wɔn] *adj* blême, livide (face) ; pâle (smile).

wander [´wɔndə] *vi* errer, se promener au hasard ‖ Fig. s'égarer, s'écarter (from a subject) ‖ ~*ing* [-riŋ] *n Pl* voyages *mpl* à l'aventure ; vagabondage *m* (roaming) ‖ MED. délire *m* ● *adj* errant (person) ‖ nomade (tribe) ‖ Fig. distrait (attention) ; incohérent (speech).

wane [wein] *vi* Astr. décroître ‖ Fig. décliner ● *n* déclin *m.*

wangle [´wæŋgl] *vt* Coll. se débrouiller pour avoir ; resquiller (fam.) ● *n* combine *f* (fam.).

wanna [´wɔnə] *U.S.,* Coll. = WANT TO.

want [wɔnt] *vt* manquer de (lack) ‖ avoir besoin de (need) ; *your hair* ~*s cutting,* vos cheveux ont besoin d'être coupés ‖ vouloir, désirer (wish) ‖ demander (ask for) ; *your are* ~*ed on the phone,* on vous demande au téléphone ‖ réclamer, exiger (require) — *vi* être dans le besoin ; ~ *for nothing,* ne manquer de rien ‖ *be* ~*ing,* manquer, faire défaut ● *n* besoin *m ; be in* ~ *of,* avoir besoin de, manquer de ‖ manque *m ; for* ~ *of,* à défaut de ‖ dénuement *m,* misère *f ; be in* ~, être dans le besoin ‖ ~*ed* [-id] *adj* demandé ‖ recherché (by the police).

wanton [´wɔntən] *adj* espiègle (child) ‖ capricieux (wind) ‖ luxuriant (vegetation) ‖ gratuit (insult) ‖ impudique (look) ‖ dévergondé(e) [woman].

war [wɔ:] *n* guerre *f*; *at* ~, en guerre. *go to* ~, se mettre en guerre ; *declare* ~, déclarer la guerre (*on,* à) ; *make* ~ *upon,* faire la guerre à ; ~ *of nerves,* guerre des nerfs ● *vi* faire la guerre (*against,* contre).

warbl|e [′wɔ:bl] *vi* gazouiller ● *n* gazouillement *m* ‖ ~**er** *n* fauvette *f*.

ward¹ [wɔ:d] *n* [local government] circonscription *f* ‖ [prison] quartier *m* ‖ [hospital] salle *f* ‖ JUR. pupille *n* (person).

ward² *vt* ~ *(off),* parer (blow) ‖ éviter, prévenir (danger).

warden [′wɔ:dn] *n* directeur *n* ‖ [youth hostel] père *m*/mère *f* aubergiste ‖ [park] gardien *n* ‖ *traffic* ~, contractuel *n*.

ward|er *n* gardien *m* de prison ‖ ~**ress** *n* gardienne *f* de prison.

ward|robe [′wɔ:drəub] *n* armoire, penderie *f* ‖ TH. ~ *mistress,* costumière *f* ‖ ~**-room** *n* NAUT. carré *m*.

ware [wɛə] *n Pl* marchandise(s) *fpl* ‖ ~**house** *n* entrepôt, magasin *m*.

war|fare [′wɔ:fɛə] *n* guerre *f* ‖ ~**like** *adj* guerrier, martial ; belliqueux.

warm [wɔ:m] *adj* chaud ‖ *be* ~ : *I am* ~, j'ai chaud ; *it is* ~, il fait chaud ‖ *get* ~, se réchauffer ‖ *keep one* ~, tenir chaud ‖ SP. [game] *you're getting* ~ *!,* tu brûles ! ‖ *keep sth* ~, tenir qqch au chaud ‖ FIG. chaleureux (welcome) ; ardent, bouillant (person) ‖ vif (temper) ; animé (controversy) ● *vi/vt* chauffer ‖ FIG. [person] se prendre de sympathie (*to,* pour) ; [discussion] s'animer ‖ chauffer ‖ ~ *up,* (se) réchauffer ‖ SP. ~*ing up exercises,* exercices *mpl* d'échauffement ‖ ~**-blooded** *adj* ZOOL. à sang chaud ‖ ~**-hearted** *adj* généreux ‖ ~**ing** *n* chauffage *m* ‖ ~**ly** *adv* chaudement ; chaleureusement.

war|-monger [′wɔ:ˌmʌŋgə] *n* belliciste *n* ‖ ~ **orphan** *n* pupille *n* de la nation.

warmth [wɔ:mθ] *n* chaleur *f* ‖ FIG. ardeur, ferveur *f*.

warm-up *n* SP. mise *f* en train.

warn [wɔ:n] *vt* avertir ‖ alerter, prévenir (forewarn) ‖ mettre en garde (*against,* contre) ‖ ~**ing** *n* avertissement *m* ; *without* ~, sans prévenir, à l'improviste ‖ préavis *m* (notice to leave) ‖ *Pl* sommations *fpl* ● *adj* d'avertissement ‖ ~**ing light** *n* lampe *f* témoin.

warp¹ [wɔ:p] *n* [weaving] chaîne *f*.

warp² *vt* TECHN. gauchir ; voiler (a wheel) ‖ FIG. déformer, fausser — *vi* [wood] jouer, travailler ‖ ~**ed** *adj* voilé, gondolé.

warrant [′wɔrnt] *n* COMM. autorisation, garantie *f* ‖ JUR. mandat *m* ● *vt* garantir ‖ justifier ‖ ~ **officer** *n* adjudant *m* ‖ ~**y** *n* autorisation *f* ‖ JUR. garantie *f*.

warren [′wɔrn] *n* garenne *f*.

warship *n* navire *m* de guerre.

wart [wɔ:t] *n* verrue *f*.

wary [′wɛəri] *adj* circonspect, méfiant, prudent ; *be* ~ *of,* se méfier de.

was → BE.

wash [wɔʃ] *n* lavage *m*, toilette *f* ; *have a* ~, se laver, faire sa toilette ‖ blanchissage *m* (of clothes) ‖ lessive *f*, linge *m* (clothing) ‖ NAUT. sillage *m* ; remous *m* ‖ CULIN., COLL. lavasse *f* (drink) ● *vi* se laver, faire sa toilette ‖ faire la lessive ‖ ~ *out,* partir au lavage — *vt* laver ‖ ~ *one's hands,* se laver les mains ‖ blanchir (linen) ‖ [sea, river] baigner, arroser (a shore) ‖ NAUT. *be* ~*ed overboard,* être emporté par-dessus bord ‖ ~ *away,* enlever au lavage (a stain) ‖ ~ *down,* laver à grande eau, laver au jet (a car) ; arroser (a meal) ; faire descendre (tablet) ‖ ~ *off/out* — *vi* ~ *away* ‖ FIG. *feel* ~*ed out,* se sentir à plat ‖ ~ *up,* faire la vaisselle ‖ ~**able** [-əbl] *adj* lavable ‖ ~**-basin**/U.S. **-bowl** *n* lavabo *m* ‖ ~**-cloth** *n* U.S.

gant *m* de toilette ; ~**er** *n* laveuse *f* (woman) || **lave-linge** *m* (machine) || Techn. rondelle *f,* joint *m* || ~**house** *n* buanderie *f* || ~**ing** *n* lavage *m* || [clothes] lessive *f,* linge *m ; do the* ~, faire la lessive ; ~**machine**, machine *f* à laver ; ~**powder**, lessive *f ;* ~**up** (*n*) do the ~*up,* faire la vaisselle || ~**leather** *n* peau *f* de chamois || ~**out** *n* Sl. fiasco *m* (failure) ; zéro *m,* nullité *f* (person) || ~**room** *n* U.S. toilettes *fpl* || ~**stand** *n* lavabo *m.*

washy *adj* délavé (colour) || insipide (food) || Fig. fade, terne.

wasp [wɔsp] *n* guêpe *f ; wasps' nest,* guêpier *m.*

wastage ['weistidʒ] *n* gaspillage *m* (wasting) || perte *f* (loss by waste).

waste [weist] *adj* désolé (country) ; à l'abandon (land) || **lay** ~, ravager, dévaster || [town] ~**ground,** terrain *m* vague ; [country] ~**land,** terres *fpl* en friche || usé, de rebut ; ~ *paper,* vieux papiers ; ~ *matter,* excréments *mpl* ● *n* gaspillage, gâchis *m* || déchets *mpl* ; ordures *fpl* (refuse) || Fig. ~ *of time,* perte *f* de temps || Pl désert *m* ● *vt* gaspiller (squander) ; ~ *one's time,* perdre son temps — *vi* s'épuiser ; ~ *away,* dépérir || ~ **disposal unit** *n* broyeur *m* d'ordures.

waste|r *n* gaspilleur, dépensier *n* || ~**ful** *adj* gaspilleur (person) ; peu rentable (process) || ~**(paper) basket** *n* corbeille *f* à papier.

watch¹ [wɔtʃ] *n* montre *f ; by my* ~, à ma montre || ~**band** *n* bracelet *m* de montre || ~**maker** *n* horloger *m* || ~**strap** *n* = BAND.

watch² *vt* observer, regarder (look at) || surveiller, faire attention à (look out) || garder (tend) || guetter, attendre (pay attention) — *vi* veiller, guetter (be on the alert) || ~ *for,* guetter, épier || ~ *out,* prendre garde (*for,* à) || ~ *out !,* attention ! || ~ *over,* veiller sur, surveiller (a child) ● *n* guet *m ; on the* ~, aux aguets || surveillance ; garde *f ; be on the* ~ *for,*

attendre, guetter ; *keep* ~, monter la garde || Naut. quart *m ; be on* ~, être de quart || ~**dog** *n* chien *m* de garde ; ~**er** *n* guetteur, observateur *n* || Pl curieux *mpl* (onlookers) || ~**ful** *adj* vigilant || ~**fulness** *n* vigilance *f* || ~**man** *n* gardien *m* || ~**word** *n* mot *m* de passe.

water ['wɔːtə] *n* eau *f* || Naut. *high* ~, marée haute ; *low* ~, marée basse ; [ship] *make* ~, faire eau || Techn. eau *f* (of a diamond) || Med. *take the* ~*s at,* faire une cure (thermale) à || Rel. *holy* ~, eau bénite || Fig. *like a fish out of* ~, dépaysé ● *vt* arroser (plants) || faire boire, abreuver (an animal) || ~ *(down),* couper d'eau (wine) ; fig. atténuer, édulcorer — *vi* se mouiller ; *that makes my mouth* ~, cela me fait venir l'eau à la bouche || ~**ballast** *n* Naut. ballast *m* || ~**bottle** *n* carafe *f* (at table) ; bidon *m* (for a soldier) || ~**closet** *n* cabinets, w.-c. *mpl* || ~**colour(s)** *n* aquarelle *f* || ~**cooler** *n* U.S. fontaine *f* d'eau glacée || ~**cure** *n* cure thermale || ~**fall** *n* chute *f* d'eau, cascade *f* || ~**fowl** *n* gibier *m* d'eau ; oiseau *m* aquatique || ~**front** *n* bord *m* de mer || [harbour] quais *mpl* || ~**heater** *n* chauffe-eau *f* || ~**ice** *n* sorbet *m.*

watering [-riŋ] *n* arrosage *m* || ~ **can** *n* arrosoir *m* || ~ **place** *n* station thermale (spa) ; station *f* balnéaire (seaside) ; abreuvoir *m* (for animals).

water|lily *n* nénuphar *m* || ~**line** *n* Naut. ligne *f* de flottaison ; ~**logged** [-lɔgd] *adj* plein d'eau ; détrempé (land) || ~**man** *n* batelier *m* || ~**mark** *n* Techn. [paper] filigrane *m* || ~**melon** *n* pastèque *f* || ~**mill** *n* moulin *m* à eau || ~**power** *n* énergie hydraulique, houille blanche || ~**proof** *adj* imperméable ● *vt* imperméabiliser || ~**shed** *n* ligne *f* de partage des eaux || ~**side** *adj* riverain ; ~ *dweller,* riverain *m* || ~**ski** *vi* faire du ski nautique || ~**skiing** *n* ski *m* nautique ‖ ~-**sport(s)** *n(pl)* sports *mpl* nautiques ‖ ~**spout** *n* trombe *f* d'eau ‖ ~ **tank** *n* réservoir *m* ; citerne *f* ‖ ~**tight** *adj* étanche ‖ FIG. incontournable ‖ ~-**tower** *n* château *m* d'eau ‖ ~**way** *n* voie navigable, voie fluviale ‖ ~**works** *npl* canalisations *fpl* d'eau ‖ jeux *mpl* d'eau (fountain).

watery *adj* aqueux, humide ‖ détrempé (ground) ‖ insipide (tea).

watt [wɔt] *n* watt *m*.

wave [weiv] *n* vague, lame *f* (of sea) ‖ *cold/heat* ~, vague *f* de froid/chaleur ‖ RAD. onde *f*; *short* ~, onde courte ‖ ~-*length*, longueur *f* d'onde ‖ ondulation *f* (in hair) ‖ *permanent* ~, ondulation permanente ‖ geste, signe *m* de la main ● *vi* [hair] onduler ‖ [flag] flotter ‖ faire signe (de la main) ● *vt* agiter, déployer (a flag) ‖ faire signe à qqn ‖ onduler ‖ *have one's hair* ~*d*, se faire onduler les cheveux.

waver [ˈweivə] *vi* vaciller, trembler ‖ FIG. chanceler, hésiter.

wavy [ˈweivi] *adj* ondulé (hair) ; ondulant (surface).

wax[1] [wæks] *vi* ASTR. croître.

wax[2] *n* cire *f* ‖ [ski] fart *m* ● *vt* cirer, farter (skis) ‖ [beauty treatment] épiler à la cire ‖ ~-(**ed**) **paper** *n* papier paraffiné ‖ ~-**work(s)** *n(pl)* figure(s) *f(pl)* de cire ‖ *Pl* musée *m* de figures de cire.

way [wei] *n* chemin *m*, voie *f* ‖ ~ *in/out*, entrée/sortie *f*; ~ *up/down*, montée/descente *f* ‖ route *f*, chemin *m*; *on the* ~ *to*, en route pour ; *go one's* ~, partir ; *lose one's* ~, perdre son chemin ; *go by way of*, passer par ‖ *out of the* ~, écarté ‖ FIG. extraordinaire ‖ *by the* ~, chemin faisant ; FIG. à propos ‖ *give* ~, céder (yield) ; s'effondrer (collapse) ; AUT. laisser la priorité (*to*, à) ; *make* ~, livrer passage (*for*, à) ‖ *be in the* ~, barrer le passage, gêner ‖ trajet *m*, distance *f*; *it's a long* ~ *to*, il y a loin jusqu'à ; *go part of the* ~, faire un bout de

chemin (*with*, avec) ; *go all the* ~, aller jusqu'au bout ‖ *go out of one's* ~, se donner beaucoup de mal, se mettre en quatre (*to do*, pour faire) ‖ direction *f*; *which* ~ *are you going* ?, de quel côté allez-vous ? ; *make one's* ~ *to*, prendre la direction de ; *by* ~ *of*, par, via ; *this* ~, par ici ; *that* ~, par là ; *lead the* ~, montrer le chemin ; *go the wrong* ~, se tromper de chemin ‖ *make*, avancer, progresser ; *under* ~, en cours ; *make one's* ~, faire son chemin ‖ moyen *m*, façon, manière *f* (manner) ; *this* ~, de cette façon ; *in such a* ~ *as to*, de façon à ; *by* ~ *of*, en guise de ; *have a* ~ *with sb*, savoir s'y prendre avec qqn ; *have one's own* ~, faire à sa guise ; *in a friendly* ~, amicalement ; ~ *of life*, mode *m* de vie ‖ *Pl* façons *fpl*, allure *f* ‖ rapport *m* ; *in many* ~*s*, à bien des égards ‖ condition *f*, état *m* ; *be in a good/bad* ~, aller bien/mal ‖ COLL. *in the family* ~, enceinte ‖ mesure *f*; *in a* ~, dans une certaine mesure ; *in a small* ~, sur une petite échelle, modestement ‖ NAUT. *get under* ~, appareiller ‖ U.S. ~ *back*, il y a longtemps ; ~ *down*, en bas ; ~ *out*, très loin ‖ SL. *no* ~ *!*, pas question !

way|**lay** [weiˈlei] *vt* (→ LAY) arrêter au passage ‖ ~-**out** *adj* COLL. excentrique, extraordinaire ‖ ~**side** *n* bord *m* de la route ‖ ~**ward** *adj* capricieux ; entêté (stubborn).

we [wiː] *pron* [unstressed] nous ; on ‖ [stressed] nous autres ; WE *English*, nous autres Anglais.

weak [wiːk] *adj* faible ‖ léger (tea) ‖ débile (health) ‖ *grow* ~, s'affaiblir ‖ *the* ~*er sex*, le sexe faible ‖ ~**en** *vt* affaiblir — *vi* faiblir, s'affaiblir ‖ ~**ling** [-liŋ] *n* MED. personne chétive ‖ FIG. personne *f* influençable ‖ ~**ly** *adv* MED. chétif, débile ● *adv* faiblement ‖ ~**ness** *n* faiblesse *f* (lit. and fig.) ‖ FIG. faible *m* (*for*, pour).

wealth [welθ] *n* richesse, opulence, fortune *f* ‖ ~**y** *adj* riche, opulent.

wean [wi:n] *vt* sevrer.

weapon [ˈwepən] *n* arme *f.*

wear [wɛə] *n* usage, port *m; for autumn ~,* pour porter à l'automne ; *for everyday ~,* de tous les jours ; *the worse for ~,* fatigué, défraîchi (dress) ‖ COMM. vêtements *mpl; men's ~,* vêtements pour hommes ; *evening ~,* tenue *f* de soirée ‖ usure *f* ‖ *~ and tear,* usure *f* ● *vt* (wore [wɔ:], worn [wɔ:n]) porter (a dress) ‖ user (one's clothes) ; *~ one's coat threadbare,* user son veston jusqu'à la corde ; *~ a hole in,* faire un trou à ‖ FIG. *~ oneself out,* s'épuiser ‖ *~ away,* user (erode) ; effacer (inscription) ‖ *~ down,* user ; FIG. épuiser ‖ *~ off,* user, effacer, faire disparaître ‖ *~ out,* user entièrement ; FIG. épuiser.
— *vi* s'user (become impaired) ; *~ thin,* s'élimer ; *~ well,* [dress] durer, faire de l'usage ; [person] rester jeune ‖ FIG. [time] s'écouler, passer (lentement) ‖ *~ away,* [clothes] s'user ; [inscription] s'effacer ; [time] s'écouler ‖ *~ down/out,* s'user ‖ *~able* [-rəbl] *adj* mettable.

wear|iness [ˈwiərinis] *n* lassitude *f* ‖ *~ing* [-riŋ] *adj* épuisant ‖ *~isome* [-risəm] *adj* ennuyeux ‖ *~y* [-ri] *adj* las ● *vi/vt* (se) lasser, (se) fatiguer.

weasel [ˈwi:zl] *n* belette *f.*

weather [ˈweðə] *n* temps *m; bad ~,* mauvais temps ; *the ~ is fine,* il fait beau ; *what's the ~ like ?,* quel temps fait-il ? ; *the ~ is cold,* il fait froid ; *in all ~s,* par tous les temps ; *~ permitting,* si le temps le permet ‖ NAUT. *heavy ~,* gros temps ‖ FIG. *feel under the ~,* être mal fichu ● *vt* NAUT. essuyer (a storm) ; doubler (a cape) ‖ FIG. surmonter (difficulties) ‖ *~-beaten* *adj* hâlé, tanné (face) ‖ *~cock* *n* girouette *f* ‖ *~man* *n* météorologiste *n* ‖ *~proof* *adj* imperméable (clothes) ; étanche (house) ‖ *~-ship* *n* navire *m* météorologique ‖ *~-strip* *n* bourrelet *m* ● *vt* calfeutrer (a window) ‖ *~ forecast* *n*

prévisions *fpl* météorologiques ; météo *f* (fam.).

weav|e [wi:v] *vt* (wove [wəuv], woven [ˈwəuvn]) tisser (a fabric) ‖ tresser (a basket) ‖ FIG. tramer (a plot) ; bâtir (a story) ‖ FIG. *~ one's way,* se faufiler (*through,* à travers) ‖ *~er* *n* tisserand *n* ‖ *~ing* *n* tissage *m.*

web [web] *n* tissu *m* (material) ‖ toile *f* d'araignée ‖ palme *f* (of swimming bird) ; *~-footed,* aux pieds palmés, palmipède ‖ FIG. tissu *m* (of lies).

wed [wed] *vt* épouser — *vi* s'unir à ‖ *~ding* *n* mariage *m,* noce(s) *f(pl)* ; *golden ~,* noces *fpl* d'or ● *adj* nuptial ; *~cake,* gâteau *m* de mariage, pièce montée ; *~card,* faire-part *m* de mariage ; *~dress,* robe *f* de mariée ; *~ring,* alliance *f.*

wedge [wedʒ] *n* coin *m* (to split wood) ‖ *~-heeled,* à semelles compensées ● *vt* coincer, caler (fix) ‖ *~ oneself into,* s'insinuer dans.

wedlock [ˈwedlɒk] *n* mariage *m* ‖ *born out of ~,* illégitime (child).

Wednesday [ˈwenzdi] *n* mercredi.

wee [wi:] *n* [children] *have a ~,* faire pipi.

weed [wi:d] *n* mauvaise herbe ● *vt* désherber ; sarcler (with hoe) ‖ FIG. *~ out,* éliminer ‖ *~-killer* *n* désherbant, herbicide *m.*

week [wi:k] *n* semaine *f; a ~ from today* or *today ~,* dans huit jours ; *tomorrow ~,* (de) demain en huit ; *a ~ ago yesterday* or *yesterday ~,* il y a eu hier huit jours ‖ *~ in, ~ out,* pendant des semaines ‖ *~-day* *n* jour *m* ouvrable de semaine ; *on ~-days,* en semaine ‖ *~-end* *n* fin *f* de semaine, week-end *m; take a long ~,* faire le pont ; *~-driver,* chauffeur *m* du dimanche ‖ *~ly* *adj* hebdomadaire ● *n* hebdomadaire *m* ● *adv* toutes les semaines.

weep [wi:p] *vt/vi* (wept [wept]) pleurer ; *~ for joy,* pleurer de joie ‖ *~ing willow* *n* saule pleureur.

weft [weft] *n* trame *f.*

weigh [wei] *vt* peser, soupeser (in the hand) || FIG. peser (the consequences) || NAUT. lever (anchor) || ~ **down**, faire plier ; FIG. accabler — *vi* peser ; ~ *a ton*, peser une tonne || FIG. peser (*upon*, sur) ; avoir du poids (*with*, auprès de) || ~**-bridge** *n* pont-bascule *m* || ~**ing-machine** *n* bascule *f*.

weight [weit] *n* poids *m* ; *put on/lose* ~, prendre/perdre du poids || COMM. poids *m* ; *sold by the* ~, vendu au poids ; *dead* ~, poids mort || SP. *put the* ~, lancer le poids || FIG. fardeau, poids *m* ; importance *f* ● *vt* lester, plomber (a net) || alourdir, charger (*with*, de) || ~**ing** *n* indemnité *f* (de résidence) || ~ **lessness** *n* apesanteur *f* || ~**-lifter** *n* haltérophile *n* || ~**-lifting** *n* haltérophilie *f* || ~**y** *adj* pesant, lourd || FIG. important.

weir [wiə] *n* barrage *m* (small).

weird [wiəd] *adj* surnaturel, mystérieux (eerie) || COLL. drôle, bizarre || ~**ie** [-i], ~**o** [-əu] *n* COLL. individu *m* bizarre, excentrique ; drôle de type (péj.).

welcome [ˈwelkəm] *adj* bienvenu ; *make sb* ~, faire bon accueil à qqn || ~ *to*, autorisé à, libre de ; *you are* ~ *to my car*, ma voiture est à votre disposition || [answer to thanks] *you're* ~, il n'y a pas de quoi ● *n* bienvenue *f* ; *give sb a hearty* ~, faire un accueil chaleureux à qqn ; *bid sb* ~, souhaiter la bienvenue à qqn ● *vt* bien accueillir, souhaiter la bienvenue à.

weld [weld] *vi/vt* (se) souder || ~**er** *n* soudeur *m* || ~**ing** *n* soudure *f* || TECHN. ~**-torch**, chalumeau *m*.

welfare [ˈwelfeə] *n* bien-être *m* ; *(social)* ~, assistance sociale ; *be on* ~, être assisté || ~ **state**, État *m* providence, services sociaux ; ~ *worker*, travailleur *n* social.

well¹ [wel] *n* puits *m* ; *drive/sink a* ~, creuser un puits ● *vi* [liquid] jaillir (*up*, *forth*) ; [spring] sourdre || ~**-digger** *n* puisatier *m* || ~**-room** *n* buvette *f* (at a spa).

well² *adv* (→ BETTER, BEST) bien ; *very* ~, très bien ; *treat sb* ~, bien traiter qqn ; ~ *done !*, bien joué ! || *do* ~, réussir, être en bonne voie || *do* ~ *by sb*, traiter qqn avec générosité || *do* ~ *to*, bien faire de || *as* ~, aussi, également ; *as* ~ *as*, aussi bien que, de même que ; *I did as* ~ *as I could*, j'ai fait de mon mieux ● *adj he is* ~, il va bien ; *get* ~ *again*, guérir ; *you look* ~, vous avez bonne mine ; *all's* ~ *!*, tout va bien ! || U.S. *a* ~ *man*, un homme en bonne santé ● *interj* bien !, soit ! (resignation) || eh bien, peut-être (hesitation) || eh bien ?, et alors ? (interrogation) || eh bien ! (surprise) ● *n* bien *m* ; *wish sb* ~, vouloir du bien à qqn ; *speak* ~ *of sb*, dire du bien de qqn.

well³ *pref* ~**-advised** *adj* prudent, sage, bien avisé || ~**-appointed** *adj* bien équipé || ~**-balanced** [ˈbæ-lənst] *adj* équilibré || ~**-being** *n* bien-être *m* || ~**-bred** *adj* bien élevé || ~**-built** *adj* bien bâti || ~**-done** *adj* bien cuit || ~**-groomed** [ˈgrumd] *adj* soigné || ~**-informed** *adj* bien renseigné ; *keep oneself* ~, se tenir au courant.

wellies [ˈweliz] *npl* COLL. = WELLINGTON.

wellington [ˈwelintən] *n* ~ *(boot)*, botte *f* en caoutchouc.

well|-known *adj* bien connu || ~**-mannered** [ˈ-mænəd] *adj* bien élevé || ~**-meaning** *adj* bien intentionné || ~**-meant** *adj* fait dans une bonne intention || ~**-off** *adj* aisé, riche || ~**-preserved** *adj* en bon état de conservation || ~**-read** [ˈ-red] *adj* cultivé || ~**-timed** [ˈwelˈtaimd] *adj* opportun || ~**-to-do** *adj* aisé, cossu, riche.

Welsh [welʃ] *adj* gallois ● *n* gallois *m* (language) || *Pl The* ~, les Gallois *mpl* || ~**-man** *n* Gallois *m* || ~**-woman** *n* Galloise *f*.

welter *n* SP. ~**-weight**, poids mi-moyen/welter.

went → GO.

wept [wept] → WEEP.

were [wə:] → BE.

west [west] *n* ouest *m* ‖ Occident *m* (part of the earth) ● *adj* d'ouest ● *adv* à l'ouest, vers l'ouest ‖ **~ern** [-ən] *adj* occidental, de l'ouest ‖ *Western Europe,* Europe occidentale ‖ **Westerner** [-ənə] *n* Occidental *n*.

West Indian *adj/n* antillais ‖ **~ Indies** *npl* Antilles *fpl.*

westwards [´-wədz] *adj/adv* à/vers l'ouest.

wet [wet] *adj* mouillé ; *get ~,* se mouiller ; *~ through, ~ to the skin,* trempé jusqu'aux os ‖ pluvieux (weather) ‖ *~ paint,* attention à la peinture ● *n the ~,* la pluie ● *vt* mouiller, humecter ‖ **~-blanket** *n* rabat-joie *m* ‖ **~ dock** *n* NAUT. bassin *m* à flot ‖ **~-nurse** *n* nourrice *f.*

whal|e [weil] *n* baleine *f* ‖ **~er** *n* baleinier *m* ‖ **~ing** *n* pêche *f* à la baleine.

wharf, s/wharves [wɔ:f, -wɔ:vz] *n* NAUT. quai *m.*

what [wɔt] *adj* [interrogative] quel(s) *m(pl)*, quelle(s) *f(pl)* ; *~ books have you read ?*, quels livres avez-vous lus ? ‖ [exclamatory] *~ an idea !,* quelle idée ! ‖ [relative] le/la/les..., qui/que ; *give me ~ books you have,* donnez-moi les livres que vous avez ● *pron* [interrogative] que ?, quoi ?, qu'est-ce qui/que ? ; quel(s) *m(pl)*, quelle(s) *f(pl)* ; *~ is it ?,* qu'est-ce que c'est ? ; *~ 's your name ?,* quel est votre nom ? ; *~ about... ?,* que pensez-vous de... ? ; *~ for ?,* pourquoi ? ; *~ is that for ?,* à quoi cela sert-il ? ; *~ ... like ?,* comment ? (→ LIKE) ; *~ if... ?,* et si... ?, à supposer que... ? ; *~ and ~ not ?,* et que sais-je (encore) ? ; *~ of... ?,* quelles nouvelles de... ? ; *so ~ ?,* et alors ?, et puis après ? ; *~ though...,* n'importe que... ; *~ with... and...,* entre... et... ‖ [relative] ce qui, ce que ‖ *~ever* *pron* tout ce qui/que/dont ; *~ you like,* tout ce qui vous plaira ; *~ happens,* quoi qu'il arrive ● *adj* quel(le) que soit, n'importe quel(le) ; *~ difficulties you*

may encounter, quelles que soient les difficultés que vous rencontriez ‖ [emphatic] (after negative n. or pron.) aucun, aucune ; *there can be no doubt ~ about it,* il n'y a pas le moindre doute à ce sujet ; *nothing ~,* absolument rien ; (after « any ») quelconque ; *any language ~,* n'importe quelle langue ‖ **~-so-ever** [´wɔtsəu´evə] *adj/pron* [emphatic] =WHATEVER.

wheat [wi:t] *n* blé, froment *m.*

wheedle [´wi:dl] *vt* cajoler ; emboliner (fam.).

wheel [wi:l] *n* roue *f* ‖ TECHN. tour *m* (potter's) ‖ AUT. volant *m* ‖ NAUT. roue *f* du gouvernail ● *vi* tournoyer — *vt* faire pivoter ; pousser ; rouler ‖ **~-barrow** *n* brouette *f* ‖ **~-base** *n* AUT. empattement *m* ‖ **~-chair** *n* fauteuil roulant ‖ **~house** *n* timonerie *f.*

wheeze [wi:z] *vi* respirer péniblement.

when [wen] *adv* [interrogative] quand ? ; *since ~ ?,* depuis quand ? ‖ [relative] *the day ~,* le jour où ; *at the time ~,* au moment où, à l'heure où ● *conj* au moment où, quand ; lorsque.

whenever [wen´evə] *conj* [every time that] toutes les fois que ‖ [no matter when] à n'importe quel moment ; *~ you like,* quand vous voudrez.

where [wɛə] *adv* [interrogative] où ? ; *~ are you from ?,* d'où êtes-vous ? ‖ [relative] où ; *the office ~ I work,* le bureau où je travaille ‖ [no antecedent] *I found my books ~ I had left them,* j'ai trouvé mes livres là où je les avais laissés ● *conj* où ; là où ● *pron* où ; *from ~,* d'où ? ‖ **~abouts** [´wɛərə´bauts] *adv* où (donc) ? ● *n* endroit *m* où l'on se trouve ‖ **~as** [wɛər´æz] *conj* tandis qu'au contraire ‖ JUR. attendu que ‖ **~by** [wɛə´bai] *adv* par ce moyen ; au moyen duquel/de laquelle, etc.

where|fore [´wɛəfɔ:] *conj* ce pour quoi ‖ **~in** [wɛər´in] *adv* où, en quoi ‖ **~of** [wɛər´ɔv] *adv* dont, duquel ‖

~**on** [wɛər'ɔn] *adv* sur quoi || ~**to** [wɛə'tu:] *adv* [arch.] et dans ce but || ~**upon** [ˌwɛərə'pɔn] *adv* sur quoi ● *conj* sur ce, là-dessus.

wherever [wɛər'evə] *adv* partout où, n'importe où (any where) || [interrogative] mais où donc ● *conj* où que || (là) où, où que.

wherewithal [ˈwɛəwiðɔːl] *n* moyens *mpl* ; ressources *fpl* nécessaires.

whet [wet] *vt* aiguiser, affûter || FIG. aiguiser, stimuler (the appetite).

whether [ˈweðə] *conj* [indirect question] si ; *go and see ~ Paul can come,* aller voir si Paul peut venir ; ~ ... *or,* si... ou ; *I wonder ~ he likes it or not,* je me demande si cela lui plaît ou non || [condition] ~ ... *or,* soit... soit || ~ *or no(t),* qu'il en soit ainsi ou non ; de toute façon.

whetstone [ˈwetstəun] *n* pierre *f* à aiguiser.

whey [wei] *n* petit-lait *m*.

which [witʃ] *pron* [interrogative] lequel ?, laquelle ? ; *Pl* lesquel(le)s ? ; ~ *do you like best ?,* lequel/etc. préférez-vous ? || [relative] (with n. as antecedent) qui, que, lequel, laquelle, lesquel(le)s ; (after prep.) *the table one leg of ~ is broken,* la table dont un pied est cassé ; (with clause as antecedent, after a comma) [subject] ce qui ; *he said he was away at the time,* ~ *was true,* il a dit qu'il était absent à ce moment-là, ce qui était vrai ; [object] ce que ; ..., ~ *I don't believe,* ce que je ne crois pas ● *adj* [interrogative] quel ? || [relative] n'importe lequel || ~**ever** [witʃ'evə] *pron* n'importe lequel ... qui/que.

whiff [wif] *n* bouffée *f* (of smoke).

while [wail] *n* temps *m* ; *all the ~,* tout le temps ; *after a ~,* quelque temps après ; *for a short ~,* momentanément ; *a short ~ ago,* il n'y a pas longtemps ; *once in a ~,* de temps à autre || [= temps passé] ; *it's not worth (your) ~,* cela n'en vaut pas la peine ● *vt* ~ *away,* (faire) passer (time) ● *conj* pendant/tandis/alors que (during the time that) || tant que (as long as) || quoique (although).

whilst [wailst] *conj* = WHILE.

whim [wim] *n* caprice *m*, fantaisie *f*.

whimper [ˈwimpə] *vi* gémir, pousser des cris plaintifs ● *n* petit cri (plaintif), gémissement *m*.

whimsical [ˈwimzikl] *adj* capricieux, fantasque (person) || bizarre, étrange (thing).

whine [wain] *vi* (child) pleurnicher || [person] geindre || [dog] gémir ● *n* pleurnicherie *f* || gémissement *m*.

whinny [ˈwini] *vi* hennir.

whip [wip] *n* fouet *m* || CULIN. crème instantanée || POL. chef *m* de file ● *vt* fouetter ; CULIN. battre (eggs) || ~ *out sth,* sortir qqch brusquement — *vi* aller à toute allure ; ~ *away,* partir en quatrième vitesse || ~**lash** *n* [accident] coup *m* du lapin || ~**per-in** [ˈwipə'rin] *n* SP. piqueur *m* || ~**ping boy** *n* souffre-douleur *m* || ~**round** *n* have a ~, faire une collecte.

whir(r) [wə:] *vi* [engine] ronfler ; [propeller] vrombir ● *n* ronflement, vrombissement *m*.

whirl [wə:l] *vi/vt* (faire) tourbillonner/tournoyer ● *n* tourbillon *m* || ~**pool** *n* [water] tourbillon *m* || ~**wind** *n* tornade *f*.

whisk [wisk] *vt* CULIN. battre, fouetter || FIG. ~ *away,* chasser (a fly) — *vi* aller à toute allure ; ~ *along,* filer ; ~ *in,* entrer en coup de vent ● *n* CULIN. fouet *m*.

whiskers [ˈwiskəz] *npl* favoris *mpl* || moustaches *fpl* (of a cat).

whisk(e)y [ˈwiski] *n* whisky *m*.

whisper [ˈwispə] *vi* chuchoter, murmurer ● *vi* chuchotement, murmure *m* || ~**ing** [-riŋ] *n* chuchotement *m*.

whistle [ˈwisl] *n* sifflement *m* (sound) || sifflet *m* (instrument) ; *blow* *a* ~, donner un coup de sifflet ● *vt/vi* siffler ; ~ *one's dog back*, siffler son chien || ~**-stop** *n* POL., U.S. tournée électorale.

Whit [wit] *n* la Pentecôte ; ~ *Monday*, lundi *m* de Pentecôte.

white [wait] *adj* blanc *m* (colour) || ~*slave traffic*, traite *f* des blanches || pâle, blême ; *turn* ~, blanchir ; [person] pâlir || ~**bait** *n* CULIN. petite friture || FIG. ~**-caps** *n* U.S. moutons *mpl* (waves) || ~**-collar** *adj* ~(*ed*) *worker*, employé *n* de bureau ; col blanc (fam.) || ~**-hot** *adj* chauffé à blanc.

whiten [ˈwaitn] *vt/vi* blanchir (whitewash).

white|ness [ˈwaitnis] *n* blancheur, pâleur *f* || ~**wash** *n* lait *m* de chaux ● *vt* blanchir à la chaux.

whither [ˈwiðə] *adv* [headlines] ~ *the pound ?*, où va la livre ?

whiting [ˈwaitiŋ] *n* merlan *m*.

whitlow [ˈwitləu] *n* panaris *m*.

Whitsun(tide) [ˈwitsn(taid)] *n* la Pentecôte.

whittle [ˈwitl] *vt* tailler au couteau || ~ *away/down*, rogner, réduire.

whiz(z) [wiz] *vi* COLL. filer comme une flèche ● *n* sifflement *m*.

who [hu:] *pron* [relative] (subject) qui ; *he/she* ~, celui/celle qui || [interrogative] (subject) qui ? ; (object) COLL. ~ *did you see ?*, qui avez-vous vu ? ; (prepositional object) ~ *did you give it to ?*, → WHOM.

whodunit [ˌhuːˈdʌnit] *n* COLL. polar *m* (fam.) ; film policier.

whoever [huːˈevə] *pron* [anybody] quiconque || [no matter who] qui que ce soit || [interrogative + emphatic] qui donc ?

whole [həul] *adj* [entire] entier, complet ; *the* ~ *night*, toute la nuit || [unbroken] intact || CULIN. entier (milk) ; ~*meal/U.S. -wheat bread*, pain complet || MUS. ~ *note*, ronde *f* || MATH. ~ *number*, nombre entier ● *n*

tout *m*, totalité *f* ; *the* ~ *of*, tout, la totalité de || *as a* ~, dans l'ensemble, en bloc, en général ; *on the* ~, tout compte fait, dans l'ensemble || ~**heartedly** *adv* de grand cœur.

wholesale [ˈhəulseil] *n* vente *f* en gros ; ~ *price*, prix *m* de gros ; ~ *dealer*, grossiste *n* ● *adv* en gros || FIG. en masse/bloc.

wholesome [ˈhəulsəm] *adj* sain.

wholly [ˈhəuli] *adv* tout à fait, entièrement.

whom [hu:m] *pron* (often replaced by WHO in colloquial English) [interrogative] qui ? ; ~ *did you see ?*, qui avez-vous vu ? ; (prepositional object) ~ *did you give it to ?*, à qui l'as-tu donné ? || [relative] (often replaced by THAT or omitted) *that is the man* (~) *I met last week*, c'est l'homme que j'ai rencontré la semaine dernière.

whore [hɔ:] *n* POP., PEJ. putain, pute *f* (pop.).

who's [hu:z] = WHO IS.

whose [hu:z] *adj/pron* [relative] (possessive) dont, de qui || [interrogative] à qui ? ; ~ *hat is this ?*, à qui est ce chapeau ? ; ~ *is it ?*, à qui est-ce ?

Who's Who [hu:zu:] *n* FR. = Bottin mondain.

why [wai] *adv* [interrogative] pourquoi ? ; ~ *not ?*, pourquoi pas ? || [relative] *that is (the reason)* ~, voilà pourquoi ● *interj* eh bien !, tiens ! ● *n* raison *f*, motif, pourquoi *m*.

wick [wik] *n* mèche *f*.

wicked [ˈwikid] *adj* méchant (evil) || malicieux (mischievous) || COLL. moche (fam.) [thing to do] || ~**ly** *adv* vilainement || ~**ness** *n* méchanceté *f*.

wicker [ˈwikə] *n* osier *m*.

wicket [ˈwikit] *n* guichet *m*.

wide [waid] *adj* large ; *this room is 10 feet* ~, cette pièce a 10 pieds de large ; *grow/make* ~*r*, s'élargir/élargir || vaste, étendu (plain) || ample (dress) || grand ouvert (eyes, mouth) || loin ; ~ *of the mark*, loin du but ; à côté de la plaque (fam.) ‖ Fig. vaste, considérable (culture, reading) ● *adv far and* ~, loin, partout ‖ ~ *apart,* très espacé ; ~ *open,* grand ouvert ‖ ~-**angle lens** *n* Phot. objectif *m* grand angle ‖ ~-**awake** *adj* bien éveillé ‖ Fig. éveillé, alerte.

widen [ˈwaidn] *vt/vi* (s')élargir ‖ Fig. (s')étendre.

widespread [ˈwaidspred] *adj* largement répandu.

widow [ˈwidəu] *n* veuve *f* ‖ ~**er** *n* veuf *m* ‖ ~**hood** *n* veuvage *m.*

width [widθ] *n* largeur *f* ‖ ~**wise** [ˈ-ˌwaiz] *adv* dans le sens de la largeur.

wield [wi:ld] *vt* manier (a tool) ; brandir (a weapon) ‖ Fig. exercer (control, influence).

wife, wives [waif, waivz] *n* femme, épouse *f.*

wig [wig] *n* perruque *f.*

wiggle [ˈwigl] *vi* se tortiller ; frétiller.

wild [waild] *adj* sauvage (animal, person, plant) ‖ farouche (shy) ‖ inculte, désolé (land) ‖ impétueux, tumultueux (torrent) ‖ furieux, déchaîné (wind) ‖ frénétique (applause) ‖ ébouriffé (hair) ‖ Coll. fou ; dingue (fam.) [*about,* de] ; *run* ~, se déchaîner, se mettre dans tous les états ‖ Fig. affolé, égaré (distracted) ; insensé, extravagant (statement) ; furieux (*about,* de) [angry] ; *drive sb* ~, faire enrager qqn ‖ Fig. dissolu (life) ; dissipé (person) ; *run* ~, [children] courir les rues, s'émanciper ‖ Fig. fait au hasard (shot, guess) ● *n* (*Pl*) régions sauvages *fpl* ; *in the* ~, à l'état sauvage ‖ ~-**cat** *n* chat *m* sauvage ● *adj* hasardeux, insuffisamment préparé ‖ sauvage (strike) ‖ ~**erness** [ˈwildənis] *n* désert *m,* région *f* désertique ‖ ~**fire** *n spread like* ~, se répandre comme une traînée de poudre ‖ ~**fowl** *n* gibier *m* à plumes ‖ ~**life** *n* animaux sauvages *mpl* ; faune *f* et flore *f* ‖ ~**ly** *adv* de façon extravagante, follement, violemment

‖ frénétiquement (clap) ‖ d'une façon dissolue (live) ‖ ~**ness** *n* état *m* sauvage ‖ violence, fureur *f,* dérèglement *m* ‖ extravagance, frénésie, folie *f.*

wile(s) [wail(z)] *n(pl)* ruse(s) *f(pl).*

wilful [wilfl] *adj* entêté (stubborn) ‖ voulu, prémédité (intentional).

will¹ [wil] *vt* (p. t. et p. p. willed [-d]) vouloir ● *n* volonté *f* ; ~, à volonté, à discrétion ; *ill/good* ~, mauvaise/bonne volonté ; *against one's* ~, contre son gré ‖ Jur. testament *m* ‖ ~**ing** *adj* prêt, (bien) disposé, de bonne volonté (person) ‖ spontané (help) ‖ ~**ingly** *adv* volontiers, de bon cœur ‖ ~-**power** *n* volonté *f.*

will² *mod aux* (would [wud]) [future] *he* ~ *come,* il viendra ‖ [conditional] → **would** ‖ [request] ~ *you... ?,* voulez-vous... ? ; *would you... ?,* voudriez-vous... ? ‖ [determination] vouloir ; *he* ~ *have his own way,* il ne veut en faire qu'à sa tête ‖ [probability] *this* ~ *be the book you were looking for,* ce doit être le livre que vous cherchiez.

willow [ˈwiləu] *n* saule *m.*

willy-nilly [ˈwiliˈnili] *adv* bon gré mal gré.

wilt [wilt] *vi/vt* (se) flétrir.

wily [ˈwaili] *adj* rusé, astucieux.

win [win] *vi/vt* (won [wʌn]) gagner (money, prize) ● *vt* ~ *back,* regagner, reconquérir ‖ ~ *over,* convaincre, gagner (to a cause) ● *n* victoire *f.*

wince [wins] *vi* tressaillir ; se crisper ; *without wincing,* sans broncher.

winch [winʃ] *n* treuil *m* (windlass) ‖ [sailing] winch *m.*

wind¹ [wind] *n* vent *m* ; *the* ~ *is blowing,* il fait du vent ; *the* ~ *is rising,* le vent se lève ‖ Med. souffle *m* (breath) ; *get one's second* ~, reprendre haleine ‖ Mus. *the* ~**s,** les instruments *mpl* à vent ‖ Fig. *get* ~ *of,* avoir vent de ‖ Coll. *get the* ~ *up,* avoir la frousse ● *vt* couper le souffle à ‖ laisser souffler (horse) ‖

~-**cheater** n coupe-vent m ‖ ~-**fall** n fruit tombé ‖ Fig. aubaine f ‖ ~-**gauge** n anémomètre m ‖ ~**instrument** n instrument m à vent ‖ ~**mill** n moulin m à vent ‖ ~**pipe** n trachée-artère f ‖ ~-**screen**/U.S. -**shield** n Aut. pare-brise m ‖ ~ **washer,** lave-glace m ; ~ **wiper,** essuie-glace m ‖ ~-**sock** n Av. manche f à air ‖ ~-**surf** vi faire de la planche à voile ‖ ~-**surfer** n planche à voile ‖ ~-**swept** adj balayé par les vents ‖ ~-**tunnel** n soufflerie f ‖ ~-**ward** [-əd] adj/adv au vent ● n côté m du vent ‖ ~-**y** adj battu par les vents, venteux ; it's ~, il fait du vent.

wind² [waind] vi (wound [waund]) [road] faire des détours, serpenter ; [river] faire des méandres, serpenter ‖ ~ **up,** finir, se terminer — vt enrouler [string] ‖ ~ **on(to) a reel,** bobiner ‖ envelopper (wrap) ‖ entourer de ses bras (embrace) ‖ ~ **back,** rembobiner ‖ ~ **off,** dérouler ‖ ~ **up,** enrouler, remonter (spring, clock) ; Fig. terminer, finir ‖ ~**er** n [watch] remontoir m ‖ Aut. **window** ~, lève-vitre m ‖ ~**ing** adj sinueux (road, river) ; en lacet (road) ; tortueux (street) ; tournant, en colimaçon (stairs) ● n virage, tournant, coude m.

windlass ['windləs] n treuil m.

window ['windəu] n fenêtre f ‖ guichet m (wicket) ‖ Rail. vitre f ‖ Aut. glace f ‖ Comm. vitrine, devanture f ‖ ~ **cleaner** n laveur de carreaux ‖ ~-**dresser** n étalagiste ‖ ~-**dressing** n décoration f de vitrine ‖ ~-**pane** n carreau m, vitre f ‖ ~-**shopping** n : go ~, faire du lèche-vitrine ‖ ~-**sill** n [inside] appui m de fenêtre ; [outside] rebord m de fenêtre.

wine [wain] n vin m ‖ ~-**cellar** n cave f ‖ ~-**glass** n verre m à vin ; ~-**grower** n viticulteur n ‖ ~ **growing** adj viticole n ‖ viticulture f ‖ ~ **list** n carte f des vins ‖ ~**press** n pressoir m ‖ ~-**waiter** n sommelier m.

wing [wiŋ] n Zool. aile f ; on the ~, en vol ; **take** ~, prendre son vol, s'envoler ‖ Arch., Techn., Aut., Mil. aile f ‖ Av. escadre f ‖ Sp. ailier m ‖ Pol. Right/Left ~, la droite/la gauche ‖ Pl Th. coulisses fpl ● vi/vt [bird, plane] ~ (one's way), voler ‖ Sp. blesser (un oiseau) à l'aile ‖ ~**er** n Sp. ailier m.

wink [wiŋk] n clin/clignement m d'œil ; give sb a ~, faire signe de l'œil à qqn ‖ Coll. have forty ~s, faire un petit somme ; I didn't sleep a ~ all night, je n'ai pas fermé l'œil de la nuit ● vi cligner les yeux ; ~ **at sb,** faire un clin d'œil à qqn ‖ [light] clignoter ‖ Fig. ~ **at,** fermer les yeux sur ‖ ~**er** [-ə] n Aut. clignotant m.

winn|er ['winə] n gagnant n, vainqueur m ‖ ~**ing** adj gagnant ‖ Pl [gambling] gains mpl ‖ Sp. ~-**post,** poteau m d'arrivée.

winnow ['winəu] vt vanner.

wint|er ['wintə] n hiver m ‖ ~ **sports,** sports mpl d'hiver ; ~ **sports resort,** station f de sports d'hiver ; ~ **sports holidays,** vacances fpl de neige ‖ ~**erize** [-raiz] vt préparer pour l'hiver ‖ ~**ry** ['wintri] adj hivernal, d'hiver.

wipe [waip] n coup m de torchon ● vt essuyer ; ~ **one's feet,** s'essuyer les pieds ‖ ~ **away,** effacer (a stain) ; essuyer (one's tears) ; ~ **off,** enlever, essuyer ‖ ~ **out** = ~ OFF ; Fig. passer l'éponge sur ; (blame, liquider (a debt)) ‖ ~ **up,** nettoyer.

wiper n → WINDSCREEN WIPER ; ~ **blade,** balai m d'essuie-glace.

wire ['waiə] n fil métallique, fil m de fer ‖ Electr. fil m électrique ‖ télégramme m ; by ~, par télégramme ‖ Fig. Pl ficelles fpl ; **pull the** ~**s,** tirer les ficelles ● vt attacher qqch avec du fil de fer ‖ [send a telegram] télégraphier ‖ ~-**cutters** npl cisailles fpl ‖ ~**less** n, [old-fashioned] T.S.F. f ‖ ~-**tap** vt Tel. mettre (une ligne) sur (table d')écoute ‖ ~-**wool** n paille f de fer.

wir|ing [ˈwaiərin] n TECHN. grillage m || ELECTR., INF. montage, câblage m || **~y** adj raide (hair) || nerveux (animal) || maigre et nerveux (person).

wisdom [ˈwizdm] n sagesse f || **~-tooth**, dent f de sagesse.

wise¹ [waiz] n **in no ~**, en aucune manière.

wise² adj sage, expérimenté (learned) ; a **~ man**, un sage || sage, prudent (cautious) || éclairé, informé ; I am none the **~r**, je n'en sais pas plus pour autant ; **get ~ to**, apprendre || **put sb ~**, mettre qqn au courant/parfum (fam.) || **~acre** [ˈwaizˌeikə] n pédant n ; sot n prétentieux || **~crack** [ˈwaizkræk] n bon mot || **~ly** adv sagement, prudemment.

wish [wiʃ] vt désirer, vouloir ; **~ to do sth**, vouloir faire qqch ; I do not **~ it**, je n'y tiens pas ; I **~ I were rich**, je voudrais être riche || souhaiter ; **~ sb a pleasant journey**, souhaiter bon voyage à qqn ; **~ sb well/ill**, vouloir du bien/mal à qqn — vi **~ for**, souhaiter, désirer ● n désir m || vœu, souhait m ; **make a ~**, faire un vœu || **best ~es**, amitiés || [birthday] meilleurs vœux ; **last ~es**, dernières volontés || **~ful** adj désireux ; **be ~ of**, avoir envie de (doing, faire) ; **that's ~ thinking**, c'est prendre ses désirs pour des réalités.

wishy-washy [ˈwiʃiˌwɔʃi] adj [colour] délavé || [taste] fade || FIG. insipide (speech).

wisp [wisp] n bouchon m (of straw) || ruban m (of smoke).

wistaria or **wisteria** [wisˈtɛəriə or -ˈtiəriə] n glycine f.

wistful [ˈwistfl] adj d'envie, de convoitise (look) || rêveur (dreamy) || **~ly** adv avec nostalgie/regret.

wit [wit] n esprit m (faculty) || Pl have one's **~s** about one, avoir toute sa présence d'esprit || intelligence f ; **be at one's ~'s end**, ne plus savoir que faire, y perdre son latin || Pl live by one's **~s**, vivre d'expédients || esprit m (liveliness) ; **flash of ~**, trait m d'esprit || homme m/femme f d'esprit.

witch [witʃ] n sorcière f || **~craft** n sorcellerie f || **~-hunt** n POL. chasse f aux sorcières.

with [wið] prep [in general] avec || [characteristic] à ; a **girl ~ blue eyes**, une jeune fille aux yeux bleus || [place] chez ; **he lives ~ us**, il habite chez nous || [instrument] **~ a knife**, au couteau || [cause] **shaking ~ cold**, tremblant de froid || [manner] **~ open arms**, à bras ouverts ; **~ all his might**, de toutes ses forces || CULIN. **coffee ~ milk**, café m au lait || [possession] I have no money **~ me**, je n'ai pas d'argent sur moi || [concerning] **~ him**, chez lui ; **~ me**, pour moi || [in spite of] **~ all his faults**, malgré tous ses défauts || [not translated] **~ his hands in his pockets**, les mains dans les poches || MED. **~ child**, enceinte || COLL. **~ it**, dans le vent, branché.

withdraw [wiðˈdrɔː] vt/vi (→ DRAW) [se] retirer || MIL. se replier || **~al** n retrait m || MIL. repli m || FIG. désistement m (of a candidate).

wither [ˈwiðə] vi se flétrir, se faner || **~ed** [-d] adj flétri, fané, desséché.

withhold [wiðˈhəuld] vt (→ HOLD) dissimuler (the truth) || refuser de donner, retenir.

within [wiˈðin] adv à l'intérieur ; **from ~**, de l'intérieur ● prep à l'intérieur de (inside) || [not beyond] **~ ten miles**, à moins de dix milles ; **~ an hour**, d'ici une heure ; → CALL, REACH.

without [wiˈðaut] prep sans || **~ fail**, sans faute ; **~ doubt**, sans aucun doute ; **that goes ~ saying**, cela va sans dire || **go/do ~**, se passer de.

withstand [wiðˈstænd] vt (→ STAND) résister à.

witness [ˈwitnis] n témoin m ; **~ for the defence/prosecution**, témoin à décharge/charge ; **~-box**, barre f des témoins, barre f || témoignage m ;

bear ~ *to sth,* témoigner (*to,* de) qqch ● *vt* être témoin de ‖ assister à ‖ témoigner, attester (testify) — *vi* JUR. ~ *to sth,* témoigner de qqch.

witticism [ˈwitisizm] *n* mot/trait *m* d'esprit.

witty [ˈwiti] *adj* spirituel.

wives → WIFE.

wizard [ˈwizəd] *n* magicien, sorcier *m.*

wizened [ˈwiznd] *adj* desséché, ratatiné.

wobbl|e [ˈwɔbl] *vi* trembler ‖ [person] tituber ‖ [car] brimbaler ‖ FIG. hésiter ‖ **-y** *adj* bancal, branlant (table) ; tremblant (voice) ; *be/feel ~,* se sentir faible.

wodge [wɔdʒ] *n* COLL. gros morceau.

woe [wəu] *n* malheur *m* ‖ **~ful** *adj* affligé, désolé (person) ‖ déplorable, lamentable (event) ‖ **~fully** *adv* douloureusement, lamentablement.

woke, woken → WAKE².

wolf, wolves [wulf, wulvz] loup *m* ; *she-~,* louve *f* ; **~cub,** louveteau *m* ; **~dog,** chien-loup ‖ FIG. *cry* ~, crier au loup ‖ FIG., COLL. coureur *m* de femmes ● *vt* ~ (*down*), dévorer, engloutir.

woman, women [ˈwumən, ˈwimin] femme *f* ; ~ *professor,* femme professeur *f* ‖ **~-hater** *n* misogyne *m* ‖ **~hood** *n* féminité *f* ‖ **~ish** *adj* efféminé ‖ **~ize** [ˈ-aiz] *vi* courir les femmes ‖ **~izer** *n* coureur *m* (de jupons) ‖ **~like** *adj* de femme, féminin ‖ **~ly** *adj* féminin, de femme.

womb [wu:m] *n* utérus *m,* matrice *f.*

Women's| Lib(eration Movement) *n* Mouvement *m* de libération de la femme ; M.L.F. *m* ‖ ~ **Libber** [-ˌlibə] *n* COLL. membre *m* du M.L.F.

won → WIN.

wonder [ˈwʌndə] *n* merveille *f* ; prodige, miracle *m* ; *for a* ~, par

extraordinaire ; *work* ~*s,* faire des prodiges/miracles ‖ étonnement *m* ; *no* ~ *that,* (il n'est) pas étonnant que ‖ émerveillement *m,* admiration *f* ● *vi* [be filled with wonder] s'émerveiller, s'étonner ; *it's not to be* ~*ed at,* cela n'a rien d'étonnant [ask oneself] se demander (*why,* pourquoi ; *if/whether,* si) ; *I* ~ *!,* je me le demande ! ‖ **~ful** *adj* merveilleux, étonnant ; extraordinaire, sensationnel ‖ **~fully** *adv* merveilleusement, à merveille.

won't [wəunt] = WILL NOT.

wont [wəunt] *adj* *be* ~ *to,* avoir coutume de.

woo [wu:] *vt* courtiser, faire la cour à.

wood [wud] *n* bois *m* (forest) ‖ bois *m* (material) ‖ FIG. *out of the* ~, hors de danger, tiré d'affaire ‖ **~cut** *n* gravure *f* sur bois ‖ **~cutter** *n* bûcheron *m* ‖ **~ed** [-id] *adj* boisé ‖ **~en** *adj* de bois, en bois ‖ **~land** [-lənd] *n* forêt, région boisée ‖ **~man** *n* bûcheron *n* ‖ **~pecker** [-ˌpekə] *n* pivert *m* ; **~pigeon** *n* (pigeon *m*) ramier *m* ; palombe *f* ‖ **~-shed** *n* bûcher *m* ‖ **~wind** *n* Mus. bois *mpl* ‖ **~work** *n* menuiserie *f* (skill) ; boiserie *f* (objects) ‖ **~y** *adj* boisé (land).

wooer [ˈwu:ə] *n* soupirant *m.*

woof [wu:f] *n* trame *f.*

wool [wul] *n* laine *f* ‖ **~gather** *vi* *be* ~*ing,* être perdu dans ses rêveries ‖ **~gathering** *n* inattention *f* ● *adj* distrait, rêveur ‖ **~len** [-n] *adj* de laine ‖ **~lens** [-nz], **~lies** [-iz] COLL. lainages *mpl* ‖ **~ly** *adj* de/en laine ‖ crépu (hair) ‖ FIG. confus, flou (ideas).

word [wə:d] *n* mot, terme *m* ; *in other* ~*s,* en d'autres termes, autrement dit ; ~ *for* ~, mot pour mot ; *I couldn't get a* ~ *in edgeways,* je n'ai pas pu placer un mot ‖ parole *f* ; *by* ~ *of mouth,* de vive voix, verbalement ‖ entretien *m* ; *have a* ~ *with sb,* dire un mot à qqn ‖ nouvelle *f* (message) ; *send ~ to sb,* prévenir qqn ‖ *promesse f ; ~ of honour,* parole *f* d'honneur ; *give/keep one's ~,* donner/tenir sa parole ; *break one's ~,* manquer à sa parole ; *you may take my ~ for it,* vous pouvez me croire sur parole ; *I give you my ~ for it,* je vous en donne ma parole ‖ ordre *m* (order) ‖ *Pl* dispute *f ; have ~s with sb,* se disputer avec qqn ● *vt* exprimer, formuler (an idea) ; rédiger, libeller (a text) ‖ **~ing** *n* termes *mpl* ‖ [official document] libellé *m* ‖ **~ processing** *n* INF. traitement *m* de texte ‖ **~ processor** *n* INF. logiciel *m* de traitement de texte ‖ machine *f* à traitement de texte ‖ **~y** *adj* verbeux, prolixe.

wore [wɔ:] → WEAR.

work [wə:k] *n* travail *m* (action) ; *at ~,* au travail ; *hard at ~,* en plein travail ; *set/get to ~,* se mettre au travail ‖ travail *m,* besogne, tâche *f* (sth to be done) ‖ ouvrage *m,* œuvre *f* (product) ; *~ of art,* œuvre d'art ‖ travail, emploi *m* (job) ; *out of ~,* sans travail, en chômage ‖ *Pl* (in form often treated as sing.) usine *f ; steel ~s,* aciérie *f* ‖ *Pl* mécanisme, mouvement *m* (of a machine) ‖ *public ~s,* travaux publics ‖ ARTS, LITT. œuvre *f,* ouvrage *m.*
● *vi* travailler (*at,* à) ‖ *~ to rule,* faire la grève du zèle ‖ agir, opérer ‖ TECHN. fonctionner, marcher ; *~ away,* poursuivre son travail ; *~ into,* s'insinuer ; *~ out,* réussir ; marcher (fam.) ‖ *~ round,* tourner. — *vt* faire travailler ‖ TECHN. faire fonctionner ; actionner (a machine) ‖ travailler, façonner (wood, metal) ‖ FIG. produire, causer (bring about) ; *~ wonders,* faire des merveilles ‖ *~ in,* faire entrer, introduire ‖ *~ off,* se débarrasser de qqch ‖ *~ out,* calculer, résoudre (a problem) ; mener à bien (an affair) ; élaborer, mettre au point (a plan) ; développer (an idea) ; régler (the details) ; TECHN. épuiser (a mine) ‖ *~ up,* TECHN. façonner, ouvrir ; FIG. monter (a business) ; exécuter (a scheme) ; exer-

cer (an influence) ; monter la tête à (sb) ; fomenter (a rebellion) ; exciter ; *~ oneself up,* se mettre dans tous ses états ‖ **~able** *adj* réalisable ‖ **~aday** [-ədei] *adj* de travail (clothes) ‖ banal, courant, ordinaire (ordinary) ‖ terne (dull) ‖ **~day** *n* jour *m* ouvrable ; jour *m* ouvré, journée *f* de travail ; jour *m* ouvrable ‖ **~er** *n* ouvrier *m ; female/woman ~,* ouvrière *f* ‖ **~force** *n* main-d'œuvre *f.*

working *n* fonctionnement *m* ● *adj* de travail (clothes) ‖ *~ class,* classe ouvrière ‖ TECHN. *in ~ order,* en état de marche.

workman [ˈwə:kmən] *n* ouvrier *m* ‖ **~ship** *n* habileté (professionnelle) ; maîtrise *f.*

workshop *n* atelier *m.*

work-to-rule *n* grève *f* du zèle.

world [wə:ld] *n* monde *m ; all over the ~,* dans le monde entier ; *the New World,* le Nouveau Monde ; *in this ~,* ici-bas ; *in the next ~,* dans l'autre monde ‖ univers, monde *m* ‖ gens *mpl ; all the ~,* tout le monde ‖ monde *m,* vie sociale ; *out of the ~,* retiré du monde ‖ monde *m,* sphère *f ; the ~ of science,* le monde savant ; *the sporting ~,* le monde du sport ‖ *a ~ of,* énormément ; *think the ~ of sb,* tenir qqn dans la plus haute estime ; *he was for all the ~ like,* il ressemblait exactement à ; *I wouldn't do it for all the ~,* je ne le ferais pour rien au monde ● *adj* mondial ; *~-class,* Sp. de classe internationale ; *World War One/Two,* Première/Seconde Guerre mondiale ‖ **~ly** *adj* terrestre, de ce monde matériel ; temporel (goods) ; **~-wise,** qui a l'expérience du monde ‖ **~-wide** *adj* universel.

worm [wə:m] *n* ver *m* ‖ TECHN. filet *m* (of a screw) ; **~-gear,** engrenage *m* à vis sans fin ‖ FIG. pauvre type *m* ● *vi* ramper ; *~ one's way,* se glisser ‖ FIG. soutirer (money, secret) ‖ **~-eaten** *adj* mangé aux vers, vermoulu (wood) ‖ **~y** *adj* véreux.

worn → WEAR ‖ **~-out,** usé jusqu'à

la corde (garment) ‖ éreinté, fourbu (person).

worried [´wʌrɪd] *adj* inquiet.

worry [´wʌrɪ] *n* souci *m* ; inquiétude *f*, tracas *m* ● *vi* s'inquiéter, se faire du souci, se tourmenter ; s'en faire (fam.) ; *don't ~,* ne vous en faites pas — *vt* inquiéter, tourmenter, tracasser (distress) ‖ importuner (bother) ‖ [dog] harceler (sheep) ‖ **~ing** *adj* inquiétant.

worse [wəːs] *adj* [comp. of BAD, ILL] pire, plus mauvais (more nasty) ‖ plus grave (more serious) ; *get ~,* empirer, s'aggraver ‖ *make ~,* aggraver ‖ MED. plus mal ‖ *I was none the ~ for it,* je ne m'en suis pas plus mal porté ● *adv* pis, plus mal ; *~ still,* pis encore ; *~ than ever,* de plus en plus mal ; *so much the ~,* tant pis ● *n* pire *m* ; *change for the ~,* empirer ‖ *be the ~ for drink,* être ivre.

worsen [´wəːsn] *vi* empirer, s'aggraver — *vt* aggraver, rendre pire.

worship [´wəːʃɪp] *n* culte *m* ‖ FIG. adoration *f* ● *vt* REL. adorer ‖ **~per** *n* adorateur *n* ‖ [church] *Pl* fidèles *mpl.*

worst [wəːst] *adj* [sup. of BAD, ILL] le/la pire, le/la plus mauvais(e) ● *adv* le plus mal ● *n* pire *m*, pis *m* ; *at the (very) ~,* au pire ; *if the ~ comes to the ~,* au pis aller ; *get the ~ of it,* avoir le dessous.

worsted [´wuːstɪd] *n* laine peignée ‖ worsted *m* (fabric).

worth [wəːθ] *adj be ~,* valoir ; *is it ~ my while doing ?,* cela vaut-il la peine que je fasse ? ; *it is not ~ the trouble/it,* cela n'en vaut pas la peine ; *is this book ~ reading ?,* ce livre vaut-il la peine d'être lu ? ‖ riche ; *he is ~ a million,* il est milliardaire ● *n* valeur *f*, prix *m* ; *50 pence ~ of sweets,* pour 50 pence de bonbons ; *get one's money's ~,* en avoir pour son argent ‖ *for all one is ~,* de toutes ses forces ‖ **~less** *adj* sans valeur ‖ bon à rien (person) ‖ **~y** [´wəːðɪ] *adj* digne, respectable ; *be ~ of,* mériter.

would [wud] *mod aux* (→ WILL) [conditional] *he ~ come if you asked him,* il viendrait si vous le lui demandiez ‖ [habit] *he ~ go for a walk every day,* il faisait une promenade tous les jours ‖ *~ rather* (= HAD RATHER) : *I ~ rather go now,* je préférerais partir maintenant ‖ LIT. [arch.] *~ to God (that)...,* plût à Dieu que ; *~ I were rich,* si seulement j'étais riche.

would-be [´wudbiː] *adj* soi-disant, prétendu, aspirant.

wound¹ [waund] → WIND² ‖ *~ up,* crispé, tendu.

wound² [wuːnd] *n* blessure, plaie *f* ‖ FIG. blessure *f* ● *vt* MED., FIG. blesser ‖ *the ~ed,* les blessés.

wove, woven → WEAVE.

wrack [ræk] *n* varech *m.*

wrangle [´ræŋgl] *vi* se quereller ● *n* altercation, dispute *f.*

wrangler *n* U.S. cow-boy *m.*

wrap [ræp] *vt* envelopper ; emballer, empaqueter (a parcel) ‖ *~ about,* enrouler ‖ *~ up,* envelopper ; emmailloter (baby) ; *~ yourself up,* couvrez-vous bien ; FIG. *be ~ped up in,* être absorbé ● *n* châle *m* (neckerchief) ‖ couverture *f* (rug) ‖ **~per** *n* bande *f* (of newspaper) ‖ couverture, jaquette *f* (of book) ‖ COMM. emballeur *m* ‖ **~ping** *n* emballage *m* ; *~ paper,* papier *m* d'emballage.

wrath [rɔːθ] *n* LIT. courroux *m.*

wreak [riːk] *vt* donner libre cours à (one's anger) ‖ assouvir (vengeance) ‖ → HAVOC.

wreath, s [riːθ, riːðz] *n* couronne *f* (funeral) ‖ guirlande *f* (garland) ‖ panache *m* (of smoke) ‖ **~e** [riːð] *vt* enguirlander, couronner, orner (decorate) ‖ enrouler (round, autour de) ; *~d in mist,* enveloppé de brume — *vi* s'enrouler ‖ [smoke] s'élever en volutes.

wreck [rek] *n* NAUT. naufrage *m* (act) ; épave *f* (ship) ‖ AUT., AV., RAIL. accident *m* ‖ [building] ruines *fpl,* décombres *mpl* ‖ Fig. effondrement, naufrage *m* ; épave *f* ● *vt* Hist. provoquer le naufrage de ; *be ~ed* [-t], faire naufrage ‖ faire dérailler (train) ‖ démolir (building) ‖ saccager (garden) ; esquinter (fam.) [thing] ‖ Fig. ruiner (plans) ● *vt* ‖ **~age** [-idʒ] *n* décombres *mpl* ‖ **~er** *n* Hist. naufrageur *m* ‖ Techn. démolisseur *m* ‖ Aut., U.S., dépanneuse *f*.

wren [ren] *n* Zool. roitelet *m*.

wrench [renʃ] *n* arrachement, coup *m* (pull) ; torsion *f* (twist) ‖ Med. entorse, foulure *f* ‖ Techn. clef *f*.

wrest [rest] *vt* arracher brutalement.

wrestl|e [ˈresl] *vt* lutter ● *n* lutte *f* ‖ **~er** *n* catcheur, lutteur *n* ‖ **~ing** *n* lutte *f*; catch *m*.

wretch [retʃ] *n* malheureux, infortuné *m* ; *poor ~*, pauvre diable *m* ‖ Pej. scélérat *n* (scoundrel) ‖ **~ed** [-id] *adj* malheureux, infortuné (unhappy) ‖ misérable (houses) ‖ mauvais, affreux, lamentable (meal, weather, etc.) ‖ piètre (player) ‖ Coll. [intensive] maudit ; fichu (fam.) ‖ **~edness** [-idnis] *n* malheur *m*, infortune *f*.

wriggle [ˈrigl] *vi* se tortiller, frétiller ‖ Fig. s'insinuer (*into*, dans) ‖ **~ out of**, esquiver (a task) ; se défiler (fam.).

wring [riŋ] *vt* (wrung [rʌŋ]) tordre (twist) ; **~ dry**, essorer (wet clothes) ; *~ing wet*, trempé ‖ serrer fortement (squeeze) ; *~ one's hands*, se tordre les mains ‖ Fig. fendre, serrer (sb's heart)) ‖ **~er** *n* essoreuse *f*.

wrinkle [ˈriŋkl] *n* ride *f* (on the skin) ‖ faux pli (in a dress) ● *vt* rider ; *~ one's forehead*, plisser le front — *vi* [skin] se rider, se plisser ‖ [clothes] faire des faux plis.

wrist [rist] *n* poignet *m* ‖ **~-watch** *n* bracelet-montre *m*, montre-bracelet *f*.

writ [rit] *n* Jur. acte judiciaire, mandat *m* ‖ Rel. *Holy Writ*, Écriture sainte.

write [rait] *vi* (wrote [rəut], written [ˈritn]) écrire ; ~ *in ink/pencil*, écrire à l'encre/au crayon ; ~ *sb a letter*, écrire une lettre à qqn ‖ être écrivain, faire du journalisme — *vt* écrire ‖ inscrire (one's name) ‖ rédiger (an article) ‖ écrire (a letter) ‖ **~ away**, commander (par correspondance) [goods] ‖ **~ back**, répondre ‖ **~ down**, mettre par écrit, noter ‖ **~ in**, écrire à (to newspaper/radio station, etc.) ‖ **~ off**, écrire en vitesse ; [loss] renoncer à, passer aux profits et pertes ; annuler (debt) ; [accident] Coll. bousiller (pop.) [car] ‖ **~ out**, écrire en toutes lettres ; rédiger ; établir (chèque) ; recopier (notes) ‖ **~ up**, rédiger (an account) ; faire un compte rendu, écrire un article (for a newspaper) ; Comm. mettre à jour (book-keeping).

write-off *n the car is a ~*, la voiture est bonne pour la casse ‖ Comm. perte sèche *f* ‖ **~-up**, compte-rendu *m*.

writer [ˈraitə] *n* écrivain, auteur *m* ‖ [article] rédacteur *n*.

writhe [raið] *vi* se tordre de douleur.

writing [ˈraitiŋ] *n* écriture *f* (handwriting) ; *in ~*, par écrit ‖ rédaction *f* (act) ‖ *Pl* œuvres *fpl* ‖ **~-desk** *n* secrétaire *m* ‖ **~-paper** *n* papier *m* à lettres.

wrong [rɔŋ] *adj* mal (not right) ‖ *be ~*, avoir tort ‖ faux, erroné (mistaken) ; *take the ~ train*, se tromper de train ‖ **~ side**, envers *m* ; mauvais côté *m* (of a road) ; ~ *side out*, à l'envers ‖ *swallow the ~ way*, avaler de travers ‖ *go the ~ way*, se tromper de chemin ‖ (wicked) *telling lies is ~*, c'est mal de mentir ‖ [time] mauvais ‖ Tel. ~ *number*, faux numéro ‖ Mus. ~*note*, fausse note ‖ [bad condition] dérangé, détraqué ; *what's ~ (with you)?* ; qu'est-ce qui ne va pas ? ; qu'est-ce que vous avez ? ; *there's sth ~ with the car*, il y a qqch qui ne marche pas dans la voiture ● *adv* mal ‖ *go ~*, se tromper, Fig. tourner mal ‖ *you've got me ~*, vous m'avez mal compris ● *n* mal *m* (evil) ; *right and*

~, le bien et le mal ‖ tort *m,* injustice *f ; do* ~, faire du tort (*to,* à) ‖ *be in the* ~, avoir tort, être dans son tort ● *vt* nuire à, faire du tort (*harm*) ‖ ~**-doer** *n* malfaiteur *n* ‖ ~**-doing** *n* mal, méfait *m* ‖ ~**ful** *adj* injustifié ‖ ~**ly** *adv* à tort (*unjustly*) ‖ incorrectement, mal (*translate*).

wrote → WRITE.

wrought [rɔːt] *adj* ~ *iron,* fer forgé.

wrung → WRING.

wry [rai] *adj* tordu ‖ FIG. désabusé, amer ; *pull a* ~ *face,* faire la grimace ; mi-figue mi-raisin ; *a* ~ *smile,* un sourire désabusé.

x [eks] *n* x *m* ● *adj* CIN. ~*-film,* film interdit aux moins de 18 ans.

xenophobia [ˌzenəˈfəubjə] *n* xénophobie *f.*

Xerox [ˈzirɔks] *n* T.N. photocopie *f* (*copy*) ‖ ~ (*copier*), photocopieuse *f* (*machine*) ● *vt* photocopier.

Xmas [ˈkrisməs] *n* = CHRISTMAS.

X-ray [ˈeksˈrei] *n* rayons X *mpl ; have an* ~ (*examination*), se faire radiographier ; passer à la radio (fam.) ‖ ~ *treatment,* radiothérapie *f* ● *vt* radiographier ‖ traiter aux rayons X.

xylophone [ˈzailəfəun] *n* xylophone *m.*

Y

y [wai] *n* y *m*.

yacht [jɔt] *n* yacht *m* ‖ ~**ing** *n* yachting *m*, (navigation *f* de) plaisance *f* ‖ ~**sman** [-smən] *n* yachtman *m*, plaisancier *m*.

yack(ety-yack) [ˈjæk(itiˈjæk)] *n* SL., PEJ. caquetage *m* ● *vi* [person] jacasser.

yam [jæm] *n* BOT. igname *f* ‖ U.S. patate douce.

yard¹ [jɑːd] *n* cour *f* ‖ dépôt ; chantier *m* ‖ NAUT. chantier naval.

yard² *n* yard *m* (measure) ‖ NAUT. vergue *f*.

yarn [jɑːn] *n* fil *m* (of cotton, wool, etc.) ‖ COLL. histoire *f*; *spin a* ~, raconter une histoire.

yawn [jɔːn] *vi* bâiller ● *n* bâillement *m* ‖ ~**ing** *adj* béant, grand ouvert.

year [jəː] *n* an *m*, année *f*; *all the* ~ *round*, toute l'année ; ~ *in,* ~ *out*, chaque année, année après année ‖ *Pl* âge *m*; *get on in* ~*s*, prendre de l'âge ‖ ~**-book** *n* annuaire *m* ‖ ~**ling** [-liŋ] *n* animal *m* d'un an ‖ ~**ly** *adj* annuel *m* ● *adv* par an, annuellement.

yearn [jəːn] *vi* ~ *after/for*, désirer ardemment, languir après, soupirer après (sth)/pour (sb) ‖ ~**ing** *n* désir ardent ; nostalgie *f*.

yeast [jiːst] *n* levure *f*; *brewer's* ~, levure de bière.

yell [jel] *vi/vt* crier, hurler ● *n* cri, hurlement *m*.

yellow [ˈjeləu] *adj* jaune ; *turn/become* ~, jaunir ‖ MED. ~ *fever*, fièvre *f* jaune ‖ SP. ~ *card*, carton *m* jaune ‖ froussard (fam.) ● *n* jaune *m* (colour) ● *vt/vi* jaunir ‖ ~**ish** *adj* jaunâtre.

yelp [jelp] *vi* [dog] japper ; [fox] glapir ● *n* jappement *m*.

yep [jep] *adv* U.S. COLL. oui ; ouais (fam.).

yes [jes] *adv* oui ‖ [in answer to a negative question] si ‖ ~**-man** *n* béni-oui-oui *m*.

yesterday [ˈjestədi] *adv/n* hier *(m)*; *the day before* ~, avant-hier ‖ ~ *evening,* hier soir.

yet [jet] *adv* [negative] *not* ~, pas encore ; *not just* ~, pas tout de suite ‖ [interrogative] *has he arrived* ~ *?*, est-il déjà arrivé ? ‖ [affirmative] toujours, encore (still) ‖ [before all is over] encore, toujours ; *he may come* ~, il peut encore venir ; *I'll do it* ~, j'y arriverai bien quand même ‖ [+ comp.] ~ *richer*, encore plus riche ‖ *as* ~, jusqu'ici, jusque-là ‖ *nor* ~, et... non plus, ni même ● *conj* [however] cependant, pourtant ‖ [nevertheless] néanmoins, toutefois.

yew [juː] *n* if *m*.

yield [jiːld] *vt* AGR., FIN., donner, produire, rapporter (crop, fruit, profit) ‖ céder, livrer (surrender) ; ~ *ground*, céder du terrain — *vi* abandonner (give up) ; céder (*to*, à) ● *n* AGR. rendement *m*, production *f* (output) ‖ FIN. rapport *m* ‖ ~**ing** *adj* mou ; élastique (able to bend) ‖ accommodant (person).

yobo [ˈjɔbəu] *n* loubard *m* (pop.).

yoga [ˈjəugə] *n* yoga *m*.

yog(h)urt [ˈjəugəːt] *n* yogourt, yaourt *m*.

yogi [ˈjəugi] *n* yogi *n*.

yoke [jəuk] *n* joug *m* (lit. and fig.).

yolk [jəuk] *n* jaune *m* d'œuf.

yonder [ˈjɔndə] *adj/adv* là-bas.

you [juː] *pron* [subject and object ; sg. and pl.] vous *sg/pl* ‖ [familiar form] (subject) tu *sg* ; (object) te, toi *sg* ‖ [emphatic] vous autres *pl* ‖ COLL. on (one).

young [jʌŋ] *adj* jeune ; ~ *people*, jeunes gens *mpl* ; ~ *boy*, petit garçon, garçonnet *m* ; ~ *girl*, fillette *f* ; ~ *man*, jeune homme *m* ; *grow* ~ *again*, rajeunir ‖ ~**er**, cadet ; *she is six years* ~ (*than I*), elle a six ans de moins (que moi) ‖ ZOOL. ~ *one*, petit *m* ‖ FIG. *the night is still* ~, la nuit est à peine commencée ● *vi* ZOOL. = ~ ONE ‖ *with* ~, pleine ‖ ~**ster** [-stə] *n* jeune *m* (garçon).

your [jɔː] *adj* votre *m/fsing* ; vos *m/fpl* ‖ [familiar form] ton *msing*, ta *fsing*, tes *m/fpl*.

yours [jɔːz] *pron* le/la vôtre, les vôtres ‖ [familiar form] le tien, la tienne, les tiens, les tiennes ‖ à vous ; *a friend of* ~, un de vos amis ; *that book is* ~, ce livre est à vous ‖ ~ *truly*, sincèrement vôtre.

yourself, -selves [jɔːˈself, -selvz] *reflex pron* vous-même(s) ‖ [familiar form] toi-même *sg* ‖ *did you hurt* ~ ?, vous êtes-vous blessé ? ● *emph pron* : *do it* ~, faites-le vous-même ‖ *by* ~, seul ; sans aide.

youth [juːθ] *n* jeunesse *f* ‖ (*Pl* **s** [juːðz]) jeune *m* (homme), adolescent *m* ; *Pl* jeunes gens *mpl* ‖ [collectively] *the* ~, les jeunes.

youth│club *n* maison *f* de jeunes ‖ ~**ful** *adj* jeune, juvénile ‖ ~**hostel** *n* auberge *f* de la jeunesse ‖ ~**hosteller** [-hɔstələ] *n* ajiste *n* ‖ ~ **leader** *n* animateur *n* de groupes de jeunes.

Yugoslav [ˈjuːgəˈslɑːv] *adj/n* yougoslave ‖ ~**ia** [-jə] *n* Yougoslavie *f*.

Yule [juːl] *n* LIT. Noël *m* ; ~**-log**, bûche *f* de Noël.

yuppy [ˈjʌpi] *n* U.S. jeune cadre *m* dynamique.

Z

z [zed ; U.S. zi:] *n* z *m* ‖ *z-car,* voiture *f* de la police.

Zaïre [zɑːˈiːə] *n* Zaïre *m* ‖ ~**an** [-ˈriən] *adj/n* zaïrois.

zap [zæp] *vi* ~ *(over),* zapper, faire du zapping.

zeal [ziːl] *n* zèle *m,* ardeur *f* ‖ ~**ot** [-ət] *n* fanatique *n* ‖ ~**ous** [ˈzeləs] *adj* zélé, enthousiaste, dévoué.

zebra [ˈziːbrə] *n* zèbre *m* ‖ ~ **crossing** *n* passage *m* pour piétons.

zenith [ˈzeniθ] *n* zénith *m* ‖ Fig. comble *m.*

zero [ˈziərəu] *n* zéro *m ; 10 degrees below* ~, 10 degrés au-dessous de zéro ‖ Mil. ~ *hour,* heure H ● *vi* Av. ~ *in,* piquer droit (*out,* sur).

zest [zest] *n* piquant *m* (piquancy) ‖ entrain, enthousiasme *m,* ardeur *f* (gusto) ‖ *(story)* saveur *f,* piquant *m* ‖ ~**ful** *adj* plein d'entrain.

zigzag [ˈzigzæg] *n* zigzag *m* ● *vi* zigzaguer.

zinc [ziŋk] *n* zinc *m.*

zip [zip] *n* fermeture *f* à glissière/Éclair ● *vt* ~*open/shut,* ouvrir/fermer (bag) ‖ ~ *up,* fermer (au moyen d'une fermeture à glissière) — *vi* filer, foncer (fly) ‖ ~ *on,* se fermer au moyen d'une fermeture à glissière ‖ ~ *up,* se fermer avec une fermeture à glissière.

zip code *n* U.S. code postal.

zip fastener, U.S. **zipper** *n* = zip.

zither [ˈziðə] *n* cithare *f.*

zodiac [ˈzəudiæk] *n* zodiaque *m.*

zone [zəun] *n* zone *f* ‖ *time* ~, fuseau *m* horaire ‖ Aut. zone bleue (in London) ● *vt* répartir en zones.

zonked [zɔŋkt] *adj* Coll. éreinté (fam.) ‖ U.S. ~ *out,* camé (pop.).

zoo [zuː] *n* (= ZOOLOGICAL GARDENS) zoo *m* ‖ ~**logical** [zəuəˈlɔdʒikl] *adj* zoologique ‖ ~**logist** [zəuˈɔlədʒist] *n* zoologiste *n* ‖ ~**logy** [zəuˈɔlədʒi] *n* zoologie *f.*

zoom [zuːm] *vi* (car) passer en trombe ‖ Av. monter en chandelle ‖ Cin. ~ *in/out,* faire un zoom avant/arrière ‖ ~**lens** *n* objectif *m* à focale variable, zoom *m.*

zucchini [zuːˈkiːni] *n* U.S. courgette *f.*